ARAT

Môr
Caspia

M E D I A

• Rages

• Ecbatana

Cutha

Afon Tigris

ELAM

Susa

LONIA

Erech

Hen arfordir

P E R S I A

• Persepolis

Gwlff Persia

A

D0542619

YMERODRAETHAU R DWYRAIN
YNG NGHYFNOD YR HEN DESTAMENT

Y BEIBL
CYMRAEG NEWYDD

Yn Cynnwys
YR APOCRYFFA

CYMDEITHAS Y BEIBL
STONEHILL GREEN, WESTLEA, SWINDON SN5 7DG

Y BEIBL YN GYMRAEG
(THE BIBLE IN WELSH)

© BFBS 1988

Gosodwyd gan y Cambrian News Cyf., Aberystwyth

BFBS 1988 60.5M NW063
14.5M NWDC063

ISBN 0 564 05733 9
ISBN 0 564 05743 6

RHAGAIR

Cyflwynwn yn awr fersiwn *Y Beibl Cymraeg Newydd* o'r Beibl cyflawn, gan gynnwys yr Apocryffa, i'r Eglwysi a'n penododd ac i'n cyd-Gymry yn gyffredinol, gan ddeisyf iddo fod yn gyfrwng i genhadaeth Duw yn y Gymru gyfoes. Eisoes cyhoeddwyd fersiwn o'r Testament Newydd yn 1975 a fersiwn o'r Salmau yn 1979, a chalondid inni fu'r derbyniad brwd a gafodd y naill a'r llall. Y mae'r argraffiad presennol o'r Beibl cyflawn yn cynnwys fersiynau diwygiedig o Destament Newydd 1975 ac o Salmau 1979; wrth eu diwygio rhoddwyd ystyriaeth ofalus i bob beirniadaeth a sylw ac awgrym a gynigiwyd gan adolygwyr a gohebwyr, a diolchwn yn ddiffuant i bawb a'u cynigiodd.

Yn gynnar yn 1961 daeth gwahoddiad o Gyngor Eglwysi Cymru i'r Eglwysi a berthyn iddo i sefydlu Cydbwyllgor er mwyn trefnu, paratoi a chyhoeddi cyfieithiad newydd o'r Beibl cyflawn i Gymraeg. Derbyniwyd y gwahoddiad gan yr Eglwys yng Nghymru, Eglwys Bresbyteraidd Cymru, yr Eglwys Fethodistaidd, Undeb yr Annibynwyr ac Undeb y Bedyddwyr; a phenodwyd cynrychiolwyr gan yr Eglwys Gatholig Rufeinig hithau. Pan gyfarfu'r Cydbwyllgor am y tro cyntaf yn Rhagfyr y flwyddyn honno, penodwyd yn Gyfarwyddwr ar y gwaith y diweddar Barchedig Brifathro W.R.Williams, prif ysgogydd y penderfyniad gwreiddiol yng Nghyngor Eglwysi Cymru. Penodwyd hefyd y Gwir Barchedig Gwilym O. Williams (Esgob Bangor, ac yn ddiweddarach Archesgob Cymru) yn Gadeirydd y Cydbwyllgor, y Parchedig Griffith T. Roberts yn Ysgrifennydd, a'r diweddar Ddr. T.I.Ellis yn Drysorydd. Bu'r Cadeirydd a'r Ysgrifennydd yn eu swyddi yn ddi-fwlch hyd heddiw, ond bu gan y Cydbwyllgor bedwar o drysoryddion; dilynwyd Dr. Ellis gan Mr. Edward Rees, ac yntau yn ei dro gan y diweddar Mr. Alwyn Hughes-Jones, a'r Trysorydd presennol yw'r Hybarch H.Arfon Evans.

Oherwydd gwaeledd y Cyfarwyddwr, araf fu'r datblygiadau hyd Ionawr 1963. Ar ei farwolaeth ef, cydsyniodd y diweddar Barchedig Athro Bleddyn Jones Roberts i ddod yn Gyfarwyddwr. Sefydlwyd Panel Cyfieithu'r Hen Destament dan ei oruchwyliaeth ef, Panel Cyfieithu'r Testament Newydd dan ofal y Parchedig Owen E. Evans, a Phanel Llenyddol dan gadeiryddiaeth y diweddar Brifathro Dr. (wedi hynny Syr) Thomas Parry. Gorfu i'r Athro Bleddyn Jones Roberts ymddiswyddo er lles ei iechyd yn 1974, ac fe'i dilynwyd fel Cyfarwyddwr gan y Parchedig Owen E. Evans, ac fel Cadeirydd Panel Cyfieithu'r Hen Destament gan Mr. Dafydd R. Ap-Thomas. Parhaodd Syr Thomas Parry i ofalu am iaith ac arddull y cyfieithiad hyd ei farwolaeth yn Ebrill 1985; erbyn hynny yr oedd y cyfieithu wedi ei gwblhau, a Syr Thomas wedi medru darllen a chywiro pob rhan ohono ac eithrio un llyfr o'r Hen Destament ac un llyfr o'r Apocryffa. Penodwyd yr Athro Bedwyr Lewis Jones i'w olynu fel Cadeirydd y Panel Llenyddol.

Bwriad y Cydbwyllgor o'r cychwyn oedd paratoi fersiwn mewn Cymraeg cyfoes o'r Beibl cyflawn, gan gynnwys yr Apocryffa—fel y gwnaeth yr Esgob William Morgan yn 1588. Ar ôl cwblhau'r Testament Newydd a'i gyhoeddi yn 1975, ymgymerodd y Panel Cyfieithu a fuasai'n gyfrifol amdano â'r dasg o gyfieithu'r Apocryffa, a chwblhawyd y dasg honno tua'r un adeg ag y cwblhaodd Panel Cyfieithu'r Hen Destament ei dasg yntau. Gan gofio'r gwahaniaeth barn sy'n bod ymhlith yr Eglwysi ynglŷn â statws ysgrythurol yr Apocryffa (gw. y Rhagarweiniad i'r fersiwn presennol o'r Apocryffa), penderfynodd y Cydbwyllgor gyhoeddi *Y Beibl Cymraeg Newydd* mewn dau argraffiad, y naill yn cynnwys yr Apocryffa a'r llall hebddo.

Testun llawenydd i'r Cydbwyllgor yw bod Cymdeithas y Beibl wedi parhau ei hen gysylltiad â Chymru drwy gyhoeddi *Y Beibl Cymraeg Newydd* drosom; ac yr ydym yn diolch yn ddiffuant i'w swyddogion am eu cydweithrediad, eu cyfarwyddyd a'u cymorth cyson. Testun balchder hefyd yw bod y gwaith o osod y teip, ar gyfer yr argraffiad presennol fel yn 1975 a 1979, wedi ei gyflawni yng Nghymru; mawr yw ein dyled i staff Gwasg Cambrian News Cyf., Aberystwyth am eu cydweithrediad brwd a'u gwaith crefftus a gofalus.

O'r cychwyn bu Coleg Prifysgol Gogledd Cymru, Bangor yn ganolfan gweinyddol y gwaith, ac yn y Coleg hwnnw y cynhaliwyd y mwyafrif mawr o gyfarfodydd y Panelau. Yr ydym yn drwm yn nyled awdurdodau'r Coleg am eu cefnogaeth gyson i brosiect *Y Beibl Cymraeg Newydd* ac am bob hwylustod gweinyddol a roesant yn ddiwarafun at ein gwasanaeth. Buom yn dra ffodus i gael gwasanaeth medrus, deallus a phrofiadol Mrs. Evelyn Gwynne Jones fel ysgrifenyddes ran-amser am gyfnod o un mlynedd ar hugain, a mawr yw ein diolch iddi hithau. Dymunwn gydnabod yn ddiolchgar y croeso cynnes a brofodd y Cydbwyllgor ar hyd y blynyddoedd yn y Coleg Diwinyddol Unedig, Aberystwyth; yno y cynhaliwyd ei holl gyfarfodydd, ac eithrio dau neu dri ym mlynyddoedd cyntaf ei fodolaeth.

Cydnabyddwn yn dra diolchgar y cymorth ariannol, at gostau'r cyfieithu a'r cyhoeddi, a gafwyd trwy'r blynyddoedd gan Ymddiriedolaeth Catherine a'r Fonesig Grace James a chan Gynghorau Sir Clwyd, Dyfed, Gwent, Gwynedd, Morgannwg Ganol, De Morgannwg, Gorllewin Morgannwg a Phowys (a'r amrywiol Gynghorau Sir a'u rhagflaenodd hwy). Derbyniwyd cyfraniadau hefyd, o bryd i'w gilydd, gan ein Heglwysi, gan amryw gyrff crefyddol a chyhoeddus, a chan ambell unigolyn, a diolchwn yn gynnes am yr holl gefnogaeth hael hon.

Wrth gyflwyno'r cyfieithiad o'r Testament Newydd yn 1975, mynegasom ein gobaith "y gellir dathlu Pedwar-Canmlwyddiant Beibl yr Esgob William Morgan drwy gyhoeddi'r Beibl cyflawn, gan gynnwys yr Apocryffa, yn 1988". Hynny a fu'r nod cyson gan y Cydbwyllgor byth er 1975, ac achos llawenydd a diolchgarwch iddo yw bod y nod bellach wedi ei gyrraedd, a bod cyhoeddi *Y Beibl Cymraeg Newydd* ar Ŵyl Ddewi yn rhan amlwg a phwysig o'r dathliadau nodedig a drefnwyd ar gyfer y flwyddyn hon gan Bwyllgor Dathlu Pedwarcanmlwyddiant Cyfieithu'r Beibl. Dymunwn bwysleisio eto, fel y gwnaed o'r cychwyn, nad yw'n fwriad gan y Cydbwyllgor na'r cyfieithwyr i'r *Beibl Cymraeg Newydd* ddisodli Beibl William Morgan; yn hytrach, gobeithiwn y gwelir o hyn allan y ddau fersiwn, yn gyfochrog â'i gilydd, yn ein heglwysi a'n capelau, yn ein hysgolion dyddiol a'n hysgolion Sul, yn ein colegau a'n myfyrfeydd, ac yng nghartrefi ein pobl. Erys y Beibl Cymraeg y dathlwn ei bedwarcanmlwyddiant eleni yn brif drysor crefyddol, diwylliannol a llenyddol ein cenedl. Ein gobaith yw y bydd y fersiwn cyfoes a gyflwynwn yn awr yn gyfrwng i oleuo ein ystyr a galluogi ein cyd-Gymry yn niwedd yr ugeinfed ganrif i amgyffred a gwerthfawrogi ei neges yn llawnach.

Ar ran y Cydbwyllgor,

✠ G. O. Williams, Cadeirydd

Griffith T. Roberts, Ysgrifennydd

1988 Owen E. Evans, Cyfarwyddwr

CYNNWYS

YR APOCRYFFA

Y TESTAMENT NEWYDD

CYNNWYS
Y LLYFRAU YN NHREFN YR WYDDOR

MAPIAU

RHAGARWEINIAD CYFFREDINOL

Gellir olrhain hanes cyfieithu'r Ysgrythurau Iddewig a Christionogol yn ôl i'r cyfnod a ddilynodd y Gaethglud i Fabilon. Iaith cenedl fechan fu'r Hebraeg erioed. Wedi'r Gaethglud a'r Gwasgariad yr oedd llai a llai o'r Iddewon eu hunain yn ei harfer. O ganlyniad, troswyd ei Hysgrythurau i'r Aramaeg, iaith feunyddiol masnach a gweinyddiaeth dros ran helaeth o'r Dwyrain Agos, gan gynnwys gorllewin Ymerodraeth Persia. *Targwm*, "dehongliad", yw'r enw ar y cyfieithiadau Aramaeg hyn, sydd weithiau yn lled lythrennol, dro arall yn weddol rydd ac yn cynnwys ychwanegiadau heb gynsail yn yr Hebraeg. Y mae o leiaf un *Targwm* ar gael i bob un o lyfrau'r Hen Destament, ar wahân i Daniel ac Esra-Nehemeia—y llyfrau sydd yn rhannol mewn Aramaeg eisoes.

Wedi i Alexander Fawr oresgyn y Dwyrain Agos yn 334 C.C., aeth yr iaith Roeg fel gorlif dros wyneb yr hen fyd, a chyfieithwyd yr Hen Destament i'r iaith honno hefyd. Pumllyfr y Gyfraith a droswyd gyntaf, a hynny yn y drydedd ganrif C.C., a'r gweddill o fewn y ganrif ddilynol, gan gynnwys llyfrau sy'n gynwysedig bellach yn yr Apocryffa (gw. y Rhagarweiniad i Apocryffa *Y Beibl Cymraeg Newydd)*. Hwn, sef Cyfieithiad y Deg a Thrigain (LXX), i roi'r enw traddodiadol iddo, oedd Ysgrythur yr Eglwys Fore—o leiaf y tu allan i Balestina—ac arhosodd fel yr "Hen Destament" ym Meibl yr Eglwys hyd yn oed wedi iddi gasglu Ysgrythurau y "Testament Newydd". Fersiwn y LXX a gyfieithwyd i'r iaith Ladin ar gyfer Eglwys y Gorllewin cyn i Jerôm yn y bedwaredd ganrif O.C. ymgymryd â chyfieithu'r Hen Destament o'r newydd yn uniongyrchol o'r Hebraeg. Yr unig hen gyfieithiad ("Fersiwn") arall y mae angen ei grybwyll yw'r Syrieg, tafodiaith Aramaeg dinas Edessa, a ledaenwyd cyn belled ag India gan genhadon Cristionogol. Nid yw'n hollol eglur eto pa faint o'r cyfieithiad Syrieg a wnaed o'r Hebraeg, a pha faint o'r LXX.

Y mae cyfieithu'r Testament Newydd yntau yn gyfoed, bron, â'r Eglwys Gristionogol ei hun. Troswyd geiriau Iesu o Aramaeg Palestina i Roeg amrywiol bobloedd dwyrain yr Ymerodraeth Rufeinig gan y genhedlaeth gyntaf o Gristionogion. Ymhen ychydig ganrifoedd, wrth i'r genhadaeth ymledu i blith pobloedd na fedrent Roeg, cafwyd ganddi fersiynau o'r Ysgrythurau yn Lladin a Gorllewin, yn y Gopteg, y Syrieg, yr Armeneg, yr Ethiopeg, a hyd yn oed yng Ngotheg yr herwyr o'r Gogledd. Symbyliad y cyfieithu hwn, yn ddi-os, oedd yr argyhoeddiad y peidiai Cristionogaeth â bod yr hyn ydoedd oni ellid gafael ynddi â'r deall, a bod hynny'n ei gwneud yn angenrheidiol gyflwyno'i neges mewn iaith ddealladwy.

Ond y mae'r hanes yn wahanol yn achos Eglwys Ladin y Gorllewin. Ochr yn ochr â'i gyfieithiad o'r Hen Destament, y cyfeiriwyd ato uchod, diwygiodd Jerôm fersiwn yr Hen Ladin o'r Testament Newydd, a hynny yn ôl yr egwyddor fod pob dim o'r hen fersiwn i'w gadw ond hynny oedd yn gywro oddi wrth ystyr y Groeg gwreiddiol. Yn araf ond yn sicr daeth Fersiwn Jerôm o'r Beibl, y Fwlgat fel y'i gelwid yn ddiweddarach, i ennill ei le fel unig Ysgrythur ddilys Eglwys y Gorllewin. Yn wir, gyda dymchweliad yr Ymerodraeth Rufeinig yn y Gorllewin, a'r methiant i gadw'n fyw wybodaeth o ieithoedd gwreiddiol y Beibl, rhoddwyd i'r Fwlgat statws ac awdurdod a oedd yn gyfuwch ag eiddo'r Ysgrythurau Hebraeg yn synagogau Palestina. Ond yn wahanol i'r synagog, ac yn wahanol i Eglwys Roeg y Dwyrain, ni ddarparodd Eglwys Ladin y Gorllewin gyfieithiad o'i Hysgrythurau i'r un o bobloedd newydd Ewrop.

Fe all mai'r esboniad ar hyn yw'r rheidrwydd oedd ar Eglwys y Gorllewin i ddal ei gafael yn ddiollwng ar y Lladin, ei hunig gyswllt â'i gorffennol, a'i hunig amddiffyn rhag y farbariaeth a'r baganiaeth oedd yn ei bygwth ar bob llaw. Yr argyfwng hanesyddol hwn, yn ddiau, a roes fod i'r ddogma ddiweddaradach mai dirgelwch sanctaidd oedd yr Ysgrythurau a bod yn rhaid wrth y Lladin i'w gadw a'i warchod. Heb ddysg a heb ras arbennig urddau eglwysig nid oedd hawl dynesu ato, "rhag i berlau Crist gael eu sarhau".

Cyn diwedd yr Oesoedd Canol, fodd bynnag, cododd mudiadau a fynnai dorri drwy gloddiau amddiffynnol yr Eglwys, a chael yr Ysgrythurau i'w dwylo eu hunain yn eu hiaith eu hunain. Ni bu gan y mudiadau hyn nemor ddim dylanwad uniongyrchol ar Gymru, ond yn anuniongyrchol y maent wedi gadael eu hôl yn gwbl eglur, oherwydd rhan o ymateb cyffredinol yr Eglwys Ladin iddynt hwy yw'r corff sylweddol hwnnw o lenyddiaeth grefyddol Gymraeg a gynhyrchwyd yng nghanrifoedd olaf yr Oesoedd

Canol. Cyfieithiadau yw'r cwbl, bron, o'r gweithiau hyn, ac y maent yn cynnwys cyfieithiadau o ddarnau o'r Ysgrythurau Lladin. Y mae'r crynodeb o hanes yr Hen Destament a adwaenir fel *Y Bibyl Ynghymraec* yn cynnwys Gen. 1:1—2:2, 21-3. Ceir wyth salm ar hugain, heblaw ychydig adnodau o'r Testament Newydd a'r Apocryffa, yn *Gwassanaeth Meir*. Yn y gwahanol draethodynnau sydd wedi eu casglu yn *Llyfr yr Ancr* (ac mewn llawysgrifau eraill) ceir adnodau cyntaf Efengyl Ioan, Gweddi'r Arglwydd, y Gwynfydau a'r Deg Gorchymyn. Y mae *Llyfr yr Ancr* yn cynnwys hefyd draethawd diwinyddol a elwir *Hystoria Lucidar*, ac y mae yn hwn ryw gant a hanner o adnodau o'r Hen Destament a'r Newydd. Mth.26:1—28:7 yw testun *Y Groglith*. Ac y mae *Y Seint Greal*, sydd yn gyfieithiad o'r Ffrangeg, yn cynnwys rhai damhegion ac adnodau o'r Testament Newydd. Yn ôl pob tebyg ni fwriadwyd y darnau hyn i'w darllen fel llithiau y gwasanaethau eglwysig. Eu swydd oedd diddanu'r lleygwr llythrennog a'i dywys yn ei ddefosiwn preifat, neu fod yn ddeunydd yn llaw'r offeiriad i holwyddori a goleuo pobl ei ofal a'u cadw rhag heresi. Unig "Ysgrythur" yr Eglwys Ladin oedd y Fwlgat.

Ond yn yr unfed ganrif ar bymtheg daeth tro ar fyd. Yng ngrym cyffroadau mawr y ganrif honno—dadeni dysg, diwygio crefydd, deffro cenedlaethol—troes gwŷr blaengar dysg a chrefydd oddi wrth y Fwlgat at destunau gwreiddiol yr Ysgrythurau yn yr Hebraeg a'r Roeg. Ymroesant i'w cyfieithu o'r newydd i'r Lladin, ac am y tro cyntaf i ieithoedd brodorol Ewrop, a hefyd i'w taenu ar led, yn destunau a fersiynau, gyda chymorth rhyfeddol y ddyfais newydd honno, y wasg argraffu. Yn ffodus, yr oedd yng Nghymru wŷr a allai amgyffred amcanion a dulliau'r ysgolheigion a'r diwygwyr hyn, gwŷr a feddai'r ddysg a'r sêl a'r dygnwch i ddilyn y llwybrau newydd i ben y daith.

Gwelir yr arwydd cyntaf o'r newid yng Nghymru yn y cyfieithiad hwnnw o ychydig ddarnau o'r Efengylau sydd wedi ei gadw yn Llawysgrif Hafod 22. Ond gan mor fychan yw'r deunydd hwn ac anghelfydd y cyfieithu, ei unig arwyddocâd yw ei fod yn dangos maint ac anhawster y dasg oedd yn aros y neb a fynnai drosi'r Ysgrythurau i'r Gymraeg. Ond yr oedd yng Nghymru y pryd hwnnw ŵr yr oedd ei weledigaeth a'i fedr yn gyfartal â'r gofyn, sef William Salesbury o Lansannan a Llanrwst. Fe'i ganwyd ca. 1520, a'i fagu yn Gymro uniaith mewn ardal ddihafal ei thraddodiad llenyddol. Cafodd ei addysg brifysgol yn Rhydychen, ac yno daeth i afael y mudiadau hynny oedd yn trawsnewid Gorllewin Ewrop, a'i argyhoeddi mai ei waith ef fyddai troi'r grymusterau hyn i adnewyddu dysg a chrefydd ymhlith ei bobl ei hun. Yn dilyn ei waith ar yr iaith Gymraeg, cyhoeddodd yn 1551 ei gyfieithiad o "Epistolau ac Efengylau" y Llyfr Gweddi Gyffredin dan y teitl *Kynniver llith a ban*, a oedd yn cynnwys, yn ychwanegol at y darlleniadau o'r Testament Newydd, saith llith o'r Hen Destament, sef Diar. 31:10-31; Eseia 7:10-15; 40:1-11; 50:5-11; 63; Jer. 23:5-8; a Joel 2:12-17. Amcan Salesbury yn y gyfrol hon oedd darparu fersiwn Cymraeg a allai, ar gyfrif ffyddlondeb y cyfieithu ac arucheledd y mynegiant, gymryd lle'r fersiwn Lladin (neu Saesneg) yng ngwasanaeth y Cymun, a thrwy hynny ddechrau'r gwaith o gymreigio holl wasanaethau'r Eglwys.

Llugoer fu'r croeso i *Kynniver llith a ban*, ac ymhen blwyddyn neu ddwy ar ôl ei gyhoeddi yr oedd Mari Tudur wedi esgyn i'r orsedd a dechrau ei hymdrech ddidostur i adfer y ffydd Gatholig. Yn ystod ei theyrnasiad hi, bu'n rhaid celu pob bwriad ynglŷn â chyfieithu'r Ysgrythurau, ond gydag esgyniad Elisabeth, a'r atrefnu eglwysig a gododd Richard Davies yn esgob Llanelwy (1560), daeth cyfle i Salesbury a'i gyfeillion ailafael yn eu hymgyrch i gael yr Ysgrythurau a gwasanaethau'r Eglwys yn Gymraeg. Yr oedd yr esgob newydd yn sicr o'u plaid. Yr oedd ef wedi ei fagu yn Nyffryn Conwy a'i addysgu yn Rhydychen; wedi cael bywoliaeth yn swydd Buckingham, a'i cholli o achos ei ddaliadau Protestannaidd; wedi bod yn alltud yn Frankfurt ac ymgyfathrachu yno â rhai o ddiwygwyr blaenaf Lloegr a'r Cyfandir, ac nid yw'n amhosibl iddo dreulio peth amser yn Genefa, ac ymddiddori, nid yn unig yn yr astudiaethau Beiblaidd a'r cyfieithu oedd ar waith yno dan arweiniad John Calfin a Beza, ond hefyd yn llafur y cwmni alltud o Saeson oedd wrthi'n paratoi'r fersiwn Saesneg a ddaeth i'w adnabod fel "Beibl Genefa".

Wedi dychwelyd i Gymru ni allai na welai'r gŵr hwn fod cael yr Ysgrythurau yn Gymraeg yn amod cyntaf sefydlu "eglwys cywair-grefydd" yng Nghymru. Ymroes i gael gan y Senedd awdurdodi cyfieithiad, ac yn 1563 tywysodd ef a'i gyfaill Humphrey Lhuyd fesur drwy'r Senedd yn deddfu bod i'r esgobion oedd â Chymry yn eu gofal drefnu "i'r Beibl cyfan, gan gynnwys yr Hen Destament a'r Newydd, ynghyd â'r Llyfr Gweddi Gyffredin a Gweinyddiad y Sacramentau, fel y mae ar arfer oddi mewn i'r Deyrnas hon

xii

yn Saesneg, gael ei gyfieithu gyda chywirdeb manwl." Ar Richard Davies ei hun, ac yntau erbyn hyn yn esgob Tyddewi, y gosodwyd y cyfrifoldeb o gyflawni gofynion y Ddeddf, ac y mae'n ymddangos, oddi wrth y trosiad o'i eiddo o 1 a 2 Timotheus, Titus a Philemon a welir yn Llawysgrif Gwysane, iddo ddechrau ar y gwaith yn ddiymdroi trwy gyfieithu'r Beibl Saesneg.

Ond oherwydd baich ei ofalon, a'i ymrwymiad i drosi rhai o lyfrau'r Hen Destament ar gyfer fersiwn Saesneg newydd ("Beibl yr Esgobion"), y mae'n bur debyg i'r esgob, yn gynnar yn 1564, wahodd Salesbury ato i Abergwili a throsglwyddo iddo ef y rhan fwyaf o'r cyfieithu, ynghyd â goruchwyliaeth yr holl waith.

Daeth y Llyfr Gweddi o'r wasg fis Mai 1567, a'r Testament Newydd fis Hydref yr un flwyddyn. Ceir mai Thomas Huet, Cantor Tyddewi, a gyfieithodd Lyfr y Datguddiad, mai'r Esgob Davies a gyfieithodd 1 Timotheus, yr Hebreaid, Iago a 1 a 2 Pedr, ac mai Salesbury fu'n gyfrifol am y gweddill o'r Testament Newydd, a hefyd am y Llyfr Gweddi. Y mae Llyfr Gweddi 1567 yn cynnwys fersiwn diwygiedig o "Epistolau ac Efengylau" *Kynniver llith a ban,* a hefyd fersiwn arloesol Salesbury o'r Salmau Hebraeg. Yn wir, y Sallwyr hwn, efallai, yw campwaith Salesbury fel cyfieithydd, ac ef yw cynsail fersiwn William Morgan o'r Salmau ym Meibl 1588.

Yn anffodus, bu anghydfod rhwng yr Esgob Davies a Salesbury a'u cadwodd rhag cwblhau fersiwn o'r Beibl cyfan yn unol â gofynion Deddf 1563. Ond fe ddichon i'r Esgob weld gobaith dwyn y bwriad i ben pan benododd William Morgan, brodor o blwyf Penmachno ac ysgolhaig yng Ngholeg Ioan Sant, Caer-grawnt, yn ficer Llanbadarn Fawr yn 1572. Efallai, yn wir, mai ef a argyhoeddodd Morgan fod "cyfieithiad o weddill yr Ysgrythurau yn anghenraid". Ond daeth Morgan, o'i brofiad ei hun fel offeiriad yn Llanbadarn Fawr, yn y Trallwng ac yn Llanrhaeadr-ym-Mochnant, i sylweddoli "mai aros yn guddiedig ac anhysbys y bydd crefydd, oni ddysgir hi yn iaith y bobl". Dyma'n ddiau a'i cymhellodd i ymgymryd â'r dasg oedd ar ôl, a'i dwyn i gyflawniad gogoneddus ym Meibl 1588. Yng "Nghyflwyniad" y Beibl hwnnw gall ddweud, "Yr wyf yn awr nid yn unig wedi cyfieithu'r cwbl o'r Hen Destament ond hefyd wedi glanhau'r Newydd o'r dull gwallus hwnnw o ysgrifennu a'i nodweddai ymhobman."

Wrth ddweud ei fod "wedi cyfieithu'r cwbl o'r Hen Destament", cyfeirio y mae Morgan at yr Hen Destament Hebraeg a'r Apocryffa Groeg (gw. y Rhagarweiniad i Apocryffa *Y Beibl Cymraeg Newydd).* Nid yw Morgan yn honni iddo wneud mwy, yn y Testament Newydd, na diwygio cyfieithiad Salesbury; mae'n cydnabod cywirdeb Testament 1567 fel fersiwn. Prin, yn wir, yw'r gwelliannau sydd ganddo ar y cyfieithu, a'r rheini, gan amlaf, wedi eu cymryd o destun Groeg a fersiwn Lladin 1582 Beza. Ond yr oedd Morgan yn ymwybodol fod i Destament 1567 rai elfennau oedd yn ei rwystro rhag cael effaith cymesur â champ ddigamsyniol ei gyfieithu. Yn ei dyb ef, dieithrio'r Ysgrythurau, nid eu hagor, yr oedd addurniadau llenyddol ac orgraffyddol Salesbury. A symud rhwystr y dieithrwch hwn fu nod diwygio Morgan ar Destament Salesbury. Amcanodd ato trwy docio amrywiaeth y mynegiant, trwy gael iaith gyfoes, gyfarwydd a Chymroaidd yn lle'r hen a'r ddieithr a'r Ladinaidd, a thrwy gysoni, safoni a diweddaru'r orgraff. Yr un nodweddion a welir, wrth gwrs, yng nghyfieithiadau gwreiddiol Morgan o'r Hen Destament a'r Apocryffa.

Ond nid fersiwn Beibl 1588 yw terfyn cyfraniad Morgan i hanes y Beibl Cymraeg. Ymhlith y defnyddiau a oedd gan y cyhoeddwr Thomas Salisbury yn barod i'w hargraffu yn 1603 yr oedd "Testament Newydd yn Gymraeg wedi ei ailddiwygio gan y Parchedig Dad, Esgob Elwy". Yn anffodus, yn anhrefn ffoi o Lundain rhag pla, collodd Salisbury lawysgrif y fersiwn newydd, ac ni chafodd Cymru Destament diwygiedig Morgan. Ond, oni wnaeth ddau fersiwn diwygiedig yn yr un blynyddoedd, y mae rhannau helaeth o destun diwygiedig Morgan ar gael o hyd yn "Epistolau ac Efengylau" Llyfr Gweddi Gyffredin 1599. Fe'i nodweddir gan gais cyson am gysondeb llwyrach ac am gywirdeb manylach yn y cyfieithu, a chan ddefnydd pur helaeth o "Feibl yr Esgobion", y Beibl a oedd ar arfer, bellach, yn yr eglwysi Saesneg.

Yr oedd William Morgan, erbyn hyn, wedi ei ddyrchafu'n esgob, ac yr oedd ganddo wrth ei ochr yn Llandâf, ac yna yn Llanelwy, ysgolhaig o Goleg Iesu, Rhydychen, brodor o blwyf Llanferres, sir Ddinbych. Y mae'n bur debyg i'r Esgob drosglwyddo peth o'r gwaith o ddiwygio'r Llyfr Gweddi a'r Testament Newydd i'r gŵr hwn, y Dr. John Davies, Mallwyd, fel y'i hadwaenir yn ddiweddarach. Yr oedd bwriad Morgan i ddiwygio Testament Newydd Beibl 1588 a'i ddulliau o wneud hynny, felly, yn gwbl

xiii

nysbys i John Davies, ac nis anghofiodd ar ôl i'r Esgob farw (1604) ac iddo yntau gael ei benodi yn gaplan i'w olynydd, yr Esgob Richard Parry. A chyda chyhoeddi'r fersiwn Saesneg "awdurdodedig" yn 1611, daeth ysgogiad pellach i ystyried diwygio Beibl 1588 "a gwneud i'r fersiwn Cymraeg yr hyn sydd wedi ei wneud i'r fersiwn Saesneg". Daeth y bwriad i ben gyda chyhoeddi Beibl 1620.

Yn ôl "Cyflwyniad" y Beibl hwn, gwaith yr Esgob yw'r fersiwn diwygiedig, ond y farn gyffredin yn yr ail ganrif ar bymtheg oedd mai llafur John Davies a geir yn y rhan helaethaf ohono, onid yn y cwbl. Awgrym go bendant o gysylltiad John Davies â'r gwaith yw mai'r testun a geir yn "Epistolau ac Efengylau" Llyfr Gweddi 1599 yw cynsail y diwygio ar y rhannau cyfatebol ym Meibl 1620. Ategir hyn gan natur y diwygio, nad yw, gan mwyaf, ond cymhwysiad llwyrach o egwyddorion cyfieithu Morgan at ei waith ei hun. Y mae'n wir y dilynir fersiwn Saesneg 1611 yn bur aml. Ond fe'i gwrthodir bron yr un mor aml, yn enwedig lle bo'r Saesneg yn cefnu ar egwyddor cyfieithu "air am air". Yn wir, y mae fersiwn Cymraeg 1620 yn trosi nid yn unig "air am air" ond "gystrawen am gystrawen", ond bod hynny wedi ei wneud gan gyfieithydd oedd yn feistr ar y Gymraeg, ac yn eiddigeddus iawn am gywirdeb iaith a safonau llenyddol. Y canlyniad yw fersiwn sy'n gwbl addas i'r hyn a alwodd Erasmus yn "iaith seml yr Apostolion", ond sydd ar yr un pryd yn fynegiant teilwng o urddas cynhenid a gwerth yr hyn a draethir.

Felly, trwy lafur olyniaeth o gyfieithwyr hynod ddawnus cafodd Cymru fersiwn o'r Ysgrythurau sydd wedi bod am dros dair canrif yn darddle cyson ei chrefydd a rhan helaeth o'i bywyd cymdeithasol a diwylliannol. Yn ystod y ganrif bresennol gwnaeth y diweddar Athro Henry Lewis gymwynas werthfawr â'r genedl a'i haith trwy safoni a diweddaru orgraff y fersiwn clasurol hwn, ond heb ymyrryd â'i gystrawen na'i eirfa; cyhoeddwyd y Testament Newydd yn y ffurf ddiwygiedig hon yn 1936, y Beibl cyfan (heb yr Apocryffa) yn 1955, a'r Apocryffa yn 1959.

O bryd i'w gilydd cafwyd fersiynau diwygiedig, neu newydd, o rannau o'r Beibl Cymraeg, yn enwedig o'r Sallwyr a'r Testament Newydd. Cymharol brin fu cyfieithiadau o lyfrau eraill yr Hen Destament. Gellir nodi bod Thomas Briscoe wedi cyhoeddi cyfieithiad o'i waith ei hun gyda nodiadau byrion ar bedwar llyfr, sef Eseia (1853), Job (1854) a'r Salmau a'r Diarhebion (1855). Cyfieithodd A. Rhys Thomas Cân y Caniadau (1876); ac, ychydig yn ddiweddarach, dangosodd John Davies (Siôn Gymro) ei ddawn yntau drwy drosi'r Proffwydi Byrion (1881). Ni chyhoeddwyd ei gyfieithiad o Coheleth (Y Pregethwr) na Hosea (ail gynnig?). Yn y ganrif hon cyhoeddodd G. Hughes a D.F. Roberts Lyfr Jehoshŵa (1913). Hwy hefyd, dan gynllun Cyfieithiad Newydd y Brifysgol (gw. isod), a gyfieithodd yr unig ran o'r Hen Destament a gyhoeddwyd ynddo, sef Amos a Hosea (1924). Caed ymgais i gyfieithu ambell ran o'r Salmau, megis gan L.E.Valentine, Detholiad o'r Salmau (1936); ac yn Llyfr y Salmau: Cyfieithiad Cymraeg o'r Llyfr Cyntaf, sef Salmau 1-41, gyda Nodiadau ar y Testun Hebraeg (1967), gan J.D.Vernon Lewis, gwelir ymgais i ddefnyddio gwybodaeth ddiweddar am y testun Hebraeg a chyflwyno trosiad llawer cywirach nag oedd yn bosibl gynt. Ond y mae nodwedd y cyfieithiad yn fwy trwm a henffasiwn na'r hyn yr amcanwyd ato yn Y Beibl Cymraeg Newydd. Cynsail i'r cyfieithiad hwn yw'r detholiad o Salmau yn esboniad Gwilym H.Jones, Cerddi Seion (1975).

Yng nghwrs y bedwaredd ganrif ar bymtheg a hanner cyntaf yr ugeinfed ganrif cyhoeddwyd nifer o fersiynau Cymraeg o'r Testament Newydd, neu rannau ohono. Fersiynau diwygiedig o Feibl 1620, yn hytrach na chyfieithiadau newydd ac annibynnol, ydynt bob un. Y Pedair Efengyl yw cynnwys Y Cyfammod Newydd (1818), gan John Jones. Fersiwn o'r Testament cyflawn a geir yn Yr Oraclau Bywiol (1842), gan John Williams, Rhos. Yn dilyn cyhoeddi'r Revised Version Saesneg yn 1881-5, cafwyd nifer o geisiadau i ddiwygio'r Testament Newydd Cymraeg ar yr un llinellau. Yn Y Testament Newydd Diwygiedig (1882), gan J.Ogwen Jones, y Rhyl, rhoddir trosiad Cymraeg o'r cwbl bron o'r cyfnewidiadau a wnaed gan y diwygwyr Saesneg, gan gynnwys darlleniadau ymyl y tudalen. Yr oedd Testament yr Efrydydd (1888), gan Owen Williams, Tregarth, yn waith mwy uchelgeisiol, sy'n cynnwys Testament Newydd 1620 wedi ei ddiwygio yn y mannau lle diwygiwyd yr A.V. gan y diwygwyr Saesneg, ac mewn rhai mannau eraill hefyd. Amcan tebyg oedd i waith Thomas Briscoe, Caergybi, Y Testament Newydd, newly translated from the readings adopted by the Revisers of the Authorized Version (1894); nodweddir y fersiwn hwn gan hynodrwydd a dieithrwch sy'n ffrwyth mympwyon ysgolheigaidd ac ieithyddol y cyfieithydd. Rhwng 1894 a 1915 ymddangosodd pedair cyfrol o waith William Edwards, Caerdydd, dan y teitl, *Cyfieithiad Newydd o'r Testament Newydd* (I 1894, II 1898, III 1913, IV 1915), gyda'r amcan (yng ngeiriau'r awdur) o "roddi i'r Cymro deallgar Gyfieithiad Diwygiedig ac hefyd gipdrem ar y pynciau pwysicaf a ddaliant gysylltiad â'r Testament Newydd". Yn y cyfnod a ddilynodd y Rhyfel Byd Cyntaf, aeth Adran Ddiwinyddol Urdd Graddedigion Prifysgol Cymru ati i baratoi *Cyfieithiad Newydd y Brifysgol o'r Testament Newydd* (ac fel y sylwyd uchod, o ddau lyfr bychan o'r Hen Destament hefyd). Rhwng 1921 a 1945 cyhoeddwyd dan y teitl hwn un ar bymtheg o lyfrynnau bach yn cynnwys cyfieithiadau o holl lyfrau'r Testament Newydd. Gwaith amrywiol bwyllgorau o ysgolheigion yng ngwahanol ganolfannau'r Brifysgol oedd y cyfieithiadau hyn, heb lawer o gysylltiad rhyngddynt, a heb fod iddynt unrhyw bolisi unol a llywodraethol, ac ni chyhoeddwyd byth mohonynt yn un gyfrol. Fersiwn, neu'n gywirach casgliad o fersiynau, i fyfyrwyr diwinyddol a llenyddol yn hytrach nag i'r werin a fu'r gwaith hwn.

Daw hyn â ni at y cyfnod a ddilynodd yr Ail Ryfel Byd, pan ddechreuwyd ymdeimlo â'r angen am wisgo'r Ysgrythurau mewn iaith gyfoes a mwy dealladwy i'r werin. Cafwyd arbrawf diddorol yn y cyfeiriad hwn yn *Efengyl Mathew: Trosiad i Gymraeg Diweddar* (1961), gan Islwyn Ffowc Elis, a deng mlynedd yn ddiweddarach cyhoeddodd Cymdeithas y Beibl *Y Ffordd Newydd: Y Newyddion Da yn ôl Mathew, Marc, Luc a Ioan* (1971). Erbyn hynny, fodd bynnag, yr oedd y gwaith o baratoi *Y Beibl Cymraeg Newydd*, dan nawdd Cydbwyllgor Cyfieithu'r Beibl i'r Gymraeg (gw. y Rhagair ar ddechrau'r gyfrol hon am hanes sefydlu'r Cydbwyllgor hwn), eisoes ar droed, a phenderfynodd Cymdeithas y Beibl, a oedd wedi ymgymryd â chyhoeddi'r *B.C.N.*, ohirio cwblhau'r fersiwn mwy poblogaidd, yng nghywair yr iaith lafar, a oedd wedi ei gychwyn gyda *Y Ffordd Newydd*. Cyhoeddwyd Testament Newydd y *B.C.N.* yn 1975 a'r Salmau yn 1979, a phenderfynodd y Cydbwyllgor, mewn cyd-ddeall â'r Cyhoeddwyr, anelu at 1988 fel blwyddyn cyhoeddi'r Fersiwn yn ei gyfanrwydd, er mwyn dathlu'n deilwng bedwarcanmlwyddiant Beibl William Morgan.

Y mae *Y Beibl Cymraeg Newydd* yn ffrwyth gweithgarwch tawel a chyson dros gyfnod o chwarter canrif er pan sefydlwyd y Panelau Cyfieithu a'r Panel Llenyddol yn 1963. Cyfarfu'r Panelau Cyfieithu yn gyson, am ryw dridiau ar y tro, rhwng dwywaith a phedair gwaith yn y flwyddyn yn ôl y galw, o Ebrill 1964 hyd Ebrill 1985. Ar ôl cyhoeddi'r Testament Newydd yn 1975, aeth y Panel a fu'n gyfrifol am hwnnw rhagddo i gyfieithu'r Apocryffa, gan roi sylw hefyd o dro i dro i'r dasg o adolygu a diwygio'r Testament Newydd lle y gwelwyd bod galw am hynny.

Dull y panelau o weithredu oedd gofyn i un aelod baratoi drafft cyntaf o lyfr neu grŵp o lyfrau, a dosbarthu copïau o'r drafft hwnnw i holl aelodau'r panel. Disgwylid i bob aelod astudio'r drafft yn fanwl ac anfon ei sylwadau arno, a'i awgrymiadau ynglŷn â'i wella, i'r cyfieithydd gwreiddiol. Byddai yntau wedyn, ar sail y sylwadau hyn, yn paratoi ail ddrafft gan gynnwys dau neu ragor o amrywiadau yn y mannau hynny lle'r oedd yn amlwg fod gwahaniaeth barn ymhlith aelodau'r panel. Yr ail ddrafftiau hyn fyddai'n cael eu hystyried yn fanwl, fesul adnod, yng nghyfarfodydd y panel; byddai'r panel yn trafod pob pwynt dadleuol nes dod i gytundeb ynglŷn â'r cyfieithiad oedd i'w fabwysiadu. Byddai'r drafft diwygiedig hwn y cytunodd y Panel Cyfieithu arno yn cael ei ddosbarthu wedyn i aelodau'r Panel Llenyddol, a disgwylid iddynt hwythau anfon eu sylwadau arno, a'u hawgrymiadau ynglŷn â gwella'r iaith a'r mynegiant, i gadeirydd y panel hwnnw. Yna, byddai cadeiryddion y panelau cyfieithu a llenyddol, gyda'i gilydd, yn adolygu'r holl welliannau ieithyddol er mwyn sicrhau na oedd unrhyw gyfnewidiad yn y Gymraeg yn peri cyfnewidiad yn yr ystyr a fwriadwyd gan y Panel Cyfieithu. Wedi i'r ddau gadeirydd, ar ôl ymgynghori â'u panelau os oedd rhaid, gytuno ar y drafft cywiredig, fe'i dosberthid i holl aelodau'r gwahanol banelau, a hefyd i aelodau'r Cydbwyllgor, gyda gwahoddiad iddynt i gynnig unrhyw sylwadau neu awgrymiadau a fynnent. Rhoddid ystyriaeth i'r sylwadau a'r awgrymiadau hynny gan y ddau gadeirydd cyn penderfynu ar ffurf derfynol y cyfieithiad.

Yn unol â'r arfer sy'n gyson mewn fersiynau cyfoes, rhannwyd y testun yn baragraffau yn hytrach nag yn adnodau unigol, ac yn adrannau o dan benawdau syml a disgrifiadol;

bernir bod hyn yn fantais i'r darllenydd cyffredinol a hefyd i'r sawl sy'n darllen y fersiwn yn gyhoeddus. Yn y Testament Newydd, fel yr eglurwyd yn y Rhagarweiniad i argraffiad 1975, mabwysiadwyd y rhaniadau a'r penawdau a geir yn yr argraffiad o'r testun Groeg sy'n sail i'r fersiwn. Yr un rhaniadau a phenawdau, fwy neu lai, a fabwysiadwyd yn Nhestament Newydd y fersiwn Saesneg poblogaidd, *The Good News Bible*, a chan fod rhaniadau a phenawdau'r fersiwn hwnnw yn yr Hen Destament a'r Apocryffa hefyd at ei gilydd wedi ennill cymeradwyaeth y Panelau Cyfieithu Cymraeg, y mae'r patrwm penawdau yn y *B.C.N.* drwyddo draw yn cyfateb yn bur agos i'r hyn a welir yn y *G.N.B.* Nodir rhifau'r adnodau, nid ar ymyl y tudalen fel y gwnaed yn yr argraffiadau blaenorol o'r Testament Newydd a'r Salmau, ond yng nghorff y testun ar ddechrau pob adnod; ceir y rhif mewn print bras ar ddechrau pob paragraff newydd—ac eithrio mewn barddoniaeth—ac mewn print mân yng nghorff y paragraff. Gan mai prif amcan y rhifau hyn yn y fersiwn presennol yw hwyluso'r ffordd i'r darllenydd gymharu'r fersiwn â'r fersiwn Cymraeg traddodiadol, y mae'r rhaniadau a'r rhifau yn cyfateb yn union i'r hyn a geir ym Meibl 1620, hyd yn oed lle nad yw hynny'n cytuno â'r hyn a welir yn y testunau Hebraeg a Groeg a gyfieithwyd. Mewn rhai achosion prin nid oedd modd rhannu testun ein fersiwn yn daclus i adnodau unigol ar batrwm y fersiwn traddodiadol, oherwydd cymhlethdod brawddeg sy'n ymestyn dros fwy nag un adnod, a rhaid oedd bodloni ar osod rhifol cyfansawdd ar ddechrau'r rhaniad—e.e., 1-2 ar ddechrau rhaniad sy'n cynnwys adnodau 1 a 2, neu 3-5 ar ddechrau rhaniad sy'n cynnwys adnodau 3, 4 a 5.

Yn wahanol i'r argraffiadau blaenorol o'r Testament Newydd a'r Salmau, y mae'r argraffiad presennol yn dynodi nodiadau godre'r tudalen, nid trwy osod seren (neu weithiau ddwy seren) yn y testun, ond trwy ddefnyddio llythrennau bach yr wyddor Gymraeg (o "a" i "y", ac yna'n ôl i "a" drachefn, lle bo angen), wedi eu codi a'u hargraffu mewn print mân ar ddiwedd y gair neu'r geiriau y cyfeiria'r nodyn godre ato(atynt). Eglurir natur ac amcanion amrywiol y nodiadau godre yn y Rhagarweiniadau i'r Hen Destament, yr Apocryffa a'r Testament Newydd. Prin yw'r enghreifftiau o nodiadau eglurhaol neu esboniadol, gan fod aelodau'r panelau cyfieithu o'r farn mai *cyfieithu*, ac nid *esbonio*, oedd y dasg a ymddiriedwyd iddynt.

Am yr un rheswm ceisiodd y panelau, hyd y gallent, ymgadw rhag unrhyw duedd i aralleirio'r gwreiddiol yn hytrach na'i gyfieithu. Y mae'n wir bod pob cyfieithiad da i ryw fesur yn esboniad ar y gwaith gwreiddiol, yn gymaint â'i fod yn goleuo ystyr y testun i'r darllenydd. Ond nid yr un yw gwaith y cyfieithydd ac eiddo'r esboniwr, ac y mae'r naill a'r llall mor anhepgorol â'i gilydd. Amcan cyfieithiad yw cyfleu mewn iaith arall yr hyn a *ddywedodd* yr awdur gwreiddiol; amcan esboniad yw cyfleu'r hyn a *olyga'r* hyn a ddywedodd. Nid yw'r cyfieithiad presennol yn ceisio osgoi pob amwysedd yn y gwreiddiol trwy fabwysiadu un dehongliad posibl ar draul un arall. Pan yw'r gwreiddiol yn amwys, ceisir cyfleu, hyd y gellir, yr un amwysedd yn y cyfieithiad; lle nad yw hynny'n bosibl, os yw'r gwahaniaeth ystyr yn fater o bwys, rhoddir yr ystyr a fernir yn fwyaf tebygol o fod yn gywir yn y testun, a'r ystyr neu'r ystyron posibl arall(eraill) mewn nodyn godre. Lle'r oedd yn bosibl cyfleu ystyr y testun gwreiddiol mewn Cymraeg rhywiog, naturiol trwy gyfieithu'n fwy neu lai llythrennol a dilyn trefn geiriau a chymalau'r iaith wreiddiol, hynny a wnaed. Ond ni phetruswyd ymadael, lle'r oedd angen, â'r dull "gair am air", "cymal am gymal", o gyfieithu. Yr amcan llywodraethol oedd cyfleu, mor ffyddlon ag y gellid, ystyr y cyfansoddiad gwreiddiol fel cyfanwaith.

Ni wnaed unrhyw ymdrech fwriadol, fel y gwnaed gan gyfieithwyr y *New English Bible*, i osgoi iaith "feiblaidd" ei naws a bod mor wahanol ag y gellid i'r cyfieithiad clasurol a thraddodiadol. O ganlyniad, y mae'r B.C.N. yn llai chwyldroadol o newydd na'r N.E.B. Y mae hyn i'w briodoli i fesur, yn ddiau, i'r ffaith fod yr iaith Gymraeg wedi newid llai na'r Saesneg yng nghwrs y tair neu bedair canrif ddiwethaf. Ychydig, yn wir, yw'r adnodau sydd, yn y cyfieithiad a gynigir yn awr, heb eu newid o gwbl. Ond mewn cyfartaledd pur uchel o'r enghreifftiau y mae'r cyfnewidiadau'n gyfyngedig i fanylion yn ymwneud â gramadeg a chystrawen.

Penderfynwyd, dan gyfarwyddyd y Panel Llenyddol, ddiweddaru'r iaith mewn dwy ffordd, fel y gwnaed mewn cyfieithiadau eraill a gaed yn ystod y ganrif hon, sef trwy ddefnyddio'r orgraff safonol, a thrwy dderbyn trefn y gystrawen normal (berf, goddrych, gwrthrych) yn lle'r drefn a fabwysiadwyd fynychaf gan y cyfieithwyr cynnar (goddrych, berf, gwrthrych). Hefyd fe geisiwyd adfer ffurf gwmpasog y ferf i'w lle priodol yn yr iaith lenyddol, fel y mae yn yr iaith lafar, oherwydd bron yn ddieithriad y ffurf gwmpasog sy'n mynegi'r amser presennol ("yr wyf yn mynd") a'r ffurf gryno yn mynegi'r dyfodol ("mi af"). Yn gyffelyb fe gadwyd y gwahaniaeth rhwng y ffurf gryno a'r ffurf gwmpasog yn yr amser amherffaith. Yn yr amser sy'n cael ei alw'n orberffaith defnyddiwyd y ffurf gwmpasog (gyda "wedi") yn gyson, gan mai ystyr amodol sydd i'r ffurf gryno mewn gwirionedd.

Yr oedd y treigladau yn peri problemau. Penderfynwyd peidio â threiglo enwau personau, ac eithrio (i) ychydig o enwau, fel Mair a Dafydd, sy'n dra chyffredin heddiw; a (ii) pan fyddai peidio â threiglo yn cymylu'r ystyr. Mewn enwau lleoedd cytunwyd i dreiglo pan fyddai'r enw yn weddol adnabyddus (er enghraifft, Bethel, Bethlehem, Capernaum, Carmel, Damascus, Macedonia), ac na fyddai perygl camddeall y ffurf wreiddiol. Ond pan fydd enw yn dechrau â'r gytsain G-, fel Galilea, ni ddangosir y treiglad meddal.

Defnyddiwyd ffurfiau cywasgedig yn hytrach na'r hen ffurfiau safonol—mynd, dweud, gwneud, rhoi, dŵr, pam, ple, prun, etc. Ond ni farnwyd mai doeth fyddai derbyn ffurfiau fel "chi", "nhw", "fedra i ddim", etc. Y mae lle yn ddiamau i fersiwn o'r Beibl a fyddai'n cynnwys ffurfiau llafar fel hyn, ond ym marn y rhai a fu'n darparu'r cyfieithiad hwn y mae lle hefyd, a phob cyfiawnhad, i fersiwn sy'n ymdebygu i'r corff sylweddol o lenyddiaeth dda, yn farddoniaeth a rhyddiaith, sydd wedi ei ysgrifennu yn Gymraeg yn y ganrif hon. Nid diogelu urddas yr Ysgrythurau ar gyfer darllen cyhoeddus yw'r unig amcan wrth gyfieithu fel y gwnaed yma, ond hefyd (ac yn bennaf efallai) cadw cyswllt rhwng y Beibl a'n llenyddiaeth gyfoes. Y mae lle i gyfieithiadau i'r iaith lafar lai ffurfiol a arferir bob dydd; ac yn sicr fe bery Beibl 1588/1620 yn drysor llenyddol dihafal. Amcan y cyfieithiad presennol yw rhoi i'r darllenydd fwy o oleuni heb iddo lwyr golli rhin mynegiant yr hen gyfieithiad.

YR
HEN DESTAMENT

RHAGARWEINIAD
I'R HEN DESTAMENT

Yn 1979 cyhoeddwyd *Y Salmau* yn flaenffrwyth o'r Fersiwn Cymraeg o'r Hen Destament a gyflwynir yn awr. Fel yr eglurwyd yn y Rhagarweiniad i'r argraffiad hwnnw, gydag argraffiad o'r Sallwyr a gyhoeddwyd yn Bologna yn 1477 y dechreuwyd, hyd y gwyddom, argraffu'r Beibl Hebraeg. O wasg Soncino yr ymddangosodd y Beibl Hebraeg cyflawn am y tro cyntaf, a hynny yn 1488. Cafwyd nifer wedi hynny, yn enwedig o wasg Daniel Bomberg yn Fenetia, ac yr oedd copi o'i drydydd argraffiad ef (1525-28) ym meddiant William Morgan. Ar lawysgrifau diweddar a gwallus y dibynnai Jacob ben Chaim, golygydd Bomberg, am ei destun. Erbyn heddiw nid yw hwnnw'n foddhaol. Ar gyfer *Y Beibl Cymraeg Newydd* defnyddiwyd yr argraffiad a ddefnyddir gan fwyafrif mawr ysgolheigion heddiw, sef y testun a argreffir gan y Gymdeithas Feiblaidd Almaenig dan yr enw *Biblia Hebraica Stuttgartensia*, a ddaeth bellach yn olynydd i'r *Biblia Hebraica,* gol. R. Kittel.

Erbyn dyddiau Crist yr oedd amrywiaeth mawr rhwng darlleniadau llawysgrifau Hebraeg y Beibl. Oherwydd yr anwadalwch testunol hwn, penderfynwyd gan yr Iddewon eu hunain gael un testun safonol a swyddogol, a gwneud i ffwrdd â phob llawysgrif nad oedd yn cydymffurfio â hwnnw. Ond parhaodd peth ansicrwydd, i raddau oherwydd yr amhosibilrwydd o gysoni traddodiadau testunol amrywiol, ac yn arbennig oherwydd mai mewn math o "law-fer" yr ysgrifennid y llawysgrifau cynnar i gyd, gan roi'r cytseiniaid, ond heb fanylu am y llafariaid, fel bod ystyr gair, neu yn wir frawddeg, weithiau'n amwys. Erbyn y seithfed ganrif O.C. yr oedd y dysgedigion Iddewig (y Masoretiaid) wedi creu cyfres o arwyddion i ddynodi llafariaid, i hyrwyddo darllen a deall y testun safonol; gelwir hwn y Testun Masoretaidd (TM), ac cf sydd mewn rhyw ffurf ym mhob Beibl Hebraeg argraffedig.Pan ddarganfuwyd Sgroliau'r Môr Marw daeth llawysgrifau Hebraeg i'r golau a oedd yn hŷn o ganrifoedd na'r llawysgrif hynaf oedd ar gael cyn hynny. Y mae darlleniadau'r llawysgrifau hyn, gan hynny, o'r pwys mwyaf i'r cyfieithydd. Felly hefyd dystiolaeth y Fersiynau cynnar o'r Hen Destament mewn Groeg, Syrieg ac ieithoedd eraill, gan fod y rheini'n seiliedig ar lawysgrifau Hebraeg a oedd yn hŷn o ganrifoedd na'r TM.

Cais y cyfieithiad presennol ddefnyddio pob cyfrwng, hen a newydd, i gyrraedd ystyr wreiddiol y testun, a mynegi hwnnw mewn Cymraeg syml a fydd yn ddealladwy i'r darllenydd cyffredin. Cadwyd y dull traddodiadol o drosi'r enw dwyfol Iafe (Yahweh) yn ARGLWYDD (mewn priflythrennau), a defnyddio Arglwydd am *'adonai;* ond nid osgowyd termau technegol lle teimlwyd bod angen amdanynt yn y cyd-destun, e.e., Sheol.

Prin yw'r adnodau na welir ynddynt ryw newid ar gyfer y cyfieithiad hwn. Gellid nodi egwyddorion y Panel Cyfieithu fel a ganlyn: (i) Ceisiwyd cyfieithu'r testun Hebraeg yng ngoleuni'r wybodaeth ddiweddaraf ynglŷn ag ystyr yr Hebraeg gwreiddiol, o bob ffynhonnell, gan gynnwys yr ieithoedd cytras. Ambell dro derbyniwyd atalnodi a llafarnodi sy'n wahanol i'r traddodiad Masoretaidd, yn enwedig pan geid tystiolaeth dros hynny yn y Fersiynau. Dro arall yr oedd y Masoretiaid eu hunain yn awgrymu dau ddarddodiad gwahanol (y *cerê* a'r *cethîb,* etc.). Ni osodir nodyn wrth y cyfnewidiadau hyn, gan fod y Panel yn credu mai rhan o swydd pob cyfieithydd yw dewis rhyngddynt. (ii) Lle bynnag y newidiwyd cytsain o'r Testun Masoretaidd (TM) ar sail testun Hebraeg gwahanol (e.e., Sgrôl), neu o ganlyniad i ddarlleniad mewn un neu ragor o'r Fersiynau, tynnir sylw at y newid a'i sail mewn nodyn, a rhoddir cyfieithiad llythrennol o'r TM, os yw hynny'n bosibl. (iii) Weithiau ni ellid darganfod ystyr synhwyrlawn yn y TM, hyd yn oed gyda chymorth llawysgrifau a Fersiynau. Mewn achosion o'r math hwn ceisiodd y Panel y darlleniad oedd debycaf o fod yn wreiddiol, a rhoddir y nodiad "Tebygol" wrtho. (iv) Lle'r oedd dau gyfieithiad o'r un geiriau yn bosibl, a'r Panel yn amharod i dderbyn y naill a gwrthod y llall, nodir yr ail ddewis ar odre'r tudalen gyda "Neu" wrtho. (v) Lle mae ystyr enw priod, person neu le, yn arwyddocaol yn y cyd-destun, gosodir cyfieithiad neu eglurhad wrtho ar odre'r tudalen.

Byth oddi ar ddyddiau Luther, yr un llyfrau sydd yn yr Hen Destament ag sydd yn y Beibl Hebraeg (gw. y Rhagarweiniad i Apocryffa *Y Beibl Cymraeg Newydd*), ond eu bod mewn pedwar dosbarth (Cyfraith, Hanes, Barddoniaeth, Proffwydoliaeth) yn hytrach na dilyn dosbarthiad triphlyg y Beibl Hebraeg (Cyfraith, Proffwydi, Amryw). Ymgais y LXX i ddosbarthu i bedwar math o lên yw'r naill, ond dynodi tri cham yn y broses o ddod i gydnabod llyfrau arbennig fel rhai ysbrydoledig y mae'r llall. Pumllyfr y "Gyfraith" yn ddiamau oedd y casgliad cynharaf, a'r llyfrau olaf i'w cydnabod fel Ysgrythur (ond nid o angenrheidrwydd y rhai olaf i'w cyfansoddi) sydd yn y trydydd dosbarth Hebreig. Yn y dosbarth olaf hwn y ceir y llên farddol i gyd a hefyd y pum llyfr hanes diweddaraf (o 1 Cronicl hyd Esther) a llyfr Daniel. Diddordeb crefyddol yn anad dim arall sydd wrth wraidd y casgliad triphlyg; arwydd o hynny yw'r ffaith mai fel isddosbarth o'r llên broffwydol y dosberthir y llyfrau hanes cynnar, o Josua hyd 2 Brenhinoedd. Er mai "Y Gyfraith" y gelwir y Pumllyfr (Genesis—Deuteronomium), Lefiticus yw'r unig un o'r pump sy'n ddeddfau i gyd. Nid oes dim deddfau yn Genesis; ac yn y tri arall ceir adrannau cyfreithiol, ond y mae'r gweddill yn adrodd hynt a helynt Israel o'r Aifft i Ganaan. Oherwydd hyn y mae'n gywirach, yn aml, drosi'r gair Hebraeg *torâ* yn "cyfarwyddyd" yn hytrach na "deddf" neu "cyfraith", oni bo'r cyswllt cyfreithiol yn amlwg.

Rhyddiaith, fel y gellid disgwyl, yw'r Pumllyfr a'r llyfrau hanes bron yn llwyr. Ond, gyda rhai eithriadau, ysgrifennwyd llyfrau'r proffwydi mewn arddull farddonol, neu un sydd o leiaf yn tueddu at farddoniaeth; ac felly y ceisiwyd trosi'r rhannau hynny—yn ogystal, wrth gwrs, â'r llyfrau a ystyrir erioed yn farddoniaeth—yn y cyfieithiad presennol.

Y mae problemau arbennig ynghlwm wrth gyfieithu barddoniaeth; e.e., y mae ei hiaith yn aml yn fwy hynafol a chryno na rhyddiaith. Ceisiwyd cadw hyn yn y cyfieithiad, heb ei or-wneud. Nid yw odl na mydr yn ein hystyr arferol ni i'w cael mewn barddoniaeth Hebraeg, ac ni cheisiwyd eu creu wrth gyfieithu. Y nodwedd amlycaf yw'r gyfatebiaeth termau, y cyfochredd ystyr rhwng llinell a llinell, yn y mwyafrif mawr o gwpledi. Cofier bob amser mai'r cwpled, weithiau tripled, yw'r uned farddol; i ganfod meddwl y bardd, y mae'n rhaid ystyried yr uned gyfan, ac nid llinell unigol ar ei phen ei hun. Efallai mai buddiol fyddai nodi'r mathau mwyaf cyffredin o gyfochredd: *(a)* cyfochredd cyflawn, lle mae cyfatebiaeth lawn rhwng y termau yn y ddwy linell, fel yn Salm 70:1; *(b)* cyfochredd anghyflawn oherwydd gadael term allan, a naill ai (i) peri bwlch, fel yn Salm 51:2, neu (ii) llanw'r bwlch â therm newydd, fel yn Salm 2:9; *(c)* cyfochredd cyferbyniol, lle mae'r ail linell yn gyfochrog drwy wrthgyferbyniad â'r gyntaf, fel yn Salm 15:4.

Bu peth diwygio ar fersiwn 1979 o'r Salmau, o ganlyniad i ambell sylw ac awgrym gwerthfawr a dderbyniwyd gan adolygwyr a darllenwyr, ac er mwyn sicrhau cysondeb â rhannau eraill o'r *Beibl Cymraeg Newydd*. Fel yr eglurwyd yn y Rhagarweiniad i argraffiad 1979, cadwyd y teitlau uwchben rhai o'r Salmau, er gwaethaf y ffaith nad yw eu harwyddocâd bellach yn gwbl ddealladwy bob amser, ac er nad ydynt yn rhan wreiddiol o destun y Salmau, am eu bod i'w cael yn y Testun Masoretaidd (gw. uchod) sy'n sail i'r cyfieithiad. Nodiadau golygyddol yw'r teitlau hyn, yn ymdrin ag amryw bynciau, megis (i) natur y Salm a'i dosbarthiad (Cân, Salm, Gweddi, Mascîl, etc.); (ii) i ba gasgliad(au) blaenorol y perthynai (Solomon, Meibion Cora, y Cyfarwyddwr, Dafydd, etc.); (iii) yn sgîl y traddodiad am awduraeth Dafydd, i ba ddigwyddiad yn ei hanes y tybid y gweddai'r Salm ("pan ffodd rhag ei fab Absalom", etc.); (iv) y cyfeiliant neu'r alaw ("ar ffliwtiau", "ar Golomen y Derw Pell", etc.); (v) pwrpas y Salm ("i gysegru'r Deml", "i ddiolch", etc.). Gwelir yn y teitlau hyn olion tyfiant a datblygiad y Sallwyr ac felly cadwyd hwy a'u cyfieithu; yn ogystal, fe nodir rhaniad diweddarach y Sallwyr cyfan i bum "llyfr". Cadwyd hefyd y term technegol *Sela* sydd ar ddiwedd rhai adnodau; ei bwrpas oedd rhoi rhyw gyfarwyddyd defodol nad yw ei ystyr bellach yn wybyddus, neu sydd o leiaf yn ansicr ei ystyr.

Fel yr eglurwyd yn y Rhagarweiniad Cyffredinol i'r gyfrol bresennol, y mae rhaniadau'r testun, a'r penawdau uwch eu pen, yn cyfateb i raddau helaeth i'r hyn a welir yn Fersiwn Saesneg *The Good News Bible*. Pan yw hynny'n berthnasol, rhoddir o dan y penawdau groes-gyfeiriadau at adrannau cyfochrog mewn mannau eraill yn yr Hen Destament. Ac eithrio'r rhain, ni chynhwyswyd, yn yr argraffiad presennol, unrhyw groes-gyfeiriadau at adrannau eraill o'r Beibl.

LLYFR
GENESIS

Hanes y Creu

1 Yn y dechreuad creodd Duw y nefoedd a'r ddaear. [2]Yr oedd y ddaear yn afluniaidd a gwag, ac yr oedd tywyllwch ar wyneb y dyfnder, ac ysbryd Duw[a] yn ymsymud ar wyneb y dyfroedd. [3]A dywedodd Duw, "Bydded goleuni." A bu goleuni. [4]Gwelodd Duw fod y goleuni yn dda; a gwahanodd Duw y goleuni oddi wrth y tywyllwch. [5]Galwodd Duw y goleuni yn ddydd a'r tywyllwch yn nos. A bu hwyr a bu bore, y dydd cyntaf.

[6]Yna dywedodd Duw, "Bydded ffurfafen yng nghanol y dyfroedd yn gwahanu dyfroedd oddi wrth ddyfroedd." [7]A gwnaeth Duw y ffurfafen, a gwahanodd y dyfroedd o dani oddi wrth y dyfroedd uwchlaw iddi. A bu felly. [8]Galwodd Duw y ffurfafen yn nefoedd. A bu hwyr a bu bore, yr ail ddydd.

[9]Yna dywedodd Duw, "Casgler ynghyd y dyfroedd dan y nefoedd i un lle, ac ymddangosed tir sych." A bu felly. [10]Galwodd Duw y tir sych yn ddaear, a chronfa'r dyfroedd yn foroedd. A gwelodd Duw fod hyn yn dda. [11]Dywedodd Duw, "Dyged y ddaear dyfiant, llysiau yn dwyn had, a choed ir ar y ddaear yn dwyn ffrwyth a had ynddo, yn ôl eu rhywogaeth." A bu felly. [12]Dygodd y ddaear dyfiant, llysiau yn dwyn had yn ôl eu rhywogaeth, a choed yn dwyn ffrwyth a had ynddo, yn ôl eu rhywogaeth. A gwelodd Duw fod hyn yn dda. [13]A bu hwyr a bu bore, y trydydd dydd.

[14]Yna dywedodd Duw, "Bydded goleuadau yn ffurfafen y nefoedd i wahanu'r dydd oddi wrth y nos, ac i fod yn arwyddion i'r tymhorau, a hefyd i'r dyddiau a'r blynyddoedd. [15]Bydded iddynt fod yn oleuadau yn ffurfafen y nefoedd i oleuo ar y ddaear." A bu felly. [16]Gwnaeth Duw y ddau olau mawr, y golau mwyaf i reoli'r dydd, a'r golau lleiaf y nos; gwnaeth y sêr hefyd. [17]A gosododd Duw hwy yn ffurfafen y nefoedd i oleuo ar y ddaear, [18]i reoli'r dydd a'r nos ac i wahanu'r goleuni oddi wrth y tywyllwch. A gwelodd Duw fod hyn yn dda. [19]A bu hwyr a bu bore, y pedwerydd dydd.

20 Yna dywedodd Duw, "Heigied y dyfroedd o greaduriaid byw, ac uwchlaw'r ddaear eheded adar ar draws ffurfafen y nefoedd." [21]A chreodd Duw y morfilod mawr, a'r holl greaduriaid byw sy'n heigio yn y dyfroedd yn ôl eu rhywogaeth, a phob aderyn asgellog yn ôl ei rywogaeth. A gwelodd Duw fod hyn yn dda. [22]Bendithiodd Duw hwy a dweud, "Byddwch ffrwythlon ac amlhewch a llanwch ddyfroedd y moroedd, a lluosoged yr adar ar y ddaear." [23]A bu hwyr a bu bore, y pumed dydd.

24 Yna dywedodd Duw, "Dyged y ddaear greaduriaid byw yn ôl eu rhywogaeth: anifeiliaid, ymlusgiaid a bwystfilod gwyllt yn ôl eu rhywogaeth." A bu felly. [25]Gwnaeth Duw y bwystfilod gwyllt yn ôl eu rhywogaeth, a'r anifeiliaid yn ôl eu rhywogaeth, a holl ymlusgiaid y tir yn ôl eu rhywogaeth. A gwelodd Duw fod hyn yn dda.

26 Dywedodd Duw, "Gwnawn ddyn ar ein delw, yn ôl ein llun ni, i lywodraethu ar bysgod y môr, ac adar yr awyr, ar yr anifeiliaid gwyllt, ar yr holl ddaear, ac ar bopeth sy'n ymlusgo ar y ddaear." [27]Felly creodd Duw ddyn ar ei ddelw ei hun; ar ddelw Duw y creodd ef; yn wryw ac yn fenyw y creodd hwy. [28]Bendithiodd Duw hwy a dweud, "Byddwch ffrwythlon ac amlhewch, llanwch y ddaear a darostyngwch hi; llywodraethwch ar bysgod y môr, ar adar yr awyr, ac ar bopeth byw sy'n ymlusgo ar y ddaear." 29 A dywedodd Duw, "Yr wyf yn rhoi i chwi bob llysieuyn sy'n dwyn had ar wyneb y ddaear, a phob coeden â had yn ei ffrwyth; byddant yn fwyd i chwi. [30]Ac i bob bwystfil gwyllt, i holl adar yr awyr, ac i bopeth sy'n ymlusgo ar y ddaear,

---

[a]Neu, a gwynt nerthol.

popeth ag anadl einioes ynddo, bydd pob llysieuyn glas yn fwyd." A bu felly. [31]Gwelodd Duw y cwbl a wnaeth, ac yr oedd yn dda iawn. A bu hwyr a bu bore, y chweched dydd.

2 Felly gorffennwyd y nefoedd a'r ddaear a'u holl luoedd. [2]Ac erbyn y seithfed dydd yr oedd Duw wedi gorffen y gwaith a wnaeth, a gorffwysodd ar y seithfed dydd oddi wrth ei holl waith. [3]Am hynny bendithiodd Duw y seithfed dydd a'i sancteiddio, am mai ar hwnnw y gorffwysodd Duw oddi wrth ei holl waith yn creu.

4 Dyna hanes cenhedlu'r nefoedd a'r ddaear pan grewyd hwy.

Gardd Eden

Yn y dydd y gwnaeth yr ARGLWYDD Dduw ddaear a nefoedd, [5]nid oedd un o blanhigion y maes wedi dod ar y tir, nac un o lysiau'r maes wedi blaguro, am nad oedd yr ARGLWYDD Dduw eto wedi peri iddi lawio ar y ddaear, ac nad oedd yno ddyn i drin y tir; [6]ond yr oedd tarth yn esgyn o'r ddaear ac yn dyfrhau holl wyneb y tir. [7]Yna lluniodd yr ARGLWYDD Dduw ddyn o lwch y tir, ac anadlodd yn ei ffroenau anadl einioes; a daeth y dyn yn greadur byw. [8]A phlannodd yr AR-GLWYDD Dduw ardd yn Eden, tua'r dwyrain; a gosododd yno y dyn yr oedd wedi ei lunio. [9]A gwnaeth yr ARGLWYDD Dduw i bob coeden ddymunol i'r golwg, a da i fwyta ohoni, dyfu o'r tir; ac yr oedd pren y bywyd yng nghanol yr ardd, a phren gwybodaeth da a drwg.

10 Yr oedd afon yn llifo allan o Eden i ddyfrhau'r ardd, ac oddi yno yr oedd yn ymrannu'n bedair. [11]Enw'r afon gyntaf yw Pison; hon sy'n amgylchu holl wlad Hafila, lle y ceir aur; [12]y mae aur y wlad honno'n dda, ac yno ceir bdeliwm a'r maen onyx. [13]Enw'r ail yw Gihon; hon sy'n amgylchu holl wlad Ethiopia. [14]Ac enw'r drydedd yw Hidecel; hon sy'n llifo o'r tu dwyrain i Asyria. A'r bedwaredd afon yw Ewffrates.

15 Cymerodd yr ARGLWYDD Dduw y dyn a'i osod yng ngardd Eden, i'w thrin a'i chadw. [16]Rhoddodd yr ARGLWYDD Dduw orchymyn i'r dyn, a dweud, "Cei fwyta'n rhydd o bob coeden yn yr ardd, [17]ond ni chei fwyta o bren gwybodaeth da

a drwg, oherwydd y dydd y bwytei ohono ef, byddi'n sicr o farw."

18 Dywedodd yr ARGLWYDD Dduw hefyd, "Nid da bod y dyn ar ei ben ei hun; gwnaf iddo ymgeledd cymwys." [19]Felly fe luniodd yr ARGLWYDD Dduw o'r ddaear yr holl fwystfilod gwyllt a holl adar yr awyr, a daeth â hwy at y dyn i weld pa enw a roddai arnynt; a pha enw bynnag a roes y dyn ar unrhyw greadur, dyna fu ei enw. [20]Rhoes y dyn enw ar yr holl anifeiliaid, ar adar yr awyr, ac ar yr holl fwystfilod gwyllt; ond ni chafodd ymgeledd cymwys iddo'i hun. [21]Yna parodd yr ARGLWYDD Dduw i drwmgwsg syrthio ar y dyn, a thra oedd yn cysgu, cymerodd un o'i asennau a chau ei lle â chnawd; [22]ac o'r asen a gymerodd gwnaeth yr ARGLWYDD Dduw wraig, a daeth â hi at y dyn. [23]A dywedodd y dyn,

"Dyma hi!
Asgwrn o'm hesgyrn, a chnawd o'm
                        cnawd.
Gelwir hi yn wraig,
am mai o ŵr[b] y cymerwyd hi."

[24]Dyna pam y bydd dyn yn gadael ei dad a'i fam, ac yn glynu wrth ei wraig, a byddant yn un cnawd. [25]Yr oedd y dyn a'i wraig ill dau yn noeth, ac nid oedd arnynt gywilydd.

Anufudd-dod Dyn

3 Yr oedd y sarff yn fwy cyfrwys na'r holl fwystfilod gwyllt a wnaed gan yr ARGLWYDD Dduw. A dywedodd wrth y wraig, "A yw Duw yn wir wedi dweud, 'Ni chewch fwyta o'r un o goed yr ardd'?" [2]Dywedodd y wraig wrth y sarff, "Cawn fwyta o ffrwyth coed yr ardd, [3]ond am ffrwyth y goeden sydd yng nghanol yr ardd dywedodd Duw, 'Peidiwch â bwyta ohono, na chyffwrdd ag ef, rhag ichwi farw.'" [4]Ond dywedodd y sarff wrth y wraig, "Na! ni fyddwch farw; [5]ond fe ŵyr Duw yr agorir eich llygaid y dydd y bwytewch ohono, a byddwch fel Duw[c] yn gwybod da a drwg." [6]A phan ddeallodd y wraig fod y pren yn dda i fwyta ohono, a'i fod yn deg i'r golwg ac yn bren i'w ddymuno i beri doethineb, cymerodd o'i ffrwyth a'i fwyta, a'i roi hefyd i'w gŵr, a bwytaodd yntau. [7]Yna agorwyd eu llygaid hwy ill dau i wybod eu bod yn noeth, a gwnïasant ddail ffigysbren i wneud ffedogau iddynt eu hunain.

---

[b]Yr Hebraeg yn chwarae ar y geiriau 'issa (gwraig) a 'is (gŵr).   [c]Neu, duwiau.

8 A chlywsant sŵn yr ARGLWYDD Dduw yn rhodio yn yr ardd gyda hwyr y dydd, ac ymguddiodd y dyn a'i wraig o olwg yr ARGLWYDD Dduw ymysg coed y ardd. ⁹Ond galwodd yr ARGLWYDD Dduw ar y dyn, a dweud wrtho, "Ble'r wyt ti?" ¹⁰Atebodd yntau, "Clywais dy sŵn yn yr ardd, ac ofnais oherwydd fy mod yn noeth, ac ymguddiais." ¹¹Dywedodd yntau, "Pwy a ddywedodd wrthyt dy fod yn noeth? A wyt ti wedi bwyta o'r pren y gorchmynnais iti beidio â bwyta ohono?" ¹²A dywedodd y dyn, "Y wraig a roddaist i fod gyda mi a roes i mi o ffrwyth y pren, a bwyteais innau." ¹³Yna dywedodd yr ARGLWYDD Dduw wrth y wraig, "Pam y gwnaethost hyn?" A dywedodd y wraig, "Y sarff a'm twyllodd, a bwyteais innau."

Dedfryd Duw

14 Yna dywedodd yr ARGLWYDD Dduw wrth y sarff:
"Am iti wneud hyn, yr wyt yn fwy melltigedig
na'r holl anifeiliaid,
ac na'r holl fwystfilod gwyllt;
byddi'n ymlusgo ar dy dor,
ac yn bwyta llwch holl ddyddiau dy fywyd.
¹⁵Gosodaf elyniaeth hefyd rhyngot ti a'r wraig,
a rhwng dy had di a'i had hithau;
bydd ef yn ysigo dy ben di,
a thithau'n ysigo'i sawdl ef."
¹⁶Dywedodd wrth y wraig:
"Byddaf yn amlhau yn ddirfawr dy boen a'th wewyr;
mewn poen y byddi'n geni plant.
Eto bydd dy ddyhead am dy ŵr,
a bydd ef yn llywodraethu arnat."
¹⁷Dywedodd wrth Adda:
"Am iti wrando ar lais dy wraig,
a bwyta o'r pren y gorchmynnais i ti beidio â bwyta ohono,
melltigedig yw'r ddaear o'th achos;
trwy lafur y bwytei ohoni holl ddyddiau dy fywyd.
¹⁸Bydd yn rhoi iti ddrain ac ysgall, a byddi'n bwyta llysiau gwyllt.
¹⁹Trwy chwys dy wyneb y byddi'n bwyta bara
hyd oni ddychweli i'r pridd,
oherwydd ohono y'th gymerwyd;
llwch wyt ti, ac i'r llwch y dychweli."
²⁰Rhoddodd y dyn i'w wraig yr enw Efa,

am mai hi oedd mam pob un byw. ²¹A gwnaeth yr ARGLWYDD Dduw beisiau crwyn i Adda a'i wraig, a'u gwisgo amdanynt.

22 Yna dywedodd yr ARGLWYDD Dduw, "Y mae'r dyn fel un ohonom ni, yn gwybod da a drwg. Yn awr, rhaid iddo beidio ag estyn ei law a chymryd hefyd o bren y bywyd, a bwyta, a byw hyd byth." ²³Am hynny anfonodd yr ARGLWYDD Dduw ef allan o ardd Eden, i drin y tir y cymerwyd ef ohono. ²⁴Gyrrodd y dyn allan; a gosododd gerwbiaid i'r dwyrain o ardd Eden, a chleddyf fflamllyd yn chwyrlïo, i warchod y ffordd at bren y bywyd.

Cain ac Abel

4 Cafodd Adda gyfathrach â'i wraig Efa, a beichiogodd ac esgor ar Cain, a dywedodd, "Dygaisᶜʰ ŵr trwy yr AR-GLWYDD." ²Esgorodd wedyn ar ei frawd Abel. Bugail defaid oedd Abel, a Chain yn trin y tir. ³Ymhen amser daeth Cain ag offrwm o gynnyrch y tir i'r ARGLWYDD, ⁴a daeth Abel yntau â blaenffrwyth ei ddefaid, sef eu braster. ⁵Edrychodd yr ARGLWYDD yn ffafriol ar Abel a'i offrwm, ond nid felly ar Cain a'i offrwm. Digiodd Cain yn ddirfawr, a bu'n wynep-drist. ⁶Ac meddai'r ARGLWYDD wrth Cain, "Pam yr wyt wedi digio? Pam yr wyt yn wynepdrist? ⁷Os gwnei yn dda, oni fyddi'n gymeradwy? Ac oni wnei yn dda, y mae pechod yn llercian wrth y drws; y mae ei wanc amdanat, ond rhaid i ti ei drechu." ⁸A dywedodd Cain wrth Abel ei frawd, "Gad inni fynd i'r maes."ᵈ A phan oeddent yn y maes, troes Cain ar Abel ei frawd, a'i ladd. ⁹Yna dywedodd yr ARGLWYDD wrth Cain, "Ble mae dy frawd Abel?" Meddai yntau, "Ni wn i. Ai fi yw ceidwad fy mrawd?" ¹⁰A dywedodd Duw, "Beth wyt wedi ei wneud? Y mae llef gwaed dy frawd yn gweiddi arnaf o'r pridd. ¹¹Yn awr, mellt-igedig fyddi gan y pridd a agorodd ei safn i dderbyn gwaed dy frawd o'th law. ¹²Pan fyddi'n trin y pridd, ni fydd mwyach yn rhoi ei ffrwyth iti; ffoadur a chrwydryn fyddi ar y ddaear." ¹³Yna meddai Cain wrth yr ARGLWYDD, "Y mae fy nghosb yn ormod i'w dwyn. ¹⁴Dyma ti heddiw yn fy ngyrru ymaith o'r tir, ac fe'm cuddir o'th ŵydd; ffoadur a chrwydryn fyddaf ar y ddaear, a bydd pwy bynnag a ddaw ar

ᶜʰHebraeg, *canah*. Cymh. *Cain*.　　　ᵈFelly Fersiynau. Hebraeg heb " *Gad ... maes.*"

fy nhraws yn fy lladd." [15]Dywedodd yr ARGLWYDD wrtho, "Nid felly[dd]; os bydd i rywun ladd Cain, dielir arno seithwaith." A gosododd yr ARGLWYDD nod ar Cain, rhag i neb a ddôi ar ei draws ei ladd. [16]Yna aeth Cain ymaith o ŵydd yr ARGLWYDD, a phreswylio yn nhir Nod, i'r dwyrain o Eden.

Disgynyddion Cain

17 Cafodd Cain gyfathrach â'i wraig, a beichiogodd ac esgor ar Enoch; ac adeiladodd ddinas, a'i galw ar ôl ei fab, Enoch. [18]Ac i Enoch ganwyd Irad; Irad oedd tad Mehwiael, Mehwiael oedd tad Methwsael, a Methwsael oedd tad Lamech. [19]Cymerodd Lamech ddwy wraig; Ada oedd enw'r gyntaf, a Sila oedd enw'r ail. [20]Esgorodd Ada ar Jabal; ef oedd tad pob preswylydd pabell a pherchen anifail. [21]Enw ei frawd oedd Jwbal; ef oedd tad pob canwr telyn a phib. [22]Esgorodd Sila, y wraig arall, ar Twbal-Cain, cyfarwyddwr pob un sy'n gwneud cywreinwaith pres a haearn. Naama oedd chwaer Twbal-Cain.

23 A dywedodd Lamech wrth ei wragedd:

"Ada a Sila, clywch fy llais;
chwi wragedd Lamech, gwrandewch fy lleferydd;
lleddais ŵr am fy archolli, a llanc am fy nghleisio.
[24]Os dielir am Cain seithwaith,
yna Lamech saith ddengwaith a seithwaith."

Seth ac Enos

25 Cafodd Adda gyfathrach â'i wraig eto, ac esgorodd ar fab, a'i alw'n Seth, a dweud, "Darparodd[e] Duw i mi fab arall yn lle Abel, am i Cain ei ladd." [26]I Seth hefyd fe anwyd mab, a galwodd ef yn Enos. Yr amser hwnnw y dechreuwyd galw ar enw yr ARGLWYDD.

Disgynyddion Adda
(1 Cron. 1:1-4)

5 Dyma lyfr cenedlaethau Adda[f]. Pan greodd Duw ddyn, gwnaeth ef ar lun Duw. [2]Fe'u creodd yn wryw ac yn fenyw, a bendithiodd hwy; ac ar ddydd eu creu fe'u galwodd yn ddyn. [3]Bu Adda fyw am gant tri deg o flynyddoedd cyn geni mab iddo, ar ei lun a'i ddelw; a galwodd ef yn Seth. [4]Wedi geni Seth, bu Adda fyw am

wyth gan mlynedd, a bu iddo feibion a merched eraill. [5]Felly yr oedd oes gyfan Adda yn naw cant tri deg o flynyddoedd; yna bu farw.

6 Bu Seth fyw am gant a phump o flynyddoedd cyn geni iddo Enos. [7]Ac wedi geni Enos, bu Seth fyw am wyth gant a saith o flynyddoedd, a bu iddo feibion a merched eraill. [8]Felly yr oedd oes gyfan Seth yn naw cant a deuddeg o flynyddoedd; yna bu farw.

9 Bu Enos fyw am naw deg o flynyddoedd cyn geni iddo Cenan. [10]Ac wedi geni Cenan, bu Enos fyw am wyth gant a phymtheg o flynyddoedd, a bu iddo feibion a merched eraill. [11]Felly yr oedd oes gyfan Enos yn naw cant a phump o flynyddoedd; yna bu farw.

12 Bu Cenan fyw am saith deg o flynyddoedd cyn geni iddo Mahalalel. [13]Ac wedi geni Mahalalel, bu Cenan fyw am wyth gant pedwar deg o flynyddoedd, a bu iddo feibion a merched eraill. [14]Felly yr oedd oes gyfan Cenan yn naw cant a deg o flynyddoedd; yna bu farw.

15 Bu Mahalalel fyw am chwe deg a phump o flynyddoedd cyn geni iddo Jered. [16]Ac wedi geni Jered, bu Mahalalel fyw am wyth gant tri deg o flynyddoedd, a bu iddo feibion a merched eraill. [17]Felly yr oedd oes gyfan Mahalalel yn wyth gant naw deg a phump o flynyddoedd; yna bu farw.

18 Bu Jered fyw am gant chwe deg a dwy o flynyddoedd cyn geni iddo Enoch. [19]Ac wedi geni Enoch, bu Jered fyw am wyth gan mlynedd, a bu iddo feibion a merched eraill. [20]Felly yr oedd oes gyfan Jered yn naw cant chwe deg a dwy o flynyddoedd; yna bu farw.

21 Bu Enoch fyw am chwe deg a phump o flynyddoedd cyn geni iddo Methwsela. [22]Wedi geni Methwsela, rhodiodd Enoch gyda Duw am dri chan mlynedd, a bu iddo feibion a merched eraill. [23]Felly yr oedd oes gyfan Enoch yn dri chant chwe deg a phump o flynyddoedd. [24]Rhodiodd Enoch gyda Duw, a daeth ei oes i ben, oherwydd cymerodd Duw ef. 25 Bu Methwsela fyw am gant wyth deg a saith o flynyddoedd cyn geni iddo Lamech. [26]Ac wedi geni Lamech, bu Methwsela fyw am saith gant wyth deg a dwy o flynyddoedd, a bu iddo feibion a merched eraill. [27]Felly yr oedd oes gyfan Methwsela yn naw cant chwe deg a naw o

---

[dd]Felly Fersiynau. Hebraeg, *Felly*.   [e]Hebraeg, *sith*. Cymh. *Seth*.   [f]Neu, *dyn*.

flynyddoedd; yna bu farw.

28 Bu Lamech fyw am gant wyth deg a dwy o flynyddoedd cyn geni iddo fab; ²⁹a galwodd ef yn Noa, a dweud, "Fe ddaw hwn â chysur i ni o waith a llafur ein dwylo yn y pridd a felltithiodd yr ARGLWYDD." ³⁰Ac wedi geni Noa, bu Lamech fyw am bum cant naw deg a phump o flynyddoedd, a bu iddo feibion a merched eraill. ³¹Felly yr oedd oes gyfan Lamech yn saith gant saith deg a saith o flynyddoedd; yna bu farw. ³²Bu Noa fyw am bum can mlynedd cyn geni iddo Sem, Cham a Jaffeth.

Drygioni Dynion

6 Dechreuodd dynion amlhau ar wyneb y ddaear, a ganwyd merched iddynt; ²yna gwelodd meibion y duwiau fod merched dynion yn hardd, a chymerasant wragedd o'u plith yn ôl eu dewis. ³A dywedodd yr ARGLWYDD, "Ni fydd fy ysbryd yn aros am byth mewn dyn, oherwydd cnawd yw; ond cant ac ugain o flynyddoedd fydd hyd ei oes." ⁴Y Neffilim oedd ar y ddaear yr amser hwnnw, ac wedi hynny hefyd, pan oedd meibion y duwiau yn cyfathrachu â merched dynion, a hwythau'n geni plant iddynt. Dyma'r cedyrn gynt, gwŷr enwog.

5 Pan welodd yr ARGLWYDD fod drygioni dyn yn fawr ar y ddaear, a bod holl ogwydd ei fwriadau bob amser yn ddrwg, ⁶bu edifar gan yr ARGLWYDD iddo wneud dyn ar y ddaear, ac ymofidiodd. ⁷Yna dywedodd yr ARGLWYDD, "Dileaf oddi ar wyneb y ddaear y dyn a greais, ie, dyn ac anifail, ymlusgiaid ac adar yr awyr, oherwydd y mae'n edifar gennyf imi eu gwneud." ⁸Ond cafodd Noa ffafr yng ngolwg yr ARGLWYDD.

Noa

9 Dyma genedlaethau Noa. Gŵr cyfiawn oedd Noa, perffaith yn ei oes; a rhodiodd Noa gyda Duw. ¹⁰Yr oedd Noa'n dad i dri o feibion: Sem, Cham a Jaffeth.

11 Aeth y ddaear yn llygredig gerbron Duw, ac yn llawn trais. ¹²A gwelodd Duw fod y ddaear yn llygredig, am fod bywyd pawb ar y ddaear wedi ei lygru. ¹³Yna dywedodd Duw wrth Noa, "Yr wyf wedi penderfynu difodi pob cnawd, oherwydd llanwyd y ddaear â thrais ganddynt; yr wyf am eu difetha o'r ddaear. ¹⁴Gwna i ti arch o bren goffer; gwna gelloedd ynddi a

rho drwch o byg arni, oddi mewn ac oddi allan. ¹⁵Dyma'i chynllun: hyd yr arch, tri chan cufydd; ei lled, hanner can cufydd; ei huchder, deg cufydd ar hugain. ¹⁶Gwna do hefyd i'r arch, a gorffen ei grib gufydd yn uwch; gosod ddrws yr arch yn ei hochr, a gwna hi'n dri llawr, yr isaf, y canol a'r uchaf. ¹⁷Edrych, yr wyf ar fin dwyn dyfroedd y dilyw ar y ddaear, i ddifetha pob cnawd dan y nef ag anadl einioes ynddo; bydd popeth ar y ddaear yn trengi. ¹⁸Ond sefydlaf fy nghyfamod â thi; fe ei di i'r arch, ti a'th feibion a'th wraig, a gwragedd dy feibion gyda thi. ¹⁹Yr wyt i fynd â dau o bob math o'r holl greaduriaid byw i mewn i'r arch i'w cadw'n fyw gyda thi, sef gwryw a benyw. ²⁰Daw atat ddau o bob math o'r adar yn ôl eu rhywogaeth, o'r anifeiliaid yn ôl eu rhywogaeth, ac o holl ymlusgiaid y tir yn ôl eu rhywogaeth, i'w cadw'n fyw. ²¹Cymer hefyd o bob bwyd sy'n cael ei fwyta, a chasgla ef ynghyd; bydd yn ymborth i ti ac iddynt hwythau." ²²Felly y gwnaeth Noa; gwnaeth bopeth fel y gorchmynnodd Duw iddo.

Y Dilyw

7 Yna dywedodd yr ARGLWYDD wrth Noa, "Dos i mewn i'r arch, ti a'th holl deulu, oherwydd gwelais dy fod di yn gyfiawn ger fy mron yn y genhedlaeth hon. ²Cymer gyda thi saith bâr o'r holl anifeiliaid glân, y gwryw a'i gymar; a phâr o'r anifeiliaid nad ydynt lân, y gwryw a'i gymar; ³a phob yn saith bâr hefyd o adar yr awyr, y gwryw a'r fenyw, i gadw eu hil yn fyw ar wyneb yr holl ddaear. ⁴Oherwydd ymhen saith diwrnod paraf iddi lawio ar y ddaear am ddeugain diwrnod a deugain nos, a byddaf yn dileu oddi ar wyneb y ddaear bopeth byw a wneuthum." ⁵Gwnaeth Noa bopeth fel y gorchmynnodd yr ARGLWYDD iddo. ⁶Chwe chant oed oedd Noa pan ddaeth dyfroedd y dilyw ar y ddaear.

7 Aeth Noa i mewn i'r arch, a'i feibion a'i wraig a gwragedd ei feibion gydag ef, rhag dyfroedd y dilyw. ⁸Cymerodd o'r anifeiliaid glân a'r anifeiliaid nad oeddent lân, o'r adar a phopeth oedd yn ymlusgo ar y tir, ⁹a daethant i mewn ato i'r arch bob yn ddau, yn wryw a benyw, fel y gorchmynnodd Duw i Noa. ¹⁰Ymhen saith diwrnod daeth dyfroedd y dilyw ar y ddaear.

11 Yn y chwe chanfed flwyddyn o oes

Noa, yn yr ail fis, ar yr ail ddydd ar bymtheg o'r mis, y diwrnod hwnnw rhwygwyd holl ffynhonnau'r dyfnder mawr ac agorwyd ffenestri'r nefoedd, [12]fel y bu'n glawio ar y ddaear am ddeugain diwrnod a deugain nos. [13]Y diwrnod hwnnw aeth Noa a'i feibion Sem, Cham a Jaffeth, gwraig Noa a thair gwraig ei feibion hefyd gyda hwy i mewn i'r arch, [14]hwy a phob bwystfil yn ôl ei rywogaeth, a phob anifail yn ôl ei rywogaeth, a phob peth sy'n ymlusgo ar y ddaear yn ôl ei rywogaeth, a'r holl adar yn ôl eu rhywogaeth, pob aderyn asgellog. [15]Daethant at Noa i'r arch bob yn ddau, o bob creadur ag anadl einioes ynddo. [16]Yr oeddent yn dod yn wryw ac yn fenyw o bob creadur, ac aethant i mewn fel y gorchmynnodd Duw iddo; a chaeodd yr ARGLWYDD arno.

17 Am ddeugain diwrnod y bu'r dilyw yn dod ar y ddaear; amlhaodd y dyfroedd, gan gludo'r arch a'i chodi oddi ar y ddaear. [18]Cryfhaodd y dyfroedd ac amlhau'n ddirfawr ar y ddaear, a moriodd yr arch ar wyneb y dyfroedd. [19]Cryfhaodd y dyfroedd gymaint ar y ddaear nes gorchuddio'r holl fynyddoedd uchel ym mhob man dan y nefoedd; [20]cododd y dyfroedd dros y mynyddoedd a'u gorchuddio dan ddyfnder o bymtheg cufydd. [21]Trengodd pob cnawd oedd yn symud ar y ddaear, yn adar, anifeiliaid, bwystfilod, popeth oedd yn heigio ar y ddaear, a phob dyn; [22]bu farw popeth ar y tir sych oedd ag anadl einioes yn ei ffroenau. [23]Dilewyd popeth byw oedd ar wyneb y tir, yn ddyn ac anifail, yn ymlusgiaid ac adar yr awyr; fe'u dilewyd o'r ddaear. Noa yn unig a adawyd, a'r rhai oedd gydag ef yn yr arch. [24]Parhaodd y dyfroedd ar y ddaear am gant a hanner o ddyddiau.

Diwedd y Dilyw

8 Cofiodd Duw am Noa a'r holl fwystfilod a'r holl anifeiliaid oedd gydag ef yn yr arch. Parodd Duw i wynt chwythu dros y ddaear, a gostyngodd y dyfroedd; [2]caewyd ffynhonnau'r dyfnder a ffenestri'r nefoedd, ac ataliwyd y glaw o'r nef. [3]Ciliodd y dyfroedd yn raddol oddi ar y ddaear, ac wedi cant a hanner o ddyddiau aeth y dyfroedd ar drai. [4]Yn y seithfed mis, ar yr ail ddydd ar bymtheg o'r mis, glaniodd yr arch ar fynyddoedd Ararat. [5]Ciliodd y dyfroedd yn raddol

hyd y degfed mis; ac yn y degfed mis, ar y dydd cyntaf o'r mis, daeth pennau'r mynyddoedd i'r golwg.

6 Ymhen deugain diwrnod agorodd Noa y ffenestr yr oedd wedi ei gwneud yn yr arch, [7]ac anfon allan gigfran i weld a oedd y dyfroedd wedi treio[ff], ac aeth hithau yma ac acw nes i'r dyfroedd sychu oddi ar y ddaear. [8]Yna gollyngodd golomen i weld a oedd y dyfroedd wedi treio oddi ar wyneb y tir; [9]ond ni chafodd y golomen le i orffwyso gwadn ei throed, a dychwelodd ato i'r arch am fod dŵr dros wyneb yr holl ddaear. Estynnodd yntau ei law i'w derbyn, a'i chymryd ato i'r arch. [10]Arhosodd eto saith diwrnod, ac anfonodd y golomen eilwaith o'r arch. [11]Pan ddychwelodd y golomen ato gyda'r hwyr, yr oedd yn ei phig ddeilen olewydd newydd ei thynnu; a deallodd Noa fod y dyfroedd wedi treio oddi ar y ddaear. [12]Arhosodd eto saith diwrnod; anfonodd allan y golomen, ond ni ddaeth yn ôl ato y tro hwn.

13 Yn y flwyddyn chwe chant ac un o oed Noa, yn y mis cyntaf, ar y dydd cyntaf o'r mis, sychodd y dyfroedd oddi ar y ddaear; a symudodd Noa gaead yr arch, a phan edrychodd allan, gwelodd wyneb y tir yn sychu. [14]Erbyn yr ail fis, ar y seithfed dydd ar hugain o'r mis, yr oedd y ddaear wedi sychu. [15]Yna llefarodd Duw wrth Noa, a dweud, [16]"Dos allan o'r arch, ti a'th wraig a'th feibion a gwragedd dy feibion gyda thi; [17]a dwg allan gyda thi bob creadur byw o bob cnawd, yn adar ac anifeiliaid a phopeth sy'n ymlusgo ar y ddaear, er mwyn iddynt epilio ar y ddaear, a ffrwytho ac amlhau ynddi." [18]Felly aeth Noa allan gyda'i feibion a'i wraig a gwragedd ei feibion; [19]hefyd aeth allan o'r arch bob bwystfil, pob ymlusgiad, pob aderyn a phob peth sy'n ymlusgo ar y ddaear, yn ôl eu rhywogaeth.

Noa'n Aberthu

20 Yna adeiladodd Noa allor i'r ARGLWYDD, a chymryd rhai o bob math o'r anifeiliaid glân ac o'r adar glân, ac offrymu poethoffrymau ar yr allor. [21]A phan glywodd yr ARGLWYDD yr arogl hyfryd, dywedodd yr ARGLWYDD ynddo'i hun, "Ni felltithiaf y ddaear mwyach o achos dyn, er bod gogwydd ei feddwl yn ddrwg o'i ieuenctid; ni ddifethaf eto bopeth byw fel y gwneuthum.

[ff]Felly Groeg. Hebraeg heb *i weld ... treio.* Cymh. adn. 8.

²²Tra pery'r ddaear,
ni pheidia pryd hau a medi, oerni a
gwres,
haf a gaeaf, dydd a nos."

Cyfamod Duw â Noa

9 Bendithiodd Duw Noa a'i feibion a
dweud, "Byddwch ffrwythlon, aml-
hewch a llanwch y ddaear. ²Bydd eich
ofn a'ch arswyd ar yr holl fwystfilod
gwyllt, ar holl adar yr awyr, ar holl
ymlusgiaid y tir ac ar holl bysgod y môr;
gosodwyd hwy dan eich awdurdod.
³Bydd popeth byw sy'n symud yn fwyd i
chwi; fel y rhoddais eisoes lysiau gleision
i chwi, rhoddaf i chwi bopeth. ⁴Ond
peidiwch â bwyta cig â'i einioes, sef ei
waed, ynddo. ⁵Yn wir, mynnaf iawn am
waed eich einioes; mynnaf ef gan bob
bwystfil a chan ddyn; ie, mynnaf iawn am
einioes dyn gan ei gyd-ddyn.

⁶A dywallto waed dyn, trwy ddyn y
tywelltir ei waed yntau;
oherwydd gwnaeth Duw ddyn ar ei
ddelw ei hun.
⁷Chwithau, byddwch ffrwythlon ac
amlhewch,
epiliwch ar y ddaear ac amlhewch
ynddi."

8 Llefarodd Duw wrth Noa a'i feibion,
a dweud, ⁹"Dyma fi'n sefydlu fy nghyf-
amod â chwi ac â'ch had ar eich ôl, ¹⁰ac â
phob creadur byw gyda chwi, yn adar ac
anifeiliaid, a'r holl fwystfilod gwyllt sydd
gyda chwi, y cwbl a ddaeth allan o'r
archᵍ. ¹¹Scfydlaf fy nghyfamod â chwi,
rhag torri ymaith eto bob cnawd trwy
ddyfroedd dilyw, na bod dilyw arall i
ddifa'r ddaear." ¹²A dywedodd Duw,
"Dyma a osodaf yn arwydd o'r cyfamod
yr wyf yn ei wneud â chwi ac â phopeth
byw gyda chwi tros oesoedd di-rif:
¹³gosodaf fy mwa yn y cwmwl, a bydd yn
arwydd cyfamod rhyngof a'r ddaear.
¹⁴Pan godaf gwmwl ar y ddaear bydd bwa
yn ymddangos yn y cwmwl, ¹⁵a chofiaf
fy nghyfamod rhyngof a chwi a phob
creadur byw o bob math, ac ni ddaw'r
dyfroedd eto yn ddilyw i ddifa pob
cnawd. ¹⁶Pan fydd y bwa yn y cwmwl,
byddaf yn edrych arno ac yn cofio'r
cyfamod tragwyddol rhwng Duw a phob
creadur byw o bob math ar y ddaear."

¹⁷Dywedodd Duw wrth Noa, "Dyma
arwydd y cyfamod yr wyf wedi ei sefydlu
rhyngof a phob cnawd ar y ddaear."

Noa a'i Feibion

18 Sem, Cham a Jaffeth oedd meibion
Noa a ddaeth allan o'r arch. Cham oedd
tad Canaan. ¹⁹Dyma dri mab Noa, ac
ohonynt yr hiliwyd yr holl ddaear.
20 Dechreuodd Noa fod yn amaethwr.
Plannodd winllan, ²¹ac yna yfodd o'r
gwin ncs mcddwi, a gorwedd yn noeth yn
ei babell. ²²Gwelodd Cham, tad Canaan,
ei dad yn noeth, a dywedodd wrth ei ddau
frawd y tu allan; ²³ond cymerodd Sem a
Jaffeth fantell a'i gosod ar eu hysgwydd-
au, a cherdded yn wysg eu cefnau a
gorchuddio noethni eu tad, gan droi eu
hwynebau i ffwrdd rhag gweld noethni eu
tad. ²⁴Pan ddeffrôdd Noa o'i win, a
gwybod beth yr oedd ei fab ieuengaf wedi
ei wneud iddo, ²⁵dywedodd,
"Melltigedig fyddo Canaan;
gwas i weision ei frodyr fydd."
²⁶Dywedodd hefyd,
"Bendigedig gan yr ARGLWYDD fy
Nuw fyddo Sem;ⁿᵍ
bydded Canaan yn was iddo.
²⁷Helaethed Duw Jaffeth, iddo
breswylio ym mhebyll Sem;
bydded Canaan yn was iddo."
²⁸Bu Noa fyw wedi'r dilyw am dri chant a
hanner o flynyddoedd. ²⁹Felly yr oedd
oes gyfan Noa yn naw cant a hanner o
flynyddoedd; yna bu farw.

Disgynyddion Meibion Noa
(1 Cron. 1:5-23)

10 Dyma genedlaethau meibion
Noa, sef Sem, Cham, a Jaffeth.
Ganwyd iddynt feibion wedi'r dilyw.
²Meibion Jaffeth oedd Gomer, Magog,
Madai, Jafan, Tubal, Mesech, a Thiras.
³Meibion Gomer: Ascenas, Riffath, a
Thogarma. ⁴Meibion Jafan: Elisa, Tarsis,
Cittim, a Dodanim; ⁵o'r rhain yr ymran-
nodd pobl yr ynysoedd. Dyna feibion
Jaffethʰ yn eu gwledydd, pob un yn ôl ei
iaith a'i lwyth, ac yn eu cenhedloedd.

6 Meibion Cham oedd Cus, Misraim,
Put, a Chanaan. ⁷Meibion Cus: Seba,
Hafila, Sabta, Raama, a Sabteca. Meibion
Raama: Seba a Dedan. ⁸Cus oedd tad
Nimrod; hwn oedd y cyntaf o gedyrn y
ddaear. ⁹Yr oedd yn heliwr cryf gerbron

ᵍFelly Groeg. Hebraeg yn ychwanegu, *a'r holl fwystfilod gwyllt.*
ⁿᵍNeu, *Bendigedig fyddo'r ARGLWYDD, Duw Sem.*
ʰTebygol. Hebraeg heb *Dyna … Jaffeth.* Cymh. adn. 20, 31.

yr ARGLWYDD; dyna pam y dywedir, "Fel Nimrod, yn heliwr cryf gerbron yr ARGLWYDD." [10]Dechreuodd ei frenhiniaeth gyda Babel, Erech, Accad a Calne yng ngwlad Sinar. [11]Aeth allan o'r wlad honno i Assur ac adeiladu Ninefe, Rehoboth-Ir, Cala, [12]a Resen, dinas fawr rhwng Ninefe a Cala. [13]Yr oedd Misraim yn dad i Ludim, Anamim, Lehabim, Nafftwhim, [14]Pathrusim, Casluhim a Cafftorim, y daeth y Philistiaid ohonynt.[i]

15 Canaan oedd tad Sidon, ei gyntafanedig, a Heth; [16]hefyd y Jebusiaid, Amoriaid, Girgasiaid, [17]Hefiaid, Arciaid, Siniaid, [18]Arfadiaid, Semariaid, a Hamathiaid. Wedi hynny gwasgarwyd teuluoedd y Canaaneaid, [19]ac estyn eu ffin o Sidon i gyfeiriad Gerar, hyd Gasa; ac i gyfeiriad Sodom, Gomorra, Adma, a Seboim, hyd Lesa. [20]Dyna feibion Cham, yn ôl eu llwythau a'u hieithoedd, ynghyd â'u gwledydd a'u cenhedloedd.

21 I Sem hefyd, tad holl feibion Heber, brawd hynaf Jaffeth, ganwyd plant. [22]Meibion Sem oedd Elam, Assur, Arffaxad, Lud, ac Aram. [23]Meibion Aram: Us, Hul, Gether, a Mas. [24]Arffaxad oedd tad Sela, a Sela oedd tad Heber. [25]I Heber ganwyd dau fab; enw un oedd Peleg, oherwydd yn ei ddyddiau ef rhannwyd[1] y ddaear, a Joctan oedd enw ei frawd. [26]Joctan oedd tad Almodad, Saleff, Hasarmafeth, Jera, [27]Hadoram, Usal, Dicla, [28]Obal, Abimael, Seba, [29]Offir, Hafila, a Jobab; yr oeddent oll yn feibion Joctan. [30]Yr oedd eu tir yn ymestyn o Mesa i gyfeiriad Seffar, i fynyddir y dwyrain. [31]Dyna feibion Sem, yn ôl eu llwythau a'u hieithoedd, ynghyd â'u gwledydd a'u cenhedloedd.

32 Dyma lwythau meibion Noa, yn ôl eu hachau, yn eu cenhedloedd; ac o'r rhain yr ymrannodd y cenhedloedd dros y ddaear wedi'r dilyw.

Tŵr Babel

11 Un iaith ac un ymadrodd oedd i'r holl fyd. [2]Wrth ymdeithio yn y dwyrain, cafodd y bobl wastadedd yng ngwlad Sinar a thrigo yno. [3]A dywedasant wrth ei gilydd, "Dewch, gwnawn briddfeini a'u crasu'n galed." Priddfeini oedd ganddynt yn lle cerrig, a phyg yn lle calch. [4]Yna dywedasant, "Dewch, adeiladwn i ni ddinas, a thŵr a'i ben yn y nefoedd, a gwnawn inni enw, rhag ein gwasgaru dros wyneb yr holl ddaear." [5]Disgynnodd yr ARGLWYDD i weld y ddinas a'r tŵr yr oedd meibion dynion wedi eu hadeiladu, [6]a dywedodd, "Y maent yn un bobl a chanddynt un iaith; y maent wedi dechrau gwneud hyn, a bellach ni rwystrir hwy mewn dim y bwriadant ei wneud. [7]Dewch, disgynnwn, a chymysgu eu hiaith hwy yno, rhag iddynt ddeall ei gilydd yn siarad." [8]Felly gwasgarodd yr ARGLWYDD hwy oddi yno dros wyneb yr holl ddaear, a pheidiasant ag adeiladu'r ddinas. [9]Am hynny gelwir ei henw Babel, oherwydd yno y cymysgodd[ll] yr ARGLWYDD iaith yr holl fyd, a gwasgarodd yr ARGLWYDD hwy oddi yno dros wyneb yr holl ddaear.

Disgynyddion Sem
(1 Cron. 1:24-27)

10 Dyma genedlaethau Sem. Bu Sem fyw am gan mlynedd cyn geni iddo Arffaxad ddwy flynedd wedi'r dilyw. [11]Wedi geni Arffaxad, bu Sem fyw am bum can mlynedd, a chafodd feibion a merched eraill.

12 Bu Arffaxad fyw am dri deg o phump o flynyddoedd cyn geni iddo Sela. [13]Wedi geni Sela, bu Arffaxad fyw am bedwar cant a thair o flynyddoedd, a chafodd feibion a merched eraill.

14 Bu Sela fyw am dri deg o flynyddoedd cyn geni iddo Heber. [15]Wedi geni Heber, bu Sela fyw am bedwar cant a thair o flynyddoedd, a chafodd feibion a merched eraill.

16 Bu Heber fyw am dri deg a phedair o flynyddoedd cyn geni iddo Peleg. [17]Wedi geni Peleg, bu Heber fyw am bedwar cant tri deg o flynyddoedd, a chafodd feibion a merched eraill.

18 Bu Peleg fyw am dri deg o flynyddoedd cyn geni iddo Reu. [19]Wedi geni Reu, bu Peleg fyw am ddau gant a naw o flynyddoedd, a chafodd feibion a merched eraill.

20 Bu Reu fyw am dri deg a dwy o flynyddoedd cyn geni iddo Serug. [21]Wedi geni Serug, bu Reu fyw am ddau gant a saith o flynyddoedd, a chafodd feibion a merched eraill.

22 Bu Serug fyw am dri deg o flynyddoedd cyn geni iddo Nachor. [23]Wedi geni Nachor, bu Serug fyw am ddau gan

---

[i]Yn yr Hebraeg daw *y daeth ... ohonynt* ar ôl *Casluhim*.
[1]Hebraeg, *palag*. Cymh. *Peleg*. [ll]Hebraeg, *balal*.

mlynedd, a chafodd feibion a merched eraill.
24 Bu Nachor fyw am ddau ddeg a naw o flynyddoedd cyn geni iddo Tera. ²⁵Wedi geni Tera, bu Nachor fyw am gant un deg a naw o flynyddoedd, a chafodd feibion a merched eraill.
26 Bu Tera fyw am saith deg o flynyddoedd cyn geni iddo Abram, Nachor a Haran.

Disgynyddion Tera

27 Dyma genedlaethau Tera. Tera oedd tad Abram, Nachor a Haran; a Haran oedd tad Lot. ²⁸Bu Haran farw cyn ei dad Tera yng ngwlad ei enedigaeth, yn Ur y Caldeaid. ²⁹Yna cymerodd Abram a Nachor wragedd iddynt eu hunain; enw gwraig Abram oedd Sarai, ac enw gwraig Nachor oedd Milca, merch Haran, tad Milca ac Isca. ³⁰Yr oedd Sarai yn ddiblant, heb eni plentyn.
31 Cymerodd Tera ei fab Abram, a'i ŵyr Lot fab Haran, a Sarai ei ferch-yng-nghyfraith, gwraig ei fab Abram; ac aethant allan gyda'i gilydd o Ur y Caldeaid i fynd i wlad Canaan, a daethant i Haran a thrigo yno. ³²Dau gant a phump o flynyddoedd oedd oes Tera; a bu farw Tera yn Haran.

Galw Abram

12 Dywedodd yr ARGLWYDD wrth Abram, "Dos o'th wlad, ac oddi wrth dy dylwyth a'th dculu, i'r wlad a ddangosaf i ti. ²Gwnaf di yn genedl fawr a bendithiaf di; mawrygaf dy enw a byddi'n fendith. ³Bendithiaf y rhai sy'n dy fendithio, a melltithiaf y rhai sy'n dy felltithio, ac ynot ti bendithir holl dylwythau'r ddaear."
4 Aeth Abram fel y dywedodd yr ARGLWYDD wrtho, ac aeth Lot gydag ef. Saith deg a phump oedd oed Abram pan aeth allan o Haran. ⁵A chymerodd Abram ei wraig Sarai, a Lot mab ei frawd, a'r holl feddiannau a gasglwyd ganddynt, a'r tylwyth a gawsant yn Haran, a chychwyn i wlad Canaan. Wedi iddynt ddod i wlad Canaan, ⁶tramwyodd Abram trwy'r tir hyd gysegrle Sichem, at dderwen More. Y Canaaneaid oedd yn y wlad y pryd hwnnw, ⁷ond ymddangosodd yr ARGLWYDD i Abram a dweud, "I'th ddisgynyddion di y rhoddaf y wlad hon." Adeiladodd yntau allor yno i'r ARGLWYDD, a oedd wedi ymddangos iddo.

⁸Yna symudodd oddi yno i'r mynydd-dir tua'r dwyrain o Fethel a gosod ei babell, gyda Bethel o'i ôl ac Ai o'i flaen; adeiladodd yno allor i'r ARGLWYDD, a galw ar enw'r ARGLWYDD. ⁹A pharhaodd Abram i symud yn raddol tua'r Negeb.

Abram yn yr Aifft

10 Yr oedd newyn yn y tir, ac aeth Abram i lawr i'r Aifft i aros yno dros dro, am fod y newyn yn fawr yn y tir. ¹¹A phan oedd ar gyrraedd yr Aifft, dywedodd wrth Sarai ei wraig, "Gwn yn dda dy fod yn wraig brydferth; ¹²a phan wêl yr Eifftiaid di, fe ddywedant, 'Dyma ei wraig.' A lladdant fi, a'th gadw di'n fyw. ¹³Dywed mai fy chwaer wyt, fel y bydd yn dda i mi o'th herwydd ac yr arbedir fy mywyd o'th achos." ¹⁴Pan gyrhaeddodd Abram yr Aifft, gwelodd yr Eifftiaid fod y wraig yn brydferth iawn. ¹⁵A gwelodd tywysogion Pharo hi a'i chanmol wrth Pharo, a chymerwyd y wraig i dŷ Pharo. ¹⁶Bu yntau'n dda wrth Abram er ei mwyn hi; a chafodd Abram ganddo ddefaid, ychen, asynnod, gweision, morynion,asennod a chamelod.
17 Ond trawodd yr ARGLWYDD Pharo a'i dŷ â phlâu mawr, o achos Sarai gwraig Abram. ¹⁸A galwodd Pharo ar Abram a dweud, "Beth yw hyn yr wyt wedi ei wneud i mi? Pam na ddywedaist wrthyf mai dy wraig oedd hi? ¹⁹Pam y dywedaist, 'Fy chwaer yw hi', fel fy mod wedi ei chymryd yn wraig imi? Dyma dy wraig; cymer hi a dos ymaith." ²⁰A rhoes Pharo orchymyn i'w wŷr amdano, ac anfonasant ef a'i wraig a'i holl eiddo ymaith.

Abram a Lot yn Ymwahanu

13 Yna aeth Abram i fyny o'r Aifft i'r Negeb, ef a'i wraig a'i holl eiddo, a hefyd Lot. ²Yr oedd Abram yn gyfoethog iawn o anifeiliaid, ac o arian ac o aur. ³Teithiodd ymlaen o'r Negeb hyd Fethel, i'r man rhwng Bethel ac Ai lle'r oedd ei babell ar y dechrau, ⁴y man lle'r oedd wedi gwneud allor ar y cychwyn; ac yno galwodd Abram ar enw'r ARGLWYDD. ⁵Yr oedd gan Lot, a oedd yn teithio gydag Abram, hefyd ddefaid ac ychen a phebyll; ⁶ac ni allai'r tir eu cynnal ill dau gyda'i gilydd. Am fod eu meddiannau mor helaeth, ni allent drigo gyda'i gilydd; ⁷a bu cynnen rhwng bugeiliaid anifeiliaid Abram a rhai Lot. Y Canaaneaid a'r Peresiaid oedd yn byw yn y wlad yr amser hwnnw.

8 Yna dywedodd Abram wrth Lot, "Peidied â bod cynnen rhyngom, na rhwng fy mugeiliaid i a'th rai di, oherwydd brodyr ydym. ⁹Onid yw'r holl wlad o'th flaen? Ymwahana oddi wrthyf. Os troi di i'r chwith, fe drof finnau i'r dde; ac os i'r dde, trof finnau i'r chwith." ¹⁰Cododd Lot ei olwg, a gwelodd fod holl wastadedd yr Iorddonen i gyfeiriad Soar i gyd yn ddyfradwy, fel gardd yr ARGLWYDD, neu wlad yr Aifft. Yr oedd hyn cyn i'r ARGLWYDD ddinistrio Sodom a Gomorra. ¹¹A dewisodd Lot iddo'i hun holl wastadedd yr Iorddonen, a theithio tua'r dwyrain; felly yr ymwahanodd y naill oddi wrth y llall. ¹²Yr oedd Abram yn byw yng ngwlad Canaan, a Lot yn ninasoedd y gwastadedd, gan symud ei babell hyd at Sodom. ¹³Yr oedd gwŷr Sodom yn ddrygionus, yn pechu'n fawr yn erbyn yr ARGLWYDD.

14 Wedi i Lot ymwahanu oddi wrtho, dywedodd yr ARGLWYDD wrth Abram, "Cod dy olwg o'r lle'r wyt, ac edrych tua'r gogledd a'r de a'r dwyrain a'r gorllewin; ¹⁵oherwydd yr holl dir yr wyt yn ei weld, fe'i rhoddaf i ti ac i'th ddisgynyddion hyd byth. ¹⁶Gwnaf dy had fel llwch y ddaear; os dichon dyn rifo llwch y ddaear, yna fe rifir dy had di. ¹⁷Cod, rhodia ar hyd a lled y wlad, oherwydd i ti yr wyf yn ei rhoi." ¹⁸Yna symudodd Abram ei babell a mynd i fyw wrth dderw Mamre, sydd yn Hebron; ac adeiladodd allor yno i'r ARGLWYDD.

Abram yn Arbed Lot

14 Yn nyddiau Amraffel brenin Sinar, Arioch brenin Elasar, Cedorlaomer brenin Elam, a Tidal brenin Goim, ²rhyfelodd y rhain yn erbyn Bera brenin Sodom, Birsa brenin Gomorra, Sinab brenin Adma, Semeber brenin Seboim, a brenin Bela, sef Soar. ³Cyfarfu'r rhain i gyd yn Nyffryn Sidim, sef y Môr Heli. ⁴Am ddeuddeng mlynedd y buont yn gwasanaethu Cedorlaomer, nes iddynt wrthryfela yn y drydedd flwyddyn ar ddeg. ⁵Ac yn y bedwaredd flwyddyn ar ddeg daeth Cedorlaomer a'r brenhinoedd oedd gydag ef a tharo'r Reffaimiaid yn Asteroth-Carnaim, y Susiaid yn Ham, yr Emiaid yn Safe-Ciriathaim, ⁶yr Horiaid ym mynydd-dir Seir, hyd El-Paran ar fin

y diffeithwch. ⁷Yna troesant a dod i Enmispat, sef Cades, a tharo holl dir yr Amaleciaid, a hefyd yr Amoriaid, a oedd yn trigo yn Haseson-Tamar. ⁸Yna aeth brenin Sodom, brenin Gomorra, brenin Adma, brenin Seboim a brenin Bela, sef Soar, i ryfela yn Nyffryn Sidim yn erbyn ⁹Cedorlaomer brenin Elam, Tidal brenin Goim, Amraffel brenin Sinar ac Arioch brenin Elasar, pedwar brenin yn erbyn pump. ¹⁰Yr oedd Dyffryn Sidim yn llawn o byllau pyg; ac wrth i frenhinoedd Sodom a Gomorra ffoi, syrthiasant i mewn iddynt, ond ffodd y lleill i'r mynydd. ¹¹Yna cipiodd y pedwar holl eiddo Sodom a Gomorra, a'u holl luniaeth, a mynd ymaith. ¹²Cymerasant hefyd Lot, mab i frawd Abram, a oedd yn byw yn Sodom, a'i eiddo, ac aethant ymaith.

13 A daeth un oedd wedi dianc, a dweud am hyn wrth Abram yr Hebread, a oedd yn byw wrth dderw Mamre yr Amoriad, brawd Escol ac Aner, rhai oedd mewn cynghrair ag Abram. ¹⁴Pan glywodd Abram am gaethgludo'i frawd, casglodd ᵐ ei wŷr arfog oedd yn perthyn i'w dŷ, tri chant a deunaw ohonynt, ac ymlidiodd hyd Dan. ¹⁵Aeth ef a'i weision yn finteioedd yn eu herbyn liw nos, a'u taro a'u hymlid hyd Hoba, i'r gogledd o Ddamascus. ¹⁶A daeth â'r holl eiddo yn ôl, a dwyn yn ôl hefyd ei frawd Lot a'i eiddo, a'r gwragedd a'r bobl.

Melchisedec yn Bendithio Abram

17 Wedi i Abram ddychwelyd o daro Cedorlaomer a'r brenhinoedd oedd gydag ef, aeth brenin Sodom allan i'w gyfarfod i Ddyffryn Safe, sef Dyffryn y Brenin. ¹⁸A daeth Melchisedec brenin Salem â bara a gwin iddo; yr oedd ef yn offeiriad i'r Duw Goruchaf, ¹⁹a bendithiodd ef a dweud:

"Bendigedig fyddo Abram gan y Duw
    Goruchaf,
perchen nef a daear;
²⁰a bendigedig fyddo'r Duw Goruchaf,
    a roes dy elynion yn dy law."
A rhoddodd Abram iddo ddegwm o'r cwbl.

21 Dywedodd brenin Sodom wrth Abram, "Rho'r bobl i mi, a chymer di'r eiddo." ²²Ond dywedodd Abram wrth frenin Sodom, "Tyngais i'r ARGLWYDD Dduw Goruchaf, perchen nef a daear,

---

ᵐCymh. Groeg. Hebraeg, *tywalltodd allan.*

[23]na chymerwn nac edau na charrai esgid, na dim oll sy'n eiddo i ti, rhag i ti ddweud, 'Yr wyf wedi cyfoethogi Abram.' [24]Ni chymeraf ond yr hyn a fwytaodd y llanciau, a chyfran y gwŷr a ddaeth gyda mi, sef Aner, Escol a Mamre; cânt hwy gymryd eu cyfran."

Cyfamod Duw ag Abram

15 Wedi'r pethau hyn, daeth gair yr ARGLWYDD at Abram mewn gweledigaeth, a dweud, "Nac ofna, Abram, myfi yw dy darian; bydd dy wobr yn fawr iawn." [2]Ond dywedodd Abram, "O Arglwydd DDUW, beth a roddi i mi, oherwydd 'rwy'n para'n ddi-blant, ac etifedd fy nhŷ yw Eleasar o Ddamascus?"[n] [3]Dywedodd Abram hefyd, "Edrych, nid wyt wedi rhoi epil i mi; a chaethwas o'm tŷ yw f'etifedd." [4]Yna daeth gair yr ARGLWYDD ato a dweud, "Nid hwn fydd d'etifedd; o'th gnawd dy hun y daw d'etifedd." [5]Aeth ag ef allan a dywedodd, "Edrych tua'r nefoedd, a rhifa'r sêr os gelli." Yna dywedodd wrtho, "Felly y bydd dy ddisgynyddion." [6]Credodd Abram yn yr AR-GLWYDD, a chyfrifodd yntau hyn yn gyfiawnder iddo.

7 Yna dywedodd wrtho, "Myfi yw'r ARGLWYDD, a ddaeth â thi o Ur y Caldeaid, i roi'r wlad hon i ti i'w hetifeddu." [8]Ond dywedodd ef, "O Arglwydd DDUW, sut y caf wybod yr etifeddaf hi?" [9]Dywedodd yntau wrtho, "Dwg imi anner deirblwydd, gafr deirblwydd, hwrdd teirblwydd, turtur a chyw colomen." [10]Daeth â'r rhain i gyd ato, a'u hollti'n ddau a gosod y naill ddarn gyferbyn â'r llall; ond ni holltodd yr adar. [11]A phan fyddai adar yn disgyn ar y cyrff byddai Abram yn eu hel i ffwrdd. [12]Fel yr oedd yr haul yn machlud, syrthiodd trwmgwsg ar Abram; a dyna ddychryn a thywyllwch dudew yn dod arno. [13]Yna dywedodd yr ARGLWYDD wrth Abram, "Deall di i sicrwydd y bydd dy ddisgynyddion yn ddieithriaid mewn gwlad nad yw'n eiddo iddynt, ac yn gaethweision, ac fe'u cystuddir am bedwar can mlynedd; [14]ond dof â barn ar y genedl y byddant yn ei gwasanaethu, ac wedi hynny dônt allan gyda meddiannau lawer. [15]Ond byddi di dy hun farw mewn tangnefedd, ac fe'th gleddir mewn oedran teg.

[16]A dychwelant hwy yma yn y bedwaredd genhedlaeth; oherwydd ni chwblheir hyd hynny ddrygioni'r Amoriaid." [17]Yna wedi i'r haul fachlud, ac iddi dywyllu, ymddangosodd ffwrn yn mygu a ffagl fflamllyd yn symud rhwng y darnau hynny.

18 Y dydd hwnnw, gwnaeth yr AR-GLWYDD gyfamod ag Abram a dweud: "I'th ddisgynyddion di y rhoddaf y wlad hon, o afon yr Aifft hyd yr afon fawr, Afon Ewffrates." [19]Dyna wlad y Ceneaid, y Cenesiaid, y Cadmoniaid, [20]yr Hethiaid, y Peresiaid, y Reffaimiaid, [21]yr Amoriaid, y Canaaneaid, y Girgasiaid, a'r Jebusiaid.

Hagar ac Ismael

16 Nid oedd plant gan Sarai gwraig Abram, ond yr oedd ganddi forwyn o Eifftes, o'r enw Hagar. [2]Dywedodd Sarai wrth Abram, "Edrych yn awr, y mae'r ARGLWYDD wedi rhwystro imi ddwyn plant. Dos at fy morwyn; efallai y caf blant ohoni hi." Gwrandawodd Abram ar Sarai. [3]Wedi i Abram fyw am ddeng mlynedd yng ngwlad Canaan, cymerodd Sarai gwraig Abram ei morwyn Hagar yr Eifftes, a'i rhoi'n wraig i'w gŵr Abram. [4]Cafodd ef gyfathrach â Hagar, a beichiogodd hithau; a phan ddeallodd ei bod yn feichiog, aeth ei meistres yn ddibris yn ei golwg. [5]Yna dywedodd Sarai wrth Abram, "Bydded fy ngham arnat ti! Rhoddais fy morwyn yn dy fynwes, a phan ddeallodd ei bod yn feichiog, euthum yn ddibris yn ei golwg. Bydded i'r ARGLWYDD farnu rhyngom." [6]Dywedodd Abram wrth Sarai, "Edrych, y mae dy forwyn dan dy ofal; gwna iddi fel y gweli'n dda." Yna bu Sarai yn gas wrthi, nes iddi ffoi oddi wrthi.

7 Daeth angel yr ARGLWYDD o hyd i Hagar wrth ffynnon ddŵr yn y diffeithwch, wrth y ffynnon sydd ar y ffordd i Sur. [8]A dywedodd wrthi, "Hagar forwyn Sarai, o ble y daethost, ac i ble'r wyt yn mynd?" Dywedodd hithau, "Ffoi yr wyf oddi wrth fy meistres Sarai." [9]A dywedodd angel yr ARGLWYDD wrthi, "Dychwel at dy feistres, ac ymostwng iddi." [10]Dywedodd angel yr ARGLWYDD hefyd wrthi, "Amlhaf dy ddisgynyddion yn ddirfawr, a byddant yn rhy luosog i'w

[n] Hebraeg yn ansicr.

rhifo." ¹¹A dywedodd angel yr AR-
GLWYDD wrthi:
"Yr wyt yn feichiog, ac fe esgori ar
     fab;
byddi'n ei alw yn Ismael°,
oherwydd clywodd yr ARGLWYDD am
     dy gystudd.
¹²Asyn gwyllt o ddyn a fydd,
a'i law yn erbyn pawb, a llaw pawb yn
     ei erbyn ef,
un yn byw'n groes i'w holl frodyr."
¹³A galwodd hi enw'r ARGLWYDD oedd
yn llefaru wrthi yn "Tydi yw El-roiᴾ",
oherwydd dywedodd, "A wyf yn
wir wedi gweld Duw, a byw ar ôl ei
weld?"ᵖʰ. ¹⁴Am hynny galwyd y pydew
Beer-lahai-roiʳ; y mae rhwng Cades a
Bered.

15 Ac esgorodd Hagar ar fab i Abram;
ac enwodd Abram y mab a anwyd i Hagar
yn Ismael. ¹⁶Yr oedd Abram yn wyth deg
a chwech oed pan anwyd iddo Ismael o
Hagar.

Enwaediad yn Arwydd y Cyfamod

17 Pan oedd Abram yn naw deg a
naw mlwydd oed ymddangosodd
yr ARGLWYDD iddo a dweud wrtho,
"Myfi yw Duw Hollalluogʳʰ; rhodia ger
fy mron a bydd berffaith. ²Gwnaf fy
nghyfamod â thi, ac amlhaf di'n ddir-
fawr." ³Syrthiodd Abram ar ei wyneb, a
llefarodd Duw wrtho a dweud, ⁴"Dyma
fy nghyfamod i â thi: byddi'n dad i lu o
genhedloedd, ⁵ac ni'th enwir di mwyach
yn Abram, ond yn Abraham, gan imi dy
wneud yn dad i lu o genhedloedd. ⁶Gwnaf
di'n ffrwythlon iawn; a gwnaf genhed-
loedd ohonot, a daw brenhinoedd allan
ohonot. ⁷Sefydlaf fy nghyfamod yn gyf-
amod tragwyddol â thi, ac â'th ddisgyn-
yddion ar dy ôl tros eu cenedlaethau, i fod
yn Dduw i ti ac i'th ddisgynyddion ar dy
ôl. ⁸A rhoddaf y wlad yr wyt yn crwydro
ynddi, sef holl wlad Canaan, yn etifedd-
iaeth dragwyddol i ti ac i'th ddisgynydd-
ion ar dy ôl, a byddaf yn Dduw iddynt."

9 Dywedodd Duw wrth Abraham,
"Cadw di fy nghyfamod, ti a'th ddisgyn-
yddion ar dy ôl dros eu cenedlaethau.
¹⁰Dyma fy nghyfamod rhyngof fi a chwi,
yr ydych i'w gadw, ti a'th ddisgynyddion
ar dy ôl: y mae pob gwryw ohonoch i'w

enwaedu. ¹¹Enwaedir chwi yng nghnawd
eich blaengrwyn, a bydd yn arwydd
cyfamod rhyngom. ¹²Dros eich cened-
laethau, fe enwaedir pob gwryw ohonoch
sydd yn wyth diwrnod oed, boed wedi ei
eni i'r teulu, neu'n ddieithryn heb fod yn
un o'th ddisgynyddion, ond a brynwyd ag
arian. ¹³Rhaid enwaedu'r sawl a enir i'r
teulu, a'r sawl a brynir â'th arian; a bydd
fy nghyfamod yn eich cnawd yn gyfamod
tragwyddol. ¹⁴Y mae unrhyw wryw di-
enwaededig nad enwaedwyd cnawd ei
flaengroen, i'w dorri ymaith o blith ei
bobl; y mae wedi torri fy nghyfamod."
15 Dywedodd Duw wrth Abraham,
"Ynglŷn â'th wraig Sarai: nid Sarai y
gelwir hi, ond Sara fydd ei henw. ¹⁶Ben-
dithiaf hi, a rhoddaf i ti fab ohoni; ie,
bendithiaf hi, a bydd yn fam i genhed-
loedd, a daw brenhinoedd pobloedd
ohoni." ¹⁷Ymgrymodd Abraham, ond
chwarddodd ynddo'i hun, a dweud "A
enir plentyn i ŵr canmlwydd oed? A
fydd Sara'n geni plentyn yn naw deg
oed?" ¹⁸A dywedodd Abraham wrth
Dduw, "O na byddai Ismael fyw ger dy
fron!" ¹⁹Ond dywedodd Duw, "Na, bydd
dy wraig Sara yn geni iti fab, a gelwi ef
Isaacˢ. Sefydlaf fy nghyfamod ag ef yn
gyfamod tragwyddol i'w ddisgynyddion
ar ei ôl. ²⁰Ynglŷn ag Ismael: yr wyf wedi
gwrando arnat, a bendithiaf yntau a'i
wneud yn ffrwythlon a'i amlhau'n ddir-
fawr; bydd yn dad i ddeuddeg tywysog, a
gwnaf ef yn genedl fawr. ²¹Ond byddaf yn
sefydlu fy nghyfamod ag Isaac, y mab y
bydd Sara yn ei eni iti erbyn yr amser
yma'r flwyddyn nesaf." ²²Wedi iddo
orffen llefaru, aeth Duw oddi wrth
Abraham.

23 Yna cymerodd Abraham ei fab
Ismael, a phawb a anwyd yn ei dŷ neu
a brynwyd â'i arian, pob gwryw o
deulu Abraham, ac enwaedodd gnawd
eu blaengrwyn y diwrnod hwnnw, fel yr
oedd Duw wedi dweud wrtho. ²⁴Yr oedd
Abraham yn naw deg a naw mlwydd oed
pan enwaedwyd cnawd ei flaengroen, ²⁵a'i
fab Ismael yn dair ar ddeg oed pan
enwaedwyd cnawd ei flaengroen yntau.
²⁶Y diwrnod hwnnw enwaedwyd Abra-
ham a'i fab Ismael; ac enwaedwyd gydag
ef holl ddynion ei dŷ, y rhai a anwyd i'r

°H.y., *Y mae Duw yn clywed.*   ᴾH.y., *Duw y gweld.*
ᵖʰ *"A wyf ... weld?"* Tebygol. Hebraeg yn aneglur.   ʳH.y., *Pydew yr un sy'n gweld a byw.*
ʳʰHebraeg, *El Shadai.*
ˢHebraeg *sachac,* h.y., *chwerthin.* Cymh. *Isaac.* Felly hefyd yn 18:12,13,15; 21:6.

teulu a phob dieithryn a brynwyd ag arian.

Addo Mab i Abraham

18 Ymddangosodd yr ARGLWYDD i Abraham wrth dderw Mamre, pan oedd yn eistedd wrth ddrws y babell yng ngwres y dydd. ²Cododd ei olwg a gwelodd dri gŵr yn sefyll o'i flaen. Pan welodd hwy, rhedodd o ddrws y babell i'w cyfarfod, ac ymgrymu i'r llawr, ³a dweud, "F'arglwydd, os cefais ffafr yn d'olwg, paid â mynd heibio i'th was. ⁴Dyger ychydig ddŵr, a golchwch eich traed a gorffwyso dan y goeden, ⁵a dof finnau â thamaid o fara i'ch cynnal, ac wedyn cewch fynd ymaith; dyna pam yr ydych wedi dod at eich gwas." Ac meddant, "Gwna fel y dywedaist." ⁶Brysiodd Abraham i'r babell at Sara, a dweud, "Brysia i estyn tri mesur o flawd peilliaid, tylina ef, a gwna deisennau." ⁷Yna rhedodd Abraham at y gwartheg, a chymryd llo tyner a da a'i roi i'w was; a brysiodd yntau i'w baratoi. ⁸Cymerodd gaws a llaeth a'r llo yr oedd wedi ei baratoi, a'u gosod o'u blaenau; yna safodd gerllaw o dan y goeden tra oeddent yn bwyta.

9 Gofynnasant iddo, "Ble mae dy wraig Sara?" Atebodd yntau, "Dyna hi yn y babell." ¹⁰Yna dywedodd yr AR-GLWYDD, "Dof yn ôl atat yn sicr yn nhymor y gwanwyn, a chaiff Sara dy wraig fab." Yr oedd Sara yn gwrando wrth ddrws y babell y tu ôl iddo. ¹¹Yr oedd Abraham a Sara yn hen, mewn gwth o oedran, ac yr oedd arfer gwragedd wedi peidio i Sara. ¹²Am hynny, chwarddodd Sara ynddi ei hun, a dweud, "Ai wedi imi heneiddio, a'm gŵr hefyd yn hen, y caf hyfrydwch?" ¹³A dywedodd yr AR-GLWYDD wrth Abraham, "Pam y chwarddodd Sara a dweud, 'A fyddaf fi'n wir yn planta, a minnau'n hen?' ¹⁴A oes dim yn rhy anodd i'r ARGLWYDD? Dof yn ôl atat ar yr amser penodedig, yn nhymor y gwanwyn, a chaiff Sara fab." ¹⁵Gwadodd Sara iddi chwerthin, oher-wydd yr oedd arni ofn. Ond dywedodd ef, "Do, fe chwerddaist."

Abraham yn Erfyn dros Sodom

16 Pan aeth y gwŷr ymlaen oddi yno, ac edrych i lawr tua Sodom, aeth Abra-ham gyda hwy i'w hebrwng. ¹⁷A dywed-odd yr ARGLWYDD wrtho'i hun, "A gelaf fi rhag Abraham yr hyn yr wyf am ei wneud, ¹⁸oherwydd yn ddïau daw Abraham yn genedl fawr a chref, a ben-dithir holl genhedloedd y ddaear ynddo? ¹⁹Na, fe'i hysbysaf¹, er mwyn iddo orch-ymyn i'w blant a'i dylwyth ar ei ôl gadw ffordd yr ARGLWYDD a gwneud cyfiawn-der a barn, fel y bydd i'r ARGLWYDD gyflawni ei air i Abraham." ²⁰Yna dywed-odd yr ARGLWYDD, "Am fod y gŵyn yn erbyn Sodom a Gomorra yn fawr, a'u pechod yn ddrwg iawn, ²¹disgynnaf i weld a wnaethant yn hollol yn ôl y gŵyn a ddaeth ataf; os na wnaethant, caf wybod."

22 Pan drodd y gwŷr oddi yno a mynd i gyfeiriad Sodom, yr oedd Abraham yn dal i sefyll gerbron yr ARGLWYDD. ²³A nes-aodd Abraham a dweud, "A wyt yn wir am ddifa'r cyfiawn gyda'r drygionus? ²⁴Os ceir hanner cant o rai cyfiawn yn y ddinas, a wyt yn wir am ei dinistrio a phcidio ag arbed y lle er mwyn yr hanner cant cyfiawn sydd yno? ²⁵Na foed iti wneud y fath beth, a lladd y cyfiawn gyda'r drygionus, nes bod y cyfiawn yr un fath â'r drygionus. Na ato Duw! Oni wna Barnwr yr holl ddaear farn?" ²⁶A dywedodd yr ARGLWYDD, "Os caf yn ninas Sodom hanner cant o rai cyfiawn, arbedaf yr holl le er eu mwyn." ²⁷Ateb-odd Abraham a dweud, "Dyma fi wedi beiddio llefaru wrth yr ARGLWYDD, a minnau'n ddim ond llwch a lludw. ²⁸Os bydd pump yn eisiau o'r hanner cant o rai cyfiawn, a ddinistri di'r holl ddinas oher-wydd pump?" Dywedodd yntau, "Os caf yno bump a deugain, ni ddinistriaf hi." ²⁹Llefarodd eto wrtho a dweud, "Beth os ceir deugain yno?" ³⁰Dywed-odd yntau, "Nis gwnaf er mwyn y deu-gain." Yna dywedodd, "Na ddigied yr ARGLWYDD os llefaraf. Ond beth os ceir yno ddeg ar hugain?" ³¹Dywedodd yntau, "Nis gwnaf os caf yno ddeg ar hugain." Yna dywedodd, "Dyma fi wedi beiddio llefaru wrth yr ARGLWYDD. Beth os ceir yno ugain?" Dywedodd yntau, "Ni ddinistriaf hi er mwyn yr ugain." ³²Yna dywedodd, "Peidied yr Arglwydd â digio wrthyf am lefaru y tro hwn yn unig. Beth os ceir yno ddeg?" Dywed-odd yntau, "Ni ddinistriaf hi er mwyn y deg." ³³Aeth yr ARGLWYDD ymaith wedi iddo orffen llefaru wrth Abraham, a

¹Hebraeg, *adnabûm.*

dychwelodd Abraham i'w le.

Pechod Sodom

19 Daeth dau angel i Sodom gyda'r hwyr, tra oedd Lot yn eistedd ym mhorth Sodom. Pan welodd Lot hwy, cododd i'w cyfarfod, ac ymgrymu i'r llawr, ²a dweud, "F'arglwyddi, trowch i mewn i dŷ eich gwas dros nos, a golchwch eich traed; yna cewch godi'n fore a mynd ar eich taith." Dywedasant hwy, "Na, arhoswn heno yn yr heol." ³Ond am iddo erfyn yn daer arnynt, troesant i mewn i'w dŷ; gwnaeth yntau wledd iddynt a phobi bara croyw, a bwytasant. ⁴Ond cyn iddynt fynd i orwedd, amgylchwyd y tŷ gan ddynion Sodom, pawb o bob cwr o'r ddinas, yn hen ac ifanc; ⁵ac yr oeddent yn galw ar Lot, ac yn dweud wrtho, "Ble mae'r gwŷr a ddaeth atat heno? Tyrd â hwy allan atom, inni gael cyfathrach â hwy." ⁶Aeth Lot i'r drws atynt, a chau'r drws ar ei ôl, ⁷a dywedodd, "Fy mrodyr, peidiwch â gwneud y drwg hwn. ⁸Edrychwch, y mae gennyf ddwy ferch heb gael cyfathrach â gŵr; dof â hwy allan atoch. Cewch wneud iddynt hwy fel y phmunwch, ond peidiwch â gwneud dim i'r gwŷr hyn, gan eu bod wedi dod dan gysgod fy nghronglwyd." ⁹Ond meddant hwy, "Saf yn ôl! Ai un a ddaeth yma i fyw dros dro sydd i ddatgan barn? Yn awr, gwnawn fwy o niwed i ti nag iddynt hwy." Yr oedd y dynion yn gwasgu mor drwm ar Lot fel y bu bron iddynt dorri'r drws. ¹⁰Ond estynnodd y gwŷr eu dwylo, a thynnu Lot atynt i'r tŷ a chau'r drws. ¹¹A thrawsant yn ddall y dynion oedd wrth ddrws y tŷ, yn fawr a bach, nes iddynt flino chwilio am y drws.

Lot yn Ymadael â Sodom

12 Yna dywedodd y gwŷr wrth Lot, "Pwy arall sydd gennyt yma? Dos â'th feibion-yng-nghyfraith, dy feibion a'th ferched, a phwy bynnag sydd gennyt yn y ddinas, allan o'r lle hwn, oherwydd yr ydym ar fin ei ddinistrio. ¹³Am fod y gwŷn yn fawr yn eu herbyn gerbron yr ARGLWYDD, fe anfonodd yr ARGLWYDD ni i ddinistrio'r lle hwn." ¹⁴Felly aeth Lot allan a dweud wrth ei feibion-yng-nghyfraith, a oedd am briodi ei ferched, "Codwch, ewch allan o'r lle hwn; y mae'r ARGLWYDD ar fin dinistrio'r ddinas." Ond yng ngolwg ei feibion-yng-nghyfraith

yr oedd Lot fel un yn cellwair.

15 Ar doriad gwawr, bu'r angylion yn erfyn ar Lot, gan ddweud, "Cod, cymer dy wraig a'r ddwy ferch sydd gyda thi, rhag dy ddifa pan gosbir y ddinas." ¹⁶Yr oedd yntau'n oedi, ond gan fod yr ARGLWYDD yn tosturio wrtho, cydiodd y gwŷr yn ei law ac yn llaw ei wraig a'i ddwy ferch, a'u harwain a'u gosod y tu allan i'r ddinas. ¹⁷Wedi iddynt eu dwyn allan, dywedodd un, "Dianc am dy einioes; paid ag edrych yn ôl, na sefyllian yn y gwastadedd; dianc i'r mynydd rhag dy ddifa." ¹⁸Ac meddai Lot, "Na! Nid felly, f'arglwydd; ¹⁹dyma dy was wedi cael ffafr yn d'olwg, a gwnaethost drugaredd fawr â mi yn arbed fy einioes; ond ni allaf ddianc i'r mynydd, rhag i'r niwed hwn fy ngoddiweddyd ac imi farw. ²⁰Dacw ddinas agos i ffoi iddi, ac un fechan ydyw. Gad imi ddianc yno, imi gael byw; onid un fach yw hi?" ²¹Atebodd yntau, "O'r gorau, caniatâf y dymuniad hwn hefyd, ac ni ddinistriaf y ddinas a grybwyllaist. ²²Dianc yno ar frys; oherwydd ni allaf wneud dim nes i ti gyrraedd yno." Am hynny, galwyd y ddinas Soarᵗʰ.

Dinistr Sodom a Gomorra

23 Erbyn i Lot gyrraedd Soar, yr oedd yr haul wedi codi dros y tir; ²⁴yna glawiodd yr ARGLWYDD frwmstan a thân dwyfol o'r nefoedd ar Sodom a Gomorra. ²⁵Dinistriodd y dinasoedd hynny a'r holl wastadedd, a holl drigolion y dinasoedd, a chynnyrch y pridd. ²⁶Ond yr oedd gwraig Lot wedi edrych yn ei hôl, a throdd yn golofn halen. 27 Aeth Abraham yn y bore bach i'r fan lle'r oedd wedi sefyll gerbron yr ARGLWYDD; ²⁸ac edrychodd i lawr ar Sodom a Gomorra ac ar holl dir y gwastadedd, a gwelodd fwg yn codi o'r tir fel mwg o ffwrn. ²⁹Felly pan oedd Duw'n dinistrio dinasoedd y gwastadedd, yr oedd wedi cofio am Abraham, a phan oedd yn dinistrio'r dinasoedd y bu Lot yn trigo ynddynt, gyrrodd Lot allan o ganol y dinistr.

Tarddiad Moab ac Ammon

30 Yna aeth Lot i fyny o Soar i fyw yn y mynydd-dir gyda'i ddwy ferch, oherwydd yr oedd arno ofn aros yn Soar; a bu'n byw mewn ogof gyda'i ddwy ferch.

ᵗʰH.y., *bach.*

³¹Dywedodd yr hynaf wrth yr ieuengaf, "Y mae ein tad yn hen, ac nid oes ŵr yn y byd i ddod atom yn ôl arfer yr holl ddaear. ³²Tyrd, rhown win i'n tad i'w yfed, a gorweddwn gydag ef, er mwyn inni gael epil o'n tad." ³³Felly y noson honno rhoesant win i'w tad i'w yfed; a daeth yr hynaf a gorwedd gyda'i thad, ac ni wyddai ef ddim pryd y gorweddodd hi, na phryd y cododd. ³⁴Trannoeth dywedodd yr hynaf wrth yr ieuengaf, "Dyna fi wedi gorwedd gyda'm tad neithiwr; gad inni roi gwin iddo i'w yfed eto heno, a dos dithau i orwedd gydag ef, er mwyn inni gael epil o'n tad." ³⁵Felly rhoesant win i'w tad i'w yfed y noson honno hefyd; ac aeth yr ieuengaf i orwedd gydag ef, ac ni wyddai ef ddim pryd y gorweddodd hi, na phryd y cododd. ³⁶Felly y beichiogodd dwy ferch Lot o'u tad. ³⁷Esgorodd yr hynaf ar fab, a'i enwi Moab; ef yw tad y Moabiaid presennol. ³⁸Esgorodd yr ieuengaf hefyd ar fab, a'i enwi Ben-Ammi; ef yw tad yr Ammoniaid presennol.

Abraham ac Abimelech

20 Ymdeithiodd Abraham oddi yno i ardal y Negeb, a byw rhwng Cades a Sur. Arhosodd dros dro yn Gerar, ²ac yno dywedodd Abraham am ei wraig Sara, "Fy chwaer yw hi"; ac anfonodd Abimelech brenin Gerar am Sara, a'i chymryd. ³Ond daeth Duw at Abimelech mewn breuddwyd nos, a dweud wrtho, "Fe fyddi farw o achos y wraig a gymeraist, oherwydd gwraig briod yw hi." ⁴Ond nid oedd Abimelech wedi nesáu ati; a dywedodd, "Arglwydd, a leddi di bobl ddiniwed? ⁵Oni ddywedodd ef wrthyf, 'Fy chwaer yw hi', a hithau, 'Fy mrawd yw ef'? Gwneuthum hyn â chydwybod dawel a dwylo glân." ⁶Yna dywedodd Duw wrtho yn y freuddwyd, "Mi wn iti wneud hyn â chydwybod dawel; cedwais innau di rhag pechu yn f'erbyn, a dyna pam na adewais iti ei chyffrwdd. ⁷Yn awr, rho'r wraig yn ôl i'w gŵr, oherwydd proffwyd yw ac fe weddïa trosot, fel y byddi fyw. Ond os na roi hi'n ôl, deall di y byddi'n siŵr o farw, ti a'th dylwyth."

8 Cododd Abimelech yn fore, a galw ei holl weision a dweud wrthynt am yr holl bethau hyn; a chafodd y dynion fraw mawr. ⁹Yna galwodd Abimelech am

Abraham a dweud wrtho, "Beth a wnaethost i ni? Sut yr wyf fi wedi pechu yn dy erbyn, i beri iti ddwyn pechod mawr arnaf fi a'm teyrnas? Yr wyt wedi gwneud pethau i mi na ddylid eu gwneud." ¹⁰Dywedodd Abimelech ymhellach wrth Abraham, "Beth oedd yn dy feddwl wrth wneud y peth hwn?" ¹¹Atebodd Abraham, "Mi feddyliais nad oedd neb yn ofni Duw yn y lle hwn, ac y byddent yn fy lladd o achos fy ngwraig. ¹²Ac yn wir, fy chwaer yw hi, merch fy nhad, ond nid merch fy mam; a daeth yn wraig i mi. ¹³A phan barodd Duw imi adael tŷ fy nhad, dywedais wrthi, 'Mynnaf y gymwynas hon gennyt: i ble bynnag yr awn, dywed amdanaf, "Fy mrawd yw ef".'" ¹⁴Yna cymerodd Abimelech ddefaid, ychen, gweision a morynion, a'u rhoi i Abraham, a rhoes ei wraig Sara yn ôl iddo. ¹⁵A dywedodd Abimelech, "Dyma fy ngwlad o'th flaen; cei fyw lle bynnag y dymuni." ¹⁶A dywedodd wrth Sara, "Dyma fi wedi rhoi i'th frawd fil o ddarnau arian; bydd hyn yn dy glirio ac yn dy gyfiawnhau'n llwyr yng ngŵydd pawb sydd gyda thi.ᵘ" ¹⁷Yna gweddïodd Abraham ar Dduw, a iachaodd Duw Abimelech a'i wraig a'i forynion; a chawsant blant. ¹⁸Oherwydd yr oedd yr ARGLWYDD wedi llwyr atal bob planta yn nheulu Abimelech, o achos Sara gwraig Abraham.

Geni Isaac

21 Ymwelodd yr ARGLWYDD â Sara yn ôl ei air, a gwnaeth iddi fel yr addawodd. ²Beichiogodd Sara a geni mab i Abraham yn ei henaint, ar yr union adeg a ddywedodd Duw wrtho. ³Rhoes Abraham i'r mab a anwyd iddo o Sara yr enw Isaac; ⁴ac enwaedodd Abraham ei fab Isaac yn wyth diwrnod oed, fel yr oedd Duw wedi gorchymyn iddo. ⁵Yr oedd Abraham yn gant oed pan anwyd iddo ei fab Isaac. ⁶A dywedodd Sara, "Parodd Duw imi chwerthin;ʷ fe fydd pawb a glyw am hyn yn chwerthin gyda mi." ⁷Dywedodd hefyd, "Pwy fuasai wedi dweud wrth Abraham y rhoddai Sara sugn i blant? Eto mi enais fab iddo yn ei henaint."

8 Tyfodd y bachgen, a diddyfnwyd ef; ac ar ddiwrnod diddyfnu Isaac, gwnaeth Abraham wledd fawr. ⁹Ond gwelodd Sara y mab a ddygodd Hagar yr Eifftes i

Abraham yn chwarae gyda'i mab Isaacʸ.
¹⁰A dywedodd wrth Abraham, "Gyrr allan y gaethferch hon a'i mab; oherwydd ni chaiff mab y gaethferch hon gydetifeddu â'm mab i, Isaac." ¹¹Yr oedd hyn yn atgas iawn gan Abraham o achos ei fab; ¹²ond dywedodd Duw wrth Abraham, "Paid â phoeni am y llanc a'th gaethferch; gwna bopeth a ddywed Sara wrthyt, oherwydd trwy Isaac y cedwir dy linach. ¹³Gwnaf fab y gaethferch hefyd yn genedl, am ei fod yn blentyn i ti." ¹⁴Yna cododd Abraham yn fore, a chymerodd fara a chostrel o ddŵr a'u rhoi i Hagar, a'u gosod hwy a'r bachgen ar ei hysgwydd, a'i hanfon ymaith. Aeth hithau i grwydro yn niffeithwch Beerseba. ¹⁵Pan oedd y dŵr yn y gostrel wedi darfod, gosododd y bachgen i lawr dan un o'r llwyni, ¹⁶ac aeth i eistedd bellter ergyd bwa oddi wrtho, gan ddweud, "Ni allaf edrych ar y bachgen yn marw." Fel yr oedd yn eistedd bellter oddi wrtho, cododd y bachgen ei laisᵃ ac wylo. ¹⁷Clywodd Duw lais y plentyn, a galwodd angel Duw o'r nef ar Hagar a dweud wrthi, "Beth sy'n dy boeni, Hagar? Paid ag ofni, oherwydd y mae Duw wedi clywed llais y plentyn o'r lle y mae. ¹⁸Cod, cymer y plentyn a gafael amdano, oherwydd gwnaf ef yn genedl fawr." ¹⁹Yna agorodd Duw ei llygaid, a gwelodd bydew dŵr; aeth hithau i lenwi'r gostrel â dŵr a rhoi diod i'r plentyn. ²⁰Bu Duw gyda'r plentyn, a thyfodd; bu'n byw yn y diffeithwch, a daeth yn saethwr bwa. ²¹Yr oedd yn byw yn niffeithwch Paran, a chymerodd ei fam wraig iddo o wlad yr Aifft.

Cytundeb rhwng Abraham ac Abimelech
22 Yr amser hwnnw, dywedodd Abimelech a Phichol pennaeth ei fyddin wrth Abraham, "Y mae Duw gyda thi ym mhopeth yr wyt yn ei wneud; ²³yn awr, dos ar dy lw yn enw Duw i mi yma, na fyddi'n anffyddlon i mi, nac i'm plant, nac i'm hwyrion; ond fel yr wyf fi wedi bod yn deyrngar i ti, bydd dithau i minnau ac i'r wlad yr wyt wedi ymdeithio ynddi." ²⁴A dywedodd Abraham, "Mi af ar fy llw."
25 Pan geryddodd Abraham Abimelech am y pydew dŵr yr oedd gweision Abimelech wedi ei gymryd trwy drais, ²⁶dywedodd Abimelech, "Ni wn i ddim pwy a wnaeth hyn; ni ddywedaist wrthyf,

ac ni chlywais i sôn am y peth cyn heddiw." ²⁷Yna cymerodd Abraham ddefaid ac ychen, a'u rhoi i Abimelech, a gwnaethant ill dau gyfamod. ²⁸Gosododd Abraham o'r neilltu saith hesbin o'r praidd. ²⁹A gofynnodd Abimelech i Abraham, "Beth yw'r saith hesbin hyn yr wyt wedi eu gosod o'r neilltu?" ³⁰Dywedodd yntau, "Wrth gymryd y saith hesbin gennyf, byddi'n cydnabod mai myfi a gloddiodd y pydew hwn." ³¹Am hynny galwyd y lle hwnnw Beersebaᵇ, oherwydd yno yr aeth y ddau ar eu llw. ³²Wedi iddynt wneud cyfamod yn Beerseba, cododd Abimelech a Phichol pennaeth ei fyddin, a dychwelyd i wlad y Philistiaid. ³³Plannodd Abraham goeden tamarisg yn Beerseba, a galwodd yno ar enw'r Arglwydd, y Duw tragwyddol. ³⁴A bu Abraham yn aros am amser hir yng ngwlad y Philistiaid.

Aberthu Isaac
22 Wedi'r pethau hyn, rhoddodd Duw brawf ar Abraham. ²"Abraham," meddai wrtho, ac atebodd yntau, "Dyma fi." Yna dywedodd, "Cymer dy fab, dy unig fab Isaac, sy'n annwyl gennyt, a dos i wlad Moreia, ac offryma ef yno yn boethoffrwm ar y mynydd a ddangosaf iti." ³Felly cododd Abraham yn fore, cyfrwyodd ei asyn, a chymryd dau lanc gydag ef, a'i fab Isaac; a holltodd goed i'r poethoffrwm, a chychwynnodd i'r lle y dywedodd Duw wrtho. ⁴Ar y trydydd dydd cododd Abraham ei olwg, a gwelodd y lle o hirbell. ⁵Yna dywedodd Abraham wrth ei lanciau, "Arhoswch chwi yma gyda'r asyn; mi af finnau a'r bachgen draw ac addoli, ac yna dychwelwn atoch." ⁶Cymerodd goed y poethoffrwm a'u gosod ar ei fab Isaac a chymerodd y tân a'r gyllell yn ei law ei hun. Ac felly yr aethant ill dau ynghyd. ⁷Yna dywedodd Isaac wrth ei dad Abraham, "Fy nhad." Atebodd yntau, "Ie, fy mab?" Ac meddai Isaac, "Dyma'r tân a'r coed; ond ble mae oen y poethoffrwm?" ⁸Dywedodd Abraham, "Duw ei hun fydd yn darparu oen y poethoffrwm, fy mab." Ac felly aethant ill dau gyda'i gilydd.
9 Wedi iddynt gyrraedd i'r lle'r oedd Duw wedi dweud wrtho, adeiladodd Abraham allor, trefnodd y coed, a

---

ʸFelly Groeg a Lladin. Hebraeg heb *gyda'i mab Isaac.*
ᵃFelly Groeg. Hebraeg, *cododd hi ei llais.*
ᵇH.y., *Ffynnon y saith,* neu *Ffynnon y llw.*

rhwymodd ei fab Isaac a'i osod ar yr allor, ar ben y coed. ¹⁰Yna estynnodd Abraham ei law, a chymryd y gyllell i ladd ei fab. ¹¹Ond galwodd angel yr ARGLWYDD arno o'r nef, a dweud, "Abraham! Abraham!" Dywedodd yntau, "Dyma fi." ¹²A dywedodd, "Paid â gosod dy law ar y bachgen, na gwneud dim iddo; oherwydd gwn yn awr dy fod yn ofni Duw, gan nad wyt wedi gwrthod rhoi dy fab, dy unig fab, i mi." ¹³Cododd Abraham ei olwg ac edrych, a dyna lle'r oedd hwrdd y tu ôl iddo wedi ei ddal gerfydd ei gyrn mewn drysni; aeth Abraham a chymryd yr hwrdd a'i offrymu yn boethoffrwm yn lle ei fab. ¹⁴Ac enwodd Abraham y lle hwnnw, "Yr ARGLWYDD sy'n darparu"; fel y dywedir hyd heddiw, "Ar fynydd yr ARGLWYDD fe ddarperir."

15 Galwodd angel yr ARGLWYDD eilwaith o'r nef ar Abraham, ¹⁶a dweud, "Tyngais i mi fy hun," medd yr ARGLWYDD, "oherwydd iti wneud hyn, heb wrthod rhoi dy fab, dy unig fab, ¹⁷bendithiaf di yn fawr, ac amlhau dy ddisgynyddion yn ddirfawr, fel sêr y nefoedd ac fel y tywod ar lan y môr. ¹⁸Bydd dy ddisgynyddion yn meddiannu pyrth eu gelynion, ¹⁹a thrwyddynt bendithir holl genhedloedd y ddaear, am iti ufuddhau i'm llais." Yna dychwelodd Abraham at ei lanciau ac aethant gyda'i gilydd i Beerseba; ac arhosodd Abraham yn Beerseba.

Disgynyddion Nahor

20 Wedi'r pethau hyn, mynegwyd i Abraham, "Y mae Milca wedi geni plant i'th frawd Nachor: ²¹Hus ei gyntafanedig, a'i frawd Bus, Cemuel tad Aram, ²²Cesed, Haso, Pildas, Idlaff, a Bethuel." ²³Bethuel oedd tad Rebeca. Ganwyd yr wyth hyn o Milca i Nachor, brawd Abraham. Hefyd esgorodd Reuma, ei ordderch, ar Teba, Gaham, Tahas a Maacha.

Marw Sara

23 Bu Sara fyw am gant dau ddeg a saith o flynyddoedd; dyna hyd ei hoes. ²Bu farw Sara yn Ciriath-Arba, hynny yw Hebron, yng ngwlad Canaan; ac aeth Abraham i alaru am Sara, ac wylodd amdani. ³Wedi hynny cododd Abraham o ŵydd y marw, a dywedodd wrth yr Hethiaid, ⁴"Dieithryn ac ymdeithydd wyf yn eich mysg; rhowch i mi hawl ar fedd yn eich plith, er mwyn imi gael claddu fy marw." ⁵Atebodd yr Hethiaid Abraham, a dweud wrtho, ⁶"Clyw ni, f'arglwydd; tywysog nerthol wyt ti yn ein plith. Cladda dy farw yn y gorau o'n beddau; ni wrthyd neb ohonom ei fedd iti i gladdu dy farw." ⁷Yna cododd Abraham ac ymgrymu i'r Hethiaid, pobl y wlad, ⁸a dweud wrthynt, "Os ydych yn fodlon imi gladdu fy marw, gwrandewch arnaf, a deisyfwch trosof ar Effron fab Sohar ⁹iddo roi imi ogof Machpela, sy'n eiddo iddo ac yng nghwr ei faes. Rhodded hi i mi am y pris llawn, imi gael hawl ar fedd yn eich plith." ¹⁰Yr oedd Effron yn eistedd gyda'r Hethiaid, a dywedodd wrth Abraham yng nghlyw'r Hethiaid a phawb oedd yn dod i mewn trwy borth ei ddinas, ¹¹"Na, f'arglwydd, gwrando arnaf; rhof y maes i ti yn ogystal â'r ogof sydd ynddo; yr wyf yn ei rhoi i ti yng ngŵydd meibion fy mhobl; cladda dy farw." ¹²Yna ymgrymodd Abraham o flaen pobl y wlad, ¹³a dywedodd wrth Effron yn eu clyw, "Os felly, gwrando arnaf; yr wyf am roi i ti bris y maes; cymer hyn gennyf, er mwyn imi gael claddu fy marw yno." ¹⁴Atebodd Effron Abraham a dweud wrtho, ¹⁵"Gwrando arnaf, f'arglwydd; darn o dir gwerth pedwar can sicl o arian, beth yw hynny rhyngom ni? Cladda dy farw." ¹⁶Cytunodd Abraham ag Effron, a phwysodd iddo yr arian a grybwyllodd yng nghlyw'r Hethiaid, pedwar can sicl o arian, yn ôl pwysau'r marchnatwyr.

17-18 Felly y sicrhawyd i Abraham, yng ngŵydd yr Hethiaid a phawb oedd yn dod i mewn trwy borth y ddinas, feddiant ar faes Effron yn Machpela, i'r dwyrain o Mamre. Cafodd ef y maes a'r ogof ynddo a phob coeden o fewn holl derfynau'r maes. ¹⁹Wedi hynny, claddodd Abraham ei wraig Sara yn yr ogof ym maes Machpela, i'r dwyrain o Mamre, hynny yw Hebron, yng ngwlad Canaan. ²⁰Sicrhawyd gan yr Hethiaid y maes a'r ogof oedd ynddo yn gladdfa i Abraham.

Sicrhau Gwraig i Isaac

24 Yr oedd Abraham yn hen ac oedrannus, ac yr oedd yr ARGLWYDD wedi ei fendithio ef ym mhob dim. ²Yna dywedodd Abraham wrth y gwas hynaf yn ei dŷ, yr un oedd yn gofalu am ei holl eiddo, "Gosod dy law dan fy nghlun, ³a pharaf iti dyngu i'r AR-

GLWYDD, Duw'r nefoedd a'r ddaear, na chymeri wraig i'm mab o ferched y Canaaneaid yr wyf yn byw yn eu plith, ⁴ond yr ei i'm gwlad ac at fy nhylwyth, i gymryd gwraig i'm mab Isaac." ⁵Dywedodd y gwas wrtho, "Efallai na fydd y wraig am ddod ar fy ôl i'r wlad hon; a fydd raid i mi fynd â'th fab yn ôl i'r wlad y daethost allan ohoni?" ⁶Dywedodd Abraham wrtho, "Gofala nad ei â'm mab yn ôl yno. ⁷Yr ARGLWYDD, Duw'r nefoedd, yr un a'm cymerodd o dŷ fy nhad ac o wlad fy ngeni, ac a lefarodd a thyngu wrthyf, a dweud, 'Rhof y wlad hon i'th ddisgynyddion', bydd ef yn anfon ei angel o'th flaen, ac fe gymeri wraig i'm mab oddi yno. ⁸Os na fydd y wraig am ddod ar dy ôl, yna byddi'n rhydd oddi wrth y llw hwn; ond paid â mynd â'm mab yn ôl yno." ⁹Felly gosododd y gwas ei law dan glun ei feistr Abraham, a thyngu iddo am y mater hwn.

10 Yna cymerodd y gwas ddeg o gamelod ei feistr, a mynd ymaith a holl anrhegion ei feistr dan ei ofal, ac aeth i Aram Naharaim, i ddinas Nachor. ¹¹Parodd i'r camelod orwedd y tu allan i'r ddinas, wrth y pydew dŵr, gyda'r hwyr, sef yr amser y byddai'r merched yn dod i godi dŵr. ¹²A dywedodd, "O ARGLWYDD, Duw fy meistr Abraham, rho lwyddiant i mi heddiw, a gwna garedigrwydd â'm meistr Abraham. ¹³Dyma fi'n sefyll wrth y ffynnon ddŵr, a merched y ddinas yn dod i godi dŵr. ¹⁴Y ferch y dywedaf wrthi, 'Gostwng dy stên, er mwyn i mi gael yfed', a hithau'n ateb, 'Yf, ac mi rof ddiod i'th gamelod hefyd', bydded mai honno fydd yr un a ddarperaist i'th was Isaac. Wrth hyn y caf wybod iti wneud caredigrwydd â'm meistr." ¹⁵Cyn iddo orffen siarad, dyma Rebeca, a anwyd i Bethuel fab Milca, gwraig Nachor, brawd Abraham, yn dod allan a'i stên ar ei hysgwydd. ¹⁶Yr oedd y ferch yn hardd odiaeth, yn wyryf, heb orwedd gyda gŵr. Aeth i lawr at y ffynnon, llanwodd ei stên, a daeth i fyny. ¹⁷Rhedodd y gwas i'w chyfarfod, a dweud, "Gad imi yfed ychydig ddŵr o'th stên." ¹⁸Dywedodd hithau, "Yf, f'arglwydd", a brysio i ostwng ei stên ar ei llaw, a rhoi diod iddo. ¹⁹Pan orffennodd roi diod iddo, dywedodd hi, "Codaf ddŵr i'th gamelod hefyd, nes iddynt gael digon." ²⁰Brysiodd i dywallt ei stên i'r cafn, a rhedeg eilwaith i'r ffynnon, a chodi dŵr i'w holl gamelod.

²¹Syllodd y gŵr arni, heb ddweud dim, i wybod a oedd yr ARGLWYDD wedi llwyddo'i daith ai peidio.

22 Pan orffennodd y camelod yfed, cymerodd y gŵr fodrwy aur yn pwyso hanner sicl, a dwy freichled yn pwyso deg sicl o aur i'w garddyrnau, ²³ac meddai, "Dywed wrthyf, merch pwy wyt ti? A oes lle i ni aros noson yn nhŷ dy dad?" ²⁴Dywedodd hithau wrtho, "Merch Bethuel fab Milca a Nachor." ²⁵Ac ychwanegodd, "Y mae gennym ddigon o wellt a phorthiant, a lle i letya." ²⁶Ymgrymodd y gŵr i addoli'r ARGLWYDD, ²⁷a dweud, "Bendigedig fyddo'r ARGLWYDD, Duw fy meistr Abraham, am nad ataliodd ei garedigrwydd a'i ffyddlondeb oddi wrth fy meistr. Arweiniodd yr ARGLWYDD fi ar fy nhaith i dŷ brodyr fy meistr."

28 Rhedodd y ferch a mynegi'r pethau hyn i dylwyth ei mam. ²⁹Ac yr oedd gan Rebeca frawd o'r enw Laban, a rhedodd ef allan at y gŵr wrth y ffynnon. ³⁰Pan welodd y fodrwy, a'r breichledau ar arddyrnau ei chwaer, a chlywed geiriau ei chwaer Rebeca am yr hyn a ddywedodd y gŵr wrthi, aeth at y gŵr oedd yn sefyll gyda'r camelod wrth y ffynnon. ³¹Dywedodd, "Tyrd i'r tŷ, fendigedig yr ARGLWYDD; pam yr wyt yn sefyll y tu allan, a minnau wedi paratoi'r tŷ, a lle i'r camelod?" ³²Pan ddaeth y gŵr at y tŷ, gollyngodd Laban y camelod, ac estyn gwellt a phorthiant iddynt, a rhoi dŵr i'r gŵr a'r dynion oedd gydag ef i olchi eu traed. ³³Pan osodwyd bwyd o'i flaen, dywedodd y gŵr, "Nid wyf am fwyta nes imi ddweud fy neges." Ac meddai Laban, "Traetha."

34 Dywedodd, "Gwas Abraham wyf fi. ³⁵Y mae'r ARGLWYDD wedi bendithio fy meistr yn helaeth, ac y mae yntau wedi llwyddo; y mae wedi rhoi iddo ddefaid ac ychen, arian ac aur, gweision a morynion, camelod ac asynnod. ³⁶Ac y mae Sara gwraig fy meistr wedi geni mab iddo yn ei henaint; ac y mae fy meistr wedi rhoi ei holl eiddo i hwnnw. ³⁷Parodd fy meistr i mi fynd ar fy llw, a dywedodd, 'Paid â chymryd gwraig i'm mab o blith merched y Canaaneaid yr wyf yn byw yn eu gwlad; ³⁸ond dos i dŷ fy nhad, ac at fy nhylwyth, i gymryd gwraig i'm mab.' ³⁹Dywedais wrth fy meistr, 'Efallai na ddaw'r wraig ar fy ôl.' ⁴⁰Ond dywedodd yntau wrthyf, 'Bydd yr ARGLWYDD, yr wyf yn rhodio

ger ei fron, yn anfon ei angel gyda thi ac yn llwyddo dy daith.' Os cymeri wraig i'm mab o'm tylwyth ac o dŷ fy nhad, ⁴¹yna byddi'n rhydd oddi wrth fy llw; os doi at fy nhylwyth, a hwythau'n gwrthod ei rhoi iti, byddi hefyd yn rhydd oddi wrth fy llw.' ⁴²Pan ddeuthum heddiw at y ffynnon, dywedais, 'O ARGLWYDD, Duw fy meistr Abraham, os wyt am lwyddo fy nhaith yn awr, ⁴³tra wyf yn sefyll wrth y ffynnon ddŵr, bydded mai'r ferch ifanc a ddaw allan i godi dŵr ac yna, pan ddywedaf wrthi, "Rho i mi ychydig ddŵr i'w yfed o'th stên", ⁴⁴fydd yn ateb, "Yf, a chodaf ddŵr i'th gamelod hefyd", bydded mai honno fydd y wraig y mae'r ARGLWYDD wedi ei darparu i fab fy meistr.' ⁴⁵Cyn i mi orffen gwneud fy nghais, dyma Rebeca yn dod allan a'i stên ar ei hysgwydd; aeth i lawr at y ffynnon a chodi dŵr. Dywedais wrthi, 'Gad imi yfed.' ⁴⁶Brysiodd hithau i ostwng ei stên oddi ar ei hysgwydd, a dywedodd, 'Yf, a rhof ddiod i'th gamclod hcfyd.' Yfais, a rhoes hithau ddiod i'r camelod. ⁴⁷Yna gofynnais iddi, 'Merch pwy wyt ti?' Ac meddai hithau, 'Merch Bethuel fab Nachor a Milca.' Yna gosodais y fodrwy yn ei thrwyn, a'r breichledau am ei garddyrnau. ⁴⁸Ymgrymais i addoli'r ARGLWYDD, a bendithiais yr ARGLWYDD, Duw fy meistr Abraham, a arweiniodd fi yn y ffordd iawn i gymryd merch brawd fy meistr i'w fab. ⁴⁹Yn awr, os ydych am wneud caredigrwydd a ffyddlondeb i'm meistr, dywedwch wrthyf; ac onid e, dywedwch wrthyf, fel y gallaf droi ar y llaw dde neu'r chwith.''

50 Yna atebodd Laban a Bethuel, a dweud, "Oddi wrth yr ARGLWYDD y daeth hyn; ni allwn ni ddweud dim wrthyt, na drwg na da. ⁵¹Dyma Rebeca o'th flaen; cymer hi a dos. A bydded yn wraig i fab dy feistr, fel y dywedodd yr ARGLWYDD."

52 Pan glywodd gwas Abraham eu geiriau, ymgrymodd i'r llawr gerbron yr ARGLWYDD, ⁵³ac estynnodd dlysau o arian ac aur, a gwisgoedd, a'u rhoi i Rebeca; rhoddodd hefyd anrhegion gwerthfawr i'w brawd ac i'w mam. ⁵⁴A bwytaodd ac yfodd, ef a'r dynion oedd gydag ef, ac aros yno noson. Pan godasant yn y bore, dywedodd, "Gadewch imi fynd at fy meistr." ⁵⁵Ac meddai ei brawd a'i mam, "Gad i'r ferch aros gyda ni am o leiaf ddeg diwrnod; wedi hynny

caiff fynd." ⁵⁶Ond dywedodd ef wrthynt, "Peidiwch â'm rhwystro, gan i'r ARGLWYDD lwyddo fy nhaith; gadewch imi fynd at fy meistr." ⁵⁷Yna dywedasant, "Galwn ar y ferch, a gofynnwn iddi hi." ⁵⁸A galwasant ar Rebeca, a dweud wrthi, "A ei di gyda'r gŵr hwn?" Atebodd hithau, "Af." ⁵⁹Felly gollyngasant eu chwaer Rebeca a'i mamaeth, a gwas Abraham a'i ddynion, ⁶⁰a bendithio Rebeca, a dweud wrthi,
"Tydi, ein chwaer, boed iti fynd
yn filoedd o fyrddiynau,
a bydded i'th ddisgynyddion
etifeddu porth eu gelynion."
⁶¹Yna cododd Rebeca a'i morynion, a marchogaeth ar y camelod gan ddilyn y gŵr; felly cymerodd y gwas Rebeca a mynd ymaith.

62 Yr oedd Isaac wedi dod o Beer-lahai-roi ac yn byw yn ardal y Negeb. ⁶³Pan oedd Isaac allan yn myfyrio yn y maes fin nos, cododd ei olygon i edrych, a gwelodd gamelod yn dod. ⁶⁴Cododd Rebeca hefyd ei golygon, a phan welodd Isaac, disgynnodd oddi ar y camel, ⁶⁵a gofyn i'r gwas, "Pwy yw'r gŵr acw sy'n cerdded yn y maes tuag atom?" Atebodd y gwas, "Dyna fy meistr." Cym erodd hithau orchudd a'i wisgo. ⁶⁶Ac adroddodd y gwas wrth Isaac am bopeth yr oedd wedi ei wneud. ⁶⁷Yna daeth Isaac â Rebeca i mewn i babell ei fam Sara, a'i chymryd yn wraig iddo. Carodd Isaac Rebeca, ac felly cafodd gysur ar ôl marw ei fam.

Disgynyddion Eraill Abraham

25 Cymerodd Abraham wraig arall o'r enw Cetura. ²Ohoni hi ganwyd iddo Simran, Jocsan, Medan, Midian, Isbac a Sua. ³Jocsan oedd tad Seba a Dedan; a meibion Dedan oedd Assurim, Letusim a Lewmmim. ⁴Meibion Midian oedd Effa, Effer, Hanoch, Abida ac Eldaa. Yr oedd y rhain i gyd yn blant Cetura. ⁵Rhoddodd Abraham ei holl eiddo i Isaac. ⁶Ond tra oedd eto'n fyw, yr oedd Abraham wedi rhoi anrhegion i feibion ei wragedd gordderch, ac wedi eu hanfon ymaith oddi wrth ei fab Isaac, draw i wlad ddwyreiniol.

Marw Abraham a'i Gladdu

7 Yr oedd oes gyfan Abraham yn gant saith deg a phump o flynyddoedd. ⁸Anadlodd Abraham ei anadl olaf, a bu farw

wedi oes hir, yn hen ac oedrannus; a chladdwyd ef gyda'i dylwyth. ⁹Claddwyd ef gan ei feibion Isaac ac Ismael yn ogof Machpela, ym maes Effron fab Sohar yr Hethiad, i'r dwyrain o Mamre, ¹⁰y maes yr oedd Abraham wedi ei brynu gan yr Hethiaid. Yno y claddwyd Abraham gyda'i wraig Sara. ¹¹Wedi marw Abraham bendithiodd Duw ei fab Isaac, ac arhosodd Isaac ger Beer-lahai-roi.

Disgynyddion Ismael
(1 Cron. 1:28-31)

12 Dyma genedlaethau Ismael fab Abraham, a anwyd iddo o Hagar yr Eifftes, morwyn Sara. ¹³Dyma enwau meibion Ismael, yn nhrefn eu geni: Nebaioth, cyntafanedig Ismael, a Cedar, Adbeel, Mibsam, ¹⁴Misma, Duma, Massa, ¹⁵Hadad, Tema, Jetur, Naffis a Cedema. ¹⁶Dyna feibion Ismael, a dyna enwau deuddeg tywysog y llwythau yn ôl eu trefi a'u gwersylloedd. ¹⁷Hyd oes Ismael oedd cant tri deg a saith o flynyddoedd; anadlodd ei anadl olaf, a chladdwyd ef gyda'i dylwyth. ¹⁸Yr oeddent yn trigo o Hafila hyd Sur, i'r dwyrain o'r Aifft, i gyfeiriad Asyria; yr oeddent yn erbyn eu holl frodyr.

Geni Esau a Jacob

19 Dyma genedlaethau Isaac fab Abraham: tad Isaac oedd Abraham, ²⁰ac yr oedd Isaac yn ddeugain mlwydd oed pan gymerodd yn wraig Rebeca ferch Bethuel yr Aramead o Padan Aram, chwaer Laban yr Aramead. ²¹A gweddïodd Isaac ar yr ARGLWYDD dros ei wraig, am ei bod heb eni plentyn. Atebodd yr ARGLWYDD ei weddi, a beichiogodd ei wraig Rebeca. ²²Aflonyddodd y plant ar ei gilydd yn ei chroth, a dywedodd hithau, "Pam y mae fel hyn arnaf?"ᶜ Aeth i ymofyn â'r ARGLWYDD, ²³a dywedodd yr ARGLWYDD wrthi, "Dwy genedl sydd yn dy groth, a gwahenir dau lwyth o'th fru, bydd y naill yn gryfach na'r llall, a'r hynaf yn gwasanaethu'r ieuengaf."

²⁴Pan ddaeth ei dyddiau i esgor, yr oedd gefeilliaid yn ei chroth. ²⁵Daeth y cyntaf allan yn goch, a'i holl gorff fel mantell flewog; am hynny galwyd ef Esau. ²⁶Wedyn daeth ei frawd allan, a'i law yn gafael yn sawdl Esau; am hynny galwyd

ef Jacobᶜʰ. Yr oedd Isaac yn drigain oed pan anwyd hwy.

Esau'n Gwerthu ei Enedigaeth-fraint

27 Tyfodd y bechgyn, a daeth Esau yn heliwr medrus, yn ŵr y maes; ond yr oedd Jacob yn ŵr tawel, yn byw mewn pebyll. ²⁸Yr oedd Isaac yn hoffi Esau, am ei fod yn bwyta o'i helfa; ond yr oedd Rebeca yn hoffi Jacob.

29 Un tro pan oedd Jacob yn berwi cawl, daeth Esau o'r maes ar ddiffygio. ³⁰A dywedodd Esau wrth Jacob, "Gad imi fwyta o'r cawl coch yma, oherwydd yr wyf ar ddiffygio." Dyna pam y galwyd ef Edomᵈ. ³¹Dywedodd Jacob, "Gwertha imi'n awr dy enedigaeth-fraint." ³²A dywedodd Esau, "Pa les yw genedigaethfraint i mi, a minnau ar fin marw?" ³³Dywedodd Jacob, "Dos ar dy lw i mi yn awr." Felly aeth ar ei lw, a gwerthu ei enedigaeth-fraint i Jacob. ³⁴Yna rhoddodd Jacob fara a chawl ffacbys i Esau; bwytaodd ac yfodd, ac yna codi a mynd ymaith. Fel hyn y diystyrodd Esau ei enedigaeth-fraint.

Isaac yn Ymfudo i Gerar

26 Bu newyn yn y wlad, heblaw'r newyn a fu gynt yn nyddiau Abraham, ²ac aeth Isaac i Gerar at Abimelech brenin y Philistiaid. Yr oedd yr ARGLWYDD wedi ymddangos iddo, a dweud, "Paid â mynd i lawr i'r Aifft; aros yn y wlad a ddywedaf fi wrthyt. ³Ymdeithia yn y wlad hon, a byddaf gyda thi i'th fendithio; oherwydd rhoddaf yr holl wledydd hyn i ti ac i'th ddisgynyddion, a chadarnhaf y llw a dyngais wrth dy dad Abraham. ⁴Amlhaf dy ddisgynyddion fel sêr y nefoedd, a rhoi iddynt yr holl wledydd hyn. Bydd holl genhedloedd y ddaear yn ceisio bendith trwy dy ddisgynyddion. ⁵Bydd hyn am i Abraham wrando ar fy llais, a chadw fy ngofynion, fy ngorchmynion, fy neddfau a'm cyfreithiau." ⁶Felly arhosodd Isaac yn Gerar.

7 Pan ofynnodd gwŷr y lle ynghylch ei wraig, dywedodd, "Fy chwaer yw hi", am fod arno ofn dweud, "Fy ngwraig yw hi", rhag i wŷr y lle ei laddᵈᵈ o achos Rebeca; oherwydd yr oedd hi'n brydferth. ⁸Wedi iddo fod yno am ysbaid, edrychodd Abimelech brenin y Philistiaid trwy'r ffenestr a chanfod Isaac yn anwesu

---

ᶜTebygol. Hebraeg yn aneglur.   ᶜʰH.y., *y mae'n gafael yn sawdl*, neu, *yn disodli*.
ᵈH.y., *Coch*. Cymh. adn. 25 uchod.   ᵈᵈHebraeg, *fy lladd i*.

ei wraig Rebeca. ⁹Yna galwodd Abimelech ar Isaac, a dweud, "Y mae'n amlwg mai dy wraig yw hi; pam y dywedaist, 'Fy chwaer yw hi'?" Dywedodd Isaac wrtho, "Am imi feddwl y byddwn farw o'i hachos hi." ¹⁰Dywedodd Abimelech, "Beth yw hyn yr wyt wedi ei wneud i ni? Hawdd y gallasai un o'r bobl orwedd gyda'th wraig, ac i ti ddwyn cosb arnom." ¹¹Felly rhybuddiodd Abimelech yr holl bobl a dweud, "Lleddir y sawl a gyffyrdda â'r gŵr hwn neu â'i wraig."

12 Heuodd Isaac yn y tir hwnnw, a medi'r flwyddyn honno ar ei ganfed, a bendithiodd yr ARGLWYDD ef. ¹³Llwyddodd y gŵr, a chynyddodd nes dod yn gyfoethog iawn. ¹⁴Yr oedd yn berchen defaid ac ychen, a llawer o weision, fel bod y Philistiaid yn cenfigennu wrtho. ¹⁵Caeodd y Philistiaid yr holl bydewau a gloddiodd y gweision yn nyddiau ei dad Abraham a'u llenwi â phridd, ¹⁶a dywedodd Abimelech wrth Isaac, "Dos oddi wrthym, oherwydd aethost yn gryfach o lawer na ni."

17 Felly ymadawodd Isaac oddi yno, a gwersyllodd yn nyffryn Gerar ac aros yno. ¹⁸Ac ailgloddiodd Isaac y pydewau dŵr a gloddiwyd yn nyddiau ei dad Abraham, ac a gaewyd gan y Philistiaid ar ôl marw Abraham; a galwodd hwy wrth yr un enwau â'i dad. ¹⁹Ond pan gloddiodd gweision Isaac yn y dyffryn, a chael yno ffynnon o ddŵr yn tarddu, ²⁰bu cynnen rhwng bugeiliaid Gerar a bugeiliaid Isaac, a dywedasant, "Ni biau'r dŵr." Felly enwodd y ffynnon Esecᵉ, am iddynt godi cynnen ag ef. ²¹Yna cloddiasant bydew arall, a bu cynnen ynglŷn â hwnnw hefyd; felly enwodd ef Sitnaᶠ. ²²Symudodd oddi yno a chloddio pydew arall, ac ni bu cynnen ynglŷn â hwnnw; felly enwodd ef Rehobothᶠᶠ, a dweud, "Rhoes yr ARGLWYDD le helaeth i ni, a byddwn ffrwythlon yn y wlad."

Cytundeb rhwng Abimelech ac Isaac

23 Aeth Isaac oddi yno i Beerseba. ²⁴Ac un noson ymddangosodd yr ARGLWYDD iddo, a dweud, "Myfi yw Duw Abraham dy dad; paid ag ofni, oherwydd yr wyf fi gyda thi. Bendithiaf di ac amlhaf dy ddisgynyddion er mwyn fy ngwas Abraham." ²⁵Felly adeiladodd yno allor,

a galw ar enw'r ARGLWYDD; cododd ei babell yno, a chloddiodd gweision Isaac ffynnon yno. ²⁶Yna daeth Abimelech ato o Gerar, gydag Ahussath ei gynghorwr a Phichol pennaeth ei fyddin. ²⁷Gofynnodd Isaac iddynt, "Pam yr ydych wedi dod ataf, gan i chwi fy nghasáu a'm gyrru oddi wrthych?" ²⁸Atebasant hwythau, "Gwelsom yn eglur fod yr ARGLWYDD gyda thi; am hynny fe ddywedwn, 'Bydded llw rhyngom', a gwnawn gyfamod â thi, ²⁹na wnei di ddim drwg i ni, yn union fel na fu i ni gyffwrdd â thi, na gwneud dim ond daioni iti a'th anfon ymaith mewn heddwch. Yn awr, ti yw bendigedig yr ARGLWYDD." ³⁰Yna, gwnaeth wledd iddynt, a bwytasant ac yfed. ³¹Yn y bore codasant yn gynnar a thyngu llw i'w gilydd; ac anfonodd Isaac hwy ymaith, ac aethant mewn heddwch. ³²Daeth gweision Isaac y diwrnod hwnnw a mynegi iddo am y pydew yr oeddent wedi ei gloddio, a dweud wrtho, "Cawsom ddŵr." ³³Galwodd yntau ef Sebaᵍ; am hynny Beerseba yw enw'r ddinas hyd heddiw.

Gwragedd Esau

34 Pan oedd Esau'n ddeugain mlwydd oed, priododd Judith ferch Beeri yr Hethiad, a hefyd Basemath ferch Elon yr Hethiad; ³⁵a buont yn achos gofid i Isaac a Rebeca.

Isaac yn Bendithio Jacob

27 Pan oedd Isaac yn hen a'i lygaid wedi pylu fel nad oedd yn gweld, galwodd ar Esau ei fab hynaf, a dweud wrtho, "Fy mab." Atebodd yntau, "Dyma fi." ²A dywedodd Isaac, "Yr wyf wedi mynd yn hen, ac ni wn pa ddiwrnod y byddaf farw. ³Cymer yn awr dy arfau, dy gawell saethau a'th fwa, a dos i'r maes i hela bwyd i mi, ⁴a gwna i mi y lluniaeth blasus sy'n hoff gennyf, a thyrd ag ef imi i'w fwyta; yna bendithiaf di cyn imi farw."

5 Yr oedd Rebeca yn gwrando ar Isaac yn siarad â'i fab Esau. A phan aeth Esau i'r maes i hela bwyd i ddod ag ef i'w dad, ⁶dywedodd Rebeca wrth ei mab Jacob, "Clywais dy dad yn siarad â'th frawd Esau ac yn dweud, ⁷'Tyrd â helfa imi, a gwna luniaeth blasus imi i'w fwyta; yna bendithiaf di gerbron yr ARGLWYDD cyn imi farw.' ⁸Gwrando'n awr, fy mab, ar yr

---

ᵉH.y., *Cynnen.*   ᶠH.y., *Gelyniaeth.*   ᶠᶠH.y., *Lle helaeth.*
ᵍH.y., *llw,* neu, *saith.*

hyn a orchmynnaf i ti. ⁹Dos i blith y praidd, a thyrd â dau fyn gafr da i mi, a gwnaf finnau hwy yn lluniaeth blasus i'th dad, o'r math y mae'n ei hoffi, ¹⁰a chei dithau fynd ag ef i'th dad i'w fwyta, er mwyn iddo dy fendithio di cyn iddo farw." ¹¹Ond dywedodd Jacob wrth ei fam Rebeca, "Ond y mae Esau yn ŵr blewog, a minnau'n ŵr llyfn. ¹²Efallai y bydd fy nhad yn fy nheimlo, a byddaf fel twyllwr yn ei olwg, a dof â melltith arnaf fy hun yn lle bendith." ¹³Meddai ei fam wrtho, "Arnaf fi y bo dy felltith, fy mab; gwrando arnaf, dos a thyrd â'r geifr ataf." ¹⁴Felly aeth, a dod â hwy at ei fam; a gwnaeth ei fam luniaeth blasus, o'r math yr oedd ei dad yn ei hoffi. ¹⁵Yna cymerodd Rebeca ddillad gorau ei mab hynaf Esau, dillad oedd gyda hi yn tŷ, a'u gwisgo am Jacob ei mab ieuengaf; ¹⁶a gwisgodd hefyd grwyn y geifr am ei ddwylo ac am ei wegil llyfn; ¹⁷yna rhoddodd i'w mab Jacob y lluniaeth blasus a'r bara yr oedd wedi eu paratoi. ¹⁸Aeth yntau i mewn at ei dad a dweud, "Fy nhad". Atebodd yntau, "Dyma fi, fy mab, pwy wyt ti?" ¹⁹Dywedodd Jacob wrth ei dad, "Esau dy gyntafanedig wyf fi. Gwneuthum fel y dywedaist wrthyf; cod ar dy eistedd a bwyta o'm helfa, a bendithia fi." ²⁰A dywedodd Isaac wrth ei fab, "Sut y cefaist hyd iddo mor fuan, fy mab?" Atebodd yntau, "Yr ARGLWYDD dy Dduw a'i trefnodd ar fy nghyfer." ²¹Yna dywedodd Isaac wrth Jacob, "Tyrd yn nes, er mwyn imi dy deimlo, fy mab, a gwybod ai ti yw fy mab Esau ai peidio." ²²Nesaodd Jacob at Isaac ei dad, a theimlodd yntau ef a dweud, "Llais Jacob yw'r llais, ond dwylo Esau yw'r dwylo." ²³Ond nid adnabu mohono, am fod ei ddwylo'n flewog fel dwylo Esau ei frawd; felly bendithiodd ef. ²⁴A dywedodd, "Ai ti yn wir yw fy mab Esau?" Atebodd yntau, "Myfi yw." ²⁵Dywedodd yntau, "Tyrd â'r helfa ataf, fy mab, imi gael bwyta a'th fendithio." Daeth ag ef ato, a bwytaodd yntau; a daeth â gwin iddo, ac yfodd. ²⁶A dywedodd ei dad Isaac wrtho, "Tyrd yn nes a chusana fi, fy mab." ²⁷Felly nesaodd a chusanodd ef; clywodd yntau arogl ei wisgoedd, a bendithiodd ef, a dweud:

"Dyma arogl fy mab,
fel arogl maes a fendithiodd yr ARGLWYDD.

ⁿᵍCymh. 25:26.

²⁸Rhodded Duw iti o wlith y nefoedd,
o fraster y ddaear, a digon o ŷd a gwin.
²⁹Bydded i bobloedd dy wasanaethu di,
ac i genhedloedd ymgrymu o'th flaen;
bydd yn arglwydd ar dy frodyr,
ac ymgrymed meibion dy fam iti.
Bydded melltith ar y rhai sy'n dy felltithio,
a bendith ar y rhai sy'n dy fendithio."

30 Wedi i Isaac orffen bendithio Jacob, a Jacob ond prin wedi mynd allan o ŵydd ei dad Isaac, daeth ei frawd Esau i mewn o'i hela. ³¹Gwnaeth yntau luniaeth blasus, a mynd ag ef i'w dad, a dweud wrtho, "Cod, fy nhad, a bwyta o helfa dy fab, a bendithia fi." ³²Gofynnodd ei dad Isaac iddo, "Pwy wyt ti?" Atebodd yntau, "Dy fab Esau, dy gyntafanedig, wyf fi." ³³Yna cyffrôdd Isaac yn ddirfawr, a dywedodd, "Pwy ynteu a heliodd fwyd a'i ddwyn ataf, a minnau'n bwyta'r cwbl cyn iti ddod, ac yn rhoi'r fendith iddo ef? Ac yn wir, bendigedig fydd ef." ³⁴Pan glywodd Esau eiriau ei dad, gwaeddodd yn uchel a chwerw, a dweud wrth ei dad, "Bendithia fi, finnau hefyd, fy nhad." ³⁵Ond dywedodd ef, "Y mae dy frawd wedi dod trwy dwyll, a chymryd dy fendith." ³⁶Ac meddai Esau, "Onid Jacob yw'r enw priodol arno? Y mae wedi fy nisodliⁿᵍ ddwywaith: dygodd fy ngenedigaeth-fraint, a dyma ef yn awr wedi dwyn fy mendith." Yna dywedodd, "Onid oes gennyt fendith ar ôl i minnau?" ³⁷Atebodd Isaac a dweud wrth Esau, "Yr wyf wedi ei wneud ef yn arglwydd arnat, a rhoi ei holl berthnasau yn weision iddo, ac ŷd a gwin i'w gynnal. Beth, felly, a allaf ei wneud i ti, fy mab?" ³⁸A dywedodd Esau wrth ei dad, "Ai yr un fendith hon yn unig sydd gennyt, fy nhad? Bendithia fi, finnau hefyd, fy nhad." A chododd Esau ei lais ac wylo.

39 Yna atebodd ei dad Isaac a dweud wrtho:

"Wele, bydd dy gartref heb fraster daear,
a heb wlith y nef oddi uchod.
⁴⁰Wrth dy gleddyf y byddi fyw,
ac fe wasanaethi dy frawd;
ond pan ddoi'n rhydd,
fe dorri ei iau oddi ar dy wddf."

⁴¹A chasaodd Esau Jacob o achos y fendith yr oedd ei dad wedi ei rhoi iddo, a

dywedodd Esau wrtho'i hun, "Daw yn amser i alaru am fy nhad cyn hir; yna lladdaf fy mrawd Jacob." ⁴²Ond cafodd Rebeca wybod am eiriau Esau ei mab hynaf; anfonodd hithau a galw am Jacob ei mab ieuengaf, a dweud wrtho, "Edrych, y mae dy frawd Esau am ddial arnat a'th ladd. ⁴³Yn awr, fy mab, gwrando arnaf; cod, a ffo i Haran at fy mrawd Laban, ⁴⁴ac aros dros dro gydag ef, nes bod llid dy frawd wedi cilio. ⁴⁵Yna pan fydd dicter dy frawd wedi cilio, ac yntau wedi anghofio'r hyn a wnaethost, mi anfonaf i'th gyrchu oddi yno. Pam y caf fy amddifadu ohonoch eich dau mewn un diwrnod?"

Anfon Jacob at Laban

46 Dywedodd Rebeca wrth Isaac, " Yr wyf wedi blino byw o achos merched yr Hethiaid. Os prioda Jacob wraig o blith merched yr Hethiaid fel un o'r rhain, sef un o ferched y wlad, i beth y byddaf fyw?"

28 Yna galwodd Isaac ar Jacob, a bendithiodd ef. Gorchmynnodd iddo, "Paid â phriodi gwraig o blith merched Canaan. ²Cod, dos i Padan Aram, i dŷ Bethuel tad dy fam; a chymer iti yno wraig o blith merched Laban brawd dy fam. ³Boed i Dduw Hollalluog dy fendithio, a'th wneud yn ffrwythlon a lluosog fel y byddi'n gynulliad o bobloedd. ⁴Rhodded ef fendith Abraham i ti ac i'th hil hefyd, fel y cei etifeddu'r wlad yr wyt yn ymdeithio ynddi, yr un a roddodd Duw i Abraham." ⁵Felly, anfonodd Isaac Jacob ymaith; ac aeth yntau i Padan Aram at Laban fab Bethuel yr Aramead, brawd Rebeca mam Jacob ac Esau.

Esau'n Priodi Eto

6 Deallodd Esau fod Isaac wedi bendithio Jacob a'i anfon ymaith i Padan Aram a gymryd gwraig oddi yno, ac iddo orchymyn iddo wrth ei fendithio, "Paid â phriodi gwraig o blith merched Canaan", ⁷a bod Jacob wedi gwrando ar ei rieni a mynd i Padan Aram. ⁸Pan welodd Esau nad oedd merched Canaan wrth fodd Isaac ei dad, ⁹aeth at Ismael a chymryd yn wraig, at ei wragedd eraill, Mahalath ferch Ismael, fab Abraham, chwaer Nebaioth.

Breuddwyd Jacob

10 Ymadawodd Jacob â Beerseba a theithio tua Haran. ¹¹A daeth i ryw fan ac aros noson yno, gan fod yr haul wedi machlud. Cymerodd un o gerrig y lle a'i gosod dan ei ben, a gorweddodd i gysgu yn y fan honno. ¹²Breuddwydiodd ei fod yn gweld ysgol wedi ei gosod ar y ddaear, a'i phen yn cyrraedd i'r nefoedd, ac angylion Duw yn dringo a disgyn ar hyd-ddi. ¹³A safodd yr ARGLWYDD gerllaw iddo a dweud, "Myfi yw'r ARGLWYDD, Duw Abraham dy dad, a Duw Isaac; rhoddaf y tir yr wyt yn gorwedd arno i ti ac i'th ddisgynyddion; ¹⁴bydd dy hil fel llwch y ddaear, a byddi'n ymestyn i'r gorllewin a'r dwyrain ac i'r gogledd a'r de; a bendithir holl deuluoedd y ddaear ynot ti ac yn dy ddisgynyddion. ¹⁵Wele, yr wyf fi gyda thi, a chadwaf di ple bynnag yr ei, a dof â thi'n ôl i'r wlad hon; oherwydd ni'th adawaf nes imi wneud yr hyn a ddywedais." ¹⁶Pan ddeffrôdd Jacob o'i gwsg, dywedodd, "Y mae'n sicr fod yr ARGLWYDD yn y lle hwn, ac ni wyddwn i." ¹⁷A daeth arno ofn, ac meddai, "Mor ofnadwy yw'r lle hwn! Nid yw'n ddim amgen na thŷ i Dduw, a dyma borth y nefoedd." ¹⁸Cododd Jacob yn fore, a chymerodd y garreg a fu dan ei ben, a gosododd hi'n golofn, a thywallt olew drosti. ¹⁹Galwodd y lle, Bethel[ng], ond enw'r ddinas ar y dechrau oedd Lus. ²⁰Yna gwnaeth Jacob adduned, a dweud, "Os bydd Duw gyda mi, ac yn fy nghadw'n ddiogel ar fy nhaith, a rhoi imi fara i'w fwyta a dillad i'w gwisgo, ²¹a minnau'n dychwelyd mewn heddwch i dŷ fy nhad, yna bydd yr ARGLWYDD yn Dduw i mi, ²²a bydd y garreg hon a osodais yn golofn yn dŷ i Dduw; ac o bob peth a roi i mi, mi rof ddegwm i ti."

Jacob yn Cyrraedd Tŷ Laban

29 Yna aeth Jacob ymlaen ar ei daith, a dod i wlad pobl y dwyrain. ²Wrth edrych, gwelodd bydew yn y maes, a thair diadell o ddefaid yn gorwedd wrtho, gan mai o'r pydew hwnnw y rhoid dŵr i'r diadelloedd. Yr oedd carreg fawr ar geg y pydew, ³a phan fyddai'r holl ddiadelloedd wedi eu casglu yno, byddai'r bugeiliaid yn symud y garreg oddi ar geg y pydew, a rhoi dŵr i'r defaid, ac yna'n gosod y garreg yn ôl yn ei lle ar geg y pydew. ⁴Dywedod Jacob wrthynt, "Frodyr, o ble'r ydych yn dod?" Atebasant, "Rhai o Haran ydym ni." ⁵Yna gofynnodd iddynt, "A ydych yn adnabod Laban fab Nachor?" Atebasant hwythau, "Ydym." ⁶Wedyn meddai wrthynt, "A yw'n iawn?" Atebasant, "Ydyw; dacw ei ferch Rachel yn dod â'r defaid." ⁷"Nid yw eto ond canol dydd," meddai yntau, "nid yw'n bryd casglu'r anifeiliaid; rhowch ddŵr i'r defaid, ac ewch i'w bugeilio." ⁸Ond atebasant, "Ni allwn nes casglu'r holl ddiadelloedd, a symud y garreg oddi ar geg y pydew; yna rhown ddŵr i'r defaid."

9 Tra oedd yn siarad â hwy, daeth Rachel gyda defaid ei thad; oherwydd hi oedd yn eu bugeilio. ¹⁰A phan welodd Jacob Rachel ferch Laban brawd ei fam, a defaid Laban brawd ei fam, nesaodd Jacob a symud y garreg oddi ar geg y pydew, a rhoi dŵr i braidd Laban brawd ei fam. ¹¹Cusanodd Jacob Rachel ac wylodd yn uchel. ¹²Yna dywedodd Jacob wrth Rachel ei fod yn nai i'w thad, ac yn fab i Rebeca; rhedodd hithau i ddweud wrth ei thad. ¹³Pan glywodd Laban am Jacob, mab ei chwaer, rhedodd i'w gyfarfod, a'i gofleidio a'i gusanu, ac aeth ag ef i'w dŷ. Adroddodd yntau'r cwbl wrth Laban, ¹⁴a dywedodd Laban wrtho, "Yn sicr, fy asgwrn a'm cnawd wyt ti." Ac arhosodd gydag ef am fis.

Jacob yn Gwasanaethu Laban am Rachel a Lea

15 Yna dywedodd Laban wrth Jacob, "Pam y dylit weithio imi am ddim, yn unig am dy fod yn nai imi? Dywed i mi beth fydd dy gyflog?" ¹⁶Yr oedd gan Laban ddwy ferch; enw'r hynaf oedd Lea, ac enw'r ieuengaf Rachel. ¹⁷Yr oedd llygaid Lea yn bŵl, ond yr oedd Rachel yn osgeiddig a phrydferth. ¹⁸Hoffodd Jacob Rachel, a dywedodd, "Fe weithiaf i ti am saith mlynedd am Rachel, dy ferch ieuengaf." ¹⁹Dywedodd Laban, "Gwell gennyf ei rhoi i ti nag i neb arall; aros gyda mi." ²⁰Felly gweithiodd Jacob saith mlynedd am Rachel, ac yr oeddent fel ychydig ddyddiau yn ei olwg am ei fod yn ei charu.

21 Yna dywedodd Jacob wrth Laban, "Daeth fy nhymor i ben; rho fy ngwraig imi, er mwyn imi gael cyfathrach â hi."

²²Casglodd Laban holl ddynion y lle at ei gilydd, a gwnaeth wledd. ²³Ond gyda'r hwyr cymerodd ei ferch Lea a mynd â hi at Jacob; cafodd yntau gyfathrach â hi. ²⁴Ac yr oedd Laban wedi rhoi ei forwyn Silpa i'w ferch Lea yn forwyn. ²⁵Pan ddaeth y bore, gwelodd Jacob mai Lea oedd gydag ef; a dywedodd wrth Laban, "Beth yw hyn yr wyt wedi ei wneud â mi? Onid am Rachel y gweithiais? Pam y twyllaist fi?" ²⁶Dywedodd Laban, "Nid yw'n arfer yn ein gwlad ni roi'r ferch ieuengaf o flaen yr hynaf. ²⁷Gorffen yr wythnos wledd gyda hon, a rhoir y llall hefyd iti am weithio imi am dymor o saith mlynedd arall." ²⁸Gwnaeth Jacob felly, a gorffennodd y saith diwrnod. Yna rhoddodd Laban ei ferch Rachel yn wraig iddo, ²⁹a rhoi ei forwyn Bilha i'w ferch Rachel yn forwyn. ³⁰Cafodd Jacob gyfathrach â Rachel hefyd, a hoffodd Rachel yn fwy na Lea, a gweithiodd i Laban am saith mlynedd arall.

Enwau Plant Jacob

31 Pan welodd yr ARGLWYDD fod Lea'n cael ei chasáu, agorodd ei chroth; ond yr oedd Rachel yn ddi-blant. ³²Beichiogodd Lea ac esgor ar fab, a galwodd ef Reuben[h]; oherwydd dywedodd, "Y mae'r ARGLWYDD wedi gweld fy ngwaradwydd, ac yn awr bydd fy ngŵr yn fy ngharu." ³³Beichiogodd eilwaith ac esgor ar fab, a dywedodd, "Y mae'r ARGLWYDD wedi clywed fy mod yn cael fy nghasáu, a rhoddodd hwn i mi hefyd." A galwodd ef Simeon[i]. ³⁴Beichiogodd drachefn ac esgor ar fab, a dywedodd, "Yn awr, o'r diwedd fe unir fy ngŵr â mi, oherwydd rhoddais iddo dri mab." Am hynny galwodd ef Lefi[l]. ³⁵A beichiogodd drachefn ac esgor ar fab, a dywedodd, "Y tro hwn moliannaf yr ARGLWYDD." Am hynny galwodd ef Jwda[ll]. Yna peidiodd â geni plant.

30 Pan welodd Rachel nad oedd hi yn geni plant i Jacob, cenfigennodd wrth ei chwaer; a dywedodd wrth Jacob, "Rho blant i mi, neu byddaf farw." ²Teimlodd Jacob yn ddig wrth Rachel, ac meddai, "A wyf fi yn safle Duw, yr hwn sydd wedi atal ffrwyth dy groth?" ³Dywedodd hithau, "Dyma fy morwyn Bilha; dos i gael cyfathrach â hi er mwyn iddi ddwyn plant ar fy ngliniau,

ʰH.y., *Gwelwch, mab!* ⁱH.y., *Un yn clywed.* ˡH.y., *Uniad.* ˡˡH.y., *Moliant.*

ac i minnau gael teulu ohoni." ⁴Felly rhoddodd ei morwyn Bilha yn wraig iddo; a chafodd Jacob gyfathrach â hi. ⁵Beichiogodd Bilha ac esgor ar fab i Jacob. ⁶Yna dywedodd Rachel, "Y mae Duw wedi fy marnu; y mae hefyd wedi gwrando arnaf a rhoi imi fab." Am hynny galwodd ef Danᵐ. ⁷Beichiogodd Bilha morwyn Rachel eilwaith, ac esgor ar ail fab i Jacob. ⁸Yna dywedodd Rachel, "Yr wyf wedi ymdrechu'n galed yn erbyn fy chwaer, a llwyddo." Felly galwodd ef Nafftaliⁿ.

9 Pan welodd Lea ei bod wedi peidio â geni plant, cymerodd ei morwyn Silpa a'i rhoi'n wraig i Jacob. ¹⁰Yna esgorodd Silpa morwyn Lea ar fab i Jacob, ¹¹a dywedodd Lea, "Ffawd dda." Felly galwodd ef Gadᵒ. ¹²Esgorodd Silpa morwyn Lea ar ail fab i Jacob, ¹³a dywedodd Lea, "Dedwydd wyf! Bydd y merched yn fy ngalw yn ddedwydd." Felly galwodd ef Aserᵖ.

14 Yn nyddiau'r cynhaeaf gwenith aeth Reuben allan a chael mandragorau yn y maes, a'u rhoi i Lea ei fam. Yna dywedodd Rachel wrth Lea, "Rho imi rai o fandragorau dy fab." ¹⁵Ond dywedodd hithau wrthi, "Ai peth dibwys yw dy fod wedi cymryd fy ngŵr? A wyt hefyd am gymryd mandragorau fy mab?" Dywedodd Rachel, "O'r gorau, caiff Jacob gysgu gyda thi heno yn dâl am fandragorau dy fab." ¹⁶Pan oedd Jacob yn dod o'r maes gyda'r nos, aeth Lea i'w gyfarfod a dweud, "Gyda mi yr wyt i gysgu, oherwydd yr wyf wedi talu am dy gael â mandragorau fy mab." Felly cysgodd gyda hi y noson honno. ¹⁷A gwrandawodd Duw ar Lea, a beichiogodd ac esgor ar y pumed mab i Jacob. ¹⁸Dywedodd Lea, "Y mae Duw wedi rhoi fy nhâl am imi roi fy morwyn i'm gŵr." Felly galwodd ef Issacharᵖʰ. ¹⁹Beichiogodd Lea eto, ac esgor ar y chweched mab i Jacob. ²⁰Yna dywedodd Lea, "Y mae Duw wedi rhoi imi waddol da; yn awr, bydd fy ngŵr yn fy mharchu, am imi esgor ar chwech o feibion iddo." Felly galwodd ef Sabulonʳ. ²¹Wedi hynny esgorodd ar ferch, a galwodd hi Dina. ²²A chofiodd Duw Rachel, a gwrandawodd arni ac agor ei chroth. ²³Beichiogodd hithau ac esgor ar fab, a dywedodd, "Y mae Duw wedi tynnu ymaith fy

ngwarth." ²⁴A galwodd ef Joseffʳʰ, gan ddweud, "Bydded i'r ARGLWYDD ychwanegu i mi fab arall."

Tâl Laban i Jacob

25 Wedi i Rachel esgor ar Joseff, dywedodd Jacob wrth Laban, "Gad imi ymadael, er mwyn imi fynd i'm cartref fy hun ac i'm gwlad. ²⁶Rho imi fy ngwragedd a'm plant yr wyf wedi gweithio amdanynt, a gad imi fynd; oherwydd gwyddost fel yr wyf wedi gweithio iti." ²⁷Ond dywedodd Laban wrtho, "Os caf ddweud, yr wyf wedi dod i weld mai o'th achos di y mae'r ARGLWYDD wedi fy mendithio i; ²⁸noda dy gyflog, ac fe'i talaf." ²⁹Atebodd yntau, "Gwyddost sut yr wyf wedi gweithio iti, a sut y bu ar dy anifeiliaid gyda mi; ³⁰ychydig oedd gennyt cyn i mi ddod, ond cynyddodd yn helaeth, a bendithiodd yr ARGLWYDD di bob cam. Yn awr, onid yw'n bryd i mi ddarparu ar gyfer fy nheulu fy hun?" ³¹Dywedodd Laban, "Beth a rof i ti?" Atebodd Jacob, "Nid wyt i roi dim i mi. Ond fe fugeiliaf dy braidd eto a'u gwylio, os gwnei hyn imi: ³²gad imi fynd heddiw trwy dy holl braidd a didoli pob dafad frith a broc a phob oen du, a'r geifr brith a broc; a'r rhain fydd fy nghyflog. ³³A chei dystiolaeth i'm gonestrwydd yn y dyfodol pan ddoi i weld fy nghyflog. Pob un o'r geifr nad yw'n frith a broc, ac o'r ŵyn nad yw'n ddu, bydd hwnnw wedi ei ladrata gennyf." ³⁴"O'r gorau," meddai Laban, "bydded yn ôl dy air." ³⁵Ond y diwrnod hwnnw didolodd Laban y bychod brith a broc, a'r holl eifr brith a broc, pob un â gwyn arno, a phob oen du, a'u rhoi yng ngofal ei fcibion, ³⁶a'u gosod bellter taith tridiau oddi wrth Jacob; a bugeiliodd Jacob y gweddill o braidd Laban. 37 Yna cymerodd Jacob wiail gleision o boplys ac almon a ffawydd, a thynnu oddi arnynt ddarnau o'r rhisgl, gan ddangos gwyn ar y gwiail. ³⁸Gosododd y gwiail yr oedd wedi eu rhisglo yn y ffosydd o flaen y praidd, wrth y cafnau dŵr lle byddai'r praidd yn dod i yfed. Gan eu bod yn cyfebru pan fyddent yn dod i yfed, ³⁹cyfebrodd y praidd gyferbyn â'r gwiail, a bwrw ŵyn wedi eu marcio'n frith a broc. ⁴⁰Byddai Jacob yn didol yr ŵyn, ac yn troi wynebau'r defaid tuag at y rhai brith a'r holl rai duon ymysg praidd

---

ᵐH.y., *Barnodd.*   ⁿH.y., *Cyfrwys.*   ᵒH.y., *Ffawd.*   ᵖH.y., *Dedwydd.*
ᵖʰH.y., *Tâl.*   ʳH.y., *Parch.*   ʳʰH.y., *Fe ychwanega.*

Laban; gosodai ei braidd ei hun ar wahân, heb fod gyda phraidd Laban. ⁴¹Bob tro yr oedd y defaid cryfaf yn cyfebru, yr oedd Jacob yn gosod y gwiail yn y ffosydd gyferbyn â'r praidd, er mwyn iddynt gyfebru o flaen y gwiail, ⁴²ond nid oedd yn eu gosod ar gyfer defaid gwan y praidd; felly daeth y gwannaf yn eiddo Laban, a'r cryfaf yn eiddo Jacob. ⁴³Fel hyn cynyddodd ei gyfoeth ef yn fawr, ac yr oedd ganddo breiddiau niferus, morynion a gweision, camelod ac asynnod.

Jacob yn Ffoi oddi wrth Laban

31 Clywodd Jacob fod meibion Laban yn dweud, "Y mae Jacob wedi cymryd holl eiddo ein tad, ac o'r hyn oedd yn perthyn i'n tad y mae ef wedi ennill yr holl gyfoeth hwn." ²A gwelodd Jacob nad oedd agwedd Laban ato fel y bu o'r blaen. ³Yna dywedodd yr ARGLWYDD wrth Jacob, "Dos yn ôl i wlad dy dadau ac at dy dylwyth, a byddaf gyda thi." ⁴Felly anfonodd Jacob a galw Rachel a Lea i'r maes lle'r oedd ei braidd; ⁵a dywedodd wrthynt, "Gwelaf nad yw agwedd eich tad ataf fel y bu o'r blaen, ond bu Duw fy nhad gyda mi. ⁶Gwyddoch fy mod wedi gweithio i'ch tad â'm holl egni; ⁷ond twyllodd eich tad fi, a newid fy nghyflog ddengwaith; eto ni adawodd Duw iddo fy niweidio. ⁸Pan ddywedai ef, 'Y brithion fydd dy gyflog', yna yr oedd yr holl braidd yn epilio ar frithion; a phan ddywedai ef, 'Y broc fydd dy gyflog', yna yr oedd yr holl braidd yn epilio ar rai broc. ⁹Felly cymerodd Duw anifeiliaid eich tad a'u rhoi i mi. ¹⁰Yn nhymor cyfebru'r praidd codais fy ngolwg a gweld mewn breuddwyd fod yr hyrddod oedd yn llamu'r praidd wedi eu marcio'n frith a broc. ¹¹Yna dywedodd angel Duw wrthyf yn fy mreuddwyd, 'Jacob.' Atebais innau, 'Dyma fi.' ¹²Yna dywedodd, 'Cod dy olwg ac edrych; y mae'r holl hyrddod sy'n llamu'r praidd wedi eu marcio'n frith a broc; yr wyf wedi gweld popeth y mae Laban yn ei wneud i ti. ¹³Myfi yw Duw Bethel, lle'r eneiniaist golofn a gwneud adduned i mi. Yn awr cod, dos o'r wlad hon a dychwel i wlad dy enedigaeth.'" ¹⁴Yna atebodd Rachel a Lea ef, "A oes i ni bellach ran neu etifeddiaeth yn nhŷ ein tad? ¹⁵Onid ydym ni'n cael ein cyfrif ganddo yn estroniaid? Oherwydd y mae wedi'n gwerthu, ac wedi gwario'r arian.

¹⁶Yr holl gyfoeth y mae Duw wedi ei gymryd oddi ar ein tad, ein heiddo ni a'n plant ydyw; yn awr, felly, gwna bopeth a ddywedodd Duw wrthyt."

17 Yna cododd Jacob a gosod ei blant a'i wragedd ar gamelod; ¹⁸a thywysodd ei holl anifeiliaid a'i holl eiddoˢ, a gafodd yn Padan Aram, i fynd i wlad Canaan at ei dad Isaac. ¹⁹Yr oedd Laban wedi mynd i gneifio'i ddefaid, a lladrataodd Rachel ddelwau'r teulu oedd yn perthyn i'w thad. ²⁰Felly bu i Jacob dwyllo Laban yr Aramead trwy ffoi heb ddweud wrtho. ²¹Ffodd gyda'i holl eiddo, a chroesi Afon Ewffrates, a mynd i gyfeiriad mynydd-dir Gilead.

Laban yn Ymlid Jacob

22 Ymhen tridiau rhoed gwybod i Laban fod Jacob wedi ffoi. ²³Cymerodd yntau ei frodyr gydag ef, a'i ymlid am saith diwrnod a'i ganlyn hyd fynydd-dir Gilead. ²⁴Ond daeth Duw at Laban yr Aramead mewn breuddwyd nos, a dweud wrtho, "Gofala na ddywedi air wrth Jacob, na da na drwg." ²⁵Pan oddiweddodd Laban Jacob, yr oedd Jacob wedi lledu ei babell yn y mynydd-dir; ac felly, gwersyllodd Laban gyda'i frodyr ym mynydd-dir Gilead. ²⁶A dywedodd Laban wrth Jacob, "Beth yw hyn yr wyt wedi ei wneud? Yr wyt wedi fy nhwyllo, a dwyn ymaith fy merched fel caethion rhyfel. ²⁷Pam y ffoaist yn ddirgel a'm twyllo? Pam na roist wybod i mi, er mwyn imi gael dy hebrwng yn llawen â chaniadau a thympan a thelyn? ²⁸Ni adewaist imi gusanu fy meibion a'm merched; yr wyt wedi gwneud peth ffôl. ²⁹Gallwn wneud niwed i chwi, ond llefarodd Duw dy dad wrthyf neithiwr, a dweud, 'Gofala na ddywedi air wrth Jacob, na da na drwg.' ³⁰Diau mai am iti hiraethu am dŷ dy dad yr aethost ymaith, ond pam y lladrateaist fy nuwiau?" ³¹Yna atebodd Jacob Laban, "Ffoais am fod arnaf ofn, gan imi feddwl y byddit yn dwyn dy ferched oddi arnaf trwy drais. ³²Ond y sawl sy'n cadw dy dduwiau, na chaffed fyw! Yng ngŵydd ein brodyr myn wybod beth o'th eiddo sydd gyda mi, a chymer ef." Ni wyddai Jacob mai Rachel oedd wedi eu lladrata. ³³Felly aeth Laban i mewn i babell Jacob, ac i babell Lea, ac i babell y ddwy forwyn, ond heb gael y duwiau. Daeth allan o babell Lea a mynd i mewn i babell

---

ˢFelly Groeg. Hebraeg yn ychwanegu, *a gafodd, a'r anifeiliaid yn ei feddiant.*

Rachel. ³⁴Yr oedd Rachel wedi cymryd delwau'r teulu a'u gosod yng nghyfrwy'r camel, ac yr oedd yn eistedd arnynt. Chwiliodd Laban trwy'r babell heb eu cael. ³⁵A dywedodd Rachel wrth ei thad, "Peidied f'arglwydd â digio am na fedraf godi o'th flaen, oherwydd y mae arfer gwragedd arnaf." Er iddo chwilio, ni chafodd hyd i ddelwau'r teulu.

36 Yna digiodd Jacob ac edliw i Laban, a dweud wrtho, "Beth yw fy nghamwedd? Beth yw fy mhechod, dy fod wedi fy erlid? ³⁷Er iti chwilio fy holl eiddo, beth a gefaist sy'n perthyn i ti? Gosod ef yma yng ngŵydd fy mrodyr i a'th frodyr dithau, er mwyn iddynt farnu rhyngom ein dau. ³⁸Yr wyf bellach wedi bod ugain mlynedd gyda thi; nid yw dy ddefaid na'th eifr wedi erthylu, ac nid wyf wedi bwyta hyrddod dy braidd. ³⁹Pan fyddai anifail wedi ei ysglyfaethu, ni ddygais mohono erioed atat ti, ond derbyniais y golled fy hun; o'm llaw i y gofynnaist iawn am ladrad, prun ai yn y dydd neu yn y nos. ⁴⁰Dyma sut yr oeddwn i: yr oedd gwres y dydd ac oerni'r nos yn fy llethu, a chiliodd fy nghwsg oddi wrthyf; ⁴¹bûm am ugain mlynedd yn dy dŷ; gweithiais iti am bedair blynedd ar ddeg am dy ddwy ferch, ac am chwe blynedd am dy braidd, a newidiaist fy nghyflog ddengwaith. ⁴²Oni bai fod Duw fy nhad, Duw Abraham ac Arswyd Isaac o'm plaid, diau y buasit wedi fy ngyrru i ffwrdd yn waglaw. Gwelodd Duw fy nghystudd a llafur fy nwylo, a neithiwr ceryddodd di."

43 Atebodd Laban a dweud wrth Jacob, "Fy merched i yw'r merched, a'm plant i yw'r plant, a'm praidd i yw'r praidd, ac y mae'r cwbl a weli yn eiddo i mi. Ond beth a wnaf heddiw ynghylch fy merched hyn, a'r plant a anwyd iddynt? ⁴⁴Tyrd, gwnawn gyfamod, ti a minnau; a bydd yn dystiolaeth rhyngom." ⁴⁵Felly cymerodd Jacob garreg a'i gosod i fyny'n golofn. ⁴⁶Ac meddai Jacob wrth ei frodyr, "Casglwch gerrig", a chymerasant gerrig a'u gwneud yn garnedd; a bwytasant yno wrth y garnedd. ⁴⁷Enwodd Laban hi Jegar-sahadwtha', ond galwodd Jacob hi Galeed. ⁴⁸Dywedodd Laban, "Y mae'r garnedd hon yn dystiolaeth rhyngom heddiw." Am hynny, enwodd hi Galeed, ⁴⁹a hefyd Mispaᵗʰ, oherwydd dywedodd,

"Gwylied yr ARGLWYDD rhyngom, pan fyddwn o olwg ein gilydd. ⁵⁰Os bydd iti gam-drin fy merched, neu gymryd gwragedd heblaw fy merched, heb i neb ohonom ni wybod, y mae Duw yn dyst rhyngom." ⁵¹A dywedodd Laban wrth Jacob, "Dyma'r garnedd hon a'r golofn yr wyf wedi ei gosod rhyngom. ⁵²Y mae'r garnedd hon yn dystiolaeth, ac y mae'r golofn hon yn dystiolaeth, na ddof heibio'r garnedd hon atat ti, ac na ddoi dithau heibio'r garnedd hon a'r golofn hon ataf fi, i wneud niwed. ⁵³Boed i Dduw Abraham a Duw Nachor, Duw eu tadau, farnu rhyngom." ⁵⁴A thyngodd Jacob lw i Arswyd Isaac, ei dad, ac offrymodd Jacob aberth ar y mynydd, a galw ar ei frodyr i fwyta bara; a bwytasant fara ac aros dros nos ar y mynydd.

Laban a Jacob yn Ymwahanu

55* Cododd Laban yn gynnar drannoeth a chusanodd ei blant a'i ferched a'u bendithio; yna aeth ymaith a dychwelyd i'w fro ei hun.

32 Aeth Jacob i'w daith, a chyfarfu angylion Duw ag ef; ²a phan welodd hwy, dywedodd Jacob, "Dyma wersyll Duw." Felly enwodd y lle hwnnw Mahanaimᵘ.

Jacob yn Paratoi i Gyfarfod ag Esau

3 Yna anfonodd Jacob negeswyr o'i flaen at ei frawd Esau i wlad Seir yn nhir Edom, ⁴a gorchymyn iddynt, "Dywedwch fel hyn wrth f'arglwydd Esau: 'Fel hyn y mae dy was Jacob yn dweud: Bûm yn aros gyda Laban, ac yno y bûm hyd yn awr; ⁵y mae gennyf ychen, asynnod, defaid, gweision a morynion, ac anfonais i fynegi i'm harglwydd, er mwyn imi gael ffafr yn dy olwg.'" ⁶Dychwelodd y negeswyr at Jacob a dweud, "Daethom at dy frawd Esau, ac y mae ef yn dod i'th gyfarfod gyda phedwar cant o ddynion." ⁷Yna daeth ofn mawr ar Jacob, ac yr oedd mewn cyfyngder; rhannodd y bobl oedd gydag ef, a'r defaid, ychen a chamelod, yn ddau wersyll, ⁸gan feddwl, "Os daw Esau at y naill wersyll a'i daro, yna caiff y llall ddianc." ⁹A dywedodd Jacob, "O Dduw fy nhadau, Duw Abraham a Duw Isaac, O ARGLWYDD, dywedaist wrthyf, 'Dos yn ôl i'th wlad ac at dy dylwyth, a

---

ᵗYn Aramaeg, *Carnedd y dystiolaeth*. Yr Hebraeg *Galeed* yn gyfystyr.
ᵗʰH.y., *Tŵr gwylio*.   *Hebraeg, 32:1.   ᵘH.y., *Dau wersyll*.

gwnaf i ti ddaioni.' ¹⁰Nid wyf yn deilwng o gwbl o'r holl ymlyniad a'r holl ffyddlondeb a ddangosaist tuag at dy was; oherwydd deuthum dros yr Iorddonen hon heb ddim ond fy ffon, ond yn awr yr wyf yn ddau wersyll. ¹¹Achub fi o law fy mrawd, o law Esau; y mae arnaf ei ofn, rhag iddo ddod a'n lladd, yn famau a phlant. ¹²Yr wyt ti wedi addo, 'Yn ddiau gwnaf ddaioni i ti, a bydd dy hil fel tywod y môr, sy'n rhy niferus i'w rifo.'"

13 Arhosodd yno y noson honno, a chymerodd o'r hyn oedd ganddo anrheg i'w frawd Esau: ¹⁴dau gant o eifr ac ugain o fychod, dau gant o ddefaid ac ugain o hyrddod, ¹⁵deg ar hugain o gamelod magu a'u llydnod, deugain o wartheg a deg o deirw, ugain o asennod a deg asyn. ¹⁶Rhoes hwy yng ngofal ei weision, bob gyr ar ei phen ei hun, a dywedodd wrth ei weision, "Ewch o'm blaen, a gadewch fwlch rhwng pob gyr a'r nesaf." ¹⁷Gorchmynnodd i'r cyntaf, "Pan ddaw fy mrawd Esau i'th gyfarfod a gofyn, 'I bwy yr wyt yn perthyn? I ble'r wyt ti'n mynd? A phwy biau'r rhain sydd dan dy ofal?' ¹⁸yna dywed, 'Dy was Jacob biau'r rhain; anfonwyd hwy'n anrheg i'm harglwydd Esau, ac y mae Jacob ei hun yn ein dilyn.'" ¹⁹Rhoes yr un gorchymyn i'r ail a'r trydydd, ac i bob un oedd yn canlyn y gyrroedd, a dweud, "Yr un peth a ddywedwch chwithau wrth Esau pan ddewch i'w gyfarfod, ²⁰'Y mae dy was Jacob yn ein dilyn.' " Hyn oedd yn ei feddwl: "Enillaf ei ffafr â'r anrheg sy'n mynd o'm blaen; wedyn, pan ddof i'w gyfarfod, efallai y bydd yn fy nerbyn." ²¹Felly anfonodd yr anrheg o'i flaen, ond treuliodd ef y noson honno yn y gwersyll.

Jacob yn Ymgodymu yn Penuel

22 Yn ystod y noson honno cododd Jacob a chymryd ei ddwy wraig, ei ddwy forwyn a'i un mab ar ddeg, a chroesi rhyd Jabboc. ²³Wedi iddo'u cymryd a'u hanfon dros yr afon, anfonodd ei eiddo drosodd hefyd. ²⁴Gadawyd Jacob ei hunan, ac ymgodymodd gŵr ag ef hyd doriad y wawr. ²⁵Pan welodd y gŵr nad oedd yn cael y trechaf arno, trawodd wasg ei glun, a datgysylltwyd clun Jacob wrth iddo ymgodymu ag ef. ²⁶Yna dywedodd y gŵr, "Gollwng fi, oherwydd y mae'n

gwawrio." Ond atebodd yntau, "Ni'th ollyngaf heb iti fy mendithio." ²⁷"Beth yw d'enw?" meddai ef. Ac atebodd yntau, "Jacob." ²⁸Yna dywedodd, "Ni'th elwir Jacob mwyach, ond Israelʷ, oherwydd yr wyt wedi ymdrechu â Duw a dynion, ac wedi gorchfygu." ²⁹A gofynnodd Jacob iddo, "Dywed imi dy enw." Ond dywedodd yntau, "Pam yr wyt yn gofyn fy enw?" A bendithiodd ef yno. ³⁰Felly enwodd Jacob y lle Penuelʸ, a dweud, "Gwelais Dduw wyneb yn wyneb, ond arbedwyd fy mywyd." ³¹Cododd yr haul arno fel yr oedd yn mynd heibio i Penuel, ac yr oedd yn gloff o'i glun. ³²Dyna pam nad yw plant Israel yn bwyta giewyn gwasg y glun hyd heddiw, oherwydd trawo gwasg clun Jacob i fyw y giewyn.

Jacob ac Esau yn Cyfarfod

33 Cododd Jacob ei olwg ac edrych, a dyna lle'r oedd Esau yn dod, a phedwar cant o ddynion gyda ef. Rhannodd Jacob y plant rhwng Lea a Rachel a'r ddwy forwyn, ²a gosododd y morynion a'u plant ar y blaen, yna Lea a'i phlant y tu ôl iddynt, a Rachel a Joseff yn olaf. ³Cerddodd yntau o'u blaen ac ymgrymu i'r llawr seithwaith wrth nesáu at ei frawd. ⁴Ond rhedodd Esau i'w gyfarfod, a'i gofleidio a rhoi ei freichiau am ei wddf a'i gusanu, ac wylodd y ddau. ⁵Yna cododd Esau ei olwg a gweld y gwragedd a'r plant, a gofynnodd, "Pwy yw'r rhain sydd gyda thi?" Atebodd yntau, "Dyma'r plant y mae Duw o'i ffafr wedi eu rhoi i'th was." ⁶Yna nesaodd y morynion a'u plant, ac ymgrymu; ⁷nesaodd Lea hefyd a'i phlant, ac ymgrymu; ac yn olaf daeth Joseff a Rachel, ac ymgrymu. ⁸Dywedodd Esau, "Beth a fwriedi gyda'r holl fintai hon a gyfarfûm?" Atebodd yntau, "Ennill ffafr yng ngolwg f'arglwydd." ⁹Ond dywedodd Esau, "Y mae gennyf ddigon, fy mrawd; cadw'r hyn sydd gennyt i ti dy hun." ¹⁰Yna dywedodd Jacob, "Na, os cefais ffafr yn d'olwg, cymer fy anrheg o'm llaw; y mae gweld dy wyneb fel gweld wyneb Duw, gan dy fod wedi fy nerbyn. ¹¹Cymer yn awr fy rhodd a ddygwyd i ti, oherwydd bu Duw yn raslon i mi, ac y mae gennyf ddigon." Ac am ei fod yn erfyn arno, cymerodd

---

ʷH.y., *Yr un sy'n ymdrechu â Duw*, neu, *Duw sy'n ymdrechu*.
ʸFelly Fersiynau. Hebraeg, *Peniel*. H.y., *Wyneb Duw*.

yntau'r rhodd.
12 Yna dywedodd Esau, "Cychwyn-
nwn ar ein taith, ac af finnau o'th flaen."
¹³Ond dywedodd Jacob wrtho, "Y mae
f'arglwydd yn gwybod fod y plant yn
eiddil, a bod y defaid a'r gwartheg magu
yn fy ngofal. Os cânt eu gyrru yn rhy
galed un diwrnod, bydd yr holl braidd
farw. ¹⁴Aed f'arglwydd o flaen ei was, a
dilynaf finnau'n araf, yn ôl gallu'r anifeil-
iaid sydd o'm blaen a'r plant, nes dod at
f'arglwydd i Seir." ¹⁵A dywedodd Esau,
"Gad imi drefnu i rai o'm dynion fynd
gyda thi." Ond atebodd yntau, "Pam, os
wyf yn cael ffafr yng ngolwg f'ar-
glwydd?" ¹⁶Yna dychwelodd Esau y
diwrnod hwnnw ar ei ffordd i Seir. ¹⁷A
theithiodd Jacob i Succoth, ac adeiladodd
dŷ iddo'i hun a gwneud cytiau i'w anifeil-
iaid; am hynny enwodd y lle Succothᵃ.
18 Ar ei daith o Padan Aram, daeth
Jacob yn ddiogel i ddinas Sichem yng
ngwlad Canaan, a gwersyllodd ger y
ddinas. ¹⁹Prynodd ddarn o dir gan feibion
Hamor tad Sichem, am gant o ddarnau o
arian, ²⁰ac wedi gosod ei babell yno,
cododd allor a'i henwi El-Elohe-Israel.

Sichem yn Treisio Dina

34 Aeth Dina, y ferch yr oedd Lea
wedi ei geni i Jacob, allan i ym-
weld â gwragedd y wlad. ²Pan welwyd
hi gan Sichem fab Hamor yr Hefiad,
tywysog y wlad, fe'i cymerodd a gorwedd
gyda hi a'i threisio. ³Rhoddodd ei holl
serch ar Dina merch Jacob; hoffodd y
ferch, a siaradodd yn gariadus wrthi.
⁴Yna dywedodd Sichem wrth ei dad
Hamor, "Cymer y ferch hon yn wraig i
mi." ⁵Pan glywodd Jacob iddo halogi ei
ferch Dina, yr oedd ei feibion gyda'i
anifeiliaid yn y maes; ac felly ni ddywed-
odd ddim cyn iddynt ddod adref. ⁶Yna
daeth Hamor tad Sichem allan i siarad â
Jacob. ⁷Wedi i feibion Jacob gyrraedd o'r
maes a chlywed am y peth, cynhyrfodd y
gwŷr a ffromi'n fawr am i Sichem wneud
tro ysgeler yn Israel trwy orwedd gyda
merch Jacob, gan na ddylid gwneud felly.
8 Ond erfyniodd Hamor arnynt, a
dweud, "Y mae fy mab Sichem wedi rhoi
ei fryd ar gael y ferch; rhowch hi'n wraig
iddo. ⁹Trefnwch briodasau â ni; rhowch
eich merched i ni, a chymerwch chwithau
ein merched ninnau. ¹⁰Dewch i gyd-fyw
â ni, a bydd y wlad yn rhydd ichwi;

ᵃH.y., *Cytiau.*

dewch i fyw ynddi, a marchnata a cheisio
meddiant ynddi." ¹¹Dywedodd Sichem
hefyd wrth ei thad a'i brodyr, "Os caf
ffafr yn eich golwg, yna rhof ichwi beth
bynnag a ofynnwch gennyf. ¹²Cyn-
yddwch yn sylweddol y gwaddol a'r
rhodd, ac fe rof yn ôl eich gofyn, dim ond
ichwi roi'r ferch yn wraig i mi."
13 Am i'w chwaer Dina gael ei halogi,
rhoddodd meibion Jacob ateb dichellgar i
Sichem a'i dad Hamor. ¹⁴Dywedasant
wrthynt, "Ni allwn wneud y fath beth, a
rhoi ein chwaer i ŵr heb ei enwaedu;
byddai hynny'n warth i ni. ¹⁵Ar yr amod
hwn yn unig y cytunwn â chwi, sef eich
bod chwi, fel ni, yn enwaedu pob
gwryw. ¹⁶Yna rhown ein merched i
chwi, a chymerwn ninnau eich merched
chwithau; a down i fyw gyda chwi a dod
yn un bobl. ¹⁷Os na wrandewch arnom a
chymryd eich enwaedu, yna cymerwn ein
merch a mynd ymaith." ¹⁸Yr oedd eu
geiriau'n dderbyniol gan Hamor a Sichem
ei fab; ¹⁹nid oedodd y llanc wneud hyn,
oherwydd yr oedd wedi rhoi ei serch ar
ferch Jacob, ac ef oedd y mwyaf an-
rhydeddus o'i holl deulu. ²⁰A daeth
Hamor a'i fab Sichem at borth y ddinas a
llefaru wrth y gwŷr y ddinas a dweud, ²¹"Y
mae'r gwŷr hyn yn gyfeillgar â ni;
gadewch iddynt fyw yn y wlad a march-
nata ynddi, oherwydd y mae'r wlad yn
ddigon eang iddynt; cymerwn eu merched
yn wragedd, a rhown ninnau ein merched
iddynt hwythau. ²²Ond ar yr amod hwn
yn unig y cytuna'r gwŷr i fyw gyda ni a
bod yn un bobl: sef ein bod yn enwaedu
pob gwryw yn ein plith, fel y maent
hwy wedi eu henwaedu. ²³Oni fydd eu
gwartheg a'u meddiannau a'u holl anifeil-
iaid yn eiddo i ni? ²⁴Gadewch inni
gytuno â hwy fel y gallant gyd-fyw â ni."
Gwrandawodd pob un oedd yn mynd
trwy borth y ddinas ar Hamor a'i fab
Sichem, ac enwaedwyd pob gwryw yn y
ddinas.
25 Ar y trydydd dydd, pan oedd y
dynion yn ddolurus, cymerodd dau o
feibion Jacob, sef Simeon a Lefi brodyr
Dina, eu cleddyfau a mynd yn rhwydd i
mewn i'r ddinas a lladd pob gwryw.
²⁶Lladdasant Hamor a'i fab Sichem â min
y cleddyf, a chymryd Dina o dŷ Sichem a
mynd ymaith. ²⁷Rheibiodd meibion Jacob
y lladdedigion, ac ysbeilio'r ddinas, am
iddynt halogi eu chwaer. ²⁸Cymerasant y

defaid a'r ychen a'r asynnod o'r ddinas ac o'r maes; [29]cipiasant eu holl gyfoeth, a'r plant bychain a'r gwragedd, ac ysbeilio pob dim oedd yn y tai. [30]Yna dywedodd Jacob wrth Simeon a Lefi, "Yr ydych wedi dwyn helbul ar fy mhen a'm gwneud yn ffiaidd gan breswylwyr y wlad, y Canaaneaid a'r Peresiaid; y mae nifer fy mhobl yn fach, ac os ymgasglant yn fy erbyn ac ymosod arnaf, yna difethir fi a'm teulu." [31]Ond dywedasant hwythau, "A oedd i gael trin ein chwaer fel putain?"

Duw'n Bendithio Jacob ym Methel

35 Dywedodd Duw wrth Jacob, "Cod, dos i fyny i Fethel, ac aros yno; a gwna yno allor i'r Duw a ymddangosodd iti pan oeddit yn ffoi rhag dy frawd Esau." [2]Yna dywedodd Jacob wrth ei deulu a phawb oedd gydag ef, "Bwriwch ymaith y dduwiau dieithr sydd yn eich mysg, ac ymlanhau, a newid eich dillad. [3]Codwn ac awn i fyny i Fethel, er mwyn imi wneud allor yno i'r Duw a'm gwrandawodd yn nydd fy nghyfyngder, ac a fu gyda mi ar fy nhaith." [4]Felly rhoesant i Jacob yr holl dduwiau dieithr oedd yn eu meddiant a'r modrwyau oedd yn eu clustiau, a chuddiodd Jacob hwy dan y dderwen ger Sichem.

5 Fel yr oeddent yn teithio, daeth arswyd mawr ar y dinasoedd o amgylch, fel na fu iddynt ymlid meibion Jacob. [6]A daeth Jacob a'r holl bobl oedd gydag ef i Lus, hynny yw Bethel, yng ngwlad Canaan, [7]ac adeiladodd allor yno, ac enwi'r lle El-bethel, am mai yno yr ymddangosodd Duw iddo pan oedd yn ffoi rhag ei frawd. [8]A bu farw Debora, mamaeth Rebeca, a chladdwyd hi dan dderwen islaw Bethel; ac enwyd honno Alon-bacuth[b].

9 Ymddangosodd Duw eto i Jacob, ar ôl iddo ddod o Padan Aram, a'i fendithio. [10]Dywedodd Duw wrtho, "Jacob yw dy enw, ond nid Jacob y gelwir di o hyn allan; Israel fydd dy enw." Ac enwyd ef Israel. [11]A dywedodd Duw wrtho, "Myfi yw Duw Hollalluog[c]. Bydd ffrwythlon ac amlha; daw ohonot genedl a chynulliad o genhedloedd, a daw brenhinoedd o'th lwynau. [12]Rhof i ti y wlad a roddais i Abraham ac Isaac, a bydd y wlad i'th hil ar dy ôl." [13]Yna aeth Duw i fyny o'r man

lle bu'n llefaru wrtho. [14]A gosododd Jacob golofn, sef colofn garreg, yn y lle y llefarodd wrtho; tywalltodd arni ddiodoffrwm, ac arllwys olew arni. [15]Felly enwodd Jacob y lle y llefarodd Duw wrtho, Bethel[ch].

Rachel yn Marw wrth Esgor

16 Yna aethant o Fethel. Pan oedd eto beth ffordd o Effrath, esgorodd Rachel, a bu'n galed arni wrth esgor. [17]A phan oedd yn ei gwewyr, dywedodd y fydwraig wrthi, "Paid ag ofni, oherwydd mab arall sydd gennyt." [18]Ac fel yr oedd yn gwanychu wrth farw, rhoes iddo'r enw Ben-oni[d]; ond galwodd ei dad ef Benjamin[dd]. [19]Yna bu farw Rachel, a chladdwyd hi ar y ffordd i Effrath, hynny yw Bethlehem, [20]a gosododd Jacob golofn ar ei bedd; hon yw colofn bedd Rachel, sydd yno hyd heddiw. [21]Teithiodd Israel yn ei flaen, a gosod ei babell y tu draw i Migdal-Eder. [22]Tra oedd Israel yn byw yn y wlad honno, aeth Reuben a gorwedd gyda Bilha gwraig ordderch ei dad; a chlywodd Israel am hyn.

Meibion Jacob
(1 Cron. 2:1-2)

Yr oedd deuddeg o feibion gan Jacob. [23]Meibion Lea: Reuben cyntafanedig Jacob, Simeon, Lefi, Jwda, Issachar, a Sabulon. [24]Meibion Rachel: Joseff a Benjamin. [25]Meibion Bilha morwyn Rachel: Dan a Nafftali. [26]Meibion Silpa morwyn Lea: Gad ac Aser. Dyma'r meibion a anwyd iddo yn Padan Aram.

Marw Isaac

27 Daeth Jacob at ei dad Isaac i Mamre, neu Ciriath-Arba, hynny yw Hebron, lle bu Abraham ac Isaac yn aros dros dro. [28]Cant a phedwar ugain oedd oed Isaac. [29]Yna anadlodd Isaac ei anadl olaf, a bu farw, a'i gasglu at ei bobl yn hen ac oedrannus. Claddwyd ef gan ei feibion Esau a Jacob.

Disgynyddion Esau
(1 Cron. 1:34-37)

36 Dyma genedlaethau Esau, hynny yw Edom. [2]Priododd Esau wragedd o blith merched Canaan, sef Ada merch Elon yr Hethiad, Oholibama merch Ana fab[e] Sibeon yr Hefiad,

---

[b]H.y., *Derwen wylofain.*   [c]Hebraeg, *Shadai.*   [ch]Cymh. 28:19.
[d]H.y., *Mab fy nhrallod.*   [dd]H.y., *Mab deheulaw.*
[e]Felly Fersiynau. Hebraeg, *merch.* Felly hefyd yn adn. 14.

³a Basemath merch Ismael a chwaer Nebaioth. ⁴Ac i Esau esgorodd Ada ar Eliffas; esgorodd Basemath ar Reuel; ⁵ac esgorodd Oholibama ar Jeus, Jalam a Cora. Dyma feibion Esau a anwyd iddo yng ngwlad Canaan. ⁶Cymerodd Esau ei wragedd, ei feibion a'i ferched, a phob aelod o'i deulu, ei wartheg a'i holl anifeiliaid, a'r holl feddiant a gafodd yng ngwlad Canaan, ac aeth draw i wlad Seirᶠ oddi wrth ei frawd Jacob. ⁷Yr oedd eu cyfoeth mor fawr fel na allent gydfyw, ac ni allai'r wlad lle'r oeddent yn byw eu cynnal o achos eu hanifeiliaid. ⁸Felly arhosodd Esau, hynny yw Edom, ym mynydd-dir Seir.

9 Dyma genedlaethau Esau, tad yr Edomiaid ym mynydd-dir Seir. ¹⁰Dyma enwau meibion Esau: Eliffas fab Ada gwraig Esau, Reuel fab Basemath gwraig Esau. ¹¹A meibion Eliffas oedd Teman, Omar, Seffo, Gatam a Cenas. ¹²Yr oedd Timna yn wraig ordderch i Eliffas fab Esau, ac i Eliffas esgorodd ar Amalec. Dyna ddisgynyddion Ada gwraig Esau. ¹³Meibion Reuel oedd Nahath, Sera, Samma a Missa. Dyna ddisgynyddion Basemath gwraig Esau. ¹⁴Dyma feibion Oholibama, merch Ana fab Sibeon, gwraig Esau: i Esau esgorodd ar Jeus, Jalam a Cora.

15 Dyma benaethiaid disgynyddion Esau: meibion Eliffas, mab hynaf Esau, y penaethiaid Teman, Omar, Seffo, Cenas, ¹⁶Cora, Gatam ac Amalec. Dyna benaethiaid Eliffas yng ngwlad Edom; meibion Ada oeddent. ¹⁷Yna meibion Reuel fab Esau: y penaethiaid Nahath, Sera, Samma a Missa. Dyna benaethiaid Reuel yng ngwlad Edom; meibion Basemath gwraig Esau oeddent. ¹⁸Yna meibion Oholibama gwraig Esau: y penaethiaid Jeus, Jalam a Cora. Dyna'r penaethiaid a anwyd i Oholibama merch Ana, gwraig Esau. ¹⁹Dyna ddisgynyddion Esau, hynny yw Edom, a dyna'u penaethiaid.

Disgynyddion Seir
(1 Cron. 1:38-42)

20 Dyma feibion Seir yr Horiad, preswylwyr y wlad: Lotan, Sobal, Sibeon, Ana, ²¹Dison, Eser a Disan. Dyna benaethiaid yr Horiaid, meibion Seir yng ngwlad Edom. ²²Hori a Hemam oedd meibion Lotan, a Timna oedd ei chwaer.

²³Dyma feibion Sobal: Alfan, Manahath, Ebal, Seffo ac Onam. ²⁴Dyma feibion Sibeon: Aia ac Ana. Hwn yw'r Ana a ddaeth o hyd i ddŵrᶠᶠ yn y diffeithwch wrth wylio asynnod ei dad Sibeon. ²⁵Dyma blant Ana: Dison ac Oholibama ferch Ana. ²⁶Dyma feibion Dison: Hemdan, Esban, Ithran a Cheran. ²⁷Dyma feibion Eser: Bilhan, Saafan ac Acan. ²⁸Dyma feibion Disan: Us ac Aran. ²⁹Dyma benaethiaid yr Horiaid: Lotan, Sobal, Sibeon, Ana, ³⁰Dison, Eser a Disan. Dyna benaethiaid yr Horiaid yn ôl eu tylwythau yng ngwlad Seir.

Brenhinoedd Edom

31 Dyma'r brenhinoedd a fu'n teyrnasu yng ngwlad Edom, cyn i'r Israeliaid gael brenin. ³²Teyrnasodd Bela fab Beor yn Edom, a Dinhaba oedd enw ei ddinas. ³³Pan fu farw Bela, teyrnasodd Jobab fab Sera o Bosra yn ei le. ³⁴Pan fu farw Jobab, teyrnasodd Husam o wlad y Temaniaid yn ei le. ³⁵Pan fu farw Husam, teyrnasodd Hadad fab Bedad yn ei le, ac ymosododd ef ar Midian yng ngwlad Moab; Afith oedd enw ei ddinas. ³⁶Pan fu farw Hadad, teyrnasodd Samla o Masreca yn ei le. ³⁷Pan fu farw Samla, teyrnasodd Saul o Rehoboth ger Afon Ewffrates yn ei le. ³⁸Pan fu farw Saul, teyrnasodd Baalhanan fab Achbor yn ei le. ³⁹Pan fu farw Baalhanan fab Achbor, teyrnasodd Hadar yn ei le; Pau oedd enw ei ddinas. Mehetabel merch Matred, merch Mesahab, oedd enw ei wraig.

40 Dyma enwau penaethiaid Esau, yn ôl eu llwythau a'u hardaloedd, wrth eu henwau: Timna, Alfa, Jetheth, ⁴¹Oholibama, Ela, Pinon, ⁴²Cenas, Teman, Mibsar, ⁴³Magdiel ac Iram. Dyna benaethiaid Edom, hynny yw Esau tad yr Edomiaid, yn ôl lle'r oeddent yn byw yn y wlad yr oeddent yn ei meddiannu.

Joseff a'i Freuddwydion

37 Preswyliodd Jacob yng ngwlad Canaan, y wlad yr ymdeithiodd ei dad ynddi. ²Dyma hanes tylwyth Jacob.

Yr oedd Joseff yn ddwy ar bymtheg oed, ac yn bugeilio'r praidd gyda'i frodyr, gan helpu meibion Bilha a Silpa, gwragedd ei dad; a chariodd Joseff straeon drwg amdanynt i'w tad. ³Yr oedd

ᶠFelly Syrieg. Hebraeg heb *Seir*.   ᶠᶠCymh. Syrieg. Hebraeg yn aneglur.

Israel yn caru Joseff yn fwy na'i holl blant, gan mai mab ei henaint ydoedd; a gwnaeth wisg laes iddo. ⁴Pan welodd ei frodyr fod eu tad yn ei garu yn fwy na'r un ohonynt, rhoesant eu cas arno fel na fedrent ddweud gair caredig wrtho.

5 Cafodd Joseff freuddwyd, a phan ddywedodd wrth ei frodyr amdani, aethant i'w gasáu yn fwy fyth. ⁶Dywedodd wrthynt, "Gwrandewch, dyma'r freuddwyd a gefais: ⁷yr oeddem yn rhwymo ysgubau yn y maes, a dyma f'ysgub i yn codi ar ei sefyll, a daeth eich ysgubau chwi yn gylch o'i chwmpas ac ymgrymu i'm hysgub i." ⁸Yna gofynnodd ei frodyr iddo, "Ai ti sydd i deyrnasu arnom? A fyddi di'n arglwydd arnom ni?" Ac aethant i'w gasáu ef yn fwy eto o achos ei freuddwydion a'i eiriau. ⁹Yna cafodd freuddwyd arall, ac adroddodd amdani wrth ei frodyr a dweud, "Cefais freuddwyd arall: dyna lle'r oedd yr haul a'r lleuad ac un seren ar ddeg yn ymgrymu i mi." ¹⁰Wedi iddo ei hadrodd wrth ei dad a'i frodyr, ceryddodd ei dad ef, a dweud, "Beth yw'r freuddwyd hon a gefaist? A ddown ni, myfi a'th fam a'th frodyr, i ymgrymu i'r llawr i ti?" ¹¹A chenfigennodd ei frodyr wrtho, ond cadwodd ei dad y peth yn ei gof.

Gwerthu Joseff a'i Gymryd i'r Aifft

12 Yr oedd ei frodyr wedi mynd i fugeilio praidd eu tad ger Sichem. ¹³A dywedodd Israel wth Joseff, "Onid yw dy frodyr yn bugeilio ger Sichem? Tyrd, fe'th anfonaf di atynt." Atebodd yntau, "O'r gorau." ¹⁴Yna dywedodd wrtho, "Dos i weld sut y mae dy frodyr a'r praidd, a thyrd â gair yn ôl i mi." Felly anfonodd ef o ddyffryn Hebron, ac aeth tua Sichem. ¹⁵Cyfarfu gŵr ag ef pan oedd yn crwydro yn y fro, a gofyn iddo, "Beth wyt ti'n ei geisio?" ¹⁶Atebodd yntau, "'Rwy'n ceisio fy mrodyr; dywed wrthyf ble maent yn bugeilio." ¹⁷A dywedodd y gŵr, "Y maent wedi mynd oddi yma, oherwydd clywais hwy'n dweud, 'Awn i Dothan.'" Felly aeth Joseff ar ôl ei frodyr, a chafodd hyd iddynt yn Dothan. ¹⁸Gwelsant ef o bell, a chyn iddo gyrraedd atynt gwnaethant gynllwyn i'w ladd, ¹⁹a dweud wrth ei gilydd, "Dacw'r breuddwydiwr hwnnw'n dod. ²⁰Dewch, gadewch inni ei ladd a'i daflu i ryw bydew, a dweud fod anifail gwyllt wedi ei ddifa; yna cawn weld beth a ddaw o'i freudd-

wydion." ²¹Ond pan glywodd Reuben, achubodd ef o'u gafael a dweud, "Peidiwn â'i ladd." ²²Dywedodd Reuben wrthynt, "Peidiwch â thywallt gwaed; taflwch ef i'r pydew hwn sydd yn y diffeithwch, ond peidiwch â gwneud niwed iddo." Dywedodd hyn er mwyn ei achub o'u gafael a'i ddwyn yn ôl at ei dad. ²³A phan ddaeth Joseff at ei frodyr, tynasant ei wisg oddi arno, y wisg laes yr oedd yn ei gwisgo, ²⁴a'i gymryd a'i daflu i'r pydew. Yr oedd y pydew yn wag, heb ddŵr ynddo.

25 Tra oeddent yn eistedd i fwyta, codasant eu golwg a gweld cwmni o Ismaeliaid yn dod ar eu taith o Gilead, a'u camelod yn dwyn glud pêr, balm a myrr, i'w cludo i lawr i'r Aifft. ²⁶A dywedodd Jwda wrth ei frodyr, "Faint gwell fyddwn o ladd ein brawd a chelu ei waed? ²⁷Dewch, gadewch inni ei werthu i'r Ismaeliaid; peidiwn â gwneud niwed iddo, oherwydd ein brawd ni a'n cnawd ydyw." Cytunodd ei frodyr. ²⁸Yna, pan ddaeth marchnatwyr o Midian heibio, codasant Joseff o'r pydew, a'i werthu i'r Ismaeliaid am ugain sicl o arian. Aethant hwythau â Joseff i'r Aifft.

29 Pan aeth Reuben yn ôl at y pydew a gweld nad oedd Joseff ynddo, rhwygodd ei ddillad ³⁰a mynd at ei frodyr a dweud, "Nid yw'r bachgen yno; a minnau, i ble'r af?" ³¹Cymerasant wisg Joseff, a lladd gafr, a throchi'r wisg yn y gwaed. ³²Yna aethant â'r wisg laes yn ôl at eu tad, a dweud, "Daethom o hyd i hon; edrych di ai gwisg dy fab ydyw." ³³Fe'i hadnabu a dywedodd, "Gwisg fy mab yw hi; anifail gwyllt sydd wedi ei ddifa. Yn wir, y mae Joseff wedi ei larpio." ³⁴Yna rhwygodd Jacob ei ddillad a gwisgo sachliain am ei lwynau, a galarodd am ei fab am amser hir. ³⁵A daeth pob un o'i feibion a'i ferched i'w gysuro, ond gwrthododd dderbyn cysur, a dywedodd, "Mewn galar yr af finnau i lawr i'r bedd at fy mab." Ac wylodd ei dad amdano. ³⁶Gwerthodd y Midianiaid ef yn yr Aifft i Potiffar, swyddog Pharo, pennaeth y gwarchodwyr.

Jwda a Tamar

38 Yr adeg honno gadawodd Jwda ei frodyr a throi at wŷr o Adulam o'r enw Hira. ²Ac yno gwelodd Jwda ferch rhyw Ganaanead o'r enw Sua, a chymerodd hi'n wraig iddo a chafodd gyfathrach â hi; ³beichiogodd hithau ac esgor ar fab, ac enwodd ef Er. ⁴Beichiogodd eilwaith ac esgor ar fab, ac enwodd ef Onan. ⁵Esgorodd eto ar fab, ac enwodd ef Sela; yn Chesib yr oedd pan esgorodd arno. ⁶Cymerodd Jwda wraig o'r enw Tamar i Er ei fab hynaf. ⁷Ond dyn drygionus yng ngolwg yr ARGLWYDD oedd Er, mab hynaf Jwda; a pharodd yr ARGLWYDD iddo farw. ⁸Yna dywedodd Jwda wrth Onan, "Dos at wraig dy frawd, ac fel brawd ei gŵr cod deulu i'th frawd." ⁹Ond gwyddai Onan nad ei eiddo ef fyddai'r teulu; ac felly, pan âi at wraig ei frawd, collai ei had ar lawr, rhag rhoi plant i'w frawd. ¹⁰Yr oedd yr hyn a wnaeth yn ffiaidd gan yr ARGLWYDD, a pharodd iddo yntau farw. ¹¹Yna dywedodd Jwda wrth ei ferch-yng-nghyfraith Tamar, "Aros yn weddw yn nhŷ dy dad nes i'm mab Sela dyfu"; oherwydd yr oedd arno ofn iddo yntau hefyd farw fel ei frodyr. Felly aeth Tamar i fyw yn nhŷ ei thad.

12 Ymhen amser, bu farw gwraig Jwda, merch Sua; ac wedi ei dymor galar aeth Jwda a'i gyfaill Hira yr Adulamiad i Timnath, at gneifwyr ei ddefaid. ¹³Pan fynegwyd i Tamar fod ei thad-yng-nghyfraith wedi mynd i Timnath i gneifio, ¹⁴tynnodd wisg ei gweddwdod oddi amdani, a gwisgo gorchudd a'i lapio amdani. Yna aeth i eistedd wrth borth Enaim ar y ffordd i Timnath; oherwydd yr oedd yn gweld bod Sela wedi dod i oed ac nad oedd hi wedi ei rhoi'n wraig iddo. ¹⁵Gwelodd Jwda hi a thybiodd mai putain ydoedd, gan ei bod wedi cuddio'i hwyneb. ¹⁶Trodd ati ar y ffordd a dweud, "Tyrd, gad i mi gael cyfathrach â thi." Ond ni wyddai mai ei ferch-yng-nghyfraith oedd hi. Atebodd hithau, "Beth a roi di imi, os cei gyfathrach â mi?" ¹⁷Dywedodd, "Anfonaf i ti fyn gafr o'r praidd." Atebodd hithau, "A roi di wystl imi nes iti ei anfon?" ¹⁸Gofynnodd yntau, "Beth a rof iti'n wystl?" Atebodd hithau, "Dy sêl a'r llinyn, a'th ffon sydd yn dy law." Wedi iddo eu rhoi iddi, cafodd gyfathrach â hi, a beichiogodd hithau. ¹⁹Yna, wedi iddi godi a mynd ymaith, tynnodd ei gorchudd a rhoi amdani wisg ei gweddwdod. ²⁰Anfonodd Jwda y myn gafr yng ngofal ei gyfaill yr Adulamiad, er mwyn cael y gwystl yn ôl gan y wraig, ond ni allai ddod o hyd iddi. ²¹Holodd ddynion y lle a dweud,

"Ble mae'r butain oedd ar y ffordd yn Enaim?" Ac atebasant, "Nid oes putain yma." ²²Felly dychwelodd at Jwda a dweud, "Ni chefais hyd iddi; a dywedodd dynion y lle nad oedd putain yno." ²³Yna dywedodd Jwda, "Bydded iddi eu cadw, neu byddwn yn destun cywilydd; anfonais i y myn hwn, ond methaist gael hyd iddi."

24 Ymhen tri mis dywedwyd wrth Jwda, "Bu Tamar dy ferch-yng-nghyfraith yn puteinio, ac y mae wedi beichiogi hefyd mewn godineb." Dywedodd Jwda, "Dewch â hi allan, a llosger hi." ²⁵A phan ddaethant â hi allan, anfonodd at ei thad-yng-nghyfraith i ddweud, "Yr wyf yn feichiog o'r gŵr biau'r rhain." A dywedodd hefyd, "Edrych, yn awr, eiddo pwy yw'r rhain, y sêl a'r llinyn a'r ffon." ²⁶Adnabu Jwda hwy a dywedodd, "Y mae hi'n fwy cyfiawn na mi, oherwydd na rois hi i'm mab Sela." Ni orweddodd gyda hi ar ôl hynny.

27 Pan ddaeth yr amser iddi esgor, yr oedd gefeilliaid yn ci chroth, ²⁸ac wrth iddi esgor rhoes un ei law allan; a chymerodd y fydwraig edau goch a'i rhwymo am ei law, a dweud, "Hwn a ddaeth allan yn gyntaf." ²⁹Ond tynnodd ei law yn ôl, a daeth ei frawd allan; a dywedodd hi, "Dyma doriad yr wyt wedi ei wneud i ti dy hun!" Ac enwyd ef Peresᵍ. ³⁰Daeth ei frawd allan wedyn â'r edau goch am ei law, ac enwyd ef Seraⁿᵍ.

Joseff a Gwraig Potiffar

39 Cymerwyd Joseff i lawr i'r Aifft, a phrynwyd ef o law yr Ismaeliaid, a oedd wedi mynd ag ef yno, gan Potiffar, Eifftiwr oedd yn swyddog i Pharo ac yn bennaeth y gwarchodwyr. ²Bu'r ARGLWYDD gyda Joseff, a daeth yn ŵr llwyddiannus. Yr oedd yn byw yn nhŷ ei feistr yr Eifftiwr, ³a gwelodd ei feistr fod yr ARGLWYDD gydag ef, a bod yr ARGLWYDD yn llwyddo popeth yr oedd yn ei wneud. ⁴Cafodd Joseff ffafr yn ei olwg, a bu'n gweini arno; gwnaeth yntau ef yn arolygydd ar ei dŷ a rhoi ei holl eiddo dan ei ofal. ⁵Ac o'r amser y gwnaeth ef yn arolygydd ar ei dŷ ac ar ei holl eiddo, bendithiodd yr ARGLWYDD dŷ'r Eifftiwr er mwyn Joseff; yr oedd bendith yr ARGLWYDD ar ei holl eiddo, yn y tŷ ac yn y maes. ⁶Gadawodd ei holl

ᵍH.y., *Toriad.*   ⁿᵍH.y., *Cochni.*

eiddo yng ngofal Joseff, ac nid oedd gofal arno am ddim ond y bwyd yr oedd yn ei fwyta.

Yr oedd Joseff yn olygus a glân, [7]ac ymhen amser rhoddodd gwraig ei feistr ei bryd ar Joseff a dweud, "Gorwedd gyda mi." [8]Ond gwrthododd, a dweud wrth wraig ei feistr, "Nid oes gofal ar fy meistr am ddim yn y tŷ; y mae wedi rhoi ei holl eiddo yn fy ngofal i. [9]Nid oes neb yn fwy na mi yn y tŷ hwn, ac nid yw wedi cadw dim oddi wrthyf ond tydi, am mai ei wraig wyt. Sut felly y gwnawn i y drwg mawr hwn, a phechu yn erbyn Duw?" [10]Ac er iddi grefu ar Joseff beunydd, ni wrandawodd arni; ni orweddodd gyda hi na chymdeithasu â hi. [11]Ond un diwrnod, pan aeth i'r tŷ ynglŷn â'i waith, heb fod neb o weision y tŷ yno, [12]fe'i daliodd ef gerfydd ei wisg, a dweud, "Gorwedd gyda mi." Ond gadawodd ef ei wisg yn ei llaw a ffoi allan. [13]Pan welodd hi ei fod wedi gadael ei wisg yn ei llaw, a ffoi allan, [14]galwodd ar weision ei thŷ a dweud wrthynt, "Gwelwch, y mae wedi dod â Hebrëwr atom i'n gwaradwyddo; daeth ataf i orwedd gyda mi, a gwaeddais innau yn uchel. [15]Pan glywodd fi'n codi fy llais a gweiddi, gadawodd ei wisg yn f'ymyl a ffoi allan." [16]Yna cadwodd wisg Joseff yn ei hymyl nes i'w feistr ddod adref, [17]ac adroddodd yr un stori wrtho ef, a dweud, "Daeth y gwas o Hebrëwr, a ddygaist i'n plith, i mewn ataf i'm gwaradwyddo; [18]ond pan godais fy llais a gweiddi, gadawodd ei wisg yn f'ymyl a ffoi allan." [19]Pan glywodd meistr Joseff ei wraig yn dwcud wrtho am yr hyn a wnaeth ei was iddi, enynnodd ei lid. [20]Cymerodd Joseff a'i roi yn y carchar, lle'r oedd carchar-orion y brenin yn gaeth; ac yno y bu yn y carchar. [21]Ond yr oedd yr ARGLWYDD gyda Joseff, a bu'n drugarog wrtho a rhoi ffafr iddo yng ngolwg ceidwad y carchar. [22]Rhoes ceidwad y carchar yr holl garcharorion yng ngofal Joseff, ac ef fyddai'n gwneud beth bynnag oedd i'w wneud yno. [23]Nid oedd ceidwad y carchar yn pryderu am ddim a oedd dan ofal Joseff, am fod yr ARGLWYDD gydag ef ac yn ei lwyddo ym mha beth bynnag y byddai'n ei wneud.

Dehongli Breuddwydion yn y Carchar

40 Wedi'r pethau hyn, troseddodd trulliad a phobydd brenin yr Aifft yn erbyn eu meistr, brenin yr Aifft. [2]Ffromodd Pharo wrth ei ddau swyddog, y pen-trulliad a'r pen-pobydd, [3]a'u rhoi yn y ddalfa yn nhŷ pennaeth y gwarch-odwyr, sef y carchar lle'r oedd Joseff yn gaeth. [4]Trefnodd pennaeth y gwarch-odwyr i Joseff ofalu amdanynt a gweini arnynt. Wedi iddynt fod yn y ddalfa am ysbaid, [5]cafodd trulliad a phobydd brenin yr Aifft, a oedd yn gaeth yn y carchar, freuddwyd yr un noson, pob un ei freuddwyd ei hun, ac i bob breuddwyd ei ystyr ei hun. [6]Pan ddaeth Joseff atynt yn y bore, ac edrych arnynt a'u gweld yn ddi-hwyl, [7]gofynnodd i swyddogion Pharo a oedd gydag ef yn y ddalfa yn nhŷ ei feistr, "Pam y mae golwg ddi-galon arnoch heddiw?" [8]Atebasant, "Cawsom freuddwydion, ac nid oes neb i'w dehongli." Yna dywedodd Joseff wrthynt, "Onid i Dduw y perthyn dehongli? Dywedwch yn awr i mi."

9 Felly adroddodd y pen-trulliad ei freuddwyd i Joseff, a dweud wrtho, "Yn fy mreuddwyd yr oedd gwinwydden o'm blaen, [10]ac ar y winwydden dair cangen; yna blagurodd, blodeuodd, ac aeddfed-odd ei grawnsypiau yn rawnwin. [11]Yn fy llaw yr oedd cwpan Pharo; cymerais y grawnwin, eu gwasgu i gwpan Pharo, a rhoi'r cwpan yn ei law." [12]Dywedodd Joseff wrtho, "Dyma'r dehongliad: y tair cangen, tri diwrnod ydynt; [13]ymhen tridiau bydd Pharo'n codi dy ben ac yn dy adfer i'th swydd, a byddi dithau'n rhoi cwpan Pharo yn ei law, yn ôl yr arfer gynt pan oeddit yn drulliad iddo. [14]Os bydd iti gofio amdanaf pan fydd yn dda arnat, fe wnei gymwynas â mi trwy grybwyll amdanaf wrth Pharo, a'm cael allan o'r tŷ hwn. [15]Oherwydd cefais fy nghipio o wlad yr Hebreaid; ac nid wyf wedi gwneud dim yma chwaith i haeddu fy ngosod mewn cell."

16 Pan welodd y pen-pobydd fod y dehongliad yn un ffafriol, dywedodd wrth Joseff, "Cefais innau hefyd freuddwyd: yr oedd tri chawell o fara gwyn ar fy mhen. [17]Yn y cawell uchaf yr oedd pob math o fwyd wedi ei bobi ar gyfer Pharo, ac adar yn ei fwyta o'r cawell ar fy mhen." [18]Atebodd Joseff, "Dyma'r dehongliad: y tri chawell, tri diwrnod ydynt; [19]ymhen tridiau bydd Pharo'n codi dy ben—oddi arnat!—ac yn dy grogi ar bren; a bydd yr adar yn bwyta dy gnawd."

20 Ar y trydydd dydd yr oedd pen-

blwydd Pharo, a gwnaeth wledd i'w holl weision, a dod â'r pen-trulliad a'r pen-pobydd i fyny yng ngŵydd ei weision. ²¹Adferodd y pen-trulliad i'w swydd, a rhoddodd yntau'r cwpan yn llaw Pharo; ²²ond crogodd y pen-pobydd, fel yr oedd Joseff wedi dehongli iddynt. ²³Eto ni chofiodd y pen-trulliad am Joseff, ond anghofio'n llwyr amdano.

Dehongli Breuddwydion Pharo

41 Ymhen dwy flynedd union breuddwydiodd Pharo ei fod yn sefyll ar lan Afon Neil. ²A dyma saith o wartheg porthiannus a thew yn esgyn o'r afon, a phori yn y weirglodd; ³ac yna saith o wartheg eraill, nychlyd a thenau, yn esgyn ar eu hôl ac yn sefyll ar lan yr afon yn ymyl y gwartheg eraill. ⁴Bwytaodd y gwartheg nychlyd a thenau y saith buwch borthiannus a thew. Yna deffrôdd Pharo. ⁵Aeth yn ôl i gysgu a breuddwydio eilwaith, a gwelodd saith dywysen fras a da yn tyfu ar un gwelltyn; ⁶yna saith dywysen denau, wedi eu deifio gan wynt y dwyrain, yn tarddu ar eu hôl. ⁷Llyncodd y tywysennau tenau y saith dywysen fras a llawn. Yna deffrôdd Pharo a deall mai breuddwyd ydoedd. ⁸Pan ddaeth y bore, yr oedd wedi cynhyrfu ac anfonodd am holl ddewiniaid a doethion yr Aifft; dywedodd Pharo ei freuddwyd wrthynt, ond ni allai neb ei dehongli iddo.

9 Yna dywedodd y pen-trulliad wrth Pharo, "Rwy'n cofio heddiw imi fod ar fai. ¹⁰Pan ffromodd Pharo wrth ei weision a'm rhoi i a'r pen-pobydd yn y ddalfa yn nhŷ pennaeth y gwarchodwyr, ¹¹cawsom ein dau freuddwyd yr un noson, pob un ei freuddwyd ei hun, ac i bob breuddwyd ei hystyr ei hun. ¹²Ac yno gyda ni yr oedd llanc o Hebrëwr, gwas pennaeth y gwarchodwyr; wedi inni eu hadrodd iddo, dehonglodd ein breuddwydion i'r naill a'r llall ohonom. ¹³Fel y dehonglodd inni, felly y bu; adferwyd fi i'm swydd, a chrogwyd y llall."

14 Yna anfonodd Pharo am Joseff, a daethant ag ef ar frys o'r gell; eilliwyd ef, newidiodd ei ddillad a daeth at Pharo. ¹⁵A dywedodd Pharo wrth Joseff, "Cefais freuddwyd, ac ni all neb ei dehongli, ond clywais amdanat ti dy fod yn gallu gwrando breuddwyd a'i dehongli." ¹⁶Atebodd Joseff Pharo a dweud, "Nid

myfi; Duw a rydd ateb ffafriol i Pharo." ¹⁷Dywedodd Pharo wrth Joseff, "Yn fy mreuddwyd yr oeddwn yn sefyll ar lan Afon Neil, ¹⁸a dyma saith o wartheg tew a phorthiannus yn esgyn o'r afon, a phori yn y weirglodd; ¹⁹ac yna saith o wartheg eraill truenus a nychlyd a thenau iawn, yn dod ar eu hôl; ni welais rai cynddrwg yn holl dir yr Aifft. ²⁰Bwytaodd y gwartheg tenau a nychlyd y saith o wartheg tewion cyntaf, ²¹ond er iddynt eu bwyta nid oedd ôl hynny arnynt, gan eu bod mor denau â chynt. Yna deffroais. ²²Gwelais hefyd yn fy mreuddwyd saith o dywysennau llawn a da yn tyfu ar un gwelltyn; ²³a dyma saith dywysen fain a thenau, wedi eu deifio gan wynt y dwyrain, yn tarddu ar eu hôl. ²⁴Llyncodd y tywysennau tenau saith dywysen dda. Adroddais hyn wrth y dewiniaid, ond ni allai neb ei egluro i mi."

25 Yna dywedodd Joseff wrth Pharo, "Un ystyr sydd i freuddwyd Pharo; y mae Duw wedi mynegi i Pharo yr hyn y mae am ei wneud. ²⁶Y saith o wartheg da, saith mlynedd ydynt, a'r saith dywysen dda, saith mlynedd ydynt; un freuddwyd sydd yma. ²⁷Saith mlynedd hefyd yw'r saith o wartheg tenau a nychlyd a esgynnodd ar eu hôl, a saith mlynedd o newyn yw'r saith dywysen wag wedi eu deifio gan wynt y dwyrain. ²⁸Fel y dywedais wrth Pharo, y mae Duw wedi dangos i Pharo yr hyn y mae am ei wneud. ²⁹Daw saith mlynedd o lawnder mawr trwy holl wlad yr Aifft, ³⁰ond ar eu hôl daw saith mlynedd o newyn, ac anghofiir yr holl lawnder yng ngwlad yr Aifft; difethir y wlad gan y newyn, ³¹ac ni fydd ôl y llawnder yn y wlad o achos y newyn hwnnw fydd yn ei ddilyn, gan mor drwm fydd. ³²Dyblwyd breuddwyd Pharo am fod y peth mor sicr gan Dduw, a bod Duw ar fin ei gyflawni. ³³Yn awr, dylai Pharo edrych am ŵr deallus a doeth i'w osod ar wlad yr Aifft. ³⁴Dyma a ddylai Pharo ei wneud: gosod arolygwyr dros y wlad, i gymryd y bumed ran o gnwd gwlad yr Aifft dros y saith mlynedd o lawnder. ³⁵Dylent gasglu holl fwyd y blynyddoedd da sydd ar ddod, a thrwy awdurdod Pharo, dylent gasglu ŷd yn ymborth i'w gadw yn y dinasoedd, ³⁶fel y bydd y bwyd ynghadw i'r wlad dros y saith mlynedd o newyn sydd i fod yng ngwlad yr Aifft, rhag i'r wlad gael ei difetha gan y newyn."

Joseff yn Rheolwr yr Aifft

37 Bu'r cyngor yn dderbyniol gan Pharo a'i holl weision. ³⁸A dywedodd Pharo wrth ei weision, "A fedrwn ni gael gŵr arall fel hwn ag ysbryd Duw ynddo?" ³⁹Felly dywedodd Pharo wrth Joseff, "Am i Dduw roi gwybod hyn oll i ti, nid oes neb mor ddeallus a doeth â thi; ⁴⁰ti fydd dros fy nhŷ, a bydd fy holl bobl yn ufudd i ti; yr orsedd yn unig a'm gwna i yn fwy na thi." ⁴¹Yna dywedodd Pharo wrth Joseff, "Dyma fi wedi dy osod di'n ben ar holl wlad yr Aifft", ⁴²a thynnodd ei fodrwy oddi ar ei law a'i gosod ar law Joseff, a gwisgo amdano ddillad o liain main, a rhoi cadwyn aur am ei wddf. ⁴³Parodd iddo deithio yn ei ail gerbyd, gyda rhai i weiddi o'i flaen, "Plygwch lin."ʰ Felly gosododd Pharo ef dros holl wlad yr Aifft. ⁴⁴A dywedodd Pharo wrth Joseff, "Myfi yw Pharo, ond heb dy ganiatâd di nid yw neb i godi na llaw na throed trwy holl wlad yr Aifft." ⁴⁵Enwodd Pharo ef Saffnath-Panea, a rhoddodd yn wraig iddo Asnath, merch Potiffera offeiriad On. Yna aeth Joseff allan yn bennaeth dros wlad yr Aifft.

46 Deng mlwydd ar hugain oedd oed Joseff pan safodd gerbron Pharo brenin yr Aifft. Aeth allan o ŵydd Pharo, a thramwyodd trwy holl wlad yr Aifft. ⁴⁷Yn ystod y saith mlynedd o lawnder cnydiodd y ddaear yn doreithiog, ⁴⁸a chasglodd yntau yr holl fwyd a gaed yng ngwlad yr Aifft yn ystod y saith mlynedd, a chrynhoi ymborth yn y dinasoedd. Casglodd i bob dinas fwyd y meysydd o'i hamgylch. ⁴⁹Felly pentyrrodd Joseff ŷd fel tywod y môr, nes peidio â chadw cyfrif, am na ellid ei fesur.

50 Cyn dyfod blwyddyn y newyn, ganwyd i Joseff ddau fab o Asnath, merch Potiffera offeiriad On. ⁵¹Enwodd Joseff ei gyntafanedig Manasseⁱ—"Am fod Duw wedi peri imi anghofio fy holl gyni a holl dylwyth fy nhad." ⁵²Enwodd yr ail Effraim¹—"Am fod Duw wedi fy ngwneud i'n ffrwythlon yng ngwlad fy ngorthrymder."

53 Darfu'r saith mlynedd o lawnder yng ngwlad yr Aifft; ⁵⁴a dechreuodd y saith mlynedd o newyn, fel yr oedd Joseff wedi dweud. Bu newyn yn yr holl wledydd, ond yr oedd bwyd yn holl wlad yr Aifft. ⁵⁵A phan ddaeth newyn ar holl wlad yr Aifft, galwodd y bobl ar Pharo am fwyd. Dywedodd Pharo wrth yr holl Eifftiaid, "Ewch at Joseff, a gwnewch yr hyn a ddywed ef wrthych." ⁵⁶Ac fel yr oedd y newyn yn ymledu dros wyneb yr holl dir, agorodd Joseff yr holl ystordaiⁱⁱ a gwerthodd ŷd i'r Eifftiaid, oherwydd yr oedd y newyn yn drwm yng ngwlad yr Aifft. ⁵⁷Daeth pobl o'r holl wledydd hefyd i'r Aifft at Joseff i brynu, oherwydd yr oedd y newyn yn drwm drwy'r byd i gyd.

Brodyr Joseff yn Mynd i'r Aifft

42 Pan ddeallodd Jacob fod ŷd yn yr Aifft, dywedodd wrth ei feibion, "Pam yr ydych yn edrych ar eich gilydd? ²Clywais fod ŷd i'w gael yn yr Aifft; ewch i lawr yno a phrynwch i ni, er mwyn inni gael byw ac nid marw." ³Felly aeth deg o frodyr Joseff i brynu ŷd yn yr Aifft; ⁴ond nid anfonodd Jacob Benjamin, brawd Joseff, gyda'i frodyr, rhag ofn i niwed ddigwydd iddo. ⁵Daeth meibion Israel ymhlith eraill i brynu ŷd, am fod newyn trwy wlad Canaan.

6 Joseff oedd yr arolygwr dros y wlad, ac ef oedd yn gwerthu ŷd i bawb. A daeth brodyr Joseff ac ymgrymu iddo i'r llawr. ⁷Pan welodd Joseff ei frodyr, adnabu hwy, ond ymddygodd fel dieithryn a siarad yn hallt wrthynt. Gofynnodd iddynt, "O ble y daethoch?" Ac atebasant, "O wlad Canaan i brynu bwyd." ⁸Yr oedd Joseff wedi adnabod ei frodyr, ond nid oeddent hwy'n ei adnabod ef. ⁹Cofiodd Joseff y breuddwydion a gafodd amdanynt, a dywedodd wrthynt, "Ysbïwyr ydych; yr ydych wedi dod i weld mannau gwan y wlad." ¹⁰Dywedasant hwythau wrtho, "Na, arglwydd, mae dy weision wedi dod i brynu bwyd. ¹¹Meibion un gŵr ydym ni i gyd, a dynion gonest; nid ysbïwyr yw dy weision." ¹²Meddai yntau wrthynt, "Na, yr ydych wedi dod i weld mannau gwan y wlad." ¹³Atebasant, "Deuddeg brawd oedd dy weision, meibion un gŵr yng ngwlad Canaan; y mae'r ieuengaf eto gyda'n tad, ond nid yw'r llall yn fyw." ¹⁴Ond dywedodd Joseff wrthynt, "Y gwir amdani yw mai ysbïwyr ydych. ¹⁵Fel hyn y rhoddir prawf arnoch: cyn wired â bod Pharo'n fyw, ni chewch ymadael oni ddaw eich brawd ieuengaf yma. ¹⁶Anfonwch un o'ch

---

ʰCymh. Fersiynau. Hebraeg yn ansicr.
ⁱH.y., *Gwneud yn ffrwythlon.*
ⁱH.y., *Peri anghofio.*
ⁱⁱFelly Fersiynau. Hebraeg heb *ystordai.*

plith i gyrchu eich brawd, tra byddwch chwi yng ngharchar; felly y profir eich geiriau, i wybod a ydynt yn wir. Os nad ydynt, cyn wired â bod Pharo'n fyw, ysbïwyr ydych." [17]A rhoddodd hwy i gyd yng ngharchar am dridiau.

18 Ar y trydydd diwrnod dywedodd Joseff wrthynt, "Fel hyn y gwnewch er mwyn ichwi gael byw, oherwydd yr wyf yn ofni Duw: [19]os ydych yn wŷr gonest, cadwer un brawd yng ngharchar, a chewch chwithau gludo ŷd at angen eich teuluoedd, [20]a dod â'ch brawd ieuengaf ataf. Felly y ceir gweld eich bod yn dweud y gwir, ac ni byddwch farw." Dyna a wnaed. [21]Yna dywedasant wrth ei gilydd, "Yn wir, yr ydym yn haeddu cosb o achos ein brawd, am inni weld ei ofid ef pan oedd yn ymbil arnom, a gwrthod gwrando; dyna pam y daeth y gofid hwn arnom." [22]Dywedodd Reuben, "Oni ddywedais wrthych, 'Peidiwch â gwneud cam â'r bachgen'? Ond ni wrandawsoch, ac yn awr rhaid ateb am ei waed." [23]Ni wyddent fod Joseff yn eu deall, am fod cyfieithydd rhyngddynt. [24]Troes yntau oddi wrthynt i wylo. Yna daeth yn ôl a siarad â hwy, a chymerodd Simeon o'u mysg a'i rwymo o flaen eu llygaid.

Brodyr Joseff yn Dychwelyd i Ganaan

25 Gorchmynnodd Joseff lenwi eu sachau ag ŷd, a rhoi arian pob un yn ôl yn ei sach, a rhoi bwyd iddynt at y daith. Felly y gwnaed iddynt. [26]Yna codasant yr ŷd ar eu hasynnod a mynd oddi yno. [27]Pan oedd un yn agor ei sach yn y llety, i roi bwyd i'w asyn, gwelodd ei arian yng ngenau'r sach, [28]a dywedodd wrth ei frodyr, "Rhoddwyd fy arian yn ôl; y maent yma yn fy sach." Yna daeth ofn arnynt a throesant yn grynedig at ei gilydd, a dweud, "Beth yw hyn y mae Duw wedi ei wneud i ni?"

29 Pan ddaethant at eu tad Jacob yng ngwlad Canaan, adroddasant eu holl helynt wrtho, a dweud, [30]"Siaradodd y gŵr oedd yn arglwydd y wlad yn hallt wrthym, a chymryd mai ysbïwyr oeddem. [31]Dywedasom ninnau wrtho, 'Gwŷr gonest ydym ni, ac nid ysbïwyr. [32]Yr oeddem yn ddeuddeg brawd, meibion ein tad; bu farw un, ac y mae'r ieuengaf eto gyda'n tad yng ngwlad Canaan.' [33]Yna dywedodd arglwydd y wlad wrthym, 'Fel hyn y caf wybod eich bod yn onest: gadewch un o'ch brodyr

gyda mi, a chymerwch ŷd at angen eich teuluoedd, ac ewch ymaith. [34]Dewch â'ch brawd ieuengaf ataf, imi gael gwybod nad ysbïwyr ydych ond dynion gonest; yna rhof eich brawd ichwi, a chewch farchnata yn y wlad.'"

35 Pan aethant i wacáu eu sachau yr oedd cod arian pob un yn ei sach. A phan welsant hwy a'u tad y codau arian, daeth ofn arnynt, [36]a dywedodd eu tad Jacob wrthynt, "Yr ydych yn fy ngwneud yn ddi-blant; bu farw Joseff, nid yw Simeon yma, ac yr ydych am ddwyn Benjamin ymaith. Y mae pob peth yn fy erbyn." [37]Dywedodd Reuben wrth ei dad, "Cei ladd fy nau fab i os na ddof ag ef yn ôl atat; rho ef yn fy ngofal, ac mi ddof ag ef yn ôl atat." [38]Meddai yntau, "Ni chaiff fy mab fynd gyda chwi, oherwydd bu farw ei frawd, ac nid oes neb ond ef ar ôl. Os digwydd niwed iddo ar eich taith, fe wnewch i'm penwynni ddisgyn i'r bedd mewn tristwch."

Mynd â Benjamin i'r Aifft

43 Trymhaodd y newyn yn y wlad. [2]Ac wedi iddynt fwyta'r ŷd a ddygwyd ganddynt o'r Aifft, dywedodd eu tad wrthynt, "Ewch yn ôl i brynu ychydig o fwyd i ni." [3]Ond atebodd Jwda, "Rhybuddiodd y dyn ni'n ddifrifol gan ddweud, 'Ni chewch weld fy wyneb os na fydd eich brawd gyda chwi.' [4]Os anfoni ein brawd gyda ni, fe awn i brynu bwyd i ti; [5]ond os nad anfoni ef, nid awn ni, oherwydd dywedodd y dyn wrthym, 'Ni chewch weld fy wyneb os na fydd eich brawd gyda chwi.'" [6]Dywedodd Israel, "Pam y gwnaethoch ddrwg i mi trwy ddweud wrth y dyn fod gennych frawd arall?" [7]Atebasant hwythau, "Holodd y dyn ni'n fanwl amdanom ein hunain a'n teulu, a gofyn, 'A yw eich tad eto'n fyw? A oes gennych frawd arall?' Wrth inni ei ateb, a allem ni ddirnad y dywedai ef, 'Dewch â'ch brawd yma'?" [8]Dywedodd Jwda wrth ei dad Israel, "Anfon y bachgen gyda mi, inni gael codi a mynd, er mwyn inni fyw ac nid marw, nyni a thithau a'n plant hefyd. [9]Mi af fi yn feichiau drosto; mi fyddaf fi'n gyfrifol amdano. Os na ddof ag ef yn ôl atat a'i osod o'th flaen, yna byddaf yn euog am byth. [10]Pe baem heb oedi, byddem wedi dychwelyd ddwywaith erbyn hyn." [11]Dywedodd eu tad Israel wrthynt, "Os oes rhaid, gwnewch hyn: cymerwch rai o ffrwythau gorau'r wlad yn eich paciau, a dygwch yn anrheg i'r dyn ychydig o falm ac ychydig o fêl, glud pêr, myrr, cnau ac almonau. ¹²Cymerwch ddwbl yr arian, a dychwelwch yr arian a roddwyd yng ngenau eich sachau. Efallai mai amryfusedd oedd hynny. ¹³Cymerwch hefyd eich brawd, ac ewch eto at y dyn; ¹⁴a rhodded Duw Hollalluog drugaredd i chwi gerbron y dyn, er mwyn iddo ollwng yn rhydd eich brawd arall a Benjamin. Os gweir fi'n ddi-blant, derbyniaf hynny." ¹⁵Felly cymerodd y dynion yr anrheg a dwbl yr arian, a Benjamin gyda hwy, ac aethant ar eu taith i lawr i'r Aifft, a sefyll gerbron Joseff.

16 Pan welodd Joseff fod Benjamin gyda hwy, dywedodd wrth swyddog ei dŷ, "Dos â'r dynion i'r tŷ, a lladd anifail a gwna wledd, oherwydd bydd y dynion yn bwyta gyda mi ganol dydd." ¹⁷Gwnaeth y swyddog fel y gorchmynnodd Joseff iddo, a daeth â'r dynion i dŷ Joseff. ¹⁸Ond yr oedd ar y dynion ofn pan gymerwyd hwy i dŷ Joseff, ac meddent, "Y maent wedi dod â ni i mewn yma oherwydd yr arian a roddwyd yn ôl yn ein sachau y tro cyntaf. Byddant yn rhuthro ac yn ymosod arnom, a'n gwneud yn gaethion, a chipio ein hasynnod." ¹⁹Aethant at swyddog tŷ Joseff a siarad ag ef wrth ddrws y tŷ, ²⁰a dweud, "Ein harglwydd, daethom i lawr o'r blaen i brynu bwyd; ²¹wrth inni agor ein sachau yn y llety yr oedd arian pob un yn llawn yng ngenau ei sach. Yr ydym wedi dod â hwy'n ôl gyda ni, ²²ac y mae gennym arian eraill hefyd i brynu bwyd. Ni wyddom pwy a osododd ein harian yn ein sachau." ²³Atebodd yntau, "Byddwch dawel, peidiwch ag ofni; eich Duw a Duw eich tad a guddiodd drysor i chwi yn eich sachau; derbyniais i eich arian." Yna daeth â Simeon allan atynt. ²⁴Wedi i'r swyddog fynd â'r dynion i dŷ Joseff, rhoddodd ddŵr iddynt i olchi eu traed, a rhoddodd fwyd i'w hasynnod. ²⁵Gwnaethant eu hanrheg yn barod erbyn i Joseff ddod ganol dydd, am iddynt glywed mai yno y byddent yn cael bwyd.

26 Pan ddaeth Joseff i'r tŷ, dygasant ato yr anrheg oedd ganddynt, ac ymgrymu i'r llawr. ²⁷Holodd yntau hwy am eu hiechyd, a gofyn, "A yw eich tad yn iawn, yr hen ŵr y buoch yn sôn amdano? A yw'n dal yn fyw?" ²⁸Ateb-

asant, "Y mae dy was, ein tad, yn fyw ac yn iach." A phlygasant eu pennau ac ymgrymu. ²⁹Cododd yntau ei olwg a gweld ei frawd Benjamin, mab ei fam ef ei hun, a gofynnodd, "Ai dyma eich brawd ieuengaf, y buoch yn sôn amdano?" A dywedodd wrtho, "Bydded Duw yn rasol wrthyt, fy mab." ³⁰Yna brysiodd Joseff a chwilio am le i wylo, oherwydd cyffrowyd ei deimladau o achos ei frawd. Aeth i'w ystafell ac wylo yno. ³¹Yna golchodd ei wyneb a daeth allan gan ymatal, a dywedodd, "Dewch â'r bwyd." ³²Gosodwyd bwyd iddo ef ar wahân, a iddynt hwy ar wahân, ac i'r Eifftiaid oedd yn bwyta gydag ef ar wahân; oherwydd ni allai'r Eifftiaid gydfwyta gyda'r Hebreaid, am fod hynny'n ffieidd-dra ganddynt. ³³Yr oeddent yn eistedd o'i flaen, y cyntafanedig yn ôl ei flaenoriaeth a'r ieuengaf yn ôl ei ieuenctid; a rhyfeddodd y dynion ymysg ei gilydd. ³⁴Cododd Joseff seigiau iddynt o'i fwrdd ei hun, ac yr oedd cyfran Benjamin bum gwaith yn fwy na chyfran y lleill. Felly yfasant a bod yn llawen gydag ef.

Y Cwpan Coll

44 Gorchmynnodd Joseff i swyddog ei dŷ, "Llanw sachau'r dynion â chymaint ag y gallant ei gario o fwyd, a rho arian pob un yng ngenau ei sach. ²A rho fy nghwpan i, y cwpan arian, yng ngenau sach yr ieuengaf, gyda'i arian am yr ŷd." Gwnaeth yntau fel y dywedodd Joseff. ³Pan dorrodd y wawr, anfonwyd y dynion ymaith gyda'u hasynnod. ⁴Wedi iddynt fynd ychydig bellter o'r ddinas dywedodd Joseff wrth swyddog ei dŷ, "I ffwrdd â thi ar ôl y dynion, a phan oddiweddi hwy dywed wrthynt, 'Pam yr ydych wedi talu drwg am dda? Pam yr ydych wedi lladrata fy nghwpan arian?ᵐ ⁵O hwn y byddai f'arglwydd yn yfed ac yn dewino. Yr ydych wedi gwneud peth drwg.'"

6 Pan oddiweddodd hwy dywedodd felly wrthynt. ⁷Atebasant hwythau, "Pam y mae ein harglwydd yn dweud peth fel hyn? Ni fyddai dy weision byth yn gwneud y fath beth. ⁸Cofia ein bod wedi dod â'r arian a gawsom yng ngenau ein sachau yn ôl atat o wlad Canaan. Pam felly y byddem yn lladrata arian neu aur o dŷ dy arglwydd? ⁹Os ceir y cwpan gan

---

ᵐFelly Groeg. Hebraeg heb *Pam … arian?*

un o'th weision, bydded hwnnw farw; a byddwn ninnau'n gaethion i'n harglwydd." ¹⁰"O'r gorau," meddai yntau, "bydded fel y dywedwch chwi. Bydd yr un y ceir y cwpan ganddo yn gaethwas i mi, ond bydd y gweddill ohonoch yn rhydd." ¹¹Yna tynnodd pob un ei sach i lawr ar unwaith, a'i agor. ¹²Chwiliodd yntau, gan ddechrau gyda'r hynaf a gorffen gyda'r ieuengaf, a chafwyd y cwpan yn sach Benjamin. ¹³Rhwygasant eu dillad, a llwythodd pob un ei asyn a dychwelyd i'r ddinas.

14 Pan ddaeth Jwda a'i frodyr i'r tŷ, yr oedd Joseff yno o hyd, a syrthiasant i lawr o'i flaen. ¹⁵Dywedodd Joseff wrthynt, "Beth yw hyn yr ydych wedi ei wneud? Oni wyddech fod dyn fel fi yn gallu dewino?" ¹⁶Atebodd Jwda, "Beth a ddywedwn wrth fy arglwydd? Beth a lefarwn? Sut y gallwn brofi ein diniweidrwydd? Y mae Duw wedi dangos anwiredd dy weision. Dyma ni, a'r un yr oedd y cwpan ganddo, yn gaethion i'n harglwydd." ¹⁷Ond dywedodd Joseff, "Ni allaf wneud peth felly. Dim ond yr un yr oedd y cwpan ganddo a fydd yn gaethwas i mi. Cewch chwi fynd mewn heddwch at eich tad."

18 Yna nesaodd Jwda ato, a dweud, "O f'arglwydd, caniatâ i'th was lefaru yng nghlyw f'arglwydd, a phaid â digio wrth dy was; oherwydd yr wyt ti fel Pharo. ¹⁹Holodd f'arglwydd ei weision, 'A oes gennych dad, neu frawd?' ²⁰Ac atebasom ein harglwydd, 'Y mae gennym dad sy'n hen ŵr, a brawd bach, plentyn ei henaint. Bu farw ei frawd, ac ef yn unig sy'n aros o blant ei fam, ac y mae ei dad yn ei garu.' ²¹Yna dywedaist wrth dy weision, 'Dewch ag ef i lawr ataf imi gael ei weld.' ²²Dywedasom wrth f'arglwydd, 'Ni all y bachgen adael ei dad, oherwydd os gwna, bydd ei dad farw.' ²³Dywedaist tithau wrth dy weision, 'Os na ddaw eich brawd ieuengaf gyda chwi, ni chewch weld fy wyneb i eto.' ²⁴Aethom yn ôl at dy was ein tad, ac adrodd wrtho eiriau f'arglwydd. ²⁵A phan ddywedodd ein tad, 'Ewch yn ôl i brynu ychydig o fwyd i ni', ²⁶atebasom, 'Ni allwn fynd. Fe awn os daw ein brawd ieuengaf gyda ni, ond ni chawn weld wyneb y dyn os na fydd ef gyda ni.' ²⁷A dywedodd dy was ein tad wrthym, 'Gwyddoch i'm gwraig esgor ar ddau fab; ²⁸aeth un ymaith a dywedais, "Rhaid ei fod wedi ei larpio", ac ni welais

ef wedyn. ²⁹Os cymerwch hwn hefyd, ymaith a bod niwed yn digwydd iddo, yna fe wnewch i'm penwynni ddisgyn i'r bedd mewn tristwch.' ³⁰Ac yn awr os dof at dy was fy nhad heb y bachgen, ³¹bydd farw pan wêl na ddaeth y bachgen yn ôl, am fod einioes y ddau ynghlwm wrth ei gilydd; a bydd dy weision yn peri i benwynni dy was ein tad ddisgyn i'r bedd mewn tristwch. ³²Oherwydd aeth dy was yn feichiau am y bachgen i'm tad, gan ddweud, 'Os na ddychwelaf ef atat byddaf yn euog am byth yng ngolwg fy nhad.' ³³Yn awr felly, gad i'th was aros yn gaethwas i'm harglwydd yn lle'r bachgen; a gad iddo ef fynd gyda'i frodyr. ³⁴Oherwydd sut y gallaf fynd yn ôl at fy nhad heb y bachgen? Nid wyf am weld loes fy nhad."

Joseff yn ei Ddatgelu ei hun i'w Frodyr

45 Methodd Joseff ymatal yng ngŵydd ei weision, a gwaeddodd, "Gyrrwch bawb allan oddi wrthyf." Felly nid arhosodd neb gyda Joseff pan ddatgelodd i'w frodyr pwy ydoedd. ²Wylodd yn uchel, nes bod yr Eifftiaid a theulu Pharo yn ei glywed, ³a dywedodd wrth ei frodyr, "Joseff wyf fi. A yw fy nhad yn dal yn fyw?" Ond ni allai ei frodyr ei ateb, gan eu bod wedi eu cynhyrfu wrth ei weld. ⁴Yna meddai Joseff wrth ei frodyr, "Dewch yn nes ataf." Wedi iddynt nesáu, dywedodd, "Myfi yw eich brawd Joseff, a werthwyd gennych i'r Aifft. ⁵Yn awr, peidiwch â chyffroi na bod yn ddig wrthych eich hunain, am i chwi fy ngwerthu i'r lle hwn, oherwydd anfonodd Duw fi o'ch blaen er mwyn diogelu bywyd. ⁶Bu newyn drwy'r wlad y ddwy flynedd hyn; a bydd eto bum mlynedd heb aredig na medi. ⁷Anfonodd Duw fi o'ch blaen i sicrhau hil i chwi ar y ddaear, ac i gadw'n fyw o'ch plith nifer mawr o waredigion. ⁸Felly nid chwi ond Duw a'm hanfonodd yma, a'm gwneud fel tad i Pharo, ac yn arglwydd ar ei holl dylwyth a llywodraethwr dros holl wlad yr Aifft. ⁹Ewch ar frys at fy nhad a dywedwch wrtho, 'Dyma y mae dy fab Joseff yn ei ddweud: "Y mae Duw wedi fy ngwneud yn arglwydd ar yr Aifft i gyd. Tyrd i lawr ataf, paid ag oedi dim. ¹⁰Cei fyw yn f'ymyl yng ngwlad Gosen gyda'th blant a'th wyrion, dy ddefaid a'th wartheg, a'th holl eiddo; ¹¹a chynhaliaf di

Aifft i'r llall. ²²Yr unig dir na phrynodd mohono oedd tir yr offeiriaid. Yr oedd gan yr offeiriaid gyfran wedi ei phennu gan Pharo, ac ar y gyfran a roddwyd iddynt gan Pharo yr oeddent yn byw; felly ni werthasant eu tir. ²³Yna dywedodd Joseff wrth y bobl, "Yr wyf heddiw wedi eich prynu chwi a'ch tir i Pharo. Dyma had ichwi; heuwch chwithau'r tir. ²⁴Pan ddaw'r cynhaeaf rhowch y bumed ran i Pharo. Cewch gadw pedair rhan o'r cnwd yn had i'r meysydd ac yn fwyd i chwi, eich teuluoedd a'ch rhai bach." ²⁵Meddent hwythau, "Yr wyt wedi arbed ein bywyd. Os yw'n dderbyniol gan ein harglwydd, byddwn yn gaethion i Pharo." ²⁶Felly gwnaeth Joseff hi'n ddeddf yng ngwlad yr Aifft, deddf sy'n sefyll hyd heddiw, fod y bumed ran yn eiddo i Pharo. Tir yr offeiriaid oedd yr unig dir na ddaeth yn eiddo i Pharo.

Dymuniad Olaf Jacob

27 Arhosodd yr Israeliaid yn yr Aifft, yng ngwlad Gosen. Cawsant feddiannau ynddi, a bu iddynt gynyddu ac amlhau yn ddirfawr. ²⁸Bu Jacob fyw ddwy flynedd ar bymtheg yng ngwlad yr Aifft. Felly yr oedd oed llawn Jacob yn gant pedwar deg a saith.

29 Pan nesaodd diwrnod marw Jacob, galwodd ei fab Joseff, ac meddai wrtho, "Os cefais unrhyw ffafr yn dy olwg, rho dy law dan fy nghlun a thynga y byddi'n deyrngar a ffyddlon imi. Paid â'm claddu yn yr Aifft, ³⁰ond pan orweddaf gyda'm tadau, cluda fi o'r Aifft a'm claddu yn eu beddrod hwy." Atebodd Joseff, "Mi wnaf fel yr wyt yn dymuno." ³¹Ychwanegodd Jacob, "Dos ar dy lw wrthyf." Aeth yntau ar ei lw. Yna ymgrymodd Israel a'i bwys ar ei ffonᵖʰ.

Jacob yn Bendithio Effraim a Manasse

48 Ar ôl hyn dywedwyd wrth Joseff, "Y mae dy dad yn wael." Felly cymerodd gydag ef ei ddau fab, Manasse ac Effraim, ²a phan ddywedwyd wrth Jacob, "Y mae dy fab Joseff wedi dod atat", cafodd Israel nerth i godi ar ei eistedd yn y gwely. ³Yna dywedodd Jacob wrth Joseff, "Ymddangosodd Duw Hollalluog i mi yn Lus, yng ngwlad Canaan, a'm bendithio ⁴a dweud wrthyf, 'Fe'th wnaf di'n ffrwythlon a lluosog, yn

ᵖʰFelly Fersiynau. Hebraeg, *ar ben y gwely.*

gynulliad o bobloedd, a rhof y wlad hon yn feddiant am byth i'th ddisgynyddion ar dy ôl.' ⁵Ac yn awr, fi piau dy ddau fab, a anwyd i ti yng ngwlad yr Aifft cyn i mi ddod atat i'r Aifft. Fi piau Effraim a Manasse; byddant fel Reuben a Simeon i mi. ⁶Ti fydd piau'r plant a genhedli ar eu hôl, ond dan enw eu brodyr y byddant yn etifeddu. ⁷Oherwydd fel yr oeddwn yn dod o Padan, bu Rachel farw ar y daith yng ngwlad Canaan pan oedd eto dipyn o ffordd i Effrath, a chleddais hi yno ar y ffordd i Effrath, hynny yw Bethlehem."

8 Pan welodd Israel feibion Joseff, gofynnodd, "Pwy yw'r rhain?" ⁹Ac atebodd Joseff ei dad, "Dyma fy meibion a roddodd Duw imi yma." Dywedodd yntau, "Tyrd â hwy ataf i mi eu bendithio." ¹⁰Yr oedd llygaid Israel wedi pylu gan henaint, ac ni allai weld. Felly aeth Joseff â hwy yn nes at ei dad, a chusanodd yntau hwy a'u cofleidio. ¹¹A dywedodd Israel wrth Joseff, "Ni feddyliais y cawn weld dy wyneb byth eto, a dyma Dduw wedi peri imi weld dy blant hefyd." ¹²Derbyniodd Joseff hwy oddi ar lin Jacob, ac ymgrymodd i'r llawr. ¹³Yna cymerodd Joseff y ddau ohonynt, Effraim yn ei law dde i fod ar law chwith Israel, a Manasse yn ei law chwith i fod ar law dde Israel, a daeth â hwy ato. ¹⁴Estynnodd Israel ei law dde a'i gosod ar ben Effraim, yr ieuengaf, a'i law chwith ar ben Manasse, trwy groesi ei ddwylo, er mai Manasse oedd yr hynaf. ¹⁵Yna bendithiodd Joseff a dweud:

"Y Duw y rhodiodd fy nhadau
   Abraham ac Isaac o'i flaen,
y Duw a fu'n fugail imi trwy fy mywyd
   hyd heddiw,
¹⁶yr angel a'm gwaredodd rhag pob
   drwg,
bydded iddo ef fendithio'r llanciau
   hyn.
Bydded arnynt fy enw i ac enw fy
   nhadau, Abraham ac Isaac,
a boed iddynt gynyddu yn niferus ar y
   ddaear."

¹⁷Gwelodd Joseff fod ei dad wedi gosod ei law dde ar ben Effraim, ac nid oedd yn hoffi hynny. Gafaelodd yn llaw ei dad i'w symud oddi ar ben Effraim a'i gosod ar ben Manasse, ¹⁸ac meddai Joseff wrth ei dad, "Nid fel yna, fy nhad; hwn yw'r cyntafanedig, gosod dy law dde ar ei ben ef." ¹⁹Ond gwrthododd ei dad gan

ddweud, "Mi wn i, fy mab, mi wn i. Bydd yntau hefyd yn bobl, a bydd yn fawr; ond bydd ei frawd ieuengaf yn fwy nag ef, a bydd ei ddisgynyddion yn lliaws o genhedloedd." ²⁰Felly bendithiodd hwy y dydd hwnnw a dweud:
"Ynoch chwiʳ bydd Israel yn bendithio ac yn dweud,
'Gwnaed Duw di fel Effraim a Manasse.'"
Felly gosododd Effraim o flaen Manasse.
²¹Yna dywedodd Israel wrth Joseff, "Yr wyf yn marw, ond bydd Duw gyda chwi, ac fe'ch dychwel i dir eich tadau. ²²A rhoddaf i ti yn hytrach nag i'th frodyr gefnen o dirᵗʰ a gymerais oddi ar yr Amoriaid â'm cleddyf ac â'm bwa."

Bendith Jacob

49 Yna galwodd Jacob ar ei feibion, ac meddai, "Dewch ynghyd, imi ddweud wrthych beth fydd eich hynt yn y dyddiau sydd i ddod.

²"Dewch yma a gwrandewch, feibion Jacob,
gwrandewch ar Israel eich tad.

³"Reuben, ti yw fy nghyntafanedig,
fy ngrym a blaenffrwyth fy nerth,
yn rhagori mewn balchder, yn rhagori mewn gallu,
⁴yn aflonydd fel dŵr; ni ragori mwyach,
oherwydd dringaist i wely dy dad,
dringaistˢ i'm gorweddfa a'i halogi.

⁵"Y mae Simeon a Lefi yn frodyr;
arfau creulon yw eu ceibiau.
⁶Na fydded imi fynd i'w cyngor,
na pherthyn i'w cwmni;
oherwydd yn eu llid lladdasant wŷr,
a thorri llinynnau gar yr ychen fel y mynnent.
⁷Melltigedig fyddo eu llid am ei fod mor arw,
a'u dicter am ei fod mor greulon;
rhannaf hwy yn Jacob
a'u gwasgaru yn Israel.

⁸"Jwda, fe'th ganmolir gan dy frodyr;
bydd dy law ar war dy elynion,
a meibion dy dad yn ymgrymu iti.
⁹Jwda, cenau llew ydwyt,
yn codi oddi ar yr ysglyfaeth, fy mab;

yn plygu a chrymu fel llew,
ac fel llewes; pwy a'i cyfyd?
¹⁰Ni fydd y deyrnwialen yn ymadael â Jwda,
na ffon y deddfwr oddi rhwng ei draed,
hyd oni ddaw i Seilo;
iddo ef y bydd ufudd-dod y bobloedd.
¹¹Bydd yn rhwymo'i ebol wrth y winwydden,
a'r llwdn asyn wrth y winwydden bêr;
bydd yn golchi ei wisg mewn gwin,
a'i ddillad yng ngwaed grawnwin.
¹²Bydd ei lygaid yn dywyllach na gwin,
a'i ddannedd yn wynnach na llaeth.

¹³"Bydd Sabulon yn byw ar lan y môr;
bydd yn borthladd llongau,
a bydd ei derfyn hyd Sidon.

¹⁴"Y mae Issachar yn asyn cryf,
yn gorweddian rhwng y corlannau;
¹⁵pan fydd yn gweld mai da yw gorffwyso,
ac mor hyfryd yw'r tir,
fe blyga'i ysgwydd i'r baich,
a dod yn gaethwas dan orfod.

¹⁶"Bydd Dan yn barnu ei bobl
fel un o lwythau Israel.
¹⁷Bydd Dan yn sarff ar y ffordd,
ac yn neidr ar y llwybr,
yn brathu sodlau'r march
nes i'r marchog syrthio yn wysg ei gefn.

¹⁸"Disgwyliaf am dy iachawdwriaeth, O ARGLWYDD!

¹⁹"Gad, daw ysbeilwyr i'w ymlid,
ond bydd ef yn eu hymlid hwy.

²⁰"Aser, bras fydd ei fwyd,
ac fe rydd ddanteithion gweddus i frenin.

²¹"Y mae Nafftali yn dderwen¹ ganghennog,
yn lledu brigauᵗʰ teg.

²²"Y mae Joseff yn gangen ffrwythlon,
cangen ffrwythlon wrth ffynnon,
a'i cheinciau'n dringo dros y mur.
²³Bu'r saethwyr yn chwerw tuag ato,

ʳFelly Fersiynau. Hebraeg, *Ynot ti.*   ᵗʰHebraeg, *Sichem.*
ˢFelly Fersiynau. Hebraeg, *dringodd.*   ᵗCymh. Groeg. Hebraeg, *ewig.*
ᵗʰCymh. Groeg. Hebraeg, *geiriau.*

yn ei saethu yn llawn gelyniaeth;
²⁴ ond parhaodd ei fwa yn gadarn,
cryfhawyd ei freichiau
trwy ddwylo Un Cadarn Jacob,
trwy enw'r Bugail, Craig Israel;
²⁵ trwy Dduw dy dad, sydd yn dy nerthu,
trwy Dduw Hollalluog, sydd yn dy
fendithio
â bendithion y nefoedd uchod,
bendithion y dyfnder sy'n gorwedd
isod,
bendithion y bronnau a'r groth.
²⁶ Rhagorodd bendithion dy dad
ar fendithion y mynyddoedd
tragwyddol ᵘ,
ac ar haelioni'r bryniau oesol;
byddant hwy ar ben Joseff,
ac ar dalcen yr un a neilltuwyd ymysg
ei frodyr.

²⁷ "Y mae Benjamin yn flaidd yn llarpio,
yn bwyta ysglyfaeth yn y bore,
ac yn cipio'r ysbail yn yr hwyr."

28 Dyna ddeuddeg llwyth Israel, a
dyna'r hyn a ddywedodd eu tad wrthynt
wrth eu bendithio, a rhoi i bob un ei
fendith.

Marw Jacob a'i Gladdu

29 Yna rhoes Jacob orchymyn iddynt a
dweud, "Cesglir fi at fy mhobl. Claddwch
fi gyda'm tadau yn yr ogof sydd ym maes
Effron yr Hethiad, ³⁰ yr ogof sydd ym
maes Machpela, i'r dwyrain o Mamre,
yng ngwlad Canaan. Prynodd Abraham hi
gyda'r maes gan Effron yr Hethiad i gael
hawl bedd. ³¹ Yno y claddwyd Abraham
a'i wraig Sara; yno y claddwyd Isaac a'i
wraig Rebeca, ac yno y cleddais i Lea.
³² Cafwyd hawl ar y maes a'r ogof sydd
ynddo gan yr Hethiaid." ³³ Wedi i Jacob
orffen rhoi ei orchymyn i'w feibion,
tynnodd ei draed ato i'r gwely, bu farw, a
chasglwyd ef at ei bobl.

50 Yna fe'i taflodd Joseff ei hun ar
gorff ei dad, ac wylo a'i gusanu.
² Gorchmynnodd Joseff i'w weision, y
meddygon, eneinio ei dad. Bu'r medd-
ygon yn eneinio Israel ³ dros ddeugain
diwrnod, sef yr amser angenrheidiol i
eneinio, a galarodd yr Eifftiaid amdano
am saith deg diwrnod.
4 Pan ddaeth y dyddiau i alaru amdano
i ben, dywedodd Joseff wrth deulu Pharo,

"Os cefais unrhyw ffafr yn eich golwg,
siaradwch drosof wrth Pharo, a dywed-
wch, ⁵ 'Gwnaeth fy nhad i mi gymryd llw.
Dywedodd, "Yr wyf yn marw, ac yr wyf
i'm claddu yn y bedd a dorrais i mi fy hun
yng ngwlad Canaan." Yn awr gad i mi
fynd i fyny i gladdu fy nhad; yna fe ddof
yn ôl.'" ⁶ Atebodd Pharo, "Dos i fyny i
gladdu dy dad, fel y gwnaeth iti dyngu."
⁷ Felly aeth Joseff i fyny i gladdu ei dad, a
chydag ef aeth holl weision Pharo, hen-
uriaid ei dŷ, a holl henuriaid gwlad yr
Aifft, ⁸ holl dŷ Joseff, a'i frodyr, a thŷ ei
dad. Dim ond y rhai bychain, a'r defaid
a'r gwartheg, a adawsant yng ngwlad
Gosen. ⁹ Aeth i fyny gydag ef gerbydau a
marchogion, llu mawr ohonynt. ¹⁰ Wedi
iddynt gyrraedd llawr dyrnu Atad, sydd y
tu draw i'r Iorddonen, gwnaethant yno
alarnad uchel a chwerw iawn. Galarn-
adodd Joseff am ei dad am saith diwrnod.
¹¹ Pan welodd y Canaaneaid, preswylwyr
y wlad, y galar ar lawr dyrnu Atad,
dywedasant, "Dyma alar mawr gan yr
Eifftiaid." Felly enwyd y lle y tu draw
i'r Iorddonen yn Abel-Misraim ʷ. ¹² A
gwnaeth ei feibion i Jacob fel yr oedd
wedi gorchymyn iddynt; ¹³ oherwydd
daeth ei feibion ag ef i wlad Canaan a'i
gladdu ym maes Machpela, i'r dwyrain o
Mamre, yn yr ogof a brynodd Abraham
gyda'r maes gan Effron yr Hethiad i gael
hawl bedd. ¹⁴ Ac wedi iddo gladdu ei dad,
dychwelodd Joseff i'r Aifft gyda'i frodyr
a phawb oedd wedi mynd i fyny gydag ef i
gladdu ei dad.

Joseff yn Tawelu Ofnau ei Frodyr

15 Wedi marw eu tad, daeth ofn ar
frodyr Joseff, a dywedasant, "Efallai y
bydd Joseff yn ein casáu ni, ac yn talu'n
ôl yr holl ddrwg a wnaethom iddo." ¹⁶ A
daethant at ʸ Joseff, a dweud, "Rhoddodd
dy dad orchymyn fel hyn cyn marw,
¹⁷ 'Dywedwch wrth Joseff, "Maddau yn
awr gamwedd a phechod dy frodyr,
oherwydd gwnaethant ddrwg i ti." ' Yn
awr, maddau gamwedd gweision Duw dy
dad." Wylodd Joseff wrth iddynt siarad
ag ef. ¹⁸ Yna daeth ei frodyr a syrthio o'i
flaen, a dweud, "Yr ydym yn weision i
ti." ¹⁹ Ond dywedodd Joseff wrthynt,
"Peidiwch ag ofni. A wyf fi yn lle Duw?
²⁰ Yr oeddech chwi yn bwriadu drwg yn

ᵘ Felly Groeg. Hebraeg, *ar fendithion fy rhieni hyd.*
ʸ Felly Groeg. Hebraeg, *A gorchmynasant.*
ʷ H.y., *Galar yr Aifft.*

f'erbyn; ond trodd Duw y bwriad yn ddaioni, er mwyn gwneud yr hyn a welir heddiw, cadw'n fyw llawer o bobl. [21]Felly peidiwch ag ofni; fe'ch cynhaliaf chwi a'ch rhai bach." A chysurodd hwy, a siarad yn dyner wrthynt.

Marw Joseff

22 Arhosodd Joseff a theulu ei dad yn yr Aifft. Bu Joseff fyw am gant a deg o flynyddoedd, [23]a gwelodd blant Effraim hyd y drydedd genhedlaeth. Ar liniau Joseff hefyd y maethwyd plant Machir fab Manasse. [24]Yna dywedodd Joseff wrth ei frodyr, "Yr wyf yn marw; ond y mae Duw yn sicr o ymweld â chwi a'ch dwyn i fyny o'r wlad hon i'r wlad a addawodd trwy lw i Abraham, Isaac a Jacob." [25]A gwnaeth Joseff i feibion Israel dyngu llw. Dywedodd, "Y mae Duw yn sicr o ymweld â chwi; ewch chwithau â'm hesgyrn i fyny oddi yma." [26]Bu Joseff farw yn gant a deg oed, ac wedi iddynt ei eneinio, rhoesant ef mewn arch yn yr Aifft.

LLYFR

EXODUS

Gormesu'r Israeliaid yn yr Aifft

1 Dyma enwau meibion Israel a aeth i'r Aifft gyda Jacob, pob un gyda'i deulu: [2]Reuben, Simeon, Lefi a Jwda, [3]Issachar, Sabulon a Benjamin, [4]Dan a Nafftali, Gad ac Aser. [5]Yr oedd gan Jacob ddeg a thrigain o ddisgynyddion; yr oedd Joseff eisoes yn yr Aifft. [6]Yna bu farw Joseff a phob un o'i frodyr a'r holl genhedlaeth honno. [7]Ond yr oedd plant Israel yn ffrwythlon ac yn amlhau'n ddirfawr, ac aethant mor gryf a niferus nes bod y wlad yn llawn ohonynt.

8 Yna daeth brenin newydd i deyrnasu ar yr Aifft, un nad oedd yn gwybod am Joseff. [9]Dywedodd ef wrth ei bobl, "Edrychwch, y mae pobl Israel yn fwy niferus ac yn gryfach na ni. [10]Rhaid inni fod yn ddoeth wrth eu trin, rhag iddynt gynyddu, a phe deuai rhyfel, iddynt ymuno â'n gelynion i ymladd yn ein herbyn, a dianc o'r wlad." [11]Felly, gosodwyd meistri gwaith i oruchwylio'r bobl ac i'w llethu â beichiau trymion. Hwy fu'n adeiladu Pithom a Rameses, dinasoedd ar gyfer ystordai Pharo. [12]Ond po fwyaf y caent eu gorthrymu, mwyaf yn y byd yr oeddent yn amlhau ac yn cynyddu; a daeth yr Eifftiaid i'w hofni. [13]Am hynny, gorfodwyd i'r Israeliaid weithio dan ormes, [14]a gwnaeth yr Eifftiaid eu bywyd yn chwerw trwy eu gosod i lafurio'n galed â chlai a phriddfeini, a gwneud pob math o waith yn y meysydd. Yr oedd y cwbl yn cael ei wneud dan ormes.

15 Yna dywedodd brenin yr Aifft wrth Siffra a Pua, dwy fydwraig yr Hebreaid, [16]"Pan fyddwch yn gweini ar wragedd yr Hebreaid, sylwch ar y plentyn a enir: os mab fydd, lladdwch ef; os merch, gadewch iddi fyw." [17]Ond yr oedd y bydwragedd yn parchu Duw; ac ni wnaethant yr hyn a orchmynnodd brenin yr Aifft, ond gadawsant i'r bechgyn fyw. [18]Galwodd brenin yr Aifft y bydwragedd ato a gofyn, "Pam y gwnaethoch hyn, a gadael i'r bechgyn fyw?" [19]Dywedasant hwythau wrth Pharo, "Nid yw gwragedd yr Hebreaid yn debyg i wragedd yr Eifftiaid, oherwydd y maent hwy yn fywiog ac yn esgor cyn i'r fydwraig gyrraedd." [20]Am hynny bu Duw yn dda wrth y bydwragedd; a chynyddodd y bobl a dod yn rymus iawn. [21]Am fod y bydwragedd yn parchu Duw, cawsant hwy eu hunain deuluoedd. [22]Yna rhoddodd Pharo orchymyn i'r holl bobl a dweud, "Taflwch

i'r afon bob mab a enir i'r Hebreaid [a], ond gadewch i bob merch gael byw."

Genedigaeth Moses

2 Priododd gŵr o dylwyth Lefi ag un o ferched Lefi. [2] Beichiogodd hithau ac esgor ar fab, a phan welodd ei fod yn dlws, fe'i cuddiodd am dri mis. [3] Ond gan na allai ei guddio'n hwy, cymerodd gawell wedi ei wneud o lafrwyn a'i ddwbio â chlai a phyg; rhoddodd y plentyn ynddo a'i osod ymysg yr hesg ar lan Afon Neil. [4] Yr oedd chwaer y plentyn yn sefyll nepell oddi wrtho er mwyn cael gwybod beth a ddigwyddai iddo. [5] Daeth merch Pharo i ymdrochi yn Afon Neil tra oedd ei morynion yn cerdded ar y lan, a phan welodd y cawell yng nghanol yr hesg, anfonodd un ohonynt i'w nôl. [6] Wedi iddi ei agor, fe welodd y plentyn, ac yr oedd y bachgen yn wylo. Tosturiodd hithau wrtho a dweud, "Un o blant yr Hebreaid yw hwn." [7] Yna gofynnodd chwaer y plentyn i ferch Pharo, "A gaf fi fynd i chwilio am famaeth o blith gwragedd yr Hebreaid, iddi fagu'r plentyn iti?" [8] Atebodd merch Pharo, "Dos." Felly aeth y ferch ymaith a galw mam y plentyn. [9] Dywedodd merch Pharo wrth honno, "Cymer y plentyn hwn a'i fagu imi, ac fe roddaf finnau dâl iti." [10] Felly cymerodd y wraig y plentyn a'i fagu. Wedi i'r plentyn dyfu i fyny, aeth ag ef yn ôl at ferch Pharo. Mabwysiadodd hithau ef a'i enwi'n Moses [b], oherwydd iddi ddweud, "Tynnais ef allan [c] o'r dŵr."

Moses yn Ffoi i Midian

11 Un diwrnod, wedi i Moses dyfu i fyny, aeth allan at ei bobl ac edrych ar eu beichiau. Gwelodd Eifftiwr yn taro Hebrewr, un o'i frodyr, [12] ac wedi edrych o'i amgylch a gweld nad oedd neb yno, lladdodd Moses yr Eifftiwr a'i guddio yn y tywod. [13] Pan aeth allan drannoeth a gweld dau Hebrewr yn ymladd â'i gilydd, gofynnodd i'r un oedd ar fai, "Pam yr wyt yn taro dy gyfaill?" [14] Atebodd yntau, "Pwy a'th benododd di yn bennaeth ac yn farnwr arnom? A wyt am fy lladd i fel y lleddaist yr Eifftiwr?" Daeth ofn ar Moses o sylweddoli fod y peth yn hysbys.

15 Pan glywodd Pharo am hyn, ceisiodd ladd Moses, ond ffodd ef oddi wrtho

a mynd i fyw i wlad Midian; ac yno eisteddodd i lawr yn ymyl pydew. [16] Yr oedd gan offeiriad Midian saith o ferched, a daethant i godi dŵr er mwyn llenwi'r cafnau a dyfrhau defaid eu tad. [17] Daeth bugeiliaid heibio a'u gyrru oddi yno, ond cododd Moses ar ei draed a'u cynorthwyo i ddyfrhau eu praidd. [18] Pan ddaeth y merched at Reuel eu tad, gofynnodd, "Sut y daethoch yn ôl mor fuan heddiw?" [19] Dywedasant hwythau, "Eifftiwr a ddaeth i'n hamddiffyn rhag y bugeiliaid, a chodi dŵr i ddyfrhau'r praidd." [20] Yna gofynnodd yntau iddynt, "Ple mae'r dyn? Pam yr ydych wedi ei adael ar ôl? Galwch arno, iddo gael tamaid i'w fwyta." [21] Cytunodd Moses i aros gyda'r gŵr, a rhoddodd yntau ei ferch Seffora yn wraig iddo. [22] Esgorodd hithau ar fab, a galwodd Moses ef yn Gersom, oherwydd dywedodd, "Dieithryn [ch] ydwyf mewn gwlad ddieithr."

23 Yn ystod yr amser maith hwn, bu farw brenin yr Aifft. Ond yr oedd pobl Israel yn dal i riddfan oherwydd eu caethiwed, ac yn gweiddi am gymorth, a daeth eu gwaedd o achos eu caethiwed at Dduw. [24] Clywodd Duw eu cwynfan, a chofiodd ei gyfamod ag Abraham, Isaac a Jacob; [25] edrychodd ar bobl Israel ac ystyriodd eu cyflwr.

Duw yn Galw Moses

3 Yr oedd Moses yn bugeilio defaid ei dad-yng-nghyfraith Jethro, offeiriad Midian, ac wrth iddo arwain y praidd ar hyd cyrion yr anialwch, daeth i Horeb, mynydd Duw. [2] Yno ymddangosodd angel yr ARGLWYDD iddo mewn fflam dân o ganol perth. Edrychodd yntau a gweld y berth ar dân ond heb ei difa. [3] Dywedodd Moses, "Yr wyf am droi i edrych ar y weledigaeth olygfa ryfedd hon, pam nad yw'r berth wedi llosgi." [4] Pan welodd yr ARGLWYDD ei fod wedi troi i edrych, galwodd Duw arno o ganol y berth, "Moses, Moses." Atebodd yntau, "Dyma fi." [5] Yna dywedodd Duw, "Paid â dod ddim nes; tyn dy esgidiau oddi am dy draed, oherwydd y mae'r llecyn yr wyt yn sefyll arno yn dir sanctaidd." [6] Dywedodd hefyd, "Duw dy dadau [d] wyf fi, Duw Abraham, Duw Isaac a Duw Jacob." Cuddiodd Moses ei wyneb, oherwydd yr oedd arno ofn edrych ar Dduw.

---

[a] Felly rhai llawysgrifau. TM heb *i'r Hebreaid*.

[ch] Hebraeg, *ger*.　　　[d] Felly Groeg. Hebraeg, *dad*.

[b] Hebraeg, *Mosheh*.　　　[c] Hebraeg, *Mashah*.

7 Yna dywedodd yr ARGLWYDD, "Yr wyf wedi gweld adfyd fy mhobl yn yr Aifft a chlywed eu gwaedd o achos eu meistri gwaith, a gwn am eu doluriau. ⁸Yr wyf wedi dod i'w gwaredu o law'r Eifftiaid, a'u harwain o'r wlad honno i wlad ffrwythlon ac eang, gwlad yn llifeirio o laeth a mêl, cartref y Canaaneaid, Hethiaid, Amoriaid, Peresiaid, Hefiaid a Jebusiaid. ⁹Yn awr y mae gwaedd pobl Israel wedi dod ataf, ac yr wyf wedi gweld fel y bu'r Eifftiaid yn eu gorthrymu. ¹⁰Tyrd, yr wyf yn dy anfon at Pharo er mwyn iti arwain fy mhobl, meibion Israel, allan o'r Aifft." ¹¹Ond gofynnodd Moses i Dduw, "Pwy wyf fi i fynd at Pharo ac arwain meibion Israel allan o'r Aifft?" ¹²Dywedodd yntau, "Byddaf fi gyda thi; a dyma fydd yr arwydd mai myfi sydd wedi dy anfon: wedi iti arwain y bobl allan o'r Aifft, byddwch yn addoli Duw ar y mynydd hwn."

13 Yna dywedodd Moses wrth Dduw, "Os af at feibion Israel a dweud wrthynt, 'Y mae Duw eich tadau wedi fy anfon atoch', beth a ddywedaf wrthynt os gofynnant am ei enw?" ¹⁴Dywedodd Duw wrth Moses, "Ydwyf yr hyn ydwyf, Dywed hyn wrth feibion Israel, 'Ydwyf sydd wedi fy anfon atoch.'" ¹⁵Dywedodd Duw eto wrth Moses, "Dywed hyn wrth feibion Israel, 'Yr ARGLWYDD ᵈᵈ, Duw eich tadau, Duw Abraham, Duw Isaac a Duw Jacob sydd wedi fy anfon atoch.' Dyma fydd fy enw am byth, ac fel hyn y cofir amdanaf gan bob cenhedlaeth. ¹⁶Dos, a chynnull ynghyd henuriaid Israel, a dywed wrthynt, 'Y mae'r ARGLWYDD, Duw eich tadau, Duw Abraham, Isaac a Jacob, wedi ymddangos i mi a dweud: Yr wyf wedi ymweld â chwi ac edrych ar yr hyn a wnaed i chwi yn yr Aifft, ¹⁷ac yr wyf wedi penderfynu eich arwain allan o adfyd yr Aifft i wlad y Canaaneaid, Hethiaid, Amoriaid, Peresiaid, Hefiaid a Jebusiaid, gwlad yn llifeirio o laeth a mêl.' ¹⁸Bydd henuriaid Israel yn gwrando arnat; dos dithau gyda hwy at frenin yr Aifft a dweud wrtho, 'Y mae'r ARGLWYDD, Duw'r Hebreaid, wedi ymweld â ni; yn awr gad inni fynd daith dridiau i'r anialwch er mwyn inni aberthu i'r ARGLWYDD ein Duw.' ¹⁹Ond yr wyf yn gwybod na fydd brenin yr Aifft yn caniatáu i chwi fynd oni orfodir ef â llaw

gadarn. ²⁰Felly, estynnaf fy llaw a tharo'r Eifftiaid â'r holl ryfeddodau a wnaf yn eu plith; wedi hynny, bydd yn eich gollwng yn rhydd. ²¹Gwnaf i'r Eifftiaid edrych yn ffafriol ar y bobl hyn, a phan fyddwch yn ymadael, nid ewch yn waglaw, ²²oherwydd bydd pob gwraig yn gofyn i'w chymdoges neu i unrhyw un yn ei thŷ am dlysau o arian ac o aur, a dillad. Gwisgwch hwy am eich meibion a'ch merched, ac ysbeiliwch yr Aifft."

Duw yn Rhoi Gallu i Moses

4 Yna atebodd Moses, "Ni fyddant yn fy nghredu nac yn gwrando arnaf, ond byddant yn dweud, 'Nid yw'r ARGLWYDD wedi ymddangos i ti.'" ²Dywedodd yr ARGLWYDD wrtho, "Beth sydd gennyt yn dy law?" Atebodd yntau, "Gwialen." ³Yna dywedodd yr ARGLWYDD, "Tafl hi ar lawr." Pan daflodd hi ar lawr, trodd yn sarff, a chiliodd Moses oddi wrthi. ⁴Ond dywedodd yr ARGLWYDD wrtho, "Estyn dy law a gafael yn ei chynffon." Estynnodd yntau ei law a gafael ynddi, a throdd yn wialen yn ei law. ⁵"Gwna hyn," meddai, "er mwyn iddynt gredu bod yr ARGLWYDD, Duw eu tadau, Duw Abraham, Duw Isaac a Duw Jacob wedi ymddangos iti." ⁶Yna dywedodd yr ARGLWYDD wrtho, "Rho dy law yn dy fynwes." Rhoes yntau ei law yn ei fynwes, a phan dynnodd hi allan, yr oedd ei law yn wahanglwyfus ac yn wyn fel y eira. ⁷Yna dywedodd Duw, "Rho hi'n ôl yn dy fynwes." Rhoes yntau ei law yn ôl yn ei fynwes, a phan dynnodd hi allan, yr oedd mor iach â gweddill ei gorff. ⁸"Os na fyddant yn dy gredu nac yn ymateb i'r arwydd cyntaf," meddai'r ARGLWYDD, "hwyrach y byddant yn ymateb i'r ail arwydd. ⁹Ond os na fyddant yn ymateb i'r naill arwydd na'r llall, nac yn gwrando arnat, cymer ddŵr o Afon Neil a'i dywallt ar y sychdir, a bydd y dŵr a gymeri o Afon Neil yn troi'n waed ar y tir sych."

10 Dywedodd Moses wrth yr ARGLWYDD, "O f'Arglwydd, ni fûm erioed yn ŵr huawdl, nac yn y gorffennol nac er pan ddechreuaist lefaru wrth dy was; y mae fy lleferydd yn araf a'm tafod yn drwm." ¹¹Yna dywedodd yr ARGLWYDD wrtho, "Pwy a roes enau i ddyn? Pwy a'i gwna'n fud neu'n fyddar? Pwy a rydd iddo olwg, neu ei wneud yn ddall?

ᵈᵈNeu, Yr hwn sydd.

Onid myfi, yr ARGLWYDD? ¹²Yn awr, dos, rhof help iti i lefaru, a'th ddysgu beth i'w ddweud." ¹³Ond dywedodd ef, "O f'Arglwydd, anfon pwy bynnag arall a fynni." ¹⁴Digiodd yr ARGLWYDD wrth Moses a dywedodd, "Onid Aaron y Lefiad yw dy frawd? Gwn y gall ef siarad yn huawdl; y mae ar ei ffordd i'th gyfarfod, a bydd yn falch o'th weld. ¹⁵Llefara di wrtho a gosod y geiriau yn ei enau, a rhof finnau help i'r ddau ohonoch i lefaru, a'ch dysgu beth i'w wneud. ¹⁶Bydd ef yn llefaru wrth y bobl ar dy ran; bydd ef fel genau iti, a byddi dithau fel Duw iddo yntau. ¹⁷Cymer y wialen hon yn dy law, oherwydd trwyddi hi y byddi'n gwneud yr arwyddion."

Moses yn Dychwelyd i'r Aifft

18 Dychwelodd Moses at Jethro ei dad-yng-nghyfraith a dweud wrtho, "Gad imi fynd yn ôl at fy mrodyr sydd yn yr Aifft i weld a ydynt yn dal yn fyw." Dywedodd Jethro wrtho, "Rhwydd hynt iti." ¹⁹Yr oedd yr ARGLWYDD wedi dweud wrth Moses yn Midian, "Dos yn ôl i'r Aifft, oherwydd y mae pawb oedd yn ceisio dy ladd bellach wedi marw." ²⁰Felly, cymerodd Moses ei wraig a'i feibion, a'u gosod ar asyn a mynd yn ôl i wlad yr Aifft, â gwialen Duw yn ei law. ²¹Dywedodd yr ARGLWYDD wrth Moses, "Wedi iti ddychwelyd i'r Aifft, rhaid iti wneud o flaen Pharo yr holl ryfeddodau a roddais yn dy allu; ond byddaf yn caledu ei galon ac ni fydd yn gollwng y bobl yn rhydd. ²²Llefara wrth Pharo, 'Dyma a ddywed yr ARGLWYDD: Israel yw fy mab cyntafanedig, ²³ac yr wyf yn dweud wrthyt am ollwng fy mab yn rhydd er mwyn iddo f'addoli; os gwrthodi ei ollwng yn rhydd, fe laddaf dy fab cyntafanedig di.'"

24 Mewn llety ar y ffordd, cyfarfu'r ARGLWYDD â Moses a cheisio'i ladd. ²⁵Ond cymerodd Seffora gyllell finiog a thorri blaengroen ei mab a'i fwrw i gyffwrdd â thraed Moses, a dweud, "Yr wyt yn briod imi trwy waed." ²⁶Yna gadawodd yr ARGLWYDD lonydd iddo. Dyna'r adeg y dywedodd hi, "Yr wyt yn briod trwy waed oherwydd yr enwaedu."

27 Dywedodd yr ARGLWYDD wrth Aaron, "Dos i'r anialwch i gyfarfod â Moses." Aeth yntau, a chyfarfod ag ef wrth fynydd Duw a'i gusanu. ²⁸Adroddodd Moses wrth Aaron y cyfan yr oedd yr ARGLWYDD wedi ei anfon i'w ddweud, a'r holl arwyddion yr oedd wedi gorchymyn iddo eu gwneud. ²⁹Yna aeth Moses ac Aaron i gynnull ynghyd holl henuriaid pobl Israel, ³⁰a dywedodd Aaron wrthynt y cyfan yr oedd yr ARGLWYDD wedi ei ddweud wrth Moses; a gwnaeth yr arwyddion yng ngŵydd y bobl. ³¹Credodd y bobl, a phan glywsant fod yr ARGLWYDD wedi ymweld â phobl Israel a'i fod wedi edrych ar eu hadfyd, bu iddynt ymgrymu i lawr ac addoli.

Moses ac Aaron gerbron Pharo

5 Yna aeth Moses ac Aaron at Pharo a dweud, "Fel hyn y dywed yr ARGLWYDD, Duw Israel: 'Gollwng fy mhobl yn rhydd er mwyn iddynt gadw gŵyl i mi yn yr anialwch.'" ²Dywedodd Pharo, "Pwy yw yr ARGLWYDD? Pam y dylwn i ufuddhau iddo a gollwng Israel yn rhydd? Nid wyf yn adnabod yr ARGLWYDD, ac felly nid wyf am ollwng Israel yn rhydd." ³Yna dywedasant, "Y mae Duw'r Hebreaid wedi cyfarfod â ni. Gad inni fynd daith dridiau i'r anialwch i aberthu i'r ARGLWYDD, ein Duw, rhag iddo ein taro â haint neu â chleddyf." ⁴Ond dywedodd brenin yr Aifft wrthynt, "Moses ac Aaron, pam yr ydych yn denu'r bobl oddi wrth eu gwaith? Ewch yn ôl at eich gorchwylion." ⁵Dywedodd Pharo hefyd, "Edrychwch, y maent erbyn hyn yn fwy niferus na thrigolion y wlad ᵉ, ac yr ydych chwi am atal eu gorchwylion!" ⁶Y diwrnod hwnnw, rhoddodd Pharo orchymyn i feistri gwaith y bobl a'u swyddogion, ⁷"Peidiwch â rhoi gwellt mwyach i'r bobl i wneud priddfeini; gadewch iddynt fynd a chasglu gwellt iddynt eu hunain. ⁸Ond gofalwch eu bod yn cynhyrchu'r un nifer o briddfeini â chynt, a pheidiwch â lleihau'r nifer iddynt. Y maent yn ddiog, a dyna pam y maent yn gweiddi am gael mynd i aberthu i'w Duw. ⁹Gwnewch y gwaith yn drymach i'r dynion er mwyn iddynt ddal ati i weithio, a pheidiwch â gwrando ar eu celwydd."

10 Aeth meistri gwaith a swyddogion y bobl allan a dweud wrthynt, "Fel hyn y dywed Pharo: ¹¹'Nid wyf am roi gwellt i chwi mwyach, ond rhaid i chwi eich hunain fynd i geisio gwellt ym mha le bynnag y gallwch ei gael; er hynny, ni

---
ᵉFelly Pumllyfr y Samariaid. TM, *y mae trigolion y wlad erbyn hyn yn niferus.*

fydd dim cwtogi ar eich cynnyrch.'"
¹²Felly, bu raid i'r bobl grwydro trwy holl wlad yr Aifft a chasglu sofl yn lle gwellt. ¹³Yr oedd y meistri gwaith yn pwyso arnynt gan ddweud, "Gorffennwch y gwaith ar gyfer pob dydd, yn union fel yr oeddech pan oedd gennych wellt." ¹⁴Cafodd y swyddogion a benodwyd gan feistri gwaith Pharo i oruchwylio meibion Israel eu curo a'u holi, "Pam na wnaethoch eich dogn o briddfeini heddiw fel cynt?"

15 Yna daeth swyddogion yr Israeliaid â'u cŵyn at Pharo, a dweud, "Pam yr wyt yn trin dy weision fel hyn? ¹⁶Nid oes dim gwellt yn cael ei roi i'th weision, ac eto maent yn dweud wrthym am wneud priddfeini! Y mae dy weision yn cael eu curo, ond ar dy bobl di y mae'r bai." ¹⁷Dywedodd yntau, "Am eich bod mor ddiog yr ydych yn dweud, 'Gad inni fynd i aberthu i'r ARGLWYDD.' ¹⁸Yn awr, ewch ymlaen â'ch gwaith; ac er na roddir gwellt i chwi mwyach, bydd raid i chwi gynhyrchu'r un nifer o briddfeini â chynt." ¹⁹Pan ddywedwyd nad oeddent i leihau'r nifer o briddfeini oedd i'w cynhyrchu mewn diwrnod, gwelodd swyddogion yr Israeliaid eu bod mewn helynt. ²⁰Wedi iddynt ymadael â Pharo, daeth Moses ac Aaron i'w cyfarfod, ²¹a dywedodd y swyddogion wrthynt, "Boed i'r ARGLWYDD edrych arnoch a'ch barnu, am ichwi ein gwneud yn ffiaidd yng ngolwg Pharo a'i weision, a rhoi cleddyf iddynt i'n lladd."

Moses yn Cwyno gerbron yr ARGLWYDD

22 Aeth Moses yn ôl at yr ARGLWYDD a dweud, "O ARGLWYDD, pam yr wyt wedi peri'r fath helynt i'r bobl hyn? A pham yr anfonaist fi? ²³Oherwydd er pan ddeuthum at Pharo a llefaru yn dy enw, y mae wedi gwneud drwg i'r bobl hyn, ac nid wyt ti wedi gwneud dim o gwbl i achub eu cam."

6 Yna dywedodd yr ARGLWYDD wrth Moses, "Cei weld yn awr beth a wnaf i Pharo; â llaw nerthol bydd yn gollwng y bobl yn rhydd, a'u gyrru ymaith o'i wlad."

Duw yn Galw Moses

2 Dywedodd Duw hefyd wrth Moses, "Myfi yw'r ARGLWYDD. ³Ymddangosais i Abraham, Isaac a Jacob fel Duw Hollalluog, ac nid oeddent yn fy adnabod wrth fy enw, ARGLWYDD. ⁴Hefyd, gwneuthum gyfamod â hwy i roi iddynt wlad Canaan, lle buont yn byw fel estroniaid; ⁵a phan glywais riddfan yr Israeliaid oedd dan orthrwm yr Eifftiaid, cofiais fy nghyfamod. ⁶Felly, dywed wrth yr Israeliaid, 'Myfi yw'r ARGLWYDD, ac fe'ch rhyddhaf o orthrwm yr Eifftiaid a'ch gwaredu o'ch caethiwed, a'ch achub â braich estynedig ac â gweithredoedd nerthol o farn. ⁷Fe'ch cymeraf yn bobl i mi, a byddaf finnau yn Dduw i chwi; a chewch wybod mai myfi yw'r ARGLWYDD eich Duw, a'ch rhyddhaodd o orthrwm yr Eifftiaid. ⁸Fe'ch dygaf i'r wlad yr addewais ei rhoi i Abraham, Isaac a Jacob, ac fe'i rhoddaf yn eiddo i chwi. Myfi yw'r ARGLWYDD.'" ⁹Mynegodd Moses hyn wrth bobl Israel, ond nid oeddent hwy'n barod i wrando arno oherwydd eu digalondid a'u caethiwed caled.

10 Yna dywedodd yr ARGLWYDD wrth Moses, ¹¹"Dos i ddweud wrth Pharo brenin yr Aifft am ryddhau'r Israeliaid o'i wlad." ¹²Ond dywedodd Moses wrth yr ARGLWYDD, "Nid yw pobl Israel wedi gwrando arnaf; sut, felly, y bydd Pharo yn gwrando arnaf, a minnau â nam ar fy lleferydd?" ¹³Llefarodd yr ARGLWYDD wrth Moses ac Aaron, a rhoi gorchymyn iddynt ynglŷn â phobl Israel a Pharo brenin yr Aifft, er mwyn rhyddhau'r Israeliaid o wlad yr Aifft.

Achau Moses ac Aaron

14 Y rhain oedd y pennau-teuluoedd yn nhylwythau eu tadau. Meibion Reuben, cyntafanedig Israel: Hanoch, Palu, Hesron a Charmi; dyna deuluoedd Reuben. ¹⁵Meibion Simeon: Jemwel, Jamin, Ohad, Jachin, Sohar a Saul, mab i wraig o Ganaan; dyna deuluoedd Simeon. ¹⁶Dyma enwau meibion Lefi yn ôl eu cenedlaethau: Gerson, Cohath a Merari; bu Lefi fyw am gant tri deg a saith o flynyddoedd. ¹⁷Meibion Gerson: Libni a Simi, yn ôl eu teuluoedd. ¹⁸Meibion Cohath: Amram, Ishar, Hebron ac Ussiel; bu Cohath fyw am gant tri deg a thair o flynyddoedd. ¹⁹Meibion Merari: Mahali a Musi; dyna deuluoedd Lefi yn ôl eu cenedlaethau. ²⁰Priododd Amram â Jochebed, chwaer ei dad, ac esgorodd hi ar Aaron a Moses; bu Amram fyw am gant tri deg a saith o flynyddoedd. ²¹Meibion Ishar: Cora, Neffeg a Sicri.

²²Meibion Ussiel: Misael, Elsaffan a Sithri. ²³Priododd Aaron ag Eliseba, merch i Aminadab a chwaer i Nahason; esgorodd hi ar Nadab, Abihu, Eleasar ac Ithamar. ²⁴Meibion Cora: Assir, Elcana, ac Abiasaff; dyna deuluoedd y Corahiaid. ²⁵Priododd Eleasar, mab Aaron, ag un o ferched Putiel, ac esgorodd hi ar Phineas. Y rhain oedd y pennau-teuluoedd yn nhylwyth y Lefiaid, yn ôl eu teuluoedd.

26 Dyma'r Aaron a'r Moses y dywedodd yr ARGLWYDD wrthynt, "Dygwch yr Israeliaid allan o wlad yr Aifft, yn ôl eu lluoedd." ²⁷Dyma hefyd y Moses a'r Aaron a ddywedodd wrth Pharo brenin yr Aifft am ryddhau'r Israeliaid o'r Aifft.

Gorchymyn yr ARGLWYDD i Moses ac Aaron

28 Pan lefarodd yr ARGLWYDD wrth Moses yng ngwlad yr Aifft, ²⁹dywedodd wrtho, "Myfi yw'r ARGLWYDD; dywed wrth Pharo brenin yr Aifft y cyfan yr wyf yn ei ddweud wrthyt." ³⁰Ond dywedodd Moses wrth yr ARGLWYDD, "Y mae nam ar fy lleferydd; sut, felly, y bydd Pharo yn gwrando arnaf?"

7 Dywedodd yr ARGLWYDD wrth Moses, "Edrych, yr wyf yn dy wneud fel Duw i Pharo, a bydd Aaron dy frawd yn broffwyd iti. ²Yr wyt i fynegi'r cyfan yr wyf yn ei orchymyn i ti, a bydd Aaron dy frawd yn dweud wrth Pharo am ryddhau'r Israeliaid o'i wlad. ³Byddaf finnau'n caledu calon Pharo; ac er imi amlhau fy arwyddion a'm rhyfeddodau yng ngwlad yr Aifft, ⁴ni fydd ef yn gwrando arnoch. Yna byddaf yn gosod fy llaw ar yr Aifft ac yn rhyddhau fy mhobl Israel yn lluoedd o wlad yr Aifft, trwy weithredoedd nerthol o farn. ⁵Bydd yr Eifftiaid yn gwybod mai myfi yw'r ARGLWYDD pan estynnaf fy llaw yn erbyn yr Aifft a rhyddhau'r Israeliaid o'u plith." ⁶Gwnaeth Moses ac Aaron yn union fel yr oedd yr ARGLWYDD wedi gorchymyn iddynt. ⁷Pan lefarodd Moses ac Aaron wrth Pharo, yr oedd Moses yn bedwar ugain oed ac Aaron yn dair a phedwar ugain.

Gwialen Aaron

8 Dywedodd yr ARGLWYDD wrth Moses ac Aaron, ⁹"Os bydd Pharo'n dweud wrthych am wneud rhyfeddod, yr wyt ti, Moses, i ddweud wrth Aaron, 'Cymer dy wialen a'i thaflu ar lawr o flaen Pharo, ac fe dry'n sarff.'" ¹⁰Felly, aeth Moses ac Aaron at Pharo a gwneud fel yr oedd yr ARGLWYDD wedi gorchymyn iddynt. ¹¹Taflodd Aaron ei wialen o flaen Pharo a'i weision, ac fe drodd yn sarff. Yna anfonodd Pharo am y gwŷr doeth a'r dewiniaid, ac yr oeddent hwythau, swynwyr yr Aifft, hefyd yn medru gwneud hyn trwy eu gallu cyfrin. ¹²Taflodd pob un ei wialen, a throdd pob gwialen yn sarff; ond llyncodd gwialen Aaron eu gwiail hwy. ¹³Er hynny, caledodd calon Pharo ac ni wrandawodd arnynt, fel yr oedd yr ARGLWYDD wedi dweud.

Plâu'r Aifft: Gwaed

14 Yna dywedodd yr ARGLWYDD wrth Moses, "Y mae calon Pharo wedi caledu, ac y mae'n gwrthod rhyddhau'r bobl. ¹⁵Dos at Pharo yn y bore, wrth iddo fynd tua'r afon; aros amdano ar lan Afon Neil, a chymer yn dy law y wialen a drodd yn sarff. ¹⁶Dywed wrtho, 'Y mae'r ARGLWYDD, Duw'r Hebreaid, wedi fy anfon atat i ddweud, "Gollwng fy mhobl yn rhydd, er mwyn iddynt fy addoli yn yr anialwch"; ond hyd yn hyn nid wyt wedi ufuddhau iddo.' ¹⁷Fel hyn y dywed yr ARGLWYDD: Dyma sut y cei wybod mai myfi yw'r ARGLWYDD: â'r wialen sydd yn fy llaw byddaf yn taro dŵr Afon Neil, ac fe dry'n waed. ¹⁸Bydd y pysgod ynddi yn marw, a'r afon yn drewi, a bydd yn ffiaidd i'r Eifftiaid yfed dŵr ohoni." ¹⁹Dywedodd yr ARGLWYDD wrth Moses, "Dywed wrth Aaron, 'Cymer dy wialen ac estyn dy law dros ddyfroedd yr Aifft, dros ei ffrydiau a'i hafonydd, dros ei llynnoedd a'i chronfeydd dŵr, er mwyn iddynt droi'n waed.' Bydd gwaed trwy holl wlad yr Aifft, hyd yn oed yn y cawgiau o bren a charreg."

20 Gwnaeth Moses ac Aaron fel yr oedd yr ARGLWYDD wedi gorchymyn iddynt. Yng ngŵydd Pharo a'i weision, cododd Aaron y wialen a tharo dŵr Afon Neil, ac fe droes yr holl ddŵr oedd ynddi yn waed. ²¹Bu farw'r pysgod oedd ynddi, ac yr oedd yr afon yn drewi cymaint fel na allai'r Eifftiaid yfed dŵr ohoni; ac yr oedd gwaed trwy holl wlad yr Aifft. ²²Ond yr oedd swynwyr yr Aifft hefyd yn medru gwneud hyn trwy eu gallu cyfrin; felly caledodd calon Pharo, ac ni fynnai

wrando ar Moses ac Aaron, fel yr oedd yr ARGLWYDD wedi dweud. ²³Troes Pharo a mynd i mewn i'w dŷ, heb ystyried y peth ymhellach. ²⁴Am nad oeddent yn medru yfed y dŵr o Afon Neil, bu'r holl Eifftiaid yn cloddio gerllaw'r afon am ddŵr i'w yfed. ²⁵Parhaodd hyn am saith diwrnod wedi i'r ARGLWYDD daro Afon Neil.

Llyffaint

8ᶠ Yna dywedodd yr ARGLWYDD wrth Moses: "Dos at Pharo a dywed wrtho, 'Fel hyn y dywed yr ARGLWYDD: Gollwng fy mhobl yn rhydd er mwyn iddynt fy addoli; ²os gwrthodi eu rhyddhau, byddaf yn taro dy holl dir â phla o lyffaint. ³Bydd Afon Neil yn heigio o lyffaint, a byddant yn dringo i fyny i'th dŷ ac i'th ystafell wely; byddant yn dringo ar dy wely ac i gartrefi dy weision a'th bobl, i'th boptai ac i'th gafnau tylino. ⁴Bydd y llyffaint yn dringo drosot ti a thros dy bobl a'th weision i gyd.'"

5 Yna dywedodd yr ARGLWYDD wrth Moses, "Dywed wrth Aaron, 'Estyn dy law a'th wialen dros y ffrydiau, yr afonydd a'r llynnoedd, a gwna i lyffaint ddringo i fyny dros dir yr Aifft.'" ⁶Felly estynnodd Aaron ei law dros ddyfroedd yr Aifft, a dringodd y llyffaint i fyny nes gorchuddio'r tir. ⁷Ond trwy eu gallu cyfrin yr oedd y swynwyr hefyd yn medru gwneud i lyffaint ddringo i fyny dros dir yr Aifft.

8 Yna galwodd Pharo am Moses ac Aaron, a dweud, "Gweddïwch ar i'r ARGLWYDD gymryd y llyffaint ymaith oddi wrthyf fi a'm pobl, ac fe ryddhaf finnau eich pobl er mwyn iddynt aberthu i'r ARGLWYDD." ⁹Dywedodd Moses wrth Pharo, "Gad imi wybod pryd yr wyf i weddïo drosot ti a'th weision a'th bobl er mwyn symud y llyffaint oddi wrthyt ti ac o'th dai, a'u gadael yn Afon Neil yn unig." Meddai yntau, "Yfory". ¹⁰Dywedodd Moses, "Fel y mynni di; cei wybod wedyn nad oes neb fel yr ARGLWYDD ein Duw ni. ¹¹Bydd y llyffaint yn ymadael â thi a'th dai, ac â'th weision a'th bobl, ac ni cheir hwy yn unman ond yn Afon Neil." ¹²Yna aeth Moses ac Aaron allan oddi wrth Pharo, a galwodd Moses ar yr ARGLWYDD ynglŷn â'r llyffaint a ddygodd ar Pharo. ¹³Gwnaeth yr ARGLWYDD yr hyn yr oedd Moses yn ei ddymuno, a bu farw'r llyffaint yn y tai a'r

pentrefi a'r meysydd. ¹⁴Yna casglwyd hwy ynghyd yn bentyrrau, nes bod y wlad yn drewi. ¹⁵Pan welodd Pharo ei fod wedi cael ymwared ohonynt, caledodd ei galon a gwrthododd wrando ar Moses ac Aaron, fel yr oedd yr ARGLWYDD wedi dweud.

Llau

16 Yna dywedodd yr ARGLWYDD wrth Moses, "Dywed wrth Aaron, 'Estyn dy wialen a tharo llwch y ddaear, ac fe dry'n llau trwy holl wlad yr Aifft.'" ¹⁷Gwnaethant hynny; estynnodd Aaron ei law allan, a tharo llwch y ddaear â'i wialen, a throes y llwch yn llau ar ddyn ac anifail; trodd holl lwch y ddaear yn llau trwy wlad yr Aifft i gyd. ¹⁸Ceisiodd y swynwyr hefyd ddwyn llau allan trwy eu gallu cyfrin, ond nid oeddent yn medru. Yr oedd y llau ar ddyn ac anifail. ¹⁹Dywedodd y swynwyr wrth Pharo, "Trwy fys Duw y digwyddodd hyn." Ond yr oedd calon Pharo wedi caledu, ac nid oedd am wrando ar Moses ac Aaron, fel yr oedd yr ARGLWYDD wedi dweud.

Pryfed

20 Yna dywedodd yr ARGLWYDD wrth Moses, "Cod yn gynnar yn y bore i gyfarfod â Pharo wrth iddo fynd tua'r afon, a dywed wrtho, 'Fel hyn y dywed yr ARGLWYDD: Gollwng fy mhobl yn rhydd, er mwyn iddynt fy addoli; ²¹oherwydd, os gwrthodi eu rhyddhau, byddaf yn anfon haid o bryfed arnat ti, dy weision, dy bobl a'th dai. Bydd tai'r Eifftiaid a'r tir danynt yn orlawn o bryfed. ²²Ond ar y dydd hwnnw byddaf yn neilltuo gwlad Gosen, lle mae fy mhobl yn byw, ac ni fydd haid o bryfed yno; felly, byddi'n gwybod fy mod i, yr ARGLWYDD, yma yn y wlad. ²³Gan hynny, byddaf yn gwahaniaethuᶠᶠ rhwng fy mhobl i a'th bobl di. Bydd yr arwydd hwn yn ymddangos yfory.'"

24 Gwnaeth yr ARGLWYDD hynny; daeth haid enfawr o bryfed i dŷ Pharo ac i dai ei weision, a difethwyd holl dir gwlad yr Aifft gan y pryfed.

25 Yna galwodd Pharo am Moses ac Aaron a dweud, "Ewch i aberthu i'ch Duw yma yn y wlad." ²⁶Ond dywedodd Moses, "Ni fyddai'n briodol inni wneud hynny, oherwydd byddwn yn aberthu i'r ARGLWYDD ein Duw bethau sy'n ffiaidd i'r Eifftiaid; ac os aberthwn yn eu gŵydd

ᶠ7:26 yn yr Hebraeg.   ᶠᶠFelly Fersiynau. Hebraeg, *gwneud gwaredigaeth.*

wrthyf.'', [18]Felly aeth Moses allan o ŵydd Pharo, a gweddïodd ar yr ARGLWYDD. [19]Gyrrodd yr ARGLWYDD wynt cryf iawn o'r gorllewin, a chododd hwnnw'r locustiaid a'u cludo i'r Môr Coch; ni adawyd yr un o'r locustiaid ar ôl yn unman yn yr Aifft. [20]Ond caledodd yr ARGLWYDD galon Pharo, a gwrthododd ryddhau'r Israeliaid.

Tywyllwch

[21]Yna dywedodd yr ARGLWYDD wrth Moses, "Estyn allan dy law tua'r nef-oedd, a bydd tywyllwch dros wlad yr Aifft, tywyllwch y gellir ei deimlo.'' [22]Felly estynnodd Moses ei law tua'r nefoedd, a bu tywyllwch dudew trwy holl wlad yr Aifft am dridiau. [23]Ni allai dynion weld ei gilydd, ac ni symudodd neb o'i le am dri diwrnod, ond yr oedd gan yr Israeliaid oleuni yn y lle'r oeddent yn byw. [24]Galwodd Pharo am Moses a dweud, "Ewch i addoli'r ARGLWYDD; caiff eich plant hefyd fynd gyda chwi, ond rhaid i'ch defaid a'ch gwartheg aros ar ôl.'' [25]Ond dywedodd Moses, "Rhaid iti hefyd adael inni gael ebyrth a phoeth-offrymau i'w haberthu i'r ARGLWYDD ein Duw; [26]a rhaid i'n hanifeiliaid hefyd fynd gyda ni; ni adawn yr un carn ar ôl, oherwydd byddwn yn defnyddio rhai ohonynt at wasanaeth yr ARGLWYDD ein Duw, ac ni fyddwn yn gwybod â pha beth yr ydym i'w wasanaethu nes inni gyr-raedd yno.'' [27]Ond caledodd yr AR-GLWYDD galon Pharo, a gwrthododd eu rhyddhau. [28]Dywedodd Pharo wrtho, "Dos ymaith oddi wrthyf, a gofala na fyddi'n gweld fy wyneb eto, oherwydd ar y dydd y byddi'n fy ngweld, byddi farw.'' [29]Atebodd Moses, "Fel y mynni di; ni welaf dy wyneb byth mwy.''

Darogan Marwolaeth y Cyntafanedig

11 Dywedodd yr ARGLWYDD wrth Moses, "Yr wyf am ddwyn un pla arall ar Pharo ac ar yr Aifft; ar ôl hynny, bydd yn eich gollwng yn rhydd; a phan fydd yn eich rhyddhau, bydd yn eich gyrru oddi yma'n llwyr. [2]Dywed wrth y bobl am i bob gŵr a gwraig ohonynt gymryd benthyg tlysau arian a thlysau aur gan ei gymydog.'' [3]Gwnaeth yr AR-GLWYDD i'r bobl gael ffafr gan yr Eifft-iaid. Yr oedd Moses yn ddyn pwysig iawn yng ngwlad yr Aifft, yng ngolwg gweision Pharo ac yng ngolwg y bobl.

[4]Yna dywedodd Moses, "Fel hyn y dywed yr ARGLWYDD: Tua hanner nos, byddaf yn mynd allan trwy ganol yr Eifftiaid, [5]a bydd farw pob cyntafanedig yng ngwlad yr Aifft, o gyntafanedig Pharo, sy'n eistedd ar ei orsedd, hyd gyntafanedig y forwyn sydd wrth y felin, a chyntafanedig pob anifail hefyd. [6]Bydd llefain mawr trwy holl wlad yr Aifft, mwy nag a fu o'r blaen nac a welir eto. [7]Ond ymhlith yr Israeliaid, ni bydd hyd yn oed gi yn ysgyrnygu ei ddannedd ar ddyn nac anifail; trwy hynny fe fyddwch yn gwybod bod yr ARGLWYDD yn gwahan-iaethu rhwng yr Aifft ac Israel. [8]Fe ddaw pob un o'th weision i lawr ataf ac ym-grymu o'm blaen a dweud, 'Dos allan, ti a phawb sy'n dy ganlyn.' Yna fe af finnau allan.'' Aeth o ŵydd Pharo wedi ei gythruddo.

[9]Yr oedd yr ARGLWYDD wedi dweud wrth Moses, "Ni fydd Pharo'n gwrando arnoch; felly byddaf yn amlhau fy rhyfeddodau yng ngwlad yr Aifft.'' [10]Gwnaeth Moses ac Aaron yr holl ryfeddodau hyn yng ngŵydd Pharo, ond caledodd yr ARGLWYDD galon Pharo fel na fynnai ryddhau'r Israeliaid o'i wlad.

Y Pasg

12 Dywedodd yr ARGLWYDD wrth Moses ac Aaron yng ngwlad yr Aifft, [2]"Bydd y mis hwn i chwi yn gyntaf o'r misoedd; hwn fydd y mis cyntaf o'ch blwyddyn. [3]Dywedwch wrth holl gynull-eidfa Israel fod pob dyn, ar y degfed dydd o'r mis hwn, i gymryd oen ar gyfer ei deulu, un i bob teulu. [4]Os bydd un oen yn ormod i'r teulu, gallant ei rannu â'r cymdogion agosaf, yn ôl eu nifer, a rhannu cost yr oen yn ôl yr hyn y mae pob dyn yn ei fwyta. [5]Rhaid i bob oen fod yn wryw blwyddyn heb nam, wedi ei gymryd o blith y defaid neu o blith y geifr. [6]Yr ydych i'w gadw hyd y pedwerydd dydd ar ddeg o'r mis hwn, ac yna bydd pob aelod o gynulleidfa Israel yn eu lladd fin nos. [7]Yna byddant yn cymryd peth o'r gwaed a'i daenu ar ddau bost a chapan drws y tai lle y bwyteir hwy. [8]Y maent i fwyta'r cig y noson honno wedi ei rostio wrth dân, a'i fwyta gyda bara croyw a llysiau chwerw. [9]Peidiwch â bwyta dim ohono'n amrwd nac wedi ei ferwi mewn dŵr, ond wedi ei rostio wrth dân, yn ben, coesau a pherfedd. [10]Peidiwch â gadael dim ohono ar ôl hyd y bore; os bydd peth ohono ar ôl

yn y bore, llosgwch ef yn y tân.
11 "Dyma sut yr ydych i'w fwyta: yr
ydych i'w fwyta ar frys â'ch gwisg wedi ei
thorchi, eich esgidiau am eich traed, a'ch
ffon yn eich llaw. Pasg yr ARGLWYDD
ydyw. ¹²Y noson honno, byddaf yn
tramwyo trwy wlad yr Aifft ac yn lladd
pob cyntafanedig sydd ynddi, yn ddyn ac
anifail, a byddaf yn dod â barn ar dduw-
iau'r Aifft; myfi yw'r ARGLWYDD.
¹³Bydd y gwaed yn arwydd ar y tai y
byddwch chwi ynddynt; pan welaf y
gwaed byddaf yn mynd heibio i chwi, ac
ni fydd y pla yn eich difetha pan drawaf
wlad yr Aifft.

Gŵyl y Bara Croyw

14 "Bydd y dydd hwn yn ddydd i'w
gofio i chwi, ac yr ydych i'w gadw yn ŵyl
i'r ARGLWYDD; cadwch yr ŵyl yn ddeddf
am byth dros y cenedlaethau. ¹⁵Am saith
diwrnod yr ydych i fwyta bara croyw; ar
y dydd cyntaf bwriwch y surdoes allan
o'ch tai, oherwydd bydd pwy bynnag
sy'n bwyta bara lefeinllyd o'r dydd cyntaf
hyd y seithfed yn cael ei ddiarddel o
Israel. ¹⁶Ar y dydd cyntaf ac ar y seith-
fed, bydd cyfarfod cysegredig; ni wneir
dim gwaith yn ystod y dyddiau hynny,
heblaw paratoi bwyd i bawb i'w fwyta;
dyna'r cyfan. ¹⁷Cadwch hefyd ŵyl y Bara
Croyw, am mai ar y dydd hwn y deuthum
â'ch lluoedd allan o wlad yr Aifft; am
hynny y mae'r dydd hwn i'w gadw'n
ddeddf am byth dros y cenedlaethau. ¹⁸Yr
ydych i fwyta bara croyw o hwyrddydd y
pedwerydd dydd ar ddeg o'r mis cyntaf
hyd yr hwyr ar yr unfed dydd ar hugain.
¹⁹Am saith diwrnod nid ydych i gadw
surdoes yn eich tai, oherwydd bydd pwy
bynnag sy'n bwyta bara lefeinllyd yn cael
ei ddiarddel o gynulleidfa Israel, boed yn
estron neu'n frodor. ²⁰Peidiwch â bwyta
dim sydd wedi ei lefeinio, ond ym mha le
bynnag yr ydych yn byw, bwytewch fara
croyw."

Y Pasg Cyntaf

21 Yna galwodd Moses ynghyd holl
henuriaid Israel, a dweud wrthynt,
"Dewiswch yr ŵyn ar gyfer eich teulu-
oedd, a lladdwch oen y Pasg. ²²Yna
cymerwch dusw o isop a'i drochi yn y
gwaed fydd yn y cawg, a thaenwch y
gwaed ar gapan a dau bost y drws; nid oes
neb ohonoch i fynd allan trwy ddrws ei dŷ
hyd y bore. ²³Bydd yr ARGLWYDD yn

tramwyo drwy'r Aifft ac yn taro'r wlad,
ond pan wêl y gwaed ar gapan a dau bost
y drws, bydd yn mynd heibio iddo, ac ni
fydd yn gadael i'r Dinistrydd ddod i
mewn i'ch tai i'ch difa. ²⁴Cadwch y
ddefod hon yn ddeddf i chwi a'ch meibion
am byth. ²⁵Yr ydych i gadw'r ddefod hon
pan ddewch i'r wlad y bydd yr AR-
GLWYDD yn ei rhoi i chwi yn ôl ei
addewid. ²⁶Pan fydd eich plant yn gofyn i
chwi, 'Beth yw'r ddefod hon sydd gen-
nych?' ²⁷yr ydych i ateb, 'Aberth Pasg
yr ARGLWYDD ydyw, oherwydd pan
drawodd ef yr Eifftiaid, aeth heibio i dai'r
Israeliaid oedd yn yr Aifft a'u harbed.' "
Ymgrymodd y bobl mewn addoliad.
²⁸Aeth yr Israeliaid ymaith a gwneud yn
union fel yr oedd yr ARGLWYDD wedi
gorchymyn i Moses ac Aaron.

Marwolaeth Pob Cyntafanedig

29 Ar hanner nos trawodd yr AR-
GLWYDD bob cyntafanedig yng ngwlad yr
Aifft, o gyntafanedig Pharo ar ei orsedd
hyd gyntafanedig y carcharor yn ci gell, a
chyntafanedig yr anifeiliaid hefyd. ³⁰Yn
ystod y nos cododd Pharo a'i holl weision
a'r holl Eifftiaid, a bu llefain mawr yn yr
Aifft, oherwydd nid oedd tŷ heb gorff
marw ynddo. ³¹Felly galwodd ar Moses
ac Aaron yn y nos a dweud, "Codwch,
ewch ymaith o fysg fy mhobl, chwi a'r
Israeliaid, ac ewch i wasanaethu'r AR-
GLWYDD yn ôl eich dymuniad. ³²Cymer-
wch eich defaid a'ch gwartheg hefyd, yn
ôl eich dymuniad, ac ewch; bendithiwch
finnau."
33 Yr oedd yr Eifftiaid yn crefu ar y
bobl i adael y wlad ar frys, oherwydd yr
oeddent yn dweud, "Byddwn i gyd yn
farw." ³⁴Felly, cymerodd y bobl y toes
cyn ei lefeinio, gan fod eu llestri tylino ar
eu hysgwyddau wedi eu rhwymo gyda'u
dillad. ³⁵Gwnaeth yr Israeliaid yr hyn a
ddywedodd Moses wrthynt, a gofyn i'r
Eifftiaid am dlysau arian a thlysau aur a
dillad; ³⁶am i'r ARGLWYDD beri i'r Eifft-
iaid edrych arnynt â ffafr, gadawsant i'r
Israeliaid gael yr hyn yr oeddent yn gofyn
amdano. Felly yr ysbeiliwyd yr Eifftiaid.

Yr Israeliaid yn Gadael yr Aifft

37 Yna teithiodd yr Israeliaid o
Rameses i Succoth; yr oedd tua chwe
chan mil o wŷr traed, heblaw gwragedd a
phlant. ³⁸Aeth tyrfa gymysg gyda hwy,
ynghyd â llawer iawn o anifeiliaid, yn

ddefaid a gwartheg. ³⁹Yr oedd yn rhaid iddynt bobi'r toes yr oeddent wedi ei gario o'r Aifft yn deisennau croyw am nad oedd wedi ei lefeinio, oherwydd cawsant eu gyrru allan o'r Aifft heb gyfle i oedi nac i baratoi bwyd iddynt eu hunain.

40 Bu'r Israeliaid yn byw yn yr Aifft am bedwar cant tri deg o flynyddoedd. ⁴¹Ar ddiwedd y pedwar cant tri deg o flynyddoedd, i'r diwrnod, aeth holl luoedd yr ARGLWYDD allan o wlad yr Aifft. ⁴²Am i'r ARGLWYDD y noson honno gadw gwyliadwriaeth i'w dwyn allan o'r Aifft, bydd holl blant Israel ar y noson hon yn cadw gwyliadwriaeth i'r ARGLWYDD dros y cenedlaethau.

Rheolau ynglŷn â'r Pasg

43 Yna dywedodd yr ARGLWYDD wrth Moses ac Aaron, "Dyma ddeddf y Pasg: nid yw'r un estron i fwyta ohono, ⁴⁴ond caiff pob caethwas a brynwyd ag arian ei fwyta, os yw wedi ei enwaedu; ⁴⁵ni chaiff yr estron na'r gwas cyflog ei fwyta. ⁴⁶Rhaid ei fwyta mewn un tŷ; nid ydych i fynd â dim o'r cig allan o'r tŷ, ac nid ydych i dorri'r un asgwrn ohono. ⁴⁷Y mae holl gynulleidfa Israel i wneud hyn. ⁴⁸Os yw dieithryn sy'n byw gyda thi yn dymuno cadw Pasg i'r ARGLWYDD, caiff wneud hynny ar yr amod fod pob gwryw sydd gydag ef yn cael ei enwaedu; fe fydd, felly, fel brodor. ⁴⁹Ond ni chaiff yr un gwryw heb ei enwaedu fwyta ohono. Yr un gyfraith fydd i'r brodor ac i'r dieithryn sy'n byw yn eich plith."

50 Gwnaeth yr Israeliaid yn union fel yr oedd yr ARGLWYDD wedi gorchymyn i Moses ac Aaron, ⁵¹ac ar y dydd hwnnw aeth yr ARGLWYDD â lluoedd Israel allan o wlad yr Aifft.

Cysegru'r Cyntafanedig

13 Dywedodd yr ARGLWYDD wrth Moses, ²"Cysegra i mi bob cyntafanedig; eiddof fi yw'r cyntaf a ddaw o'r groth ymysg yr Israeliaid, yn ddyn ac anifail."

Gŵyl y Bara Croyw

3 Yna dywedodd Moses wrth y bobl, "Cofiwch y dydd hwn, sef y dydd y daethoch allan o'r Aifft, o dŷ caethiwed, oherwydd â llaw nerthol y daeth yr ARGLWYDD â chwi oddi yno; hefyd, peidiwch â bwyta bara wedi ei lefeinio. ⁴Ar y dydd hwn ym mis Abib yr ewch allan. ⁵Pan fydd yr ARGLWYDD wedi dod â thi i wlad y Canaaneaid, Hethiaid, Amoriaid, Hefiaid a Jebusiaid, sef y wlad yr addawodd i'th dadau y byddai'n ei rhoi i ti, gwlad yn llifeirio o laeth a mêl, yr wyt i gadw'r ddefod hon yn ystod y mis hwn. ⁶Am saith diwrnod byddi'n bwyta bara croyw, ac ar y seithfed dydd bydd gŵyl i'r ARGLWYDD. ⁷Bara croyw a fwyteir am saith diwrnod, ac ni fydd bara wedi ei lefeinio na surdoes i'w weld yn unman o fewn dy dir. ⁸Ar y dydd hwnnw, fe ddywedir wrth dy fab, 'Gwneir hyn oherwydd y peth a wnaeth yr ARGLWYDD i mi pan ddeuthum allan o'r Aifft.' ⁹Bydd hyn i ti yn arwydd ar dy law a rhwng dy lygaid, i'th atgoffa y dylai cyfraith yr ARGLWYDD fod yn dy enau; oherwydd â llaw nerthol y daeth yr ARGLWYDD â thi allan o'r Aifft. ¹⁰Yr wyt i gadw'r ddeddf hon yn ei hamser penodedig o flwyddyn i flwyddyn.

Y Cyntafanedig

11 "Pan fydd yr ARGLWYDD wedi dod â thi i wlad y Canaaneaid a'i rhoi iti, fel y tyngodd i ti ac i'th dadau, ¹²yr wyt i neilltuo pob cyntafanedig iddo ef; bydd pob gwryw cyntafanedig o blith dy anifeiliaid yn eiddo i'r ARGLWYDD. ¹³Ond yr wyt i roi oen yn gyfnewid am bob asyn cyntafanedig, ac os nad wyt am ei gyfnewid, yr wyt i dorri ei wddf. Yr wyt hefyd i gyfnewid pob cyntafanedig o blith dy feibion. ¹⁴Yna pan fydd dy fab ymhen amser yn gofyn, 'Beth yw ystyr hyn?' dywed wrtho, 'Â llaw nerthol y daeth yr ARGLWYDD â ni o'r Aifft, o dŷ caethiwed; ¹⁵oherwydd pan wrthododd Pharo ein gollwng yn rhydd, lladdodd yr ARGLWYDD bob cyntafanedig, yn ddyn ac anifail, yng ngwlad yr Aifft. Dyna pam yr wyf yn aberthu i'r ARGLWYDD bob gwryw cyntafanedig, ond yn cyfnewid pob cyntafanedig o blith fy meibion.' ¹⁶Bydd hyn yn arwydd ar dy law ac yn rhactalau rhwng dy lygaid; oherwydd â llaw nerthol y daeth yr ARGLWYDD â ni allan o'r Aifft."

Y Golofn Niwl a'r Golofn Dân

17 Pan ollyngodd Pharo y bobl yn rhydd, nid arweiniodd Duw hwy ar hyd ffordd gwlad y Philistiaid, er bod honno'n agos. "Oherwydd", meddai, "gallai'r bobl newid eu meddwl pan welant ryfel, a dychwelyd i'r Aifft." ¹⁸Felly arweiniodd

hwy ar hyd ffordd yr anialwch i gyfeiriad y Môr Coch, ac aeth yr Israeliaid allan o wlad yr Aifft gan ddwyn eu harfau rhyfel.

[19] Cymerodd Moses esgyrn Joseff gydag ef, oherwydd yr oedd Joseff wedi gosod yr Israeliaid dan lw, drwy ddweud, "Bydd Duw yn sicr o ymweld â chwi, a'r pryd hwnnw yr ydych i ddwyn fy esgyrn oddi yma gyda chwi." [20] Aethant ymaith o Succoth a gwersyllu yn Etham, ar gwr yr anialwch.

[21] Yr oedd yr ARGLWYDD yn mynd o'u blaen mewn colofn o niwl yn ystod y dydd i'w harwain ar y ffordd, ac mewn colofn o dân yn ystod y nos i'w goleuo; felly gallent deithio ddydd a nos. [22] Ni symudwyd y golofn niwl oedd o flaen y bobl yn ystod y dydd na'r golofn dân oedd o'u blaen yn ystod y nos.

Croesi'r Môr Coch

14 Dywedodd yr ARGLWYDD wrth Moses, [2] "Dywed wrth yr Israeliaid am ddychwelyd a gwersyllu o flaen Pihahiroth, rhwng Migdol a'r môr; yr ydych i wersyllu wrth y môr gyferbyn â Baal-seffon. [3] Bydd Pharo'n meddwl bod yr Israeliaid wedi eu dal yn y wlad a'u cau i mewn gan yr anialwch. [4] Yna, byddaf fi'n caledu ei galon, a bydd ef yn eu herlid; felly, fe enillaf ogoniant i mi fy hun ar draul Pharo a'i holl fyddin, a chaiff yr Eifftiaid wybod mai myfi yw'r AR-GLWYDD." Gwnaeth yr Israeliaid fel y gorchmynnwyd iddynt.

5 Pan ddywedwyd wrth frenin yr Aifft fod y bobl wedi ffoi, newidiodd agwedd Pharo a'i weision tuag atynt, ac meddent, "Beth yw hyn a wnaethom? Yr ydym wedi rhyddhau'r Israeliaid o'n gwasanaeth!" [6] Felly paratôdd Pharo ei gerbyd ac aeth â'i fyddin gydag ef; [7] cymerodd hefyd chwe chant o gerbydau dethol, a'r holl gerbydau eraill oedd yn yr Aifft, a chapten ar bob un. [8] Caledodd yr AR-GLWYDD galon Pharo brenin yr Aifft, ac erlidiodd hwnnw'r Israeliaid wrth iddynt fynd ymaith yn fuddugoliaethus. [9] Aeth yr Eifftiaid ar eu hôl gyda holl feirch Pharo a'i gerbydau, ei farchogion a'i fyddin, a'u goddiweddyd tra oeddent yn gwersyllu wrth y môr gerllaw Pihahiroth, gyferbyn â Baal-seffon.

10 Wrth i Pharo nesáu, edrychodd yr Israeliaid i fyny a gweld yr Eifftiaid yn dod ar eu holau, ac yn eu dychryn gwaeddodd pobl Israel ar yr ARGLWYDD.

[11] Dywedasant wrth Moses, "Ai am nad oedd beddau yn yr Aifft y dygaist ni i'r anialwch i farw? Pam y gwnaethost hyn i ni, a dod â ni allan o'r Aifft? [12] Onid oeddem wedi dweud wrthyt yn yr Aifft am adael llonydd inni wasanaethu'r Eifftiaid? Byddai'n well inni eu gwasanaethu hwy na marw yn yr anialwch." [13] Dywedodd Moses wrth y bobl, "Peidiwch ag ofni; byddwch gadarn ac edrychwch ar y waredigaeth y mae'r ARGLWYDD yn ei rhoi i chwi heddiw, oherwydd ni fyddwch yn gweld yr Eifftiaid a welsoch heddiw byth mwy. [14] Bydd yr ARGLWYDD yn ymladd drosoch; am hynny, byddwch dawel." [15] Dywedodd yr ARGLWYDD wrth Moses, "Pam yr wyt yn gweiddi arnaf? Dywed wrth yr Israeliaid am fynd ymlaen. [16] Cod dithau dy wialen, ac estyn dy law allan dros y môr i'w rannu, er mwyn i'r Israeliaid fynd trwy ei ganol ar dir sych. [17] Byddaf finnau'n caledu calonnau'r Eifftiaid er mwyn iddynt eu dilyn, ac enillaf ogoniant ar draul Pharo a'i holl fyddin, ei gerbydau a'i farchogion. [18] Caiff yr Eifftiaid wybod mai myfi yw'r AR-GLWYDD pan enillaf ogoniant ar draul Pharo a'i gerbydau a'i farchogion."

19 Symudodd angel Duw, a fu'n mynd o flaen byddin Israel, ac aeth y tu ôl iddynt; a symudodd y golofn niwl a fu o'u blaen, a safodd y tu ôl iddynt, [20] gan aros rhwng byddin yr Aifft a byddin Israel. Yr oedd y cwmwl yn dywyllwch, ond yn goleuo trwy'r nos i'r Israeliaid[g]; ac ni ddaeth y naill ar gyfyl y llall trwy'r nos.

21 Estynnodd Moses ei law dros y môr, a thrwy'r nos gyrrodd yr AR-GLWYDD y môr yn ei ôl â gwynt cryf o'r dwyrain. Gwnaeth y môr yn sychdir, a holltwyd y dyfroedd. [22] Aeth yr Israeliaid trwy ganol y môr ar dir sych, ac yr oedd y dyfroedd fel mur ar y naill ochr a'r llall. [23] Erlidiodd yr Eifftiaid hwy, ac aeth holl feirch Pharo, ei gerbydau a'i farchogion, ar eu holau i ganol y môr. [24] Yn ystod gwyliadwriaeth y bore, edrychodd yr ARGLWYDD ar fyddin yr Eifftiaid trwy'r golofn dân a'r cwmwl, a daliodd hwy [25] trwy gloi[ng] olwynion eu cerbydau a'i gwneud yn anodd iddynt yrru ymlaen. Yna dywedodd yr Eifftiaid, "Gadewch inni ffoi oddi wrth Israel, oherwydd y mae'r ARGLWYDD yn ymladd drostynt hwy yn erbyn yr Aifft."

26 Dywedodd yr ARGLWYDD wrth

---

[g] Felly Syrieg. Hebraeg, *yn goleuo y nos.*   [ng] Felly Fersiynau. Hebraeg, *dynnu.*

Moses, "Estyn dy law allan dros y môr er mwyn i'r dyfroedd lifo'n ôl dros yr Eifftiaid a'u cerbydau a'u marchogion." [27]Felly estynnodd Moses ei law dros y môr, ac erbyn y bore yr oedd y môr wedi dychwelyd i'w le. Ceisiodd yr Eifftiaid ffoi rhagddo, ond bwriodd yr ARGLWYDD hwy i ganol y môr. [28]Dychwelodd y dyfroedd a gorchuddio'r cerbydau a'r marchogion, a holl fyddin Pharo oedd wedi dilyn yr Israeliaid i'r môr, heb adael yr un ohonynt ar ôl. [29]Ond cerddodd yr Israeliaid trwy ganol y môr ar dir sych, ac yr oedd y dyfroedd fel mur ar y naill ochr a'r llall.

30 Felly achubodd yr ARGLWYDD Israel o law'r Eifftiaid y diwrnod hwnnw, a gwelsant yr Eifftiaid yn gorwedd yn farw ar lan y môr. [31]Pan welodd Israel y weithred fawr a wnaeth yr ARGLWYDD yn erbyn yr Eifftiaid, daethant i'w ofni ac i ymddiried ynddo ef ac yn ei was Moses.

Cân Moses

15 Yna canodd Moses a'r Israeliaid y gân hon i'r ARGLWYDD:
"Canaf i'r ARGLWYDD am iddo
 weithredu'n fuddugoliaethus;
bwriodd y ceffyl a'i farchog i'r môr.
[2]Yr ARGLWYDD yw fy nerth a'm cân,
ac ef yw'r un a'm hachubodd;
ef yw fy Nuw, ac fe'i gogoneddaf,
Duw fy nhad, ac fe'i dyrchafaf.
[3]Y mae'r ARGLWYDD yn rhyfelwr;
yr ARGLWYDD yw ei enw.
[4]Taflodd gerbydau Pharo a'i fyddin i'r môr,
a boddwyd ei gapteiniaid dethol yn y Môr Coch.
[5]Daeth llifogydd i'w gorchuddio,
a disgynasant i'r dyfnderoedd fel carreg.
[6]Y mae nerth dy ddeheulaw, O ARGLWYDD, yn ogoneddus;
dy ddeheulaw, O ARGLWYDD, a ddryllia'r gelyn.
[7]Trwy dy fawrhydi aruchel darostyngaist dy wrthwynebwyr;
gollyngaist dy ddigofaint, ac fe'u difaodd hwy fel sofl.
[8]Trwy chwythiad dy ffroenau casglwyd y dyfroedd ynghyd;
safodd y ffrydiau yn bentwr,
a cheulodd y dyfnderoedd yng nghanol y môr.
[9]Dywedodd y gelyn, 'Byddaf yn erlid ac yn goddiweddyd;

rhannaf yr ysbail, a chaf fy nigoni ganddo;
tynnaf fy nghleddyf, a'u dinistrio â'm llaw.'
[10]Ond pan chwythaist ti â'th anadl,
gorchuddiodd y môr hwy,
nes iddynt suddo fel plwm i'r dyfroedd mawrion.
[11]Pwy ymhlith y duwiau sy'n debyg i ti,
O ARGLWYDD?
Pwy sydd fel tydi, yn ogoneddus ei sancteiddrwydd,
yn teilyngu parch a mawl, ac yn gwneud rhyfeddodau?
[12]Pan estynnaist dy ddeheulaw,
llyncodd y ddaear hwy.

[13]"Yn dy drugaredd, arweini'r bobl a waredaist,
a thrwy dy nerth eu tywys i'th drigfan sanctaidd.
[14]Fe glyw y bobloedd, a dychryn,
a daw gwewyr ar drigolion Philistia.
[15]Bydd penaethiaid Edom yn brawychu,
ac arweinwyr Moab yn arswydo,
a holl drigolion Canaan yn toddi.
[16]Daw ofn a braw arnynt;
oherwydd mawredd dy fraich byddant mor llonydd â charreg,
nes i'th bobl di, O ARGLWYDD, fynd heibio,
nes i'r bobl a brynaist ti fynd heibio.
[17]Fe'u dygi i mewn a'u plannu ar y mynydd sy'n eiddo i ti,
y man, O ARGLWYDD, a wnei yn drigfan i ti dy hun,
y cysegr, O ARGLWYDD, a godi â'th ddwylo.
[18]Bydd yr ARGLWYDD yn teyrnasu byth bythoedd."

Cân Miriam

19 Pan aeth meirch Pharo a'i gerbydau a'i farchogion i mewn i'r môr, gwnaeth yr ARGLWYDD i ddyfroedd y môr ddychwelyd drostynt; ond cerddodd yr Israeliaid trwy ganol y môr ar dir sych. [20]Yna cymerodd Miriam y broffwydes, chwaer Aaron, dympan yn ei llaw, ac aeth yr holl wragedd allan ar ei hôl a dawnsio gyda thympanau. [21]Canodd Miriam gân iddynt:
"Canwch i'r ARGLWYDD am iddo
 weithredu'n fuddugoliaethus;
bwriodd y ceffyl a'i farchog i'r môr."

Iacháu'r Dŵr Chwerw

22 Yna arweiniodd Moses yr Israeliaid oddi wrth y Môr Coch, ac aethant ymaith

i anialwch Sur; buont yn teithio'r anialwch am dridiau heb gael dŵr. [23]Pan ddaethant i Mara, ni allent yfed y dŵr yno am ei fod yn chwerw; dyna pam y galwyd y lle yn Mara[h]. [24]Dechreuodd y bobl rwgnach yn erbyn Moses, a gofyn, "Beth ydym i'w yfed?" [25]Galwodd yntau ar yr ARGLWYDD, a dangosodd yr ARGLWYDD iddo bren; pan daflodd Moses y pren i'r dŵr, trodd y dŵr yn felys.

Yno y sefydlodd yr ARGLWYDD ddeddf a chyfraith, ac yno hefyd y profodd hwy, [26]a dweud, "Os gwrandewi'n astud ar lais yr ARGLWYDD dy Dduw, a gwneud yr hyn sy'n iawn yn ei olwg, gan wrando ar ei orchmynion a chadw ei holl ddeddfau, ni rof arnat yr un o'r clefydau a rois ar yr Eifftiaid; oherwydd myfi yw'r ARGLWYDD, dy iachawdwr."

27 Yna daethant i Elim, lle'r oedd deuddeg ffynnon ddŵr, a deg a thrigain o balmwydd; a buont yn gwersyllu yno wrth y dŵr.

Y Manna a'r Soflieir

16 Aeth holl gynulliad pobl Israel ymaith o Elim, ac ar y pymthegfed dydd o'r ail fis wedi iddynt adael gwlad yr Aifft, daethant i anialwch Sin, sydd rhwng Elim a Sinai. [2]Dechreuodd holl gynulliad pobl Israel rwgnach yn erbyn Moses ac Aaron yn yr anialwch, [3]a dweud wrthynt, "O na fyddai'r ARGLWYDD wedi gadael inni farw yng ngwlad yr Aifft, lle'r oeddem yn cael eistedd wrth y crochanau cig a bwyta ein gwala o fwyd; ond yr ydych chwi wedi ein harwain allan yma i'r anialwch er mwyn lladd y dyrfa hon i gyd â newyn."

4 Dywedodd yr ARGLWYDD wrth Moses, "Byddaf yn glawio arnoch fara o'r nefoedd, a bydd y bobl yn mynd allan a chasglu bob dydd ddogn diwrnod, er mwyn i mi eu profi a gweld a ydynt am ddilyn fy nghyfraith ai peidio. [5]Ond ar y chweched dydd y maent i baratoi dwywaith cymaint ag y byddent yn ei gasglu ar ddiwrnod arall." [6]Yna dywedodd Moses ac Aaron wrth yr holl Israeliaid, "Yn yr hwyr cewch wybod mai'r ARGLWYDD a'ch arweiniodd allan o wlad yr Aifft, [7]ac yn y bore cewch weld ei ogoniant, oherwydd y mae wedi clywed eich grwgnach yn ei erbyn. Pwy ydym ni, eich bod yn grwgnach yn ein herbyn?" [8]Dywedodd Moses hefyd, "Fe rydd yr

ARGLWYDD i chwi gig i'w fwyta yn yr hwyr, a'ch gwala o fwyd yn y bore, oherwydd y mae wedi clywed eich grwgnach yn ei erbyn. Felly, pwy ydym ni? Nid yn ein herbyn ni y mae eich grwgnach, ond yn erbyn yr ARGLWYDD."

9 Dywedodd Moses wrth Aaron, "Dywed wrth holl gynulliad pobl Israel, 'Dewch yn agos at yr ARGLWYDD, oherwydd y mae ef wedi clywed eich grwgnach.'" [10]A thra oedd Aaron yn siarad â hwy, a hwythau'n edrych tua'r anialwch, ymddangosodd gogoniant yr ARGLWYDD mewn cwmwl. [11]Dywedodd yr ARGLWYDD wrth Moses, [12]"Yr wyf wedi clywed grwgnach yr Israeliaid; dywed wrthynt, 'Yn y cyfnos cewch fwyta cig, ac yn y bore cewch eich gwala o fwyd; yna byddwch yn gwybod mai myfi yw'r ARGLWYDD eich Duw.'"

13 Yn yr hwyr daeth soflieir a gorchuddio'r gwersyll, ac yn y bore yr oedd haen o wlith o'i amgylch. [14]Pan ododd y gwlith, yr oedd caenen denau ar hyd wyneb yr anialwch, mor denau â llwydrew ar y ddaear. [15]Gwelodd yr Israeliaid ef, a dweud wrth ei gilydd, "Beth yw hwn?[i]" Oherwydd nid oeddent yn gwybod beth ydoedd. Dywedodd Moses wrthynt, "Hwn yw'r bara a roddodd yr ARGLWYDD i chwi i'w fwyta. [16]Dyma a orchmynnodd yr ARGLWYDD: 'Y mae pob un i gasglu ohono gymaint ag a all ei fwyta; cymerwch omer yr un ar gyfer pawb sydd yn eich pabell.'" [17]Gwnaeth yr Israeliaid hyn; yr oedd rhai'n casglu llawer, eraill ychydig, [18]ac wedi iddynt ei fesur wrth yr omer, nid oedd gormod gan y sawl a gasglodd lawer, na phrinder gan y sawl a gasglodd ychydig. Yr oedd pob un yn casglu cymaint ag a allai ei fwyta. [19]Dywedodd Moses wrthynt, "Peidied neb â chadw dim ohono'n weddill hyd drannoeth." [20]Ond ni wrandawsant arno, a chadwodd rhai ohono'n weddill hyd drannoeth; magodd bryfed, a dechreuodd ddrewi, ac yr oedd Moses yn ddig wrthynt. [21]Casglasant bob bore gymaint ag a allent ei fwyta, ond pan boethai'r haul, fe doddai.

22 Ar y chweched dydd casglasant ddwywaith cymaint o fara, dau omer yr un, a daeth holl swyddogion y cynulliad at Moses i fynegi hyn iddo. [23]Dywedodd yntau wrthynt, "Dyma a orchmynnodd yr ARGLWYDD: 'Bydd yfory yn ddydd o

---

[h]H.y., *Chwerw*.   [i]Neu, *Manna ydyw*. Hebraeg, *mân hu*.

orffwys, ac yn Saboth wedi ei gysegru i'r ARGLWYDD.' Felly pobwch yr hyn y bydd ei angen arnoch, a berwi'r hyn y bydd arnoch ei eisiau; yna rhowch o'r neilltu bopeth sydd yn weddill, a chadwch ef hyd y bore." ²⁴Fe'i cadwasant hyd y bore, fel yr oedd Moses wedi gorchymyn, ac ni ddrewodd na magu pryfed. ²⁵Yna dywedodd Moses, "Bwytewch ef heddiw, oherwydd y mae'r dydd hwn yn Saboth i'r ARGLWYDD; ni chewch mohono yn y maes heddiw. ²⁶Am chwe diwrnod y casglwch ef, ond ar y seithfed dydd, sef y Saboth, ni bydd dim ohono ar gael." ²⁷Aeth rhai o'r bobl allan ar y seithfed dydd i'w gasglu, ond ni chawsant ddim. ²⁸Dywedodd yr ARGLWYDD wrth Moses, "Am ba hyd yr ydych am wrthod cadw fy ngorchmynion a'm cyfreithiau? ²⁹Edrychwch, yr ARGLWYDD a roddodd y Saboth i chwi; am hynny, fe rydd i chwi ar y chweched dydd fara am ddau ddiwrnod. Arhoswch gartref, bawb ohonoch, a pheidied neb â symud oddi yno ar y seithfed dydd." ³⁰Felly gorffwysodd y bobl ar y seithfed dydd.

31 Rhoddodd tŷ Israel yr enw Manna arno; yr oedd fel had coriander, a'i flas fel afrlladen wedi ei gwneud o fêl. ³²Dywedodd Moses, "Dyma a orchmynnodd yr ARGLWYDD: 'Llanwer omer ohono i'w gadw ar gyfer y cenedlaethau a ddaw, er mwyn iddynt weld y bara a rois i chwi i'w fwyta yn yr anialwch pan ddygais chwi allan o wlad yr Aifft.'" ³³Dywedodd Moses wrth Aaron, "Cymer grochan, a rho ynddo omer lawn o'r manna, a'i osod o flaen yr ARGLWYDD, i'w gadw ar gyfer y cenedlaethau a ddaw." ³⁴Gosododd Aaron ef o flaen y Dystiolaeth i'w gadw, fel yr oedd yr ARGLWYDD wedi gorchymyn i Moses. ³⁵Bu'r Israeliaid yn bwyta manna am ddeugain mlynedd, nes iddynt ddod i wlad gyfannedd ar gyrion gwlad Canaan. ³⁶(Degfed ran o effa yw omer.)

Dŵr o'r Graig
(Num. 20:1-13)

17 Aeth holl gynulliad pobl Israel ymaith o anialwch Sin a symud o le i le fel yr oedd yr ARGLWYDD yn gorchymyn, a gwersyllu yn Reffidim; ond nid oedd yno ddŵr i'w yfed. ²Felly dechreuodd y bobl ymryson â Moses, a

dweud, "Rhowch inni ddŵr i'w yfed." Ond dywedodd Moses wrthynt, "Pam yr ydych yn ymryson â mi ac yn herio'r ARGLWYDD?" ³Yr oedd y bobl yn sychedu yno am ddŵr, a dechreuasant rwgnach yn erbyn Moses, a dweud, "Pam y daethost â ni i fyny o'r Aifft? Ai er mwyn ein lladd ni a'n plant a'n hanifeiliaid â syched?" ⁴Felly galwodd Moses ar yr ARGLWYDD a dweud, "Beth a wnaf â'r bobl hyn? Y maent bron â'm llabyddio!" ⁵Dywedodd yr ARGLWYDD wrtho, "Cerdda o flaen y bobl gyda rhai o henuriaid Israel, a chymer yn dy law y wialen y trewaist Afon Neil â hi, a dos ymlaen. ⁶Pan weli fi'n sefyll o'th flaen ar graig yn Horeb, taro'r graig, a daw dŵr allan ohoni, a chaiff y bobl yfed." Gwnaeth Moses hyn ym mhresenoldeb henuriaid Israel. ⁷Galwodd enw'r lle yn Massa¹ a Meribah¹¹, oherwydd ymryson yr Israeliaid ac am iddynt herio'r ARGLWYDD trwy ofyn, "A yw'r ARGLWYDD yn ein plith, ai nac ydyw?"

Rhyfel yn erbyn Amalec

8 Pan ddaeth Amalec i ymladd yn erbyn Israel yn Reffidim, ⁹dywedodd Moses wrth Josua, "Dewis dy wŷr, a dos ymaith i ymladd yn erbyn Amalec; yfory, fe gymeraf finnau fy lle ar ben y bryn, â gwialen Duw yn fy llaw." ¹⁰Gwnaeth Josua fel yr oedd Moses wedi dweud wrtho, ac ymladdodd yn erbyn Amalec; yna aeth Moses, Aaron a Hur i fyny i ben y bryn. ¹¹Pan godai Moses ei law, byddai Israel yn trechu; a phan ostyngai ei law, byddai Amalec yn trechu. ¹²Pan aeth ei ddwylo'n flinedig, cymerwyd carreg a'i gosod dano, ac eisteddodd Moses arni, gydag Aaron ar y naill ochr iddo a Hur ar y llall, yn cynnal ei ddwylo, fel eu bod yn gadarn hyd fachlud haul. ¹³Felly, gorchfygodd Josua Amalec a'i bobl â min y cleddyf.

14 Dywedodd yr ARGLWYDD wrth Moses, "Ysgrifenna hyn mewn llyfr yn goffadwriaeth, a mynega'r peth yng nghlyw Josua, sef fy mod am ddileu yn llwyr oddi tan y nefoedd bob atgof am Amalec." ¹⁵Yna adeiladodd Moses allor a'i henwi'n Jehofa-Nissiᵐ, ¹⁶a dweud, "Llaw ar fanerⁿ yr ARGLWYDD! Bydd rhyfel rhwng yr ARGLWYDD ac Amalec o genhedlaeth i genhedlaeth."

¹H.y., *Her.*   ¹¹H.y., *Ymryson.*   ᵐH.y., *Baner yr ARGLWYDD.*
ⁿTebygol. Hebraeg yn aneglur.

Jethro'n Ymweld â Moses

18 Clywodd Jethro, offeiriad yn Midian a thad-yng-nghyfraith Moses, am y cyfan a wnaeth Duw i Moses ac i'w bobl Israel, ac fel yr oedd yr ARGLWYDD wedi eu harwain allan o'r Aifft. [2]Wedi i Moses yrru ymaith ei wraig Seffora, rhoddodd Jethro, ei dad-yng-nghyfraith, gartref iddi hi [3]a'i dau fab. Gersom oedd enw'r naill: "Oherwydd," meddai, "bûm yn ddieithryn[o] mewn gwlad ddieithr." [4]Ac Elieser oedd enw'r llall: "Oherwydd," meddai, "bu Duw fy nhad yn gymorth[p] imi, ac fe'm hachubodd rhag cleddyf Pharo." [5]Daeth Jethro, tad-yng-nghyfraith Moses, â meibion Moses a'i wraig ato i'r anialwch lle'r oedd yn gwersyllu wrth fynydd Duw, [6]a dweud wrth Moses, "Yr wyf fi, Jethro dy dad-yng-nghyfraith, wedi dod atat gyda'th wraig a'i dau fab." [7]Aeth yntau allan i'w gyfarch, ac ymgrymu a'i gusanu; yna ar ôl iddynt gyfarch ei gilydd, aethant i mewn i'r babell. [8]Adroddodd Moses wrth ei dad-yng-nghyfraith y cyfan a wnaeth yr ARGLWYDD i Pharo a'r Eifftiaid er mwyn Israel, a'r holl helbul a gawsant ar y ffordd, ac fel yr achubodd yr ARGLWYDD hwy. [9]Llawenychodd Jethro oherwydd yr holl bethau da a wnaeth yr ARGLWYDD i Israel trwy eu hachub o law'r Eifftiaid, [10]a dywedodd, "Bendigedig fyddo'r ARGLWYDD a'ch achubodd o law'r Eifftiaid ac o law Pharo. [11]Gwn yn awr fod yr ARGLWYDD yn fwy na'r holl dduwiau, oherwydd fe achubodd y bobl o law'r Eifftiaid[ph] a fu'n eu trin yn drahaus." [12]Yna cyflwynodd Jethro, tad-yng-nghyfraith Moses, boethoffrwm ac ebyrth i Dduw, a daeth Aaron a holl henuriaid Israel i fwyta bara gydag ef ym mhresenoldeb Duw.

Penodi Barnwyr
(Deut. 1:9-18)

13 Eisteddodd Moses drannoeth i farnu'r bobl, a hwythau'n sefyll o'i flaen o'r bore hyd yr hwyr. [14]Pan welodd ei dad-yng-nghyfraith y cwbl yr oedd Moses yn ei wneud er mwyn y bobl, dywedodd, "Beth yw hyn a'r wyt yn ei wneud drostynt? Pam yr wyt yn eistedd ar dy ben dy hun, a'r holl bobl yn sefyll o'th flaen o fore hyd hwyr?" [15]Atebodd

Moses ef, "Am fod y bobl yn dod ataf i ymgynghori â Duw. [16]Pan fydd achos yn codi, fe ddônt ataf fi i mi farnu rhwng dyn a'i gymydog, a datgan deddfau Duw a'i gyfreithiau." [17]Dywedodd tad-yng-nghyfraith Moses wrtho, "Nid dyma'r ffordd orau iti weithredu. [18]Byddi di a'r bobl sydd gyda thi wedi diffygio'n llwyr; y mae'r gwaith yn rhy drwm iti, ac ni elli ei gyflawni dy hun. [19]Gwrando'n awr arnaf fi, ac fe'th gynghoraf, a bydded Duw gyda thi. Ti sydd i gynrychioli'r bobl o flaen Duw, a dod â'u hachosion ato ef. [20]Ti hefyd sydd i ddysgu i'r bobl y deddfau a'r cyfreithiau, a rhoi gwybod iddynt sut y dylent ymddwyn a beth a dylent ei wneud. [21]Ond ethol o blith yr holl bobl wŷr galluog a gonest, sy'n parchu Duw ac yn casáu llwgrwobrwyo, a'u penodi dros y bobl yn swyddogion ar unedau o fil, o gant, o hanner cant ac o ddeg. [22]Boed iddynt hwy farnu'r bobl ar bob achlysur; gallent ddod â phob achos anodd atat ti, ond hwy eu hunain sydd i farnu pob achos syml. Bydd yn ysgafnach arnat os byddant hwy'n rhannu'r baich â thi. [23]Os gwnei hyn, a hynny ar orchymyn Duw, gelli ddal ati; ac fe â'r bobl hyn i gyd adref yn fodlon."

24 Gwrandawodd Moses ar ei dad-yng-nghyfraith, a gwnaeth bopeth a orchmynnodd ef. [25]Dewisodd wŷr galluog o blith yr holl Israeliaid a'u gwneud yn benaethiaid ar y bobl, ac yn swyddogion ar unedau o fil, o gant, o hanner cant ac o ddeg. [26]Hwy oedd yn barnu'r bobl ar bob achlysur; deuent â'r achosion dyrys at Moses, ond hwy eu hunain oedd yn barnu'r holl achosion syml. [27]Ffarweliodd Moses â'i dad-yng-nghyfraith, ac aeth Jethro adref i'w wlad ei hun.

Yr Israeliaid ym Mynydd Sinai

19 Ar ddiwrnod cyntaf y trydydd mis wedi i'r Israeliaid adael gwlad yr Aifft, daethant i anialwch Sinai. [2]Wedi iddynt ymadael â Reffidim a chyrraedd anialwch Sinai, cododd Israel wersyll yno gyferbyn â'r mynydd. [3]Aeth Moses i fyny at fynydd Duw[r], a galwodd yr ARGLWYDD arno o'r mynydd a dweud, "Fel hyn y dywedi wrth dylwyth Jacob ac wrth bobl Israel: [4]'Fe welsoch yr hyn a wneuthum i'r Eifftiaid, ac fel y codais

---

[o]Hebraeg, *ger*.   [p]Hebraeg, *Eli*, fy Nuw; *eser*, cymorth.
[ph]Yn yr Hebraeg daw *oherwydd...Eifftiaid* ar ddiwedd adn. 10.
[r]Felly Fersiynau. Hebraeg, *at Dduw*.

chwi ar adenydd eryrod a'ch cludo ataf fy hun. ⁵Yn awr, os gwrandewch yn ofalus arnaf a chadw fy nghyfamod, byddwch yn eiddo arbennig i mi ymhlith yr holl bobloedd, oherwydd eiddof fi'r ddaear i gyd. ⁶Byddwch hefyd yn deyrnas o offeiriaid i mi, ac yn genedl sanctaidd.' Dyma'r geiriau yr wyt i'w llefaru wrth bobl Israel."

7 Felly aeth Moses i alw henuriaid y bobl, a gosod o'u blaen yr holl eiriau hyn a orchmynnodd yr ARGLWYDD iddo. ⁸Atebodd y bobl i gyd yn unfryd, "Fe wnawn y cyfan a ddywedodd yr ARGLWYDD." Yna adroddodd Moses eiriau'r bobl wrth yr ARGLWYDD. ⁹Dywedodd yr ARGLWYDD wrtho, "Edrych, fe ddof atat mewn cwmwl tew er mwyn i'r bobl fy nghlywed yn llefaru wrthyt ac ymddiried ynot am byth." ¹⁰Pan fynegodd Moses eiriau'r bobl wrth yr ARGLWYDD, dywedodd yr ARGLWYDD wrtho hefyd, "Dos at y bobl, a chysegra hwy heddiw ac yfory; boed iddynt olchi eu dillad, ¹¹a bod yn barod erbyn y trydydd dydd, oherwydd ar y trydydd dydd fe ddaw'r ARGLWYDD i lawr ar Fynydd Sinai yng ngolwg yr holl bobl. ¹²Gosod ffin o amgylch y mynydd ʳʰ, a dywed, 'Gwyliwch rhag i chwi fynd i fyny i'r mynydd na chyffwrdd â'i ffin; oherwydd pwy bynnag sy'n cyffwrdd â'r mynydd, fe'i rhoddir i farwolaeth trwy ei labyddio neu ei saethu, ond peidied neb â'i gyffwrdd â'i law. ¹³Prun bynnag ai dyn ai anifail ydyw, ni chaiff fyw.' Nid ydynt i ddod i fyny i'r mynydd nes y cenir yn hir ar yr utgorn." ¹⁴Yna aeth Moses i lawr o'r mynydd at y bobl, a'u cysegru; a golchasant eu dillad. ¹⁵Dywedodd wrthynt, "Byddwch barod erbyn y trydydd dydd, a pheidiwch â mynd yn agos at wraig."

16 Ar fore'r trydydd dydd, daeth taranau a mellt a chwmwl tew ar y mynydd, ac yr oedd sŵn yr utgorn mor gryf nes i'r holl bobl oedd yn y gwersyll ddychryn. ¹⁷Yna daeth Moses â'r bobl allan o'r gwersyll i gyfarfod â Duw, ac aethant i sefyll wrth odre'r mynydd. ¹⁸Yr oedd Mynydd Sinai yn fwg i gyd, oherwydd i'r ARGLWYDD ddod i lawr arno mewn tân; yr oedd y mwg yn codi fel mwg ffwrn, a'r mynydd i gyd yn crynu drwyddo. ¹⁹Wrth i sŵn yr utgorn gryfhau,

llefarodd Moses, ac atebodd Duw ef yn y daran. ²⁰Yna disgynnodd yr ARGLWYDD ar ben Mynydd Sinai; galwodd Moses i ben y mynydd, ac aeth yntau i fyny. ²¹Dywedodd yr ARGLWYDD wrtho, "Dos i lawr a rhybuddia'r bobl, rhag iddynt frysio i rythu ar yr ARGLWYDD ac i lawer ohonynt farw. ²²Rhaid i'r offeiriaid sy'n nesáu at yr ARGLWYDD hefyd eu cysegru eu hunain, rhag i'r ARGLWYDD eu taro." ²³Dywedodd Moses wrth yr ARGLWYDD, "Ni all y bobl ddod i fyny i Fynydd Sinai, oherwydd iti ein rhybuddio i osod ffin o amgylch y mynydd a'i gysegru." ²⁴Dywedodd yr ARGLWYDD wrtho, "Dos i lawr, a thyrd ag Aaron i fyny gyda thi, ond paid â gadael i'r offeiriaid a'r bobl ruthro i fyny at yr ARGLWYDD, rhag iddo eu taro." ²⁵Felly aeth Moses i lawr at y bobl a dweud hyn wrthynt.

Y Deg Gorchymyn
(Deut. 5:1-21)

20 Llefarodd Duw yr holl eiriau hyn, a dweud:

2 "Myfi yw'r ARGLWYDD dy Dduw, a'th arweiniodd allan o wlad yr Aifft, o dŷ caethiwed.

3 "Na chymer dduwiau eraill ar wahân i mi.

4 "Na wna iti ddelw gerfiedig ar ffurf dim sydd yn y nefoedd uchod na'r ddaear isod nac yn y dŵr dan y ddaear; ⁵nac ymgryma iddynt na'u gwasanaethu, oherwydd yr wyf fi, yr ARGLWYDD dy Dduw, yn Dduw eiddigeddus; yr wyf yn cosbi'r plant am ddrygioni'r tadau hyd y drydedd a'r bedwaredd genhedlaeth o'r rhai sy'n fy nghasáu, ⁶ond yn dangos trugaredd i filoedd o'r rhai sy'n fy ngharu ac yn cadw fy ngorchmynion.

7 "Na chymer enw'r ARGLWYDD dy Dduw yn ofer, oherwydd ni fydd yr ARGLWYDD yn ystyried yn ddieuog y sawl sy'n cymryd ei enw'n ofer.

8 "Cofia'r dydd Saboth, i'w gadw'n gysegredig. ⁹Chwe diwrnod yr wyt i weithio a gwneud dy holl waith, ¹⁰ond mae'r seithfed dydd yn Saboth yr ARGLWYDD dy Dduw; na wna ddim gwaith y dydd hwnnw, ti na'th fab, na'th ferch, na'th was, na'th forwyn, na'th anifail, na'r estron sydd o fewn dy byrth; ¹¹oherwydd mewn chwe diwrnod y gwnaeth yr ARGLWYDD y nefoedd a'r ddaear, y môr

---

ʳʰ Felly Pumllyfr y Samariaid; cymh. adn. 23. Hebraeg, *bobl*.

a'r cyfan sydd ynddo; ac ar y seithfed dydd fe orffwysodd; am hynny, bendithiodd yr ARGLWYDD y dydd Saboth a'i gysegru.

12 "Anrhydedda dy dad a'th fam, er mwyn amlhau dy ddyddiau yn y wlad y mae'r ARGLWYDD yn ei rhoi iti.

13 "Na ladd.

14 "Na odineba.

15 "Na ladrata.

16 "Na ddwg gamdystiolaeth yn erbyn dy gymydog.

17 "Na chwennych dŷ dy gymydog, na'i wraig, na'i was, na'i forwyn, na'i ych, na'i asyn, na dim sy'n eiddo i'th gymydog."

Y Bobl yn Ofni

18 Pan welodd yr holl bobl y taranau a'r mellt, yr utgorn yn seinio a'r mynydd yn mygu, safasant o hirbell, ¹⁹a dweud wrth Moses, "Llefara di wrthym, ac fe wrandawn; ond paid â gadael i Dduw lefaru wrthym, rhag inni farw." ²⁰Dywedodd Moses wrthynt, "Peidiwch ag ofni, oherwydd fe ddaeth Duw i'ch profi, er mwyn ichwi gadw mewn cof y parch sy'n ddyledus iddo, a pheidio â phechu."

Sut Allor i'w Chodi

21 Safodd y bobl o bell, ond nesaodd Moses at y tywyllwch lle'r oedd Duw. ²²Dywedodd yr ARGLWYDD wrtho, "Fel hyn y dywedi wrth bobl Israel: 'Gwelsoch i mi lefaru wrthych o'r nefoedd. ²³Peidiwch â gwneud duwiau o arian nac o aur i'w haddoli gyda mi. ²⁴Gwna imi allor o bridd, ac abertha arni dy boethoffrymau a'th heddoffrymau, dy ddefaid a'th ychen; yna mi ddof atat i'th fendithio ym mha le bynnag y coffeir fy enw. ²⁵Ond os gwnei imi allor o gerrig, paid â'i gwneud o gerrig nadd; oherwydd wrth iti ei thrin â'th forthwyl, yr wyt yn ei halogi. ²⁶Hefyd, paid â mynd i fyny i'm hallor ar risiau, rhag iti amlygu dy noethni.'

Caethweision Hebreig
(Deut. 15:12-18)

21 "Dyma'r deddfau yr wyt i'w gosod o flaen y bobl:

2 "Pan bryni Hebrëwr yn gaethwas, y mae i roi chwe blynedd o wasanaeth, ac yn y seithfed caiff fynd yn rhydd heb dalu. ³Os daeth i mewn ei hun, caiff fynd ymaith ei hun, ond os oedd yn briod, caiff ei wraig fynd ymaith gydag ef. ⁴Os rhydd ei feistr wraig iddo, a hithau'n esgor ar feibion neu ferched iddo, bydd y wraig a'i phlant yn eiddo i'r meistr, ac y mae'r caethwas i fynd ymaith ei hun. ⁵Ond os dywed y caethwas, 'Yr wyf yn caru fy meistr a'm gwraig a'm plant, ac nid wyf am fynd ymaith', ⁶yna y mae ei feistr i ddod ag ef at Dduw, a'i ddwyn at y drws neu'r cilbost, a thyllu trwy ei glust â mynawyd; wedyn, bydd y caethwas yn ei wasanaethu am byth.

7 "Pan yw gŵr yn gwerthu ei ferch i gaethiwed, ni chaiff hi fynd yn rhydd fel y gweision caeth. ⁸Os nad yw'n boddhau ei meistr, ac yntau wedi ei neilltuo iddo'i hun, gadawer iddi gael ei phrynu'n ôl; ond nid oes ganddo'r hawl i'w gwerthu i estroniaid, gan ei fod wedi torri cytundeb â hi. ⁹Os yw wedi ei neilltuo ar gyfer ei fab, y mae i'w thrin fel ei ferch ei hun. ¹⁰Os yw'r meistr yn priodi gwraig arall, nid yw i leihau dim ar fwyd y gaethferch na'i dillad na'i hawliau priodasol. ¹¹Os yw'n methu yn un o'r tri pheth hyn, caiff y gaethferch fynd ymaith heb dalu dim arian.

Niweidiau Personol

12 "Pwy bynnag sy'n taro dyn a'i ladd, rhodder ef i farwolaeth. ¹³Os na chynlluniodd hynny, ond bod Duw wedi ei roi yn ei afael, caiff ffoi i'r lle a neilltuaf iti. ¹⁴Os bydd dyn yn ymosod yn fwriadol ar ei gymydog a'i ladd trwy frad, dos ag ef ymaith oddi wrth fy allor a'i roi i farwolaeth.

15 "Pwy bynnag sy'n taro'i dad neu ei fam, rhodder ef i farwolaeth.

16 "Pwy bynnag sy'n cipio dyn i'w werthu neu i'w gadw yn ei feddiant, rhodder ef i farwolaeth.

17 "Pwy bynnag sy'n melltithio'i dad neu ei fam, rhodder ef i farwolaeth.

18 "Pan yw dynion yn cweryla, ac un yn taro'r llall â charreg neu â'i ddwrn, a hwnnw'n gaeth i'w wely, ond heb farw, ¹⁹ac yna'n codi ac yn cerdded oddi amgylch â'i ffon, ystyrier y sawl a'i trawodd yn ddieuog; nid oes rhaid iddo ond ei ddigollediw am ei waith, a gofalu ei fod yn holliach.

20 "Pan yw dyn yn taro'i gaethwas neu ei gaethferch â ffon, a'r caeth yn marw yn y fan, cosber y dyn. ²¹Ond os yw'r caeth yn byw am ddiwrnod neu ddau, na chosber y dyn, oherwydd ei eiddo ef ydyw.

22 "Pan yw dynion wrth ymladd â'i gilydd yn taro gwraig feichiog, a hithau'n colli ei phlentyn, ond heb gael niwed pellach, y mae'r dyn i dalu'r ddirwy sy'n ddyledus i'w gŵr ac a bennwyd gan y barnwyr. 23 Ond os bu niwed pellach, yr wyt i hawlio bywyd am fywyd, 24 llygad am lygad, dant am ddant, llaw am law, troed am droed, 25 llosgiad am losgiad, clwyf am glwyf, a chlais am glais.

26 "Pan yw dyn yn taro llygad ei gaethwas neu ei gaethferch, a'i ddifetha, y mae i ollwng y caeth yn rhydd o achos y llygad. 27 Os yw'n taro allan ddant ei gaethwas neu ei gaethferch, y mae i ollwng y caeth yn rhydd o achos y dant.

Cyfrifoldeb Perchnogion

28 "Pan yw ych yn cornio gŵr neu wraig i farwolaeth, llabyddier yr ych, ac nid yw ei gig i'w fwyta; ond ystyrier y perchennog yn ddieuog. 29 Ond os bu'r ych yn cornio yn y gorffennol, a'r perchennog wedi ei rybuddio ond eto heb gadw'r ych dan reolaeth, a hwnnw'n lladd gŵr neu wraig, llabyddier yr ych a rhoi ei berchennog i farwolaeth. 30 Os pennir pridwerth, y mae i dalu am ei fywyd yn llawn yn ôl y pridwerth a bennir. 31 Os yw'r ych yn cornio mab neu ferch, y mae'r un rheol yn dal. 32 Os yw'r ych yn cornio caethwas neu gaethferch, y mae ei berchennog i dalu i'r meistr ddeg sicl ar hugain o arian, ac y mae'r ych i'w labyddio.

33 "Pan yw dyn yn gadael pydew ar agor, neu'n cloddio pydew a heb ei gau, ac ych neu asyn yn syrthio iddo, 34 y mae perchen y pydew i wneud iawn amdano trwy dalu arian i berchen yr anifail; ond ei eiddo ef fydd yr anifail marw.

35 "Pan yw ych rhywun yn cornio ac yn lladd ych ei gymydog, yna y maent i werthu'r ych byw, a rhannu'r arian a geir amdano; y maent hefyd i rannu'r ych marw. 36 Ond os yw'n hysbys fod yr ych wedi cornio yn y gorffennol, a'i berchennog heb ei gadw dan reolaeth, y mae ef i dalu'n ôl yn llawn, a rhoi ych am ych; ond ei eiddo ef fydd yr anifail marw.

Iawn am Eiddo

22 s "Os yw dyn yn lladrata ych neu ddafad ac yn ei ladd neu ei werthu, y mae i dalu'n ôl bum ych am yr ych, a phedair dafad am y ddafad.

2 t "Os bydd rhywun yn dal lleidr yn torri i mewn, ac yn ei daro a'i ladd, ni fydd yn euog o'i waed; 3 ond os yw'n ei ddal ar ôl i'r haul godi, fe fydd yn euog o'i waed.

"Y mae lleidr i dalu'n ôl yn llawn, ac os nad oes dim ganddo, y mae ef ei hun i'w werthu am ei ladrad.

4 "Os ceir yn fyw ym meddiant lleidr anifail wedi ei ddwyn, boed yn ych neu'n asyn neu'n ddafad, y mae'r lleidr i dalu'n ôl ddwbl ei werth.

5 "Pan yw dyn yn gadael ei faes neu ei winllan i'w pori, ac yna'n gyrru ei anifail i bori ym maes rhywun arall, y mae i dalu'n ôl o'r pethau gorau sydd yn ei faes a'i winllan ei hun.

6 "Pan yw tân yn torri allan ac yn cydio mewn drain ac yn difa ysgubau ŷd, neu ŷd heb ei fedi, neu faes, y mae'r sawl a gyneuodd y tân i dalu'n ôl yn llawn.

7 "Pan yw dyn yn rhoi i'w gymydog arian neu ddodrefn i'w cadw iddo, a'r rheini'n cael eu lladrata o'i dŷ, y mae'r lleidr, os delir ef, i dalu'n ôl yn ddwbl. 8 Os na ddelir y lleidr, dyger perchennog y tŷ o flaen Duw i weld a estynnodd ei law at eiddo'i gymydog ai peidio.

9 "Mewn unrhyw achos o drosedd ynglŷn ag ych, asyn, dafad, dilledyn, neu unrhyw beth coll y mae rhywun yn dweud mai ei eiddo ef ydyw, dyger achos y ddau o flaen Duw; ac y mae'r sawl y bydd Duw yn ei gael yn euog i dalu'n ôl yn ddwbl i'w gymydog.

10 "Pan yw dyn yn rhoi asyn, ych, dafad, neu unrhyw anifail i'w gymydog i'w gadw iddo, a'r anifail yn marw, neu'n cael ei niweidio, neu ei gipio ymaith, heb i neb ei weld, 11 y mae'r naill i dyngu i'r llall yn enw'r ARGLWYDD nad yw wedi estyn ei law at eiddo'i gymydog; y mae'r perchennog i dderbyn hyn, ac nid yw'r llall i dalu'n ôl. 12 Ond os cafodd ei ladrata oddi arno, y mae i dalu'n ôl i'r perchennog. 13 Os cafodd ei larpio, y mae i ddod â'r corff yn dystiolaeth, ac nid yw i dalu'n ôl am yr hyn a larpiwyd.

14 "Pan yw dyn yn benthyca rhywbeth gan ei gymydog, a'r peth hwnnw'n cael ei niweidio, neu'n marw heb i'w berchennog fod gydag ef, y mae'r dyn i dalu'n ôl yn llawn. 15 Ond os oedd ei berchennog gydag ef, nid yw i dalu'n ôl; os oedd ar log, yna'r llog sy'n ddyledus.

---

s 21:37 yn yr Hebraeg.　　　t 22:1 yn yr Hebraeg.

Deddfau Moesol a Chrefyddol

16 "Pan yw dyn yn hudo gwyryf nad yw wedi ei dyweddïo, ac yn gorwedd gyda hi, y mae i roi gwaddol amdani, a'i chymryd yn wraig. [17]Ond os yw ei thad yn gwrthod yn llwyr ei rhoi iddo, y mae i dalu arian sy'n gyfwerth â'r gwaddol am wyryf. 18 "Paid â gadael i ddewines fyw. 19 "Pwy bynnag sy'n gorwedd gydag anifail, rhodder ef i farwolaeth. 20 "Pwy bynnag sy'n aberthu i unrhyw dduw heblaw'r ARGLWYDD yn unig, distrywier ef yn llwyr. 21 "Paid â gwneud cam â'r estron, na'i orthrymu, oherwydd estroniaid fuoch chwi yng ngwlad yr Aifft. [22]Peidiwch â cham-drin y weddw na'r amddifad. [23]Os byddwch yn eu cam-drin a hwythau'n galw arnaf, byddaf yn sicr o glywed eu cri. [24]Bydd fy nicter yn cael ei gyffroi, ac fe'ch lladdaf â'r cleddyf; a bydd eich gwragedd yn weddwon a'ch plant yn amddifaid.

25 "Pan fenthyci arian i unrhyw un o'm pobl sy'n dlawd yn eich plith, paid ag ymddwyn tuag ato fel y gwna'r echwynnwr, a phaid â mynnu llog ganddo. [26]Os cymeri ddilledyn dy gymydog yn wystl, yr wyt i'w roi'n ôl iddo cyn machlud haul, [27]oherwydd dyna'r unig orchudd sydd ganddo, a dyna'r wisg sydd am ei gorff; beth arall sydd ganddo i gysgu ynddo? Os bydd yn galw arnaf fi, fe wrandawaf arno am fy mod yn drugarog. 28 "Paid â chablu Duw, na melltithio pennaeth o blith dy bobl. 29 "Paid ag oedi offrymu o'th ffrwythau aeddfed neu o gynnyrch dy winwryf.

"Yr wyt i gyflwyno i mi dy fab cyntafanedig. [30]Yr wyt i wneud yr un modd gyda'th ychen a'th ddefaid; bydded pob un gyda'i fam am saith diwrnod, ac ar yr wythfed dydd cyflwyner ef i mi. 31 "Byddwch yn ddynion wedi eu cysegru i mi, a pheidiwch â bwyta cig dim sydd wedi ei ysglyfaethu yn y maes; yn hytrach, taflwch ef i'r cŵn.

Cyfiawnder a Thegwch

23 "Paid â lledaenu straeon ofer. Paid ag ymuno â'r drygionus i fod yn dyst celwyddog. [2]Paid â dilyn y lliaws i wneud drwg, nac ochri gyda'r mwyafrif i wyrdroi barn wrth dystio mewn achos

cyfreithiol. [3]Paid â dangos ffafr tuag at y tlawd yn ei achos.

4 "Pan ddoi ar draws ych dy elyn neu ei asyn yn crwydro, dychwel ef iddo. [5]Os gweli asyn y sawl sy'n dy gasáu yn crymu dan ei lwyth, paid â'i adael fel y mae, ond dos i estyn cymorth iddo[th].

6 "Paid â gwyro barn i'r tlawd yn ei achos. [7]Ymgadw oddi wrth eiriau celwyddog, a phaid â difa'r dieuog na'r cyfiawn, oherwydd ni byddaf fi'n cyfiawnhau'r drygionus. [8]Paid â derbyn llwgrwobr, oherwydd y mae'n dallu'r dyn mwyaf craff ac yn gwyro geiriau'r cyfiawn.

9 "Paid â gorthrymu'r estron, oherwydd fe wyddoch chwi beth yw bod yn estron am mai estroniaid fuoch yng ngwlad yr Aifft.

Y Seithfed Flwyddyn a'r Seithfed Dydd

10 "Am chwe blynedd yr wyt i hau dy dir a chasglu ei gynnyrch, [11]ond yn y seithfed flwyddyn yr wyt i'w adael heb ei drin, er mwyn i'r rhai tlawd ymysg dy bobl gael bwyta, ac i'r anifeiliaid gwyllt gael bwydo ar yr hyn a adewir yn weddill. Yr wyt i wneud yr un modd gyda'th winllan a'th goed olewydd.

12 "Am chwe diwrnod yr wyt i weithio, ond ar y seithfed dydd yr wyt i orffwys, er mwyn i'th ych a'th asyn gael gorffwys, ac i fab dy gaethferch ac i'r estron gael dadflino. [13]Gofalwch gadw'r holl bethau a ddywedais wrthych, a pheidiwch ag enwi duwiau eraill na sôn amdanynt.

Y Tair Gŵyl Fawr
(Ex. 34:18-26; Deut. 16:1-17)

14 "Yr wyt i gadw gŵyl i mi deirgwaith y flwyddyn. [15]Yr wyt i gadw gŵyl y Bara Croyw; fel y gorchmynnais iti, yr wyt i fwyta bara croyw am saith diwrnod ar yr amser penodedig ym mis Abib, oherwydd yn ystod y mis hwnnw y daethost allan o'r Aifft. [16]Nid oes neb i ymddangos o'm blaen yn waglaw. Yr wyt i gadw gŵyl y Cynhaeaf â blaenffrwyth yr hyn a heuaist yn y maes. Yr wyt i gadw gŵyl y Cynnull ar ddiwedd y flwyddyn, pan wyt yn casglu o'r maes ffrwyth dy lafur. [17]Y mae pob gwryw yn eich plith i ymddangos o flaen

---
[th] *dos...iddo.* Cymh. Groeg. Hebraeg yn aneglur.

yr ARGLWYDD Dduw deirgwaith y flwyddyn.
18 "Paid ag offrymu gwaed fy aberth gyda bara lefeinllyd, a phaid â gadael braster fy ngwledd yn weddill hyd y bore.
19 "Yr wyt i ddod â'r cyntaf o flaen-ffrwyth dy dir i dŷ'r ARGLWYDD dy Dduw.
"Paid â berwi myn yn llaeth ei fam.

Addewidion a Chyfarwyddiadau

20 "Edrych, yr wyf yn anfon angel o'th flaen, i'th warchod ar hyd y ffordd a'th arwain i'r man yr wyf wedi ei baratoi.
21 Bydd ufudd iddo a gwrando arno; paid â'i wrthwynebu, oherwydd fy awdurdod i sydd ganddo, ac ni fydd yn maddau eich pechodau.
22 "Os gwrandewi'n ofalus arno, a gwneud y cwbl a ddywedaf, byddaf yn elyn i'th elynion, ac fe wrthwynebaf dy wrthwynebwyr.
23 "Bydd fy angel yn mynd o'th flaen ac yn dy arwain at yr Amoriaid, Heth-iaid, Peresiaid, Canaaneaid, Hefiaid, a Jebusiaid, a byddaf yn eu difodi. 24 Paid ag ymgrymu i'w duwiau, na'u gwasanaethu, a phaid â gwneud fel y maent hwy yn gwneud; yr wyt i'w dinistrio'n llwyr a dryllio'u colofnau'n ddarnau. 25 Yr ydych i wasanaethu'r ARGLWYDD eich Duw; bydd ef yn bendithio dy fara a'th ddŵr ac yn cymryd ymaith bob clefyd o'ch plith.
26 Ni bydd dim o fewn dy dir yn erthylu nac yn ddiffrwyth; rhoddaf i ti nifer llawn o ddyddiau. 27 Byddaf yn anfon fy arswyd o'th flaen, ac yn drysu'r holl bobl y byddi'n dod yn eu herbyn, a gwnaf i'th holl elynion droi'n ôl. 28 Byddaf yn anfon cacwn o'th flaen i yrru ymaith yr Hefiaid, y Canaaneaid, a'r Hethiaid o'th olwg.
29 Ond ni fyddaf yn eu gyrru hwy i gyd allan o'th flaen yr un flwyddyn, rhag i'r wlad fynd yn anghyfannedd ac i'r anifeiliaid gwyllt amlhau yn dy erbyn. 30 Fe'u gyrraf allan o'th flaen fesul tipyn, nes iti gynyddu digon i feddiannu'r wlad.
31 Gosodaf dy derfynau o'r Môr Coch hyd fôr y Philistiaid, ac o'r anialwch hyd Afon Ewffrates; byddaf yn rhoi trigolion y wlad yn eich dwylo, a byddi'n eu gyrru allan o'th flaen. 32 Paid â gwneud cyfamod â hwy nac â'u duwiau. 33 Ni fyddant yn aros yn y wlad, rhag iddynt wneud i ti bechu yn f'erbyn; os byddi'n gwasanaethu eu duwiau, bydd hynny'n dramgwydd i ti."

Selio'r Cyfamod

24 Yna fe ddywedwyd wrth Moses, "Tyrd i fyny at yr ARGLWYDD, ti ac Aaron, Nadab, Abihu, a deg a thrigain o henuriaid Israel, ac addolwch o bell. 2 Moses yn unig sydd i nesáu at yr ARGLWYDD; nid yw'r lleill i ddod yn agos, ac nid yw'r bobl i fynd i fyny gydag ef."
3 Pan ddaeth Moses, a mynegi i'r bobl holl eiriau'r ARGLWYDD a'r holl ddeddf-au, atebodd y bobl i gyd yn unfryd, "Fe wnawn y cyfan a ddywedodd yr AR-GLWYDD." 4 Yna ysgrifennodd Moses holl eiriau'r ARGLWYDD. Cododd yn gynnar yn y bore, ac wrth droed y mynydd adeiladodd allor a deuddeg colofn yn cyfateb i ddeuddeg llwyth Israel. 5 Anfonodd lanciau o blith yr Israeliaid i offrymu poethoffrymau ac aberthu bustych yn heddoffrymau i'r AR-GLWYDD. 6 Yna cymerodd Moses hanner y gwaed a'i roi mewn cawgiau, a thywallt yr hanner arall ar yr allor. 7 Cymerodd lyfr y cyfamod, ac ar ôl iddo'i ddarllen yng nghlyw'r bobl, dywedasant, 8 "Fe wnawn y cyfan a ddywedodd yr ARGLWYDD, a byddwn yn ufudd iddo." Yna cymerodd Moses y gwaed a'i daenellu dros y bobl, a dweud, "Dyma waed y cyfamod a wnaeth yr ARGLWYDD â chwi yn unol â'r holl eiriau hyn."
9 Yna aeth Moses i fyny gydag Aaron, Nadab, Abihu a'r deg a thrigain o henur-iaid Israel, 10 a gwelsant Dduw Israel; o dan ei draed yr oedd rhywbeth tebyg i balmant o faen saffir, yn ddisglair fel y nefoedd ei hun. 11 Ni osododd ei law ar benaethiaid pobl Israel; ond cawsant weld Duw a bwyta ac yfed.

Moses ar Fynydd Sinai

12 Dywedodd yr ARGLWYDD wrth Moses, "Tyrd i fyny ataf i'r mynydd, ac aros yno; yna fe roddaf iti lechi o garreg, gyda'r gyfraith a'r gorchymyn a ysgrifen-nais ar eu cyfer i'w hyfforddi." 13 Felly cododd Moses a'i was, Josua, ac aeth Moses i fyny i fynydd Duw. 14 Dywedodd wrth yr henuriaid, "Arhoswch yma amdanom nes inni ddod yn ôl atoch; bydd Aaron a Hur gyda chwi, ac os bydd gan rywun gŵyn, aed atynt hwy."
15 Aeth Moses i fyny i'r mynydd, a gorchuddiwyd y mynydd gan gwmwl.
16 Arhosodd gogoniant yr ARGLWYDD ar Fynydd Sinai, a gorchuddiodd y cwmwl y

mynydd am chwe diwrnod; yna ar y seithfed dydd, galwodd Duw ar Moses o ganol y cwmwl. [17] Yr oedd gogoniant yr ARGLWYDD yn ymddangos yng ngolwg pobl Israel fel tân yn difa ar ben y mynydd. [18] Aeth Moses i ganol y cwmwl, a dringodd i fyny'r mynydd, a bu yno am ddeugain diwrnod a deugain nos.

Rhoddion ar gyfer y Cysegr
(Ex. 35:4-9)

25 Dywedodd yr ARGLWYDD wrth Moses, [2] "Dywed wrth bobl Israel am ddod ag offrwm i mi, a derbyniwch oddi wrth bob un yr offrwm y mae'n ei roi o'i wirfodd. [3] Dyma'r offrwm yr ydych i'w dderbyn ganddynt: aur, arian ac efydd; [4] sidan glas, porffor ac ysgarlad, a lliain main; blew geifr, [5] crwyn hyrddod wedi eu lliwio'n goch, a chrwyn daearfoch; coed acasia, [6] olew ar gyfer y lampau, perlysiau ar gyfer olew'r ennaint a'r arogldarth peraidd; [7] meini onyx, a gemau i'w gosod yn yr effod a'r ddwyfronneg. [8] Y maent hefyd i wneud cysegr, er mwyn i mi drigo yn eu plith. [9] Yr ydych i'w wneud yn unol â'r cynllun o'r tabernacl, a'i holl ddodrefn, yr wyf yn ei ddangos i ti.

Arch y Cyfamod
(Ex. 37:1-9)

10 "Y maent i wneud arch o goed acasia, dau gufydd a hanner o hyd, cufydd a hanner o led, a chufydd a hanner o uchder. [11] Yr wyt i'w goreuro ag aur pur oddi mewn ac oddi allan, ac yr wyt i wneud cylch aur o'i hamgylch. [12] Yna yr wyt i lunio pedair dolen gron o aur ar gyfer ei phedair congl, dwy ar y naill ochr a dwy ar y llall. [13] Gwna bolion o goed acasia a'u goreuro, [14] a'u gosod yn y dolennau ar ochrau'r arch, i'w chario. [15] Y mae'r polion i aros yn nolennau'r arch heb eu symud oddi yno; [16] yr wyt i roi yn yr arch y dystiolaeth yr wyf yn ei rhoi iti. [17] Gwna drugareddfa o aur pur, dau gufydd a hanner o hyd, a chufydd a hanner o led; [18] gwna hefyd ar gyfer y naill ben a'r llall i'r drugareddfa ddau gerwb o aur wedi ei guro. [19] Gwna un yn y naill ben a'r llall yn y pen arall, yn rhan o'r drugareddfa. [20] Y mae dwy adain y cerwbiaid i fod ar led, fel eu bod yn gorchuddio'r drugareddfa; y mae'r cerwbiaid i wynebu ei gilydd, â'u hwynebau tua'r drugareddfa. [21] Yr wyt i roi'r drugareddfa ar ben yr arch, a rhoi yn yr arch y dystiolaeth y byddaf yn ei rhoi i ti. [22] Yno byddaf yn cyfarfod â thi, ac oddi ar y drugareddfa, rhwng y ddau gerwb sydd ar arch y dystiolaeth, y byddaf yn mynegi iti yr holl bethau yr wyf yn eu gorchymyn i bobl Israel.

Bwrdd y Bara Gosod
(Ex. 37:10-16)

23 "Yr wyt i wneud bwrdd o goed acasia, dau gufydd o hyd, cufydd o led, a chufydd a hanner o uchder, [24] a'i oreuro ag aur pur drosto, a gwneud cylch aur o'i amgylch. [25] Gwna ffrâm o led llaw o'i gwmpas, a chylch aur o amgylch y ffrâm. [26] Yr wyt hefyd i wneud ar ei gyfer bedair dolen aur, a'u clymu wrth y pedair coes yn y pedair congl. [27] Bydd y dolennau sydd ar ymyl y ffrâm yn dal y polion sy'n cludo'r bwrdd. [28] Yr wyt i wneud y polion a fydd yn cludo'r bwrdd o goed acasia, a'u goreuro. [29] Gwna lestri a dysglau ar ei gyfer, a ffiolau a chostrelau i dywallt y diodoffrwm; yr wyt i'w gwneud o aur pur. [30] Yr wyt i roi'r bara gosod ar y bwrdd o'm blaen yn wastadol.

Y Canhwyllbren
(Ex. 37:17-24)

31 "Gwna ganhwyllbren o aur pur. Y mae gwaelod y canhwyllbren a'i baladr i'w gwneud o ddeunydd gyr, ac y mae'r pedyll, y cnapiau a'r blodau i fod yn rhan o'r cyfanwaith. [32] Bydd chwe chainc yn dod allan o ochrau'r canhwyllbren, tair ar un ochr a thair ar y llall. [33] Ar un gainc bydd tair padell ar ffurf almonau, a chnap a blodeuyn arnynt, a thair ar y gainc nesaf; dyma fydd ar y chwe chainc sy'n dod allan o'r canhwyllbren. [34] Ar y canhwyllbren ei hun, bydd pedair padell ar ffurf almonau, a chnapiau a blodau arnynt, [35] a bydd un o'r cnapiau dan bob pâr o'r chwe chainc sy'n dod allan o'r canhwyllbren. [36] Bydd y cnapiau a'r ceinciau yn rhan o'r canhwyllbren, a bydd y cyfan o aur pur ac o ddeunydd gyr. [37] Yr wyt i wneud ar ei gyfer saith llusern, a'u gosod fel eu bod yn goleuo'r gwagle o'u gwmpas. [38] Bydd ei efeiliau a'i gafnau o aur pur. [39] Yr wyt i wneud y canhwyllbren a'i holl lestri hyn o un dalent o aur pur. [40] Ond gofala dy fod yn eu gwneud yn ôl y patrwm a ddangoswyd i ti ar y mynydd.

Y Tabernacl
(Ex. 36:8-38)

26 "Gwna'r tabernacl o ddeg llen o liain main wedi ei nyddu ac o sidan glas, porffor ac ysgarlad, a cherwbiaid wedi eu gwnïo'n gywrain arnynt. ²Bydd pob llen yn wyth cufydd ar hugain o hyd a phedwar cufydd o led, pob llen yr un maint. ³Bydd pump o'r llenni wedi eu cydio wrth ei gilydd, a'r pump arall hefyd wedi eu cydio wrth ei gilydd. ⁴Gwna ddolennau glas ar hyd ymyl y llen sydd ar y tu allan i'r naill gydiad a'r llall. ⁵Gwna hanner cant o ddolennau ar un llen, a hanner cant ar hyd ymyl y llen ar ben yr ail gydiad, gyda'r dolennau gyferbyn â'i gilydd. ⁶Gwna hefyd hanner cant o fachau aur, a chydia'r llenni wrth ei gilydd â'r bachau er mwyn i'r tabernacl fod yn gyfanwaith.

7 "Gwna un ar ddeg o lenni o flew geifr i fod yn babell dros y tabernacl. ⁸Bydd pob llen yn ddeg cufydd ar hugain o hyd a phedwar cufydd o led, pob llen yr un maint. ⁹Cydia hwy wrth ei gilydd yn bum llen ac yn chwe llen, a gwna'r chweched yn ddwbl dros wyneb y babell. ¹⁰Gwna hanner cant o ddolennau ar hyd ymyl y llen ar y tu allan i'r naill gydiad a'r llall. 11 "Gwna hanner cant o fachau pres a'u rhoi yn y dolennau i ddal y babell wrth ei gilydd yn gyfanwaith. ¹²Bydd yr hyn sydd dros ben o lenni'r babell, sef yr hanner llen, yn hongian y tu ôl i'r tabernacl. ¹³Ar y ddwy ochr bydd y cufydd o lenni'r babell sydd dros ben yn hongian dros y tabernacl i'w orchuddio. ¹⁴Gwna do i'r babell o grwyn hyrddod wedi eu lliwio'n goch ac o grwyn geifr.

15 "Gwna hefyd ar gyfer y tabernacl fframiau syth o goed acasia, ¹⁶pob un ohonynt yn ddeg cufydd o hyd a chufydd a hanner o led, ¹⁷a dau dyno ym mhob ffrâm i'w cysylltu â'i gilydd; gwna hyn i holl fframiau'r tabernacl. ¹⁸Yr wyt i wneud y fframiau ar gyfer y tabernacl fel hyn: ugain ffrâm ar yr ochr ddeheuol, ¹⁹a deugain troed arian oddi tanynt, dau i bob ffrâm ar gyfer ei dau dyno; ²⁰ar yr ail ochr i'r tabernacl, sef yr ochr ogleddol, bydd ugain ffrâm ²¹a deugain troed arian, dau dan bob ffrâm; ²²yng nghefn y tabernacl, sef yr ochr orllewinol, gwna chwe ffrâm, ²³a dwy arall ar gyfer conglau cefn y tabernacl, ²⁴wedi eu cysylltu yn y pen a'r gwaelod â bach; bydd y ddwy ffrâm yr un fath, ac yn ffurfio'r ddwy gongl. ²⁵Felly bydd wyth ffrâm ac un ar bymtheg o draed arian, dau droed dan bob ffrâm.

26 "Gwna hefyd farrau o goed acasia, pump ar gyfer fframiau'r naill ochr i'r tabernacl, ²⁷pump ar gyfer fframiau'r ochr arall, a phump ar gyfer y fframiau yng nghefn y tabernacl, sef yr ochr orllewinol. ²⁸Bydd y bar sydd ar ganol y fframiau yn ymestyn o un pen i'r llall. ²⁹Yr wyt i oreuro'r fframiau, a gwneud bachau aur i osod y barrau trwyddynt; yr wyt hefyd i oreuro'r barrau. ³⁰Yr wyt i adeiladu'r tabernacl yn ôl y cynllun a ddangoswyd iti ar y mynydd.

31 "Gwna orchudd o sidan glas, porffor ac ysgarlad, ac o liain main wedi ei nyddu, a cherwbiaid wedi eu gwnïo'n gywrain arno. ³²Gosod ef â bachau aur ar bedair colofn o goed acasia, wedi eu goreuro ac yn sefyll ar bedwar troed arian. ³³Rho'r gorchudd ar y bachau, a chludo arch y dystiolaeth oddi tano; bydd y gorchudd yn gwahanu rhwng y cysegr a'r cysegr sancteiddiaf. ³⁴Rho'r drugareddfa ar arch y dystiolaeth yn y cysegr sancteiddiaf. ³⁵Gosod y bwrdd y tu allan i'r gorchudd, ar ochr ogleddol y tabernacl, a'r canhwyllbren gyferbyn â'r bwrdd, ar yr ochr ddeheuol.

36 "Ar gyfer drws y babell gwna len o sidan glas, porffor ac ysgarlad, ac o liain main wedi ei nyddu a'i frodio. ³⁷Ar gyfer y llen gwna bum colofn o goed acasia wedi eu goreuro, a bachau aur, a llunia o bres bum troed ar eu cyfer.

Yr Allor
(Ex. 38:1-7)

27 "Gwna allor sgwâr o goed acasia, pum cufydd o hyd a phum cufydd o led a thri chufydd o uchder. ²Gwna gyrn yn rhan o'r allor yn ei phedair congl, a rho haen o bres drosti. ³Gwna ar ei chyfer lestri i dderbyn y lludw, a rhawiau, cawgiau, ffyrch a phedyll tân, pob un ohonynt o bres. ⁴Gwna hefyd ar ei chyfer rwyll o rwydwaith pres, a phedwar bach pres ar bedair congl y rhwydwaith. ⁵Gosod hi dan ymyl yr allor fel bod y rhwydwaith yn ymestyn at hanner yr allor. ⁶Gwna hefyd ar gyfer yr allor bolion o goed acasia, a rho haen o bres drostynt. ⁷Rhoir y polion drwy'r bachau ar ochrau'r allor i'w chludo. ⁸Gwna'r allor ag astellau, yn wag oddi mewn. Gwna hi fel y dangoswyd iti ar y mynydd.

Cyntedd y Tabernacl
(Ex. 38:9-10)

9 "Gwna gyntedd ar gyfer y tabernacl.
Ar un ochr, yr ochr ddeheuol i'r cyntedd,
bydd llenni o liain main wedi ei nyddu,
can cufydd o hyd; ¹⁰bydd ugain colofn ac
ugain troed o bren, ond bydd bachau a
chylchau'r colofnau o arian. ¹¹Yr un
modd, bydd ar yr ochr ogleddol lenni can
cufydd o hyd, ag ugain colofn ac ugain
troed o bres, ond bydd bachau a chylch-
au'r colofnau o arian. ¹²Ar draws y
cyntedd, ar yr ochr orllewinol, bydd
llenni hanner can cufydd o hyd, â deg
colofn a deg troed. ¹³Ar yr ochr ddwyr-
einiol, tua chodiad haul, bydd lled y
cyntedd yn hanner can cufydd. ¹⁴Bydd y
llenni ar y naill ochr i'r porth yn bymtheg
cufydd, â thair colofn a thri throed, ¹⁵a'r
llenni ar yr ochr arall hefyd yn bymtheg
cufydd, â thair colofn a thri throed. ¹⁶Ym
mhorth y cyntedd bydd llen ugain cufydd
o hyd, o sidan glas, porffor ac ysgarlad,
ac o liain main wedi ei nyddu a'i frodio;
bydd iddi bedair colofn a phedwar troed.
¹⁷Bydd cylchau arian ar yr holl golofnau o
amgylch y cyntedd, a bydd eu bachau o
aur a'u traed o bres. ¹⁸Bydd y cyntedd yn
gan cufydd o hyd a hanner can cufydd o
led a phum cufydd o uchder, â llenni o
liain main wedi ei nyddu, a thraed o bres.
¹⁹Pres hefyd fydd pob un o'r llestri ar
gyfer holl wasanaeth y tabernacl, a phob
un o'r hoelion a fydd yn y tabernacl a'r
cyntedd.

Gofal y Lamp
(Lef. 24:1-4)

20 "Gorchymyn i bobl Israel ddod ag
olew pur wedi ei wasgu o'r olewydd ar
gyfer y lamp, er mwyn iddi losgi'n ddi-
baid. ²¹Bydd Aaron a'i feibion yn cadw
golwg ar y lamp o'r hwyr hyd y bore
gerbron yr Arglwydd ym mhabell y
cyfarfod y tu allan i'r gorchudd sydd o
flaen y dystiolaeth. Bydd yn ddeddf i'w
chadw am byth gan bobl Israel dros y
cenedlaethau.

Gwisgoedd i'r Offeiriaid
(Ex. 39:1-7)

28 "Galw atat o blith pobl Israel dy
frawd Aaron a'i feibion er mwyn
iddynt fy ngwasanaethu fel offeiriaid:
Aaron a'i feibion, Nadab, Abihu, Eleasar
ac Ithamar. ²Gwna wisgoedd cysegredig
ar gyfer dy frawd Aaron, er gogoniant

a harddwch. ³Dywed wrth bawb sy'n
fedrus, pob un yr wyf wedi ei ddonio â
gallu, am wneud dillad i Aaron er mwyn
ei gysegru'n offeiriad i mi. ⁴Dyma'r dillad
y maent i'w gwneud: dwyfronneg, effod,
mantell, siaced wau, penwisg a gwregys;
y maent i wneud y gwisgoedd cysegredig
i'th frawd Aaron ac i'w feibion, iddynt fy
ngwasanaethu fel offeiriaid.
5 "Y maent i gymryd aur, a sidan glas,
porffor ac ysgarlad, a lliain main, ⁶a
gwneud yr effod o'r aur, y sidan glas,
porffor ac ysgarlad, a'r lliain main wedi ei
nyddu a'i wnïo'n gywrain. ⁷Bydd iddi
ddwy ysgwydd wedi eu cydio ynghyd ar y
ddwy ochr er mwyn ei chau. ⁸Bydd y
gwregys arni wedi ei wnïo'n gywrain, ac
o'r un deunydd â'r effod, sef aur, a sidan
glas, porffor ac ysgarlad, a lliain main
wedi ei nyddu. ⁹Cymer ddau faen onyx a
naddu arnynt enwau meibion Israel ¹⁰yn
nhrefn eu geni, chwe enw ar un maen, a
chwech ar y llall. ¹¹Yr wyt i naddu enwau
meibion Israel ar y ddau faen fel y bydd
gemydd yn naddu sêl, ac yna eu gosod
mewn edafwaith o aur. ¹²Rho'r ddau faen
ar ysgwyddau'r effod, iddynt fod yn feini
coffadwriaeth i feibion Israel, a bod
Aaron yn dwyn eu henwau ar ei ysg-
wyddau yn goffadwriaeth gerbron yr Ar-
glwydd. ¹³Gwna edafwaith o aur, ¹⁴a
dwy gadwyn o aur pur wedi eu plethu
ynghyd; gosod y cadwynau wedi eu
plethu yn yr edafwaith.

Dwyfronneg yr Archoffeiriad
(Ex. 39:8-21)

15 "Gwna ddwyfronneg o grefftwaith
cywrain ar gyfer barnu; gwna hi, fel yr
effod, o aur, o sidan glas, porffor ac
ysgarlad ac o liain main wedi ei nyddu.
¹⁶Bydd yn sgwâr ac yn ddwbl, rhychwant
o hyd a rhychwant o led. ¹⁷Gosod ynddi
bedair rhes o feini: yn y rhes gyntaf,
rhuddem, topas a charbwncl; ¹⁸yn yr ail
res, emrallt, saffir a diemwnt; ¹⁹yn y
drydedd res, lygur, agat ac amethyst;
²⁰yn y bedwaredd res, beryl, onyx a
iasbis; byddant i gyd wedi eu gosod mewn
edafwaith o aur. ²¹Enwir y deuddeg maen
ar ôl meibion Israel, a bydd pob un fel sêl
ac enw un o'r deuddeg llwyth wedi ei
argraffu arno. ²²Ar gyfer y ddwyfronneg
gwna gadwynau o aur pur wedi eu plethu
ynghyd, ²³a hefyd ddau fach aur i'w rhoi
ar ddwy ochr y ddwyfronneg. ²⁴Rho'r
ddwy gadwyn aur ar y ddau fach ar

ochrau'r ddwyfronneg, ²⁵a dau ben arall y ddwy gadwyn ar y ddau edafwaith, a'u cysylltu ag ysgwyddau'r effod o'r tu blaen. ²⁶Gwna hefyd ddau fach aur a'u gosod yn nau ben y ddwyfronneg ar yr ochr fewnol, nesaf at yr effod. ²⁷Yna, gwna ddau fach aur a'u gosod yn rhan isaf dwy ysgwydd yr effod ar y tu blaen, yn y cydiad uwchben y gwregys. ²⁸Y mae bachau'r ddwyfronneg i'w rhwymo wrth fachau'r effod â llinyn glas uwchben y gwregys, rhag i'r ddwyfronneg ymddatod oddi wrth yr effod. ²⁹Felly, pan fydd Aaron yn mynd i mewn i'r cysegr, bydd yn dwyn enwau meibion Israel ar ei galon yn y ddwyfronneg barn, yn goffadwriaeth wastadol gerbron yr ARGLWYDD. ³⁰Rho'r Wrim a'r Twmim yn y ddwyfronneg barn, iddynt fod ar galon Aaron pan fydd yn mynd gerbron yr ARGLWYDD; felly, bydd Aaron yn dwyn barnedigaeth pobl Israel ar ei galon gerbron yr ARGLWYDD yn wastadol.

Gwisgoedd Offeiriadol Eraill
(Ex. 39:22-31)

31 "Gwna fantell yr effod i gyd o sidan glas, ³²a thwll yn ei chanol ar gyfer y pen, a gwnïad o'i amgylch fel y twll a geir mewn llurig, rhag iddo rwygo. ³³O amgylch godre'r fantell gwna bomgranadau o sidan glas, porffor ac ysgarlad, a chlychau aur rhyngddynt; ³⁴bydd clychau aur a phomgranadau bob yn ail o amgylch godre'r fantell. ³⁵Bydd Aaron yn ei gwisgo wrth wasanaethu, ac fe glywir sŵn y clychau pan â Aaron i mewn i'r cysegr gerbron yr ARGLWYDD, a phan ddaw allan; felly ni bydd farw.

36 "Gwna hefyd blât o aur pur, ac argraffa arno, fel ar sêl, 'Sanctaidd i'r ARGLWYDD', ³⁷a chlyma ef ar flaen y benwisg â llinyn glas. ³⁸Bydd ar dalcen Aaron, ac yntau'n cymryd arno'i hun euogrwydd pobl Israel wrth iddynt gysegru eu rhoddion sanctaidd; bydd ar ei dalcen bob amser, er mwyn iddynt gael ffafr gerbron yr ARGLWYDD.

39 "Yr wyt i wau siaced o liain main, a gwneud penwisg hefyd o liain main, a gwregys wedi ei wnïo. ⁴⁰Gwna hefyd siacedau, gwregysau a chapiau i feibion Aaron; gwna hwy er gogoniant a harddwch. ⁴¹Yr wyt i'w gwisgo am Aaron dy frawd a'i feibion, a'u heneinio, eu hordeinio a'u cysegru, er mwyn iddynt fy

ngwasanaethu fel offeiriaid. ⁴²Gwna iddynt hefyd lodrau o liain i guddio'u cnawd noeth, o'u llwynau at y glun. ⁴³Bydd Aaron a'i feibion yn eu gwisgo wrth iddynt fynd i mewn i babell y cyfarfod ac wrth iddynt agosáu at yr allor i wasanaethu yn y cysegr, rhag iddynt fod yn euog a marw. Bydd hyn yn ddeddf i'w chadw am byth ganddo ef a'i ddisgynyddion.

Cysegru Offeiriaid
(Lef. 8:1-36)

29 "Dyma'r hyn a wnei i'w cysegru'n offeiriaid i'm gwasanaethu: cymer un bustach ifanc a dau hwrdd di-nam; ²cymer hefyd beilliaid gwenith heb furum, a gwna fara, cacennau wedi eu cymysgu ag olew, a theisennau ag olew wedi ei daenu arnynt. ³Rho hwy mewn un fasged i'w cyflwyno gyda'r bustach a'r ddau hwrdd. ⁴Yna tyrd ag Aaron a'i feibion at ddrws pabell y cyfarfod, a'u golchi â dŵr. ⁵Cymer y dillad, a gwisgo Aaron â'r siaced, mantell yr effod, yr effod ei hun a'r ddwyfronneg, a gosod wregys yr effod am ei ganol. ⁶Gosod y benwisg ar ei ben, a rho'r goron gysegredig ar y benwisg. ⁷Cymer olew'r ennaint a'i dywallt ar ei ben, a'i eneinio. Yna tyrd â'i feibion, a'u gwisgo â'r siacedau; ⁸rho'r gwregys amdanynt hwy ac Aaron, a'u gwisgo â chapiau. ⁹Eu heiddo hwy fydd yr offeiriadaeth trwy ddeddf dragwyddol. Fel hyn yr wyt i ordeinio Aaron a'i feibion.

10 "Tyrd â'r bustach o flaen pabell y cyfarfod, a gwna i Aaron a'i feibion roi eu dwylo ar ei ben; ¹¹yna lladd di'r bustach gerbron yr ARGLWYDD wrth ddrws pabell y cyfarfod. ¹²Cymer beth o waed y bustach, a'i daenu â'th fys ar gyrn yr allor; yna tywallt y gweddill ohono wrth droed yr allor. ¹³Cymer yr holl fraster sydd am y perfedd, y croen am yr iau, a'r ddwy aren gyda'r braster, a'u llosgi ar yr allor. ¹⁴Ond llosga gig y bustach, ei groen a'r gwehilion, â thân y tu allan i'r gwersyll; aberth dros bechod ydyw.

15 "Cymer un o'r hyrddod, a gwna i Aaron a'i feibion roi eu dwylo ar ei ben; ¹⁶yna lladd di'r hwrdd a chymryd ei waed a'i daenu o amgylch yr allor. ¹⁷Tor ef yn ddarnau, ac wedi golchi ei berfedd a'i goesau, gosod hwy gyda'r darnau a'r pen; ¹⁸yna llosga'r hwrdd i gyd ar yr allor. Poethoffrwm i'r ARGLWYDD ydyw; y

mae'n arogl peraidd ac yn offrwm trwy dân i'r ARGLWYDD.

19 "Cymer yr hwrdd arall, a gwna i Aaron a'i feibion osod eu dwylo ar ei ben; ²⁰yna lladd di'r hwrdd a chymer beth o'i waed a'i roi ar gwr isaf clust dde Aaron a'i feibion, ac ar fodiau de eu dwylo a'u traed, a thaenella weddill y gwaed o amgylch yr allor. ²¹Yna cymer beth o'r gwaed a fydd ar yr allor, a pheth o olew'r ennaint, a'u taenellu ar Aaron a'i feibion, ac ar eu dillad; byddant hwy a'u dillad yn gysegredig.

22 "Cymer o'r hwrdd y braster, y gloren, y braster am y perfedd, y croen am yr iau, y ddwy aren a'u braster, a'r glun dde; oherwydd hwrdd yr ordeinio ydyw. ²³O fasged y bara croyw sydd gerbron yr ARGLWYDD cymer un dorth, un gacen wedi ei gwneud ag olew, ac un deisen; ²⁴rho'r cyfan yn nwylo Aaron a'i feibion, a'i chwifio'n offrwm cyhwfan gerbron yr ARGLWYDD. ²⁵Yna cymer hwy o'u dwylo a'u llosgi ar yr allor gyda'r poethoffrwm yn arogl peraidd gerbron yr ARGLWYDD; offrwm trwy dân i'r AR-GLWYDD ydyw.

26 "Cymer frest hwrdd ordeinio Aaron, a'i chwifio'n offrwm cyhwfan gerbron yr ARGLWYDD; dy eiddo di fydd y rhan hon. ²⁷Cysegra'r rhannau o'r hwrdd sy'n eiddo i Aaron a'i feibion, sef y frest a chwifiwyd a'r glun a ddyrchafwyd. ²⁸Dyma gyfraniad pobl Israel i Aaron a'i feibion trwy ddeddf dragwyddol, oherwydd cyfran yr offeiriaid ydyw, a roddir gan bobl Israel o'u haberthau hedd; eu hoffrwm hwy i'r ARGLWYDD ydyw.

29 "Bydd dillad cysegredig Aaron yn eiddo i'w feibion ar ei ôl, er mwyn eu heneinio a'u hordeinio ynddynt. ³⁰Bydd y mab a fydd yn ei ddilyn fel offeiriad yn eu gwisgo am saith diwrnod pan ddaw i babell y cyfarfod i wasanaethu yn y cysegr.

31 "Cymer hwrdd yr ordeinio, a berwi ei gig mewn lle cysegredig; ³²yna bydd Aaron a'i feibion yn bwyta cig yr hwrdd, a'r bara sydd yn y fasged, wrth ddrws pabell y cyfarfod. ³³Y maent i fwyta'r pethau y gwnaed cymod â hwy adeg eu hordeinio a'u cysegru; ni chaiff neb arall eu bwyta am eu bod yn gysegredig. ³⁴Os gadewir peth o gig yr ordeinio neu o'r bara yn weddill hyd y bore, yr wyt i'w losgi â thân; ni cheir ei fwyta, am ei fod yn gysegredig.

35 "Gwna i Aaron a'i feibion yn union fel y gorchmynnais iti, a chymer saith diwrnod i'w hordeinio. ³⁶Offryma bob dydd fustach yn aberth dros bechod, i wneud cymod; gwna hefyd gymod dros yr allor wrth iti offrymu aberth dros bechod, ac eneinia'r allor i'w chysegru. ³⁷Am saith diwrnod yr wyt i wneud cymod dros yr allor a'i chysegru; felly bydd yr allor yn gysegredig, a bydd beth bynnag a gyffyrdda â hi hefyd yn gysegredig.

Yr Offrymau Beunyddiol
(Num. 28:1-8)

38 "Dyma'r hyn yr wyt i'w offrymu ar yr allor yn gyson bob dydd: ³⁹dau oen blwydd, un i'w offrymu yn y bore, a'r llall yn yr hwyr. ⁴⁰Gyda'r oen cyntaf offryma ddegfed ran o beilliaid wedi ei gymysgu â chwarter hin o olew pur, a chwarter hin o win yn ddiodoffrwm. ⁴¹Offryma'r oen arall yn yr hwyr, gyda'r bwydoffrwm a'r diodoffrwm, fel yn y bore, i fod yn arogl peraidd ac yn offrwm trwy dân i'r AR-GLWYDD. ⁴²Bydd hwn yn boethoffrwm gwastadol dros y cenedlaethau wrth ddrws pabell y cyfarfod, gerbron yr AR-GLWYDD; yno byddaf yn cyfarfod â chwi i lefaru wrthych. ⁴³Yn y lle hwnnw byddaf yn cyfarfod â phobl Israel, ac fe'i cysegrir trwy fy ngogoniant. ⁴⁴Cysegraf babell y cyfarfod a'r allor; cysegraf hefyd Aaron a'i feibion i'm gwasanaethu fel offeiriaid. ⁴⁵Byddaf yn preswylio ymhlith pobl Israel, a byddaf yn Dduw iddynt. ⁴⁶Yna byddant yn gwybod mai myfi yw'r AR-GLWYDD eu Duw, a ddaeth â hwy allan o wlad yr Aifft er mwyn i mi breswylio yn eu plith; myfi yw'r ARGLWYDD eu Duw.

Allor yr Arogldarth
(Ex. 37:25-28)

30 "Gwna allor o goed acasia ar gyfer llosgi arogldarth. ²Bydd yn sgwâr, yn gufydd o hyd a chufydd o led a dau gufydd o uchder, a'i chyrn yn rhan ohoni. ³Goreura hi i gyd ag aur pur, yr wyneb, yr ochrau a'r cyrn; a gwna gylch aur o'i hamgylch. ⁴Gwna hefyd ddau fach aur dan y cylch ar y ddwy ochr, i gymryd y polion ar gyfer cario'r allor. ⁵Gwna'r polion o goed acasia, a goreura hwy. ⁶Gosod yr allor o flaen y gorchudd sydd wrth arch y dystiolaeth, ac o flaen drugareddfa ar yr arch; yno byddaf yn cyfarfod â thi. ⁷Bydd Aaron yn llosgi arogldarth peraidd arni bob bore wrth

baratoi'r lampau, ⁸ac eto wrth oleuo'r lampau gyda'r hwyr; bydd hwn yn arogldarth gwastadol gerbron yr ARGLWYDD dros y cenedlaethau. ⁹Peidiwch ag offrymu arni arogldarth halogedig, na phoethoffrwm, na bwydoffrwm; a pheidiwch â thywallt diodoffrwm arni. ¹⁰Bydd Aaron yn gwneud cymod ar ei chyrn unwaith y flwyddyn dros y cenedlaethau, a bydd yn ei wneud â gwaed yr aberth dros bechod a offrymir er cymod; y mae'n gysegredig iawn i'r ARGLWYDD."

Y Dreth at Wasanaeth y Tabernacl

11 Dywedodd yr ARGLWYDD wrth Moses, ¹²"Pan fyddwch yn gwneud cyfrifiad o bobl Israel, y mae pob un i roi iawn am ei fywyd i'r ARGLWYDD, rhag bod pla yn eu plith wrth wneud y cyfrifiad. ¹³Y mae pob un a rifir yn y cyfrifiad i roi'n offrwm i'r ARGLWYDD hanner sicl, yn cyfateb i sicl y cysegr, sy'n pwyso ugain gera. ¹⁴Y mae pob un a rifir yn y cyfrifiad sy'n ugain oed neu'n hŷn i roi offrwm i'r ARGLWYDD. ¹⁵Nid yw'r cyfoethog i roi mwy, na'r tlawd i roi llai, na hanner sicl, wrth i chwi roi offrwm i'r ARGLWYDD er cymod dros eich bywyd. ¹⁶Cymer arian y cymod oddi wrth bobl Israel a'i roi at wasanaeth pabell y cyfarfod; bydd yn goffadwriaeth i bobl Israel gerbron yr ARGLWYDD, er mwyn i chwi wneud cymod dros eich bywyd."

Y Noe Bres

17 Dywedodd yr ARGLWYDD wrth Moses, ¹⁸"Gwna noe bres, â throed pres iddi, i ymolchi; a gosod hi rhwng pabell y cyfarfod a'r allor, a rhoi dŵr ynddi ¹⁹i Aaron a'i feibion olchi eu dwylo a'u traed. ²⁰Pan fyddant yn mynd i mewn i babell y cyfarfod, neu'n agosáu at yr allor i wasanaethu neu i losgi offrwm â thân i'r ARGLWYDD, y maent i ymolchi â'r dŵr, rhag iddynt farw. ²¹Y maent i olchi eu dwylo a'u traed, rhag iddynt farw; bydd hon yn ddeddf i'w chadw am byth gan Aaron a'i ddisgynyddion dros y cenedlaethau."

Olew'r Ennaint

22 Dywedodd yr ARGLWYDD hefyd wrth Moses, ²³"Cymer o'r perlysiau gorau bum can sicl o fyrr pur, a hanner hynny, sef dau gant pum deg sicl o sinamon peraidd, a dau gant pum deg sicl o galamus peraidd, ²⁴a phum can sicl, yn cyfateb i sicl y cysegr, o gasia, a hin o olew'r olewydden. ²⁵Gwna ohonynt olew cysegredig ar gyfer eneinio, a chymysga hwy fel y gwna'r peraroglydd. ²⁶Eneinia ag ef babell y cyfarfod ac arch y dystiolaeth, ²⁷y bwrdd a'i holl lestri, y canhwyllbren a'i holl lestri, allor yr arogldarth, ²⁸allor y poethoffrwm a'i holl lestri, a'r noe a'i throed. ²⁹Cysegra hwy, a byddant yn gysegredig iawn; bydd beth bynnag a gyffyrdda â hwy hefyd yn gysegredig. ³⁰Eneinia Aaron a'i feibion, a chysegra hwy i'm gwasanaethu fel offeiriaid. ³¹Yna dywed wrth bobl Israel, 'Bydd hwn yn olew cysegredig i mi dros y cenedlaethau. ³²Peidiwch ag eneinio corff dyn ag ef, na gwneud dim sy'n debyg iddo o ran ei gynnwys. Y mae'n gysegredig; felly bydded yn gysegredig gennych. ³³Torrir ymaith oddi wrth ei bobl bwy bynnag sy'n gwneud cymysgedd tebyg, neu sy'n ei dywallt ar leygwr.'"

Yr Arogldarth

34 Dywedodd yr ARGLWYDD wrth Moses, "Cymer berlysiau, sef stacte, onycha a galbanum, ac ynghyd â'r llysiau hyn, thus pur; cymer yr un faint o bob un, ³⁵a gwna arogldarth a'i gymysgu fel y gwna'r peraroglydd, a'i dymheru â halen i'w wneud yn bur a chysegredig. ³⁶Cura beth ohono'n fân a'i roi o flaen y dystiolaeth ym mhabell y cyfarfod, lle byddaf yn cyfarfod â thi; bydd yn gysegredig iawn gennych. ³⁷Peidiwch â gwneud arogldarth fel hwn i chwi eich hunain; bydd yn gysegredig i'r ARGLWYDD. ³⁸Torrir ymaith oddi wrth ei bobl bwy bynnag sy'n gwneud cymysgedd tebyg, i fwynhau ei arogl."

Crefftwyr i'r Tabernacl
(Ex. 35:30-36:1)

31 Dywedodd yr ARGLWYDD wrth Moses, ²"Edrych, yr wyf wedi dewis Besalel fab Uri, fab Hur, o lwyth Jwda, ³a'i lenwi ag ysbryd Duw, â doethineb a deall, â gwybodaeth a phob rhyw ddawn, ⁴er mwyn iddo ddyfeisio patrymau cywrain i'w gweithio mewn aur, arian a phres, ⁵a thorri meini i'w gosod, a cherfio pren, a gwneud pob cywreinwaith. ⁶Penodais hefyd Aholïab fab Achisamach, o lwyth Dan, i'w gynorthwyo. Rhoddais ddawn i bob crefftwr i wneud y cyfan a orchmynnais iti: ⁷pabell y cyfarfod, arch y dystiolaeth a'r drugareddfa sydd arni, holl ddodrefn y babell, ⁸y bwrdd a'i lestri, y canhwyllbren o aur pur a'i holl lestri, allor yr arogldarth, ⁹allor y poethoffrwm a'i holl lestri, y noe a'i throed, ¹⁰y gwisgoedd wedi eu gwnïo'n wisgoedd cysegredig i Aaron yr offeiriad, a gwisgoedd ei feibion, er mwyn iddynt hwythau wasanaethu fel offeiriaid, ¹¹olew yr eneinio, a'r arogldarth peraidd ar gyfer y cysegr. Y maent i'w gwneud yn unïon fel y gorchmynnais i ti."

Y Saboth

12 Dywedodd yr ARGLWYDD wrth Moses, ¹³"Dywed wrth bobl Israel, 'Cadwch fy Sabothau, oherwydd bydd hyn yn arwydd rhyngof a chwi dros y cenedlaethau, er mwyn i chwi wybod mai myfi, yr ARGLWYDD, sydd yn eich cysegru. ¹⁴Cadwch y Saboth, oherwydd y mae'n gysegredig i chwi; rhoddir i farwolaeth bwy bynnag sy'n ei halogi, a thorrir ymaith o blith ei bobl bwy bynnag sy'n gwcithio ar y Saboth. ¹⁵Am chwe diwrnod y gweithir, ond y mae'r seithfed dydd yn Saboth i orffwys, ac yn gysegredig i'r ARGLWYDD; rhoddir i farwolaeth bwy bynnag sy'n gweithio ar y dydd Saboth. ¹⁶Am hynny, bydd pobl Israel yn dathlu'r Saboth ac yn ei gadw dros y cenedlaethau yn gyfamod tragwyddol. ¹⁷Y mae'n arwydd tragwyddol rhyngof a phobl Israel mai mewn chwe diwrnod y gwnaeth yr ARGLWYDD y nefoedd a'r ddaear, ac iddo ymatal a gorffwys ar y seithfed dydd.'"

18 Wedi iddo orffen llefaru wrth Moses ar Fynydd Sinai, rhoddodd yr ARGLWYDD iddo ddwy lech y dystiolaeth, llechau o gerrig, wedi eu hysgrifennu â bys Duw.

Y Llo Aur
(Deut. 9:6-29)

32 Pan welodd y bobl fod Moses yn oedi dod i lawr o'r mynydd, daethant ynghyd at Aaron a dweud wrtho, "Cod, gwna inni dduwiau i fynd o'n blaen, oherwydd ni wyddom beth a ddigwyddodd i'r Moses hwn a ddaeth â ni i fyny o wlad yr Aifft." ²Dywedodd Aaron wrthynt, "Tynnwch y tlysau aur sydd ar glustiau eich gwragedd a'ch meibion a'ch merched, a dewch â hwy ataf fi." ³Felly tynnodd yr holl bobl eu clustlysau aur, a daethant â hwy at Aaron. ⁴Cymerodd yntau y tlysau gan-

ddynt, ac wedi eu trin â chŷn, gwnaeth lo tawdd ohonynt. Dywedodd y bobl, "Dyma, O Israel, dy dduwiau a ddaeth â thi i fyny o wlad yr Aifft." ⁵Pan welodd Aaron y llo tawdd, adeiladodd allor o'i flaen a chyhoeddodd, "Yfory bydd gŵyl i'r ARGLWYDD." ⁶Trannoeth codasant yn gynnar ac offrymu poethoffrymau, a dod ag offrymau hedd; yna eisteddodd y bobl i fwyta ac yfed, ac ymroi i gyfeddach.

7 Dywedodd yr ARGLWYDD wrth Moses, "Dos i lawr, oherwydd y mae'r bobl y daethost â hwy i fyny o wlad yr Aifft wedi eu halogi eu hunain. ⁸Y maent wedi cilio'n gyflym oddi wrth y ffordd a orchmynnais iddynt; gwnaethant iddynt eu hunain lo tawdd, ac y maent wedi ei addoli ac aberthu iddo, a dweud, 'Dyma, O Israel, dy dduwiau a ddaeth â thi i fyny o wlad yr Aifft.'" ⁹Dywedodd yr AR-GLWYDD wrth Moses, "Yr wyf wedi gweld mor wargaled yw'r bobl hyn; ¹⁰yn awr, gad lonydd imi er mwyn i'm llid ennyn yn eu herbyn a'u difa; ond ohonot ti fe wnaf genedl fawr."

11 Ymbiliodd Moses â'r ARGLWYDD ei Dduw, a dweud, "O ARGLWYDD, pam y mae dy lid yn ennyn yn erbyn dy bobl a ddygaist allan o wlad yr Aifft â nerth mawr ac â llaw gadarn? ¹²Pam y caiff yr Eifftiaid ddweud, 'Â malais yr aeth â hwy allan, er mwyn eu lladd yn y mynyddoedd a'u difa oddi ar wyneb y ddaear?' Tro oddi wrth dy lid angerddol, a bydd edifar am iti fwriadu drwg i'th bobl. ¹³Cofia Abraham, Isaac ac Israel, dy weision y tyngaist iddynt yn d'enw dy hun a dweud, 'Amlhaf eich disgynyddion fel sêr y nefoedd, a rhoddaf yr holl wlad hon iddynt, fel yr addewais, yn etifeddiaeth am byth.'" ¹⁴Yna bu'n edifar gan yr ARGLWYDD am iddo fwriadu drwg i'w bobl.

15 Trodd Moses, a mynd i lawr o'r mynydd â dwy lech y dystiolaeth yn ei law, llechau ag ysgrifen ar y ddau wyneb iddynt. ¹⁶Yr oedd y llechau o waith Duw, ac ysgrifen Duw wedi ei cherfio arnynt. ¹⁷Pan glywodd Josua sŵn y bobl yn bloeddio, dywedodd wrth Moses, "Y mae sŵn rhyfel yn y gwersyll." ¹⁸Ond meddai yntau, "Nid sŵn gorchfygwyr yn bloeddio na rhai a drechwyd yn gweiddi a glywaf fi, ond sŵn canu." ¹⁹Pan ddaeth yn agos at y gwersyll, a gweld y llo a'r dawnsio, gwylltiodd Moses, a thaflu'r llechau o'i ddwylo a'u torri'n deilchion

wrth droed y mynydd. [20]Cymerodd y llo a wnaethant, a'i losgi â thân; fe'i malodd yn llwch a'i gymysgu â dŵr, a gwnaeth i bobl Israel ei yfed.

21 Dywedodd Moses wrth Aaron, "Beth a wnaeth y bobl hyn i ti, i beri iti ddwyn arnynt y fath bechod?" [22]Atebodd Aaron ef: "Paid â digio, f'arglwydd; fe wyddost am y bobl, eu bod â'u bryd ar wneud drygioni. [23]Dywedasant wrthyf, 'Gwna inni dduwiau i fynd o'n blaen, oherwydd ni wyddom beth a ddigwyddodd i'r Moses hwn a ddaeth â ni i fyny o wlad yr Aifft'. [24]Dywedais innau wrthynt, 'Y mae pawb sydd â thlysau aur ganddynt i'w tynnu i ffwrdd'. Rhoesant yr aur i mi, ac fe'i teflais yn y tân; yna daeth y llo hwn allan."

25 Gwelodd Moses fod y bobl yn afreolus, a bod Aaron wedi gadael iddynt fynd felly, a'u gwneud yn waradwydd ymysg eu gelynion. [26]Yna safodd Moses wrth borth y gwersyll, a dweud, "Pwy bynnag sydd o blaid yr ARGLWYDD, doed ataf fi." Ymgasglodd holl feibion Lefi ato, [27]a dywedodd wrthynt, "Fel hyn y dywed ARGLWYDD Dduw Israel: 'Bydded i bob un ohonoch osod ei gleddyf ar ei glun a mynd yn ôl a blaen drwy'r gwersyll, o ddrws i ddrws, a lladded pob un ei frawd, ei gyfaill a'i gymydog.'" [28]Gwnaeth meibion Lefi yn ôl gorchymyn Moses, a'r diwrnod hwnnw syrthiodd tua thair mil o wŷr o blith y bobl. [29]Dywedodd Moses, "Heddiw yr ydych wedi'ch ordeinio[u] i'r ARGLWYDD, pob un ar draul ei fab a'i frawd, er mwyn iddo ef eich bendithio'r dydd hwn."

30 Trannoeth dywedodd Moses wrth y bobl, "Yr ydych wedi pechu'n ddirfawr. Yr wyf am fynd, yn awr, i fyny at yr ARGLWYDD; efallai y caf wneud cymod dros eich pechod." [31]Dychwelodd Moses at yr ARGLWYDD a dweud, "Och! Y mae'r bobl hyn wedi pechu'n ddirfawr trwy wneud iddynt eu hunain dduwiau o aur. [32]Yn awr, os wyt am faddau eu pechod, maddau; ond os nad wyt, dilea fi o'r llyfr a ysgrifennaist." [33]Dywedodd yr ARGLWYDD wrth Moses, "Y sawl a bechodd yn f'erbyn a ddileaf o'm llyfr. [34]Yn awr, dos, ac arwain y bobl i'r lle y dywedais wrthyt, a bydd fy angel yn mynd o'th flaen. Ond fe ddaw dydd pan ymwelaf â hwy am eu pechod." [35]Anfon-

odd yr ARGLWYDD bla ar y bobl am yr hyn a wnaethant â'r llo a luniodd Aaron.

Gorchymyn i Ymadael â Mynydd Sinai

33 Dywedodd yr ARGLWYDD wrth Moses, "Dos gyda'r bobl a ddygaist allan o wlad yr Aifft, ac ewch i fyny oddi yma i'r wlad y tyngais wrth Abraham, Isaac a Jacob ei rhoi i'th ddisgynyddion. [2]Anfonaf angel o'th flaen, a gyrraf allan y Canaaneaid, Amoriaid, Hethiaid, Peresiaid, Hefiaid a Jebusiaid. [3]Dos i wlad yn llifeirio o laeth a mêl, ond ni fyddaf fi'n mynd i fyny gyda thi, rhag i mi dy ddifa ar y ffordd; oherwydd pobl wargaled ydych."

4 Pan glywodd y bobl y newydd drwg hwn, dechreuasant alaru, ac ni wisgodd neb ei dlysau, [5]oherwydd yr oedd yr ARGLWYDD wedi dweud wrth Moses, "Dywed wrth bobl Israel, [6]'Pobl wargaled ydych; pe bawn yn mynd i fyny gyda chwi, gallwn eich difa'n ddirybudd. Tyn dy dlysau oddi arnat, ac fe benderfynaf beth i'w wneud â thi.'" Felly tynnodd pobl Israel eu tlysau ger Mynydd Horeb.

Pabell y Cyfarfod

7 Arferai Moses gymryd pabell a'i gosod y tu allan i'r gwersyll, bellter oddi wrtho, ac fe'i galwodd yn babell y cyfarfod. Yr oedd pob un a fyddai'n ceisio'r ARGLWYDD yn mynd at babell y cyfarfod y tu allan i'r gwersyll. [8]Pan fyddai Moses yn mynd allan at y babell, byddai'r bobl i gyd yn codi a phob un yn sefyll wrth ddrws ei babell ei hun, ac yn gwylio Moses nes iddo fynd i mewn. [9]Pan fyddai Moses yn mynd i mewn i'r babell, byddai colofn o gwmwl yn disgyn ac yn aros wrth y drws, a byddai'r ARGLWYDD yn siarad â Moses. [10]Pan welai'r holl bobl y golofn o gwmwl yn aros wrth ddrws y babell, byddai pob un ohonynt yn codi ac yn addoli wrth ddrws ei babell ei hun. [11]Byddai'r ARGLWYDD yn siarad â Moses wyneb yn wyneb, fel y bydd dyn yn siarad â'i gyfaill. Pan ddychwelai Moses i'r gwersyll, ni fyddai ei was ifanc, Josua fab Nun, yn symud o'r babell.

Addewid yr ARGLWYDD i fod gyda'i Bobl

12 Dywedodd Moses wrth yr ARGLWYDD, "Edrych, yr wyt yn dweud

[u] Felly Fersiynau. Hebraeg, *Heddiw ordeiniwch*.

wrthyf am ddod â'r bobl hyn i fyny, ond nid wyt wedi rhoi gwybod i mi pwy yr wyt am ei anfon gyda mi. Dywedaist, 'Yr wyf yn dy ddewis di, a chefaist ffafr yn fy ngolwg.' [13]Yn awr, os cefais ffafr yn dy olwg, dangos i mi dy ffyrdd, er mwyn i mi dy adnabod ac aros yn dy ffafr; oherwydd dy bobl di yw'r genedl hon." [14]Atebodd yntau, "Byddaf fi fy hun gyda thi, a rhoddaf iti orffwys." [15]Dywedodd Moses wrtho, "Os na fyddi di dy hun gyda mi, paid â'n harwain ni ymaith oddi yma. [16]Oherwydd sut y bydd neb yn gwybod fy mod i a'th bobl wedi cael ffafr yn dy olwg, os na fyddi'n mynd gyda ni? Dyna sy'n gwneud i mi a'th bobl ragori ar bawb arall ar wyneb y ddaear." [17]Dywedodd yr ARGLWYDD wrth Moses, "Fe wnaf yr hyn a ofynnaist, oherwydd cefaist ffafr yn fy ngolwg, ac yr wyf wedi dy ddewis." [18]Meddai Moses, "Dangos i mi dy ogoniant." [19]Dywedodd yntau, "Gwnaf i'm holl ddaioni fynd heibio o'th flaen, a chyhoeddaf fy enw, ARGLWYDD, yn dy glyw; a dangosaf drugaredd a thosturi tuag at y rhai yr wyf am drugarhau a thosturio wrthynt. [20]Ond," meddai, "ni chei weld fy wyneb, oherwydd ni chaiff dyn fy ngweld a byw." [21]Dywedodd yr ARGLWYDD hefyd, "Bydd lle yn fy ymyl; saf ar y graig, [22]a phan fydd fy ngogoniant yn mynd heibio, fe'th roddaf mewn hollt yn y graig a'th orchuddio â'm llaw nes imi fynd heibio; [23]yna tynnaf ymaith fy llaw, a chei weld fy nghefn, ond ni welir fy wyneb."

Y Ddwy Lech Garreg Newydd
(Deut. 10:1-5)

34 Dywedodd yr ARGLWYDD wrth Moses, "Nadd ddwy lech garreg, fel y rhai cyntaf, ac fe ysgrifennaf arnynt y geiriau oedd ar y llechau cyntaf, a dorraist. [2]Bydd barod erbyn y bore, a thyrd i fyny'n gynnar i Fynydd Sinai, ac aros amdanaf yno ar ben y mynydd. [3]Nid oes neb i ddod i fyny gyda thi, nac i ymddangos yn unman ar y mynydd; a phaid â gadael i ddefaid na gwartheg bori ar gyfyl y mynydd hwn." [4]Felly naddodd Moses ddwy lech garreg, fel y rhai cyntaf, a chododd yn fore ac aeth i fyny i Fynydd Sinai, fel yr oedd yr ARGLWYDD wedi gorchymyn iddo, a chymerodd yn ei law y ddwy lech garreg. [5]Disgynnodd yr ARGLWYDD mewn cwmwl, a safodd yno gydag ef, a chyhoeddi ei enw, AR-

GLWYDD. [6]Aeth yr ARGLWYDD heibio o'i flaen, a chyhoeddi: "Yr ARGLWYDD, yr ARGLWYDD, Duw trugarog a graslon, araf i ddigio, llawn cariad a ffyddlondeb; [7]yn dangos cariad i filoedd, yn maddau anwiredd a chamwedd a phechod, ond heb ystyried yr euog yn gyfiawn, ac yn cosbi plant, a phlant eu plant, hyd y drydedd a'r bedwaredd genhedlaeth, am anwiredd eu tadau." [8]Brysiodd Moses i ymgrymu tua'r llawr ac addoli. [9]Yna dywedodd, "Os cefais yn awr ffafr yn d'olwg, O ARGLWYDD, boed i ti fynd gyda ni. Er bod y bobl yn wargaled, maddau ein hanwiredd a'n pechod, a chymer ni yn etifeddiaeth i ti."

Adnewyddu'r Cyfamod
(Ex. 23:14-19; Deut. 7:1-15; 16:1-17)

10 Dywedodd yr ARGLWYDD, "Edrych, yr wyf am wneud cyfamod. Yng ngŵydd dy holl bobl gwnaf ryfeddodau na wnaed eu tebyg ymhlith unrhyw genedl ar yr holl ddaear; yna bydd yr holl bobl yr wyt yn eu mysg yn gweld gwaith yr AR-GLWYDD, oherwydd yr wyf am wneud peth ofnadwy â thi. [11]Cadw'r hyn yr wyf yn ei orchymyn iti heddiw, a gyrraf allan o'th flaen yr Amoriaid, Canaaneaid, Hethiaid, Peresiaid, Hefiaid a Jebusiaid. [12]Gwylia rhag iti wneud cyfamod â thrigolion y wlad yr ei iddi, rhag iddynt fod yn fagl iti. [13]Dinistriwch eu hallorau, drylliwch eu delwau, a thorrwch i lawr eu llwyni. [14]Paid ag ymgrymu i dduw arall, oherwydd [15]Eiddigeddus yw enw'r AR-GLWYDD, a Duw eiddigeddus ydyw. Paid â gwneud cyfamod â thrigolion y wlad rhag iddynt, wrth buteinio ar ôl eu duwiau ac aberthu iddynt, dy wahodd dithau i fwyta o'u haberth, [16]ac i gymryd eu merched i'th feibion; a rhag i'w merched, wrth iddynt buteinio ar ôl eu duwiau, wneud i'th feibion buteinio ar ôl eu duwiau hwy.

17 "Paid â gwneud i ti dduwiau tawdd.

18 "Cadw ŵyl y Bara Croyw. Yr wyt i fwyta bara croyw am saith diwrnod ar yr amser penodedig ym mis Abib, fel y gorchmynnais iti, oherwydd ym mis Abib y daethost allan o'r Aifft.

19 "Eiddof fi yw'r cyntaf a ddaw o'r groth, y cyntafanedig o'th holl anifeiliaid gwryw, yn wartheg ac yn ddefaid. [20]Yr wyt i gyfnewid cyntafanedig asyn am oen, ac os na fyddi'n ei gyfnewid, tor ei wddf.

Yr wyt i gyfnewid pob cyntafanedig o'th feibion.

21 "Am chwe diwrnod yr wyt i weithio, ond ar y seithfed dydd yr wyt i orffwys, boed yn amser aredig neu yn gynhaeaf.

22 "Cadw hefyd ŵyl yr Wythnosau, blaenffrwyth y cynhaeaf gwenith, a gŵyl y Cynnull ar ddiwedd y flwyddyn. 23 Y mae pob gwryw yn eich plith i ymddangos o flaen yr ARGLWYDD Dduw, Duw Israel, deirgwaith y flwyddyn. 24 Byddaf finnau'n gyrru cenhedloedd allan o'th flaen ac yn estyn dy derfynau, rhag i neb chwennych dy dir pan fyddi'n ymddangos deirgwaith y flwyddyn o flaen yr ARGLWYDD dy Dduw.

25 "Paid ag offrymu gwaed fy aberth gyda bara lefeinllyd, a phaid â chadw aberth gŵyl y Pasg dros nos hyd y bore.

26 "Yr wyt i ddod â'r gorau o flaenffrwyth dy dir i dŷ'r ARGLWYDD dy Dduw.

"Paid â berwi myn yn llaeth ei fam."

27 Dywedodd yr ARGLWYDD wrth Moses, "Ysgrifenna'r geiriau hyn, oherwydd yn ôl y geiriau hyn y gwneuthum gyfamod â thi ac ag Israel." 28 Bu Moses yno gyda'r ARGLWYDD am ddeugain diwrnod a deugain nos, heb fwyta bara nac yfed dŵr, ac ysgrifennodd ar y llechau eiriau'r cyfamod, sef y deg gorchymyn.

29 Pan ddaeth Moses i lawr o Fynydd Sinai gyda dwy lech y dystiolaeth yn ei law, ni wyddai fod croen ei wyneb yn disgleirio ar ôl iddo siarad â Duw. 30 Pan welodd Aaron a holl bobl Israel fod croen wyneb Moses yn disgleirio, yr oedd arnynt ofn dod yn agos ato. 31 Ond galwodd Moses arnynt, a throdd Aaron a holl arweinwyr cynulliad Israel ato, a siaradodd Moses â hwy. 32 Yna daeth holl bobl Israel ato, a gorchmynnodd iddynt yr holl bethau yr oedd ar yr ARGLWYDD wedi eu dweud wrtho ar Fynydd Sinai. 33 Pan orffennodd Moses siarad â hwy, rhoddodd orchudd ar ei wyneb, 34 ond pan fyddai'n mynd o flaen yr ARGLWYDD i siarad ag ef, byddai'n tynnu'r gorchudd nes iddo ddod allan, ac wedi dod allan, byddai'n dweud wrth bobl Israel yr hyn a orchmynnwyd iddo. 35 A phan welent hwy fod croen ei wyneb yn disgleirio, byddai Moses yn rhoi'r gorchudd yn ôl ar ei wyneb nes y byddai'n mynd i mewn eto i siarad â Duw.

Deddf Y Saboth

35 Casglodd Moses ynghyd holl gynulliad pobl Israel a dweud wrthynt, "Dyma'r hyn a orchmynnodd yr ARGLWYDD i chwi ei wneud: 2 Chwe diwrnod y gweithiwch, ond bydd y seithfed dydd yn gysegredig, yn Saboth o orffwys i'r ARGLWYDD; rhoddir i farwolaeth bwy bynnag sy'n gweithio ar y dydd hwnnw. 3 Peidiwch hyd yn oed â chynnau tân yn eich cartrefi ar y dydd Saboth."

Rhoddion ar gyfer y Tabernacl
(Ex. 25:1-9)

4 Dywedodd Moses wrth holl gynulliad pobl Israel, "Dyma'r hyn a orchmynnodd yr ARGLWYDD: 5 Cymerwch o'r hyn sydd gennych yn offrwm i'r ARGLWYDD; y mae pob un sy'n dymuno rhoi offrwm i'r ARGLWYDD i roi aur, arian ac efydd; 6 sidan glas, porffor ac ysgarlad, a lliain main; blew geifr, 7 crwyn hyrddod wedi eu lliwio'n goch, a chrwyn daearfoch; coed acasia, 8 olew ar gyfer y lampau, perlysiau ar gyfer olew'r ennaint a'r arogldarth peraidd; 9 meini onyx, a gemau i'w gosod yn yr effod a'r ddwyfronneg.

Gwaith ar gyfer y Tabernacl
(Ex. 39:32-43)

10 "Y mae pob crefftwr yn eich plith i ddod a gwneud y cyfan a orchmynnodd yr ARGLWYDD: 11 y tabernacl, ei babell a'i len, ei fachau a'i fframiau, ei farrau, ei golofnau a'i draed; 12 yr arch a'i pholion, y drugareddfa, y gorchudd; 13 y bwrdd a'i bolion a'i holl lestri, a'r bara gosod; 14 y canhwyllbren ar gyfer y goleuni, ei lestri a'i lampau, a'r olew ar gyfer y golau; 15 allor yr arogldarth a'i pholion, olew'r ennaint a'r arogldarth peraidd, gorchudd drws y tabernacl; 16 allor y poethoffrwm a'r rhwyll bres, ei pholion a'i holl lestri, y noe a'i throed; 17 llenni'r cyntedd, ei golofnau a'i draed, a gorchudd drws y cyntedd; 18 hoelion y tabernacl a'r cyntedd a'u rhaffau; 19 gwisgoedd wedi eu gwnïo'n gywrain ar gyfer gwasanaethau'r cysegr; gwisgoedd cysegredig i Aaron yr offeiriad ac i'w feibion, i wasanaethu fel offeiriaid."

Offrymau Gwirfoddol y Bobl

20 Yna aeth holl gynulliad pobl Israel ymaith oddi wrth Moses, 21 a daeth pob un yr oedd ei galon yn ei gyffroi, a'i ysbryd yn ei ennyn, ag offrwm i'r ARGLWYDD

i'w ddefnyddio ym mhabell y cyfarfod ar gyfer ei holl wasanaeth, ac ar gyfer y gwisgoedd cysegredig. ²²Felly daethant, yn wŷr a gwragedd, a chynnig o'u gwirfodd freichledau, clustlysau, modrwyau, cadwynau a thlysau aur o bob math; yr oedd pawb yn offrymu offrwm aur i'r ARGLWYDD. ²³Yr oedd pob un a chanddo sidan glas, porffor ac ysgarlad, a lliain main, a blew geifr, a chrwyn hyrddod wedi eu lliwio'n goch, a chrwyn daearfoch, yn dod â hwy. ²⁴Yr oedd pob un a allai offrymu offrwm o arian neu bres yn dod ag ef i'r ARGLWYDD; ac yr oedd pob un a chanddo goed acasia addas ar gyfer y gwaith yn dod â hwy. ²⁵Yr oedd pob gwraig fedrus yn nyddu â'i dwylo, ac yn dod â'i gwaith o sidan glas, porffor ac ysgarlad, ac o liain main. ²⁶Yr oedd pob gwraig a fedrai nyddu blew geifr yn gwneud hynny. ²⁷Daeth yr arweinwyr â meini onyx, meini i'w gosod yn yr effod a'r ddwyfronneg, ²⁸perlysiau ac olew ar gyfer y lamp ac ar gyfer olew'r ennaint a'r arogldarth peraidd. ²⁹Pan fyddai gŵr neu wraig trwy holl Israel yn dymuno dod ag unrhyw beth ar gyfer y gwaith a orchmynnodd yr ARGLWYDD i Moses, byddai'n dod â'i offrwm i'r ARGLWYDD o'i wirfodd.

Crefftwyr y Tabernacl
(Ex. 31:1-11)

30 Dywedodd Moses wrth bobl Israel: "Edrychwch, y mae'r ARGLWYDD wedi dewis Besalel fab Uri, fab Hur, o lwyth Jwda, ³¹ac wedi ei lenwi ag ysbryd Duw, ac â doethineb a deall, â gwybodaeth hefyd a phob rhyw ddawn, ³²er mwyn iddo ddyfeisio patrymau cywrain, a gweithio ag aur, arian a phres, ³³a thorri meini i'w gosod, a cherfio pren, a gwneud pob cywreinwaith. ³⁴Hefyd, ysbrydolodd yr ARGLWYDD ef ac Aholïab fab Achisamach o lwyth Dan i ddysgu eraill. ³⁵Llanwodd hwy â'r ddawn i wneud pob math o waith crefftus a chywrain a wneir gan saer neu grefftwr, neu gan un sy'n brodio sidan glas, porffor ac ysgarlad, a lliain main, neu gan un sy'n gwau.

36 "Bydd Besalel, Aholïab, a phob dyn dawnus y mae'r ARGLWYDD wedi rhoi iddo'r gallu a'r medr i wneud pob math o waith yng ngwasanaeth y cysegr, yn gweithio yn unol â'r cyfan y mae'r ARGLWYDD wedi ei orchymyn iddynt."

Haelioni'r Bobl

2 Galwodd Moses Besalel, Aholïab, a phob dyn dawnus yr oedd yr ARGLWYDD wedi rhoi iddo'r gallu, ac a oedd yn fodlon dod i wneud y gwaith, ³a derbyniasant gan Moses bob offrwm a roesai pobl Israel o'u gwirfodd ar gyfer y gwaith yng ngwasanaeth y cysegr. Yr oedd y bobl yn dal i ddod ag offrwm ato o'u gwirfodd bob bore; ⁴a bu'n rhaid i bob gŵr dawnus a oedd yn gwneud y gwaith yn y cysegr adael ei orchwyl, ⁵a dweud wrth Moses, "Y mae'r bobl yn dod â mwy na digon ar gyfer y gwaith a orchmynnodd yr ARGLWYDD inni ei wneud." ⁶Felly rhoddodd Moses orchymyn, a chyhoeddwyd drwy'r gwersyll nad oedd na gŵr na gwraig i gyfrannu dim rhagor at offrwm y cysegr. Yna peidiodd y bobl â dod â rhagor, ⁷oherwydd yr oedd y deunydd oedd ganddynt yn fwy na digon ar gyfer yr holl waith.

Gwneuthuriad y Tabernacl
(Ex. 26:1-37)

8 Yr oedd yr holl wŷr medrus ymhlith y gweithwyr wedi gwneud y tabernacl o ddeg llen o liain main wedi ei nyddu, ac o sidan glas, porffor ac ysgarlad, a cherwbiaid wedi eu gwnïo'n gywrain arnynt. ⁹Yr oedd pob llen yn wyth cufydd ar hugain o hyd a phedwar cufydd o led, pob llen yr un maint. 10 Cydiodd Besalel bum llen wrth ei gilydd, a'r pum llen arall hefyd wrth ei gilydd. ¹¹Gwnaeth ddolennau glas ar hyd ymyl y llen ar y tu allan i'r naill gydiad a'r llall. ¹²Gwnaeth hanner cant o ddolennau ar un llen, a hanner cant ar hyd ymyl y llen ar ben yr ail gydiad, a'r dolennau gyferbyn â'i gilydd. ¹³Gwnaeth hefyd hanner cant o fachau aur, a chydiodd y llenni wrth ei gilydd â'r bachau, er mwyn i'r tabernacl fod yn gyfanwaith. 14 Gwnaeth hefyd un ar ddeg o lenni o flew geifr i fod yn babell dros y tabernacl. ¹⁵Yr oedd pob llen yn ddeg cufydd ar hugain o hyd a phedwar cufydd o led, pob llen yr un maint. ¹⁶Cydiodd hwy wrth ei gilydd yn bum llen ac yn chwe llen, ¹⁷a gwnaeth hanner cant o ddolennau ar hyd ymyl y llen ar y tu allan i'r naill gydiad a'r llall. ¹⁸Gwnaeth hanner cant o fachau pres i gydio'r babell wrth ei gilydd yn gyfanwaith, ¹⁹a gwnaeth orchudd i'r babell o grwyn hyrddod wedi eu lliwio'n goch, ac o grwyn geifr.

20 Gwnaeth hefyd ar gyfer y tabernacl fframiau syth o goed acasia, ²¹pob un yn ddeg cufydd o hyd a chufydd a hanner o led, ²²a dau dyno ym mhob ffrâm i'w cysylltu â'i gilydd; gwnaeth hyn i holl fframiau'r tabernacl. ²³Dyma drefn fframiau'r tabernacl: ugain ffrâm ar yr ochr ddeheuol, ²⁴a deugain troed arian dan yr ugain ffrâm, dau droed i bob ffrâm ar gyfer ei dau dyno. ²⁵Ar yr ail ochr i'r tabernacl, sef yr ochr ogleddol, gwnaeth ugain ffrâm ²⁶a'u deugain troed arian, dau droed dan bob ffrâm. ²⁷Yng nghefn y tabernacl, sef yr ochr orllewinol, gwnaeth chwe ffrâm, ²⁸a dwy arall ar gyfer conglau cefn y tabernacl, ²⁹wedi eu cysylltu'n ddwbl yn y pen a'r gwaelod â bach; yr oedd y ddwy ffrâm yr un fath, ac yn ffurfio'r ddwy gongl. ³⁰Yr oedd wyth ffrâm ac un ar bymtheg o draed arian, dau droed dan bob ffrâm.

31 Gwnaeth hefyd farrau o goed acasia, pump ar gyfer fframiau'r naill ochr i'r tabernacl, ³²a phump ar gyfer fframiau'r ochr arall, a phump ar gyfer y fframiau yng nghefn y tabernacl, sef yr ochr orllewinol. ³³Gwnaeth i'r bar a oedd ar ganol y fframiau ymestyn o un pen i'r llall. ³⁴Goreurodd y fframiau, a gwneud bachau aur i osod y barrau trwyddynt, a'u goreuro hwythau.

35 Gwnaeth orchudd o sidan glas, porffor ac ysgarlad, ac o liain main wedi ei nyddu, a cherwbiaid wedi eu gwnïo'n gywrain arno. ³⁶Gwnaeth ar ei gyfer bedair colofn o goed acasia, a'u goreuro; yr oedd eu bachau o aur, a lluniodd ar eu cyfer bedwar troed arian. ³⁷Gwnaeth ar gyfer drws y babell len o sidan glas, porffor ac ysgarlad, ac o liain main wedi ei nyddu a'i frodio; ³⁸gwnaeth hefyd bum colofn gyda bachau. Goreurodd ben uchaf y colofnau; ac aur oedd eu cylchau, ond pres oedd eu pum troed.

Arch y Cyfamod
(Ex. 25:10-22)

37 Gwnaeth Besalel arch o goed acasia, dau gufydd a hanner o hyd, cufydd a hanner o led, a chufydd a hanner o uchder. ²Goreurodd hi ag aur pur oddi mewn ac oddi allan, a gwnaeth gylch aur o'i hamgylch. ³Lluniodd bedair dolen gron o aur ar gyfer ei phedair congl, dwy ar y naill ochr a dwy ar y llall. ⁴Gwnaeth bolion o goed acasia a'u goreuro, ⁵a'u gosod yn y dolennau ar ochrau'r arch, i'w chario. ⁶Gwnaeth drugareddfa o aur pur, dau gufydd a hanner o hyd, a chufydd a hanner o led. ⁷Gwnaeth hefyd ar gyfer y naill ben a'r llall i'r drugareddfa ddau gerwb o aur wedi ei guro, ⁸a gosod un yn y naill ben a'r llall yn y pen arall, yn rhan o'r drugareddfa. ⁹Yr oedd dwy adain y cerwbiaid ar led, fel eu bod yn gorchuddio'r drugareddfa; yr oedd y cerwbiaid yn wynebu ei gilydd, â'u hwynebau tua'r drugareddfa.

Bwrdd y Bara Gosod
(Ex. 25:23-30)

10 Gwnaeth fwrdd o goed acasia, dau gufydd o hyd, cufydd o led, a chufydd a hanner o uchder. ¹¹Goreurodd ef ag aur pur drosto, a gwnaeth gylch aur o'i amgylch. ¹²Gwnaeth ffrâm o led llaw o'i gwmpas, a chylch aur o amgylch y ffrâm. ¹³Gwnaeth hefyd ar ei gyfer bedair o ddolennau aur, a'u clymu wrth y pedair coes yn y pedair congl. ¹⁴Yr oedd y dolennau ar ymyl y ffrâm yn dal y polion oedd yn cludo'r bwrdd. ¹⁵Gwnaeth y polion oedd yn cludo'r bwrdd o goed acasia, a'u goreuro. ¹⁶Gwnaeth lestri a dysglau ar ei gyfer, a ffiolau a chostrelau i dywallt y diodoffrwm; fe'u gwnaeth o aur pur.

Y Canhwyllbren
(Ex. 25:31-40)

17 Gwnaeth ganhwyllbren o aur pur. Yr oedd gwaelod y canhwyllbren a'i baladr o ddeunydd gyr, ac yr oedd y pedyll, y cnapiau a'r blodau yn rhan o'r cyfanwaith. ¹⁸Yr oedd chwe chainc yn dod allan o ochrau'r canhwyllbren, tair ar un ochr a thair ar y llall. ¹⁹Ar un gainc yr oedd tair padell ar ffurf almonau, a chnap a blodeuyn arnynt, a thair ar y gainc nesaf; dyna oedd ar y chwe chainc oedd yn dod allan o'r canhwyllbren. ²⁰Ar y canhwyllbren ei hun yr oedd pedair padell ar ffurf almonau, a chnapiau a blodau arnynt; ²¹ac yr oedd un o'r cnapiau dan bob pâr o'r chwe chainc oedd yn dod allan o'r canhwyllbren. ²²Yr oedd y cnapiau a'r ceinciau yn rhan o'r canhwyllbren, ac yr oedd y cyfan o aur pur ac o ddeunydd gyr. ²³Gwnaeth ar ei gyfer saith llusern, a gefeiliau a chafnau o aur pur. ²⁴Gwnaeth y canhwyllbren a'r holl lestri o un dalent o aur pur.

Allor yr Arogldarth
(Ex. 30:1-5)

25 Gwnaeth allor o goed acasia ar gyfer llosgi'r arogldarth; yr oedd yn sgwâr, yn gufydd o hyd, a chufydd o led, a dau gufydd o uchder, a'i chyrn yn rhan ohoni. ²⁶ Goreurodd hi i gyd ag aur pur, yr wyneb, yr ochrau a'r cyrn; a gwnaeth gylch aur o'i hamgylch. ²⁷ Gwnaeth hefyd ddau fach aur dan y cylch ar y ddwy ochr, i gymryd y polion ar gyfer cario'r allor. ²⁸ Gwnaeth y polion o goed acasia, a'u goreuro.

Olew'r Ennaint a'r Arogldarth
(Ex. 30:22-38)

29 Gwnaeth hefyd olew cysegredig ar gyfer eneinio, ac arogldarth peraidd a phur, a chymysgodd hwy fel y gwna peraroglydd.

Allor y Poethoffrwm
(Ex. 27:1-8)

38 Gwnaeth allor y poethoffrwm hefyd o goed acasia; yr oedd yn sgwâr, yn bum cufydd o hyd, a phum cufydd o led, a thri chufydd o uchder. ² Gwnaeth gyrn yn rhan o'r allor yn ei phedair congl, a rhoddodd haen o bres drosti. ³ Gwnaeth ar ei chyfer lestri, rhawiau, cawgiau, ffyrch a phedyll tân, pob un ohonynt o bres. ⁴ Gwnaeth hefyd ar gyfer yr allor rwyll o rwydwaith pres, a'i gosod dan ymyl yr allor fel ei bod yn ymestyn at hanner yr allor. ⁵ Gwnaeth bedwar bach pres ar bedair congl y rhwydwaith, i gymryd y polion. ⁶ Gwnaeth y polion o goed acasia, a rhoi haen o bres drostynt; rhoddodd hwy drwy'r bachau ar ochrau'r allor i'w chludo. ⁷ Fe'i gwnaeth ag astellau, yn wag oddi mewn.

Y Noe Bres
(Ex. 30:18)

8 Gwnaeth noe, a throed iddi, o ddrychau pres y gwragedd a oedd yn gwasanaethu wrth ddrws pabell y cyfarfod.

Cyntedd y Tabernacl
(Ex. 27:9-19)

9 Yna gwnaeth y cyntedd. Ar yr ochr ddeheuol yr oedd llenni o liain main wedi ei nyddu, can cufydd o hyd; ¹⁰ yr oedd hefyd ugain colofn ac ugain troed o bres, ond yr oedd bachau a chylchau'r colofnau o arian. ¹¹ Yr un modd, ar yr ochr ogleddol yr oedd llenni can cufydd o hyd, ag ugain colofn ac ugain troed o bres, ond yr oedd bachau a chylchau'r colofnau o arian. ¹² Ar yr ochr orllewinol yr oedd llenni hanner can cufydd o hyd, ynghyd â deg colofn a deg troed; yr oedd bachau'r colofnau a'u cylchau o arian. ¹³ Yr oedd yr ochr ddwyreiniol, tua chodiad haul, yn hanner can cufydd. ¹⁴ Yr oedd y llenni ar y naill ochr i'r porth yn bymtheg cufydd, â thair colofn a thri throed, ¹⁵ a'r llenni ar yr ochr arall hefyd yn bymtheg cufydd â thair colofn a thri throed. ¹⁶ Yr oedd yr holl lenni o amgylch y cyntedd o liain main wedi ei nyddu. ¹⁷ Yr oedd traed y colofnau o bres, ond yr oedd eu bachau a'u cylchau o arian; yr oedd pen uchaf y colofnau o arian, ac yr oedd holl golofnau'r cyntedd wedi eu cylchu ag arian. ¹⁸ Yr oedd y llen ym mhorth y cyntedd wedi ei brodio o sidan glas, porffor ac ysgarlad, ac o liain main wedi ei nyddu; yr oedd yn ugain cufydd o hyd, a phum cufydd o led, ac yn cyfateb i lenni'r cyntedd. ¹⁹ Yr oedd y pedair colofn, a'u pedwar troed, o bres; y bachau, pen uchaf y colofnau, a'u cylchau, o arian. ²⁰ Yr oedd holl hoelion y tabernacl a'r cyntedd oddi amgylch o bres.

Swm yr Aur, Arian a Phres ar gyfer y Tabernacl

21 Dyma'r holl bethau ar gyfer tabernacl y dystiolaeth a orchmynnodd Moses i'r Lefiaid eu gwneud dan gyfarwyddyd Ithamar fab Aaron yr offeiriad. ²²⁻²³ Besalel fab Uri, fab Hur, o lwyth Jwda, oedd yn gwneud y cyfan a orchmynnodd yr ARGLWYDD i Moses; gydag ef yr oedd Aholïab fab Achisamach, o lwyth Dan, saer a chrefftwr, ac un a allai wnïo sidan glas, porffor ac ysgarlad, a lliain main.

24 Cyfanswm yr aur a ddefnyddiwyd yn holl waith y cysegr oedd naw ar hugain o dalentau, a saith gant tri deg sicl, yn ôl sicl y cysegr. ²⁵ Cyfanswm yr arian a roddodd y rhai o'r cynulliad a gyfrifwyd oedd can talent, a mil saith gant saith deg a phum sicl, yn ôl sicl y cysegr, ²⁶ sef beca yr un gan y rhai oedd yn ugain oed neu'n hŷn ac a rifwyd yn y cyfrifiad (hanner sicl, yn ôl sicl y cysegr, yw beca). Nifer y dynion oedd chwe chant a thair o filoedd pum cant pum deg. ²⁷ O'r can talent o arian y lluniwyd y traed ar gyfer y cysegr a'r gorchudd, can troed o'r can talent, sef

talent i bob troed. ²⁸O'r mil saith gant saith deg a phum sicl, gwnaeth fachau ar gyfer y colofnau, a goreurodd ben uchaf y colofnau a'u cylchau. ²⁹Cyfanswm y pres yn yr offrwm oedd saith deg o dalentau, a dwy fil pedwar can sicl; ³⁰o'r rhain gwnaeth draed ar gyfer drws pabell y cyfarfod, yr allor bres a'r rhwyll bres oedd ar ei chyfer, ynghyd â holl lestri'r allor, ³¹y traed ar gyfer y cyntedd o amgylch, a'r porth, a holl hoelion y tabernacl a'r hoelion o amgylch y cyntedd.

Gwisgoedd i'r Offeiriaid
(Ex. 28:1-14)

39 Gwnaethant wisgoedd cywrain o sidan glas, porffor ac ysgarlad ar gyfer gwasanaethu yn y cysegr; gwnaethant y gwisgoedd cysegredig i Aaron, fel yr oedd yr ARGLWYDD wedi gorchymyn i Moses.

2 Gwnaeth yr effod o aur, o sidan glas, porffor ac ysgarlad, ac o liain main wedi ei nyddu. ³Curodd yr aur yn ddolennau tenau a'u torri'n stribedi i'w plethu'n gywrain i mewn i'r sidan glas, porffor ac ysgarlad, ac i'r lliain main. ⁴Gwnaethant ar gyfer yr effod ddwy ysgwydd wedi eu cydio-ynghyd ar y ddwy ochr. ⁵Yr oedd y gwregys arni wedi ei wnïo'n gywrain, ac o'r un deunydd â'r effod, sef aur, a sidan glas, porffor ac ysgarlad, a lliain main wedi ei nyddu; felly'r oedd yr AR-GLWYDD wedi gorchymyn i Moses. 6 Cymerasant feini onyx a'u trin, a'u gosod mewn edafwaith o aur, a naddu arnynt enwau meibion Israel, fel y bydd gemydd yn naddu sêl. ⁷Gosododd hwy ar ysgwyddau'r effod, yn feini coffadwriaeth i feibion Israel, fel yr oedd yr ARGLWYDD wedi gorchymyn i Moses.

Y Ddwyfronneg
(Ex. 28:15-30)

8 Gwnaeth y ddwyfronneg o grefftwaith cywrain; fe'i gwnaeth, fel yr effod, o aur, o sidan glas, porffor ac ysgarlad, ac o liain main wedi ei nyddu. ⁹Yr oedd yn sgwâr ac yn ddwbl, rhychwant o hyd a rhychwant o led. ¹⁰Gosodasant ynddi bedair rhes o feini: yn y rhes gyntaf, rhuddem, topas a charbwncl; ¹¹yn yr ail res, emrallt, saffir a diemwnt; ¹²yn y drydedd res, lygur, agat ac amethyst; ¹³yn y bedwaredd res, beryl, onyx a iasbis; yr oeddent i gyd wedi eu gosod

mewn edafwaith o aur. ¹⁴Yr oedd deuddeg maen wedi eu henwi ar ôl meibion Israel; yr oedd pob un fel sêl ag enw un o'r deuddeg llwyth wedi ei argraffu arno. ¹⁵Gwnaethant ar gyfer y ddwyfronneg gadwynau o aur pur wedi eu plethu ynghyd, ¹⁶a hefyd ddau edafwaith aur, a dau fach aur i'w rhoi ar ddwy ochr y ddwyfronneg. ¹⁷Rhoddwyd y ddwy gadwyn aur ar y ddau fach ar ochrau'r ddwyfronneg, ¹⁸a dau ben arall y ddwy gadwyn ar y ddau edafwaith, a'u cysylltu ag ysgwyddau'r effod o'r tu blaen. ¹⁹Yna gwnaethant ddau fach aur a'u gosod yn nau ben y ddwyfronneg ar yr ochr fewnol, nesaf at yr effod. ²⁰Gwnaethant hefyd ddau fach aur a'u gosod yn rhan isaf dwy ysgwydd yr effod, ar y tu blaen, yn y cydiad uwchben y gwregys. ²¹Rhwymasant fachau'r ddwyfronneg wrth fachau'r effod â llinyn glas uwchben y gwregys, rhag i'r ddwyfronneg ymddatod oddi wrth yr effod; felly yr oedd yr ARGLWYDD wedi gorchymyn i Moses.

Gwisgoedd Offeiriadol Eraill
(Ex. 28:31-43)

22 Gwnaeth fantell yr effod i gyd o sidan glas, ²³a thwll yn ei chanol, gyda gwniad o'i amgylch, fel a geir mewn llurig, rhag iddo rwygo. ²⁴Gwnaethant o amgylch godre'r fantell bomgranadau o sidan glas, porffor ac ysgarlad, ac o liain wedi ei nyddu. ²⁵Gwnaethant hefyd glychau o aur pur, ²⁶a'u gosod rhwng y pomgranadau o amgylch godre'r fantell ar gyfer y gwasanaeth; felly yr oedd yr ARGLWYDD wedi gorchymyn i Moses. 27 Gwnaethant siacedau wedi eu gwau o liain main ar gyfer Aaron a'i feibion; ²⁸gwnaethant hefyd benwisg a chapiau, llodrau ²⁹a gwregys, y cwbl o liain main wedi ei nyddu ac o sidan glas, porffor ac ysgarlad wedi ei frodio; felly yr oedd yr ARGLWYDD wedi gorchymyn i Moses. 30 Gwnaethant blât y goron gysegredig o aur pur, ac argraffu arno, fel ar sêl, "Sanctaidd i'r ARGLWYDD"; ³¹a chlymwyd ef ar flaen y benwisg â llinyn glas; felly yr oedd yr ARGLWYDD wedi gorchymyn i Moses.

Gorffen y Tabernacl
(Ex. 35:10-19)

32 Felly y gorffennwyd holl waith y tabernacl, sef pabell y cyfarfod; ac yr oedd pobl Israel wedi gwneud y cyfan a

orchmynnodd yr ARGLWYDD i Moses.
³³ Daethant â'r tabernacl at Moses, sef y babell a'i holl lestri, y bachau, y fframiau, y barrau, y colofnau, y traed; ³⁴ y to o grwyn hyrddod wedi eu lliwio'n goch ac o grwyn daearfoch, a'r gorchudd; ³⁵ arch y dystiolaeth a'i pholion a'r drugareddfa; ³⁶ y bwrdd a'i holl lestri, a'r bara gosod; ³⁷ y canhwyllbren o aur pur, ei lampau wedi eu goleuo, ynghyd â'u holl lestri, a'r olew ar gyfer y golau; ³⁸ yr allor aur, olew'r ennaint a'r arogldarth peraidd; gorchudd drws y tabernacl; ³⁹ yr allor bres, a'r rhwyll bres ar ei chyfer, a'i pholion a'i holl lestri; y noe a'i throed; ⁴⁰ llenni'r cyntedd, ei golofnau a'i draed; gorchudd porth y cyntedd, ei raffau a'i hoelion, a'r holl lestri ar gyfer gwasanaeth y tabernacl, sef pabell y cyfarfod; ⁴¹ y gwisgoedd wedi eu gwnïo'n gywrain ar gyfer gwasanaethau'r cysegr; gwisgoedd cysegredig Aaron a'i feibion, iddynt wasanaethu fel offeiriaid. ⁴² Yr oedd pobl Israel wedi gwneud yr holl waith yn union fel y gorchmynnodd yr ARGLWYDD i Moses. ⁴³ Gwelodd Moses eu bod wedi gwneud yr holl waith fel yr oedd yr ARGLWYDD wedi gorchymyn, a bendithiodd Moses hwy.

Agor a Chysegru'r Tabernacl

40 Dywedodd yr ARGLWYDD wrth Moses, ² "Yr wyt i godi'r tabernacl, pabell y cyfarfod, ar y dydd cyntaf o'r mis cyntaf. ³ Gosod arch y dystiolaeth ynddo, a'i gorchuddio â llen. ⁴ Cymer y bwrdd i mewn, a'i osod yn drefnus, a chymer y canhwyllbren, a goleua ei lampau. ⁵ Rho allor aur yr arogldarth o flaen arch y dystiolaeth, a gosod y llen ar ddrws y tabernacl. ⁶ Rho allor y poethoffrwm o flaen drws y tabernacl, pabell y cyfarfod, ⁷ a gosod y noe rhwng pabell y cyfarfod a'r allor, a rhoi dŵr ynddi. ⁸ Gosod y cyntedd o'i amgylch, a llen ar gyfer porth y cyntedd. ⁹ Yna cymer olew'r ennaint, ac eneinio'r tabernacl a'r cyfan sydd ynddo, a chysegra ef a'i holl ddodrefn; a bydd yn gysegredig. ¹⁰ Eneinia hefyd allor y poethoffrwm a'i holl lestri, a chysegra'r allor; a bydd yr allor yn gysegredig iawn. ¹¹ Yna eneinia'r noe a'i throed, a chysegra hi. ¹² Tyrd ag Aaron a'i feibion at ddrws pabell y cyfarfod, a'u golchi â dŵr, a gwisg Aaron â'r gwisgoedd cysegredig; ¹³ eneinia ef a'i gysegru 'm gwasanaethu fel offeiriad. ¹⁴ Tyrd â'i

feibion hefyd, a'u gwisgo â'r siacedau; ¹⁵ eneinia hwy, fel yr eneiniaist eu tad, i'm gwasanaethu fel offeiriaid; trwy eu heneinio fe'u hurddir i offeiriadaeth dragwyddol, dros y cenedlaethau."

16 Felly gwnaeth Moses y cyfan a orchmynnodd yr ARGLWYDD iddo; ¹⁷ ac ar y dydd cyntaf o'r mis cyntaf o'r ail flwyddyn fe godwyd y tabernacl. ¹⁸ Moses a gododd y tabernacl; gosododd ef ar ei draed, adeiladodd ei fframiau, rhoddodd ei bolion yn eu lle a chododd ei golofnau. ¹⁹ Lledodd y babell dros y tabernacl, a gosod to'r babell drosto, fel yr oedd yr ARGLWYDD wedi gorchymyn iddo. ²⁰ Cymerodd y dystiolaeth a'i rhoi yn yr arch; cysylltodd y polion wrth yr arch, a rhoi'r drugareddfa arni. ²¹ Yna daeth â'r arch i mewn i'r tabernacl, a gosod y gorchudd yn ei le dros arch y dystiolaeth, fel yr oedd yr ARGLWYDD wedi gorchymyn iddo. ²² Rhoddodd y bwrdd ym mhabell y cyfarfod, ar ochr ogleddol y tabernacl, y tu allan i'r gorchudd, ²³ a threfnodd y bara arno gerbron yr AR-GLWYDD, fel yr oedd yr ARGLWYDD wedi gorchymyn iddo. ²⁴ Rhoddodd y canhwyllbren ym mhabell y cyfarfod, gyferbyn â'r bwrdd ar ochr ddeheuol y tabernacl, ²⁵ a goleuodd y lampau gerbron yr ARGLWYDD, fel yr oedd yr ARGLWYDD wedi gorchymyn iddo. ²⁶ Rhoddodd yr allor aur ym mhabell y cyfarfod o flaen y gorchudd, ²⁷ ac offrymodd arogldarth peraidd arni, fel yr oedd yr ARGLWYDD wedi gorchymyn iddo. ²⁸ Rhoddodd y llen ar ddrws y tabernacl, ²⁹ a gosododd allor y poethoffrwm wrth ddrws y tabernacl, pabell y cyfarfod, ac offrymodd arni boethoffrwm a bwydoffrwm, fel yr oedd yr ARGLWYDD wedi gorchymyn iddo. ³⁰ Gosododd y noe rhwng pabell y cyfarfod a'r allor, a rhoi ynddi ddŵr, ³¹ er mwyn i Moses, Aaron a'i feibion olchi eu dwylo a'u traed. ³² Ymolchent wrth fynd i mewn i babell y cyfarfod ac wrth nesáu at yr allor, fel yr oedd yr ARGLWYDD wedi gorchymyn i Moses. ³³ Cododd gyntedd o amgylch y tabernacl a'r allor, a rhoddodd y gorchudd dros borth y cyntedd. Felly y gorffennodd Moses y gwaith.

Y Cwmwl dros Babell y Cyfarfod
(Num. 9:15-23)

34 Yna gorchuddiodd cwmwl babell y cyfarfod, ac yr oedd gogoniant yr AR-

GLWYDD yn llenwi'r tabernacl. ³⁵Ni allai Moses fynd i mewn i babell y cyfarfod am fod y cwmwl yn ei gorchuddio, ac am fod gogoniant yr ARGLWYDD yn llenwi'r tabernacl. ³⁶Pan godai'r cwmwl oddi ar y tabernacl, fe gychwynnai pobl Israel ar eu taith; ³⁷ond os na chodai'r cwmwl ni chychwynnent. ³⁸Ar hyd y daith yr oedd holl dŷ Israel yn gallu gweld cwmwl yr ARGLWYDD uwchben y tabernacl yn ystod y dydd, a thân uwch ei ben yn ystod y nos.

LLYFR

LEFITICUS

Y Poethoffrwm

1 Galwodd yr ARGLWYDD ar Moses a llefaru wrtho o babell y cyfarfod a dweud: ²"Llefara wrth bobl Israel a dywed wrthynt, 'Pan fydd unrhyw un ohonoch yn dod ag offrwm i'r ARGLWYDD, dewch ag anifail o'r gyr neu o'r praidd yn offrwm.

3 "'Os poethoffrwm o'r gyr fydd ei rodd, dylai ddod â gwryw di-nam; deued ag ef at ddrws pabell y cyfarfod, iddo fod yn dderbyniol gan yr ARGLWYDD. ⁴Rhodded ei law ar ben y poethoffrwm, a bydd yn dderbyniol i wneud iawn drosto. ⁵Y mae i ladd y bustach ifanc o flaen yr ARGLWYDD, ac yna bydd meibion Aaron, yr offeiriaid, yn dod â'r gwaed ac yn ei luchio ar bob ochr i'r allor sydd wrth ddrws pabell y cyfarfod. ⁶Y mae i flingo'r poethoffrwm a'i dorri'n ddarnau. ⁷Bydd meibion Aaron yr offeiriad yn gosod tân ar yr allor ac yn trefnu'r coed ar y tân. ⁸Yna bydd meibion Aaron, yr offeiriaid, yn trefnu'r darnau, yn cynnwys y pen a'r braster, ar y coed sy'n llosgi ar yr allor. ⁹Y mae i olchi'r ymysgaroedd a'r coesau â dŵr, a bydd yr offeiriad yn llosgi'r cyfan ohono ar yr allor yn boethoffrwm, yn offrwm trwy dân, yn arogl peraidd i'r ARGLWYDD.

10 "'Os poethoffrwm o'r praidd fydd ei rodd, boed o'r defaid neu o'r geifr, dylai ddod â gwryw di-nam. ¹¹Y mae i'w ladd ar ochr y gogledd i'r allor o flaen yr ARGLWYDD, a bydd meibion Aaron, yr offeiriaid, yn lluchio'i waed ar bob ochr i'r allor. ¹²Y mae i'w dorri'n ddarnau, yn cynnwys y pen a'r braster, a bydd yr offeiriad yn eu trefnu ar y coed sy'n llosgi ar yr allor. ¹³Y mae i olchi'r ymysgaroedd a'r coesau â dŵr, a bydd yr offeiriad yn dod â'r cyfan ac yn ei losgi ar yr allor yn boethoffrwm, yn offrwm trwy dân, yn arogl peraidd i'r ARGLWYDD.

14 "'Os poethoffrwm o adar fydd ei rodd i'r ARGLWYDD, dylai ddod â thurtur neu gyw colomen. ¹⁵Y mae'r offeiriad i ddod ag ef at yr allor a thorri ei ben, a'i losgi ar yr allor; bydd yn gwasgu allan ei waed ar ochr yr allor, ¹⁶yn tynnu ei grombil a'i blu, ac yn eu lluchio yn ymyl yr allor i'r dwyrain, lle mae'r lludw; ¹⁷bydd yn ei agor allan gerfydd ei adenydd, ond heb ei ddarnio; yna bydd yr offeiriad yn ei losgi ar yr allor, ar y coed sy'n llosgi, yn boethoffrwm, yn offrwm trwy dân, yn arogl peraidd i'r ARGLWYDD.

Y Bwydoffrwm

2 "'Pan fydd rhywun yn dod â bwydoffrwm i'r ARGLWYDD, bydded ei offrwm o beilliaid ag olew wedi ei dywallt drosto a thus wedi ei roi arno. ²Y mae i fynd ag ef at feibion Aaron, yr offeiriaid; yna bydd offeiriad yn cymryd dyrnaid o'r peilliaid a'r olew, ynghyd â'r holl thus, ac yn ei losgi'n gyfran goffa ar yr allor, yn offrwm trwy dân, yn arogl peraidd i'r ARGLWYDD. ³Bydd gweddill y bwydoffrwm yn eiddo i Aaron a'i feibion; bydd yn gyfran gwbl sanctaidd o'r offrymau trwy dân i'r ARGLWYDD.

4 "'Os byddi'n dod â bwydoffrwm

wedi ei grasu mewn ffwrn, dylai fod yn deisennau heb furum o beilliaid wedi ei gymysgu ag olew, neu'n fisgedi heb furum wedi eu taenu ag olew. ⁵Os bwydoffrwm wedi ei grasu ar radell fydd dy rodd, dylai fod o beilliaid heb furum wedi ei gymysgu ag olew; ⁶tor ef yn ddarnau a thywallt olew drosto; dyma fydd y bwydoffrwm. ⁷Os bwydoffrwm wedi ei baratoi mewn padell fydd dy rodd, dylai fod o beilliaid wedi ei wneud ag olew. ⁸Byddi'n cyflwyno i'r ARGLWYDD y bwydoffrwm wedi ei wneud o'r pethau hyn, ac yn dod ag ef at yr offeiriad; bydd yntau'n dod ag ef at yr allor. ⁹Bydd ef yn cymryd o'r bwydoffrwm y gyfran goffa ac yn ei llosgi ar yr allor yn offrwm trwy dân, yn arogl peraidd i'r ARGLWYDD. ¹⁰Bydd gweddill y bwydoffrwm yn eiddo i Aaron a'i feibion; bydd yn gyfran gwbl sanctaidd o'r offrymau trwy dân i'r ARGLWYDD.

11 "'Ni wneir â burum unrhyw fwydoffrwm a ddygwch i'r ARGLWYDD, oherwydd nid ydych i losgi unrhyw furum na mêl yn offrwm trwy dân i'r ARGLWYDD. ¹²Gallwch eu cyflwyno i'r ARGLWYDD yn offrwm blaenffrwyth, ond nid ydych i'w hoffrymu ar yr allor yn arogl peraidd. ¹³Yr wyt i halltu â halen dy holl fwydoffrymau, a pheidio â chadw halen cyfamod dy Dduw o'th fwydoffrymau; yr wyt i ddod â halen ar dy holl offrymau.

14 "'Os byddi'n dod â bwydoffrwm o'r blaenffrwyth i'r ARGLWYDD, dylai fod yn fwydoffrwm o dywysennau o rawn newydd wedi eu gwasgu a'u crasu yn y tân. ¹⁵Rho olew a thus drosto; dyma fydd y bwydoffrwm. ¹⁶Bydd yr offeiriad yn llosgi'r gyfran goffa o'r grawn ac o'r olew, ynghyd â'r holl thus, yn offrwm trwy dân i'r ARGLWYDD.

Yr Heddoffrwm

3 "'Os heddoffrwm fydd ei rodd, ac yntau'n dod ag anifail o'r gyr, boed wryw neu fenyw, dylai gyflwyno i'r ARGLWYDD anifail di-nam. ²Y mae i osod ei law ar ben yr offrwm a'i ladd wrth ddrws pabell y cyfarfod; yna bydd meibion Aaron, yr offeiriaid, yn lluchio'r gwaed ar bob ochr i'r allor. ³O'r heddoffrwm y mae i ddod ag offrwm trwy dân i'r ARGLWYDD: y braster sy'n gorchuddio'r ymysgaroedd a'r holl fraster sydd ar yr ymysgaroedd, ⁴y ddwy aren a'r braster sydd arnynt yn y llwynau, a gorchudd yr iau a gymerir gyda'r arennau. ⁵Bydd

meibion Aaron yn ei losgi ar yr allor, ar ben y poethoffrwm sydd ar y coed sy'n llosgi, a bydd yn offrwm trwy dân, yn arogl peraidd i'r ARGLWYDD.

6 "'Os rhodd o'r praidd fydd yr heddoffrwm i'r ARGLWYDD, dylai gyflwyno gwryw neu fenyw ddi-nam. ⁷Os bydd yn offrymu oen yn rhodd, y mac i'w gyflwyno o flaen yr ARGLWYDD. ⁸Y mae i osod ei law ar ben yr offrwm a'i ladd o flaen pabell y cyfarfod; yna bydd meibion Aaron yn lluchio'i waed ar bob ochr i'r allor. ⁹O'r heddoffrwm y mae i ddod ag offrwm trwy dân i'r ARGLWYDD: ei fraster, y gynffon fras yn gyfan ac wedi ei thynnu i ffwrdd yn agos at yr asgwrn cefn, y braster sy'n gorchuddio'r ymysgaroedd a'r holl fraster sydd ar yr ymysgaroedd, ¹⁰y ddwy aren a'r braster sydd arnynt yn y llwynau, a gorchudd yr iau a gymerir gyda'r arennau. ¹¹Hyn fydd yr offeiriad yn ei losgi ar yr allor yn fwyd, yn offrwm trwy dân i'r ARGLWYDD.

12 "'Os gafr fydd y rhodd, dylai ei chyflwyno o flaen yr ARGLWYDD. ¹³Y mae i osod ei law ar ei phen a'i lladd o flaen pabell y cyfarfod; yna bydd meibion Aaron yn lluchio'i gwaed ar bob ochr i'r allor. ¹⁴Ohoni y mae i ddod ag offrwm trwy dân i'r ARGLWYDD: y braster sy'n gorchuddio'r ymysgaroedd a'r holl fraster sydd ar yr ymysgaroedd, ¹⁵y ddwy aren a'r braster sydd arnynt yn y llwynau, a gorchudd yr iau a gymerir gyda'r arennau. ¹⁶Bydd yr offeiriad yn eu llosgi ar yr allor yn fwyd, yn offrwm trwy dân, yn arogl peraidd; bydd yr holl fraster yn eiddo i'r ARGLWYDD.

17 "'Bydd hon yn ddeddf barhaol dros yr holl genedlaethau lle bynnag y byddwch yn byw: nid ydych i fwyta braster na gwaed.'"

Yr Offrwm dros Bechod Anfwriadol

4 Llefarodd yr ARGLWYDD wrth Moses a dweud, ²"Dywed wrth bobl Israel, 'Os bydd unrhyw un yn pechu'n anfwriadol yn erbyn gorchmynion yr ARGLWYDD, ac yn gwneud un o'r pethau na ddylid eu gwneud:

3 "'Os yr offeiriad eneiniog fydd yn pechu ac yn dwyn euogrwydd ar y bobl, dylai ddod â bustach ifanc di-nam i'r ARGLWYDD yn offrwm dros y pechod a wnaeth. ⁴Y mae i ddod â'r bustach at ddrws pabell y cyfarfod o flaen yr ARGLWYDD, a gosod ei law ar ben y bustach

a'i ladd o flaen yr ARGLWYDD. ⁵Bydd yr offeiriad eneiniog yn cymryd o waed y bustach ac yn dod ag ef i babell y cyfarfod; ⁶yna bydd yr offeiriad yn trochi ei fys yn y gwaed ac yn taenellu peth ohono saith gwaith gerbron yr ARGLWYDD, o flaen llen y cysegr. ⁷Bydd yr offeiriad hefyd yn rhoi peth o'r gwaed ar gyrn allor yr arogldarth peraidd, sydd gerbron yr ARGLWYDD ym mhabell y cyfarfod; a bydd yn tywallt gweddill gwaed y bustach wrth droed allor y poethoffrwm, sydd wrth ddrws pabell y cyfarfod. ⁸Y mae i dynnu'r holl fraster oddi ar fustach yr aberth dros bechod, sef y braster sy'n gorchuddio'r ymysgaroedd a'r holl fraster sydd ar yr ymysgaroedd, ⁹y ddwy aren a'r braster sydd arnynt yn y llwynau, a gorchudd yr iau a gymerir gyda'r arennau, ¹⁰yn union fel y tynnir ef ymaith oddi ar fustach yr heddoffrwm; a bydd yr offeiriad yn eu llosgi ar allor y poethoffrwm. ¹¹Ond am groen y bustach a'i holl gnawd, ei ben, ei goesau, ei ymysgaroedd a'i weddillion, ¹²sef y cyfan o'r bustach, bydd yn mynd â hwy y tu allan i'r gwersyll i le dihalog, lle gellir tywallt y lludw, ac yn eu llosgi ar dân coed, lle tywelltir y lludw.

13 "'Os holl gymuned Israel fydd yn pechu'n anfwriadol, a hynny'n guddiedig o olwg y gynulleidfa, a hwythau'n gwneud un o'r pethau na ddylid eu gwneud yn ôl gorchmynion yr ARGLWYDD, yna byddant yn euog. ¹⁴Pan fyddant yn sylweddoli'r pechod a wnaethant, dylai'r gynulleidfa ddod â bustach ifanc yn offrwm dros bechod a'i gyflwyno o flaen pabell y cyfarfod. ¹⁵Y mae henuriaid y gymuned i osod eu dwylo ar ben y bustach a'i ladd o flaen yr ARGLWYDD; ¹⁶yna bydd yr offeiriad eneiniog yn mynd â pheth o waed y bustach i babell y cyfarfod, ¹⁷yn trochi ei fys yn y gwaed ac yn ei daenellu saith gwaith gerbron yr ARGLWYDD, o flaen y llen. ¹⁸Bydd hefyd yn rhoi peth o'r gwaed ar gyrn yr allor sydd gerbron yr ARGLWYDD ym mhabell y cyfarfod, a bydd yn tywallt y gweddill ohono wrth droed allor y poethoffrwm sydd wrth ddrws pabell y cyfarfod. ¹⁹Bydd yn tynnu'r holl fraster oddi ar y bustach ac yn ei losgi ar yr allor; ²⁰bydd yn gwneud i'r bustach hwn yn union fel y gwnaeth i fustach yr aberth dros bechod. Fel hyn y bydd yr offeiriad yn gwneud cymod drostynt, ac

fe faddeuir iddynt. ²¹Yna bydd yn mynd â'r bustach y tu allan i'r gwersyll, ac yn ei losgi fel y llosgodd y bustach cyntaf. Dyma fydd yr aberth dros bechod y gynulleidfa.

22 "'Os arweinydd fydd yn pechu'n anfwriadol, ac yn gwneud un o'r pethau na ddylid eu gwneud yn ôl gorchmynion yr ARGLWYDD ei Dduw, yna bydd yn euog. ²³Pan wneir iddo sylweddoli'r pechod a wnaeth, dylai ddod â rhodd o fwch gafr ifanc di-nam. ²⁴Y mae i osod ei law ar ben y bwch a'i ladd o flaen yr ARGLWYDD yn y lle y lleddir y poethoffrwm; dyma fydd yr aberth dros bechod. ²⁵Yna bydd yr offeiriad yn cymryd peth o waed yr aberth dros bechod ar ei fys ac yn ei roi ar gyrn allor y poethoffrwm, ac yn tywallt y gweddill wrth droed allor y poethoffrwm. ²⁶Bydd yn llosgi holl fraster y bwch ar yr allor, fel y llosgodd fraster yr heddoffrwm. Fel hyn y bydd yr offeiriad yn gwneud cymod dros bechod y dyn, ac fe faddeuir iddo.

27 "'Os un o'r bobl gyffredin fydd yn pechu'n anfwriadol, ac yn gwneud un o'r pethau na ddylid eu gwneud yn ôl gorchmynion yr ARGLWYDD, yna bydd yn euog. ²⁸Pan wneir iddo sylweddoli'r pechod a wnaeth, dylai ddod â rhodd o fyn gafr, benyw ddi-nam, yn offrwm am y pechod a wnaeth. ²⁹Y mae i osod ei law ar ben yr offrwm dros bechod a'i ladd yn yr un lle â'r poethoffrwm. ³⁰Yna bydd yr offeiriad yn cymryd peth o waed yr aberth dros bechod ar ei fys ac yn ei roi ar gyrn allor y poethoffrwm, ac yn tywallt y gweddill wrth droed yr allor. ³¹Bydd yn tynnu ymaith yr holl fraster, fel y tynnir y braster oddi ar yr heddoffrwm, a bydd yr offeiriad yn ei losgi ar yr allor, yn arogl peraidd i'r ARGLWYDD. Fel hyn y bydd yr offeiriad yn gwneud cymod drosto, ac fe faddeuir iddo.

32 "'Os bydd rhywun yn dod ag oen yn aberth dros bechod, dylai ddod ag oen benyw ddi-nam. ³³Y mae i osod ei law ar ben yr aberth dros bechod a'i ladd yn aberth dros bechod yn y lle y lleddir y poethoffrwm. ³⁴Yna bydd yr offeiriad yn cymryd peth o waed yr aberth dros bechod ar ei fys ac yn ei roi ar gyrn allor y poethoffrwm, ac yn tywallt y gweddill wrth droed yr allor. ³⁵Bydd yn tynnu ymaith yr holl fraster, fel y tynnir y braster oddi ar oen yr heddoffrwm, a bydd yr offeiriad yn ei losgi ar yr allor, ar

ben yr aberthau trwy dân i'r ARGLWYDD.
Fel hyn y bydd yr offeiriad yn gwneud
cymod drosto am y pechod a wnaeth, ac
fe faddeuir iddo.

Achosion yn Gofyn Offrwm dros Bechod

5 "'Os bydd unrhyw un yn pechu
oherwydd iddo, ar ôl clywed
cyhuddiad cyhoeddus, beidio â dweud
dim, er ei fod yn dyst a'i fod wedi gweld,
neu'n gwybod, bydd yn gyfrifol am ei
drosedd. ²Neu os bydd unrhyw un yn
cyffwrdd ag unrhyw beth aflan, boed yn
gorff bwystfil aflan, neu anifail aflan, neu
ymlusgiad aflan, er iddo wneud hynny'n
ddiarwybod, y mae ef yn aflan ac yn euog.
³Neu os bydd yn cyffwrdd ag unrhyw
aflendid dynol, sef unrhyw beth a fydd yn
ei wneud yn aflan, er iddo wneud hynny'n
ddiarwybod, pan fydd yn sylweddoli
hynny bydd yn euog. ⁴Neu os bydd
rhywun yn tyngu llw yn ddifeddwl, boed i
wneud drwg neu dda, mewn unrhyw beth
y byddai rhywun yn tyngu llw difeddwl
ynglŷn ag ef, er iddo wneud hynny'n
ddiarwybod, pan fydd yn sylweddoli
hynny bydd yn euog o un o'r pethau hyn.
⁵Pan fydd rhywun yn euog o un o'r
pethau hyn, dylai gyffesu ymha fodd y
pechodd, ⁶ac yn iawn am y pechod a
wnaeth y mae i ddod ag offrwm dros
bechod i'r ARGLWYDD, sef oen benyw
neu afr o'r praidd; a bydd yr offeiriad yn
gwneud cymod drosto am ei bechod.
7 "'Os na all fforddio ocn, dylai ddod
â dwy durtur neu ddau gyw colomen i'r
ARGLWYDD yn iawn am ei bechod, y naill
yn aberth dros bechod a'r llall yn boeth-
offrwm. ⁸Y mae i ddod â hwy at yr
offeiriad, a bydd yntau yn cyflwyno un yn
aberth dros bechod, ac yn torri'r pen oddi
wrth y corff heb eu gwahanu'n llwyr.
⁹Yna bydd yn taenellu peth o waed yr
aberth dros bechod ar ochr yr allor, ac yn
gwasgu allan y gweddill wrth droed yr
allor. Dyma fydd yr aberth dros bechod.
¹⁰Bydd yn cyflwyno'r ail yn boethoffrwm
yn y dull arferol. Fel hyn y bydd yr
offeiriad yn gwneud cymod drosto am y
pechod a wnaeth, ac fe faddeuir iddo.
11 "'Ond os na all fforddio dwy durtur
neu ddau gyw colomen, dylai ddod â
rhodd o ddegfed ran o effa o beilliaid yn
offrwm dros ei bechod; nid yw i roi olew
na thus arno, am mai offrwm dros bechod
ydyw. ¹²Y mae i ddod ag ef at yr offeiriad,

a bydd yntau'n cymryd dyrnaid ohono yn
gyfran goffa, ac yn ei losgi ar yr allor ar
ben yr aberthau trwy dân i'r ARGLWYDD;
dyma fydd yr aberth dros bechod. ¹³Fel
hyn y bydd yr offeiriad yn gwneud cymod
drosto am y pechod a wnaeth ynglŷn ag
un o'r pethau hyn, ac fe faddeuir iddo.
Bydd y gweddill yn eiddo i'r offeiriad, fel
gyda'r bwydoffrwm.'"

Iawn dros Bechod

14 Dywedodd yr ARGLWYDD wrth
Moses, ¹⁵"Pan fydd unrhyw un yn
gwneud camwedd ac yn pechu'n anfwr-
iadol ynglŷn â phethau sanctaidd yr AR-
GLWYDD, dylai ddod â hwrdd o'r praidd
yn iawn i'r ARGLWYDD, a hwnnw'n un
di-nam ac o'r gwerth priodol mewn siclau
o arian, yn ôl sicl y cysegr; dyma fydd yr
iawn dros bechod. ¹⁶Y mae i dalu am
y pechod a wnaeth ynglŷn â'r pethau
sanctaidd, ac i ychwanegu pumed ran ato
a'i roi i'r offeiriad; yna bydd yr offeiriad
yn gwneud cymod drosto gyda hwrdd yn
iawn am gamwedd, ac fe faddeuir iddo.
17 "Os bydd unrhyw un yn pechu ac
yn gwneud un o'r pethau na ddylid eu
gwneud yn ôl gorchmynion yr AR-
GLWYDD, er nad yw'n ymwybodol o
hynny, y mae'n euog ac yn gyfrifol am ei
drosedd. ¹⁸Dylai ddod â hwrdd o'r praidd
at yr offeiriad yn iawn dros gamwedd,
a hwnnw'n un di nam ac o'r gwerth
priodol. Yna bydd yr offeiriad yn gwneud
cymod drosto am y trosedd a gyflawnodd
yn anfwriadol, ac fe faddeuir iddo.
¹⁹Dyma fydd yr iawn am gamwedd,
oherwydd iddo wneud camwedd yn erbyn
yr ARGLWYDD."

6* Dywedodd yr ARGLWYDD wrth
Moses, ²"Os bydd unrhyw un yn
pechu ac yn anffyddlon i'r ARGLWYDD
oherwydd iddo dwyllo ei gymydog ynglŷn
â rhywbeth a ymddiriedwyd iddo, neu a
adawyd yn ei ofal, neu a ladratawyd, neu
oherwydd iddo dreisio ei gymydog, ³neu
oherwydd iddo ddarganfod peth a goll-
wyd, a thwyllo a thyngu'n dwyllodrus
ynglŷn ag ef—yn wir, unrhyw un o'r
pechodau a wneir gan ddynion—⁴pan
fydd wedi pechu ac felly'n euog, dylai
ddychwelyd yr hyn a ladrataodd neu a
gymerodd trwy drais, neu'r hyn a ym-
ddiriedwyd iddo, neu'r peth coll a ddar-
ganfu, ⁵neu unrhyw beth y tyngodd yn
dwyllodrus ynglŷn ag ef. Y mae i dalu'n

llawn amdano, ac i ychwanegu pumed ran ato a'i roi i'r perchennog y diwrnod y bydd yn gwneud iawn am ei gamwedd. ⁶Y mae i ddod â hwrdd o'r praidd at yr ARGLWYDD ᵃ yn iawn am gamwedd, a hwnnw'n un di-nam ac o'r gwerth priodol. ⁷Yna bydd yr offeiriad yn gwneud cymod drosto gerbron yr AR-GLWYDD, ac fe faddeuir iddo am unrhyw un o'r pethau a wnaeth i fod yn euog."

Deddf y Poethoffrwm

8* Dywedodd yr ARGLWYDD wrth Moses, ⁹"Gorchymyn i Aaron a'i feibion a dweud, 'Dyma ddeddf y poethoffrwm: Y mae'r poethoffrwm i'w adael ar aelwyd yr allor trwy'r nos hyd y bore, a'r tân i'w gadw i losgi ar yr allor. ¹⁰Yna bydd yr offeiriad yn gwisgo'i wisgoedd lliain, a dillad isaf o liain agosaf at ei gorff, a bydd yn codi lludw'r poethoffrwm, a yswyd gan dân ar yr allor, ac yn ei roi wrth ymyl yr allor. ¹¹Bydd yr offeiriad wedyn yn tynnu ei ddillad ac yn gwisgo dillad eraill, ac yn mynd â'r lludw y tu allan i'r gwersyll i le dihalog. ¹²Rhaid cadw'r tân i losgi ar yr allor; nid yw i ddiffodd. Y mae'r offeiriad i roi coed arni bob bore, gosod y poethoffrwm arni a llosgi braster yr heddoffrwm. ¹³Rhaid cadw'r tân i losgi'n barhaol ar yr allor; nid yw i ddiffodd.

Deddf y Bwydoffrwm

14 "'Dyma ddeddf y bwydoffrwm: Y mae meibion Aaron i ddod ag ef o flaen yr allor gerbron yr ARGLWYDD. ¹⁵Bydd offeiriad yn cymryd ohono ddyrnaid o beilliaid, ynghyd â'r olew a'r holl thus a fydd dros y bwydoffrwm, ac yn ei losgi'n gyfran goffa ar yr allor, yn arogl peraidd i'r ARGLWYDD. ¹⁶Bydd Aaron a'i feibion yn bwyta'r gweddill ohono, ond rhaid ei fwyta heb furum mewn lle sanctaidd; y maent i'w fwyta yng nghyntedd pabell y cyfarfod. ¹⁷Ni ddylid ei bobi â burum; fe'i rhoddais iddynt yn gyfran o'u hoffrymau trwy dân. Fel yr aberth dros bechod a'r aberth dros gamwedd y mae'n gwbl sanctaidd. ¹⁸Caiff pob gwryw o feibion Aaron ei fwyta, fel y deddfwyd am byth dros eich cenedlaethau ynglŷn â'r offrymau trwy dân i'r ARGLWYDD; fe sancteiddir pwy bynnag a'u cyffwrdd.'"

19 Dywedodd yr ARGLWYDD wrth Moses, ²⁰"Dyma'r offrwm y mae Aaron a'i feibion i'w gyflwyno i'r ARGLWYDD ar y dydd yr eneinir ef: degfed ran o effa o beilliaid yn fwydoffrwm rheolaidd, hanner ohono yn y bore a hanner gyda'r nos. ²¹Bydd wedi ei baratoi ag olew ar radell; dewch ag ef wedi ei gymysgu a'i gyflwyno'n fwydoffrwm wedi ei dorri'n ddarnau, yn arogl peraidd i'r AR-GLWYDD. ²²Y mae i'w baratoi gan y mab sydd i ddilyn Aaron fel offeiriad eneiniog; llosgir ef yn llwyr i'r ARGLWYDD fel y deddfwyd am byth. ²³Y mae pob bwyd-offrwm gan offeiriad i'w losgi'n llwyr; ni ddylid ei fwyta."

Deddf yr Aberth dros Bechod

24 Dywedodd yr ARGLWYDD wrth Moses, "Dywed wrth Aaron a'i feibion, ²⁵'Dyma ddeddf yr aberth dros bechod: Y mae'r aberth dros bechod i'w ladd o flaen yr ARGLWYDD yn y lle y lleddir y poeth-offrwm; bydd yn gwbl sanctaidd. ²⁶Yr offeiriad a fydd yn ei gyflwyno'n aberth dros bechod fydd yn ei fwyta, a hynny mewn lle sanctaidd yng nghyntedd pabell y cyfarfod. ²⁷Bydd unrhyw beth sy'n cyffwrdd â'r cig yn sanctaidd, ac os collir peth o'i waed ar wisg, rhaid ei golchi mewn lle sanctaidd. ²⁸Rhaid torri'r llestr pridd a coginir y cig ynddo; ond os mewn llestr pres y coginir ef, rhaid ei sgwrio a'i olchi â dŵr. ²⁹Caiff pob gwryw o blith yr offeiriaid ei fwyta; y mae'n gwbl sanct-aidd. ³⁰Ond ni ddylid bwyta unrhyw aberth dros bechod y dygir ei waed i babell y cyfarfod i wneud cymod yn y cysegr; rhaid ei losgi yn y tân.

Deddf yr Aberth dros Gamwedd

7 "'Dyma ddeddf yr aberth dros gamwedd sy'n gwbl sanctaidd: ²Y mae'r aberth dros gamwedd i'w ladd yn y lle y lleddir y poethoffrwm, a'i waed i'w luchio ar bob ochr i'r allor. ³Y mae'r cyfan o'i fraster i'w offrymu, sef y gynffon fras a'r braster sy'n gorchuddio'r ymysgaroedd, ⁴y ddwy aren a'r braster sydd arnynt yn y llwynau, a gorchudd yr iau a gymerir gyda'r arennau. ⁵Bydd yr offeiriad yn eu llosgi ar yr allor yn offrwm trwy dân i'r ARGLWYDD; dyma fydd yr aberth dros gamwedd. ⁶Caiff pob gwryw o blith yr offeiriaid ei fwyta, ond rhaid gwneud hynny mewn lle sanctaidd; y mae'n gwbl sanctaidd.

7 "'Yr un yw deddf yr aberth dros

ᵃTM yn ychwanegu *at yr offeiriad.*   *6:1 yn yr Hebraeg.

bechod â deddf yr aberth dros gamwedd: Y mae'r aberth yn perthyn i'r offeiriad sy'n gwneud cymod trwyddo. ⁸ Y mae'r offeiriad sy'n cyflwyno poethoffrwm dros unrhyw un i gadw iddo'i hun groen y poethoffrwm a gyflwynir. ⁹ Y mae unrhyw fwydoffrwm wedi ei grasu mewn ffwrn, neu wedi ei baratoi ar radell neu mewn padell, yn eiddo i'r offeiriad sy'n ei gyflwyno; ¹⁰ bydd pob bwydoffrwm, boed wedi ei gymysgu ag olew neu'n sych, yn eiddo i bob un o feibion Aaron fel ei gilydd.

Deddf yr Heddoffrwm

11 "'Dyma ddeddf yr heddoffrwm a gyflwynir i'r ARGLWYDD. ¹² Os cyflwynir ef yn ddiolchgarwch, dylid cyflwyno gyda'r offrwm diolchgarwch deisennau heb furum wedi eu cymysgu ag olew, bisgedi heb furum wedi eu taenu ag olew, a theisennau o beilliaid wedi eu tylino a'u cymysgu ag olew. ¹³ Gyda'r heddoffrwm o ddiolchgarwch dylid cyflwyno hefyd offrwm o deisennau o fara gyda burum. ¹⁴ Deuir ag un o bob math yn offrwm i'w gyflwyno i'r ARGLWYDD; bydd yn eiddo i'r offeiriad sy'n lluchio gwaed yr heddoffrwm. ¹⁵ Rhaid bwyta cig yr heddoffrwm o ddiolchgarwch ar y dydd y cyflwynir ef; ni ddylid gadael dim ohono hyd y bore.

16 "'Os offrwm adduned neu offrwm gwirfodd fydd yr aberth, dylid ei fwyta ar y dydd y cyflwynir ef, ond gellir bwyta drannoeth unrhyw beth a fydd yn weddill. ¹⁷ Rhaid llosgi yn y tân unrhyw gig o'r offrwm a fydd yn weddill ar y trydydd dydd. ¹⁸ Os bwyteir rhywfaint o gig yr heddoffrwm ar y trydydd dydd, ni fydd yr un sy'n ei gyflwyno yn dderbyniol, ac ni chyfrifir yr offrwm iddo am ei fod yn amhur; a bydd y sawl sy'n ei fwyta yn euog oherwydd hynny.

19 "'Ni ddylid bwyta cig a fydd wedi cyffwrdd ag unrhyw beth aflan; rhaid ei losgi yn y tân. Ond am unrhyw gig arall, caiff unrhyw un glân ei fwyta. ²⁰ Os bydd unrhyw un aflan yn bwyta o gig yr heddoffrwm sy'n eiddo i'r ARGLWYDD, rhaid torri hwnnw ymaith o blith ei bobl. ²¹ Ac os bydd unrhyw un yn cyffwrdd â rhyw-beth aflan, boed yn aflendid dyn, neu'n anifail aflan, neu'n ffieiddbeth aflan, ac yna'n bwyta o gig yr heddoffrwm sy'n eiddo i'r ARGLWYDD, rhaid torri hwnnw ymaith o blith ei bobl.'"

22 Dywedodd yr ARGLWYDD wrth Moses, ²³ "Dywed wrth bobl Israel, 'Peidiwch â bwyta dim o fraster gwarth-eg, defaid na geifr. ²⁴ Gallwch ddefnyddio at unrhyw ddiben fraster anifail wedi marw neu wedi ei larpio, ond ni chewch ei fwyta. ²⁵ Oherwydd torrir ymaith o blith ei bobl unrhyw un sy'n bwyta braster oddi ar anifail y gellir cyflwyno ohono aberth trwy dân i'r ARGLWYDD. ²⁶ Lle bynnag y byddwch yn byw, nid ydych i fwyta dim o waed aderyn nac anifail. ²⁷ Y mae pob un sy'n bwyta o'r gwaed i'w dorri ymaith o blith ei bobl.'"

28 Dywedodd yr ARGLWYDD wrth Moses, ²⁹ "Dywed wrth bobl Israel, 'Y mae unrhyw un sy'n dod â heddoffrwm i'r ARGLWYDD i gyflwyno i'r ARGLWYDD rodd o'i heddoffrwm. ³⁰ Ei ddwylo ei hun sydd i ddod ag offrwm trwy dân i'r ARGLWYDD; y mae i ddod â'r braster yn ogystal â'r frest, ac i chwifio'r frest yn offrwm cyhwfan o flaen yr ARGLWYDD. ³¹ Bydd yr offeiriad yn llosgi'r braster ar yr allor, ond bydd y frest yn eiddo i Aaron a'i feibion. ³² Rhoddwch glun dde eich heddoffrwm yn gyfraniad i'r offeiriad. ³³ Y sawl o feibion Aaron a fydd yn cyflwyno gwaed yr heddoffrwm a'r bras-ter fydd yn cael y glun dde yn gyfran. ³⁴ Oherwydd cymerais frest y cyhwfan a chlun y cyfraniad o heddoffrwm pobl Israel, a'u rhoi i Aaron yr offeiriad a'i feibion yn gyfran reolaidd gan blant Israel.

35 "'Dyma'r gyfran o'r offrwm trwy dân i'r ARGLWYDD a neilltuwyd i Aaron a'i feibion y diwrnod y cyflwynwyd hwy yn offeiriaid i'r ARGLWYDD. ³⁶ Y diwrnod y cysegrwyd hwy gorchmynnodd yr AR-GLWYDD i bobl Israel roi iddynt gyfran reolaidd dros eu cenedlaethau. 37 "'Dyma felly ddeddf y poeth-offrwm, y bwydoffrwm, yr aberth dros bechod, yr aberth dros gamwedd, offrwm yr ordeiniad a'r heddoffrwm, ³⁸ a orch-mynnodd yr ARGLWYDD i Moses ym Mynydd Sinai y dydd y gorchmynnodd i bobl Israel gyflwyno'u hoffrymau i'r AR-GLWYDD yn anialwch Sinai.'"

Ordeinio Aaron a'i Feibion
(Ex. 29:1-37)

8 Dywedodd yr ARGLWYDD wrth Moses, ² "Cymer Aaron a'i feibion, a hefyd ddillad, olew eneinio, bustach yr aberth dros bechod, y ddau hwrdd a

basgedaid o fara croyw, ³a chasgl yr holl gynulleidfa at ddrws pabell y cyfarfod."
⁴Gwnaeth Moses fel y gorchmynnodd yr ARGLWYDD, ac ymgasglodd y gynulleidfa wrth ddrws pabell y cyfarfod.
5 Dywedodd Moses wrth y gynulleidfa yr hyn a orchmynnodd yr ARGLWYDD ei wneud. ⁶Yna gwnaeth i Aaron a'i feibion ddod ymlaen, a golchodd hwy â dŵr.
⁷Rhoddodd y wisg am Aaron, clymu'r gwregys am ei ganol, ei wisgo â'r fantell a rhoi'r effod amdano; rhoes wregys cywrain yr effod amdano a'i gau. ⁸Rhoddodd y ddwyfronneg amdano, a rhoi'r Wrim a'r Twmim yn y ddwyfronneg. ⁹Yna rhoddodd dwrban ar ben Aaron, a gosod arno'r dorch aur, y goron sanctaidd, fel y gorchmynnodd yr ARGLWYDD i Moses.
10 Yna cymerodd Moses yr olew eneinio, ac eneiniodd y babell a phopeth ynddi, a thrwy hynny eu cysegru. ¹¹Taenellodd beth o'r olew seithwaith ar yr allor, ac eneiniodd yr allor a'i holl offer, y noe hefyd a'i gwaelod, i'w cysegru. ¹²Tywalltodd beth o'r olew eneinio ar ben Aaron, ac eneiniodd ef i'w gysegru. ¹³Yna gwnaeth Moses i feibion Aaron ddod ymlaen, rhoddodd wisgoedd amdanynt, clymu gwregysau am eu canol, a gwisgo capiau am eu pennau, fel y gorchmynnodd yr ARGLWYDD i Moses.
14 Yna daeth Moses â bustach yr aberth dros bechod, a gosododd Aaron a'i feibion eu dwylo ar ben y bustach. ¹⁵Lladdodd Moses y bustach a chymryd peth o'r gwaed a'i roi â'i fys ar y cyrn bob ochr i'r allor i'w chysegru; tywalltodd weddill y gwaed wrth droed yr allor. Felly y cysegrodd hi, gan wneud cymod drosti. ¹⁶Cymerodd Moses hefyd y braster ar yr ymysgaroedd, gorchudd yr iau, y ddwy aren a'r braster arnynt, a'u llosgi ar yr allor. ¹⁷Ond llosgodd y bustach, ei groen, ei gnawd a'r gweddillion y tu allan i'r gwersyll, fel y gorchmynnodd yr ARGLWYDD i Moses.
18 Yna cyflwynodd hwrdd y poethoffrwm, a gosododd Aaron a'i feibion eu dwylo ar ei ben. ¹⁹Lladdodd Moses yr hwrdd a lluchio'r gwaed ar bob ochr i'r allor. ²⁰Torrodd yr hwrdd yn ddarnau a llosgi'r pen, y darnau a'r braster. ²¹Golchodd yr ymysgaroedd a'r coesau â dŵr, a llosgodd yr hwrdd i gyd ar yr allor yn boethoffrwm, yn arogl peraidd, yn offrwm trwy dân i'r ARGLWYDD, fel y

gorchmynnodd yr ARGLWYDD i Moses.
22 Yna cyflwynodd yr hwrdd arall, sef hwrdd yr ordeiniad, a gosododd Aaron a'i feibion eu dwylo ar ei ben. ²³Lladdodd Moses yr hwrdd a chymryd peth o'i waed a'i roi ar gwr isaf clust dde Aaron, ar fawd ei law dde ac ar fawd ei droed de. ²⁴Yna gwnaeth Moses i feibion Aaron ddod ymlaen, a rhoddodd beth o'r gwaed ar gwr isaf eu clustiau de, ar fodiau eu llaw dde ac ar fodiau eu troed de, a lluchiodd waed ar bob ochr i'r allor. ²⁵Cymerodd y braster, y gynffon fras, yr holl fraster ar yr ymysgaroedd, gorchudd yr iau, y ddwy aren a'u braster, a'r glun dde. ²⁶Yna o'r fasgedaid bara croyw oedd gerbron yr ARGLWYDD cymerodd Moses deisen o fara croyw, ac un arall wedi ei chymysgu ag olew, ac un fisged, a'u gosod ar y braster ac ar y glun dde. ²⁷Rhoddodd y cyfan yn nwylo Aaron a'i feibion, a'u chwifio o flaen yr ARGLWYDD yn offrwm cyhwfan. ²⁸Wedyn cymerodd Moses hwy o'u dwylo a'u llosgi ar yr allor ar ben y poethoffrwm yn offrwm ordeiniad, yn arogl peraidd, yn offrwm trwy dân i'r ARGLWYDD. ²⁹Cymerodd Moses hefyd y frest, sef ei ran ef o hwrdd yr ordeinio, a'i chwifio o flaen yr ARGLWYDD yn offrwm cyhwfan, fel y gorchmynnodd yr ARGLWYDD i Moses.
30 Yna cymerodd Moses beth o'r olew eneinio ac o'r gwaed oddi ar yr allor, a'u taenellu dros Aaron a'i ddillad, a thros ei feibion a'u dillad hefyd; felly y cysegrodd Aaron a'i ddillad, hefyd ei feibion a'u dillad.
31 Dywedodd Moses wrth Aaron a'i feibion, "Berwch y cig wrth ddrws pabell y cyfarfod a'i fwyta yno gyda'r bara o fasged offrymau'r ordeinio, fel y gorchmynnais, a dweud mai Aaron a'i feibion oedd i'w fwyta. ³²Ond llosgwch yn y tân weddill y cig a'r bara. ³³Peidiwch â symud o ddrws pabell y cyfarfod am saith diwrnod, nes cwpláu dyddiau eich ordeiniad, oherwydd bydd yr ordeinio yn ymestyn dros saith diwrnod. ³⁴Gwnaed yr hyn a ddigwyddodd heddiw i wneud cymod drosoch, fel y gorchmynnodd yr ARGLWYDD. ³⁵Yr ydych i aros wrth ddrws pabell y cyfarfod ddydd a nos am saith diwrnod, a chadw'r hyn a ofyn yr ARGLWYDD, rhag ichwi farw; oherwydd dyma a orchmynnwyd i mi." ³⁶Felly gwnaeth Aaron a'i feibion bopeth a orchmynnodd yr ARGLWYDD trwy Moses.

Aaron yn Aberthu i'r Arglwydd

9 Ar yr wythfed dydd galwodd Moses am Aaron a'i feibion a henuriaid Israel. ²A dywedodd wrth Aaron, "Cymer fustach ifanc yn aberth dros bechod, a hwrdd yn boethoffrwm, y naill a'r llall yn ddi-nam, a chyflwyna hwy o flaen yr ARGLWYDD. ³Yna dywed wrth bobl Israel, 'Cymerwch fwch gafr yn aberth dros bechod, a llo ac oen yn boethoffrwm, y naill a'r llall yn flwydd oed ac yn ddi-nam, ⁴a hefyd fustach a hwrdd yn heddoffrwm i'w haberthu o flaen yr ARGLWYDD, a bwydoffrwm wedi ei gymysgu ag olew; oherwydd heddiw bydd yr ARGLWYDD yn ymddangos i chwi.'" ⁵Dygasant y pethau a orchmynnodd Moses o flaen pabell y cyfarfod, a nesaodd yr holl gynulleidfa a sefyll gerbron yr ARGLWYDD. ⁶Yna dywedodd Moses, "Dyma'r hyn a orchmynnodd yr ARGLWYDD ichwi ei wneud er mwyn i ogoniant yr ARGLWYDD ymddangos ichwi."

7 Dywedodd Moses wrth Aaron, "Nesâ at yr allor ac offryma dy aberth dros bechod a'th boethoffrwm, a gwna gymod drosot dy hun a thros y bobl; abertha offrwm y bobl a gwna gymod drostynt, fel y gorchmynnodd yr ARGLWYDD." ⁸Felly daeth Aaron at yr allor a lladd llo yn aberth dros bechod ar ei ran ei hun. ⁹Yna daeth ei feibion â'r gwaed ato, a throchodd yntau ei fys yn y gwaed a'i roi ar gyrn yr allor; tywalltodd weddill y gwaed wrth droed yr allor. ¹⁰Llosgodd ar yr allor y braster, yr arennau a gorchudd yr iau o'r aberth dros bechod, fel y gorchmynnodd yr ARGLWYDD i Moses; ¹¹llosgodd yn y tân y cnawd a'r croen y tu allan i'r gwersyll.

12 Yna lladdodd Aaron y poethoffrwm; daeth ei feibion â'r gwaed ato, a lluchiodd yntau ef ar bob ochr i'r allor. ¹³Rhoddasant iddo'r poethoffrwm fesul darn, gan gynnwys y pen, ac fe'u llosgodd ar yr allor. ¹⁴Golchodd yr ymysgaroedd a'r coesau a'u llosgi ar yr allor ar ben y poethoffrwm.

15 Yna daeth ag offrwm dros y bobl. Cymerodd fwch yr aberth dros bechod y bobl, a'i ladd a'i gyflwyno'n aberth dros bechod, fel y gwnaethai gyda'r cyntaf. ¹⁶Yna daeth â'r poethoffrwm a'i gyflwyno, yn ôl y drefn. ¹⁷Daeth hefyd â'r bwydoffrwm a chymryd dyrnaid ohono, a'i losgi ar yr allor ynghyd â'r poeth-offrymau boreol.

18 Lladdodd hefyd yr ych a'r hwrdd yn heddoffrwm dros y bobl; daeth ei feibion â'r gwaed ato, a lluchiodd yntau ef ar bob ochr i'r allor. ¹⁹Ond am fraster yr ych a'r hwrdd, y gynffon fras, yr haen o fraster, yr arennau, a gorchudd yr iau, ²⁰gosodwyd hwy ar y frest, ac yna llosgodd Aaron y braster ar yr allor. ²¹Chwifiodd y brestiau a'r glun dde yn offrwm cyhwfan o flaen yr ARGLWYDD, fel y gorchmynnodd Moses.

22 Yna cododd Aaron ei ddwylo i gyfeiriad y bobl a'u bendithio; ac ar ôl cyflwyno'r aberth dros bechod, y poethoffrwm a'r heddoffrwm, daeth i lawr o'r allor. ²³Yna aeth Moses ac Aaron i babell y cyfarfod; a phan ddaethant allan a bendithio'r bobl, ymddangosodd gogoniant yr ARGLWYDD i'r holl bobl. ²⁴A daeth tân allan o ŵydd yr ARGLWYDD ac ysu'r poethoffrwm a'r braster ar yr allor. Pan welodd yr holl bobl hyn, gwaeddasant mewn llawenydd a syrthio ar eu hwynebau.

Marw Nadab ac Abihu

10 Cymerodd Nadab ac Abihu, meibion Aaron, bob un ei thuser a rhoi tân ynddynt a gosod arogldarth arno; yr oeddent felly'n cyflwyno o flaen yr ARGLWYDD dân estron nad oedd yr ARGLWYDD wedi ei orchymyn. ²Daeth tân allan o ŵydd yr ARGLWYDD a'u hysu, a buont farw gerbron yr ARGLWYDD. ³A dywedodd Moses wrth Aaron, "Dyma'r hyn a lefarodd yr ARGLWYDD:

'Ymysg y rhai sy'n dynesu ataf fe'm
  sancteiddir,
a cherbron yr holl bobl fe'm
  gogoneddir.'"

Yr oedd Aaron yn fud.

4 Galwodd Moses ar Misael ac Elsaffan, meibion Ussiel ewythr Aaron, a dywedodd wrthynt, "Dewch yma, ac ewch â'ch brodyr allan o'r gwersyll rhag iddynt fod o flaen y cysegr." ⁵Daethant hwythau a mynd â hwy yn eu gwisgoedd y tu allan i'r gwersyll, fel y gorchmynnodd Moses. ⁶Yna dywedodd Moses wrth Aaron a'i feibion Eleasar ac Ithamar, "Peidiwch â noethi eich pennau na rhwygo eich dillad, rhag ichwi farw, ac i Dduw fod yn ddig wrth yr holl gynulleidfa; ond bydded i'ch brodyr, sef holl dŷ Israel, alaru am y rhai a losgodd yr ARGLWYDD â thân. ⁷Peidiwch â gadael

drws pabell y cyfarfod, neu byddwch farw, oherwydd y mae olew eneinio yr ARGLWYDD arnoch." Gwnaethant fel y dywedodd Moses.

Deddfau'r Offeiriad

8 Yna dywedodd yr ARGLWYDD wrth Aaron, ⁹"Nid wyt ti na'th feibion i yfed gwin na diod gadarn pan fyddwch yn dod i babell y cyfarfod, rhag ichwi farw. Y mae hon yn ddeddf dragwyddol dros eich cenedlaethau, ¹⁰er mwyn ichwi wahaniaethu rhwng sanctaidd a chyffredin, a rhwng aflan a glân, ¹¹a dysgu i bobl Israel yr holl ddeddfau a roddodd yr ARGLWYDD iddynt trwy Moses."

12 Dywedodd Moses wrth Aaron ac wrth Eleasar ac Ithamar, y meibion a adawyd, "Cymerwch y bwydoffrwm sy'n weddill o'r offrymau trwy dân a wnaed i'r ARGLWYDD, a'i fwyta heb furum wrth ymyl yr allor, oherwydd y mae'n gwbl sanctaidd. ¹³Bwytewch ef mewn lle sanctaidd, gan mai dyna dy gyfran di a chyfran dy feibion o'r offrymau trwy dân i'r ARGLWYDD, oherwydd fel hyn y gorchmynnais. ¹⁴Yr wyt ti, dy feibion a'th ferched i fwyta brest y cyhwfan a chlun y cyfraniad mewn lle dihalog, oherwydd fe'u rhoddwyd i ti a'th feibion yn gyfran o heddoffrymau pobl Israel. ¹⁵Deuer â chlun y cyfraniad a brest y cyhwfan, gyda'r rhannau bras o'r offrymau trwy dân, i'w chwifio o flaen yr ARGLWYDD yn offrwm cyhwfan. Bydd hyn yn gyfran reolaidd i ti a'th feibion, fel y gorchmynnodd yr ARGLWYDD."

16 Pan ymholodd Moses am fwch yr aberth dros bechod, cafodd ei fod wedi ei losgi; a bu'n ddig iawn wrth Eleasar ac Ithamar, y meibion a adawyd i Aaron. Gofynnodd, ¹⁷"Pam na fu ichwi fwyta'r aberth dros bechod yng nghyffiniau'r cysegr, gan ei fod yn gwbl sanctaidd ac iddo gael ei roi i chwi i ddwyn camwedd y gynulleidfa trwy wneud cymod drostynt gerbron yr ARGLWYDD? ¹⁸Wele, ni ddygwyd ei waed i mewn i'r cysegr mewnol; yn sicr dylech fod wedi bwyta'r bwch yn y cysegr, fel y gorchmynnais." ¹⁹Dywedodd Aaron wrth Moses, "Y maent heddiw wedi cyflwyno o flaen yr ARGLWYDD eu haberth dros bechod a'u poethoffrwm, ac y mae'r fath bethau wedi digwydd i mi! A fyddai'n dderbyniol gan yr ARGLWYDD pe bawn wedi bwyta'r aberth dros bechod heddiw?" ²⁰Pan glywodd Moses hyn, bu'n fodlon.

Anifeiliaid Glân ac Aflan
(Deut 14:3-21)

11 Llefarodd yr ARGLWYDD wrth Moses ac Aaron a dweud wrthynt, ²"Dywedwch wrth bobl Israel, 'O'r holl anifeiliaid sy'n byw ar y ddaear, dyma'r rhai y cewch eu bwyta: ³unrhyw anifail sy'n hollti'r ewin ac yn ei fforchi i'r pen, a hefyd yn cnoi cil, cewch fwyta hwnnw. ⁴Y mae ambell un yn cnoi cil yn unig, ac un arall yn hollti'r ewin yn unig, ond nid ydych i fwyta'r rheini. Y mae'r camel yn cnoi cil, ond heb fforchi'r ewin, ac y mae'n aflan ichwi. ⁵Y mae'r broch yn cnoi cil, ond heb fforchi'r ewin, ac y mae'n aflan ichwi. ⁶Y mae'r ysgyfarnog yn cnoi cil, ond heb fforchi'r ewin, ac y mae'n aflan ichwi. ⁷Y mae'r mochyn yn hollti'r ewin ac yn ei fforchi i'r pen, ond heb gnoi cil, ac y mae'n aflan ichwi. ⁸Nid ydych i fwyta eu cig na chyffwrdd â'u cyrff; y maent yn aflan ichwi.

9 "'O'r holl greaduriaid sy'n byw yn nŵr y môr neu'r afonydd, dyma'r rhai y cewch eu bwyta: pob un gydag esgyll neu gen, cewch fwyta hwnnw. ¹⁰Ond popeth sydd yn y moroedd neu'r afonydd heb esgyll na chen, boed yn ymlusgiad neu greadur arall sy'n byw yn y dŵr, y mae'n ffiaidd ichwi. ¹¹Gan eu bod yn ffiaidd ichwi, ni chewch fwyta eu cig, ac yr ydych i ffieiddio eu cyrff. ¹²Y mae unrhyw beth yn y dŵr sydd heb esgyll na chen yn ffiaidd ichwi.

13 "'Dyma'r adar sydd yn ffiaidd ichwi, ac na chewch eu bwyta am eu bod yn ffiaidd: yr eryr, y fwltur, eryr y môr, ¹⁴y barcud, unrhyw fath o gudyll, ¹⁵unrhyw fath o frân, ¹⁶yr estrys, y frân nos, yr wylan, ac unrhyw fath o hebog, ¹⁷y dylluan, y fulfran, y forfran, ¹⁸y gigfran, y pelican, y fwltur mawr, ¹⁹y ciconia, unrhyw fath o grëyr, y gornchwiglen a'r ystlum.

20 "'Y mae unrhyw bryf adeiniog sy'n ymlusgo ar bedwar troed yn ffiaidd ichwi. ²¹Ond y mae rhai pryfed adeiniog sy'n ymlusgo ar bedwar troed y cewch eu bwyta: y rhai sydd â chymalau yn eu coesau i sboncio ar y ddaear. ²²O'r rhain cewch fwyta unrhyw fath ar locust, ceiliog rhedyn, criciedyn neu sioncyn y gwair. ²³Ond y mae pob pryf adeiniog arall sy'n ymlusgo ar bedwar troed yn ffiaidd ichwi.

24 "'Byddwch yn eich halogi eich hunain trwy'r rhain; bydd unrhyw un sy'n

cyffwrdd â'u cyrff yn aflan hyd yr hwyr. ²⁵Rhaid i unrhyw un sy'n gafael yn eu cyrff olchi ei ddillad, a bydd yn aflan hyd yr hwyr.

26 "'Y mae unrhyw anifail sydd heb hollti'r ewin a'i fforchi i'r pen, a heb gnoi cil, yn aflan ichwi; bydd unrhyw un sy'n cyffwrdd â'u cyrff yn aflan. ²⁷O'r holl greaduriaid sy'n cerdded ar eu pedwar, y mae'r rhai sy'n cerdded ar y palf yn aflan i chwi; bydd unrhyw un sy'n cyffwrdd â'u cyrff yn aflan hyd yr hwyr. ²⁸Rhaid i unrhyw un sy'n gafael yn eu cyrff olchi ei ddillad, a bydd yn aflan hyd yr hwyr; y maent yn aflan ichwi.

29 "'O'r creaduriaid sy'n ymlusgo ar y ddaear, y mae'r rhain yn aflan ichwi: y wenci, y llygoden, pob math ar lysard, ³⁰y geco, y llyffant, y genau-goeg, y lysard melyn a'r fadfall. ³¹O'r rhai sy'n ymlusgo ar y ddaear, dyna'r rhai sy'n aflan ichwi; bydd unrhyw un sy'n cyffwrdd â hwy wedi iddynt farw yn aflan hyd yr hwyr. ³²A bydd unrhyw beth, y syrth un ohonynt arno wedi iddo farw, yn aflan, boed o goed, brethyn, croen neu sachlïain, i ba beth bynnag y defnyddir ef; rhaid ei roi mewn dŵr, a bydd yn aflan hyd yr hwyr; yna bydd yn lân. ³³Os syrth un ohonynt i lestr pridd, bydd popeth sydd ynddo yn aflan a rhaid torri'r llestr. ³⁴Y mae unrhyw fwyd y gellir ei fwyta, ond sydd â dŵr o'r llestri arno, yn aflan; ac y mae unrhyw ddiod y gellir ei hyfed o'r llestr yn aflan. ³⁵Y mae unrhyw beth y syrth rhan o'u cyrff arno yn aflan, a rhaid ei ddryllio, boed ffwrn neu badell, gan ei fod yn aflan, ac yr ydych i'w ystyried yn aflan. ³⁶Eto y mae ffynnon neu bydew i gronni dŵr yn lân; y peth sy'n cyffwrdd â'u cyrff sy'n aflan. ³⁷Os bydd un o'r cyrff yn disgyn ar unrhyw had sydd i'w blannu, y mae'n lân; ³⁸ond os bydd dŵr ar yr had a'r corff yn disgyn arno, bydd yn aflan ichwi.

39 "'Os bydd un o'r anifeiliaid y cewch eu bwyta yn marw, bydd unrhyw un sy'n cyffwrdd â'i gorff yn aflan hyd yr hwyr; ⁴⁰rhaid i unrhyw un sy'n bwyta peth o'r corff olchi ei ddillad, a bydd yn aflan hyd yr hwyr; rhaid i unrhyw un sy'n gafael yn y corff olchi ei ddillad, a bydd yn aflan hyd yr hwyr. ⁴¹"'Y mae unrhyw ymlusgiad sy'n ymlusgo ar y ddaear yn ffiaidd; ni ddylid ei fwyta. ⁴²Peidiwch â bwyta unrhyw ymlusgiad sy'n ymlusgo ar y ddaear, boed yn symud ar ei dor, neu'n cerdded

ar bedwar troed neu ar amryw draed; y mae'n ffiaidd. ⁴³Peidiwch â'ch gwneud eich hunain yn ffiaidd trwy'r un o'r ymlusgiaid sy'n ymlusgo; a pheidiwch â'ch halogi eich hunain trwyddynt na'ch cael yn aflan o'u plegid. ⁴⁴Myfi yw'r ARGLWYDD eich Duw; ymgysegrwch a byddwch sanctaidd, oherwydd sanctaidd wyf fi. Peidiwch â'ch halogi eich hunain trwy'r un o'r ymlusgiaid sy'n ymlusgo ar y ddaear. ⁴⁵Myfi yw'r ARGLWYDD a ddaeth â chwi i fyny o'r Aifft i fod yn Dduw ichwi; byddwch sanctaidd, oherwydd sanctaidd wyf fi.

46 "'Dyma'r ddeddf ynglŷn â'r anifeiliaid, yr adar, y creaduriaid byw sy'n llusgo trwy'r dyfroedd a'r creaduriaid sy'n ymlusgo ar y ddaear, ⁴⁷er mwyn ichwi wahaniaethu rhwng yr aflan a'r glân, a rhwng y creaduriaid byw y gellir eu bwyta a'r rhai na ellir eu bwyta.'"

Puro Gwraig ar ôl Genedigaeth

12 Llefarodd yr ARGLWYDD wrth Moses a dweud, ²"Dywed wrth bobl Israel, 'Bydd gwraig sy'n beichiogi ac yn geni mab yn aflan am saith diwrnod, yn union fel y mae'n aflan yn nyddiau ei misglwyf. ³Ar yr wythfed dydd enwaeder ar y bachgen. ⁴Yna bydd y wraig yn disgwyl tri ar ddeg ar hugain o ddyddiau am buro ei gwaed; nid yw i gyffwrdd â dim sanctaidd nac i fynd i'r cysegr nes y bydd dyddiau'r puro trosodd. ⁵Os bydd yn geni merch, yna bydd yn aflan am bythefnos, fel y mae yn ei misglwyf; bydd yn disgwyl chwech a thrigain o ddyddiau am buro ei gwaed.

6 "'Pan fydd dyddiau'r puro am fab neu ferch trosodd, y mae i ddod at yr offeiriad wrth ddrws pabell y cyfarfod gyda hesbwrn yn boethoffrwm a chyw colomen neu durtur yn aberth dros bechod. ⁷Bydd yntau'n eu cyflwyno o flaen yr ARGLWYDD i wneud cymod drosti, ac yna bydd yn lân oddi wrth ei gwaedlif. Dyma'r ddeddf ynglŷn â gwraig yn geni mab neu ferch.

8 "'Os na all fforddio oen, gall ddod â dwy durtur neu ddau gyw colomen, y naill yn boethoffrwm a'r llall yn aberth dros bechod; bydd yr offeiriad yn gwneud cymod drosti, a bydd yn lân.'"

Rheolau ynglŷn â Haint ar y Croen

13 Llefarodd yr ARGLWYDD wrth Moses ac Aaron a dweud, ²"Pan fydd gan unrhyw un chwydd, brech neu smotyn ar ei groen a allai fod yn ddolur heintus ar y croen, dylid dod ag ef at Aaron yr offeiriad, neu at un o'i feibion, yr offeiriaid. [3]Bydd yr offeiriad yn archwilio'r dolur ar ei groen, ac os bydd y blew yn y dolur wedi troi'n wyn, a'r dolur yn ymddangos yn ddyfnach na'r croen, y mae'n ddolur heintus; wedi iddo ei archwilio, bydd yr offeiriad yn ei gyhoeddi'n aflan. [4]Os bydd y smotyn ar ei groen yn wyn, ond heb ymddangos yn ddyfnach na'r croen, a'r blew ynddo heb droi'n wyn, bydd yr offeiriad yn cadw'r claf o'r neilltu am saith diwrnod. [5]Ar y seithfed dydd bydd yr offeiriad yn ei archwilio, ac os gwêl yr offeiriad fod y dolur wedi aros yr un fath a heb ledu ar y croen, bydd yn cadw'r claf o'r neilltu am saith diwrnod arall. [6]Ar y seithfed dydd bydd yr offeiriad yn ei archwilio eilwaith, ac os bydd y dolur yn gwywo a heb ledu ar y croen, bydd yr offeiriad yn ei gyhoeddi'n lân; nid yw ond brech. Y mae'r claf i olchi ei ddillad, ac yna bydd yn lân. [7]Ond os bydd y frech yn lledu ar ei groen ar ôl iddo'i ddangos ei hun i'r offeiriad i'w gyhoeddi'n lân, y mae i'w ddangos ei hun i'r offeiriad eilwaith. [8]Bydd yr offeiriad yn ei archwilio, ac os bydd y frech wedi lledu ar y croen, bydd yn ei gyhoeddi'n aflan; y mae'n ddolur heintus.

9 "Pan fydd gan unrhyw un ddolur heintus, dylid dod ag ef at yr offeiriad. [10]Bydd yr offeiriad yn ei archwilio, ac os bydd chwydd gwyn yn y croen a hwnnw wedi troi'r blew yn wyn, ac os bydd cig noeth yn y chwydd, [11]y mae'n hen ddolur yn y croen, a bydd yr offeiriad yn ei gyhoeddi'n aflan; ond ni fydd yn ei gadw o'r neilltu, gan ei fod eisoes yn aflan. [12]Os bydd y dolur yn torri allan dros y croen, a chyn belled ag y gwêl yr offeiriad yn gorchuddio'r claf o'i ben i'w draed, [13]bydd yr offeiriad yn ei archwilio, ac os bydd y dolur wedi gorchuddio'i holl gnawd, bydd yn ei gyhoeddi'n lân; oherwydd i'r cyfan ohono droi'n wyn, bydd yn lân. [14]Ond pa bryd bynnag yr ymddengys cig noeth arno, bydd yn aflan. [15]Pan fydd yr offeiriad yn gweld cig noeth, bydd yn ei gyhoeddi'n aflan; y mae cig noeth yn aflan, gan ei fod yn ddolur heintus. [16]Os bydd cig noeth yn newid ac yn troi'n wyn, dylai'r claf fynd at yr offeiriad. [17]Bydd yr offeiriad yn ei ar-

chwilio, ac os bydd y dolur wedi troi'n wyn, bydd yr offeiriad yn cyhoeddi'r claf yn lân; yna bydd yn lân.

18 "Pan fydd gan rywun gornwyd ar ei groen, a hwnnw'n gwella, [19]a chwydd gwyn neu smotyn cochwyn yn dod yn lle'r cornwyd, dylai ei ddangos ei hun i'r offeiriad. [20]Bydd yr offeiriad yn ei archwilio, ac os bydd y dolur yn ymddangos yn ddyfnach na'r croen, a'r blew ynddo wedi troi'n wyn, bydd yr offeiriad yn ei gyhoeddi'n aflan; dolur heintus wedi codi yn lle'r cornwyd ydyw. [21]Ond os bydd yr offeiriad yn ei archwilio a'i gael heb flew gwyn ynddo, a heb fod yn ddyfnach na'r croen ac wedi gwywo, bydd yr offeiriad yn cadw'r claf o'r neilltu am saith diwrnod. [22]Os bydd yn lledu ar y croen, bydd yr offeiriad yn ei gyhoeddi'n aflan; y mae'n heintus. [23]Ond os bydd y smotyn yn aros yr un fath a heb ledu, craith y cornwyd ydyw, a bydd yr offeiriad yn ei gyhoeddi'n lân.

24 "Pan fydd gan rywun losg ar ei groen, a smotyn cochwyn neu wyn yng nghig noeth y llosg, [25]bydd yr offeiriad yn ei archwilio; ac os bydd y blew ynddo wedi troi'n wyn, a'r llosg yn ymddangos yn ddyfnach na'r croen, y mae dolur heintus wedi torri allan yn y llosg. Bydd yr offeiriad yn ei gyhoeddi'n aflan; y mae'n ddolur heintus. [26]Ond os bydd yr offeiriad yn ei archwilio a'i gael heb flew gwyn yn y smotyn, a hwnnw heb ymddangos yn ddyfnach na'r croen ac wedi gwywo, bydd yr offeiriad yn cadw'r claf o'r neilltu am saith diwrnod. [27]Ar y seithfed dydd bydd yr offeiriad yn ei archwilio, ac os bydd wedi lledu ar y croen bydd yr offeiriad yn ei gyhoeddi'n aflan; y mae'n ddolur heintus. [28]Ond os bydd y smotyn wedi aros yr un fath, a heb ledu ar y croen ac wedi gwywo, chwydd o'r llosg ydyw, a bydd yr offeiriad yn ei gyhoeddi'n lân; craith y llosg ydyw.

29 "Pan fydd gan ŵr neu wraig ddolur ar y pen neu'r wyneb, bydd yr offeiriad yn ei archwilio, [30]ac os bydd yn ymddangos yn ddyfnach na'r croen, a blew melyn main ynddo, bydd yr offeiriad yn cyhoeddi'r claf yn aflan; clafr, dolur heintus, ar y pen neu'r wyneb ydyw. [31]Os bydd yr offeiriad yn archwilio'r math hwn o ddolur ac yn gweld nad yw'n ymddangos yn ddyfnach na'r croen, a heb flew du ynddo, bydd yr offeiriad yn cadw'r claf o'r neilltu am saith diwrnod.

³²Ar y seithfed dydd bydd yr offeiriad yn archwilio'r dolur, ac os bydd y clafr heb ledu, a heb flew melyn ynddo a heb ymddangos yn ddyfnach na'r croen, ³³y mae'r claf i eillio, ac eithrio lle mae'r clafr, a bydd yr offeiriad yn ei gadw o'r neilltu am saith diwrnod arall. Ar y seithfed dydd bydd yr offeiriad yn archwilio'r clafr eilwaith, ³⁴ac os bydd heb ledu ar y croen a heb ymddangos yn ddyfnach na'r croen, bydd yr offeiriad yn ei gyhoeddi'n lân. Y mae'r claf i olchi ei ddillad, ac yna bydd yn lân. ³⁵Ond os bydd y clafr yn lledu ar y croen ar ôl ei gyhoeddi'n lân, ³⁶bydd yr offeiriad yn ei archwilio; ac os bydd y clafr wedi lledu ar y croen, nid oes rhaid i'r offeiriad chwilio am flew melyn; y mae'n aflan. ³⁷Os gwêl yr offeiriad fod y clafr wedi aros yr un fath, a blew du yn tyfu ynddo, y mae'r clafr wedi gwella. Y mae'r claf yn lân, a bydd yr offeiriad yn ei gyhoeddi'n lân.

38 "Pan fydd gan ŵr neu wraig smotiau gwyn ar y croen, ³⁹bydd yr offeiriad yn eu harchwilio, ac os bydd y smotiau yn wyn dwl, brech wedi torri allan ar y croen ydynt; y mae'r claf yn lân.

40 "Pan fydd dyn wedi colli gwallt ei ben ac yn foel, y mae'n lân. ⁴¹Os bydd wedi colli ei wallt oddi ar ei dalcen, a'i dalcen yn foel, y mae'n lân. ⁴²Ond os bydd ganddo ddolur cochwyn ar ei ben moel neu ei dalcen, y mae dolur heintus yn torri allan ar ei ben neu ei dalcen. ⁴³Bydd yr offeiriad yn ei archwilio, ac os bydd y dolur chwyddedig ar ei ben neu ei dalcen yn gochwyn, fel y bydd dolur heintus yn ymddangos ar y croen, ⁴⁴y mae'r claf yn heintus; y mae'n aflan. Bydd yr offeiriad yn ei gyhoeddi'n aflan oherwydd y dolur ar ei ben.

45 "Y mae'r sawl sy'n heintus o'r dolur hwn i wisgo dillad wedi eu rhwygo, gadael ei wallt yn rhydd, gorchuddio'i wefus uchaf a gweiddi, 'Aflan, aflan!' ⁴⁶Y mae'n aflan cyhyd ag y bydd y dolur arno; y mae i fyw ar ei ben ei hun, a hynny y tu allan i'r gwersyll.

Rheolau ynglŷn â Haint ar Ddillad

47 "Os bydd haint oddi wrth ddolur mewn dilledyn, boed o wlân neu o liain, ⁴⁸yn ystof neu'n anwe o wlân neu o liain, neu'n lledr neu'n ddeunydd wedi ei wneud o ledr, ⁴⁹a bod yr haint yn ymddangos yn wyrdd neu'n goch yn y dilledyn neu'r lledr, mewn ystof neu

anwe, neu unrhyw beth a wnaed o ledr, y mae'n heintus oddi wrth ddolur, a dylid ei ddangos i'r offeiriad. ⁵⁰Bydd yr offeiriad yn archwilio'r haint, ac yn gosod y peth y mae'r haint ynddo o'r neilltu am saith diwrnod. ⁵¹Ar y seithfed dydd bydd yn ei archwilio, ac os bydd yr haint wedi lledu yn y dilledyn, yn yr ystof neu yn yr anwe, neu yn y lledr, i ba beth bynnag y defnyddir ef, y mae'n haint dinistriol; y mae'n aflan. ⁵²Dylai losgi'r dilledyn, neu'r ystof neu'r anwe o wlân neu liain, neu'r peth lledr y mae'r haint ynddo; y mae'n haint dinistriol, a rhaid ei losgi yn y tân.

53 "Os bydd yr offeiriad yn ei archwilio a chael nad yw'r haint wedi lledu trwy'r dilledyn, yr ystof neu'r anwe, neu'r deunydd lledr, ⁵⁴bydd yn gorchymyn golchi'r dilledyn y bu'r haint ynddo, ac yn ei osod o'r neilltu am saith diwrnod arall. ⁵⁵Bydd yr offeiriad yn ei archwilio eto ar ôl ei olchi, ac os na fydd yr haint wedi newid ei liw, hyd yn oed os na fydd wedi lledu, y mae'n aflan; bydd yn ei losgi yn y tân, boed y smotyn heintus y naill du neu'r llall. ⁵⁶Os bydd yr offeiriad yn ei archwilio a chael bod yr haint wedi gwelwi ar ôl ei olchi, bydd yn torri'r rhan honno allan o'r dilledyn, y lledr, yr ystof neu'r anwe. ⁵⁷Os bydd yn ailymddangos yn y dilledyn, yr ystof neu'r anwe, neu unrhyw beth o ledr, y mae'n lledu, a rhaid llosgi yn y tân beth bynnag y mae'r haint ynddo. ⁵⁸Am y dilledyn, yr ystof neu'r anwe, neu unrhyw beth o ledr, y ciliodd yr haint ohono ar ôl ei olchi, rhaid ei olchi eilwaith, a bydd yn lân." ⁵⁹Dyma'r ddeddf ynglŷn â haint oddi wrth ddolur mewn dilledyn o wlân neu liain, yn yr ystof neu'r anwe, neu unrhyw beth o ledr, er mwyn penderfynu a ydynt yn lân neu'n aflan.

Puro ar ôl Haint

14 Llefarodd yr ARGLWYDD wrth Moses a dweud, ²"Dyma fydd y gyfraith ynglŷn â'r heintus ar ddydd ei lanhau. Dyger ef at yr offeiriad, ³a bydd yr offeiriad yn mynd y tu allan i'r gwersyll ac yn ei archwilio. Os bydd wedi gwella o'r haint, ⁴bydd yr offeiriad yn gorchymyn dod â dau aderyn glân yn fyw, pren cedrwydd, edau ysgarlad ac isop ar ran yr un a lanheir. ⁵Yna bydd yr offeiriad yn gorchymyn lladd un o'r adar uwchben dŵr croyw mewn llestr pridd. ⁶Wedyn bydd yn cymryd yr aderyn byw ac yn ei drochi·ef, ynghyd â'r pren cedrwydd, yr edau ysgarlad a'r isop, yng ngwaed yr aderyn a laddwyd uwchben y dŵr croyw, [7]ac yn ei daenellu seithwaith dros yr un a lanheir o'r haint. Yna bydd yn ei gyhoeddi'n lân ac yn gollwng yr aderyn byw yn rhydd.

8 "Y mae'r sawl a lanheir i olchi ei ddillad, eillio'i wallt i gyd ac ymolchi â dŵr, ac yna bydd yn lân; ar ôl hyn caiff ddod i mewn i'r gwersyll, ond y mae i aros y tu allan i'w babell am saith diwrnod. [9]Ar y seithfed dydd y mae i eillio'i wallt i gyd oddi ar ei ben, ei farf, ei aeliau a gweddill ei gorff; y mae i olchi ei ddillad ac ymolchi â dŵr. Yna bydd yn lân.

10 "Ar yr wythfed dydd y mae i ddod â dau oen di-nam ac un hesbin flwydd ddi-nam, ynghyd â thair degfed ran o effa o beilliaid wedi ei gymysgu ag olew yn fwydoffrwm, ac un log o olew. [11]Bydd yr offeiriad sy'n gyfrifol am lanhau yn dod â hwy, ynghyd â'r dyn a lanheir, o flaen yr ARGLWYDD at ddrws pabell y cyfarfod. [12]Bydd yr offeiriad yn cymryd un o'r ŵyn ac yn ei gyflwyno, ynghyd â'r log o olew, yn offrwm dros gamwedd ac yn ei chwifio'n offrwm cyhwfan gerbron yr ARGLWYDD. [13]Bydd yn lladd yr oen yn y man sanctaidd lle lleddir yr aberth dros bechod a'r poethoffrwm. Fel yr aberth dros bechod, y mae'r offrwm dros gamwedd yn eiddo i'r offeiriad; y mae'n gwbl sanctaidd. [14]Bydd yr offeiriad yn cymryd o waed yr offrwm dros gamwedd a'i roi ar gwr isaf clust dde yr un a lanheir, ar fawd ei law dde ac ar fawd ei droed de. [15]Yna bydd yr offeiriad yn cymryd peth o'r log o olew, yn ei dywallt ar gledr ei law chwith, [16]yn trochi ei fys de yn yr olew ar gledr ei law, ac â'i fys yn taenellu peth o'r olew seithwaith o flaen yr ARGLWYDD. [17]Bydd yr offeiriad yn rhoi peth o'r olew sy'n weddill yng nghledr ei law ar gwr isaf clust dde yr un a lanheir, ar fawd ei law dde ac ar fawd ei droed de, a hynny dros waed yr offrwm dros gamwedd. [18]Bydd yr offeiriad yn rhoi gweddill yr olew sydd yng nghledr ei law ar ben yr un a lanheir, ac yn gwneud cymod drosto o flaen yr ARGLWYDD. [19]Yna bydd yr offeiriad yn offrymu'r aberth dros bechod ac yn gwneud cymod dros yr un a lanheir o'i aflendid. Ar ôl hynny bydd yn lladd y poethoffrwm, [20]ac yn ei gyflwyno ar yr allor gyda'r bwydoffrwm. Fel hyn y bydd

yr offeiriad yn gwneud cymod drosto, a bydd yn lân.

21 "Ond os yw'n dlawd a heb fedru fforddio cymaint, y mae i gymryd un oen yn offrwm dros gamwedd i'w chwifio i wneud cymod drosto, ynghyd â degfed ran o effa o beilliaid wedi ei gymysgu ag olew yn fwydoffrwm, log o olew, [22]a hefyd ddwy durtur neu ddau gyw colomen, fel y gall ei fforddio, y naill yn aberth dros bechod a'r llall yn boethoffrwm. [23]Ar yr wythfed dydd, er mwyn ei lanhau, y mae i ddod â hwy o flaen yr ARGLWYDD at yr offeiriad wrth ddrws pabell y cyfarfod. [24]Bydd yr offeiriad yn cymryd oen yr offrwm dros gamwedd, a'r log o olew, ac yn eu chwifio'n offrwm cyhwfan gerbron yr ARGLWYDD. [25]Bydd yn lladd oen yr offrwm dros gamwedd ac yn cymryd peth o'i waed a'i roi ar gwr isaf clust dde yr un a lanheir, ar fawd ei law dde ac ar fawd ei droed de. [26]Bydd yr offeiriad yn tywallt peth o'r olew ar gledr ei law chwith, [27]ac â'i fys de yn taenellu peth o'r olew o gledr ei law chwith seithwaith o flaen yr ARGLWYDD. [28]Bydd yr offeiriad yn rhoi peth o'r olew yng nghledr ei law ar gwr isaf clust dde yr un a lanheir, ar fawd ei law dde ac ar fawd ei droed de, sef yn yr un lle â gwaed yr offrwm dros gamwedd. [29]Bydd yr offeiriad yn rhoi gweddill yr olew sydd yng nghledr ei law ar ben yr un a lanheir, i wneud cymod drosto o flaen yr ARGLWYDD. [30]Yna bydd yn offrymu naill ai'r turturod neu'r cywion colomennod, fel y gall ei fforddio, [31]y naill yn aberth dros bechod a'r llall yn boethoffrwm, ynghyd â'r bwydoffrwm; bydd yr offeiriad yn gwneud cymod o flaen yr ARGLWYDD dros yr un a lanheir." [32]Dyma'r gyfraith ynglŷn â'r sawl sydd â chlefyd heintus arno ac na all fforddio'r offrymau ar gyfer ei lanhau.

Malltod Mewn Tŷ

33 Llefarodd yr ARGLWYDD wrth Moses ac Aaron a dweud, [34]"Pan ddewch i mewn i wlad Canaan, a roddaf yn eiddo ichwi, a minnau'n rhoi malltod heintus mewn tŷ yn y wlad honno, [35]dylai perchennog y tŷ fynd at yr offeiriad a dweud wrtho fod rhywbeth tebyg i falltod wedi ymddangos yn y tŷ. [36]Bydd yr offeiriad yn gorchymyn gwagio'r tŷ cyn iddo ef fynd i mewn i archwilio'r malltod, rhag i bopeth sydd yn y tŷ gael ei gyhoeddi'n aflan; wedyn bydd yr offeiriad yn mynd i

mewn i archwilio'r tŷ. ³⁷Bydd yn ar-
chwilio'r malltod ym muriau'r tŷ, ac os
caiff agennau gwyrddion neu gochion
sy'n ymddangos yn ddyfnach nag wyneb
y mur, ³⁸bydd yr offeiriad yn mynd allan
o'r tŷ at y drws ac yn cau'r tŷ am saith
diwrnod. ³⁹Ar y seithfed dydd bydd yr
offeiriad yn dychwelyd i archwilio'r tŷ.
Os bydd y malltod wedi lledu ar furiau'r
tŷ, ⁴⁰bydd yr offeiriad yn gorchymyn
tynnu allan y meini y mae'r malltod
ynddynt, a'u lluchio i le aflan y tu allan i'r
ddinas, ⁴¹a hefyd crafu muriau'r tŷ oddi
mewn, a lluchio'r plastr a dynnir i le aflan
y tu allan i'r ddinas. ⁴²Yna byddant yn
cymryd meini eraill a'u rhoi yn lle'r rhai a
dynnwyd, a hefyd plastr arall a phlastro'r
tŷ.

43 "Os bydd y malltod yn torri allan
eilwaith yn y tŷ ar ôl tynnu allan y meini a
chrafu'r muriau a phlastro, ⁴⁴bydd yr
offeiriad yn dod i'w archwilio, ac os bydd
y malltod wedi lledu yn y tŷ, y mae'n
falltod dinistriol; y mae'r tŷ yn aflan.
⁴⁵Rhaid tynnu'r tŷ i lawr, yn gerrig, coed
a'r holl blastr, a mynd â hwy i le aflan y tu
allan i'r ddinas. ⁴⁶Bydd unrhyw un sy'n
mynd i'r tŷ tra bydd wedi ei gau yn aflan
hyd yr hwyr. ⁴⁷Y mae unrhyw un sy'n
cysgu neu'n bwyta yn y tŷ i olchi ei
ddillad.

48 "Os bydd yr offeiriad yn dod i
archwilio, a'r malltod heb ledu ar ôl
plastro'r tŷ, bydd yn cyhoeddi'r tŷ yn lân
oherwydd i'r malltod gilio. ⁴⁹I buro'r tŷ
bydd yn cymryd dau aderyn, pren ced-
rwydd, edau ysgarlad ac isop. ⁵⁰Bydd yn
lladd un o'r adar uwchben dŵr croyw
mewn llestr pridd, ⁵¹ac yna'n cymryd y
pren cedrwydd, yr isop, yr edau ysgarlad
a'r aderyn byw, ac yn eu trochi yng
ngwaed yr aderyn a laddwyd ac yn y dŵr
croyw, ac yn taenellu'r tŷ seithwaith.
⁵²Bydd yn puro'r tŷ â gwaed yr aderyn, y
dŵr croyw, yr aderyn byw, y pren ced-
rwydd, yr isop a'r edau ysgarlad. ⁵³Yna
bydd yn gollwng yr aderyn byw yn rhydd
y tu allan i'r ddinas. Bydd yn gwneud
cymod dros y tŷ, a bydd yn lân."
⁵⁴Dyma'r gyfraith ynglŷn ag unrhyw
glefyd heintus, clafr, ⁵⁵haint mewn dillad
neu dŷ, ⁵⁶chwydd, brech neu smotyn, ⁵⁷i
benderfynu pryd y mae'n aflan a phryd y
mae'n lân. Dyma'r gyfraith ynglŷn â
haint.

ᵇFelly Groeg. Hebraeg heb *y gyfraith*.

Diferlif o'r Corff

15 Llefarodd yr ARGLWYDD wrth
Moses ac Aaron a dweud,
²"Dywedwch wrth bobl Israel, 'Pan fydd
gan unrhyw un ddiferlif yn rhedeg o'i
gorff, y mae'n aflan. ³Dyma fydd y gyf-
raithᵇ ynglŷn â'i aflendid o achos diferlif.
Pa un bynnag a yw'n parhau i redeg o'i
gorff ynteu a yw wedi ei atal, y mae'n
aflendid.

4 "'Y mae unrhyw wely y bu dyn â
diferlif yn gorwedd arno yn aflan, ac
unrhyw beth y bu'n eistedd arno yn aflan.
⁵Y mae unrhyw un a gyffyrddodd â'i wely
i olchi ei ddillad, i ymolchi â dŵr a bod yn
aflan hyd yr hwyr. ⁶Y mae'r sawl sy'n
eistedd ar unrhyw beth yr eisteddodd y
dyn â diferlif arno i olchi ei ddillad, i
ymolchi â dŵr a bod yn aflan hyd yr hwyr.
⁷Y mae unrhyw un sy'n cyffwrdd â chorff
y dyn â diferlif arno i olchi ei ddillad, i
ymolchi â dŵr a bod yn aflan hyd yr hwyr.
⁸Os bydd dyn â diferlif arno yn poeri ar
unrhyw un glân, y mae hwnnw i olchi ei
ddillad, i ymolchi â dŵr a bod yn aflan hyd
yr hwyr. ⁹Y mae unrhyw beth y bu'n
eistedd arno wrth farchogaeth yn aflan, ¹⁰a
bydd unrhyw un sy'n cyffwrdd ag un o'r
pethau oedd dano yn aflan hyd yr hwyr; y
mae unrhyw un sy'n eu codi i olchi ei
ddillad, i ymolchi â dŵr a bod yn aflan hyd
yr hwyr. ¹¹Y mae unrhyw un y cyffyrdd-
odd y dyn â diferlif ag ef, heb iddo olchi ei
ddwylo mewn dŵr, i olchi ei ddillad,
ymolchi â dŵr a bod yn aflan hyd yr hwyr.
¹²Y mae llestr pridd y cyffyrddodd y dyn
â diferlif ag ef i'w ddryllio, ac unrhyw
declyn pren i'w olchi â dŵr.

13 "'Pan fydd dyn yn cael ei lanhau o'i
ddiferlif, y mae i gyfrif saith diwrnod ar
gyfer ei lanhau; y mae i olchi ei ddillad, ac
ymolchi â dŵr croyw, a bydd yn lân. ¹⁴Ar
yr wythfed dydd y mae i gymryd dwy
durtur neu ddau gyw colomen, a dod o
flaen yr ARGLWYDD at ddrws pabell y
cyfarfod, a'u rhoi i'r offeiriad. ¹⁵Bydd yr
offeiriad yn offrymu'r naill yn aberth dros
bechod a'r llall yn boethoffrwm, ac yn
gwneud cymod o flaen yr ARGLWYDD
dros y dyn, oherwydd ei ddiferlif.

16 "'Pan fydd dyn yn gollwng ei had, y
mae i olchi ei holl gorff â dŵr, a bod yn
aflan hyd yr hwyr. ¹⁷Y mae unrhyw
ddilledyn neu ddeunydd lledr yr aeth yr
had arno i'w olchi â dŵr a bod yn aflan

hyd yr hwyr. ¹⁸Pan fydd dyn yn gorwedd gyda gwraig ac yn gollwng had, y maent i ymolchi â dŵr a bod yn aflan hyd yr hwyr.

¹⁹ "Pan fydd gan wraig ddiferlif gwaed, sef misglwyf rheolaidd ei chorff, y mae'n amhur am saith diwrnod, a bydd unrhyw un sy'n cyffwrdd â hi yn aflan hyd yr hwyr. ²⁰Y mae unrhyw beth y mae'n gorwedd arno yn ystod ei misglwyf yn aflan, a hefyd unrhyw beth y mae'n eistedd arno. ²¹Y mae unrhyw un sy'n cyffwrdd â'i gwely i olchi ei ddillad, i ymolchi â dŵr a bod yn aflan hyd yr hwyr. ²²Y mae unrhyw un sy'n cyffwrdd â'r hyn yr eistedd y wraig arno i olchi ei ddillad, i ymolchi â dŵr a bod yn aflan hyd yr hwyr; ²³boed yn wely neu'n unrhyw beth y mae'n eistedd arno, pan fydd unrhyw un yn ei gyffwrdd, bydd yn aflan hyd yr hwyr. ²⁴Os bydd dyn yn gorwedd gyda hi, a'i misglwyf yn cyffwrdd ag ef, y mae yntau'n aflan am saith diwrnod, ac y mae unrhyw wely y gorwedd arno yn aflan.

25 "'Pan fydd gan wraig ddiferlif gwaed am lawer o ddyddiau heblaw ar adeg ei misglwyf, neu pan fydd y diferlif yn parhau ar ôl ei misglwyf, bydd yn aflan cyhyd ag y pery'r diferlif, fel ar adeg ei misglwyf. ²⁶Y mae unrhyw wely y mae'n gorwedd arno tra pery ei diferlif yn aflan, fel y mae ei gwely yn ystod ei misglwyf, ac y mae unrhyw beth y mae'n eistedd arno yn aflan, fel y mae yn ystod ei misglwyf. ²⁷Y mae unrhyw un sy'n eu cyffwrdd yn aflan, ac y mae i olchi ei ddillad, i ymolchi â dŵr a bod yn aflan hyd yr hwyr.

28 "'Pan fydd yn cael ei glanhau o'i diferlif, y mae i gyfrif saith diwrnod, ac ar ôl hynny bydd yn lân. ²⁹Ar yr wythfed dydd y mae i gymryd dwy durtur neu ddau gyw colomen, a dod â hwy at yr offeiriad wrth ddrws pabell y cyfarfod. ³⁰Bydd yr offeiriad yn offrymu'r naill yn aberth dros bechod a'r llall yn boeth-offrwm, ac yn gwneud cymod drosti o flaen yr ARGLWYDD, oherwydd amhuredd ei diferlif.

31 "'Yr ydych i gadw pobl Israel oddi wrth eu haflendid, rhag iddynt farw yn eu haflendid am iddynt halogi fy nhabernacl sydd yn eu mysg.'"

32 Dyma'r gyfraith ynglŷn â diferlif, y dyn sy'n dod yn aflan trwy ollwng ei had, ³³a'r wraig sy'n dioddef o'i misglwyf, sef dyn neu wraig gyda diferlif, a hefyd dyn sy'n gorwedd gyda gwraig sy'n aflan.

Dydd y Cymod

16 Llefarodd yr ARGLWYDD wrth Moses ar ôl marwolaeth dau fab Aaron, a fu farw pan ddaethant gerbron yr ARGLWYDD, ²a dywedodd, "Dywed wrth dy frawd Aaron nad yw ar bob adeg i ddod y tu ôl i'r llen sydd o flaen y drugareddfa uwchben yr arch yn y cysegr, rhag iddo farw; oherwydd byddaf yn ymddangos yn y cwmwl uwchben y drugareddfa. ³Fel hyn y mae Aaron i ddod i'r cysegr: â bustach ifanc yn aberth dros bechod, a hwrdd yn boethoffrwm. ⁴Bydd yn gwisgo mantell sanctaidd o liain, a dillad isaf o liain agosaf at ei gorff; bydd yn rhoi gwregys lliain am ei ganol a thwrban lliain am ei ben. Y mae'r rhain yn ddillad sanctaidd, a bydd yn ymolchi â dŵr cyn eu gwisgo. ⁵Bydd yn cymryd oddi wrth gynulleidfa pobl Israel ddau fwch gafr yn aberth dros bechod, a hwrdd yn boethoffrwm.

6 "Bydd Aaron yn cyflwyno bustach yn aberth dros ei bechod ei hun, er mwyn gwneud cymod drosto'i hun a thros ei dylwyth. ⁷Yna bydd yn cymryd y ddau fwch gafr ac yn dod â hwy o flaen yr ARGLWYDD at ddrws pabell y cyfarfod. ⁸Bydd Aaron yn bwrw coelbrennau am y ddau fwch, un coelbren am fwch i'r ARGLWYDD, a'r llall am y bwch dihangol. ⁹Bydd Aaron yn dod â'r bwch y disgyn-nodd coelbren yr ARGLWYDD arno, ac yn ei offrymu'n aberth dros bechod. ¹⁰Ond bydd yn cyflwyno'n fyw gerbron yr AR-GLWYDD y bwch y disgynnodd coelbren y bwch dihangol arno, er mwyn gwneud iawn trwy ei ollwng i'r anialwch yn fwch dihangol.

11 "Bydd Aaron yn cyflwyno bustach yr aberth dros ei bechod ei hun, er mwyn gwneud cymod drosto'i hun a thros ei dylwyth, a bydd yn lladd y bustach yn aberth dros ei bechod. ¹²Bydd yn cymryd thuser yn llawn o farwor llosg oddi ar yr allor o flaen yr ARGLWYDD, a dau ddyrn-aid o arogldarth peraidd wedi ei falu, ac yn mynd â hwy y tu ôl i'r llen. ¹³Bydd yn rhoi'r arogldarth ar y tân o flaen yr ARGLWYDD, er mwyn i fwg yr arogldarth orchuddio'r drugareddfa uwchben y dystiolaeth, rhag iddo farw. ¹⁴Bydd yn cymryd peth o waed y bustach ac yn ei daenellu â'i fys ar wyneb dwyrain y drugareddfa; bydd yn taenellu peth o'r gwaed â'i fys seithwaith o flaen y drugar-eddfa.

15 "Yna bydd yn lladd bwch yr aberth dros bechod y bobl ac yn dod â'i waed y tu ôl i'r llen, ac yn gwneud â'i waed fel y gwnaeth â gwaed y bustach trwy ei daenellu ar y drugareddfa ac o'i blaen.

¹⁶Fel hyn y bydd yn gwneud cymod dros y cysegr, oherwydd aflendid pobl Israel a'u troseddau o achos eu holl bechodau; bydd yn gwneud yr un fath dros babell y cyfarfod, sydd yn eu mysg yng nghanol eu holl aflendid. ¹⁷Ni chaiff unrhyw un fynd i mewn i babell y cyfarfod, ar ôl i Aaron fynd i mewn i wneud cymod yn y cysegr, nes iddo ddod allan, wedi iddo orffen gwneud cymod drosto'i hun, ei dylwyth a holl gynulleidfa Israel. ¹⁸Yna bydd yn dod allan at yr allor sydd o flaen yr ARGLWYDD, ac yn gwneud cymod drosti. Bydd yn cymryd peth o waed y bustach ac o waed y bwch, ac yn ei roi ar gyrn yr allor o'i hamgylch. ¹⁹Bydd yn taenellu peth o'r gwaed arni â'i fys seithwaith i'w glanhau o aflendid pobl Israel, ac yn ei chysegru.

Y Bwch Dihangol

20 "Ar ôl i Aaron orffen gwneud cymod dros y cysegr, pabell y cyfarfod a'r allor, bydd yn cyflwyno'r bwch byw. ²¹Bydd yn gosod ei ddwy law ar ben y bwch byw, ac yn cyffesu drosto holl ddrygioni a throseddau pobl Israel o achos eu holl bechodau, ac yn eu rhoi ar ben y bwch; yna bydd yn anfon y bwch i'r anialwch yng ngofal dyn a benodwyd i wneud hynny. ²²Y mae'r bwch i ddwyn eu holl ddrygioni arno'i hun i dir unig, a bydd y dyn yn ei ollwng yn rhydd yn yr anialwch.

23 "Yna bydd Aaron yn mynd i mewn i babell y cyfarfod, yn diosg y dillad lliain a wisgodd pan oedd yn mynd i'r cysegr, ac yn eu gadael yno. ²⁴Bydd yn ymolchi â dŵr mewn lle sanctaidd, ac yn gwisgo ei ddillad arferol. Wedyn bydd yn dod allan, ac yn offrymu ei boethoffrwm ei hun a phoethoffrwm y bobl, ac yn gwneud cymod drosto'i hun a thros y bobl. ²⁵Bydd hefyd yn llosgi ar yr allor fraster yr aberth dros bechod.

26 "Bydd y dyn sy'n gollwng y bwch dihangol yn rhydd yn golchi ei ddillad ac yn ymolchi â dŵr; ac wedi hynny caiff ddod i mewn i'r gwersyll. ²⁷Y mae bustach a bwch yr aberth dros bechod, y dygwyd eu gwaed i wneud cymod yn y cysegr, i'w dwyn allan o'r gwersyll; y

mae eu crwyn, eu cyrff a'u gweddillion i'w llosgi yn y tân. ²⁸Y mae'r sawl sy'n eu llosgi i olchi ei ddillad ac ymolchi â dŵr; ar ôl hynny caiff ddod i mewn i'r gwersyll.

Cadw Dydd y Cymod

29 "Y mae hon yn ddeddf dragwyddol ichwi. Ar y degfed dydd o'r seithfed mis yr ydych i'ch disgyblu eich hunain, a pheidio â gwneud unrhyw waith, pa un bynnag ai brodor ai estron ydych, ³⁰oherwydd ar y dydd hwn gwneir cymod drosoch i'ch glanhau; a byddwch yn lân o'ch holl bechodau gerbron yr AR-GLWYDD. ³¹Saboth o orffwys ydyw, ac yr ydych i'ch disgyblu eich hunain; y mae'n ddeddf dragwyddol. ³²Yr offeiriad a eneiniwyd ac a gysegrwyd yn offeiriad yn lle ei dad fydd yn gwneud cymod; bydd yn gwisgo dillad sanctaidd o liain, ³³ac yn gwneud cymod dros y cysegr, pabell y cyfarfod a'r allor, a hefyd dros yr offeiriaid a holl bobl y gynulleidfa, ³⁴Bydd hon yn ddeddf dragwyddol ichwi. Gwneir cymod unwaith y flwyddyn dros bobl Israel oherwydd eu holl bechodau." Gwnaed fel y gorchmynnodd yr AR-GLWYDD i Moses.

Gwahardd Cymryd Gwaed

17 Llefarodd yr ARGLWYDD wrth Moses, ²"Dywed wrth Aaron a'i feibion a holl bobl Israel, 'Dyma a orchmynnodd yr ARGLWYDD. ³Os bydd unrhyw un o dŷ Israel yn lladd bustach, oen neu afr yn y gwersyll, neu'r tu allan iddo, ⁴a heb ddod ag ef at ddrws pabell y cyfarfod i'w gyflwyno'n rhodd i'r AR-GLWYDD o flaen y tabernacl, y mae'r dyn hwnnw i'w ystyried yn euog o waed; y mae'r dyn hwnnw wedi tywallt gwaed, ac y mae i'w dorri ymaith o blith ei bobl. ⁵Y mae hyn er mwyn i bobl Israel ddod â'r aberthau a offrymant yn awr yn y meysydd agored, a'u cyflwyno i'r ARGLWYDD trwy'r offeiriad wrth ddrws pabell y cyfarfod; y maent i'w haberthu yn heddoffrymau i'r ARGLWYDD. ⁶Bydd yr offeiriad yn lluchio'r gwaed ar allor yr ARGLWYDD wrth ddrws pabell y cyfarfod, ac yn llosgi'r braster yn arogl peraidd i'r ARGLWYDD. ⁷Nid ydynt i offrymu eu haberthau i'r gafr-ddelwau y buont yn puteinio ar eu holau. Y mae hyn yn ddeddf dragwyddol iddynt dros y cenedlaethau.'

8 "Dywed wrthynt, 'Os bydd un o dŷ Israel, neu o'r estroniaid sy'n byw yn eu mysg, yn offrymu poethoffrwm neu aberth, ⁹a heb ddod ag ef at ddrws pabell y cyfarfod i'w aberthu i'r ARGLWYDD, y mae'r dyn hwnnw i'w dorri ymaith o blith ei bobl.

10 "'Os bydd unrhyw un o dŷ Israel, neu o'r estroniaid sy'n byw yn eu mysg, yn bwyta unrhyw waed, byddaf yn gosod fy wyneb yn erbyn y sawl sy'n bwyta gwaed, ac yn ei dorri ymaith o blith ei bobl. ¹¹Oherwydd y mae bywyd y corff yn y gwaed, ac fe'i rhoddais ichwi i wneud cymod drosoch eich hunain ar yr allor; y gwaed sy'n gwneud cymod dros fywyd. ¹²Dyma pam y dywedais wrth bobl Israel, "Nid yw'r un ohonoch chwi, nac unrhyw estron sy'n byw yn eich mysg, i fwyta gwaed."

13 "'Y mae unrhyw un o bobl Israel, neu o'r estroniaid sy'n byw yn eu mysg, sy'n hela anifail neu aderyn y gellir ei fwyta, i dywallt ei waed a'i orchuddio â phridd, ¹⁴oherwydd y mae bywyd pob corff yn y gwaed. Dyna pam y dywedais wrth bobl Israel, "Nid ydych i fwyta gwaed unrhyw greadur", oherwydd y mae bywyd pob corff yn ei waed; y mae unrhyw un sy'n ei fwyta i'w dorri ymaith.

15 "'Y mae unrhyw un, boed frodor neu estron, sy'n bwyta rhywbeth wedi marw neu ei larpio gan anifail, i olchi ei ddillad, i ymolchi â dŵr, a bod yn aflan hyd yr hwyr; yna bydd yn lân. ¹⁶Os na fydd yn golchi ei ddillad nac yn ymolchi, bydd yn gyfrifol am ei drosedd.'"

Gwaharddiadau ynglŷn â Rhyw

18 Llefarodd yr ARGLWYDD wrth Moses, ²"Dywed wrth bobl Israel, 'Myfi yw'r ARGLWYDD eich Duw. ³Nid ydych i wneud fel y gwneir yng ngwlad yr Aifft, lle buoch yn byw, nac fel y gwneir yng ngwlad Canaan, lle'r wyf yn mynd â chwi. Peidiwch â dilyn eu harferion. ⁴Yr ydych i ufuddhau i'm cyfreithiau ac i gadw fy neddfau; myfi yw'r ARGLWYDD eich Duw. ⁵Cadwch fy neddfau a'm cyfreithiau, oherwydd y mae'r dyn sy'n eu cadw yn byw trwyddynt. Myfi yw'r ARGLWYDD.

6 "'Nid yw unrhyw un i ddynesu at berthynas agos iddo i gael cyfathrach rywiol. Myfi yw'r ARGLWYDD.

7 "'Nid wyt i amharchu dy dad trwy gael cyfathrach rywiol â'th fam; dy fam yw hi, ac nid wyt i gael cyfathrach â hi.

8 "'Nid wyt i gael cyfathrach rywiol â gwraig dy dad; byddai hynny'n amharchu dy dad.

9 "'Nid wyt i gael cyfathrach rywiol â'th chwaer, boed yn ferch i'th dad neu'n ferch i'th fam, ac wedi ei geni yn y cartref neu'r tu allan iddo.

10 "'Nid wyt i gael cyfathrach rywiol â merch dy fab neu ferch dy ferch; byddai hynny'n dy amharchu.

11 "'Nid wyt i gael cyfathrach rywiol â merch i wraig dy dad sydd wedi ei geni i'th dad; y mae'n chwaer iti, ac nid wyt i gael cyfathrach â hi.

12 "'Nid wyt i gael cyfathrach rywiol â chwaer dy dad; y mae'n berthynas agos i'th dad.

13 "'Nid wyt i gael cyfathrach rywiol â chwaer dy fam, gan ei bod yn berthynas agos i'th fam.

14 "'Nid wyt i amharchu brawd dy dad trwy ddynesu at ei wraig; y mae'n fodryb iti.

15 "'Nid wyt i gael cyfathrach rywiol â'th ferch-yng-nghyfraith; y mae'n wraig i'th fab, ac nid wyt i gael cyfathrach â hi.

16 "'Nid wyt i gael cyfathrach rywiol â gwraig dy frawd; byddai hynny'n amharchu dy frawd.

17 "'Nid wyt i gael cyfathrach rywiol â gwraig ac â'i merch, nac ychwaith â merch ei mab na merch ei merch; y maent yn perthyn yn agos iddi, a byddai hynny'n ddrygioni.

18 "'Nid wyt i briodi chwaer dy wraig rhag iddi gystadlu â hi, na chael cyfathrach â hi tra mae dy wraig yn fyw.

19 "'Nid wyt i ddynesu at wraig i gael cyfathrach rywiol â hi yn ystod aflendid ei misglwyf.

20 "'Nid wyt i orwedd mewn cyfathrach gyda gwraig dy gymydog, i'th wneud dy hun yn aflan gyda hi.

21 "'Nid wyt i roi yr un o'th blant i'w aberthu i Moloch, a halogi enw dy Dduw. Myfi yw'r ARGLWYDD.

22 "'Nid wyt i orwedd gyda dyn fel gyda gwraig; y mae hynny'n ffieidd-dra.

23 "'Nid wyt i orwedd gydag unrhyw anifail, i'th wneud dy hun yn aflan, ac nid yw unrhyw wraig i'w rhoi ei hun mewn cyfathrach ag anifail; y mae hynny'n wyrni.

24 "'Peidiwch â'ch halogi eich hunain â'r un o'r pethau hyn, oherwydd trwy'r rhain y bu'r cenhedloedd yr wyf yn eu

gyrru allan o'ch blaenau yn eu halogi eu hunain. ²⁵Halogwyd y tir, ac fe'i cosbais am ei ddrygioni, ac fe chwydodd y tir ei drigolion. ²⁶Ond cadwch chwi fy neddfau a'm cyfreithiau, a pheidiwch â gwneud yr un o'r pethau ffiaidd hyn, pa un bynnag ai brodor ai estron ydych; ²⁷oherwydd gwnaeth y bobl oedd yn y wlad o'ch blaen chwi yr holl bethau ffiaidd hyn, a halogwyd y tir. ²⁸Os byddwch chwi'n halogi'r tir, bydd yn eich chwydu chwithau fel y chwydodd y cenhedloedd ͨ oedd o'ch blaen chwi. ²⁹Pwy bynnag sy'n gwneud unrhyw un o'r pethau ffiaidd hyn, fe'i torrir ymaith o blith ei bobl. ³⁰Cadwch fy ngofynion, a pheidiwch â dilyn yr arferion ffiaidd a wnaed o'ch blaen, na chael eich halogi ganddynt. Myfi yw'r ARGLWYDD eich Duw.' "

Deddfau Amrywiol

19 Llefarodd yr ARGLWYDD wrth Moses, ²"Dywed wrth holl gynulleidfa pobl Israel, 'Byddwch sanctaidd, oherwydd yr wyf fi, yr ARGLWYDD eich Duw, yn sanctaidd. ³Y mae pob un ohonoch i barchu ei fam a'i dad, ac yr ydych i gadw fy Sabothau. Myfi yw'r ARGLWYDD eich Duw. ⁴Peidiwch â throi at eilunod na gwneud ichwi eich hunain dduwiau tawdd. Myfi yw'r ARGLWYDD eich Duw.

5 "'Pan fyddwch yn cyflwyno heddoffrwm i'r ARGLWYDD, offrymwch ef mewn ffordd a fydd yn dderbyniol. ⁶Y mae i'w fwyta ar y diwrnod y byddwch yn ei offrymu, neu drannoeth; y mae unrhyw beth a fydd yn weddill ar y trydydd dydd i'w losgi yn y tân. ⁷Os bwyteir rhywfaint ohono ar y trydydd dydd, y mae'n amhur ac ni fydd yn dderbyniol. ⁸Y mae'r sawl sy'n ei fwyta yn gyfrifol am ei drosedd; oherwydd iddo halogi'r hyn sy'n sanctaidd i'r ARGLWYDD, fe'i torrir ymaith o blith ei bobl.

9 "'Pan fyddi'n medi cynhaeaf dy dir, nid wyt i fedi at ymylon y maes na chasglu lloffion dy gynhaeaf. ¹⁰Nid wyt i ddinoethi dy winllan yn llwyr na chasglu'r grawnwin a syrthiodd; gad hwy i'r tlawd a'r estron. Myfi yw'r ARGLWYDD dy Dduw.

11 "'Nid ydych i ladrata, na dweud celwydd, na thwyllo eich gilydd. ¹²Nid ydych i dyngu'n dwyllodrus yn fy enw, a

halogi enw eich Duw. Myfi yw'r ARGLWYDD.

13 "'Nid wyt i wneud cam â'th gymydog na dwyn oddi arno. Nid wyt i ddal yn ôl hyd y bore gyflog dy weithiwr. ¹⁴Nid wyt i felltithio'r byddar na rhoi rhwystr ar ffordd y dall; ond ofna dy Dduw. Myfi yw'r ARGLWYDD.

15 "'Nid wyt i wyro barn, na bod yn bleidiol tuag at y tlawd na dangos ffafriaeth at y mawr, ond yr wyt i farnu dy gymydog yn deg. ¹⁶Nid wyt i fynd o amgylch yn enllibio ymysg dy bobl na pheryglu bywyd dy gymydog. Myfi yw'r ARGLWYDD.

17 "'Nid wyt i gasáu dy frawd yn dy galon, ond yr wyt i geryddu dy gymydog rhag iti fod yn gyfrifol am ei drosedd. ¹⁸Nid wyt i geisio dial ar un o'th bobl, na dal dig tuag ato, ond yr wyt i garu dy gymydog fel ti dy hun. Myfi yw'r ARGLWYDD.

19 "'Yr ydych i gadw fy neddfau. Nid wyt i groesi anifeiliaid gwahanol, hau dy faes â hadau gwahanol, na gwisgo dillad o ddeunydd cymysg.

20 "'Os bydd dyn yn gorwedd mewn cyfathrach â gwraig, a hithau'n gaethferch wedi ei dyweddïo i ŵr ond heb ei rhyddhau na chael ei rhyddid, bydd yn rhaid eu cosbi. Ond nid ydynt i'w rhoi i farwolaeth am nad oedd hi'n rhydd; ²¹y mae ef i ddod ag aberth dros ei gamwedd i'r ARGLWYDD at ddrws pabell y cyfarfod, sef hwrdd yr aberth dros gamwedd. ²²Oherwydd y pechod a wnaeth, bydd yr offeiriad yn gwneud cymod drosto o flaen yr ARGLWYDD â hwrdd yr aberth dros gamwedd; ac fe faddeuir iddo am y pechod a wnaeth.

23 "'Pan fyddwch yn mynd i mewn i'r wlad ac yn plannu unrhyw goeden ffrwythau, ystyriwch ei ffrwyth yn waharddedig; bydd wedi ei wahardd ichwi am dair blynedd, ac ni chewch ei fwyta. ²⁴Yn y bedwaredd flwyddyn bydd ei holl ffrwyth yn sanctaidd, yn offrwm mawl i'r ARGLWYDD. ²⁵Ond yn y bumed flwyddyn cewch fwyta'i ffrwyth, er mwyn iddi ffrwythloni rhagor. Myfi yw'r ARGLWYDD eich Duw.

26 "'Nid ydych i fwyta dim gyda gwaed ynddo. Nid ydych i arfer dewiniaeth na swyngyfaredd. ²⁷Nid ydych i dorri'r gwallt ar ochr eich pennau, na

---

ͨFelly Fersiynau. Hebraeg, genedl.

thorri ymylon eich barf. ²⁸Nid ydych i wneud toriadau i'ch cnawd er mwyn y meirw, nac i ysgythru nodau arnoch eich hunain. Myfi yw'r ARGLWYDD.

29 "'Paid â halogi dy ferch trwy beri iddi buteinio, rhag i'r wlad buteinio a chael ei llenwi â drygioni.

30 "'Yr ydych i gadw fy Sabothau a pharchu fy nghysegr. Myfi yw'r AR-GLWYDD.

31 "'Peidiwch â throi at ddewiniaid na cheisio swynwyr, oherwydd fe'ch halogir trwyddynt. Myfi yw'r ARGLWYDD eich Duw.

32 "'Yr wyt i godi i'r oedrannus a pharchu'r hen, ac fe ofni dy Dduw. Myfi yw'r ARGLWYDD.

33 "'Pan fydd estron yn byw gyda thi yn dy wlad, nid wyt i'w gam-drin. ³⁴Y mae'r estron sy'n byw gyda thi i'w ystyried gennyt fel brodor o'ch plith; yr wyt i'w garu fel ti dy hun, oherwydd estroniaid fuoch chwi yng ngwlad yr Aifft. Myfi yw'r ARGLWYDD eich Duw.

35 "'Nid ydych i wneud cam wrth fesur, boed hyd, pwysau neu nifer. ³⁶Yr ydych i ddefnyddio cloriannau cywir, pwysau cywir, effa gywir a hin gywir. Myfi yw'r ARGLWYDD eich Duw, a'ch dygodd allan o wlad yr Aifft.

37 "'Yr ydych i gadw fy holl ddeddfau a'm holl gyfreithiau a'u gwneud. Myfi yw'r ARGLWYDD.'"

Cosbau am Droseddau

20 Dywedodd yr ARGLWYDD wrth Moses, ²"Dywed wrth bobl Israel, 'Os bydd unrhyw un o bobl Israel, neu o'r estroniaid sy'n byw yn Israel, yn rhoi un o'i blant i Moloch, rhodder ef i farwolaeth. Y mae pobl y wlad i'w labyddio â cherrig. ³Byddaf fi yn gosod fy wyneb yn erbyn y dyn hwnnw ac yn ei dorri ymaith o blith ei bobl, oherwydd trwy roi ei blant i Moloch gwnaeth fy nghysegr yn aflan a halogi fy enw sanctaidd. ⁴Os bydd pobl y wlad yn cau eu llygaid ar y dyn hwnnw pan fydd yn rhoi un o'i blant i Moloch, ac yn peidio â'i roi i farwolaeth, ⁵byddaf yn gosod fy wyneb yn erbyn y dyn hwnnw a'i deulu, ac yn ei dorri ymaith o blith ei bobl, a hefyd bawb sy'n ei ddilyn i buteinio ar ôl Moloch. ⁶Byddaf yn gosod fy wyneb yn erbyn y sawl sy'n troi at ddewiniaid a swynwyr i

buteinio ar eu holau, a byddaf yn ei dorri ymaith o blith ei bobl. ⁷Ymgysegrwch a byddwch sanctaidd, oherwydd myfi yw'r ARGLWYDD eich Duw. ⁸Yr ydych i gadw fy neddfau a'u gwneud. Myfi yw'r AR-GLWYDD sy'n eich sancteiddio.

9 "'Os bydd unrhyw un yn melltithio ei dad neu ei fam, y mae i'w roi i farwolaeth. Oherwydd iddo felltithio ei dad neu ei fam, y mae'n gyfrifol am ei waed ei hun.

10 "'Os bydd unrhyw un yn godinebu gyda gwraig^{ch} ei gymydog, y mae'r godinebwr a'r odinebwraig i'w rhoi i farwolaeth. ¹¹Os bydd dyn yn gorwedd gyda gwraig ei dad, y mae wedi amharchu ei dad; y mae'r ddau ohonynt i'w rhoi i farwolaeth, ac y maent yn gyfrifol am eu gwaed eu hunain. ¹²Os bydd dyn yn gorwedd gyda'i ferch-yng-nghyfraith, y mae'r ddau ohonynt i'w rhoi i farwolaeth; gwnaethant wyrni, ac y maent yn gyfrifol am eu gwaed eu hunain. ¹³Os bydd dyn yn gorwedd gyda dyn fel gyda gwraig, y mae'r ddau wedi gwneud ffieidd-dra; y maent i'w rhoi i farwolaeth, ac y maent yn gyfrifol am eu gwaed eu hunain. ¹⁴Os bydd dyn yn priodi gwraig a'i mam, y mae'n gwneud drygioni. Y mae ef a hwythau i'w llosgi yn y tân, rhag i ddrygioni fod yn eich mysg. ¹⁵Os bydd dyn yn gorwedd gydag anifail, y mae i'w roi i farwolaeth, a rhaid lladd yr anifail. ¹⁶Os bydd gwraig yn dynesu at unrhyw anifail i'w rhoi ei hun iddo, y mae'r wraig a'r anifail i'w lladd; y maent i'w rhoi i farwolaeth ac y maent yn gyfrifol am eu gwaed eu hunain. ¹⁷Os bydd dyn yn priodi ei chwaer, merch ei dad neu ei fam, ac yn cael cyfathrach rywiol â hi, y mae'n warth. Y maent i'w torri ymaith yng ngŵydd plant eu pobl; y mae ef wedi amharchu ei chwaer ac y mae'n gyfrifol am ei drosedd. ¹⁸Os bydd dyn yn gorwedd gyda gwraig yn ei misglwyf, yn cael cyfathrach rywiol gyda hi, y mae wedi dinoethi tarddle ei diferlif gwaed ac y mae hithau wedi ei dinoethi. Y mae'r ddau ohonynt i'w torri ymaith o blith eu pobl. ¹⁹Nid wyt i gael cyfathrach rywiol gyda chwaer dy fam na chwaer dy dad, gan y byddai hynny'n amharchu perthynas agos; y mae'r ddau'n gyfrifol am eu trosedd. ²⁰Os bydd dyn yn gorwedd gyda'i fodryb, y mae'n amharchu ei

---

^{ch}Felly Groeg. Hebraeg yn ailadrodd *unrhyw un yn godinebu gyda gwraig.*

ewythr; y mae'r ddau'n gyfrifol am eu pechod, a byddant farw'n ddi-blant. ²¹Os bydd dyn yn priodi gwraig ei frawd, y mae hynny'n aflan; amharchodd ei frawd, a byddant yn ddi-blant.

22 "'Yr ydych i gadw fy holl ddeddfau a'm holl gyfreithiau ac i'w gwneud, rhag i'r wlad, lle'r wyf yn mynd â chwi i fyw, eich chwydu allan. ²³Nid ydych i ddilyn arferion y cenhedloedd yr wyf yn eu hanfon allan o'ch blaenau; oherwydd iddynt hwy wneud yr holl bethau hyn, ffieiddiais hwy. ²⁴Ond dywedais wrthych chwi, "Byddwch yn etifeddu eu tir; byddaf fi yn ei roi ichwi'n etifeddiaeth, gwlad yn llifeirio o laeth a mêl." Myfi yw'r ARGLWYDD eich Duw, a'ch gosododd chwi ar wahân i'r bobloedd.

25 "'Yr ydych i wahaniaethu rhwng anifeiliaid glân ac aflan, a rhwng adar glân ac aflan. Nid ydych i'ch halogi eich hunain trwy unrhyw anifail, aderyn, nac unrhyw beth sy'n ymlusgo hyd y ddaear; dyma'r pethau a osodais ar wahân fel rhai aflan ichwi. ²⁶Yr ydych i fod yn sanctaidd i mi, oherwydd yr wyf fi, yr ARGLWYDD, yn sanctaidd; yr wyf wedi eich gosod ar wahân i'r bobloedd, i fod yn ciddo i mi.

27 "'Y mae unrhyw ŵr neu wraig yn eich plith sy'n ddewin neu'n swynwr i'w roi i farwolaeth; yr ydych i'w llabyddio â cherrig, a byddant hwy'n gyfrifol am eu gwaed eu hunain.'"

Deddfau'r Offeiriaid

21 Dywedodd yr ARGLWYDD wrth Moses, "Llefara wrth yr offeiriaid, meibion Aaron, a dywed wrthynt, 'Nid yw offeiriad i'w halogi ei hun am farw yr un o'i dylwyth, ²ac eithrio ei deulu agosaf, megis ei fam, ei dad, ei fab, ei ferch, ei frawd, ³neu ei chwaer ddibriod, sy'n agos ato am nad oes ganddi ŵr. ⁴Fel pennaeth ymysg ei dylwyth nid yw i'w halogi ei hun na'i wneud ei hun yn aflan.

5 "'Nid yw offeiriad i eillio'r pen yn foel nac i dorri ymylon y farf nac i wneud toriadau ar y cnawd. ⁶Byddant yn sanctaidd i'w Duw, ac nid ydynt i halogi ei enw; am eu bod yn cyflwyno offrymau trwy dân i'r ARGLWYDD, sef bwyd eu Duw, fe fyddant yn sanctaidd. ⁷Nid ydynt i briodi putain, nac un wedi colli ei gwyryfdod, na gwraig wedi ei hysgaru

oddi wrth ei gŵr; oherwydd y maent yn sanctaidd i'r ARGLWYDD. ⁸Yr wyt i'w hystyried yn sanctaidd, oherwydd eu bod yn cyflwyno bwyd dy Dduw; byddant yn sanctaidd i ti, oherwydd sanctaidd ydwyf fi, yr ARGLWYDD, sy'n eich sancteiddio. ⁹Os bydd merch i offeiriad yn ei halogi ei hun trwy fynd yn butain, y mae'n halogi ei thad; rhaid ei llosgi yn y tân.

10 "'Am y prif offeiriad, yr un o blith ei frodyr y tywalltwyd olew'r eneinio ar ei ben ac a ordeiniwyd i wisgo'r dillad, nid yw ef i noethi ei ben na rhwygo'i ddillad. ¹¹Nid yw i fynd i mewn at gorff marw, na'i halogi ei hun hyd yn oed er mwyn ei dad na'i fam. ¹²Nid yw i fynd allan o'r cysegr, rhag iddo halogi cysegr ei Dduw, oherwydd fe'i cysegrwyd ag olew eneinio ei Dduw. Myfi yw'r ARGLWYDD. ¹³Y mae i briodi gwyryf yn wraig. ¹⁴Nid yw i gymryd gweddw, un wedi ei hysgaru, nac un wedi ei halogi trwy buteindra, ond y mae i gymryd yn wraig wyryf o blith ei dylwyth, ¹⁵rhag iddo halogi ei had ymysg ei bobl. Myfi yw'r ARGLWYDD sy'n ei sancteiddio.'"

16 Llefarodd yr ARGLWYDD wrth Moses, ¹⁷"Dywed wrth Aaron, 'Dros y cenedlaethau i ddod nid oes yr un o'th ddisgynyddion sydd â nam arno i ddod a chyflwyno bwyd ei Dduw. ¹⁸Nid oes neb ag unrhyw nam arno i ddynesu, boed yn ddall, yn gloff, wedi ei anffurfio neu ei hagru, ¹⁹yn ddyn gydag anaf ar ei droed neu ei law, ²⁰yn wargam neu'n gorrach, gyda nam ar ei lygad, crach, doluriau neu geilliau briwedig. ²¹Nid yw'r un o ddisgynyddion Aaron yr offeiriad sydd â nam arno i ddynesu i gyflwyno offrymau trwy dân i'r ARGLWYDD; am fod nam arno, nid yw i ddynesu i gyflwyno bwyd ei Dduw. ²²Caiff fwytaᵈ o'r offrymau sanctaidd a'r offrymau sancteiddiaf, ²³ond oherwydd bod nam arno ni chaiff fynd at y llen na dynesu at yr allor, rhag iddo halogi fy nghysegr. Myfi yw'r ARGLWYDD sy'n eu sancteiddio.'" ²⁴Fel hyn y dywedodd Moses wrth Aaron a'i feibion ac wrth holl bobl Israel.

Yr Offrymau Sanctaidd

22 Llefarodd yr ARGLWYDD wrth Moses, ²"Dywed wrth Aaron a'i feibion am iddynt barchu'r offrymau sanctaidd y mae pobl Israel yn eu cysegru

---

ᵈFelly Pumllyfr y Samariaid. TM yn ychwanegu *bwyd ei Dduw.*

i mi, rhag iddynt halogi fy enw sanctaidd. Myfi yw'r ARGLWYDD.

3 "Dywed wrthynt, 'Dros y cenedlaethau i ddod, os bydd unrhyw un o'ch disgynyddion, ac yntau'n aflan, yn dod at yr offrymau sanctaidd y mae pobl Israel yn eu cysegru i'r ARGLWYDD, rhaid ei dorri ef ymaith o'm gŵydd. Myfi yw'r ARGLWYDD.

4 "'Os bydd gan un o ddisgynyddion Aaron haint neu ddolur, ni chaiff fwyta'r offrymau sanctaidd nes ei lanhau. Bydd hefyd yn aflan os bydd yn cyffwrdd ag unrhyw beth sy'n aflan neu ag unrhyw un sy'n gollwng ei had, ⁵neu os bydd yn cyffwrdd ag unrhyw ymlusgiad sy'n achosi aflendid, neu ag unrhyw berson sy'n achosi aflendid, beth bynnag fyddo'r aflendid. ⁶Bydd unrhyw un sy'n cyffwrdd ag un o'r rhain yn aflan hyd yr hwyr, ac nid yw i fwyta o'r offrymau sanctaidd os na fydd wedi golchi ei gorff â dŵr. ⁷Wedi i'r haul fachlud, bydd yn lân, ac yna caiff fwyta o'r offrymau sanctaidd, oherwydd dyna'i fwyd. ⁸Nid yw i'w halogi ei hun trwy fwyta unrhyw beth sydd wedi marw neu wedi ei larpio gan anifail. Myfi yw'r ARGLWYDD.

9 "'Y mae'r offeiriaid i gadw fy ngofynion rhag iddynt bechu, a marw am iddynt eu halogi eu hunain. Myfi yw'r ARGLWYDD sy'n eu sanceiddio.

10 "'Nid yw neb estron i fwyta'r offrymau sanctaidd, neb sy'n westai neu'n was cyflog i offeiriad. ¹¹Ond os bydd offeiriad yn prynu caethwas am arian, neu os bydd caethwas wedi ei eni yn ei dŷ, caiff y rheini fwyta'i fwyd. ¹²Os bydd merch i offeiriad yn priodi unrhyw un heblaw offeiriad, ni chaiff hi fwyta dim o'r offrymau sanctaidd. ¹³Ond os bydd merch i offeiriad yn weddw neu'n cael ei hysgaru, a hithau heb blant ac yn dychwelyd i fyw yn nhŷ ei thad fel pan oedd yn ifanc, yna caiff hi fwyta o fwyd ei thad. Nid yw neb arall i fwyta o'r bwyd.

14 "'Os bydd rhywun yn bwyta o'r offrwm sanctaidd yn anfwriadol, rhaid iddo wneud iawn am yr offrwm ac ychwanegu pumed ran at ei werth a'i roi i'r offeiriad. ¹⁵Nid yw'r offeiriaid i halogi'r offrymau sanctaidd a ddygodd pobl Israel i'r ARGLWYDD, ¹⁶trwy adael iddynt fwyta o'r offrymau, ac felly dwyn arnynt euogrwydd a chosb. Myfi yw'r ARGLWYDD sy'n eu sanceiddio.'"

Offrymau Annerbyniol

17 Llefarodd yr ARGLWYDD wrth Moses, ¹⁸ "Dywed wrth Aaron a'i feibion ac wrth holl bobl Israel, 'Os bydd un ohonoch, boed o dŷ Israel neu o'r estroniaid sydd yn Israel, yn cyflwyno rhodd yn boethoffrwm i'r ARGLWYDD, boed yn offrwm adduned neu'n offrwm gwirfodd, ¹⁹dylai ddod â gwryw di-nam o'r gwartheg, y defaid neu'r geifr, er mwyn bod yn dderbyniol ar eich rhan. ²⁰Peidiwch â chyflwyno unrhyw beth â nam arno, oherwydd ni fydd yn dderbyniol ar eich rhan. ²¹Os bydd unrhyw un yn cyflwyno heddoffrwm i'r ARGLWYDD, i dalu adduned neu'n offrwm gwirfodd, boed o'r gyr neu o'r praidd, rhaid iddo fod yn berffaith a di-nam i fod yn dderbyniol. ²²Peidiwch â chyflwyno i'r ARGLWYDD ddim sy'n ddall, nac wedi ei archolli neu ei anafu, na dim â chornwyd, crach neu ddoluriau arno; peidiwch â gosod yr un o'r rhain ar yr allor yn boethoffrymau trwy dân i'r ARGLWYDD. ²³Gallwch ddod â bustach neu hwrdd sydd wedi ei hagru, neu sy'n anghyflawn, yn offrwm gwirfodd, ond nid yw'n dderbyniol yn offrwm adduned. ²⁴Nid ydych i'w offrymu i'r ARGLWYDD os bydd ei geilliau wedi eu briwo, eu gwasgu, eu rhwygo neu eu torri; nid ydych i wneud hyn yn eich gwlad, ²⁵ac nid ydych i gymryd gan estron unrhyw un o'r rhain i'w gyflwyno'n fwyd i'ch Duw; gan eu bod wedi eu hanffurfio ac â nam arnynt, ni fyddant yn dderbyniol ar eich rhan.'"

26 Dywedodd yr ARGLWYDD wrth Moses, ²⁷ "Pan enir llo, oen neu fyn, y mae i aros dan y fam saith diwrnod; o'r wythfed dydd ymlaen bydd yn dderbyniol yn offrwm trwy dân i'r ARGLWYDD. ²⁸Peidiwch â lladd buwch neu ddafad a'i llwdn yr un diwrnod. ²⁹Pan fyddwch yn offrymu aberth diolch i'r ARGLWYDD, gwnewch hynny mewn modd y caiff ei dderbyn ar eich rhan; ³⁰rhaid ei fwyta yr un diwrnod; peidiwch â gadael dim ohono hyd y bore. Myfi yw'r ARGLWYDD.

31 "Cadwch fy ngorchmynion a'u gwneud; myfi yw'r ARGLWYDD. ³²Peidiwch â halogi fy enw sanctaidd; rhaid fy sancteiddio ymysg pobl Israel. Myfi yw'r ARGLWYDD, sy'n eich sancteiddio, ³³ac a ddaeth â chwi allan o wlad yr Aifft, i fod yn Dduw ichwi. Myfi yw'r ARGLWYDD."

Y Gwyliau Crefyddol

23 Llefarodd yr ARGLWYDD wrth Moses, [2] "Dywed wrth bobl Israel, 'Dyma fydd y gwyliau, sef gwyliau'r ARGLWYDD, a gyhoeddwch yn gymanfaoedd sanctaidd:

Y Saboth

3 " 'Ar chwe diwrnod y cewch weithio, ond y mae'r seithfed dydd yn Saboth o orffwys, yn gymanfa sanctaidd; nid ydych i wneud unrhyw waith, oherwydd ple bynnag yr ydych yn byw, Saboth i'r ARGLWYDD ydyw.

Y Pasg a'r Bara Croyw
(Num. 28:16-25)

4 " 'Dyma wyliau'r ARGLWYDD, y cymanfaoedd sanctaidd yr ydych i'w cyhoeddi yn eu prydau. [5] Yng nghyfnos y pedwerydd dydd ar ddeg o'r mis cyntaf bydd Pasg yr ARGLWYDD, [6] ac ar y pymthegfed dydd o'r mis hwnnw bydd gŵyl y Bara Croyw i'r ARGLWYDD; am saith diwrnod yr ydych i fwyta bara heb furum. [7] Ar y dydd cyntaf bydd cymanfa sanctaidd, ac ni fyddwch yn gwneud unrhyw waith arferol. [8] Am saith diwrnod cyflwynwch offrymau trwy dân i'r ARGLWYDD; ar y seithfed dydd bydd cymanfa sanctaidd, ac ni fyddwch yn gwneud unrhyw waith arferol.' "

Blaenffrwyth y Cynhaeaf

9 Llefarodd yr ARGLWYDD wrth Moses, [10] "Dywed wrth bobl Israel, 'Pan ddewch i'r wlad yr wyf yn ei rhoi ichwi, a medi ei chynhaeaf, yr ydych i ddod ag ysgub o flaenffrwyth eich cynhaeaf at yr offeiriad. [11] Bydd yntau'n chwifio'r ysgub o flaen yr ARGLWYDD, iddi fod yn dderbyniol drosoch; y mae'r offeiriad i'w chwifio drannoeth y Saboth. [12] Ar y diwrnod y chwifir yr ysgub yr ydych i offrymu'n boethoffrwm i'r ARGLWYDD oen blwydd di-nam, [13] a chydag ef fwydoffrwm o bumed ran o effa o beilliaid wedi ei gymysgu ag olew yn offrwm trwy dân, yn arogl peraidd i'r ARGLWYDD, a hefyd ddiodoffrwm o chwarter hin o win. [14] Nid ydych i fwyta bara, grawn sych, na grawn ir cyn y diwrnod y byddwch yn dod â'ch rhodd i'ch Duw. Y mae hon yn ddeddf dragwyddol dros y cenedlaethau i ddod, ple bynnag y byddwch yn byw.

Gŵyl y Cynhaeaf
(Num. 28:26-31)

15 " 'O drannoeth y Saboth, sef y diwrnod y daethoch ag ysgub yr offrwm cyhwfan, cyfrifwch saith wythnos lawn. [16] Cyfrifwch hanner can diwrnod hyd drannoeth y seithfed Saboth, ac yna dewch â bwydoffrwm o rawn newydd i'r ARGLWYDD. [17] O ble bynnag y byddwch yn byw dewch â dwy dorth, wedi eu gwneud â phumed ran o effa o beilliaid a'u pobi â burum, yn offrwm cyhwfan o'r blaenffrwyth i'r ARGLWYDD. [18] Cyflwynwch gyda'r bara hwn saith oen blwydd di-nam, un bustach ifanc a dau hwrdd; byddant hwy'n boethoffrwm i'r ARGLWYDD, gyda'r bwydoffrwm a'r diodoffrwm, yn offrwm trwy dân, yn arogl peraidd i'r ARGLWYDD. [19] Yna offrymwch un bwch gafr yn aberth dros bechod, a dau oen blwydd yn heddoffrwm. [20] Bydd yr offeiriad yn chwifio'r ddau oen a bara'r blaenffrwyth yn offrwm cyhwfan o flaen yr ARGLWYDD; y maent yn sanctaidd i'r ARGLWYDD, yn eiddo'r offeiriad. [21] Ar y diwrnod hwnnw yr ydych i gyhoeddi cymanfa sanctaidd, ac i beidio â gwneud unrhyw waith arferol. Y mae hon yn ddeddf dragwyddol dros y cenedlaethau i ddod, ble bynnag y byddwch yn byw.
22 " 'Pan fyddi'n medi cynhaeaf dy dir, paid â medi at ymylon dy faes, a phaid â lloffa dy gynhaeaf; gâd hwy i'r tlawd a'r estron. Myfi yw'r ARGLWYDD eich Duw.' "

Gŵyl yr Utgyrn
(Num. 29:1-6)

23 Llefarodd yr ARGLWYDD wrth Moses, [24] "Dywed wrth bobl Israel, 'Ar y dydd cyntaf o'r seithfed mis yr ydych i gael diwrnod gorffwys; bydd yn gymanfa sanctaidd, i'w dathlu â chanu utgyrn. [25] Nid ydych i wneud unrhyw waith arferol, ond cyflwynwch aberth trwy dân i'r ARGLWYDD.' "

Dydd y Cymod
(Num. 29:7-11)

26 Llefarodd yr ARGLWYDD wrth Moses, [27] "Yn wir, ar y degfed dydd o'r seithfed mis cynhelir Dydd y Cymod; bydd yn gymanfa sanctaidd ichwi, a byddwch yn eich cosbi eich hunain ac yn cyflwyno aberth trwy dân i'r ARGLWYDD. [28] Nid ydych i wneud unrhyw waith y diwrnod hwnnw, am ei fod yn Ddydd y

Cymod, pan wneir cymod drosoch ger-bron yr ARGLWYDD eich Duw. ²⁹Bydd unrhyw un na fydd yn ei gosbi ei hun y diwrnod hwnnw yn cael ei dorri ymaith o blith ei bobl. ³⁰Byddaf yn difa o blith ei bobl unrhyw un a fydd yn gweithio y diwrnod hwnnw. ³¹Ni fyddwch yn gwneud unrhyw waith; y mae hon yn ddeddf dragwyddol dros y cenedlaethau i ddod, ple bynnag y byddwch yn byw. ³²Y mae'n Saboth o orffwys ichwi, ac yr ydych i'ch cosbi eich hunain. O gyfnos nawfed dydd y mis hyd y cyfnos drannoeth yr ydych i gadw eich Saboth yn orffwys."

Gŵyl y Pebyll
(Num. 29:12-40)

33 Llefarodd yr ARGLWYDD wrth Moses, ³⁴"Dywed wrth bobl Israel, 'Ar y pymthegfed dydd o'r seithfed mis cynhelir gŵyl y Pebyll i'r ARGLWYDD am saith diwrnod. ³⁵Bydd y diwrnod cyntaf yn gymanfa sanctaidd; nid ydych i wneud unrhyw waith arferol. ³⁶Am saith diwrnod yr ydych i gyflwyno aberthau trwy dân i'r ARGLWYDD, ac ar yr wythfed diwrnod bydd gennych gymanfa sanctaidd, pan fyddwch yn cyflwyno aberth trwy dân i'r ARGLWYDD; dyma'r gymanfa derfynol, ac nid ydych i wneud unrhyw waith arferol.

37 "'Dyma'r gwyliau i'r ARGLWYDD a gyhoeddwch yn gymanfaoedd sanctaidd i gyflwyno aberthau trwy dân i'r AR-GLWYDD, sef y poethoffrymau, y bwydoffrymau, yr aberthau a'r diodoffrymau ar gyfer pob diwrnod. ³⁸Y mae'r rhain yn ychwanegol at offrymau Sabothau'r AR-GLWYDD, eich rhoddion, eich holl addunedau a'ch holl offrymau gwirfodd a roddwch i'r ARGLWYDD.

39 "'Felly, ar y pymthegfed dydd o'r seithfed mis, ar ôl ichwi gasglu cynnyrch y tir, cynhaliwch ŵyl i'r ARGLWYDD am saith diwrnod; bydd y diwrnod cyntaf yn ddiwrnod gorffwys a'r wythfed diwrnod yn ddiwrnod gorffwys. ⁴⁰Ar y diwrnod cyntaf yr ydych i gymryd blaenffrwyth gorau'r coed, canghennau palmwydd, brigau deiliog a helyg yr afon, a llawen-hau o flaen yr ARGLWYDD eich Duw am saith diwrnod. ⁴¹Dathlwch yr ŵyl hon i'r ARGLWYDD am saith diwrnod bob blwyddyn. Y mae hon yn ddeddf dragwyddol dros y cenedlaethau, eich bod i'w dathlu yn y seithfed mis. ⁴²Yr ydych i fyw mewn pebyll am saith diwrnod; y mae holl frodorion Israel i fyw mewn pebyll, ⁴³er mwyn i'ch disgynyddion wybod imi wneud i bobl Israel fyw mewn pebyll pan ddeuthum â hwy allan o wlad yr Aifft. Myfi yw'r ARGLWYDD eich Duw.'"

44 Cyhoeddodd Moses holl wyliau'r ARGLWYDD i bobl Israel.

Gofalu am y Lampau
(Ex. 27:20-21)

24 Llefarodd yr ARGLWYDD wrth Moses, ²"Gorchymyn i bobl Israel ddod ag olew pur o olifiau wedi eu gwasgu, a'i roi iti ar gyfer y goleuni, er mwyn cadw'r lamp ynghyn bob amser. ³Y tu allan i len y dystiolaeth ym mhabell y cyfarfod y mae Aaron i ofalu bob amser am lamp o flaen yr ARGLWYDD o'r cyfnos hyd y bore; y mae hon yn ddeddf dragwyddol dros y cenedlaethau. ⁴Y mae'n rhaid gofalu bob amser am y lampau yn y canhwyllbren aur o flaen yr ARGLWYDD.

Bara'r Arglwydd

5 "Cymer beilliaid a phobi deuddeg torth, a phob torth yn bumed ran o effa. ⁶Gosod hwy'n ddwy res, chwech ymhob rhes, ar y bwrdd aur o flaen yr AR-GLWYDD. ⁷Rho thus pur ar y ddwy res, iddo fod ar y bara yn goffa ac yn aberth trwy dân i'r ARGLWYDD. ⁸Rhaid gosod y bara hwn o flaen yr ARGLWYDD bob amser, Saboth ar ôl Saboth, yn gyfamod tragwyddol ar ran pobl Israel. ⁹Bydd yn eiddo i Aaron a'i feibion, a byddant yn ei fwyta mewn lle sanctaidd, oherwydd dyma'r rhan sancteiddiaf o'r aberthau trwy dân i'r ARGLWYDD trwy ddeddf dragwyddol."

Llabyddio Cablwr

10 Yr oedd mab i wraig o Israel, a'i dad yn Eifftiwr, yn ymdeithio ymhlith pobl Israel, a chododd cynnen yn y gwersyll rhyngddo ef ac un o waed Israelig pur. ¹¹Cablodd mab i wraig o Israel enw Duw trwy felltithio, a daethant ag ef at Moses. Enw ei fam oedd Selomith ferch Dibri o lwyth Dan. ¹²Rhoddwyd ef yng ngharchar nes iddynt gael gwybod ewyllys yr AR-GLWYDD. ¹³A llefarodd yr ARGLWYDD wrth Moses, ¹⁴"Dos â'r sawl a gablodd y tu allan i'r gwersyll; y mae pob un a'i clywodd i roi ei law ar ei ben, ac y mae'r holl gynulliad i'w labyddio. ¹⁵Dywed

wrth bobl Israel, 'Y mae pob un sy'n melltithio ei Dduw yn gyfrifol am ei bechod; [16]y mae pob un sy'n cablu enw'r ARGLWYDD i'w roi i farwolaeth, a'r holl gynulliad i'w labyddio. Pwy bynnag sy'n cablu enw Duw, boed estron neu frodor, rhaid iddo farw.

17 "'Os bydd dyn yn cymryd bywyd unrhyw ddyn, rhaid ei roi i farwolaeth. [18]Os bydd dyn yn lladd anifail rhywun arall, rhaid iddo wneud iawn, einioes am einioes. [19]Os bydd rhywun yn niweidio'i gymydog, rhaid gwneud yr un peth iddo yntau, [20]briw am friw, llygad am lygad, dant am ddant. Fel y bu iddo ef achosi niwed, felly y gweir iddo yntau. [21]Os bydd rhywun yn lladd anifail, rhaid iddo wneud iawn; ond os bydd rhywun yn lladd dyn, rhaid ei roi i farwolaeth. [22]Yr un fydd y rheol ar gyfer estron a brodor. Myfi yw'r ARGLWYDD eich Duw.'"

23 Llefarodd Moses wrth bobl Israel, ac yna aethant â'r sawl a gablodd y tu allan i'r gwersyll a'i labyddio â cherrig. Gwnaeth pobl Israel fel y gorchmynnodd yr ARGLWYDD i Moses.

Y Flwyddyn Sabothol

25 Llefarodd yr ARGLWYDD wrth Moses ar Fynydd Sinai, [2]"Dywed wrth bobl Israel, 'Pan ewch i mewn i'r wlad yr wyf yn ei rhoi ichwi, y mae'r wlad i gadw Saboth i'r AR- GLWYDD. [3]Am chwe blynedd byddwch yn hau eich meysydd, ac am chwe blynedd yn tocio eich gwinllannoedd ac yn casglu eu ffrwyth; [4]ond ar y seithfed flwyddyn bydd y wlad yn cael Saboth o orffwys, sef Saboth i'r ARGLWYDD, ac nid ydych i hau eich meysydd nac i docio eich gwinllannoedd. [5]Nid ydych ychwaith i fedi'r cynhaeaf a dyfodd ohono'i hun, nac i gasglu grawnwin oddi ar winwydd heb eu tocio; y mae'r wlad i gael blwyddyn o orffwys. [6]Ond bydd unrhyw beth a gynhyrcha'r ddaear yn ystod y flwyddyn o Saboth yn fwyd i ti dy hun, ac i'th was a'th forwyn, dy was cyflog a'r estron sy'n byw gyda thi, [7]a hefyd i'th anifail ac i'r bwystfil gwyllt fydd ar dy dir; bydd yr holl gynnyrch yn ymborth.

8 "'Cyfrif saith Saboth o flynyddoedd, sef saith mlynedd seithwaith; bydd saith Saboth o flynyddoedd yn naw a deugain o flynyddoedd. [9]Yna ar y degfed dydd o'r seithfed mis pâr ganu'r utgorn ymhob man; ar Ddydd y Cymod pâr ganu'r utgorn trwy dy holl wlad. [10]Cysegra'r hanner canfed flwyddyn, a chyhoedda ryddid trwy'r wlad i'r holl drigolion; bydd hon yn flwyddyn jwbili ichwi, a bydd pob un ohonoch yn dychwelyd i'w dreftadaeth ac at ei dylwyth. [11]Bydd yr hanner canfed flwyddyn yn flwyddyn jwbili ichwi; peidiwch â hau, na medi'r hyn a dyfodd ohono'i hun, na chasglu oddi ar winwydd heb eu tocio. [12]Jwbili ydyw, ac y mae i fod yn sanctaidd ichwi; ond cewch fwyta'r cynnyrch a ddaw o'r tir.

13 "'Yn y flwyddyn jwbili hon y mae pob un ohonoch i ddychwelyd i'w dreftadaeth. [14]Felly, pan fyddwch yn gwerthu neu'n prynu tir ymysg eich gilydd, peidiwch â chymryd mantais ar eich gilydd. [15]Yr ydych i brynu oddi wrth eich gilydd yn ôl nifer y blynyddoedd oddi ar y jwbili, ac i werthu i'ch gilydd yn ôl nifer y blynyddoedd sydd ar gyfer cynnyrch. [16]Pan fydd y blynyddoedd yn niferus, yr ydych i godi'r pris, ond pan fydd y blynyddoedd yn ychydig, yr ydych i'w ostwng, oherwydd yr hyn a werthir yw nifer y cnydau. [17]Peidiwch â chymryd mantais ar eich gilydd, ond ofnwch eich Duw. Myfi yw'r ARGLWYDD eich Duw. [18]Ufuddhewch i'm deddfau, a chadwch fy ngorchmynion a'u gwneud, a chewch fyw'n ddiogel yn y wlad. [19]Bydd y wlad yn rhoi ei ffrwyth, a chewch fwyta i'ch digoni a byw yno'n ddiogel. [20]Os gofynnwch, "Beth a fwytawn yn y seithfed flwyddyn, gan na fyddwn yn hau nac yn medi ein cynhaeaf?" [21]fe drefnaf y fath fendith ar eich cyfer yn y chweched flwyddyn fel y rhoddir digon o gynnyrch ichwi am dair blynedd. [22]Pan fyddwch yn hau yn yr wythfed flwyddyn, byddwch yn bwyta o'r hen gnwd, ac yn parhau i fwyta ohono nes y daw cnwd yn y nawfed flwyddyn.

23 "'Ni ellir gwerthu tir yn barhaol, oherwydd eiddof fi yw'r tir, ac nid ydych chwi ond estroniaid a thenantiaid i mi. [24]Trwy holl wlad eich treftadaeth, byddwch barod i ryddhau tir a werthwyd. [25]Os bydd un ohonoch yn dlawd ac yn gwerthu rhan o'i dreftadaeth, caiff ei berthynas agosaf ddod a rhyddhau'r hyn a werthodd ei frawd. [26]Os bydd heb berthynas i'w ryddhau, ac yntau wedyn yn llwyddo ac yn ennill digon i'w ryddhau, [27]y mae i gyfrif y blynyddoedd er pan werthodd ef, ac ad-dalu am hynny

i'r gwerthwr, ac yna caiff ddychwelyd i'w dreftadaeth. ²⁸Os na fydd wedi ennill digon i ad-dalu iddo, bydd yr hyn a werthodd yn eiddo i'r prynwr hyd flwyddyn y jwbili; fe'i dychwelir ym mlwyddyn y jwbili a chaiff yntau ddychwelyd i'w dreftadaeth.

29 "'Os bydd dyn yn gwerthu tŷ annedd mewn dinas gaerog, caiff ei ryddhau o fewn blwyddyn lawn ar ôl ei werthu; o fewn yr amser hwnnw caiff ei ryddhau. ³⁰Os na fydd wedi ei ryddhau cyn diwedd y flwyddyn lawn, bydd y tŷ yn y ddinas gaerog yn eiddo parhaol i'r sawl a'i prynodd ac i'w ddisgynyddion; nid yw i'w ddychwelyd ym mlwyddyn y jwbili. ³¹Ond y mae tai mewn trefi heb furiau o'u hamgylch i'w hystyried fel rhai yng nghefn gwlad; fe ellir eu rhyddhau, ac y maent i'w dychwelyd ym mlwyddyn y jwbili. ³²Bydd gan y Lefiaid hawl parhaol i ryddhau tai eu treftadaeth yn y dinasoedd sy'n perthyn iddynt. ³³Gellir rhyddhau eiddo yn perthyn i'r Lefiaid, ac y mae tŷ a werthwyd yn un o ddinasoedd eu treftadaeth i'w ddychwelyd ym mlwyddyn y jwbili; y mae'r tai yn ninasoedd y Lefiaid yn dreftadaeth iddynt ymysg pobl Israel. ³⁴Ond ni cheir gwerthu'r tir pori o amgylch eu trefi, oherwydd y mae'n dreftadaeth barhaol iddynt.

35 "'Os bydd un ohonoch yn dlawd a heb fedru ei gynnal ei hun yn eich plith, cynorthwya ef, fel y gwnait i estron neu ymsefydlydd gyda thi, er mwyn iddo fyw yn eich mysg. ³⁶Paid â chymryd llog nac elw oddi wrtho, ond ofna dy Dduw, er mwyn i'th frawd barhau i fyw yn eich mysg. ³⁷Nid wyt i fenthyca arian iddo ar log nac i werthu bwyd iddo am elw. ³⁸Myfi yw'r ARGLWYDD dy Dduw, a ddaeth â thi allan o wlad yr Aifft i roi iti wlad Canaan, ac i fod yn Dduw iti.

39 "'Os bydd un ohonoch yn dlawd ac yn ei werthu ei hun iti, paid â'i orfodi i weithio iti fel caethwas. ⁴⁰Y mae i fod fel gwas cyflog neu ymsefydlydd gyda thi, ac i weithio gyda thi hyd flwyddyn y jwbili. ⁴¹Yna y mae ef a'i deulu i'w rhyddhau, a bydd yn dychwelyd at ei lwyth ei hun ac i dreftadaeth ei hynafiaid. ⁴²Gan mai gweision i mi yw pobl Israel, a ddygais allan o wlad yr Aifft, ni ellir eu gwerthu yn gaethweision. ⁴³Paid â thra-awdurdodi drostynt, ond ofna dy Dduw. ⁴⁴Bydd dy gaethweision, yn wryw a benyw, o blith y cenhedloedd o'th amgylch; o'u plith

hwy gelli brynu caethweision. ⁴⁵Cei hefyd brynu rhai o blith yr estroniaid sydd wedi ymsefydlu yn eich plith, a'r rhai o'u tylwyth sydd wedi eu geni yn eich gwlad, a byddant yn eiddo ichwi. ⁴⁶Gallwch hefyd eu gadael i'ch plant ar eich ôl, iddynt eu cymryd yn etifeddiaeth ac i fod yn gaethweision parhaol iddynt; ond nid ydych i dra-awdurdodi dros eich cyd-Israeliaid.

47 "'Os bydd estron neu ymsefydlydd gyda thi yn dod yn gyfoethog, ac un o'ch plith yn mynd yn dlawd ac yn ei werthu ei hun i'r estron sydd wedi ymsefydlu gyda thi, neu i un o dylwyth yr estron, ⁴⁸bydd ganddo'r hawl i gael ei ryddhau ar ôl ei werthu; gall un o'i deulu ei ryddhau. ⁴⁹Gall ewythr neu nai neu unrhyw berthynas arall yn y llwyth ei ryddhau; neu os caiff lwyddiant, gall ei ryddhau ei hun. ⁵⁰Y mae ef a'i brynwr i gyfrif o'r flwyddyn y gwerthodd ei hun at flwyddyn y jwbili; bydd arian ei bryniant yn unol â'r hyn a delir i was cyflog dros y nifer hwn o flynyddoedd. ⁵¹Os oes llawer o flynyddoedd ar ôl, rhaid iddo dalu am ei ryddhau gyfran uchel o'r arian a roddwyd amdano; ⁵²ond os ychydig sydd ar ôl hyd flwyddyn y jwbili, y mae i wneud y cyfrif ac i dalu yn ôl hynny am ei ryddhau. ⁵³Y mae i'w ystyried fel dyn wedi ei gyflogi'n flynyddol; nid ydych i adael i'w berchennog dra-awdurdodi drosto. ⁵⁴Hyd yn oed os na fydd wedi ei ryddhau trwy un o'r ffyrdd hyn, caiff ef a'i blant eu rhyddhau ym mlwyddyn y jwbili; ⁵⁵oherwydd gweision i mi yw pobl Israel, gweision a ddygais allan o wlad yr Aifft. Myfi yw'r ARGLWYDD eich Duw.

Bendithion Ufudd-dod
(Deut. 7:12-24; 28:1-14)

26 "'Peidiwch â gwneud ichwi eilunod, na chodi ichwi eich hunain ddelw na cholofn; na fydded o fewn eich tir faen cerfiedig i blygu iddo; oherwydd myfi yw'r ARGLWYDD eich Duw. ²Cadwch fy Sabothau a pharchwch fy nghysegr; myfi yw'r ARGLWYDD.

3 "'Os byddwch yn dilyn fy neddfau ac yn gofalu cadw fy ngorchmynion, ⁴rhoddaf ichwi'r glaw yn ei dymor, a rhydd y tir ei gnwd a choed y maes eu ffrwyth. ⁵Bydd dyrnu'n ymestyn hyd amser y cynhaeaf grawnwin, a'r cynhaeaf grawnwin hyd amser plannu, a byddwch yn bwyta i'ch digoni ac yn byw'n ddiogel

yn eich gwlad. ⁶Rhoddaf heddwch yn y wlad, a chewch orwedd i lawr heb neb i'ch dychryn; symudaf y bwystfilod peryglus o'r wlad, ac ni ddaw'r cleddyf trwy eich tir. ⁷Byddwch yn ymlid eich gelynion, a byddant yn syrthio o'ch blaen trwy'r cleddyf. ⁸Bydd pump ohonoch yn ymlid deng mil, a bydd eich gelynion yn syrthio o'ch blaen trwy'r cleddyf. ⁹Byddaf yn edrych yn ffafriol arnoch, yn eich gwneud yn ffrwythlon ac yn eich cynyddu, a byddaf yn cadw fy nghyfamod â chwi. ¹⁰Byddwch yn dal i fwyta'r hen gnwd, ac yn gorfod bwrw allan yr hen i wneud lle i'r newydd. ¹¹Byddaf yn gosod fy nhabernacl yn eich mysg, ac ni fyddaf yn eich ffieiddio. ¹²Byddaf yn rhodio yn eich mysg; byddaf yn Dduw i chwi a chwithau'n bobl i minnau. ¹³Myfi yw'r ARGLWYDD eich Duw, a ddaeth â chwi allan o wlad yr Aifft rhag ichwi fod yn weision yno; torrais farrau eich iau a gwneud ichwi gerdded yn sythïon.

Melltithion Anufudd-dod
(Deut. 28:15-68)

14 "'Ond os na fyddwch yn gwrando arnaf nac yn gwneud yr holl orchmynion hyn, ¹⁵ac os byddwch yn gwrthod fy neddfau ac yn ffieiddio fy marnedigaethau, heb gadw fy ngorchmynion, ond yn torri fy nghyfamod, ¹⁶yna fe wnaf hyn â chwi: byddaf yn dwyn dychryn arnoch, darfodedigaeth a thwymyn a fydd yn gwneud i'ch llygaid ballu ac i'ch enaid ddihoeni. Byddwch yn hau'n ofer, gan mai eich gelynion fydd yn ei fwyta. ¹⁷Trof fy wyneb i'ch erbyn, a chewch eich gorchfygu gan eich gelynion; bydd y rhai sy'n eich casáu yn rheoli drosoch, a byddwch yn ffoi heb neb yn eich ymlid.

18 "'Os na fyddwch ar ôl hyn i gyd yn gwrando arnaf, byddaf yn eich cosbi seithwaith am eich pechodau. ¹⁹Fe ddrylliaf eich balchder ystyfnig, a gwnaf y nefoedd uwch eich pen fel haearn a'r ddaear danoch fel pres. ²⁰Byddwch yn treulio'ch nerth yn ofer, oherwydd ni fydd eich tir yn rhoi ei gnwd na choed y maes eu ffrwyth.

21 "'Os byddwch yn parhau i'm gwrthwynebu, ac yn gwrthod gwrando arnaf, byddaf yn ychwanegu drygau arnoch seithwaith am eich pechodau. ²²Byddaf yn anfon bwystfilod gwyllt i'ch plith, a byddant yn eich amddifadu o'ch plant, yn difa eich anifeiliaid, ac yn eich

gwneud mor fychan o rif fel y bydd eich ffyrdd yn anial.

23 "'Os na fyddwch ar ôl hyn i gyd yn derbyn disgyblaeth, ond yn parhau i'm gwrthwynebu, ²⁴byddaf finnau yn eich gwrthwynebu chwithau, a byddaf fi fy hun yn eich taro seithwaith am eich pechodau. ²⁵Byddaf yn dod â'r cleddyf yn eich erbyn i ddial am dorri'r cyfamod, a byddwch yn ymgasglu i'ch dinasoedd; yna fe anfonaf bla i'ch mysg, a'ch rhoi yn llaw'r gelyn. ²⁶Pan dorraf eich cynhaliaeth o fara, bydd deg gwraig yn medru pobi eich bara mewn un ffwrn, a byddant yn rhannu'r bara wrth bwysau; cewch fwyta, ond ni'ch digonir.

27 "'Os byddwch er gwaethaf hyn heb wrando arnaf, ond yn parhau i'm gwrthwynebu, ²⁸yna fe'ch gwrthwynebaf chwi yn fy nig, a byddaf fi fy hunan yn eich cosbi seithwaith am eich pechodau. ²⁹Byddwch yn bwyta cnawd eich meibion a'ch merched. ³⁰Byddaf yn dinistrio eich uchelfeydd, yn torri i lawr allorau eich arogldarth, ac yn pentyrru eich cyrff ar weddillion eich eilunod, a byddaf yn eich ffieiddio. ³¹Gwnaf eich dinasoedd yn adfeilion, dinistriaf eich cysegrleoedd, ac nid aroglaf eich arogl peraidd. ³²Byddaf yn gwneud y tir yn ddiffaith, a bydd eich gelynion sy'n byw yno wedi eu syfrdanu. ³³Fe'ch gwasgaraf ymysg y cenhedloedd, a byddaf yn dinoethi fy nghleddyf i'ch ymlid; bydd eich tir yn ddiffaith a'ch dinasoedd yn adfeilion. ³⁴Yna bydd y wlad yn mwynhau ei Sabothau dros yr holl amser y bydd yn ddiffaith; tra byddwch chwi yng ngwlad eich gelynion, bydd y tir yn cael gorffwys ac yn mwynhau ei Sabothau. ³⁵Dros yr holl amser y bydd yn ddiffaith, bydd y wlad yn cael y gorffwys nas cafodd ar y Sabothau pan oeddech chwi'n byw yno. ³⁶Ac am y rhai ohonoch a adewir, gwnaf eu calonnau mor ofnus yng ngwledydd eu gelynion fel y bydd siffrwd deilen yn ysgwyd yn peri iddynt ffoi. Byddant yn ffoi fel pe o flaen cleddyf, ac yn cwympo heb neb yn eu hymlid. ³⁷Byddant yn syrthio ar draws ei gilydd, fel pe'n dianc rhag cleddyf, heb neb yn eu hymlid. Felly ni fedrwch sefyll o flaen eich gelynion. ³⁸Byddwch yn trengi o flaen y cenhedloedd, a bydd gwlad eich gelynion yn eich llyncu. ³⁹Bydd y rhai ohonoch a adewir yn darfod yng ngwledydd eu gelynion oherwydd eu troseddau; a hefyd byddant yn dihoeni oherwydd eu

troseddau a throseddau eu tadau.
40 "'Ond os byddant yn cyffesu eu troseddau a throseddau eu tadau, sef iddynt fod yn anffyddlon tuag ataf a'm gwrthwynebu, [41]a gwneud i minnau eu gwrthwynebu hwy a'u gyrru i wlad eu gelynion, yna, pan fydd eu calonnau dienwaededig wedi eu darostwng a hwythau wedi derbyn eu cosb, [42]fe gofiaf fy nghyfamod â Jacob ac ag Isaac ac ag Abraham, ac fe gofiaf am y tir. [43]Gadewir y tir ganddynt, ac fe fwynha ei Sabothau pan fydd yn ddiffeithwch hebddynt. Cosbir hwy am eu troseddau, oherwydd iddynt wrthod fy ngorchmynion a ffieiddio fy neddfau. [44]Er hynny, pan fyddant yng ngwlad eu gelynion, ni fyddaf yn eu gwrthod, nac yn eu ffieiddio i'w dinistrio'n llwyr, gan dorri fy nghyfamod â hwy. Myfi yw'r ARGLWYDD eu Duw. [45]Er eu mwyn hwy fe gofiaf fy nghyfamod â'u hynafiaid, a ddygais allan o wlad yr Aifft yng ngŵydd y cenhedloedd, er mwyn bod yn Dduw iddynt. Myfi yw'r ARGLWYDD.'"
46 Dyma'r deddfau, y gorchmynion a'r cyfreithiau a osododd yr ARGLWYDD rhyngddo ef a phobl Israel ar Fynydd Sinai trwy law Moses.

Addunedau i'r Arglwydd

27 Dywedodd yr ARGLWYDD wrth Moses, [2]"Llefara wrth bobl Israel a dweud wrthynt, 'Os bydd rhywun yn gwneud adduned arbennig i roi cyfwerth am berson i'r ARGLWYDD, [3]bydd gwerth gwryw rhwng ugain a thrigain mlwydd oed yn hanner can sicl o arian, yn ôl sicl y cysegr. [4]Os benyw ydyw, bydd ei gwerth yn ddeg sicl ar hugain. [5]Os rhywun rhwng pump ac ugain mlwydd oed ydyw, bydd gwerth gwryw yn ugain sicl, a benyw yn ddeg sicl. [6]Os plentyn rhwng mis a phumlwydd oed ydyw, bydd gwerth gwryw yn bum sicl o arian a benyw yn dair sicl o arian. [7]Os rhywun trigain mlwydd oed neu drosodd ydyw, bydd gwerth gwryw yn bymtheg sicl a benyw yn ddeg sicl. [8]Os bydd unrhyw un yn rhy dlawd i dalu'r gwerth, y mae i ddod â'r person at yr offeiriad, a bydd yntau'n pennu ei werth yn ôl yr hyn y gall y sawl sy'n addunedu ei fforddio; yr offeiriad fydd yn pennu'r gwerth.
9 "'Os anifail sy'n dderbyniol fel offrwm i'r ARGLWYDD yw'r adduned, bydd y cyfan o'r anifail yn sanctaidd i'r

ARGLWYDD. [10]Nid yw i'w gyfnewid, na rhoi un da am un gwael nac un gwael am un da; os bydd yn cyfnewid un anifail am un arall, bydd y ddau ohonynt yn sanctaidd. [11]Os yw'r anifail yn un aflan, a heb fod yn dderbyniol fel offrwm i'r ARGLWYDD, y mae i ddod â'r anifail at yr offeiriad, [12]a bydd yntau yn pennu ei werth, pa un ai da ai drwg ydyw; beth bynnag a benna'r offeiriad, hynny fydd ei werth. [13]Os bydd y perchennog yn dymuno rhyddhau'r anifail, y mae i ychwanegu pumed ran at ei werth.
14 "'Os bydd dyn yn cysegru ei dŷ yn sanctaidd i'r ARGLWYDD, bydd yr offeiriad yn pennu ei werth, pa un ai da ai drwg ydyw; y gwerth a rydd yr offeiriad arno fydd yn sefyll. [15]Os bydd y dyn sy'n cysegru ei dŷ am ei ryddhau, y mae i ychwanegu pumed ran at ei werth, a bydd y tŷ'n eiddo iddo.
16 "'Os bydd dyn am gysegru i'r ARGLWYDD ran o dir ei etifeddiaeth, mesurir ei werth yn ôl yr had ar ei gyfer, sef hanner can sicl o arian ar gyfer pob homer o haidd. [17]Os bydd yn cysegru ei dir yn ystod blwyddyn y jwbili, bydd ei werth yn sefyll. [18]Ond os bydd yn ei gysegru ar ôl y jwbili, bydd yr offeiriad yn amcangyfrif ei bris yn ôl y blynyddoedd sy'n weddill hyd y jwbili nesaf, a bydd ei werth yn gostwng. [19]Os bydd y sawl sy'n cysegru ei dir yn dymuno ei ryddhau, y mae i ychwanegu pumed ran at ei werth, a bydd yn eiddo iddo. [20]Os na fydd yn dymuno rhyddhau'r tir, neu os bydd wedi ei werthu i rywun arall, ni ellir byth ei ryddhau. [21]Pan ryddheir y tir ar y jwbili, bydd yn sanctaidd i'r ARGLWYDD, fel tir diofryd; bydd yn etifeddiaeth i'r offeiriad.
22 "'Os bydd dyn yn cysegru i'r ARGLWYDD dir a brynodd, a heb fod yn rhan o'i etifeddiaeth, [23]bydd yr offeiriad yn amcangyfrif ei werth hyd flwyddyn y jwbili, a bydd y dyn yn rhoi ei werth y diwrnod hwnnw, a bydd yn sanctaidd i'r ARGLWYDD. [24]Ym mlwyddyn y jwbili dychwelir y tir i'r sawl y prynwyd ef ganddo, sef yr un yr oedd y tir yn rhan o'i etifeddiaeth. [25]Y mae pob gwerth i'w bennu yn ôl sicl y cysegr, sy'n pwyso ugain gera.
26 "'Er hynny, nid yw neb i gysegru cyntafanedig anifail sydd eisoes yn gyntafanedig i'r ARGLWYDD; boed fuwch neu ddafad, eiddo'r ARGLWYDD ydyw. [27]Os un o'r anifeiliaid aflan ydyw, caiff ei

brynu am ei werth, ac ychwanegu pumed ran ato; os na ryddheir ef, y mae i'w werthu am ei werth. ²⁸Er hynny, ni ellir gwerthu na rhyddhau unrhyw eiddo, boed ddyn, anifail, neu dir sy'n etifeddiaeth, os yw wedi ei gyflwyno'n ddiofryd i'r ARGLWYDD; y mae unrhyw ddiofryd yn sanctaidd i'r ARGLWYDD. ²⁹Ni ellir rhyddhau unrhyw berson sydd wedi ei gyflwyno'n ddiofryd i'r ARGLWYDD, ond rhaid iddo farw.

30 "'Y mae degwm unrhyw gynnyrch o'r tir, boed yn rawn o'r tir neu'n ffrwyth o'r coed, yn eiddo i'r ARGLWYDD. ³¹Os bydd dyn yn rhyddhau rhywfaint o'r degwm, y mae i ychwanegu pumed ran ato. ³²Y mae holl ddegwm gyr neu ddiadell, sef y degfed anifail sy'n croesi o dan y ffon, yn sanctaidd i'r ARGLWYDD. ³³Ni ddylid dewis rhwng da a drwg, na chyfnewid; ond os newidir un yn lle'r llall, bydd y ddau ohonynt yn sanctaidd, ac ni ellir eu rhyddhau.'"

34 Dyma'r gorchmynion a roddodd yr ARGLWYDD i Moses ar gyfer pobl Israel ar Fynydd Sinai.

LLYFR
NUMERI

Cyfrifiad Cyntaf Israel

1 Ar y dydd cyntaf o'r ail fis yn yr ail flwyddyn wedi i'r Israeliaid ddod allan o wlad yr Aifft, llefarodd yr ARGLWYDD wrth Moses ym mhabell y cyfarfod yn anialwch Sinai, a dweud, ²"Gwnewch gyfrifiad o holl gynulliad pobl Israel yn ôl eu tylwythau a'u teuluoedd, gan restru enw pob gwryw fesul un. ³Yr wyt ti ac Aaron i gyfrif, fesul mintai, bawb yn Israel sy'n ugain oed a throsodd ac yn abl i fynd i ryfel. ⁴Gyda chwi bydd un dyn o bob llwyth, sef y penteulu. ⁵Dyma enwau'r dynion a fydd gyda chwi. O Reuben: Elisur fab Sedeur; ⁶o Simeon: Selumiel fab Surisadai; ⁷o Jwda: Nahson fab Amminadab; ⁸o Issachar: Nethanel fab Suar; ⁹o Sabulon: Eliab fab Helon. ¹⁰O feibion Joseff: o Effraim, Elisama fab Ammihud, ac o Manasse, Gamaliel fab Pedasur; ¹¹o Benjamin: Abidan fab Gideoni; ¹²o Dan: Ahieser fab Ammisadai; ¹³o Aser: Pagiel fab Ocran; ¹⁴o Gad: Eliasaff fab Reuelᵃ; ¹⁵o Nafftali: Ahira fab Enan." ¹⁶Dyma'r rhai a etholwyd o'r cynulliad yn arweinwyr llwythau eu tadau ac yn benaethiaid ar dylwythau Israel.

17 Cymerodd Moses ac Aaron y dynion hyn y rhoddwyd eu henwau, ¹⁸ac ar y dydd cyntaf o'r ail fis casglwyd ynghyd yr holl gynulliad. Rhestrwyd y bobl yn ôl eu tylwythau a'u teuluoedd, a rhifwyd fesul un bawb oedd yn ugain oed a throsodd. ¹⁹Felly, cyfrifodd Moses hwy yn anialwch Sinai, fel yr oedd yr ARGLWYDD wedi gorchymyn iddo.

20 O feibion Reuben, cyntafanedig Israel, rhestrwyd fesul un, yn ôl cenedlaethau eu tylwythau a'u teuluoedd, enw pob gwryw ugain oed a throsodd ac yn abl i fynd i ryfel. ²¹Nifer llwyth Reuben oedd pedwar deg chwech o filoedd a phum cant.

22 O feibion Simeon, rhestrwyd fesul un, yn ôl cenedlaethau eu tylwythau a'u teuluoedd, enw pob gwryw ugain oed a throsodd ac yn abl i fynd i ryfel. ²³Nifer llwyth Simeon oedd pum deg naw o filoedd a thri chant.

24 O feibion Gad, rhestrwyd fesul un, yn ôl cenedlaethau eu tylwythau a'u teuluoedd, enw pob gwryw ugain oed a throsodd ac yn abl i fynd i ryfel. ²⁵Nifer llwyth Gad oedd pedwar deg pump o filoedd chwe chant a phum deg.

26 O feibion Jwda, rhestrwyd fesul un,

ᵃFelly Fersiynau. Cymh. 2:14. Hebraeg, *Deuel*.

yn ôl cenedlaethau eu tylwythau a'u teuluoedd, enw pob gwryw ugain oed a throsodd ac yn abl i fynd i ryfel. [27]Nifer llwyth Jwda oedd saith deg pedair o filoedd a chwe chant.

28 O feibion Issachar, rhestrwyd fesul un, yn ôl cenedlaethau eu tylwythau a'u teuluoedd, enw pob gwryw ugain oed a throsodd ac yn abl i fynd i ryfel. [29]Nifer llwyth Issachar oedd pum deg pedair o filoedd a phedwar cant.

30 O feibion Sabulon, rhestrwyd fesul un, yn ôl cenedlaethau eu tylwythau a'u teuluoedd, enw pob gwryw ugain oed a throsodd ac yn abl i fynd i ryfel. [31]Nifer llwyth Sabulon oedd pum deg saith o filoedd a phedwar cant.

32 O feibion Joseff, rhestrwyd fesul un, yn ôl cenedlaethau eu tylwythau a'u teuluoedd, enw pob gwryw ugain oed a throsodd ac yn abl i fynd i ryfel. [33]Nifer llwyth Effraim oedd pedwar deg o filoedd a phum cant.

34 O feibion Manasse, rhestrwyd fesul un, yn ôl cenedlaethau eu tylwythau a'u teuluoedd, enw pob gwryw ugain oed a throsodd ac yn abl i fynd i ryfel. [35]Nifer llwyth Manasse oedd tri deg dwy o filoedd a dau gant.

36 O feibion Benjamin, rhestrwyd fesul un, yn ôl cenedlaethau eu tylwythau a'u teuluoedd, enw pob gwryw ugain oed a throsodd ac yn abl i fynd i ryfel. [37]Nifer llwyth Benjamin oedd tri deg pump o filoedd a phedwar cant.

38 O feibion Dan, rhestrwyd fesul un, yn ôl cenedlaethau eu tylwythau a'u teuluoedd, enw pob gwryw ugain oed a throsodd ac yn abl i fynd i ryfel. [39]Nifer llwyth Dan oedd chwe deg dwy o filoedd a saith gant.

40 O feibion Aser, rhestrwyd fesul un, yn ôl cenedlaethau eu tylwythau a'u teuluoedd, enw pob gwryw ugain oed a throsodd ac yn abl i fynd i ryfel. [41]Nifer llwyth Aser oedd pedwar deg un o filoedd a phum cant.

42 O feibion Nafftali, rhestrwyd fesul un, yn ôl cenedlaethau eu tylwythau a'u teuluoedd, enw pob gwryw ugain oed a throsodd ac yn abl i fynd i ryfel. [43]Nifer llwyth Nafftali oedd pum deg tair o filoedd a phedwar cant.

44 Dyma'r rhai a gyfrifwyd gan Moses ac Aaron gyda chymorth arweinwyr Israel, deuddeg ohonynt, pob un yn cynrychioli tŷ ei dadau. [45]Gwnaed cyfrif o bobl Israel, yn ôl eu teuluoedd, gan gynnwys pawb oedd yn ugain oed a throsodd ac yn abl i fynd i ryfel; [46]y cyfanswm oedd chwe chant a thair o filoedd pum cant a phum deg.

47 Ond ni rifwyd y Lefiaid yn ôl llwythau eu tadau ymysg pobl Israel, [48]oherwydd yr oedd yr ARGLWYDD wedi dweud wrth Moses, [49]"Paid â chyfrif llwyth Lefi, na'u cynnwys mewn cyfrifiad o bobl Israel; [50]ond penoda'r Lefiaid i ofalu am babell y dystiolaeth, ei holl ddodrefn, a phopeth a berthyn iddi. Hwy sydd i gludo'r babell a'i holl ddodrefn, a hwy sydd i ofalu amdani a gwersyllu o'i hamgylch. [51]Pan fydd yn amser symud y babell, y Lefiaid fydd yn ei thynnu i lawr; a phan fydd yn amser i aros, y Lefiaid fydd yn ei chodi. Rhodder i farwolaeth unrhyw un arall a ddaw ar ei chyfyl. [52]Bydd pobl Israel yn gwersyllu yn ôl eu minteioedd, pob un yn ei wersyll ei hun a than ei faner ei hun. [53]Ond bydd y Lefiaid yn gwersyllu o amgylch pabell y dystiolaeth, rhag i ddigofaint ddod yn erbyn cynulliad pobl Israel; bydd pabell y dystiolaeth dan ofal y Lefiaid." [54]Gwnaeth pobl Israel y cyfan a orchmynnodd yr ARGLWYDD i Moses.

Trefnu'r Gwersylloedd

2 Dywedodd yr ARGLWYDD wrth Moses ac Aaron, [2]"Bydd pobl Israel yn gwersyllu o amgylch pabell y cyfarfod, ychydig oddi wrthi, pob un dan ei faner ei hun a than arwydd tŷ ei dad. [3]Ar ochr y dwyrain, tua chodiad haul, bydd minteioedd gwersyll Jwda yn gwersyllu o dan eu baner. [4]Nahson fab Amminadab fydd arweinydd pobl Jwda, a nifer ei lu yn saith deg pedair o filoedd a chwe chant. [5]Llwyth Issachar fydd yn gwersyllu yn nesaf ato. Nethanel fab Suar fydd arweinydd pobl Issachar, [6]a nifer ei lu yn bum deg pedair o filoedd a phedwar cant. [7]Yna llwyth Sabulon; Eliab fab Helon fydd arweinydd pobl Sabulon, [8]a nifer ei lu yn bum deg saith o filoedd a phedwar cant. [9]Cyfanswm gwersyll Jwda, yn ôl eu minteioedd, fydd cant wyth deg chwech o filoedd a phedwar cant. Hwy fydd y rhai cyntaf i gychwyn ar y daith.

10 "Ar ochr y de bydd minteioedd gwersyll Reuben o dan eu baner. Elisur fab Sedeur fydd arweinydd pobl Reuben, [11]a nifer ei lu yn bedwar deg chwech o

filoedd a phum cant. ¹²Llwyth Simeon fydd yn gwersyllu yn nesaf ato. Selumiel fab Suresadai fydd arweinydd pobl Simeon, ¹³a nifer ei lu yn bum deg naw o filoedd a thri chant. ¹⁴Yna llwyth Gad; Eliasaff fab Reuel fydd arweinydd pobl Gad, ¹⁵a nifer ei lu yn bedwar deg pump o filoedd, chwe chant a phum deg. ¹⁶Cyfanswm gwersyll Reuben, yn ôl eu minteioedd, fydd cant pum deg un o filoedd pedwar cant a phum deg. Hwy fydd yr ail i gychwyn allan.

17 "Yna bydd pabell y cyfarfod a gwersyll y Lefiaid yn cychwyn allan yng nghanol y gwersylloedd eraill. Byddant yn ymdeithio yn y drefn y byddant yn gwersyllu, pob un yn ei le a than ei faner ei hun.

18 "Ar ochr y gorllewin bydd minteioedd gwersyll Effraim o dan eu baner. Elisama fab Ammihud fydd arweinydd pobl Effraim, ¹⁹a nifer ei lu yn bedwar deg o filoedd a phum cant. ²⁰Yn nesaf ato bydd llwyth Manasse. Gamaliel fab Pedasur fydd arweinydd pobl Manasse, ²¹a nifer ei lu yn dri deg dwy o filoedd a dau gant. ²²Yna llwyth Benjamin; Abidan fab Gideoni fydd arweinydd pobl Benjamin, ²³a nifer ei lu yn dri deg pump o filoedd a phedwar cant. ²⁴Cyfanswm gwersyll Effraim, yn ôl eu minteioedd, fydd cant ac wyth o filoedd a chant. Hwy fydd y trydydd i gychwyn allan.

25 "Ar ochr y gogledd bydd minteioedd gwersyll Dan o dan eu baner. Ahieser fab Ammisadai fydd arweinydd pobl Dan, ²⁶a nifer ei lu yn chwe deg dwy o filoedd a saith gant. ²⁷Llwyth Aser fydd yn gwersyllu yn nesaf ato. Pagiel fab Ocran fydd arweinydd pobl Aser, ²⁸a nifer ei lu yn bedwar deg un o filoedd a phum cant. ²⁹Yna llwyth Nafftali; Ahira fab Enan fydd arweinydd pobl Nafftali, ³⁰a nifer ei lu yn bum deg tair o filoedd a phedwar cant. ³¹Cyfanswm gwersyll Dan fydd cant pum deg saith o filoedd a chwe chant. Hwy fydd yr olaf i gychwyn allan, pob un dan ei faner ei hun."

32 Dyma bobl Israel a gyfrifwyd yn ôl eu teuluoedd. Cyfanswm y rhai a rifwyd yn eu gwersylloedd ac yn ôl eu minteioedd oedd chwe chant a thair o filoedd pum cant a phum deg. ³³Ond, fel yr oedd yr ARGLWYDD wedi gorchymyn i Moses, ni rifwyd y Lefiaid ymysg pobl Israel. ³⁴Gwnaeth pobl Israel y cyfan a orchmynnodd yr ARGLWYDD i Moses, gan

wersyllu dan eu baneri a chychwyn allan, fesul tylwyth, yn ôl eu teuluoedd.

Meibion Aaron

3 Dyma ddisgynyddion Aaron a Moses yr adeg y llefarodd yr ARGLWYDD wrth Moses ar Fynydd Sinai. ²Enwau meibion Aaron oedd: Nadab y cyntafanedig, Abihu, Eleasar ac Ithamar. ³Dyma oedd enwau meibion Aaron a enciniwyd ac a gysegrwyd i wasanaethu fel offeiriaid. ⁴Bu farw Nadab ac Abihu wedi iddynt offrymu ar dân halogedig o flaen yr ARGLWYDD yn anialwch Sinai. Nid oedd gan y naill na'r llall ohonynt feibion; felly Eleasar ac Ithamar a fu'n gwasanaethu fel offeiriaid yng ngŵydd eu tad Aaron.

Y Lefiaid i Wasanaethu'r Offeiriaid

5 Dywedodd yr ARGLWYDD wrth Moses, ⁶"Tyrd â llwyth Lefi yma, a'u penodi i wasanaethu Aaron yr offeiriad. ⁷Byddant yn gweini arno ef a'r holl gynulliad o flaen pabell y cyfarfod, ac yn gwasanaethu yn y tabernacl. ⁸Hwy fydd yn gofalu am ddodrefn pabell y cyfarfod ac yn gweini ar bobl Israel trwy wasanaethu yn y tabernacl. ⁹Yr wyt i roi'r Lefiaid i Aaron a'i feibion; hwy yn unig o blith pobl Israel a gyflwynir yn arbennig iddo ef. ¹⁰Yr wyt i urddo Aaron a'i feibion i wasanaethu fel offeiriaid; ond rhodder i farwolaeth bwy bynnag arall a ddaw'n agos."

11 Dywedodd yr ARGLWYDD wrth Moses, ¹²"Edrych, yr wyf wedi neilltuo'r Lefiaid o blith pobl Israel yn lle pob cyntafanedig a ddaw allan o'r groth; bydd y Lefiaid yn eiddo i mi, ¹³oherwydd eiddof fi yw pob cyntafanedig. Ar y dydd y trewais bob cyntafanedig yng ngwlad yr Aifft, cysegrais i mi fy hun bob cyntafanedig yn Israel, yn ddyn ac anifail; eiddof fi ydynt. Myfi yw'r ARGLWYDD."

Cyfrifiad Meibion Lefi

14 Dywedodd yr ARGLWYDD wrth Moses yn anialwch Sinai, ¹⁵"Yr wyt i gyfrif meibion Lefi yn ôl eu teuluoedd a'u tylwythau; gwna gyfrif o bob gwryw mis oed a throsodd." ¹⁶Felly cyfrifodd Moses hwy yn union fel yr oedd yr ARGLWYDD wedi gorchymyn iddo. ¹⁷Enwau meibion Lefi oedd: Gerson, Cohath a Merari. ¹⁸Dyma enwau meibion Gerson yn ôl eu tylwythau: Libni a Simei. ¹⁹Meibion

Cohath yn ôl eu tylwythau: Amram, Ishar, Hebron ac Ussiel. ²⁰Meibion Merari yn ôl eu tylwythau: Mahli a Musi. Dyma dylwythau'r Lefiaid, yn ôl eu teuluoedd.

21 O Gerson y daeth tylwyth y Libniaid a thylwyth y Simiaid; dyma dylwythau'r Gersoniaid. ²²Ar ôl rhifo pob gwryw mis oed a throsodd, eu cyfanswm oedd saith mil a phum cant. ²³Yr oedd teuluoedd y Gersoniaid i wersyllu i'r gorllewin, y tu ôl i'r tabernacl. ²⁴Eliasaff fab Lael oedd penteulu'r Gersoniaid. ²⁵Ym mhabell y cyfarfod, yr oedd meibion Gerson yn gofalu am y tabernacl a'i babell, y llenni, y gorchudd dros ddrws pabell y cyfarfod, ²⁶llenni'r cyntedd, y gorchudd dros ddrws y cyntedd sydd o amgylch y tabernacl, yr allor a'r rhaffau, a phopeth ynglŷn â'u gwasanaeth.

27 O Cohath y daeth tylwythau'r Amramiaid, yr Ishariaid, yr Hebroniaid a'r Ussieliaid; dyma dylwythau'r Cohathiaid. ²⁸Ar ôl rhifo pob gwryw mis oed a throsodd, eu cyfanswm oedd wyth mil a chwe chant, a hwy oedd yn gofalu am wasanaeth y cysegr. ²⁹Yr oedd tylwythau'r Cohathiaid i wersyllu i'r de o'r tabernacl. ³⁰Elisaffan fab Ussiel oedd penteulu'r Cohathiaid. ³¹Yr oeddent hwy i ofalu am yr arch, y bwrdd, y canhwyllbren, yr allorau, y llestri a ddefnyddid yn y cysegr, y gorchudd, a phopeth ynglŷn â'u gwasanaeth. ³²Prif arweinydd y Lefiaid oedd Eleasar fab Aaron yr offeiriad, ac ef oedd yn goruchwylio'r rhai oedd yn gofalu am y cysegr.

33 O Merari y daeth tylwythau'r Mahliaid a'r Musiaid; dyma dylwythau Merari. ³⁴Ar ôl cyfrif pob gwryw mis oed a throsodd, eu cyfanswm oedd chwe mil a dau gant. ³⁵Suriel fab Abihael oedd penteulu Merari; yr oeddent i wersyllu i'r gogledd o'r tabernacl. ³⁶Y Merariaid oedd i ofalu am fframiau'r tabernacl, y barrau, y colofnau, y traed, yr offer i gyd, a phopeth ynglŷn â'u gwasanaeth; ³⁷hefyd am golofnau'r cyntedd o amgylch, ynghyd â'r traed, yr hoelion a'r rhaffau.

38 Yr oedd Moses ac Aaron a'i feibion i wersyllu i'r dwyrain o'r tabernacl, tua chodiad haul, sef o flaen pabell y cyfarfod. Hwy oedd i ofalu am wasanaeth y cysegr a gweini ar bobl Israel; ond yr oedd pwy bynnag arall a ddôi'n agos i'w roi i farwolaeth. ³⁹Cyfanswm y Lefiaid a gyfrifodd Moses ac Aaron yn ôl eu tylwythau ar orchymyn yr ARGLWYDD, gan gynnwys pob gwryw mis oed a throsodd, oedd dwy fil ar hugain.

Neilltuo'r Lefiaid yn lle'r Cyntafanedig

40 Dywedodd yr ARGLWYDD wrth Moses, "Yr wyt i gyfrif pob gwryw cyntafanedig o blith pobl Israel sy'n fis oed a throsodd, a'u rhestru yn ôl eu henwau. ⁴¹Yna, neilltua'r Lefiaid i mi yn lle pob cyntafanedig o blith pobl Israel, ac anifeiliaid y Lefiaid yn lle'r cyntafanedig o'u hanifeiliaid hwy; myfi yw'r ARGLWYDD." ⁴²Felly cyfrifodd Moses bob cyntafanedig o blith pobl Israel, fel yr oedd yr ARGLWYDD wedi gorchymyn iddo. ⁴³Ar ôl cyfrif pob gwryw cyntafanedig mis oed a throsodd, a'u rhestru wrth eu henwau, yr oedd eu cyfanswm yn ddwy fil ar hugain dau gant saith deg a thri.

44 Dywedodd yr ARGLWYDD wrth Moses, ⁴⁵"Neilltua'r Lefiaid yn lle pob cyntafanedig o blith yr Israeliaid, ac anifeiliaid y Lefiaid yn lle eu hanifeiliaid hwy. Bydd y Lefiaid yn eiddo i mi; myfi yw'r ARGLWYDD. ⁴⁶Yn iawn am y plant cyntafanedig sy'n eiddo i bobl Israel, sef y dau gant saith deg a thri sy'n rhagor nag eiddo'r Lefiaid, ⁴⁷cymer am bob un ohonynt bum sicl, yn ôl sicl y cysegr sy'n pwyso ugain gera; ⁴⁸yna rho'r arian sy'n iawn drostynt i Aaron a'i feibion." ⁴⁹Felly cymerodd Moses yr arian oedd yn iawn dros y rhai oedd yn ychwanegol at y nifer a brynwyd trwy'r Lefiaid, ⁵⁰ac am blant cyntafanedig Israel cafodd fil tri chant chwe deg a phump o siclau, yn ôl sicl y cysegr. ⁵¹Yna rhoddodd Moses i Aaron a'i feibion yr arian a gymerodd yn iawn, yn union fel yr oedd yr ARGLWYDD wedi gorchymyn iddo.

Dyletswyddau Meibion Cohath

4 Dywedodd yr ARGLWYDD wrth Moses ac Aaron, ²"Gwna gyfrifiad o'r rhai ymhlith y Lefiaid sy'n feibion Cohath, yn ôl eu tylwythau a'u teuluoedd, ³a chynnwys bawb rhwng deg ar hugain a hanner cant oed sy'n medru mynd i mewn i weithio ym mhabell y cyfarfod. ⁴Dyma fydd gwaith meibion Cohath ym mhabell y cyfarfod: gofalu am y pethau mwyaf cysegredig. ⁵Pan fydd yn amser symud y gwersyll, bydd Aaron a'i feibion yn mynd i mewn a thynnu'r gorchudd, a'i daenu dros arch y dyst-

iolaeth; [6]yna byddant yn rhoi gorchudd o grwyn geifr drosti, a thros hwnnw liain o sidan sy'n las drwyddo, a gosod y polion yn eu lle. [7]Yna y maent i gymryd lliain arall o sidan glas, a'i daenu dros fwrdd y bara gosod, a rhoi ar y bwrdd y platiau a'r dysglau, y ffiolau a'r costrelau i dywallt y diodoffrwm; bydd y bara yn aros bob amser ar y bwrdd. [8]Y maent i roi drostynt liain o ysgarlad, a thros hwnnw orchudd o grwyn geifr, ac yna gosod y polion yn eu lle. [9]Byddant hefyd yn cymryd lliain glas a gorchuddio'r canhwyllbren sy'n goleuo, ei lampau, ei efeiliau a'i gafnau, a'r holl lestri sy'n dal yr olew ar ei gyfer. [10]Yna rhoddant y canhwyllbren gyda'i holl lestri mewn gorchudd o grwyn geifr a'i osod ar y trosolion. [11]Wedyn byddant yn rhoi lliain glas dros yr allor aur, a thros hwnnw orchudd o grwyn geifr, ac yna gosod y polion yn eu lle. [12]Cymerant yr holl lestri a ddefnyddir yng ngwasanaeth y cysegr, a'u rhoi mewn lliain glas, a rhoi hwnnw mewn gorchudd o grwyn geifr a'u gosod ar y trosolion. [13]Y maent i dynnu'r lludw oddi ar yr allor a'i gorchuddio â lliain porffor, [14]cyn gosod arni'r holl lestri a ddefnyddir yn y gwasanaeth, sef y pedyll tân, y ffyrch, y rhawiau, y cawgiau, a holl lestri'r allor; yna rhoddant orchudd o grwyn geifr drosti, a gosod y polion yn eu lle. [15]Wedi i Aaron a'i feibion orffen rhoi'r gorchudd dros y cysegr a'i holl ddodrefn, a'r gwersyll yn barod i gychwyn, daw meibion Cohath i'w cludo, ond ni fyddant yn cyffwrdd â'r pethau cysegredig, rhag iddynt farw. Meibion Cohath sydd i gludo'r pethau yn ymwneud â phabell y cyfarfod.

16 "Eleasar fab Aaron yr offeiriad fydd yn gofalu am yr olew ar gyfer y golau, yr arogldarth peraidd, y bwydoffrwm rheolaidd ac olew'r eneinio; ac ef fydd yn goruchwylio'r tabernacl cyfan a'i gynnwys, y cysegr a'i lestri."

17 Dywedodd yr ARGLWYDD wrth Moses ac Aaron, [18]"Peidiwch â gadael i lwyth teuluoedd y Cohathiaid gael eu torri ymaith o blith y Lefiaid. [19]Dyma a wnewch â hwy, os ydynt am fyw ac nid marw wrth ddynesu at y pethau mwyaf cysegredig: gadewch i Aaron a'i feibion fynd i mewn a rhoi i bob un ei waith a'i orchwyl; [20]ond nid yw'r Cohathiaid i edrych o gwbl ar y pethau cysegredig, rhag iddynt farw."

Dyletswyddau Meibion Gerson

21 Dywedodd yr ARGLWYDD wrth Moses, [22]"Gwna gyfrifiad hefyd o feibion Gerson, yn ôl eu tylwythau a'u teuluoedd; [23]yr wyt i gyfrif pawb rhwng deg ar hugain a hanner cant oed sy'n medru mynd i mewn i weithio ym mhabell y cyfarfod. [24]Dyma fydd dyletswydd a gorchwyl teuluoedd y Gersoniaid: [25]cludo llenni'r tabernacl, pabell y cyfarfod, ei len a'r gorchudd o grwyn geifr sydd drosto, y gorchudd sydd dros ddrws pabell y cyfarfod, [26]llenni'r cyntedd, y gorchudd dros ddrws porth y cyntedd sydd o amgylch y tabernacl a'r allor; hefyd eu rhaffau, yr holl offer ynglŷn â'u gwasanaeth, a'r holl waith sy'n gysylltiedig â hwy. [27]Bydd holl wasanaeth y Gersoniaid, boed yn gludo neu unrhyw orchwyl arall, dan awdurdod Aaron a'i feibion; eu cyfrifoldeb hwy fydd gofalu am yr holl gludo. [28]Dyma'r gwaith a wna teuluoedd y Gersoniaid ym mhabell y cyfarfod dan oruchwyliaeth Ithamar fab Aaron yr offeiriad.

Dyletswyddau Meibion Merari

29 "Yr wyt i gyfrif meibion Merari yn ôl eu tylwythau a'u teuluoedd, [30]yn cynnwys pawb rhwng deg ar hugain a hanner cant oed sy'n medru mynd i mewn i weithio ym mhabell y cyfarfod. [31]Dyma fydd eu gwasanaeth hwy ym mhabell y cyfarfod: gofalu am gludo fframiau'r tabernacl, ei farrau, ei golofnau a'i draed, [32]a cholofnau'r cyntedd o amgylch gyda'u traed, eu hoelion a'u rhaffau, a'r holl offer ynglŷn â'u gwasanaeth; yr ydych i nodi wrth eu henwau y pethau y maent i'w cludo. [33]Fe wna teuluoedd y Merariaid i cyfan ym mhabell y cyfarfod dan oruchwyliaeth Ithamar fab Aaron yr offeiriad."

Cyfrifiad y Lefiaid

34 Felly cyfrifodd Moses, Aaron ac arweinwyr y cynulliad feibion y Cohathiaid yn ôl eu tylwythau a'u teuluoedd. [35]Cyfanswm y rhai rhwng deg ar hugain a hanner cant oed oedd yn medru mynd i mewn i weithio ym mhabell y cyfarfod, [36]wedi eu cyfrif yn ôl eu tylwythau, oedd dwy fil saith gant a phum deg. [37]Dyma nifer yr holl rai o deuluoedd y Cohathiaid oedd yn gwasanaethu ym mhabell y cyfarfod, ac a gyfrifwyd gan Moses ac Aaron yn ôl gorchymyn yr ARGLWYDD i Moses.

38 Dyma nifer y Gersoniaid yn ôl eu

tylwythau a'u teuluoedd: ³⁹cyfanswm y rhai rhwng deg ar hugain a hanner cant oed oedd yn medru mynd i mewn i weithio ym mhabell y cyfarfod, ⁴⁰wedi eu cyfrif yn ôl eu tylwythau a'u teuluoedd, oedd dwy fil chwe chant a thri deg. ⁴¹Dyma nifer y rhai o deuluoedd y Gersoniaid oedd yn gwasanaethu ym mhabell y cyfarfod, ac a gyfrifwyd gan Moses ac Aaron yn ôl gorchymyn yr ARGLWYDD.

42 Dyma nifer teuluoedd y Merariaid yn ôl eu tylwythau a'u teuluoedd: ⁴³cyfanswm y rhai rhwng deg ar hugain a hanner cant oed oedd yn medru mynd i mewn i weithio ym mhabell y cyfarfod, ⁴⁴wedi eu cyfrif yn ôl eu tylwythau, oedd tair mil a dau gant. ⁴⁵Dyma nifer y rhai o dylwythau'r Merariaid a gyfrifwyd gan Moses ac Aaron yn ôl gorchymyn yr ARGLWYDD i Moses.

46 Felly cyfrifodd Moses, Aaron ac arweinwyr Israel yr holl Lefiaid yn ôl eu tylwythau a'u teuluoedd. ⁴⁷Cyfanswm y rhai rhwng deg ar hugain a hanner cant oed oedd yn medru mynd i mewn i wneud y gwaith a chludo'r pethau ym mhabell y cyfarfod ⁴⁸oedd wyth mil pum cant ac wyth deg. ⁴⁹Yn ôl gorchymyn yr AR-GLWYDD i Moses, gosodwyd i bob un ei waith a'i orchwyl, a chyfrifwyd hwy ganddo.

Gorchymyn ynglŷn â Phobl Aflan

5 Dywedodd yr ARGLWYDD wrth Moses, ²"Gorchymyn i bobl Israel anfon allan o'r gwersyll bob gwahanglwyfus, pob un ag arno waedlif, a phob un a halogwyd trwy gyffwrdd â chorff marw. ³Anfonwch bob un allan, boed ŵr neu wraig, rhag iddo halogi'r gwersyll yr wyf yn preswylio yn ei ganol." ⁴Gwnaeth pobl Israel hyn, a'u hanfon allan o'r gwersyll, fel yr oedd yr ARGLWYDD wedi dweud wrth Moses.

Gwneud Iawn am Droseddau

5 Dywedodd yr ARGLWYDD wrth Moses, ⁶"Dywed wrth bobl Israel, 'Os bydd gŵr neu wraig yn cyflawni unrhyw drosedd yn erbyn cyd-ddyn, ac yn anffyddlon i'r ARGLWYDD, yna y mae'r person hwnnw yn euog, ⁷a dylai gyffesu'r trosedd a gyflawnodd; rhaid iddo wneud iawn amdano trwy dalu'n ôl y cyfan, ac ychwanegu ato'r bumed ran, a'u rhoi i'r sawl y troseddodd yn ei erbyn. ⁸Os nad

oes gan hwnnw berthynas y gellir talu'n ôl iddo am y trosedd, taler ef i'r AR-GLWYDD, trwy'r offeiriad, gyda'r hwrdd a ddefnyddir i wneud cymod dros y troseddwr. ⁹Bydd pob offrwm, a'r holl bethau cysegredig y bydd pobl Israel yn eu cyflwyno i'r offeiriad, yn eiddo iddo; ¹⁰bydd y pethau cysegredig i gyd, a phopeth arall y bydd dyn yn ei gyflwyno i'r offeiriad, yn eiddo iddo.'"

Gwragedd a Ddrwgdybir gan eu Gwŷr

11 Dywedodd yr ARGLWYDD wrth Moses, ¹²"Dywed wrth bobl Israel, 'Os bydd gan ddyn wraig yn cyfeiliorni ac yn anffyddlon iddo ¹³trwy orwedd gyda dyn arall, a'i gŵr heb fod yn gwybod, a'i halogrwydd yn guddiedig am nad oedd tyst ac na chafodd ei dal, ¹⁴yna, os daw ysbryd o eiddigedd dros ei gŵr oherwydd ei wraig, boed hi wedi ei halogi ei hun neu beidio, ¹⁵deued â'i wraig at yr offeiriad, a chyflwyno offrwm drosti, sef degfed ran o effa o flawd haidd; nid yw i dywallt olew drosto na rhoi thus ynddo, oherwydd bwydoffrwm dros eiddigedd yw, a bwydoffrwm i goffáu camwedd.

16 "'Yna daw'r offeiriad â hi ymlaen a gwneud iddi sefyll gerbron yr AR-GLWYDD, ¹⁷a bydd yn cymryd dŵr cysegredig mewn llestr pridd, a chymysgu ag ef beth o'r llwch oddi ar lawr y tabernacl. ¹⁸Wedi iddo ddod â'r wraig gerbron yr ARGLWYDD, bydd yr offeiriad yn cymryd y gorchudd oddi ar ei phen, ac yn rhoi yn ei dwylo y bwydoffrwm coffa, sef y bwydoffrwm dros eiddigedd. Bydd yntau'n cario'r dŵr chwerw sy'n achosi melltith. ¹⁹Yna fe wna iddi dyngu llw, ac fe ddywed wrthi, "Os nad oes dyn wedi gorwedd gyda thi, ac os nad wyt wedi cyfeiliorni a'th halogi dy hun pan oeddit dan awdurdod dy ŵr, yna ni fydd y dŵr chwerw sy'n achosi melltith yn dy niweidio. ²⁰Ond os wyt wedi cyfeiliorni a'th halogi dy hun, a gadael i ddyn arall orwedd gyda thi tra oeddit dan awdurdod dy ŵr," ²¹(yna, wedi i'r offeiriad beri i'r wraig dyngu llw'r felltith, fe ddywed wrthi) "boed i'r ARGLWYDD dy wneud yn felltith ac yn llw ymhlith dy bobl trwy bydru dy forddwyd a chwyddo dy groth; ²²bydd y dŵr hwn sy'n achosi melltith yn mynd i mewn i'th ymysgaroedd, ac yn peri i'th groth chwyddo ac i'th forddwyd bydru." Yna bydd y wraig yn dweud, "Amen, Amen."

23 "'Yna bydd yr offeiriad yn ysgrifennu'r melltithion hyn mewn llyfr a'u golchi ymaith i'r dŵr chwerw; [24]bydd yn peri i'r wraig yfed y dŵr chwerw sy'n achosi melltith, a bydd y dŵr, o'i yfed, yn peri artaith chwerw iddi. [25]Yna bydd yr offeiriad yn cymryd y bwydoffrwm dros eiddigedd o ddwylo'r wraig, a'i chwifio gerbron yr ARGLWYDD cyn dod ag ef at yr allor. [26]Bydd yr offeiriad yn cymryd dyrnaid o'r bwydoffrwm fel offrwm coffa, ac yn ei losgi ar yr allor; yna fe wna i'r wraig yfed y dŵr. [27]Os bu i'r wraig ei halogi ei hun a bod yn anffyddlon i'w gŵr, bydd y dŵr, wedi iddi ei yfed, yn achosi melltith ac yn peri artaith chwerw iddi. Bydd ei chroth yn chwyddo a'i morddwyd yn pydru, a bydd y wraig yn felltith ymhlith ei phobl. [28]Ond os na fu i'r wraig ei halogi ei hun, ac os yw'n lân, yna bydd yn rhydd i esgor ar blant.

29 "'Dyma'r ddeddf mewn achosion o eiddigedd pan fo gwraig, a hithau dan awdurdod ei gŵr, yn cyfeiliorni ac yn ei halogi ei hun, [30]a phan fo ysbryd o eiddigedd yn dod dros y gŵr o achos ei wraig; y mae i wneud iddi sefyll gerbron yr ARGLWYDD, a bydd yr offeiriad yn ei thrin yn unol â'r holl ddeddf hon. [31]Bydd y gŵr yn ddieuog o gamwedd, ond bydd y wraig yn dwyn ei chamwedd arni hi ei hun.'"

Rheolau ynglŷn â'r Nasareaid

6 Dywedodd yr ARGLWYDD wrth Moses, [2]"Dywed wrth bobl Israel, 'Os bydd gŵr neu wraig yn gwneud adduned i ymgysegru i'r ARGLWYDD fel Nasaread, [3]y mae i gadw oddi wrth win a diod feddwol; nid yw i yfed ychwaith ddim a wnaed o rawnwin neu o ddiod feddwol, ac nid yw i fwyta'r grawnwin, boed yn ir neu'n sych. [4]Trwy gydol ei gyfnod fel Nasaread nid yw i fwyta dim a ddaw o'r winwydden, hyd yn oed yr egin neu'r grawn.

5 "'Trwy gydol cyfnod ei adduned i fod yn Nasaread, nid yw i eillio ei ben; bydd yn gadael i gudynnau ei wallt dyfu'n hir, a bydd yn sanctaidd nes iddo orffen ymgysegru i'r ARGLWYDD.

6 "'Trwy gydol dyddiau ei ymgysegriad i'r ARGLWYDD, nid yw i gyffwrdd â chorff marw. [7]Hyd yn oed os bydd farw ei dad neu ei fam, ei frawd neu ei chwaer, nid yw i'w halogi ei hun o'u plegid, oherwydd ef ei hun sy'n gyfrifol am ei ymgysegriad i Dduw. [8]Trwy gydol ei gyfnod fel Nasaread bydd yn sanctaidd i'r ARGLWYDD.

9 "'Os bydd dyn yn marw'n sydyn wrth ei ymyl, a phen y Nasaread yn cael ei halogi, yna y mae i eillio ei ben ar y dydd y glanheir ef, sef y seithfed dydd. [10]Ar yr wythfed dydd, y mae i ddod â dwy durtur neu ddau gyw colomen at yr offeiriad wrth ddrws pabell y cyfarfod, [11]a bydd yntau'n offrymu un yn aberth dros bechod a'r llall yn boethoffrwm i wneud cymod drosto, am iddo bechu trwy gyffwrdd â'r corff marw. Ar y dydd hwnnw hefyd bydd yn sancteiddio ei ben, [12]ac yn ymgysegru i'r ARGLWYDD ar gyfer ei ddyddiau fel Nasaread, a daw â hesbwrn yn aberth dros gamwedd; diddymir ei ddyddiau blaenorol fel Nasaread oherwydd iddo gael ei halogi.

13 "'Dyma'r ddeddf ar gyfer y Nasaread, pan ddaw cyfnod ei ymgysegriad i ben: dener ag ef at ddrws pabell y cyfarfod [14]lle bydd yn cyflwyno offrymau i'r ARGLWYDD, sef hesbwrn di-nam yn boethoffrwm, hesbin ddi-nam yn aberth dros bechod, a hwrdd di-nam yn heddoffrwm, [15]ynghyd â basgedaid o fara croyw, teisennau peilliaid wedi eu cymysgu ag olew, bisgedi heb furum wedi eu taenu ag olew, ynghyd â'r bwydoffrwm a'r diodoffrwm. [16]Bydd yr offeiriad yn dod â hwy gerbron yr ARGLWYDD ac yn offrymu ei aberth dros bechod a'i boethoffrwm; [17]bydd hefyd yn offrymu'r hwrdd yn heddoffrwm i'r ARGLWYDD ynghyd â'r basgedaid o fara croyw, y bwydoffrwm a'r diodoffrwm. [18]Bydd y Nasaread wrth ddrws pabell y cyfarfod yn eillio ei ben, yr hwn yr oedd wedi ei gysegru, a bydd yn cymryd y gwallt ac yn ei roi yn y tân a fydd dan aberth yr heddoffrwm. [19]Wedi i'r Nasaread eillio ei ben, yr hwn yr oedd wedi ei gysegru, bydd yr offeiriad yn cymryd ysgwydd yr hwrdd ar ôl ei ferwi, a theisen a bisged heb furum o'r fasged, a'u rhoi yn nwylo'r Nasaread, [20]a bydd yr offeiriad yn eu chwifio'n offrwm cyhwfan gerbron yr ARGLWYDD; bydd y rhain, ynghyd â'r frest a chwifir a'r glun a offrymir, yn gyfran sanctaidd ar gyfer yr offeiriad. Yna caiff y Nasaread yfed gwin.

21 "'Dyma'r ddeddf ar gyfer y Nasaread sy'n gwneud adduned: bydd ei offrwm i'r ARGLWYDD yn unol â'i adduned, ac y mae i ychwanegu ato beth

bynnag arall y gall ei fforddio. Y mae i weithredu yn ôl yr adduned a wnaeth ac yn ôl deddf ei ymgysegriad fel Nasaread.' "

Y Fendith Offeiriadol

22 Dywedodd yr ARGLWYDD wrth Moses, ²³"Dywed wrth Aaron a'i feibion, 'Yr ydych i fendithio pobl Israel a dweud wrthynt: ²⁴"Bydded i'r ARGLWYDD dy fendithio a'th gadw; ²⁵bydded i'r ARGLWYDD lewyrchu ei wyneb arnat, a bod yn drugarog wrthyt; ²⁶bydded i'r ARGLWYDD edrych arnat, a rhoi iti heddwch." ' ²⁷Felly gosodant fy enw ar bobl Israel, a byddaf finnau'n eu bendithio."

Offrymau'r Arweinwyr

7 Ar y dydd y gorffennodd Moses godi'r tabernacl, fe'i heneiniodd a'i gysegru ynghyd â'i holl ddodrefn, yr allor a'i holl lestri. ²Yna daeth arweinwyr Israel, sef y pennau-teuluoedd ac arweinwyr y llwythau oedd yn goruchwylio'r rhai a gyfrifwyd, ³a chyflwyno'u hoffrwm gerbron yr ARGLWYDD; yr oedd ganddynt chwech o gerbydau a gorchudd drostynt, a deuddeg o ychen, un cerbyd ar gyfer pob dau arweinydd, ac ych ar gyfer pob un. Wedi iddynt ddod â'u hoffrymau o flaen y tabernacl, ⁴dywedodd yr ARGLWYDD wrth Moses, ⁵"Cymer y rhain ganddynt i'w defnyddio yng ngwasanaeth pabell y cyfarfod, a rho hwy i'r Lefiaid, i bob un yn ôl gofynion ei waith." ⁶Felly cymerodd Moses y cerbydau a'r ychen, a'u rhoi i'r Lefiaid. ⁷Rhoddodd ddau gerbyd a phedwar ych i feibion Gerson, yn ôl gofynion eu gwaith, ⁸a phedwar cerbyd ac wyth ych i feibion Merari, yn ôl gofynion eu gwaith; yr oeddent hwy dan awdurdod Ithamar fab Aaron yr offeiriad. ⁹Ond ni roddodd yr un i feibion Cohath, oherwydd ar eu hysgwyddau yr oeddent hwy i gludo'r pethau cysegredig oedd dan eu gofal. ¹⁰Ar y dydd yr eneiniwyd yr allor, daeth yr arweinwyr â'r aberthau a'u hoffrymu o flaen yr allor i'w chysegru. ¹¹Dywedodd yr ARGLWYDD wrth Moses, "Bydd un arweinydd bob dydd yn cyflwyno'i offrymau i gysegru'r allor."

12 Yr arweinydd a gyflwynodd ei offrwm ar y dydd cyntaf oedd Nahson fab Amminadab o lwyth Jwda. ¹³Ei offrwm ef oedd: plât arian yn pwyso cant tri deg o siclau, a chawg arian yn pwyso saith deg o siclau, yn ôl sicl y cysegr, a'r ddau yn llawn o beilliaid wedi ei gymysgu ag olew ar gyfer y bwydoffrwm; ¹⁴dysgl aur yn pwyso deg sicl ac yn llawn o arogldarth; ¹⁵bustach ifanc, hwrdd a hesbwrn ar gyfer y poethoffrwm; ¹⁶bwch gafr ar gyfer yr aberth dros bechod; ¹⁷dau ych, pum hwrdd, pum bwch a phum hesbwrn ar gyfer aberth yr heddoffrwm. Dyma oedd offrwm Nahson fab Amminadab.

18 Ar yr ail ddydd, offrymodd Nethanel fab Suar, arweinydd Issachar, ei offrwm yntau: ¹⁹plât arian yn pwyso cant tri deg o siclau, a chawg arian yn pwyso saith deg o siclau, yn ôl sicl y cysegr, a'r ddau yn llawn o beilliaid wedi ei gymysgu ag olew ar gyfer y bwydoffrwm; ²⁰dysgl aur yn pwyso deg sicl ac yn llawn o arogldarth; ²¹bustach ifanc, hwrdd a hesbwrn ar gyfer y poethoffrwm; ²²bwch gafr ar gyfer yr aberth dros bechod; ²³dau ych, pum hwrdd, pum bwch a phum hesbwrn ar gyfer aberth yr heddoffrwm. Dyma oedd offrwm Nethanel fab Suar.

24 Ar y trydydd dydd, offrymodd Eliab fab Helon, arweinydd pobl Sabulon, ei offrwm yntau: ²⁵plât arian yn pwyso cant tri deg o siclau, a chawg arian yn pwyso saith deg o siclau, yn ôl sicl y cysegr, a'r ddau yn llawn o beilliaid wedi ei gymysgu ag olew ar gyfer y bwydoffrwm; ²⁶dysgl aur yn pwyso deg sicl ac yn llawn o arogldarth; ²⁷bustach ifanc, hwrdd a hesbwrn ar gyfer y poethoffrwm; ²⁸bwch gafr ar gyfer yr aberth dros bechod; ²⁹dau ych, pum hwrdd, pum bwch a phum hesbwrn ar gyfer aberth yr heddoffrwm. Dyma oedd offrwm Eliab fab Helon.

30 Ar y pedwerydd dydd, offrymodd Elisur fab Sedeur, arweinydd pobl Reuben, ei offrwm yntau: ³¹plât arian yn pwyso cant tri deg o siclau, a chawg arian yn pwyso saith deg o siclau, yn ôl sicl y cysegr, a'r ddau yn llawn o beilliaid wedi ei gymysgu ag olew ar gyfer y bwydoffrwm; ³²dysgl aur yn pwyso deg sicl ac yn llawn o arogldarth; ³³bustach ifanc, hwrdd a hesbwrn ar gyfer y poethoffrwm; ³⁴bwch gafr ar gyfer yr aberth dros bechod; ³⁵dau ych, pum hwrdd, pum bwch a phum hesbwrn ar gyfer aberth yr heddoffrwm. Dyma oedd offrwm Elisur fab Sedeur.

36 Ar y pumed dydd, offrymodd Selumiel fab Surisadai, arweinydd pobl Simeon, ei offrwm yntau: [37]plât arian yn pwyso cant tri deg o siclau, a chawg arian yn pwyso saith deg o siclau, yn ôl sicl y cysegr, a'r ddau yn llawn o beilliaid wedi ei gymysgu ag olew ar gyfer y bwyd-offrwm; [38]dysgl aur yn pwyso deg sicl ac yn llawn o arogldarth; [39]bustach ifanc, hwrdd a hesbwrn ar gyfer y poethoffrwm; [40]bwch gafr ar gyfer yr aberth dros bechod; [41]dau ych, pum hwrdd, pum bwch a phum hesbwrn ar gyfer aberth yr heddoffrwm. Dyma oedd offrwm Selumiel fab Surisadai.

42 Ar y chweched dydd, offrymodd Eliasaff fab Reuel[b], arweinydd pobl Gad, ei offrwm yntau: [43]plât arian yn pwyso cant tri deg o siclau, a chawg arian yn pwyso saith deg o siclau, yn ôl sicl y cysegr, a'r ddau yn llawn o beilliaid wedi ei gymysgu ag olew ar gyfer y bwyd-offrwm; [44]dysgl aur yn pwyso deg sicl ac yn llawn o arogldarth; [45]bustach ifanc, hwrdd a hesbwrn ar gyfer y poethoffrwm; [46]bwch gafr ar gyfer yr aberth dros bechod; [47]dau ych, pum hwrdd, pum bwch a phum hesbwrn ar gyfer aberth yr heddoffrwm. Dyma oedd offrwm Eliasaff fab Reuel[c].

48 Ar y seithfed dydd, offrymodd Elisama fab Ammihud, arweinydd pobl Effraim, ei offrwm yntau: [49]plât arian yn pwyso cant tri deg o siclau, a chawg arian yn pwyso saith deg o siclau, yn ôl sicl y cysegr, a'r ddau yn llawn o beilliaid wedi ei gymysgu ag olew ar gyfer y bwyd-offrwm; [50]dysgl aur yn pwyso deg sicl ac yn llawn o arogldarth; [51]bustach ifanc, hwrdd a hesbwrn ar gyfer y poethoffrwm; [52]bwch gafr ar gyfer yr aberth dros bechod; [53]dau ych, pum hwrdd, pum bwch a phum hesbwrn ar gyfer aberth yr heddoffrwm. Dyma oedd offrwm Elisama fab Ammihud.

54 Ar yr wythfed dydd, offrymodd Gamaliel fab Pedasur, arweinydd pobl Manasse, ei offrwm yntau: [55]plât arian yn pwyso cant tri deg o siclau, a chawg arian yn pwyso saith deg o siclau, yn ôl sicl y cysegr, a'r ddau yn llawn o beilliaid wedi ei gymysgu ag olew ar gyfer y bwyd-offrwm; [56]dysgl aur yn pwyso deg sicl ac yn llawn o arogldarth; [57]bustach ifanc, hwrdd a hesbwrn ar gyfer y poethoffrwm;

[58]bwch gafr ar gyfer yr aberth dros bechod; [59]dau ych, pum hwrdd, pum bwch a phum hesbwrn ar gyfer aberth yr heddoffrwm. Dyma oedd offrwm Gamaliel fab Pedasur.

60 Ar y nawfed dydd, offrymodd Abidan fab Gideoni, arweinydd pobl Benjamin, ei offrwm yntau: [61]plât arian yn pwyso cant tri deg o siclau, a chawg arian yn pwyso saith deg o siclau, yn ôl sicl y cysegr, a'r ddau yn llawn o beilliaid wedi ei gymysgu ag olew ar gyfer y bwyd-offrwm; [62]dysgl aur yn pwyso deg sicl ac yn llawn o arogldarth; [63]bustach ifanc, hwrdd a hesbwrn ar gyfer y poeth-offrwm; [64]bwch gafr ar gyfer yr aberth dros bechod; [65]dau ych, pum hwrdd, pum bwch a phum hesbwrn ar gyfer aberth yr heddoffrwm. Dyma oedd offrwm Abidan fab Gideoni.

66 Ar y degfed dydd, offrymodd Ahieser fab Ammisadai, arweinydd pobl Dan, ei offrwm yntau: [67]plât arian yn pwyso cant tri deg o siclau, a chawg arian yn pwyso saith deg o siclau, yn ôl sicl y cysegr, a'r ddau yn llawn o beilliaid wedi ei gymysgu ag olew ar gyfer y bwyd-offrwm; [68]dysgl aur yn pwyso deg sicl ac yn llawn o arogldarth; [69]bustach ifanc, hwrdd a hesbwrn ar gyfer y poethoffrwm; [70]bwch gafr ar gyfer yr aberth dros bechod; [71]dau ych, pum hwrdd, pum bwch a phum hesbwrn ar gyfer aberth yr heddoffrwm. Dyma oedd offrwm Ahieser fab Ammisadai.

72 Ar yr unfed dydd ar ddeg, offrymodd Pagiel fab Ocran, arweinydd pobl Aser, ei offrwm yntau: [73]plât arian yn pwyso cant tri deg o siclau, a chawg arian yn pwyso saith deg o siclau, yn ôl sicl y cysegr, a'r ddau yn llawn o beilliaid wedi ei gymysgu ag olew ar gyfer y bwyd-offrwm; [74]dysgl aur yn pwyso deg sicl ac yn llawn o arogldarth; [75]bustach ifanc, hwrdd a hesbwrn ar gyfer y poethoffrwm; [76]bwch gafr ar gyfer yr aberth dros bechod; [77]dau ych, pum hwrdd, pum bwch a phum hesbwrn ar gyfer aberth yr heddoffrwm. Dyma oedd offrwm Pagiel fab Ocran.

78 Ar y deuddegfed dydd, offrymodd Ahira fab Enan, arweinydd pobl Nafftali, ei offrwm yntau: [79]plât arian yn pwyso cant tri deg o siclau, a chawg arian yn pwyso saith deg o siclau, yn ôl sicl y

[b]Tebygol. Cymh. 1:14. Hebraeg, *Deuel*.   [c]Tebygol. Cymh. 1:14. Hebraeg, *Deuel*.

cysegr, a'r ddau yn llawn o beilliaid wedi ei gymysgu ag olew ar gyfer y bwydoffrwm; 80dysgl aur yn pwyso deg sicl ac yn llawn o arogldarth; 81bustach ifanc, hwrdd a hesbwrn ar gyfer y poethoffrwm; 82bwch gafr ar gyfer yr aberth dros bechod; 83dau ych, pum hwrdd, pum bwch a phum hesbwrn ar gyfer aberth yr heddoffrwm. Dyma oedd offrwm Ahira fab Enan.

84 Dyma oedd yr offrwm gan arweinwyr Israel ar gyfer cysegru'r allor ar y dydd yr eneiniwyd hi: deuddeg plât arian, deuddeg cawg arian a deuddeg dysgl aur, 85a phob plât arian yn pwyso cant tri deg o siclau, pob cawg arian yn pwyso saith deg o siclau, a'r holl lestri arian yn pwyso dwy fil pedwar cant o siclau, yn ôl sicl y cysegr; 86hefyd, deuddeg dysgl aur yn llawn o arogldarth, pob un yn pwyso deg sicl, yn ôl sicl y cysegr, a'r holl ddysglau aur yn pwyso cant ac ugain o siclau; 87hefyd, gwartheg ar gyfer y poethoffrwm, yn gyfanswm o ddeuddeg bustach, deuddeg hwrdd, deuddeg hesbwrn gyda'r bwydoffrwm; yr oedd deuddeg bwch gafr ar gyfer yr aberth dros bechod; 88gwartheg ar gyfer aberth yr heddoffrwm, yn gyfanswm o bedwar ar hugain o fustych, trigain hwrdd, trigain bwch, a thrigain hesbwrn. Dyma oedd yr offrwm ar gyfer cysegru'r allor, wedi ei heneinio.

89 Pan aeth Moses i mewn i babell y cyfarfod i lefaru wrth yr ARGLWYDD, clywodd lais yn galw arno o'r drugareddfa oedd ar arch y dystiolaeth rhwng y ddau gerwb; ac yr oedd y llais yn siarad ag ef.

Gosod y Lampau

8 Dywedodd yr ARGLWYDD wrth Moses, 2"Dywed wrth Aaron, 'Pan fyddwch yn gosod y lampau yn eu lle, bydd y saith ohonynt yn goleuo o'r tu blaen i'r canhwyllbren.'" 3Gwnaeth Aaron hyn, a gosododd y lampau i oleuo o'r tu blaen i'r canhwyllbren, fel yr oedd yr ARGLWYDD wedi gorchymyn i Moses. 4Yr oedd y canhwyllbren wedi ei wneud o aur gyr, o'i draed at ei flodau. Gwnaeth y canhwyllbren yn ôl y patrwm a ddangosodd yr ARGLWYDD i Moses.

Neilltuo'r Lefiaid i'r Arglwydd

5 Dywedodd yr ARGLWYDD wrth Moses, 6"Cymer y Lefiaid o blith pobl Israel, a glanha hwy. 7Dyma a wnei

iddynt i'w glanhau: tywallt arnynt ddŵr puredigaeth, a gwna iddynt eillio pob rhan o'u corff, a golchi eu dillad a bod yn lân. 8Yna gwna iddynt gymryd bustach ifanc gyda bwydoffrwm o beilliaid wedi ei gymysgu ag olew, a chymer dithau fustach ifanc arall yn aberth dros bechod. 9Tyrd â'r Lefiaid o flaen pabell y cyfarfod, a chasgla ynghyd holl gynulliad pobl Israel. 10Wrth iti ddod â'r Lefiaid gerbron yr ARGLWYDD, bydd pobl Israel yn gosod eu dwylo arnynt, 11a bydd Aaron yn cyflwyno'r Lefiaid gerbron yr ARGLWYDD yn offrwm cyhwfan oddi wrth bobl Israel, er mwyn iddynt wasanaethu'r ARGLWYDD. 12Yna bydd y Lefiaid yn gosod eu dwylo ar ben y bustych, a byddi dithau'n offrymu un bustach yn aberth dros bechod, a'r llall yn boethoffrwm i'r ARGLWYDD, i wneud cymod dros y Lefiaid. 13Gwna i'r Lefiaid wasanaethu Aaron a'i feibion, a chyflwyna hwy yn offrwm cyhwfan i'r ARGLWYDD. 14Fel hyn y byddi'n neilltuo'r Lefiaid o blith pobl Israel i fod yn eiddo i mi.

15 "Wedyn, bydd y Lefiaid yn mynd i wasanaethu ym mhabell y cyfarfod, a byddi dithau'n eu glanhau a'u cyflwyno'n offrwm cyhwfan. 16Cyflwynwyd hwy imi'n rhodd arbennig o blith pobl Israel, ac fe'u cymerais i mi fy hun yn gyfnewid am y cyntaf i ddod allan o'r groth, y rhai cyntafanedig o'r holl Israeliaid. 17Y mae pob cyntafanedig o blith yr Israeliaid, yn ddyn ac anifail, yn eiddo i mi; cysegrais hwy i mi fy hun ar y dydd y trewais bob cyntafanedig yng ngwlad yr Aifft, 18a chymerais y Lefiaid yn gyfnewid am bob cyntafanedig o blith pobl Israel. 19Rhoddais y Lefiaid yn rhodd i Aaron a'i feibion o blith pobl Israel, i wasanaethu'r Israeliaid ym mhabell y cyfarfod, ac i wneud cymod drostynt, rhag i bla ddod ar bobl Israel wrth iddynt ddod yn agos at y cysegr."

20 Gwnaeth Moses, Aaron, a holl gynulliad pobl Israel y cyfan a orchmynnodd yr ARGLWYDD i Moses ynglŷn â'r Lefiaid. 21Purodd y Lefiaid eu hunain o'u pechod, a golchi eu dillad, a chyflwynodd Aaron hwy yn offrwm cyhwfan gerbron yr ARGLWYDD, a gwnaeth gymod drostynt i'w glanhau. 22Wedyn, aeth y Lefiaid i wasanaethu ym mhabell y cyfarfod, a gweini ar Aaron a'i feibion. Gwnaethpwyd i'r Lefiaid fel yr oedd yr ARGLWYDD wedi gorchymyn i Moses.

23 Dywedodd yr ARGLWYDD wrth Moses, [24]"Dyma'r drefn ynglŷn â'r Lefiaid: bydd y rhai sy'n bum mlwydd ar hugain a throsodd yn mynd i mewn i wneud y gwaith ym mhabell y cyfarfod; [25]ond yn hanner cant oed byddant yn gorffen gweithio ac yn peidio â'u gwasanaeth. [26]Cânt gynorthwyo'u brodyr i ofalu am babell y cyfarfod, ond y mae cyfnod eu gwasanaeth ar ben. Dyma a wnei ynglŷn â gorchwylion y Lefiaid."

Yr Ail Basg

9 Yn y mis cyntaf o'r ail flwyddyn wedi iddynt ddod allan o wlad yr Aifft, llefarodd yr ARGLWYDD wrth Moses yn anialwch Sinai, a dweud, [2]"Bydded i bobl Israel gadw'r Pasg ar yr adeg benodedig. [3]Cadwch ef yn y cyfnos ar y pedwerydd dydd ar ddeg o'r mis hwn; cadwch y Pasg ar yr adeg benodedig gyda'r holl ddeddfau a'r defodau sy'n gysylltiedig ag ef." [4]Felly dywedodd Moses wrth bobl Israel am gadw'r Pasg, [5]a gwnaethant hynny yn anialwch Sinai yn y cyfnos ar y pedwerydd dydd ar ddeg o'r mis cyntaf. Gwnaeth pobl Israel yn union fel yr oedd yr ARGLWYDD wedi gorchymyn i Moses. [6]Ond ni allai rhai gadw'r Pasg ar y diwrnod penodedig, am eu bod wedi eu halogi eu hunain trwy gyffwrdd â chorff marw; felly daethant at Moses ac Aaron y dydd hwnnw, [7]a dweud, "Yr ydym wedi ein halogi ein hunain trwy gyffwrdd â chorff marw; pam y gwaherddir ni rhag ymuno â phobl Israel i offrymu i'r ARGLWYDD ar yr adeg benodedig?" [8]Atebodd Moses hwy, "Arhoswch nes imi glywed beth y mae'r ARGLWYDD yn ei orchymyn amdanoch."

9 Dywedodd yr ARGLWYDD wrth Moses, [10]"Dywed wrth bobl Israel, 'Os bydd unrhyw un ohonoch chwi neu o'ch disgynyddion yn ei halogi ei hun trwy gyffwrdd â chorff marw, neu os bydd ar daith bell, y mae er hynny i gadw'r Pasg i'r ARGLWYDD. [11]Cadwant ef yn y cyfnos ar y pedwerydd dydd ar ddeg o'r ail fis, ac y maent i fwyta'r Pasg gyda bara croyw a llysiau chwerw. [12]Nid ydynt i adael dim ohono'n weddill hyd y bore, na thorri asgwrn ohono; y maent i gadw'r holl ddeddf ynglŷn â'r Pasg. [13]Ond os bydd dyn yn lân, a heb fod ar daith, ac eto'n gwrthod cadw'r Pasg, bydd yn cael ei dorri ymaith o blith ei bobl, am nad

offrymodd i'r ARGLWYDD ar yr adeg benodedig; bydd y dyn hwnnw'n dioddef am ei bechod. [14]Os bydd dieithryn yn aros yn eich plith, ac yn dymuno cadw Pasg i'r ARGLWYDD, caiff wneud hynny yn ôl y ddeddf a'r ddefod sy'n gysylltiedig ag ef; yr un ddeddf fydd i'r dieithryn ac i'r brodor.'"

Y Cwmwl dros Babell y Cyfarfod
(Ex. 40:34-38)

15 Ar y dydd y codwyd y tabernacl daeth cwmwl a gorchuddio tabernacl pabell y cyfarfod; ymddangosai fel tân drosto, o'r hwyr hyd y bore. [16]Ac felly y parhaodd; yr oedd cwmwl yn ei orchuddio, ac yn y nos ymddangosai fel tân drosto. [17]Pan godai'r cwmwl oddi ar y babell, byddai pobl Israel yn cychwyn ar eu taith, a lle bynnag yr arhosai'r cwmwl, byddent yn gwersyllu. [18]Ar orchymyn yr ARGLWYDD byddai pobl Israel yn cychwyn ar eu taith, ac ar ei orchymyn ef byddent yn gwersyllu; pryd bynnag y byddai'r cwmwl yn aros dros y tabernacl, byddent yn aros yn y gwersyll. [19]Hyd yn oed pan fyddai'r cwmwl yn aros dros y tabernacl am lawer o ddyddiau, byddai pobl Israel yn cadw dymuniad yr ARGLWYDD, ac ni fyddent yn cychwyn ar eu taith. [20]Weithiau byddai'r cwmwl yn aros dros y tabernacl am ychydig ddyddiau, a byddent hwythau'n aros yn y gwersyll yn ôl gorchymyn yr ARGLWYDD, ac ar ei orchymyn ef byddent yn cychwyn ar eu taith. [21]Dro arall, byddai'r cwmwl yno o'r hwyr hyd y bore yn unig, ac yna pan godai, byddent yn cychwyn allan, ac os byddai yno trwy'r dydd a'r nos, ac yna'n codi, byddent yn cychwyn allan. [22]Os byddai'r cwmwl yn aros dros y tabernacl am ddeuddydd, neu fis neu flwyddyn, byddai pobl Israel yn aros yn eu pebyll heb gychwyn ar eu taith; ond pan godai'r cwmwl, byddent yn cychwyn. [23]Ar orchymyn yr ARGLWYDD byddent yn gwersyllu, ac ar ei orchymyn ef byddent yn cychwyn ar eu taith; yr oeddent yn cadw dymuniad yr ARGLWYDD, fel yr oedd yr ARGLWYDD wedi gorchymyn i Moses.

Yr Utgyrn Arian

10 Dywedodd yr ARGLWYDD wrth Moses, [2]"Gwna ddau utgorn o arian gyr, a defnyddia hwy i alw'r cynulliad ynghyd, er mwyn i'r gwersyll gychwyn ar ei daith. [3]Os cenir y ddau utgorn, bydd yr holl gynulliad yn ymgasglu atat wrth ddrws pabell y cyfarfod; ⁴ond os un ohonynt a genir, yna yr arweinwyr yn unig, sef penaethiaid llwythau Israel, fydd yn ymgasglu atat. ⁵Pan roddir bloedd, bydd y gwersylloedd ar ochr y dwyrain yn cychwyn ar eu taith, ⁶a phan roddir yr ail floedd, bydd y gwersylloedd ar ochr y de yn cychwyn. ⁷Fe roddir bloedd pryd bynnag y byddant yn cychwyn ar eu taith. ⁸Pan yw'r cynulliad i ymgasglu ynghyd, fe genir yr utgorn, ond ni roddir bloedd. Meibion Aaron, yr offeiriaid, sydd i ganu'r utgyrn, a bydd hyn yn ddeddf i'w chadw gennych am byth, dros y cenedlaethau. ⁹Pan fyddwch yn mynd i ryfel yn eich gwlad yn erbyn y rhai sy'n eich gorthrymu, rhowch floedd a chanu'r utgyrn, er mwyn i'r ARGLWYDD eich Duw gofio amdanoch, a'ch achub rhag eich gelynion. ¹⁰Hefyd, ar ddydd o lawenydd, ar eich gwyliau penodedig, ac ar ddechrau pob mis, canwch yr utgyrn uwchben eich poethoffrymau a'ch heddoffrymau; byddant yn eich dwyn i gof gerbron eich Duw. Myfi yw'r ARGLWYDD eich Duw."

Yr Israeliaid yn Ail-gychwyn ar eu Taith

11 Ar yr ugeinfed dydd o'r ail fis o'r ail flwyddyn, cododd y cwmwl oddi ar dabernacl y dystiolaeth, ¹²a chychwynnodd pobl Israel yn gwmnïau ar eu taith o anialwch Sinai; yna arhosodd y cwmwl yn anialwch Paran. ¹³Felly cychwynasant allan am y tro cyntaf ar orchymyn yr ARGLWYDD trwy Moses.

14 Minteioedd gwersyll Jwda oedd y rhai cyntaf i gychwyn dan eu baner, a thros eu llu hwy yr oedd Nahson fab Amminadab. ¹⁵Dros lu llwyth pobl Issachar yr oedd Nethanel fab Suar, ¹⁶a thros lu llwyth pobl Sabulon yr oedd Eliab fab Helon.

17 Wedi tynnu'r tabernacl i lawr, fe gychwynnodd meibion Gerson a meibion Merari, gan mai hwy oedd yn cario'r tabernacl. ¹⁸Yna cychwynnodd minteioedd gwersyll Reuben dan eu baner, a thros eu llu hwy yr oedd Elisur fab Sedeur. ¹⁹Dros lu llwyth pobl Simeon yr oedd Selumiel fab Surisadai, ²⁰a thros lu llwyth pobl Gad yr oedd Eliasaff fab Reuelᶜʰ.

21 Yna cychwynnodd y Cohathiaid,

gan gludo'r pethau cysegredig, a chodwyd y tabernacl cyn iddynt hwy gyrraedd. ²²Yna cychwynnodd minteioedd gwersyll pobl Effraim dan eu baner, a thros eu llu hwy yr oedd Elisama fab Ammihud. ²³Dros lu llwyth pobl Manasse yr oedd Gamaliel fab Pedasur, ²⁴a thros lu llwyth pobl Benjamin yr oedd Abidan fab Gideoni.

25 Yna cychwynnodd minteioedd gwersyll pobl Dan, y gwersyll olaf un, dan eu baner, a thros eu llu hwy yr oedd Ahieser fab Ammisadai. ²⁶Dros lu llwyth pobl Aser yr oedd Pagiel fab Ocran, ²⁷a thros lu llwyth pobl Nafftali yr oedd Ahira fab Enan. ²⁸Dyma drefn pobl Israel wrth iddynt gychwyn allan yn ôl eu lluoedd.

29 Dywedodd Moses wrth Hobab fab Reuel y Midianiad, tad-yng-nghyfraith Moses, "Yr ydym yn mynd i'r lle yr addawodd yr ARGLWYDD ei roi inni; tyrd gyda ni, a byddwn yn garedig wrthyt, oherwydd y mae'r ARGLWYDD wedi addo pethau da i Israel." ³⁰Ond atebodd ef, "Nid wyf am ddod; af yn hytrach i'm gwlad fy hun ac at fy mhobl fy hun." ³¹Dywedodd Moses, "Paid â'n gadael, oherwydd fe wyddost ti lle cawn wersyllu yn yr anialwch, a gelli ein harwain. ³²Os doi gyda ni, fe gei ran yn y pethau da a wna'r ARGLWYDD drosom, a byddwn yn garedig wrthyt."

Y Bobl yn Cychwyn Allan

33 Felly cychwynasant o fynydd yr ARGLWYDD ar daith dridiau, ac yr oedd arch cyfamod yr ARGLWYDD yn mynd o'u blaen ar hyd y daith i geisio lle iddynt orffwys. ³⁴Yr oedd cwmwl yr ARGLWYDD uwchben yn ystod y dydd wrth iddynt gychwyn o'r gwersyll.

35 Pan gychwynnai'r arch allan, byddai Moses yn dweud, "Cod, ARGLWYDD, gwasgar d'elynion, a boed i'r rhai sy'n dy gasáu ffoi o'th flaen." ³⁶A phan ddôi'r arch i orffwys, byddai'n dweud, "Dychwel, ARGLWYDD, at fyrddiynau Israel."

Tabera

11 Yr oedd y bobl yn cwyno am eu caledi yng nghlyw'r ARGLWYDD, a phan glywodd ef hwy, enynnodd ei lid, a llosgodd tân yr ARGLWYDD yn eu plith

ᶜʰTebygol. Cymh. 1:14. Hebraeg, *Deuel*.

gan ddifa un cwr o'r gwersyll. ²Galwodd y bobl ar Moses, a phan weddïodd ef ar yr ARGLWYDD, fe ddiffoddodd y tân. ³Galwodd enw'r lle hwnnw yn Taberaᵈ, am i dân yr ARGLWYDD losgi yn eu plith.

Moses yn Dewis yr Arweinwyr

4 Dechreuodd y lliaws cymysg oedd yn eu mysg chwantu bwyd, ac wylodd pobl Israel eto, a dweud, "Pwy a rydd inni gig i'w fwyta? ⁵Yr ydym yn cofio'r pysgod yr oeddem yn eu bwyta yn rhad yn yr Aifft, a'r cucumerau, y melonau, y cennin, y winwyn a'r garlleg; ⁶ond yn awr, darfu am ein harchwaeth, ac nid oes dim i'w weld ond manna." 7 Yr oedd y manna fel had coriander, ac o'r un lliw â resin. ⁸Âi'r bobl o amgylch i'w gasglu, ac wedi iddynt ei falu mewn melinau, ei guro mewn morter, a'i ferwi mewn crochanau, gwnaent deisennau ohono. Yr oedd ei flas fel petai wedi ei bobi ag olew. ⁹Pan ddisgynnai'r gwlith ar y gwersyll gyda'r nos byddai'r manna yn disgyn hefyd.

10 Clywodd Moses y teuluoedd i gyd yn wylo, pob un yn mws ci babell; enynnodd llid yr ARGLWYDD yn fawr, a bu'n ddrwg gan Moses. ¹¹Yna dywedodd wrth yr ARGLWYDD, "Pam y gwnaethost dro gwael â'th was? Pam na chefais ffafr yn dy olwg, fel dy fod wedi gosod baich yr holl bobl hyn arnaf? ¹²Ai myfi a feichiogodd ar yr holl bobl hyn? Ai myfi a'u cenhedlodd? Pam y dywedi wrthyf, 'Cluda hwy yn dy fynwes, fel y bydd tadmaeth yn cludo plentyn sugno, a dos â hwy i'r wlad y tyngais y byddwn yn ei rhoi i'w tadau'? ¹³O ble y caf fi gig i'w roi i'r holl bobl hyn? Y maent yn wylo ac yn dweud wrthyf, 'Rho inni gig i'w fwyta.' ¹⁴Ni allaf gario'r holl bobl hyn fy hunan; y mae'r baich yn rhy drwm imi. ¹⁵Os fel hyn yr wyt am wneud â mi, yna lladd fi yn awr, os wyf i gael ffafr yn dy olwg, rhag i mi weld fy nhrueni."

16 Dywedodd yr ARGLWYDD wrth Moses, "Casgla i mi ddeg a thrigain o henuriaid Israel, rhai y gwyddost eu bod yn henuriaid y bobl ac yn swyddogion drostynt, a chymer hwy i babell y cyfarfod, a gwna iddynt sefyll yno gyda thi. ¹⁷Fe ddof finnau i lawr a llefaru wrthyt yno, a chymeraf beth o'r ysbryd sydd

arnat ti a'i roi arnynt hwy; byddant hwy gyda thi i gario baich y bobl, rhag iti ei gario dy hunan. ¹⁸Dywed wrth y bobl, 'Ymgysegrwch erbyn yfory, a chewch fwyta cig; oherwydd yr ydych wedi wylo yng nghlyw'r ARGLWYDD, a dweud, "Pwy a rydd inni gig i'w fwyta? Yr oeddem yn dda ein byd yn yr Aifft." Felly fe rydd yr ARGLWYDD i chwi gig, a chewch fwyta. ¹⁹Byddwch yn ei fwyta nid am un diwrnod, na dau, na phump, na deg, nac ugain, ²⁰ond am fis cyfan, nes y bydd yn dod allan o'ch ffroenau, a chwithau'n ei gasáu; oherwydd yr ydych wedi gwrthod yr ARGLWYDD, sydd yn eich plith, trwy wylo yn ei glyw, a dweud, "Pam y daethom allan o'r Aifft?"'" ²¹Ond dywedodd Moses, "Dyma fi yng nghanol chwe chan mil o wŷr traed, ac eto dywedi, 'Rhof iddynt gig i'w fwyta am fis cyfan!' ²²A leddir defaid a gwartheg er mwyn eu digoni? Neu a fydd holl bysgod y môr, wedi eu casglu ynghyd, yn ddigon ar eu cyfer?" ²³Atebodd yr ARGLWYDD ef, "A gwtogwyd llaw yr ARGLWYDD? Cei weld yn y man a wireddir f'addewid iti ai peidio."

24 Aeth Moses ymaith a mynegi i'r bobl ciriau'r ARGLWYDD, yna casglodd ddeg a thrigain o henuriaid y bobl a'u gosod o amgylch y babell. ²⁵Daeth yr ARGLWYDD i lawr mewn cwmwl, a llefaru wrtho, a chymerodd yr ARGLWYDD beth o'r ysbryd oedd arno cf a'i roi ar yr henuriaid, y deg a thrigain ohonynt; pan orffwysai'r ysbryd arnynt, byddent yn proffwydo, ond ni wnaent ragor na hynny.

26 Arhosodd dau o'r dynion yn y gwersyll; eu henwau oedd Eldad a Medad, a gorffwysodd yr ysbryd arnynt hwythau. Yr oeddent hwy ymhlith y rhai a gofrestrwyd, ond am nad oeddent wedi mynd allan i'r babell, proffwydasant yn y gwersyll. ²⁷Pan redodd llanc ifanc a mynegi i Moses fod Eldad a Medad yn proffwydo yn y gwersyll, ²⁸dywedodd Josua fab Nun, a fu'n gweini ar Moses o'i ieuenctid, "Moses, f'arglwydd, rhwystra hwy." ²⁹Ond dywedodd Moses wrtho, "Ai o'm hachos i yr wyt yn eiddigeddus? O na byddai holl bobl yr ARGLWYDD yn broffwydi, ac y byddai ef yn rhoi ei ysbryd arnynt!" ³⁰Yna dychwelodd Moses a henuriaid Israel i'r gwersyll.

Y Soflieir

31 Anfonodd yr ARGLWYDD wynt a barodd i soflieir ddod o'r môr a disgyn o amgylch y gwersyll; yr oeddent tua dau gufydd uwchlaw wyneb y tir, ac yn ymestyn dros bellter o daith diwrnod o bob tu i'r gwersyll. ³²Cododd y bobl, a chasglu'r soflieir trwy gydol y dydd hwnnw, trwy'r nos, a thrwy'r dydd drannoeth nes bod yr un a gasglodd leiaf wedi casglu deg homer; yna rhannwyd hwy ymhlith ei gilydd o amgylch y gwersyll. ³³Pan oedd y cig rhwng eu dannedd yn barod i'w gnoi, enynnodd llid yr ARGLWYDD yn erbyn y bobl, a thrawodd hwy â phla mawr iawn. ³⁴Felly galwyd y lle hwnnw yn Cibroth-hattaafa ᵈᵈ, oherwydd yno y claddwyd y bobl oedd â chwant arnynt. ³⁵Yna aethant o Cibroth-hattaafa i Haseroth, ac aros yno.

Cosbi Miriam

12 Yr oedd gan Miriam ac Aaron gŵyn yn erbyn Moses oherwydd y wraig o Ethiopia yr oedd wedi ei phriodi, ²a gofynasant, "Ai trwy Moses yn unig y llefarodd yr ARGLWYDD? Oni lefarodd hefyd trwom ni?" A chlywodd yr ARGLWYDD hwy. ³Yr oedd Moses yn ddyn addfwyn iawn; ef oedd yr addfwynaf o bawb ar wyneb y ddaear. ⁴Yn sydyn, dywedodd yr ARGLWYDD wrth Moses, Aaron a Miriam, "Dewch allan eich tri at babell y cyfarfod", a daeth y tri ohonynt allan. ⁵Daeth yr ARGLWYDD i lawr mewn colofn o gwmwl, a sefyll wrth ddrws y babell, a phan alwodd ar Aaron a Miriam, daeth y ddau ohonynt ymlaen. ⁶Yna dywedodd,
"Gwrandewch yn awr ar fy ngeiriau:
Os oes proffwyd yr ARGLWYDD yn eich plith,
datguddiaf fy hun iddo mewn gweledigaeth,
a llefaraf wrtho mewn breuddwyd.
⁷Ond nid felly y mae gyda'm gwas Moses;
ef yn unig o'm holl dŷ sy'n ffyddlon.
⁸Llefaraf ag ef wyneb yn wyneb,
yn eglur, ac nid mewn posau;
caiff ef weled ffurf yr ARGLWYDD.
Pam, felly, nad oedd arnoch ofn cwyno yn erbyn fy ngwas Moses?"
⁹Enynnodd llid yr ARGLWYDD yn eu herbyn, ac aeth ymaith. ¹⁰Pan gododd y

cwmwl oddi ar y babell, yr oedd Miriam yn wahanglwyfus, ac yn wyn fel yr eira. ¹¹Trodd Aaron ati, a gwelodd ei bod yn wahanglwyfus. Yna dywedodd wrth Moses, "O f'arglwydd, paid â chyfrif yn ein herbyn y pechod hwn y buom mor ffôl â'i wneud. ¹²Paid â gadael i Miriam fod fel erthyl yn dod allan o groth y fam, a'r cnawd wedi hanner ei ddifa." ¹³Felly galwodd Moses ar yr ARGLWYDD, "O Dduw, yr wyf yn erfyn arnat ei hiacháu." ¹⁴Atebodd yr ARGLWYDD ef, "Pe bai ei thad wedi poeri yn ei hwyneb, oni fyddai hi wedi cywilyddio am saith diwrnod? Caer hi allan o'r gwersyll am saith diwrnod, ac yna caiff ddod i mewn eto." ¹⁵Felly caewyd Miriam allan o'r gwersyll am saith diwrnod, ac ni chychwynnodd y bobl ar eu taith nes iddi ddychwelyd. ¹⁶Yna aethant ymaith o Haseroth, a gwersyllu yn anialwch Paran.

Yr Ysbïwyr
(Deut. 1:19-33)

13 Dywedodd yr ARGLWYDD wrth Moses, ²"Anfon ddynion i ysbïo Canaan, y wlad yr wyf yn ei rhoi i bobl Israel; yr wyt i anfon pennaeth o bob un o lwythau eu tadau." ³Felly, yn ôl gorchymyn yr ARGLWYDD, anfonodd Moses hwy allan o anialwch Paran, pob un ohonynt yn flaenllaw ymhlith pobl Israel. ⁴Dyma eu henwau: o lwyth Reuben, Sammua fab Saccur; ⁵o lwyth Simeon: Saffat fab Hori; ⁶o lwyth Jwda: Caleb fab Jeffunne; ⁷o lwyth Issachar: Igal fab Joseff; ⁸o lwyth Effraim: Hosea fab Nun; ⁹o lwyth Benjamin: Palti fab Raffu; ¹⁰o lwyth Sabulon: Gadiel fab Sodi; ¹¹o lwyth Joseff, sef o lwyth Manasse: Gadi fab Susi; ¹²o lwyth Dan: Ammiel fab Gemali; ¹³o lwyth Aser: Sethur fab Michael; ¹⁴o lwyth Nafftali: Nahbi fab Foffsi; ¹⁵o lwyth Gad: Geuel fab Maci. ¹⁶Dyna enwau'r dynion a anfonodd Moses i ysbïo'r wlad. Rhoddodd Moses yr enw Josua i Hosea fab Nun.

17 Wrth i Moses eu hanfon i ysbïo gwlad Canaan, dywedodd wrthynt, "Ewch i fyny trwy'r Negeb i'r mynydd-dir, ¹⁸ac edrychwch pa fath wlad yw hi: prun ai cryf ynteu gwan, ychydig ynteu niferus yw'r bobl sy'n byw ynddi; ¹⁹prun ai da ynteu drwg yw'r tir lle y maent yn

---

ᵈᵈ H.y., *beddau'r chwant.*

byw; prun ai gwersylloedd ynteu am-
ddiffynfeydd yw eu dinasoedd; ²⁰prun ai
ffrwythlon ynteu llwm yw'r wlad; ac
a oes coed ynddi ai peidio. Byddwch
ddewr, a chymerwch beth o gynnyrch y
tir.'' Adeg blaenffrwyth y grawnwin
aeddfed oedd hi.
21 Felly, aethant i fyny i ysbïo'r wlad
o anialwch Sin hyd Rehob, ger Mynedfa
Hamath. ²²Aethant i fyny trwy'r Negeb a
chyrraedd Hebron; yno yr oedd Ahiman,
Sesai a Thalmai, disgynyddion Anac.
(Adeiladwyd Hebron saith mlynedd cyn
Soan yn yr Aifft.) ²³Pan ddaethant i
Ddyffryn Escol, torasant gangen ac arni
glwstwr o rawnwin, ac yr oedd dau yn
ei chario ar drosol; daethant hefyd â
phomgranadau a ffigys. ²⁴Galwyd y lle yn
Ddyffryn Escolᵉ oherwydd y clwstwr o
rawnwin a dorrodd yr Israeliaid yno.
25 Ar ôl ysbïo'r wlad am ddeugain
diwrnod, daethant yn ôl ²⁶i Cades yn
anialwch Paran at Moses, Aaron a holl
gynulliad pobl Israel. Adroddasant y
newyddion wrthynt hwy a'r holl gyn-
ulliad, a dangos iddynt ffrwyth y tir.
²⁷Dywedasant wrth Moses, ''Daethom i'r
wlad yr anfonaist ni iddi, a'i chael yn
llifeirio o laeth a mêl, a dyma beth o'i
ffrwyth. ²⁸Ond y mae'r bobl sy'n byw yn
y wlad yn gryf; mae'r dinasoedd yn
gaerog ac yn fawr iawn, a gwelsom yno
ddisgynyddion Anac. ²⁹Y mae'r Amalec-
iaid yn byw yng ngwlad y Negeb; yr
Hethiaid, y Jebusiaid a'r Amoriaid yn
byw yn y mynydd-dir; a'r Canaaneaid
wrth y môr, a cherllaw'r Iorddonen.''
30 Yna galwodd Caleb ar i'r bobl
dawelu o flaen Moses, a dywedodd,
''Gadewch inni fynd i fyny ar unwaith i
feddiannu'r wlad, oherwydd yr ydym yn
sicr o fedru ei gorchfygu.'' ³¹Ond dywed-
odd y dynion oedd wedi mynd gydag ef,
''Ni allwn fynd i fyny yn erbyn y bobl,
oherwydd y maent yn gryfach na ni.''
³²Felly rhoesant adroddiad gwael i'r
Israeliaid am y wlad yr oeddent wedi ei
hysbïo, a dweud, ''Y mae'r wlad yr
aethom drwyddi i'w hysbïo yn difa ei
thrigolion, ac y mae'r holl ddynion a
welsom ynddi yn anferth. ³³Gwelsom yno
y Neffilim (y mae meibion Anac yn
ddisgynyddion y Neffilim); nid oeddem
yn ein golwg ein hunain yn ddim mwy na
cheiliogod rhedyn, ac felly yr oeddem yn
ymddangos iddynt hwythau.''

ᵉH.y., clwstwr.

Y Bobl yn Grwgnach

14 Dechreuodd yr holl gynulliad
weiddi'n uchel, a bu'r bobl yn
wylo trwy'r noson honno. ²Yr oedd yr
Israeliaid i gyd yn grwgnach yn erbyn
Moses ac Aaron, a dywedodd y cynulliad
wrthynt, ''O na buasem wedi marw yng
ngwlad yr Aifft neu yn yr anialwch hwn!
³Pam y mae'r ARGLWYDD yn mynd â ni
i'r wlad hon lle byddwn yn syrthio trwy
fin y cleddyf, a lle bydd ein gwragedd
a'n plant yn ysbail? Oni fyddai'n well
inni ddychwelyd i'r Aifft?'' ⁴Dywed-
asant wrth ei gilydd, ''Dewiswn un yn
ben arnom, a dychwelwn i'r Aifft.''
5 Yna syrthiodd Moses ac Aaron ar eu
hwynebau o flaen holl aelodau cynulliad
pobl Israel. ⁶Dechreuodd Josua fab Nun a
Caleb fab Jeffunne, a fu'n ysbïo'r wlad,
rwygo'u dillad, ⁷a dweud wrth holl gyn-
ulliad pobl Israel, ''Y mae'r wlad yr
aethom drwyddi i'w hysbïo yn wlad dda
iawn. ⁸Os bydd yr ARGLWYDD yn fodlon
arnom, fe'n harwain i mewn i'r wlad hon
sy'n llifeirio o laeth a mêl, a'i rhoi inni.
⁹Ond peidiwch â gwrthryfela yn erbyn yr
ARGLWYDD, a pheidiwch ag ofni trigolion
y wlad os byddant yn ymladd yn ein
herbyn. Y mae'r ARGLWYDD gyda ni,
ond y maent hwy yn ddiamddiffyn; felly
peidiwch â'u hofni.'' ¹⁰Yr oedd yr holl
Israeliaid yn sôn am eu llabyddio, pan
ymddangosodd gogoniant yr ARGLWYDD
iddynt ym mhabell y cyfarfod.

Moses yn Gweddïo dros y Bobl

11 Dywedodd yr ARGLWYDD wrth
Moses, ''Am ba hyd y bydd y bobl hyn yn
fy nilorni? Ac am ba hyd y byddant yn
gwrthod credu ynof, er yr holl arwyddion
a wneuthum yn eu plith? ¹²Trawaf hwy â
haint a'u gwasgaru, ond fe'th wnaf di'n
genedl fwy a chryfach na hwy.'' ¹³Dyw-
edodd Moses wrth yr ARGLWYDD, ''Oni
ddaw'r Eifftiaid i glywed am hyn, gan mai
o'u plith hwy y daethost â'r bobl yma
allan a'th nerth dy hun? ¹⁴Ac oni ddyw-
edant hwy wrth drigolion y wlad hon? Y
maent wedi clywed dy fod di, AR-
GLWYDD, gyda'r bobl hyn, ac yn ym-
ddangos iddynt wyneb yn wyneb, a bod
dy gwmwl yn aros drostynt, a'th fod hwy
eu harwain mewn colofn o niwl yn y dydd
a cholofn o dân yn y nos. ¹⁵Yn awr, os
lleddi'r bobl hyn ag un ergyd, bydd y

cenhedloedd sydd wedi clywed sôn amdanat yn dweud, [16]'Lladdodd yr Arglwydd y bobl hyn yn yr anialwch am na fedrai ddod â hwy i'r wlad y tyngodd lw ei rhoi iddynt.' [17]Felly erfyniaf ar i nerth yr Arglwydd gynyddu, fel yr addewaist pan ddywedaist, [18]'Y mae'r Arglwydd yn araf i ddigio ac yn llawn o drugaredd, yn maddau anwiredd a chamwedd; eto, nid yw'n ystyried yr euog yn gyfiawn, ond y mae'n cosbi'r plant am droseddau'r tadau hyd y drydedd a'r bedwaredd genhedlaeth.' [19]Yn ôl dy drugaredd fawr, maddau anwiredd y bobl hyn, fel yr wyt wedi maddau iddynt o ddyddiau'r Aifft hyd yn awr."

20 Atebodd yr Arglwydd, "Yr wyf wedi maddau iddynt, yn ôl dy ddymuniad; [21]ond yn awr, cyn wired â'm bod yn fyw a bod gogoniant yr Arglwydd yn llenwi'r holl ddaear, [22]ni fydd yr un o'r rhai a welodd fy ngogoniant a'r arwyddion a wneuthum yn yr Aifft ac yn yr anialwch, ond a wrthododd wrando arnaf a'm profi y dengwaith hyn, [23]yn cael gweld y wlad y tyngais ei rhoi i'w tadau; ac ni fydd neb o'r rhai a fu'n fy nilorni yn ei gweld ychwaith. [24]Ond y mae ysbryd gwahanol yn fy ngwas Caleb, ac am iddo fy nilyn yn llwyr, arweiniaf ef i'r wlad y bu eisoes i mewn ynddi, a bydd ei ddisgynyddion yn ei meddiannu. [25]Yn awr, am fod yr Amaleciaid a'r Canaaneaid yn byw yn y dyffryn, yr ydych i ddychwelyd yfory i'r anialwch a cherdded ar hyd ffordd y Môr Coch."

Cosbi'r Bobl am Rwgnach

26 Yna dywedodd yr Arglwydd wrth Moses ac Aaron, [27]"Am ba hyd y bydd y cynulliad drygionus hwn yn grwgnach yn f'erbyn? Yr wyf wedi clywed grwgnach pobl Israel yn f'erbyn; [28]felly dywed wrthynt: 'Cyn wired â'm bod yn fyw,' medd yr Arglwydd, 'fe wnaf i chwi yr hyn a ddywedasoch yn fy nghlyw: [29]bydd pob un ugain oed a throsodd, a rifwyd yn y cyfrifiad ac sydd wedi grwgnach yn f'erbyn, yn syrthio'n farw yn yr anialwch hwn. [30]Ni chaiff yr un ohonoch ddod i mewn i'r wlad y tyngais lw y byddech yn byw ynddi, heblaw Caleb fab Jeffunne a Josua fab Nun. [31]Ond am eich plant, y dywedasoch chwi y byddent yn ysbail, dof â hwy i mewn i ddarostwng y wlad yr ydych chwi wedi ei dirmygu, [32]tra byddwch chwi'n syrthio'n farw yn yr an-

ialwch. [33]Bydd eich plant yn crwydro'r anialwch am ddeugain mlynedd ac yn dioddef am eich anffyddlondeb chwi, nes i'r olaf ohonoch farw yn yr anialwch. [34]Am ddeugain mlynedd, sef blwyddyn am bob un o'r deugain diwrnod y buoch yn ysbïo'r wlad, byddwch yn dioddef am eich anwiredd ac yn gwybod am fy nigofaint.' [35]Myfi, yr Arglwydd, a lefarodd; byddaf yn sicr o wneud hyn i bob un o'r cynulliad drygionus hwn sydd wedi cynllwyn yn f'erbyn. Y mae'r diwedd ar eu gwarthaf, a byddant farw yn yr anialwch hwn."

36 Felly, am y dynion a anfonodd Moses i ysbïo'r wlad, sef y rhai a ddychwelodd â'r adroddiad gwael amdani, a pheri i'r holl gynulliad rwgnach yn ei erbyn, [37]eu tynged oedd marw trwy bla gerbron yr Arglwydd. [38]Ond o'r dynion hynny a aeth i ysbïo'r wlad, cafodd Josua fab Nun a Caleb fab Jeffunne fyw.

Yr Ymgais Gyntaf i Feddiannu'r Wlad
(Deut. 1:41-46)

39 Pan ddywedodd Moses hyn wrth yr holl Israeliaid, dechreuodd y bobl alaru'n ddirfawr. [40]Codasant yn fore drannoeth a dringo i'r mynydd-dir, a dweud, "Edrychwch, awn i fyny i'r lle y dywedodd yr Arglwydd amdano; oherwydd yr ydym wedi pechu." [41]Ond dywedodd Moses, "Pam yr ydych yn troseddu yn erbyn gorchymyn yr Arglwydd? Ni fyddwch yn llwyddo. [42]Peidiwch â mynd i fyny rhag i'ch gelynion eich difa, oherwydd nid yw'r Arglwydd gyda chwi. [43]Y mae'r Amaleciaid a'r Canaaneaid o'ch blaen, a byddwch yn syrthio trwy fin y cleddyf; ni fydd yr Arglwydd gyda chwi, am eich bod wedi cefnu arno." [44]Eto, yr oeddent yn benderfynol o ddringo i'r mynydd-dir, er nad aeth Moses nac arch cyfamod yr Arglwydd allan o'r gwersyll. [45]Yna daeth yr Amaleciaid a'r Canaaneaid a oedd yn byw yn y mynydd-dir hwnnw i lawr yn eu herbyn, a'u herlid hyd Horma.

Deddfau ynglŷn ag Aberthau

15 Dywedodd yr Arglwydd wrth Moses, [2]"Dywed wrth bobl Israel, 'Pan ddewch i'r wlad yr wyf yn ei rhoi i chwi i fyw ynddi, [3]a phan fyddwch yn offrymu o'ch gwartheg neu o'ch defaid offrwm trwy dân, yn arogl peraidd i'r

ARGLWYDD, boed yn boethoffrwm neu'n aberth cyffredin, boed yn offrwm i gyflawni adduned neu'n offrwm gwirfodd neu'n un a gyflwynir ar eich gwyliau penodedig, ⁴yna y mae'r sawl sy'n offrymu i ddod â bwydoffrwm i'r ARGLWYDD, sef degfed ran o effa o beilliaid wedi ei gymysgu â chwarter hin o olew; ⁵y mae hefyd i baratoi gyda'r poethoffrwm chwarter hin o win yn ddiodoffrwm a'i gyflwyno gyda phob oen a offrymir yn aberth. ⁶Os offrymir hwrdd, deuer â bwydoffrwm o bumed ran o effa o beilliaid wedi ei gymysgu â thraean hin o olew, ⁷ac ar gyfer y diodoffrwm deuer â thraean hin o win; byddant yn arogl peraidd i'r ARGLWYDD. ⁸Os offrymir bustach ifanc yn boethoffrwm neu'n aberth, boed i gyflawni adduned neu'n heddoffrwm i'r ARGLWYDD, ⁹yna deuer â bwydoffrwm o dair degfed ran o effa o beilliaid wedi ei gymysgu â hanner hin o olew, ¹⁰ac ar gyfer y diodoffrwm deuer â hanner hin o win; bydd yn offrwm trwy dân, yn arogl peraidd i'r ARGLWYDD. ¹¹Felly y gwneir â phob ych, hwrdd, oen gwryw a gafr, ¹²pa faint bynnag ohonynt y byddwch yn eu hoffrymu. ¹³Dyma sut y mae'r holl frodorion i offrymu offrwm trwy dân, yn arogl peraidd i'r ARGLWYDD.'

14 "'Os bydd yn eich plith, dros eich cenedlaethau, ddieithriaid neu eraill yn dymuno offrymu offrwm trwy dân, yn arogl peraidd i'r ARGLWYDD, y maent i ddilyn yr hyn yr ydych chwi yn ei wneud. ¹⁵Un ddeddf fydd i'r cynulliad ac i'r dieithryn yn eich plith, ac y mae'r ddeddf honno i'w chadw trwy eich cenedlaethau; yr ydych chwi a'r dieithryn yn un gerbron yr ARGLWYDD. ¹⁶Un gyfraith ac un rheol fydd i chwi ac i'r dieithryn a fydd gyda chwi.'"

17 Dywedodd yr ARGLWYDD wrth Moses, ¹⁸"Dywed wrth bobl Israel, 'Wedi ichwi ddod i mewn i'r wlad yr wyf yn eich arwain iddi, ¹⁹a bwyta o gynnyrch y tir, yr ydych i gyflwyno offrwm i'r ARGLWYDD. ²⁰Offrymwch deisen wedi ei gwneud o'r toes cyntaf y byddwch yn ei baratoi, a chyflwynwch hi'n offrwm o'r llawr dyrnu. ²¹Yr ydych i offrymu i'r ARGLWYDD y cyntaf o'ch toes dros eich cenedlaethau.

22 "'Os byddwch, trwy amryfusedd, heb gadw'r holl orchmynion hyn a roddodd yr ARGLWYDD ichwi trwy Moses, ²³o'r dydd y rhoddodd yr ARGLWYDD y gorchymyn ymlaen trwy'r cenedlaethau, ²⁴ac os gwnaethoch hyn yn anfwriadol, a'r cynulliad heb fod yn gwybod amdano, yna y mae'r holl gynulliad i offrymu bustach ifanc yn boethoffrwm, yn arogl peraidd i'r ARGLWYDD, gyda'i fwydoffrwm, a hefyd bwch gafr yn aberth dros bechod, yn unol â'r ddeddf. ²⁵Yna bydd yr offeiriad yn gwneud cymod dros holl gynulliad pobl Israel, ac fe faddeuir iddynt am mai trwy amryfusedd y gwnaethant hyn, ac am iddynt ddwyn offrwm trwy dân i'r ARGLWYDD a chyflwyno iddo aberth dros bechod. ²⁶Fe faddeuir i holl gynulliad pobl Israel ac i'r dieithryn sy'n byw yn eu plith, gan fod pawb yn gyfrifol am yr amryfusedd.

27 "'Os bydd unigolyn yn pechu'n anfwriadol, y mae i offrymu gafr flwydd yn aberth dros bechod. ²⁸Bydd yr offeiriad yn gwneud cymod gerbron yr ARGLWYDD dros yr un a bechodd yn anfwriadol trwy amryfusedd, ac fe faddeuir iddo. ²⁹Pan fydd dyn yn gwneud rhywbeth yn anfwriadol, yna yr un gyfraith a weithredir prun bynnag a yw'n frodor o Israel neu'n ddieithryn sy'n byw yn eu plith. ³⁰Ond pan fydd dyn yn gweithredu'n rhyfygus, boed yn frodor neu'n ddieithryn, y mae'n cablu yn erbyn yr ARGLWYDD, ac fe'i torrir ymaith o blith ei bobl. ³¹Am iddo ddiystyru gair yr ARGLWYDD a gwrthod cadw ei orchymyn, fe'i torrir ymaith yn llwyr a bydd yn dwyn ei bechod arno'i hun.'"

Y Dyn a Dorrodd y Saboth

32 Pan oedd yr Israeliaid yn yr anialwch, gwelsant ddyn yn casglu coed ar y Saboth, ³³ac wedi iddynt ddod ag ef at Moses ac Aaron a'r holl gynulliad, ³⁴rhoddwyd ef yn y ddalfa am nad oedd yn glir beth y dylid ei wneud ag ef. ³⁵Yna dywedodd yr ARGLWYDD wrth Moses, "Rhodder y dyn i farwolaeth; y mae'r holl gynulliad i'w labyddio y tu allan i'r gwersyll." ³⁶Felly daeth yr holl gynulliad ag ef y tu allan i'r gwersyll a'i labyddio, fel yr oedd yr ARGLWYDD wedi gorchymyn i Moses, a bu farw.

Rheolau ynglŷn â Thaselau

37 Dywedodd yr ARGLWYDD wrth Moses, ³⁸"Dywed wrth bobl Israel am iddynt, dros eu cenedlaethau, wneud taselau ar odre eu gwisg, a chlymu ruban

glas ar y tasel ym mhob congl. [39]Pan fyddwch yn edrych ar y tasel, fe gofiwch gadw holl orchmynion yr ARGLWYDD, ac ni fyddwch yn puteinio trwy fynd ar ôl y pethau y mae eich calonnau a'ch llygaid yn chwantu amdanynt. [40]Felly fe gofiwch gadw fy holl orchmynion, a byddwch yn sanctaidd i'ch Duw. [41]Myfi yw'r ARGLWYDD eich Duw, a ddaeth â chwi allan o wlad yr Aifft i fod yn Dduw i chwi; myfi yw'r ARGLWYDD eich Duw."

Gwrthryfel Cora, Dathan ac Abiram

16 Aeth Cora fab Ishar, fab Cohath, fab Lefi, gyda'r Reubeniaid Dathan ac Abiram, feibion Eliab, ac On fab Peleth, i gynnull dynion [2]i godi yn erbyn Moses; gyda hwy yr oedd dau gant a hanner o bobl Israel, a'r rheini'n wŷr adnabyddus o blith penaethiaid ac arweinwyr y cynulliad. [3]Wedi iddynt ymgynnull yn erbyn Moses ac Aaron, dywedasant wrthynt, "Yr ydych wedi cymryd gormod arnoch eich hunain. Y mae pob un o'r holl gynulliad yn sanctaidd, ac y mae'r ARGLWYDD gyda hwy; pam felly yr ydych chwi yn eich dyrchafu eich hunain uwchlaw cynulliad yr ARGLWYDD?" [4]Pan glywodd Moses hyn, syrthiodd ar ei wyneb, [5]a dywedodd wrth Cora a'i holl gwmni, "Yn y bore bydd yr ARGLWYDD yn datguddio pwy sy'n eiddo iddo ef, pwy sy'n sanctaidd, a phwy sy'n cael dynesu ato; pwy bynnag y bydd ef yn ei ddewis fydd yn cael dynesu ato. [6]Dyma yr ydych i'w wneud: yr wyt ti, Cora, a'th holl gwmni i gymryd thuserau; [7]ac yfory, gerbron yr ARGLWYDD, rhowch dân ynddynt a gosodwch arogldarth arnynt, a'r un a ddewisa'r ARGLWYDD fydd yn sanctaidd. Yr ydych chwi, feibion Lefi, wedi cymryd gormod arnoch eich hunain." [8]Dywedodd Moses hefyd wrth Cora, "Gwrandewch, feibion Lefi. [9]Ai peth dibwys yn eich golwg yw fod Duw Israel wedi eich neilltuo chwi o blith cynulliad Israel, ichwi ddynesu ato a gwasanaethu yn nhabernacl yr ARGLWYDD a sefyll o flaen y cynulliad a gweini arnynt? [10]Y mae wedi caniatáu i ti a'th holl frodyr, meibion Lefi, ddynesu ato; a ydych am geisio bod yn offeiriaid hefyd? [11]Yr wyt ti a'th holl gwmni wedi ymgynnull yn erbyn yr ARGLWYDD; pam, felly, yr ydych yn grwgnach yn erbyn Aaron?"

12 Yna galwodd Moses am Dathan ac Abiram, feibion Eliab, ond dywedasant hwy, "Nid ydym am ddod. [13]Ai peth dibwys yw dy fod wedi dod â ni allan o wlad yn llifeirio o laeth a mêl, i'n lladd yn yr anialwch? A wyt hefyd am dy osod dy hun yn bennaeth arnom? [14]Yn wir, ni ddaethost â ni i wlad yn llifeirio o laeth a mêl, na rhoi inni faes na gwinllan yn feddiant. A wyt am ddallu'r dynion hyn? Nid ydym am ddod."

15 Yr oedd Moses yn ddig iawn, a dywedodd wrth yr ARGLWYDD, "Paid ag edrych ar eu hoffrwm. Ni chymerais gymaint ag un asyn oddi arnynt, ac nid wyf wedi gwneud cam â'r un ohonynt." [16]Dywedodd Moses wrth Cora, "Yr wyt ti a'th holl gwmni ac Aaron i fod yn bresennol gerbron yr ARGLWYDD yfory. [17]Y mae pob un i gymryd ei thuser a rhoi arogldarth ynddo, a dod ag ef gerbron yr ARGLWYDD; yr wyt ti, Aaron, a phob un arall i ddod â thuser, a bydd dau gant a hanner ohonynt." [18]Felly cymerodd pob un ei thuser a rhoi tân ynddynt a gosod arogldarth arnynt, a sefyll gyda Moses ac Aaron wrth ddrws pabell y cyfarfod; [19]ac ymddangosodd gogoniant yr ARGLWYDD i'r holl gynulliad. [20]Dywedodd yr ARGLWYDD wrth Moses ac Aaron, [21]"Ymwahanwch oddi wrth y cynulliad hwn, oherwydd yr wyf am eu difa ar unwaith." [22]Ond syrthiasant hwy ar eu hwynebau, a dweud, "O Dduw, Duw ysbryd pob cnawd, a wyt am ddigio wrth yr holl gynulliad am fod un dyn wedi pechu?" [23]Dywedodd yr ARGLWYDD wrth Moses, [24]"Dywed wrth y cynulliad am fynd ymaith oddi wrth babell Cora, Dathan ac Abiram."

25 Cododd Moses ac aeth at Dathan ac Abiram, a dilynodd henuriaid Israel ef. [26]Yna dywedodd wrth y cynulliad, "Ewch allan o bebyll y dynion drwg hyn, a pheidiwch â chyffwrdd â dim o'u heiddo, rhag ichwi gael eich difa am eu holl bechodau hwy." [27]Felly aethant draw oddi wrth babell Cora, Dathan ac Abiram; a daeth Dathan ac Abiram allan gyda'u gwragedd, eu meibion a'u plant, a sefyll wrth ddrws eu pebyll. [28]Dywedodd Moses, "Cewch wybod trwy hyn mai'r ARGLWYDD a'm hanfonodd i wneud yr holl bethau hyn, ac nad o'm dyfais fy hun y gwneuthum hwy. [29]Os bydd y dynion hyn farw'n naturiol, a phrofi'r un ffawd ag sy'n dod yn arferol i ddynion, yna nid yw'r ARGLWYDD wedi fy anfon. [30]Ond os

gwna'r ARGLWYDD rywbeth newydd, trwy beri i'r ddaear agor ei genau a'u llyncu hwy a phopeth a berthyn iddynt, fel eu bod yn disgyn yn fyw i Sheol, yna byddwch yn gwybod bod y dynion hyn wedi dirmygu'r ARGLWYDD."

31 Fel yr oedd yn gorffen dweud hyn i gyd, holltodd y tir o danynt, [32] ac agorodd y ddaear ei genau a'u llyncu hwy a'u tylwyth, a holl ddynion Cora a'u heiddo i gyd. [33] Felly disgynasant hwy, a phawb oedd gyda hwy, yn fyw i Sheol; yna caeodd y ddaear amdanynt, a difawyd hwy o blith y cynulliad. [34] Wrth iddynt weiddi, ffodd yr holl Israeliaid oedd o'u hamgylch, gan ddweud, "Rhag i'r ddaear ein llyncu ninnau!" [35] Yna daeth tân oddi wrth yr ARGLWYDD a difa'r ddau gant a hanner o ddynion oedd yn offrymu aroglddarth.

Y Thuserau

36[f] Dywedodd yr ARGLWYDD wrth Moses, [37] "Dywed wrth Eleasar fab Aaron yr offeiriad am godi'r thuserau allan o'r goelcerth, am eu bod yn sanct-aidd, a thaenu'r tân ar wasgar; [38] yna y mae thuserau'r rhai a bechodd, ac a fu farw, i'w curo'n blatiau i wneud caead ar yr allor, oherwydd y maent yn sanctaidd am iddynt gael eu hoffrymu gerbron yr ARGLWYDD; felly byddant yn arwydd i bobl Israel." [39] Yna cymerodd Eleasar yr offeiriad y thuserau pres, a offrymwyd gan y rhai a gafodd eu llosgi, ac fe'u curwyd i wneud caead i'r allor, [40] i atgoffa pobl Israel nad oedd neb heblaw'r rhai oedd yn gymwys, sef disgynyddion Aaron, i ddynesu i losgi aroglddarth gerbron yr ARGLWYDD, rhag iddo fod fel Cora a'i gwmni. Gwnaed hyn fel yr oedd yr ARGLWYDD wedi dweud wrth Eleasar trwy Moses.

Aaron yn Achub y Bobl

41 Trannoeth dechreuodd holl gynulliad pobl Israel rwgnach yn erbyn Moses ac Aaron, a dweud, "Yr ydych wedi lladd pobl yr ARGLWYDD." [42] Ac wedi i'r cynulliad ymgynnull yn erbyn Moses ac Aaron, troesant at babell y cyfarfod a gwelsant gwmwl yn ei gorchuddio a gogoniant yr ARGLWYDD yn ymddangos. [43] Yna daeth Moses ac Aaron o flaen pabell y cyfarfod, [44] a dywedodd yr ARGLWYDD

wrth Moses, [45] "Ewch ymaith o blith y cynulliad hwn, oherwydd yr wyf am eu difa ar unwaith." Syrthiasant ar eu hwynebau, [46] a dywedodd Moses wrth Aaron, "Cymer thuser, a rho ynddo dân oddi ar yr allor, a gosod arno aroglddarth, a dos rhag blaen at y cynulliad, a gwna gymod drostynt; daeth digofaint oddi wrth yr ARGLWYDD, ac y mae'r pla wedi dechrau." [47] Gwnaeth Aaron fel yr oedd Moses wedi dweud, a rhedodd i ganol y cynulliad, ond gwelodd fod y pla eisoes wedi dechrau ymhlith y bobl. Rhoddodd aroglddarth ar y thuser, a gwnaeth gymod dros y bobl. [48] Safodd rhwng y meirw a'r byw, ac fe beidiodd y pla. [49] Bu farw pedair mil ar ddeg a saith gant trwy'r pla, heblaw'r rhai a fu farw o achos Cora. [50] Yna, wedi i'r pla beidio, aeth Aaron yn ôl at Moses yn nrws pabell y cyfarfod.

Ffon Aaron

17[ff] Dywedodd yr ARGLWYDD wrth Moses, [2] "Llefara wrth bobl Israel, a chymer wialen gan bob un o arweinwyr y tylwythau, deuddeg i gyd. Ysgrifenna enw pob dyn ar ei wialen, [3] ond ar wialen Lefi ysgrifenna enw Aaron. Felly bydd gan bob un o arweinwyr y tylwythau wialen. [4] Yna yr wyt i osod y gwiail ym mhabell y cyfarfod, o flaen y dystiolaeth, lle byddaf yn cwrdd â thi[g]. [5] Bydd gwialen y dyn a ddewisaf fi yn blaguro; dyma sut y rhoddaf daw ar yr Israeliaid sy'n grwgnach yn dy erbyn." [6] Felly llefarodd Moses wrth bobl Israel, a rhoddodd pob un o arweinwyr y tylwythau wialen iddo, deuddeg i gyd; ac yr oedd gwialen Aaron ymhlith eu gwiail hwy. [7] Yna gosododd Moses y gwiail gerbron yr ARGLWYDD ym mhabell y dystiolaeth.

8 Trannoeth aeth Moses i mewn i babell y dystiolaeth, a gwelodd fod gwialen Aaron, a oedd yn cynrychioli tŷ Lefi, wedi blaguro a blodeuo a dwyn almonau aeddfed. [9] Yna daeth Moses â'r holl wiail oedd gerbron yr ARGLWYDD allan at holl bobl Israel, ac wedi iddynt eu gweld, cymerodd pob dyn ei wialen. [10] Dywedodd yr ARGLWYDD wrth Moses, "Rho wialen Aaron yn ôl o flaen y dystiolaeth fel arwydd i'r rhai gwrth-ryfelgar; rhydd hyn daw ar eu grwgnach yn f'erbyn, rhag iddynt farw." [11] Gwnaeth Moses yn union fel yr oedd yr AR-

---

[f] 17:1 yn yr Hebraeg.   [ff] 17:16 yn yr Hebraeg.   [g] Felly llawysgrifau a Fersiynau. TM, *chwi*.

GLWYDD wedi gorchymyn iddo.
12 Dywedodd pobl Israel wrth Moses, "Edrych, yr ydym yn trengi! Y mae wedi darfod amdanom! Y mae wedi darfod am bob un ohonom! ¹³Bydd pob un sy'n nesáu at dabernacl yr ARGLWYDD yn marw. Ai trengi fydd tynged pob un ohonom?"

Dyletswyddau Offeiriaid a Lefiaid

18 Dywedodd yr ARGLWYDD wrth Aaron, "Byddi di, dy feibion a'th deulu yn atebol am y troseddau a wneir yn erbyn y cysegr, ond ti a'th feibion yn unig fydd yn atebol am y troseddau a wneir yn erbyn yr offeiriadaeth. ²Gad i'th frodyr o dylwyth Lefi, sef tylwyth dy dad, ymuno â thi a gweini arnat pan fyddi di a'th feibion o flaen pabell y dystiolaeth. ³Hwy fydd yn gofalu amdanat ac am holl waith y babell, ond nid ydynt i ddynesu at lestri'r cysegr nac at yr allor rhag iddynt hwy, a chwithau, farw. ⁴Gad iddynt ymuno â thi i oruchwylio holl wasanaeth pabell y cyfarfod, ond paid â gadael i neb arall ddod yn agos atat. ⁵Chwi eich hunain fydd yn gofalu am waith y cysegr a'r allor, rhag i ddigofaint ddod eto ar bobl Israel. ⁶Edrych, yr wyf wedi dewis dy frodyr, y Lefiaid, o blith pobl Israel, a'u rhoi i ti; y maent wedi eu neilltuo i'r ARGLWYDD i wasanaethu ym mhabell y cyfarfod. ⁷Fel offeiriaid, yr wyt ti a'th feibion i ofalu am bopeth sy'n ymwneud â'r allor, a phopeth oddi mewn i'r llen; dyna fydd eich gwasanaeth chwi. Yr wyf yn rhoi'r gwasanaeth offeiriadol yn rhodd i chwi, a bydd farw pwy bynnag arall a ddaw'n agos."

Rhan yr Offeiriaid

8 Yna dywedodd yr ARGLWYDD wrth Aaron, "Edrych, yr wyf wedi rhoi yn dy ofal hefyd yr offrymau a gyflwynir imi; yr wyf yn rhoi holl bethau cysegredig pobl Israel i ti ac i'th feibion yn gyfran arbennig am byth. ⁹Dyma fydd yn eiddo iti o'r pethau mwyaf cysegredig a arbedwyd rhag y tân: pob offrwm o eiddo'r Israeliaid a gyflwynir imi, yn fwydoffrwm, yn aberth dros bechod neu'n aberth dros gamwedd; bydd yn gysegredig iawn gennyt ti a'th feibion. ¹⁰Yr wyt i'w fwyta yn y lle mwyaf sanctaidd; caiff pob gwryw fwyta ohono, a bydd yn gysegredig gennyt. ¹¹Bydd hyn hefyd yn eiddo iti: y rhan a neilltuir o'r holl roddion a

gyflwynir gan bobl Israel yn offrymau cyhwfan; fe'i rhoddais i ti ac i'th feibion a'th ferched am byth; caiff pob un sy'n lân yn dy dŷ fwyta ohoni. ¹²Rhoddaf iti hefyd y gorau o'r holl olew, gwin ac ŷd a gyflwynir yn flaenffrwyth i'r ARGLWYDD. ¹³Bydd holl flaenffrwyth eu tir a gyflwynir i'r ARGLWYDD yn eiddo iti, a chaiff pob un sy'n lân yn dy dŷ fwyta ohono. ¹⁴Bydd yr holl bethau diofryd yn Israel hefyd yn eiddo i ti. ¹⁵Bydd y cyntaf a ddaw allan o'r groth ac a offrymir i'r ARGLWYDD, yn ddyn neu anifail, yn eiddo i ti; ond yr wyt i brynu'n ôl y cyntafanedig o bob dyn, a'r cyntafanedig o bob anifail aflan. ¹⁶Yr wyt i'w prynu'n ôl yn fis oed, a thalu'r tâl penodedig o bum sicl o arian, yn ôl sicl y cysegr, sy'n pwyso ugain gera. ¹⁷Ond nid wyt i brynu'n ôl y cyntafanedig o ych, na dafad na gafr, oherwydd y maent hwy'n gysegredig. Yr wyt i daenellu eu gwaed ar yr allor, a llosgi'r braster yn offrwm trwy dân, yn arogl peraidd i'r ARGLWYDD; ¹⁸ond bydd eu cig yn eiddo i ti, fel y mae'r frest a chwifir, a'r glun dde, yn eiddo i ti. ¹⁹Rhoddaf i ti ac i'th feibion a'th ferched am byth yr holl offrymau sanctaidd a gyflwynir gan bobl Israel i'r ARGLWYDD; bydd hyn yn gyfamod halen am byth gerbron yr ARGLWYDD i ti a'th ddisgynyddion gyda thi." ²⁰Dywedodd yr ARGLWYDD hefyd wrth Aaron, "Ni chei di etifeddiaeth yn eu tir na chyfran yn eu mysg; myfi yw dy gyfran di a'th etifeddiaeth ymysg pobl Israel.

Rhan y Lefiaid

21 "Yr wyf yn rhoi yn etifeddiaeth i'r Lefiaid bob degwm yn Israel, yn dâl am eu gwasanaeth ym mhabell y cyfarfod. ²²Nid yw'r Israeliaid mwyach i ddynesu at babell y cyfarfod, neu byddant yn atebol am eu pechod ac yn marw. ²³Ond y mae'r Lefiaid i wasanaethu ym mhabell y cyfarfod, a byddant hwy'n atebol am eu camweddau; bydd hyn yn ddeddf dragwyddol trwy eich cenedlaethau. Ni fydd gan y Lefiaid etifeddiaeth ymhlith pobl Israel, ²⁴oherwydd fe roddaf yn etifeddiaeth iddynt hwy y degwm a gyflwynir gan bobl Israel yn offrwm i'r ARGLWYDD. Dyna pam y dywedais wrthynt na fydd ganddynt hwy etifeddiaeth ymhlith pobl Israel."

Degwm y Lefiaid

25 Dywedodd yr ARGLWYDD wrth

Moses, ²⁶"Dywed hefyd wrth y Lefiaid, 'Pan gymerwch gan bobl Israel y degwm a roddais i chwi'n etifeddiaeth, yr ydych i gyflwyno ohono offrwm i'r ARGLWYDD, sef degwm o'r degwm. ²⁷Fe gyfrifir eich offrwm i chwi fel petai'n ŷd o'r llawr-dyrnu neu'n sudd o'r gwinwryf. ²⁸Felly yr ydych chwithau hefyd i gyflwyno offrwm i'r ARGLWYDD o'r holl ddegymau a dderbyniwch gan bobl Israel, ac y mae'r hyn sy'n offrwm i'r ARGLWYDD i'w roi i Aaron yr offeiriad. ²⁹Yr ydych i offrymu'n offrwm i'r ARGLWYDD y gorau a'r mwyaf sanctaidd o'r cyfan a dder-byniwch.' ³⁰Dywed wrthynt hefyd, 'Wedi ichwi offrymu'r gorau ohono, cyfrifir y gweddill i'r Lefiaid fel petai'n gynnyrch y llawr-dyrnu a'r gwinwryf; ³¹cewch chwi a'ch teulu ei fwyta mewn unrhyw le, oherwydd dyma eich tâl am eich gwas-anaeth ym mhabell y cyfarfod. ³²Wedi ichwi offrymu'r gorau ohono, ni fyddwch yn atebol am unrhyw bechod o'i her-wydd, ac ni fyddwch yn halogi pethau cysegredig pobl Israel. Felly, ni fyddwch farw.'"

Lludw'r Fuwch Goch

19 Dywedodd yr ARGLWYDD wrth Moses ac Aaron, ²"Dyma'r ddeddf a'r gyfraith a orchmynnodd yr ARGLWYDD: 'Dywed wrth bobl Israel am ddod â buwch atat, un goch heb unrhyw ddiffyg na nam arni, ac na fu erioed dan iau. ³Rhowch hi i Eleasar yr offeiriad, a deuer â hi y tu allan i'r gwersyll a'i lladd ger ei fron. ⁴Yna fe gymer Eleasar yr offeiriad beth o'r gwaed a'i daenellu â'i fys saith gwaith ar du blaen pabell y cyfarfod. ⁵Llosger y fuwch yn ei ŵydd, ynghyd â'i chroen, ei chig, ei gwaed a'i gweddillion. ⁶Yna bydd yr offeiriad yn cymryd coed cedrwydd, isop ac edau ysgarlad, ac yn eu taflu i ganol y tân sy'n llosgi'r fuwch. ⁷Wedyn bydd yn golchi ei ddillad a'i gorff â dŵr, ac yn dod i mewn i'r gwersyll, ond ni fydd yn lân tan yr hwyr. ⁸Y mae'r dyn a losgodd y fuwch hefyd i olchi ei ddillad a'i gorff â dŵr, ac ni fydd yntau ychwaith yn lân tan yr hwyr. ⁹Yna bydd dyn sy'n lân yn casglu lludw'r fuwch ac yn ei roi mewn lle glân y tu allan i'r gwersyll, ac fe'i cedwir i gynulliad pobl Israel ei ddefnyddio ar gyfer dŵr puredigaeth; bydd y fuwch, felly, yn aberth dros bechod. ¹⁰Y mae'r dyn sy'n casglu lludw'r fuwch hefyd i olchi ei ddillad, ac ni fydd yn lân tan yr hwyr. Bydd hyn yn ddeddf i'w chadw am byth gan bobl Israel a'r dieithriaid sy'n byw yn eu plith.

Cyffwrdd â Chorff Marw

11 "'Bydd y sawl sy'n cyffwrdd â chorff marw unrhyw ddyn yn aflan am saith diwrnod; ¹²y mae i'w olchi ei hun â dŵr ar y trydydd a'r seithfed dydd, a bydd yn lân, ond os na fydd yn ei olchi ei hun ar y trydydd a'r seithfed dydd, ni fydd yn lân. ¹³Bydd pwy bynnag sy'n cyffwrdd â chorff marw unrhyw ddyn, a heb ei olchi ei hun, yn halogi tabernacl yr ARGLWYDD, a bydd yn cael ei ddiarddel o Israel; bydd yn aflan, ac yn parhau'n aflan, am nad yw wedi ei drochi mewn dŵr puredigaeth.

14 "'Dyma'r ddeddf pan fydd dyn yn marw mewn pabell: bydd unrhyw un a ddaw i mewn i'r babell, ac unrhyw un a oedd ynddi'n barod, yn aflan am saith diwrnod. ¹⁵Bydd pob llestr agored, heb gaead wedi ei gau arno, yn aflan. ¹⁶Bydd pwy bynnag sydd allan yn y maes ac yn cyffwrdd ag un a fu farw trwy'r cleddyf, neu â chorff marw unrhyw ddyn, neu asgwrn ohono, neu ei fedd, yn aflan am saith diwrnod. ¹⁷Ar gyfer y rhai aflan fe gymerir peth o ludw'r aberth dros bechod, a thywallt dŵr glân drosto mewn llestr; ¹⁸yna bydd dyn sy'n lân yn cymryd isop, ei drochi mewn dŵr, a'i daenellu ar y babell a'i holl ddodrefn, ac ar bawb oedd yno, ac ar y dyn a gyffyrddodd ag asgwrn neu fedd un a gafodd ei ladd neu a fu farw; ¹⁹bydd y dyn glân yn ei daenellu dros yr aflan ar y trydydd a'r seithfed dydd, ac erbyn y seithfed dydd bydd wedi ei lanhau; yna bydd y dyn yn golchi ei ddillad ei hun a'i gorff â dŵr, ac erbyn yr hwyr bydd yntau'n lân.

20 "'Os yw dyn yn aflan ac yn gwrthod ei olchi ei hun, fe'i torrir ymaith o blith y cynulliad am iddo halogi cysegr yr AR-GLWYDD; bydd yn aflan am na throchwyd ef mewn dŵr puredigaeth. ²¹Bydd hyn yn ddeddf iddynt am byth. Y mae'r dyn sy'n taenellu'r dŵr puredigaeth i olchi ei ddillad; bydd pwy bynnag sy'n cyffwrdd â'r dŵr yn aflan tan yr hwyr. ²²Bydd beth bynnag y bydd dyn aflan yn ei gyffwrdd yn troi'n aflan, ac os bydd rhywun yn cyffwrdd â'r peth aflan hwnnw, bydd yntau'n aflan tan yr hwyr.'"

Israel yn Cades
(Ex. 17:1-7)

20 Yn y mis cyntaf daeth holl gynulleidfa pobl Israel i anialwch Sin, ac arhosodd y bobl yn Cades; yno y bu Miriam farw, ac yno y claddwyd hi.

2 Nid oedd dŵr ar gyfer y gynulleidfa, ac felly ymgynullasant yn erbyn Moses ac Aaron. ³Dechreuasant ymryson â Moses, a dweud, "O na fyddem ninnau wedi marw pan fu farw ein brodyr gerbron yr ARGLWYDD! ⁴Pam y daethost â chynulleidfa'r ARGLWYDD i'r anialwch hwn i farw gyda'n hanifeiliaid? ⁵Pam y daethost â ni allan o'r Aifft a'n harwain i'r lle drwg hwn? Nid oes yma rawn, na ffigys, na gwinwydd, na phomgranadau, na hyd yn oed ddŵr i'w yfed." ⁶Yna aeth Moses ac Aaron o ŵydd y gynulleidfa at ddrws pabell y cyfarfod, a syrthio ar eu hwynebau. Ymddangosodd gogoniant yr ARGLWYDD iddynt, ⁷a dywedodd yr ARGLWYDD wrth Moses, ⁸"Cymer y wialen, a chynnull y gynulleidfa gyda'th frawd Aaron, ac yn eu gŵydd dywed wrth y graig am ddiferu dŵr; yna byddi'n tynnu dŵr o'r graig ar eu cyfer ac yn ei roi i'r gynulleidfa a'i hanifeiliaid i'w yfed." ⁹Felly cymerodd Moses y wialen oedd o flaen yr ARGLWYDD, fel y gorchmynnwyd iddo.

10 Cynullodd Moses ac Aaron y gynulleidfa o flaen y graig, a dweud wrthynt, "Gwrandewch, yn awr, chwi wrthryfelwyr; a ydych am inni dynnu dŵr i chwi allan o'r graig hon?" ¹¹Yna cododd Moses ei law, ac wedi iddo daro'r graig ddwywaith â'i wialen, daeth llawer o ddŵr allan, a chafodd y gynulleidfa a'u hanifeiliaid yfed ohono. ¹²Dywedodd yr ARGLWYDD wrth Moses ac Aaron, "Am i chwi beidio â chredu ynof, na'm sancteiddio yng ngŵydd pobl Israel, ni fyddwch yn dod â'r gynulleidfa hon i mewn i'r wlad a roddais iddynt." ¹³Dyma ddyfroedd Meriba^{ng}, lle y bu'r Israeliaid yn ymryson â'r ARGLWYDD, a lle y datguddiodd ei hun yn sanctaidd iddynt.

Brenin Edom yn Rhwystro Israel

14 Anfonodd Moses genhadon o Cades at frenin Edom i ddweud, "Dyma a ddywed dy frawd Israel: 'Fe wyddost am yr holl helbulon a ddaeth i'n rhan, ¹⁵sut yr aeth ein tadau i lawr i'r Aifft, sut y buom

yn byw yno am amser maith, a sut y cawsom ni a'n tadau ein cam-drin gan yr Eifftiaid; ¹⁶ond pan waeddasom ar yr ARGLWYDD, fe glywodd ein cri, ac anfonodd angel i'n harwain allan o'r Aifft. ¹⁷A dyma ni yn Cades, dinas sydd yn ymyl dy diriogaeth di. Yn awr, gad inni fynd trwy dy wlad; nid ydym am fynd trwy dy gaeau a'th winllannoedd, nac am yfed dŵr o'r ffynhonnau, ond fe gadwn at briffordd y brenin, heb droi i'r dde na'r chwith, nes inni fynd trwy dy diriogaeth.'" ¹⁸Ond dywedodd Edom wrtho, "Ni chei fynd trwodd, neu fe ddof yn dy erbyn â chleddyf." ¹⁹Dywedodd pobl Israel wrtho, "Nid ydym am fynd ond ar hyd y briffordd, ac os byddwn ni a'n hanifeiliaid yn yfed dy ddŵr, fe dalwn amdano; ni wnawn ddim ond cerdded trwodd." ²⁰Ond dywedodd ef, "Ni chei di ddim mynd." Daeth Edom allan yn eu herbyn gyda byddin fawr o ddynion, ²¹a gwrthododd adael i Israel fynd trwy ei dir; felly fe drodd Israel ymaith oddi wrtho.

Marw Aaron

22 Aeth holl gynulleidfa pobl Israel o Cades, a chyrraedd Mynydd Hor. ²³Dywedodd yr ARGLWYDD wrth Moses ac Aaron ym Mynydd Hor, oedd ar derfyn gwlad Edom, ²⁴"Cesglir Aaron at ei bobl; ni chaiff fynd i mewn i'r wlad a roddais i bobl Israel, am i chwi wrthryfela yn erbyn fy ngorchymyn wrth ddyfroedd Meriba. ²⁵Felly tyrd ag Aaron a'i fab Eleasar i fyny Mynydd Hor, ²⁶a chymer y wisg oddi am Aaron a'i rhoi am ei fab Eleasar; yna bydd Aaron yn cael ei gasglu at ei bobl, ac yn marw yno." ²⁷Gwnaeth Moses fel y gorchmynnodd yr ARGLWYDD, ac aethant i fyny Mynydd Hor, a'r holl gynulleidfa yn eu gwylio. ²⁸Cymerodd Moses y wisg oddi am Aaron a'i rhoi am ei fab Eleasar, a bu Aaron farw yno ar ben y mynydd. ²⁹Yna daeth Moses ac Eleasar i lawr o ben y mynydd, a phan sylweddolodd yr holl gynulleidfa fod Aaron wedi marw, wylodd holl dŷ Israel amdano am ddeg diwrnod ar hugain.

Buddugoliaeth dros Ganaan

21 Pan glywodd brenin Arad, y Canaanead oedd yn byw yn y Negeb, fod yr Israeliaid yn dod ar hyd ffordd Atharaim, ymosododd arnynt a

---
^{ng}H.y., *ymryson.*

chymryd rhai ohonynt yn garcharorion.
[2] Gwnaeth Israel adduned i'r ARGLWYDD,
a dweud, "Os rhoddi di'r bobl hyn yn ein
dwylo, yna fe ddinistriwn eu dinasoedd
yn llwyr." [3] Gwrandawodd yr AR-
GLWYDD ar gri Israel, a rhoddodd y
Canaaneaid yn eu dwylo; dinistriodd yr
Israeliaid hwy a'u dinasoedd, ac felly y
galwyd y lle yn Horma[h].

Y Sarff Bres

4 Yna aeth yr Israeliaid o Fynydd Hor
ar hyd ffordd y Môr Coch, ac o amgylch
gwlad Edom. Dechreuodd y bobl fod yn
anniddig ar y daith, [5] a siarad yn erbyn
Duw a Moses, a dweud, "Pam y daeth-
och â ni o'r Aifft i farw yn yr anialwch?
Nid oes yma na bwyd na diod, ac y mae'n
gas gennym y bwyd gwael hwn." [6] Felly
anfonodd yr ARGLWYDD seirff gwen-
wynig ymysg y bobl, a bu nifer o'r
Israeliaid farw wedi iddynt gael eu brathu
ganddynt. [7] Yna daeth y bobl at Moses,
a dweud, "Yr ydym wedi pechu trwy
siarad yn erbyn yr ARGLWYDD ac yn dy
erbyn di; gweddïa ar i'r ARGLWYDD
yrru'r seirff ymaith oddi wrthym." Felly
gweddïodd Moses ar ran y bobl, [8] a
dywedodd yr ARGLWYDD wrtho, "Gwna
sarff a'i gosod ar bolyn, a bydd pawb a
frathwyd, o edrych arni, yn cael byw."
[9] Felly gwnaeth Moses sarff bres, a'i
gosod ar bolyn, a phan fyddai rhywun yn
cael ei frathu gan sarff, byddai'n edrych
ar y sarff bres, ac yn byw.

Symud o Fynydd Hor i Ddyffryn
ger Pisga

10 Aeth yr Israeliaid ymlaen, a gwer-
syllu yn Oboth, [11] a mynd oddi yno a
gwersyllu yn Ieabarim, yn yr anialwch
sydd gyferbyn â Moab, tua chodiad haul.
[12] Wedi cychwyn oddi yno, a gwersyllu yn
Nyffryn Sared, [13] aethant ymlaen, a
gwersyllu yr ochr draw i Arnon, yn yr
anialwch sy'n ymestyn o derfyn yr
Amoriaid; yr oedd Arnon ar y ffin rhwng
Moab a'r Amoriaid. [14] Dyna pam y mae
Llyfr Rhyfeloedd yr ARGLWYDD yn sôn
am
    "Waheb yn Suffa a'r dyffrynnoedd,
[15] Arnon a llechweddau'r dyffrynnoedd
    sy'n ymestyn ar safle Ar
    ac yn gorffwys ar derfyn Moab."
[16] Oddi yno aethant i Beer[i], y ffynnon y

soniodd yr ARGLWYDD amdani wrth
Moses, pan ddywedodd, "Cynnull y bobl
ynghyd, er mwyn i mi roi dŵr iddynt."
[17] Yna canodd Israel y gân hon:
    "Tardda, ffynnon! Canwch iddi—
[18] y ffynnon a gloddiodd y tywysogion,
    ac a agorodd penaethiaid y bobl
    â'u gwiail a'u ffyn."
Aethant ymlaen o'r anialwch i Mattana,
[19] ac oddi yno i Nahaliel; yna i Bamoth,
[20] ac ymlaen i'r dyffryn sydd yng ngwlad
Moab, ger copa Pisga, sy'n edrych i lawr
dros yr anialdir.

Goruchafiaeth ar Sihon ac Og
(Deut. 2:16—3:11)

21 Yna anfonodd Israel genhadon at
Sihon brenin yr Amoriaid i ddweud,
[22] "Gad inni fynd trwy dy wlad; nid ydym
am droi i mewn i'th gaeau na'th winllan-
noedd, nac yfed dŵr o'r ffynhonnau; fe
gadwn at briffordd y brenin, nes inni fynd
trwy dy diriogaeth." [23] Ond nid oedd
Sihon am adael i Israel fynd trwy ei
diriogaeth; felly cynullodd ei holl fyddin,
ac aeth allan i'r anialwch yn erbyn Israel,
a phan ddaeth i Jahas, ymosododd
arnynt. [24] Ond lladdodd yr Israeliaid ef â
min y cleddyf, a chymryd meddiant o'i
dir, o Arnon i Jabboc, a hyd at derfyn yr
Amoriaid, er mor gadarn oedd hwnnw.
[25] Meddiannodd Israel y dinasoedd hyn i
gyd, ac ymsefydlu yn holl ddinasoedd yr
Amoriaid, ac yn Hesbon a'i holl bentrefi.
[26] Hesbon oedd dinas Sihon brenin yr
Amoriaid; yr oedd wedi ymladd yn erbyn
brenin blaenorol Moab, a chipio'i holl dir
hyd at Arnon. [27] Dyna pam y canodd y
beirdd:
    "Dewch i Hesbon a'i hadeiladu!
    Gwnewch yn gadarn ddinas Sihon!
[28] Oherwydd aeth tân allan o Hesbon,
    a fflam o ddinas Sihon,
    a difa Ar yn Moab
    a pherchnogion mynydd-dir Arnon.
[29] Gwae di, Moab!
    Darfu amdanoch, chwi bobl Cemos!
    Gwnaeth ei feibion yn ffoaduriaid,
    a'i ferched yn gaethion
    i Sihon brenin yr Amoriaid.
[30] Saethasom hwy, a darfu amdanynt
    o Hesbon hyd Dibon,
    ac yr ydym wedi eu dymchwel
    o Noffa hyd Medeba."
[31] Felly y daeth Israel i fyw yng ngwlad yr
Amoriaid. [32] Anfonodd Moses rai i ysbïo

[h] H.y., *dinistr.*   [i] H.y., *ffynnon.*

Jaser cyn meddiannu eu pentrefi, a gyrru allan yr Amoriaid a oedd yno. ³³Yna troesant a mynd ar hyd ffordd Basan; ond daeth Og brenin Basan a'i holl fyddin allan yn eu herbyn, ac ymladd â hwy yn Edrei. ³⁴Dywedodd yr ARGLWYDD wrth Moses, "Paid â'i ofni, oherwydd yr wyf wedi ei roi ef a'i holl fyddin a'i dir yn dy law; gwna iddo ef yr hyn a wnaethost i Sihon brenin yr Amoriaid, oedd yn byw yn Hesbon." ³⁵Felly lladdasant ef, ei feibion a'i holl fyddin, heb adael un yn weddill; yna meddianasant ei dir.

Brenin Moab yn Anfon am Balaam

22 Aeth yr Israeliaid ymlaen, a gwersyllu yn Jericho yng ngwastadedd Moab, y tu draw i'r Iorddonen. ²Yr oedd Balac fab Sippor wedi gweld y cyfan a wnaeth Israel i'r Amoriaid, ³a daeth ofn mawr ar Moab am fod yr Israeliaid mor niferus. Yr oedd y Moabiaid yn arswydo rhagddynt, ⁴a dywedasant wrth henuriaid Midian, "Bydd y cynulliad hwn yn awr yn llyncu popeth o'n cwmpas, fel y mae'r ych yn llyncu glaswellt y maes." Yr oedd Balac fab Sippor yn frenin Moab ar y pryd, ⁵ac anfonodd ef genhadau at Balaam fab Beor yn Pethor, sydd yng ngwlad Amaw ac ar lan Afon Ewffrates, a dweud, "Edrych, daeth pobl allan o'r Aifft, a chartrefu ar hyd a lled y wlad, ac y maent bellach gyferbyn â mi. ⁶Tyrd, yn awr, a melltithia'r bobl hyn imi, oherwydd y maent yn gryfach na mi; yna, hwyrach y gallaf eu gorchfygu a'u gyrru allan o'r wlad, oherwydd gwn y daw bendith i'r sawl yr wyt ti'n ei fendithio, a melltith i'r sawl yr wyt ti'n ei felltithio."

7 Felly aeth henuriaid Moab a Midian at Balaam, gyda'r tâl am ddewino yn eu llaw, a rhoi iddo'r neges oddi wrth Balac. ⁸Dywedodd Balaam wrthynt, "Arhoswch yma heno; dychwelaf â gair atoch, yn ôl fel y bydd yr ARGLWYDD wedi llefaru wrthyf." Felly arhosodd tywysogion Moab gyda Balaam. Yna daeth Duw at Balaam, a gofyn, ⁹"Pwy yw'r dynion hyn sydd gyda thi?" ¹⁰Atebodd Balaam ef, "Anfonodd Balac fab Sippor, brenin Moab, neges ataf yn dweud, ¹¹'Edrych, daeth pobl allan o'r Aifft, a chartrefu ar hyd a lled y wlad; tyrd, yn awr, a melltithia hwy imi; yna hwyrach y gallaf eu gorchfygu a'u gyrru allan.'" ¹²Dyw-

edodd Duw wrth Balaam, "Paid â mynd gyda hwy, na melltithio'r bobl, oherwydd y maent wedi eu bendithio." ¹³Felly cododd Balaam drannoeth, a dweud wrth dywysogion Balac, "Ewch yn ôl i'ch gwlad, oherwydd gwrthododd yr ARGLWYDD i mi ddod gyda chwi." ¹⁴Yna cododd tywysogion Moab a mynd at Balac a dweud, "Y mae Balaam yn gwrthod dod gyda ni."

15 Anfonodd Balac dywysogion eilwaith, ac yr oedd y rhain yn fwy niferus ac anrhydeddus na'r lleill. ¹⁶Daethant at Balaam a dweud wrtho, "Dyma a ddywed Balac fab Sippor, 'Paid â gadael i ddim dy rwystro rhag dod ataf; ¹⁷fe ddeliaf yn gwbl anrhydeddus â thi, ac fe wnaf y cyfan a ddywedi wrthyf; felly tyrd, a melltithia'r bobl hyn imi.'" ¹⁸Ond dywedodd Balaam wrth weision Balac, "Pe bai Balac yn rhoi imi lond ei dŷ o arian ac aur, ni allaf wneud dim mwy na llai na'r hyn y bydd yr ARGLWYDD fy Nuw yn ei orchymyn. ¹⁹Yn awr, arhoswch yma heno, er mwyn imi wybod beth arall a ddywed yr ARGLWYDD wrthyf." ²⁰Daeth Duw at Balaam liw nos, a dweud wrtho, "Os yw'r dynion wedi dod i'th gyrchu, yna dos gyda hwy; ond paid â gwneud dim heblaw'r hyn a orchmynnaf iti."

Balaam a'i Asen

21 Cododd Balaam drannoeth, ac ar ôl cyfrwyo ei asen, aeth gyda thywysogion Moab. ²²Ond digiodd Duw wrtho am fynd, a safodd angel yr ARGLWYDD ar y ffordd i'w rwystro. Fel yr oedd yn marchogaeth ar ei asen, a'i ddau was gydag ef, ²³fe welodd yr asen angel yr ARGLWYDD yn sefyll ar y ffordd, a chleddyf yn barod yn ei law; felly trodd yr asen oddi ar y ffordd, ac aeth i mewn i gae. Yna trawodd Balaam hi er mwyn ei throi yn ôl i'r ffordd. ²⁴Safodd angel yr ARGLWYDD wedyn ar lwybr yn arwain trwy'r gwinllannoedd, a wal o bobtu iddo. ²⁵Pan welodd yr asen angel yr ARGLWYDD, gwthiodd yn erbyn y wal, gan wasgu troed Balaam rhyngddi a'r wal. ²⁶Felly trawodd Balaam yr asen eilwaith. Yna aeth angel yr ARGLWYDD ymlaen a sefyll mewn lle mor gyfyng fel nad oedd modd troi i'r dde na'r chwith. ²⁷Pan welodd yr asen angel yr ARGLWYDD, gorweddodd dan Balaam; ond gwylltiodd yntau, a tharo'r asen â'i ffon. ²⁸Yna

agorodd yr ARGLWYDD enau'r asen, a pheri iddi ddweud wrth Balaam, "Beth a wneuthum iti, dy fod wedi fy nharo deirgwaith?" ²⁹Atebodd Balaam hi, "Fe wnaethost ffŵl ohonof. Pe bai gennyf gleddyf yn fy llaw, byddwn yn dy ladd." ³⁰Yna gofynnodd yr asen i Balaam, "Onid myfi yw'r asen yr wyt wedi ei marchogaeth trwy gydol dy oes hyd heddiw? A wneuthum y fath beth â thi erioed o'r blaen?" Atebodd yntau, "Naddo."

31 Yna agorodd yr ARGLWYDD lygaid Balaam, a phan welodd ef angel yr ARGLWYDD yn sefyll ar y ffordd, a'i gleddyf yn barod yn ei law, plygodd ei ben ac ymgrymu ar ei wyneb. ³²Dywedodd angel yr ARGLWYDD wrtho, "Pam y trewaist dy asen y teirgwaith hyn? Fe ddeuthum i'th rwystro am dy fod yn rhuthro i fynd o'm blaen, ³³ond gwelodd dy asen fi, a throi oddi wrthyf deirgwaith. Pe na bai wedi troi oddi wrthyf, buaswn wedi dy ladd di ac arbed dy asen." ³⁴Dywedodd Balaam wrth angel yr ARGLWYDD, "Yr wyf wedi pechu; ni wyddwn dy fod yn sefyll ar y ffordd i'm rhwystro. Yn awr, os yw'r hyn a wneuthum yn ddrwg yn dy olwg, fe ddychwelaf adref." ³⁵Ond dywedodd angel yr ARGLWYDD wrth Balaam, "Dos gyda'r dynion; ond paid â dweud dim heblaw'r hyn a orchmynnaf iti." Felly aeth Balaam yn ei flaen gyda thywysogion Balac.

Balac yn Croesawu Balaam

36 Pan glywodd Balac fod Balaam yn dod, aeth allan i'w gyfarfod yn Ar yn Moab, ar y ffin bellaf ger Afon Arnon. ³⁷Dywedodd Balac wrtho, "Onid anfonais neges atat i'th alw? Pam na ddaethost ataf? Oni allaf ddelio'n anrhydeddus â thi?" ³⁸Atebodd Balaam ef, "Dyma fi wedi dod atat! Yn awr, a yw'r gallu gennyf i lefaru unrhyw beth ohonof fy hun? Ni allaf lefaru ond y gair a roddodd Duw yn fy ngenau." ³⁹Felly aeth Balaam gyda Balac, a chyrraedd Ciriath Husoth. ⁴⁰Yna aberthodd Balac wartheg a defaid, a'u hanfon at Balaam a'r tywysogion oedd gydag ef. ⁴¹Trannoeth aeth Balac i gyrchu Balaam i fyny i Bamoth Baal, ac oddi yno fe ganfu fod y bobl yn cyrraedd cyn belled ag y gwelai.

Neges Gyntaf Balaam

23 Dywedodd Balaam wrth Balac, "Adeilada imi yma saith allor, a darpara imi saith bustach a saith hwrdd." ²Gwnaeth Balac fel yr oedd Balaam wedi gorchymyn, ac offrymodd Balac a Balaam fustach a hwrdd ar bob allor. ³Yna dywedodd Balaam wrth Balac, "Aros di wrth dy boethoffrwm, ac af finnau draw oddi yma; hwyrach y daw'r ARGLWYDD i gyfarfod â mi, ac fe ddywedaf wrthyt beth bynnag a ddatguddia imi." Felly aeth ymaith i fryn uchel. ⁴Daeth Duw i gyfarfod â Balaam, a dywedodd Balaam wrtho, "Yr wyf wedi paratoi'r saith allor ac offrymu bustach a hwrdd ar bob un." ⁵Rhoddodd yr ARGLWYDD air yng ngenau Balaam, a dweud, "Dos yn ôl at Balac, a llefara hyn wrtho." ⁶Pan ddychwelodd yntau, gwelodd Balac yn sefyll wrth ei boethoffrwm, a holl dywysogion Moab gydag ef. ⁷Yna llefarodd Balaam ei oracl a dweud,

"Daeth Balac â mi o Syria,
brenin Moab o fynyddoedd y dwyrain.
'Tyrd,' meddai, 'rho felltith ar Jacob imi;
tyrd, cyhoedda wae ar Israel.'
⁸Sut y gallaf felltithio neb heb i Dduw ei felltithio,
neu gyhoeddi gwae ar neb heb i'r ARGLWYDD ei gyhoeddi?
⁹Fe'u gwelaf o ben y creigiau,
ac edrychaf arnynt o'r bryniau—
pobl yn byw mewn unigedd,
heb ystyried eu bod ymysg y cenhedloedd.
¹⁰Pwy a all gyfrif Jacob mwy na llwch¹
neu rifo chwarter Israel?
Boed i minnau farw fel y bydd marw'r cyfiawn,
a boed fy niwedd i fel eu diwedd hwy."

¹¹Dywedodd Balac wrth Balaam, "Beth a wnaethost imi? Gelwais amdanat i felltithio fy ngelynion, ond y cyfan a wnaethost oedd eu bendithio." ¹²Atebodd yntau, "Onid oes raid imi lefaru'r hyn y mae'r ARGLWYDD yn ei osod yn fy ngenau?"

Ail Neges Balaam

13 Dywedodd Balac wrtho, "Tyrd gyda mi i le arall er mwyn iti eu gweld oddi yno; ni weli di mo'r cyfan, dim ond un cwr ohonynt, ond oddi yno gelli eu

¹Felly llawysgrifau. TM, *gyfrif llwch Jacob.*

melltithio imi." ¹⁴Felly cymerodd ef i faes
Soffim ar ben Pisga, ac adeiladodd saith
allor ac offrymodd fustach a hwrdd ar bob
un. ¹⁵Yna dywedodd Balaam wrth Balac,
"Aros di yma wrth dy boethoffrwm, ac af
finnau draw i gyfarfod â'r ARGLWYDD."
¹⁶Daeth yr ARGLWYDD i gyfarfod â
Balaam, a rhoi gair yn ei enau, a dweud,
"Dos yn ôl at Balac, a llefara hyn
wrtho." ¹⁷Pan ddaeth ef ato, gwelodd
Balac yn sefyll wrth ei boethoffrwm, a
thywysogion Moab gydag ef. Gofynnodd
Balac iddo, "Beth a ddywedodd yr AR-
GLWYDD?" ¹⁸Yna llefarodd Balaam ei
oracl a dweud:
      "Cod, Balac, a chlyw:
      gwrando arnaf, fab Sippor;
¹⁹nid yw Duw fel dyn yn dweud
      celwydd,
      neu fab dyn yn edifarhau.
      Oni wna yr hyn a addawodd,
      a chyflawni'r hyn a ddywedodd?
²⁰Derbyniais orchymyn i fendithio,
      a phan fo ef yn bendithio, ni allaf ei
      atal.
²¹Ni welodd ddrygioni yn Jacob,
      ac ni chanfu drosedd yn Israel.
      Y mae'r ARGLWYDD eu Duw gyda
      hwy,
      a bloedd y brenin yn eu plith.
²²Daeth Duw â hwy allan o'r Aifft,
      ac yr oedd eu nerth fel nerth ych
      gwyllt.
²³Nid oes swyn yn erbyn Jacob,
      na dewiniaeth yn erbyn Israel;
      yn awr fe ddywedir am Jacob ac Israel,
      'Gwaith Duw yw hyn!'
²⁴Dyma bobl sy'n codi fel llewes,
      ac yn ymsythu fel llew ifanc;
      nid yw'n gorwedd nes bwyta'r
      ysglyfaeth
      ac yfed o waed yr hyn a larpiodd."
²⁵Dywedodd Balac wrth Balaam, "Paid
â'u melltithio na'u bendithio mwyach."
²⁶Ond atebodd Balaam ef, "Oni ddywed-
ais wrthyt fod yn rhaid imi wneud y cyfan
a ddywed yr ARGLWYDD?"

Trydedd Neges Balaam

27 Dywedodd Balac wrth Balaam,
"Tyrd, fe af â thi i le arall; efallai y bydd
Duw yn fodlon iti eu melltithio imi oddi
yno." ²⁸Felly cymerodd Balac ef i ben
Peor, sy'n edrych i lawr dros y diffeith-
wch", ²⁹a dywedodd Balaam wrtho,

"Adeilada imi yma saith allor, a darpara
imi saith bustach a saith hwrdd."
³⁰Gwnaeth Balac fel yr oedd Balaam wedi
gorchymyn iddo, ac offrymodd fustach a
hwrdd ar bob allor.

24 Pan welodd Balaam fod yr AR-
GLWYDD yn dymuno bendithio
Israel, nid aeth i arfer dewiniaeth, fel
cynt; yn hytrach, trodd ei wyneb tua'r
diffeithwch. ²Cododd ei olwg a gweld yr
Israeliaid yn gwersyllu yn ôl eu llwythau.
Yna daeth ysbryd Duw arno, ³a llefarodd
ei oracl a dweud:
      "Gair Balaam fab Beor,
      gair y gŵr yr agorir ei lygaid
⁴ac sy'n clywed geiriau Duw,
      yn cael gweledigaeth gan yr
      Hollalluog,
      ac yn syrthio i lawr, a'i lygaid wedi eu
      hagor:
⁵Mor brydferth yw dy bebyll, O Jacob,
      a'th wersylloedd, O Israel!
⁶Y maent yn ymestyn fel palmwydd,
      fel gerddi ar lan afon,
      fel aloewydd a blannodd yr
      ARGLWYDD,
      fel cedrwydd wrth ymyl dyfroedd.
⁷Tywelltir dŵr o'i ystenau,
      a bydd digon o ddŵr i'w had.
      Bydd ei frenin yn uwch nag Agag,
      a dyrchefir ei frenhiniaeth.
⁸Daeth Duw ag ef allan o'r Aifft,
      ac yr oedd ei nerth fel nerth ych
      gwyllt;
      bydd yn traflyncu'r cenhedloedd sy'n
      elynion iddo,
      gan ddryllio eu hesgyrn yn ddarnau,
      a'u gwanu â'i saethau.
⁹Pan gryma, fe orwedd fel llew ifanc,
      neu lewes; pwy a'i deffry?
      Bydded bendith ar bawb a'th
      fendithia,
      a melltith ar bawb a'th felltithia."
¹⁰Yna digiodd Balac wrth Balaam; curodd
ei ddwylo, a dywedodd wrtho, "Gelwais
amdanat i felltithio fy ngelynion, ond yr
wyt ti wedi eu bendithio'r teirgwaith hyn.
¹¹Felly ffo yn awr i'th le dy hun; addewais
dy anrhydeddu, ond fe gadwodd yr AR-
GLWYDD yr anrhydedd oddi wrthyt."
¹²Dywedodd Balaam wrth Balac, "Oni
ddywedais wrth y negeswyr a anfonaist
ataf, ¹³'Pe rhoddai Balac imi lond ei dŷ o
arian ac aur, ni allwn fynd yn groes i air yr
ARGLWYDD a gwneud na da na drwg o'm

ⁿNeu, *Jesimon.*

hewyllys fy hun; rhaid imi lefaru'r hyn a ddywed yr ARGLWYDD'? ¹⁴Yn awr, fe af at fy mhobl fy hun; tyrd, ac fe ddywedaf wrthyt beth a wna'r bobl hyn i'th bobl di yn y dyfodol.''

Pedwaredd Neges Balaam

15 Yna llefarodd ei oracl a dweud:
"Gair Balaam fab Beor,
gair y gŵr yr agorir ei lygaid
¹⁶ac sy'n clywed geiriau Duw,
yn gwybod meddwl y Goruchaf,
yn cael gweledigaeth gan yr
Hollalluog,
ac yn syrthio i lawr, a'i lygaid wedi eu
hagor:
¹⁷Fe'i gwelaf ef, ond nid yn awr;
edrychaf arno, ond nid yw'n agos.
Daw seren allan o Jacob,
a chyfyd teyrnwialen o Israel;
fe ddryllia dalcen Moab,
a difa holl feibion Seth.
¹⁸Bydd Edom yn cael ei meddiannu,
bydd Seir yn feddiant i'w gelynion,
ond bydd Israel yn gweithredu'n
rymus.
¹⁹Daw llywodraethwr allan o Jacob
a dinistrio'i rhai a adawyd yn y
dinasoedd.''

Negesau Olaf Balaam

20 Yna edrychodd ar Amalec, a llefarodd ei oracl a dweud:
"Amalec oedd y blaenaf ymhlith y
cenhedloedd,
ond caiff yntau, yn y diwedd, ei
ddinistrio.''
²¹Yna edrychodd ar y Cenead, a llefarodd ei oracl a dweud:
"Y mae dy drigfan yn gadarn,
a'th nyth yn ddiogel mewn craig;
²²eto bydd Cain yn cael ei anrheithio.
Am ba hyd y bydd Assur yn dy
gaethiwo?''
²³Llefarodd ei oracl a dweud:
"Och! Pwy fydd byw pan wna Duw
hyn?
²⁴Daw llongau o gyffiniau Cittim,
gan orthrymu Assur ac Eber;
cânt hwythau hefyd eu dinistrio.''
²⁵Yna cododd Balaam a dychwelodd adref, ac aeth Balac hefyd ymaith.

Yr Israeliaid a Baal Peor

25 Pan oedd Israel yn aros yn Sittim, dechreuodd y bobl odinebu gyda merched Moab. ²Yr oedd y rhain yn eu

gwahodd i'r aberthau i'w duwiau, a bu'r bobl yn bwyta ac yn ymgrymu i dduwiau Moab. ³Dyma sut y daeth Israel i gyfathrach â Baal Peor. Enynnodd llid yr ARGLWYDD yn erbyn Israel, ⁴a dywedodd wrth Moses am gymryd holl benaethiaid y bobl a'u crogi gerbron yr ARGLWYDD yn wyneb haul, er mwyn i'w lid droi oddi wrth Israel. ⁵Yna dywedodd Moses wrth farnwyr Israel, "Y mae pob un ohonoch i ladd y rhai o'i lwyth a fu'n cyfathrachu â Baal Peor.''

6 Yna daeth un o'r Israeliaid â merch o Midian at ei deulu, a hynny yng ngŵydd Moses a holl gynulliad pobl Israel, fel yr oeddent yn wylo wrth ddrws pabell y cyfarfod. ⁷Pan welodd Phinees fab Eleasar, fab Aaron yr offeiriad, hyn, fe gododd o ganol y cynulliad, a chymerodd waywffon yn ei law, ⁸a dilyn yr Israeliad i mewn i'r babell; yna gwanodd hwy ill dau, sef y dyn a hefyd y ferch trwy ei chylla. ⁹Felly yr ataliwyd y pla oddi wrth bobl Israel. Er hyn, bu farw pedair mil ar hugain trwy'r pla.

10 Dywedodd yr ARGLWYDD wrth Moses, ¹¹"Y mae Phinees fab Eleasar, fab Aaron yr offeiriad, wedi troi fy llid oddi wrth bobl Israel; ni ddistrywiais hwy yn fy eiddigedd, oherwydd bu ef yn eiddigeddus drosof fi ymhlith y bobl. ¹²Felly dywed, 'Rhoddaf iddo fy nghyfamod heddwch, ¹³a bydd ganddo ef a'i ddisgynyddion gyfamod am offeiriadaeth dragwyddol, am iddo fod yn eiddigeddus dros ei Dduw, a gwneud cymod dros bobl Israel.''' ¹⁴Enw'r Israeliad a drywanwyd gyda'r ferch o Midian oedd Simri fab Salu, penteulu o lwyth Simeon. ¹⁵Enw'r ferch o Midian a drywanwyd oedd Cosbi ferch Sur, a oedd yn bennaeth dros dylwyth o bobl Midian.

16 Dywedodd yr ARGLWYDD wrth Moses, ¹⁷"Dos i boenydio'r Midianiaid a'u lladd, ¹⁸oherwydd buont hwy'n eich poenydio chwi trwy eu dichell yn yr achos ynglŷn â Peor, ac yn yr achos ynglŷn â'u chwaer Cosbi, merch pennaeth o Midian, a drywanwyd yn nydd y pla o achos Peor.''

Yr Ail Gyfrifiad

26 Ar ôl y pla dywedodd yr AR-GLWYDD wrth Moses ac wrth Eleasar fab Aaron yr offeiriad, ²"Gwnewch gyfrifiad o holl gynulliad pobl Israel yn ôl eu tylwythau, gan restru pawb yn

ARGLWYDD, er mwyn gwneud cymod drosom ein hunain gerbron yr AR- GLWYDD." ⁵¹Yna cymerodd Moses ac Eleasar yr offeiriad yr aur a'r holl offer cywrain oddi wrthynt. ⁵²Yr oedd yr holl aur a offrymwyd i'r ARGLWYDD gan gapteiniaid y miloedd a'r cannoedd yn pwyso un deg chwech o filoedd saith gant a phum deg o siclau, ⁵³gan fod pob un o'r rhyfelwyr wedi cymryd rhywfaint o'r ysbail. ⁵⁴Cymerodd Moses ac Eleasar yr offeiriad yr aur oddi wrth gapteiniaid y miloedd a'r cannoedd, a daethant ag ef i babell y cyfarfod, yn goffadwriaeth i bobl Israel gerbron yr ARGLWYDD.

Y Llwythau Tuhwnt i'r Iorddonen
(Deut. 3:12-22)

32 Yr oedd gan feibion Reuben a meibion Gad lawer iawn o wartheg; a phan welsant fod tir Jaser a thir Gilead yn dir pori da i anifeiliaid, ²daethant at Moses, Eleasar yr offeiriad ac arweinwyr y cynulliad, a dweud, ³"'Y mae Ataroth, Dibon, Jaser, Nimra, Hesbon, Eleale, Sebam, Nebo a Beon, ⁴sef y tir a orchfygodd yr ARGLWYDD o flaen cynulliad Israel, yn dir pori, ac y mae gan dy weision wartheg." ⁵Yna dywed- asant, "Os cawsom ffafr yn dy olwg, rho'r tir hwn yn feddiant i'th weision, a phaid â gwneud i ni groesi'r Iorddonen."

6 Ond dywedodd Moses wrth feibion Gad a meibion Reuben, "A yw eich brodyr i fynd i ryfel tra byddwch chwi'n eistedd yma? ⁷Pam yr ydych am ddi- galonni pobl Israel rhag mynd drosodd i'r wlad a roddodd yr ARGLWYDD iddynt? ⁸Dyma a wnaeth eich tadau pan anfonais hwy o Cades Barnea i edrych y wlad, ⁹oherwydd pan aethant i fyny i Ddyffryn Escol a'i gweld, dechreusant hwythau ddigalonni pobl Israel rhag mynd i'r wlad a roddodd yr ARGLWYDD iddynt. ¹⁰Enynnodd llid yr ARGLWYDD y diwr- nod hwnnw, a thyngodd a dweud, ¹¹'Am nad ydynt wedi fy nilyn yn ffyddlon, ni chaiff neb o'r dynion a ddaeth i fyny o'r Aifft, ac sy'n ugain oed a throsodd, weld y wlad a addewais i Abraham, Isaac a Jacob, ¹²ar wahân i Caleb fab Jeffunne y Cenesiad a Josua fab Nun, oherwydd darfu iddynt hwy ddilyn yr ARGLWYDD yn ffyddlon.' ¹³Pan enynnodd llid yr ARGLWYDD yn erbyn Israel, gwnaeth iddynt grwydro'r anialwch am ddeugain mlynedd, nes darfod o'r holl genhedloedd

a wnaeth ddrwg yng ngolwg yr AR- GLWYDD. ¹⁴A dyma chwi'n awr yn dilyn eich tadau, yn hil o ddynion pechadurus sy'n cyffroi'n fwyfwy ddicter yr AR- GLWYDD yn erbyn Israel. ¹⁵Os gwrth- odwch ei ddilyn, bydd yn gadael yr holl bobl hyn unwaith eto yn yr anialwch, a chwi fydd wedi eu difa."

16 Yna daethant ato a dweud, "Fe adeiladwn gorlannau yma i'n praidd, a dinasoedd i'n plant; ¹⁷caiff ein plant fyw yn y dinasoedd caerog, yn ddiogel rhag trigolion y wlad, tra byddwn ninnau'n cymryd arfau ac arwain pobl Israel a'u tywys i'w lle eu hunain. ¹⁸Ni ddychwelwn adref nes i bob un o'r Israeliaid feddiannu ei etifeddiaeth. ¹⁹Ond ni fyddwn ni'n cymryd etifeddiaeth gyda hwy yr ochr draw i'r Iorddonen, oherwydd rhoddwyd etifeddiaeth i ni yr ochr yma, i'r dwyrain o'r Iorddonen." ²⁰Dywedodd Moses wrthynt, "Os gwnewch hyn, a chymryd arfau a mynd i ryfel o flaen yr AR- GLWYDD, ²¹ac os â pob dyn arfog sydd yn eich plith dros yr Iorddonen o flaen yr ARGLWYDD, a gyrru ei elynion allan, ²²a darostwng y wlad o flaen yr ARGLWYDD, yna cewch ddychwelyd, a byddwch yn rhydd o'ch dyletswydd i'r ARGLWYDD ac i Israel, a bydd y tir hwn yn etifeddiaeth i chwi gerbron yr ARGLWYDD. ²³Ond os na wnewch hyn, byddwch yn pechu yn erbyn yr ARGLWYDD, a chewch wybod y bydd eich pechod yn eich dal. ²⁴Adeil- adwch ddinasoedd i'ch plant, a chorlan- nau i'ch praidd, a gwnewch yr hyn a addawsoch." ²⁵Dywedodd meibion Gad a meibion Reuben wrth Moses, "Fe wna dy weision fel y mae ein harglwydd yn gorchymyn. ²⁶Bydd ein plant a'n gwragedd, ein gwartheg a'n holl anifeil- iaid, yn aros yma yn ninasoedd Gilead, ²⁷ond fe â dy weision drosodd o flaen yr ARGLWYDD, pob un yn arfog ar gyfer rhyfel, fel y mae ein harglwydd yn gorch- ymyn."

28 Rhoddodd Moses orchymyn ynglŷn â hwy i Eleasar yr offeiriad a Josua fab Nun, ac i bennau-teuluoedd llwythau pobl Israel. ²⁹Dywedodd Moses wrthynt, "Os â meibion Gad a meibion Reuben gyda chwi dros yr Iorddonen o flaen yr ARGLWYDD, a phob un ohonynt yn arfog ar gyfer rhyfel, ac os byddant yn dar- ostwng y wlad o'ch blaen, yna rhowch wlad Gilead iddynt yn etifeddiaeth; ³⁰ond os nad ânt drosodd yn arfog gyda chwi,

yna cânt etifeddiaeth yn eich plith chwi yng ngwlad Canaan." ³¹ Atebodd meibion Gad a meibion Reuben, "Fe wnawn fel y gorchmynnodd yr ARGLWYDD i'th weis- ion. ³² Awn drosodd i wlad Canaan yn arfog o flaen yr ARGLWYDD, a chadwn ein hetifeddiaeth yr ochr yma i'r Iorddonen."

33 Rhoddodd Moses i feibion Gad a meibion Reuben, ac i hanner llwyth Manasse fab Joseff, deyrnas Sihon brenin yr Amoriaid, a theyrnas Og brenin Basan, yn cynnwys holl ddinasoedd y wlad a'u tiriogaethau oddi amgylch. ³⁴ Adeiladodd meibion Gad Dibon, Ataroth, Aroer, ³⁵ Atroth-soffan, Jaser, Jogbea, ³⁶ Beth- nimra a Beth-haran yn ddinasoedd caerog, a chorlannau i'r praidd. ³⁷ Adeil- adodd meibion Reuben Hesbon, Eleale, Ciriathaim, ³⁸ Nebo, Baal-meon, a Sibma, a rhoddwyd enwau newydd ar y dinas- oedd a adeiladwyd ganddynt. ³⁹ Aeth meibion Machir fab Manasse i Gilead, a'i meddiannu, a gyrrwyd ymaith yr Amor- iaid oedd yno. ⁴⁰ Rhoddodd Moses Gilead i Machir fab Manasse, ac fe ymsefydlodd ef yno. ⁴¹ Aeth Jair fab Manasse i gymryd meddiant o bentrefi Gilead, a rhoddodd iddynt yr enw Hafoth-Jair^ph. ⁴² Aeth Noba i gymryd meddiant o Cenath a'i phentrefi, a'i galw'n Noba, ar ôl ei enw ei hun.

O'r Aifft i Moab

33 Dyma'r siwrnai a gymerodd pobl Israel pan ddaethant allan o wlad yr Aifft yn eu lluoedd dan arweiniad Moses ac Aaron. ² Croniclodd Moses enwau'r camau ar y siwrnai, fel yr oedd yr ARGLWYDD wedi gorchymyn. Dyma'r camau ar eu siwrnai. ³ Cychwynnodd yr Israeliaid o Rameses ar y pymthegfed dydd o'r mis cyntaf, sef y diwrnod ar ôl y Pasg, ac aethant allan yn fuddugoliaethus yng ngŵydd yr holl Eifftiaid, ⁴ tra oeddent hwy'n claddu pob cyntafanedig a ladd- wyd gan yr ARGLWYDD; fe gyhoeddodd yr ARGLWYDD farn ar eu duwiau hefyd.

5 Aeth yr Israeliaid o Rameses, a gwersyllu yn Succoth. ⁶ Aethant o Succoth a gwersyllu yn Etham, sydd ar gwr yr anialwch. ⁷ Aethant o Etham a throi'n ôl i Pihahiroth, sydd i'r dwyrain o Baal-seffon, a gwersyllu o flaen Migdol. ⁸ Aethant o Pihahiroth^r a mynd trwy ganol y môr i'r anialwch, a buont yn cerdded am dridiau yn anialwch Etham

cyn gwersyllu yn Mara. ⁹ Aethant o Mara a chyrraedd Elim, lle yr oedd deuddeg o ffynhonnau dŵr a saith deg o balmwydd, a buont yn gwersyllu yno. ¹⁰ Aethant o Elim a gwersyllu wrth y Môr Coch. ¹¹ Aethant o'r Môr Coch a gwersyllu yn anialwch Sin. ¹² Aethant o anialwch Sin a gwersyllu yn Doffca. ¹³ Aethant o Doffca a gwersyllu yn Alus. ¹⁴ Aethant o Alus a gwersyllu yn Reffidim, lle nad oedd dŵr i'r bobl i'w yfed. ¹⁵ Aethant o Reffidim a gwersyllu yn anialwch Sinai. ¹⁶ Aethant o anialwch Sinai a gwersyllu yn Cibroth- hattaafa. ¹⁷ Aethant o Cibroth-hattaafa a gwersyllu yn Haseroth. ¹⁸ Aethant o Haseroth a gwersyllu yn Rithma. ¹⁹ Aeth- ant o Rithma a gwersyllu yn Rimmon- pares. ²⁰ Aethant o Rimmon-pares a gwersyllu yn Libna. ²¹ Aethant o Libna a gwersyllu ym Mynydd Rissa. ²² Aethant o Rissa a gwersyllu yn Cehelatha. ²³ Aeth- ant o Cehelatha a gwersyllu ym Mynydd Saffer. ²⁴ Aethant o Fynydd Saffer a gwersyllu yn Harada. ²⁵ Aethant o Harada a gwersyllu yn Maceloth. ²⁶ Aethant o Maceloth a gwersyllu yn Tahath. ²⁷ Aeth- ant o Tahath a gwersyllu yn Tara. ²⁸ Aethant o Tara a gwersyllu yn Mithca. ²⁹ Aethant o Mithca a gwersyllu yn Hasmona. ³⁰ Aethant o Hasmona a gwersyllu yn Moseroth. ³¹ Aethant o Moseroth a gwersyllu yn Bene-jaacan. ³² Aethant o Bene-jaacan a gwersyllu yn Hor-haggidad. ³³ Aethant o Hor- haggidad a gwersyllu yn Jotbatha. ³⁴ Aethant o Jotbatha a gwersyllu yn Abrona. ³⁵ Aethant o Abrona a gwersyllu yn Esion-gaber. ³⁶ Aethant o Esion-gaber a gwersyllu yn anialwch Sin, sef Cades. ³⁷ Aethant o Cades a gwersyllu ym Mynydd Hor, sydd ar gwr gwlad Edom.

38 Aeth Aaron yr offeiriad i fyny Mynydd Hor, ar orchymyn yr AR- GLWYDD, a bu farw yno ar y dydd cyntaf o'r pumed mis yn y ddeugeinfed flwyddyn ar ôl i'r Israeliaid ddod allan o wlad yr Aifft. ³⁹ Yr oedd Aaron yn gant dau ddeg a thair oed pan fu farw ar Fynydd Hor.

40 Clywodd brenin Arad, y Canaanead oedd yn byw yn y Negeb yng ngwlad Canaan, fod yr Israeliaid yn dod.

41 Aethant o Fynydd Hor a gwersyllu yn Salmona. ⁴² Aethant o Salmona a gwersyllu yn Punon. ⁴³ Aethant o Punon a gwersyllu yn Oboth. ⁴⁴ Aethant o Oboth a gwersyllu yn Ije-abarim ar derfyn Moab.

ᵖʰ H.y., pentrefi Jair.   ʳ Felly'r Fersiynau. Hebraeg, o flaen Hahiroth.

⁴⁵Aethant o Ijim a gwersyllu yn Dibon-gad. ⁴⁶Aethant o Dibon-gad a gwersyllu yn Almon-diblathaim. ⁴⁷Aethant o Almon-diblathaim a gwersyllu ym mynyddoedd Abarim, o flaen Nebo. ⁴⁸Aethant o fynyddoedd Abarim a gwersyllu yng ngwastadedd Moab, gyferbyn â Jericho ger yr Iorddonen; ⁴⁹yr oedd eu gwersyll ar lan yr Iorddonen yn ymestyn o Bethjesimoth hyd Abel-sittim yng ngwastadedd Moab.

Rhannu'r Wlad

50 Llefarodd yr ARGLWYDD wrth Moses yng ngwastadedd Moab, gyferbyn â Jericho ger yr Iorddonen, a dweud, ⁵¹"Dywed wrth bobl Israel, 'Wedi i chwi groesi'r Iorddonen i wlad Canaan, ⁵²yr ydych i yrru allan o'ch blaen holl drigolion y wlad, a dinistrio eu holl gerrig nadd a'u delwau tawdd, a difa eu holl uchelfeydd; ⁵³yna yr ydych i feddiannu'r wlad a thrigo yno, oherwydd yr wyf wedi rhoi'r wlad i chwi i'w meddiannu. ⁵⁴Yr ydych i rannu'r wlad yn etifeddiaeth rhwng eich teuluoedd trwy goelbren: i'r llwythau mawr rhowch etifeddiaeth fawr, ac i'r llwythau bychain etifeddiaeth fechan; lle bynnag y bydd y coelbren yn disgyn i unrhyw ddyn, yno y bydd ei feddiant. Felly yr ydych i rannu'r etifeddiaeth yn ôl llwythau eich tadau. ⁵⁵Os na fyddwch yn gyrru allan drigolion y wlad o'ch blaen, yna bydd y rhai a adawyd gennych yn bigau yn eich llygaid ac yn ddrain yn eich ystlys, a byddant yn eich poenydio yn y wlad y byddwch yn byw ynddi; ⁵⁶ac fe wnaf i chwi yr hyn a fwriedais ei wneud iddynt hwy.'"

Terfynau'r Wlad

34 Dywedodd yr ARGLWYDD wrth Moses, ²"Gorchymyn bobl Israel, a dywed wrthynt, 'Pan fyddwch yn mynd i mewn i wlad Canaan, bydd terfynau'r wlad a gewch yn etifeddiaeth fel a ganlyn: ³i'r de bydd yn ymestyn o anialwch Sin a heibio i Edom, ac yn y dwyrain bydd eich terfyn deheuol yn ymestyn o ben draw Môr yr Heli, ⁴ac yn troi o lethrau Acrabbim a throsodd i Sin, ac yna i'r de o Cades Barnea; oddi yno â ymlaen i Hasar-adar a throsodd i Asmon; ⁵yna fe dry'r terfyn o Asmon i Afon yr Aifft, a gorffen wrth y môr.

6 "'I'r gorllewin, y terfyn fydd y Môr Mawr a'r arfordir; hwn fydd eich terfyn gorllewinol.

7 "'Dyma fydd eich terfyn i'r gogledd: tynnwch linell o'r Môr Mawr i Fynydd Hor, ⁸ac o Fynydd Hor i Fynedfa Hamath; bydd y terfyn yn cyrraedd hyd Sedad, ⁹yna'n ymestyn i Siffron, a gorffen yn Hasar-enan; dyma fydd eich terfyn gogleddol.

10 "'Ar ochr y dwyrain, tynnwch linell o Hasar-enan i Seffan; ¹¹fe â'r terfyn i lawr o Seffan i Ribla, i'r dwyrain o Ain, ac yna i lawr ymhellach ar hyd y llechweddau i'r dwyrain o Fôr Cinnereth; ¹²yna fe â'r terfyn i lawr ar hyd yr Iorddonen, a gorffen wrth Fôr yr Heli. Hon fydd eich gwlad, a'r rhain fydd ei therfynau oddi amgylch.'"

13 Rhoddodd Moses orchymyn i bobl Israel, a dweud, "Dyma'r wlad yr ydych i'w rhannu'n etifeddiaeth trwy goelbren, a'i rhoi i'r naw llwyth a hanner, fel y gorchmynnodd yr ARGLWYDD; ¹⁴y mae llwythau teuluoedd meibion Reuben a Gad a hanner-llwyth Manasse eisoes wedi derbyn eu hetifeddiaeth; ¹⁵derbyniodd y ddau lwyth a hanner eu hetifeddiaeth hwy yr ochr draw i'r Iorddonen, i'r dwyrain yr Jericho, tua chodiad haul."

Rhannu'r Etifeddiaeth

16 Dywedodd yr ARGLWYDD wrth Moses, ¹⁷"Dyma enwau'r dynion sydd i rannu'r wlad yn etifeddiaeth i chwi: Eleasar yr offeiriad, a Josua fab Nun. ¹⁸Cymerwch hefyd un pennaeth o bob llwyth i rannu'r wlad yn etifeddiaeth. ¹⁹Dyma eu henwau: o lwyth Jwda, Caleb fab Jeffunne; ²⁰o lwyth meibion Simeon, Semuel fab Ammihud; ²¹o lwyth Benjamin, Elidad fab Cislon; ²²o lwyth meibion Dan, y pennaeth fydd Bucci fab Jogli; ²³o feibion Joseff: o lwyth meibion Manasse, y pennaeth fydd Haniel fab Effad; ²⁴o lwyth meibion Effraim, y pennaeth fydd Cemuel fab Sifftan; ²⁵o lwyth meibion Sabulon, y pennaeth fydd Elisaffan fab Parnach; ²⁶o lwyth meibion Issachar, y pennaeth fydd Paltiel fab Assan; ²⁷o lwyth meibion Aser, y pennaeth fydd Ahihud fab Salomi; ²⁸o lwyth meibion Nafftali, y pennaeth fydd Pedahel fab Ammihud. ²⁹Dyma'r dynion a gorchmynnodd yr ARGLWYDD iddynt rannu'r etifeddiaeth i bobl Israel yng ngwlad Canaan."

Dinasoedd y Lefiaid

35 Dywedod yr ARGLWYDD wrth Moses yng ngwastadedd Moab, gyferbyn â Jericho ger yr Iorddonen, [2]"Gorchymyn i bobl Israel roi o'r etifeddiaeth a gânt ddinasoedd i'r Lefiaid i fyw ynddynt, a phorfeydd o amgylch y dinasoedd. [3]Caiff y Lefiaid fyw yn y dinasoedd, a bydd y porfeydd ar gyfer eu gwartheg, eu praidd, a'u holl anifeiliaid. [4]Bydd porfeydd y dinasoedd a roddwch i'r Lefiaid yn ymestyn o fur y ddinas tuag allan am fil o gufyddau oddi amgylch. [5]Yr ydych i fesur, o'r tu allan i'r ddinas, ddwy fil o gufyddau ar yr ochr ddwyreiniol, dwy fil ar yr ochr ddeheuol, dwy fil ar yr ochr orllewinol, a dwy fil ar yr ochr ogleddol, a'r ddinas yn y canol; dyma borfeydd y dinasoedd fydd yn eiddo iddynt.

6 "O'r dinasoedd a rowch i'r Lefiaid, bydd chwech yn ddinasoedd noddfa, lle caiff y lleiddiaid ffoi; yn ychwanegol at y rhain, rhowch iddynt bedwar deg a dwy o ddinasoedd. [7]Felly byddwch yn rhoi i'r Lefiaid bedwar deg ac wyth o ddinasoedd i gyd, gyda'u porfeydd. [8]O'r dinasoedd sy'n feddiant i bobl Israel cymerwch lawer oddi wrth y llwythau mawr, ond llai oddi wrth y llwythau bychain; y mae pob llwyth i roi dinasoedd i'r Lefiaid yn ôl maint yr etifeddiaeth a gafodd."

Dinasoedd Noddfa
(Deut. 19:1-13; Jos. 20:1-9)

9 Dywedod yr ARGLWYDD wrth Moses, [10]"Dywed wrth bobl Israel, 'Pan fyddwch wedi mynd dros yr Iorddonen i mewn i wlad Canaan, [11]yr ydych i neilltuo i chwi eich hunain ddinasoedd i fod yn ddinasoedd noddfa, er mwyn i'r lleiddiad, a laddodd ddyn yn anfwriadol, gael ffoi iddynt. [12]Bydd y dinasoedd yn noddfa rhag y dialydd, fel na chaiff y lleiddiad ei ladd cyn iddo sefyll ei brawf o flaen y cynulliad. [13]O'r chwe dinas a nodwch yn ddinasoedd noddfa, [14]bydd tair yr ochr yma i'r Iorddonen, a thair yng ngwlad Canaan. [15]Bydd y chwe dinas hyn yn noddfa i bobl Israel, ac i'r dieithryn a'r ymwelydd yn eu plith, a chaiff pwy bynnag a laddodd ddyn yn anfwriadol ffoi iddynt.

16 "'Os bydd dyn yn taro'i gyd-ddyn ag offeryn haearn, ac yntau'n marw, y mae'n llofrudd; rhodder y llofrudd i farwolaeth. [17]Os bydd yn ei daro â charreg yn ei law, a'r garreg yn debyg o ladd, ac yntau'n marw, y mae'n llofrudd; rhodder y llofrudd i farwolaeth. [18]Os bydd yn ei daro ag arf pren yn ei law, a'r arf yn debyg o ladd, ac yntau'n marw, y mae'n llofrudd; rhodder y llofrudd i farwolaeth. [19]Caiff y sawl sy'n dial gwaed roi'r llofrudd i farwolaeth pan ddaw o hyd iddo. [20]Os bydd dyn yn gwanu ei gydddyn mewn casineb, neu'n ymosod arno'n fwriadol, ac yntau'n marw; [21]neu ynteu'n taro ei gyd-ddyn â'i law mewn atgasedd, ac yntau'n marw, yna rhodder y sawl a'i trawodd i farwolaeth; y mae'n llofrudd, a chaiff y sawl sy'n dial gwaed ei roi i farwolaeth pan ddaw o hyd iddo.

22 "'Os bydd dyn yn gwanu ei gydddyn yn sydyn, a heb atgasedd, neu os bydd yn taflu rhywbeth ato'n anfwriadol, [23]neu ynteu heb edrych yn ei daro â charreg a fyddai'n debyg o'i ladd, ac yntau'n marw, yna, gan na fu gelyniaeth rhyngddynt a chan na fwriadodd y dyn ei niweidio, [24]y mae'r cynulliad i farnu rhwng y trawydd a'r dialydd gwaed, yn ôl y deddfau hyn; [25]a bydd y cynulliad yn arbed y lleiddiad rhag y dialydd gwaed a'i roi'n ôl yn y ddinas noddfa y ffodd iddi, a chaiff fyw yno nes marw'i archoffeiriad a eneiniwyd â'r olew cysegredig. [26]Ond os â'r lleiddiad rywbryd y tu allan i derfynau'r ddinas noddfa y ffodd iddi, [27]a'r dialydd gwaed yn ei ganfod a'i ladd, ni fydd yn euog o'i waed. [28]Rhaid i'r lleiddiad aros tu mewn i'w ddinas noddfa nes marw'r archoffeiriad; ond ar ôl marw'r archoffeiriad, caiff ddychwelyd i'r tir sy'n feddiant iddo.

29 "'Bydd hyn yn ddeddf ac yn gyfraith i chwi trwy eich cenedlaethau lle bynnag y byddwch yn byw. [30]Os bydd dyn yn lladd ei gyd-ddyn, rhodder ef i farwolaeth ar dystiolaeth tystion; ond na rodder neb i farwolaeth ar dystiolaeth un tyst. [31]Peidiwch â chymryd arian yn iawn am fywyd llofrudd a gafwyd yn euog o ladd; rhodder ef i farwolaeth. [32]Peidiwch â chymryd arian yn iawn gan y sawl a ffodd i'w ddinas noddfa, er mwyn iddo gael dychwelyd i fyw i'w dir ei hun cyn marw'r archoffeiriad. [33]Peidiwch â halogi'r wlad yr ydych yn byw ynddi; y mae gwaed yn halogi'r wlad, ac ni ellir gwneud iawn am y wlad y tywalltwyd gwaed ynddi ond trwy waed y sawl a'i tywalltodd. [34]Peidiwch â gwneud y wlad yr ydych yn byw ynddi yn aflan, oherwydd

yr wyf fi, yr ARGLWYDD, yn preswylio yn ei chanol ac ymysg pobl Israel.'"

Etifeddiaeth Merched Seloffehad

36 Daeth pennau-teuluoedd tylwythau meibion Gilead fab Machir, fab Manasse, un o dylwythau meibion Joseff, ymlaen a siarad â Moses a'r arweinwyr, sef pennau-teuluoedd pobl Israel, ²a dweud, "Gorchmynnodd yr ARGLWYDD iti roi'r wlad yn etifeddiaeth i bobl Israel trwy'r coelbren, a rhoi etifeddiaeth ein brawd Seloffehad i'w ferched. ³Yn awr, os priodant hwy â dynion o lwythau eraill ymysg yr Israeliaid, yna bydd eu hetifeddiaeth yn cael ei cholli o lwyth ein tadau, ac yn cael ei throsglwyddo at etifeddiaeth y llwythau y priodwyd hwy iddynt, a bydd ein hetifeddiaeth ni yn dlotach o'r herwydd. ⁴Pan ddaw Jiwbili pobl Israel, fe drosglwyddir eu hetifeddiaeth hwy at etifeddiaeth y llwythau y priodwyd hwy iddynt; felly, bydd eu hetifeddiaeth yn cael ei cholli oddi wrth etifeddiaeth llwyth ein tadau."

5 Gorchmynnodd Moses i bobl Israel yn ôl gair yr ARGLWYDD, a dweud, "Y mae cais llwyth meibion Joseff yn un cyfiawn. ⁶Dyma orchymyn yr AR-GLWYDD ynglŷn â merched Seloffehad: cânt briodi â phwy bynnag a ddymunant, cyn belled â bod eu gwŷr yn perthyn i dylwyth eu tad. ⁷Nid yw etifeddiaeth pobl Israel i'w throsglwyddo o'r naill lwyth i'r llall; yn hytrach, glyned pob un o bobl Israel wrth etifeddiaeth llwyth ei dadau. ⁸Y mae pob merch sy'n meddu ar etifeddiaeth, ni waeth i ba un o lwythau Israel y perthyn, i briodi â dyn o dylwyth ei thad, fel y caiff pob un o bobl Israel ran yn etifeddiaeth ei dadau. ⁹Felly, ni fydd yr etifeddiaeth yn cael ei throsglwyddo o'r naill lwyth i'r llall, ond bydd pob un o lwythau pobl Israel yn glynu wrth ei etifeddiaeth ei hun."

10 Gwnaeth merched Seloffehad fel yr oedd yr ARGLWYDD wedi gorchymyn i Moses, ¹¹ac fe briododd Mala, Tirsa, Hogla, Milca a Noa, merched Seloffehad, â meibion brodyr eu tad. ¹²Felly daethant yn wragedd i wŷr o dylwyth meibion Manasse fab Joseff, ac arhosodd eu hetifeddiaeth gyda thylwyth eu tad.

13 Dyma'r deddfau a'r gorchmynion a roddodd yr ARGLWYDD trwy Moses i bobl Israel yng ngwastadedd Moab, gyferbyn â Jericho ger yr Iorddonen.

DEUTERONOMIUM

Gadael Horeb

1 Dyma'r geiriau a lefarodd Moses wrth Israel gyfan y tu hwnt i'r Iorddonen yn anialwch yr Araba gyferbyn â Suff, rhwng Paran a Toffel a Laban, Haseroth a Disahab. [2] Y mae taith un diwrnod ar ddeg o Horeb trwy fynydd-dir Seir hyd at Cades-Barnea. [3] Ar y dydd cyntaf o'r unfed mis ar ddeg, yn y ddeugeinfed flwyddyn, llefarodd Moses wrth yr Israeliaid y cyfan a orchmynnodd yr Arglwydd iddo. [4] Yr oedd hyn wedi iddo orchfygu Sihon brenin yr Amoriaid, a oedd yn byw yn Hesbon, ac wedi iddo hefyd orchfygu Og brenin Basan, a oedd yn byw yn Asteroth ac yn Edrei. [5] Y tu hwnt i'r Iorddonen yng ngwlad Moab y dechreuodd Moses egluro'r gyfraith hon, a dywedodd wrthynt, [6] Llefarodd yr Arglwydd ein Duw wrthym yn Horeb: "Yr ydych wedi aros digon yn ymyl y mynydd hwn. [7] Paratowch i fynd ar eich taith, ac ewch i fynydd-dir yr Amoriaid, ac at eu cymdogion yn yr Araba, yn y mynydd-dir, y Seffela a'r Negeb ac ar lan y môr, gwlad y Canaaneaid, a hefyd i Lebanon hyd at yr afon fawr, Afon Ewffrates. [8] Edrychwch, yr wyf yn rhoi'r wlad i chwi; ewch i mewn a meddiannwch y wlad y tyngodd yr Arglwydd i'ch tadau, Abraham, Isaac a Jacob, y byddai'n ei rhoi iddynt hwy ac i'w plant ar eu hôl."

Penodi Barnwyr
(Ex. 18:13-27)

[9] Yr adeg honno fe ddywedais wrthych, "Ni allaf eich cynnal fy hunan. [10] Y mae'r Arglwydd eich Duw wedi'ch gwneud yn lluosog, a dyma chwi heddiw mor niferus â sêr y nefoedd. [11] Bydded i'r Arglwydd, Duw eich tadau, eich lluosogi filwaith eto, a'ch bendithio fel yr addawodd i chwi. [12] Sut y gallaf gymryd arnaf fy hun eich poenau a'ch beichiau a'ch ymryson? [13] Dewiswch o blith eich llwythau ddynion doeth, deallus a phrofiadol, a gosodaf hwy yn benaethiaid arnoch." [14] Eich ymateb i mi oedd dweud, "Y mae'r hyn a ddywedaist wrthym am ei wneud yn awgrym da." [15] Yna cymerais benaethiaid eich llwythau, dynion doeth a phrofiadol, a gosodais hwy yn benaethiaid arnoch, yn swyddogion ar unedau o fil, o gant, o hanner cant, ac o ddeg, a hwy oedd llywodraethwyr eich llwythau. [16] Yr adeg honno rhoddais orchymyn i'ch barnwyr, a dweud wrthynt, "Yr ydych i wrando ar achosion eich brodyr, ac i farnu'n gyfiawn rhyngoch chwi a'ch gilydd, a hefyd rhyngoch chwi a'r dieithriad sy'n byw yn eich plith. [17] Byddwch yn ddiduedd mewn barn, a gwrandewch ar y distadl yn ogystal â'r pwysig. Peidiwch ag ofni unrhyw ddyn, oherwydd eiddo Duw yw barn. Os bydd achos yn rhy anodd i chwi, dygwch ef ataf fi, a gwrandawaf fi arno." [18] Yr adeg honno hefyd fe orchmynnais i chwi yr holl bethau yr oeddech i'w gwneud.

Anfon Ysbïwyr
(Num. 13:1-33)

[19] Fel y gorchmynnodd yr Arglwydd ein Duw inni, gadawsom Horeb, a mynd i gyfeiriad mynydd-dir yr Amoriaid, gan deithio trwy'r cyfan o'r anialwch mawr ac ofnadwy hwnnw a welsoch chwi, a daethom i Cades-Barnea. [20] A dywedais wrthych, "Yr ydych wedi dod i fynydd-dir yr Amoriaid, y mae'r Arglwydd ein Duw yn ei roi inni. [21] Edrych, y mae'r Arglwydd dy Dduw yn rhoi'r wlad iti; dos i fyny, a meddianna hi fel y dywedodd yr Arglwydd, Duw dy dadau, wrthyt. Paid ag ofni nac arswydo." [22] Ond fe ddaethoch chwi i gyd ataf a dweud, "Gad inni anfon dynion o'n blaen i chwilio'r wlad, a dod ag adroddiad inni am y ffordd yr awn i fyny iddi, a hefyd am y dinasoedd yr awn iddynt." [23] Yr oedd hyn yn dderbyniol yn fy ngolwg, a dewisais ddeuddeg o ddynion o'ch plith, un o bob llwyth. [24] Fe aethant hwy a theithio i fyny i'r mynydd-dir, a mynd hyd at Ddyffryn Escol, a'i chwilio. [25] Casglasant

beth o ffrwythau'r tir, a dod â hwy atom, ac adrodd mai gwlad dda oedd yr un yr oedd yr ARGLWYDD ein Duw yn ei rhoi inni.

26 Ond nid oeddech chwi'n fodlon mynd i fyny, a gwrthryfelasoch yn erbyn gorchymyn yr ARGLWYDD eich Duw. ²⁷Yr oeddech yn grwgnach yn eich pebyll, ac yn dweud, "Am fod yr AR-GLWYDD yn ein casáu y daeth â ni allan o wlad yr Aifft a'n rhoi yn nwylo'r Amoriaid i'n difa. ²⁸Sut yr awn ni i fyny yno? Y mae ein brodyr wedi ein digalonni trwy ddweud fod y bobl yn fwy ac yn dalach na ni, a bod y dinasoedd yn fawr gyda chaerau cyn uched â'r nefoedd, ac iddynt weld disgynyddion yr Anacim yno." ²⁹Yna dywedais wrthych, "Peidiwch ag arswydo nac ofni o'u hachos. ³⁰Bydd yr ARGLWYDD eich Duw yn mynd o'ch blaen, ac ef fydd yn ymladd trosoch, fel y gwnaeth yn eich gŵydd yn yr Aifft, ³¹a hefyd yn yr anialwch lle gwelsoch fod yr ARGLWYDD eich Duw yn eich cario, fel y bydd dyn yn cario ei fab ei hun, bob cam o'r ffordd yr oeddech yn ei theithio nes dod i'r lle hwn." ³²Ond er hyn, nid oeddech chwi yn ymddiried yn yr AR-GLWYDD eich Duw, ³³a oedd yn mynd o'ch blaen ar y ffordd, mewn tân yn y nos i chwilio am le ichwi wersyllu, ac mewn cwmwl yn y dydd i ddangos ichwi'r ffordd i'w dilyn.

Cosbi Israel
(Num. 14:20-45)

34 Pan glywodd yr ARGLWYDD eich geiriau, digiodd, a thyngodd: ³⁵"Ni chaiff yr un o'r genhedlaeth ddrwg hon weld y wlad dda y tyngais y byddwn yn ei rhoi i'ch tadau. ³⁶Caleb fab Jeffunne yn unig a gaiff ei gweld, ac iddo ef a'i feibion y rhoddaf y wlad y troediodd ef arni, am iddo ef lwyr ddilyn yr ARGLWYDD." ³⁷O'ch achos chwi yr oedd yr ARGLWYDD yn ddig wrthyf finnau hefyd, a dywedodd, "Ni chei di fynd yno, ³⁸ond fe fydd Josua fab Nun, sydd yn dy wasanaeth, yn mynd yno; annog ef, oherwydd bydd ef yn ei rhoi yn feddiant i Israel. ³⁹Ond bydd eich rhai bach, y dywedasoch y byddent yn ysbail, a'ch plant, nad ydynt heddiw yn gwybod na da na drwg, yn mynd i'r wlad; a rhoddaf hi iddynt hwy, a byddant yn ei meddiannu. ⁴⁰Ond trowch chwi, a theithiwch i'r anialwch i gyfeiriad y Môr Coch."

41 Yna atebasoch fi a dweud, "Yr ydym wedi pechu yn erbyn yr AR-GLWYDD; fe awn i fyny ac ymladd fel y gorchmynnodd yr ARGLWYDD ein Duw." Ac fe wisgodd pob un ohonoch ei arfau, gan gredu mai hawdd fyddai mynd i fyny i'r mynydd-dir. ⁴²Ond dywedodd yr AR-GLWYDD wrthyf am ddweud wrthych, "Peidiwch â mynd i fyny i ymladd, rhag ichwi gael eich gorchfygu gan eich gelynion, oherwydd ni fyddaf fi gyda chwi." ⁴³Er imi ddweud hyn wrthych, ni wrandawsoch ond gwrthryfela yn erbyn gorchymyn yr ARGLWYDD, a beiddio mynd i fyny i'r mynydd-dir. ⁴⁴A daeth yr Amoriaid, a oedd yn byw yn y mynydd-dir hwnnw, allan yn eich erbyn a'ch ymlid fel gwenyn, a'ch trechu yn Seir gerllaw Horma. ⁴⁵Yna troesoch yn ôl ac wylo gerbron yr ARGLWYDD; ond ni wrandawodd yr ARGLWYDD arnoch, ac yr oedd yn glustfyddar i'ch cri. ⁴⁶Yna bu i chwi aros yn Cades, lle yr ydych wedi bod am ddyddiau lawer.

Y Daith trwy'r Anialwch

2 Yna troesom a mynd i'r anialwch i gyfeiriad y Môr Coch, fel yr oedd yr ARGLWYDD wedi dweud wrthyf, a buom yn teithio o gwmpas mynydd-dir Seir am ddyddiau lawer. ²Yna dywedodd yr ARGLWYDD wrthyf, ³"Yr ydych wedi teithio'n ddigon hir o gwmpas y mynydd-dir hwn; trowch yn awr i'r gogledd. ⁴Gorchymyn i'r bobl a dweud wrthynt, 'Yr ydych yn mynd i deithio trwy diriogaeth eich brodyr, meibion Esau, sy'n byw yn Seir. ⁵Y maent yn eich ofni, ond gofalwch beidio ag ymosod arnynt, oherwydd ni roddaf i chwi gymaint â lled troed o'u tir, am fy mod wedi rhoi mynydd-dir Seir yn etifeddiaeth i Esau. ⁶Talwch ag arian am y bwyd a brynwch ganddynt i'w fwyta, a'r un modd am y dŵr a yfwch.' ⁷Y mae'r ARGLWYDD dy Dduw wedi dy fendithio yn y cyfan a wnaethost, ac wedi gwylio dy daith yn yr anialwch mawr hwn; am y deugain mlynedd hyn bu'r ARGLWYDD dy Dduw gyda thi, ac ni fu arnat eisiau dim." ⁸Yna aethom oddi wrth ein brodyr, meibion Esau, a oedd yn byw yn Seir, ac o ffordd yr Araba, ac o Elath ac Esion-geber, a throi i gyfeiriad anialwch Moab. ⁹Dywedodd yr AR-GLWYDD wrthyf eto, "Paid â chyth-

ruddo'r Moabiaid, na bygwth ymladd yn eu herbyn, oherwydd ni roddaf feddiant i ti o'u tir, am fy mod wedi rhoi Ar yn feddiant i feibion Lot." ¹⁰Cyn hynny yr oedd yr Emim, dynion mawr, niferus a thal fel yr Anacim, yn byw yno. ¹¹Ystyrid hwythau'n Reffaim fel yr Anacim, ond bod y Moabiaid yn eu galw'n Emim. ¹²A hefyd yn yr amser gynt yr oedd yr Horiaid yn byw yn Seir, ond cymerodd meibion Esau eu tiriogaeth a'u difa hwy o'u blaen, a byw yno fel y gwnaeth yr Israeliaid yn y tir a roddodd yr Arglwydd yn feddiant iddynt. ¹³A dywedodd yr Arglwydd, "Yn awr paratowch i groesi ceunant Sared." Felly aethom dros geunant Sared. ¹⁴Cymerodd ddeunaw mlynedd ar hugain inni deithio o Cades-Barnea nes croesi ceunant Sared; erbyn hynny yr oedd y cyfan o genhedlaeth y rhyfelwyr wedi darfod o'r gwersyll, fel y tyngodd yr Arglwydd wrthynt. ¹⁵Yn wir yr oedd llaw'r Arglwydd yn eu herbyn, i'w difa'n llwyr o'r gwersyll.

16 Wedi marw y cyfan o'r rhyfelwyr o blith y bobl, ¹⁷dywedodd yr Arglwydd wrthyf, ¹⁸"Heddiw yr wyt i groesi terfyn Moab yn ymyl Ar. ¹⁹Pan ddoi at ffin yr Ammoniaid, paid â'u cythruddo na'u bygwth, oherwydd ni roddaf feddiant o'u tir i ti, am fy mod wedi ei roi yn feddiant i feibion Lot." ²⁰(Ystyrid hwn yn dir y Reffaim, am mai'r Reffaim oedd yn byw yno yn yr amser gynt, ond yr oedd yr Ammoniaid yn eu galw'n Samsumim. ²¹Yr oeddent hwy yn ddynion mawr, niferus a thal fel yr Anacim; ond fe ddifawyd y Reffaim gan yr Arglwydd, a chymerodd meibion Lot feddiant o'u tir, a byw yno. ²²Gwnaeth yr Arglwydd yr un fath i feibion Esau oedd yn byw yn Seir, pan ddifaodd yr Horiaid o'u blaen, a chymerasant hwythau feddiant o'u tir, a byw yno hyd heddiw. ²³Y Cafftoriaid a ymfudodd o Cafftor a ddifaodd yr Afiaid oedd yn byw yn y pentrefi yn ymyl Gasa, ac yna byw yn eu tiriogaeth.) ²⁴"Cychwynnwch yn awr ar eich taith, a chroeswch geunant Arnon. Edrych, yr wyf yn rhoi Sihon yr Amoriad, brenin Hesbon, a'i wlad yn dy law. Dos ati i'w meddiannu, ac ymosod arno. ²⁵Heddiw fe ddechreuaf wneud i'r holl bobloedd dan y nefoedd ofni ac arswydo o'th flaen; pan glywant sôn amdanat, byddant yn crynu ac yn arswydo o'th flaen."

Concro Sihon Brenin Hesbon
(Num. 21:21-30)

26 Yna anfonais negeswyr o anialwch Cedemoth at Sihon brenin Hesbon, a gofyn yn garedig iddo, ²⁷"Gad imi deithio trwy dy dir ar hyd y briffordd; fe deithiaf arni heb droi i'r dde na'r chwith. ²⁸Cei werthu imi am arian y bwyd y byddaf yn ei fwyta, a chei arian gennyf am y dŵr a roi imi i'w yfed; yn unig rho ganiatâd imi deithio ar droed trwy dy dir, ²⁹fel y rhoddodd meibion Esau sy'n byw yn Seir imi, a hefyd y Moabiaid sy'n byw yn Ar, nes imi groesi'r Iorddonen i'r wlad y mae'r Arglwydd ein Duw yn ei rhoi inni." ³⁰Ond nid oedd Sihon brenin Hesbon yn fodlon inni deithio trwodd, oherwydd yr oedd yr Arglwydd eich Duw wedi caledu ei ysbryd a gwneud ei galon yn ystyfnig er mwyn ei roi yn eich llaw chwi, fel y mae heddiw. ³¹Yna dywedodd yr Arglwydd wrthyf, "Edrych, yr wyf wedi dechrau rhoi Sihon a'i dir i ti; dos ati i gymryd meddiant o'i wlad." ³²Daeth Sihon a'i holl fyddin allan i ymladd yn ein herbyn yn Jahas; ³³a rhoddodd yr Arglwydd ein Duw ef yn ein dwylo, a lladdasom ef a'i feibion a'i holl fyddin. ³⁴Yr adeg honno cymerasom ci ddinasoedd i gyd, a lladd pawb oedd ym mhob dinas, yn ddynion, gwragedd a phlant; ni adawsom ddim ar ôl, ³⁵ond cymryd y gwartheg yn ysbail i ni ein hunain, ac anrhaith y dinasoedd a orchfygwyd gennym. ³⁶O Aroer, a oedd ar lan ceunant Arnon, cyn belled â Gilead a'r ddinas oedd yn y dyffryn, nid oedd yr un gaer yn rhy gadarn inni. Rhoddodd yr Arglwydd ein Duw y cyfan ohonynt yn ein dwylo. ³⁷Ond nid aethoch yn agos i wlad yr Ammoniaid, oddeutu ceunant Jabboc, nac ychwaith i ddinasoedd y mynydd-dir, nac i unrhyw le a waharddodd yr Arglwydd ein Duw inni.

Concro Og Brenin Basan
(Num. 21:31-35)

3 Yna troesom a mynd i gyfeiriad Basan. Daeth Og brenin Basan gyda'i holl fyddin i ymladd yn ein herbyn yn Edrei. ²Dywedodd yr Arglwydd wrthyf, "Paid â'i ofni, oherwydd yr wyf yn ei roi ef a'i holl bobl a'i dir yn dy law. Gwna iddo fel y gwnaethost i Sihon brenin yr Amoriaid, a oedd yn byw yn Hesbon." ³Rhoddodd yr Arglwydd ein Duw Og brenin Basan a'i holl fyddin yn

ein dwylo, a lladdasom hwy, heb adael un yn weddill. ⁴Yr adeg honno cymerasom ei ddinasoedd i gyd heb adael yr un ar ôl, sef trigain ohonynt, y cyfan o diriogaeth Argob, teyrnas Og yn Basan. ⁵Yr oedd y rhain i gyd yn ddinasoedd caerog, gyda muriau uchel a dorau a barrau; yr oedd hefyd lawer iawn o bentrefi heb furiau. ⁶Lladdasom bawb ym mhob dinas, yn ddynion, gwragedd a phlant, fel y gwnaethom i Sihon brenin Hesbon. ⁷Cymerasom y gwartheg i gyd yn ysbail i ni ein hunain, ac anrhaith y dinasoedd. ⁸Yr adeg honno cymerasom oddi ar ddau frenin yr Amoriaid y wlad y tu hwnt i'r Iorddonen, o geunant Arnon hyd fynydd-dir Hermon. ⁹Enw'r Sidoniaid ar Hermon oedd Sirion, ond yr oedd yr Amoriaid yn ei alw'n Senir. ¹⁰Yr oedd holl ddinasoedd y gwastadedd, a'r cyfan o Gilead a Basan hyd at Saleca ac Edrei, yn perthyn i deyrnas Og yn Basan. ¹¹Og brenin Basan oedd yr unig un ar ôl o weddill y Reffaim. Yr oedd ganddo wely haearn naw cufydd o hyd a phedwar cufydd o led, yn ôl y cufydd cyffredin; ac onid yw yn Rabba, dinas yr Ammoniaid?

Y Llwythau tu hwnt i'r Iorddonen
(Num. 32:1-42)

12 O'r wlad a gymerasom yn feddiant yr adeg honno, rhoddais i Reuben a Gad y tir oedd yn ymestyn o Aroer ar hyd glan ceunant Arnon, a hanner mynydd-dir Gilead, gyda'i ddinasoedd. ¹³Rhoddais i hanner llwyth Manasse y gweddill o Gilead, sef y cyfan o deyrnas Og yn Basan, tiriogaeth Argob i gyd. Gwlad y Reffaim oedd yr enw ar y cyfan o Basan. ¹⁴Cymerodd Jair fab Manasse y cyfan o diriogaeth Argob hyd at derfyn y Gasuriaid a'r Maacathiaid, a hyd heddiw gelwir Basan yn Hafoth Jair ar ei ôl ef. ¹⁵Rhoddais Gilead i Machir; ¹⁶ac i Reuben a Gad rhoddais y tir sy'n ymestyn o Gilead hyd at geunant Arnon, a chanol y ceunant yn derfyn iddo, a hyd at geunant Jabboc, ar derfyn yr Ammoniaid, ¹⁷a hefyd yr Araba, a'r Iorddonen yn derfyn iddo, o Cinnereth hyd at Fôr yr Araba, sef y Môr Marw, islaw llethrau Pisga i'r dwyrain. 18 Yr adeg honno gorchmynnais i chwi, a dweud, "Y mae'r ARGLWYDD eich Duw yn rhoi ichwi'r wlad hon i'w meddiannu; yr ydych chwi'r holl ddynion arfog a chryf i groesi o flaen eich brodyr, yr Israeliaid. ¹⁹Ond y mae eich gwragedd

a'ch plant a'ch anifeiliaid—a gwn fod gennych lawer o anifeiliaid—i aros yn y trefi a roddais i chwi ²⁰nes y bydd yr ARGLWYDD wedi rhoi diogelwch i'ch brodyr, fel y rhoddodd i chwi; yna byddant hwythau yn meddiannu'r wlad a roddodd yr ARGLWYDD eich Duw iddynt y tu hwnt i'r Iorddonen. Yna caiff pob un ohonoch fynd yn ôl i'r diriogaeth a roddais i chwi." ²¹Yr adeg honno hefyd gorchmynnais i Josua a dweud, "Yr wyt wedi gweld â'th lygaid dy hun yr hyn a wnaeth yr ARGLWYDD eich Duw i'r ddau frenin hyn; bydd yr ARGLWYDD yn gwneud yr un fath i'r holl deyrnasoedd yr wyt ti yn mynd i'w herbyn. ²²Paid â'u hofni, oherwydd bydd yr ARGLWYDD eich Duw yn ymladd trosoch."

23 Yr adeg honno ymbiliais â'r ARGLWYDD, a dweud, ²⁴"O Arglwydd DDUW, yr wyt wedi dechrau dangos i'th was dy fawredd a'th law gref, oherwydd pa dduw yn y nefoedd neu ar y ddaear sy'n cyflawni gweithredoedd a gorchestion fel dy rai di? ²⁵Gad imi groesi a gweld y wlad dda y tu hwnt i'r Iorddonen, y mynydd-dir da hwn, a Lebanon." ²⁶Ond yr oedd yr ARGLWYDD yn ddig wrthyf o'ch achos chwi, ac ni wrandawodd arnaf. A dywedodd yr ARGLWYDD wrthyf, "Dyna ddigon; paid â siarad wrthyf eto am hyn. ²⁷Dos i ben Pisga, ac edrych i'r gorllewin, y gogledd, y de a'r dwyrain, a sylwa'n fanwl, oherwydd ni chei di groesi'r Iorddonen hon. ²⁸Cyfarwydda Josua, a'i nerthu a'i gefnogi, oherwydd ef fydd yn croesi o flaen y bobl hyn, ac ef fydd yn eu harwain i feddiannu'r wlad yr wyt ti yn ei gweld." ²⁹Felly bu inni aros yn y dyffryn gyferbyn â Beth-peor.

Moses yn Annog Ufudd-dod

4 Yn awr, O Israel, gwrando ar y deddfau a'r cyfreithiau yr wyf yn eu dysgu ichwi heddiw; cadwch hwy er mwyn ichwi gael byw a mynd i feddiannu'r wlad y mae'r ARGLWYDD, Duw eich tadau, yn ei rhoi ichwi. ²Peidiwch ag ychwanegu dim at yr hyn yr wyf yn ei orchymyn ichwi, nac ychwaith dynnu oddi wrtho, ond cadw at orchmynion yr ARGLWYDD eich Duw yr wyf fi yn eu gorchymyn ichwi. ³Gwelsoch â'ch llygaid eich hunain yr hyn a wnaeth yr AR-GLWYDD yn Baal-peor; oherwydd dinistriodd yr ARGLWYDD eich Duw o'ch

plith bob un oedd yn dilyn Baal Peor; [4]ond yr ydych chwi i gyd sydd wedi glynu wrth yr ARGLWYDD eich Duw yn fyw hyd heddiw. [5]Gwelwch fy mod wedi dysgu ichwi'r deddfau a'r cyfreithiau, fel y gorchmynnodd yr ARGLWYDD fy Nuw imi, er mwyn ichwi eu cadw yn y wlad yr ydych yn mynd i mewn i'w meddiannu. [6]Gofalwch eu cadw, oherwydd dyma fydd eich doethineb a'ch deall yng ngolwg y bobloedd; a phan glywant hwy y deddfau hyn, byddant yn dweud, "Yn wir pobl ddoeth a deallus yw'r genedl fawr hon." [7]Yn wir pa genedl fawr sydd a chanddi dduw mor agos ati ag yw'r ARGLWYDD ein Duw ni bob tro y byddwn yn galw arno? [8]A pha genedl fawr sydd a chanddi ddeddfau a chyfreithiau mor gyfiawn â'r holl gyfraith hon yr wyf yn ci gosod o'ch blaen heddiw?

9 Bydd ofalus, a gwylia'n ddyfal rhag iti anghofio'r pethau a welodd dy lygaid, a rhag iddynt gilio o'th feddwl holl ddyddiau dy fywyd; dysga hwy i'th blant ac i blant dy blant. [10]Y dydd pan oeddit ti yn sefyll o flaen yr ARGLWYDD dy Dduw yn Horeb, fe ddywedodd yr ARGLWYDD wrthyf, "Cynnull y bobl ataf, a chyhoeddaf iddynt fy ngeiriau, er mwyn iddynt ddysgu fy ofni holl ddyddiau eu bywyd ar y ddaear, a bydded iddynt ddysgu eu plant i wneud hyn." [11]Daethoch chwi yn agos, a sefyll wrth droed y mynydd, ac yr oedd y mynydd yn llosgi gan dân hyd entrych y nefoedd; ac yr oedd yno dywyllwch, cwmwl a chaddug. [12]Llefarodd yr ARGLWYDD wrthych o ganol y tân; ond nid oeddech chwi'n gweld unrhyw ffurf, dim ond clywed llais. [13]Mynegodd i chwi ei gyfamod, sef y deg gorchymyn yr oedd yn eu gorchymyn i chwi eu cadw, ac ysgrifennodd hwy ar ddwy lechen. [14]Yr adeg honno gorchmynnodd yr ARGLWYDD i mi ddysgu ichwi'r deddfau a'r gorchmynion, er mwyn ichwi eu cadw yn y wlad yr oeddech yn mynd iddi i'w meddiannu.

Gwahardd Eilunaddoli

15 Gan na welsoch unrhyw ffurf, y dydd y llefarodd yr ARGLWYDD wrthych o ganol y tân yn Horeb, [16]gofalwch beidio â chyflawni anfadwaith trwy wneud i chwi eich hunain ddelw ar ffurf unrhyw fath ar gerflun, na ffurf dyn na gwraig, [17]nac unrhyw anifail ar y ddaear, nac unrhyw aderyn sy'n hedfan yn yr awyr, [18]nac

unrhyw beth sy'n ymlusgo ar y ddaear, nac unrhyw bysgodyn sydd yn y dŵr dan y ddaear. [19]Gwylia hefyd na fyddi'n codi dy olwg i'r nefoedd ac edrych ar yr haul, y lleuad neu'r sêr, holl lu'r nefoedd, a chael dy ddenu i ymgrymu iddynt a'u haddoli; neilltuodd yr ARGLWYDD dy Dduw y rhain ar gyfer yr holl bobloedd dan y nefoedd. [20]Ond cymerodd yr ARGLWYDD chwi, a daeth â chwi allan o'r ffwrnais haearn, o'r Aifft, i fod yn bobl sy'n etifeddiaeth iddo'i hun, fel yr ydych heddiw. [21]Yr oedd yr ARGLWYDD yn ddig wrthyf o'ch achos chwi, a thyngodd na chawn groesi'r Iorddonen, na mynd i mewn i'r wlad dda y mae'r ARGLWYDD dy Dduw yn ei rhoi yn feddiant iti. [22]Byddaf fi yn marw yn y wlad hon, ac ni chaf groesi'r Iorddonen, ond byddwch chwi yn croesi ac yn meddiannu'r wlad dda hon. [23]Byddwch ofalus rhag anghofio'r cyfamod a wnaeth yr ARGLWYDD eich Duw â chwi, a gwneud i chwi eich hunain ddelw gerfiedig ar ffurf unrhyw beth a waharddodd yr ARGLWYDD dy Dduw. [24]Oherwydd tân yn ysu yw'r ARGLWYDD dy Dduw; y mae ef yn Dduw eiddigus.

25 Pan fydd gennych blant ac wyrion, a chwithau wedi mynd yn hen yn y wlad, os byddwch yn cyflawni anfadwaith trwy wneud delw gerfiedig ar unrhyw ffurf, ac yn gwneud drwg yng ngolwg yr ARGLWYDD eich Duw ac ennyn ei ddig, [26]yna yr adeg honno byddaf yn galw ar y nefoedd a'r ddaear i dystio yn eich erbyn, a byddwch yn sicr o ddiflannu'n gyflym o'r wlad yr ydych wedi croesi'r Iorddonen i'w meddiannu; ni chewch aros yno'n hir, ond fe'ch difethir yn llwyr. [27]Bydd yr ARGLWYDD yn eich gwasgaru ymhlith y bobloedd, ac ni adewir ond ychydig ohonoch ymhlith y cenhedloedd y bydd yr ARGLWYDD yn eich arwain atynt. [28]Yna byddwch yn addoli duwiau o waith dwylo dynion, duwiau o bren a cherrig, nad ydynt yn gweld nac yn clywed nac yn bwyta nac yn arogli. [29]Os byddwch yn ceisio'r ARGLWYDD eich Duw yno, ac yn chwilio amdano â'ch holl galon ac â'ch holl enaid, byddwch yn ei gael. [30]Pan fydd yn gyfyng arnat, a'r holl bethau hyn yn digwydd iti yn y dyddiau sy'n dod, yna tro at yr ARGLWYDD dy Dduw a gwrando ar ei lais. [31]Oherwydd Duw trugarog yw'r ARGLWYDD dy Dduw; ni fydd yn dy siomi nac yn dy ddifa, ac ni fydd yn

anghofio'r cyfamod a wnaeth trwy lw â'th dadau.

Yr ARGLWYDD sydd Dduw

32 Ystyria'r dyddiau gynt, cyn dy amser di, o'r dydd y creodd Duw ddyn ar y ddaear, a chwilia'r nefoedd o un cwr i'r llall. A fu peth mor fawr â hyn, neu a glywyd am beth tebyg? ³³A glywodd pobl lais Duw yn llefaru o ganol tân, fel y clywaist ti, a byw? ³⁴A geisiodd unrhyw dduw ddod i gymryd iddo'i hun genedl o ganol cenedl trwy dreialon, arwyddion, rhyfeddodau, a brwydr, ac â llaw gadarn a braich estynedig a llawer o bethau arswydus, fel y gwnaeth yr ARGLWYDD eich Duw yn eich gŵydd yn yr Aifft? ³⁵Cefaist ti brofi hyn er mwyn iti wybod mai'r ARGLWYDD sydd Dduw, ac nad oes un arall. ³⁶Parodd iti glywed ei lais o'r nefoedd i'th ddisgyblu, a dangosodd iti ei dân mawr ar y ddaear, a chlywaist ei eiriau o ganol y tân. ³⁷Am iddo garu dy dadau a dewis eu plant ar eu hôl, y daeth â thi allan o'r Aifft â nerth mawr, ³⁸a gyrru allan o'th flaen genhedloedd oedd yn fwy ac yn gryfach na thi, a'th arwain a rhoi iti eu gwlad yn etifeddiaeth, fel y mae heddiw. ³⁹Heddiw yr wyt ti i gydnabod ac i ystyried mai'r ARGLWYDD sydd Dduw yn y nefoedd uchod ac ar y ddaear isod, ac nad oes un arall. ⁴⁰Cadw ei ddeddfau, a'r gorchmynion yr wyf yn eu gorchymyn iti heddiw, fel y bydd yn dda arnat ac ar dy blant ar dy ôl, ac iti gael oes faith ar y ddaear y mae'r ARGLWYDD dy Dduw yn ei rhoi iti am byth.

Dinasoedd Noddfa

41 Yna neilltuodd Moses dair dinas yn y dwyrain, yn y tir y tu hwnt i'r Iorddonen, ⁴²er mwyn i'r sawl a fyddai'n lladd ei gymydog yn anfwriadol, heb elyniaeth rhyngddynt yn flaenorol, gael ffoi iddynt. Trwy ffoi i un o'r dinasoedd hyn byddai'n arbed ei fywyd. ⁴³Y dinasoedd oedd: Beser yng ngwastatir yr anialwch ar gyfer y Reubeniaid; Ramoth yn Gilead ar gyfer y Gadiaid; Golan yn Basan ar gyfer y Manasseaid.

Rhoi'r Gyfraith

44 Dyma'r gyfraith a osododd Moses gerbron yr Israeliaid. ⁴⁵A dyma'r rheolau, y deddfau a'r cyfreithiau a lefarodd Moses wrth yr Israeliaid, wedi iddynt

ᵃFelly Syrieg. Hebraeg, *Seion*.

ddod allan o'r Aifft, ⁴⁶pan oeddent y tu hwnt i'r Iorddonen yn y dyffryn gyferbyn â Beth-peor yng ngwlad Sihon brenin yr Amoriaid, a oedd yn byw yn Hesbon ac a orchfygwyd gan Moses a'r Israeliaid ar eu taith allan o'r Aifft. ⁴⁷Cymerasant ei wlad ef a gwlad Og brenin Basan, dau frenin yr Amoriaid oedd yn y dwyrain, yn y diriogaeth y tu hwnt i'r Iorddonen. ⁴⁸Yr oedd y diriogaeth yn ymestyn o Aroer, ar lan ceunant Arnon, at Fynydd Sirionᵃ, sef Hermon, ⁴⁹ac yn cynnwys y cyfan o'r Araba i'r dwyrain o'r Iorddonen, hyd at Fôr yr Araba islaw llethrau Pisga.

Y Deg Gorchymyn
(Ex. 20:1-17)

5 Galwodd Moses ar Israel gyfan, a dywedodd wrthynt: O Israel, gwrandewch ar y deddfau a'r cyfreithiau yr wyf yn eu llefaru yn eich clyw heddiw. Dysgwch hwy, a gofalwch eu gweithredu. ²Gwnaeth yr ARGLWYDD ein Duw gyfamod â ni yn Horeb. ³Nid â'n tadau y gwnaeth yr ARGLWYDD y cyfamod hwn, ond â ni i gyd sy'n fyw yma heddiw. ⁴Llefarodd yr ARGLWYDD wyneb yn wyneb â chwi ar y mynydd o ganol y tân. ⁵Yr adeg honno yr oeddwn i yn sefyll rhwng yr ARGLWYDD a chwi i fynegi i chwi air yr ARGLWYDD, oherwydd yr oeddech chwi yn ofni'r tân, ac nid aethoch i fyny i'r mynydd. Dyma a ddywedodd:

6 "Myfi yw'r ARGLWYDD dy Dduw, a'th arweiniodd allan o wlad yr Aifft, o dŷ caethiwed.

7 "Na chymer dduwiau eraill ar wahân i mi.

8 "Na wna iti ddelw gerfiedig ar ffurf dim sydd yn y nefoedd uchod na'r ddaear isod nac yn y dŵr o dan y ddaear; ⁹nac ymgryma iddynt na'u gwasanaethu, oherwydd yr wyf fi, yr ARGLWYDD dy Dduw, yn Dduw eiddigus; yr wyf yn cosbi'r plant am ddrygioni'r tadau hyd y drydedd a'r bedwaredd genhedlaeth o'r rhai sy'n fy nghasáu, ¹⁰ond yn dangos trugaredd i filoedd o'r rhai sy'n fy ngharu ac yn cadw fy ngorchmynion.

11 "Na chymer enw'r ARGLWYDD dy Dduw yn ofer, oherwydd ni fydd yr ARGLWYDD yn ystyried yn ddieuog y sawl sy'n cymryd ei enw'n ofer.

12 "Cadw'r dydd Saboth yn gysegredig, fel y gorchmynnodd yr ARGLWYDD

dy Dduw iti. [13]Chwe diwrnod yr wyt i weithio a gwneud dy holl waith, [14]ond y mae'r seithfed dydd yn Saboth yr AR-GLWYDD dy Dduw; na wna ddim gwaith y dydd hwnnw, ti na'th fab, na'th ferch, na'th was, na'th forwyn, na'th ych, na'th asyn, nac un o'th anifeiliaid, na'r estron sydd o fewn dy byrth, er mwyn i'th was a'th forwyn gael gorffwys fel ti dy hun. [15]Cofia iti fod yn was yng ngwlad yr Aifft, ac i'r ARGLWYDD dy Dduw dy arwain allan oddi yno â llaw gadarn a braich estynedig; am hyn y gorchmynnodd yr ARGLWYDD dy Dduw iti gadw'r dydd Saboth.

16 "Anrhydedda dy dad a'th fam, fel y gorchmynnodd yr ARGLWYDD dy Dduw iti, er mwyn amlhau dy ddyddiau ac fel y bydd yn dda arnat yn y wlad y mae'r ARGLWYDD dy Dduw yn ei rhoi iti.

17 "Na ladd.

18 "Na odineba.

19 "Na ladrata.

20 "Na ddwg gamdystiolaeth yn erbyn dy gymydog.

21 "Na chwennych wraig dy gym-ydog, na dymuno cael tŷ dy gymydog, na'i dir, na'i was, na'i forwyn, na'i ych, na'i asyn, na dim sy'n eiddo i'th gym-ydog."

Y Bobl yn Ofni
(Ex. 20:18-21)

22 Llefarodd yr ARGLWYDD y geiriau hyn â llais uchel wrth eich holl gynulliad ar y mynydd o ganol y tân, y cwmwl a'r tywyllwch, ac nid ychwanegodd ddim atynt. Yna ysgrifennodd hwy ar ddwy lechen garreg, a'u rhoi i mi. [23]Pan glyw-soch y llais o ganol y tywyllwch, a'r mynydd ar dân, yna daeth penaethiaid eich llwythau a'ch henuriaid ataf, [24]a dywedasoch, "Dangosodd yr AR-GLWYDD ein Duw inni ei ogoniant a'i fawredd, ac fe glywsom ei lais o ganol y tân; heddiw yr ydym yn gweld y gall dyn fyw er i Dduw lefaru wrtho. [25]Yn awr, pam y byddwn ni farw? Bydd y tân mawr hwn yn sicr o'n difa, a byddwn farw, os bydd inni glywed llais yr AR-GLWYDD ein Duw eto. [26]A glywodd un-rhyw ddyn lais y Duw byw yn llefaru o ganol y tân, fel yr ydym ni wedi ei glywed, a byw? [27]Dos di, a gwrando ar y cyfan a ddywed yr ARGLWYDD ein Duw, ac yna mynega wrthym y cyfan a lefar-odd yr ARGLWYDD ein Duw wrthyt; fe

wrandawn ninnau ac ufuddhau."

28 Pan glywodd yr ARGLWYDD y geir-au a lefarasoch wrthyf, dywedodd, "Yr wyf wedi clywed geiriau'r bobl hyn pan oeddent yn llefaru wrthyt; ac y mae'r cyfan a ddywedant yn wir. [29]O na fyddent yn meddwl fel hyn o hyd, ac yn fy ofni ac yn cadw'r cyfan o'm gorchmynion bob amser, fel y byddai'n dda iddynt hwy a'u plant am byth! [30]Dos, a dywed wrthynt, 'Ewch yn ôl i'ch pebyll.' [31]Saf di yma yn fy ymyl, ac fe lefaraf wrthyt yr holl orchmynion a'r deddfau a'r cyfreithiau yr wyt ti i'w dysgu iddynt, ac y maent hwy i'w cadw yn y wlad yr wyf yn ei rhoi iddynt i'w meddiannu." [32]Gofalwch wneud fel y mae'r ARGLWYDD eich Duw yn gorchymyn ichwi; peidiwch â throi i'r dde na'r chwith. [33]Yr ydych i rodio yn ôl y cyfan a orchmynnodd yr ARGLWYDD eich Duw ichwi, er mwyn i chwi gael byw a llwyddo, ac amlhau eich dyddiau yn y wlad y byddwch yn ei meddiannu.

Caru'r ARGLWYDD

6 Dyma'r gorchmynion, y deddfau a'r cyfreithiau y gorchmynnodd yr AR-GLWYDD eich Duw eu dysgu ichwi i'w cadw yn y wlad yr ydych yn mynd iddi i'w meddiannu, [2]er mwyn i chwi ofni'r ARGLWYDD eich Duw a chadw yr holl ddeddfau a gorchmynion yr wyf yn eu rhoi i chwi a'ch plant a phlant eich plant holl ddyddiau eich bywyd, ac er mwyn estyn eich dyddiau. [3]Gwrando, O Israel, a gofala eu cadw, fel y bydd yn dda arnat, ac y byddi'n cynyddu mewn gwlad yn llifeirio o laeth a mêl, fel yr addawodd yr ARGLWYDD, Duw dy dadau.

4 Gwrando, O Israel: Y mae'r AR-GLWYDD ein Duw yn un ARGLWYDD. [5]Câr di yr ARGLWYDD dy Dduw â'th holl galon ac â'th holl enaid ac â'th holl nerth. [6]Y mae'r geiriau hyn yr wyf yn eu gorchymyn iti heddiw i fod yn dy galon. [7]Yr wyt i'w hadrodd i'th blant, ac i sôn amdanynt pan fyddi'n eistedd yn dy dŷ ac yn cerdded ar y ffordd, a phan fyddi'n mynd i gysgu ac yn codi. [8]Yr wyt i'w rhwymo yn arwydd ar dy law, a byddant yn rhactalau rhwng dy lygaid. [9]Ysgrif-enna hwy ar byst dy dŷ ac ar dy byrth.

Rhybuddion rhag Anufudd-dod

10 Yna bydd yr ARGLWYDD dy Dduw yn dod â thi i'r wlad y tyngodd i'th dadau, Abraham, Isaac a Jacob, y byddai'n ei

rhoi iti, gwlad o ddinasoedd mawr a theg na adeiladwyd mohonynt gennyt, ¹¹hefyd tai yn llawn o bethau daionus na ddarparwyd mohonynt gennyt, a phydewau na chloddiwyd gennyt, a gwinllannoedd ac olewydd na phlannwyd gennyt. Pan fyddi'n bwyta ac yn cael dy ddigoni, ¹²gofala na fyddi'n anghofio'r ARGLWYDD dy Dduw a ddaeth â thi allan o wlad yr Aifft, o dŷ caethiwed. ¹³Yr wyt i ofni'r ARGLWYDD dy Dduw a'i wasanaethu a thyngu dy lw yn ei enw. ¹⁴Paid â dilyn duwiau eraill o blith duwiau'r cenhedloedd o'th amgylch, ¹⁵oherwydd y mae'r ARGLWYDD dy Dduw sydd gyda thi yn Dduw eiddigus, a bydd ei ddig yn ennyn tuag atat ac yn dy ddifa oddi ar wyneb y ddaear.

16 Peidiwch â gosod yr ARGLWYDD eich Duw ar ei brawf, fel y gwnaethoch yn Massa. ¹⁷Gofalwch gadw gorchmynion yr ARGLWYDD eich Duw, ei dystiolaethau a'r deddfau a orchmynnodd ichwi. ¹⁸Gwna'r hyn sydd uniawn a da yng ngolwg yr ARGLWYDD, fel y bydd yn dda arnat, ac y byddi'n mynd i feddiannu'r wlad dda y tyngodd yr ARGLWYDD y byddai'n ei rhoi i'th dadau ¹⁹trwy yrru allan dy holl elynion o'th flaen, fel yr addawodd yr ARGLWYDD.

20 Pan fydd dy fab yn gofyn iti yn y dyfodol, "Beth yw ystyr y tystiolaethau, y deddfau a'r cyfreithiau a orchmynnodd yr ARGLWYDD ein Duw ichwi?", ²¹yna dywed wrtho, "Yr oeddem ni yn gaethion i Pharo yn yr Aifft, a daeth yr ARGLWYDD â ni allan oddi yno â llaw gadarn, ²²ac yn ein gŵydd dangosodd arwyddion a rhyfeddodau mawr ac arswydus i'r Eifftiaid a Pharo a'i holl dŷ. ²³Daeth â ni allan oddi yno er mwyn ein harwain i'r wlad y tyngodd i'n tadau y byddai'n ei rhoi inni. ²⁴A gorchmynnodd yr ARGLWYDD inni gadw'r holl ddeddfau hyn er mwyn inni ofni'r ARGLWYDD ein Duw, ac iddi fod yn dda arnom bob amser, ac inni gael ein cadw'n fyw, fel yr ydym heddiw. ²⁵A bydd yn gyfiawnder inni os gofalwn gadw'r holl orchmynion hyn gerbron yr ARGLWYDD ein Duw, fel y gorchmynnodd ef inni."

Gyrru'r Cenhedloedd o'r Wlad
(Ex. 34:11-16)

7 Bydd yr ARGLWYDD dy Dduw yn dod â thi i'r wlad yr wyt yn mynd iddi i'w meddiannu, ac yn gyrru allan o'th flaen lawer o genhedloedd, sef Hethiaid, Girgasiaid, Amoriaid, Canaaneaid, Peresiaid, Hefiaid a Jebusiaid, saith o genhedloedd sy'n fwy niferus a chryfach na thi; ²a phan fydd yr ARGLWYDD dy Dduw yn eu darostwng o'th flaen, a thithau'n ymosod arnynt, yr wyt i'w difa'n llwyr. Paid â gwneud cyfamod â hwy nac ymddwyn yn garedig tuag atynt. ³Paid â gwneud cytundeb priodas â hwy trwy roi dy ferched i'w meibion a chymryd eu merched i'th feibion, ⁴oherwydd fe wnânt i'th blant droi oddi wrthyf ac addoli duwiau eraill, a bydd yr ARGLWYDD yn ddig wrthyt ac yn dy ddifa ar unwaith. ⁵Ond fel hyn yr ydych i wneud iddynt: tynnu i lawr eu hallorau, dinistrio eu colofnau, a malurio eu Asera a llosgi eu delwau yn y tân.

6 Yr ydych chwi yn bobl sanctaidd i'r ARGLWYDD eich Duw. Y mae'r ARGLWYDD eich Duw wedi eich dewis o blith yr holl bobloedd sydd ar wyneb y ddaear, i fod yn bobl arbennig iddo ef. ⁷Nid am eich bod yn fwy niferus na'r holl bobloedd yr hoffodd yr ARGLWYDD chwi a'ch dewis; yn wir chwi oedd y lleiaf o'r holl bobloedd. ⁸Ond am fod yr ARGLWYDD yn eich caru ac yn cadw'r addewid a dyngodd i'ch tadau, daeth â chwi allan â llaw gadarn a'ch gwaredu o dŷ caethiwed, o law Pharo brenin yr Aifft. ⁹Felly deallwch mai'r ARGLWYDD eich Duw sydd Dduw; y mae'n Dduw ffyddlon, yn cadw cyfamod a ffyddlondeb hyd fil o genedlaethau gyda'r rhai sy'n ei garu ac yn cadw ei orchmynion, ¹⁰ond y mae'n talu'n ôl i'r rhai sy'n ei gasáu trwy eu difa; yn wir nid yw'n oedi i dalu'n ôl i'r rhai sy'n ei gasáu. ¹¹Yr ydych i gadw'r gorchmynion, y deddfau a'r cyfreithiau yr wyf fi heddiw yn gorchymyn i chwi eu cadw.

Y Bendithion o Ufuddhau
(Deut. 28:1-14)

12 Os byddwch yn gwrando ar y cyfreithiau hyn ac yn gofalu eu cadw, yna bydd yr ARGLWYDD eich Duw yn cadw'r cyfamod a'r ffyddlondeb a dyngodd i'ch tadau. ¹³Bydd yn eich caru, yn eich bendithio ac yn gwneud ichwi gynyddu; bydd hefyd yn bendithio'ch plant a chynnyrch eich tir, eich ŷd, eich gwin a'ch olew, ac epil eich gwartheg a'ch praidd yn y tir y tyngodd i'ch tadau y byddai'n ei roi ichwi. ¹⁴Cewch eich bendithio yn fwy

na'r holl bobloedd; ni fydd yr un ohonoch chwi, yn wryw na benyw, yn anffrwythlon, na'r un o'ch anifeiliaid. [15]Fe dry'r ARGLWYDD bob clefyd oddi wrthych, ac ni fydd yn dwyn arnoch chwi yr un o'r heintiau difrifol a brofasoch yn yr Aifft, ond yn eu gosod ar yr holl rai sy'n eich casáu. [16]Yr ydych i ddifa'r holl bobloedd y mae'r ARGLWYDD eich Duw yn eu rhoi i chwi; nid ydych i dosturio wrthynt nac addoli eu duwiau, oherwydd byddai hynny yn fagl ichwi.

17 Hwyrach y byddwch yn dweud ynoch eich hunain, "Y mae'r cenhedloedd hyn yn fwy niferus na ni; sut felly y gallwn eu gyrru allan?" [18]Peidiwch â'u hofni; daliwch i gofio'r hyn a wnaeth yr ARGLWYDD eich Duw i Pharo a'r Aifft i gyd. [19]Gwelsoch â'ch llygaid eich hunain y treialon mawr, yr arwyddion a'r rhyfeddodau, ac fel y daeth yr AR-GLWYDD eich Duw â chwi allan â llaw gadarn a braich cstynedig; felly y gwna'r ARGLWYDD eich Duw i'r holl bobloedd yr ydych yn eu hofni. [20]Bydd yr ARGLWYDD eich Duw hefyd yn anfon cacwn i'w plith, nes difa pob un fydd yn weddill neu yn cuddio oddi wrthych. [21]Peidiwch ag arswydo o'u hachos, oherwydd bydd yr ARGLWYDD eich Duw, y Duw mawr ac ofnadwy, gyda chwi. [22]Fe fydd yr AR-GLWYDD eich Duw yn gyrru allan y cenhedloedd hyn o'ch blaenau fesul ychydig; ni fyddwch yn eu difa ar unwaith, rhag i'r anifeiliaid gwyllt fynd yn rhy niferus ichwi. [23]Bydd yr ARGLWYDD eich Duw yn eu darostwng o'ch blaenau, ac yn dwyn arnynt ddryswch mawr nes eu dinistrio. [24]Bydd yn rhoi eu brenhinoedd yn eich llaw, a byddwch yn dileu eu henwau o dan y nefoedd; ni all unrhyw un eich gwrthsefyll nes i chwi eu dinistrio. [25]Yr ydych i losgi delwau eu duwiau yn y tân; nid ydych i chwennych eu harian a'u haur, na'u cymryd, rhag iddynt fod yn fagl ichwi, oherwydd y maent yn ffieiddddra i'r ARGLWYDD eich Duw. [26]Nid ydych i ddwyn i'ch tŷ unrhyw ffieidd-dra, rhag i chwi fynd yn beth i'w ddifrodi fel yntau; yr ydych i'w ddirmygu'n llwyr a'i ffieiddio, oherwydd peth i'w ddifrodi ydyw.

Meddiannu'r Wlad

8 Gofalwch gadw'r holl orchmynion yr wyf yn eu rhoi ichwi heddiw, er mwyn ichwi fyw a chynyddu a mynd i feddiannu'r wlad y tyngodd yr AR-GLWYDD y byddai'n ei rhoi i'ch tadau. [2]Cofiwch yr holl ffordd yr arweiniodd yr ARGLWYDD eich Duw chwi yn ystod y deugain mlynedd hyn yn yr anialwch, gan eich darostwng a'ch profi er mwyn gwybod a oeddech yn bwriadu cadw ei orchmynion ai peidio. [3]Darostyngodd chwi a dwyn newyn arnoch; yna fe'ch porthodd â manna, nad oeddech chwi na'ch tadau yn gwybod beth oedd, er mwyn eich dysgu nad ar fara yn unig y bydd dyn fyw, ond ar bopeth sy'n dod o enau'r ARGLWYDD. [4]Ni threuliodd y dillad oedd amdanoch, ac ni chwyddodd eich traed yn ystod y deugain mlynedd hyn. [5]Ystyriwch fod yr ARGLWYDD eich Duw yn eich disgyblu fel y mae tad yn disgyblu ei fab. [6]Cadwch orchmynion yr ARGLWYDD eich Duw trwy rodio yn ei ffyrdd a'i barchu; [7]oherwydd y mae'r ARGLWYDD eich Duw yn dod â chwi i wlad dda, gwlad ac ynddi ffrydiau dŵr, ffynhonnau, a chronfeydd yn tarddu yn y dyffrynnoedd ac ar y mynyddoedd; [8]gwlad lle mae gwenith a haidd, gwinwydd, ffigys a phomgranadau, olewydd a mêl; [9]gwlad lle cewch fwyta heb brinder, a lle ni bydd arnoch angen am ddim; gwlad y mae ei cherrig yn haearn a lle y byddwch yn cloddio copr o'i mynyddoedd. [10]Wedi ichwi fwyta a chael digon, byddwch yn bendithio'r ARGLWYDD eich Duw am y wlad dda y mae'n ei rhoi ichwi.

Peidio ag Anghofio Duw

11 Gofalwch na fyddwch yn anghofio'r ARGLWYDD eich Duw nac yn gwrthod cadw ei orchmynion, ei gyfreithiau a'i ddeddfau, yr wyf yn eu gorchymyn ichwi heddiw. [12]Pan fyddwch wedi bwyta a chael digon, ac adeiladu tai braf i fyw ynddynt, [13]a phan fydd eich gwartheg a'ch defaid yn cynyddu, a digon o arian ac aur gennych, a'ch holl eiddo yn cynyddu, [14]yna peidiwch ag ymffrostio ac anghofio'r ARGLWYDD eich Duw, a ddaeth â chwi allan o wlad yr Aifft, o dŷ caethiwed. [15]Ef oedd yn eich arwain trwy'r anialwch mawr a dychrynllyd, lle'r oedd seirff gwenwynig a nadroedd, a thrwy dir sych heb ddim dŵr, lle y gwnaeth i ddŵr darddu allan i chwi o'r graig galed. [16]Porthodd chwi hefyd yn yr anialwch â manna, nad oedd eich tadau yn gwybod beth oedd, a hynny er mwyn eich darostwng a'ch profi, fel y byddai'n

dda arnoch yn y diwedd. ¹⁷Os dywedwch, "Ein nerth ein hunain a chryfder ein dwylo a ddaeth â'r cyfoeth hwn inni", ¹⁸yna cofiwch yr ARGLWYDD eich Duw, oherwydd ef sy'n rhoi nerth ichwi i ennill cyfoeth, er mwyn cadarnhau'r cyfamod a dyngodd i'ch tadau, fel y mae heddiw.

¹⁹Os byddwch yn anghofio'r ARGLWYDD eich Duw ac yn mynd ar ôl duwiau eraill ac yn eu gwasanaethu ac yn ymgrymu iddynt, yna yr wyf yn eich rhybuddio heddiw y byddwch yn cael eich dinistrio'n llwyr. ²⁰Fel y cenhedloedd a ddinistriodd yr ARGLWYDD o'ch blaenau y dinistrir chwithau, am ichwi wrthod gwrando ar lais yr ARGLWYDD eich Duw.

Cyfiawnder Duw, nid Israel

9 Gwrando, O Israel, yr wyt ti heddiw yn croesi'r Iorddonen i goncro cenhedloedd sy'n fwy ac yn gryfach na thi, a dinasoedd mawr â chaerau cyn uched â'r nefoedd. ²Y maent yn ddynion mawr a thal, disgynyddion yr Anacim; fe wyddost ti amdanynt, oherwydd clywaist ddweud, "Pwy a saif o flaen yr Anacim?" ³Ond deall di heddiw fod yr ARGLWYDD dy Dduw, sy'n croesi o'th flaen, yn dân ysol, ac y bydd ef yn eu difa a'u darostwng o'th flaen. Byddi dithau'n eu gyrru allan ac yn eu difa yn sydyn, fel yr addawodd yr ARGLWYDD wrthyt.

4 Pan fydd yr ARGLWYDD dy Dduw wedi eu gyrru allan o'th flaen, paid â dweud, "Daeth yr ARGLWYDD â mi i feddiannu'r wlad hon oherwydd fy nghyfiawnder." Ond o achos drygioni'r cenhedloedd hyn y mae'r ARGLWYDD yn eu gyrru allan o'th flaen. ⁵Nid oherwydd dy gyfiawnder a'th uniondeb yr wyt yn mynd i feddiannu eu gwlad, ond oherwydd drygioni'r cenhedloedd hyn y mae'r ARGLWYDD dy Dduw yn eu gyrru allan o'th flaen, ac er mwyn cadarnhau'r gair a dyngodd i'th dadau, Abraham, Isaac a Jacob. ⁶Felly ystyria di nad o achos dy gyfiawnder y mae'r ARGLWYDD dy Dduw yn rhoi iti'r wlad dda hon i'w meddiannu; yn wir, pobl ystyfnig ydych.

Troi at Addoli Llo Aur
(Ex. 24:12-18; 32:7-20)

7 Cofia, a phaid ag anghofio, iti ennyn dig yr ARGLWYDD dy Dduw yn yr anialwch; yr wyt wedi gwrthryfela yn erbyn yr ARGLWYDD o'r dydd y daethost allan o wlad yr Aifft nes iti ddod i'r lle hwn.

⁸Digiasoch yr ARGLWYDD yn Horeb, ac yr oedd mor ddig nes iddo fwriadu eich difa. ⁹Pan euthum i fyny i'r mynydd i dderbyn y llechau, llechau'r cyfamod a wnaeth yr ARGLWYDD â chwi, fe arhosais ar y mynydd am ddeugain diwrnod a deugain nos heb fwyta nac yfed. ¹⁰Rhoddodd yr ARGLWYDD imi y ddwy lechen, llechau yr ysgrifennwyd arnynt gan fys Duw, ac arnynt yr oedd yr holl eiriau a lefarodd yr ARGLWYDD wrthych o ganol y tân ar y mynydd ar ddydd y cynulliad. ¹¹Ar ddiwedd y deugain diwrnod a deugain nos, rhoddodd yr ARGLWYDD imi'r ddwy lechen, llechau'r cyfamod, ¹²a dywedodd yr ARGLWYDD wrthyf, "Cod, dos i lawr ar unwaith o'r mynydd hwn, oherwydd y mae dy bobl, a ddygaist allan o'r Aifft, wedi gwneud peth gwarthus; y maent wedi rhuthro i droi o'r ffordd a orchmynnais iddynt, ac wedi gwneud iddynt eu hunain ddelw o fetel."

13 Dywedodd yr ARGLWYDD wrthyf, "Gwelais fod y bobl hyn yn bobl ystyfnig. ¹⁴Gad lonydd imi, er mwyn imi eu difa a dileu eu henw o dan y nefoedd, a'th wneud di'n genedl gryfach a mwy niferus na hwy." ¹⁵Yna trois a dod i lawr o'r mynydd â dwy lechen y cyfamod yn fy nwylo, ac yr oedd y mynydd yn llosgi gan dân. ¹⁶Gwelais eich bod wedi pechu yn erbyn yr ARGLWYDD eich Duw trwy wneud i chwi eich hunain ddelw fetel ar ffurf llo, a rhuthro i droi o'r ffordd a orchmynnodd yr ARGLWYDD ichwi. ¹⁷Cydiais yn y ddwy lechen a'u taflu o'm dwylo a'u torri yn eich gŵydd. ¹⁸Yna syrthiais i lawr gerbron yr ARGLWYDD, fel o'r blaen, a bûm am ddeugain diwrnod a deugain nos heb fwyta nac yfed o achos eich holl bechodau, sef gwneud drygioni yng ngolwg yr ARGLWYDD a'i ddigio. ¹⁹Yr oeddwn yn ofni'r dig a'r cynddaredd yr oedd yr ARGLWYDD yn eu dangos tuag atoch gan feddwl eich difa, ond gwrandawodd yr ARGLWYDD arnaf y tro hwn eto. ²⁰Yr oedd yr ARGLWYDD yn ddig iawn wrth Aaron ac yn bwriadu ei ddifa, ond ymbiliais ar ei ran yr adeg honno. ²¹Cymerais y llo yr oeddech wedi pechu wrth ei wneud, a'i losgi yn y tân, ei guro a'i falu'n fân nes ei fod yn llwch, ac yna teflais y llwch i'r nant oedd yn llifo o'r mynydd.

22 Digiasoch yr ARGLWYDD yn Tabera, yn Massa ac yn Cibroth-hattaafa. ²³Yna pan anfonodd yr ARGLWYDD chwi

o Cades-Barnea a dweud wrthych, "Ewch i fyny i feddiannu'r wlad yr wyf yn ei rhoi ichwi", gwrthryfela a wnaethoch yn erbyn yr ARGLWYDD eich Duw, a gwrthod ymddiried ynddo a gwrando ar ei lais. ²⁴Yr ydych wedi gwrthryfela yn erbyn yr ARGLWYDD o'r dydd y deuthum i'ch adnabod.

25 Yna syrthiais i lawr gerbron yr ARGLWYDD am ddeugain diwrnod a deugain nos, oherwydd iddo ddweud ei fod am eich difa. ²⁶Gweddïais ar yr ARGLWYDD a dweud, "O Arglwydd DDUW, paid â dinistrio dy bobl, dy etifeddiaeth a achubaist â'th gryfder trwy ddod â hwy allan o'r Aifft â llaw gadarn. ²⁷Cofia dy weision, Abraham, Isaac a Jacob; paid ag edrych ar ystyfnigrwydd, drygioni a phechod y bobl hyn, ²⁸rhag i drigolion y wlad y daethost â hwy allan ohoni ddweud, 'Am ei fod yn methu mynd â hwy i'r wlad a addawodd iddynt, ac am ei fod yn eu casáu, y daeth yr ARGLWYDD â hwy allan i'w lladd yn yr anialwch.' ²⁹Ond dy bobl di ydynt, dy etifeddiaeth a ddygaist allan â'th nerth mawr ac â'th fraich estynedig."

Derbyn y Deg Gorchymyn Eilwaith
(Ex. 34:1-10)

10 Yr adeg honno, dywedodd yr ARGLWYDD wrthyf, "Nadd ddwy lechen fel y rhai cyntaf, a thyrd i fyny ataf i'r mynydd; gwna hefyd arch bren. ²Fe ysgrifennaf ar y llechau y geiriau oedd ar y llechau cyntaf, a ddrylliaist; yna gosod di hwy yn yr arch." ³Gwneuthum arch o goed acasia, a naddu dwy lechen fel y rhai cyntaf, a mynd i fyny i'r mynydd gyda'r llechau yn fy nwylo. ⁴Ac yna, yn union fel y gwnaeth y tro cyntaf, fe ysgrifennodd yr ARGLWYDD ar y llechau y deg gorchymyn a lefarodd wrthych o ganol y tân ar y mynydd ar ddydd y cynulliad, ac fe'u rhoddodd imi. ⁵Wedi hyn deuthum i lawr o'r mynydd, a gosodais y llechau yn yr arch a wneuthum, ac y maent yno, fel y gorchmynnodd yr ARGLWYDD imi.

6 Teithiodd yr Israeliaid o ffynhonnau meibion Jaacan i Mosera. Bu Aaron farw yno, ac yno y claddwyd ef; a daeth Eleasar ei fab yn offeiriad yn ei le. ⁷Teithiasant oddi yno i Gudgoda, ac o Gudgoda i Jotbatha, gwlad lle'r oedd ffrydiau dŵr. ⁸Yr adeg honno neilltuodd yr ARGLWYDD lwyth Lefi i gario arch cyfamod yr ARGLWYDD, ac i sefyll ger-

bron yr ARGLWYDD i'w wasanaethu, a bendithio yn ei enw, fel y gwnant hyd heddiw. ⁹Dyna pam nad oes gan Lefi ran nac etifeddiaeth gyda'i frodyr; yr ARGLWYDD yw ei etifeddiaeth, fel yr addawodd yr ARGLWYDD dy Dduw iddo.

10 Fel y tro cyntaf, arhosais ar y mynydd am ddeugain diwrnod a deugain nos; gwrandawodd yr ARGLWYDD arnaf fel y gwnaeth yr adeg honno, oherwydd nid oedd yr ARGLWYDD yn dymuno eich difa. ¹¹Yna dywedodd yr ARGLWYDD wrthyf, "Cod ac arwain y bobl er mwyn iddynt fynd i feddiannu'r wlad y tyngais i'w tadau y byddwn yn ei rhoi iddynt."

Gofynion yr ARGLWYDD
12 Yn awr, O Israel, beth y mae'r ARGLWYDD dy Dduw yn ei ofyn gennyt? Dy fod yn ofni'r ARGLWYDD dy Dduw trwy rodio yn ei ffyrdd a'i garu, a gwasanaethu'r ARGLWYDD dy Dduw â'th holl galon ac â'th holl enaid; ¹³dy fod hefyd yn cadw ei orchmynion a'i ddeddfau yr wyf yn eu gorchymyn iti heddiw, fel y bydd yn dda arnat. ¹⁴Edrych, eiddo'r ARGLWYDD dy Dduw yw'r nefoedd a nef y nefoedd, hefyd y ddaear a'r cyfan sydd arni. ¹⁵Ond rhoddodd yr ARGLWYDD ei serch ar dy dadau ac fe'u carodd, a dewis eu disgynyddion ar eu hôl; ie, eich dewis chwi o blith yr holl bobloedd, fel y mae'n gwneud heddiw. ¹⁶Yn awr, enwaedwch eich calonnau, a pheidiwch â bod yn ystyfnig eto. ¹⁷Oherwydd yr ARGLWYDD eich Duw yw Duw y duwiau ac Arglwydd yr arglwyddi, Duw mawr, cadarn ac ofnadwy; nid yw'n dangos ffafriaeth nac yn cymryd llwgrwobr. ¹⁸Y mae'n gwneud cyfiawnder â'r amddifad a'r weddw, ac yn caru'r dieithryn, a rhoi iddo fwyd a dillad. ¹⁹Yr ydych chwithau i garu'r dieithryn, gan ichwi fod yn ddieithriaid yng ngwlad yr Aifft. ²⁰Yr wyt i ofni'r ARGLWYDD dy Dduw a'i wasanaethu; yr wyt i lynu wrtho ac i dyngu yn ei enw. ²¹Ef yw dy fawl, ac ef yw dy Dduw, a wnaeth iti'r pethau mawr ac ofnadwy hyn a welaist â'th lygaid dy hun. ²²Yn ddeg a thrigain o bobl yr aeth dy dadau i lawr i'r Aifft, ond yn awr y mae'r ARGLWYDD dy Dduw wedi dy wneud mor niferus â sêr y nefoedd.

Mawredd yr ARGLWYDD

11 Yr ydych i garu'r ARGLWYDD eich Duw a chadw ei ofynion, ei ddeddfau, ei gyfreithiau a'i orchmynion bob amser. ²Gan nad yw eich plant wedi profi na gweld disgyblaeth yr ARGLWYDD eich Duw, ei fawredd, ei law gadarn a'i fraich estynedig, yr ydych chwi heddiw i'w cofio; ³hefyd ei arwyddion a'i weithredoedd a wnaeth ymhlith yr Eifftiaid, i'r Brenin Pharo ac i'w holl wlad; ⁴a'r hyn a wnaeth i fyddin yr Aifft, ei meirch a'i cherbydau, pan barodd i ddyfroedd y Môr Coch lifo drostynt wrth iddynt eich ymlid, ac iddo'u difa hyd y dydd hwn. ⁵Cofiwch hefyd yr hyn a wnaeth er eich mwyn yn yr anialwch nes ichwi ddod i'r lle hwn, ⁶a'r hyn a wnaeth i Dathan ac Abiram, meibion Eliab fab Reuben, pan agorodd y ddaear ei safn yng nghanol Israel gyfan a'u llyncu hwy a'u teuluoedd, eu pebyll a'r holl eiddo oedd yn perthyn iddynt. ⁷Fe welsoch chwi â'ch llygaid eich hunain yr holl weithredoedd mawr a wnaeth yr ARGLWYDD.

Bendithion Gwlad yr Addewid

8 Yr ydych i gadw pob gorchymyn yr wyf fi yn ei roi ichwi heddiw, er mwyn ichwi fod yn ddigon cryf i fynd i mewn ac etifeddu'r wlad yr ydych ar fynd drosodd i'w meddiannu; ⁹a hefyd er mwyn estyn eich oes yn y tir y tyngodd yr ARGLWYDD i'ch tadau y byddai'n ei roi iddynt hwy a'u disgynyddion, gwlad yn llifeirio o laeth a mêl. ¹⁰Yn wir, nid yw'r wlad yr ydych ar ddod iddi i'w meddiannu yn debyg i wlad yr Aifft y daethoch allan ohoni, lle'r oeddech yn hau eich had ac yn ei ddyfrhau â'ch troed, fel gardd lysiau. ¹¹Ond y mae'r wlad yr ydych ar fynd drosodd i'w meddiannu yn wlad o fynyddoedd a dyffrynnoedd, yn yfed dŵr o law y nefoedd. ¹²Tir y mae'r ARGLWYDD eich Duw yn gofalu amdano yw hwn, a'i lygaid yn wastad arno o ddechrau blwyddyn i'w diwedd. ¹³Ac os byddwch yn gwrando o ddifrif ar fy ngorchmynion, yr wyf yn eu rhoi ichwi heddiw, i garu'r ARGLWYDD eich Duw a'i wasanaethu â'ch holl galon ac â'ch holl enaid, ¹⁴yna byddaf yn anfon glaw yn ei bryd ar gyfer eich tir yn yr hydref a'r gwanwyn, a byddwch yn medi eich ŷd, eich gwin newydd a'ch olew; ¹⁵rhof laswellt yn eich meysydd ar gyfer eich gwartheg, a chewch fwyta'ch gwala. ¹⁶Gwyliwch rhag ichwi gael eich arwain ar gyfeiliorn, a gwasanaethu duwiau estron a'u haddoli. ¹⁷Os felly, bydd dicter

yr ARGLWYDD yn llosgi yn eich erbyn; bydd yn cau y nefoedd, fel na cheir glaw, ac ni fydd y tir yn rhoi ei gynnyrch, ac yn fuan byddwch chwithau'n darfod o'r wlad dda y mae'r ARGLWYDD ar fin ei rhoi ichwi. ¹⁸Am hynny gosodwch y geiriau hyn yn eich calon ac yn eich enaid, a'u rhwymo'n arwydd ar eich llaw, ac yn rhactalau rhwng eich llygaid. ¹⁹Dysgwch hwy i'ch plant, a'u crybwyll wrth eistedd yn y tŷ ac wrth gerdded ar y ffordd, wrth fynd i orwedd ac wrth godi; ²⁰ysgrifennwch hwy ar byst eich tai ac yn eich pyrth, ²¹er mwyn i'ch dyddiau chwi a'ch plant amlhau yn y tir y tyngodd yr ARGLWYDD i'ch tadau y byddai'n ei roi iddynt, tra bo nefoedd uwchlaw daear.

22 Os byddwch yn ofalus i gadw'r cwbl yr wyf yn ei orchymyn ichwi, a charu'r ARGLWYDD eich Duw, a dilyn ei lwybrau ef i gyd, a glynu wrtho, ²³yna bydd yr ARGLWYDD yn gyrru'r holl genhedloedd hyn allan o'ch blaen, a chewch feddiannu eiddo cenhedloedd mwy a chryfach na chwi. ²⁴Eich eiddo chwi fydd pobman y bydd gwadn eich troed yn sangu arno, o'r anialwch hyd Lebanon, ac o'r afon, Afon Ewffrates, hyd fôr y gorllewin; dyna fydd eich terfyn. ²⁵Ni fydd neb yn medru eich gwrthsefyll; fel yr addawodd ichwi, bydd yr ARGLWYDD eich Duw yn peri i'ch arswyd a'ch dychryn fod dros wyneb yr holl dir a droediwch. ²⁶Gwelwch, yr wyf yn gosod ger eich bron heddiw fendith a melltith: ²⁷bendith os gwrandewch ar orchmynion yr ARGLWYDD eich Duw, yr wyf yn eu rhoi ichwi heddiw; ²⁸ond melltith os na fyddwch yn gwrando ar orchmynion yr ARGLWYDD eich Duw, eithr yn troi o'r ffordd yr wyf fi yn ei gorchymyn ichwi heddiw, i ddilyn duwiau estron nad ydych yn eu hadnabod. ²⁹A phan ddaw'r ARGLWYDD eich Duw â chwi i'r wlad yr ydych yn dod iddi i'w meddiannu, yna cyhoeddwch a fendith ar Fynydd Garisim a'r felltith ar Fynydd Ebal. ³⁰Fel y gwyddoch, y mae'r rhain yr ochr draw i'r Iorddonen i'r gorllewin, tuag at fachlud haul, yn nhir y Canaaneaid sy'n byw yn yr Araba, gyferbyn â Gilgal ac yn ymyl deri More. ³¹Yr ydych ar fin croesi'r Iorddonen i ddod i feddiannu'r wlad y mae'r ARGLWYDD eich Duw yn ei rhoi ichwi; pan fyddwch wedi ei meddiannu a byw ynddi, ³²gofalwch gadw'r holl ddeddfau a chyfreithiau a osodais ger eich bron heddiw.

Dewis Canolfan Addoli

12 Dyma'r deddfau a'r cyfreithiau yr ydych i ofalu eu cadw yn y wlad y mae'r Arglwydd, Duw eich tadau, wedi ei rhoi ichwi i'w meddiannu tra byddwch byw yn y tir. ²Yr ydych i lwyr ddinistrio'r holl fannau ar y mynyddoedd uchel a'r bryniau, a than bob pren gwyrddlas, lle byddai'r cenhedloedd yr ydych yn eu disodli yn addoli eu duwiau. ³Yr ydych i dynnu i lawr eu hallorau, dryllio'u colofnau, llosgi eu Aserau yn y tân, torri i lawr ddelwau eu duwiau, a dinistrio'u henwau o'r mannau hynny.

4 Nid yn ôl eu dull hwy y gwnewch i'r Arglwydd eich Duw. ⁵Yn hytrach ceisiwch y man y bydd yr Arglwydd eich Duw yn ei ddewis o'ch holl lwythau yn drigfan i'w enw; yno y dewch, ⁶a chyflwyno eich poethoffrymau a'ch aberthau, eich degymau a'ch cyfraniadau, eich addunedau a'ch offrymau gwirfodd, a chyntafanedig eich gwartheg a'ch defaid. ⁷Yno gerbron yr Arglwydd eich Duw y byddwch chwi a'ch teuluoedd yn bwyta ac yn llawenhau ym mhopeth a wnewch, oherwydd i'r Arglwydd eich Duw eich bendithio.

8 Nid ydych i wneud yn union fel y gwnawn yma heddiw, lle y mae pawb yn gwneud fel y myn, ⁹oherwydd nid ydych eto wedi cyrraedd yr orffwysfa a'r etifeddiaeth y mae'r Arglwydd eich Duw am eu rhoi ichwi. ¹⁰Unwaith y byddwch dros yr Iorddonen ac yn byw yn y wlad y mae'r Arglwydd eich Duw yn ei rhoi'n etifeddiaeth ichwi, cewch lonydd oddi wrth y gelynion o'ch cwmpas, a byddwch yn byw mewn diogelwch. ¹¹Yna fe ddygwch i'r man y bydd yr Arglwydd eich Duw yn ei ddewis yn drigfan i'w enw, y cwbl yr wyf yn ei orchymyn ichwi, eich poethoffrymau a'ch aberthau, eich degymau a'ch cyfraniadau, a'ch rhoddion dethol, y rhai yr ydych wedi eu haddunedu i'r Arglwydd. ¹²A byddwch yn llawenhau gerbron yr Arglwydd eich Duw, chwi a'ch meibion a'ch merched, eich gweision a'ch morynion hefyd, a'r Lefiaid yn eich trefi, am nad oes ganddynt gyfran nac etifeddiaeth gyda chwi.

13 Gwylia rhag aberthu dy boethoffrymau ym mhobman a weli, ¹⁴ond abertha hwy yn y man y bydd yr Arglwydd yn ei ddewis o fewn un o'th lwythau; yno y gwnei bopeth yr wyf yn ei orchymyn iti. ¹⁵Er hynny, cei ladd a

bwyta faint a fynni o gig yn dy drefi, yn ôl yr hyn a gei drwy fendith yr Arglwydd dy Dduw, fel petai'n gig iwrch neu garw; caiff yr aflan a'r glân ei fwyta. ¹⁶Er hynny, nid ydych i fwyta'r gwaed, ond ei dywallt fel dŵr ar y ddaear. ¹⁷Ni chei fwyta yn dy drefi dy ddegwm o ŷd, nac o win newydd nac o olew, na chyntafanedig dy wartheg a'th ddefaid, na dim sydd wedi ei addunedu gennyt, na'th offrymau gwirfodd, na'th gyfraniadau. ¹⁸Rhaid iti fwyta'r rheini gerbron yr Arglwydd dy Dduw, yn y man y bydd ef yn ei ddewis; dyna a wnei di, dy fab, dy ferch, dy was, dy forwyn, a'r Lefiaid sydd yn dy drefi, a llawenhau gerbron yr Arglwydd dy Dduw ym mhopeth a wnei. ¹⁹Gwylia rhag esgeuluso'r Lefiaid tra byddi byw yn dy dir.

20 Pan fydd yr Arglwydd dy Dduw yn helaethu dy derfynau yn ôl ei addewid iti, a chwant bwyd yn dod arnat a thithau'n dweud, "Yr wyf am fwyta cig", cei fwyta faint a fynni. ²¹Os bydd y man y bydd yr Arglwydd dy Dduw yn ei ddewis i osod ei enw yno yn bell oddi wrthyt, cei ladd un o'th wartheg neu o'th ddefaid a roes yr Arglwydd iti, fel y gorchmynnais iti, a bwyta yn dy drefi gymaint ag a fynni. ²²Cei fwyta ohono fel petai'n gig iwrch neu garw; caiff yr aflan a'r glân fel ei gilydd ei fwyta. ²³Ond gofalwch beidio â bwyta'r gwaed, oherwydd y gwaed yw'r bywyd, ac nid wyt i fwyta'r bywyd gyda'r cig. ²⁴Ni chei ei fwyta; yr wyt i'w dywallt fel dŵr ar y ddaear. ²⁵Paid â'i fwyta, fel y byddo'n dda arnat ti a'th blant ar dy ôl, am iti wneud yr hyn sy'n iawn yng ngolwg yr Arglwydd. ²⁶Ond am y pethau sydd gennyt i'w cysegru, a'th addunedau, cymer hwy a dos i'r man y bydd yr Arglwydd yn ei ddewis, ²⁷ac abertha dy boethoffrymau, y cig a'r gwaed, ar allor yr Arglwydd dy Dduw; y mae gwaed dy ebyrth i'w dywallt ar allor yr Arglwydd dy Dduw, ond cei fwyta'r cig. ²⁸Gofala wrando ar yr holl eiriau hyn yr wyf yn eu gorchymyn iti, fel y byddo'n dda arnat ti a'th blant ar dy ôl hyd byth, am iti wneud yr hyn sy'n dda ac yn iawn yng ngolwg yr Arglwydd dy Dduw.

Rhybuddion rhag Eilunod

29 Bydd yr Arglwydd dy Dduw yn distrywio o'th flaen y cenhedloedd yr wyt yn mynd i'w disodli. Pan fyddant wedi eu

disodli a'u difa o'th flaen, a thithau'n byw yn eu gwlad, ³⁰gwylia rhag iti gael dy rwydo i'w canlyn, a holi am eu duwiau: "Sut yr oedd y cenhedloedd hyn yn addoli eu duwiau, er mwyn i minnau wneud yr un fath?" ³¹Nid yn ôl eu dull hwy y gwnei i'r ARGLWYDD dy Dduw, oherwydd yr oedd y cwbl a wnaent hwy i'w duwiau yn ffieidd-dra atgas gan yr ARGLWYDD; yr oeddent hyd yn oed yn llosgi eu meibion a'u merched yn y tân i'w duwiau. ³²*Gofala wneud popeth yr wyf fi yn ei orchymyn iti, heb ychwanegu ato na thynnu oddi wrtho.

13 Os cyfyd yn eich plith broffwyd neu un yn cael breuddwydion, a rhoi ichwi arwydd neu argoel, ²a hynny'n digwydd fel y dywedodd wrthych, ac yntau wedyn yn eich annog i fynd ac addoli duwiau estron nad ydych yn eu hadnabod, ³nid ydych i wrando ar eiriau'r proffwyd neu'r breuddwydiwr hwnnw, oherwydd eich profi chwi y mae'r AR-GLWYDD eich Duw i gael gwybod a ydych yn ei garu â'ch holl galon ac â'ch holl enaid. ⁴Yr ydych i ddilyn yr ARGLWYDD eich Duw a'i ofni, gan gadw ei orch-mynion a gwrando ar ei lais, a'i wasan-aethu ef a glynu wrtho. ⁵Rhaid rhoi'r proffwyd neu'r breuddwydiwr hwnnw i farwolaeth am iddo geisio'ch troi oddi ar y llwybr y gorchmynnodd yr ARGLWYDD eich Duw ichwi ei ddilyn, trwy lefaru gwrthryfel yn erbyn yr ARGLWYDD eich Duw, a ddaeth â chwi allan o wlad yr Aifft a'ch gwaredu o dŷ caethiwed. Rhaid ichwi ddileu'r drwg o'ch mysg.

6 Os bydd dy frawd agosaf, neu dy fab, neu dy ferch, neu wraig dy fynwes, neu dy gyfaill mynwesol, yn ceisio dy ddenu'n llechwraidd a'th annog i fynd ac addoli duwiau estron nad wyt ti na'th hynafiaid wedi eu hadnabod, ⁷o blith duwiau'r cenhedloedd o'th amgylch, mewn un cwr o'r wlad neu'r llall, yn agos neu ymhell, ⁸paid â chydsynio ag ef, na gwrando arno. Paid â thosturio wrtho, na'i arbed, na'i gelu. ⁹Yn hytrach rhaid iti ei ladd; dy law di fydd y gyntaf i'w roi i farwolaeth, a dwylo pawb o'r bobl wedyn. ¹⁰Llabyddia ef yn gelain â cher-rig, oherwydd fe geisiodd dy droi oddi wrth yr ARGLWYDD dy Dduw, a ddaeth â thi allan o wlad yr Aifft, o dŷ caethiwed; ¹¹yna bydd Israel gyfan yn clywed ac yn ofni, ac ni fyddant yn gwneud y fath ddrygioni â hwn yn eich plith byth eto.

12 Pan glywch am un o'r trefi, a gewch gan yr ARGLWYDD eich Duw i fyw yn-ddynt, ¹³fod dihirod o'ch plith wedi codi a gyrru trigolion y ddinas ar gyfeiliorn trwy eu hannog i fynd ac addoli duwiau estron nad ydych wedi eu hadnabod, ¹⁴yna yr ydych i ymofyn a chwilio a holi'n fanwl; os yw'n wir ac yn sicr fod y peth ffiaidd hwn wedi ei wneud yn eich mysg, ¹⁵yr ydych i daro trigolion y dref honno â'r cleddyf. Difrodwch hi'n llwyr â'r cleddyf, gyda phopeth sydd ynddi, gan gynnwys y gwartheg. ¹⁶Casglwch y cwbl o'i hysbail i ganol maes y dref, a llosgwch y dref a'i hysbail â thân, yn aberth llwyr i'r AR-GLWYDD eich Duw, a bydd yn aros yn garnedd am byth heb ei hailadeiladu. ¹⁷Paid â dal dy afael mewn dim sydd i'w ddifrodi, er mwyn i'r ARGLWYDD droi oddi wrth angerdd ei ddig a dangos trugaredd tuag atat; yna, wrth drugar-hau, bydd yn eich lluosogi fel y tyngodd wrth eich tadau, ¹⁸os byddwch chwi'n gwrando ar lais yr ARGLWYDD eich Duw trwy gadw'r holl orchmynion a roddais ichwi heddiw, a gwneud yr hyn sy'n iawn yng ngolwg yr ARGLWYDD eich Duw.

Gwahardd Dull o Alaru

14 Plant i'r ARGLWYDD eich Duw ydych chwi; peidiwch â'ch ar-cholli eich hunain na gwneud eich talcen yn foel dros y marw. ²Pobl sanctaidd i'r ARGLWYDD eich Duw ydych chwi, oher-wydd dewisodd yr ARGLWYDD chwi o holl bobloedd y byd i fod yn bobl arben-nig iddo'i hun.

Anifeiliaid Glân ac Aflan
(Lef. 11:1-47)

3 Nid ydych i fwyta dim ffiaidd. ⁴Dyma'r anifeiliaid y cewch eu bwyta: eidion, dafad, gafr, ⁵carw, iwrch, ewig, gafr wyllt, gafr hirgorn, gafrewig a hydd. ⁶Cewch fwyta pob anifail sy'n hollti'r ddau ewin ac yn eu fforchi i'r pen, a hefyd yn cnoi cil. ⁷Ond nid ydych i fwyta'r rhai sy'n cnoi cil yn unig neu'n hollti'r ewin fforchog yn unig, sef camel, ysgyfarnog, broch; am eu bod yn cnoi cil ond heb fforchi'r ewin y maent yn aflan ichwi. ⁸Y mae'r mochyn yn hollti'r ewin, heb gnoi cil; y mae'n aflan i chwi. Nid ydych i

*13:1 yn yr Hebraeg.

fwyta'u cig, na chyffwrdd â'u cyrff.
9 O'r holl greaduriaid sy'n byw mewn dŵr, dyma'r rhai y cewch eu bwyta: pob un ac iddo esgyll neu gen. ¹⁰Ond popeth sydd heb esgyll na chen, ni chewch ei fwyta; y mae'n aflan i chwi.
11 Cewch fwyta pob aderyn glân. ¹²A dyma'r rhai na chewch eu bwyta: yr eryr, y fwltur, eryr y môr, ¹³y boda, y barcud, unrhyw fath o gudyll, ¹⁴unrhyw fath o frân, ¹⁵yr estrys, y frân nos, yr wylan, unrhyw fath o hebog, ¹⁶y dylluan, y forfran, y gigfran, ¹⁷y pelican, y fwltur mawr, y fulfran, ¹⁸y ciconia ac unrhyw fath o grëyr, y gornchwiglen a'r ystlum.
19 Y mae unrhyw bryf adeiniog yn aflan i chwi; nid ydych i'w fwyta. ²⁰Cewch fwyta unrhyw beth adeiniog glân. ²¹Peidiwch â bwyta dim sydd wedi marw ohono'i hun; rhowch ef i'r dieithryn sydd yn eich trefi i'w fwyta, neu gwerthwch ef i estron, oherwydd pobl sanctaidd i'r ARGLWYDD eich Duw ydych chwi. Peidiwch â berwi myn yn llaeth ei fam.

Deddf y Degwm

22 Bob blwyddyn gofala ddegymu holl gynnyrch dy had sy'n tyfu yn dy faes. ²³Yr wyt i fwyta dy ddegwm o ŷd, gwin ac olew, a chyntafanedig dy wartheg a'th ddefaid, gerbron yr ARGLWYDD dy Dduw yn y man y bydd ef yn ei ddewis yn drigfan i'w enw, er mwyn iti ddysgu ofni'r ARGLWYDD dy Dduw bob amser. ²⁴Pan fydd yr ARGLWYDD dy Dduw wedi dy fendithio, os bydd yn ormod o daith iti edru cludo'r degwm, am dy fod yn rhy bell o'r man a ddewisir gan yr AR-GLWYDD dy Dduw i osod ei enw, ²⁵yna ho ei werth mewn arian. Cymer yr arian gyda thi, a dos i'r man y bydd yr ARGLWYDD dy Dduw wedi ei ddewis, ²⁶a phrynu beth bynnag a fynni: gwartheg, defaid, gwin, diod feddwol, neu unrhyw beth yr wyt yn ei ddymuno; a bwyta ef yno'n llawen gerbron yr ARGLWYDD dy Dduw, ti a'th deulu. ²⁷Paid ag esgeuluso'r Lefiaid sydd yn dy drefi, oherwydd nid oes ganddynt ran na threftadaeth gyda thi.
28 Ar ddiwedd pob tair blynedd tyrd â degwm dy holl gynnyrch am y flwyddyn honno, a'i gadw yn dy dref. ²⁹Caiff y Lefiaid, nad oes ganddynt ran na thref-adaeth gyda thi, a'r dieithryn a'r am-ddifad a'r weddw yn dy dref, ddod a

bwyta'u gwala; a bydd yr ARGLWYDD dy Dduw yn dy fendithio di yn y cwbl yr wyt yn ei wneud.

Y Seithfed Flwyddyn
(Lef. 25:1-7)

15 Ar ddiwedd pob saith mlynedd yr wyt i faddau dyledion. ²Dyma sut y gwneir hynny: bydd pob echwynnwr yn maddau pob dyled sy'n ddyledus iddo, heb bwyso am ad-daliad oddi wrth gym-ydog na brawd, pan gyhoeddir y gollyng-dod yn enw'r ARGLWYDD. ³Cei bwyso am ad-daliad gan estron, ond yr wyt i faddau beth bynnag sy'n ddyledus iti gan dy frawd. ⁴Ni fydd byth dlotyn yn eich plith, oherwydd y mae'r ARGLWYDD dy Dduw yn sicr o'th fendithio yn y wlad y mae'n ei rhoi iti i'w meddiannu'n etifedd-iaeth, ⁵ond iti wrando'n ofalus ar lais yr ARGLWYDD dy Dduw, i gadw'n ddyfal yr holl orchymyn hwn yr wyf fi yn ei roi iti heddiw. ⁶A phan fydd yr ARGLWYDD dy Dduw yn dy fendithio, fel yr addawodd iti, yna byddi di'n rhoi benthyg i gen-hedloedd lawer, heb i ti fenthyca gan neb; a byddi'n rheoli cenhedloedd lawer, heb iddynt hwy dy reoli di.
7 Os bydd un yn dlawd ymhlith dy frodyr yn un o'th drefi yn y wlad y mae'r ARGLWYDD dy Dduw yn ei rhoi iti, paid â chaledu dy galon na chau dy law yn ei erbyn. ⁸Yn hytrach agor dy law yn llydan iddo, ac ar bob cyfrif rho'n fenthyg iddo ddigon ar gyfer ei angen. ⁹Pan fydd y seithfed flwyddyn, blwyddyn dileu dyled-ion, yn agosáu, gwylia rhag coleddu meddyliau annheilwng ac edrych yn gas ar dy frawd tlawd a gwrthod rhoi iddo; bydd yntau wedyn yn apelio at yr AR-GLWYDD yn dy erbyn, ac fe'th geir ar fai. ¹⁰Rho'n hael iddo, heb warafun yn dy galon wrth roi, ac oherwydd hyn bydd yr ARGLWYDD dy Dduw yn dy fendithio yn dy holl waith ac ym mhopeth a wnei. ¹¹Ni fydd prinder tlodion yn y tir; dyna pam yr wyf yn gorchymyn iti agor dy law yn hael i'th frawd anghenus a thlawd yn dy wlad.

Sut i Drin Caethion
(Ex. 21:1-11)

12 Os gwerthir iti gydwladwr, boed ddyn neu ddynes, a hwnnw'n dy wasan-aethu am chwe blynedd, yr wyt i'w ryddhau yn y seithfed flwyddyn. ¹³A phan fyddi'n ei ryddhau, paid â'i anfon i ffwrdd yn waglaw; ¹⁴rho iddo gynhysgaeth hael o'th ddefaid a'th ydlan a'th winwryf, fel y

mae'r ARGLWYDD dy Dduw wedi dy fendithio di. [15]Cofia mai caethwas fuost tithau yng ngwlad yr Aifft, a bod yr ARGLWYDD dy Dduw wedi dy waredu. Dyna pam yr wyf yn gorchymyn hyn iti heddiw. [16]Ond os dywed dy was wrthyt na fyn ymadael â thi am ei fod yn hoff ohonot ti a'th deulu, a'i bod yn dda arno gyda thi, [17]yna cymer fynawyd a'i wthio trwy ei glust i'r drws, ac yna bydd yn gaethwas iti am byth; gwna'r un modd gyda'th gaethferch. [18]Pan fyddi'n rhydd-hau caethwas, paid â gofidio, oherwydd yr oedd ei wasanaeth iti dros chwe blynedd yn werth dwywaith tâl gwas cyflog. A bydd yr ARGLWYDD dy Dduw yn dy fendithio yn y cwbl a wnei.

Cyntafanedig Gwartheg a Defaid

[19] Yr wyt i gysegru i'r ARGLWYDD dy Dduw bob gwryw cyntafanedig a enir i'th wartheg a'th ddefaid. Nid wyt i lafurio â chyntafanedig dy wartheg, na chneifio cyntafanedig dy ddefaid. [20]Yr wyt ti a'th deulu i'w bwyta'n flynyddol gerbron yr ARGLWYDD dy Dduw yn y man y bydd ef yn ei ddewis. [21]Os bydd nam arno, ac yntau'n gloff neu'n ddall, neu â rhyw nam difrifol arall arno, paid â'i aberthu i'r ARGLWYDD dy Dduw. [22]Caiff yr aflan a'r glân fel ei gilydd ei fwyta yn dy drefi, fel petai'n iwrch neu garw. [23]Er hynny, nid ydych i fwyta'r gwaed, ond ei dywallt fel dŵr ar y ddaear.

Y Pasg
(Ex. 12:1-20)

16 Yr wyt i gadw mis Abib a dathlu Pasg i'r ARGLWYDD dy Dduw, oherwydd ym mis Abib y daeth ef â thi o'r Aifft liw nos. [2]Yr wyt i aberthu offrwm Pasg i'r ARGLWYDD dy Dduw o'th ddefaid neu o'th wartheg, yn y man y bydd yr ARGLWYDD yn ei ddewis yn drigfan i'w enw. [3]Nid wyt i fwyta gydag ef ddim wedi ei lefeinio; ond am saith diwrnod yr wyt i fwyta bara croyw, bara cystudd, oherwydd ar frys y daethost allan o wlad yr Aifft. Gwna hyn er mwyn iti gofio tra byddi byw y dydd y daethost allan o wlad yr Aifft. [4]Ni chaniateir surdoes o fewn dy holl derfynau am saith diwrnod, ac nid oes dim o'r cig a leddaist gyda'r hwyr ar y dydd cyntaf i aros tan y bore. [5]Ni chei ladd offrwm y Pasg o fewn yr un o'r trefi y mae'r ARGLWYDD dy

Dduw yn eu rhoi iti, [6]ond yn unig yn y man y bydd yr ARGLWYDD dy Dduw yn ei ddewis yn drigfan i'w enw. Yno yr wyt i ladd offrwm y Pasg gyda'r hwyr, ar fachlud haul, yr amser y daethost allan o'r Aifft. [7]Byddi'n ei ferwi a'i fwyta yn y man y bydd yr ARGLWYDD dy Dduw yn ei ddewis; yna yn y bore byddi'n troi'n ôl ac yn dychwelyd adref. [8]Am chwe diwr-nod byddi'n bwyta bara croyw, ond ar y seithfed dydd bydd gŵyl derfynol i'r ARGLWYDD dy Dduw; nid wyt i wneud dim gwaith arno.

Gŵyl yr Wythnosau
(Ex. 34:22; Lef. 23:15-21)

[9] Yr wyt i gyfrif saith wythnos, gan ddechrau o'r diwrnod cyntaf y rhoddir y cryman yn yr ŷd. [10]Yna byddi'n dathlu gŵyl yr Wythnosau i'r ARGLWYDD dy Dduw, gan roi offrwm gwirfodd drosot dy hun yn ôl fel y bydd yr ARGLWYDD wedi dy fendithio. [11]Byddi'n llawenhau ger-bron yr ARGLWYDD dy Dduw, ti, dy fab a'th ferch, dy gaethwas a'th gaethferch, y Lefiad sydd yn dy drefi a'r dieithryn, a'r amddifad a'r weddw sydd gyda thi, yn y man y bydd yr ARGLWYDD dy Dduw yn ei ddewis yn drigfan i'w enw. [12]Cofia mai caethwas fuost ti yn yr Aifft, a bydd yn ofalus i gadw'r rheolau hyn.

Gŵyl y Pebyll
(Lef. 23:33-43)

[13] Yr wyt i gadw gŵyl y Pebyll am saith diwrnod wedi iti gasglu cynnyrch dy ydlan a'th winwryf; [14]a byddi'n llawen-hau ar dy ŵyl, ti, dy fab a'th ferch, dy gaethwas a'th gaethferch, y Lefiad a'r dieithryn, a'r amddifad a'r weddw sydd yn dy drefi. [15]Am saith diwrnod y byddi'n cadw gŵyl i'r ARGLWYDD dy Dduw yn y man y bydd ef yn ei ddewis, oherwydd bydd yr ARGLWYDD dy Dduw yn dy fendithio yn dy holl gynnyrch ac ym mhopeth a wnei, a byddi'n wirioneddol lawen.

[16] Teirgwaith y flwyddyn y mae dy holl wrywod i ymddangos gerbron yr AR-GLWYDD dy Dduw yn y man y bydd ef yn ei ddewis, sef ar ŵyl y Bara Croyw, ar ŵyl yr Wythnosau ac ar ŵyl y Pebyll. Nid yw neb i ymddangos gerbron yr AR-GLWYDD yn waglaw, [17]ond dylai pob un roi yn ôl ei allu, yn ôl y fendith a roddodd yr ARGLWYDD dy Dduw iti.

Gweinyddu Barn

18 Yr wyt i benodi barnwyr a phenaethiaid ym mhob un o'r trefi a roddodd yr ARGLWYDD dy Dduw i'th lwythau, ac y maent i farnu'r bobl yn gyfiawn. [19]Nid wyt i wyro barn na derbyn wyneb; nid wyt i gymryd llwgrwobr, oherwydd y mae'n dallu llygaid y doeth ac yn gwyro geiriau'r cyfiawn. [20]Cyfiawnder yn unig a ddilyni, er mwyn iti gael byw ac etifeddu'r wlad y mae'r ARGLWYDD dy Dduw am ei rhoi iti.

Eilunaddoliaeth

21 Paid â phlannu unrhyw fath o bren Asera gerllaw yr allor a godi i'r ARGLWYDD dy Dduw. [22]A phaid â chodi un o'r colofnau sy'n atgas gan yr ARGLWYDD dy Dduw.

17 Paid ag aberthu i'r ARGLWYDD dy Dduw nac ych na dafad ag unrhyw nam difrifol arno, oherwydd y mae hynny'n ffiaidd gan yr ARGLWYDD dy Dduw.

2 Os ceir yn un o'r trefi y mae'r ARGLWYDD dy Dduw yn eu rhoi iti ddyn neu ddynes yn eich mysg sy'n gwneud yr hyn sy'n ddrwg yng ngolwg yr ARGLWYDD dy Dduw trwy droseddu yn erbyn ei gyfamod, [3]a'i fod, yn groes i'm gorchymyn, yn gwasanaethu ac yn addoli duwiau estron, prun ai'r haul neu'r lloer neu holl lu'r nef, [4]yna os clywi si am hyn, yr wyt i chwilio'n ddyfal; ac os yw'n wir ac yn sicr fod y ffieidd-dra hwn wedi ei gyflawni yn Israel, [5]yna tyrd â'r dyn neu'r ddynes sydd wedi gwneud y peth drygionus hwn allan i'r porth, a'i labyddio'n gelain â cherrig. [6]Ar dystiolaeth dau dyst neu dri y rhoir i farwolaeth; ni roir i farwolaeth ar dystiolaeth un tyst. [7]Dwylo'r tystion sydd i daflu'r garreg gyntaf i'w ddienyddio, a dwylo'r holl boblogaeth wedyn; felly y byddi'n dileu'r drwg o'ch mysg.

Achosion Llys

8 Os cei yn dy dref achos llys sy'n rhy ddyrys iti, megis dyfarnu rhwng dwy blaid mewn achos o ddial gwaed, neu hawl, neu ymosod, yna dos yn ddi-oed i'r man y bydd yr ARGLWYDD dy Dduw yn ei ddewis, [9]a gofyn yno i'r offeiriaid o Lefiaid, ac i'r barnwr a fydd yn y dyddiau hynny, roi'r ddedfryd iti. [10]Gwna fel y

byddant hwy yn dweud wrthyt yn y man y bydd yr ARGLWYDD yn ei ddewis, a gofala wneud popeth yn ôl y cyfarwyddyd a roddant iti. [11]Yr wyt i weithredu yn ôl y cyfarwyddyd a gei ganddynt a'r dyfarniad a roddant, heb wyro i'r dde nac i'r chwith oddi wrth yr hyn a ddywedant wrthyt. [12]Pwy bynnag sy'n ddigon rhyfygus i beidio â gwrando ar yr offeiriad sy'n gweinyddu yno dros yr ARGLWYDD dy Dduw, neu ar y barnwr, bydded farw; felly y byddi'n dileu'r drwg o Israel. [13]Bydd y bobl i gyd yn clywed, a daw ofn arnynt, ac ni ryfygant mwyach.

Cyfarwyddiadau ynghylch Brenin

14 Pan ddoi i'r wlad y mae'r ARGLWYDD dy Dduw yn ei rhoi iti, a'i meddiannu a byw ynddi, ac yna dweud, "Yr wyf am gymryd brenin, fel yr holl genhedloedd o'm hamgylch", [15]yna'n wir cei gymryd y brenin y bydd yr ARGLWYDD dy Dduw yn ei ddewis; ond un o blith dy frodyr yr wyt i'w gymryd yn frenin; ni elli ddewis dyn estron nad yw o blith dy frodyr. [16]Nid yw'r brenin i amlhau meirch iddo'i hun, nac i yrru ei bobl yn ôl i'r Aifft er mwyn hynny, gan fod yr ARGLWYDD wedi cich gwahardd rhag dychwelyd ar hyd y ffordd honno. [17]Ac nid yw i luosogi gwragedd, rhag i'w galon fynd ar gyfeiliorn, nac i amlhau arian ac aur yn ormodol. [18]Pan ddaw i eistedd ar orsedd ei deyrnas, y mae i arwyddo copi o'r gyfraith hon mewn llyfr yng ngŵydd yr offeiriaid o Lefiaid. [19]A bydd hwnnw ganddo i'w ddarllen holl ddyddiau ei fywyd, er mwyn iddo ddysgu ofni'r ARGLWYDD ei Dduw a chadw holl eiriau'r gyfraith hon, a gwneud yn ôl y rheolau hyn, [20]rhag iddo ei ystyried ei hun yn uwch na'i frodyr, neu rhag iddo wyro i'r dde nac i'r chwith oddi wrth y gorchymyn, ac er mwyn iddo estyn dyddiau ei frenhiniaeth yn Israel iddo'i hun a'i feibion.

Cyfran yr Offeiriaid

18 Ni fydd gan yr offeiriaid o Lefiaid, na neb o lwyth Lefi, ran nac etifeddiaeth gyda Israel. Yr offrymau trwy dân i'r ARGLWYDD a fwyteir ganddynt fydd eu hetifeddiaeth[b]. [2]Ni fydd ganddynt etifeddiaeth ymhlith eu brodyr; yr ARGLWYDD fydd eu hetifeddiaeth hwy, fel y dywedodd wrthynt. [3]Dyma

[b]Cymh. Groeg. Hebraeg, *a'i etifeddiaeth ef a fwytânt.*

fydd hawl yr offeiriaid oddi wrth y bobl sy'n offrymu aberth, prun ai eidion ynteu dafad: dylid rhoi i'r offeiriad y balfais, y ddwy foch a'r cylla. ⁴Yr wyt i roi iddo flaenffrwyth dy ŷd, dy win newydd a'th olew, a'r gnu gyntaf wrth gneifio dy ddefaid; ⁵oherwydd allan o'th holl lwythau dewisodd yr ARGLWYDD dy Dduw ef a'i ddisgynyddion i sefyll a gwasanaethu yn enw'r ARGLWYDD am byth.

6 Os bydd Lefiad, sy'n aros yn unrhyw un o'ch trefi trwy Israel gyfan, yn dod o'i wirfodd i'r man y bydd yr ARGLWYDD yn ei ddewis, ⁷caiff wasanaethu yn enw'r ARGLWYDD ei Dduw ymysg ei gyd-Lefiaid sy'n gwasanaethu'r ARGLWYDD yno. ⁸Caiff ran gyfartal i'w bwyta, heblaw'r hyn a gaiff o eiddo'i dadau.

Rhybuddion rhag Arferion Paganaidd

9 Pan fyddi wedi dod i'r tir y mae'r ARGLWYDD dy Dduw yn ei roi iti, paid â dysgu gwneud yn ôl arferion ffiaidd y cenhedloedd hynny. ¹⁰Nid yw neb yn eich mysg i roi ei fab na'i ferch yn aberth trwy dân; nac i arfer dewiniaeth, hudoliaeth, na darogan; nac i gonsurio, ¹¹arfer swynion, ymwneud ag ysbrydion a bwganod, nac ymofyn â'r meirw. ¹²Y mae unrhyw un sy'n ymhél â'r rhain yn ffiaidd gan yr ARGLWYDD; o achos yr arferion ffiaidd hyn y mae'r ARGLWYDD dy Dduw yn eu gyrru hwy allan o'th flaen. ¹³Yr wyt i fod yn ddi-fai gerbron yr ARGLWYDD dy Dduw.

Yr Addewid i Anfon Proffwyd

14 Y mae'r cenhedloedd yr wyt yn eu disodli yn gwrando ar ddewiniaid a hudolwyr; ond nid yw'r ARGLWYDD dy Dduw yn caniatáu hyn i ti. ¹⁵Bydd yr ARGLWYDD dy Dduw yn codi o blith dy frodyr broffwyd fel fi, ac arno ef yr wyt i wrando, ¹⁶oherwydd dyna oedd dy ddeisyfiad gan yr ARGLWYDD dy Dduw yn Horeb ar ddydd y cynulliad, pan ddywedaist, "Nid wyf am glywed llais yr ARGLWYDD fy Nuw rhagor, na gweld eto y tân mawr hwn, rhag imi farw." ¹⁷Dywedodd yr ARGLWYDD wrthyf, "Y mae'r hyn a ddywedant yn iawn; ¹⁸codaf iddynt o blith eu brodyr broffwyd fel ti, a rhof fy ngair yn ei enau, er mwyn iddo fynegi iddynt y cwbl y byddaf yn ei orchymyn iddo. ¹⁹A phwy bynnag fydd heb wrando ar fy ngeiriau, y bydd y proffwyd wedi eu llefaru yn f'enw, bydd

ef yn atebol i mi am hynny. ²⁰Ond am y proffwyd fydd yn rhyfygu llefaru yn f'enw air nad wyf fi wedi ei orchymyn, neu sy'n llefaru yn enw duw arall, y mae'r proffwyd hwnnw i farw." ²¹Os wyt yn gofyn i ti dy hun sut y mae adnabod y gair nad yw'r ARGLWYDD wedi ei lefaru: ²²beth bynnag y bydd proffwyd yn ei lefaru yn enw'r ARGLWYDD, a hwnnw heb ei gyflawni na'i wireddu, y mae hwnnw yn air nad yw'r ARGLWYDD wedi ei lefaru; mewn rhyfyg y bu i'r proffwyd ei lefaru; paid â'i ofni.

Dinasoedd Noddfa
(Num. 35:9-28; Jos. 20:1-9)

19 Pan fydd yr ARGLWYDD dy Dduw wedi difa'r cenhedloedd y mae'n rhoi eu tir iti, a thithau'n ei feddiannu ac yn byw yn eu trefi a'u tai, ²yr wyt i neilltuo ar dy gyfer dair dinas yn y wlad y mae'r ARGLWYDD dy Dduw yn ei rhoi iti i'w meddiannu. ³Paratoa ffordd atynt, a rhannu'n dair y wlad y mae'r ARGLWYDD dy Dduw yn ei rhoi iti i'w hetifeddu, fel y caiff pob lleiddiad le i ddianc. ⁴Dyma'r math o leiddiad a gaiff ffoi yno ac arbed ei fywyd: yr un fydd yn lladd arall yn ddifwriad, heb fod yn ei gasáu o'r blaen; ⁵er enghraifft, dyn fydd yn mynd gyda'i gymydog i'r goedwig i dorri coed, ac wrth iddo estyn ei law gyda'r fwyell i dorri coeden, y mae pen y fwyell yn neidio oddi ar y pren ac yn rhoi ergyd farwol i'w gymydog. Caiff hwn ffoi i un o'r dinasoedd hyn ac arbed ei fywyd, ⁶rhag i'r dialydd gwaed yn ei gynddaredd ddilyn y lleiddiad a'i ddal oherwydd meithder y daith, a'i daro'n farw, er nad oedd yn haeddu marw, am nad oedd yn casáu ei gymydog o'r blaen. ⁷Dyna pam yr wyf yn gorchymyn iti neilltuo tair dinas. ⁸Os bydd yr ARGLWYDD dy Dduw yn estyn dy derfynau, fel y tyngodd i'th dadau y gwnâi, ac yn rhoi iti'r holl wlad a addawodd i'th dadau, ⁹oherwydd iti ofalu cadw'r cwbl o'r gorchymyn hwn yr wyf yn ei roi iti heddiw, i garu'r ARGLWYDD dy Dduw a cherdded yn ei ffyrdd bob amser, yna 'rwyt i ychwanegu tair dinas arall at y tair cyntaf. ¹⁰Nid yw gwaed y dieuog i'w dywallt o fewn y tir y mae'r ARGLWYDD dy Dduw yn ei roi iti'n etifeddiaeth, rhag iti fod yn euog o ddywallt gwaed.

11 Os bydd dyn yn casáu ei gymydog ac yn ymosod yn llechwraidd arno a'i

anafu mor ddifrifol nes ei fod yn marw, ac yna yn dianc i un o'r dinasoedd hyn, ¹²y mae henuriaid ei dref i anfon rhai i'w gyrchu oddi yno a'i drosglwyddo i'r dialydd gwaed; a bydd farw. ¹³Nid wyt i dosturio wrtho, ond i ddileu o Israel euogrwydd am dywallt gwaed y dieuog, er mwyn iddi fod yn dda arnat.

Symud Hen Derfyn

14 Paid â symud terfyn dy gymydog, a osodwyd o'r dechrau yn yr etifeddiaeth a gefaist yn y wlad y mae'r Arglwydd dy Dduw yn ei rhoi iti i'w meddiannu.

Tystion

15 Nid yw un tyst yn ddigon yn erbyn neb mewn unrhyw achos o drosedd neu fai, beth bynnag fo'r bai a gyflawnwyd; ond fe saif tystiolaeth dau neu dri. ¹⁶Os bydd tyst maleisus yn codi yn erbyn rhywun i'w gyhuddo o gamwri, ¹⁷safed y ddau ddyn sy'n ymrafael yng ngŵydd yr Arglwydd, gerbron yr offeiriaid a'r barnwyr ar y pryd. ¹⁸Holed y barnwyr yn ddyfal, ac os ceir mai gau-dyst ydyw a'i fod wedi dwyn gau-dystiolaeth yn erbyn ei gymydog, ¹⁹gweler iddo et yr hyn y bwriadodd ef ei wneud i'w gymydog; felly y byddi'n dileu'r drwg o'ch mysg. ²⁰Pan glyw y lleill, bydd arnynt ofn a pheidiant â gwneud y fath ddrwg mwy-ach. ²¹Nid wyt i ddangos tosturi; bywyd am fywyd, llygad am lygad, dant am ddant, llaw am law, troed am droed.

Rhyfel Sagral

20 Pan fyddi'n mynd allan i ryfel yn erbyn dy elynion, ac yn canfod meirch a cherbydau a byddin, a'r rheini'n gryfach na'th rai di, paid â'u hofni, oherwydd gyda thi y mae yr Arglwydd dy Dduw, a ddaeth â thi i fyny o wlad yr Aifft. ²Wrth iti ddynesu i'r frwydr, y mae'r offeiriaid i ddod ymlaen ac annerch y fyddin, ³a dweud wrthynt, "Gwrandewch, Israel, yr ydych ar fin ymladd brwydr yn erbyn eich gelynion; peidiwch â gwangalonni nac ofni, na dychryn nac arswydo rhagddynt, ⁴oher-wydd y mae'r Arglwydd eich Duw yn mynd gyda chwi, i frwydro trosoch yn erbyn eich gelynion, ac i'ch gwaredu." ⁵Yna bydd y swyddogion yn annerch ac yn dweud wrth y fyddin, "Pwy bynnag sydd wedi adeiladu tŷ newydd ond heb ei gysegru, aed yn ei ôl adref, rhag iddo farw yn y frwydr ac i rywun arall ei gysegru. ⁶A phwy bynnag sydd wedi plannu gwin-llan ond heb fwynhau ei ffrwyth, aed yn ei ôl adref, rhag iddo farw yn y frwydr ac i rywun arall ei fwynhau. ⁷A phwy bynnag sydd wedi dyweddïo â merch ond heb ei phriodi, aed yn ei ôl adref, rhag iddo farw yn y frwydr ac i rywun arall ei phriodi." ⁸Wedyn y mae'r swyddogion i ddweud ymhellach wrth y fyddin, "Pwy bynnag sy'n ofnus ac yn wan-galon, aed yn ei ôl adref, rhag iddo wanhau calonnau ei frodyr yr un modd." ⁹Wedi i'r swydd-ogion orffen annerch y fyddin, byddant yn gosod capteiniaid dros luoedd y fyddin.

10 Pan fyddi ar fin brwydro yn erbyn tref, cynnig delerau heddwch iddi. ¹¹Os derbyniant y telerau heddwch ac agor y pyrth iti, yna bydd pawb a geir ynddi yn gweithio iti dan lafur gorfod. ¹²Os na dderbyniant delerau heddwch, ond dechrau rhyfela yn dy erbyn, yna gwarchae ar y dref; ¹³a phan fydd yr Arglwydd dy Dduw wedi ei rhoi yn dy law, lladd bob gwryw ynddi â'r cleddyf. ¹⁴Ond cymer yn anrhaith y gwragedd, y plant, yr anifeiliaid a phopeth arall o ysbail sydd yn y dref; defnyddia i ti dy hun yr ysbail oddi wrth d'elynion a bydd yr Arglwydd dy Dduw wedi ei rhoi iti. ¹⁵Dyna sut y gwnei i'r holl drefi sydd ymhellach oddi wrthyt na rhai'r cenhed-loedd gerllaw. ¹⁶Nid wyt i arbed unrhyw greadur byw yn ninasoedd y bobloedd hynny y mae'r Arglwydd dy Dduw yn eu rhoi iti'n etifeddiaeth. ¹⁷Yr wyt i lwyr ddifodi'r Hethiaid, Amoriaid, Canaan-eaid, Peresiaid, Hefiaid a Jebusiaid, fel y gorchmynnodd yr Arglwydd dy Dduw, ¹⁸rhag iddynt dy ddysgu i wneud yr holl ffieidd-dra a wnânt hwy er mwyn eu duwiau, ac i ti bechu yn erbyn yr Ar-glwydd dy Dduw.

19 Pan fydd tref dan warchae gennyt am amser maith, a thithau'n ymladd i'w hennill, paid â difa ei choed trwy eu torri â bwyell. Cei fwyta o'u ffrwyth, ond paid â'u torri i lawr. Ai dynion yw coed y maes, iti osod gwarchae yn eu herbyn? ²⁰Dim ond coeden a gwyddost nad yw'n dwyn ffrwyth y cei ei difa a'i thorri, er mwyn iti godi gwrthglawdd rhyngot a'r ddinas sy'n rhyfela yn dy erbyn, nes y bydd honno wedi ei gorchfygu.

Llofruddiaeth trwy Law Anhysbys

21 Os deuir o hyd i rywun wedi ei ladd yn y tir y mae'r ARGLWYDD dy Dduw yn ei roi iti i'w feddiannu, a'i gorff yn gorwedd mewn tir agored, heb neb yn gwybod pwy a'i lladdodd, ²y mae dy henuriaid a'th farnwyr i fynd allan a mesur y pellter at bob tref o gylch y corff.

³Yna y mae henuriaid y dref agosaf at y corff i gymryd anner na fu'n gweithio erioed ac na fu dan yr iau, ⁴a mynd â hi i lawr i ddyffryn heb ei drin na'i hau, ond lle mae nant yn rhedeg. Yno yn y dyffryn torrant wegil yr anner. ⁵Yna daw'r offeiriaid, meibion Lefi, ymlaen, gan mai hwy y mae'r ARGLWYDD dy Dduw wedi eu dewis i'w wasanaethu ac i fendithio yn ei enw, ac yn ôl eu dedfryd hwy y terfynir pob ymryson ac ysgarmes. ⁶A bydd holl henuriaid y dref agosaf at y corff yn golchi eu dwylo uwchben yr anner y torrwyd ei gwegil yn y dyffryn, ⁷a thystio, "Nid ein dwylo ni a dywalltodd y gwaed hwn, ac ni welodd ein llygaid mo'r weithred. ⁸Derbyn gymod dros dy bobl Israel, y rhai a waredaist, O ARGLWYDD; paid â gosod arnynt hwy gyfrifoldeb am waed y dieuog." Felly, gwneir cymod am y gwaed. ⁹Byddi'n dileu'r cyfrifoldeb am waed dieuog o'ch mysg wrth iti wneud yr hyn sy'n iawn yng ngolwg yr ARGLWYDD.

Carcharesau Rhyfel

10 Pan fyddi'n mynd allan i ryfel yn erbyn d'elynion, a'r ARGLWYDD dy Dduw yn eu rhoi yn dy law, a thithau'n cymryd carcharorion, ¹¹ac yn gweld yn eu mysg ddynes brydferth wrth dy fodd, cei ei phriodi. ¹²Tyrd â hi adref, a gwna iddi eillio'i phen, naddu ei hewinedd, ¹³a rhoi heibio'r wisg oedd amdani pan ddaliwyd hi; yna caiff fyw yn dy dŷ a bwrw ei galar am ei thad a'i mam am fis o amser. Wedi hynny cei gyfathrach â hi, a bod yn ŵr iddi hi, a hithau'n wraig i ti. ¹⁴Ond os na fyddi'n fodlon arni, yr wyt i'w gollwng yn rhydd; nid wyt ar unrhyw gyfrif i'w gwerthu am arian na'i thrin fel caethferch, gan iti ei threisio.

Hawl y Cyntafanedig

15 Os bydd gan ŵr ddwy wraig, y naill yn annwyl a'r llall yn atgas ganddo, a'r ddwy wedi geni meibion iddo, a'r cyntafanedig yn fab i'r un atgas, ¹⁶yna pan fydd yn rhannu ei stad rhwng ei feibion, ni chaiff roi'r flaenoriaeth i fab y wraig annwyl, ar draul y cyntafanedig sy'n fab i'r un atgas. ¹⁷Y mae i gydnabod y cyntafanedig sy'n fab i'r un atgas trwy roi iddo ran ddwbl o'r cwbl sydd ganddo, gan mai ef yw blaenffrwyth ynni ei dad, ac ef biau hawl y cyntafanedig.

Y Mab Gwrthnysig

18 Os bydd gan ddyn fab gwrthnysig ac anufudd, na fyn wrando ar ei dad na'i fam, hyd yn oed pan fyddant yn ei geryddu, ¹⁹y mae ei dad a'i fam i afael ynddo a'i ddwyn gerbron yr henuriaid ym mhorth ei dref, ²⁰a dweud wrthynt, "Y mae'r mab hwn yn wrthnysig ac anufudd; ni fyn wrando arnom, ac y mae'n un glwth ac yn feddwyn." ²¹Yna bydd holl ddynion ei dref yn ei labyddio'n gelain â cherrig. Felly byddi'n dileu'r drwg o'ch plith, a bydd Israel gyfan yn clywed ac yn ofni.

Amrywiol Ddeddfau

22 Os bydd dyn wedi ei gael yn euog o gamwedd sy'n dwyn cosb marwolaeth, ac wedi ei ddienyddio trwy ei grogi ar bren, ²³nid yw ei gorff i aros dros nos ar y pren; rhaid iti ei gladdu'r un diwrnod, oherwydd y mae un a grogwyd ar bren dan felltith Duw. Nid wyt i halogi'r tir y mae'r ARGLWYDD dy Dduw yn ei roi iti'n etifeddiaeth.

22 Os gweli ych neu ddafad sy'n perthyn i'th frawd yn crwydro, paid â'i hanwybyddu, ond gofala ei dychwelyd iddo. ²Os nad yw dy frawd yn byw yn d'ymyl, na thithau'n gwybod pwy yw, dos â'r anifail adref a chadw ef nes y daw dy frawd i chwilio amdano; yna rho ef yn ei ôl. ³Gwna'r un modd os doi o hyd i'w asyn, neu ei glogyn neu unrhyw beth arall a gollir gan dy frawd; ni elli ei anwybyddu.

4 Os gweli asyn neu ych dy frawd wedi cwympo ar y ffordd, nid wyt i'w anwybyddu; gofala roi help iddo i'w godi.

5 Nid yw gwraig i wisgo dillad dyn, na dyn i wisgo dillad gwraig; oherwydd y mae pob un sy'n gwneud hyn yn ffiaidd gan yr ARGLWYDD dy Dduw.

6 Os digwydd iti ar dy ffordd daro ar nyth aderyn a chywion neu wyau ynddi, prun ai mewn llwyn neu ar y llawr, a'r iâr yn gori ar y cywion neu'r wyau, nid wyt i gymryd yr iâr a'r rhai bach. ⁷Gad i'r iâr fynd, a chymer y rhai bach i ti dy hun, er

mwyn iddi fod yn dda iti, ac iti estyn dy ddyddiau.

8 Pan fyddi'n adeiladu tŷ newydd, gwna ganllaw o amgylch y to, rhag i'th dŷ fod yn achos marwolaeth, petai rhywun yn syrthio oddi arno.

9 Nid wyt i hau hadau gwahanol yn dy winllan, rhag i'r cwbl gael ei fforffedu i'r cysegr, sef yr had a heuaist a chynnyrch y winllan hefyd.

10 Nid wyt i arcdig gydag ych ac asyn ynghyd.

11 Nid wyt i wisgo dilledyn o frethyn cymysg o wlân a llin.

12 Gwna iti blethau ar bedair congl y clogyn y byddi'n ei wisgo.

Deddfau ynglŷn â Phurdeb Rhywiol

13 Bwriwch fod dyn yn cymryd gwraig, ac yna wedi iddo gael cyfathrach â hi, yn ei chasáu, [14]yn rhoi gair drwg iddi, ac yn pardduo'i chymeriad a dweud, "Priodais y ddynes hon, ond pan euthum ati ni chefais brawf o'i gwyryfdod." [15]Os felly, fe gymer tad a mam yr eneth brawf gwyryfdod yr eneth a'i ddangos i'r henuriaid ym mhorth y dref; [16]ac fe ddywed tad yr eneth wrth yr henuriaid, "Rhoddais fy merch i'r dyn hwn yn wraig, ond y mae'n ei chasáu, [17]a dyma ef yn rhoi gair drwg iddi ac yn dweud na chafodd brawf o'i gwyryfdod. Dyma brawf o wyryfdod fy merch." Yna lledant y dilledyn gerbron henuriaid y dref, [18]a byddant hwythau yn cymryd y dyn ac yn ei gosbi. [19]Rhoddant arno ddirwy o gan sicl arian, i'w rhoi i dad yr eneth, am iddo bardduo cymeriad gwyryf o Israel; a bydd hi'n wraig iddo, ac ni all ei hysgaru tra bydd byw. [20]Ond os yw'r cyhuddiad yn wir, ac os na chafwyd prawf o wyryfdod yr eneth, [21]yna dônt â hi i ddrws tŷ ei thad; ac y mae gwŷr ei thref i'w llabyddio'n gelain â cherrig, am iddi weithredu'n ysgeler yn Israel, trwy buteinio yn nhŷ ei thad. Felly y byddi'n dileu'r drwg o'ch mysg.

[22]Os ceir dyn yn gorwedd gyda gwraig briod, y mae'r ddau i farw, sef y dyn oedd yn gorwedd gyda'r wraig yn ogystal â'r wraig. Felly y byddi'n dileu'r drwg allan o Israel.

[23]Os bydd dyn yn taro ar eneth sy'n wyryf ac wedi ei dyweddïo i ŵr, ac yn gorwedd gyda hi o fewn y dref, [24]yna dewch â'r ddau allan at borth y dref a'u llabyddio'n gelain â cherrig—yr eneth am na waeddodd, a hithau yn y dref, a'r dyn am iddo dreisio gwraig ei gymydog. Felly y byddi'n dileu'r drwg o'ch mysg. [25]Ond os bydd y dyn wedi taro ar yr eneth a ddyweddïwyd allan yn y wlad, a'i threchu a gorwedd gyda hi, yna y dyn a orweddodd gyda hi yn unig sydd i farw. [26]Nid wyt i wneud dim i'r eneth, oherwydd ni wnaeth hi ddim i haeddu marw; y mae'r achos yma yr un fath â dyn yn codi yn erbyn ei gyd-ddyn ac yn ei lofruddio. [27]Allan yn y wlad y trawodd y dyn arni, ac er i'r eneth a ddyweddïwyd weiddi, nid oedd neb i'w gwaredu.

28 Os bydd dyn yn taro ar wyryf nad yw wedi ei dyweddïo, ac yn gafael ynddi a gorwedd gyda hi, a hwythau'n cael eu dal, [29]yna y mae'r dyn a orweddodd gyda hi i roi hanner can sicl arian i dad yr eneth, a rhaid iddo'i phriodi am iddo ei threisio; ni all ei hysgaru tra bydd byw.

30* Nid yw dyn i briodi gwraig i'w dad, rhag iddo ddwyn gwarth ar ei dad.

Gwahardd o'r Gynulleidfa

23 Nid yw neb sydd wedi ei sbaddu neu wedi colli ei gala i fynychu cynulleidfa'r ARGLWYDD.

2 Nid yw bastardyn, na neb o'i ddisgynyddion hyd y ddegfed genhedlaeth, i fynychu cynulleidfa'r ARGLWYDD.

3 Nid yw Ammoniad na Moabiad, na neb o'u disgynyddion hyd y ddegfed genhedlaeth, i fynychu cynulleidfa'r ARGLWYDD, [4]am na ddaethant i'th gyfarfod â bara a dŵr ar dy ffordd o'r Aifft, ond yn hytrach llogi Balaam fab Beor o Pethor yn Mesopotamia i'th felltithio. [5]Er hynny, ni fynnai'r ARGLWYDD dy Dduw wrando ar Balaam, ond troes ef y felltith yn fendith iti am ei fod yn dy garu. [6]Nid wyt i geisio lles na budd iddynt holl ddyddiau d'oes.

7 Nid wyt i ffieiddio Edomiad, oherwydd y mae'n frawd iti; nid wyt i ffieiddio Eifftiwr, oherwydd buost yn alltud yn ei wlad. [8]Caiff eu disgynyddion ar ôl y drydedd genhedlaeth fynychu cynulleidfa'r ARGLWYDD.

Cadw'r Gwersyll yn Lân

9 Os byddi'n mynd allan i wersyllu yn erbyn dy elyn, ymgadw rhag pob aflendid. [10]Os bydd rhywun yn aflan oherwydd bwrw had yn ystod y nos, yna y mae i adael y gwersyll a pheidio â dod yn ôl.

*23:1 yn yr Hebraeg.

¹¹Gyda'r hwyr y mae i ymolchi â dŵr, a chaiff ddychwelyd i'r gwersyll wedi i'r haul fachlud. ¹²Noda le y tu allan i'r gwersyll ar gyfer mynd o'r neilltu; ¹³a bydd gennyt raw ymhlith dy offer, a phan fyddi'n mynd o'r neilltu, cloddia dwll a chladdu dy garthion ynddo. ¹⁴Bydd yr ARGLWYDD dy Dduw yn rhodio trwy ganol y gwersyll i'th waredu a darostwng d'elynion o'th flaen; felly rhaid i'th wersyll fod yn sanctaidd, rhag iddo ef weld dim anweddus yno, a throi i ffwrdd oddi wrthyt.

Amrywiol Ddeddfau

15 Paid â dychwelyd caethwas a ddihangodd atat oddi wrth ei feistr. ¹⁶Gad iddo fyw yn eich mysg yn y fan a fynno, ym mha dref bynnag y mae'n ei dewis; paid â'i orthrymu.

17 Nid yw neb o ferched Israel i fod yn butain teml, na neb o feibion Israel yn buteiniwr teml.

18 Nid yw putain na gwrywgydiwr i ddod â'u tâl i dŷ'r ARGLWYDD dy Dduw i dalu unrhyw adduned, oherwydd y mae'r naill a'r llall yn ffiaidd gan yr ARGLWYDD.

19 Nid wyt i godi llog ar dy frawd am fenthyg arian, na bwyd, na dim arall a roir ar fenthyg. ²⁰Cei godi llog ar yr estron, ond nid ar dy frawd, er mwyn iti dderbyn bendith gan yr ARGLWYDD dy Dduw ym mhopeth y byddi'n ei wneud yn y wlad yr wyt ar ddod i'w meddiannu.

21 Os byddi'n gwneud adduned i'r ARGLWYDD dy Dduw, paid ag oedi cyn ei chyflawni; bydd yr ARGLWYDD dy Dduw yn sicr o'i hawlio gennyt, a byddi dithau ar fai. ²²Pe bait heb addunedu, ni fyddai bai arnat. ²³Gwylia beth a ddaw allan o'th enau, a chyflawna d'addewid i'r ARGLWYDD dy Dduw, gan mai o'th wirfodd yr addunedaist.

24 Os byddi'n mynd trwy winllan dy gymydog, cei fwyta dy wala o'r grawnwin, ond paid â rhoi dim yn dy fasged. 25 Os byddi'n mynd trwy gae ŷd dy gymydog, cei dynnu tywysennau â'th law, ond paid â gosod cryman yn ŷd dy gymydog.

Ysgaru ac Ailbriodi

24 Os bydd dyn wedi cymryd gwraig a'i phriodi, a hithau wedyn heb fod yn ei fodloni am iddo gael rhywbeth anweddus ynddi, yna y mae i ysgrifennu llythyr ysgar iddi, a'i roi yn ei llaw a'i hanfon o'i dŷ. ²Wedi iddi adael ei dŷ, os daw yn wraig i rywun arall, ³a hwnnw wedyn yn ei chasáu ac yn ysgrifennu llythyr ysgar iddi, a'i roi yn ei llaw a'i hanfon o'i dŷ, neu os bydd yr ail ŵr yn marw, ⁴yna ni all ei phriod cyntaf, a oedd wedi ei hysgaru, ei hailbriodi wedi iddi gael ei halogi. Byddai hynny'n beth ffiaidd gerbron yr ARGLWYDD, ac nid ydych i ddwyn pechod ar y wlad y mae'r ARGLWYDD eich Duw yn ei rhoi'n feddiant ichwi.

Amrywiol Ddeddfau

5 Os bydd dyn newydd briodi, nid yw i fynd i ffwrdd gyda'r fyddin nac ar ddyletswyddau eraill; y mae'n rhydd i aros gartref am flwyddyn gron a difyrru ei wraig.

6 Nid yw neb i gymryd melin na maen uchaf melin yn wystl, oherwydd byddai'n cymryd bywoliaeth dyn yn wystl.

7 Os ceir bod dyn wedi herwgipio un o'i gydwladwyr yn Israel, a'i amddifadu o'i hawliau trwy ei werthu, yna y mae'r herwgipiwr hwnnw i farw; felly y byddi'n dileu'r drwg o'ch mysg.

8 Mewn achos o wahanglwyf, gofalwch wneud popeth yn ôl fel y bydd yr offeiriaid o Lefiaid yn eich cyfarwyddo; gofalwch wneud yn union fel y gorchmynnais i iddynt. ⁹Cofiwch yr hyn a wnaeth yr ARGLWYDD eich Duw i Miriam wrth ichwi ddod o'r Aifft.

10 Os byddi'n rhoi benthyg unrhyw beth i'th gymydog, paid â mynd i mewn i'w dŷ i gymryd ei wystl. ¹¹Saf y tu allan, a gad i'r dyn yr wyt yn rhoi benthyg iddo ddod â'i wystl allan atat. ¹²Os yw'n ddyn tlawd, paid â chysgu yn y dilledyn a roddodd yn wystl; ¹³gofala ei roi'n ôl iddo cyn machlud haul, er mwyn iddo gysgu yn ei fantell a'th fendithio. Cyfrifir hyn iti'n gyfiawnder gerbron yr ARGLWYDD dy Dduw.

14 Paid â gorthrymu gwas cyflog anghenus a thlawd, boed gydwladwr neu ddieithryn yn un o drefi dy wlad. ¹⁵Rho ei gyflog iddo bob dydd cyn i'r haul fachlud, rhag iddo achwyn arnat wrth yr ARGLWYDD a'th gael ar fai, oherwydd y mae'n anghenus ac yn dibynnu arno.

16 Nid yw tadau i'w rhoi i farwolaeth o achos eu plant, na phlant o achos eu tadau; am ei bechod ei hun y rhoddir dyn i farwolaeth.

17 Nid wyt i wyro barn yn achos

dieithryn nac amddifad, nac i gymryd dilledyn y weddw fel gwystl. [18]Cofia mai caethwas fuost yn yr Aifft, ac i'r ARGLWYDD dy Dduw dy waredu oddi yno; dyna pam yr wyf yn gorchymyn iti wneud hyn.

19 Pan fyddi wedi medi dy gynhaeaf ond wedi anghofio ysgub yn y maes, paid â throi'n ôl i'w chyrchu; gad hi yno ar gyfer y dieithryn, yr amddifad a'r weddw, er mwyn i'r ARGLWYDD dy Dduw dy fendithio yn holl waith dy ddwylo.

20 Pan fyddi'n curo'r ffrwyth oddi ar dy olewydden, paid â lloffa wedyn; gad y gweddill yno ar gyfer y dieithryn, yr amddifad a'r weddw.

21 Pan fyddi'n casglu ffrwyth dy winllan, paid â lloffa wedyn; gad y gweddill yno ar gyfer y dieithryn, yr amddifad a'r weddw. [22]Cofia mai caethwas fuost yng ngwlad yr Aifft; dyna pam yr wyf yn gorchymyn iti wneud hyn.

25 Os bydd ymrafael rhwng dynion, y maent i ddod â'r achos i lys barn, ac y mae'r barnwr i ddedfrydu, gan ddyfarnu o blaid y cyfiawn a chondemnio'r euog. [2]Ac os yw'r euog yn haeddu ei fflangellu, y mae'r barnwr i beri iddo orwedd a derbyn yn ei ŵydd y nifer o lachau sy'n briodol i'r trosedd. [3]Nid ydynt i'w guro â mwy na deugain llach rhag i'th frawd, o'i fflangellu lawer mwy na hyn, fynd yn wrthrych dirmyg yn d'olwg.

4 Nid wyt i roi genfa am safn ych tra byddo'n dyrnu.

Dyletswydd tuag at Frawd Marw

5 Os bydd brodyr yn byw gyda'i gilydd ac un ohonynt yn marw'n ddi-blant, nid yw'r weddw i briodi estron o'r tu allan; y mae ei brawd-yng-nghyfraith i fynd i mewn ati a'i chymryd hi'n wraig iddo, a chyflawni dyletswydd brawd-yng-nghyfraith. [6]Bydd y mab cyntaf a enir iddi yn cymryd enw'r brawd a fu farw, rhag dileu ei enw o Israel. [7]Ac os na bydd y dyn hwnnw'n dymuno priodi ei chwaer-yng-nghyfraith, aed honno i fyny i'r porth at yr henuriaid a dweud, "Y mae fy mrawd-yng-nghyfraith yn gwrthod sicrhau bod enw ei frawd yn parhau yn Israel; nid yw'n fodlon cyflawni dyletswydd brawd-yng-nghyfraith â mi." [8]Yna y mae henuriaid ei dref i'w alw atynt a siarad ag ef; ac os yw'n para i ddweud, "Nid wyf yn dymuno ei phriodi", [9]bydd ei chwaer-

yng-nghyfraith yn dod ato yng ngŵydd yr henuriaid, yn tynnu ei sandal oddi ar ei droed, yn poeri yn ei wyneb ac yn cyhoeddi, "Dyma a wneir i'r dyn nad yw am adeiladu tŷ ei frawd." [10]A bydd ei deulu'n cael ei adnabod drwy Israel fel teulu'r dyn y tynnwyd ei sandal.

Deddfau Eraill

11 Os bydd dau gymydog yn ymladd â'i gilydd, a gwraig y naill yn dod i achub ei gŵr rhag yr un sy'n ei daro, ac yn estyn ei llaw a chydio yng nghwd y llall, [12]torrer ei llaw i ffwrdd; nid wyt i dosturio wrthi.

13 Nid wyt i feddu pwysau anghyfartal yn dy god, un yn drwm a'r llall yn ysgafn. [14]Nid wyt i feddu yn dy dŷ fesurau anghyfartal, un yn fawr a'r llall yn fach. [15]Y mae dy bwysau a'th fesurau i fod yn gyfain ac yn safonol, fel yr estynner dy ddyddiau yn y tir y mae'r ARGLWYDD dy Dduw yn ei roi iti. [16]Oherwydd y mae pob un sy'n gwneud fel arall, ac yn gweithredu'n anonest, yn ffiaidd gan yr ARGLWYDD dy Dduw.

Gorchymyn Difodi Amalec

17 Cofia'r hyn a wnaeth Amalec iti ar dy ffordd allan o'r Aifft; [18]heb ofni Duw, daeth allan ac ymosod o'r tu cefn ar bawb oedd yn llusgo'n araf ar dy ôl, pan oeddit yn lluddedig a diffygiol. [19]Pan fydd yr ARGLWYDD dy Dduw wedi rhoi iti lonydd oddi wrth dy holl elynion o'th amgylch yn y wlad y mae'n ei rhoi iti i'w meddiannu'n etifeddiaeth, yr wyt i ddileu coffadwriaeth Amalec oddi tan y nef. Paid ag anghofio.

Offrwm Cynhaeaf

26 Pan ddoi i'r wlad y mae'r ARGLWYDD dy Dduw yn ei rhoi iti'n etifeddiaeth, a thithau'n ei meddiannu ac yn byw ynddi, [2]yna cymer o flaenffrwyth holl gnydau'r tir y byddi'n eu casglu yn y wlad y mae'r ARGLWYDD dy Dduw yn ei rhoi iti, a gosod hwy mewn cawell, a mynd i'r lle y bydd yr ARGLWYDD dy Dduw yn ei ddewis yn drigfan i'w enw. [3]Dos at yr offeiriad a fydd ar adeg honno, a dywed wrtho, "Yr wyf heddiw'n datgan gerbron yr ARGLWYDD dy Dduw imi ddod i'r wlad yr addawodd yr ARGLWYDD i'n tadau y byddai'n ei rhoi inni." [4]Yna fe gymer yr offeiriad y cawell o'th law, a'i osod gerbron allor yr ARGLWYDD dy Dduw. [5]Yr wyt tithau wedyn i ddweud gerbron yr ARGLWYDD dy Dduw, "Aramead ar grwydr oedd fy nhad; aeth i lawr i'r Aifft gyda mintai fechan, a byw yno'n ddieithryn, ond tyfodd yn genedl fawr, rymus a lluosog. ⁶Yna bu'r Eifftiaid yn ein cam-drin a'n cystuddio a'n cadw mewn caethiwed caled. ⁷Wedi inni weiddi ar yr ARGLWYDD, Duw ein tadau, fe glywodd ein cri, a gwelodd ein cystudd a'n llafur caled a'n gorthrwm. ⁸Daeth â ni allan o'r Aifft â llaw gadarn a braich estynedig, a chyda dychryn mawr a chydag arwyddion a rhyfeddodau. ⁹Daeth â ni i'r lle hwn, a rhoi inni'r wlad hon, gwlad yn llifeirio o laeth a mêl. ¹⁰Ac yn awr dyma fi'n dod â blaenffrwyth cnydau'r tir a roddaist imi, O ARGLWYDD." Rho'r cawell i lawr gerbron yr ARGLWYDD dy Dduw, a moesymgryma o'i flaen. ¹¹Yr wyt ti a'r Lefiad, a'r dieithryn fydd yno gyda thi, i lawenhau am yr holl bethau da a roddodd yr ARGLWYDD dy Dduw i ti a'th deulu.

12 Pan fyddi wedi gorffen degymu dy holl gynnyrch yn y drydedd flwyddyn, sef blwyddyn y degwm, rho ef i'r Lefiad, y dieithryn, yr amddifad a'r weddw, iddynt gael bwyta'u gwala yn dy drefi. ¹³A dywed gerbron yr ARGLWYDD dy Dduw, "Yr wyf wedi gwacáu'r tŷ o'r hyn oedd wedi ei gysegru, ac wedi ei roi i'r Lefiad, y dieithryn, yr amddifad a'r weddw, yn union fel y gorchmynnaist imi; nid wyf wedi troseddu yn erbyn yr un o'th orchmynion na'u hanghofio. ¹⁴Nid wyf wedi bwyta dim o'r peth cysegredig tra bûm yn galaru, na symud dim ohono tra oeddwn yn aflan, nac offrymu dim ohono i'r marw. Yr wyf wedi gwrando ar lais yr ARGLWYDD fy Nuw, ac wedi gwneud yn union fel y gorchmynnaist imi. ¹⁵Edrych i lawr o'th breswylfod sanctaidd yn y nef, a bendithia dy bobl Israel a'r tir a roddaist inni yn ôl d'addewid i'n tadau, sef gwlad yn llifeirio o laeth a mêl."

Pobl Arbennig yr ARGLWYDD

16 Y dydd hwn y mae'r ARGLWYDD dy Dduw yn gorchymyn iti gadw'r rheolau a'r deddfau hyn, a gofalu eu cyflawni â'th holl galon ac â'th holl enaid. ¹⁷Yr wyt yn cydnabod heddiw mai'r ARGLWYDD yw dy Dduw ac y byddi'n rhodio yn ei lwybrau ac yn cadw ei reolau, ei orchmynion a'i ddeddfau, ac yn ufuddhau iddo. ¹⁸Y mae'r ARGLWYDD yntau yn cydnabod wrthyt heddiw dy fod yn bobl

arbennig iddo'i hun, fel yr addawodd wrthyt, ond iti gadw ei holl orchmynion. ¹⁹Bydd yn dy osod yn uwch o ran clod, enw ac anrhydedd na'r holl genhedloedd a greodd, ac yn bobl gysegredig i'r ARGLWYDD dy Dduw, fel y dywedodd.

Mynydd Ebal a'r Gyfraith

27 Rhoddodd Moses a henuriaid Israel orchymyn i'r bobl a dweud: "Cadwch y cwbl yr wyf yn ei orchymyn ichwi heddiw. ²Y diwrnod y byddwch yn croesi'r Iorddonen a dod i'r wlad y mae'r ARGLWYDD eich Duw yn ei rhoi ichwi, codwch feini mawrion a'u plastro â chalch. ³Yna ysgrifennwch arnynt holl eiriau'r gyfraith hon, pan fyddwch wedi croesi drosodd i'r wlad y mae'r ARGLWYDD eich Duw yn ei rhoi ichwi, gwlad yn llifeirio o laeth a mêl, fel yr addawodd ARGLWYDD Dduw eich tadau wrthych. ⁴Wedi ichwi groesi'r Iorddonen, yr ydych i godi'r meini hyn ym Mynydd Ebal a'u plastro â chalch, fel y gorchmynnais ichwi heddiw. ⁵Ac yno byddwch yn adeiladu allor i'r ARGLWYDD eich Duw, allor o gerrig heb eu trin ag arf haearn. ⁶Â cherrig cyfain y byddwch yn adeiladu'r allor i'r ARGLWYDD eich Duw, i offrymu arni boethoffrymau. ⁷Yno hefyd yr aberthwch ebyrth hedd a'u bwyta'n llawen gerbron yr ARGLWYDD eich Duw. ⁸Ysgrifennwch yn hollol eglur ar y meini holl eiriau'r gyfraith hon."

9 Dywedodd Moses a'r offeiriaid o Lefiaid wrth Israel gyfan, "Gwrando a chlyw, O Israel: y dydd hwn daethost yn bobl i'r ARGLWYDD dy Dduw; ¹⁰yr wyt i wrando ar lais yr ARGLWYDD dy Dduw a chadw ei orchmynion a'i ddeddfau, y rhai yr wyf yn eu gorchymyn iti heddiw."

Melltithion ar Anufudd-dod

11 Rhoddodd Moses orchymyn i'r bobl y dydd hwnnw a dweud: ¹²"Pan fyddwch wedi croesi'r Iorddonen, dyma'r rhai sydd i sefyll ar Fynydd Garisim i fendithio'r bobl: Simeon, Lefi, Jwda, Issachar, Joseff a Benjamin. ¹³A dyma'r rhai sydd i sefyll ar Fynydd Ebal i felltithio: Reuben, Gad, Aser, Sabulon, Dan a Nafftali.

14 Bydd y Lefiaid yn cyhoeddi wrth holl wŷr Israel â llais uchel: ¹⁵"Melltith ar y dyn a wna ddelw gerfiedig neu eilun tawdd, a gosod i fyny'n ddiogel bethau o waith dwylo crefftwr, pethau sy'n ffiaidd

gan yr ARGLWYDD." Y mae'r holl bobl i ateb, "Amen."

16 "Melltith ar y dyn sy'n dirmygu ei dad neu ei fam." Y mae'r holl bobl i ddweud, "Amen."

17 "Melltith ar y dyn sy'n symud terfyn ei gymydog." Y mae'r holl bobl i ddweud, "Amen."

18 "Melltith ar y dyn sy'n camarwain dyn dall." Y mae'r holl bobl i ddweud "Amen."

19 "Melltith ar y dyn sy'n gwyro barn yn erbyn estron, amddifad neu weddw." Y mae'r holl bobl i ddweud, "Amen."

20 "Melltith ar y dyn sy'n cael cyfathrach rywiol gyda gwraig i'w dad, oherwydd y mae'n dwyn gwarth ar ei dad." Y mae'r holl bobl i ddweud, "Amen."

21 "Melltith ar y dyn sy'n cael cyfathrach rywiol gydag unrhyw anifail." Y mae'r holl bobl i ddweud, "Amen."

22 "Melltith ar y dyn sy'n cael cyfathrach rywiol gyda'i chwaer, prun ai merch i'w dad neu ferch i'w fam yw hi." Y mae'r holl bobl i ddweud, "Amen."

23 "Melltith ar y dyn sy'n cael cyfathrach rywiol gyda'i tam-yng-nghyfraith." Y mae'r holl bobl i ddweud, "Amen."

24 "Melltith ar y dyn sy'n ymosod ar ei gyd-ddyn yn y dirgel." Y mae'r holl bobl i ddweud, "Amen."

25 "Melltith ar y dyn sy'n derbyn tâl am ladd dyn dieuog." Y mae'r holl bobl i ddweud, "Amen."

26 "Melltith ar y dyn nad yw'n ategu holl eiriau'r gyfraith hon trwy eu cadw." Y mae'r holl bobl i ddweud, "Amen."

Bendithion Ufuddhau
(Lef. 26:3-13; Deut. 7:12-24)

28 Os byddi'n gwrando'n astud ar lais yr ARGLWYDD dy Dduw, ac yn gofalu cadw popeth y mae'n ei orchymyn iti heddiw, yna bydd yr ARGLWYDD dy Dduw yn dy osod yn uwch na holl genhedloedd y byd. ²Daw'r holl fendithion hyn i'th ran ac i'th amgylchu, dim ond iti wrando ar lais yr ARGLWYDD dy Dduw. ³Byddi'n derbyn bendith yn y dref ac yn y maes. ⁴Bydd bendith ar ffrwyth dy gorff, ar gnwd dy dir a'th fuches, ar gynnydd dy wartheg ac epil dy ddefaid. ⁵Bydd bendith ar dy gawell a'th badell dylino. ⁶Byddi'n bendith arnat wrth

ddod i mewn ac wrth fynd allan. ⁷Bydd yr ARGLWYDD yn peri i'th elynion sy'n codi yn dy erbyn gael eu dryllio o'th flaen; byddant yn dod yn dy erbyn ar hyd un ffordd, ond yn ffoi rhagot ar hyd saith. ⁸Bydd yr ARGLWYDD yn gorchymyn bendith ar dy ysguboriau ac ar bopeth a wnei; bydd yn dy fendithio yn y tir y mae'r ARGLWYDD dy Dduw yn ei roi iti. ⁹Bydd yr ARGLWYDD yn dy sefydlu'n bobl sanctaidd iddo, fel yr addawodd iti, os cedwi orchmynion yr ARGLWYDD dy Dduw a rhodio yn ei ffyrdd. ¹⁰Fe wêl holl bobloedd y ddaear mai ar enw'r ARGLWYDD y gelwir di; a bydd dy ofn arnynt. ¹¹Bydd yr ARGLWYDD yn dy lwyddo'n ardderchog yn ffrwyth dy gorff, cynnydd dy fuches, a chnwd dy dir yn y wlad yr addawodd yr ARGLWYDD i'th dadau ei rhoi iti. ¹²Bydd yr ARGLWYDD yn agor y nefoedd, ystordy ei ddaioni, i roi glaw i'th dir yn ei bryd, ac i fendithio holl waith dy ddwylo; byddi'n rhoi benthyg i lawer o genhedloedd, ond heb angen benthyca dy hun. ¹³Bydd yr ARGLWYDD yn dy wneud yn ben ac nid yn gynffon, yn uchaf bob amser ac nid yn isaf, dim ond iti wrando ar orchmynion yr ARGLWYDD dy Dduw, y rhai yr wyf yn eu rhoi iti heddiw i'w cadw a'u gwneud. ¹⁴Paid â gwyro i'r dde na'r chwith oddi wrth yr un o'r pethau yr wyf fi'n eu gorchymyn iti heddiw, na dilyn duwiau estron i'w haddoli.

Canlyniadau Anufuddhau
(Lef. 26:14-46)

15 Ac os na fyddi'n gwrando ar lais yr ARGLWYDD dy Dduw, i ofalu cyflawni ei holl orchmynion a'i ddeddfau, y rhai yr wyf yn eu rhoi iti heddiw, yna fe ddaw i'th ran yr holl felltithion hyn, ac fe'th amgylchant:

16 Melltith arnat yn y dref ac yn y maes.

17 Melltith ar dy gawell a'th badell dylino.

18 Melltith ar ffrwyth dy gorff a chnwd dy dir, ar gynnydd dy wartheg ac epil dy ddefaid.

19 Melltith arnat wrth ddod i mewn ac wrth fynd allan.

20 Bydd yr ARGLWYDD yn anfon arnat felltithion, dryswch, a cherydd ym mha beth bynnag yr wyt yn ei wneud, nes dy ddinistrio a'th ddifetha'n gyflym oher-

wydd drygioni dy waith yn ei wrthod[c].
²¹Bydd yr ARGLWYDD yn peri i haint lynu
wrthyt nes dy ddifa oddi ar y tir yr wyt yn
mynd iddo i'w feddiannu. ²²Bydd yr
ARGLWYDD yn dy daro â darfodedigaeth,
twymyn, llid a chryd; â sychder hefyd a
deifiant a malltod. Bydd y rhain yn dy
ddilyn nes dy ddifodi. ²³Bydd yr wybren
uwch dy ben yn bres, a'r ddaear oddi
tanat yn haearn. ²⁴Bydd yr ARGLWYDD
yn troi glaw dy dir yn llwch a lludw, a
hynny'n disgyn arnat o'r awyr nes dy
ddifa.

25 Bydd yr ARGLWYDD yn dy ddryllio
o flaen d'elynion; byddi'n mynd allan yn
eu herbyn ar hyd un ffordd, ond yn ffoi
rhagddynt ar hyd saith, a bydd hyn yn
arswyd i holl deyrnasoedd y ddaear.
²⁶Bydd dy gelain yn bwydo holl adar yr
awyr a bwystfilod y ddaear, heb neb i'w
tarfu.

27 Bydd yr ARGLWYDD yn dy daro â
chornwyd yr Aifft a chornwydydd gwaed-
lyd, â chrach ac ysfa na fedri gael iachâd
ohonynt. ²⁸Bydd yr ARGLWYDD yn dy
daro â gwallgofrwydd, dallineb a dryswch
meddwl; ²⁹a byddi'n ymbalfalu ar hanner
dydd, fel y bydd dyn dall yn ymbalfalu
mewn tywyllwch, heb lwyddo i gael dy
ffordd. Cei dy orthrymu a'th ysbeilio'n
feunyddiol heb neb i'th achub. ³⁰Er iti
ddyweddïo â merch, dyn arall fydd yn ei
phriodi; er iti godi tŷ, ni fyddi'n byw
ynddo; ac er iti blannu gwinllan, ni chei'r
ffrwyth ohoni. ³¹Lleddir dy ych yn dy
olwg, ond ni fyddi'n cael bwyta dim
ohono; caiff dy asyn ei ladrata yn dy
ŵydd, ond nis cei yn ôl; rhoddir dy
ddefaid i'th elynion, ac ni fydd neb i'w
hadfer iti. ³²Rhoddir dy feibion a'th
ferched i bobl arall, a thithau'n gweld ac
yn dihoeni o'u plegid ar hyd y dydd, yn
ddiymadferth. ³³Bwyteir cynnyrch dy
dir a'th holl lafur gan bobl nad wyt yn
eu hadnabod, a chei dy orthrymu a'th
ysbeilio'n feunyddiol, ³⁴nes bod yr hyn a
weli â'th lygaid yn dy yrru'n wallgof.
³⁵Bydd yr ARGLWYDD yn dy daro â
chornwydydd poenus, na ellir eu gwella,
ar dy liniau a'th goesau, ac o wadn dy
droed hyd dy gorun.

36 Bydd yr ARGLWYDD yn dy ddanfon
di, a'r brenin y byddi'n ei osod arnat,
at genedl na fu i ti na'th gyndadau ei
hadnabod; ac yno byddi'n gwasan-

aethu duwiau estron o bren a charreg.
³⁷Byddi'n achos syndod, yn ddihareb ac
yn gyff gwawd ymysg yr holl bobloedd y
bydd yr ARGLWYDD yn dy ddanfon atynt.

38 Er iti fynd â digonedd o had i'r
maes, ychydig a fedi, am i locustiaid ei
ysu. ³⁹Byddi'n plannu gwinllannoedd ac
yn eu trin, ond ni chei yfed y gwin na
chasglu'r grawnwin, am i bryfetach eu
bwyta. ⁴⁰Bydd gennyt olewydd trwy dy
dir i gyd, ond ni fyddi'n dy iro dy hun â'r
olew, oherwydd bydd dy olewydd yn colli
eu ffrwyth. ⁴¹Byddi'n cenhedlu meibion a
merched, ond ni chei eu cadw, oherwydd
fe'u cludir i gaethiwed. ⁴²Bydd locustiaid
yn difa pob coeden fydd gennyt a chyn-
nyrch dy dir. ⁴³Bydd y dieithryn yn eich
mysg yn dal i godi'n uwch ac yn uwch, a
thithau'n disgyn yn is ac yn is. ⁴⁴Ef fydd
yn rhoi benthyg i ti, nid ti iddo ef; ef fydd
y pen, a thithau'n gynffon.

45 Daw'r holl felltithion hyn arnat, a'th
ddilyn a'th amgylchu nes iti gael dy
ddinistrio, am na wrandewaist ar lais yr
ARGLWYDD dy Dduw na chadw ei orch-
mynion a'i ddeddfau fel y gorchmynnodd
iti. ⁴⁶Byddant yn arwydd ac yn argoel i ti
ac i'th ddisgynyddion am byth, ⁴⁷gan na
wasanaethaist yr ARGLWYDD dy Dduw
mewn llawenydd a llonder calon am iddo
roi iti ddigonedd o bopeth. ⁴⁸Eithr mewn
newyn a syched, noethni a dirfawr angen,
byddi'n gwasanaethu'r gelynion y mae'r
ARGLWYDD yn eu hanfon yn dy erbyn.
Bydd yn gosod iau haearn ar dy war nes
iddo dy ddinistrio. ⁴⁹Bydd yr ARGLWYDD
yn codi cenedl o bell, o eithaf y ddaear,
yn dy erbyn; fel eryr fe ddaw ar dy
warthaf genedl na fyddi'n deall ei hiaith,
⁵⁰cenedl sarrug ei gwedd, heb barch i'r
hen na thiriondeb at yr ifanc. ⁵¹Bydd yn
bwyta cynnyrch dy fuches a'th dir, nes dy
ddinistrio; ni fydd yn gadael ar ôl iti nac
ŷd na gwin nac olew, na chynnydd dy
wartheg nac epil dy ddefaid, nes dy
ddifodi. ⁵²Bydd yn gwarchae ar bob dinas
o'th eiddo trwy dy holl wlad, nes y bydd
pob un o'th furiau uchel, yr wyt yn
ymddiried ynddynt i'th amddiffyn, yn
cwympo; ie, bydd yn gwarchae ar bob
dinas o'th eiddo trwy'r holl wlad a
roddodd yr ARGLWYDD dy Dduw iti.
⁵³Oherwydd y cyni a achosir iti gan
warchae dy elyn, byddi'n bwyta ffrwyth
dy gorff dy hun, cnawd dy feibion a'th

---

[c]Cymh. Groeg. Hebraeg, *fy ngwrthod.*

ferched, a roddodd yr Arglwydd dy Dduw iti. ⁵⁴Bydd y dyn mwyaf tyner a mwythus yn eich plith yn gwarafun rhoi i'w frawd, nac i wraig ei fynwes nac i weddill ei blant sydd ar ôl, ⁵⁵ddim o gig ei blant y mae'n ei fwyta, rhag iddo fod heb ddim yn y cyni a achosir ym mhob dinas gan warchae dy elyn. ⁵⁶Bydd y ddynes fwyaf tyner a mwyaf maldodus yn eich plith, un mor faldodus a thyner fel na fentrodd osod gwadn ei throed ar y ddaear, yn gwarafun rhoi i ŵr ei mynwes, nac i'w mab na'i merch, ⁵⁷ran o'r brych a ddisgyn o'i chroth, na'r baban a enir iddi; ond bydd hi ei hun yn ei fwyta'n ddirgel, am nad oes dim i'w gael yn y cyni a achosir yn dy holl ddinasoedd gan warchae dy elyn.

58 Os na fyddi'n gofalu cyflawni holl ofynion y gyfraith hon, a ysgrifennwyd yn y llyfr hwn, a pharchu'r enw gogoneddus ac arswydus hwn, sef enw yr Arglwydd dy Dduw, ⁵⁹yna bydd yr Arglwydd yn trymhau ei blâu anhygoel arnat ti ac ar dy epil, plâu trymion a chyson, a heintiau difrifol a pharhaus. ⁶⁰Bydd yn dwyn arnat eto holl glefydau'r Aifft a fu'n peri braw iti, a byddant yn glynu wrthyt. ⁶¹Bydd yr Arglwydd yn pentyrru arnat hefyd yr holl afiechydon a phlâu nad ydynt wedi eu cynnwys yn llyfr y gyfraith hon, nes dy ddinistrio. ⁶²Fe'th adewir di, a fu mor niferus â sêr y nefoedd, yn ychydig o bobl, am iti beidio â gwrando ar lais yr Arglwydd dy Dduw. ⁶³Fel y bu'r Arglwydd yn llawenhau o'th blegid wrth iddo wneud daioni iti a'th amlhau, bydd yn llawenhau o'th blegid yr un modd wrth iddo dy ddifodi a'th ddinistrio. Bydd yn dy ddiwreiddio o'r tir hwn y daethost i'w feddiannu. ⁶⁴Bydd yr Arglwydd yn dy wasgaru ymysg yr holl bobloedd, o un cwr o'r byd i'r llall; ac yno byddi'n gwasanaethu duwiau estron, duwiau o bren a charreg, nad oeddit ti na'th dadau yn eu hadnabod. ⁶⁵Ni chei lonydd na gorffwysfa i wadn dy droed ymhlith y cenhedloedd hyn; bydd yr Arglwydd yn rhoi iti yno galon ofnus, llygaid yn pallu ac ysbryd llesg. ⁶⁶Bydd dy fywyd fel pe'n hongian o'th flaen, a bydd arnat ofn nos a dydd, heb ddim sicrwydd gennyt am dy einioes. ⁶⁷O achos yr ofn yn dy galon a'r hyn a wêl dy lygaid, byddi'n dweud yn y bore, "O na fyddai'n hwyr!" ac yn yr

hwyr, "O na fyddai'n fore!" ⁶⁸Bydd yr Arglwydd yn dy ddychwelyd i'r Aifft mewn tristwch, ar hyd y ffordd y dywedais wrthyt na fyddit yn ei gweld rhagor, ac yno byddwch yn eich cynnig eich hunain ar werth i'ch gelynion fel caethion a chaethesau, heb neb yn prynu.

Y Cyfamod ag Israel yn Moab

29 * Dyma eiriau'r cyfamod y gorch-mynnodd yr Arglwydd i Moses ei wneud â'r Israeliaid yng ngwlad Moab, yn ychwanegol at y cyfamod a wnaeth â hwy yn Horeb.

2 Galwodd Moses ar Israel gyfan, a dweud wrthynt: Gwelsoch â'ch llygaid eich hunain y cwbl a wnaeth yr Arglwydd yn yr Aifft i Pharo a'i weision i gyd a'i holl wlad; ³gwelsoch y profion mawr, yr arwyddion a'r argoelion mawr hynny. ⁴Ond hyd y dydd hwn ni roddodd yr Arglwydd ichwi feddwl i ddeall, na llygaid i ganfod, na chlustiau i glywed. 5 Yn ystod y deugain mlynedd yr arweiniais chwi drwy'r anialwch, ni threuliodd eich dillad na'r sandalau am eich traed. ⁶Nid oeddech yn bwyta bara nac yn yfed gwin na diod gadarn, a hynny er mwyn ichwi sylweddoli "mai myfi, yr Arglwydd, yw eich Duw". ⁷Pan ddaethoch i'r lle hwn, daeth Sihon brenin Hesbon ac Og brenin Basan yn ein herbyn i ryfel, ond fe'u gorchfygwyd gennym. ⁸Wedi inni gymryd eu tir, rhoesom ef yn etifeddiaeth i lwythau Reuben a Gad a hanner llwyth Manasse. ⁹Gofalwch gadw gofynion y cyfamod hwn, er mwyn ichwi lwyddo ym mhopeth a wnewch.

10 Yr ydych yn sefyll yma heddiw gerbron yr Arglwydd eich Duw, pob un ohonoch: penaethiaid eich llwythauᶜʰ, eich henuriaid a'ch swyddogion, pawb o wŷr Israel, ¹¹a hefyd eich plant, eich gwragedd, a'r dieithryn sy'n byw yn eich mysg, yn torri tanwydd ac yn codi dŵr ichwi. ¹²Yr ydych yn sefyll i dderbyn cyfamod yr Arglwydd eich Duw, a'r cytundeb trwy lw y mae'n ei wneud â chwi heddiw, ¹³i'ch sefydlu'n bobl iddo'i hun, ac yntau'n Dduw i chwi, fel y dywedodd wrthych, ac fel yr addawodd i'ch tadau, Abraham, Isaac a Jacob. ¹⁴Yr wyf yn gwneud y cyfamod a'r cytundeb hwn trwy lw, nid yn unig â chwi ¹⁵sy'n

---

*28:69 yn yr Hebraeg.   ᶜʰFelly Fersiynau. Hebraeg, *eich penaethiaid, eich llwythau.*

sefyll yma gyda ni heddiw gerbron yr ARGLWYDD ein Duw, ond hefyd â'r rhai nad ydynt yma gyda ni heddiw. ¹⁶Oherwydd fe wyddoch sut yr oedd, pan oeddem yn byw yng ngwlad yr Aifft a phan ddaethom drwy ganol y cenhedloedd ar y ffordd yma; ¹⁷gwelsoch eu delwau ffiaidd a'u duwiau gau o bren a charreg, o arian ac aur. ¹⁸Gwyliwch rhag bod yn eich mysg heddiw na gŵr, gwraig, tylwyth, na llwyth a'i galon yn troi oddi wrth yr ARGLWYDD ein Duw i fynd ac addoli duwiau'r cenhedloedd hynny, a rhag bod yn eich mysg wreiddyn yn cynhyrchu ffrwyth gwenwynig a chwerw. ¹⁹Os bydd un felly yn clywed geiriau'r cytundeb hwn trwy lw, ac yn ei ganmol ei hun yn ei galon a dweud, "Byddaf fi'n ddiogel, er imi rodio yn fy nghyndynrwydd", gwylied; oherwydd ysgubir ymaith y tir a ddyfrhawyd yn ogystal â'r sychdir. ²⁰Bydd yr ARGLWYDD yn anfodlon maddau iddo; yn wir bydd ei ddicter a'i eiddigedd yn cynnau yn erbyn y dyn hwnnw, a bydd yr holl felltithion a groniclir yn y llyfr hwn yn disgyn arno. Bydd yr ARGLWYDD yn dileu ei enw oddi tan y nefoedd, ²¹ac yn ei osod ar wahân i lwythau Israel i dderbyn drwg yn ôl holl felltithion y cyfamod a gynhwysir yn y llyfr hwn o'r gyfraith.

22 Bydd y genhedlaeth nesaf, sef eich plant a ddaw ar eich ôl, a'r estron a ddaw o wlad bell, yn gweld y plâu a'r clefydau a anfonodd yr ARGLWYDD ar y wlad. ²³Bydd brwmstan a halen wedi llosgi'r holl dir, heb ddim yn cael ei hau, na dim yn egino, na'r un blewyn glas yn tyfu ynddo. Bydd fel galanastra Sodom a Gomorra, neu Adma a Seboim, y bu i'r ARGLWYDD eu dymchwel yn ei ddicter a'i lid. ²⁴A bydd yr holl genhedloedd yn gofyn, "Pam y gwnaeth yr ARGLWYDD hyn i'r wlad hon? Pam y dicter mawr, deifiol hwn?" ²⁵A'r ateb fydd: "Am iddynt dorri cyfamod ARGLWYDD Dduw eu tadau, y cyfamod a wnaeth â hwy pan ddaeth â hwy allan o'r Aifft. ²⁶Aethant a gwasanaethu duwiau estron, ac addoli duwiau nad oeddent wedi eu hadnabod ac nad oedd ef wedi eu pennu ar eu cyfer. ²⁷Enynnodd dicter yr ARGLWYDD yn erbyn y wlad honno, fel y dygodd arni'r holl felltithion a gynhwysir yn y llyfr hwn. ²⁸Dinistriodd yr ARGLWYDD hwy o'u tir mewn digofaint a llid a dicter mawr, a'u bwrw i wlad arall, lle y maent o hyd."

29 Y mae'r pethau dirgel yn eiddo i'r ARGLWYDD ein Duw; ond y mae'r pethau a ddatguddiwyd yn perthyn am byth i ni a'n plant, er mwyn i ni gadw holl ofynion y gyfraith hon.

Amodau Adferiad a Bendith

30 Pan fydd yr holl bethau hyn wedi digwydd iti, a thithau'n dwyn ar gof i ti dy hun, ymysg yr holl genhedloedd y gyrrodd yr ARGLWYDD dy Dduw di atynt, y dewis a roddais iti rhwng bendith a melltith; ²os byddi'n troi'n ôl at yr ARGLWYDD dy Dduw â'th holl galon ac â'th holl enaid, a thi a'th blant yn gwrando ar ei lais, yn union fel yr wyf yn gorchymyn iti heddiw, ³yna bydd yr ARGLWYDD dy Dduw yn adfer llwyddiant iti ac yn tosturio wrthyt, ac yn dy gasglu eto o blith yr holl genhedloedd y gwasgarodd di ynddynt. ⁴Pe byddit wedi dy yrru i'r cwr pellaf dan y nef, byddai'r ARGLWYDD dy Dduw yn dy gasglu ac yn dy gymryd oddi yno. ⁵Daw'r ARGLWYDD dy Dduw â thi i'r wlad a feddiannodd dy dadau, a byddi dithau'n ei meddiannu; bydd ef yn dy lwyddo ac yn dy wneud yn fwy niferus na'th dadau. ⁶Bydd yr ARGLWYDD dy Dduw yn enwaedu dy galon, a chalonnau dy ddisgynyddion, er mwyn iti garu yr ARGLWYDD dy Dduw â'th holl galon ac â'th holl enaid, fel y byddi fyw. ⁷A bydd yr ARGLWYDD dy Dduw yn gosod yr holl felltithion hyn ar dy elynion a'th gaseion, a fu'n dy erlid. ⁸Byddi di unwaith eto'n gwrando ar lais yr ARGLWYDD ac yn cadw ei holl orchmynion, y rhai yr wyf fi'n eu rhoi iti heddiw. ⁹Bydd yr ARGLWYDD dy Dduw yn peri iti lwyddo'n helaeth ym mhopeth a wnei, ac yn ffrwyth dy gorff, a chynnydd dy fuches a chnwd dy dir; oherwydd bydd yr ARGLWYDD yn ymhyfrydu eto ynot er dy les, fel y bu'n ymhyfrydu yn dy dadau, ¹⁰dim ond iti wrando ar lais yr ARGLWYDD dy Dduw i gadw ei orchmynion a'i reolau, a ysgrifennwyd yn y llyfr cyfraith hwn, a dychwelyd at yr ARGLWYDD dy Dduw â'th holl galon ac â'th holl enaid.

11 Nid yw'r hyn yr wyf yn ei orchymyn iti heddiw yn rhy anodd iti nac allan o'th gyrraedd. ¹²Nid rhywbeth yn y nefoedd yw, iti ddweud, "Pwy a â i fyny i'r nefoedd ar ein rhan, a dod ag ef inni, a dweud wrthym beth ydyw, er mwyn inni allu ei wneud?" ¹³Nid rhywbeth y tu

hwnt i'r môr yw ychwaith, iti ddweud, "Pwy a â dros y môr ar ein rhan, a dod ag ef inni, a dweud wrthym beth ydyw, er mwyn inni allu ei wneud?" ¹⁴Yn wir, y mae'n agos iawn atat; y mae yn dy enau ac yn dy galon, er mwyn iti ei wneud.

15 Edrych, yr wyf am roi'r dewis iti heddiw rhwng bywyd a marwolaeth, rhwng daioni a drygioni. ¹⁶Oherwydd yr wyf fi heddiw yn gorchymyn iti garu'r ARGLWYDD dy Dduw, a rhodio yn ei ffyrdd, a chadw ei orchmynion, ei reolau a'i ddeddfau; yna byddi fyw, a chei amlhau, a bydd yr ARGLWYDD dy Dduw yn dy fendithio yn y wlad yr wyt yn mynd iddi i'w meddiannu. ¹⁷Ond os byddi'n troi i ffwrdd ac yn peidio â gwrando, ac yn cael dy ddenu i addoli a gwasanaethu duwiau estron, ¹⁸yna, dyma fi'n dweud wrthyt heddiw, fe'th lwyr ddifodir di, ac nid estynnir dy ddyddiau yn y tir yr wyt yn croesi'r Iorddonen i'w feddiannu. ¹⁹Yr wyf yn galw'r nef a'r ddaear yn dystion yn dy erbyn heddiw, imi roi'r dewis iti rhwng bywyd ac angau, rhwng bendith a melltith. Dewis dithau fywyd, er mwyn iti fyw, tydi a'th ddisgynyddion, ²⁰gan garu'r ARGLWYDD dy Dduw, a gwrando ar ei lais a glynu wrtho; oherwydd ef yw dy fywyd, ac ef fydd yn estyn dy ddyddiau iti gael byw yn y tir yr addawodd yr ARGLWYDD i'th dadau, Abraham, Isaac a Jacob, y byddai'n ei roi iddynt.

Josua yn Olynydd i Moses

31 Yna aeth Moses ymlaen a llefaru'r geiriau hyn wrth Israel gyfan: ²Yr wyf fi bellach yn gant ac ugain oed. Ni fedraf fynd a dod fel yr arferwn wneud, ac y mae'r ARGLWYDD wedi dweud wrthyf na chaf groesi'r Iorddonen hon. ³Yr ARGLWYDD dy Dduw ei hun fydd yn mynd drosodd ac yn distrywio'r cenhedloedd hyn o'th flaen, a byddi dithau'n meddiannu eu tir dan arweiniad Josua, fel y dywedodd yr ARGLWYDD. ⁴Fe wna'r ARGLWYDD iddynt fel y gwnaeth i Sihon ac Og, brenhinoedd yr Amoriaid, ac i'w gwlad pan ddistrywiodd hwy. ⁵Rhydd yr ARGLWYDD hwy yn dy ddwylo, a gwna dithau iddynt yn ôl y cwbl a orchmynnais iti. ⁶Bydd gadarn a dewr; paid â'u hofni na dychryn rhagddynt, oherwydd bydd yr ARGLWYDD dy Dduw yn mynd gyda thi, ac ni fydd yn dy adael nac yn cefnu arnat.

7 Wedi i Moses alw Josua, dywedodd wrtho gerbron Israel gyfan, "Bydd gadarn a dewr, oherwydd ti sydd i fynd â'r bobl hyn i'r wlad yr addawodd yr ARGLWYDD i'w tadau y byddai'n ei rhoi iddynt; a thi sydd i roi iddynt feddiant ohoni. ⁸Bydd yr ARGLWYDD yn mynd o'th flaen, a bydd ef gyda thi; ni fydd yn dy adael nac yn cefnu arnat. Paid ag ofni na dychryn."

Darllen y Gyfraith Bob Saith Mlynedd

9 Ysgrifennodd Moses y gyfraith hon a'i rhoi i'r offeiriaid, meibion Lefi, a oedd yn cludo arch cyfamod yr ARGLWYDD, ac i holl henuriaid Israel hefyd. ¹⁰Gorchmynnodd Moses iddynt, "Ar ddiwedd pob saith mlynedd, yr adeg a bennir yn flwyddyn gollyngdod, ar ŵyl y Pebyll, ¹¹pan fydd Israel gyfan yn dod i ymddangos gerbron yr ARGLWYDD dy Dduw yn y man y bydd yn ei ddewis, yr wyt ti i gyhoeddi'r gyfraith hon yng ngŵydd ac yng nghlyw Israel gyfan. ¹²Cynnull y bobl, yn wŷr, gwragedd a phlant, a'r dieithriaid sy'n byw yn dy drefi, er mwyn iddynt glywed, a dysgu ofni'r ARGLWYDD dy Dduw a gofalu gwneud popeth yn y gyfraith hon. ¹³Y mae eu plant hefyd, nad ydynt yn ei gwybod, i wrando arni a dysgu ofni'r ARGLWYDD dy Dduw tra byddant yn byw yn y tir yr wyt yn croesi'r Iorddonen i'w feddiannu."

Cyfarwyddyd Olaf i Moses

14 Dywedodd yr ARGLWYDD wrth Moses, "Y mae dydd dy farw yn nesáu; galw Josua, a chymerwch eich lle ym mhabell y cyfarfod, er mwyn imi roi gorchymyn iddo." Wedi i Moses a Josua fynd a chymryd eu lle ym mhabell y cyfarfod, ¹⁵ymddangosodd yr ARGLWYDD yn y babell mewn colofn gwmwl, a safodd y golofn gwmwl wrth ddrws y babell. ¹⁶A dywedodd yr ARGLWYDD wrth Moses, "Gyda hyn byddi'n mynd i orwedd gyda'th dadau, a bydd y bobl hyn yn dechrau puteinio ar ôl duwiau dieithr y wlad y maent yn mynd i mewn iddi; byddant yn fy ngwrthod i, ac yn torri fy nghyfamod a wneuthum â hwy. ¹⁷Yna fe enynnir fy nig yn eu herbyn, a byddaf finnau yn eu gwrthod ac yn cuddio fy wyneb rhagddynt; byddant yn barod i'w difa, a daw llawer o drychinebau ac argyfyngau ar eu llwybr. Y diwrnod hwnnw fe ddywedant, 'Onid am nad yw ein Duw yn ein plith y daeth y drygau hyn

i'n rhan?' ¹⁸A byddaf fi'n cuddio fy wyneb yn llwyr rhagddynt y diwrnod hwnnw, oherwydd yr holl ddrygioni a wnaethant wrth droi at dduwiau estron. 19 "Yn awr, ysgrifennwch y gerdd hon a'i dysgu i'r Israeliaid, a pheri iddynt ei hadrodd, fel y bydd yn dyst gennyf yn eu herbyn. ²⁰Wedi imi ddod â hwy i'r tir a addewais i'w tadau, tir yn llifeirio o laeth a mêl, lle y cânt fwyta'u gwala a phesgi, byddant yn troi at dduwiau estron a'u gwasanaethu, ond byddant yn fy nirmygu i a thorri fy nghyfamod. ²¹Yna, pan ddaw llawer o drychinebau ac argyfyngau ar eu llwybr, bydd y gerdd hon yn dyst yn eu herbyn; oherwydd nid â'n angof gan eu disgynyddion. Ond gwn beth y maent eisoes yn bwriadu ei wneud, cyn imi eu dwyn i mewn i'r wlad a addewais iddynt."

22 Ysgrifennodd Moses y gerdd hon y diwrnod hwnnw, a dysgodd hi i'r Israeliaid. ²³A rhoddodd yr ARGLWYDD orchymyn i Josua fab Nun a dweud wrtho, "Bydd gadarn a dewr, oherwydd ti sydd i ddod â'r Israeliaid i'r wlad a addewais iddynt; a byddaf fi gyda thi."

24 Pan orffennodd Moses ysgrifennu geiriau'r gyfraith hon mewn llyfr, o'r dechrau i'r diwedd, ²⁵rhoddodd i'r Lefiaid, a oedd yn cludo arch cyfamod yr ARGLWYDD, y gorchymyn hwn: ²⁶"Cymerwch y llyfr cyfraith hwn, a rhowch ef wrth ochr arch cyfamod yr ARGLWYDD eich Duw, i aros yno'n dyst yn eich erbyn; ²⁷oherwydd gwn mor wrthnysig a gwargaled ydych. Yn wir, os ydych yn wrthryfelgar yn erbyn yr AR-GLWYDD heddiw, a minnau'n dal yn fyw yn eich mysg, pa faint mwy felly y byddwch wedi imi farw! ²⁸Casglwch ataf holl henuriaid a swyddogion eich llwyth-au, er mwyn imi lefaru'r geiriau hyn yn eu clyw, a galw nef a daear yn dystion yn eu herbyn. ²⁹Gwn y byddwch, wedi imi farw, yn ymddwyn yn gwbl lygredig, gan gilio o'r ffordd a orchmynnais ichwi; felly, fe ddaw dinistr ar eich gwarthaf yn y dyddiau sy'n dod, am ichwi wneud yr hyn sy'n ddrwg yng ngolwg yr AR-GLWYDD, a'i ddigio â gwaith eich dwylo."

30 Llefarodd Moses eiriau'r gerdd hon, o'i dechrau i'w diwedd, yng nghlyw holl gynulliad Israel.

ᵈFelly'r Sgrol. TM, *meibion Israel*.

Cerdd Moses

32 Gwrandewch, chwi nefoedd, a llefaraf;
clyw, di ddaear, eiriau fy ngenau.
²Bydd fy nysgeidiaeth yn disgyn fel glaw,
a'm hymadrodd yn diferu fel gwlith,
fel glaw mân ar borfa,
megis cawodydd ar laswellt.

³Pan gyhoeddaf enw yr ARGLWYDD,
cyffeswch fawredd ein Duw.
⁴Ef yw'r Graig; perffaith yw ei waith,
a chyfiawn yw ei ffyrdd bob un.
Duw ffyddlon heb anwiredd yw;
un cyfiawn ac uniawn yw ef.

⁵Y genhedlaeth wyrgam a throfaus,
sy'n ymddwyn mor llygredig tuag ato,
nid ei blant ef ydynt o gwbl!
⁶Ai dyma eich tâl i'r ARGLWYDD,
O bobl ynfyd ac angall?
Onid ef yw dy dad, a'th luniodd,
yr un a'th wnaeth ac sy'n dy gynnal?
⁷Cofia'r dyddiau gynt,
ystyria flynyddoedd y cenedlaethau a fu;
gofyn i'th dad, ac fe fynega ef iti;
neu i'th hynafgwyr, ac fe ddywedant hwy wrthyt.

⁸Pan roddodd y Goruchaf eu hetifeddiaeth i'r cenhedloedd,
a gwasgaru'r ddynoliaeth ar led,
fe bennodd derfynau'r bobloedd
yn ôl rhifedi meibion Duwᵈ.
⁹Ei bobl ei hun oedd rhan yr ARGLWYDD,
Jacob oedd ei etifeddiaeth ef.
¹⁰Fe'i cafodd ef mewn gwlad anial,
mewn gwagle erchyll, diffaith;
amgylchodd ef a'i feithrin,
amddiffynnodd ef fel cannwyll ei lygad.
¹¹Fel eryr yn cyffroi ei nyth
ac yn hofran uwch ei gywion,
lledai ei adenydd a'u cymryd ato,
a'u cludo ar ei esgyll.
¹²Yr ARGLWYDD ei hunan fu'n ei arwain,
heb un duw estron gydag ef.
¹³Gwnaeth iddo farchogaeth ar uchelderau'r ddaear,
a bwyta cnwd y maes;
parodd iddo sugno mêl o'r clogwyn,
ac olew o'r graig gallestr.

¹⁴Cafodd ymenyn o'r fuches,
llaeth y ddafad a braster ŵyn,
hyrddod o frid Basan, a bychod,
braster gronynnau gwenith hefyd,
a gwin o sudd grawnwin i'w yfed.

¹⁵Bwytaodd Jacob, a'i ddigoni ^{dd};
pesgodd Jesurun, a chiciodd;
pesgodd^e, a thewychu'n wancus.
Gwrthododd y Duw a'i creodd,
a diystyru Craig ei iachawdwriaeth.
¹⁶Gwnaethant ef yn eiddigeddus â
duwiau dieithr,
a'i ddigio ag arferion ffiaidd.
¹⁷Yr oeddent yn aberthu i ysbrydion nad
oeddent dduwiau,
ac i dduwiau nad oeddent yn eu
hadnabod,
duwiau newydd yn dod oddi wrth eu
cymdogion,
nad oedd eu^f tadau wedi eu parchu.
¹⁸Anghofiaist y Graig a'th genhedlodd,
a gollwng dros gof y Duw a ddaeth â
thi i'r byd.

¹⁹Pan welodd yr Arglwydd hyn, fe'u
ffieiddiodd hwy,
oherwydd i'w feibion a'i ferched ei
gythruddo.
²⁰Dywedodd, "Cuddiaf fy wyneb
rhagddynt,
edrychaf beth fydd eu diwedd;
oherwydd cenhedlaeth wrthryfelgar
ydynt,
plant heb ffyddlondeb ynddynt.
²¹Gwnaethant fi'n eiddigeddus wrth un
nad yw'n dduw,
a'm digio â'u heilunod;
gwnaf finnau hwy'n eiddigeddus wrth
bobl nad yw'n bobl,
a'u digio â chenedl ynfyd.

²²"Yn ddiau, cyneuwyd tân gan fy nig,
ac fe lysg hyd waelod Sheol;
bydd yn ysu'r tir a'i gynnyrch,
ac yn ffaglu seiliau'r mynyddoedd.
²³Pentyrraf ddrygau arnynt,
saethaf atynt bob saeth sydd gennyf:
²⁴nychdod newyn, anrheithiau twymyn,
a dinistr chwerw.
Anfonaf ddannedd bwystfilod yn eu
herbyn
a gwenwyn ymlusgiaid y llwch.
²⁵Oddi allan bydd y cleddyf yn creu
amddifaid,

ac yn y cartref bydd arswyd;
trewir y gwŷr ifainc a'r gwyryfon fel ei
gilydd,
y baban sugno yn ogystal â'r hynafgwr.

²⁶"Fy mwriad oedd eu gwasgaru,
a pheri i bob coffa amdanynt ddarfod,
²⁷oni bai imi ofni y byddai'r gelyn yn eu
gwawdio,
a'u gwrthwynebwyr yn camddeall
a dweud, 'Ein llaw ni sydd wedi
trechu;
nid yr Arglwydd a wnaeth hyn oll.'"

²⁸Cenedl brin o gyngor ydynt,
heb ddealltwriaeth ganddynt;
²⁹gresyn na fyddent yn ddigon doeth i
sylweddoli hyn
ac i amgyffred beth fydd eu diwedd!
³⁰Sut y gall un dyn ymlid mil,
neu ddau yrru myrdd ar ffo,
oni bai fod eu Craig wedi eu gwerthu,
a'r Arglwydd wedi eu caethiwo?
³¹Oherwydd nid yw eu craig hwy yn
debyg i'n Craig ni,
fel y mae ein gelynion yn cydnabod.
³²Daw eu gwinwydd o Sodom
ac o feysydd Gomorra;
grawnwin gwenwynig sydd arnynt,
yn sypiau chwerw.
³³Gwenwyn seirff yw eu gwin,
poeryn angheuol asbiaid.

³⁴Onid yw hyn gennyf wrth gefn,
wedi ei selio yn fy stôr,
³⁵mai i mi y perthyn dial a thalu'r pwyth,
pan fydd eu troed yn llithro?
Yn wir, y mae dydd eu trychineb yn
agos,
a'u distryw yn brysio atynt.
³⁶Bydd yr Arglwydd yn barnu ei bobl
ac yn trugarhau wrth ei weision,
pan wêl fod eu nerth wedi darfod,
ac nad oes ar ôl na chaeth na rhydd.

³⁷Yna fe ddywed, "Ble mae eu duwiau,
y graig y buont yn ceisio lloches dani,
³⁸y duwiau oedd yn bwyta braster eu
hebyrth
ac yn yfed gwin eu diodoffrwm?
Bydded iddynt hwy godi a'ch helpu,
a bod yn lloches ichwi!
³⁹Gwelwch yn awr mai myfi, myfi yw Ef,
ac nad oes Duw ond myfi.
Myfi sy'n lladd, a gwneud yn fyw,

---

^{dd}Felly Fersiynau. Ni cheir y llinell yn TM.
^fFelly Fersiynau. Hebraeg, *eich.*

^eFelly Groeg. Hebraeg, *pesgaist.*

myfi sy'n archolli, ac yn iacháu;
ni all neb achub o'm gafael i.

40 "Codaf fy llaw tua'r nef, a dweud:
Cyn sicred â'm bod yn byw'n
dragywydd,
41 os hogaf fy nghleddyf disglair,
a chydio ynddo â'm llaw mewn barn,
byddaf yn dial ar fy ngwrthwynebwyr
ac yn talu'r pwyth i'r rhai sy'n fy
nghasáu.
42 Gwnaf fy saethau yn feddw â gwaed,
a bydd fy nghleddyf yn bwyta cnawd,
sef gwaed y clwyfedig a'r
carcharorion,
a phennau arweinwyr y gelyn."

43 Bloeddiwch fawl ei bobl, O
genhedloedd,
oherwydd y mae'n dial gwaed ei
weision!
Daw â dial ar ei wrthwynebwyr,
a gwneud cymod â'i dir a'i bobl ei hun.

44 Wedi i Moses ddod gyda Josua fab
Nun, llefarodd holl eiriau'r gerdd hon
yng nghlyw'r bobl.

Cyfarwyddyd Olaf Moses

45 Pan orffennodd Moses lefaru'r holl
eiriau hyn wrth Israel gyfan, 46meddai
wrthynt, "Ystyriwch yn eich calon yr
holl eiriau yr wyf yn eu hargymell ichwi
heddiw, er mwyn ichwi eu gorchymyn
i'ch plant, ac iddynt hwythau ofalu cadw
holl eiriau'r gyfraith hon. 47Oherwydd nid
gair dibwys yw hwn i chwi, ond dyma
eich bywyd; trwy'r gair hwn yr estyn-
nwch eich dyddiau yn y wlad yr ydych ar
fynd dros yr Iorddonen i'w meddiannu."
48 Yn ystod yr un diwrnod llefarodd
yr ARGLWYDD wrth Moses a dweud,
49 "Dos i fyny yma i fynydd-dir Abarim, i
Fynydd Nebo yng ngwlad Moab, gyf-
erbyn â Jericho; ac yna edrych ar wlad
Canaan, y wlad yr wyf yn ei rhoi i'r
Israeliaid yn etifeddiaeth. 50Yno, ar y
mynydd y byddi'n ei ddringo, y byddi
farw, ac y cesglir di at dy bobl, fel y bu
i'th frawd Aaron farw ym Mynydd Hor,
a'i gasglu at ei bobl, 51am ichwi fod yn
anffyddlon imi yng nghanol yr Israeliaid
wrth ddyfroedd Meriba-Cades yn an-

ialwch Sin, trwy beidio â mynegi fy
sancteiddrwydd ymysg yr Israeliaid. 52Fe
gei weld y wlad yn y pellter, ond ni
chei ddod drosodd i'r wlad yr wyf yn ei
rhoi i'r Israeliaid."

Bendith Moses

33 Dyma'r fendith ar feibion Israel a
gyhoeddodd Moses gŵr Duw,
cyn ei farw:
2 Cododd yr ARGLWYDD o Sinai
a gwawriodd arnynt o Seir;
disgleiriodd o Fynydd Paran
a dod â myrddiynau o Cades[ff],
o'r de, o lethrau'r mynyddoedd[g].

3 Yn ddiau, y mae'n caru ei bobl[ng],
a'i holl saint sydd yn ei[h] law;
plygant yn isel wrth ei[h] draed
a derbyn ei[h] ddysgeidiaeth,
4 y gyfraith a orchmynnodd Moses inni,
yn etifeddiaeth i gynulliad Jacob.
5 Gwnaed ef yn frenin ar Jesurun
pan ymgasglodd penaethiaid y bobl,
a phan ddaeth llwythau Israel ynghyd.
6 Bydded Reuben fyw, ac nid marw,
ond na foed ei ddynion yn niferus.

7 A dyma a ddywedodd am Jwda:
Clyw, O ARGLWYDD, lef Jwda,
a dwg ef at ei bobl;
bydded i'th law ymdrechu drosto[i],
a bydd di'n gymorth iddo rhag ei
elynion.

8 Dywedodd am Lefi:
Rho i Lefi[l] dy Twmim,
a'th Wrim i'r un sy'n ffyddlon iti;
fe'i profaist yn Massa,
a dadlau ag ef wrth ddyfroedd Meriba.
9 Fe ddywed am ei dad a'i fam,
"Nid wyf yn eu hystyried",
ac nid yw'n cydnabod ei frodyr
nac yn arddel ei blant.
Oherwydd bu'n cadw dy air
ac yn gwarchod dy gyfamod.
10 Y mae'n dysgu dy ddeddfau i Jacob
a'th gyfraith i Israel.
Y mae'n gosod arogl-darth ger dy
fron,
a'r aberth llwyr ar dy allor.
11 Bendithia, O ARGLWYDD, ei wrhydri,
a derbyn waith ei ddwylo.

---

yn anufuddhau i'th air ac yn gwrthod gwrando ar unrhyw beth a orchmynni. Yn unig bydd wrol a dewr."

Josua'n Anfon Ysbïwyr i Jericho

2 O Sittim anfonodd Josua fab Nun ddau ysbïwr yn ddirgel. Dywedodd wrthynt, "Ewch i ysbïo'r wlad, yn arbennig Jericho." Aethant hwythau, a chyrraedd tŷ rhyw butain o'r enw Rahab, a lletya yno. Dywedwyd wrth frenin Jericho, ²"Edrych! Y mae rhai o'r Israeliaid wedi cyrraedd yma heno i chwilio'r wlad." ³Anfonodd brenin Jericho at Rahab a dweud, "Tro allan y dynion a ddaeth atat i'th dŷ, oherwydd wedi dod i ysbïo'r holl wlad y maent." ⁴Wedi i'r wraig gymryd y ddau ddyn a'u cuddio, dywedodd, "Do, fe ddaeth y dynion ataf, ond ni wyddwn o ble'r oeddent; ⁵a chyda'r nos, pan oedd y porth ar fin cau, aeth y dynion allan. Ni wn i ble'r aethant, ond brysiwch ar eu hôl; yr ydych yn sicr o'u dal." ⁶Yr oedd hi wedi mynd â'r dynion i fyny ar y to, a'u cuddio â'r planhigion llin a oedd ganddi'n rhesi yno. ⁷Aeth y dynion a oedd yn eu hymlid ar eu hôl hyd at rydau'r Iorddonen; a chaewyd y porth, wedi i'r ymlidwyr fynd allan.

8 Cyn i'r ysbïwyr gysgu, aeth Rahab i fyny ar y to, ⁹a dweud wrthynt, "Gwn fod yr ARGLWYDD wedi rhoi'r wlad i chwi, a bod eich arswyd wedi syrthio arnom, a holl drigolion y wlad mewn gwewyr o'ch plegid. ¹⁰Oherwydd clywsom fel y sychodd yr ARGLWYDD ddyfroedd y Môr Coch o'ch blaen pan ddaethoch allan o'r Aifft, ac fel y bu ichwi ddifodi Sihon ac Og, dau frenin yr Amoriaid y tu hwnt i'r Iorddonen. ¹¹Pan glywsom hyn, suddodd ein calonnau, ac nid oes hyder gan neb i'ch wynebu, oherwydd y mae'r ARGLWYDD eich Duw chwi yn Dduw yn y nefoedd uchod ac ar y ddaear isod. ¹²Am hynny, tyngwch i mi yn enw'r ARGLWYDD, am i mi wneud caredigrwydd â chwi, y gwnewch chwithau'r un modd â'm teulu i; rhowch imi sicrwydd ¹³y cadwch yn fyw fy nhad a'm mam, fy mrodyr a'm chwiorydd, a phawb sy'n perthyn iddynt, ac yr arbedwch ein bywydau rhag angau." ¹⁴Dywedodd y dynion wrthi, "Byddwn yn barod i farw yn eich lle, dim ond i chwi beidio â datgelu'n cyfrinach; pan fydd yr ARGLWYDD wedi rhoi inni'r wlad, fe wnawn

garedigrwydd a thegwch â thi." ¹⁵Yna gollyngodd Rahab hwy i lawr drwy'r ffenestr ar raff, oherwydd yr oedd ei thŷ ar fur y ddinas, a hithau'n byw ar y mur. ¹⁶Dywedodd wrthynt, "Ewch tua'r mynydd, rhag i'r rhai sy'n eich ymlid daro arnoch; cuddiwch yno dridiau, nes i'r ymlidwyr ddychwelyd, ac wedyn ewch eich ffordd eich hun." ¹⁷Dywedodd y dynion wrthi, "Byddwn yn rhydd o'r llw y gwnaethost inni ei dyngu, ¹⁸pan fyddwn yn dod i mewn i'r wlad, os na fyddi wedi rhwymo'r edau ysgarlad hon yn y ffenestr y gollyngaist ni drwyddi, ac wedi galw ynghyd i'r tŷ dy dad a'th fam, dy frodyr a'th deulu i gyd. ¹⁹Pwy bynnag a â allan trwy ddrws dy dŷ, ef ei hun fydd yn gyfrifol am ei waed, a byddwn ni'n ddieuog; ond pwy bynnag a fydd gyda thi yn y tŷ, byddwn ni'n gyfrifol am ei wacd os codir llaw yn ei erbyn. ²⁰Os datgeli ein cyfrinach, byddwn yn rhydd o'r llw y gwnaethost inni ei dyngu iti." ²¹Atebodd hithau, "Rwy'n cytuno"; ac anfonodd hwy ar eu taith. Wedi iddynt fynd, rhwymodd yr edau ysgarlad yn y ffenestr. ²²Aethant hwythau, a chyrraedd y mynyddoedd ac aros yno dridiau, nes i'r ymlidwyr ddychwelyd. ²³Bu'r ymlidwyr yn chwilio amdanynt bob cam o'r ffordd, ond heb eu cael. Yna daeth y ddau i lawr o'r mynyddoedd yn eu hôl, a chroesi drosodd at Josua fab Nun ac adrodd wrtho bopeth a ddigwyddodd iddynt, ²⁴a dweud, "Yn wir y mae'r ARGLWYDD wedi rhoi'r holl wlad yn ein dwylo, ac y mae'r trigolion i gyd mewn gwewyr o'n plegid."

Pobl Israel yn Croesi'r Iorddonen

3 Cododd Josua'n fore a chychwynnodd ef a'r holl Israeliaid o Sittim a dod at yr Iorddonen, a gwersyllu yno cyn croesi. ²Ymhen tridiau aeth y swyddogion drwy'r gwersyll, ³a gorchymyn i'r bobl, "Pan welwch yr offeiriaid, y Lefiaid, yn codi arch cyfamod yr ARGLWYDD eich Duw, cychwynnwch o'ch lle ac ewch ar ei hôl, er mwyn ichwi wybod pa ffordd i fynd, oherwydd nid ydych wedi tramwyo'r ffordd hon o'r blaen[a]. ⁴Er hynny bydded pellter o tua dwy fil o gufyddau rhyngoch chwi a'r arch; peidiwch â mynd yn nes na hyn." ⁵Yna dywedodd Josua wrth y bobl, "Ymgysegrwch, oherwydd yfory bydd yr

---

[a] Daw'r geiriau *oherwydd...o'r blaen* ar ddiwedd adn. 4 yn yr Hebraeg.

ARGLWYDD yn gwneud rhyfeddodau yn eich mysg." ⁶A dywedodd wrth yr offeiriaid, "Codwch arch y cyfamod ac ewch drosodd o flaen y bobl." Ac wedi iddynt godi arch y cyfamod, aethant o flaen y bobl.

7 Dywedodd yr ARGLWYDD wrth Josua, "Heddiw yr wyf am ddechrau dy ddyrchafu yng ngolwg Israel gyfan, er mwyn iddynt sylweddoli fy mod i gyda thi fel y bûm gyda Moses. ⁸Felly gorchymyn di i'r offeiriaid sy'n cludo arch y cyfamod, 'Pan ddewch at lan dyfroedd yr Iorddonen, safwch ynddi.'"

9 Dywedodd Josua wrth yr Israeliaid, "Nesewch a gwrandewch eiriau'r ARGLWYDD eich Duw. ¹⁰Dyma sut y byddwch yn gwybod bod y Duw byw yn eich mysg, a'i fod yn sicr o yrru allan o'ch blaen y Canaaneaid, Hethiaid, Hefiaid, Peresiaid, Girgasiaid, Amoriaid a Jebusiaid: ¹¹bydd arch cyfamod Arglwydd yr holl ddaear yn croesi o'ch blaen drwy'r Iorddonen. ¹²Felly dewiswch yn awr ddeuddeg gŵr o blith llwythau Israel, un o bob llwyth. ¹³Pan fydd gwadnau traed yr offeiriaid sy'n cludo arch yr ARGLWYDD, Arglwydd yr holl ddaear, yn cyffwrdd â'r Iorddonen, fe wahenir ei dyfroedd, a bydd y dŵr sy'n llifo i lawr oddi uchod yn cronni'n un pentwr."

¹⁴Pan gychwynnodd y bobl o'u pebyll i groesi'r Iorddonen, yr oedd yr offeiriaid oedd yn cludo arch y cyfamod ar flaen y bobl. ¹⁵Yn awr, bydd yr Iorddonen yn gorlifo ei glannau holl ddyddiau'r cynhaeaf; ond pan ddaeth cludwyr yr arch at yr Iorddonen, a thraed yr offeiriaid oedd yn cludo'r arch yn cyffwrdd ag ymyl y dŵr, ¹⁶cronnodd y dyfroedd oedd yn llifo i lawr oddi uchod, a chodi'n un pentwr ymhell iawn i ffwrdd yn Adam, y dref sydd gerllaw Sarethan. Darfu'n llwyr am y dyfroedd oedd yn llifo i lawr tua Môr yr Anialwch, y Môr Marw, a chroesodd yr holl bobl gyferbyn â Jericho. ¹⁷Tra oedd Israel gyfan yn croesi ar dir sych, safodd yr offeiriaid oedd yn cludo arch cyfamod yr ARGLWYDD yn drefnus ar sychdir yng nghanol yr Iorddonen, hyd nes i'r holl genedl orffen croesi'r afon.

Codi Meini Coffa

4 Wedi i'r holl genedl orffen croesi'r Iorddonen, dywedodd yr ARGLWYDD wrth Josua, ²"Dewiswch ddeuddeg gŵr o blith y bobl, un o bob llwyth. ³Gorchmynnwch iddynt godi deuddeg maen o ganol yr Iorddonen, o'r union fan y saif traed yr offeiriaid arno, a'u cymryd drosodd gyda hwy, a'u gosod yn y lle y byddant yn gwersyllu heno." ⁴Galwodd Josua y deuddeg dyn a ddewisodd o blith yr Israeliaid, un o bob llwyth, ⁵a dywedodd wrthynt, "Ewch drosodd o flaen arch yr ARGLWYDD eich Duw at ganol yr Iorddonen, a choded pob un ei faen ar ei ysgwydd, yn ôl nifer llwythau'r Israeliaid, ⁶i fod yn arwydd yn eich mysg. Pan fydd eich plant yn gofyn yn y dyfodol, 'Beth yw ystyr y meini hyn i chwi?' ⁷yna byddwch yn dweud wrthynt fel y bu i ddyfroedd yr Iorddonen gael eu hatal o flaen arch cyfamod yr ARGLWYDD; pan aeth hi drosodd, ataliwyd y dyfroedd. Felly bydd y meini hyn yn gofeb i'r Israeliaid hyd byth." ⁸Gwnaeth yr Israeliaid fel y gorchmynnodd Josua, a chodi deuddeg maen o wely'r Iorddonen, yn ôl nifer llwythau'r Israeliaid, fel yr oedd yr ARGLWYDD wedi dweud wrth Josua, a'u cludo drosodd gyda hwy i'r man lle'r ocddent yn gwersyllu, a'u gosod yno. ⁹Hefyd gosododd Josua ddeuddeg maen yng nghanol yr Iorddonen, lle safodd yr offeiriaid oedd yn cludo arch y cyfamod, ac yno y maent hyd heddiw.

10 Bu'r offeiriaid oedd yn cludo'r arch yn sefyll yng nghanol yr Iorddonen nes cwblhau popeth y gorchmynnodd yr ARGLWYDD i Josua ei ddweud wrth y bobl, y cyfan yr oedd Moses wedi ei orchymyn i Josua. Yr oedd y bobl yn brysio i groesi, ¹¹ac wedi iddynt oll orffen, fe groesodd arch yr ARGLWYDD a'r offeiriaid yng ngŵydd y bobl. ¹²Hefyd fe groesodd gwŷr Reuben a Gad a hanner llwyth Manasse yn arfog o flaen yr Israeliaid, fel yr oedd Moses wedi dweud wrthynt. ¹³Croesodd tua deugain mil o filwyr profiadol gerbron yr ARGLWYDD i'r frwydr yn rhosydd Jericho. ¹⁴Dyrchafodd yr ARGLWYDD Josua y diwrnod hwnnw yng ngolwg Israel gyfan, a daethant i'w barchu ef, fel yr oeddent wedi parchu Moses holl ddyddiau ei einioes.

15 Wedi i'r ARGLWYDD ddweud wrth Josua ¹⁶am orchymyn i'r offeiriaid oedd yn cludo arch y dystiolaeth esgyn o'r Iorddonen, ¹⁷gorchmynnodd Josua iddynt, "Dewch i fyny o'r Iorddonen." ¹⁸Ac fel yr oedd yr offeiriaid oedd yn cludo arch cyfamod yr ARGLWYDD yn

esgyn o ganol yr Iorddonen, a gwadnau eu traed yn cyffwrdd tir sych, dychwelodd dyfroedd yr Iorddonen i'w lle, a llifo'n llawn at ei glannau megis cynt.
[19] Ar y degfed dydd o'r mis cyntaf y daeth y bobl i fyny o'r Iorddonen a gwersyllu yn Gilgal, ar gwr dwyreiniol Jericho. [20] Gosododd Josua y deuddeg maen a gymerwyd o wely'r Iorddonen yn Gilgal, [21] a dweud wrth yr Israeliaid, "Pan fydd eich plant yn gofyn i'w rhieni yn y dyfodol, 'Beth yw ystyr y meini hyn?' [22] dywedwch wrthynt i Israel groesi'r Iorddonen ar dir sych; [23] oherwydd sychodd yr ARGLWYDD eich Duw ddŵr yr Iorddonen o'ch blaen nes ichwi groesi, fel y gwnaeth gyda'r Môr Coch, pan sychodd hwnnw o'n blaen nes inni ei groesi. [24] Digwyddodd hyn er mwyn i holl bobloedd y ddaear wybod mor gryf yw yr ARGLWYDD, ac er mwyn ichwi ofni'r ARGLWYDD eich Duw bob amser."

5 Pan glywodd holl frenhinoedd yr Amoriaid ar yr ochr orllewinol i'r Iorddonen, a holl frenhinoedd y Canaaneaid yn ymyl y môr, fod yr ARGLWYDD wedi sychu dyfroedd yr Iorddonen o flaen yr Israeliaid, nes iddynt groesi, suddodd eu calon ac nid oedd hyder ganddynt i wynebu'r Israeliaid.

Enwaedu ar yr Israeliaid yn Gilgal

2 Yr adeg honno dywedodd yr ARGLWYDD wrth Josua, "Darpara iti gyllyll callestr ac ailddechrau enwaedu ar yr Israeliaid." [3] Paratôdd Josua gyllyll callestr ac enwaedodd ar yr Israeliaid yn Gibeath Araloth [b]. [4] A dyma pam yr enwaedodd Josua arnynt: yr oedd yr holl fyddin a ddaeth allan o'r Aifft, sef yr holl wrywod oedd yn dwyn arfau, wedi marw yn yr anialwch ar eu taith o'r Aifft. [5] Yr oedd pawb o'r fyddin a ddaeth allan o'r Aifft wedi eu henwaedu, ond nid enwaedwyd ar neb a anwyd yn yr anialwch ar y daith o'r Aifft. [6] Deugain mlynedd y bu'r Israeliaid yn crwydro'r anialwch, nes bod yr holl genhedlaeth o wŷr arfog a ddaeth allan o'r Aifft wedi marw am nad oeddent wedi gwrando ar lais yr ARGLWYDD; yr oedd yr ARGLWYDD wedi tyngu wrthynt na chaent hwy weld y wlad yr oedd ef wedi ei haddo i'w tadau, gwlad yn llifeirio o laeth a mêl. [7] Cododd eu meibion yn eu lle, ac arnynt hwy yr enwaedodd Josua; yr oeddent yn ddi-

enwaededig am nad enwaedwyd arnynt ar y daith. [8] Ar ôl eu henwaedu, arhosodd yr holl genedl lle'r oeddent yn y gwersyll nes eu hiacháu. [9] Yna dywedodd yr ARGLWYDD wrth Josua, "Heddiw yr wyf wedi treiglo [c] gwarth yr Aifft oddi arnoch." Felly gelwir y lle hwnnw'n Gilgal hyd y dydd hwn.

10 Yr oedd yr Israeliaid yn gwersyllu yn Gilgal, a chyda'r hwyr ar y pedwerydd dydd ar ddeg o'r mis, buont yn dathlu'r Pasg yn rhosydd Jericho. [11] Trannoeth y Pasg, bwytasant o gynnyrch y wlad, a pharatoi bara croyw a chrasyd yn ystod y diwrnod hwnnw. [12] Peidiodd y manna drannoeth wedi iddynt fwyta o gynnyrch y wlad, ac ni chafodd yr Israeliaid fanna wedyn, eithr bwyta cynnyrch gwlad Canaan y flwyddyn honno.

Y Dyn â Chleddyf yn ei Law

13 Tra oedd Josua yn Jericho, cododd ei lygaid a gweld dyn yn sefyll o'i flaen â'i gleddyf noeth yn ei law. Aeth Josua ato a gofyn iddo, "Ai gyda ni, ynteu gyda'n gwrthwynebwyr yr wyt ti?" [14] Dywedodd yntau, "Nage; ond deuthum yn awr fel pennaeth llu'r ARGLWYDD." Syrthiodd Josua i'r llawr o'i flaen a moesymgrymu, a gofyn iddo, "Beth sydd gan f'arglwydd i'w ddweud wrth ei was?" [15] Atebodd pennaeth llu'r ARGLWYDD, "Tyn dy sandalau oddi am dy draed, oherwydd y mae'r lle yr wyt yn sefyll arno yn gysegredig." Gwnaeth Josua felly.

Cwymp Jericho

6 Yr oedd Jericho wedi ei chloi'n dynn rhag yr Israeliaid, heb neb yn mynd i mewn nac allan. [2] Ac meddai'r ARGLWYDD wrth Josua, "Edrych, yr wyf wedi rhoi Jericho a'i brenin a'i rhyfelwyr grymus yn dy law. [3] Ewch chwi, yr holl filwyr, o amgylch y ddinas un waith, a gwneud hynny am chwe diwrnod. [4] A bydded i saith offeiriad gario saith utgorn o gorn hwrdd o flaen yr arch. Yna ar y seithfed dydd amgylchwch y ddinas seithwaith, a'r offeiriaid yn seinio'r utgyrn. [5] Pan ddaw caniad hir ar y corn hwrdd, a chwithau'n clywed sain yr utgorn, bloeddied y fyddin gyfan â bloedd uchel, ac fe syrth mur y ddinas i

---

[b] H.y., *Bryn y blaengrwyn.*   [c] Hebraeg, *galal.* Cymh. *Gilgal.*

lawr; yna aed pob un o'r fyddin i fyny ar ei gyfer." ⁶Galwodd Josua fab Nun ar yr offeiriaid a dweud wrthynt, "Codwch arch y cyfamod, a bydded i saith offeiriad gario saith utgorn o gorn hwrdd o flaen arch yr ARGLWYDD." ⁷Dywedodd wrth y fyddin, "Ewch ymlaen ac amgylchwch y ddinas, gyda'r rhai arfog yn mynd o flaen arch yr ARGLWYDD." ⁸Ac wedi i Josua lefaru wrth y fyddin, cerddodd y saith offeiriad oedd yn cario'r saith utgorn o gorn hwrdd o flaen yr AR-GLWYDD, gan seinio'r utgyrn, ac arch cyfamod yr ARGLWYDD yn eu dilyn. ⁹Yr oedd y gwŷr arfog yn mynd o flaen yr offeiriaid oedd yn seinio'r utgyrn, a'r ôl-osgordd yn dilyn yr arch; yr oedd yr utgyrn yn seinio wrth iddynt fynd. ¹⁰Yr oedd Josua wedi gorchymyn i'r fyddin, "Peidiwch â gweiddi na chodi eich llais nac yngan yr un gair tan y diwrnod y dywedaf wrthych am floeddio; yna bloeddiwch." ¹¹Aethant ag arch yr AR-GLWYDD o amgylch y ddinas un waith, ac yna dychwelyd i'r gwersyll i fwrw'r nos. ¹²Cododd Josua'n fore, a chymer-odd yr offeiriaid arch yr ARGLWYDD; ¹³yna aeth y saith offeiriad, a oedd yn cario'r saith utgorn o gorn hwrdd, o flaen arch yr ARGLWYDD gan seinio'r utgyrn, gyda'r gwŷr arfog o'u blaen a'r ôl-osgordd yn dilyn yr arch; yr oedd yr utgyrn yn seinio wrth iddynt fynd. ¹⁴Ar ôl amgylchu'r ddinas un waith ar yr ail ddiwrnod, aethant yn eu hôl i'r gwersyll. Gwnaethant felly am chwe diwrnod. ¹⁵Ar y seithfed dydd, codasant gyda'r wawr ac amgylchu'r ddinas yr un modd saith o weithiau; y diwrnod hwnnw'n unig yr amgylchwyd y ddinas seithwaith. ¹⁶Yna ar y seithfed tro, pan seiniodd yr offeir-iaid yr utgyrn, dywedodd Josua wrth y fyddin, "Bloeddiwch, oherwydd y mae'r ARGLWYDD wedi rhoi'r ddinas i chwi. ¹⁷Y mae'r ddinas a phopeth sydd ynddi i fod yn ddiofryd i'r ARGLWYDD. Rahab y butain yn unig sydd i gael byw; hi a phawb sydd gyda hi yn y tŷ, am iddi guddio'r negeswyr a anfonwyd gennym. ¹⁸Ond gochelwch chwi rhag yr hyn sy'n ddiofryd; peidiwch â chymryd ohono ar ôl ei ddiofrydu, rhag gwneud gwersyll Israel yn ddiofryd a dwyn helbul arno. ¹⁹Y mae'r holl arian ac aur, a'r offer pres a haearn, yn gysegredig i'r ARGLWYDD, ac i fynd i drysorfa'r ARGLWYDD." ²⁰Bloeddiodd y bobl pan seiniodd yr

utgyrn; ac wedi i'r fyddin glywed sain yr utgyrn, a bloeddio â bloedd uchel, syrth-iodd y mur i lawr ac aeth y fyddin i fyny am y ddinas, bob un ar ei gyfer, a'i chipio. ²¹Distrywiwyd â'r cleddyf bopeth yn y ddinas, yn wŷr a gwragedd, yn hen ac ifainc, yn ychen, defaid ac asynnod.

22 Dywedodd Josua wrth y ddau ddyn a fu'n ysbïo'r wlad, "Ewch i dŷ'r butain, a dewch â hi allan, hi a phawb sy'n perthyn iddi, yn unol â'ch addewid iddi." ²³Aeth yr ysbïwyr, a dwyn allan Rahab a'i thad a'i mam a'i brodyr a phawb oedd yn perthyn iddi; yn wir daethant â'i thylwyth i gyd oddi yno a'u gosod y tu allan i wersyll Israel. ²⁴Yna llosgasant y ddinas a phopeth ynddi â thân, ond rhoesant yr arian a'r aur a'r offer pres a haearn yn nhrysorfa tŷ'r ARGLWYDD. ²⁵Ond arbedodd Josua Rahab y butain a'i theulu a phawb oedd yn perthyn iddi, am iddi guddio'r negeswyr a anfonodd Josua i ysbïo Jericho; ac y maent yn byw ymhlith yr Israeliaid hyd y dydd hwn.

26 A'r pryd hwnnw cyhoeddodd Josua y llw hwn, a dweud:

"Melltigedig gerbron yr ARGLWYDD
	fyddo'r dyn a gyfyd ac a adeilada'r
	ddinas hon, Jericho;
ar draul ei gyntafanedig y gesyd ei
	seiliau hi,
ac ar draul ei fab ieuengaf y cyfyd ei
	phyrth."

27 Bu'r ARGLWYDD gyda Josua, ac aeth sôn amdano trwy'r holl wlad.

Pechod Achan

7 Bu'r Israeliaid yn anffyddlon ynglŷn â'r diofryd; cymerwyd rhan ohono gan Achan fab Carmi, fab Sabdi, fab Sera o lwyth Jwda, a digiodd yr ARGLWYDD wrth yr Israeliaid.

2 Anfonodd Josua ddynion o Jericho i Ai ger Bethafen, i'r dwyrain o Fethel. Dywedodd wrthynt, "Ewch i fyny ac ysbïwch y wlad." Aeth y dynion i fyny ac ysbïo Ai. ³Yna daethant yn ôl at Josua a dweud wrtho, "Peidied y fyddin gyfan â mynd i fyny; os â dwy neu dair mil o ddynion i fyny, fe orchfygant Ai. Paid â llusgo'r holl fyddin i fyny yno, oherwydd ychydig ydynt." ⁴Aeth tua thair mil o'r fyddin i fyny yno, ond ffoesant o flaen dynion Ai. ⁵Lladdodd dynion Ai ryw dri dwsin ohonynt trwy eu hymlid o'r porth hyd at Sebarim, a'u lladd ar y llechwedd.

Suddodd calon y bobl a throi megis dŵr.
⁶Rhwygodd Josua ei fantell, a syrthiodd ar ei wyneb ar lawr gerbron arch yr ARGLWYDD hyd yr hwyr, a'r un modd y gwnaeth henuriaid Israel, gan luchio llwch ar eu pennau. ⁷Dywedodd Josua, "Och! F'Arglwydd DDUW, pam y trafferthaist i ddod â'r bobl hyn dros yr Iorddonen, i'n rhoi yn llaw'r Amoriaid i'n difetha? Gresyn na fuasem wedi bodloni aros yr ochr draw i'r Iorddonen. ⁸O Arglwydd, beth a ddywedaf, wedi i'r Israeliaid droi eu cefn o flaen eu gelynion? ⁹Pan glyw y Canaaneaid a holl drigolion y wlad, fe'n hamgylchynant, a dileu ein henw o'r wlad; a beth a wnei di am d'enw mawr?"

10 Ac meddai'r ARGLWYDD wrth Josua, "Cod; pam yr wyt ti wedi syrthio ar dy wyneb fel hyn? ¹¹Pechodd Israel trwy dorri fy nghyfamod a orchmynnais iddynt; mwy na hynny, y maent wedi cymryd rhan o'r diofryd, ei ladrata trwy dwyll, a'i osod gyda'u pethau eu hunain. ¹²Ni all yr Israeliaid sefyll o flaen eu gelynion; byddant yn troi eu gwar o flaen eu gelynion, oherwydd aethant yn ddiofryd. Ni fyddaf gyda chwi mwyach oni ddilëwch y diofryd o'ch plith. ¹³Cod, cysegra'r bobl a dywed wrthynt, 'Ymgysegrwch erbyn yfory, oherwydd fel hyn y dywed yr ARGLWYDD, Duw Israel: "Y mae diofryd yn eich plith, Israel; ni fedrwch sefyll o flaen eich gelynion nes ichwi symud y diofryd o'ch plith." ¹⁴Yfory rhaid ichwi ddod gerbron yr ARGLWYDD fesul llwyth; yna daw'r llwyth a ddelir ganddo fesul tylwyth, y tylwyth fesul teulu, a'r teulu fesul gŵr. ¹⁵A phwy bynnag a ddelir gyda'r diofryd, fe'i llosgir ef a'r cwbl a berthyn iddo, am iddo droseddu yn erbyn cyfamod yr ARGLWYDD a gwneud tro ysgeler yn Israel.'"

16 Cododd Josua yn fore drannoeth, a dod â'r Israeliaid gerbron fesul llwyth. Daliwyd llwyth Jwda. ¹⁷Daeth â thylwythau Jwda gerbron, a daliwyd tylwyth y Sarhiaid; yna daeth â thylwyth y Sarhiaid fesul teuluᶜʰ, a daliwyd Sabdi. ¹⁸Pan ddaeth â'i deulu ef gerbron fesul gŵr, daliwyd Achan fab Carmi, fab Sabdi, fab Sera o lwyth Jwda. ¹⁹Dywedodd Josua wrth Achan, "Fy mab, rho'n awr glod a gogoniant i'r ARGLWYDD, Duw Israel. Dywed imi'n awr beth a wnaethost; paid

â'i gelu oddi wrthyf." ²⁰Atebodd Achan, "Yn wir yr wyf wedi pechu yn erbyn yr ARGLWYDD, Duw Israel; dyma a wneuthum: ²¹ymysg yr ysbail gwelais fantell hardd o Sinar, dau can sicl o arian, a llafn aur yn pwyso hanner can sicl. Cododd blys arnaf amdanynt, ac fe'u cymerais. Y maent wedi eu cuddio yn y ddaear i mewn yn fy mhabell, gyda'r arian oddi tanodd." ²²Anfonodd Josua negeswyr; ac wedi iddynt redeg at y babell, fe'u gwelsant wedi eu cuddio, a'r arian oddi tanodd. ²³Cymerasant hwy allan o'r babell a dod â hwy at Josua a'r holl Israeliaid, a'u gosod gerbron yr ARGLWYDD.

24 Yna bu i Josua, ac Israel gyfan gydag ef, gymryd Achan fab Sera, a'r arian a'r fantell a'r llafn aur, a'i feibion a'i ferched, a'i ychen a'i asynnod a'i ddefaid a'i babell, y cwbl a feddai, ac aethant ag ef i fyny i Ddyffryn Achor. ²⁵Dywedodd Josua, "Am i ti ein cythrybluᵈ ni, bydd yr ARGLWYDD yn dy gythryblu dithau y dydd hwn." A llabyddiodd Israel gyfan ef â cherrig, a llosgi'r lleill â thân ar ôl eu llabyddio. ²⁶Codasant drosto garnedd fawr o gerrig sydd yno hyd heddiw; yna peidiodd digofaint yr ARGLWYDD. Dyna pam y gelwir y lle hwnnw Dyffryn Achor hyd y dydd hwn.

Goresgyn a Llosgi Ai

8 Dywedodd yr ARGLWYDD wrth Josua, "Paid ag ofni nac arswydo; cymer y rhyfelwyr i gyd gyda thi, a dos i fyny at Ai. Edrych, yr wyf wedi rhoi yn dy law frenin Ai gyda'i bobl, ei ddinas a'i dir. ²Gwna i Ai a'i brenin fel y gwnaethost i Jericho a'i brenin, ond cewch gadw ei hanrhaith a'i hanifeiliaid hi yn ysbail i chwi eich hunain. Gosod iti filwyr ynghudd y tu cefn i'r ddinas."

3 Cychwynnodd Josua a'r holl fyddin i fyny yn erbyn Ai; a dewisodd Josua ddeng mil ar hugain o filwyr profiadol, a'u hanfon ymlaen liw nos. ⁴Yna gorchmynnodd iddynt fel hyn: "Edrychwch, yr ydych i guddio o olwg y ddinas, y tu cefn iddi; ond peidiwch â mynd yn rhy bell oddi wrthi, a byddwch i gyd yn barod. ⁵Byddaf fi a'r holl fyddin sydd gyda mi yn agosáu at y ddinas, a phan ddônt allan i ymosod arnom fel y tro cyntaf, yna byddwn yn ffoi o'u blaen. ⁶Fe ddônt hwythau ar ein hôl nes inni eu denu hwy

ᶜʰFelly rhai llawysgrifau a Syrieg. TM, *gŵr*. ᵈHebraeg, *achar*. Cymh. *Achor*.

o'r ddinas, gan feddwl ein bod yn ffoi o'u blaen fel y gwnaethom y tro cynt. [7]Codwch chwithau o'ch cuddfan a meddiannu'r dref, oherwydd bydd yr ARGLWYDD eich Duw yn ei rhoi yn eich llaw. [8]Wedi ichwi oresgyn y dref, llosgwch hi â thân. Gwnewch yn ôl gair yr ARGLWYDD; edrychwch, dyma fy ngorchymyn i chwi." [9]Wedi i Josua eu hanfon ymaith, aethant i guddfan a'u gosod eu hunain rhwng Bethel ac Ai, i'r gorllewin o Ai. Treuliodd Josua'r noson honno gyda'r fyddin.

10 Cododd Josua a'r henuriaid yn fore drannoeth a chynnull y fyddin a'i harwain tuag Ai. [11]Aeth yr holl fyddin oedd gydag ef i fyny, a nesáu at ymyl y dref a gwersyllu i'r gogledd iddi, gyda dyffryn rhyngddynt hwy ac Ai. [12]Yr oedd wedi dewis tua phum mil o wŷr ac wedi eu rhoi i guddio rhwng Bethel ac Ai i'r gorllewin o'r dref. [13]Yr oedd crynswth y fyddin yn gwersyllu i'r gogledd o'r dref a'r milwyr cudd i'r gorllewin o'r dref; treuliodd[dd] Josua y noson honno ar lawr y dyffryn. [14]Pan welodd brenin Ai hwy, brysiodd ef a dynion y dref yn gynnar yn y bore i fynd allan gyda'r holl fyddin i gyfarfod Israel mewn brwydr ar lecyn yn wynebu'r Araba, heb wybod bod milwyr yn llechu y tu ôl i'r dref. [15]Ffodd Josua a'r Israeliaid oll i gyfeiriad yr anialwch, fel pe baent wedi eu taro ganddynt. [16]Galwyd yr holl bobl oedd yn y dref i ymlid ar eu hôl; ac wrth iddynt ymlid ar ôl Josua, fe'u denwyd i ffwrdd o'r dref. [17]Nid oedd neb ar ôl yn Ai na Bethel heb fynd allan ar ôl Israel; gadawsant y dref yn benagored a mynd i ymlid yr Israeliaid.

18 Yna dywedodd yr ARGLWYDD wrth Josua, "Estyn y waywffon sydd yn dy law tuag Ai, oherwydd yr wyf am roi'r dref yn dy law." [19]Estynnodd Josua'r waywffon oedd yn ei law tua'r dref; ac fel yr estynnai ei law, cododd y milwyr cudd o'u lle ar unwaith, a rhuthro i mewn i'r dref a'i chipio, a llosgi'r dref heb oedi dim. [20]Pan drodd dynion Ai ac edrych yn eu hôl, gwelsant fwg y dref yn esgyn i'r awyr, ond ni allent ffoi nac yma nac acw, gan fod y fyddin a fu'n ffoi tua'r anialwch wedi troi i wynebu ei herlidwyr; [21]oherwydd pan welodd Josua a holl Israel fod y milwyr cudd wedi cipio'r dref, a bod mwg yn codi ohoni, troesant yn eu hôl ac ymosod ar ddynion Ai. [22]Daeth y lleill

[dd]Felly rhai llawysgrifau. TM, *aeth.* Cymh. adn. 9.

allan o'r dref i'w cyfarfod, ac felly'r oeddent yn y canol rhwng dwy garfan o Israeliaid; trawyd hwy heb i neb gael ei arbed na dianc. [23]Daliwyd brenin Ai yn fyw, a daethant ag ef gerbron Josua.

24 Wedi i'r Israeliaid ladd holl drigolion Ai oedd allan yn yr anialwch, lle'r oeddent wedi eu hymlid, a phob un ohonynt wedi syrthio dan fin y cleddyf nes eu difa'n llwyr, yna dychwelodd Israel gyfan i Ai, a'i tharo â'r cleddyf. [25]Nifer y rhai a syrthiodd y diwrnod hwnnw oedd deuddeng mil, yn wŷr a gwragedd, sef holl boblogaeth Ai. [26]Ni thynnodd Josua'n ôl y llaw oedd yn dal y waywffon nes difa holl drigolion Ai. [27]Dim ond y gwartheg ac anrhaith y dref a gymerodd yr Israeliaid yn ysbail iddynt eu hunain, yn ôl gorchymyn yr ARGLWYDD i Josua. [28]Llosgodd Josua Ai a'i gadael yn domen barhaol a erys yn ddiffaith hyd heddiw. [29]Crogodd frenin Ai ar grocbren hyd yr hwyr, ac ar fachlud yr haul gorchmynnodd Josua iddynt dynnu ei gorff i lawr o'r crocbren a'i daflu ger y fynedfa i'r dref; codwyd carnedd fawr o gerrig drosto, sydd yno hyd heddiw.

Darllen y Gyfraith ym Mynydd Ebal

30 Yna cododd Josua allor i'r ARGLWYDD, Duw Israel, ym Mynydd Ebal. [31]Fel yr oedd Moses gwas yr ARGLWYDD wedi gorchymyn i'r Israeliaid, ac fel sy'n ysgrifenedig yn llyfr cyfraith Moses, yr oedd yr allor wedi ei hadeiladu o gerrig heb eu naddu na'u trin â haearn. Ac offrymasant arni boethoffrymau i'r ARGLWYDD, ac aberthu ebyrth hedd. [32]Yno yng ngŵydd yr Israeliaid ysgrifennodd ar feini gopi o gyfraith Moses. [33]Yr oedd Israel gyfan—ei henuriaid, ei swyddogion, a'i barnwyr—yn sefyll o boptu'r arch, gerbron yr offeiriaid, sef y Lefiaid oedd yn cludo arch cyfamod yr ARGLWYDD. Yr oedd estron a brodor fel ei gilydd yno, hanner ohonynt ar bwys Mynydd Garisim, a hanner ar bwys Mynydd Ebal, fel yr oedd Moses gwas yr ARGLWYDD wedi gorchymyn yn y dechrau ar gyfer bendithio pobl Israel. [34]Wedi hynny darllenodd Josua holl eiriau'r gyfraith, y fendith a'r felltith, fel sy'n ysgrifenedig yn llyfr y gyfraith. [35]Ni adawodd Josua air o'r cyfan a orchmynnodd Moses heb ei ddarllen gerbron holl gynulleidfa Israel, gan gynnwys y

gwragedd a'r plant a'r estron oedd yn aros yn eu mysg.

Y Gibeoniaid yn Twyllo Josua

9 Pan glywodd yr holl frenhinoedd y tu hwnt i'r Iorddonen, yn y mynydd-dir a'r Seffela ac arfordir y Môr Mawr wrth Lebanon, yn Hethiaid, Amoriaid, Canaaneaid, Peresiaid a Jebusiaid, [2]daethant ynghyd fel un dyn i ryfela yn erbyn Josua ac Israel.

3 Pan glywodd trigolion Gibeon yr hyn yr oedd Josua wedi ei wneud i Jericho ac Ai, [4]dyma hwythau'n gweithredu'n gyfrwys. Aethant a darparu bwyd[e], a llwytho'u hasynnod â hen sachau, a hen wingrwyn tyllog wedi eu trwsio. [5]Rhoes-ant am eu traed hen sandalau wedi eu clytio, a hen ddillad amdanynt; a bara wedi sychu a llwydo oedd eu bwyd. [6]Yna daethant at Josua i wersyll Gilgal, a dweud wrtho ef a phobl Israel, "Yr ydym wedi dod o wlad bell; felly gwnewch gyfamod â ni'n awr." [7]Ond meddai pobl Israel wrth yr Hefiaid, "Efallai eich bod yn byw yn ein hymyl, ac os felly, sut y gwnawn ni gyfamod â chwi?" [8]Dywed-asant wrth Josua, "Dy weision di ydym." Pan ofynnodd Josua iddynt, "Pwy ydych, ac o ble y daethoch?", [9]atebasant, "Y mae dy weision wedi dod o wlad bell iawn o achos enw'r ARGLWYDD dy Dduw; oblegid clywsom sôn amdano ef, ac am y cwbl a wnaeth yn yr Aifft, [10]ac i ddau frenin yr Amoriaid y tu hwnt i'r Iorddonen, Sehon brenin Hesbon ac Og brenin Basan, a drigai yn Astaroth. [11]Am hynny dywedodd ein henuriaid a holl drigolion ein gwlad wrthym, 'Cymerwch fwyd ar gyfer y daith ac ewch i'w cyfar-fod, a dywedwch wrthynt, "Eich gweis-ion ydym; felly'n awr gwnewch gyfamod â ni." [12]Dyma'n bara; yr oedd yn boeth pan oeddem yn darparu i fynd oddi cartref, y diwrnod yr oeddem yn cych-wyn i ddod atoch. Edrychwch fel y mae'n awr wedi sychu a llwydo. [13]A dyma'r gwingrwyn oedd yn newydd pan lanwasom hwy; edrychwch, y maent wedi rhwygo. A dyma'n dillad a'n san-dalau wedi treulio gan bellter mawr y daith." [14]Cymerodd pobl Israel beth o'u bwyd heb ymgynghori â'r ARGLWYDD. [15]Gwnaeth Josua heddwch â hwy, a gwneud cyfamod i'w harbed, a thyngodd

arweinwyr y gynulleidfa iddynt.

16 Ymhen tridiau wedi iddynt wneud y cyfamod â hwy, clywsant mai cym-dogion yn byw yn eu hymyl oeddent. [17]Wrth i'r Israeliaid deithio ymlaen, daethant ar y trydydd dydd i'w trefi hwy, Gibeon, Ceffira, Beeroth a Ciriath Jearim. [18]Ond nid ymosododd yr Israel-iaid arnynt, oherwydd bod arweinwyr y gynulleidfa wedi tyngu iddynt yn enw'r ARGLWYDD, Duw Israel, er i'r holl gynulleidfa rwgnach yn erbyn yr arwein-wyr. [19]Ond dywedodd yr holl arweinwyr wrth y gynulleidfa gyfan, "Yr ydym ni wedi tyngu iddynt yn enw'r ARGLWYDD, Duw Israel, ac yn awr ni allwn gyffwrdd â hwy. [20]Dyma a wnawn iddynt: arbed-wn eu bywydau, rhag i ddigofaint ddis-gyn arnom oherwydd y llw a dyngasom." [21]Ac meddai'r arweinwyr wrthynt, "Cânt fyw, er mwyn iddynt dorri coed a thynnu dŵr i'r holl gynulleidfa." Cytunodd yr holl gynulleidfa[f] â'r hyn a ddywedodd yr arweinwyr.

22 Galwodd Josua arnynt a dweud wrthynt, "Pam y bu ichwi ein twyllo a honni eich bod yn byw yn bell iawn i ffwrdd oddi wrthym, a chwithau'n byw yn ein hymyl? [23]Yn awr yr ydych dan y felltith hon: bydd gweision o'ch plith yn barhaol yn torri coed ac yn tynnu dŵr ar gyfer tŷ fy Nuw." [24]Atebasant Josua fel hyn: "Fe ddywedwyd yn glir wrthym ni, dy weision, fod yr ARGLWYDD dy Dduw wedi gorchymyn i'w was Moses roi i chwi y wlad gyfan, a distrywio o'ch blaen ei holl drigolion; am hynny yr oedd arnom ofn mawr am ein heinioes o'ch plegid, a dyna pam y gwnaethom hyn. [25]Yr ydym yn awr yn dy law; gwna inni yr hyn yr wyt ti'n ei dybio sy'n iawn." [26]A dyna a wnaeth Josua iddynt y diwr-nod hwnnw: fe'u hachubodd o law'r Israeliaid rhag iddynt eu lladd, [27]a'u gosod i dorri coed ac i dynnu dŵr i'r gynulleidfa ar gyfer allor yr ARGLWYDD yn y lle a ddewisai ef; ac felly y maent hyd heddiw.

Gorchfygu'r Amoriaid

10 Clywodd Adonisedec brenin Jerwsalem i Josua ennill Ai a'i difrodi a gwneud iddi hi a'i brenin yn union fel y gwnaeth i Jericho a'i brenin, a bod trigolion Gibeon wedi gwneud hedd-

---

[e]Felly llawysgrifau a Fersiynau. Cymh. adn. 12. Ystyr TM yn aneglur.
[f]Felly llawysgrifau Groeg. Hebraeg heb *Cytunodd yr holl gynulleidfa*.

wch ag Israel, ac yn byw yn eu mysg. ²Cododd hyn ofn mawr arno, oherwydd yr oedd Gibeon yn ddinas fawr fel un o'r dinasoedd brenhinol; yr oedd, yn wir, yn fwy nag Ai, a'i holl ddynion yn rhyfelwyr praff. ³Anfonodd Adonisedec brenin Jerwsalem at Hoham brenin Hebron, Piram brenin Jarmuth, Jaffia brenin Lachis a Debir brenin Eglon, a dweud, ⁴"Dewch i fyny i'm cynorthwyo i ymosod ar Gibeon am iddi wneud heddwch â Josua a'r Israeliaid." ⁵Felly fe ymgynullodd pum brenin yr Amoriaid, sef brenhinoedd Jerwsalem, Hebron, Jarmuth, Lachis ac Eglon, ac aethant hwy a'u holl luoedd i fyny a gwarchae ar Gibeon ac ymosod arni. ⁶Ond anfonodd gwŷr Gibeon at Josua i'r gwersyll yn Gilgal a dweud, "Paid â gwrthod cynorthwyo dy weision, ond brysia i fyny atom i'n hachub a'n helpu, oherwydd y mae holl frenhinoedd yr Amoriaid sy'n byw yn y mynydd-dir wedi ymgasglu yn ein herbyn."

7 Aeth Josua i fyny o Gilgal, a chydag ef bob milwr a'r holl ryfelwyr praff. ⁸A dywedodd yr ARGLWYDD wrth Josua, "Paid â'u hofni, oherwydd rhoddaf hwy yn dy law; ni fydd neb ohonynt yn sefyll o'th flaen." ⁹Daeth Josua arnynt yn ddisymwth, ar ôl teithio trwy'r nos o Gilgal. ¹⁰Yna gyrrodd yr ARGLWYDD hwy ar chwâl o flaen Israel ac achosi lladdfa fawr yn eu mysg yn Gibeon, a'u hymlid ar hyd y ffordd i fyny at Beth-horon, a dal i'w taro hyd at Aseca a Macceda. ¹¹Fel yr oeddent yn ffoi o flaen Israel ar lechwedd Beth-horon, bwriodd yr ARGLWYDD arnynt genllysg breision o'r awyr bob cam i Aseca, a buont farw. Bu farw mwy o achos y cenllysg nag a laddwyd gan yr Israeliaid â'r cleddyf.

12 Y diwrnod y darostyngodd yr AR-GLWYDD yr Amoriaid o flaen meibion Israel fe ganodd Josua i'r ARGLWYDD yng ngŵydd yr Israeliaid:

"Haul, aros yn llonydd yn Gibeon,
    a thithau, leuad, yn Nyffryn Ajalon."

¹³Ac arhosodd yr haul yn llonydd, a safodd y lleuad, nes i'r genedl ddial ar ei gelynion. Y mae hyn wedi ei ysgrifennu yn Llyfr Jasar ᶠᶠ. Safodd yr haul yng nghanol yr wybren, heb frysio i fachludo am ddiwrnod cyfan. ¹⁴Ni fu diwrnod fel hwnnw na chynt nac wedyn, a'r AR-GLWYDD yn gwrando ar lef dyn; yn wir, yr ARGLWYDD oedd yn ymladd dros Israel.

Lladd Pum Brenin yr Amoriaid

15 Aeth Josua a holl Israel gydag ef yn ôl i'r gwersyll yn Gilgal. ¹⁶Ond yr oedd y pum brenin hynny wedi ffoi ac ymguddio mewn ogof yn Macceda. ¹⁷Pan hysbyswyd Josua iddynt ddarganfod y pum brenin yn ymguddio mewn ogof yn Macceda, ¹⁸dywedodd Josua, "Pentyrrwch feini mawrion ar geg yr ogof, a gosodwch ddynion i'w gwylio. ¹⁹Peidiwch chwithau â sefyllian, ymlidiwch eich gelynion a'u goddiweddyd; peidiwch â gadael iddynt gyrraedd eu dinasoedd, gan fod yr ARGLWYDD eich Duw wedi eu rhoi yn eich gafael." ²⁰Er i Josua a'r Israeliaid wneud lladdfa fawr iawn yn eu mysg a'u difa, dihangodd rhai ohonynt a chyrraedd y dinasoedd caerog. ²¹Wedi hynny dychwelodd yr holl fyddin yn ddiogel i'r gwersyll at Josua yn Macceda, heb neb yn yngan gair yn erbyn yr Israeliaid.

22 Yna dywedodd Josua, "Agorwch geg yr ogof, a dewch â'r pum brenin allan ataf oddi yno." ²³Gwnaethant hynny, a dod â'r pum brenin allan ato, sef brenhinoedd Jerwsalem, Hebron, Jarmuth, Lachis ac Eglon. ²⁴Wedi iddynt ddod â'r brenhinoedd hyn allan at Josua, galwodd yntau ar holl wŷr Israel, a dweud wrth swyddogion y milwyr a fu'n ymdeithio gydag ef, "Dewch yma, gosodwch eich traed ar warrau'r brenhinoedd hyn." Aethant hwythau atynt a gosod eu traed ar eu gwarrau. ²⁵Yna dywedodd Josua wrthynt, "Peidiwch ag ofni na brawychu; byddwch yn wrol a dewr, oherwydd fel hyn y gwna'r ARGLWYDD i'r holl elynion y byddwch yn ymladd â hwy." ²⁶Wedi hyn trawodd Josua hwy'n farw a'u crogi ar bum coeden, a buont ynghrog ar y coed hyd yr hwyr. ²⁷Adeg machlud haul gorchmynnodd Josua eu tynnu i lawr oddi ar y coed, a bwriwyd hwy i'r ogof y buont yn ymguddio ynddi; gosodasant feini mawrion ar geg yr ogof, lle maent hyd heddiw.

Goresgyn Tiroedd y De

28 Y diwrnod hwnnw goresgynnodd Josua Macceda a'i tharo hi a'i brenin â'r cleddyf, a lladd pawb oedd ynddi, heb arbed neb; gwnaeth i frenin Macceda fel

ᶠᶠNeu, yr Uniawn.

yr oedd wedi gwneud i frenin Jericho.
²⁹ Aeth Josua a holl Israel gydag ef yn eu blaen o Macceda i Libna, ac ymosod arni.
³⁰ Rhoddodd yr ARGLWYDD hi a'i brenin yn llaw Israel, a thrawodd Josua hi a phawb oedd ynddi â'r cleddyf, heb arbed neb; gwnaeth i'w brenin fel yr oedd wedi gwneud i frenin Jericho. ³¹ Aeth Josua a holl Israel gydag ef yn eu blaen o Libna i Lachis, a gwersyllu yn ei herbyn ac ymosod arni. ³² Rhoddodd yr ARGLWYDD Lachis yn llaw Israel, ac fe'i gorchfygodd hi yr ail ddiwrnod a'i tharo hi a phawb oedd ynddi â'r cleddyf, yn union fel y gwnaeth i Libna. ³³ Yna daeth Horam brenin Geser i fyny i gynorthwyo Lachis, ond trawodd Josua ef a'i fyddin, heb arbed neb. ³⁴ Aeth Josua a holl Israel gydag ef yn eu blaen o Lachis i Eglon, a gwersyllu yn ei herbyn ac ymosod arni. ³⁵ Goresgynnodd y bobl hi y diwrnod hwnnw a'i tharo â'r cleddyf a lladd pawb oedd ynddi, yn union fel y gwnaed i Lachis. ³⁶ Aeth Josua a holl Israel gydag ef i fyny o Eglon i Hebron, ac ymosod arni. ³⁷ Goresgynnodd hi a tharo â'r cleddyf y dinas, ei brenin, a'i maestrefi i gyd a phawb oedd ynddynt, heb arbed neb, ond ei difodi hi a phawb oedd ynddi, yn union fel y gwnaeth i Eglon. ³⁸ Yna trodd Josua a holl Israel gydag ef i gyfeiriad Debir ac ymosod arni. ³⁹ Goresgynnodd hi a'i brenin a'i maestrefi i gyd, a'u lladd â'r cleddyf a lladd pawb oedd ynddi, heb arbed neb; gwnaeth i Debir a'i brenin fel yr oedd wedi gwneud i Hebron ac i Libna a'i brenin.

40 Gorchfygodd Josua y wlad i gyd: y mynydd-dir, y Negeb, y Seffela a'r llech-weddau, a hefyd eu holl frenhinoedd, heb arbed neb, ond lladd pob perchen anadl, fel y gorchmynnodd yr ARGLWYDD, Duw Israel. ⁴¹ Trawodd Josua hwy o Cades-Barnea hyd at Gasa, ac o wlad Gosen i gyd hyd at Gibeon. ⁴² Goresgyn-nodd Josua yr holl frenhinoedd hyn a'u tiroedd mewn un cyrch am fod yr AR-GLWYDD, Duw Israel, yn ymladd dros Israel. ⁴³ Yna fe ddychwelodd Josua a holl Israel gydag ef i'r gwersyll yn Gilgal.

Gorchfygu Brenhinoedd y Gogledd

11 Pan glywodd Jabin brenin Hasor, anfonodd at Jobab brenin Madon ac at frenhinoedd Simron ac Achsaff, ² hefyd at y brenhinoedd oedd ym mynydd-dir y gogledd ac yn yr Araba i'r de o Cinneroth, ac yn y Seffela a Naffoth Dor yn y gorllewin. ³ Yr oedd y Canaan-eaid i'r dwyrain a'r gorllewin, a'r Amor-iaid, Hethiaid, Peresiaid a Jebusiaid yn y mynydd-dir, gyda'r Hefiaid dan Fynydd Hermon yn ardal Mispa. ⁴ Daethant allan, hwy a'u holl fyddinoedd, yn llu enfawr, mor niferus â'r tywod ar lan y môr, gyda llawer iawn o feirch a cherbydau. ⁵ Wedi i'r holl frenhinoedd hyn ymgynnull, aethant a gwersyllu ynghyd ger Dyfroedd Merom er mwyn ymladd ag Israel. ⁶ Dywedodd yr ARGLWYDD wrth Josua, "Paid â'u hofni, oherwydd tua'r adeg yma yfory byddaf yn rhoi pob un yn gelain gerbron Israel; byddi'n torri llin-ynnau garrau eu meirch ac yn llosgi eu cerbydau â thân." ⁷ Daeth Josua a'r holl filwyr oedd gydag ef ar eu gwarthaf yn ddisymwth ger Dyfroedd Merom, a rhuthro arnynt. ⁸ Rhoddodd yr AR-GLWYDD hwy yn llaw Israel; trawsant hwy, a'u hymlid hyd at Sidon Fawr a Misreffoth-maim, a Dyffryn Mispa i'r dwyrain. Trawsant hwy, heb arbed neb. ⁹ Gwnaeth Josua iddynt fel y dywedodd yr ARGLWYDD wrtho; torrodd linynnau garrau eu meirch a llosgodd eu cerbydau â thân.

10 Y pryd hwnnw trodd Josua i gyfeir-iad Hasor a'i goresgyn, a lladd ei brenin â'r cleddyf. Yr oedd Hasor gynt yn ben ar yr holl deyrnasoedd hynny. ¹¹ Trawsant bawb oedd ynddi â'r cleddyf a'u lladd, heb arbed yr un perchen anadl, ac yna llosgi Hasor â thân. ¹² Goresgynnodd Josua bob un o ddinasoedd y brenhin-oedd hyn yn ogystal â'u brenhinoedd; trawodd hwy â'r cleddyf a'u difodi, fel y gorchmynnodd Moses gwas yr AR-GLWYDD. ¹³ Ond am y dinasoedd oedd yn sefyll ar garneddau, ni losgodd Israel yr un ohonynt, ac eithrio Hasor, a losg-wyd gan Josua. ¹⁴ Cymerodd yr Israeliaid holl anrhaith y dinasoedd hynny yn ysbail, gan gynnwys y gwartheg, ond trawsant y boblogaeth i gyd â'r cleddyf a'u lladd, heb arbed un perchen anadl. ¹⁵ Fel yr oedd yr ARGLWYDD wedi gorchymyn i'w was Moses, felly yr oedd Moses wedi gorchymyn i Josua; dyna a wnaeth Josua heb esgeuluso dim o'r cwbl a orchmynnodd yr ARGLWYDD i Moses.

Manylion Pellach am Goncwest Josua

16 Gorchfygodd Josua y cwbl o'r wlad

hon: y mynydd-dir, y Negeb i gyd, holl wlad Gosen, y Seffela a'r Araba; hefyd mynydd-dir Israel a'r Seffela, [17]o Fynydd Halac sy'n codi tua Seir hyd at Baal-Gad yn nyffryn Lebanon dan Fynydd Hermon. Gorchfygodd ei brenhinoedd i gyd, a'u taro a'u lladd. [18]Bu Josua'n ymladd â'r holl frenhinoedd hyn am amser maith. [19]Ni wnaeth yr un ddinas gytundeb heddwch â'r Israeliaid, heblaw'r Hefiaid oedd yn byw yn Gibeon; cymryd y cwbl trwy ryfel a wnaethant. [20]Yr ARGLWYDD oedd yn caledu eu calon i ryfela yn erbyn Israel, er mwyn iddynt eu difodi yn ddidrugaredd, ac yn wir eu distrywio fel y gorchmynnodd yr ARGLWYDD i Moses.

21 Y pryd hwnnw aeth Josua a difa'r Anacim o'r mynydd-dir o gwmpas Hebron, Debir, ac Anab, ac o holl fynydd-dir Jwda ac Israel; difododd Josua hwy a'u dinasoedd. [22]Ni adawyd Anacim ar ôl yng ngwlad yr Israeliaid, ond yr oedd gweddill ohonynt ar ôl yn Gasa, Gath ac Asdod. [23]Enillodd Josua yr holl wlad yn unol â'r cwbl a lefarodd yr ARGLWYDD wrth Moses, a rhoddodd Josua hi yn etifeddiaeth i Israel yn ôl cyfrannau'r llwythau. A chafodd y wlad lonydd rhag rhyfel.

Y Brenhinoedd a Orchfygwyd gan Israel

12 Dyma frenhinoedd y wlad a drawyd gan yr Israeliaid ac y cymerwyd meddiant o'u tiroedd i'r dwyrain o'r Iorddonen, o Ddyffryn Arnon hyd at Fynydd Hermon, gan gynnwys holl ddwyrain yr Araba: [2]Sihon brenin yr Amoriaid, a oedd yn byw yn Hesbon. Yr oedd ef yn llywodraethu o Aroer, sydd ar ymyl Dyffryn Arnon, dros hanner Gilead, hynny yw, o ganol Dyffryn Arnon hyd at Ddyffryn Jabboc, terfyn yr Ammoniaid; [3]hefyd dros ddwyrain yr Araba o lan môr Cinneroth at lan môr yr Araba, sef y Môr Marw, i gyfeiriad Bethjesimoth ac ymlaen i'r de dan lethrau Pisga. [4]Og[g] brenin Basan, un o weddill y Reffaim, a oedd yn byw yn Astaroth ac yn Edrei. [5]Yr oedd ef yn llywodraethu dros Fynydd Hermon, Salacha, a Basan i gyd, hyd at derfyn y Gesuriaid a'r Maachathiaid, a thros hanner Gilead hyd at derfyn Sihon brenin Hesbon. [6]Fe'u gorchfygwyd gan Moses gwas yr ARGLWYDD a'r Israeliaid; a

[g]Felly Groeg. Hebraeg, *A goror Og.*

rhoddodd Moses gwas yr ARGLWYDD y tir yn feddiant i'r Reubeniaid a'r Gadiaid a hanner llwyth Manasse.

Y Brenhinoedd a Orchfygwyd gan Josua

7 Dyma frenhinoedd y wlad a drawyd gan Josua a'r Israeliaid i'r gorllewin o'r Iorddonen, o Baal-Gad yn nyffryn Lebanon hyd at Fynydd Halac sy'n codi i gyfeiriad Seir. Rhoddodd Josua'r tir yn feddiant i lwythau Israel yn ôl eu cyfrannau [8]yn y mynydd-dir, y Seffela, yr Araba, y llechweddau, y diffeithwch a'r Negeb; yno'r oedd yr Hethiaid, Amoriaid, Canaaneaid, Peresiaid, Hefiaid a Jebusiaid. Dyma'r brenhinoedd: [9]brenin Jericho, brenin Ai ger Bethel, [10]brenin Jerwsalem, brenin Hebron, [11]brenin Jarmuth, brenin Lachis, [12]brenin Eglon, brenin Geser, [13]brenin Debir, brenin Geder, [14]brenin Horma, brenin Arad, [15]brenin Libna, brenin Adulam, [16]brenin Macceda, brenin Bethel, [17]brenin Tappuach, brenin Heffer, [18]brenin Affec, brenin Lasaron, [19]brenin Madon, brenin Hasor, [20]brenin Simron-Meron, brenin Achsaff, [21]brenin Taanach, brenin Megido, [22]brenin Cedes, brenin Jocneam yng Ngharmel, [23]brenin Dor yn Naffeth Dor, brenin Goim yn Gilgal, [24]brenin Tirsa. Yr oedd tri deg ac un o frenhinoedd i gyd.

Tir yn Aros i'w Feddiannu

13 Wedi i Josua heneiddio a mynd i oed, dywedodd yr ARGLWYDD wrtho, "Yr wyt yn hen ac wedi mynd i oed, ac y mae llawer iawn o dir yn aros i'w feddiannu. [2]Dyma'r tir sydd ar ôl: holl ardaloedd y Philistiaid ac eiddo'r Gesuriaid i gyd [3](i'r Canaaneaid y cyfrifir y tir o'r afon Sihor sydd ar drothwy'r Aifft hyd derfyn Ecron i'r gogledd, ac yn cylchoedd pum teyrn y Philistiaid: Gasa, Asdod, Ascalon, Gath ac Ecron), a thir yr Afiaid [4]yn y de; holl wlad y Canaaneaid, yn cynnwys Meara sy'n perthyn i'r Sidoniaid, hyd at Affec a therfyn yr Amoriaid; [5]hefyd tir y Gebaliaid a Lebanon i gyd i'r dwyrain o Baal-Gad islaw Mynydd Hermon, hyd at Lebo-Hamath. [6]Byddaf yn gyrru ymaith y Sidoniaid i gyd, holl drigolion y mynydd-dir, o Lebanon hyd Misreffoth-maim, o flaen yr Israeliaid; rhanna di'r etifeddiaeth i Israel fel y gorchmynnais iti. [7]Rhanna'n awr y wlad hon yn etifeddiaeth i'r naw llwyth ac i hanner llwyth Manasse.''

Rhannu'r Tir y Tu Hwnt i'r Iorddonen

8 Y mae hanner arall y llwyth[ng], a hefyd Reuben a Gad, wedi cymryd yr etifeddiaeth a roddodd Moses iddynt i'r dwyrain o'r Iorddonen, fel yr oedd ef, gwas yr ARGLWYDD, wedi ei nodi ar eu cyfer: [9]o Aroer sydd ar ymyl Dyffryn Arnon, ac o'r ddinas sydd yng nghanol y dyffryn, gyda'r holl wastadedd o Medeba hyd Dibon; [10]a holl ddinasoedd Sihon brenin yr Amoriaid, a oedd yn teyrnasu yn Hesbon, hyd at derfyn yr Ammoniaid, [11]a Gilead hefyd a thiriogaeth y Gesuriaid a'r Maachathiaid, sef holl fynydd-dir Hermon, a Basan i gyd hyd at Salcha, [12]sef y cwbl yn Basan o deyrnas Og a lywodraethai o Astaroth ac Edrei. Yr oedd ef yn un o weddill y Reffaim a drawyd gan Moses a'u gyrru allan. [13]Ni yrrodd yr Israeliaid y Gesuriaid a'r Maachathiaid allan, ond y maent yn byw ymysg yr Israeliaid hyd heddiw. [14]Ni roddwyd etifeddiaeth i lwyth Lefi; oherwydd ebyrth tanllyd yr ARGLWYDD, Duw Israel, yw eu hetifeddiaeth hwy, fel y dywedodd ef wrthynt.

15 Yr oedd Moses wedi rhoi etifeddiaeth i lwyth Reuben yn ôl eu teuluoedd. [16]Yr oedd eu tiriogaeth yn ymestyn o Aroer sydd ar ymyl Dyffryn Arnon, ac o'r ddinas sydd yng nghanol y dyffryn, gyda'r holl wastadedd hyd at Medeba; [17]yr oedd yn cynnwys Hesbon a'i holl drefi ar y gwastadedd, Dibon, Bamoth-Baal, Beth-Baalmeon, [18]Jahasa, Cedemoth, Meffat, [19]Ciriathaim, Sibma, Sereth-Sahar ar fynydd y glyn, [20]Bethpeor, llethrau Pisga a Bethjesimoth, [21]sef holl drefi'r gwastadedd a holl deyrnas Sihon brenin yr Amoriaid, a oedd yn teyrnasu yn Hesbon ond a laddwyd gan Moses ynghyd â thywysogion Midian, Efi, Recem, Sur, Hur a Reba, pendefigion Sihon oedd yn byw yn y wlad. [22]Yr oedd Balaam fab Beor, y dewin, yn un o'r rhai a laddwyd gan yr Israeliaid â'r cleddyf. [23]Yr Iorddonen a'i goror oedd terfyn llwyth Reuben; a dyna'u hetifeddiaeth yn ôl eu teuluoedd, gyda'u trefi a'u pentrefi.

24 Rhoddodd Moses etifeddiaeth i lwyth Gad[h] yn ôl eu teuluoedd. [25]Eu tiriogaeth hwy oedd Jaser a holl drefi Gilead a hanner tir yr Ammoniaid hyd at Aroer sydd o flaen Rabba; [26]yna o Hesbon at Ramath-Mispa a Betonim, ac o Mahanaim at derfyn Lo-debar; [27]yna, yn y dyffryn, Beth-haram, Bethnimra, Succoth a Saffon, gweddill teyrnas Sihon brenin Hesbon; yr Iorddonen oedd y terfyn at gwr isaf Môr Cinnereth i'r dwyrain o'r Iorddonen. [28]Dyma etifeddiaeth Gad yn ôl eu teuluoedd, gyda'u trefi a'u pentrefi.

29 Rhoddodd Moses etifeddiaeth i hanner llwyth Manasse[i] yn ôl eu teuluoedd. [30]Yr oedd eu tiriogaeth yn ymestyn o Mahanaim ac yn cynnwys Basan i gyd, holl deyrnas Og brenin Basan, a'r cwbl o Hafoth Jair yn Basan, sef trigain tref. [31]Aeth hanner Gilead ynghyd ag Astaroth ac Edrei, dinasoedd brenhinol Og yn Basan, i feibion Machir fab Manasse, sef hanner llwyth Machir, yn ôl eu teuluoedd.

32 Dyma'r tiroedd a rannodd Moses yng ngwastadeddau Moab y tu hwnt i'r Iorddonen, i'r dwyrain o Jericho. [33]Ond ni roddodd Moses etifeddiaeth i lwyth Lefi. Yr ARGLWYDD, Duw Israel, oedd eu hetifeddiaeth hwy, fel y dywedodd ef wrthynt.

Rhannu'r Tir i'r Gorllewin o'r Iorddonen

14 Dyma'r tiroedd a gafodd yr Israeliaid yn etifeddiaeth yng ngwlad Canaan oddi ar law yr offeiriad Eleasar, a Josua fab Nun, a'r pennauteuluoedd ymysg llwythau'r Israeliaid. [2]Trwy fwrw coelbren y rhoddwyd eu hetifeddiaeth i'r naw llwyth a hanner, fel y gorchmynnodd yr ARGLWYDD drwy Moses; [3]oherwydd yr oedd Moses wedi rhoi eu hetifeddiaeth i'r ddau lwyth a hanner y tu hwnt i'r Iorddonen. Ond ni roddodd etifeddiaeth yn eu plith i'r Lefiaid. [4]Yr oedd disgynyddion Joseff yn ddau lwyth, Manasse ac Effraim. Ni roddwyd cyfran yn y tir i'r Lefiaid ac eithrio trefi i fyw ynddynt a phorfeydd ar gyfer eu gyrroedd a'u preiddiau. [5]Rhannodd yr Israeliaid y tir yn union fel yr oedd yr ARGLWYDD wedi gorchymyn i Moses.

Rhoi Hebron yn Etifeddiaeth i Caleb

6 Daeth llwyth Jwda gerbron Josua yn

[ng]Tebygol. Hebraeg, *y mae gydag ef.*   [h]Felly Syrieg. Hebraeg yn ychwanegu, *i feibion Gad.*
[i]Felly Groeg. Hebraeg yn ychwanegu, *a bu i hanner llwyth meibion Manasse.*

Gilgal, a dywedodd Caleb fab Jeffunne'r Cenesiad wrtho, "Gwyddost yr hyn a ddywedodd yr ARGLWYDD wrth Moses gŵr Duw amdanom ni'n dau yn Cades-Barnea. [7]Deugain oed oeddwn i pan anfonodd Moses gwas yr ARGLWYDD fi o Cades-Barnea i ysbïo'r wlad. Deuthum ag adroddiad diragfarn yn ôl iddo. [8]Er bod fy nghymdeithion wedi digalonni'r bobl, fe gyflawnais i fy nyletswydd tuag at yr ARGLWYDD fy Nuw; [9]ac fe addawodd Moses imi y diwrnod hwnnw: 'Yn sicr, etifeddiaeth i ti ac i'th blant am byth fydd y tir y bydd dy droed yn sangu arno, am iti gyflawni dy ddyletswydd tuag at yr ARGLWYDD, fy Nuw.' [10]Yn awr, dyma'r ARGLWYDD wedi f'arbed, fel yr addawodd, dros y pum mlynedd a deugain hyn er pan lefarodd yr ARGLWYDD yr addewid hon wrth Moses, pan oedd Israel yn rhodio'r anialwch; a dyma fi heddiw yn bump a phedwar ugain oed. [11]Yr wyf mor gryf heddiw ag ar y diwrnod yr anfonodd Moses fi; y mae fy nerth cystal yn awr â'r adeg honno i ryfela ac i arwain byddin. [12]Felly rho imi'n awr y mynydd-dir hwn a addawodd yr ARGLWYDD y pryd hwnnw; oherwydd fe glywaist ti dy hun yr adeg honno fod Anacim yno, a bod eu dinasoedd yn rhai mawr a chaerog; ond odid na fydd yr ARGLWYDD gyda mi, ac fe'u gyrraf hwy allan, fel yr addawodd yr ARGLWYDD." [13]Bendithiodd Josua ef a rhoddodd Hebron yn etifeddiaeth i Caleb fab Jeffunne. [14]Dyna pam y mae Hebron yn feddiant i Caleb fab Jeffunne'r Cenesiad hyd heddiw, oherwydd iddo gyflawni ei ddyletswydd tuag at yr ARGLWYDD, Duw Israel. [15]Enw Hebron gynt oedd Caer-Arba, ar ôl Arba, prif ddyn yr Anacim. A chafodd y wlad lonydd rhag rhyfel.

Rhandir Llwyth Jwda

15 Yr oedd rhandir llwyth Jwda yn ôl eu tylwythau yn ymestyn at derfyn Edom, yn anialwch Sin, ar gwr deheuol y Negeb. [2]Yr oedd eu terfyn deheuol yn rhedeg o gwr eithaf y Môr Marw, o'r gilfach sy'n wynebu tua'r Negeb, [3]ac ymlaen i'r de o riw Acrabbim heibio i Sin, yna i fyny i'r de o Cades-Barnea, heibio i Hesron, i fyny at Adam ac yna troi am Carca. [4]Wedi mynd heibio i Asmon, dilynai derfyn ceunant yr Aifft,

nes cyrraedd y môr. Hwn oedd eu[1] terfyn deheuol. 5 Y terfyn i'r dwyrain oedd y Môr Marw, cyn belled ag aber yr Iorddonen. Yr oedd y terfyn gogleddol yn ymestyn o gilfach y môr, ger aber yr Iorddonen, [6]i fyny at Beth-hogla, gan gadw i'r gogledd o Betharaba ac ymlaen at faen Bohan fab Reuben. [7]Yna âi'r terfyn o Ddyffryn Achor i Debir, a thua'r gogledd i gyfeiriad Gilgal, sydd gyferbyn â rhiw Adummim i'r de o'r ceunant, a throsodd at ddyfroedd Ensemes ac ymlaen at Enrogel. [8]Oddi yno âi'r terfyn i fyny Dyffryn Meibion Hinnom i'r de o lechwedd y Jebusiaid, sef Jerwsalem, ac i ben y mynydd sy'n wynebu Dyffryn Hinnom o'r gorllewin, yng nghwr gogleddol Dyffryn Reffaim. [9]O ben y mynydd yr oedd y terfyn yn troi am ffynnon dyfroedd Nefftoa ac yna ymlaen at drefi Mynydd Effron, cyn troi am Baala, sef Ciriath Jearim. [10]O Baala yr oedd y terfyn yn troi tua'r gorllewin at Fynydd Seir ac yn croesi llechwedd gogleddol Mynydd Jearim, sef Cesalon, cyn disgyn at Bethsemes ac ymlaen at Timna. [11]Wedi hyn âi'r terfyn ymlaen hyd lechwedd gogleddol Ecron, yna mynd i gyfeiriad Sicceron, ymlaen at Fynydd Baala ac at Jabneel, nes cyrraedd y môr. [12]Glannau'r Môr Mawr oedd y terfyn gorllewinol. Dyma'r terfyn o amgylch Jwda yn ôl eu tylwythau.

Caleb yn Ennill Hebron a Debir
(Barn. 1:11-15)

13 Yn ôl gorchymyn yr ARGLWYDD i Josua, rhoddwyd i Caleb fab Jeffunne randir yn Jwda, sef Ciriath Arba, hynny yw Hebron; tad yr Anaciaid oedd Arba. [14]Gyrrodd Caleb allan oddi yno dri o'r Anaciaid, sef Sesai, Ahiman a Talmai, disgynyddion Anac. [15]Oddi yno ymosododd ar drigolion Debir; enw Debir gynt oedd Ciriath Seffer. [16]Dywedodd Caleb, "Pwy bynnag a drawo Ciriath Seffer a'i hennill, fe roddaf fy merch Achsa yn wraig iddo." [17]Othniel fab Cenas, brawd Caleb, a'i henillodd; rhoddodd yntau ei ferch Achsa iddo'n wraig. [18]Pan ddaeth hi ato, anogodd ef hi[11] i geisio tir gan ei thad. Wedi iddi ddisgyn oddi ar yr asyn, gofynnodd Caleb iddi, "Beth a fynni?" [19]Atebodd hithau, "Rho imi anrheg; yr wyt wedi

---

[1]Felly Groeg. Hebraeg, *eich*.   [11]Felly Groeg. Hebraeg, *ef*.

rhoi imi dir yn y Negeb, rho imi hefyd ffynhonnau dŵr." Felly fe roddodd Caleb iddi'r Ffynhonnau Uchaf a'r Ffynhonnau Isaf.

Canolfannau Jwda

20 Dyma etifeddiaeth llwyth Jwda yn ôl eu tylwythau. ²¹Yng nghwr eithaf llwyth Jwda ar derfyn Edom yn y Negeb, y trefi oedd Cabseel, Eder, Jagur, ²²Cina, Dimona, Adada, ²³Cedes, Hasor, Ithnan, ²⁴Siff, Thelem, Bealoth, ²⁵Hasor, Hadatta, Cirioth, Hesron (sef Hasor), ²⁶Amam, Sema, Molada, ²⁷Hasargada, Hesmon, Bethpalet, ²⁸Hasarsual, Beerseba, Bisiothia, ²⁹Baala, Iim, Asem, ³⁰Eltolad, Cesil, Horma, Siclag, Madmanna, Sansanna, ³¹Lebaoth, Silhim, Ain a Rimmon: ³²cyfanswm o naw ar hugain o drefi a'u pentrefi.

33 Yn y Seffela yr oedd Estaol, Sorea, Asna, ³⁴Sanoa, En-gannim, Tappua, Enam, ³⁵Jarmuth, Adulam, Socho, Aseca, ³⁶Saraim, Adithaim, Gedera a Gederothaim: pedair ar ddeg o drefi a'u pentrefi.

37 Senan, Hadasa, Migdalad, ³⁸Dilean, Mispe, Joctheel, ³⁹Lachis, Boscath, Eglon, ⁴⁰Cabbon, Lahmam, Cithlis, ⁴¹Gederoth, Bethdagon, Naama a Macceda: un ar bymtheg o drefi a'u pentrefi.

42 Libna, Ether, Asan, ⁴³Jiffta, Asna, Nesib, ⁴⁴Ceila, Achsib a Maresa: naw o drefi a'u pentrefi.

45 Ecron a'i maestrefi a'i phentrefi; ⁴⁶ac, i'r gorllewin o Ecron, y cwbl oedd yn ymyl Asdod, a'u pentrefi.

47 Asdod, ei maestrefi a'i phentrefi; Gasa, ei maestrefi a'i phentrefi at geunant yr Aifft, ac at lan y Môr Mawr.

48 Yn y mynydd-dir yr oedd Samir, Jattir, Socho, ⁴⁹Danna, Ciriath Sannath (sef Debir), ⁵⁰Anab, Astemo, Anim, ⁵¹Gosen, Holon a Gilo: un ar ddeg o drefi a'u pentrefi.

52 Arab, Duma, Esean, ⁵³Janum, Bethtappua, Affeca, ⁵⁴Humta, Caer Arba (sef Hebron), a Sior: naw o drefi a'u pentrefi.

55 Maon, Carmel, Siff, Jutta, ⁵⁶Jesreel, Jocdeam, Sanoa, ⁵⁷Cain, Gibea, Timna: deg o drefi a'u pentrefi.

58 Halhul, Bethsur, Gedor, ⁵⁹Maarath, Bethanoth ac Eltecon: chwech o drefi a'u pentrefi.

60 Ciriath Baal, sef Ciriath Jearim, a Rabba: dwy dref a'u pentrefi.

61 Yn yr anialwch yr oedd Betharaba, Midin, Sechacha, ⁶²Nibsan, Dinas yr Halen ac En-gedi: chwech o drefi a'u pentrefi.

63 Ni allodd y Jwdeaid ddisodli'r Jebusiaid oedd yn byw yn Jerwsalem; felly y mae'r Jebusiaid wedi byw gyda'r Jwdeaid yn Jerwsalem hyd y dydd hwn.

Rhandir Meibion Joseff

16 Yr oedd rhandir meibion Joseff yn ymestyn o'r Iorddonen ger Jericho, i'r dwyrain o ddyfroedd Jericho, i'r anialwch ac i fyny o Jericho i fynydd-dir Bethel. ²Yna âi o Fethel i Lus, a chroesi terfyn yr Arciaid yn Ataroth; ³wedyn disgynnai tua'r gorllewin at derfyn y Jaffletiaid, cyn belled â therfyn Beth-horon Isaf a Geser, nes cyrraedd y môr. ⁴Hon oedd yr etifeddiaeth a gafodd Manasse ac Effraim, meibion Joseff.

Rhandir Llwyth Effraim

5 Dyma derfyn yr Effraimiaid yn ôl eu tylwythau: yr oedd terfyn eu hetifeddiaeth yn ymestyn o Ataroth Adar yn y dwyrain hyd Beth-horon Uchaf; ⁶yna âi ymlaen at y môr, at Michmetha yn y gogledd, a throi i'r dwyrain o Taanath Seilo a mynd heibio iddi i'r dwyrain yn Janoha. ⁷Âi i lawr o Janoha i Ataroth a Naarath, gan gyffwrdd â Jericho ac ymlaen at yr Iorddonen. ⁸O Tappua âi'r terfyn tua'r gorllewin ar hyd ceunant Cana nes cyrraedd y môr. Dyma etifeddiaeth llwyth Effraim yn ôl eu tylwythau. ⁹Yr oedd yn cynnwys hefyd y trefi a neilltuwyd i Effraim yng nghanol etifeddiaeth Manasse, yr holl drefi a'u pentrefi. ¹⁰Ni ddisodlwyd y Canaaneaid oedd yn byw yn Geser; felly y mae'r Canaaneaid yn byw ymysg yr Effraimiaid hyd y dydd hwn, ond eu bod dan lafur gorfod.

Rhandir Gweddill Llwyth Manasse

17 Yna rhoddwyd rhandir i lwyth Manasse, oherwydd ef oedd cyntafanedig Joseff. Machir oedd cyntafanedig Manasse a thad Gilead, ac am ei fod yn rhyfelwr, iddo ef y daeth Gilead a Basan. ²Rhannwyd tir hefyd i weddill Manasse yn ôl eu tylwythau, sef i feibion Abieser, Helech, Asriel, Sichem, Heffer a Semida. Y rhain oedd bechgyn Manasse fab Joseff yn ôl eu tylwythau. ³Ond am Seloffehad fab Heffer, fab Gilead, fab

Machir, fab Manasse, nid oedd ganddo feibion ond merched yn unig, a dyma'u henwau: Mahla, Noa, Hogla, Milca a Tirsa. ⁴Daeth y rhain gerbron yr offeiriad Eleasar, Josua fab Nun a'r arweinwyr, a dweud, "Gorchmynnodd yr ARGLWYDD i Moses roi inni etifeddiaeth ymysg ein brodyr." Ac fe roddwyd iddynt etifeddiaeth ymysg brodyr eu tad, yn ôl gorchymyn yr ARGLWYDD. ⁵Felly disgynnodd deg rhan i Manasse, yn ychwanegol at dir Gilead a Basan y tu hwnt i'r Iorddonen, ⁶am fod merched Manasse wedi etifeddu cyfran ynghyd â'r meibion; aeth tir Gilead i weddill meibion Manasse.

7 Yr oedd terfyn Manasse'n ymestyn o Aser i Michmethath, sydd i'r dwyrain o Sichem, ac ymlaen i'r de at Jasub ger Entappuaᵐ. ⁸Perthyn i Manasse yr oedd tir Tappua, ond yr oedd Tappua ei hun ar derfyn Manasse ac yn perthyn i feibion Effraim. ⁹Âi'r terfyn i lawr ceunant Cana i'r de. Trefi yn perthyn i Effraim oedd y rhai ar ochr ddeheuol y ceunant, er eu bod yng nghanol trefi Manasse, a bod terfyn Manasse yn rhedeg ar ochr ogleddol y ceunant nes cyrraedd y môr. ¹⁰Yr oedd y tir i'r de'n perthyn i Effraim, ond y tir i'r gogledd yn perthyn i Manasse. Yr oedd tir Manasse'n ymestyn at y môr, ac yn ffinio ar Aser i'r gogledd ac ar Issachar i'r dwyrain. ¹¹O fewn Issachar ac Aser, eiddo Manasse oedd Bethsean ac Ibleam a'u maestrefi, a hefyd y rhai oedd yn byw yn Dor, Endor, Taanach a Megido a'u maestrefi. Naffeth yw'r drydedd dref uchod. ¹²Ni allodd Manasse feddiannu'r trefi hyn; felly parhaodd y Canaaneaid i fyw yn y tir hwn. ¹³Ond wedi i'r Israeliaid ymgryfhau, rhoesant y Canaaneaid dan lafur gorfod, er iddynt fethu eu disodli'n llwyr.

Meibion Joseff yn Chwennych Rhagor o Dir

14 Dywedodd meibion Joseff wrth Josua, "Pam na roddaist inni ond un gyfran ac un rhandir yn etifeddiaeth, a ninnau'n bobl niferus, ac wedi'n bendithio mor helaeth gan yr ARGLWYDD?" ¹⁵Atebodd Josua hwy, "Os ydych yn bobl mor niferus, a mynydd-dir Effraim yn rhy gyfyng i chwi, ewch i fyny i'r goedwig a chlirio tir ichwi'ch hunain yno,

yn nhiriogaeth y Peresiaid a'r Reffaim." ¹⁶Dywedodd meibion Joseff, "Nid yw'r mynydd-dir yn ddigon inni, ac y mae cerbydau heyrn gan yr holl Ganaaneaid sy'n byw ar y gwastatir yn Bethsean a'i maestrefi, ac yn Nyffryn Jesreel." ¹⁷Yna dywedodd Josua wrth Effraim a Manasse, teulu Joseff, "Yr ydych yn bobl niferus, ac yn nerthol iawn; nid un gyfran yn unig a gewch, ¹⁸ond bydd y mynydd-dir hefyd yn eiddo ichwi; ac er mai coetir yw, cliriwch ef a'i feddiannu i'w gwr pellaf; yna byddwch yn disodli'r Canaaneaid, er eu bod yn gryfion a cherbydau heyrn ganddynt."

Rhannu Gweddill y Tir

18 Daeth holl gynulliad Israel at ei gilydd i Seilo, a gosod yno babell y cyfarfod. Yr oedd y wlad wedi ei darostwng o'u blaen, ²ond yr oedd ar ôl ymysg yr Israeliaid saith llwyth heb ddosrannu eu hetifeddiaeth. ³Dywedodd Josua wrth yr Israeliaid, "Am ba hyd yr ydych am esgeuluso mynd i feddiannu'r tir a roddodd ARGLWYDD Dduw eich tadau ichwi? ⁴Dewiswch dri dyn o bob llwyth, imi eu hanfon allan i gerdded y wlad a gwneud rhestrau ar gyfer ei hetifeddu, ac yna dod yn ôl ataf. ⁵Y maent i'w rhannu'n saith rhan; y mae Jwda i gadw ei derfyn yn y de, a thŷ Joseff ei derfyn yn y gogledd. ⁶Ac wedi ichwi ddosbarthu'r tir yn saith rhan, dewch â'r rhestrau ataf fi i'r fan hon, er mwyn imi fwrw coelbren drosoch yma gerbron yr ARGLWYDD ein Duw. ⁷Ni fydd rhan i'r Lefiaid yn eich mysg, oherwydd offeiriadaeth yr ARGLWYDD yw eu hetifeddiaeth hwy; a hefyd y mae Gad a Reuben a hanner llwyth Manasse wedi cael eu hetifeddiaeth i'r dwyrain o'r Iorddonen o law Moses gwas yr ARGLWYDD." ⁸Pan oedd y dynion yn cychwyn ar eu taith i restru'r tir, gorchmynnodd Josua iddynt, "Ewch i fyny ac i lawr y wlad, a rhestrwch hi; yna dewch yn ôl ataf fi, ac fe fwriaf goelbren drosoch gerbron yr ARGLWYDD yma yn Seilo." ⁹Aeth y dynion, a cherdded y wlad a'i rhestru mewn llyfr, yn saith rhan, fesul trefi; yna daethant yn ôl at Josua yng ngwersyll Seilo. ¹⁰Bwriodd Josua goelbren drostyn' gerbron yr ARGLWYDD yn Seilo, a rhannu'r tir i'r Israeliaid, cyfran i bob un

---

ᵐFelly Groeg. Hebraeg, *at drigolion Entappua.*

Rhandir Llwyth Benjamin

11 Pan ddisgynnodd coelbren llwyth Benjamin yn ôl eu tylwythau, cawsant diriogaeth rhwng Jwda a meibion Joseff. ¹²I'r gogledd âi'r terfyn o'r Iorddonen i fyny heibio i lechwedd gogleddol Jericho, a thua'r gorllewin, i'r mynydddir, nes cyrraedd anialwch Bethafen. ¹³Croesai'r terfyn oddi yno i Lus, ac i'r de ar hyd llechwedd Lus, sef Bethel, ac yna i lawr at Ataroth Adar ar y mynydd i'r de o Beth-horon Isaf. ¹⁴Yr oedd y terfyn yn newid ei gyfeiriad ar yr ochr orllewinol, ac yn troi tua'r de o'r mynydd sy'n wynebu Beth-horon, ac ymlaen nes cyrraedd Ciriath Baal, sef Ciriath Jearim, tref yn perthyn i Jwda. Dyma'r ochr orllewinol. ¹⁵Yr oedd ochr ddeheuol y terfyn yn mynd o gwr Ciriath Jearim tua'r gorllewin, hyd at ffynnon dyfroedd Nefftoa. ¹⁶Yna âi'r terfyn i lawr at gwr y mynydd sy'n wynebu Dyffryn Mab Hinnom, i'r gogledd o Ddyffryn Reffaim; wedi hynny, i lawr Dyffryn Hinnom i'r de o lechwedd y Jebusiaid at Enrogel. ¹⁷Wedi troi tua'r gogledd, âi i Enscmes ac ymlaen i Guliloth, gyferbyn â rhiw Adummim, ac i lawr at faen Bohan fab Reuben, ¹⁸cyn croesi ochr ogleddol y llechwedd sy'n wynebu'r Araba, a mynd i lawr yno. ¹⁹Yna âi'r terfyn ar hyd ochr ogleddol llechwedd Beth-hogla, nes cyrraedd cilfach ogleddol y Môr Marw ac aber yr Iorddonen. Hwn yw'r terfyn deheuol. ²⁰Yr Iorddonen yw'r terfyn ar yr ochr ddwyreiniol. Dyma etifeddiaeth Benjamin yn ôl eu tylwythau, a'i therfynau o amgylch. ²¹Y trefi sy'n perthyn i lwyth Benjamin, yn ôl eu tylwythau, yw: Jericho, Beth-hogla, Emec Cesis, ²²Betharaba, Semaraim, Bethel, ²³Afim, Para, Offra, ²⁴Ceffar Haammonai, Offni a Gaba: deuddeg o drefi a'u pentrefi.

25 Gibeon, Rama, Beeroth, ²⁶Mispe, Ceffira, Mosa, ²⁷Recem, Irpeel, Tarala, ²⁸Sela, Eleff, Jebusi (sef Jerwsalem), Gibeath a Ciriath: pedair ar ddeg o drefi a'u pentrefi. Dyma etifeddiaeth Benjamin yn ôl eu tylwythau.

Rhandir Llwyth Simeon

19 I Simeon y disgynnodd yr ail goelbren, i lwyth Simeon yn ôl eu tylwythau; yr oedd eu hetifeddiaeth hwy yng nghanol etifeddiaeth Jwda. ²Cawsant yn etifeddiaeth: Beerseba, Seba, Molada, ³Hasarsual, Bala, Asem, ⁴Eltolad, Bethul, Horma, ⁵Siclag, Bethmarcaboth, Hasarsusa, ⁶Bethlebaoth a Saruhen: tair ar ddeg o drefi a'u pentrefi. ⁷Ain, Rimmon, Ether ac Asan: pedair tref a'u pentrefi; ⁸hefyd yr holl bentrefi o amgylch y trefi hyn, hyd at Baalath Beer, Ramath Negeb. Dyma etifeddiaeth llwyth Simeon yn ôl eu tylwythau. ⁹Daeth peth o randir Jwda yn etifeddiaeth i Simeon, am fod rhan llwyth Jwda yn ormod iddynt; felly etifeddodd Simeon gyfran yng nghanol etifeddiaeth Jwda.

Rhandir Llwyth Sabulon

10 Disgynnodd y trydydd coelbren i lwyth Sabulon yn ôl eu tylwythau; yr oedd terfyn eu hetifeddiaeth hwy'n ymestyn hyd Sarid, ¹¹ac yna i fyny tua'r gorllewin at Marala, gan gyffwrdd â Dabbeseth ac â'r ceunant gyferbyn â Jocneam. ¹²Yr oedd y terfyn yn troi'n ôl o Sarid tua'r dwyrain a chodiad haul, ac yna'n mynd i fyny ar Cisloth Tabor, ac ymlaen at Daberath ac i fyny i Jaffia. ¹³Oddi yno âi yn ei flaen tua'r dwyrain i Gath-Heffer ac Itta Casin, nes cyrraedd Rimon a throi tua Nea, ¹⁴Yr oedd y terfyn yn troi i'r gogledd o Hannathon, nes cyrraedd Dyffryn Jifftahel, ¹⁵gan gynnwys Cattath, Nahalal, Simron, Idala a Bethlehem: deuddeg o drefi a'u pentrefi. ¹⁶Dyma etifeddiaeth llwyth Sabulon yn ôl eu tylwythau, y trefi hyn a'u pentrefi.

Rhandir Llwyth Issachar

17 I Issachar y disgynnodd y pedwerydd coelbren, i lwyth Issachar yn ôl eu tylwythau. ¹⁸Yn eu tiriogaeth hwy yr oedd Jesreel, Cesuloth, Sunem, ¹⁹Haffraim, Sihon, Anaharath, ²⁰Rabbith, Cision, Abes, ²¹Remeth, En-gannim, Enhada a Bethpasses. ²²Yr oedd y terfyn yn cyffwrdd â Tabor, Sahasima a Bethsemes, ac yn cyrraedd yr Iorddonen: un ar bymtheg o drefi a'u pentrefi. ²³Dyma etifeddiaeth llwyth Issachar yn ôl eu tylwythau, yn nrefi a'u pentrefi.

Rhandir Llwyth Aser

24 Disgynnodd y pumed coelbren i lwyth Aser yn ôl eu tylwythau. ²⁵Yn eu tiriogaeth hwy yr oedd Helcath, Hali, Beten, Achsaff, ²⁶Alammelech, Amad a Misal; yn y gorllewin yr oedd eu terfyn yn cyffwrdd â Charmel a Sihor Libnath. ²⁷Yr oedd yn troi'n ôl tua'r dwyrain at Beth-

dagon, ac yna'n cyffwrdd â Sabulon a Dyffryn Jifftahel, ac yn mynd tua'r gogledd at Bethemec a Neiel, heibio i Cabul, [28]Ebron, Rehob, Hammon a Cana hyd at Sidon Fawr. [29]Yr oedd y terfyn yn troi yn Ramah ac yn cyrraedd dinas gaerog Tyrus, ac yna'n troi tua Hosa nes cyrraedd Mahalab, Achsib, [30]Acco[n], Affec a Rehob yn y gorllewin: deuddeg o drefi a'u pentrefi. [31]Dyma etifeddiaeth llwyth Aser yn ôl eu tylwythau, y trefi hyn a'u pentrefi.

Rhandir Llwyth Nafftali

32 I lwyth Nafftali y disgynnodd y chweched coelbren, i lwyth Nafftali yn ôl eu tylwythau. [33]Âi eu terfyn hwy o Heleff, o'r dderwen yn Saanannim heibio i Adamineceb a Jabniel i Laccum, nes cyrraedd yr Iorddonen. [34]Yr oedd y terfyn yn troi tua'r gorllewin yn Asnoth Tabor ac yn mynd oddi yno i Huccoc, gan gyffwrdd â Sabulon i'r de, ac Aser i'r gorllewin, a Jwda ger yr Iorddonen i'r dwyrain. [35]Eu dinasoedd caerog oedd Sidim, Ser, Hammath, Raccath, Cinnereth, [36]Adama, Rama, Hasor, [37]Cedes, Edrei, Enhasor, [38]Iron, Migdalel, Horem, Bethanath a Bethsemes: pedair ar bymtheg o drefi a'u pentrefi. [39]Dyma etifeddiaeth llwyth Nafftali yn ôl eu tylwythau, yn drefi a'u pentrefi.

Rhandir Llwyth Dan

40 Disgynnodd y seithfed coelbren i lwyth Dan yn ôl eu tylwythau. [41]Yn eu tiriogaeth hwy yr oedd Sora, Estaol, Irsemes, [42]Saalabbin, Ajalon, Ithla, [43]Elon, Timnatha, Ecron, [44]Eltece, Gibbethon, Baalath, [45]Jehud, Beneberac, Gathrimmon, [46]Meiarcon, a Raccon, a hefyd y tir gyferbyn â Jaffo. [47]Pan gollodd y Daniaid eu tiriogaeth, aethant i fyny ac ymladd yn erbyn Lesem a'i chipio; trawsant hi â min cleddyf, a'i meddiannu ac ymsefydlu yno, gan alw Lesem yn Dan ar ôl eu tad. [48]Dyma etifeddiaeth llwyth Dan yn ôl eu tylwythau, y trefi hyn a'u pentrefi.

Gorffen Rhannu'r Wlad

49 Wedi iddynt orffen rhannu'r wlad yn ôl ei therfynau, rhoddodd yr Israeliaid etifeddiaeth yn eu mysg i Josua fab Nun. [50]Yn unol â gorchymyn yr ARGLWYDD, rhoesant iddo'r ddinas y gofynnodd am-

dani, sef Timnath Sera ym mynydd-dir Effraim; ac wedi iddo'i hailadeiladu, bu fyw yno.

51 Dyma'r etifeddiaethau a rannodd yr offeiriad Eleasar, a Josua fab Nun a'r pennau-teuluoedd, trwy goelbren, i lwythau Israel yn Seilo gerbron yr ARGLWYDD, yn nrws pabell y cyfarfod. A gorffenasant rannu'r wlad.

Dinasoedd Noddfa

20 Llefarodd yr ARGLWYDD wrth Josua a dweud, [2]"Dywed wrth yr Israeliaid am neilltuo dinasoedd noddfa, fel y gorchmynnais iddynt trwy Moses, [3]er mwyn i'r sawl sydd wedi lladd rhywun trwy amryfusedd, neu'n anfwriadol, gael ffoi iddynt, a chael noddfa ynddynt rhag y dialydd gwaed. [4]Pan fydd rhywun yn ffoi i un o'r dinasoedd hyn, y mae i sefyll wrth fynediad porth y ddinas, ac adrodd ei achos yng nghlyw henuriaid y ddinas honno. Os byddant yn caniatáu iddo ddod i mewn atynt i'r ddinas, byddant yn nodi lle ar ei gyfer, a chaiff aros yno gyda hwy. [5]Os daw'r dialydd gwaed ar ei ôl, nid ydynt i ildio'r lleiddiad iddo, oherwydd yn anfwriadol y lladdodd ef ei gymydog, ac nid oedd yn ei gasáu'n flaenorol. [6]Caiff aros yn y ddinas honno nes iddo sefyll ei brawf gerbron y gynulleidfa. Ar farwolaeth y sawl fydd yn archoffeiriad ar y pryd, caiff y lleiddiad fynd yn ôl i'w gartref yn y dref y ffodd ohoni."

7 Neilltuasant Cedes yn Galilea ym mynydd-dir Nafftali, Sichem ym mynydd-dir Effraim, a Ciriath Arba, sef Hebron, ym mynydd-dir Jwda. [8]Y tu hwnt i'r Iorddonen, i'r dwyrain o Jericho, nodasant Beser ar y gwastatir yn yr anialwch, o lwyth Reuben; Ramoth yn Gilead o lwyth Gad, a Golan yn Basan o lwyth Manasse. [9]Nodwyd y dinasoedd hyn ar gyfer yr holl Israeliaid, a'r dieithriaid oedd dros dro yn eu mysg, er mwyn i'r sawl fyddai wedi lladd rhywun mewn amryfusedd ffoi iddynt, rhag iddo farw trwy law dialydd gwaed cyn sefyll ei brawf gerbron y gynulleidfa.

Dinasoedd y Lefiaid

21 Daeth pennau-teuluoedd y Lefiaid at yr offeiriad Eleasar, at Josua fab Nun, ac at bennau-teuluoedd llwythau'r Israeliaid, [2]a dweud wrthynt

---

[n]Felly Groeg. Cymh. Barn. 1:31. Hebraeg, *Umma*.

yn Seilo yng ngwlad Canaan, "Gorch-
mynnodd yr ARGLWYDD drwy Moses roi
dinasoedd i ni i fyw ynddynt, a hefyd eu
porfeydd ar gyfer ein hanifeiliaid." ³Yna,
yn ôl gorchymyn yr ARGLWYDD, rhodd-
odd yr Israeliaid o'u hetifeddiaeth hwy y
dinasoedd a nodir isod a'u porfeydd i'r
Lefiaid.

4 Pan ddisgynnodd y coelbren ar
deuluoedd y Cohathiaid, cafodd y Lefiaid
a hanoedd o Aaron yr offeiriad dair dinas
ar ddeg trwy'r coelbren gan lwythau
Jwda, Simeon a Benjamin. ⁵Cafodd
gweddill y Cohathiaid ddeg dinas trwy'r
coelbren gan deuluoedd llwyth Effraim,
llwyth Dan, a hanner llwyth Manasse.
⁶Cafodd y Gersoniaid dair dinas ar ddeg
yn Basan trwy'r coelbren gan deuluoedd
llwyth Issachar, llwyth Aser a hanner
llwyth Manasse. ⁷Cafodd y Merariaid
ddeuddeg dinas, yn ôl eu teuluoedd,
gan lwythau Reuben, Gad a Sabulon.
⁸Rhoddodd yr Israeliaid y dinasoedd hyn
a'u porfeydd i'r Lefiaid trwy'r coelbren,
fel yr oedd yr ARGLWYDD wedi gorch-
ymyn i Moses.

9 Rhoesant y dinasoedd a enwir yma
gan lwythau Jwda a Simeon ¹⁰i'r Lefiaid o
deuluoedd y Cohathiaid a hanoedd o
Aaron, gan mai arnynt hwy y disgynnodd
y coelbren cyntaf. ¹¹Rhoesant iddynt
Ciriath Arba (Arba oedd tad Anac), sef
Hebron ym mynydd-dir Jwda, a'r
porfeydd o'i hamgylch. ¹²Ond rhoesant
dir y ddinas a'i phentrefi yn etifeddiaeth i
Caleb fab Jeffunne.

13 I ddisgynyddion Aaron yr offeiriad
rhoesant Hebron, dinas noddfa i leidd-
iaid, hefyd Libna, ¹⁴Jattir, Estemoa,
¹⁵Holon, Debir, ¹⁶Ain, Jutta a Beth-
semes, bob un â'i phorfeydd: naw dinas
gan y ddau lwyth hynny. ¹⁷Ac o lwyth
Benjamin rhoesant Gibeon, Geba,
¹⁸Anathoth, ac Almon, bob un â'i phor-
feydd: pedair dinas. ¹⁹Cafodd yr offeir-
iaid, disgynyddion Aaron, dair dinas ar
ddeg a'u porfeydd. ²⁰Gan lwyth Effraim y
cafodd gweddill y Lefiaid o linach Cohath
eu dinasoedd trwy goelbren, yn ôl
teuluodd y Cohathiaid. ²¹Rhoesant
Sichem, dinas noddfa i leidiaid ym
mynydd-dir Effraim, hefyd Geser,
²²Cibsaim a Beth-horon, bob un â'i
phorfeydd: pedair dinas. ²³O lwyth Dan
yr oedd Eltece, Gibbethon, ²⁴Ajalon a

Gathrimmon, bob un â'i phorfeydd:
pedair dinas. ²⁵O hanner llwyth Manasse
yr oedd Taanach a Gathrimmon a'u
porfeydd: dwy ddinas. ²⁶Cafodd gweddill
teuluoedd y Cohathiaid ddeg dinas i gyd,
a'u porfeydd.

27 Gan hanner llwyth Manasse cafodd
y Gersoniaid o blith teuluoedd y Lefiaid
Golan, dinas noddfa i leiddiaid yn Basan,
a hefyd Beestera, bob un â'i phorfeydd:
dwy ddinas. ²⁸O lwyth Issachar cafwyd
Cison, Daberath, ²⁹Jarmuth ac En-
gannim, bob un â'i phorfeydd: pedair
dinas. ³⁰O lwyth Aser cafwyd Misal,
Abdon, ³¹Helcath a Rehob, bob un â'i
phorfeydd: pedair dinas. ³²O lwyth
Nafftali cafwyd Cedes, dinas noddfa i
leiddiaid yn Galilea, a hefyd Hammoth
Dor a Cartan, bob un â'i phorfeydd: tair
dinas. ³³Yr oedd gan y Gersoniaid, yn ôl
eu teuluoedd, dair dinas ar ddeg i gyd, a'u
porfeydd.

34 Gan lwyth Sabulon cafodd gweddill
y Lefiaid a hanoedd o Merari, yn ôl eu
teuluoedd, Jocneam, Carta, ³⁵Dimna a
Nahalal, bob un â'i phorfeydd: pedair
dinas. ³⁶O lwyth Reuben cafwyd Beser,
Jahas, ³⁷Cedemoth a Meffaath, bob un â'i
phorfeydd: pedair dinas. ³⁸O lwyth Gad
cafwyd Ramoth, dinas noddfa i leiddiaid,
yn Gilead, hefyd Mahanaim, ³⁹Hesbon a
Jaser, bob un â'i phorfeydd: pedair dinas i
gyd. ⁴⁰Nifer y dinasoedd a gafodd y
Merariaid, sef gweddill teuluoedd y Lef-
iaid, oedd deuddeg dinas i gyd, trwy'r
coelbren yn ôl eu teuluoedd. ⁴¹Yr oedd
nifer dinasoedd y Lefiaid oddi mewn i
diriogaeth yr Israeliaid yn wyth a deugain
o ddinasoedd a'u porfeydd. ⁴²Yr oedd gan
bob un o'r dinasoedd hyn ei phorfeydd
o'i hamgylch; dyna'r drefn gyda phob un
o'r dinasoedd hyn.

Israel yn Meddiannu'r Wlad

43 Rhoddodd yr ARGLWYDD i Israel
yr holl wlad a addawodd i'w tadau. Wedi
iddynt ei meddiannu ac ymsefydlu ynddi,
⁴⁴rhoddodd yr ARGLWYDD ddiogelwch
iddynt ar bob tu, yn union fel yr addaw-
odd i'w tadau; ni allodd yr un o'u gelyn-
ion eu gwrthsefyll, oherwydd rhoddodd
yr ARGLWYDD hwy oll yn eu dwylo.
⁴⁵Ni fethodd un o'r holl bethau da a
addawodd yr ARGLWYDD i dŷ Israel;
daeth y cwbl i ben.

Josua yn Anfon Adref Lwythau Reuben a Gad a Hanner Llwyth Manasse

22 Yna galwodd Josua y Reubeniaid, y Gadiaid a hanner llwyth Manasse, [2]a dweud wrthynt, "Yr ydych wedi cadw'r cwbl a orchmynnodd Moses gwas yr ARGLWYDD i chwi, a buoch yn ufudd i bob gorchymyn a roddais innau ichwi. [3]Ers cyfnod maith hyd y dydd hwn nid ydych wedi cefnu ar eich brodyr, a buoch yn ofalus i gadw gorchymyn yr ARGLWYDD eich Duw. [4]Bellach y mae'r ARGLWYDD eich Duw wedi rhoi diogelwch i'ch brodyr, fel yr addawodd iddynt; felly, yn awr, trowch yn ôl ac ewch adref i'r tir a roddodd Moses gwas yr ARGLWYDD i chwi i'w feddiannu y tu hwnt i'r Iorddonen. [5]Yn unig byddwch yn ofalus iawn i gadw'r gorchymyn a'r gyfraith a roddodd Moses gwas yr ARGLWYDD ichwi, i garu'r ARGLWYDD eich Duw, a cherdded yn ei holl lwybrau, i gadw ei orchmynion, a glynu wrtho a'i wasanaethu â'ch holl galon ac â'ch holl enaid." [6]Yna bendithiodd Josua hwy a'u gollwng ymaith, ac aethant adref.

7 I hanner llwyth Manasse yr oedd Moses wedi rhoi tir yn Basan; i'r hanner arall rhoddodd Josua dir gyda'u brodyr i'r gorllewin o'r Iorddonen. Wrth eu hanfon adref a'u bendithio, [8]dywedodd Josua wrthynt, "Dychwelwch adref â chyfoeth mawr a llawer iawn o anifeiliaid, hefyd arian, aur, pres a haearn, a llawer iawn o ddillad; rhannwch â'ch brodyr ysbail eich gelynion."

Yr Allor ger yr Iorddonen

9 Dychwelodd y Reubeniaid, y Gadiaid a hanner llwyth Manasse o Seilo yng ngwlad Canaan, a gadael yr Israeliaid i fynd i wlad Gilead, y diriogaeth a feddiannwyd ganddynt yn ôl gair yr ARGLWYDD drwy Moses. [10]Pan ddaethant i gyffiniau'r Iorddonen, cododd y Reubeniaid, y Gadiaid a hanner llwyth Manasse allor yno yng ngwlad Canaan ger yr Iorddonen; yr oedd yn allor nodedig o fawr. [11]Clywodd yr Israeliaid fod y Reubeniaid, y Gadiaid a hanner llwyth Manasse wedi adeiladu allor ar derfyn gwlad Canaan, yng nghyffiniau'r Iorddonen, ar ochr yr Israeliaid; [12]ac wedi iddynt glywed, ymgynullodd holl gynulleidfa'r Israeliaid i Seilo, er mwyn mynd i ryfel yn eu herbyn. [13]Anfonodd yr Israeliaid Phinees, mab yr offeiriad Eleasar, i Gilead at y Reubeniaid, y Gadiaid a hanner llwyth Manasse [14]gyda deg pennaeth, un[o] ar gyfer pob un o lwythau Israel, pob un yn benteulu ymysg tylwythau Israel. [15]Daethant at y Reubeniaid, y Gadiaid a hanner llwyth Manasse yng ngwlad Gilead a dweud wrthynt, [16]"Y mae holl gynulleidfa'r ARGLWYDD yn gofyn, 'Beth yw'r brad hwn yr ydych wedi ei wneud yn erbyn Duw Israel trwy gefnu ar yr ARGLWYDD, ac adeiladu allor heddiw mewn gwrthryfel yn ei erbyn? [17]Onid oedd trosedd Peor yn ddigon inni? Nid ydym hyd heddiw yn lân oddi wrtho, a bu'n achos pla ar gynulleidfa'r ARGLWYDD. [18]Dyma chwi'n awr yn cefnu ar yr ARGLWYDD; ac os gwrthryfelwch yn ei erbyn ef heddiw, yna bydd ei ddicter yntau yn erbyn holl gynulleidfa Israel yfory. [19]Os yw'r wlad a feddiannwyd gennych yn aflan, dewch drosodd i wlad sydd ym meddiant yr ARGLWYDD, lle saif tabernacl yr ARGLWYDD, a derbyniwch ran yn ein plith ni. Peidiwch â gwrthryfela yn erbyn yr ARGLWYDD, na ninnau, drwy adeiladu ichwi unrhyw allor ar wahân i allor yr ARGLWYDD ein Duw. [20]Pan droseddodd Achan fab Sera ynglŷn â'r diofryd, oni ddaeth dicter ar holl gynulleidfa Israel? Ac er mai un dyn oedd ef, nid un dyn a drengodd am ei anwiredd.'"

21 Atebodd y Reubeniaid, y Gadiaid a hanner llwyth Manasse a dweud wrth benaethiaid tylwythau Israel, [22]"Yr ARGLWYDD yw Duw y duwiau! Yr ARGLWYDD yw Duw y duwiau! Fe ŵyr ef y gwir; bydded i Israel hefyd ei wybod. Os mewn gwrthryfel neu frad yn erbyn yr ARGLWYDD y gwnaed hyn, peidiwch â'n harbed ni heddiw. [23]Os bu inni adeiladu allor i droi oddi wrth yr ARGLWYDD, ac i offrymu arni boethoffrymau ac ebyrth, neu i ddarparu heddoffrymau, bydded i'r ARGLWYDD ei hun ein dwyn i gyfrif. [24]Yn hytrach gwnaethom hyn rhag ofn i'ch plant chwi yn y dyfodol ddweud wrth ein plant ni, 'Beth sydd a wneloch chwi ag ARGLWYDD Dduw Israel? [25]Y mae'r ARGLWYDD wedi gosod yr Iorddonen yn ffin rhyngom ni a chwi, llwythau Reuben a Gad; nid oes gennych chwi ran yn yr ARGLWYDD.' Yna gallai eich plant chwi rwystro'n plant ni rhag

[o]Felly Syrieg. Hebraeg, *un ar gyfer teulu.*

addoli'r ARGLWYDD. ²⁶Am hynny dywedasom, 'Awn ati i adeiladu allor, nid ar gyfer poethoffrwm nac aberth, ²⁷ond yn dyst rhyngom ni a chwi, a rhwng y cenedlaethau a ddaw ar ein hôl, ein bod ninnau hefyd i gael gwasanaethu'r ARGLWYDD â'n poethoffrymau a'n hebyrth a'n heddoffrymau, fel na all eich plant chwi edliw i'n plant ni yn y dyfodol, "Nid oes gennych chwi ran yn yr ARGLWYDD".' ²⁸Yr oeddem yn meddwl, 'Petaent yn dweud hyn wrthym ac wrth ein plant yn y dyfodol, byddem ninnau'n dweud, "Edrychwch ar y copi o allor yr ARGLWYDD a wnaeth ein tadau, nid ar gyfer poethoffrymau nac aberth, ond yn dyst rhyngom ni a chwi".' ²⁹Pell y bo oddi wrthym ein bod yn gwrthryfela yn erbyn yr ARGLWYDD, a chefnu arno trwy godi unrhyw allor ar gyfer poethoffrwm neu fwydoffrwm neu aberth heblaw allor yr ARGLWYDD ein Duw sydd o flaen ei dabernacl."

30 Pan glywodd yr offeiriad Phinees, a phenaethiaid y gynulleidfa a phennau tylwythau Israel oedd gydag ef, yr hyn a ddywedodd y Reubeniaid, y Gadiaid a hanner llwyth Manasse, yr oeddent yn falch iawn. ³¹Ac meddai Phinees, mab yr offeiriad Eleasar, wrth y Reubeniaid, y Gadiaid a'r Manasseaid, "Yn awr fe wyddom fod yr ARGLWYDD yn ein plith; oherwydd nid ydych wedi gwneud y brad hwn yn erbyn yr ARGLWYDD, ond wedi gwaredu'r Israeliaid o'i law." ³²Yna dychwelodd Phinees, mab yr offeiriad Eleasar, a'r penaethiaid oddi wrth y Reubeniaid a'r Gadiaid, a mynd yn ôl i wlad Gilead at yr Israeliaid yng ngwlad Canaan, a rhoi adroddiad iddynt. ³³Derbyniodd yr Israeliaid yr adroddiad yn llawen, a bendithio Duw. Ni bu rhagor o sôn am fynd i ryfel a difetha'r wlad lle'r oedd y Reubeniaid a'r Gadiaid yn byw. ³⁴Rhoddodd y Reubeniaid a'r Gadiaid yr enw Tyst^p i'r allor. "Am ei bod," meddent, "yn dyst rhyngom mai'r ARGLWYDD sydd Dduw."

Araith Ffarwel Josua

23 Wedi cyfnod maith, a'r ARGLWYDD wedi rhoi llonyddwch i Israel oddi wrth eu holl elynion o'u hamgylch, yr oedd Josua yn hen ac yn oedrannus. ²Galwodd ato Israel gyfan, eu henuriaid, penaethiaid, barnwyr a

^pFelly rhai llawysgrifau. TM heb *Tyst*.

swyddogion, a dweud wrthynt, "Yr wyf yn hen ac yn oedrannus. ³Gwelsoch y cwbl a wnaeth yr ARGLWYDD eich Duw i'r holl genhedloedd hyn er eich mwyn, oherwydd yr ARGLWYDD eich Duw oedd yn ymladd drosoch. ⁴Gwelwch fy mod wedi rhannu rhyngoch, yn etifeddiaeth i'ch llwythau, dir y cenhedloedd hyn a ddistrywiais a'r rhai a adawyd rhwng yr Iorddonen a'r Môr Mawr yn y gorllewin. ⁵Yr ARGLWYDD eich Duw a fu'n eu hymlid ar eich rhan ac yn eu gyrru allan o'ch blaen, er mwyn i chwi gael meddiannu eu gwlad, fel yr addawodd yr ARGLWYDD eich Duw wrthych. ⁶Felly byddwch yn gadarn dros gadw a chyflawni'r cwbl sydd wedi ei ysgrifennu yn llyfr cyfraith Moses, heb wyro oddi wrtho i'r dde na'r aswy. ⁷Peidiwch â chymysgu â'r cenhedloedd hyn a adawyd yn eich mysg; peidiwch ag yngan enw eu duwiau na thyngu wrthynt, na'u gwasanaethu na'u haddoli. ⁸Ond glynwch wrth yr ARGLWYDD eich Duw fel, yn wir, yr ydych wedi ei wneud hyd y dydd hwn. ⁹Oherwydd gyrrodd yr ARGLWYDD allan o'ch blaen genhedloedd mawr a nerthol; nid oes un ohonynt wedi'ch gwrthsefyll hyd y dydd hwn. ¹⁰Y mae un ohonoch chwi'n peri i fil ohonynt hwy ffoi, oherwydd bod yr ARGLWYDD eich Duw yn ymladd drosoch, fel yr addawodd wrthych. ¹¹Byddwch yn ofalus, bob un ohonoch, eich bod yn caru'r ARGLWYDD eich Duw. ¹²Oherwydd os gwrthgiliwch, a glynu wrth weddill y cenhedloedd hyn a adawyd yn eich mysg, a phriodi a chymysgu â hwy, ¹³gallwch fod yn gwbl sicr na fydd yr ARGLWYDD eich Duw yn parhau i yrru'r cenhedloedd hyn allan o'ch blaen. Yn hytrach byddant yn fagl ac yn dramgwydd ichwi, yn chwip ar eich cefnau ac yn ddrain yn eich llygaid, nes y byddwch wedi'ch difa o'r wlad dda hon a roddodd yr ARGLWYDD eich Duw i chwi.

14 "Yn awr yr wyf fi ar fynd i ffordd yr holl ddaear. Y mae pob un ohonoch yn gwybod yn ei galon a'i enaid na phallodd dim un o'r holl bethau daionus a addawodd yr ARGLWYDD eich Duw ar eich cyfer; cawsoch y cwbl, heb ball. ¹⁵Fel y daeth ichwi bopeth da a addawodd yr ARGLWYDD eich Duw, felly hefyd bydd yr ARGLWYDD yn dwyn arnoch bopeth drwg, nes eich difa o'r wlad dda hon a roddodd yr ARGLWYDD eich Duw ichwi.

¹⁶Os torrwch gyfamod yr ARGLWYDD eich Duw, y cyfamod a orchmynnodd ef, a mynd a gwasanaethu duwiau estron a'u haddoli, yna bydd digofaint yr AR-GLWYDD yn cynnau yn eich erbyn, ac yn fuan byddwch wedi'ch difa o'r wlad dda a roddodd ef ichwi.''

Josua yn Annerch y Bobl yn Sichem

24 Casglodd Josua holl lwythau Israel ynghyd i Sichem, a galwodd henuriaid, penaethiaid, barnwyr a swyddogion Israel i ymddangos gerbron Duw. ²Yna dywedodd Josua wrth yr holl bobl, "Fel hyn y dywed yr ARGLWYDD, Duw Israel: 'Ers talwm yr oedd Tera, tad Abraham a Nachor eich hynafiaid, yn byw y tu hwnt i'r Afon ac yn addoli duwiau estron. ³Ond fe gymerais eich tad Abraham o'r tu hwnt i'r Afon a'i arwain trwy holl wlad Canaan, ac amlhau ei ddisgynyddion. Rhoddais iddo Isaac; ⁴ac i Isaac rhoddais Jacob ac Esau. Rhoddais fynydd-dir Seir yn eiddo i Esau, ond aeth Jacob a'i blant i lawr i'r Aifft. ⁵Yna anfonais Moses ac Aaron, a gosod pla ar yr Aifft, trwy'r hyn a wneuthum yno; wedi hynny deuthum â chwi allan. ⁶Deuthum â'ch tadau allan o'r Aifft hyd at y môr, a'r Eifftiaid yn eu hymlid â cherbydau a gwŷr meirch hyd at y Môr Coch. ⁷Gwaeddodd eich tadau ar yr ARGLWYDD, a gosododd dywyllwch rhyngddynt a'r Eifftiaid, a pheri i'r môr eu goddiweddyd a'u gorchuddio. Gwelsoch â'ch llygaid eich hunain yr hyn a wneuthum yn yr Aifft, ac wedi hynny buoch yn byw yn yr anialwch am gyfnod maith. ⁸Yna deuthum â chwi i wlad yr Amoriaid, sy'n byw y tu hwnt i'r Iorddonen, ac er iddynt ryfela yn eich erbyn, rhoddais hwy yn eich llaw, a chawsoch feddiannu eu gwlad, wedi imi eu distrywio o'ch blaen. ⁹Cododd Balac fab Sippor, brenin Moab, a rhyfela yn erbyn Israel, ac anfonodd i wahodd Balaam fab Beor i'ch melltithio. ¹⁰Ond ni fynnwn wrando ar Balaam; am hynny fe'ch bendithiodd dro ar ôl tro, a gwaredais chwi o afael Balac. ¹¹Wedi ichwi groesi'r Iorddonen a dod i Jericho, brwydrodd llywodraethwyr Jericho yn eich erbyn (Amoriaid, Peresiaid, Canaaneaid, Hethiaid, Girgasiaid, Hefiaid a Jebusiaid), ond rhoddais hwy yn eich llaw. ¹²Anfonais gacynen o'ch blaen; a hon, nid eich cleddyf na'ch bwa chwi,

a yrrodd ddau frenin yr Amoriaid ymaith o'ch blaen. ¹³Rhoddais ichwi wlad nad oeddech wedi llafurio ynddi, a chawsoch drefi i fyw ynddynt heb ichwi eu hadeiladu; a chawsoch gynhaliaeth o winllannoedd ac olewydd na fu i chwi eu plannu.'

14 "Am hynny ofnwch yr AR-GLWYDD, gwasanaethwch ef yn ddidwyll ac yn ffyddlon; bwriwch ymaith y duwiau y bu'ch tadau yn eu gwasanaethu y tu hwnt i'r Afon ac yn yr Aifft. Gwasanaethwch yr ARGLWYDD; ac ¹⁵oni ddymunwch wasanaethu'r ARGLWYDD, dewiswch ichwi'n awr pwy a wasanaethwch: ai'r duwiau a wasanaethodd eich tadau pan oeddent y tu hwnt i'r Afon, ai ynteu duwiau'r Amoriaid y'ch ydych yn byw yn eu gwlad? Ond byddaf fi a'm teulu yn gwasanaethu'r AR-GLWYDD.'' ¹⁶Atebodd y bobl a dweud, "Pell y bo oddi wrthym adael yr AR-GLWYDD i wasanaethu duwiau estron! ¹⁷Oherwydd yr ARGLWYDD ein Duw a ddaeth â ni a'n tadau i fyny o wlad yr Aifft, o dŷ caethiwed, ac a wnaeth yr arwyddion mawr hyn yn ein gŵydd, a'n cadw bob cam o'r ffordd y daethom, ac ymysg yr holl bobloedd y buom yn tramwy yn eu plith. ¹⁸Hefyd gyrrodd yr ARGLWYDD allan o'n blaen yr holl bobloedd a'r Amoriaid oedd yn y wlad. Yr ydym ninnau hefyd am wasanaethu'r ARGLWYDD, oherwydd ef yw ein Duw.'' ¹⁹Ond dywedodd Josua wrth y bobl, "Ni fedrwch wasanaethu'r ARGLWYDD, oherwydd y mae'n Dduw sanctaidd, ac yn Dduw eiddigus, ac ni all oddef eich troseddau a'ch pechodau. ²⁰Os gadewch yr ARGLWYDD a gwasanaethu duwiau estron, bydd yn troi ac yn gwneud niwed i chwi ac yn eich difodi, er yr holl dda a wnaeth i chwi.'' ²¹Dywedodd y bobl wrth Josua, "Na, yr ydym am wasanaethu'r ARGLWYDD.'' ²²Yna dywedodd Josua wrth y bobl, "Yr ydych yn dystion yn eich erbyn eich hunain i chwi ddewis gwasanaethu'r ARGLWYDD.'' Atebasant hwythau, "Tystion ydym.'' ²³"Yn awr ynteu," meddai, "bwriwch allan y duwiau estron sydd yn eich mysg, a throwch eich calon at yr ARGLWYDD, Duw Israel.'' ²⁴Dywedodd y bobl wrth Josua, "Fe addolwn yr ARGLWYDD ein Duw, a gwrandawn ar ei lais ef.''

25 Gwnaeth Josua gyfamod â'r bobl y diwrnod hwnnw yn Sichem, a gosod deddf a chyfraith ar eu cyfer. ²⁶Ysgrif-

ennodd y geiriau hynny yn llyfr cyfraith Duw, a chymryd maen mawr a'i osod i fyny yno o dan dderwen oedd yng nghysegr yr ARGLWYDD. ²⁷Dywedodd wrth yr holl bobl, "Edrychwch, bydd y maen hwn yn dystiolaeth yn ein herbyn, oherwydd clywodd yr holl eiriau a lefarodd yr ARGLWYDD wrthym, a bydd yn dystiolaeth yn eich erbyn os byddwch yn gwadu eich Duw." ²⁸Yna gollyngodd Josua'r bobl, bob un i'w etifeddiaeth.

Marwolaeth Josua ac Eleasar

29 Wedi'r pethau hyn bu farw Josua fab Nun, gwas yr ARGLWYDD, yn ganmlwydd a deg. ³⁰Claddwyd ef o fewn terfynau ei etifeddiaeth, yn Timnath Sera ym mynydd-dir Effraim, i'r gogledd o fynydd Gaas. ³¹Gwasanaethodd Israel yr ARGLWYDD holl ddyddiau Josua, a holl ddyddiau'r henuriaid hynny a oroesodd Josua ac a wyddai am yr holl waith a gyflawnodd yr ARGLWYDD er mwyn Israel.

32 Yr oedd yr Israeliaid wedi cludo esgyrn Joseff o'r Aifft, a chladdwyd hwy yn Sichem yn y llain o dir a brynodd Jacob gan feibion Hamor, tad Sichem, am gant o ddarnau arian, i fod yn eiddo i blant Joseff. ³³Pan fu farw Eleasar fab Aaron, claddwyd ef yn y bryn a roddwyd i'w fab Phinees ym mynydd-dir Effraim.

LLYFR Y

BARNWYR

Llwythau Jwda a Simeon yn Dal Adoni Besec

1 Wedi marw Josua, gofynnodd yr Israeliaid i'r ARGLWYDD, "Pwy ohonom sydd i fynd yn gyntaf yn erbyn y Canaaneaid i ymladd â hwy?" ²Atebodd yr ARGLWYDD, "Jwda sydd i fynd; yr wyf yn rhoi'r wlad yn ei law ef." ³Dywedodd Jwda wrth ei frawd Simeon, "Tyrd gyda mi i'm tiriogaeth, er mwyn inni ymladd yn erbyn y Canaaneaid; ac mi ddof finnau gyda thi i'th diriogaeth di." Ac fe aeth Simeon gydag ef. ⁴Wedi i Jwda fynd i fyny, rhoddodd yr ARGLWYDD y Canaaneaid a'r Peresiaid yn eu llaw, a lladdasant ddeng mil ohonynt yn Besec. ⁵Yno cawsant Adoni Besec ac ymladd ag ef, a lladd y Canaaneaid a'r Peresiaid. ⁶Ffodd Adoni Besec, ac erlidiasant ar ei ôl a'i ddal, a thorri bodiau ei ddwylo a'i draed i ffwrdd. ⁷Ac meddai Adoni Besec, "Bu deg a thrigain o frenhinoedd â bodiau eu dwylo a'u traed wedi eu torri i ffwrdd yn lloffa am fwyd dan fy mwrdd; fel y gwneuthum i, felly y talodd Duw imi." Daethant ag ef i Jerwsalem, a bu farw yno.

Llwyth Jwda yn Ennill Jerwsalem a Hebron

8 Ymladdodd y Jwdeaid yn erbyn Jerwsalem a'i hennill, ac yna lladd y trigolion â'r cleddyf a llosgi'r ddinas. ⁹Wedyn aeth y Jwdeaid i ymladd yn erbyn y Canaaneaid oedd yn byw yn y mynydd-dir a hefyd yn y Negeb a'r Seffela. ¹⁰Aeth y Jwdeaid i ymladd â'r Canaaneaid oedd yn byw yn Hebron— Ciriath Arba oedd enw Hebron gynt— a lladdasant Sesai, Ahiman a Thalmai.

Othniel yn Ennill Debir
(Jos. 15:13-19)

11 Oddi yno aethant yn erbyn trigolion Debir—Ciriath Seffer oedd enw Debir gynt. ¹²Dywedodd Caleb, "Pwy bynnag a drawo Ciriath Seffer a'i hennill, fe roddaf fy merch Achsa yn wraig iddo." ¹³Othniel fab Cenas, brawd iau Caleb, a'i henillodd, a rhoddodd Caleb ei ferch Achsa yn wraig iddo. ¹⁴Pan ddaeth hi ato, fe'i hanogodd i geisio tir amaeth gan ei thad. Wedi iddi ddisgyn oddi ar yr asyn, gofynnodd Caleb iddi, "Beth sy'n bod?" ¹⁵Atebodd hithau, "Rho imi

anrheg. Yr wyt wedi rhoi imi dir yn y
Negeb; dyro imi hefyd ffynhonnau dŵr."
Felly fe roddodd Caleb iddi'r Ffynhonnau
Uchaf a'r Ffynhonnau Isaf.

Buddugoliaethau Llwythau Jwda a Benjamin

16 Yr oedd disgynyddion y Cenead,
tad-yng-nghyfraith Moses, wedi dod i
fyny gyda'r Jwdeaid o Ddinas y Palm-
wydd i anialwch Jwda, sydd yn Negeb
Arad, ac wedi mynd i fyw ymysg y bobl.
[17]Aeth Jwda gyda'i frawd Simeon a
tharo'r Canaaneaid oedd yn byw yn
Seffath, a difrodi'r ddinas a'i galw'n
Horma[a]. [18]Enillodd Jwda Gasa, Ascalon
ac Ecron, a'r diriogaeth o amgylch pob
un. [19]Yr oedd yr ARGLWYDD gyda Jwda,
a meddiannodd y mynydd-dir, ond ni
allodd ddisodli trigolion y gwastadedd
am fod ganddynt gerbydau haearn.
[20]Rhoesant Hebron i Caleb fel yr oedd
Moses wedi addo, a gyrrodd ef oddi yno
dri o'r Anaciaid. [21]Ond am y Jebusiaid
oedd yn byw yn Jerwsalem, ni yrrodd y
Benjaminiaid hwy allan; ac y mae'r
Jebusiaid wedi byw gyda'r Benjaminiaid
yn Jerwsalem hyd y dydd hwn.

Llwythau Effraim a Manasse yn Ennill Bethel

22 Aeth tylwyth Joseff i fyny yn erbyn
Bethel, a bu'r ARGLWYDD gyda hwy.
[23]Anfonodd tylwyth Joseff rai i wylio
Bethel—Lus oedd enw'r ddinas gynt.
[24]Pan welodd y gwylwyr ddyn yn dod
allan o'r ddinas, dywedasant wrtho,
"Dangos inni sut i fynd i mewn i'r ddinas,
a byddwn yn garedig wrthyt." [25]Dangos-
odd iddynt fynedfa i'r ddinas; trawsant
hwythau'r ddinas â'r cleddyf, ond
gollwng y gŵr a'i holl deulu yn rhydd.
[26]Aeth yntau i wlad yr Hethiaid ac adeil-
adu tref yno, a'i henwi'n Lus; a dyna'i
henw hyd heddiw.

Pobl nas Disodlwyd gan yr Israeliaid

27 Ni feddiannodd Manasse Bethsean
na Taanach a'u maestrefi, na disodli
trigolion Dor, Ibleam, na Megido a'u
maestrefi; daliodd y Canaaneaid eu tir yn
y rhan honno o'r wlad. [28]Ond pan gryf-
haodd Israel, rhoesant y Canaaneaid dan
lafur gorfod, heb eu disodli'n llwyr.
29 Ni ddisodlodd Effraim y Canaan-
eaid oedd yn byw yn Geser; bu'r Canaan-

eaid yn byw yn eu mysg yn Geser.
30 Ni ddisodlodd Sabulon drigolion
Citron na thrigolion Nahalol. Bu'r
Canaaneaid yn byw yn eu mysg a than
lafur gorfod.
31 Ni ddisodlodd Aser drigolion Acco
na thrigolion Sidon, nac Ahlab, Achsib,
Helba, Affic na Rehob. [32]Bu'r Aseriaid
yn byw ymysg y Canaaneaid oedd yn
trigo yn y wlad am nad oeddent wedi eu
disodli.
33 Ni ddisodlodd Nafftali drigolion
Bethsemes na thrigolion Bethanath;
buont yn byw ymysg y Canaaneaid oedd
yn trigo yn y wlad, a bu trigolion Beth-
semes a Bethanath dan lafur gorfod
iddynt.
34 Gwasgodd yr Amoriaid y Daniaid
tua'r mynydd-dir oherwydd nid oeddent
yn caniatáu iddynt ddod i lawr i'r gwas-
tatir. [35]Daliodd yr Amoriaid eu tir ym
Mynydd Heres ac Ajalon a Saalbim, ond
pwysodd tylwyth Joseff yn drymach
arnynt ac aethant dan lafur gorfod. [36]Yr
oedd terfyn yr Amoriaid o riw Acrabbim,
o Sela i fyny.

Angel yr ARGLWYDD yn Bochim

2 Aeth angel yr ARGLWYDD i fyny o
Gilgal i Bochim, a dywedodd,
"Dygais chwi allan o'r Aifft, a dod â
chwi i'r wlad a addewais i'ch tadau.
Dywedais hefyd, 'Ni thorraf fy nghyf-
amod â chwi byth; [2]peidiwch chwithau â
gwneud cyfamod â thrigolion y wlad hon,
ond bwriwch i lawr eu hallorau.' Eto nid
ydych wedi gwrando arnaf. Pam y
gwnaethoch hyn? [3]Yr wyf wedi pender-
fynu na yrraf hwy allan o'ch blaen, ond
byddant yn ddrain[b] yn eich ystlysau, a'u
duwiau yn fagl ichwi." [4]Pan lefarodd
angel yr ARGLWYDD y geiriau hyn wrth
yr holl Israeliaid, torrodd y bobl allan i
wylo'n uchel. [5]Am hynny enwyd y lle
hwnnw Bochim[c]; ac offrymasant yno
aberth i'r ARGLWYDD.

Marwolaeth Josua

6 Gollyngodd Josua y bobl ac aeth pob
un o'r Israeliaid i'w etifeddiaeth i gymryd
meddiant o'r wlad. [7]Addolodd y bobl yr
ARGLWYDD holl ddyddiau Josua, a holl
ddyddiau'r henuriaid oedd wedi goroesi
Josua ac wedi gweld yr holl waith mawr a
wnaeth yr ARGLWYDD dros Israel. [8]Bu
farw Josua fab Nun, gwas yr AR-

---

[a] Sef, *Difrod*.   [b] Tebygol. Cymh. Jos. 23:13.   Hebraeg heb *yn ddrain*.   [c] H.y., *wylofain*.

GLWYDD, yn gant a deg oed, [9]a chladd-
wyd ef o fewn terfynau ei etifeddiaeth,
yn Timnath Heres ym mynydd-dir
Effraim, i'r gogledd o Fynydd Gaas.
[10]Casglwyd yr holl genhedlaeth honno at
eu tadau, a chododd cenhedlaeth arall ar
eu hôl, nad oedd yn adnabod yr AR-
GLWYDD na chwaith yn gwybod am yr
hyn a wnaeth dros Israel.

Israel yn Peidio ag Addoli'r ARGLWYDD

11 Gwnaeth yr Israeliaid yr hyn oedd
ddrwg yng ngolwg yr ARGLWYDD; aeth-
ant i addoli'r Baalim, [12]gan adael yr
ARGLWYDD, Duw eu tadau, a'u dygodd
allan o wlad yr Aifft, a mynd ar ôl duwiau
estron o blith duwiau'r cenhedloedd
oedd o'u cwmpas, ac ymgrymu iddynt
hwy, a digio'r ARGLWYDD. [13]Gadawsant
yr ARGLWYDD ac addoli Baal ac Astar-
oth. [14]Cyneuodd llid yr ARGLWYDD yn
erbyn Israel, a rhoddodd hwy yn llaw
rhai a fu'n eu hanrheithio, a gwerthodd
hwy i law eu gelynion oddi amgylch, fel
nad oeddent bellach yn medru gwrth-
sefyll eu gelynion. [15]I ble bynnag yr aent,
yr oedd llaw yr ARGLWYDD yn eu herbyn
er drwg, fel yr oedd wedi addo a thyngu
iddynt. Ac aeth yn gyfyng iawn arnynt.
16 Yna fe gododd yr ARGLWYDD
farnwyr a'u hachubodd o law eu han-
rheithwyr. [17]Eto nid oeddent yn gwrando
hyd yn oed ar eu barnwyr, ond yn hyt-
rach yn puteinio ar ôl duwiau estron ac
yn ymgrymu iddynt, gan gefnu'n fuan ar
y ffordd a gerddodd eu tadau mewn
ufudd-dod i orchmynion yr ARGLWYDD;
ni wnaent hwy felly. [18]Pan fyddai'r AR-
GLWYDD yn codi barnwr iddynt, byddai
ef gyda'r barnwr ac yn eu gwaredu o
law eu gelynion holl ddyddiau y barnwr
hwnnw; oherwydd byddai'r ARGLWYDD
yn tosturio wrthynt yn eu griddfan o
achos eu gormeswyr a'u cystuddwyr.
[19]Eto, pan fyddai farw'r barnwr, yn ôl yr
aent ac ymddwyn yn fwy llygredig na'u
tadau, gan fynd ar ôl duwiau estron i'w
haddoli ac ymgrymu iddynt, heb roi
heibio yr un o'u harferion na'u ffyrdd
gwrthnysig.
20 Cyneuodd llid yr ARGLWYDD yn
erbyn Israel, a dywedodd, "Am i'r genedl
hon droseddu fy nghyfamod a orchmyn-
nais i'w tadau, heb wrando ar fy llais,
[21]nid wyf finnau am ddisodli o'u blaen yr
un o'r cenhedloedd a adawodd Josua pan

fu farw." [22]Gadawyd hwy i brofi'r Israel-
iaid, i weld a fyddent yn cadw ffordd yr
ARGLWYDD ai peidio, ac yn rhodio ynddi
fel y gwnaeth eu tadau. [23]Gadawodd yr
ARGLWYDD y cenhedloedd hyn heb eu
disodli ar unwaith, na'u rhoi yn llaw
Josua.

Y Cenhedloedd a Adawyd yn y Wlad

3 Gadawodd yr ARGLWYDD y cen-
hedloedd hyn i brofi'r Israeliaid oedd
heb gael unrhyw brofiad o ryfeloedd
Canaan, a hynny er mwyn i genedlaethau
Israel gael profiad, [2]ac er mwyn dysgu'r
rhai nad oedd ganddynt brofiad blaenorol
sut i ryfela. [3]Gadawyd pum arglwydd y
Philistiaid, y Canaaneaid oll, y Sidoniaid,
a'r Hefiaid oedd yn byw ar fynydd-dir
Lebanon o Fynydd Baal Hermon hyd
Lebo-Hamath. [4]Yr oeddent yno i'r
ARGLWYDD brofi Israel drwyddynt, a
chael gwybod a fyddent yn ufuddhau i'r
gorchmynion a roddodd ef i'w tadau trwy
Moses. [5]Ymgartrefodd yr Israeliaid
ymysg y Canaaneaid, Hethiaid, Amor-
iaid, Peresiaid, Hefiaid a Jebusiaid;
[6]a chymerasant eu merched hwy yn
wragedd, a rhoi eu merched eu hunain i'w
meibion hwy, ac addoli eu duwiau.

Othniel

7 Gwnaeth yr Israeliaid yr hyn oedd
ddrwg yng ngolwg yr ARGLWYDD, ac
anghofio'r ARGLWYDD eu Duw ac
addoli'r Baalim a'r Aseroth. [8]Cyneuodd
llid yr ARGLWYDD yn erbyn Israel a
gwerthodd hwy i law Cusan-risathaim,
brenin Aram Naharaim, a bu'r Israeliaid
yn gwasanaethu Cusan-risathaim am
wyth mlynedd. [9]Yna gwaeddodd yr
Israeliaid ar yr ARGLWYDD, a chododd
yr ARGLWYDD achubwr i'r Israeliaid,
sef Othniel fab Cenas, brawd iau Caleb,
ac fe'u gwaredodd. [10]Daeth ysbryd yr
ARGLWYDD arno, a barnodd Israel a
mynd allan i ryfela, a rhoddodd yr AR-
GLWYDD yn ei law Cusan-risathaim,
brenin Aram, ac fe'i trechodd. [11]Yna
cafodd y wlad lonydd am ddeugain
mlynedd, nes i Othniel fab Cenas farw.

Ehud

12 Unwaith eto gwnaeth yr Israeliaid
yr hyn oedd ddrwg yng ngolwg yr AR-
GLWYDD, a nerthodd ef Eglon brenin
Moab yn eu herbyn am iddynt wneud
yr hyn oedd ddrwg yng ngolwg yr AR-

GLWYDD. [13]Casglodd Eglon yr Ammoniaid a'r Amaleciaid ato; ac ymosododd ar Israel a meddiannu Dinas y Palmwydd. [14]Bu'r Israeliaid yn gwasanaethu Eglon brenin Moab am ddeunaw mlynedd. [15]Yna gwaeddodd yr Israeliaid ar yr ARGLWYDD, a chododd ef achubwr iddynt, sef Ehud fab Gera, Benjaminiad a· dyn llawchwith; ac anfonodd yr Israeliaid gydag ef deyrnged i Eglon brenin Moab. [16]Yr oedd Ehud wedi gwneud cleddyf daufiniog, cufydd o hyd, a'i wregysu ar ei glun dde, o dan ei ddillad. [17]Cyflwynodd y deyrnged i Eglon brenin Moab, a oedd yn ddyn tew iawn. [18]Ar ôl gorffen cyflwyno'r deyrnged, anfonodd ymaith y bobl a fu'n cario'r deyrnged, [19]ond dychwelodd Ehud ei hun o'r meini hirion ger Gilgal a dweud, "Y mae gennyf neges gyfrinachol iti, O Frenin." [20]Galwodd yntau am dawelwch, ac aeth pawb oedd yn sefyll o'i gwmpas allan. Yna nesaodd Ehud ato, ac yntau'n eistedd wrtho'i hunan mewn ystafell haf oedd ganddo ar y to, a dywedodd, "Gair gan Dduw sydd gennyf iti." Cododd yntau oddi ar ei sedd. [21]Yna estynnodd Ehud ei law chwith, cydiodd yn y cleddyf oedd ar ei glun dde, a'i daro i fol Eglon, [22]nes bod y carn yn mynd i mewn ar ôl y llafn, a'r braster yn cau amdano. Ni thynnodd y cleddyf o'i fol, a daeth allan y tu cefn[ch]. [23]Yna aeth Ehud allan trwy'r cyntedd[d] a chau drysau'r ystafell arno a'u cloi. [24]Wedi iddo fynd i ffwrdd, daeth gweision Eglon, ac wedi edrych a gweld drysau'r ystafell yng nghlo, dywedasant, "Rhaid mai esmwytháu ei gorff y mae yn yr ystafell haf." [25]Wedi iddynt ddisgwyl nes bod cywilydd arnynt, ac yntau heb agor drysau'r ystafell, cymerasant allwedd a'u hagor, a dyna lle'r oedd eu meistr wedi syrthio i'r llawr yn farw. [26]Yr oedd Ehud wedi dianc tra oeddent hwy'n oedi; aeth heibio i'r meini hirion a dianc i Seira. [27]Pan gyrhaeddodd, fe ganodd yr utgorn ym mynydd-dir Effraim, a daeth yr Israeliaid i lawr gydag ef o'r mynydd-dir, ac yntau'n eu harwain. [28]Dywedodd wrthynt, "Dilynwch fi, oherwydd y mae'r ARGLWYDD wedi rhoi eich gelyn Moab yn eich llaw." Aethant hwythau ar ei ôl a dal rhydau'r Iorddonen yn erbyn Moab, a rhwystro pawb rhag croesi. [29]Lladdasant y pryd hwnnw tua deng mil o'r Moabiaid, pob un yn heini a grymus; ni ddihangodd

neb. [30]Darostyngwyd y Moabiaid y diwrnod hwnnw dan law Israel, a chafodd y wlad lonydd am bedwar ugain mlynedd.

Samgar

31 Ar ei ôl ef bu Samgar fab Anath. Lladdodd ef chwe chant o Philistiaid â swmbwl gyrru ychen. Fe waredodd yntau Israel.

Debora a Barac

4 Ar ôl i Ehud farw, gwnaeth yr Israeliaid unwaith eto yr hyn oedd ddrwg yng ngolwg yr ARGLWYDD. [2]Felly gwerthodd yr ARGLWYDD hwy i law Jabin brenin Canaan, a oedd yn teyrnasu yn Hasor. Capten ei fyddin oedd Sisera, a oedd yn byw yn Haroseth y Cenhedloedd. [3]Yr oedd ganddo naw cant o gerbydau haearn, a bu'n gorthrymu'r Israeliaid yn galed am ugain mlynedd; am hynny gwaeddodd yr Israeliaid ar yr ARGLWYDD.

4 Proffwydes o'r enw Debora gwraig Lappidoth oedd yn barnu Israel yr adeg honno. [5]Byddai'n eistedd dan balmwydden Debora, rhwng Rama a Bethel ym mynydd-dir Effraim, a byddai'r Israeliaid yn mynd ati am farn. [6]Anfonodd hi am Barac fab Abinoam o Cedes Nafftali, a dweud wrtho, "Onid yw'r ARGLWYDD, Duw Israel, yn gorchymyn iti? Dos, cynnull ddeng mil o ddynion o lwythau Nafftali a Sabulon ar Fynydd Tabor, a chymer hwy gyda thi. [7]Denaf finnau, i'th gyfarfod wrth afon Cison, Sisera, capten byddin Jabin, gyda'i gerbydau a'i lu; ac fe'u rhoddaf yn dy law." [8]Ond dywedodd Barac wrthi, "Os doi di gyda mi, yna mi af; ac os na ddoi di gyda mi, nid af." [9]Meddai hithau, "Dof, mi ddof gyda thi; eto ni ddaw gogoniant i ti ar y llwybr a gerddi, oherwydd i law gwraig y mae'r ARGLWYDD am werthu Sisera." Yna cododd Debora a mynd gyda Barac i Cedes. [10]Cynullodd Barac lwythau Sabulon a Nafftali i Cedes, a dilynodd deng mil o ddynion ar ei ôl; aeth Debora hefyd gydag ef.

11 Yr oedd Heber y Cenead wedi ymwahanu oddi wrth y Ceneaid eraill oedd yn ddisgynyddion Hobab, tad-yng-nghyfraith Moses, ac wedi gosod ei babell cyn belled â'r dderwen yn Saananim ger Cedes.

12 Pan ddywedyd wrth Sisera fod Barac fab Abinoam wedi mynd i fyny i Fynydd Tabor, ¹³galwodd Sisera ei holl gerbydau—naw cant o gerbydau haearn —a'i holl filwyr, o Haroseth y Cenhedloedd at nant Cison. ¹⁴Yna dywedodd Debora wrth Barac, "Cychwyn! Oherwydd dyma'r dydd y bydd yr ARGLWYDD yn rhoi Sisera yn dy law. Onid yw'r ARGLWYDD wedi mynd o'th flaen?" Aeth Barac i lawr o Fynydd Tabor gyda deng mil o wŷr ar ei ôl. ¹⁵Gyrrodd yr ARGLWYDD Sisera a'r cerbydau i gyd, a'r holl fyddin, ar chwâl o flaen cleddyf Barac. Disgynnodd Sisera o'i gerbyd a ffoi ar ei draed. ¹⁶Ymlidiodd Barac y cerbydau a'r fyddin cyn belled â Haroseth y Cenhedloedd, a chwympodd holl fyddin Sisera o flaen y cleddyf, heb adael cymaint ag un.

17 Ffodd Sisera ar ei draed i babell Jael, gwraig Heber y Cenead, oherwydd yr oedd heddwch rhwng Jabin brenin Hasor a theulu Heber y Cenead. ¹⁸Daeth Jael allan i gyfarfod Sisera a dywedodd wrtho, "Tro i mewn, f'arglwydd, tro i mewn ataf, paid ag ofni." Felly troes i mewn ati i'r babell, a thaenodd hithau gwrlid drosto. ¹⁹Gofynnodd iddi am lymaid o ddŵr i'w yfed, gan fod syched arno, ond agorodd hi botel o laeth a rhoi diod iddo, ac yna ei orchuddio eto. ²⁰Dywedodd wrthi, "Saf yn nrws y babell, ac os daw rhywun a gofyn iti a oes unrhyw un yma, dywed, 'Nac oes'." ²¹Cymerodd Jael, gwraig Heber, hoelen pabell, cydiodd mewn morthwyl, ac aeth ato'n ddistaw a phwyo'r hoelen trwy ei arlais i'r llawr; yr oedd ef mewn trwmgwsg ar ôl ei ludded, a bu farw. ²²Yna cyrhaeddodd Barac, yn ymlid Sisera; aeth Jael allan i'w gyfarfod, a dywedodd wrtho, "Tyrd, fe ddangosaf iti'r dyn yr wyt yn chwilio amdano." Aeth yntau i mewn, a dyna lle'r oedd Sisera yn gorwedd yn farw, a'r hoelen yn ei arlais.

23 Y diwrnod hwnnw darostyngodd Duw Jabin brenin Canaan gerbron yr Israeliaid. ²⁴Pwysodd yr Israeliaid yn drymach, drymach arno, nes iddynt ddistrywio Jabin brenin Canaan.

Cân Debora a Barac

5 Y diwrnod hwnnw canodd Debora a Barac fab Abinoam fel hyn:

dd Ar ddiwedd adn. 10 yn yr Hebraeg.

² "Am i'r arweinwyr roi arweiniad yn Israel,
am i'r bobl ymroi o'u gwirfodd,
bendithiwch yr ARGLWYDD.
³ Clywch, frenhinoedd! Gwrandewch, dywysogion!
Canaf finnau i'r ARGLWYDD,
a moliannu ARGLWYDD Dduw Israel.

⁴ "O ARGLWYDD, pan aethost allan o Seir,
ac ymdeithio o Faes Edom,
fe grynodd y ddaear, glawiodd y nefoedd,
ac yr oedd y cymylau hefyd yn diferu dŵr.
⁵ Siglodd y mynyddoedd o flaen yr ARGLWYDD, Duw Sinai,
o flaen ARGLWYDD Dduw Israel.

⁶ "Yn nyddiau Samgar fab Anath, ac yn nyddiau Jael, peidiodd y carafanau;
aeth y teithwyr ar hyd llwybrau troellog.
⁷ Darfu am drigolion pentrefi,
darfu amdanynt yn Israel
nes i mi, Debora, gyfodi,
nes i mi godi yn fam yn Israel.
⁸ Pan ddewiswyd duwiau newydd,
yna daeth brwydro i'r pyrth,
ac ni welwyd na tharian na gwaywffon ymhlith deugain mil yn Israel.
⁹ Mae fy nghalon o blaid llywiawdwyr Israel,
y rhai ymysg y bobl a aeth o'u gwirfodd.
Bendithiwch yr ARGLWYDD.

¹⁰ "Ystyriwch, chwi sy'n marchogaeth asynnod melyngoch,
chwi sy'n eistedd ar gyfrwyau, chwi sy'n cerdded y ffordd.
¹¹ Clywch ᵈᵈ y rhai sy'n disgwyl eu tro ger y ffynhonnau,
ac yno'n adrodd buddugoliaethau'r ARGLWYDD,
buddugoliaethau ei bentrefwyr yn Israel,
pan aeth byddin yr ARGLWYDD i lawr i'r pyrth.

¹² "Deffro, deffro, Debora!
Deffro, deffro, lleisia gân!
Cyfod, Barac! Cymer lu o garcharorion, ti fab Abinoam!

¹³ "Yna fe aeth y gweddill i lawr at y
        pendefigion,
    do, fe aeth byddin yr ARGLWYDD i lawr
        ymysg y cedyrn.
¹⁴ Daeth rhai o Effraim a lledu drwy'r
        dyffryn ᶜ,
    a gweiddi, 'Ar dy ôl di, Benjamin,
        gyda'th geraint!'
    Aeth llywiawdwyr i lawr o Machir;
    ac o Sabulon, rhai'n cario gwialen
        swyddog.
¹⁵ Yr oedd tywysogion Issachar gyda
        Debora;
    bu Issachar yn ffyddlon i Barac,
    yn rhuthro i'r dyffryn ar ei ôl.
    Ymysg y rhaniadau yn Reuben yr
        oedd petruster ᶠ mawr.
¹⁶ Pam yr arhosaist rhwng y corlannau
    i wrando ar chwiban bugeiliaid?
    Ymysg y rhaniadau yn Reuben yr
        oedd petruster mawr.
¹⁷ Arhosodd Gilead y tu hwnt i'r
        Iorddonen;
    a pham yr oedd Dan yn oedi ger y
        llongau?
    Arhosodd Aser ar lan y môr,
    ac oedi gerllaw ei gilfachau.
¹⁸ Pobl a fentrodd eu heinioes hyd angau
        oedd Sabulon
    a Nafftali hefyd, ar uchelfannau maes
        y gad.

¹⁹ "Daeth brenhinoedd ac ymladd;
    fe ymladdodd brenhinoedd Canaan
    yn Taanach ger dyfroedd Megido,
    ond heb gymryd ysbail o arian.
²⁰ O'r nef ymladdodd y sêr,
    ymladd o'u cylchoedd yn erbyn Sisera.

²¹ Ysgubodd Afon Cison hwy ymaith,
    cododd yr afon, Afon Cison, yn eu
        herbyn.
    Fy enaid, cerdda ymlaen mewn nerth.
²² Yna'r oedd carnau'r ceffylau'n
        diasbedain
    gan garlam gwyllt eu meirch cryfion.

²³ " 'Melltigwch Meros,' medd angel yr
        ARGLWYDD,
    'melltigwch yn llwyr ei thrigolion,
    am na ddaethant i gynorthwyo'r
        ARGLWYDD,
    i gynorthwyo'r ARGLWYDD gyda'r
        gwroniaid.'
²⁴ Bendigedig goruwch gwragedd fyddo
    Jael, gwraig Heber y Cenead;

    bendithier hi uwch gwragedd y babell.
²⁵ Am ddŵr y gofynnodd ef, estynnodd
        hithau laeth;
    mewn llestr pendefigaidd cynigiodd
        iddo enwyn.
²⁶ Estynnodd ei llaw at yr hoelen,
    a'i deheulaw at ordd y llafurwyr;
    yna fe bwyodd Sisera a dryllio'i ben,
    fe'i trawodd a thrywanu ei arlais.
²⁷ Rhwng ei thraed fe grymodd,
        syrthiodd, gorweddodd;
    rhwng ei thraed fe grymodd,
        syrthiodd;
    lle crymodd, yno fe syrthiodd yn
        gelain.

²⁸ "Edrychai mam Sisera trwy'r ffenestr
    a llefain trwy'r dellt:
    'Pam y mae ei gerbyd yn oedi?
    Pam y mae twrf ei gerbydau mor hir yn
        dod?'
²⁹ Atebodd y doethaf o'i thywysogesau,
    ie, rhoes hithau'r ateb iddi ei hun,
³⁰ 'Onid ydynt yn cael ysbail ac yn ei
        rannu—
    llances neu ddwy i bob un o'r dynion,
    ysbail o frethyn lliw i Sisera, ie, ysbail
        o frethyn lliw,
    darn neu ddau o frodwaith am
        yddfau'r ysbeilwyr?'

³¹ "Felly bydded i'th holl elynion
        ddarfod, O ARGLWYDD,
    ond bydded y rhai sy'n dy garu fel yr
        haul yn codi yn ei rym."

    Yna cafodd y wlad lonydd am ddeugain
mlynedd.

Gideon

6 Gwnaeth yr Israeliaid yr hyn oedd
        ddrwg yng ngolwg yr ARGLWYDD, a
rhoddodd yr ARGLWYDD hwy yn llaw
Midian am saith mlynedd. ² Am fod
Midian yn drech nag Israel paratôdd yr
Israeliaid lochesau iddynt eu hunain yn
y mynyddoedd, a hefyd ogofeydd a
chaerau. ³ Bob tro y byddai'r Israeliaid
wedi hau, byddai Midian ac Amalec a'r
dwyreinwyr yn dod ac yn ymosod arnynt;
⁴ byddent yn gwersyllu yn eu herbyn ac
yn distrywio cnwd y ddaear cyn belled â
Gasa, heb adael unrhyw beth byw yn
Israel, na dafad nac ych nac asyn. ⁵ Pan
ddoent hwy a'u hanifeiliaid a'u pebyll, yr
oeddent mor niferus â locustiaid; nid

ᶜ Cymh. Groeg. Hebraeg, *o Effraim, eu gwreiddyn yn Amalec.*
ᶠ Felly rhai llawysgrifau a Syrieg. Cymh. adn. 16. TM, *gorchmynion(?).*

oedd rhifo arnynt hwy na'u camelod pan ddoent i'r wlad i'w difrodi. ⁶Felly aeth Israel yn dlawd iawn o achos Midian; yna galwodd yr Israeliaid ar yr ARGLWYDD. ⁷Wedi iddynt alw ar yr ARGLWYDD o achos Midian, ⁸anfonodd yr ARGLWYDD broffwyd at yr Israeliaid, a dywedodd hwnnw wrthynt, "Fel hyn y dywed yr ARGLWYDD, Duw Israel: 'Myfi a ddaeth â chwi i fyny o'r Aifft, a'ch rhyddhau o dŷ'r caethiwed; ⁹achubais chwi o law'r Eifftiaid a phawb oedd yn eich gormesu, a'u gyrru allan o'ch blaen, a rhoi eu tir ichwi. ¹⁰Dywedais wrthych: Myfi yw'r ARGLWYDD, eich Duw; peidiwch ag ofni duwiau'r Amoriaid yr ydych yn byw yn eu gwlad. Ond ni wrandawsoch arnaf.' "

11 Daeth angel yr ARGLWYDD ac eistedd dan y dderwen yn Offra, a oedd yn perthyn i Joas yr Abiesriad. Yr oedd ei fab, Gideon, yn dyrnu gwenith mewn gwinwryf, i'w guddio rhag Midian. ¹²Ymddangosodd angel yr ARGLWYDD iddo a dweud wrtho, "Y mae'r ARGLWYDD gyda thi, ŵr dewr." ¹³Atebodd Gideon ef, "Ond, syr, os yw'r ARGLWYDD gyda ni, pam y mae hyn i gyd wedi digwydd inni? A phle mae ei holl ryfeddodau y soniodd ein tadau amdanynt, a dweud wrthym, 'Oni ddygodd yr ARGLWYDD ni i fyny o'r Aifft?'. ¹⁴Erbyn hyn y mae'r ARGLWYDD wedi'n gadael, a'n rhoi yng ngafael Midian." Trodd angel[ff] yr ARGLWYDD ato a dweud, "Dos, gyda'r nerth hwn sydd gennyt, a gwared Israel o afael Midian; onid wyf fi yn dy anfon?" ¹⁵Atebodd yntau, "Ond, syr, sut y gwarcdaf fi Israel? Edrych, fy llwyth i yw'r gwannaf yn Manasse, a minnau yw'r distatlaf o'm teulu." ¹⁶Yna dywedodd yr ARGLWYDD wrtho, "Yn sicr byddaf fi gyda thi, a byddi'n taro'r Midianiaid fel pe baent un gŵr." ¹⁷Atebodd yntau, "Os cefais ffafr yn d'olwg, yna rho arwydd imi mai ti sy'n siarad â mi. ¹⁸Paid â mynd oddi yma cyn imi ddychwelyd atat a chyflwyno fy offrwm a'i osod o'th flaen." Atebodd yntau, "Fe arhosaf nes iti ddod yn ôl." ¹⁹Aeth Gideon a pharatoi myn gafr a phobi[g] bara croyw o beilliaid. Gosododd y cig ar ddysgl a rhoi'r cawl mewn padell, a'u dwyn ato dan y

dderwen, a'u cyflwyno. ²⁰Yna dywedodd angel Duw wrtho, "Cymer y cig a'r bara croyw a'u rhoi ar y graig acw, a thywallt y cawl." Gwnaeth hynny. ²¹Estynnodd angel yr ARGLWYDD flaen y ffon oedd yn ei law, a phan gyffyrddodd â'r cig a'r bara croyw, cododd tân o'r graig a'u llosgi; a diflannodd angel yr ARGLWYDD o'i olwg. ²²Yna fe sylweddolodd Gideon mai angel yr ARGLWYDD oedd, a dywedodd, "Gwae fi, f'Arglwydd DDUW, am imi weld angel yr ARGLWYDD wyneb yn wyneb." ²³Ond dywedodd yr ARGLWYDD wrtho, "Heddwch iti; paid ag ofni, ni byddi farw." ²⁴Adeiladodd Gideon allor i'r ARGLWYDD yno a'i henwi Jehofashalom[ng]. Y mae yn Offra Abieser hyd y dydd hwn.

25 Y noson honno dywedodd yr ARGLWYDD wrtho, "Cymer ych o eiddo dy dad, yr ail ych[h], yr un seithmlwydd, a thyn i lawr yr allor i Baal sydd gan dy dad, a thor i lawr yr Asera sydd yn ei hymyl. ²⁶Adeilada allor briodol i'r ARGLWYDD dy Dduw ar ben y fangre hon; yna cymer yr ail ych a'i offrymu'n boethoffrwm ar goed yr Asera a dorraist i lawr." ²⁷Cymerodd Gideon ddeg o'i weision a gwnaeth fel yr oedd yr ARGLWYDD wedi dweud wrtho, ond gan fod arno ofn gwneud hynny liw dydd oherwydd ei deulu a gwŷr y ddinas, fe'i gwnaeth liw nos. ²⁸Pan gododd gwŷr y ddinas yn gynnar yn y bore a gweld allor Baal wedi ei bwrw i lawr a'r Asera oedd yn ei hymyl wedi ei thorri, a'r ail ych wedi ei offrymu ar yr allor oedd wedi ei chodi, ²⁹yna gofynnodd pawb i'w gilydd, "Pwy a wnaeth hyn?" Ar ôl chwilio a holi, dywedasant, "Gideon fab Joas sydd wedi gwneud hyn." ³⁰Yna dywedodd gwŷr y ddinas wrth Joas, "Tyrd â'th fab allan iddo gael marw, oherwydd y mae wedi bwrw i lawr allor Baal a thorri'r Asera oedd yn ei hymyl." ³¹Ond meddai Joas wrth bawb oedd yn sefyll o'i gwmpas, "A ydych chwi am ddadlau achos Baal? A ydych chwi am ei achub ef? Rhoir pwy bynnag sy'n dadlau drosto i farwolaeth erbyn y bore. Os yw'n dduw, dadleued drosto'i hun am i rywun fwrw ei allor i lawr." ³²A'r diwrnod hwnnw galwyd Gideon yn Jerwbbaal—hynny yw, "Bydded i Baal ddadlau ag ef"—am

---

[ff]Felly un llawysgrif a Groeg. TM heb *angel.*

[ng]H.y., *Y mae'r* ARGLWYDD *yn heddwch.*

[h]Cymh. Groeg. Hebraeg, *Cymer ych y tarw...a'r ail ych.*

[g]Tebygol. Hebraeg, *ac effa.*

iddo fwrw ei allor i lawr.
33 Daeth yr holl Midianiaid a'r Amaleciaid a'r dwyreinwyr ynghyd, a chroesi a gwersyllu yn Nyffryn Jesreel. 34 Disgynnodd ysbryd yr ARGLWYDD ar Gideon; chwythodd yntau'r utgorn a galw ar yr Abiesriaid i'w ddilyn. 35 Anfonodd negeswyr drwy Manasse gyfan a galw arnynt hwythau hefyd i'w ddilyn. Yna anfonodd negeswyr drwy Aser, Sabulon a Nafftali, a daethant hwythau i'w cyfarfod. 36 Dywedodd Gideon wrth Dduw, "Os wyt am waredu Israel drwy fy llaw i, fel yr addewaist, 37 dyma fi'n gosod cnu o wlân ar y llawr dyrnu; os bydd gwlith ar y cnu yn unig, a'r llawr i gyd yn sych, yna byddaf yn gwybod y gwaredi Israel drwof fi, fel y dywedaist." 38 Felly y bu. Pan gododd fore trannoeth a hel y cnu at ei gilydd, gwasgodd ddigon o wlith ohono i lenwi ffiol â'r dŵr. 39 Ond meddai Gideon wrth Dduw, "Paid â digio wrthyf os gofynnaf un peth arall; yr wyf am wneud un prawf arall â'r cnu: bydded y cnu'n unig yn sych, a gwlith ar y llawr i gyd." 40 Gwnaeth Duw hynny y noson honno, y cnu'n unig yn sych, a gwlith ar y llawr i gyd.

Gideon yn Gorchfygu Midian

7 Cododd Jerwbbaal, sef Gideon, a'r holl bobl oedd gydag ef yn gynnar a gwersyllu ger ffynnon Harod. Yr oedd gwersyll Midian yn y dyffryn i'r gogledd o fryn More. 2 Dywedodd yr ARGLWYDD wrth Gideon, "Y mae gennyt ormod o bobl gyda thi imi roi Midian yn eu llaw, rhag i Israel ymfalchïo yn f'erbyn a dweud, 'Fy llaw fy hun sydd wedi f'achub.' 3 Felly, cyhoedda yng nghlyw'r bobl, 'Pwy bynnag sydd mewn ofn a dychryn, aed adref.' " Profodd Gideon hwy[i], a dychwelodd dwy fil ar hugain o'r bobl, gan adael deng mil ar ôl. 4 Dywedodd yr ARGLWYDD wrth Gideon, "Y mae gormod o bobl eto. Dos â hwy i lawr at y dŵr, a phrofaf hwy iti yno. Pan ddywedaf wrthyt, 'Y mae hwn i fynd gyda thi', bydd hwnnw'n mynd gyda thi; a phan ddywedaf, 'Nid yw hwn i fynd gyda thi', ni fydd yn mynd." 5 Aeth Gideon â'r bobl i lawr at y dŵr, a dywedodd yr ARGLWYDD wrtho, "Pob un sy'n llepian y dŵr â'i dafod fel y bydd

ci'n llepian, gosod hwnnw ar wahân i'r rhai sy'n penlinio ac yn yfed trwy ddod â'u llaw at eu genau[1]." 6 Tri chant oedd nifer y rhai oedd yn llepian, a phawb arall yn penlinio i yfed dŵr. 7 Dywedodd yr ARGLWYDD wrth Gideon, "Trwy'r tri chant sy'n llepian y byddaf yn eich achub, ac yn rhoi Midian yn dy law; caiff pawb arall fynd adref." 8 Cymerodd Gideon biserau'r bobl[ll] a'r utgyrn oedd ganddynt, ac anfon yr Israeliaid i gyd adref, ond cadw'r tri chant. Yr oedd gwersyll Midian islaw iddo yn y dyffryn.

9 Y noson honno dywedodd yr ARGLWYDD wrth Gideon, "Cod, dos i lawr i'r gwersyll, oherwydd yr wyf yn ei roi yn dy law. 10 Os oes arnat ofn mynd, dos â Pura dy lanc gyda thi at y gwersyll, 11 a gwrando ar yr hyn y maent yn ei ddweud; yna fe gryfheir dy law wedi iti fod i lawr yn y gwersyll." Felly fe aeth ef a Pura ei lanc at ymyl y milwyr arfog yn y gwersyll. 12 Yr oedd y Midianiaid a'r Amaleciaid a'r holl ddwyreinwyr wedi disgyn ar y dyffryn fel haid o locustiaid; yr oedd eu camelod mor ddirifedi â thywod glan y môr. 13 Pan gyrhaeddodd Gideon, dyna lle'r oedd rhyw ddyn yn adrodd breuddwyd wrth ei gyfaill ac yn dweud, "Dyma'r freuddwyd a gefais. Yr oeddwn yn gweld torth o fara haidd yn rhowlio trwy wersyll Midian, a phan ddôi at babell, yr oedd yn ei tharo a'i thaflu a'i dymchwel nes bod y babell yn disgyn." 14 Atebodd ei gyfaill, "Nid yw hyn yn ddim amgen na chleddyf Gideon fab Joas yr Israeliad; y mae Duw wedi rhoi Midian a'r holl wersyll yn ei law." 15 Pan glywodd Gideon adrodd y freuddwyd a'i dehongli, ymgrymodd i'r llawr; yna dychwelodd at wersyll Israel a dweud, "Codwch, oherwydd y mae'r ARGLWYDD wedi rhoi gwersyll Midian yn eich llaw." 16 Rhannodd y tri chant yn dair mintai, a rhoi yn eu llaw utgyrn a phiserau gwag gyda ffaglau o'u mewn. Dywedodd wrthynt, "Edrychwch arnaf fi, a gwnewch yr un fath. 17 Pan ddof fi at gwr y gwersyll, yna gwnewch yr un fath â mi. 18 Pan fyddaf fi a phawb sydd gyda mi yn seinio'r utgorn, seiniwch chwithau eich utgyrn o bob tu i'r gwersyll, a dweud, 'Yr ARGLWYDD a Gideon!'"

19 Cyrhaeddodd Gideon a'r cant o

[i] Tebygol. Cymh. Targwm ac adn. 4. Hebraeg yn aneglur.
[1] Cymh. Groeg. Yn yr Hebraeg daw *trwy ddod...genau* ar ôl *llepian* yn adn. 6.
[ll] Tebygol. Hebraeg, *Cymerodd y bobl fwyd yn eu dwylo.*

ddynion oedd gydag ef at gwr y gwersyll ar ddechrau'r wyliadwriaeth ganol, a'r gwylwyr newydd eu gosod. Seiniasant yr utgyrn, a dryllio'r piserau oedd yn eu llaw. ²⁰A dyma'r tair mintai yn seinio'r utgyrn a dryllio'r piserau, gan ddal y ffaglau yn eu llaw chwith a'r utgyrn i'w seinio yn eu llaw dde; ac yr oeddent yn gweiddi, "Cleddyf yr ARGLWYDD a Gideon!" ²¹Tra oedd pob un yn sefyll yn ei le o gwmpas y gwersyll, rhuthrodd yr holl wersyll o gwmpas gan weiddi a ffoi. ²²Tra oedd y tri chant yn seinio'r utgyrn, trodd yr ARGLWYDD gleddyf pob un yn y gwersyll yn erbyn ei gymydog, a ffoesant cyn belled â Bethsitta yn Serera, ac i gyffiniau Abel Mehola a Tabbath. ²³Galwyd ar wŷr Israel o Nafftali, Aser a Manasse gyfan, a buont yn erlid ar ôl y Midianiaid. ²⁴Yr oedd Gideon wedi anfon negeswyr drwy holl ucheldir Effraim a dweud, "Dewch i lawr yn erbyn Midian a chymryd rhydau'r Iorddonen o'u blaen hyd Bethbara." Casglwyd holl wŷr Effraim a daliasant rydau'r Iorddonen cyn belled â Bethbara. ²⁵Daliasant Oreb a Seeb, dau arweinydd Midian, a lladd Oreb wrth graig Oreb, a Seeb wrth winwryf Seeb; yna, wedi iddynt erlid Midian, daethant â phen Oreb a phen Seeb at Gideon y tu hwnt i'r Iorddonen.

Buddugoliaeth Derfynol dros Midian

8 Dywedodd gwŷr Effraim wrtho, "Beth yw hyn yr wyt wedi ei wneud i ni, drwy beidio â'n galw pan aethost i ymladd yn erbyn Midian?" A buont yn dadlau'n chwyrn ag ef. ²Ond dywedodd ef wrthynt, "Yn awr, beth a wneuthum i o'i gymharu â'r hyn a wnaethoch chwi? Onid yw lloffion Effraim yn well na chynhaeaf Abieser? ³Yn eich dwylo chwi y rhoddodd Duw Oreb a Seeb, arweinwyr Midian. Beth a fedrais i ei wneud o'i gymharu â'r hyn a wnaethoch chwi?" Wedi iddo ddweud hyn, fe dawelodd eu dig tuag ato.

4 Aeth Gideon tua'r Iorddonen a'i chroesi gyda'r tri chant, yn lluddedig ond yn para i erlid. ⁵Dywedodd wrth ddynion Succoth, "Os gwelwch yn dda, rhowch dipyn o fara i'r fyddin sy'n fy nilyn, oherwydd maent yn lluddedig, ac yr wyf finnau'n erlid ar ôl Seba a Salmunna, brenhinoedd Midian." ⁶Ond dywedodd arweinwyr Succoth, "A wyt eisoes yn cydio yn sodlau Seba a Salmunna, fel ein bod i roi bwyd i'th fintai?" ⁷Ac meddai Gideon, "Am hynny, pan fydd yr ARGLWYDD wedi rhoi Seba a Salmunna yn fy llaw, fe ffustiaf eich cyrff â drain a mieri'r anialwch." ⁸Wedyn aeth oddi yno i Penuel, a gofyn yr un fath iddynt hwy; ac atebodd pobl Penuel ef yn yr un modd â phobl Succoth. ⁹Felly dywedodd wrth bobl Penuel, "Pan ddof yn ôl yn llwyddiannus, fe dynnaf i lawr y tŵr hwn."

10 Yr oedd Seba a Salmunna wedi cyrraedd Carcor, ac yr oedd eu byddin gyda hwy, tua phymtheng mil, sef pawb a adawyd o fyddin y dwyreinwyr, oherwydd yr oedd cant ac ugain o filoedd o wŷr arfog wedi syrthio. ¹¹Aeth Gideon ar hyd llwybr y preswylwyr pebyll, o'r tu dwyrain i Noba a Jogbeha, a tharo'r fyddin yn annisgwyl. ¹²Ffodd Seba a Salmunna, ond aeth Gideon ar eu hôl, a dal dau frenin Midian a gwasgaru'r holl fyddin mewn braw.

13 Fel yr oedd Gideon fab Joas yn dychwelyd o'r frwydr heibio i allt Heres, ¹⁴daliodd un o fechgyn Succoth; wedi iddo'i holi, ysgrifennodd hwnnw iddo restr yn cynnwys saith deg a saith o arweinwyr a henuriaid Succoth. ¹⁵Pan ddaeth at bobl Succoth, dywedodd, "Dyma Seba a Salmunna, y buoch yn eu dannod imi, gan ofyn, 'A wyt eisoes yn cydio yn sodlau Seba a Salmunna, fel ein bod i roi bwyd i'th ddynion lluddedig?' " ¹⁶Yna cymerodd henuriaid y dref, a dysgodd wers i bobl Succoth â drain a mieri'r anialwch. ¹⁷Tynnodd i lawr dŵr Penuel, a lladdodd ddynion y dref.

18 Pan holodd ef Seba a Salmunna, "Sut rai oedd y dynion a laddasoch yn Tabor?", eu hateb oedd: "Yr oedd pob un ohonynt yr un ffunud â thi, yn edrych fel plant brenin." ¹⁹Ac meddai Gideon, "Fy mrodyr i oeddent, meibion fy mam. Cyn wired â bod yr ARGLWYDD yn fyw, pe byddech wedi eu harbed, ni fyddwn yn eich lladd." ²⁰Yna dywedodd wrth Jether ei gyntafanedig, "Dos, lladd hwy." Ond ni thynnodd y llanc ei gleddyf oherwydd yr oedd arno ofn, gan nad oedd ond llanc. ²¹Yna dywedodd Seba a Salmunna, "Tyrd, taro ni dy hun, oherwydd fel y mae dyn y mae ei nerth." Felly cododd Gideon a lladd Seba a Salmunna, a chymryd y tlysau oedd am yddfau eu camelod.

22 Yna dywedodd gwŷr Israel wrth Gideon, "Llywodraetha di arnom, ti a'th

fab a mab dy fab, am iti ein gwaredu o law Midian." ²³Dywedodd Gideon wrthynt, "Nid myfi na'm mab fydd yn llywodraethu arnoch; yr Arglwydd fydd yn llywodraethu arnoch." ²⁴Yna meddai Gideon, "Gadewch imi ofyn un peth gennych, sef bod pob un yn rhoi imi glustlws o'i ysbail." Yr oedd ganddynt glustlysau aur am mai Ismaeliaid oeddent. ²⁵Dywedasant hwythau, "Fe'u rhown â chroeso." Ac wedi iddynt daenu clogyn, taflodd pob un arno glustlws a gafodd yn ysbail. ²⁶Yr oedd y clustlysau aur y gofynnodd amdanynt yn pwyso mil a saith gant o siclau aur, heb gyfrif y tlysau a'r torchau a'r gwisgoedd porffor oedd gan frenhinoedd Midian, a'r coleri oedd am yddfau'r camelod. ²⁷Gwnaeth Gideon effod ohonynt a'i osod yn ei dref ei hun, Offra. Aeth Israel gyfan i buteinio ar ei ôl yno, a bu'n dramgwydd i Gideon ac i'w deulu.

28 Felly cafodd Midian ei darostwng gan yr Israeliaid, fel na allai godi ei phen rhagor; a chafodd y wlad lonydd am ddeugain mlynedd yn nyddiau Gideon. ²⁹Aeth Jerwbbaal fab Joas yn ôl i fyw gartref. ³⁰Yr oedd gan Gideon ddeg a thrigain o feibion; ei blant ei hun oeddent, oherwydd yr oedd llawer o wragedd ganddo. ³¹Hefyd cafodd fab o'i ordderch oedd yn Sichem, ac enwodd ef Abimelech.

Marwolaeth Gideon

32 Bu farw Gideon fab Joas mewn gwth o oedran, a chladdwyd ef ym medd ei dad Joas yn Offra'r Abiesriaid. ³³Wedi marw Gideon aeth yr Israeliaid unwaith eto i buteinio ar ôl y Baalim, a chymryd Baal-berith yn dduw iddynt. ³⁴Ni chofiodd yr Israeliaid yr Arglwydd eu Duw, a'u gwaredodd o afael yr holl elynion o'u hamgylch, ³⁵na dangos teyrngarwch i deulu Jerwbbaal, sef Gideon, am yr holl ddaioni a wnaeth i Israel.

Abimelech

9 Aeth Abimelech fab Jerwbbaal i Sichem at frodyr ei fam, a dweud wrthynt hwy ac wrth holl dylwyth ei fam, ²"Yr wyf am i chwi ofyn i holl benaethiaid Sichem, 'Prun sydd orau gennych, cael eich llywodraethu gan yr holl ddeg a thrigain o feibion Jerwbbaal, ynteu cael eich llywodraethu gan un dyn? Cofiwch hefyd fy mod i o'r un asgwrn a chnawd â

chwi.'" ³Fe siaradodd brodyr ei fam amdano yng nghlyw holl benaethiaid Sichem, a dweud yr holl bethau hyn, ac yr oedd eu calon yn tueddu tuag at Abimelech am eu bod yn meddwl, "Y mae'n frawd i ni." ⁴Rhoesant iddo ddeg a thrigain o ddarnau arian o deml Baalberith, ac â hwy fe gyflogodd Abimelech ddynion ofer a gwyllt i'w ddilyn. ⁵Aeth i dŷ ei dad yn Offra, a lladd ar yr un maen bob un o'i frodyr, sef deng mab a thrigain Jerwbbaal. Ond arbedwyd Jotham, mab ieuengaf Jerwbbaal, am iddo ymguddio. ⁶Yna daeth holl benaethiaid Sichem a phawb o Bethmilo ynghyd, a mynd i wneud Abimelech yn frenin, ger y dderwen a osodwyd i fyny yn Sichem.

7 Pan ddywedwyd hyn wrth Jotham, fe aeth ef a sefyll ar gopa Mynydd Garisim a gweiddi'n uchel. Meddai wrthynt, "Gwrandewch arnaf fi, chwi benaethiaid Sichem, er mwyn i Dduw wrando arnoch chwithau. ⁸Daeth y coed at ei gilydd i eneinio un o'u plith yn frenin. ⁹Dywedasant wrth yr olewydden, 'Bydd di yn frenin arnom.' Ond atebodd yr olewydden, 'A adawaf fi fy mraster, yr anrhydeddir Duw a dynion trwyddo, a mynd i lywodraethu ar y coed?' ¹⁰Yna dywedodd y coed wrth y ffigysbren, 'Tyrd di; bydd yn frenin arnom.' ¹¹Atebodd y ffigysbren, 'A adawaf fi fy melystra a'm ffrwyth hyfryd, a mynd i lywodraethu ar y coed?' ¹²Dywedodd y coed wrth y winwydden, 'Tyrd di; bydd yn frenin arnom.' ¹³Ond atebodd y winwydden, 'A adawaf fi fy ngwin melys, sy'n llonni Duw a dyn, a mynd i lywodraethu ar y coed?' ¹⁴Yna dywedodd yr holl goed wrth y fiaren, 'Tyrd di; bydd yn frenin arnom.' ¹⁵Ac meddai'r fiaren wrth y coed, 'Os ydych o ddifrif am f'eneinio i yn frenin arnoch, dewch a llochesu yn fy nghysgod. Onid e, fe ddaw tân allan o'r fiaren a difa cedrwydd Lebanon.'

16 "Yn awr, a ydych wedi gweithredu'n onest a chydwybodol wrth wneud Abimelech yn frenin? A ydych wedi delio'n deg â Jerwbbaal a'i deulu? Ai'r hyn a haeddai a wnaethoch iddo? ¹⁷Oherwydd brwydrodd fy nhad drosoch, a mentro'i einioes a'ch achub o law Midian; ¹⁸ond heddiw yr ydych wedi codi yn erbyn tŷ fy nhad a lladd ei feibion, deg a thrigain o wŷr, ar un maen. Yr ydych wedi gwneud Abimelech, mab ei gaethferch, yn frenin ar benaethiaid Sichem,

am ei fod yn frawd i chwi. [19]Os ydych wedi delio'n onest a chydwybodol â Jerwbbaal a'i deulu heddiw, llawenhewch yn Abimelech, a bydded iddo yntau lawenhau ynoch chwi. [20]Onid e, aed tân allan o Abimelech a difa penaethiaid Sichem a Bethmilo; hefyd aed tân allan o benaethiaid Sichem a Bethmilo a difa Abimelech." [21]Yna ciliodd Jotham, a ffoi i Beer ac aros yno, o gyrraedd ei frawd Abimelech.

22 Wedi i Abimelech deyrnasu am dair blynedd ar Israel, [23]anfonodd Duw ysbryd cynnen rhwng Abimelech a phenaethiaid Sichem, a throesant yn annheyrngar iddo. [24]Digwyddodd hyn er mwyn i'r trais a wnaed ar ddeng mab a thrigain Jerwbbaal, a'r tywallt gwaed, ddisgyn ar eu brawd Abimelech, a'u lladdodd, ac ar benaethiaid Sichem, a fu'n ei gynorthwyo i ladd ei frodyr. [25]Gosododd penaethiaid Sichem rai ar bennau'r mynyddoedd i wylio amdano; yr oeddent hwy'n ysbeilio pawb a ddôi heibio iddynt ar y ffyrdd, a dywedwyd am hyn wrth Abimelech.

26 Pan ddaeth Gaal fab Ebed a'i gymrodyr drosodd i Sichem, enillodd ymddiriedaeth penaethiaid Sichem. [27]Wedi iddynt fod allan yn y maes yn cynaeafu eu gwinllannoedd ac yn sathru'r grawnwin, cadwasant ŵyl o lawenydd a mynd i deml eu duw gan fwyta ac yfed, ac yna difenwi Abimelech. [28]Ac meddai Gaal fab Ebed, "Pwy yw Abimelech a phwy yw pobl Sichem, fel ein bod ni yn ei wasanaethu ef? Oni ddylai mab Jerwbbaal a'i oruchwyliwr Sebul wasanaethu gwŷr Hemor tad Sichem? Pam y dylem ni ei wasanaethu ef? [29]O na fyddai'r bobl yma dan fy awdurdod i! Mi symudwn i Abimelech. [30]Dywedwn[m] wrtho, 'Cynydda dy fyddin a thyrd allan.'" Pan glywodd Sebul, goruchwyliwr y ddinas, eiriau Gaal fab Ebed, cythruddwyd ef. [31]Anfonodd negeswyr at Abimelech i Aruma[n] a dweud, "Edrych, y mae Gaal fab Ebed a'i gymrodyr wedi dod i Sichem, ac yn troi'r dref yn d'erbyn. [32]Yn awr, cychwyn di liw nos gyda'r bobl sydd gennyt, ac ymguddia allan yn y wlad; [33]yna, yfory ar godiad haul, gwna gyrch cynnar ar y dref, a phan ddaw ef a'r bobl sydd gydag ef allan i'th gyfarfod, gwna dithau iddo orau y medri."

[34]Cychwynnodd Abimelech a'r holl bobl oedd gydag ef liw nos, ac ymguddio yn bedair mintai yn erbyn Sichem. [35]Pan aeth Gaal fab Ebed allan a sefyll ym mynediad porth y dref, cododd Abimelech a'r dynion oedd gydag ef o'u cuddfan. [36]Gwelodd Gaal y bobl a dywedodd wrth Sebul, "Edrych, y mae pobl yn dod i lawr o gopaon y mynyddoedd." Ond dywedodd Sebul wrtho, "Gweld cysgod y mynyddoedd fel dynion yr wyt." [37]Yna dywedodd Gaal eto, "Y mae yna bobl yn dod i lawr o ganol y wlad, ac un fintai'n dod o gyfeiriad Derwen y Swynwyr." [38]Atebodd Sebul, "Ple'n awr, ynteu, y mae dy geg fawr oedd yn dweud, 'Pwy yw Abimelech, fel ein bod ni yn ei wasanaethu?' Onid dyma'r fyddin y buost yn ei dilorni? Allan â thi yn awr i ymladd â hi!" [39]Arweiniodd Gaal benaethiaid Sichem allan, ac ymladd ag Abimelech. [40]Aeth Abimelech ar ei ôl, a ffodd yntau; ond cwympodd llawer yn glwyfedig hyd at fynediad y porth. [41]Arhosodd Abimelech yn Aruma, a gyrrwyd Gaal a'i gymrodyr ymaith gan Sebul rhag iddynt aros yn Sichem.

42 Trannoeth aeth pobl Sichem allan i'r maes, a hysbyswyd Abimelech. [43]Cymerodd yntau fyddin, a'i rhannu'n dair mintai ac ymguddio yn y maes, a phan welodd y bobl yn dod allan o'r dref, cododd yn eu herbyn a'u taro. [44]Ymosododd Abimelech a'r fintai[o] oedd gydag ef, a sefyll ym mynediad porth y dref, ac yr oedd dwy fintai yn ymosod ar bawb oedd yn y maes ac yn eu taro. [45]Brwydrodd Abimelech yn erbyn y dref ar hyd y diwrnod hwnnw, a chipiodd hi a lladd y bobl oedd ynddi. Distrywiodd y dref a'i hau â halen. [46]Pan glywodd holl benaethiaid Tŵr Sichem, aethant i ddaeargell teml El-berith. [47]Dywedwyd wrth Abimelech fod penaethiaid Tŵr Sichem i gyd wedi ymgasglu, [48]ac aeth ef a phawb o'r fyddin oedd gydag ef i Fynydd Salmon. Cymerodd Abimelech un o'r bwyeill[p] yn ei law, a thorri cangen o'r coed, a'i chodi a'i gosod ar ei ysgwydd. Yna dywedodd wrth y bobl oedd gydag ef, "Brysiwch, gwnewch yr un fath â mi." [49]Felly torrodd pob un o'r bobl ei gangen a dilyn Abimelech; rhoesant hwy dros y ddaeargell, a'i llosgi uwch

[m]Felly Groeg. Hebraeg, *Dywedodd*.   [n]Tebygol. Cymh. adn. 41. Hebraeg, *Torma*.
[o]Felly Groeg. Hebraeg, *minteioedd*.   [p]Cymh. Fersiynau. Hebraeg, *y bwyeill*.

eu pennau. Bu farw pawb oedd yn Nhŵr Sichem, oddeutu mil o wŷr a gwragedd. 50 Yna aeth Abimelech i Thebes a gwersyllu yn ei herbyn a'i hennill. ⁵¹Yr oedd tŵr cadarn yng nghanol y dref, a ffodd y gwŷr a'r gwragedd i gyd yno, a holl benaethiaid y dref, a chloi arnynt ac esgyn i do'r tŵr. ⁵²Daeth Abimelech at y tŵr, ac ymladd yn ei erbyn; ac wrth iddo agosáu at fynediad y tŵr i'w losgi, ⁵³taflodd rhyw wraig faen melin i lawr ar ben Abimelech a dryllio'i benglog. ⁵⁴Ar unwaith galwodd ei lanc, a oedd yn cludo'i arfau, a dweud wrtho, "Tyn dy gleddyf a lladd fi, rhag iddynt ddweud amdanaf mai gwraig a'm lladdodd." Felly trywanodd ei lanc ef, a bu farw. ⁵⁵Pan welodd gwŷr Israel fod Abimelech wedi marw, aeth pawb adref. ⁵⁶Felly y talodd Duw i Abimelech am y drygioni a wnaeth i'w dad trwy ladd ei ddeg brawd a thrigain. ⁵⁷Hefyd talodd Duw yn ôl holl ddrygioni pobl Sichem, a disgynnodd arnynt felltith Jotham fab Jerwbbaal.

Tola

10 Ar ôl Abimelech, yr un a gododd i waredu Israel oedd Tola fab Pua, fab Dodo, dyn o Issachar a oedd yn byw yn Samir ym mynydd-dir Effraim. ²Bu'n farnwr ar Israel am dair blynedd ar hugain; a phan fu farw, claddwyd ef yn Samir.

Jair

3 Ar ei ôl cododd Jair, brodor o Gilead. Bu'n farnwr ar Israel am ddwy flynedd ar hugain. ⁴Yr oedd ganddo ddeg ar hugain o feibion a arferai farchogaeth ar ddeg ar hugain o asynnod; ac yr oedd ganddynt ddeg dinas ar hugain yn nhir Gilead; gelwir y rhain yn Hafoth Jair hyd heddiw. ⁵Pan fu farw Jair, claddwyd ef yn Camon.

Jefftha

6 Unwaith eto gwnaeth yr Israeliaid yr hyn oedd ddrwg yng ngolwg yr AR-GLWYDD, ac addoli'r Baalim a'r Astaroth, a duwiau Syria, Sidon, Moab, yr Ammoniaid a'r Philistiaid; gwrthod-asant yr ARGLWYDD a pheidio â'i wasanaethu. ⁷Enynnodd llid yr AR-GLWYDD yn erbyn Israel, a gwerthodd hwy i law'r Philistiaid a'r Ammoniaid. ⁸Ysigodd y rheini'r Israeliaid a'u gor-

mesu y flwyddyn honno; ac am ddeunaw mlynedd buont yn gormesu'r holl Israel-iaid y tu hwnt i'r Iorddonen, yn Gilead yng ngwlad yr Amoriaid. ⁹Wedyn croes-odd yr Ammoniaid dros yr Iorddonen i ryfela yn erbyn Jwda a Benjamin a thylwyth Effraim, a bu'n gyfyng iawn ar Israel. ¹⁰Yna galwodd yr Israeliaid ar yr ARGLWYDD, a dweud, "Yr ydym wedi pechu yn d'erbyn; yr ydym wedi gadael ein Duw ac addoli'r Baalim." ¹¹Dywed-odd yr ARGLWYDD wrth yr Israeliaid, "Pan ormeswyd chwi gan yr Eifftiaid, Amoriaid, Ammoniaid, Philistiaid, ¹²Sidoniaid, Amaleciaid, a Midianiaid ᵖʰ, galwasoch arnaf fi, a gwaredais chwi o'u gafael. ¹³Ond yr ydych wedi fy ngadael i a gwasanaethu duwiau eraill, ac am hynny nid wyf am eich gwaredu rhagor. ¹⁴Ewch a galwch ar y duwiau yr ydych wedi eu dewis; bydded iddynt hwy eich gwaredu chwi yn awr eich cyfyngdra." ¹⁵Yna dywedodd yr Israeliaid wrth yr AR-GLWYDD, "Yr ydym wedi pechu; gwna inni beth bynnag a weli'n dda, ond eto gwared ni y tro hwn." ¹⁶Bwriasant y duwiau dieithr allan o'u plith, a gwasan-aethu'r ARGLWYDD, ac ni allai yntau oddef adfyd Israel yn hwy.

17 Pan alwodd yr Ammoniaid eu mil-wyr ynghyd a gwersyllu yn Gilead, ym-gasglodd yr Israeliaid hefyd a gwersyllu yn Mispa. ¹⁸Dywedodd swyddogion byddin Gilead wrth ei gilydd, "Pwy bynnag fydd yn dechrau'r ymladd â'r Ammoniaid, ef fydd yn ben ar holl drig-olion Gilead."

11 Yr oedd Jefftha, brodor o Gilead, yn filwr dewr; yr oedd yn fab i butain, a Gilead oedd ei dad. ²Yr oedd gan wraig Gilead hefyd feibion, ac wedi iddynt dyfu, gyrasant Jefftha allan a dweud wrtho, "Ni chei di etifeddiaeth yn nhŷ ein tad, oherwydd mab i wraig estron wyt ti." ³Ciliodd Jefftha oddi wrth ei frodyr, a mynd i fyw i wlad Tob, lle casglodd ato nifer o wŷr ofer a oedd yn ei ddilyn.

4 Ymhen amser aeth yr Ammoniaid i ryfela yn erbyn yr Israeliaid. ⁵A phan ddechreuodd y brwydro rhwng yr Am-moniaid ac Israel, aeth henuriaid Gilead i gyrchu Jefftha o wlad Tob, ⁶a dweud wrtho, "Tyrd, bydd di'n arweinydd inni, er mwyn inni ymladd â'r Ammoniaid." ⁷Ond dywedodd Jefftha wrth henuriaid

ᵖʰ Felly Groeg. Hebraeg, *Maon.*

Gilead, "Onid chwi oedd yn fy nghasáu ac yn fy ngyrru o dŷ fy nhad? Pam y dewch ataf fi yn awr pan yw'n gyfyng arnoch?" ⁸Ac meddent hwythau wrtho, "Dyna pam y daethom atat yn awr. Tyrd yn ôl gyda ni ac ymladd â'r Ammoniaid, a chei fod yn ben ar holl drigolion Gilead." ⁹Dywedodd Jefftha wrth henuriaid Gilead, "Os byddwch yn fy nghymryd yn ôl i ymladd â'r Ammoniaid, a'r ARGLWYDD yn eu rhoi yn fy llaw, yna byddaf yn ben arnoch." ¹⁰Dywedodd henuriaid Gilead wrth Jefftha, "Bydd yr ARGLWYDD yn dyst rhyngom y gwnawn yn ôl dy air." ¹¹Aeth Jefftha gyda henuriaid Gilead, a gwnaeth y fyddin ef yn ben ac yn arweinydd arnynt, ac adroddodd Jefftha gerbron yr AR-GLWYDD yn Mispa bopeth yr oedd wedi ei gytuno.

12 Anfonodd Jefftha negeswyr at frenin yr Ammoniaid a dweud, "Beth sydd gennyt yn f'erbyn, dy fod wedi dod i ymosod ar fy ngwlad?" ¹³Dywedodd brenin yr Ammoniaid wrth negeswyr Jefftha, "Pan ddaeth Israel i fyny o'r Aifft, meddiannodd fy ngwlad rhwng afonydd Arnon a Jaboc, hyd at yr Ior-ddonen; felly dyro hi'n ôl yn awr yn heddychol." ¹⁴Anfonodd Jefftha neges-wyr eto at frenin yr Ammoniaid ¹⁵i ddweud wrtho, "Dyma a ddywed Jefftha: 'Ni chymerodd Israel dir Moab na thir yr Ammoniaid; ¹⁶oherwydd pan ddaethant i fyny o'r Aifft, fe aeth Israel trwy'r anialwch hyd at y Môr Coch nes dod i Cades. ¹⁷Yna fe anfonodd Israel neges-wyr at frenin Edom a dweud, "Gad imi fynd trwy dy dir di"; ond ni wrandawai brenin Edom. Wedyn anfonwyd at frenin Moab, ac nid oedd ef yn fodlon; felly arhosodd Israel yn Cades. ¹⁸Yna aethant drwy'r anialwch i fynd heibio i dir Edom a thir Moab o'r tu dwyrain i wlad Moab, a gwersyllu y tu hwnt i afon Arnon, heb groesi terfyn Moab, oherwydd afon Arnon yw terfyn Moab. ¹⁹Anfonodd Israel negeswyr hefyd at frenin yr Amor-iaid, Sihon brenin Hesbon, a dweud wrtho, "Gad imi groesi dy dir i'm lle fy hun." ²⁰Eto nid ymddiriedai Sihon yn Israel, iddi groesi ei ffin, ond casglodd ei holl fyddin a gwersyllu yn Jahas ac ymladd yn erbyn Israel. ²¹Rhoddodd yr ARGLWYDD, Duw Israel, Sihon a'i holl fyddin yn llaw Israel, ac fe'u lladdwyd; a meddiannodd Israel holl dir yr Amor-

iaid oedd yn byw yn yr ardal honno. ²²Daethant i feddiannu holl derfynau'r Amoriaid o afon Arnon hyd afon Jaboc, ac o'r anialwch hyd yr Iorddonen. ²³Yr ARGLWYDD, Duw Israel, a yrrodd yr Amoriaid allan o flaen ei bobl Israel. A wyt ti'n awr am ei feddiannu? ²⁴Onid yr hyn y bydd dy dduw Cemos yn ei roi'n feddiant iti yr wyt ti i'w feddiannu? Yn yr un modd meddiannwn ninnau'r cyfan y bydd yr ARGLWYDD ein Duw yn ei roi'n feddiant i ninnau. ²⁵Ac yn awr, a wyt ti rywfaint gwell na Balac fab Sippor, brenin Moab? A fu ef yn ymryson o gwbl ag Israel, neu'n ymladd erioed yn eu herbyn? ²⁶Bu Israel yn byw yn Hesbon ac Aroer a'u maestrefi, ac yn yr holl drefi sydd ar lannau'r afon, am dri chan mlynedd; pam na fyddech wedi eu had-ennill yn ystod y cyfnod hwnnw? ²⁷Nid myfi sydd wedi pechu yn d'erbyn, ond ti sy'n gwneud cam â mi wrth ddod i ryfela yn f'erbyn. Y mae'r ARGLWYDD yn farnwr; barned ef heddiw rhwng Israel a'r Ammoniaid.' " ²⁸Ond ni wrandawodd brenin yr Ammoniaid ar y neges a an-fonodd Jefftha ato.

Merch Jefftha

29 Daeth ysbryd yr ARGLWYDD ar Jefftha, ac aeth trwy Gilead a Manasse a thrwy Mispa Gilead, ac oddi yno drosodd at yr Ammoniaid. ³⁰A gwnaeth Jefftha adduned i'r ARGLWYDD a dweud, "Os rhoi di'r Ammoniaid yn fy llaw, ³¹beth bynnag a ddaw allan o ddrws fy nhŷ i'm cyfarfod wrth imi ddychwelyd yn ddiogel oddi wrth yr Ammoniaid, bydd yn eiddo i'r ARGLWYDD, ac offrymaf ef yn boeth-offrwm." ³²A phan aeth Jefftha i frwydro yn erbyn yr Ammoniaid, fe roddodd yr ARGLWYDD hwy yn llaw Jefftha, ³³a goresgynnodd hwy'n llwyr, o Aroer hyd gyffiniau Minnith—ugain tref, gan gyn-nwys Abel Ceramim; felly darostyngwyd yr Ammoniaid gan yr Israeliaid. ³⁴Pan gyrhaeddodd Jefftha ei gartref yn Mispa, daeth ei ferch allan i'w gyfarfod â thym-panau a dawnsiau. Hi oedd ei unig blentyn; nid oedd ganddo fab na merch ar wahân iddi hi. ³⁵A phan welodd ef hi, rhwygodd ei wisg, a dweud, "Gwae fi, fy merch! Yr wyt ti wedi fy nryllio'n llwyr, a thi yw achos fy nhrallod. Gwneuthum addewid i'r ARGLWYDD, ac ni allaf ei thorri." ³⁶Ac meddai hithau wrtho, "Fy nhad, yr wyt wedi gwneud addewid i'r

ARGLWYDD; gwna imi fel yr addewaist, wedi i'r ARGLWYDD sicrhau iti ddialedd ar dy elynion, yr Ammoniaid."
[37] Ychwanegodd, "Caniatâ un peth i mi; rho imi ysbaid o ddeufis i grwydro'r mynyddoedd ac i wylo am fy morwyndod gyda'm ffrindiau." [38] Dywedodd yntau, "Ie, dos." Gadawodd iddi fynd am ddeufis; ac aeth hithau a'i ffrindiau i wylo am ei morwyndod ar y mynyddoedd. [39] Ar derfyn y deufis, daeth yn ôl at ei thad, a gwnaeth yntau iddi yn ôl yr adduned a dyngodd. Nid oedd hi wedi cael cyfathrach â gŵr. A daeth hyn yn ddefod yn Israel, [40] bod merched Israel yn mynd allan bob blwyddyn i alaru am ferch Jefftha o Gilead am bedwar diwrnod yn y flwyddyn.

Jefftha a Gwŷr Effraim

12 Galwodd gwŷr Effraim eu milwyr ynghyd a chroesi i Saffon, a dweud wrth Jefftha, "Pam yr aethost i ymladd yn erbyn yr Ammoniaid heb ein gwahodd ni i fynd gyda thi? Fe losgwn dy dŷ am dy ben." [2] Dywedodd Jefftha, "Yr oedd gennyf fi a'm pobl achos chwerw yn erbyn yr Ammoniaid, ond pe byddwn wedi galw arnoch chwi, ni fyddech wedi fy achub o'u llaw. [3] Pan welais na fyddech yn fy achub, mentrais fynd yn erbyn yr Ammoniaid; ac fe roddodd yr ARGLWYDD hwy yn fy llaw. Pam yr ydych wedi dod ataf heddiw i ymladd â mi?" [4] Yna casglodd Jefftha holl wŷr Gilead at ei gilydd ac ymladd ag Effraim; a threchodd gwŷr Gilead bobl Effraim, am iddynt ddweud, "Ffôedigion o Effraim ydych chwi, bobl Gilead, ym mysg pobl Effraim a Manasse."
5 Meddiannodd Gilead y rhydau dros yr Iorddonen i gyfeiriad Effraim, a phan fyddai ffoadur o Effraim yn crefu am gael croesi, byddai dynion Gilead yn gofyn iddo, "Ai un o Effraim wyt ti?" Pe byddai hwnnw'n ateb, "Nage", [6] yna byddent yn dweud wrtho, "Dywed, 'Shibboleth'." Byddai yntau'n dweud, "Sibboleth", gan na fedrai ynganu'n gywir. Ac wedi iddynt ei ddal, byddent yn ei ladd ger rhydau'r Iorddonen. Bu farw dwy fil a deugain o wŷr Effraim y pryd hwnnw. [7] Bu Jefftha o Gilead yn farnwr ar Israel am chwe blynedd; a phan fu farw, claddwyd ef yn ei dref yn[r] Gilead.

[r] Felly Groeg. Hebraeg, *yn nhrefi.*

Ibsan, Elon ac Abdon

8 Ar ei ôl ef bu Ibsan o Fethlehem yn farnwr ar Israel. [9] Yr oedd ganddo ddeg ar hugain o feibion a deg ar hugain o ferched. Rhoddodd ei ferched ei hun mewn priodas i rai o'r tu allan, a chyrchodd ddeg ar hugain o ferched o'r tu allan yn wragedd i'w feibion. Bu'n farnwr ar Israel am saith mlynedd. [10] Pan fu Ibsan farw, claddwyd ef ym Methlehem.
11 Ar ei ôl ef bu Elon o Sabulon yn farnwr ar Israel am ddeng mlynedd. [12] Pan fu Elon o Sabulon farw, claddwyd ef yn Ajalon yn nhir Sabulon. [13] Ar ei ôl ef bu Abdon fab Hilel o Pirathon yn farnwr ar Israel. [14] Yr oedd ganddo ef ddeugain mab a deg ar hugain o wyrion yn marchogaeth ar ddeg asyn a thrigain. Bu'n farnwr ar Israel am wyth mlynedd. [15] Pan fu Abdon fab Hilel o Pirathon farw, claddwyd ef yn Pirathon yn nhir Effraim, ym mynydd yr Amaleciaid.

Genedigaeth Samson

13 Unwaith eto gwnaeth yr Israeliaid yr hyn oedd ddrwg yng ngolwg yr ARGLWYDD, a rhoddodd yr ARGLWYDD hwy yn llaw'r Philistiaid am ddeugain mlynedd.
2 Yr oedd rhyw ddyn o'r enw Manoa o Sora, o lwyth Dan, ac yr oedd ei wraig yn ddi-blant, heb eni yr un plentyn. [3] Ymddangosodd angel yr ARGLWYDD i'r wraig a dweud wrthi, "Dyma ti yn ddi-blant, heb eni plentyn, ond byddi'n beichiogi ac yn geni mab. [4] Felly, gwylia rhag yfed gwin na diod gadarn, a phaid â bwyta dim aflan, [5] gan dy fod yn mynd i feichiogi a geni mab; ac nid yw ellyn i gyffwrdd â'i ben, oherwydd y mae'r bachgen i fod yn Nasaread i Dduw o'r groth. Ef fydd yn dechrau gwaredu Israel o law'r Philistiaid." [6] Aeth y wraig at ei gŵr a dweud, "Daeth gŵr Duw ataf, a'i wedd fel angel Duw, yn frawychus iawn; ni ofynnais iddo o ble'r oedd, ac ni ddywedodd ei enw wrthyf. [7] Fe ddywedodd wrthyf, 'Byddi'n beichiogi ac yn geni mab; felly paid ag yfed na gwin na diod gadarn, na bwyta dim aflan, oherwydd bydd y bachgen yn Nasaread i Dduw o'r groth hyd ddydd ei farw.'" [8] Gweddïodd Manoa ar yr ARGLWYDD a dweud, "O Arglwydd, os gweli'n dda, gad i'r gŵr Duw a anfonaist ddod yn ôl atom i'n

cyfarwyddo beth i'w wneud i'r bachgen a enir." ⁹Gwrandawodd Duw ar gais Manoa, a daeth angel Duw eto at y wraig, pan oedd hi'n eistedd allan yn y maes, a'i gŵr Manoa heb fod gyda hi. ¹⁰Rhedodd hithau ar unwaith a dweud wrth ei gŵr, "Y mae'r dyn a ddaeth ataf y diwrnod hwnnw wedi ymddangos eto." ¹¹Cododd Manoa a dilynodd ei wraig at y dyn a gofyn iddo, "Ai ti yw'r gŵr a fu'n siarad gyda'm gwraig?" Ac meddai yntau, "Ie." ¹²Gofynnodd Manoa iddo, "Pan wireddir dy air, sut fachgen fydd ef, a beth fydd ei waith?" ¹³Dywedodd angel yr ARGLWYDD wrth Manoa, "Rhaid i'th wraig ofalu am bopeth a ddywedais wrthi; ¹⁴nid yw hi i fwyta dim a ddaw o'r winwydden, nac i yfed na gwin na diod gadarn, na bwyta dim aflan. ¹⁵Y mae i gadw'r cwbl a orchmynnais iddi." Yna dywedodd Manoa wrth angel yr AR-GLWYDD, "Yr ydym am dy gadw yma nes y byddwn wedi paratoi myn gafr ar dy gyfer." ¹⁶Ond atebodd angel yr AR-GLWYDD ef, "Pe bait yn fy nghadw yma, ni fyddwn yn bwyta dy fwyd, ond os wyt am offrymu poethoffrwm, offryma ef i'r ARGLWYDD." Ni wyddai Manoa mai angel yr ARGLWYDD ydoedd, ¹⁷a gofynnodd iddo, "Beth yw d'enw, inni gael dy anrhydeddu pan wireddir dy air?" ¹⁸Atebodd angel yr ARGLWYDD, "Pam yr wyt ti'n holi fel hyn ynghylch fy enw? Y mae'n rhyfeddol!" ¹⁹Yna cymerodd Manoa'r myn gafr a'r bwyd-offrwm, a'u hoffrymu i'r ARGLWYDD ar y graig, a digwyddodd rhyfeddod tra oedd Manoa a'i wraig yn edrych. ²⁰Fel yr oedd y fflam yn codi oddi ar yr allor i'r awyr, esgynnodd angel yr ARGLWYDD yn fflam yr allor. Yr oedd Manoa a'i wraig yn edrych, a syrthiasant ar eu hwynebau ar lawr. ²¹Nid ymddangosodd angel yr ARGLWYDD iddynt mwyach, a sylweddolodd Manoa mai angel yr AR-GLWYDD oedd. ²²Yna dywedodd Manoa wrth ei wraig, "Yr ydym yn sicr o farw am inni weld Duw." ²³Ond meddai hi wrtho, "Pe byddai'r ARGLWYDD wedi dymuno ein lladd, ni fyddai wedi derbyn poethoffrwm a bwydoffrwm o'n llaw, na dangos yr holl bethau hyn i ni, na pheri inni glywed pethau fel hyn yn awr." ²⁴Wedi i'r wraig eni mab, galwodd ef Samson; tyfodd y bachgen dan fendith yr ARGLWYDD, ²⁵a dechreuodd ysbryd yr ARGLWYDD ei gynhyrfu yn Mahane Dan, rhwng Sora ac Estaol.

Samson yn Priodi Merch o Timna

14 Aeth Samson i Timna, ac yno sylwodd ar un o ferched y Philist-iaid. ²Pan ddychwelodd, dywedodd wrth ei dad a'i fam, "Yr wyf wedi gweld un o ferched y Philistiaid yn Timna; cymerwch honno'n wraig imi." ³Ac meddai ei dad a'i fam wrtho, "Onid oes gwraig iti ymhlith merched dy gymrodyr a'th holl geraint? Pam yr ei i geisio gwraig o blith y Philistiaid dienwaededig?" Ond dywedodd Samson wrth ei dad, "Cymer honno imi, oherwydd hi sydd wrth fy modd." ⁴Ni wyddai ei dad a'i fam mai oddi wrth yr ARGLWYDD yr oedd hyn, ac mai ceisio achos yn erbyn y Philistiaid yr oedd ef. Yr adeg honno y Philistiaid oedd yn arglwyddiaethu ar Israel.

5 Aeth Samson i lawr gyda'i dad a'i fam i Timna, a phan gyrhaeddodd win-llannoedd Timna, daeth llew ifanc i'w gyfarfod dan ruo. ⁶Disgynnodd ysbryd yr ARGLWYDD ar Samson, a holltodd y llew ifanc fel hollti myn, heb ddim yn ei law; ond ni ddywedodd wrth ei rieni beth a wnaeth. ⁷Yna aeth Samson yn ei flaen i siarad gyda'r ferch, a'i chael wrth ei fodd. ⁸Pan ddychwelodd ymhen amser i'w phriodi, trodd i edrych ar ysgerbwd y llew, a dyna lle'r oedd haid o wenyn a mêl y tu mewn i'r corff. ⁹Cymerodd beth o'r mêl yn ei law, ac aeth yn ei flaen dan fwyta, nes dod at ei dad a'i fam; rhodd-odd beth hefyd iddynt hwy i'w fwyta, heb ddweud wrthynt mai o gorff y llew y daeth y mêl. ¹⁰Aeth ei dad i lawr at y ferch, a gwnaeth Samson wledd yno yn ôl arfer y gwŷr ifainc. ¹¹Pan welsant ef, dewiswyd deg ar hugain o gyfeillion i gadw cwmni iddo. ¹²Ac meddai Samson wrthynt, "Yr wyf am osod pos i chwi; os llwyddwch i'w ateb yn gywir yn ystod saith diwrnod y wledd, rhof i chwi ddeg darn ar hugain o frethyn a deg siwt ar hugain o ddillad. ¹³Ond os methwch roi'r ateb imi, rhaid i chwi roi i mi ddeg darn ar hugain o frethyn a deg siwt ar hugain o ddillad." ¹⁴Dywedasant wrtho, "Mynega dy bos, inni ei glywed." A dywedodd wrthynt:

"O'r bwytawr fe ddaeth bwyd,
  ac o'r cryf fe ddaeth melystra."

Am dridiau buont yn methu ateb y pos.

¹⁵Ar y pedwerydd[rh] dydd dywedasant wrth wraig Samson, "Huda dy ŵr i ddatgelu'r pos inni, neu fe'th losgwn di a'th deulu. Ai er mwyn ein tlodi y rhoesoch wahoddiad inni yma[s]?" ¹⁶Aeth gwraig Samson ato yn ei dagrau a dweud, "Fy nghasáu yr wyt ti, nid fy ngharu; 'rwyt wedi gosod pos i lanciau fy mhobl heb ei egluro i mi." Ac meddai yntau, "Nid wyf wedi ei egluro i'm tad a'm mam; pam yr eglurwn ef i ti?" ¹⁷Bu'n wylo wrtho trwy gydol y saith diwrnod y cynhaliwyd y wledd, ac ar y seithfed dydd fe'i heglurodd iddi, am ei bod wedi ei flino. Eglurodd hithau'r pos i lanciau ei phobl. ¹⁸A dywedodd dynion y dref wrtho ar y seithfed diwrnod, cyn i'r haul fachlud:

"Beth sy'n felysach na mêl,
a beth sy'n gryfach na llew?"

Dywedodd yntau wrthynt:

"Oni bai i chwi aredig â'm swynog,
ni fyddech wedi datrys fy mhos."

19 Yna disgynnodd ysbryd yr ARGLWYDD arno, aeth i lawr i Ascalon a lladdodd ddeg ar hugain o ddynion. Cymerodd eu gwisgoedd a rhoi'r siwtiau i'r rhai a atebodd y pos, ond yr oedd wedi digio'n enbyd ac aeth yn ei ôl adref. ²⁰Rhoddwyd gwraig Samson i'w gyfaill, a fu'n was priodas iddo.

15 Ymhen amser, ar adeg y cynhaeaf gwenith, ymwelodd Samson â'i wraig gyda myn gafr, a dweud, "Yr wyf am gael mynd at fy ngwraig i'r siambr." Ond ni chaniataodd ei thad iddo fynd, ²a dywedodd wrtho, "Yr oeddwn yn meddwl yn sicr ei bod hi'n llwyr atgas gennyt; felly rhoddais hi i'th was priodas. Y mae ei chwaer iau yn dlysach na hi; cymer hi'n ei lle." ³Ond dywedodd Samson wrthynt, "Y tro hwn fe dalaf y pwyth i'r Philistiaid; fe achosaf niwed difrifol iddynt." ⁴Aeth Samson a dal tri chant o lwynogod; ac wedi iddo gael ffaglau, fe'u clymodd hwy gynffon wrth gynffon, a gosod ffagl yn y canol rhwng y ddwy gynffon. ⁵Yna wedi iddo gynnau'r ffaglau, gyrrodd hwy drwy gnydau'r Philistiaid, a llosgi'r styciau a'r ŷd oedd heb ei dorri a'r gwinllannoedd olew. ⁶Pan ofynnodd y Philistiaid pwy oedd wedi gwneud hyn, dywedwyd, "Samson, mab-yng-nghyfraith y dyn o Timna, am fod hwnnw wedi cymryd ei wraig ef a'i rhoi i'w was priodas." ⁷Aeth y Philistiaid a'i llosgi hi a'i thad; a dywedodd Samson, "Os ydych chwi'n ymddwyn fel hyn, nid ymataliaf finnau nes dial arnoch." ⁸Trawodd hwy'n bendramwnwgl â difrod mawr, cyn mynd ymaith ac aros mewn hafn yng nghraig Etam.

Samson yn Gorchfygu'r Philistiaid

9 Daeth y Philistiaid i fyny a gwersyllu yn Jwda, ac ymledu trwy Lehi. ¹⁰Gofynnodd gwŷr Jwda, "Pam y daethoch yn ein herbyn?" Ac meddent, "Daethom i ddal Samson, a gwneud iddo ef fel y gwnaeth ef i ni." ¹¹Yna aeth tair mil o wŷr o Jwda i hafn craig Etam a dweud wrth Samson, "Fe wyddost yn iawn mai'r Philistiaid sy'n ein llywodraethu; beth yw hyn a wnaethost inni?" Atebodd yntau, "Gwneuthum iddynt hwy fel y gwnaethant hwy i mi." ¹²Yna dywedasant, "Yr ydym ni wedi dod yma i'th rwymo a'th roi yn llaw'r Philistiaid." Dywedodd Samson wrthynt, "Ewch ar eich llw na wnewch chwi niwed imi." ¹³Dywedodd y gwŷr, "Na, dim ond dy rwymo a wnawn, a'th drosglwyddo iddynt hwy; yn sicr, nid ydym am dy ladd." Yna rhwymasant ef â dwy raff newydd, a mynd ag ef o'r graig. ¹⁴Pan gyrhaeddodd Lehi, a'r Philistiaid yn bloeddio wrth ei gyfarfod, disgynnodd ysbryd yr ARGLWYDD arno, aeth y rhaffau oedd am ei freichiau fel llinyn wedi ei ddeifio gan dân, a syrthiodd ei rwymau oddi am ei ddwylo. ¹⁵Cafodd ên asyn, a honno heb sychu; gafaelodd ynddi â'i law, a lladd mil o ddynion. ¹⁶Ac meddai Samson:

"Â gên asyn rhois iddynt gurfa asyn;
Â gên asyn lleddais fil o ddynion."

17 Wedi iddo orffen dweud hyn, taflodd yr ên o'i law, a galwyd y lle hwnnw Ramathlehi[t]. ¹⁸Yr oedd syched mawr arno, a galwodd ar yr ARGLWYDD a dweud, "Ti a roddodd y fuddugoliaeth fawr hon i'th was, ond a wyf yn awr i drengi o syched, a syrthio i afael y rhai dienwaededig?" ¹⁹Holltodd Duw y ceubwll sydd yn Lehi, a ffrydiodd dŵr ohono; wedi iddo yfed, adferwyd ei ysbryd ac adfywiodd. Am hynny enwodd y ffynnon En-haccore[th]; y mae yn Lehi hyd heddiw.

[rh]Felly Fersiynau. Hebraeg, *seithfed*.   [s]Felly rhai llawysgrifau a Targwm. TM yn aneglur.
[t]H.y., *Bryn yr Ên*.   [th]H.y., *Ffynnon y Galwr*.

20 Bu Samson yn farnwr ar Israel am ugain mlynedd yng nghyfnod y Philistiaid.

Samson yn Gasa

16 Pan aeth Samson i Gasa, gwelodd yno butain ac aeth i mewn ati. [2]Clywodd pobl Gasa[u] fod Samson yno, a gwnaethant gylch o'i gwmpas a disgwyl amdano drwy'r nos wrth borth y dref heb wneud unrhyw symudiad, gan feddwl, "Pan ddaw'n olau ddydd, fe'i lladdwn." [3]Gorweddodd Samson hyd hanner nos; yna cododd a gafael yn nwy ddôr a dau gilbost porth y dref, a'u codi o'u lle, ynghyd â'r bar. Ac wedi eu gosod ar ei ysgwyddau, fe'u cariodd i gopa'r mynydd gyferbyn â Hebron.

Samson a Delila

4 Ar ôl hyn, syrthiodd mewn cariad â dynes yn Nyffryn Sorec, o'r enw Delila. [5]Daeth arglwyddi'r Philistiaid ati a dweud wrthi, "Huda ef, i gael gweld ymhle y mae ei nerth mawr, a pha fodd y gallwn ei drechu a'i rwymo a'i gadw'n gaeth. Yna fe rydd pob un ohonom iti un cant ar ddeg o ddarnau arian." [6]Dywedodd Delila wrth Samson, "Dywed i mi ymhle y mae dy nerth mawr, a sut y gellir dy rwymo i'th gadw'n gaeth?" [7]Dywedodd Samson wrthi, "Petaent yn fy rhwymo â saith llinyn bwa ir heb sychu, yna mi awn cyn wanned â dyn cyffredin." [8]Daeth arglwyddi'r Philistiaid â saith llinyn bwa ir heb sychu iddi, a rhwymodd hithau ef â hwy. [9]Tra ocdd gwylwyr cudd yn disgwyl mewn ystafell fewnol, dywedodd hi wrtho, "Y mae'r Philistiaid ar dy warthaf, Samson!" Torrodd yntau y llinynnau, fel y torrir edau garth pan ddaw'n agos at dân. Ni ddatgelwyd cyfrinach ei gryfder. [10]Ac meddai Delila wrth Samson, "Dyma ti wedi gwneud ffŵl ohonof a dweud celwydd wrthyf; yn awr dywed wrthyf yn iawn sut y rhwymir di." [11]Dywedodd yntau, "Pe rhwyment fi â rhaffau newydd heb fod erioed ar waith, yna mi awn cyn wanned â dyn cyffredin." [12]Felly cymerodd Delila raffau newydd a'i rwymo â hwy, a dweud, "Y mae'r Philistiaid ar dy warthaf, Samson!" A thra oedd y gwylwyr yn parhau yn yr ystafell fewnol, torrodd ef y rhaffau oddi ar ei freichiau fel edau. [13]Ac meddai Delila wrth Samson, "Hyd yn hyn yr wyt wedi gwneud ffŵl

ohonof a dweud celwydd wrthyf; dywed wrthyf yn iawn sut y rhwymir di." Dywedodd wrthi, "Petaet yn gwau saith cudyn fy mhen i'r we, ac yn ei thynhau â'r hoelen, yna mi awn cyn wanned â dyn cyffredin." [14]Felly suodd Delila ef i gysgu, a gweodd saith cudyn ei ben i mewn i'r we[w], a'i thynhau â'r hoelen. Yna dywedodd wrtho, "Y mae'r Philistiaid ar dy warthaf, Samson!" Deffrôdd yntau o'i gwsg, a thynnodd yn rhydd yr hoelen, y garfan a'r we. [15]Ac meddai hi wrtho, "Sut y medri di ddweud, ''Rwy'n dy garu', a thithau heb ymddiried ynof? Y tair gwaith hyn yr wyt wedi gwneud ffŵl ohonof, a heb ddweud wrthyf yn iawn ymhle y mae dy nerth mawr." [16]Ac oherwydd ei bod yn ei flino â'i geiriau, ddydd ar ôl dydd, ac yn dal i'w boeni nes ei fod wedi ymlâdd, [17]fe ddywedodd ei gyfrinach yn llawn wrthi. Dywedodd, "Nid yw ellyn erioed wedi cyffwrdd â'm pen, oherwydd bûm yn Nasaread i Dduw o groth fy mam. Petaent yn fy eillio, yna byddai fy nerth yn pallu ac mi awn cyn wanned â dyn cyffredin." [18]Gwelodd Delila ei fod wedi dweud ei gyfrinach yn llawn wrthi, ac anfonodd am arglwyddi'r Philistiaid a dweud, "Dewch ar unwaith; y mae wedi dweud ei gyfrinach yn llawn wrthyf." Daeth arglwyddi'r Philistiaid ati â'r arian yn eu llaw. [19]Suodd hi Samson i gysgu ar ei gliniau, ac yna galwodd am ddyn i eillio saith cudyn ei ben. Dechreuodd ei gystwyo, ac yr oedd ei nerth wedi cilio rhagddo. [20]Dywedodd, "Y mae'r Philistiaid ar dy warthaf, Samson!" Deffrôdd ef o'i gwsg gan feddwl, "Af allan fel o'r blaen ac ymryddhau." Ni wyddai fod yr ARGLWYDD wedi cefnu arno. [21]Daliodd y Philistiaid ef, a thynnu ei lygaid, a mynd ag ef i lawr i Gasa a'i rwymo mewn gefynnau; a bu'n malu blawd yn y carchardy. [22]Ond dechreuodd ei wallt dyfu eto ar ôl ei eillio.

Marwolaeth Samson

23 Daeth arglwyddi'r Philistiaid ynghyd mewn llawenydd i offrymu aberth mawr i'w duw Dagon a dweud:
"Rhoddodd ein duw yn ein dwylo ein gelyn ac anrheithiwr ein gwlad, a amlhaodd ein celaneddau."

24 Wedi iddynt fynd yn hwyliog,

---

[u]Felly Groeg. Hebraeg, *I bobl Gasa.*

[w]Felly Groeg. Hebraeg heb *ac yn ei thynhau...i mewn i'r we.*

dywedasant, "Galwch Samson i'n di-fyrru." [25]Galwyd Samson o'r carchardy, a gwnaeth hwyl iddynt; a rhoddwyd ef i sefyll rhwng y colofnau. [26]Dywedodd Samson wrth y bachgen oedd yn gafael yn ei law, "Rho fi lle y gallaf deimlo'r colofnau sy'n cynnal y deml, imi gael pwyso arnynt." [27]Yr oedd y deml yn llawn o ddynion a merched; yr oedd holl arglwyddi'r Philistiaid yno hefyd, a thua thair mil o bobl ar y to yn edrych ar Samson yn eu difyrru. [28]Yna galwodd Samson ar yr ARGLWYDD a dweud, "O Arglwydd DDUW, cofia fi, a nertha fi'r tro hwn yn unig, O Dduw, er mwyn imi gael dial unwaith am byth ar y Philistiaid am fy nau lygad." [29]Ymestynnodd Samson at y ddwy golofn ganol oedd yn cynnal y deml, a phwyso arnynt, ei law dde ar un a'i law chwith ar y llall. [30]Yna dywedodd, "Bydded i minnau farw gyda'r Philistiaid!" Gwthiodd yn nerthol, a chwympodd y deml ar yr arglwyddi a'r holl bobl oedd ynddi, ac felly lladdodd Samson fwy wrth farw nag a laddodd yn ystod ei fywyd. [31]Aeth ei frodyr a'i holl deulu i lawr i'w gymryd ef a'i gludo oddi yno, a'i gladdu rhwng Sora ac Estaol ym medd ei dad Manoa. Bu'n farnwr ar Israel am ugain mlynedd.

Eilunod Mica

17 Yr oedd dyn o fynydd-dir Effraim o'r enw Mica. [2]Dywedodd wrth ei fam, "Ynglŷn â'r un cant ar ddeg o siclau arian a ddygwyd oddi arnat, ac y clywais di'n cyhoeddi melltith arnynt—dyma'r arian gennyf fi; myfi a'u cymerodd." Ac meddai ei fam, "Bendith yr AR-GLWYDD fo ar fy mab!" [3]Rhoddodd yr un cant ar ddeg o siclau arian yn ôl i'w fam; a dywedodd hithau, "Yr wyf am lwyr gysegru'r arian hwn i'r AR-GLWYDD, a'i roi i'm mab i wneud eilun cerfiedig a delw dawdd; felly dyma fi'n ei roi yn ôl iti." [4]Ond dychwelodd ef yr arian i'w fam, ac yna cymerodd hi ddau gant o'r siclau a'u rhoi i'r eurych, a gwnaeth yntau eilun cerfiedig a delw dawdd i fod yn nhŷ Mica. [5]Yr oedd gan y dyn hwn, Mica, gysegr, a gwnaeth effod a teraffim, ac urddo un o'i feibion i fod yn offeiriad iddo. [6]Yn y dyddiau hynny nid oedd brenin yn Israel; yr oedd pob un yn gwneud yr hyn oedd yn iawn yn ei olwg ei hun.

7 Yr oedd llanc o Lefiad o Fethlehem Jwda yn crwydro ymysg tylwyth Jwda, [8]ac wedi iddo adael tref Bethlehem Jwda i fyw ymhle bynnag y câi le, digwyddodd ddod ar ei daith i fynydd-dir Effraim ac i dŷ Mica. [9]Gofynnodd Mica iddo, "O ble'r wyt ti'n dod?" Atebodd yntau, "Lefiad wyf fi o Fethlehem Jwda, ac 'rwyf am aros ymhle bynnag y caf le." [10]Ac meddai Mica wrtho, "Aros gyda mi, a bydd yn dad ac offeiriad i mi. Rhoddaf finnau iti ddeg darn arian y flwyddyn, dy ddillad a'th fwyd[y]." [11]Cytunodd y llanc o Lefiad i fyw gyda'r dyn, a bu fel un o'i feibion. [12]Urddodd Mica y Lefiad ifanc, a bu'n offeiriad iddo ac yn aros yn nhŷ Mica. [13]A dywedodd Mica, "Gwn yn awr y bydd yr ARGLWYDD yn fy llwyddo, oherwydd daeth y Lefiad yn offeiriad imi."

Mica a Llwyth Dan

18 Yn y dyddiau hynny nid oedd brenin yn Israel. Yr adeg honno yr oedd llwyth Dan yn chwilio am randir i fyw ynddo, oherwydd hyd hynny nid oeddent wedi cael rhandir ymhlith llwythau Israel. [2]Anfonodd y Daniaid bump o ddynion teilwng ar ran y llwyth cyfan, i fynd o Sora ac Estaol i ysbïo'r wlad a'i chwilio. Wedi iddynt dderbyn y gorchymyn i fynd i chwilio'r wlad, aeth-ant cyn belled â thŷ Mica ym mynydd-dir Effraim, a threulio'r nos yno. [3]Pan oedd-ent gerllaw tŷ Mica, dyma hwy'n ad-nabod llais y llanc o Lefiad; troesant i mewn a gofyn iddo, "Pwy ddaeth â thi yma? Beth wyt ti'n ei wneud yn y fan hon? Pa fusnes sydd gennyt yma?" [4]Eglurodd sut yr oedd Mica wedi gweith-redu gydag ef: "Y mae wedi fy nghyflogi, ac yr wyf finnau wedi dod yn offeiriad iddo." [5]Dywedasant wrtho, "Gofyn i Dduw, inni gael gwybod a lwyddwn ar ein taith." [6]Dywedodd yr offeiriad wrthynt, "Ewch mewn heddwch; y mae'ch taith dan ofal yr ARGLWYDD." [7]Aeth y pump i ffwrdd, a chyrraedd Lais. Yno gwelsant fod y bobl yn byw'n ddiogel, yr un fath â'r Sidoniaid, yn dawel a di-bryder, heb fod yn brin o ddim ar y ddaear, ond yn berchnogion ar gyfoeth[a]. Yr oeddent yn bell oddi wrth y Sidoniaid, heb gyfathrach rhyngddynt a neb. [8]Wedi iddynt ddychwelyd at eu brodyr i Sora ac Estaol, gofynnodd eu brodyr, "Beth

---

[y]Ychwanega Hebraeg *ac aeth y Lefiad*.   [a]Felly Fersiynau. Hebraeg, *gyfyngder*.

yw'ch barn?" ⁹Ac meddent hwy, "Dewch, awn i fyny yn eu herbyn, oherwydd gwelsom fod y wlad yn ffrwythlon iawn. Pam yr ydych yn sefyllian? Peidiwch ag oedi mynd yno i gymryd meddiant o'r wlad. ¹⁰Pan ddewch yno, byddwch yn dod at bobl ddibryder ac i wlad eang; yn wir y mae Duw wedi rhoi i chwi le heb ynddo brinder o ddim ar y ddaear."

11 Felly cychwynnodd chwe chant o wŷr arfog yn perthyn i lwyth Dan o Sora ac Estaol. ¹²Aethant a gwersyllu yn Ciriath Jearim yn Jwda, a dyna pam yr enwyd y lle hwnnw Mahane Dan[b] hyd heddiw; y mae i'r gorllewin o Ciriath Jearim. ¹³Oddi yno aethant ymlaen i fynydd-dir Effraim nes dod at dŷ Mica. ¹⁴Yna dywedodd y pump, a oedd wedi mynd i ysbïo'r wlad cyn belled â Lais, wrth eu brodyr, "A wyddoch chwi fod effod, teraffim, cerfddelw a delw dawdd yn un o'r tai hyn? Gwyddoch beth i'w wneud yn awr." ¹⁵Troesant am y lle, a dod at dŷ Mica, cartref y llanc o Lefiad, a'i gyfarch. ¹⁶Safodd y chwe channwr arfog o lwyth Dan wrth y drws, ¹⁷tra aeth y pum dyn oedd wedi bod yn ysbïo'r wlad i mewn i gymryd y gerfddelw, yr effod, y teraffim a'r ddelw dawdd. Safai'r offeiriad wrth y drws gyda'r chwe channwr arfog. ¹⁸Wedi i'r rhain fynd i mewn i dŷ Mica a chymryd y gerfddelw, yr effod, y teraffim a'r ddelw dawdd, dywedodd yr offeiriad wrthynt, "Beth ydych yn ei wneud?" ¹⁹Dywedasant hwythau wrtho, "Taw di, a phaid â dweud dim. Tyrd gyda ni, a bydd yn dad ac offeiriad i ni. Prun sydd orau, ai bod yn offeiriad i un teulu, ynteu'n offeiriad i lwyth a thylwyth yn Israel?" ²⁰Bodlonodd yr offeiriad a chymerodd yr effod, y teraffim a'r gerfddelw, ac ymuno â'r fintai. ²¹Wedi iddynt ailgychwyn, gosodasant y rhai bychain a'r preiddiau a'r meddiannau ar y blaen. ²²Yr oeddent wedi mynd gryn bellter o dŷ Mica cyn i'r dynion yn y tai gerllaw ei gartref gael eu galw ynghyd i ymlid y Daniaid. ²³Wedi iddynt oddiweddyd y Daniaid, troesant hwythau i'w hwynebu, ac meddent wrth Mica, "Beth sy'n bod, i beri iti ddod â'r fath fintai?" ²⁴Atebodd Mica, "Yr ydych wedi cymryd y duwiau a wneuthum, ac wedi mynd â'm hoffeiriad; a beth arall sydd gennyf? Sut felly y gallwch

ofyn imi, 'Beth sy'n bod arnat?' " ²⁵Ac meddai'r Daniaid wrtho, "Paid â chodi dy lais arnom, rhag i ddynion gwyllt eu tymer ruthro arnoch, ac i ti a'th deulu golli'ch bywyd." ²⁶Yna aeth y Daniaid ar eu ffordd, a gwelodd Mica eu bod yn gryfach nag ef, a throes yn ôl a mynd adref.

27 Cymerodd y Daniaid y pethau yr oedd Mica wedi eu gwneud, a'i offeiriad, ac aethant i Lais, at bobl dawel a dibryder, a'u lladd â'r cleddyf a llosgi'r dref. ²⁸Nid oedd neb i'w harbed, oherwydd yr oedd yn rhy bell o Sidon, ac nid oedd ganddynt gyfathrach â neb. Yr oedd y dref mewn dyffryn yn perthyn i Bethrehob, ac ailgododd y Daniaid y dref a'i thrigiannu, ²⁹a'i galw'n Dan ar ôl eu tad Dan, a aned i Israel. Ond Lais oedd enw'r dref ar y cyntaf. ³⁰Gosododd y Daniaid y gerfddelw i fyny, a bu Jonathan fab Gersom, fab Manasse, ac yna'i feibion, yn offeiriaid i lwyth Dan hyd y dydd y caethgludwyd y wlad. ³¹Yr oeddent yn defnyddio'r gerfddelw a wnaeth Mica yr holl adeg y bu teml yr ARGLWYDD yn Seilo.

Y Lefiad a'i Ordderchwraig

19 Yn y dyddiau hynny nid oedd brenin yn Israel. Yr oedd rhyw Lefiad yn byw yng nghyffiniau mynydd-dir Effraim, ac fe gymerodd iddo ordderchwraig o Fethlehem Jwda. ²Ond bu'r ordderchwraig yn anffyddlon iddo; gadawodd ef a dianc adref i Fethlehem Jwda. Wedi iddi fod yno ryw bedwar mis, ³cychwynnodd ei gŵr ar ei hôl gyda'i was a dau asyn, i'w denu hi'n ôl. Daeth hi ag ef i'w chartref, a phan welodd ei thad ef yr oedd yn falch o'i gyfarfod. ⁴Mynnodd ei dad-yng-nghyfraith, sef tad yr eneth, iddo aros yno am dridiau, a buont yn bwyta ac yn yfed ac yn cysgu yno. ⁵Ar y pedwerydd dydd, wedi iddynt godi'n fore a pharatoi i gychwyn, dywedodd tad yr eneth wrth ei fab-yng-nghyfraith, "Atgyfnertha dy hun â thamaid o fara cyn cychwyn." ⁶Felly dyna'r ddau'n eistedd i lawr gyda'i gilydd i fwyta ac yfed; ac meddai tad yr eneth wrth y gŵr, "Bodlona aros noson eto a'th fwynhau dy hun." ⁷Er i'r gŵr godi i fynd, bu ei dad-yng-nghyfraith mor daer fel yr arhosodd yno noson arall. ⁸A phan gododd i gychwyn fore'r pumed diwrnod, dywedodd tad yr eneth, "Atgyf-nertha dy hun." [9]A buont yn hamddena hyd hwyr y dydd ac yn bwyta gyda'i gilydd.

Yna, pan oedd y dyn a'i ordderch a'i lanc yn paratoi i gychwyn, dywedodd tad yr eneth wrtho, "Edrych, y mae'n hwyrhau, arhoswch heno; mae'r dydd ar ddarfod. Os arhosi yma heno a'th fwyn-hau dy hun, fe gewch godi'n gynnar yfory i'ch taith, a mynd adref." [10]Ond ni fynnai'r dyn aros; cododd, a mynd gyda'i ddau asyn llwythog, a'i ordderch, a'i was[c], nes dod gyferbyn â Jebus, hynny yw Jerwsalem. [11]A phan oeddent yn ymyl Jebus, a'r dydd yn darfod, dywedodd y gwas wrth ei feistr, "Tyrd yn awr, gad inni droi i mewn yma i ddinas y Jebus-iaid, a threulio'r nos ynddi." [12]Ond atebodd ei feistr, "Nid awn i mewn i ddinas estron lle nad oes Israeliaid; fe awn cyn belled â Gibea." [13]Ac meddai wedyn wrth ei was, "Tyrd, fe awn cyn belled â Gibea neu Rama, a threulio'r nos yn un ohonynt." [14]Felly ymlaen â hwy nes i'r haul fachlud arnynt yn ymyl Gibea Benjamin. [15]Troesant i mewn yno i dreulio'r nos yn Gibea; ond er iddynt fynd ac eistedd ar sgwâr y dref, nid oedd neb am eu cymryd i mewn i letya.

16 Ar hynny, dyma hen ŵr yn dod o'i waith yn y maes gyda'r hwyr. Un o fynydd-dir Effraim oedd ef, ond yn cartrefu dros dro yn Gibea; Benjaminiaid oedd pobl y lle. [17]Wrth godi ei olwg, gwelodd y teithiwr ar sgwâr y dref, ac meddai'r hen ŵr, "I ble 'rwyt ti'n mynd, ac o ble y daethost?" [18]Dywedodd yntau wrtho, "Ar daith o Fethlehem Jwda i gyffiniau mynydd-dir Effraim yr ydym ni. Un oddi yno wyf fi, yn dychwelyd adref[ch] ar ôl bod ym Methlehem Jwda; ond nid oes neb wedi fy nghymryd i'w dŷ. [19]Y mae gennym wellt ac ebran i'n hasynnod, hefyd fara a gwin i mi a'th lawforwyn a'r gwas; nid oes ar dy weision angen un dim." [20]Dywedodd yr hen ŵr, "Croeso i chwi. Fe ofalaf fi am dy anghenion i gyd; rhaid ichwi beidio â threulio'r nos ar y sgwâr." [21]Aeth â hwy i'w dŷ a phorthi'r asynnod; cawsant hwythau olchi eu traed a bwyta ac yfed.

22 Tra oeddent yn eu mwynhau eu hunain, daeth rhai o ddihirod y dref i ymgasglu o gwmpas y tŷ, a churo ar y drws a dweud wrth yr hen ŵr oedd yn berchen y tŷ, "Tyrd â'r dyn a ddaeth i'th dŷ allan, i ni gael cyfathrach ag ef." [23]Aeth perchennog y tŷ allan atynt a dweud wrthynt, "Nage, frodyr, peidiwch â chamymddwyn; gan fod y dyn wedi dod i'm tŷ, peidiwch â gwneud y fath an-lladrwydd. [24]Dyma fy merch i, sy'n wyryf, a'i ordderch ef; dof â hwy allan i chwi eu treisio, neu wneud fel y mynnoch iddynt, ond peidiwch â gwneud y fath anlladrwydd gyda'r dyn." [25]Ond ni fynnai'r dynion wrando arno. Felly cyd-iodd y dyn yn ei ordderch a'i gwthio allan atynt, a buont yn ei threisio a'i cham-drin drwy'r nos, hyd y bore, ac yna gadael iddi fynd ar doriad y wawr. [26]Yn y bore, daeth y ddynes a disgyn wrth ddrws y tŷ lle'r oedd ei meistr. [27]Pan gododd ei meistr yn y bore ac agor drws y tŷ i fynd allan i gychwyn ar ei daith, dyna lle'r oedd ei ordderch wedi disgyn wrth ddrws y tŷ, a'i dwy law ar y rhiniog. [28]Dywed-odd wrthi, "Cod, inni gael mynd." Ond nid oedd ateb. Cododd hi ar yr asyn ac aeth adref. [29]Pan gyrhaeddodd ei gartref, cymerodd gyllell, a gafael yn ei ordderch a'i darnio bob yn gymal yn ddeuddeg darn, a'u hanfon drwy holl derfynau Israel. [30]Yr oedd pawb a'i gwelodd yn dweud, "Ni wnaed ac ni welwyd y fath beth, o'r dydd y daeth yr Israeliaid i fyny o wlad yr Aifft hyd y dydd hwn. Edrych-wch arni ac ystyriwch; yna mynegwch eich barn."

Israel yn Paratoi at Ryfel

20 Daeth Israel gyfan allan fel un gŵr, o Dan hyd Beerseba a thir Gilead, a galw cynulleidfa Israel at yr ARGLWYDD i Mispa. [2]Ymgasglodd arweinwyr byddin holl lwythau Israel yn gynulliad o bobl yr ARGLWYDD, pedwar can mil o wŷr traed yn dwyn cleddyf. [3]Clywodd y Benjaminiaid fod yr Israeliaid wedi mynd i fyny i Mispa. Gofynnodd yr Israeliaid, "Dywedwch sut y digwyddodd y fath gamwri." [4]Atebodd y Lefiad, sef gŵr y ddynes a lofruddiwyd, "Yr oeddwn i a'm gor-dderch wedi mynd i Gibea Benjamin i letya; [5]yna cododd dinasyddion Gibea yn f'erbyn ac amgylchynu'r tŷ liw nos, gan fwriadu fy lladd; treisiwyd fy ngor-dderch, a bu hi farw o'r herwydd. [6]Cym-erais innau hi a'i thorri'n ddarnau a'u

[c]Cymh. Fersiynau. Hebraeg, *a'i ordderch gydag ef.*
[ch]Felly Groeg. Hebraeg, *dychwelyd i dŷ'r ARGLWYDD.*

hanfon drwy bob rhan o diriogaeth Israel, oherwydd y mae'r treiswyr hyn wedi gwneud anlladrwydd ffiaidd yn Israel. [7]Chwi oll, feibion Israel, mynegwch eich barn a'ch cyngor yma'n awr." [8]Cododd yr holl bobl fel un gŵr a dweud, "Ni ddychwel neb ohonom i'w babell na mynd yn ôl adref. [9]Dyma'r hyn a wnawn i Gibea: awn yn ei herbyn trwy fwrw coelbren; [10]a dewiswn ddeg dyn o bob cant, cant o bob mil, a mil o bob myrddiwn trwy holl lwythau Israel, i gasglu lluniaeth i'r fyddin fydd yn mynd yn erbyn Gibea Benjamin o achos yr holl anlladrwydd a wnaethant yn Israel." [11]Felly ymgasglodd holl wŷr Israel yn gytûn fel un gŵr yn erbyn y dref.

Y Rhyfel yn Erbyn y Benjaminiaid

[12]Anfonodd llwythau Israel ddynion drwy holl lwyth Benjamin yn dweud, "Pa gamwri yw hwn a ddigwyddodd yn eich mysg? [13]Ildiwch y dihirod hyn sydd yn Gibea, inni eu rhoi i farwolaeth, a dileu'r drwg o Israel." Ond ni fynnai'r Benjaminiaid wrando ar eu brodyr yr Israeliaid. [14]Ymgasglodd y Benjaminiaid o'u trefi i Gibea er mwyn mynd i ryfel yn erbyn yr Israeliaid. [15]Ar y diwrnod hwnnw rhestrwyd o drefi'r Benjaminiaid chwe mil ar hugain o ddynion yn dwyn cleddyf, ar wahân i drigolion Gibea, a oedd yn rhestru saith gant o wŷr dethol. [16]Yn yr holl fyddin hon yr oedd pob un o'r saith gant o wŷr dethol yn llawchwith, ac yn medru anelu carreg i drwch y blewyn heb fethu. [17]Yr oedd gwŷr Israel, ar wahân i Benjamin, yn rhestru pedwar can mil o ddynion yn dwyn cleddyf, pob un yn rhyfelwr. [18]Aeth yr Israeliaid yn eu blaen i Fethel, a gofyn i Dduw, "Pwy ohonom sydd i arwain yn y frwydr yn erbyn y Benjaminiaid?" Atebodd yr ARGLWYDD, "Jwda sydd i arwain." [19]Cychwynnodd yr Israeliaid ben bore a gwersyllu gyferbyn â Gibea. [20]Aeth yr Israeliaid i ymosod ar y Benjaminiaid, a gosod eu rhengoedd ar gyfer brwydr o flaen Gibea. [21]Ond ymosododd y Benjaminiaid allan o Gibea, a gadael dwy fil ar hugain o blith byddin Israel yn farw ar y maes y diwrnod hwnnw. [22]Cyn i[d] fyddin pobl Israel atgyfnerthu ac ailymgynnull i ryfel

yn yr un fan â'r diwrnod cynt, [23]aeth yr Israeliaid i fyny i Fethel[dd] ac wylo gerbron yr ARGLWYDD hyd yr hwyr, a gofyn i'r ARGLWYDD, "A awn ni eto i ymladd â'n brodyr y Benjaminiaid?" Atebodd yr ARGLWYDD, "Ewch!" [24]Felly fe aeth yr Israeliaid i ryfela â'r Benjaminiaid yr ail ddiwrnod. [25]Gwnaeth y Benjaminiaid gyrch arnynt eilwaith o Gibea, a'r tro hwn gadael deunaw mil o blith byddin Israel yn farw ar y maes, a'r rheini bob un yn dwyn cleddyf. [26]Felly fe aeth yr Israeliaid i gyd, a'r holl fyddin, i fyny i Fethel, ac wylo ac eistedd yno gerbron yr ARGLWYDD yn ymprydio drwy'r dydd hyd yr hwyr, ac offrymu poethoffrymau a heddoffrymau gerbron yr ARGLWYDD. [27]Yr adeg honno, ym Methel yr oedd arch cyfamod Duw, [28]a Phinees fab Eleasar, fab Aaron oedd yn gofalu amdani ar y pryd. Pan ofynnodd yr Israeliaid i'r ARGLWYDD[e], "A awn ni allan i ymladd eto â'n brodyr y Benjaminiaid, ai peidio?" atebodd yr ARGLWYDD, "Ewch, oherwydd yfory fe'u rhoddaf hwy yn eich llaw."

[29]Gosododd Israel filwyr cudd o amgylch Gibea, [30]cyn mynd i fyny'r trydydd dydd yn erbyn y Benjaminiaid ac ym gynnull yn eu rhengoedd o flaen Gibea fel cynt. [31]Gwnaeth y Benjaminiaid gyrch yn erbyn y fyddin, a denwyd hwy oddi wrth y dref; dechreusant wneud lladdfa ymysg y fyddin fel cynt, ac archolli tua deg ar hugain o wŷr Israel yn y tir agored ger y priffyrdd i Fethel ac i Gibea. [32]Yr oedd y Benjaminiaid yn dweud, "Yr ydym yn eu trechu fel o'r blaen"; a'r Israeliaid yn dweud, "Fe giliwn er mwyn eu denu o'r dref i'r priffyrdd." [33]Yna safodd yr Israeliaid a ffurfio'u rhengoedd ger Baal Tamar, a dyma'r Israeliaid oedd wedi ymguddio yn rhuthro o'u cuddfeydd i'r gorllewin[f] o Gibea. [34]Daeth deng mil o filwyr dethol o Israel gyfan yn erbyn y Gibeaid o'r dwyrain; ond am fod brwydr chwyrn ar y pryd, ni wyddai'r Benjaminiaid fod trychineb yn dod arnynt. [35]Trawodd yr ARGLWYDD wŷr Benjamin o flaen yr Israeliaid, a'r diwrnod hwnnw lladdodd yr Israeliaid o blith Benjamin bum mil ar hugain ac un cant o wŷr yn dwyn cleddyf.

---

[d]Tebygol. Hebraeg heb *Cyn i.*
[e]Daw *Pan...i'r ARGLWYDD* ar ddechrau adn. 27 yn yr Hebraeg.
[dd]Felly Fersiynau. Hebraeg heb *i Fethel.*
[f]Felly Fersiynau, Hebraeg, *moeldir.*

Buddugoliaeth i Israel

36 Gwelodd y Benjaminiaid eu bod wedi colli'r dydd. Yr oedd byddin Israel wedi ildio tir i'r Benjaminiaid am eu bod yn ymddiried yn y milwyr cudd a osodwyd ger Gibea. [37] Brysiodd y milwyr cudd i ruthro ar Gibea, gan adael eu cuddfannau a tharo'r holl dref â'r cleddyf. [38] Yr arwydd i fyddin Israel oddi wrth y rhai ynghudd fyddai[ff] colofn o fwg yn mynd i fyny o'r dref; [39] yna byddai byddin Israel yn troi yn y frwydr. Ar y dechrau yr oedd y Benjaminiaid wedi anafu tua deg ar hugain o fyddin Israel, a meddwl yn sicr eu bod yn eu concro fel yn y frwydr flaenorol. [40] Ond pan ddechreuodd y golofn fwg esgyn o'r dref i'r awyr, trodd y Benjaminiaid a gweld y dref gyfan yn wenfflam. [41] Pan drodd byddin Israel arnynt, brawychwyd y Benjaminiaid o sylweddoli bod trychineb wedi eu goddiweddyd. [42] Troesant i ffwrdd o flaen byddin Israel i gyfeiriad yr anialwch, ond parhaodd yr ymladd; ac yr oedd yr Israeliaid, a oedd wedi dod i'r dref[g], bellach yn eu mysg yn eu difa. [43] Buont yn erlid y Benjaminiaid o bob tu yn ddiatal, a'u goddiweddyd i'r dwyrain o Gibea. [44] Syrthiodd deunaw mil o wŷr Benjamin, y cwbl ohonynt yn rhyfelwyr dewr. [45] Trodd y gweddill a ffoi tua'r anialwch i graig Rimmon, a daliodd yr Israeliaid bum mil ohonynt ar y priffyrdd; yna buont yn ymlid yn galed ar ôl y Benjaminiaid hyd at Gidom, a lladd dwy fil ohonynt. [46] Cyfanswm y rhai o Benjamin a syrthiodd y diwrnod hwnnw oedd pum mil ar hugain o wŷr yn dwyn cleddyf, a'r cwbl ohonynt yn rhyfelwyr dewr. [47] O'r rhai a drodd a ffoi tua'r anialwch i graig Rimmon, cyrhaeddodd chwe chant o wŷr, a buont yn byw yng nghraig Rimmon am bedwar mis. [48] Wedi i fyddin Israel droi yn ei hôl yn erbyn y Benjaminiaid, lladdasant â'r cleddyf bob dyn ac anifail yn y dref, a llosgi hefyd bob tref a ddaeth i'w meddiant.

Gwragedd ar gyfer Llwyth Benjamin

21 Yr oedd gwŷr Israel wedi tyngu yn Mispa na fyddai neb ohonynt yn rhoi ei ferch yn wraig i Benjaminiad. [2] Wedi i'r bobl ddod i Fethel ac eistedd yno gerbron Duw hyd yr hwyr, dechreusant wylo'n hidl, [3] a dweud, "Pam, O ARGLWYDD Dduw Israel, y digwyddodd hyn i Israel, bod un llwyth heddiw yn eisiau?" [4] Trannoeth, wedi i'r bobl godi'n fore, codasant yno allor ac aberthu poethoffrymau a heddoffrymau. [5] Yna dywedodd yr Israeliaid, "Pwy o holl lwythau Israel sydd heb ddod i fyny at yr ARGLWYDD i'r cynulliad?" Oherwydd yr oedd llw difrifol wedi ei dyngu y byddai'r sawl na ddôi i fyny at yr ARGLWYDD i Mispa yn sicr o gael ei roi i farwolaeth. [6] Gofidiodd yr Israeliaid am eu brawd Benjamin, a dweud, "Y mae un llwyth wedi ei dorri allan o Israel heddiw. [7] Beth a wnawn ni dros y dynion sydd ar ôl, a ninnau wedi tyngu i'r ARGLWYDD na roddem iddynt yr un o'n merched yn wraig?" [8] Ac meddent, "Prun o lwythau Israel sydd heb ddod i fyny at yr ARGLWYDD i Mispa?" Nid oedd neb o Jabes Gilead wedi dod i'r gwersyll i'r cynulliad. [9] Pan gyfrifwyd y bobl, nid oedd yno neb o drigolion Jabes Gilead. [10] Felly anfonodd y cynulliad ddeuddeng mil o wŷr rhyfel yno, a gorchymyn iddynt, "Ewch a lladdwch drigolion Jabes Gilead â'r cleddyf, yn cynnwys y gwragedd a'r plant. [11] A dyma'r hyn a wnewch: dinistriwch yn llwyr bob dyn, a phob dynes nad yw'n wyryf." [12] Cawsant ymhlith Jabes Gilead bedwar cant o wyryfon nad oeddent wedi gorwedd gyda dyn; a daethant â hwy i'r gwersyll i Seilo yng ngwlad Canaan. [13] Anfonodd y cynulliad cyfan neges at y Benjaminiaid oedd yng nghraig Rimmon, a chynnig heddwch iddynt. [14] Yna, wedi iddynt ddychwelyd, rhoesant iddynt y merched o Jabes Gilead yr oeddent wedi eu harbed. Eto nid oedd hynny'n ddigon ar eu cyfer.

15 A chan fod y bobl yn gofidio am Benjamin, am i'r ARGLWYDD wneud bwlch yn llwythau Israel, [16] dywedodd henuriaid y cynulliad, "Beth a wnawn am wragedd i'r gweddill, gan fod y merched wedi eu difa o blith Benjamin?" [17] Ac meddent, "Rhaid cael etifeddion i'r rhai o Benjamin a arbedwyd, rhag dileu llwyth o Israel. [18] Ni allwn roi iddynt wragedd o blith ein merched ni, am fod yr Israeliaid wedi tyngu, 'Melltigedig fyddo'r hwn a roddo wraig i Benjamin.' " [19] A dyna hwy'n dweud, "Y mae gŵyl i'r ARGLWYDD bob blwyddyn yn Seilo, o du'r gogledd i Fethel, ac i'r

---

[ff] Tebygol. Hebraeg yn ychwanegu gair annealladwy.

[g] Felly Groeg. Hebraeg, *trefi*.

dwyrain o'r briffordd sy'n arwain o
Fethel i Sichem, i'r de o Lebona." ²⁰A
rhoesant orchymyn i'r Benjaminiaid,
"Ewch ac ymguddiwch yn y gwin-
llannoedd, ²¹a gwyliwch. A phan ddaw
merched Seilo allan i ddawnsio, rhuth-
rwch allan o'r gwinllannoedd a chipiwch
bob un wraig o'u plith, ac yna dewch yn
ôl i dir Benjamin. ²²Ac os daw eu tadau
neu eu brodyr atom i achwyn, fe ddy-
wedwn wrthynt, 'Byddwch yn rasol
wrthynt, oherwydd ni chawsom wragedd
iddynt trwy ryfel; ac nid chwi sydd wedi

eu rhoi hwy iddynt, felly 'rydych chwi'n
ddieuog.'"
23 Gwnaeth y Benjaminiaid hyn, ac
wedi i bob un gael gwraig o blith y
dawnswyr yr oeddent wedi eu cipio,
aethant yn ôl i'w tiriogaeth ac ailadeil-
adu'r trefi a byw ynddynt. ²⁴Dychwelodd
yr Israeliaid hefyd yr un pryd i'w tiriog-
aeth, a phob un yn mynd yn ôl at ei lwyth
a'i deulu ei hun.
25 Yn y dyddiau hynny nid oedd
brenin yn Israel. Yr oedd pob un yn
gwneud yr hyn oedd yn iawn yn ei olwg ei
hun.

LLYFR
RUTH

Elimelech a'i Deulu'n Ymfudo i Moab

1 Yn ystod y cyfnod pan oedd y
barnwyr yn llywodraethu, bu newyn
yn y wlad, ac aeth dyn o Fethlehem Jwda
gyda'i wraig a'i ddau fab i fyw dros dro
yng ngwlad Moab. ²Elimelech oedd
enw'r dyn, Naomi oedd enw ei wraig, a
Mahlon a Chilion oedd enwau'r ddau
fab. Effrateaid o Fethlehem Jwda oedd-
ent, ac aethant i wlad Moab ac aros yno.
³Ond bu farw Elimelech, gŵr Naomi,
a gadawyd hi'n weddw gyda'i dau fab.
⁴Priododd y ddau gyda merched o Moab;
Orpa oedd enw'r naill a Ruth oedd enw'r
llall. Wedi iddynt fod yno tua deng
mlynedd, ⁵bu farw Mahlon a Chilion ill
dau; a gadawyd y wraig yn amddifad o'i
dau blentyn yn ogystal ag o'i gŵr.

Naomi a Ruth yn Dychwelyd i Fethlehem

6 Penderfynodd hi a'i dwy ferch-yng-
nghyfraith ddychwelyd o wlad Moab,
oherwydd iddi glywed yno i'r Ar-
GLWYDD ymweld â'i bobl a rhoi bara
iddynt. ⁷Gadawodd hi a'i dwy ferch-yng-
nghyfraith y man lle'r oeddent, a chych-
wyn yn ôl am wlad Jwda. ⁸Ac meddai
Naomi wrth ei dwy ferch-yng-nghyfraith,
"Ewch yn ôl adref, bob un at ei mam, y
ddwy ohonoch; a bydded yr ARGLWYDD

mor garedig wrthych chwi ag y buoch
chwi wrth y rhai a fu farw ac wrthyf
finnau, ⁹a rhoi i'r ddwy ohonoch orffwys-
fa mewn cartref gyda gŵr." Yna fe'u
cusanodd, a dechreuodd y ddwy wylo'n
uchel, ¹⁰a dweud wrthi, "Ond yr ydym ni
am ddychwelyd gyda thi at dy bobl."
¹¹Dywedodd Naomi, "Ewch adref, fy
merched. Pam y dewch gyda mi? A oes
gennyf fi ragor o feibion yn fy nghroth,
iddynt ddod yn wŷr i chwi? ¹²Ewch yn
ôl, fy merched, oherwydd yr wyf fi'n rhy
hen i gael gŵr. Pe bawn i'n dweud bod
gennyf obaith cael gŵr heno, ac yna geni
plant, ¹³a fyddech chwi'n disgwyl nes
iddynt dyfu? A fyddech yn ymgadw
rhag priodi? Na, fy merched; y mae'n
llawer chwerwach i mi nag i chwi am fod
llaw yr ARGLWYDD yn f'erbyn i."
14 Wylodd y ddwy yn uchel eto; yna
ffarweliodd Orpa â'i mam-yng-nghyf-
raith, ond glynodd Ruth wrthi. ¹⁵A
dywedodd Naomi, "Edrych, y mae dy
chwaer-yng-nghyfraith wedi mynd yn
ôl at ei phobl a'i duw; dychwel dithau ar
ei hôl." ¹⁶Ond meddai Ruth, "Paid â'm
hannog i'th adael, na throi'n ôl oddi
wrthyt, oherwydd i ble bynnag yr ei di, fe
af finnau; ac ym mhle bynnag y byddi
di'n aros, fe arhosaf finnau; dy bobl di

fydd fy mhobl i, a'th Dduw di fy Nuw innau. [17] Lle y byddi di farw, y byddaf finnau farw ac yno y'm cleddir. Fel hyn y gwnelo'r ARGLWYDD i mi, a rhagor, os bydd unrhyw beth ond angau yn ein gwahanu ni." [18] Gwelodd Naomi ei bod yn benderfynol o fynd gyda hi, ac fe beidiodd â'i hannog rhagor.

[19] Aeth y ddwy ymlaen nes dod i Fethlehem; ac wedi iddynt gyrraedd, bu cyffro trwy'r holl dref o'u plegid, a'r merched yn gofyn, "Ai Naomi yw hon?" [20] Dywedodd hithau wrthynt, "Peidiwch â'm galw'n Naomi[a], galwch fi'n Mara[b]; oherwydd bu'r Hollalluog yn chwerw iawn wrthyf. [21] Yr oeddwn yn llawn wrth fynd allan, ond daeth yr ARGLWYDD â mi'n ôl yn wag. Pam y galwch fi'n Naomi, a'r ARGLWYDD wedi tystio i'm herbyn, a'r Hollalluog wedi dod â drwg arnaf?" [22] Fel hyn y dychwelodd Naomi o wlad Moab, a'i merchyng-nghyfraith, Ruth y Foabes, gyda hi. Daethant i Fethlehem yn nechrau'r cynhaeaf haidd.

Ruth yn Lloffa yng Nghae Boas

2 Yr oedd gan Naomi berthynas i'w gŵr, dyn cefnog o'r enw Boas o dylwyth Elimelech. [2] Dywedodd Ruth y Foabes wrth Naomi, "Gad imi fynd i'r caeau ŷd i loffa ar ôl pwy bynnag fydd yn caniatáu imi." Dywedodd Naomi wrthi, "Ie, dos, fy merch." [3] Felly fe aeth i'r caeau i loffa ar ôl y medelwyr, a digwyddodd iddi ddewis y rhandir oedd yn perthyn i Boas, y dyn oedd o dylwyth Elimelech. [4] A dyna Boas ei hun yn cyrraedd o Fethlehem a chyfarch y medelwyr, "Yr ARGLWYDD fyddo gyda chwi", a hwythau'n ateb, "Bendithied yr ARGLWYDD dithau." [5] Yna gofynnodd Boas i'w was oedd yn gofalu am y medelwyr, "Geneth pwy yw hon?" [6] Atebodd y gwas, "Geneth o Moab ydyw; hi a ddaeth yn ôl gyda Naomi o wlad Moab. [7] Gofynnodd am ganiatâd i loffa a hel rhwng yr ysgubau ar ôl y medelwyr. Fe ddaeth, ac y mae wedi bod ar ei thraed o'r bore bach hyd yn awr, heb orffwys o gwbl[c]." [8] Dywedodd Boas wrth Ruth, "Gwrando, fy merch, paid â mynd i loffa i faes arall na symud oddi yma, ond glŷn wrth fy llancesau i. [9] Cadw dy lygaid ar y maes y maent yn ei fedi, a dilyn hwy.

Onid wyf fi wedi gorchymyn i'r gweision beidio ag ymyrryd â thi? Os bydd syched arnat, dos i yfed o'r llestri a lanwodd y gweision." [10] Moesymgrymodd hithau hyd y llawr a dweud wrtho, "Pam yr wyf yn cael y fath garedigrwydd gennyt fel dy fod yn cymryd sylw ohonof fi, a minnau'n estrones?" [11] Atebodd Boas hi a dweud, "Cefais wybod am y cwbl yr wyt ti wedi ei wneud i'th famyng-nghyfraith ar ôl marw dy ŵr, ac fel y gadewaist dy dad a'th fam a'th wlad enedigol, a dod at bobl nad oeddit yn eu hadnabod o'r blaen. [12] Bydded i'r ARGLWYDD dy wobrwyo am dy weithred, a bydded iti gael dy dalu'n llawn gan yr ARGLWYDD, Duw Israel, y daethost i geisio nodded dan ei adain." [13] Dywedodd hi, "Yr wyt yn garedig iawn, f'arglwydd, oherwydd yr wyt wedi cysuro a chalonogi dy forwyn, er nad wyf yn un o'th forynion di." [14] Dywedodd Boas wrthi, adeg bwyd, "Tyrd yma a bwyta o'r bara a gwlychu dy damaid yn y finegr." Wedi iddi eistedd wrth ochr y medelwyr, estynnodd yntau iddi ŷd wedi ei grasu, a bwytaodd ei gwala a gadael gweddill. [15] Yna, pan ododd hi i loffa, gorchmynnodd Boas i'w weision, "Gadewch iddi loffa hyd yn oed ymysg yr ysgubau, a pheidiwch â'i dwrdio; [16] yr wyf am i chwi hyd yn oed dynnu peth allan o'r dyrneidiau a'i adael iddi i'w loffa; a pheidiwch â'i cheryddu."

[17] Bu'n lloffa yn y maes hyd yr hwyr, a phan ddyrnodd yr yhn yr oedd wedi ei loffa, cafodd tuag effa o haidd. [18] Fe'i cymerodd gyda hi i'r dref, a dangos i'w mam-yng-nghyfraith faint yr oedd wedi ei loffa; hefyd fe dynnodd allan y bwyd a gadwodd ar ôl cael digon, a'i roi iddi. [19] Gofynnodd ei mam-yng-nghyfraith iddi, "Ple buost ti'n lloffa ac yn llafurio heddiw? Bendith ar y sawl a gymerodd sylw ohonot." Eglurodd hithau i'w mam-yng-nghyfraith gyda phwy y bu'n llafurio, a dweud, "Boas oedd enw'r dyn y bûm yn llafurio gydag ef heddiw." [20] Ac meddai Naomi wrth ei merch-yng-nghyfraith, "Bendith yr ARGLWYDD arno! Nid yw ef wedi atal ei drugaredd at y byw na'r meirw." Ac ychwanegodd Naomi, "Y mae'r dyn yn perthyn inni, ac yn un o'n perthnasau agosaf." [21] Yna dywedodd Ruth y Foabes, "Fe ddywedodd

[a] H.y., *Hyfryd.*   [b] H.y., *Chwerw.*
[c] Cymh. Fersiynau. Hebraeg, *heb ond ychydig o'r arhosiad hwn ganddi yn y tŷ.*

wrthyf hefyd am lynu wrth ei weision ef nes iddynt orffen ei gynhaeaf." ²²Ac meddai Naomi wrth ei merch-yng-nghyfraith Ruth, "Y mae'n well iti, fy merch, fynd allan gyda'i lancesau ef, rhag i rywrai ymosod arnat mewn rhyw faes arall." ²³A glynodd hithau wrth lancesau Boas i loffa hyd ddiwedd y cynhaeaf haidd a'r cynhaeaf gwenith, ond yr oedd yn byw gyda'i mam-yng-nghyfraith.

Ruth yn Cael Gŵr

3 Yna dywedodd ei mam-yng-nghyfraith Naomi wrthi, "Fy merch, oni ddylwn i chwilio am gartref iti, er dy les? ²Yn awr, onid perthynas i ni yw Boas, y buost gyda'i lancesau? ³Edrych, y mae ef yn mynd i nithio haidd yn y llawr dyrnu heno. Wedi iti ymolchi ac ymbincio a rhoi dy wisg orau amdanat, dos at y llawr dyrnu, ond paid â gadael iddo d'adnabod nes iddo orffen bwyta ac yfed. ⁴Pan â i orwedd, sylwa ymhle y mae'n cysgu, yna dos a chodi'r dillad o gwmpas ei draed a gorwedd i lawr. Wedyn fe ddywed ef wrthyt beth i'w wneud." ⁵Cytunodd hithau i wneud y cwbl a ddywedodd Naomi wrthi. ⁶Aeth at y llawr dyrnu, a gwneud yn union fel yr oedd ei mam-yng-nghyfraith wedi gorchymyn iddi. ⁷Wedi i Boas fwyta ac yfed, yr oedd yn teimlo'n hapus, ac aeth i gysgu yng nghwr y pentwr ŷd. Daeth hithau'n ddistaw a chodi'r dillad o gwmpas ei draed, a gorwedd i lawr. ⁸Tua hanner nos cyffrôdd y dyn a throi, ac yno'n gorwedd wrth ei draed yr oedd merch. ⁹"Pwy wyt ti?" gofynnodd. Atebodd hithau, "Dy forwyn Ruth; taena gwr dy fantell dros dy forwyn, oherwydd yr wyt ti'n berthynas agos." ¹⁰Yna dywedodd wrthi, "Bendith yr AR-GLWYDD arnat, fy merch; y mae'r teyrngarwch olaf hwn gennyt yn rhagori ar y cyntaf, am iti beidio â mynd ar ôl y dynion ifainc, boent dlawd neu gyfoethog. ¹¹Yn awr, fy merch, paid ag ofni; fe wnaf iti bopeth yr wyt yn ei ddweud, oherwydd y mae pawb o'm cymdogion yn gwybod dy fod yn ferch deilwng. ¹²Yn awr, y mae'n hollol wir fy mod yn berthynas agos, ond y mae un arall sy'n nes na mi. ¹³Aros yma heno; ac yfory, os bydd ef am weithredu fel perthynas, popeth yn iawn; gwnaed hynny. Ond os nad yw'n barod i wneud hynny, yna

fe wnaf fi, cyn wired â bod yr AR-GLWYDD yn fyw. Cwsg tan y bore." ¹⁴Cysgodd hithau wrth ei draed tan y bore; yna fe gododd, cyn y gallai neb adnabod ei gilydd. Yr oedd ef wedi gorchymyn nad oedd neb i wybod bod y ferch wedi dod i'r llawr dyrnu. ¹⁵Ac meddai wrthi, "Estyn y fantell sydd amdanat, a dal hi." A thra oedd hi yn ei dal, mesurodd yntau iddi chwe mesur o haidd a'i osod ar ei hysgwydd, ac aeth hithau i'r dref. ¹⁶Wedi iddi gyrraedd gofynnodd ei mam-yng-nghyfraith, "Sut y bu hi gyda thi, fy merch?" Adroddodd hithau wrthi'r cwbl a wnaeth y dyn iddi. ¹⁷Dywedodd, "Rhoddodd imi'r chwe mesur hyn o haidd oherwydd, meddai wrthyf, 'Ni chei fynd yn waglaw at dy fam-yng-nghyfraith'." ¹⁸Yna dywedodd Naomi, "Aros, fy merch, nes y cei wybod sut y try pethau; oherwydd ni fydd y dyn yna'n gorffwys cyn gorffen y mater heddiw."

Boas yn Priodi Ruth

4 Aeth Boas i fyny i'r porth ac eistedd yno, a dyna'r perthynas yr oedd Boas wedi sôn amdano yn dod heibio. Galwodd Boas arno wrth ei enw a dweud, "Tyrd yma ac eistedd i lawr." Aeth yntau ac eistedd. ²Yna fe ddewisodd ddeg o henuriaid y dref a dweud, "Eisteddwch yma"; ac eisteddodd y rheini. ³Dywedodd wrth y perthynas, "Daeth Naomi yn ôl o wlad Moab ac y mae am werthu'r darn tir oedd yn perthyn i'n brawd Elimelech, ⁴a meddyliais y byddwn yn gadael i ti wybod; felly pryn ef yng ngŵydd henuriaid fy mhobl, sy'n eistedd yma. Os wyt ti am ei brynu'n ôl, gwna hynny; ond os nad wyt am ei brynu, dywed wrthyf, imi gael gwybod; oherwydd gennyt ti y mae'r hawl i'w brynu, a chennyf finnau wedyn." Dywedodd yntau, "Fe'i prynaf." ⁵Yna meddai Boas, "Y diwrnod y pryni di'r tir gan Naomi, yr wyt hefyd yn prynu Ruth^ch y Foabes, gwraig gŵr a fu farw, i gadw enw'r marw ar ei etifeddiaeth." ⁶Atebodd y perthynas, "Ni fedraf ei brynu heb ddifetha f'etifeddiaeth fy hun. Pryn di ef, oherwydd ni allaf fi."

7 Erstalwm dyma fyddai'r arfer yn Israel wrth brynu'n ôl neu gyfnewid: er mwyn cadarnhau unrhyw gytundeb byddai'r naill yn tynnu ei esgid ac yn ei

---

ᶜʰFelly Fersiynau. Hebraeg, *oddi wrth Ruth.*

rhoi i'r llall. Dyna oedd dull ardystio yn Israel. [8]Felly, pan ddywedodd y perthynas wrth Boas, "Pryn ef i ti dy hun", fe dynnodd ei esgid. [9]A dywedodd Boas wrth yr henuriaid a'r bobl i gyd, "Yr ydych chwi yn dystion fy mod i heddiw wedi prynu holl eiddo Elimelech a holl eiddo Cilion a Mahlon o law Naomi. [10]Yr wyf hefyd wedi prynu Ruth y Foabes, gweddw Mahlon, yn wraig imi i gadw enw'r marw ar ei etifeddiaeth, rhag i'w enw gael ei ddiddymu o fysg ei frodyr ac o'i fro. Yr ydych chwi heddiw yn dystion o hyn." [11]Dywedodd pawb oedd yn y porth, a'r henuriaid hefyd, "Yr ydym yn dystion; bydded i'r ARGLWYDD beri i'r wraig sy'n dod i'th dŷ fod fel Rachel a Lea, y ddwy a gododd dŷ Israel; bydded iti lwyddo yn Effrata, ac ennill enw ym Methlehem. [12]Trwy'r plant y bydd yr ARGLWYDD yn eu rhoi i ti o'r eneth hon, bydded dy deulu fel teulu Peres a ddygodd Tamar i Jwda."

[d]Felly llawysgrifau a Fersiynau. TM, *Salma.*

Boas a'i Ddisgynyddion

[13]Wedi i Boas gymryd Ruth yn wraig iddo, aeth i mewn ati a pharodd yr ARGLWYDD iddi feichiogi, ac esgorodd ar fab. [14]Ac meddai'r gwragedd wrth Naomi, "Bendigedig fyddo'r ARGLWYDD am iddo beidio â'th adael heddiw heb berthynas; bydded ef yn enwog yn Israel. [15]Bydd ef yn adnewyddu dy fywyd ac yn dy gynnal yn dy henaint, oherwydd dy ferch-yng-nghyfraith, sy'n dy garu, yw ei fam; ac y mae hi'n well na saith o feibion i ti." [16]Cymerodd Naomi y bachgen a'i ddodi yn ei chôl a'i fagu. [17]Rhoddodd y cymdogesau enw iddo a dweud, "Ganwyd mab i Naomi." Galwasant ef Obed; ef oedd tad Jesse, tad Dafydd.

18 Dyma achau Peres: Peres oedd tad Hesron, [19]Hesron oedd tad Ram, Ram oedd tad Amminadab, [20]Amminadab oedd tad Nahson, Nahson oedd tad Salmon[d], [21]Salmon oedd tad Boas, Boas oedd tad Obed, [22]Obed oedd tad Jesse, a Jesse oedd tad Dafydd.

LLYFR CYNTAF

SAMUEL

Elcana a'i Deulu yn Seilo

1 Yr oedd gŵr o Ramathaim yn ucheldir Effraim, un o linach Suff, o'r enw Elcana fab Jeroham, fab Elihu, fab Tochu, fab Suff, Effratead. [2]Yr oedd ganddo ddwy wraig, a'u henwau'n Hanna a Pheninna; yr oedd plant gan Peninna ond nid gan Hanna. [3]Bob blwyddyn byddai'r gŵr hwn yn mynd i fyny o'i dref i addoli ac offrymu aberth i ARGLWYDD y Lluoedd yn Seilo, lle'r oedd dau fab Eli, Hoffni a Phinees, yn offeiriaid i'r ARGLWYDD. [4]Bob tro yr oedd Elcana'n offrymu, byddai'n rhannu darnau o'r offrwm i'w wraig Peninna ac i bob un o'i bechgyn a'i merched; [5]ond un darn a roddai i Hanna, er mai hi a garai,

am fod yr ARGLWYDD wedi atal iddi gael plant. [6]Byddai ei chyd-wraig yn ei phoenydio'n arw i'w chythruddo am fod yr ARGLWYDD wedi atal iddi gael plant. [7]Dyma a ddigwyddai bob blwyddyn pan âi i fyny i dŷ'r ARGLWYDD; byddai'n ei phoenydio a hithau'n wylo a gwrthod bwyta, [8]er bod ei gŵr Elcana yn dweud wrthi, "Hanna, pam yr wyt ti'n wylo a gwrthod bwyta? Pam yr wyt yn torri dy galon? Onid wyf fi'n well i ti na deg o feibion?"

Hanna ac Eli

9 Ar ôl iddynt fwyta ac yfed yn Seilo, cododd Hanna; ac yr oedd yr offeiriad Eli yn eistedd ar gadair wrth ddrws teml yr

ARGLWYDD. [10]Yr oedd hi'n gythryblus ei hysbryd, a gweddïodd ar yr ARGLWYDD ac wylo'n hidl. [11]Tyngodd adduned a dweud, "O ARGLWYDD y Lluoedd, os cymeri sylw o gystudd dy lawforwyn a pheidio â'm hanwybyddu, ond cofio amdanaf a rhoi imi epil, yna rhoddaf ef i'r ARGLWYDD am ei oes, ac nid eillir ei ben byth". [12]Tra oedd hi'n parhau i weddïo gerbron yr ARGLWYDD, yr oedd Eli'n dal sylw ar ei genau. [13]Gan mai siarad rhyngddi a hi ei hun yr oedd Hanna, dim ond ei gwefusau oedd yn symud, ac nid oedd ei llais i'w glywed. [14]Tybiodd Eli ei bod yn feddw, a dywedodd wrthi, "Am ba hyd y byddi'n feddw? Ymysgwyd o'th win." [15]Atebodd Hanna, "Nage, syr, gwraig helbulus wyf fi; nid wyf wedi yfed gwin na diod gadarn; arllwys fy nghalon gerbron yr ARGLWYDD yr oeddwn. [16]Paid â'm hystyried yn ddynes ofer, oherwydd o ganol fy nghŵyn a'm cystudd yr oeddwn yn siarad gynnau." [17]Atebodd Eli, "Dos mewn heddwch, a rhodded Duw Israel iti yr hyn a geisiaist ganddo." [18]Dywedodd hithau, "Bydded imi gael ffafr." Yna aeth i ffwrdd a bwyta, ac nid oedd mwyach yn drist.

Geni a Chysegru Samuel

19 Bore trannoeth, wedi iddynt godi ac ymgrymu gerbron yr ARGLWYDD, aethant yn ôl adref i Rama. [20]Cafodd Elcana gyfathrach â'i wraig Hanna a chofiodd yr ARGLWYDD hi. Beichiogodd Hanna, ac ymhen amser geni mab a'i alw'n Samuel, oherwydd: "Gan yr ARGLWYDD y gofynnais amdano."

21 Aeth y gŵr Elcana a'i holl deulu i offrymu ei aberth blynyddol i'r ARGLWYDD, ac i dalu adduned. [22]Nid aeth Hanna, ond dywedodd wrth ei gŵr, "Cyn gynted ag y bydd y bachgen wedi ei ddiddyfnu, af ag ef i ymddangos gerbron yr ARGLWYDD, a chaiff aros yno am byth." [23]Dywedodd ei gŵr Elcana wrthi, "Gwna'r hyn sydd orau yn d'olwg; aros nes y byddi wedi ei ddiddyfnu, ond bydded i'r ARGLWYDD gyflawni d'addewid[a]." Felly arhosodd y wraig gartref a magu ei phlentyn nes ei ddiddyfnu. [24]Wedi iddi ei ddiddyfnu, aeth ag ef i fyny gyda hi a chymryd ych teirblwydd[b] ac effa o flawd a photel o win. Daeth ag ef yn fachgen ifanc i dŷ'r ARGLWYDD yn Seilo. [25]Wedi iddynt ladd yr ych, daethant â'r llanc at Eli, [26]a dywedodd hi, "Henffych well, syr! Myfi yw'r wraig oedd yn sefyll yma yn d'ymyl yn gweddïo ar yr ARGLWYDD. [27]Am y bachgen hwn yr oeddwn yn gweddïo, a rhoddodd yr ARGLWYDD imi'r hyn a ofynnais ganddo. [28]Yr wyf finnau'n ei fenthyg i'r ARGLWYDD am ei oes. Un wedi ei fenthyg i'r ARGLWYDD yw." Ymgrymasant yno o flaen yr ARGLWYDD.

Gweddi Hanna

2 Gweddïodd Hanna a dweud:
"Ymfalchïodd fy nghalon yn yr
   ARGLWYDD,
dyrchafwyd fy mhen yn yr ARGLWYDD.
Codaf fy llais yn erbyn fy ngelynion,
oherwydd 'rwy'n llawenhau yn dy
   iachawdwriaeth.
[2]Nid oes sanct fel yr ARGLWYDD,
yn wir nid oes neb heblaw tydi,
ac nid oes craig fel ein Duw ni.
[3]Peidiwch ag amlhau geiriau trahaus,
na gadael gair hy o'ch genau;
canys Duw sy'n gwybod yw'r
   ARGLWYDD,
ac ef sy'n pwyso gweithredoedd.
[4]Dryllir bwâu y cedyrn,
ond gwregysir y gwan â nerth.
[5]Bydd y porthiannus yn gweithio am eu
   bara,
ond y newynog yn gorffwyso bellach.
Planta'r ddi-blant seithwaith,
ond dihoeni a wna'r aml ei phlant.
[6]Yr ARGLWYDD sy'n lladd ac yn
   bywhau,
yn tynnu i lawr i Sheol ac yn dyrchafu.
[7]Yr ARGLWYDD sy'n tlodi ac yn
   cyfoethogi,
yn darostwng a hefyd yn dyrchafu.
[8]Y mae'n codi'r gwan o'r llwch
ac yn dyrchafu'r anghenus o'r domen,
i'w osod i eistedd gyda phendefigion
ac i etifeddu cadair anrhydedd;
canys eiddo'r ARGLWYDD golofnau'r
   ddaear,
ac ef a osododd y byd arnynt.
[9]Y mae'n gwarchod camre ei
   ffyddloniaid,
ond y mae'r drygionus yn tewi mewn
   tywyllwch;
canys nid trwy rym y trecha dyn.
[10]Dryllir y rhai sy'n ymryson â'r
   ARGLWYDD;
tarana o'r nef yn eu herbyn.

[a]Felly Groeg. Hebraeg, ei addewid.   [b]Felly Groeg. Hebraeg, tri ych.

Yr ARGLWYDD a farna eithafoedd
daear;
fe rydd nerth i'w frenin
a dyrchafu pen ei eneiniog."

11 Yna dychwelodd Elcana adref i
Rama, ond yr oedd y bachgen yn gwas-
anaethu'r ARGLWYDD gerbron yr
offeiriad Eli.

Meibion Eli

12 Yr oedd meibion Eli yn wŷr ofer,
heb gydnabod yr ARGLWYDD. [13] Arfer yr
offeiriaid gyda'r bobl, pan fyddai unrhyw
un yn offrymu aberth, oedd hyn: tra
oeddent yn berwi'r cig dôi gwas yr offeir-
iad gyda fforch deirpig yn ei law [14] a'i
tharo i mewn i'r badell, neu'r sosban,
neu'r crochan neu'r llestr; yna cymerai'r
offeiriad beth bynnag a ddygai'r fforch i
fyny. Felly y gweneid yn Seilo gyda'r holl
Israeliaid a ddôi yno. [15] Ond dechreuodd
gwas yr offeiriad ddod cyn llosgi'r bras-
ter hyd yn oed, a dweud wrth y dyn oedd
yn offrymu, "Rho gig i'w rostio i'r offeir-
iad; ni chymer gennyt gig wedi ei ferwi
ond cig ffres." [16] Os dywedai'r dyn,
"Gad iddynt o leiaf losgi'r braster yn
gyntaf, yna cymer iti beth a fynni,"
atebai, "Na, dyro ar unwaith, neu fe'i
cymeraf trwy rym." [17] Yr oedd pechod y
llanciau yn fawr iawn yng ngolwg yr
ARGLWYDD, oherwydd yr oedd dynion
yn ffieiddio offrwm yr ARGLWYDD.

Samuel yn Seilo

18 Yr oedd y bachgen Samuel yn
gwasanaethu gerbron yr ARGLWYDD
mewn effod liain. [19] Byddai ei fam yn
gwneud mantell fach iddo, ac yn dod â hi
iddo bob blwyddyn pan ddôi gyda'i gŵr i
offrymu'r aberth blynyddol. [20] A byddai
Eli'n bendithio Elcana` a'i wraig cyn
iddynt fynd adref, ac yn dweud, "Rhodd-
ed yr ARGLWYDD blant iti o'r wraig
hon yn lle'r un a fenthyciwyd i'r AR-
GLWYDD." [21] Ac fe ymwelodd yr AR-
GLWYDD â Hanna, a beichiogodd a geni
tri mab a dwy ferch. Tyfodd y bachgen
Samuel yn nhŷ'r ARGLWYDD.

Eli a'i Feibion

22 Pan oedd Eli'n hen iawn, clywodd
am y cwbl a wnâi ei feibion drwy Israel
gyfan, a'u bod yn gorwedd gyda'r

gwragedd oedd yn gweini wrth ddrws
pabell y cyfarfod. [23] Dywedodd wrthynt,
"Pam y gwnewch bethau fel hyn?
'Rwy'n clywed gair drwg amdanoch gan y
bobl yma i gyd. [24] Na'n wir,fy meibion,
nid da yw'r hanes y clywaf bobl Dduw yn
ei ledaenu. [25] Os yw dyn yn pechu yn
erbyn dyn, y mae Duw yn ganolwr, ond
os pecha dyn yn erbyn yr ARGLWYDD,
at bwy y gellir apelio?" Ond gwrthod
gwrando ar eu tad a wnaethant, oher-
wydd ewyllys yr ARGLWYDD oedd eu
lladd. [26] Ac yr oedd y bachgen Samuel yn
dal i gynyddu ac ennill ffafr gyda Duw a
dynion.

Proffwydoliaeth yn erbyn Teulu Eli

27 Daeth proffwyd at Eli a dweud
wrtho, "Fel hyn y dywed yr AR-
GLWYDD: 'Oni'm datguddiais fy hun
i'th dylwyth pan oeddent yn yr Aifft yn
gaethion[c] yn nhŷ Pharo? [28] Fe'u dewisais
o holl lwythau Israel i fod yn offeiriaid i
mi, i offrymu ar fy allor a llosgi arogldarth
a gwisgo effod o'm blaen, a rhoddais i'th
dylwyth holl offrymau llosg yr Israeliaid.
[29] Pam yr ydych yn llygadu fy aberth a
chwennych fy offrwm a orchmynnais[ch],
ac anrhydeddu dy feibion yn fwy na mi,
a'ch pesgi'ch hunain â'r gorau o holl
offrymau fy mhobl Israel?' [30] Am
hynny," medd ARGLWYDD Dduw Israel,
"er yn wir imi ddweud y câi dy linach
a'th deulu wasanaethu ger fy mron am
byth, yn awr," medd yr ARGLWYDD,
"pell y bo hynny oddi wrthyf, oherwydd
y rhai sy'n f'anrhydeddu a anrhydeddaf,
a diystyrir fy nirmygwyr. [31] Y mae'r
dyddiau ar ddod y torraf i ffwrdd dy
nerth di a nerth dy dylwyth, rhag bod un
hynafgwr yn dy dŷ. [32] Yna, yn dy gyfyng-
dra, byddi'n llygadu holl lwyddiant
Israel, ond ni fydd henwr yn dy dŷ di
byth. [33] Bydd unrhyw ddyn o'r eiddot na
fyddaf yn ei dorri i ffwrdd oddi wrth fy
allor yn boen llygad ac yn ofid calon iti, a
bydd holl blant dy deulu yn dihoeni a
marw. [34] Bydd yr hyn a ddigwydd i'th
ddau fab, Hoffni a Phinees, yn argoel iti:
bydd farw'r ddau yr un diwrnod. [35] Sef-
ydlaf i mi fy hun offeiriad ffyddlon a
weithreda yn ôl fy nghalon a'm meddwl;
adeiladaf iddo dŷ sicr a bydd yn gwasan-
aethu gerbron f'eneiniog yn wastadol.
[36] A bydd pob un a adewir yn dy dŷ di yn

---

[c] Felly Groeg. Hebraeg heb *yn gaethion*.

[ch] Felly Groeg. Hebraeg, *yn sarnu fy aberth a'm hoffrwm a orchmynnais yn fy nghysegr*.

dod i foesymgrymu iddo am ddarn arian neu dorth o fara a dweud, 'Rho imi unrhyw swydd yn yr offeiriadaeth, imi gael tamaid o fara'."

Yr ARGLWYDD yn Ymddangos i Samuel

3 Yn y dyddiau pan oedd y bachgen Samuel yn gwasanaethu'r AR-GLWYDD gerbron Eli, yr oedd gair yr ARGLWYDD yn brin, a gweledigaeth yn anfynych. ²Un noswaith yr oedd Eli yn gorwedd yn ei le, ac yr oedd ei lygaid wedi dechrau pylu ac yntau'n methu gweld. ³Nid oedd lamp Duw wedi diffodd eto, ac yr oedd Samuel yn cysgu yn nheml yr ARGLWYDD, lle'r oedd arch Duw. ⁴Yna galwodd yr ARGLWYDD ar Samuel. Dywedodd yntau, "Dyma fi." Rhedodd at Eli a dweud, "Dyma fi, 'roeddit yn galw arnaf." ⁵Atebodd ef, "Nac oeddwn, dos yn ôl i orwedd." Aeth yntau a gorwedd. ⁶Yna galwodd yr ARGLWYDD eto, "Samuel!" Cododd Samuel a mynd at Eli a dweud, "Dyma fi, 'roeddit yn fy ngalw." Ond dywedodd ef, "Nac oeddwn, fy machgen, dos yn ôl i orwedd." ⁷Yr oedd hyn cyn i Samuel adnabod yr ARGLWYDD, a chyn bod gair yr ARGLWYDD wedi ei ddatguddio iddo. ⁸Galwodd yr ARGLWYDD eto'r drydedd waith, "Samuel!" A phan gododd a mynd at Eli a dweud, "Dyma fi, 'roeddit yn galw arnaf," deallodd Eli mai'r ARGLWYDD oedd yn galw'r bachgen. ⁹Felly dywedodd Eli wrth Samuel, "Dos i orwedd, ac os gelwir di eto, dywed tithau, 'Llefara, AR-GLWYDD, canys y mae dy was yn gwrando'." Aeth Samuel a gorwedd yn ei le. ¹⁰Yna daeth yr ARGLWYDD a sefyll a galw fel o'r blaen, "Samuel! Samuel!" A dywedodd Samuel, "Llefara, canys y mae dy was yn gwrando."

11 Yna dywedodd yr ARGLWYDD wrth Samuel, "Yr wyf ar fin gwneud rhywbeth yn Israel a fydd yn merwino clustiau pwy bynnag a'i clyw. ¹²Y dydd hwnnw dygaf at Eli y cwbl a ddywedais am ei dŷ, o'r dechrau i'r diwedd; ¹³a dywedaf wrtho fy mod yn barnu ei dŷ am byth, oherwydd gwyddai fod ei feibion yn melltithio Duwᵈ, ac ni roddodd daw arnynt. ¹⁴Am hynny tyngais wrth dŷ Eli, 'Ni wneir iawn byth am anwiredd tŷ Eli ag aberth nac ag offrwm'."

15 Gorweddodd Samuel tan y bore, yna agorodd ddrysau tŷ'r ARGLWYDD; ond ofnai ddweud y weledigaeth wrth Eli. ¹⁶Galwodd Eli ar Samuel, "Samuel, fy machgen." Atebodd yntau, "Dyma fi." Yna holodd, "Beth oedd y neges a lefarodd ef wrthyt? ¹⁷Paid â'i chelu oddi wrthyf. Fel hyn y gwnelo Duw iti, a rhagor, os cuddi oddi wrthyf unrhyw beth a lefarodd ef wrthyt." ¹⁸Yna mynegodd Samuel y cyfan wrtho, heb gelu dim. Ac meddai yntau, "Yr ARGLWYDD yw; fe wna'r hyn sydd dda yn ei olwg."

19 Tyfodd Samuel, ac yr oedd yr ARGLWYDD gydag ef; ni adawodd i'r un o'i eiriau fethu. ²⁰Sylweddolodd Israel gyfan, o Dan hyd Beerseba, fod Samuel wedi ei sefydlu'n broffwyd i'r AR-GLWYDD. ²¹A pharhaodd yr ARGLWYDD i ymddangos yn Seilo, oherwydd yno y'i datguddiodd ei hun i Samuel trwy ei air.

4 Yr oedd gair Samuel yn air i Israel gyfan.

Y Philistiaid yn Cipio Arch y Cyfamod

Aeth Israel i ryfel yn erbyn y Philistiaid a gwersyllu ger Ebeneser, a'r Philistiaid yn gwersyllu yn Affec. ²Wedi i'r Philist-iaid drefnu eu byddin yn erbyn Israel, aeth yn frwydr, a threchwyd Israel gan y Philistiaid; lladdwyd tua phedair mil o'r fyddin ar faes y gad. ³Pan ddychwelodd y bobl i'r gwersyll, holodd henuriaid Israel, "Pam y trawodd yr ARGLWYDD ni heddiw o flaen y Philistiaid? Cymerwn atom o Seilo arch cyfamod yr AR-GLWYDD, a doed i'n plith i'n cadw o law ein gelynion." ⁴Anfonodd y bobl i Seilo a chymryd oddi yno arch cyfamod ARGLWYDD y Lluoedd sydd â'i orsedd ar y cerwbiaid. Yno hefyd, gydag arch cyfamod Duw, yr oedd dau fab Eli, Hoffni a Phinees. ⁵Pan gyrhaeddodd arch cyfamod yr ARGLWYDD i'r gwersyll, gwaeddodd yr Israeliaid i gyd â bloedd uchel nes bod y ddaear yn datseinio. ⁶Clywodd y Philistiaid y floedd a gofyn, "Beth yw'r floedd fawr hon a glywir yng ngwersyll yr Hebreaid?" Wedi iddynt ddeall mai arch cyfamod yr ARGLWYDD oedd wedi cyrraedd i'r gwersyll, ⁷ofnodd y Philistiaid, oherwydd dweud yr oeddent, "Daeth duw i'r gwersyll." Ac meddent, "Gwae ni! Oherwydd ni fu peth fel hyn erioed o'r blaen. ⁸Gwae ni! Pwy a'n gwared ni o

---

ᵈFelly Groeg. Hebraeg, *am byth, am yr anwiredd a wyddai; am fod ei feibion yn melltithio iddynt.*

law'r duwiau nerthol hyn? Dyma'r duwiau a drawodd yr Eifftiaid â phob math o bla yn yr anialwch. ⁹Byddwch yn gryf a gwrol, O Philistiaid, rhag i chwi fynd yn gaeth i'r Hebreaid fel y buont hwy i chwi; ie, byddwch yn wrol ac ymladd." ¹⁰Ymladdodd y Philistiaid, a threchwyd Israel, a ffodd pawb adref. Bu lladdfa fawr iawn, a syrthiodd deng mil ar hugain o wŷr traed Israel. ¹¹Hefyd cymerwyd arch Duw, a bu farw Hoffni a Phinees, dau fab Eli.

Marwolaeth Eli

12 Y diwrnod hwnnw rhedodd un o wŷr Benjamin o'r frwydr a chyrraedd Seilo â'i ddillad wedi eu rhwygo a phridd ar ei ben. ¹³Pan ddaeth, dyna lle'r oedd Eli yn eistedd ar sedd gerllaw'r ffordd yn disgwyl, am ei fod yn bryderus iawn am arch Duw. Pan ddaeth y dyn a chyhoeddi'r newydd yn y ddinas, bu llefain drwy'r ddinas. ¹⁴A phan glywodd Eli sŵn y llefain, holodd, "Beth yw'r cynnwrf yma?" Yna brysiodd y dyn, a dod ac adrodd yr hanes wrth Eli. ¹⁵Yr oedd Eli'n naw deg ac wyth oed, a'i lygaid wedi pylu fel na fedrai weld. ¹⁶A dywedodd y dyn wrth Eli, "Myfi sydd wedi dod o'r frwydr; heddiw y ffois o'r gad." Yna gofynnodd iddo, "Beth yw'r newydd, fy machgen?" ¹⁷Atebodd y cennad, "Ffodd Israel o flaen y Philistiaid, a bu lladdfa fawr ymysg y bobl hefyd; y mae dy ddau fab, Hoffni a Phinees wedi marw, ac arch Duw wedi ei chymryd." ¹⁸Pan soniodd am arch Duw, syrthiodd Eli yn wysg ei gefn oddi ar y sedd gerllaw'r porth, a thorri ei wddf a marw, oherwydd yr oedd yn hen ac yn ddyn trwm. Yr oedd wedi barnu Israel am ddeugain mlynedd.

Geni Ichabod

19 Yr oedd ei ferch-yng-nghyfraith, gwraig Phinees, yn feichiog ac yn agos i esgor. Pan glywodd hi'r newydd fod arch Duw wedi ei chymryd a bod ei thad-yng-nghyfraith a'i gŵr wedi marw, crymodd ac esgorodd, oherwydd daeth ei gwewyr arni. ²⁰Ac fel yr oedd hi'n marw, dywedodd y merched oedd o'i chwmpas, "Paid ag ofni, 'rwyt ti wedi esgor ar fab." Nid atebodd hi na chymryd sylw, ²¹ond enwi'r bachgen, Ichabod^dd, a dweud,

^dd H.y., *Di-ogoniant.*

"Ciliodd gogoniant o Israel," oherwydd colli arch Duw a'i thad-yng-nghyfraith a'i gŵr. ²²Dyna a ddywedodd, "Ciliodd gogoniant o Israel, oherwydd cymryd arch Duw."

Arch y Cyfamod yng Ngwlad y Philistiaid

5 Wedi i'r Philistiaid gipio arch Duw, dygwyd hi o Ebeneser i Asdod; ²yno dygodd y Philistiaid hi i deml Dagon, a'i gosod wrth ochr Dagon. ³Pan gododd yr Asdodiaid fore trannoeth, gwelsant Dagon wedi syrthio i lawr ar ei wyneb o flaen arch yr ARGLWYDD. ⁴Yna codasant Dagon, a'i roi'n ôl yn ei le. Bore trannoeth, wedi iddynt godi, gwelsant Dagon wedi syrthio i lawr ar ei wyneb o flaen arch yr ARGLWYDD, a phen a dwy law Dagon ar y trothwy wedi eu torri i ffwrdd, a dim ond corff Dagon ar ôl ganddo. ⁵Dyna pam nad yw offeiriaid Dagon, na neb sy'n dod i'w deml, yn sangu ar drothwy Dagon yn Asdod hyd y dydd hwn.

6 Bu llaw'r ARGLWYDD yn drwm ar yr Asdodiaid. Parodd arswyd ar Asdod a'i chyffiniau, a'u taro â chornwydydd. ⁷Pan welodd gwŷr Asdod mai felly'r oedd, dywedasant, "Ni chaiff arch Duw Israel aros gyda ni, oherwydd y mae ei law yn drwm arnom ni ac ar ein duw Dagon." ⁸Wedi iddynt anfon a chasglu atynt holl arglwyddi'r Philistiaid, gofynasant, "Beth a wnawn ag arch Duw Israel?" Atebasant hwythau, "Aed arch Duw Israel draw i Gath." Felly aethant ag arch Duw Israel yno. ⁹Ond wedi iddynt fynd â hi yno, bu llaw'r ARGLWYDD ar y ddinas a pheri difrod mawr iawn, trawyd gwŷr y ddinas yn hen ac ifainc, a thorrodd y cornwydydd allan arnynt hwythau. ¹⁰Anfonasant arch Duw i Ecron, ond pan gyrhaeddodd yno, cwynodd pobl Ecron, "Y maent wedi dod ag arch Duw Israel atom ni i'n lladd ni a'n teuluoedd." ¹¹Felly anfonasant i gasglu ynghyd holl arglwyddi'r Philistiaid a dweud, "Anfonwch arch Duw Israel yn ôl i'w lle ei hun, rhag iddi'n lladd ni a'n teuluoedd." ¹²Yr oedd ofn angau drwy'r holl ddinas am fod llaw Duw mor drwm yno, a hyd yn oed y rhai a arbedwyd rhag marwolaeth wedi eu taro â'r cornwydydd; ac esgynnai gwaedd y ddinas i'r entrychion.

Dychwelyd Arch y Cyfamod

6 Wedi i arch yr ARGLWYDD fod yn Philistia saith mis, [2]galwodd y Philistiaid ar yr offeiriaid a'r dewiniaid a gofyn, "Beth a wnawn ni ag arch yr ARGLWYDD? Dywedwch wrthym sut yr anfonwn hi'n ôl i'w lle." [3]Atebasant, "Os ydych yn anfon arch Duw Israel yn ôl, peidiwch â'i hanfon heb rodd, gofalwch anfon gyda hi offrwm dros gamwedd; yna cewch eich iacháu a darganfod pam na symudwyd ei law oddi arnoch." [4]Pan ofynnwyd pa offrwm dros gamwedd a roddent iddo, dywedasant, "Pum cornwyd aur a phum llygoden aur, yn ôl nifer arglwyddi'r Philistiaid, oherwydd yr un pla a fu ar bawb ohonoch chwi a'ch arglwyddi. [5]Gwnewch fodelau o'ch cornwydydd, a'r llygod sy'n difa'r wlad, a rhowch ogoniant i Dduw Israel; efallai y bydd yn ysgafnhau ei law oddi arnoch chwi a'ch duw a'ch gwlad. [6]Pa les ystyfnigo fel y gwnaeth Pharo a'r Aifft? Wedi iddo ef eu trin fel y mynnai, oni fu raid iddynt ollwng Israel ymaith? [7]Yn awr, paratowch fen newydd a chymryd dwy fuwch fagu heb fod dan iau; rhwymwch y buchod wrth y fen a chadw ei lloi i mewn rhag iddynt eu dilyn. [8]Yna cymerwch arch yr ARGLWYDD a'i rhoi ar y fen, ac mewn cist wrth ei hochr rhowch y pethau aur yr ydych yn eu hanfon iddo yn offrwm dros gamwedd; a gadewch i'r arch fynd. [9]Yna cewch weld; os â i fyny am Bethsemes i gyfeiriad ei chynefin, cf sydd wedi achosi'r drwg mawr hwn i ni; ond os nad â, byddwn yn gwybod nad ei law ef a'n trawodd, ond mai cyd-ddigwyddiad oedd hyn."

10 Dyna a wnaeth y dynion, cymryd dwy fuwch fagu a'u rhwymo wrth fen a chadw eu lloi mewn cwt. [11]Rhoesant arch yr ARGLWYDD ar y fen, gyda'r gist a'r llygod aur a'r modelau o'u cornwydydd. [12]Cerddodd y buchod ar eu hunion ar y ffordd i gyfeiriad Bethsemes, yn brefu wrth fynd, ond yn cadw i'r un briffordd heb wyro i'r dde na'r chwith; a cherddodd arglwyddi'r Philistiaid ar eu hôl hyd at derfyn Bethsemes. [13]Yr oedd pobl Bethsemes yn medi eu cynhaeaf gwenith yn y dyffryn, a phan godasant eu llygaid a gweld yr arch, yr oeddent yn llawen o'i gweld. [14]Daeth y fen i faes Josua, gŵr o Bethsemes, a sefyll yno yn

ymyl carreg fawr, ac wedi iddynt ddarnio coed y fen, offrymasant y buchod yn boethoffrwm i'r ARGLWYDD. [15]Yna tynnodd y Lefiaid i lawr arch yr ARGLWYDD, a'r gist oedd gyda hi yn cynnwys y pethau aur, a'u rhoi ar y garreg fawr; a'r dydd hwnnw offrymodd gwŷr Bethsemes offrymau ac ebyrth i'r ARGLWYDD. [16]Ac wedi i bum arglwydd y Philistiaid weld, aethant yn ôl i Ecron yr un diwrnod.

17 Dyma restr y cornwydydd aur a anfonodd y Philistiaid i'r ARGLWYDD yn offrwm dros gamwedd: un dros Asdod, un dros Gasa, un dros Ascalon, un dros Gath ac un dros Ecron. [18]Hefyd llygod aur yn ôl nifer holl ddinasoedd y Philistiaid a oedd dan y pum arglwydd, yn ddinas gaerog neu'n bentref agored. Saif y garreg fawr y gosodwyd arni arch yr ARGLWYDD yn dyst hyd y dydd hwn ym maes Josua o Bethsemes.

Arch y Cyfamod yn Ciriath Jearim

19 Trawyd rhai o wŷr Bethsemes am iddynt edrych i mewn i arch yr ARGLWYDD. Trawyd deg a thrigain ohonynt[e], a galarodd y bobl oherwydd bod yr ARGLWYDD wedi gwneud lladdfa mor fawr yn eu plith. [20]A dywedodd gwŷr Bethsemes, "Pwy a fedr sefyll o flaen yr ARGLWYDD, y Duw sanctaidd hwn? At bwy yr â oddi wrthym ni?". [21]Anfonasant negeswyr at drigolion Ciriath Jearim a dweud, "Anfonodd y Philistiaid arch yr ARGLWYDD yn ôl, dewch i lawr i'w chyrchu."

7 Yna daeth gwŷr Ciriath Jearim a chyrchu arch yr ARGLWYDD, a'i dwyn atynt i dŷ Abinadab ar y bryn, a chysegru ei fab Eleasar i gadw arch yr ARGLWYDD.

Samuel yn Llywodraethu ar Israel

2 Aeth llawer o amser heibio, tuag ugain mlynedd, er pan ddaeth yr arch i aros yn Ciriath Jearim, ac yr oedd holl dŷ Israel yn hiraethu am yr ARGLWYDD. [3]Dywedodd Samuel wrth yr Israeliaid, "Os ydych yn dychwelyd at yr ARGLWYDD â'ch holl galon, bwriwch ymaith y duwiau estron a'r Astaroth o'ch mysg; rhowch eich meddwl ar yr ARGLWYDD, a'i addoli ef yn unig, ac fe'ch achub o law y Philistiaid." [4]A bwriodd Israel ymaith y Baalim a'r

---

[e]Hebraeg yn ychwanegu *hanner can mil o wŷr.*

Astaroth, ac addoli'r ARGLWYDD yn unig.

5 Yna dywedodd Samuel, "Casglwch holl Israel i Mispa, a gweddïaf drosoch ar yr ARGLWYDD." ⁶Ac wedi iddynt ymgasglu i Mispa, a thynnu dŵr a'i arllwys gerbron yr ARGLWYDD, gwnaethant ympryd yno y diwrnod hwnnw a dweud, "Yr ydym wedi pechu yn erbyn yr ARGLWYDD." Yn Mispa yr oedd Samuel yn barnu Israel. ⁷Pan glywodd y Philistiaid fod Israel wedi dod ynghyd i Mispa, daeth arglwyddi'r Philistiaid i fyny yn erbyn Israel. Clywodd Israel hynny, a daeth arnynt ofn y Philistiaid, ac meddent wrth Samuel, ⁸"Gweddïa'n ddi-baid drosom ar yr ARGLWYDD ein Duw iddo'n gwaredu ni o law'r Philistiaid." ⁹Cymerodd Samuel oen sugno a'i offrymu'n aberth cyfan i'r ARGLWYDD; gweddïodd ar yr ARGLWYDD dros Israel, ac atebodd yr ARGLWYDD ef. ¹⁰Y diwrnod hwnnw, fel yr oedd Samuel yn offrymu'r aberth, a'r Philistiaid yn nesáu i ymladd ag Israel, cododd yr ARGLWYDD storm daranau yn erbyn y Philistiaid a'u drysu, a gyrrwyd hwy ar ffo o flaen Israel. ¹¹Yna aeth gwŷr Israel allan o Mispa, ac erlid y Philistiaid a'u taro nes dod islaw Bethcar. ¹²Yna cymerodd Samuel faen, a'i osod rhwng Mispa a Sên a'i alw'n Ebeneser, a dweud, "Hyd yma y cynorthwyodd yr ARGLWYDD ni."

13 Darostyngwyd y Philistiaid ac ni ddaethant eto i diriogaeth Israel; yr oedd llaw'r ARGLWYDD yn erbyn y Philistiaid holl ddyddiau Samuel. ¹⁴Adferwyd i Israel y trefi yr oedd y Philistiaid wedi eu dwyn oddi arni, o Ecron hyd Gath; a rhyddhaodd Israel eu terfynau o afael y Philistiaid. Yr oedd heddwch hefyd rhwng Israel a'r Amoriaid. ¹⁵Bu Samuel yn barnu Israel ar hyd ei oes. ¹⁶Bob blwyddyn âi ar gylchdaith i Fethel, Gilgal a Mispa, a barnu Israel yn y mannau hyn. ¹⁷Yna dychwelai i Rama, oherwydd yno'r oedd ei gartref. Barnai Israel yno hefyd, a chododd yno allor i'r ARGLWYDD.

Y Bobl yn Gofyn am Frenin

8 Wedi i Samuel heneiddio, penododd ei feibion yn farnwyr ar yr Israeliaid. ²Joel oedd ei fab hynaf, ac Abia ei ail fab; ac yr oeddent yn barnu yn

ᶠFelly Groeg. Hebraeg, *eich gwŷr dethol.*

Beerseba. ³Eto nid oedd y meibion yn cerdded yn llwybrau eu tad, ond yn ceisio elw, yn derbyn cil-dwrn ac yn gwyro barn. ⁴Felly cyfarfu holl henuriaid Israel, a mynd at Samuel i Rama, ⁵a dweud wrtho, "Yr wyt ti wedi mynd yn hen, ac nid yw dy feibion yn cerdded yn dy lwybrau di; rho inni'n awr frenin i'n barnu, yr un fath â'r holl genhedloedd." ⁶Gofidiodd Samuel eu bod yn dweud, "Rho inni frenin i'n barnu", a gweddïodd Samuel ar yr ARGLWYDD. ⁷Dywedodd yr ARGLWYDD wrth Samuel, "Gwrando ar y bobl ym mhopeth y maent yn ei ddweud wrthyt, oherwydd nid ti ond myfi y maent yn ei wrthod rhag bod yn frenin arnynt. ⁸Yn union fel y gwnaethant â mi o'r dydd y dygais hwy i fyny o'r Aifft hyd heddiw, sef fy ngadael a gwasanaethu duwiau eraill, felly hefyd y gwnânt â thithau. ⁹Gwrando'n awr ar eu cais, ond gofala hefyd dy fod yn eu rhybuddio'n ddifrifol ac yn dangos iddynt ddull y brenin a fydd yn teyrnasu arnynt."

10 Mynegodd Samuel holl eiriau'r ARGLWYDD wrth y bobl oedd yn gofyn am frenin ganddo, ¹¹a dweud, "Dyma ddull y brenin a fydd yn teyrnasu arnoch: fe gymer eich meibion a'u gwneud yn gerbydwyr ac yn farchogion i fynd o flaen ei gerbyd. ¹²Gwna rai ohonynt yn gapteiniaid mil a chapteiniaid hanner cant, eraill i aredig ei dir ac i fedi ei gynhaeaf, ac eraill i wneud ei arfau rhyfel ac offer ei gerbydau. ¹³Fe gymer eich merched yn bersawresau, yn gogyddesau ac yn bobyddesau; ¹⁴cymer hefyd eich meysydd, eich gwinllannoedd a'ch perllannau gorau a'u rhoi i'w weision; ¹⁵bydd yn degymu'ch ŷd a'ch gwinllannoedd ac yn ei rannu i'w swyddogion a'i weision; ¹⁶ac yn cymryd eich llafurwyr a'ch morynion, eich bustychᶠ gorau a'ch asynnod, ar gyfer ei waith ei hun. ¹⁷Fe ddegyma'ch defaid, a byddwch chwithau'n gaethweision iddo. ¹⁸A'r dydd hwnnw byddwch yn protestio oherwydd y brenin y byddwch wedi ei ddewis; ond ni fydd yr ARGLWYDD yn eich ateb y diwrnod hwnnw."

19 Gwrthododd y bobl wrando ar Samuel. "Na," meddent, "y mae'n rhaid inni gael brenin, ²⁰i ni fod yr un fath â'r holl genhedloedd, gyda brenin i'n barnu a'n harwain i ryfel ac ymladd ein

brwydrau." ²¹Gwrandawodd Samuel ar y cwbl a ddywedodd y bobl, a'i adrodd wrth yr ARGLWYDD. ²²Dywedodd yr ARGLWYDD wrth Samuel, "Gwrando ar eu cais, a rho frenin iddynt." A dywedodd Samuel wrth wŷr Israel, "Ewch adref bob un."

Saul yn Cyfarfod Samuel

9 Yr oedd gŵr blaenllaw yn Benjamin o'r enw Cis fab Abiel, fab Seror, fab Apiach, ²a chanddo fab o'r enw Saul, gŵr ifanc golygus nad oedd ei well ymysg yr Israeliaid, ac yn dalach o'i ysgwyddau i fyny na neb arall. ³Aeth asennod Cis tad Saul ar goll, a dywedodd Cis wrth ei fab Saul, "Cymer un o'r gweision a dos i chwilio am yr asennod." ⁴Aethant drwy fynydd-dir Effraim a thrwy ardal Salisa, ond heb eu cael; yna mynd drwy ardal Saalim, ond nid oedd dim o'u hanes yno; ac yna drwy diriogaeth Benjamin, ond eto heb eu cael. ⁵Wedi iddynt ddod i ardal Suff, dywedodd Saul wrth y gwas oedd gydag ef, "Tyrd, awn yn ôl, rhag i 'nhad anghofio'r asennod a dechrau poeni amdanom ni." ⁶Ac meddai'r gwas wrtho, "Edrych, y mae yma ŵr Duw yn y dref hon sy'n uchel ei glod, a phopeth a ddywed yn sicr o ddigwydd. Gad inni fynd ato, ac efallai y dywed wrthym pa ffordd y dylem fynd." ⁷Ond dywedodd Saul wrth ei was, "A bwrw'n bod ni'n mynd, beth a ddygwn ni i'r dyn? Y mae hyd yn oed y bara yn ein paciau wedi darfod; nid oes gennym unrhyw rodd i'w chynnig i ŵr Duw. Beth sydd gennym?" ⁸Atebodd y gwas eto a dweud wrth Saul, "Wel, y mae'n digwydd bod gennyf fi chwarter sicl, fe'i rhoddaf i ŵr Duw am ddweud y ffordd wrthym." ⁹(Yn Israel gynt, fel hyn y dywedai dyn wrth fynd i ymgynghori â Duw, "Dewch ac awn at y gweledydd." Oherwydd gynt "gweledydd" oedd yr enw ar broffwyd.) ¹⁰Dywedodd Saul wrth ei was, "Awgrym da. Tyrd, fe awn." Ac aethant i'r dref lle'r oedd gŵr Duw. ¹¹Fel yr oeddent yn dringo'r allt at y dref, gwelsant ferched ar eu ffordd i dynnu dŵr, a dyna ofyn iddynt, "A yw'r gweledydd yma?" ¹²"Ydyw," meddent, "acw'n syth o'ch blaen; brysiwch, y mae newydd gyrraedd y dref, oherwydd y mae gan y bobl aberth heddiw yn yr uchelfa. ¹³Os ewch

i'r dref, fe'i daliwch cyn iddo fynd i'r uchelfa i fwyta; oherwydd ni fydd y bobl yn dechrau bwyta nes iddo gyrraedd, gan mai ef sy'n bendithio'r aberth cyn i'r gwahoddedigion fwyta. Ewch i fyny, ac fe'i cewch ar unwaith." ¹⁴Aethant tua'r dref, ac fel yr oeddent yn mynd i mewn iddi, dyna Samuel yn dod i'w cyfarfod ar ei ffordd i'r uchelfa.

15 Yr oedd yr ARGLWYDD wedi rhybuddio Samuel ryw ddiwrnod cyn i Saul gyrraedd, a dweud, ¹⁶"Yr adeg yma yfory anfonaf atat ddyn o diriogaeth Benjamin, i'w eneinio'n dywysog ar fy mhobl Israel, ac fe wareda fy mhobl o law'r Philistiaid; oherwydd gwelais drueni[ff] fy mhobl, a daeth eu cri ataf." ¹⁷Pan welodd Samuel Saul, dywedodd yr ARGLWYDD, "Dyma'r dyn y dywedais wrthyt amdano; hwn sydd i reoli fy mhobl." ¹⁸Daeth Saul i fyny at Samuel yng nghanol y porth a dweud wrtho, "A fyddi mor garedig â dweud wrthyf ymhle y mae tŷ'r gweledydd?" ¹⁹Atcbodd Samuel, "Fi yw'r gweledydd; dos i fyny o'm blaen i'r uchelfa; cei fwyta gyda mi heddiw, a gollyngaf di ymaith yfory ar ôl dwcud wrthyt bopeth sydd yn dy galon. ²⁰Ac am yr asennod sydd ar goll gennyt ers tridiau, paid â phoeni amdanynt, oherwydd cafwyd hwy. I bwy y mae popeth dymunol yn Israel? Onid i ti a'th holl deulu?" ²¹Atebodd Saul, "Onid un o Benjamin wyf fi, o'r lleiaf o lwythau Israel? A'm tylwyth i yw'r distatlaf o holl dylwythau llwyth Benjamin. Pam, felly, yr wyt yn siarad fel hyn â mi?" ²²Cymerodd Samuel Saul a'i was, a mynd â hwy i'r neuadd a rhoi iddynt y lle blaenaf ymysg y gwahoddedigion; yr oedd tua deg ar hugain ohonynt. ²³Yna dywedodd Samuel wrth y cogydd, "Estyn y darn a roddais iti pan ddywedais wrthyt, 'Cadw hwn o'r neilltu'." ²⁴Dygodd y cogydd y glun a'r hyn oedd arni, a'i gosod gerbron Saul a dweud, "Dyma'r hyn a gadwyd ar dy gyfer; bwyta, oherwydd fe'i cadwyd iti ar gyfer yr amser penodedig, i'w fwyta gyda'r gwahoddedigion[g]." Bwytaodd Saul y diwrnod hwnnw gyda Samuel.

Samuel yn Eneinio Saul

25 Wedi iddynt ddychwelyd o'r uchelfa i'r dref, gwnaethant wely i Saul

ff Felly Groeg. Hebraeg heb *drueni*.
g Tebygol. Hebraeg, *penodedig, gan ddweud, 'Y bobl a wahoddais.'*

ar ben y tŷ, a chysgodd yno[ng]. [26] Pan dorrodd y wawr, galwodd Samuel ar Saul, ac yntau ar y to, a dweud, "Cod, imi gael dy gychwyn." Ac wedi i Saul godi, aeth y ddau allan, Samuel ac yntau. [27] Wedi iddynt ddod i gwr y dref, dywedodd Samuel wrth Saul, "Dywed wrth y gwas am fynd o'n blaen, ac wedyn aros di ennyd, imi fynegi gair Duw iti."

10 Cymerodd Samuel ffiol o olew a'i dywallt dros ei ben, a'i gusanu a dweud, "Onid yw'r ARGLWYDD yn d'eneinio'n dywysog ar ei bobl Israel, ac onid ti fydd yn rheoli pobl yr ARGLWYDD, ac yn eu gwaredu o law eu gelynion oddi amgylch? A dyma'r arwydd fod yr[h] ARGLWYDD wedi d'eneinio'n dywysog ar ei etifeddiaeth: [2] pan ei oddi wrthyf heddiw, cei ddau ddyn wrth fedd Rachel yn Selsach ar ffin Benjamin, a dywedant wrthyt fod yr asennod yr aethost i'w ceisio wedi eu cael, a bod dy dad wedi rhoi heibio fater yr asennod, ac yn poeni amdanoch chwi a dweud, 'Beth a wnaf am fy mab?' [3] Wedi iti fynd ymlaen oddi yno, fe ddoi at dderwen Tabor a chael yno dri dyn yn mynd i fyny at Dduw i Fethel, un yn cario tri myn, un arall yn cario tair torth, a'r llall yn cario potel o win. [4] Wedi iddynt dy gyfarch, rhoddant iti ddwy dorth; cymer dithau hwy ganddynt. [5] Wedi hynny doi at Gibea Duw, lle y mae rhaglaw y Philistiaid. Wedi iti gyrraedd y dref, byddi'n taro ar fintai o broffwydi yn dod i lawr o'r uchelfa gyda feiol, drwm, pib a thelyn o'u blaen, a hwythau'n proffwydo. [6] A bydd ysbryd yr ARGLWYDD yn dy feddiannu, a byddi dithau'n proffwydo gyda hwy ac yn cael dy droi'n ddyn gwahanol. [7] Pan ddigwydd yr arwyddion hyn i ti, gwna yn ôl dy gyfle, oherwydd y mae Duw gyda thi. [8] Dos i lawr o'm blaen i Gilgal, a dof finnau atat i offrymu poethoffrymau ac ebyrth hedd. Aros wythnos amdanaf, ac yna dangosaf iti beth i'w wneud."

[9] Wedi i Saul droi a gadael Samuel, newidiodd Duw ei galon ef, a digwyddodd yr holl arwyddion hyn yr un diwrnod. [10] Pan ddaethant i Gibea, yr oedd y fintai o broffwydi yno yn dod i'w gyfarfod; meddiannwyd ef gan ysbryd Duw, a dechreuodd broffwydo yn eu plith. [11] Pan welodd y bobl oedd yn ei adnabod gynt ei fod yn proffwydo gyda'r proffwydi, dywedasant wrth ei gilydd, "Beth yw hyn sydd wedi digwydd i fab Cis? A yw Saul hefyd ymysg y proffwydi?" [12] Ac ychwanegodd un oedd yno, "A phwy yw eu tad?" Dyna sut y daeth y ddihareb, "A yw Saul hefyd ymysg y proffwydi?" [13] Pan orffennodd broffwydo, aeth i'r uchelfa. [14] Gofynnodd ewythr Saul iddo ef a'i was, "Ymhle y buoch?" Atebodd, "Yn chwilio am yr asennod; ac wedi inni fethu eu gweld, aethom at Samuel." [15] Ac meddai ewythr Saul, "Dywed wrthyf, ynteu, beth a ddywedodd Samuel wrthych." [16] Dywedodd Saul wrth ei ewythr, "Sicrhaodd ni fod yr asennod wedi eu cael." Ond ni soniodd ddim wrtho am yr hyn a ddywedodd Samuel ynglŷn â'r frenhiniaeth.

Cyhoeddi Saul yn Frenin

17 Galwodd Samuel y bobl at yr ARGLWYDD i Mispa, [18] a dywedodd wrth yr Israeliaid, "Fel hyn y dywed yr ARGLWYDD, Duw Israel: 'Myfi a ddaeth ag Israel i fyny o'r Aifft, a'ch achub o law yr Eifftiaid a'r holl deyrnasoedd a fu'n eich gorthrymu. [19] Ond heddiw yr ydych yn gwrthod eich Duw, a fu'n eich gwaredu o'ch holl drueni a'ch cyfyngderau, ac yn dweud wrtho, "Rho inni frenin." Yn awr, felly, safwch yn rhengoedd o flaen yr ARGLWYDD yn ôl eich llwythau a'ch tylwythau.'"

20 Wedi i Samuel gyflwyno pob un o lwythau Israel gerbron yr ARGLWYDD, dewiswyd llwyth Benjamin. [21] Yna cyflwynodd lwyth Benjamin fesul tylwythau, a dewiswyd tylwyth Matri; wedyn dewiswyd Saul fab Cis, ond wedi chwilio amdano, nid oedd i'w gael. [22] Gofynasant eto i'r ARGLWYDD, "A ddaeth y gŵr yma?" A dywedodd yr ARGLWYDD, "Do, y mae'n cuddio ymysg yr offer." [23] Wedi iddynt redeg a'i gymryd oddi yno a'i osod i sefyll yng nghanol y bobl, yr oedd yn dalach na phawb, o'i ysgwyddau i fyny. [24] Dywedodd Samuel, "A welwch chwi'r un a ddewisodd yr ARGLWYDD? Yn wir nid oes neb o'r holl bobl yn debyg iddo." Bloeddiodd yr holl bobl a dweud, "Hir oes i'r brenin!" [25] Yna mynegodd Samuel wrth y bobl ddull y frenhiniaeth,

---

[ng] Felly Groeg. Hebraeg, *i'r dref, ymddiddanodd gyda Saul ar ben y tŷ a chodasant yn fore.*
[h] Felly Groeg. Hebraeg heb ARGLWYDD *yn d'eneinio...fod yr.*

a'i ysgrifennu mewn llyfr a'i osod ynghadw gerbron yr ARGLWYDD; yna gollyngodd yr holl bobl, i bob un fynd adref. [26] Aeth Saul yntau adref i Gibea, ac aeth gydag ef fyddin o rai y cyffyrddodd Duw â'u calon. [27] Ond meddai'r dihirod, "Sut y gall hwn ein hachub?" Yr oeddent yn ei ddirmygu, ac ni ddaethant ag anrheg iddo.

Saul yn Gorchfygu'r Ammoniaid

11 Ymhen tua mis aeth[i] Nahas yr Ammoniad i fyny a gwersyllu yn erbyn Jabes Gilead. Dywedodd holl wŷr Jabes wrth Nahas, "Gwna gytundeb â ni, ac fe'th wasanaethwn." [2] Atebodd Nahas yr Ammoniad, "Ar un amod y gwnaf gytundeb â chwi—bod tynnu llygad de pob un ohonoch; a gosodaf hyn yn sarhad ar Israel gyfan." [3] Yna meddai henuriaid Jabes wrtho, "Rho inni egwyl o wythnos i anfon negeswyr drwy derfynau Israel i gyd, ac os na chawn neb i'n gwaredu, down allan atat."

4 Daeth y negeswyr at Gibea Saul ac adrodd am hyn yng nghlyw'r bobl, a chododd pawb ei lais ac wylo. [5] Yna daeth Saul o'r maes yn dilyn ei wedd o ychen a gofynnodd, "Beth sydd ar y bobl, yn wylo?" A mynegwyd wrtho helyntion gwŷr Jabes. [6] Pan glywodd y pethau hyn, meddiannwyd Saul gan ysbryd Duw, a ffromodd yn enbyd. [7] Cymerodd yr ychen a'u darnio a'u hanfon drwy holl derfynau Israel yn llaw y negeswyr gyda'r neges, "Pwy bynnag na ddaw allan ar ôl Saul a Samuel, dyma a wneir i'w ychen." Syrthiodd ofn oddi wrth yr ARGLWYDD ar y genedl, a daethant allan fel un dyn. [8] Rhifwyd hwy yn Besec, ac yr oedd tri chan mil o Israeliaid a deng mil ar hugain o Jwdeaid. [9] A dywedwyd wrth y negeswyr a ddaeth o Jabes, "Dywedwch wrth bobl Jabes Gilead, 'Erbyn canol dydd yfory cewch waredigaeth.' " Pan gyrhaeddodd y negeswyr a dweud wrth wŷr Jabes, bu llawenydd. [10] A dywedodd gwŷr Jabes wrth Nahas, "Yfory down allan atoch a chewch wneud a fynnoch â ni." [11] Trannoeth, rhannodd Saul y bobl yn dair mintai, a daethant i ganol y gwersyll yn ystod y wyliadwriaeth fore a tharo'r Ammoniaid hyd ganol dydd; chwalwyd y gweddill oedd ar ôl, fel nad oedd dau ohonynt gyda'i gilydd.

12 Yna dywedodd y bobl wrth Samuel, "Pwy oedd yn dweud, 'A gaiff Saul deyrnasu trosom?'? Dygwch y dynion, a rhown hwy i farwolaeth." [13] Ond dywedodd Saul, "Ni roddir neb i farwolaeth ar y dydd hwn, a'r ARGLWYDD wedi ennill y fath fuddugoliaeth heddiw yn Israel." [14] Dywedodd Samuel wrth y bobl, "Dewch, awn i Gilgal ac adnewyddu'r frenhiniaeth yno." [15] Felly aeth y bobl i gyd i Gilgal, a gwneud Saul yn frenin yno yn Gilgal yng ngŵydd yr ARGLWYDD, ac aberthu ebyrth hedd yno o flaen yr ARGLWYDD. A bu Saul a holl wŷr Israel yn llawen iawn yno.

Neges Ffarwel Samuel

12 Dywedodd Samuel wrth holl Israel, "Edrychwch, yr wyf wedi gwrando ar bopeth a ddywedasoch wrthyf, a gosod brenin arnoch. [2] Yn awr, dyma'r brenin fydd yn eich arwain. Yr wyf fi'n hen a phenwyn, ac y mae fy meibion gyda chwi. Bûm yn eich arwain, o'm hieuenctid hyd heddiw. [3] Dyma fi; tystiwch yn f'erbyn gerbron yr ARGLWYDD a'i eneiniog: a gymerais ych unrhyw un? A gymerais asyn unrhyw un? A dwyllais rywun? A orthrymais rywun? A dderbyniais gil-dwrn oddi wrth rywun i gau fy llygaid? Dewch â thystiolaeth, ac fe'i rhoddaf yn ôl." [4] Ond dywedasant, "Nid wyt ti wedi'n twyllo na'n gorthrymu, nac wedi cymryd dim gan neb." [5] Yna dywedodd wrthynt, "Y mae'r ARGLWYDD yn dyst yn eich erbyn heddiw, a'i eneiniog hefyd, na chawsoch un dim yn fy meddiant." "Ydyw, y mae'n dyst," meddai'r bobl. [6] Dywedodd Samuel, "Y tyst yw[l] yr ARGLWYDD, a gododd Moses ac Aaron, ac a ddygodd eich tadau i fyny o wlad yr Aifft; [7] felly safwch mewn trefn er mwyn imi ymresymu â chwi gerbron yr ARGLWYDD, ynglŷn â'r holl weithredoedd achubol a wnaeth yr ARGLWYDD drosoch chwi a'ch tadau. [8] Wedi i Jacob ddod i lawr i'r Aifft, gwaeddodd eich tadau ar yr ARGLWYDD; anfonodd yntau Moses ac Aaron, a daethant hwy â'ch tadau allan o'r Aifft a'u rhoi i fyw yn y lle hwn. [9] Ond oherwydd iddynt anghofio'r ARGLWYDD eu Duw, gwerthodd hwy i law Sisera, pennaeth byddin Hasor, ac i'r Philistiaid, ac i frenin Moab; a bu'r rhain yn rhyfela

---

[i] Felly Groeg. Hebraeg, *Ond cymerodd arno beidio â chlywed, ac aeth.*
[l] Felly Groeg. Hebraeg heb *Y tyst yw.*

yn eu herbyn. ¹⁰Yna bu iddynt weiddi ar yr ARGLWYDD a dweud, 'Yr ydym ar fai am inni gefnu ar yr ARGLWYDD ac addoli'r Baalim a'r Astaroth; ond yn awr, achub ni o law ein gelynion, ac fe'th addolwn di.' ¹¹Anfonodd yr ARGLWYDD Jerwbbaal, Bedan, Jefftha a Samuel, a gwaredodd chwi o law y gelynion o'ch cwmpas, a chawsoch fyw'n ddiogel. ¹²Ond pan welsoch Nahas brenin yr Ammoniaid yn dod yn eich erbyn, dywedasoch wrthyf, 'Na, rhaid cael brenin i deyrnasu arnom', er bod yr ARGLWYDD eich Duw yn frenin arnoch. ¹³Yn awr, dyma'r brenin yr ydych wedi ei ddewis a gofyn amdano; ydyw, y mae'r AR-GLWYDD wedi rhoi brenin i chwi. ¹⁴Os byddwch yn ofni'r ARGLWYDD, ac yn ei addoli ef ac yn ufuddhau iddo heb wrthryfela yn erbyn ei orchymyn, ac os byddwch chwi a'r brenin a osodir arnoch yn dilyn yr ARGLWYDD eich Duw, popeth yn dda. ¹⁵Ond os na wrandewch ar yr ARGLWYDD, ond gwrthryfela yn erbyn ei orchymyn, yna bydd llaw yr ARGLWYDD yn eich erbyn chwi a'ch brenin i'ch difa¹¹. ¹⁶Yn awr, safwch yma a gwelwch y peth mawr hwn y mae'r ARGLWYDD yn ei wneud o flaen eich llygaid. ¹⁷Onid yw'n adeg y cynhaeaf gwenith? Galwaf ar yr ARGLWYDD i anfon taranau a glaw, a chewch weld a gwybod eich bod wedi cyflawni trosedd mawr yng ngolwg yr ARGLWYDD drwy ofyn am frenin."

18 Yna galwodd Samuel ar yr AR-GLWYDD, ac anfonodd yr ARGLWYDD daranau a glaw y diwrnod hwnnw, ac ofnodd yr holl bobl yr ARGLWYDD a Samuel. ¹⁹Dywedodd yr holl bobl wrth Samuel, "Gweddïa ar yr ARGLWYDD dy Dduw ar ran dy weision, rhag inni farw, oherwydd yr ydym wedi ychwanegu at ein holl bechodau y drwg hwn o geisio inni frenin." ²⁰Dywedodd Samuel wrth y bobl, "Peidiwch ag ofni, er i chwi wneud yr holl ddrwg hwn; peidiwch â throi i ffwrdd oddi wrth yr ARGLWYDD; addolwch yr ARGLWYDD â'ch holl galon. ²¹Peidiwch â throi at wagedd eilunod na fedrant gynorthwyo na gwaredu am mai gwagedd ydynt. ²²Er mwyn ei enw mawr ni fydd yr ARGLWYDD yn gwrthod ei bobl; oherwydd y mae'r ARGLWYDD yn dymuno'ch gwneud yn bobl iddo. ²³A phell y bo oddi wrthyf finnau bechu yn

erbyn yr ARGLWYDD trwy roi'r gorau i weddïo drosoch a'ch hyfforddi yn y ffordd dda ac uniawn. ²⁴Yn unig ofnwch yr ARGLWYDD, a gwasanaethwch ef mewn gwirionedd ac â'ch holl galon. Ystyriwch y pethau mawr a wnaeth drosoch. ²⁵Ond os parhewch i wneud drwg, ysgubir chwi a'ch brenin i ffwrdd."

Rhyfel yn erbyn y Philistiaid

13 Yr oedd Saul yn...mlwydd ᵐ oed pan ddaeth yn frenin, a bu'n frenin ar Israel am ddwy flynedd. ²Dewisodd Saul dair mil o Israeliaid; yr oedd dwy fil gydag ef yn Michmas ac ucheldir Bethel, a mil gyda Jonathan yn Gibea Benjamin; anfonodd weddill y bobl adref. ³Lladdodd Jonathan lywodraethwr y Philistiaid oedd yn Geba, a chlywodd y Philistiaid fod Saul wedi galw'r holl wlad i ryfel a bod yr Hebrewyr mewn gwrthryfel. ⁴Pan glywodd Israel gyfan y si fod Saul wedi lladd llywodraethwr y Philistiaid, a bod Israel yn ddrewdod yn ffroenau'r Philistiaid, ymgasglodd y bobl at Saul i Gilgal. ⁵Yr oedd gan y Philistiaid a ddaeth i ryfela yn erbyn Israel ddeng mil ar hugain o gerbydau, chwe mil o farchogion, a byddin mor niferus â'r tywod ar lan y môr; ac aethant i wersyllu yn Michmas y tu dwyrain i Bethafen. ⁶Pan welodd gwŷr Israel ei bod yn gyfyng arnynt a bod y fyddin wedi ei llethu, aethant i guddio mewn ogofeydd ac agennau, ac yn y creigiau a'r cilfachau a'r tyllau. ⁷Aeth rhai dros yr Iorddonen i dir Gad a Gilead, ond arhosodd Saul yn Gilgal, er bod yr holl bobl oedd yn ei ddilyn mewn braw. ⁸Arhosodd am saith diwrnod yn ôl y trefniant gyda Samuel, ond ni ddaeth Samuel i Gilgal, a dechreuodd y bobl adael Saul. ⁹Dywedodd yntau, "Dygwch ataf y poethoffrwm a'r heddoffrymau." Ac offrymodd y poethoffrwm. ¹⁰Fel yr oedd yn gorffen offrymu'r poethoffrwm, dyna Samuel yn cyrraedd, ac aeth Saul allan i'w gyfarfod a'i gyfarch. ¹¹Gofynnodd Samuel, "Beth wyt ti wedi ei wneud?" Atebodd Saul, "Gwelais fod y bobl yn fy ngadael, a'th fod dithau rai dyddiau heb ddod yn ôl y trefniant, a bod y Philistiaid wedi ymgynnull yn Michmas, ¹²a dywedais, 'Yn awr fe ddaw'r Philistiaid i lawr arnaf i Gilgal, a minnau heb geisio ffafr yr AR-GLWYDD.' Felly bu raid imi offrymu'r

---

ᵘFelly Groeg. Hebraeg, *chwi a'ch tadau.*   ᵐHebraeg heb rif, Groeg heb yr adnod.

poethoffrwm." [13]Dywedodd Samuel wrth Saul, "Buost yn ffôl; pe byddit wedi cadw'r gorchymyn a roddodd yr ARGLWYDD dy Dduw i ti, yn sicr byddai'r ARGLWYDD yn cadarnhau dy frenhiniaeth di ar Israel am byth. [14]Ond yn awr, ni fydd dy frenhiniaeth yn sefyll. Bydd yr ARGLWYDD yn ceisio gŵr yn ôl ei galon, a bydd yr ARGLWYDD yn ei osod ef yn arweinydd ar ei bobl, am nad wyt ti wedi cadw'r hyn a orchmynnodd yr ARGLWYDD iti." [15]Cododd Samuel a mynd o Gilgal i'w ffordd ei hun, ond aeth gweddill y bobl i fyny ar ôl Saul i gyfarfod y rhyfelwyr, a dod o Gilgal[n] i Gibea Benjamin. [16]Rhestrodd Saul y bobl oedd gydag ef, ryw chwe chant o wŷr. Yr oedd Saul a'i fab Jonathan a'r gwŷr oedd gyda hwy yn aros yn Gibea Benjamin, a'r Philistiaid yn gwersyllu yn Michmas. [17]Yr oedd tri chwmni yn mynd allan o wersyll y Philistiaid i reibio; un yn troi i gyfeiriad Offra yn ardal Saul, [18]un arall i gyfeiriad Beth-horon, a'r trydydd i gyfeiriad y terfyn uwchben Dyffryn Seboim tua'r diffeithwch.

19 Nid oedd gof i'w gael drwy holl wlad Israel, am fod y Philistiaid wedi dweud, "Rhag i'r Hebrewyr wneud cleddyf neu waywffon." [20]Byddai pob Israeliad yn mynd at y Philistiaid i hogi ei swch a'i gaib a'i fwyell a'i gryman[o]; [21]a'r pris oedd deuparth sicl am swch neu gaib, a thraean sicl am hogi'r bwyeill ac am osod swmbwl[p]. [22]Felly, yn nydd rhyfel, nid oedd gan neb o'r bobl oedd gyda Saul a Jonathan gleddyf na gwaywffon, ond yr oedd rhai gan Saul a'i fab Jonathan.

Gorchest Jonathan

23 Gosododd y Philistiaid wŷlwyr i warchod bwlch Michmas.

14 Un diwrnod, heb yngan gair wrth ei dad, dywedodd Jonathan fab Saul wrth y gwas oedd yn cludo'i arfau, "Tyrd, awn drosodd at wylwyr y Philistiaid sydd acw gyferbyn â ni." [2]Yr oedd Saul yn aros yng nghwr Gibea, dan y pren pomgranad sydd yn Migron, a thua chwe chant o bobl gydag ef; [3]Ahia, mab Ahitub brawd Ichabod, fab Phinees, fab Eli, offeiriad yr ARGLWYDD yn Seilo, oedd yn cario'r effod. Ni wyddai'r bobl fod Jonathan wedi mynd. [4]Yn y bwlch lle'r

oedd Jonathan yn ceisio croesi tuag at wylwyr y Philistiaid yr oedd clogwyn o graig ar y naill ochr a'r llall; Boses oedd enw'r naill a Senne oedd enw'r llall. [5]Yr oedd un clogwyn yn taflu allan i'r gogledd ar ochr Michmas, a'r llall i'r de ar ochr Gibea. [6]Dywedodd Jonathan wrth y gwas oedd yn cludo'i arfau, "Tyrd, awn drosodd at y gwylwyr dienwaededig acw; efallai y bydd yr ARGLWYDD yn gweithio o'n plaid, oherwydd nid oes dim i rwystro'r ARGLWYDD rhag gwaredu trwy lawer neu drwy ychydig." [7]Dywedodd cludydd ei arfau wrtho, "Gwna beth bynnag sydd yn dy fryd; dycna arni; 'rwyf gyda thi, galon wrth galon." [8]Dywedodd Jonathan, "Edrych yma, fe awn drosodd at y dynion a'n dangos ein hunain iddynt. [9]Os dywedant wrthym, 'Arhoswch lle'r ydych nes y byddwn wedi dod atoch', fe arhoswn lle byddwn heb fynd atynt. [10]Ond os dywedant, 'Dewch i fyny atom', yna awn i fyny, oherwydd bydd yr ARGLWYDD yn eu rhoi yn ein llaw; a bydd hyn yn arwydd inni."

11 Dangosodd y ddau ohonynt eu hunain i wylwyr y Philistiaid, a dywedodd y Philistiaid, "Dyma Hebreaid yn dod allan o'r tyllau lle buont yn cuddio." [12]A gwaeddodd dynion yr wyliadwriaeth ar Jonathan a'i gludydd arfau, a dweud, "Dewch i fyny atom, i ni gael dangos rhywbeth i chwi." Dywedodd Jonathan wrth ei gludydd arfau, "Tyrd i fyny ar f'ôl i, oherwydd y mae'r ARGLWYDD wedi eu rhoi yn llaw Israel." [13]Dringodd Jonathan i fyny ar ei ddwylo a'i draed, gyda'i gludydd arfau ar ei ôl. Cwympodd y gwylwyr o flaen Jonathan, a daeth ei gludydd arfau ar ei ôl i'w dienyddio. [14]Y tro cyntaf hwn, lladdodd Jonathan a'i gludydd arfau tuag ugain o ddynion o fewn tua hanner cwys cae. [15]Cododd braw drwy'r gwersyll a'r maes, a brawychwyd holl bobl yr wyliadwriaeth, a'r rheibwyr hefyd, nes bod y wlad yn crynu gan arswyd.

Trechu'r Philistiaid

16 Yna gwelodd ysbïwyr Saul oedd yn Gibea Benjamin fod y gwersyll yn rhuthro yma ac acw mewn anhrefn[ph]. [17]Dywedodd Saul wrth y bobl oedd gydag ef, "Galwch y rhestr i weld pwy sydd

---

[n]Felly Groeg. Hebraeg heb i'w ffordd...o Gilgal.
[p]Tebygol. Hebraeg yn ansicr.   [ph]y gwersyll...anhrefn. Felly Groeg. Hebraeg yn aneglur.

[o]Felly Groeg. Hebraeg, a'i swch.

wedi mynd o'n plith." ¹⁸Galwyd y rhestr, a chael nad oedd Jonathan na'i gludydd arfau yno. Yna dywedodd Saul wrth Ahia, "Tyrd â'r effod." Oherwydd yr adeg honno ef oedd yn cludo'r effod o flaen Israelʳ. ¹⁹Tra oedd Saul yn siarad â'r offeiriad, cynyddodd yr anhrefn fwyfwy yng ngwersyll y Philistiaid, a dywedodd Saul wrth yr offeiriad, "Atal dy law." ²⁰Galwodd Saul yr holl bobl oedd gydag ef, ac aethant i'r frwydr; yno yr oedd pob un â'i gleddyf yn erbyn ei gyfaill, mewn anhrefn llwyr. ²¹A dyma'r Hebrewyr oedd gynt ar ochr y Philistiaid, ac wedi dod i fyny i'r gwersyll gyda hwy, yn troi ac yn ochri gyda'r Israeliaid oedd gyda Saul a Jonathan. ²²A phan glywodd yr Israeliaid oedd yn llechu yn ucheldir Effraim fod y Philistiaid ar ffo, dyna hwythau hefyd yn ymuno i'w hymlid. ²³Y dydd hwnnw gwaredodd yr ARGLWYDD Israel, ac ymledodd y frwydr tu hwnt i Bethafen.

Digwyddiadau yn Dilyn y Frwydr

24 Ond aeth yn gyfyng ar yr Israeliaid y diwrnod hwnnw, oherwydd i Saul dynghedu'r bobl a dweud, "Melltigedig fyddo'r un sy'n bwyta tamaid cyn yr hwyr! Yr wyf am ddial ar fy ngelynion." Ac ni phrofodd yr un o'r bobl damaid. ²⁵Daethant oll i goedwig lle'r oedd mêl gwyllt; ²⁶a phan ddaethant yno a gweld llif o fêl, nid estynnodd neb ei law at ei geg, am fod y bobl yn ofni'r llw. ²⁷Nid oedd Jonathan wedi clywed ei dad yn gwneud i'r bobl gymryd y llw, ac estynnodd y ffon oedd yn ei law a tharo'i blaen yn y diliau mêl, ac yna'i chodi at ei geg; a gloywodd ei lygaid. ²⁸Yna dywedodd un o'r bobl wrtho, "Y mae dy dad wedi gosod llw caeth ar y bobl, ac wedi dweud, 'Melltigedig yw pob un sy'n bwyta tamaid heddiw'. Ac yr oedd y bobl yn lluddedig." ²⁹Atebodd Jonathan, "Y mae fy nhad wedi gwneud drwg i'r wlad; edrychwch fel y gloywodd fy llygaid pan brofais fymryn o'r mêl hwn. ³⁰Yn wir, pe bai'r bobl wedi cael rhyddid i fwyta heddiw o ysbail eu gelynion, oni fyddai'r lladdfa ymysg y Philistiaid yn drymach?" 31 Y diwrnod hwnnw trawyd y Philistiaid bob cam o Michmas i Ajalon, er bod y bobl wedi blino'n llwyr. ³²Yna rhuth-

rodd y bobl ar yr ysbail a chymryd defaid ac ychen a lloi, a'u lladd ar y ddaear, a'u bwyta heb eu gwaedu. ³³Pan ddywedwyd wrth Saul, "Edrych, y mae'r bobl yn pechu yn erbyn yr ARGLWYDD wrth fwyta cig heb ei waedu", dywedodd yntau, "Yr ydych wedi troseddu; rhowliwch yma garreg fawr ar unwaith." ³⁴Yna dywedodd Saul, "Ewch ar frys trwy ganol y bobl a dywedwch wrthynt, 'Doed pob un â'i ych neu ei ddafad ataf fi, a'u lladd yma a'u bwyta, rhag i chwi bechu yn erbyn yr ARGLWYDD trwy fwyta cig heb ei waedu'." Daeth pob un o'r bobl â'i ych gydag ef y noson honno, i'w ladd yno. ³⁵Felly y cododd Saul allor i'r ARGLWYDD, a honno oedd yr allor gyntaf iddo'i chodi i'r ARGLWYDD.

36 Yna dywedodd Saul, "Awn i lawr ar ôl y Philistiaid liw nos a'u hysbeilio hyd y bore, heb adael yr un ohonynt ar ôl." Dywedodd y bobl, "Gwna beth bynnag a fynni." Ond dywedodd yr offeiriad, "Gadewch inni agosáu yma at Dduw." ³⁷Gofynnodd Saul i Dduw, "Os af i lawr ar ôl y Philistiaid, a roi di hwy yn llaw Israel?" Ond ni chafodd ateb y diwrnod hwnnw. ³⁸Yna dywedodd Saul, "Dewch yma, holl bennau-teuluoedd y bobl, a chwiliwch i gael gweld ymhle mae'r pechod hwn heddiw. ³⁹Oherwydd, cyn wired â bod yr ARGLWYDD yn fyw, yr un a waredodd Israel, hyd yn oed pe byddai yn fy mab Jonathan, byddai raid iddo farw." Ond ni ddywedodd yr un o'r bobl wrtho. ⁴⁰Yna dywedodd wrth yr holl Israeliaid, "Safwch chwi ar un ochr, a minnau a'm mab Jonathan ar yr ochr arall." A dywedodd y bobl wrth Saul, "Gwna fel y gweli'n dda." ⁴¹Dywedodd Saul wrth yr ARGLWYDD, Duw Israel, "Pam nad atebaist dy was heddiw? Os yw'r camwedd hwn ynof fi neu yn fy mab Jonathan, O ARGLWYDD Dduw Israel, rho Wrim; ond os yw'r camwedd hwn yn dy bobl Israelʳʰ, rho Twmim." Daliwyd Jonathan a Saul, ac aeth Israel yn rhydd. ⁴²Dywedodd Saul, "Bwriwch goelbren rhyngof fi a'm mab Jonathan." A daliwyd Jonathan. ⁴³Yna dywedodd Saul wrth Jonathan, "Dywed wrthyf beth a wnaethost." Eglurodd Jonathan iddo, a dweud, "Dim ond profi mymryn o fêl ar flaen y ffon oedd yn fy llaw. Dyma fi, 'rwy'n barod i farw." ⁴⁴Atebodd Saul,

ʳFelly Groeg. Hebraeg, *"Tyrd ag arch Duw."* Oherwydd yr oedd arch Duw yn y dydd hwnnw a meibion Israel.   ʳʰFelly Groeg. Hebraeg heb *Pam...dy bobl Israel.*

"Fel hyn y gwna Duw i mi, a rhagor, os na fydd Jonathan farw." ⁴⁵Ond dyma'r bobl yn dweud wrth Saul, "A gaiff Jonathan farw, ac yntau wedi ennill y fuddugoliaeth fawr hon i Israel? Pell y bo! Cyn wired â bod yr ARGLWYDD yn fyw, ni chaiff blewyn o wallt ei ben syrthio i'r llawr. Gyda Duw y gweithiodd ef y diwrnod hwn." Prynodd y bobl ryddid Jonathan, ac ni fu farw. ⁴⁶Dychwelodd Saul o ymlid y Philistiaid, ac aeth y Philistiaid adref.

Gyrfa Saul, ac Aelodau ei Deulu

47 Wedi i Saul ennill y frenhiniaeth ar Israel, ymladdodd â'i holl elynion oddi amgylch—Moab, yr Ammoniaid, Edom, brenhinoedd Soba a'r Philistiaid—a'u darostwng ble bynnag yr âi. ⁴⁸Gweithredodd yn ddewr, trawodd yr Amaleciaid, a rhyddhaodd Israel o law eu gormeswyr.

49 Jonathan, Isfi a Malcisua oedd meibion Saul, enw'r hynaf o'i ddwy ferch oedd Merab, ac enw'r ieuengaf Michal. ⁵⁰Ahinoam ferch Ahimaas oedd gwraig Saul, ac Abiner fab Ner, ewythr Saul, oedd pennaeth ei lu. ⁵¹Yr oedd Cis tad Saul a Ner tad Abner yn feibion i Abiel. ⁵²Bu rhyfel caled yn erbyn y Philistiaid holl ddyddiau Saul; ac os gwelai Saul ŵr cryf a dewr, fe'i cymerai ato.

Rhyfel yn erbyn yr Amaleciaid

15 Dywedodd Samuel wrth Saul, "Anfonwyd fi gan yr ARGLWYDD i'th eneinio'n frenin ar ei bobl Israel; felly gwrando'n awr ar eiriau'r AR-GLWYDD. ²Fel hyn y dywed ARGLWYDD y Lluoedd: 'Yr wyf am gosbi Amalec am yr hyn a wnaeth i Israel, sef eu rhwystro hwy ar y ffordd wrth iddynt ddod i fyny o'r Aifft.' ³Dos, yn awr, a tharo'r Amaleciaid, a'u llwyr ddinistrio hwy a phopeth sydd ganddynt; paid â'u harbed, ond lladd bob dyn a dynes, pob plentyn a baban, pob eidion a dafad, pob camel ac asyn."

4 Felly galwodd Saul y fyddin allan a'u rhestru yn Telaim. Yr oedd dau gan mil o wŷr traed, a deng mil o ddynion Jwda. ⁵Pan ddaeth Saul at ddinas yr Amaleciaid, ymguddiodd mewn cwm, ⁶a dweud wrth y Ceneaid, "Ewch i ffwrdd, cefnwch ar yr Amaleciaid, rhag imi eich distrywio chwi gyda hwy; oher-

ˢFelly Targwm. Hebraeg yn aneglur.

wydd buoch chwi'n garedig wrth yr holl Israeliaid pan oeddent yn dod i fyny o'r Aifft." Aeth y Ceneaid ymaith oddi wrth yr Amaleciaid; ⁷yna trawodd Saul Amalec o Hafila hyd at Sur ar gwr yr Aifft. ⁸Daliodd Agag brenin Amalec yn fyw, ond lladdodd y bobl i gyd â'r cleddyf. ⁹Arbedodd Saul a'r fyddin nid yn unig Agag, ond hefyd y gorau o'r defaid a'r gwartheg, yr anifeiliaid breision ˢ a'r ŵyn, a phopeth o werth. Nid oeddent yn fodlon difa'r rheini; ond difodwyd popeth gwael a diwerth.

Gwrthod Saul fel Brenin

10 Yna daeth gair yr ARGLWYDD at Samuel, yn dweud, ¹¹"Y mae'n edifar gennyf fy mod wedi gwneud Saul yn frenin, oherwydd y mae wedi cefnu arnaf a heb gadw fy ngorchymyn." Digiodd Samuel, a galwodd ar yr ARGLWYDD drwy'r nos. ¹²Bore trannoeth cododd yn gynnar i gyfarfod â Saul, ond dywedwyd wrtho fod Saul wedi mynd i Garmel, ac wedi codi cofeb iddo'i hun yno cyn troi'n ôl a mynd draw i Gilgal. ¹³Wedi i Samuel ddod o hyd i Saul, dywedodd Saul wrtho, "Bendith yr ARGLWYDD arnat! Yr wyf wedi cadw gorchymyn yr AR-GLWYDD." ¹⁴Gofynnodd Samuel, "Beth ynteu yw'r brefu defaid sydd yn fy nghlustiau, a'r sŵn gwartheg yr wyf yn ei glywed?" ¹⁵Dywedodd Saul, "Y bobl sydd wedi dod â hwy oddi wrth yr Amaleciaid, oherwydd y maent wedi arbed y gorau o'r defaid a'r gwartheg er mwyn aberthu i'r ARGLWYDD dy Dduw. Yr ydym wedi difa'r gweddill." ¹⁶Dywedodd Samuel wrth Saul, "Taw, imi gael dweud wrthyt beth a ddywedodd yr ARGLWYDD wrthyf neithiwr." Meddai yntau wrtho, "Dywed." ¹⁷A dywedodd Samuel, "Er iti fod yn fychan yn d'olwg dy hun, oni ddaethost yn ben ar lwythau Israel, a'r ARGLWYDD wedi d'eneinio'n frenin ar Israel? ¹⁸Fe anfonodd yr AR-GLWYDD di allan a dweud, 'Dos a difroda'r pechaduriaid hynny, Amalec, a rhyfela â hwy nes eu difa.' ¹⁹Pam na wrandewaist ar lais yr ARGLWYDD, ond rhuthro ar yr ysbail, a gwneud drwg yng ngolwg yr ARGLWYDD?" ²⁰Dywedodd Saul wrth Samuel, "Ond yr wyf wedi gwrando ar lais yr ARGLWYDD, a mynd fel yr anfonodd ef fi; deuthum ag Agag brenin Amalec yn ôl, a difrodi'r Amalec-

iaid. [21]Fe gymerodd y bobl beth o'r ysbail, yn ddefaid a gwartheg, y pigion o'r hyn oedd i'w ddifrodi, er mwyn aberthu i'r ARGLWYDD dy Dduw yn Gilgal." [22]Yna dywedodd Samuel:
"A oes gan yr ARGLWYDD bleser mewn offrymau ac ebyrth,
fel mewn gwrando ar lais yr ARGLWYDD?
Gwell gwrando nag aberth,
ac ufudd-dod na braster hyrddod.
[23]Yn wir, pechod fel dewiniaeth yw anufudd-dod,
a throsedd fel addoli eilunod yw cyndynrwydd.
Am i ti wrthod gair yr ARGLWYDD, gwrthododd ef di fel brenin."
24 Dywedodd Saul wrth Samuel, "Yr wyf wedi pechu, oblegid yr wyf wedi torri gorchymyn yr ARGLWYDD a'th air dithau, am imi ofni'r bobl a gwrando ar eu llais. [25]Maddau'n awr fy mai, a thyrd yn ôl gyda mi, er mwyn imi ymostwng i'r ARGLWYDD." [26]Ond dywedodd Samuel wrth Saul, "Na ddof; yr wyt wedi gwrthod gair yr ARGLWYDD, ac y mae'r ARGLWYDD wedi dy wrthod di fel brenin ar Israel." [27]Trodd Samuel i fynd i ffwrdd, ond cydiodd Saul yng nghwr ei fantell, ac fe rwygodd. [28]Ac meddai Samuel wrtho, "Y mae'r ARGLWYDD wedi rhwygo brenhiniaeth Israel oddi wrthyt heddiw, ac am ei rhoi i un yn d'ymyl sy'n well na thi. [29]Nid yw Ysblander Israel yn dweud celwydd nac yn edifarhau, oherwydd nid meidrolyn yw ef, i newid ei feddwl." [30]Dywedodd Saul eto, "'Rwyf ar fai, ond dangos di barch tuag ataf gerbron henuriaid fy mhobl a'r Israeliaid, a thyrd yn ôl gyda mi, er mwyn imi ymostwng gerbron yr ARGLWYDD dy Dduw." [31]Yna dychwelodd Samuel gyda Saul, ac ymostyngodd Saul gerbron yr ARGLWYDD. [32]A dywedodd Samuel, "Dewch ag Agag brenin Amalec ataf fi." Daeth Agag ato'n anfoddog, a dweud, "Fe giliodd chwerwder marwolaeth." [33]Ond dywedodd Samuel,
"Fel y gwnaeth dy gleddyf di wragedd yn ddi-blant,
felly bydd dy fam dithau'n ddi-blant ymysg gwragedd."
Yna darniodd Samuel Agag gerbron yr ARGLWYDD yn Gilgal.
34 Wedyn aeth Samuel i Rama, a Saul i'w gartref yn Gibea Saul. [35]Ni welodd

Samuel mo Saul byth wedyn, hyd ddydd ei farw, ond gofidiodd am Saul. Yr oedd yn edifar gan yr ARGLWYDD ei fod wedi gwneud Saul yn frenin ar Israel.

Eneinio Dafydd yn Frenin

16 Dywedodd yr ARGLWYDD wrth Samuel, "Am ba hyd yr wyt yn mynd i ofidio am Saul, a minnau wedi ei wrthod fel brenin ar Israel? Llanw dy gorn ag olew a dos; yr wyf yn dy anfon at Jesse o Fethlehem, oherwydd yr wyf wedi gweld brenin imi ymysg ei feibion ef." [2]Gofynnodd Samuel, "Sut y medraf fi fynd? Os clyw Saul, fe'm lladd." Dywedodd yr ARGLWYDD, "Dos ag anner gyda thi, a dweud dy fod wedi dod i aberthu i'r ARGLWYDD. [3]Rho wahoddiad i Jesse i'r aberth; dangosaf finnau iti beth i'w wneud, ac eneinia imi yr un a ddywedaf wrthyt." [4]Gwnaeth Samuel fel y dywedodd yr ARGLWYDD wrtho, a mynd i Fethlehem. Pan ddaeth henuriaid y dref yn gynhyrfus i'w gyfarfod a gofyn, "Ai mewn heddwch y daethost?" [5]atebodd yntau, "Ie, mewn heddwch. I aberthu i'r ARGLWYDD yr wyf fi yma; ymgysegrwch ac ymunwch â mi yn yr aberth." [6]Cysegrodd yntau Jesse a'i feibion, a'u gwahodd i'r aberth. Fel yr oeddent yn dod, sylwodd ar Eliab a meddyliodd, "Yn sicr dyma'i eneiniog, gerbron yr ARGLWYDD." [7]Ond dywedodd yr ARGLWYDD wrth Samuel, "Paid ag edrych ar ei wedd na'i daldra, oherwydd yr wyf wedi ei wrthod; oblegid nid yr hyn a wêl dyn y mae Duw'n ei weld.[1] Yr hyn sydd yn y golwg a wêl dyn, ond y mae'r ARGLWYDD yn gweld beth sydd yn y galon." [8]Yna galwodd Jesse am Abinadab a'i ddwyn gerbron, ond dywedodd Samuel, "Nid hwn chwaith a ddewisodd yr ARGLWYDD." [9]Yna parodd Jesse i Samma ddod, ond dywedodd Samuel, "Nid hwn chwaith a ddewisodd yr ARGLWYDD." [10]A pharodd Jesse i saith o'i feibion ddod gerbron Samuel; ond dywedodd Samuel wrth Jesse, "Ni ddewisodd yr ARGLWYDD yr un o'r rhai hyn." [11]Yna gofynnodd Samuel i Jesse, "Ai dyma'r bechgyn i gyd?" Atebodd yntau, "Y mae'r ieuengaf ar ôl, yn bugeilio'r defaid." Ac meddai Samuel wrth Jesse, "Anfon amdano; nid awn ni oddi yma nes iddo ef ddod." [12]Felly anfonodd i'w gyrchu. Yr

---

[1]Felly Groeg. Hebraeg heb *y mae Duw'n ei weld.*

oedd yn writgoch, gyda llygaid gloyw ac yn hardd yr olwg. A dywedodd yr ARGLWYDD, "Tyrd, eneinia ef, oherwydd hwn ydyw." [13] Cymerodd Samuel y corn olew, a'i eneinio yng nghanol ei frodyr; a disgynnodd ysbryd yr ARGLWYDD ar Ddafydd, o'r dydd hwnnw ymlaen. Yna aeth Samuel yn ôl i Rama.

Dafydd yn Llys Saul

14 Ciliodd ysbryd yr ARGLWYDD oddi wrth Saul, a dechreuodd ysbryd drwg oddi wrth yr ARGLWYDD aflonyddu arno. [15] Dywedodd gweision Saul wrtho, "Dyma sydd o'i le: y mae un o'r ysbrydion drwg yn aflonyddu arnat. [16] O na fyddai'n meistr yn gorchymyn i'w weision yma chwilio am ŵr sy'n medru canu telyn! Caiff yntau ei chanu pan fydd yr ysbryd drwg yn ymosod arnat, a byddi dithau'n well." [17] Dywedodd Saul wrth ei weision, "Chwiliwch am ddyn sy'n delynor da, a dewch ag ef ataf." [18] Atebodd un o'r gweision, "Mi welais fab i Jesse o Fethlehem, sy'n medru canu telyn, ac y mae'n ddyn dewr ac yn rhyfelwr; y mae'n siarad yn ddeallus ac yn un golygus hefyd, ac y mae'r ARGLWYDD gydag ef." [19] Anfonodd Saul negeswyr at Jesse a dweud, "Anfon ataf dy fab Dafydd sydd gyda'r defaid." [20] Cymerodd Jesse faich o fara, costrel o win, a myn gafr, a'u hanfon gyda'i fab Dafydd at Saul. [21] Aeth Saul yn hoff iawn o Ddafydd pan ddaeth i weini ato, a gwnaeth ef yn gludydd arfau iddo. [22] Anfonodd Saul at Jesse a dweud, "Yr wyf am i Ddafydd gael aros yn fy ngwasanaeth, oherwydd yr wyf wrth fy modd gydag ef." [23] Pryd bynnag y byddai'r ysbryd drwg yn blino Saul, byddai Dafydd yn cymryd ei delyn a'i chanu; rhoddai hynny esmwythâd i Saul a'i wella, fel bod yr ysbryd drwg yn cilio oddi wrtho.

Goliath yn Herio'r Israeliaid

17 Casglodd y Philistiaid eu lluoedd i ryfel, ac ymgynnull yn Soco, a oedd yn perthyn i Jwda, a gosod eu gwersyll rhwng Soco ac Aseca yn Effes Dammim. [2] Ymgynnullodd Saul a'r Israeliaid hefyd, a gwersyllu yn Nyffryn Ela a pharatoi i frwydro yn erbyn y Philistiaid. [3] Safai'r Philistiaid ar dir uchel o un tu, ac Israel ar dir uchel o'r tu arall, gyda

[th] Felly Groeg. Hebraeg, *yr oedd ymysg dynion.*

dyffryn rhyngddynt. [4] O wersyll y Philistiaid daeth allan heriwr o'r enw Goliath, dyn o Gath, ac yn chwe chufydd a rhychwant o daldra. [5] Yr oedd ganddo helm bres am ei ben, ac yr oedd wedi ei wisgo mewn llurig emog o bres, yn pwyso pum mil o siclau. [6] Yr oedd coesarnau pres am ei goesau a chrymgledd pres rhwng ei ysgwyddau. [7] Yr oedd paladr ei waywffon fel carfan gwehydd, a'i blaen yn chwe chan sicl o haearn. Yr oedd cludydd tarian yn cerdded o'i flaen. [8] Safodd Goliath a gweiddi ar rengoedd Israel a dweud wrthynt, "Pam y dewch allan yn rhengoedd i frwydro? Onid Philistiad wyf fi, a chwithau'n weision i Saul? Dewiswch un ohonoch i ddod i lawr ataf fi. [9] Os medr ef ymladd â mi a'm trechu, fe fyddwn ni yn weision i chwi; ond os medraf fi ei drechu ef, chwi fydd yn weision i ni, ac yn ein gwasanaethu." [10] Ychwanegodd y Philistiad, "Yr wyf fi heddiw yn herio rhengoedd Israel; dewch â gŵr, ynteu, inni gael ymladd â'n gilydd." [11] Pan glywodd Saul a'r Israeliaid y geiriau hyn gan y Philistiad, yr oeddent wedi eu parlysu gan ofn.

Dafydd yng Ngwersyll Saul

12 Yr oedd Dafydd yn fab i Effratead o Fethlehem Jwda. Jesse oedd enw hwnnw, ac yr oedd ganddo wyth mab, ac erbyn dyddiau Saul yr oedd yn hen iawn. [th] [13] Yr oedd ei dri mab hynaf wedi dilyn Saul i'r rhyfel. Enwau'r tri o'i feibion a aeth i'r rhyfel oedd Eliab yr hynaf, Abinadab yr ail, a Samma y trydydd; [14] Dafydd oedd yr ieuengaf. Aeth y tri hynaf i ganlyn Saul; [15] ond byddai Dafydd yn mynd a dod oddi wrth Saul i fugeilio defaid ei dad ym Methlehem. [16] Bob bore a hwyr am ddeugain diwrnod bu'r Philistiad yn dod ac yn sefyll i herio.

17 Dywedodd Jesse wrth ei fab Dafydd, "Cymer effa o'r cras-ŷd yma i'th frodyr, a'r deg torth hyn, a brysia â hwy i'r gwersyll at dy frodyr. [18] Dos â'r deg cosyn gwyn yma i'r swyddog, ac edrych sut y mae hi ar dy frodyr, a thyrd â rhyw arwydd yn ôl oddi wrthynt." [19] Yr oedd Saul a hwythau ac Israel gyfan yn Nyffryn Ela yn ymladd â'r Philistiaid.

20 Drannoeth cododd Dafydd yn fore, a gadael y praidd gyda gofalwr, a chymryd ei bac a mynd fel yr oedd Jesse

wedi gorchymyn iddo. Cyrhaeddodd y gwersyll fel yr oedd y fyddin yn mynd i'w rhengoedd ac yn bloeddio'r rhyfelgri. ²¹Yr oedd Israel a'r Philistiaid wedi trefnu eu lluoedd, reng am reng. ²²Gadawodd Dafydd ei bac gyda gofalwr y gwersyll, a rhedeg i'r rheng a mynd i ofyn sut yr oedd ei frodyr. ²³Tra oedd yn ymddiddan â hwy, dyna heriwr o'r enw Goliath, y Philistiad o Gath, yn dod i fyny o rengoedd y Philistiaid ac yn llefaru yng nghlyw Dafydd yr un geiriau ag o'r blaen. ²⁴Pan welodd yr Israeliaid y dyn, ffoesant i gyd oddi wrtho mewn ofn, ²⁵a dweud, "A welwch chwi'r dyn yma sy'n dod i fyny? I herio Israel y mae'n dod. Pe byddai unrhyw ddyn yn ei ladd, byddai'r brenin yn ei wneud yn gyfoethog iawn, ac yn rhoi ei ferch iddo, ac yn rhoi rhyddfraint Israel i'w deulu." ²⁶Yna gofynnodd Dafydd i'r dynion oedd yn sefyll o'i gwmpas, "Beth a wneir i'r dyn fydd yn lladd y Philistiad acw, ac yn symud y sarhad oddi ar Israel? Oherwydd pwy yw'r Philistiad dienwaededig hwn, ei fod yn herio lluoedd y Duw byw?" ²⁷Dywedodd y bobl yr un peth wrtho: "Fel hyn y gwneir i'r dyn fydd yn ei ladd ef." ²⁸Clywodd ei frawd hynaf Eliab ef yn siarad gyda'r dynion, a chollodd ei dymer â Dafydd a dweud, "Pam y daethost ti i lawr yma? Yng ngofal pwy y gadewaist yr ychydig ddefaid yna yn y diffeithwch? Mi wn dy hyfdra a'th fwriadau drwg—er mwyn cael gweld y frwydr y daethost ti draw yma." ²⁹Dywedodd Dafydd, "Beth wnes i? Onid gofyn cwestiwn?" ³⁰Trodd draw oddi wrtho at rywun arall, a gofyn yr un peth, a'r bobl yn rhoi'r un ateb ag o'r blaen iddo.

31 Rhoddwyd sylw i'r geiriau a lefarodd Dafydd, a'u hailadrodd wrth Saul, ac anfonodd yntau amdano. ³²Ac meddai Dafydd wrth Saul, "Peidied neb â gwangalonni o achos hwn; fe â dy was ac ymladd â'r Philistiad yma." ³³Dywedodd Saul wrth Ddafydd, "Ni fedri di fynd ac ymladd â'r Philistiad hwn, oherwydd llanc wyt ti ac yntau'n rhyfelwr o'i ieuenctid." ³⁴Ond dywedodd Dafydd wrth Saul, "Bugail ar ddefaid ei dad yw dy was; ³⁵pan fydd llew neu arth yn dod ac yn cipio dafad o'r ddiadell, byddaf yn mynd ar ei ôl, ac yn ei ladd ac yn ei hachub o'i safn. Pan fydd yn codi yn fy erbyn, byddaf yn cydio yn ei farf, a'i

drywanu a'i ladd. ³⁶Mae dy was wedi lladd llewod ac eirth, a dim ond fel un ohonynt hwy y bydd y Philistiad dienwaededig hwn, am iddo herio byddin y Duw byw." ³⁷Ac ychwanegodd Dafydd, "Bydd yr ARGLWYDD a'm gwaredodd o afael y llew a'r arth yn sicr o'm hachub o afael y Philistiad hwn hefyd." Dywedodd Saul, "Dos, a bydded yr ARGLWYDD gyda thi."

Dafydd yn Trechu Goliath

38 Rhoddodd Saul ei wisg ei hun am Ddafydd: rhoi helm bres ar ei ben, ei wisgo yn ei lurig, a gwregysu Dafydd â'i gleddyf dros ei wisg. ³⁹Ond methodd gerdded, am nad oedd wedi arfer â hwy. Dywedodd Dafydd wrth Saul, "Ni fedraf gerdded yn y rhain, oherwydd nid wyf wedi arfer â hwy." A diosgodd hwy oddi amdano. ⁴⁰Yna cymerodd ei ffon yn ei law, dewisodd bum carreg lefn o'r nant a'u rhoi yn y bag bugail oedd ganddo fel poced, a nesaodd at y Philistiad â'i ffon dafl yn ei law, ⁴¹Daeth hwnnw allan i gyfarfod Dafydd, gyda chludydd ei darian o'i flaen. ⁴²A phan edrychodd y Philistiad a gweld Dafydd, dirmygodd ef am ei fod yn llencyn gwritgoch, golygus. ⁴³Ac meddai'r Philistiad wrth Ddafydd, "Ai ci wyf fi, dy fod yn dod ataf â ffyn?" A rhegodd y Philistiad ef yn enw ei dduw, ⁴⁴a dweud wrtho, "Tyrd yma, ac fe roddaf dy gnawd i adar yr awyr ac i'r anifeiliaid gwyllt." ⁴⁵Ond dywedodd Dafydd wrth y Philistiad, "Yr wyt ti'n dod ataf fi â chleddyf a gwaywffon a chrymgledd; ond yr wyf fi'n dod atat ti yn enw ARGLWYDD y Lluoedd, Duw byddin Israel, yr wyt ti wedi ei herio. ⁴⁶Y dydd hwn bydd yr ARGLWYDD yn dy roi yn fy llaw; lladdaf di a thorri dy ben i ffwrdd, a rhoi celanedd llu'r Philistiad heddiw i adar yr awyr a bwystfilod y ddaear, er mwyn i'r byd i gyd wybod fod Duw gan Israel, ⁴⁷ac i'r holl gynulliad hwn wybod nad trwy gleddyf na gwaywffon y mae'r ARGLWYDD yn gwaredu, oherwydd yr ARGLWYDD biau'r frwydr, ac fe'ch rhydd chwi yn ein llaw ni."

48 Yna pan gychwynnodd y Philistiad tuag at Ddafydd, rhedodd Dafydd yn chwim ar hyd y rheng i gyfarfod y Philistiad; ⁴⁹rhoddodd ei law yn y bag a chymryd carreg allan a'i hyrddio, a tharo'r Philistiad yn ei dalcen nes bod y

garreg yn suddo i'w dalcen; syrthiodd yntau ar ei wyneb i'r llawr. [50] Felly trechodd Dafydd y Philistiad â ffon dafl a charreg, a'i daro'n farw, heb fod ganddo gleddyf. [51] Yna rhedodd Dafydd a sefyll uwchben y Philistiad; cydiodd yn ei gleddyf ef a'i dynnu o'r wain, a rhoi'r ergyd olaf iddo a thorri ei ben i ffwrdd. Pan welodd y Philistiaid fod eu harwr yn farw, ffoesant; [52] a chododd gwŷr Israel a Jwda a bloeddio rhyfelgri ac ymlid y Philistiaid cyn belled â Gath[u] a phyrth Ecron. A chwympodd celanedd y Philistiaid ar hyd y ffordd o Saaraim i Gath ac Ecron. [53] Yna dychwelodd yr Israeliaid o ymlid y Philistiaid, ac ysbeilio eu gwersyll. [54] Cymerodd Dafydd ben y Philistiad a'i ddwyn i Jerwsalem, ond gosododd ei arfau yn ei babell ei hun.

Cyflwyno Dafydd i Saul

55 Pan welodd Saul Ddafydd yn mynd allan i gyfarfod y Philistiad, gofynnodd i Abner, capten ei lu, "Mab i bwy yw'r bachgen acw, Abner?" Atebodd Abner, "Cyn wired â'th fod yn fyw, O frenin, ni wn i ddim." [56] A dywedodd y brenin, "Hola di mab i bwy yw'r llanc ifanc." [57] Felly pan gyrhaeddodd Dafydd yn ôl wedi iddo ladd y Philistiad, cymerodd Abner ef a'i ddwyn at Saul gyda phen y Philistiad yn ei law. [58] Gofynnodd Saul, "Mab pwy wyt ti, fachgen?" A dywedodd Dafydd, "Mab dy was Jesse o Fethlehem."

18 Wedi i Ddafydd orffen siarad â Saul, ymglymodd enaid Jonathan wrth enaid Dafydd, a charodd ef fel ef ei hun. [2] Cymerodd Saul ef y dydd hwnnw, ac ni chaniataodd iddo fynd adref at ei dad. [3] Gwnaeth Jonathan gyfamod â Dafydd am ei fod yn ei garu fel ef ei hun; [4] tynnodd y fantell oedd amdano a'i rhoi i Ddafydd; hefyd ei arfau, hyd yn oed ei gleddyf, ei fwa a'i wregys. [5] Llwyddodd Dafydd ym mhob gorchwyl a roddai Saul iddo, a gosododd Saul ef yn bennaeth ei filwyr, er boddhad i bawb, gan gynnwys swyddogion Saul. [6] Un tro yr oeddent ar eu ffordd adref, a Dafydd yn dychwelyd ar ôl taro'r Philistiaid, a daeth y gwragedd allan ym mhob tref yn Israel i edrych; aeth y merched dawnsio i gyfarfod y Brenin Saul gyda thympanau a molawdau a phibau, [7] ac yn eu llawenydd canodd y gwragedd:

[u] Felly Groeg. Hebraeg, *dyffryn*.

"Lladdodd Saul ei filoedd,
a Dafydd ei fyrddiynau."

[8] Digiodd Saul yn arw, a chafodd ei gythruddo gan y dywediad. Meddai, "Maent yn rhoi myrddiynau i Ddafydd, a dim ond miloedd i mi; beth yn rhagor sydd iddo ond y frenhiniaeth?" [9] O'r diwrnod hwnnw ymlaen yr oedd Saul yn cadw llygad ar Ddafydd.

Saul yn Cenfigennu wrth Ddafydd.

10 Trannoeth meddiannwyd Saul gan yr ysbryd drwg, a pharablodd yn wallgof yng nghanol y tŷ, ac yr oedd Dafydd yn canu'r delyn yn ôl ei arfer. [11] Yr oedd gan Saul waywffon yn ei law, a hyrddiodd hi, gan feddwl trywanu Dafydd i'r pared, ond osgôdd Dafydd ef ddwywaith. [12] Cafodd Saul ofn rhag Dafydd oherwydd fod yr ARGLWYDD wedi troi o'i blaid ef ac yn erbyn Saul. [13] Gyrrodd Saul ef i ffwrdd oddi wrtho, a'i wneud yn gapten ar fil o ddynion; ac ef oedd yn arwain y fyddin. [14] Yr oedd Dafydd yn llwyddiannus ym mhopeth a wnâi, ac yr oedd yr ARGLWYDD gydag ef. [15] Pan welodd Saul mor llwyddiannus oedd Dafydd, yr oedd arno fwy o'i ofn. [16] Yr oedd Israel a Jwda i gyd yn ymserchu yn Nafydd am mai ef oedd yn arwain y fyddin.

Dafydd yn Priodi Merch Saul

17 Dywedodd Saul wrth Ddafydd, "Dyma fy merch hynaf, Merab. Fe'i rhoddaf yn wraig i ti, ond i ti ddangos gwrhydri i mi ac ymladd brwydrau'r ARGLWYDD." Meddwl yr oedd Saul, "Peidied fy llaw i â'i gyffwrdd, ond yn hytrach law y Philistiaid." [18] Atebodd Dafydd, "Pwy wyf fi, a beth yw tras llwyth fy nhad yn Israel, i mi fod yn fab-yng-nghyfraith i'w brenin?" [19] Ond pan ddaeth yr amser i roi Merab ferch Saul i Ddafydd, rhoddwyd hi'n wraig i Adriel o Mehola.

20 Syrthiodd Michal ferch Saul mewn cariad â Dafydd, a phan ddywedyd wrth Saul, yr oedd hynny'n dderbyniol ganddo. [21] Meddyliodd Saul, "Fe'i rhoddaf hi iddo; bydd hi'n fagl iddo, er mwyn i law y Philistiaid ei daro." A dywedodd Saul wrth Ddafydd am yr eildro, "Yn awr cei fod yn fab-yng-nghyfraith imi." [22] Yna gorchmynnodd Saul i'w weision, "Dywedwch yn ddistaw bach wrth Ddafydd, 'Y mae'r

brenin, weli di, yn falch ohonot, a phawb o'i weision yn dy hoffi; yn awr, prioda ferch y brenin'." ²³Pan sibrydodd gweision Saul y pethau hyn yng nghlust Dafydd, dywedodd ef, "Ai dibwys o beth yn eich golwg yw priodi merch y brenin? Dyn tlawd a dinod wyf fi." ²⁴Aeth gweision Saul â'r neges yn ôl iddo, sut yr oedd Dafydd wedi dweud. ²⁵Yna dywedodd Saul, "Dywedwch fel hyn wrth Ddafydd, 'Nid yw'r brenin yn chwennych rhodd briodas heblaw cant o flaengrwyn Philistiaid, i dalu'r pwyth i elynion y brenin'." Syniad Saul oedd peri i Ddafydd gwympo trwy law y Philistiaid. ²⁶Cyflwynodd ei weision y neges hon i Ddafydd, ac ystyriodd y byddai'n dderbyniol iddo felly briodi merch y brenin. ²⁷Cyn bod yr amser wedi dod i ben, cychwynnodd Dafydd allan gyda'i wŷr, ac aethant a lladd dau gant o ddynion y Philistiaid. Dygodd Dafydd eu blaengrwyn a'u cyflwyno i gyd i'r brenin, er mwyn cael priodi merch y brenin; a rhoddodd Saul ei ferch Michal yn wraig iddo. ²⁸Wedi i Saul weld a sylweddoli bod yr ARGLWYDD gyda Dafydd, a bod ei ferch Michal yn ei garu, ²⁹daeth arno fwy o ofn Dafydd nag o'r blaen, ac aeth yn elyn am oes iddo.

30 Bob tro y dôi arweinwyr y Philistiaid allan i ymladd, byddai Dafydd yn fwy llwyddiannus na phawb arall o weision Saul, ac enillodd enwogrwydd mawr.

Saul yn Erlid Dafydd

19 Dywedodd Saul wrth ei fab Jonathan a'i holl weision am ladd Dafydd. ²Ond yr oedd Jonathan fab Saul wedi mynd yn hoff iawn o Ddafydd, a dywedodd wrtho, "Y mae fy nhad Saul yn ceisio dy ladd di; bydd di'n ofalus ohonot dy hun bore yfory, ac ymguddia ac aros o'r golwg. ³Mi af finnau a sefyll yn ymyl fy nhad, allan yn ymyl y lle y byddi di, ac mi soniaf amdanat wrth fy nhad; ac os gwelaf unrhyw beth, mi ddywedaf wrthyt." ⁴Siaradodd Jonathan o blaid Dafydd wrth ei dad Saul, a dweud wrtho, "Peidied y brenin â gwneud cam â'i was Dafydd, oherwydd ni wnaeth ef gam â thi; yn wir, bu ei weithredoedd o les mawr iti. ⁵Mentrodd ei fywyd i ladd y Philistiad hwnnw, a rhoddodd yr ARGLWYDD fuddugoliaeth fawr i Israel gyfan. Yr oeddit tithau'n gweld ac yn llawenychu; pam ynteu yr wyt am wneud cam ag un dieuog, a lladd Dafydd heb achos?"

⁶Gwrandawodd Saul ar ble Jonathan a thyngodd: "Cyn wired â bod yr ARGLWYDD yn fyw, ni chaiff ei ladd." ⁷Wedi i Jonathan alw Dafydd, a dweud hyn i gyd wrtho, aeth ag ef at Saul; a bu Dafydd yn ei wasanaethu fel cynt. ⁸A phan dorrodd rhyfel allan eto, aeth Dafydd i ymladd yn erbyn y Philistiaid a gwneud difrod mawr arnynt, a hwythau'n ffoi o'i flaen.

9 Daeth ysbryd drwg oddi wrth yr ARGLWYDD ar Saul ac yntau'n eistedd gartref â gwaywffon yn ei law, a Dafydd yn canu'r delyn. ¹⁰Ceisiodd Saul drywanu'r waywffon trwy Ddafydd i'r pared, ond osgôdd Dafydd ef, ac i'r pared y trawodd y waywffon; felly dihangodd Dafydd a ffoi. ¹¹Y noson honno anfonodd Saul negeswyr i gartref Dafydd i'w wylio er mwyn ei ladd yn y bore. Ond yr oedd Michal gwraig Dafydd wedi dweud wrtho, "Os na fyddi'n dianc heno am d'einioes, yfory byddi'n farw." ¹²Felly, wedi i Michal ollwng Dafydd i lawr drwy'r ffenestr, aeth yntau ar ffo a dianc. ¹³Yna cymerodd Michal y teraffim a'u gosod yn y gwely, a rhoi clustog o flew geifr lle byddai'r pen, a thaenu dilledyn drosti. ¹⁴Pan anfonodd Saul negeswyr i ddal Dafydd, dywedodd hi, "Y mae'n glaf." ¹⁵Ond anfonodd Saul y negeswyr yn ôl i chwilio am Ddafydd gyda'r gorchymyn, "Dewch ag ef ataf yn ei wely, imi ei ladd." ¹⁶Pan ddaeth y negeswyr, dyna lle'r oedd y teraffim yn y gwely, gyda chlustog o flew geifr wrth y pen. ¹⁷Meddai Saul wrth Michal, "Pam y twyllaist fi fel hyn, a gollwng fy ngelyn yn rhydd i ddianc?" Atebodd Michal, "Ef a ddywedodd wrthyf, 'Gollwng fi, neu mi'th laddaf.'"

18 Ffodd Dafydd a dianc i Rama at Samuel, ac adrodd wrtho'r cwbl a wnaeth Saul iddo. Yna aeth Samuel ac yntau, ac aros yn Naioth. ¹⁹Mynegwyd i Saul, "Y mae Dafydd yn Naioth ger Rama." ²⁰Anfonodd Saul negeswyr i ddal Dafydd, ond pan welsant dwr o broffwydi'n proffwydo, a Samuel yn sefyll yno'n bennaeth arnynt, disgynnodd ysbryd Duw arnynt ac aethant hwythau'n broffwydo. ²¹Pan fynegwyd hyn i Saul, anfonodd negeswyr eraill, ond aethant hwythau i broffwydo hefyd; a phan anfonodd Saul negeswyr am y trydydd tro, aeth y rheini hefyd i broffwydo. ²²Yna fe aeth ef ei hun i Rama, ac wedi

iddo gyrraedd y pydew mawr yn Secu a holi ple'r oedd Samuel a Dafydd, dywedodd rhywun eu bod yn Naioth ger Rama. ²³Wrth iddo fynd yno i Naioth ger Rama, disgynnodd ysbryd Duw arno yntau hefyd, ac aeth yn ei flaen dan broffwydo nes dod i Naioth ger Rama. ²⁴Yno fe ddiosgodd yntau ei ddillad a phroffwydo gerbron Samuel; a gorweddodd yn noeth drwy'r dydd a'r noson honno. Dyna pam y dywedir, "A yw Saul hefyd ymysg y proffwydi?"

Jonathan yn Helpu Dafydd

20 Ffodd Dafydd o Naioth ger Rama, a daeth at Jonathan a gofyn, "Beth wnes i? Beth yw fy mai a'm pechod gerbron dy dad, fel ei fod yn ceisio f'einioes?" ²Dywedodd Jonathan, "Pell y bo! Ni fyddi farw. Edrych yma, nid yw fy nhad yn gwneud dim, bach na mawr, heb ddweud wrthyf fi; pam felly y byddai fy nhad yn celu'r peth hwn oddi wrthyf? Nid oes dim yn y peth." ³Ond tyngodd Dafydd wrtho eto a dweud, "Y mae dy dad yn gwybod yn iawn imi gael ffafr yn d'olwg, a dywedodd, 'Nid yw Jonathan i wybod hyn, rhag iddo bocni.' Cyn wired â bod yr ARGLWYDD yn fyw, a thithau hefyd, dim ond cam sydd rhyngof fi ac angau." ⁴Yna gofynnodd Jonathan i Ddafydd, "Beth a ddymuni imi ei wneud iti?" ⁵Ac meddai Dafydd wrth Jonathan, "Y mae'n newydd-loer yfory, a dylwn fod yno'n bwyta gyda'r brenin; gad imi fynd ac ymguddio yn y maes tan yr hwyr dradwy. ⁶Os bydd dy dad yn holi'n arw amdanaf, dywed, 'Fe grefodd Dafydd am ganiatâd gennyf i fynd draw i'w dref ei hun, Bethlehem, am fod yno aberth blynyddol i'r holl dylwyth.' ⁷Os dywed, 'Popeth yn dda', yna y mae'n ddiogel i'th was; ond os cyll ei dymer, byddi'n gwybod ei fod yn bwriadu drwg. ⁸Bydd yn deyrngar i'th was, oherwydd gwnaethost gyfamod â mi gerbron yr ARGLWYDD. Ac os oes bai ynof, lladd fi dy hun; pam mynd â mi at dy dad?" ⁹Atebodd Jonathan, "Pell y bo hynny! Pe bawn i'n gwybod o gwbl fod fy nhad yn bwriadu drwg iti, oni fyddwn yn dweud wrthyt?" ¹⁰Gofynnodd Dafydd i Jonathan, "Pwy sydd i ddweud wrthyf os

bydd dy dad yn rhoi ateb chwyrn iti?" ¹¹Dywedodd Jonathan wrth Ddafydd, "Tyrd, gad inni fynd i'r maes." ¹²Aeth y ddau allan i'r maes, ac meddai Jonathan wrth Ddafydd, "Cyn wired â bod ARGLWYDD Dduw Israel yn fyw, mi holaf fy nhad tua'r adeg yma yfory am y trydydd tro; yna, os newydd da fydd i Ddafydd, anfonaf air i ddweud wrthyt. ¹³Ond os yw fy nhad am wneud niwed iti, yna fel hyn y gwnelo'r ARGLWYDD i mi, Jonathan, a rhagor, os na fyddaf yn dweud wrthyt, er mwyn iti gael mynd ymaith yn ddiogel. Bydded yr ARGLWYDD gyda thi, fel y bu gyda'm tad. ¹⁴Os byddaf fyw, gwna drugaredd â mi yn enw'r ARGLWYDD. ¹⁵Ond os byddaf farw, paid byth ag atal dy drugaredd oddi wrth fy nheulu. A phan fydd yr ARGLWYDD wedi torri ymaith holl elynion Dafydd oddi ar wyneb y tir, ¹⁶na fydded Jonathan wedi ei dorri oddi wrth deulu* Dafydd; a bydded i'r ARGLWYDD ddial ar elynion Dafydd." ¹⁷Tyngodd Jonathan eto i Ddafydd^y am ei fod yn ei garu, oherwydd yr oedd yn ei garu fel ei enaid ei hun. ¹⁸A dywedodd Jonathan wrtho, "Y mae'n newydd-loer yfory, a gwelir dy eisiau pan fydd dy le yn wag; a thradwy byddant yn chwilio'n ddyfal amdanat.^a ¹⁹Dos dithau i'r man yr ymguddiaist ynddo adeg y digwyddiad o'r blaen, ac aros yn ymyl y garreg fan draw.^b ²⁰Saethaf finnau dair saeth i'w hymyl, fel pe bawn yn saethu at nod. ²¹Wedyn anfonaf y llanc a dweud, 'Dos i nôl y saethau.' Os byddaf yn dweud wrth y llanc, 'Edrych, y mae'r saethau y tu yma iti; cymer hwy', yna tyrd, oherwydd y mae'n ddiogel iti, heb unrhyw berygl, cyn wired â bod yr ARGLWYDD yn fyw. ²²Ond os dywedaf fel hyn wrth y llencyn: 'Edrych, y mae'r saethau y tu draw iti', yna dos, oherwydd y mae'r ARGLWYDD yn dy anfon i ffwrdd. ²³Bydded yr ARGLWYDD yn dyst am byth rhyngof fi a thi yn y cytundeb hwn a wnaethom ein dau."

²⁴Ymguddiodd Dafydd yn y maes; a phan ddaeth y newydd-loer, ²⁵eisteddodd y brenin i lawr i fwyta'r pryd, a chymryd ei le arferol ar y sedd wrth y pared, gyda Jonathan gyferbyn^c, ac Abner yn eistedd

---

*Cymh. Groeg. Hebraeg, *gyda theulu*.
^yFelly Groeg. Hebraeg, *Gwnaeth Jonathan i Ddafydd dyngu eto*.
^aCymh. Groeg. Hebraeg, *a threbli, ei i lawr yn bell*.
^bFelly Groeg. Hebraeg, *y garreg Esel*.   ^cFelly Groeg. Hebraeg, *wedi codi*.

wrth ochr Saul; ond 'roedd lle Dafydd yn wag. ²⁶Ni ddywedodd Saul ddim y diwrnod hwnnw, gan feddwl mai rhyw hap oedd, ac nad oedd yn lân.ᶜʰ ²⁷Ond pan oedd lle Dafydd yn wag drannoeth, ar ail ddiwrnod y newydd-loer, gofynnodd Saul i'w fab Jonathan, "Pam nad yw mab Jesse wedi dod i fwyta, ddoe na heddiw?" ²⁸Atebodd Jonathan, "O, fe grefodd Dafydd arnaf am gael mynd i Fethlehem, ²⁹a dweud, 'Gad imi fynd, oherwydd y mae gan y teulu aberth yn y dref, ac y mae fy mrawd wedi peri i mi fod yno; felly, os gweli di'n dda, gad imi fynd draw i weld fy mrodyr.' Dyna pam nad yw wedi dod at fwrdd y brenin." ³⁰Ffromodd Saul wrth Jonathan a dywedodd wrtho, "Y mab putainᵈ anufudd iti! Oni wyddwn dy fod yn ochri gyda mab Jesse, er cywilydd i ti dy hun ac i warth dy fam? ³¹Oherwydd tra bydd mab Jesse fyw ar y ddaear, ni fyddi di na'r frenhiniaeth yn ddiogel. Anfon ar unwaith a thyrd ag ef ataf, oherwydd y mae'n haeddu marw." ³²Atebodd Jonathan a dweud wrth ei dad, "Pam ei roi i farwolaeth? Beth y mae wedi ei wneud?" ³³Yna hyrddiodd Saul waywffon ato i'w daro, a sylweddolodd Jonathan fod ei dad yn benderfynol o ladd Dafydd. ³⁴Felly cododd Jonathan oddi wrth y bwrdd yn wyllt ei dymer, a heb fwyta tamaid ar ail ddiwrnod y newydd-loer, am ei fod yn gofidio dros Ddafydd, a bod ei dad wedi rhoi sen arno yntau.

35 Bore trannoeth aeth Jonathan allan i'r maes i gadw ei oed â Dafydd, a llanc ifanc gydag ef. ³⁶Dywedodd wrth y llanc, "Rhed di i nôl y saethau y byddaf fi'n eu saethu." Tra oedd y llanc yn rhedeg, yr oedd ef yn saethu'r saethau y tu draw iddo. ³⁷Wedi i'r llanc gyrraedd y man y disgynnodd y saethau, gwaeddodd Jonathan ar ôl y llanc, `"Onid yw'r saethau y tu draw i ti?" Yna gwaeddodd ar ôl y llanc, "Dos, brysia, paid â sefyllian." ³⁸Casglodd llanc Jonathan y saethau a'u dwyn yn ôl at ei feistr. ³⁹Nid oedd y llanc yn sylweddoli dim, ond yr oedd Jonathan a Dafydd yn deall y neges. ⁴⁰Rhoddodd Jonathan ei offer i'r llanc oedd gydag ef, a dweud wrtho, "Dos, cymer hwy'n ôl adref." ⁴¹Wedi i'r llanc fynd, cododd Dafydd o'r tu ôl i'r garregᵈᵈ, a syrthio ar ei wyneb i'r llawr ac

ymgrymu deirgwaith. Yna cusanodd y ddau ei gilydd ac wylo, yn enwedig Dafydd. ⁴²Ac meddai Jonathan wrth Ddafydd, "Dos mewn heddwch; yr ydym ein dau wedi tyngu yn enw'r ARGLWYDD y bydd yr ARGLWYDD yn dyst rhyngom ni a rhwng ein disgynyddion am byth." Yna aeth Dafydd i ffwrdd, a dychwelodd Jonathan adref.

Dafydd yn Ffoi rhag Saul

21 Aeth Dafydd i Nob at yr offeiriad Ahimelech. Daeth yntau i'w gyfarfod dan grynu, a gofyn iddo, "Pam yr wyt ti ar dy ben dy hun, heb neb gyda thi?" ²Ac meddai Dafydd wrth yr offeiriad Ahimelech, "Y brenin sydd wedi rhoi gorchymyn imi, a dweud wrthyf, 'Nid yw neb i wybod dim pam yr anfonais di, na beth a orchmynnais iti.' Ac yr wyf wedi rhoi cyfarwyddyd i'r milwyr ifainc i'm cyfarfod yn y fan a'r fan. ³Yn awr, beth sydd gennyt wrth law? Gad imi gael pum torth, neu'r hyn sydd gennyt." ⁴Atebodd yr offeiriad, "Nid oes gennyf ddim bara cyffredin wrth law; ond y mae yma fara cysegredig —os yw'r milwyr wedi ymgadw'n llwyr oddi wrth wragedd." ⁵Atebodd Dafydd, "Yn wir y mae'n hen arfer gennym ymgadw oddi wrth wragedd pan fyddaf yn cychwyn ar ymgyrch, fel bod arfau'r milwyr yn gysegredig; ac os yw felly ar siwrne gyffredin, pa faint mwy y bydd yr arfau'n gysegredig heddiw?" ⁶Yna fe roddodd yr offeiriad iddo'r bara cysegredig, gan nad oedd yno ddim ond y bara gosod oedd wedi ei symud o bresenoldeb yr ARGLWYDD, er mwyn gosod bara ffres ar ddiwrnod y cyfnewid. ⁷Ar y pryd, yr oedd un o weision Saul yno dan adduned gerbron yr ARGLWYDD; ei enw oedd Doeg yr Edomiad, ac ef oedd penbugail Saul. ⁸Gofynnodd Dafydd i Ahimelech, "Onid oes yma waywffon neu gleddyf wrth law gennyt? Oherwydd ni ddeuthum â'm cleddyf na'm harfau gyda mi, am fod cymaint brys gyda gorchymyn y brenin." ⁹Atebodd yr offeiriad, "Beth am gleddyf Goliath y Philistiad, y dyn a leddaist yn Nyffryn Ela? Y mae hwnnw yma wedi ei lapio mewn brethyn y tu ôl i'r effod. Os wyt ti am hwnnw, cymer ef, oherwydd nid oes yma yr un arall ond hwnnw." ¹⁰Ac

---

ᶜʰHebraeg yn ychwanegu *oherwydd nid oedd yn lân.*
ᵈTebygol. Hebraeg yn aneglur. ᵈᵈGw. adn. 19. Hebraeg, *Negeb.*

meddai Dafydd, "Nid oes hafal iddo; rho ef imi." Y diwrnod hwnnw ymadawodd Dafydd, ac er mwyn ffoi oddi wrth Saul, aeth at Achis brenin Gath. ¹¹Gofynnodd gweision Achis iddo, "Onid hwn yw Dafydd, brenin y wlad? Onid am hwn y maent yn canu wrth ddawnsio,

'Lladdodd Saul ei filoedd,
    a Dafydd ei fyrddiynau'?"

¹²Cymerodd Dafydd y geiriau hyn at ei galon, ac ofnodd rhag Achis brenin Gath. ¹³Newidiodd ei ymddygiad o'u blaen, a dechrau ymddwyn fel ynfytyn yn eu mysg, a chripio drysau'r porth, a glaf-oerio hyd ei farf. ¹⁴Ac meddai Achis wrth ei weision, "Gallwch weld bod y dyn yn wallgof; pam y daethoch ag ef ataf fi? ¹⁵A wyf yn brin o ynfydion, fel eich bod yn dod â hwn o'm blaen i ynfydu? A ddaw hwn i'm tŷ?"

Lladd Offeiriaid Nob

22 Dihangodd Dafydd oddi yno i ogof Adulam, a phan glywodd ei frodyr a'i deulu, aethant yno ato. ²A dyma bawb oedd mewn helbul neu ddyled, neu wedi chwerwi, yn ymgasglu ato. Aeth ef yn ben arnynt, ac yr oedd tua phedwar cant o ddynion gydag ef. ³Oddi yno aeth Dafydd i Mispa ym Moab, a dweud wrth frenin Moab, "Gad i'm tad a'm mam ddod atat, nes y byddaf yn gwybod beth a wna Duw imi." ⁴Felly gadawodd hwy gyda brenin Moab, a buont yn aros yno cyhyd ag y bu Dafydd yn ei loches. ⁵Yna dywedodd y proffwyd Gad wrth Ddafydd, "Paid ag aros yn y lloches, dos yn ôl i dir Jwda." Felly aeth Dafydd i Goed Hereth.

6 Clywodd Saul fod Dafydd a'r gwŷr oedd gydag ef wedi dod i'r golwg, ac yr oedd yntau ar y pryd yn Gibea, yn eistedd dan bren tamarisc ar y bryn â'i waywffon yn ei law, a'i weision yn sefyll o'i gwmpas. ⁷Ac meddai Saul wrth y gweision o'i gwmpas, "Gwrandewch hyn, feibion Benjamin. A fydd mab Jesse yn rhoi i bob un ohonoch chwi feysydd a gwinllannoedd, a'ch gwneud i gyd yn swyddogion ar filoedd a channoedd? ⁸Er hynny yr ydych i gyd yn cynllwyn yn f'erbyn. Nid ynganodd neb air wrthyf pan wnaeth fy mab gyfamod â mab Jesse. Nid oedd neb ohonoch yn poeni amdanaf fi, nac yn yngan gair wrthyf pan barodd fy mab i'm

gwas godi cynllwyn yn f'erbyn fel y gwna heddiw."

9 Yna atebodd Doeg yr Edomiad, a oedd yn sefyll gyda gweision Saul, a dweud, "Mi welais i fab Jesse'n dod i Nob at Ahimelech fab Ahitub. ¹⁰Ymofynnodd yntau â'r Arglwydd drosto, a rhoi bwyd iddo; rhoes iddo hefyd gleddyf Goliath y Philistiad." ¹¹Anfonodd y brenin am yr offeiriad Ahimelech fab Ahitub a'i deulu i gyd, a oedd yn offeiriaid yn Nob, a daethant oll at y brenin. ¹²Ac meddai Saul, "Gwrando di yn awr, fab Ahitub." Atebodd yntau, "Gwnaf, f'arglwydd." ¹³Yna dywedodd Saul wrtho, "Pam yr ydych wedi cynllwyn yn f'erbyn, ti a mab Jesse, a thithau'n rhoi bwyd a chleddyf iddo, ac yn ymofyn â Duw drosto a gadael iddo gynllwyn yn f'erbyn, fel y mae'n gwneud heddiw?" ¹⁴Atebodd Ahimelech y brenin a dweud, "Pwy o blith dy holl weision sydd mor deyrngar â Dafydd, yn fab-yng-nghyfraith i'r brenin, ac yn bennaethᶜ dy osgorddlu ac yn uchel ei barch yn dy blas? ¹⁵Ai dyna'r tro cyntaf imi ymofyn â Duw drosto? Nage'n wir! Peidied y brenin â chyhuddo ei was, na'r un o'i deulu, oherwydd ni ŵyr dy was ddim am hyn, na bach na mawr." ¹⁶Dywedodd y brenin, "Yr wyt ti, Ahimelech, yn mynd i farw, ie, ti a'th holl deulu." ¹⁷Yna dywedodd y brenin wrth y gosgorddlu oedd yn sefyll yn ei ymyl, "Trowch arnynt a lladdwch offeiriaid yr Arglwydd, oherwydd y maent hwythau law yn llaw â Dafydd, am eu bod yn gwybod ei fod ar ffo, ond heb yngan gair wrthyf." Ond ni fynnai gweision y brenin estyn llaw i daro offeiriaid yr Arglwydd. ¹⁸Yna dywedodd y brenin wrth Doeg, "Tro di a tharo'r offeiriaid." Fe droes Doeg a tharo'r offeiriaid; a'r diwrnod hwnnw fe laddodd bump a phedwar ugain o wŷr yn gwisgo effod liain. ¹⁹Yn Nob hefyd, tref yr offeiriaid, trawodd â'r cleddyf wŷr a gwragedd, plant a babanod, a hyd yn oed ychen, asynnod a defaid.

20 Ond dihangodd un mab i Ahimelech fab Ahitub, o'r enw Abiathar; a ffodd at Ddafydd, ²¹a dweud wrtho fod Saul wedi lladd offeiriaid yr Arglwydd. ²²Dywedodd Dafydd wrth Abiathar, "Mi wyddwn i y diwrnod hwnnw pan oedd Doeg yr Edomiad yno, y byddai'n sicr o

---

ᶜFelly Groeg. Hebraeg, *yn troi at.*

ddweud wrth Saul. Myfi sy'n gyfrifol am farwolaeth dy deulu cyfan. ²³Aros gyda mi, paid ag ofni; oherwydd yr un sy'n ceisio d'einioes di sy'n ceisio f'einioes innau. Byddi'n ddiogel gyda mi."

Dafydd yn Achub Tref Ceila

23 Mynegwyd i Ddafydd fod y Philistiaid yn ymladd yn erbyn Ceila, ac yn ysbeilio'r ydlannau. ²Ymofynnodd Dafydd â'r ARGLWYDD, a oedd i fynd a tharo'r Philistiaid hyn. Dywedodd yr ARGLWYDD wrth Ddafydd, "Dos a tharo'r Philistiaid, ac achub Ceila." ³Ond dywedodd gwŷr Dafydd wrtho, "Yr ydym mewn digon o ofn yma yn Jwda; pa faint mwy pan awn i Ceila, yn erbyn byddinoedd y Philistiaid?" ⁴Felly ymofynnodd Dafydd eto â'r ARGLWYDD, ac atebodd yr ARGLWYDD ef, "Dos i lawr i Ceila, oherwydd rhoddaf y Philistiaid yn dy law." ⁵Felly fe aeth Dafydd a'i wŷr i Ceila ac ymladd â'r Philistiaid, a mynd â'u gwartheg ymaith, a gwneud lladdfa fawr yn eu mysg hwy; ac achubodd Dafydd drigolion Ceila.

6 Pan ffodd Abiathar fab Ahimelech at Ddafydd i Ceila, daeth â'r effod i lawr gydag ef. ⁷A phan fynegwyd i Saul fod Dafydd wedi mynd i Ceila, dywedodd Saul, "Y mae Duw wedi ei roi yn fy llaw, oherwydd y mae wedi cau amdano wrth fynd i ddinas ag iddi byrth a barrau." ⁸Galwodd Saul yr holl bobl i ryfel, ac i fynd i lawr i Ceila i warchae ar Ddafydd a'i wŷr. ⁹Pan ddeallodd Dafydd fod Saul yn cynllunio drwg yn ei erbyn, dywedodd wrth yr offeiriad Abiathar, "Estyn yr effod." ¹⁰Yna dywedodd Dafydd, "O ARGLWYDD Dduw Israel, y mae dy was wedi clywed yn bendant fod Saul yn ceisio dod i Ceila i ddinistrio'r dref o'm hachos i. ¹¹A fydd awdurdodau Ceila yn fy rhoi iddo? A ddaw Saul i lawr fel y clywodd dy was? O ARGLWYDD Dduw Israel, rho ateb i'th was." Atebodd yr ARGLWYDD, "Fe ddaw." ¹²Yna gofynnodd Dafydd, "A fydd awdurdodau Ceila yn fy rhoi i a'm gwŷr yn llaw Saul?" Atebodd yr ARGLWYDD, "Byddant." Yna cododd Dafydd gyda'i wŷr, tua chwe chant ohonynt, ac aethant o Ceila a symud o le i le. ¹³Pan ddywedwyd wrth Saul fod Dafydd wedi dianc o Ceila, peidiodd â chychwyn allan. ¹⁴Tra oedd Dafydd yn byw mewn llochesau yn

y diffeithwch ac yn aros yn y mynydd-dir yn niffeithwch Siff, yr oedd Saul yn chwilio amdano trwy'r adeg, ond ni roddodd Duw ef yn ei law. ¹⁵Yr oedd Dafydd yn gweld mai dod allan i geisio'i fywyd yr oedd Saul; felly arhosodd Dafydd yn Hores yn niffeithwch Siff.

Dafydd yn y Mynydd-dir

16 Aeth Jonathan fab Saul draw i Hores at Ddafydd a'i galonogi trwy Dduw ¹⁷a dweud wrtho, "Paid ag ofni; ni ddaw fy nhad Saul o hyd iti; byddi di'n frenin ar Israel a minnau'n ail iti, ac y mae fy nhad Saul yn gwybod hynny'n iawn." ¹⁸Gwnaethant gyfamod ill dau gerbron yr ARGLWYDD; arhosodd Dafydd yn Hores, ac aeth Jonathan adref.

19 Aeth pobl Siff at Saul i Gibea a dweud, "Onid yw Dafydd yn ymguddio yn ein hardal, yn llochesau Hores ym mryniau Hachila i'r de o Jesimon? ²⁰Pryd bynnag yr wyt ti'n dymuno, O frenin, tyrd i lawr, a rhown ninnau ef yn llaw'r brenin." ²¹Ac meddai Saul, "Bendigedig fyddoch gan yr ARGLWYDD am ichwi drugarhau wrthyf. ²²Ewch yn awr a gwneud yn sicr eto; ceisiwch wybod a gwylio'i lwybrau, a phwy a'i gwelodd yno. Dywedir wrthyf ei fod yn un cyfrwys iawn. ²³Wedi ichwi weld a gwybod ym mha un o'r holl guddfannau y mae'n ymguddio, dewch yn ôl ataf pan fyddwch yn sicr, a dof finnau gyda chwi. Cyhyd â'i fod yn y wlad, fe chwiliaf amdano ym mhob man, ie, trwy holl lwythau Jwda." ²⁴Aethant yn ôl i Siff cyn i Saul gyrraedd, ac yr oedd Dafydd a'i wŷr yn niffeithwch Maon, yn yr Araba i'r de o Jesimon. ²⁵Yna daeth Saul a'i wŷr i geisio Dafydd, ond dywedwyd wrth Ddafydd, ac aeth yntau i lawr i'r creigiau ac arhosodd yn niffeithwch Maon. ²⁶Clywodd Saul, ac aeth i erlid Dafydd i ddiffeithwch Maon; ac yr oedd ef yn mynd ar hyd un ochr i'r mynydd, a Dafydd a'i wŷr ar hyd yr ochr arall. Fel yr oedd Dafydd yn brysio i osgoi Saul, a Saul a'i wŷr yn cau am Ddafydd a'i wŷr i'w dal, ²⁷cyrhaeddodd negesydd a dweud wrth Saul, "Tyrd ar unwaith, oherwydd y mae'r Philistiaid wedi ymosod ar y wlad." ²⁸Felly peidiodd Saul ag ymlid Dafydd, ac aeth i wrthwynebu'r Philistiaid. ²⁹ᶠ Dyna pam yr enwyd y lle hwnnw

ᶠHebraeg, 24:1.

Creigiau'r Gwahanu. Aeth Dafydd i fyny oddi yno a byw yn llochesau Engedi.

Dafydd yn Arbed Bywyd Saul

24 Pan ddaeth Saul yn ôl o ymlid y Philistiaid, dywedwyd wrtho fod Dafydd yn niffeithwch Engedi. ²Felly cymerodd Saul dair mil o wŷr wedi eu dewis allan o Israel gyfan, a mynd i chwilio am Ddafydd a'i wŷr ar hyd copa creigiau'r geifr gwylltion. ³Pan ddaeth at gorlannau'r defaid ar y ffordd, yr oedd yno ogof, ac aeth Saul i mewn i esmwytho'i gorff; ond yr oedd Dafydd a'i wŷr yno ym mhen draw'r ogof. ⁴Ac meddai gwŷr Dafydd wrtho, "Dyma'r diwrnod y dywedodd yr ARGLWYDD wrthyt y byddai'n rhoi dy elyn yn dy law, a chei wneud iddo beth a fynni." Cododd Dafydd yn ddistaw a thorrodd gwr y fantell oedd am Saul. ⁵Ond wedyn pigodd cydwybod Dafydd ef, am iddo dorri cwr mantell Saul, ⁶a dywedodd wrth ei ddynion, "Yr ARGLWYDD a'm gwared rhag imi wneud y fath beth i'm harglwydd, eneiniog yr ARGLWYDD, ac estyn llaw yn ei erbyn, oherwydd eneiniog yr ARGLWYDD yw." ⁷Ataliodd Dafydd ei wŷr â'r geiriau hyn rhag iddynt ymosod ar Saul. ⁸Pan ymadawodd Saul â'r ogof a mynd i'w daith, aeth Dafydd allan o'r ogof a galw ar ei ôl a dweud, "F'arglwydd frenin!" A phan edrychodd Saul yn ôl, plygodd Dafydd â'i wyneb at y llawr ac ymgrymu. ⁹Yna dywedodd Dafydd wrth Saul, "Pam y gwrandewaist ar eiriau'r dynion sy'n dweud fod Dafydd yn ceisio niwed i ti? ¹⁰Heddiw fe weli â'th lygaid dy hun i'r ARGLWYDD dy roi yn fy llaw heddiw yn yr ogof; a dywedwyd wrthyf am dy ladd, ond trugarheais wrthyt a dweud, 'Nid estynnaf fy llaw yn erbyn f'arglwydd, oherwydd eneiniog yr ARGLWYDD yw.' ¹¹Edrych, fy nhad, ie, edrych, dyma gwr dy fantell yn fy llaw. Gan imi dorri cwr dy fantell heb dy ladd, fe ddylit wybod a gweld nad oedd dim malais na drygioni ynof. Ni wneuthum gam â thi, ond eto yr wyt yn ymlid ar fy ôl i'm dal. ¹²Bydded i'r ARGLWYDD farnu rhyngom a dial arnat, ond ni fydd fy llaw i arnat. ¹³Fel y dywed yr hen ddihareb, 'O'r drygionus y daw drygioni.' Ond ni fydd fy llaw i arnat. ¹⁴Ar ôl pwy yr aeth brenin Israel? Pwy wyt ti'n ei ymlid? Ci marw! Chwannen!

¹⁵Fe gaiff yr ARGLWYDD fod yn ddyfarnwr a barnu rhyngom a'n gilydd; caiff ef chwilio a dadlau f'achos a'm rhyddhau o'th law."

16 Wedi i Ddafydd orffen llefaru fel hyn wrth Saul, meddai Saul: "Dafydd, fy mab, ai dy lais di yw hwn?" Yna fe dorrodd allan i wylo. ¹⁷Ac meddai wrth Ddafydd, "Yr wyt ti yn fwy cyfiawn na mi, oherwydd yr wyt ti wedi talu da i mi, a minnau wedi talu drwg i ti. ¹⁸Ac yr wyt wedi dangos mor dda fuost tuag ataf heddiw, pan oedd yr ARGLWYDD wedi fy rhoi yn dy law, a thithau'n ymatal rhag fy lladd. ¹⁹Pan fydd dyn yn dod ar warthaf ei elyn, a yw'n ei adael yn rhydd? Bydded i'r ARGLWYDD dalu'n ôl iti'n hael am yr hyn a wnaethost imi heddiw. ²⁰Mi wn, bellach, mai ti sydd i fod yn frenin, ac y bydd teyrnas Israel yn llwyddo danat; ²¹tynga imi'n awr yn enw'r ARGLWYDD, na fyddi'n difa fy hil ar fy ôl nac yn dileu fy enw o'm teulu." ²²Tyngodd Dafydd i Saul. Yna aeth Saul adref, a Dafydd a'i wŷr i fyny'n ôl i'r lloches.

Dafydd ac Abigail

25 Bu farw Samuel, a daeth Israel gyfan ynghyd i alaru amdano a'i gladdu yn ei gartref yn Rama. Yna fe aeth Dafydd i ddiffeithwch Maon[ff]. ²Yn Maon yr oedd dyn yn ffermio yng Ngharmel; yr oedd yn wr cyfoethog iawn, a chanddo dair mil o ddefaid a mil o eifr, ac yr oedd wrthi'n cneifio'i ddefaid yng Ngharmel. ³Nabal oedd enw'r dyn, ac Abigail oedd enw ei wraig. Yr oedd hi'n ddynes ddeallus a golygus, ond yr oedd y gŵr—un o lwyth Caleb—yn galed ac anghwrtais.

4 Clywodd Dafydd yn y diffeithwch fod Nabal yn cneifio'i ddefaid, ⁵ac anfonodd ddeg llanc a dweud wrthynt, "Ewch i fyny i Garmel, a mynd at Nabal a'i gyfarch yn f'enw; ⁶a dywedwch fel hyn wrth fy mrawd, 'Heddwch i ti ac i'th deulu a'th eiddo i gyd. ⁷Clywais dy fod yn cneifio. Bu dy fugeiliaid gyda ni, ac nid ydym wedi eu cam-drin na pheri dim colled iddynt, yr holl adeg y buont yng Ngharmel. ⁸Gofyn i'th lanciau, ac fe ddywedant wrthyt. Felly rho dderbyniad caredig i'm llanciau innau, oherwydd daethom ar ddiwrnod da; rho'r hyn sydd

---

[ff]Felly Groeg. Cymh. adn. 2. Hebraeg, *Paran.*

agosaf at dy law i'th weision ac i'th fab Dafydd.'"

9 Daeth llanciau Dafydd a dweud y geiriau hyn i gyd yn enw Dafydd. ¹⁰Wedi iddynt orffen, atebodd Nabal a dweud wrth weision Dafydd, "Pwy yw Dafydd, a phwy yw mab Jesse? Y mae llawer o weision yn dianc oddi wrth eu meistri y dyddiau hyn. ¹¹A wyf fi i gymryd fy mara a'm dŵr a'r cig a leddais ar gyfer fy nghneifwyr, a'u rhoi i ddynion na wn o ble y maent?" ¹²Troes llanciau Dafydd i ffwrdd, a dychwelyd at Ddafydd a dweud hyn i gyd wrtho. ¹³Dywedodd Dafydd wrth ei ddynion, "Gwregyswch bawb ei gleddyf." Wedi iddynt hwy a Dafydd hefyd wregysu eu cleddyfau, aeth tua phedwar cant ohonynt i fyny ar ôl Dafydd, gan adael dau gant gyda'r offer.

14 Yr oedd un o'r llanciau wedi dweud wrth Abigail, gwraig Nabal, "Clyw, fe anfonodd Dafydd negeswyr o'r diffeithwch i gyfarch ein meistr, ond fe'u difrïodd. ¹⁵Bu'r dynion yn dda iawn wrthym ni, heb ein cam-drin na pheri dim colled inni yr holl adeg y buom yn ymdroi gyda hwy pan oeddem yn y maes. ¹⁶Buont yn fur inni, nos a dydd, yr holl adeg y buom yn bugeilio'r praidd yn eu hymyl. ¹⁷Ystyria'n awr ac edrych beth y gelli ei wneud, oherwydd y mae drwg wedi ei bennu i'n meistr ac yn erbyn ei deulu i gyd, ond y mae ef yn ormod o ddihiryn i neb ddweud dim wrtho." ¹⁸Brysiodd Abigail a chymryd dau gan torth o fara a dwy botel o win, pum dafad wedi eu paratoi a phum hobaid o greision, a hefyd can swp o resinau a dau gant o ffigys. Llwythodd hwy ar asynnod, ¹⁹a dywedodd wrth ei gweision, "Ewch o'm blaen; byddaf finnau'n dod ar eich ôl." Ond ni ddywedodd ddim wrth ei gŵr Nabal. ²⁰Fel yr oedd hi ar gefn ei hasyn yn dod i lawr llechwedd y mynydd, yr oedd Dafydd a'i wŷr yn dod i lawr tuag ati, a chyfarfu â hwy.

21 Yr oedd Dafydd wedi dweud, "Y mae'n amlwg mai'n ofer y bûm yn gwarchod holl eiddo hwn yn y diffeithwch, heb iddo golli dim o'r cwbl oedd ganddo; y mae wedi talu imi ddrwg am dda. ²²Gwnaed Duw fel hyn i miᵍ, a rhagor, os gadawaf ar ôl erbyn y bore un gwryw o'r rhai sy'n perthyn iddo."

23 Pan welodd Abigail Ddafydd, brysiodd i ddisgyn oddi ar yr asyn, ac ym-

ᵍFelly Groeg. Hebraeg, *i elynion Dafydd.*

grymodd ar ei hwyneb a phlygu i'r llawr o flaen Dafydd. ²⁴Wedi iddi syrthio wrth ei draed, dywedodd, "Arnaf fi, syr, y bydded y bai; gad imi egluro'n awr, a gwrando dithau ar eiriau dy wasanaethferch. ²⁵Paid â chymryd sylw o'r dihiryn yma, Nabal. Y mae yr un fath â'i enw: Nabal, sef Ynfyd, yw ei enw, ac ynfyd yw ei natur. Ni welais i, dy wasanaethferch, mo'r llanciau a anfonaist ti, syr. ²⁶Felly'n awr, syr, cyn wired â bod yr ARGLWYDD yn fyw, a thithau hefyd, gan i'r ARGLWYDD dy atal rhag dod i dywallt gwaed a dial drosot dy hun, bydded dy elynion a'r rhai sy'n ceisio drwg iti, syr, fel Nabal. ²⁷Yn awr, daeth dy wasanaethferch â'r rhodd hon iti, syr, i'w rhoi i'r llanciau sy'n dy ganlyn. ²⁸Maddau gamwri dy wasanaethferch, oherwydd yn sicr bydd yr ARGLWYDD yn creu olyniaeth sicr i ti, syr, am dy fod yn ymladd brwydrau'r ARGLWYDD; a byth ni cheir dim bai ynot. ²⁹Os bydd unrhyw ddyn yn codi i'th erlid ac i geisio dy fywyd, bydd dy fywyd di, syr, wedi ei rwymo yn rhwymyn bywyd gyda'r ARGLWYDD dy Dduw; ond bydd bywyd dy elynion yn cael ei hyrddio fel carreg o ffon dafl. ³⁰A phan fydd yr ARGLWYDD wedi gwneud daioni i ti, syr, yn ôl y cyfan a addawodd amdanat, ac wedi dy osod yn arweinydd dros Israel, ³¹ni fydd hyn yn ofid nac yn boen cydwybod iti, sef dy fod wedi tywallt gwaed heb achos i ddial drosot dy hun. A phan fydd yr ARGLWYDD wedi bod yn dda wrthyt ti, syr, cofia dy wasanaethferch."

32 Dywedodd Dafydd wrth Abigail, "Bendigedig fyddo'r ARGLWYDD, Duw Israel, am iddo dy anfon di heddiw i'm cyfarfod. ³³Bendith ar dy gyngor, ac arnat tithau, am iti fy atal heddiw rhag dod i dywallt gwaed a dial drosof fy hun. ³⁴Yn wir iti, cyn wired â bod yr ARGLWYDD, Duw Israel, yn fyw, yr un a'm hataliodd rhag dy ddrygu, oni bai dy fod wedi brysio i ddod i'm cyfarfod, ni fyddai'r un gwryw ar ôl gan Nabal erbyn y bore." ³⁵Derbyniodd Dafydd o'i llaw yr hyn a ddygodd iddo, a dywedodd wrthi, "Dos adref mewn heddwch; edrych, yr wyf wedi gwrando arnat a chaniatáu dy gais."

36 Pan ddaeth Abigail yn ôl at Nabal, yr oedd ganddo wledd yn ei dŷ fel gwledd

brenin. Am fod calon Nabal yn llawen, ac yntau'n feddw iawn, ni ddywedodd hi wrtho yr un gair, bach na mawr, hyd y bore. ³⁷Trannoeth, wedi i Nabal sobri, dywedodd ei wraig yr hanes wrtho, ac aeth ei galon yn farw o'i fewn ac aeth yntau fel carreg. ³⁸Ymhen tua deg diwrnod, trawodd yr ARGLWYDD Nabal a bu farw. ³⁹Pan glywodd Dafydd fod Nabal wedi marw, dywedodd, "Bendigedig fyddo'r ARGLWYDD, sydd wedi dial drosof am y sarhad gan Nabal; y mae wedi atal ei was rhag gwneud camwedd, ac wedi talu'r pwyth yn ôl i Nabal." Yna fe anfonodd Dafydd, a chynnig am Abigail i'w chymryd yn wraig iddo'i hun. ⁴⁰Daeth gweision Dafydd i Garmel at Abigail a dweud wrthi, "Y mae Dafydd wedi'n hanfon ni atat i'th gymryd yn wraig iddo." ⁴¹Ar unwaith ymgrymodd hithau i'r llawr a dweud, "Dyma fi, yn barod i olchi traed gweision f'arglwydd fel caethferch." ⁴²Paratôdd Abigail ar unwaith i fynd, a marchogodd ar gefn asyn, gyda phump o'i morynion i'w chanlyn, a dilyn negeswyr Dafydd, a daeth yn wraig iddo. ⁴³Priododd Dafydd hefyd Ahinoam o Jesreel, a bu'r ddwy yn wragedd iddo. ⁴⁴Yr oedd Saul wedi rhoi ei ferch Michal, a fu'n wraig i Ddafydd, i Palti fab Lais, a oedd o Galim.

Dafydd yn Arbed Bywyd Saul Eto

26 Daeth y Siffiaid at Saul i Gibea a dweud, "Onid yw Dafydd yn llechu ym mryn Machila gyferbyn â Jesimon?" ²Aeth Saul ar unwaith i lawr i ddiffeithwch Siff, a thair mil o wŷr dewisol Israel gydag ef, i chwilio am Ddafydd yno. ³Gwersyllodd Saul ar y briffordd ym mryn Machila gyferbyn â Jesimon, tra oedd Dafydd yn aros yn yr anialwch. ⁴Pan welodd Dafydd fod Saul yn dod i'r anialwch ar ei ôl, anfonodd ysbïwyr a chael sicrwydd fod Saul wedi dod. ⁵Aeth Dafydd ar unwaith i'r man lle'r oedd Saul yn gwersyllu, a gweld lle'r oedd ef a'i gadfridog Abner fab Ner yn cysgu. Yr oedd Saul yn cysgu yng nghanol y gwersyll, a'r milwyr yn gwersyllu o'i gwmpas. ⁶Troes Dafydd a gofyn i Ahimelech yr Hethiad ac Abisai fab Serfia, brawd Joab, "Pwy a ddaw i lawr gyda mi i'r gwersyll at Saul?" Atebodd Abisai, "Fe ddof fi gyda thi." ⁷Aeth Dafydd ac Abisai i blith y milwyr

liw nos, a dyna lle'r oedd Saul yn gorwedd ac yn cysgu yn y canol, a'i waywffon wedi ei gwthio i'r ddaear yn ymyl ei ben, ac Abner a'r milwyr yn gorwedd o'i amgylch. ⁸Dywedodd Abisai wrth Ddafydd, "Y mae'r ARGLWYDD wedi rhoi dy elyn heddiw yn dy law; gad imi ei drywanu i'r ddaear â'r waywffon ag un ergyd; ni fydd angen ail." ⁹Ond dywedodd Dafydd wrth Abisai, "Paid â'i ladd. Pwy a fedr estyn llaw yn erbyn eneiniog yr ARGLWYDD a bod yn ddieuog?" ¹⁰Ac ychwanegodd Dafydd, "Cyn wired â bod yr ARGLWYDD yn fyw, bydd yr ARGLWYDD yn sicr o'i daro; un ai fe ddaw ei amser, a bydd farw, neu ynteu fe â i frwydr a cholli ei fywyd. ¹¹Yr ARGLWYDD a'm gwaredo rhag i mi estyn fy llaw yn erbyn eneiniog yr ARGLWYDD. Cymer di y waywffon sydd wrth ei ben, a'i botel ddŵr, ac fe awn." ¹²Cymerodd Dafydd y waywffon a'r botel ddŵr oedd yn ymyl pen Saul, ac ymaith â hwy heb i neb weld na gwybod na deffro. Yr oedd pawb yn cysgu, am i'r ARGLWYDD anfon trwmgwsg arnynt. ¹³Dringodd Dafydd trwy'r bwlch a sefyll draw ar gopa'r mynydd, â chryn bellter rhyngddo a hwy. ¹⁴Yna gwaeddodd Dafydd ar y milwyr, ac ar Abner fab Ner, a dweud, "Pam nad wyt ti'n ateb, Abner fab Ner?" Atebodd Abner, "Pwy wyt ti, sy'n gweiddi ar y brenin?" ¹⁵Ac meddai Dafydd wrth Abner, "Onid wyt ti'n ddyn? Pwy sydd debyg i ti yn Israel? Pam ynteu na fyddit wedi gwarchod dy feistr, y brenin, pan ddaeth rhywun i'w ladd? ¹⁶Nid da yw'r peth hwn a wnaethost; cyn wired â bod yr ARGLWYDD yn fyw, yr ydych yn wir yn haeddu marw am beidio â gwarchod eich meistr, eneiniog yr ARGLWYDD. Edrych yn awr; ple mae gwaywffon y brenin, a'i botel ddŵr oedd wrth ei ben?" ¹⁷Adnabu Saul lais Dafydd, a dywedodd, "Ai dy lais di ydyw, fy mab Dafydd?" Atebodd Dafydd, "Ie, f'arglwydd frenin." ¹⁸Ychwanegodd, "Pam y mae f'arglwydd yn erlid ei was? Beth a wneuthum, a pha ddrwg sydd ynof? ¹⁹Gwrandawed f'arglwydd frenin yn awr ar eiriau ei was. Os yr ARGLWYDD sydd wedi dy annog i'm herbyn, derbynied offrwm; ond os dynion meidrol, bydded iddynt fod dan felltith gerbron yr ARGLWYDD, am iddynt fy ngyrru allan heddiw rhag cael fy rhan yn etifeddiaeth yr ARGLWYDD, a dweud, 'Dos, addola dduwiau eraill.' ²⁰Paid â gadael i'm gwaed ddisgyn i'r ddaear allan o bresen-oldeb yr ARGLWYDD; oherwydd fe ddaeth brenin Israel allan i geisio chwannen, fel un yn hela petrisen mynydd.'' ²¹Ac meddai Saul, "Yr wyf ar fai; tyrd yn ôl, fy mab Dafydd, oherwydd ni wnaf niwed iti eto, am i'm bywyd fod yn werthfawr yn dy olwg heddiw. Bûm yn ynfyd, a chyfeiliornais yn enbyd.'' ²²Yna atebodd Dafydd, "Dyma'r waywffon, O frenin; gad i un o'r llanciau ddod drosodd i'w chymryd. ²³Y mae'r ARGLWYDD yn talu'n ôl i ddyn am ei gyfiawnder a'i ffyddlondeb; oherwydd fe roddodd yr ARGLWYDD di yn fy llaw heddiw, ond nid oeddwn am estyn fy llaw yn erbyn eneiniog yr ARGLWYDD. ²⁴Fel y bu dy einioes di yn werthfawr yn fy ngolwg i heddiw, bydded f'einioes innau yn werthfawr yng ngolwg yr ARGLWYDD, i'm hachub o bob cyni.'' ²⁵Dywedodd Saul wrth Ddafydd, "Bendith arnat, fy mab Dafydd; fe wnei di orchestion a llwyddo.'' Wedi hynny aeth Dafydd i ffwrdd, a dychwelodd Saul adref.

Dafydd ymhlith y Philistiaid

27 Meddyliodd Dafydd, "Rhyw ddiwrnod fe'm difethir trwy law Saul; y peth gorau i mi fydd dianc draw i wlad Philistia, fel na fydd gan Saul obaith dod o hyd imi yn unman o fewn cyrrau Israel; a byddaf yn ddiogel o'i gyrraedd.'' ²Felly cychwynnodd Dafydd, a'r chwe chant o ddynion oedd gydag ef, a mynd at Achis fab Maoch, brenin Gath. ³Arhos-odd Dafydd gydag Achis yn Gath, ef a'i ddynion a'u teuluoedd; a chyda Dafydd yr oedd ei ddwy wraig, Ahinoam o Jesreel ac Abigail, gwraig Nabal o Garmel. ⁴Pan ddywedwyd wrth Saul fod Dafydd wedi ffoi i Gath, rhoddodd yntau'r gorau i chwilio amdano.

5 Dywedodd Dafydd wrth Achis, "Os gweli'n dda, gad imi gael lle i fyw yn un o'r trefi cefn gwlad. Pam y dylai dy was fyw yn y brifddinas gyda thi?'' ⁶Yr adeg honno rhoddodd Achis iddo Siclag, a dyna pam y mae Siclag yn perthyn i frenhinoedd Jwda hyd heddiw. ⁷Am gyfnod o flwyddyn^ng a phedwar mis y bu Dafydd yn byw yng nghefn gwlad Phil-istia.

8 Byddai Dafydd a'i ddynion yn mynd allan ac yn ymosod ar y Gesuriaid a'r

Gersiaid a'r Amaleciaid (oherwydd hwy oedd yn preswylio'r wlad o Telam^h, ar y ffordd i Sur, hyd at yr Aifft). ⁹Pan fyddai'n taro ardal, ni adawai'n fyw na dyn na dynes; a byddai'n cymryd defaid, gwartheg, asynnod, camelod a gwisg-oedd, ac yna'n dychwelyd at Achis. ¹⁰Pan fyddai Achis yn gofyn, "I ble'r oedd eich cyrch heddiw?'' byddai Dafydd yn ateb, "O, yn erbyn Negeb Jwda''; neu, "Yn erbyn Negeb y Jerachmeliaid''; neu, "Yn erbyn Negeb y Ceneaid''. ¹¹Nid oedd Dafydd yn gadael yr un dyn na dynes yn fyw i gario newyddion i Gath, rhag iddynt adrodd yr hanes a dweud, "Fel hyn y gwnaeth Dafydd, a dyma'i arfer tra bu'n byw yng nghefn gwlad Philistia.'' ¹²Yr oedd Achis yn credu Dafydd ac yn meddwl, "Yn sicr y mae wedi ei ffieiddio gan ei bobl Israel, a bydd yn was i mi am byth.''

28 Yr adeg honno casglodd y Phil-istiaid eu lluoedd arfog i ryfela ag Israel. Dywedodd Achis wrth Ddafydd, "Yr wyf am i ti wybod dy fod ti a'th ddynion i fynd allan gyda mi yn y fyddin.'' ²Dywedodd Dafydd, "Cei wybod felly beth a all dy was ei wneud.'' Ac meddai Achis, "Am hynny yr wyf yn dy benodi'n warchodwr personol i mi am byth.''

Saul a Dewines Endor

3 Yr oedd Samuel wedi marw, ac yr oedd Israel gyfan wedi galaru amdano a'i gladdu yn ei dref ei hun, Rama. Ac yr oedd Saul wedi gyrru ymaith y dewiniaid a'r swynwyr o'r wlad.

4 Pan ymgasglodd y Philistiaid a dod a gwersyllu yn Sunem, fe gasglodd Saul Israel gyfan a gwersyllu yn Gibea. ⁵Ond, pan welodd Saul wersyll y Philistiaid, cododd ofn a dychryn mawr yn ei galon. ⁶Ceisiodd Saul yr ARGLWYDD, ond nid oedd yr ARGLWYDD yn ateb trwy freuddwydion na bwrw coelbren na phroffwydi. ⁷Yna dywedodd Saul wrth ei weision, "Chwiliwch am ddewines, imi ymweld â hi i ofyn ei chyngor.'' ⁸Dywed-odd ei weision wrtho, "Y mae yna ddewines yn Endor.'' Newidiodd Saul ei ymddangosiad, a gwisgo dillad gwa-hanol, ac aeth â dau ddyn gydag ef a dod at y ddynes liw nos a dweud, "Consuria imi trwy ysbryd, a dwg i fyny ataf y sawl a ddywedaf wrthyt.'' ⁹Dywedodd y

---

^ng Felly Groeg. Hebraeg, *o ddyddiau.*   ^h Felly Groeg. Hebraeg, *erstalwm.*

ddynes wrtho, "Fe wyddost beth a wnaeth Saul, ei fod wedi difa'r dewiniaid a'r swynwyr o'r wlad; pam felly yr wyt ti'n ceisio fy rhwydo a'm lladd?" [10]Tyngodd Saul iddi yn enw'r ARGLWYDD, "Cyn wired â bod yr ARGLWYDD yn fyw, ni ddaw dim niwed iti o hyn." [11]Yna gofynnodd hi, "Pwy a ddygaf i fyny iti?" Dywedodd yntau, "Dwg Samuel i fyny imi." [12]Pan welodd y ddynes Samuel, gwaeddodd â llais uchel, a dweud wrth Saul, "Pam yr wyt wedi fy nhwyllo? Saul wyt ti." [13]Dywedodd y brenin wrthi, "Paid ag ofni; beth wyt yn ei weld?" Ac meddai'r ddynes wrth Saul, "'Rwy'n gweld ysbryd yn dod i fyny o'r ddaear." [14]Gofynnodd yntau, "Sut ffurf sydd iddo?" Atebodd hithau, "Hen ŵr yn gwisgo mantell sy'n dod i fyny." Deallodd Saul mai Samuel oedd, a gostyngodd ar ei wyneb i'r llawr ac ymgrymu. [15]Yna dywedodd Samuel wrth Saul, "Pam yr wyt wedi aflonyddu arnaf a dod â mi i fyny?" Atebodd Saul, "Y mae'n gyfyng iawn arnaf; y mae'r Philistiaid yn rhyfela yn f'erbyn, a Duw wedi fy ngadael; nid yw'n fy ateb mwyach drwy na phroffwydi na breuddwydion, a gelwais arnat ti i ddweud wrthyf beth i'w wneud." [16]Ac meddai Samuel, "Ond pam yr wyt yn gofyn i mi, a'r ARGLWYDD wedi dy adael a dod yn wrthwynebwr iti? [17]Y mae'r ARGLWYDD wedi gwneud fel y dywedodd trwof fi, ac wedi rhwygo'r deyrnas o'th law di a'i rhoi i'th gymydog Dafydd. [18]Am na wrandewaist ar lais yr ARGLWYDD, na gweithredu llymder ei lid yn erbyn yr Amaleciaid, dyna pam y mae'r ARGLWYDD wedi gwneud hyn i ti heddiw. [19]Bydd yr ARGLWYDD yn rhoi Israel a thithau hefyd yn llaw'r Philistiaid; yfory byddi di a'th feibion gyda mi, a bydd yr ARGLWYDD yn rhoi byddin Israel yn llaw'r Philistiaid." [20]Syrthiodd Saul ar unwaith ar ei hyd ar lawr, mewn ofn enbyd oherwydd geiriau Samuel, ac aeth yn gwbl ddiymadferth am nad oedd wedi bwyta tamaid am ddiwrnod a noson gyfan. [21]Pan ddaeth y ddynes at Saul gwelai ei fod wedi cynhyrfu drwyddo, a dywedodd wrtho, "Edrych, fe wrandawodd dy wasanaethferch arnat, a chymerais fy mywyd yn fy nwylo trwy wrando ar yr hyn a ddywedaist wrthyf; [22]yn awr, gwrando dithau ar dy wasanaethferch, a gad imi osod o'th flaen

damaid o fwyd iti ei fwyta, er mwyn adfer dy nerth ar gyfer dy daith." [23]Ond gwrthododd, a dweud nad oedd am fwyta. Wedi i'w weision a'r ddynes bwyso arno, gwrandawodd arnynt, a chodi oddi ar lawr ac eistedd ar y gwely. [24]Yr oedd gan y ddynes lo pasgedig yn y cwt, a brysiodd i'w ladd; hefyd cymerodd flawd a'i dylino a phobi bara croyw. [25]Yna fe'u gosododd o flaen Saul a'i weision; ac wedi iddynt fwyta, aethant ymaith ar unwaith y noson honno.

Y Philistiaid yn Gwrthod Dafydd

29 Casglodd y Philistiaid eu holl fyddin i Affec, ac yr oedd Israel yn gwersyllu ger ffynnon yn Jesreel. [2]Yr oedd tywysogion y Philistiaid yn gorymdeithio fesul cannoedd a miloedd, a Dafydd a'i ddynion yn gorymdeithio yn olaf, gydag Achis. [3]Ac meddai capteiniaid y Philistiaid, "Pwy yw'r Hebreaid hyn?" Atebodd Achis hwy: "Dafydd, wrth gwrs, gwas Saul brenin Israel; y mae wedi bod gyda mi am flwyddyn, os nad dwy, ac nid wyf wedi cael dim o'i le ynddo o'r diwrnod y cyrhaeddodd hyd heddiw." [4]Ond aeth capteiniaid y Philistiaid yn ddig wrtho a dweud, "Anfon y dyn i ffwrdd; aed yn ôl i'r lle a ddarperaist iddo. Ni chaiff ddod i lawr gyda ni i'r frwydr, rhag iddo droi'n wrthwynebydd i ni yn ystod y frwydr. Sut y gallai hwn ennill ffafr ei arglwydd yn well nag â phennau'r dynion hyn? [5]Onid hwn yw Dafydd, yr oeddent yn canu amdano yn y dawnsfeydd:

'Lladdodd Saul ei filoedd,
    a Dafydd ei fyrddiynau'?"

6 Galwodd Achis ar Ddafydd a dweud, "Cyn wired â bod yr ARGLWYDD yn fyw, yr wyt yn ddyn cywir ac wedi ymddwyn yn foddhaol yn fy ngolwg tra buost gyda mi yn y gwersyll; nid wyf wedi cael dim o'i le ynot ti o'r dydd y daethost ataf hyd heddiw; ond nid wyt yn dderbyniol yng ngolwg tywysogion y Philistiaid. [7]Felly'n awr, dychwel, a dos mewn heddwch, rhag iti dramgwyddo tywysogion y Philistiaid." [8]Dywedodd Dafydd wrth Achis, "Ond beth a wneuthum? Pa fai a gefaist ti yn dy was, o'r dydd y deuthum atat hyd heddiw, fel na chaf ddod i ryfela yn erbyn gelynion f'arglwydd frenin?" [9]Atebodd Achis a dweud wrth Ddafydd, "Gwn dy

fod cystal ag angel yn fy ngolwg i, ond y mae tywysogion y Philistiaid wedi dweud na chei di ddod gyda ni i'r frwydr. [10]Felly, yn gynnar bore yfory, bydd di, a gweision eraill dy arglwydd a ddaeth gyda thi, yn barod; byddwch yn barod i gychwyn cyn gynted ag y bydd yn olau.'' [11]Cododd Dafydd a'i ddynion yn gynnar drannoeth i fynd yn ôl i Philistia, ac aeth y Philistiaid ymlaen i Jesreel.

Rhyfel yn erbyn yr Amaleciaid

30 Pan gyrhaeddodd Dafydd a'i ddynion yn ôl i Siclag ymhen tridiau, yr oedd yr Amaleciaid wedi gwneud cyrch ar y Negeb ac ar Siclag, ac wedi ymosod ar Siclag a'i llosgi. [2]Yr oeddent wedi cymryd yn gaeth y gwragedd oedd yno, yn ifanc a hen; nid oeddent wedi lladd neb, ond mynd â hwy i'w canlyn wrth ymadael. [3]Pan gyrhaeddodd Dafydd a'i ddynion, yr oedd y dref wedi ei llosgi â thân, a'u gwragedd, eu meibion a'u merched wedi mynd i gaethiwed. [4]Torrodd Dafydd a'i ddynion allan i wylo'n uchel, nes bod yn rhy wan i wylo rhagor. [5]Yr oedd dwy wraig Dafydd wedi eu caethgludo, sef Ahinoam o Jesreel ac Abigail o Garmel, gwraig Nabal. [6]Aeth yn gyfyng iawn ar Ddafydd, oherwydd bod y bobl yn bygwth ei labyddio am fod ysbryd pob un o'r bobl yn chwerw o achos ei feibion a'i ferched ei hun; ond cafodd Dafydd nerth gan yr ARGLWYDD ei Dduw. [7]Dywedodd Dafydd wrth yr offeiriad Abiathar fab Ahimelech, "Tyrd â'r effod yma i mi.'' Wedi i Abiathar ddod â'r effod at Ddafydd, [8]ymofynnodd Dafydd â'r ARGLWYDD, a gofyn, "Os af ar ôl y fintai hon, a ddaliaf hwy?'' Atebodd ef, "Dos ar eu hôl; yr wyt yn sicr o'u dal a sicrhau gwaredigaeth.'' [9]Cychwynnodd Dafydd a'r chwe chant o ddynion oedd gydag ef, a dod i nant Besor, lle'r arhosodd rhai. [10]Aeth Dafydd a phedwar cant o ddynion yn eu blaen, ond arhosodd dau gant ar ôl am eu bod yn rhy flinedig i groesi nant Besor.

11 Daethant ar draws rhyw Eifftiwr allan yn y wlad, ac wedi dod ag ef at Ddafydd, rhoesant iddo fwyd i'w fwyta a dŵr i'w yfed. [12]Wedi iddynt roi iddo deisen ffigys a dau swp o resin i'w bwyta, daeth ato'i hun, oherwydd nid oedd wedi bwyta tamaid nac yfed diferyn ers tri diwrnod a thair noson. [13]Gofynnodd Dafydd iddo, "I bwy yr wyt ti'n perthyn,

ac o ble'r wyt ti'n dod?'' Atebodd, "Llanc o'r Aifft wyf fi, caethwas i Amaleciad; ond gadawodd fy meistr fi ar ôl am fy mod wedi mynd yn glaf dridiau'n ôl, [14]pan oeddem wedi gwneud cyrch yn erbyn Negeb y Cerethiaid a'r Jwdeaid, a Negeb Caleb, a rhoi Siclag ar dân.'' [15]Yna gofynnodd Dafydd iddo, "A ei di â mi at y fintai hon?'' Ac meddai yntau, "Tynga imi yn enw Duw na wnei di fy lladd na'm rhoi yng ngafael fy meistr, ac mi af â thi at y fintai hon.'' [16]Aeth â hwy, a dyna lle'r oeddent, ar wasgar dros wyneb yr holl dir, yn bwyta, yn yfed ac yn dawnsio o achos yr holl ysbail fawr a gymerwyd ganddynt o wlad y Philistiaid ac o Jwda. [17]Trawodd Dafydd hwy o'r cyfnos hyd nos drannoeth, heb i neb ohonynt ddianc, ar wahân i bedwar cant o lanciau a ffodd ar gefn camelod. [18]Achubodd Dafydd y cwbl yr oedd yr Amaleciaid wedi ei gymryd, ac achub ei ddwy wraig hefyd. [19]Nid oedd yr un ohonynt ar goll, o'r hynaf i'r ieuengaf, na bechgyn na genethod, nac ychwaith ddim o'r ysbail a gymerwyd gan yr Amaleciaid; cafodd Dafydd y cwbl yn ôl. [20]Wedi i Ddafydd adennill yr holl ddefaid ac ychen, gyrasant rai o flaen y lleill a dweud, "Ysbail Dafydd yw hyn.'' [21]Daeth Dafydd at y ddau gant o ddynion oedd yn rhy flinedig i'w ganlyn, ac a oedd wedi eu gadael wrth nant Besor. Daethant hwythau allan i gyfarfod Dafydd a'r bobl oedd gydag ef; a phan ddaeth Dafydd yn ddigon agos, cyfarchodd hwy. [22]Ond dyma'r dynion drwg a'r dihirod oedd ymysg y dynion a aeth gyda Dafydd yn dweud, "Gan na ddaethant hwy gyda ni, ni rown iddynt ddim o'r ysbail a achubwyd gennym; yn unig fe gaiff pob un gymryd ei wraig a'i blant a mynd ymaith.'' [23]Ond dywedodd Dafydd, "Fy mrodyr, nid felly y gwnewch â'r hyn a roddodd yr ARGLWYDD i ni; fe'n cadwodd ni, a rhoi'r fintai a ymosododd arnom yn ein gafael. [24]Pwy a fyddai'n cytuno â chwi yn hyn o beth? Na, yr un fydd rhan y sawl sy'n mynd i'r frwydr â rhan y sawl sy'n aros gyda'r offer; y maent i rannu ar y cyd.'' [25]Ac felly y bu, o'r diwrnod hwnnw ymlaen; a daeth hyn yn rheol ac yn arfer yn Israel hyd heddiw.

26 Wedi i Ddafydd ddychwelyd i Siclag, anfonodd beth o'r ysbail i henuriaid Jwda ac i'w gyfeillion, a dweud,

"Dyma rodd i chwi o ysbail gelynion yr ARGLWYDD." [27]Fe'i hanfonwyd i'r rhai oedd ym Methel, Ramoth-negeb, Iattir, [28]Aroer, Siffmoth, Estemoa, [29]Rachal, trefi'r Jerachmeeliaid a'r Ceneaid, [30]Horma, Borasan, Athac, [31]Hebron, a'r holl fannau y byddai Dafydd a'i ddynion yn eu mynychu.

Lladd Saul a'i Feibion
(1 Cron. 10:1-12)

31 Ymladdodd y Philistiaid yn erbyn yr Israeliaid, a ffodd yr Israeliaid rhag y Philistiaid, a syrthio'n glwyfedig ar Fynydd Gilboa. [2]Daliodd y Philistiaid Saul a'i feibion, a lladd Jonathan, Abinadab a Malcisua, meibion Saul. [3]Aeth y frwydr yn galed yn erbyn Saul; daeth y dynion oedd yn saethu â bwâu o hyd iddo, a chlwyfwyd ef yn ddifrifol gan y saethwyr. [4]Yna dywedodd Saul wrth ei gludydd arfau, "Tyn dy gleddyf a thrywana fi, rhag i'r rhai dienwaededig hyn ddod a'm trywanu a'm gwaradwyddo." Nid oedd ei gludydd arfau'n fodlon, oherwydd yr oedd ofn mawr arno; felly cymerodd Saul y cleddyf a syrthio arno. [5]Pan welodd y cludydd

[1]Hebraeg yn ychwanegu *a'i holl wŷr hefyd.*

arfau fod Saul wedi marw, syrthiodd yntau ar ei gleddyf, a marw gydag ef. [6]Felly bu farw Saul a'i dri mab a'i gludydd arfau[1] yr un diwrnod â'i gilydd. [7]Pan welodd yr Israeliaid oedd yr ochr draw i'r dyffryn a thros yr Iorddonen fod dynion Israel wedi ffoi, a bod Saul a'i feibion wedi marw, gadawsant y trefi a ffoi; yna daeth y Philistiaid a byw ynddynt.

8 Trannoeth, pan ddaeth y Philistiaid i ysbeilio'r lladdedigion, cawsant Saul a'i dri mab wedi syrthio ar Fynydd Gilboa. [9]Torasant ei ben ef, a chymryd ei arfau oddi arno, ac anfon drwy Philistia i gyhoeddi'r newydd da yn nheml eu delwau ac i'r bobl. [10]Rhoesant ei arfau yn nheml Astaroth, a chrogi ei gorff ar fur Bethsan. [11]Pan glywodd trigolion Jabes Gilead beth oedd y Philistiaid wedi ei wneud i Saul, [12]aeth pob rhyfelwr ohonynt ar unwaith liw nos a chymryd corff Saul a chyrff ei feibion oddi ar fur Bethsan, a'u cludo i Jabes a'u llosgi yno. [13]Yna cymerasant eu hesgyrn a'u claddu dan y dderwen yn Jabes, ac ymprydio am saith diwrnod.

SAMUEL

Dafydd yn Clywed am Farwolaeth Saul

1 Ar ôl marwolaeth Saul dychwelodd Dafydd o daro'r Amaleciaid, ac aros ddeuddydd yn Siclag. ²Ar y trydydd dydd cyrhaeddodd dyn o wersyll Saul a'i ddillad wedi eu rhwygo a phridd ar ei ben. Daeth at Ddafydd, syrthiodd o'i flaen a moesymgrymu. ³Gofynnodd Dafydd iddo, "O ble y daethost?" Atebodd yntau, "Wedi dianc o wersyll Israel yr wyf." ⁴Dywedodd Dafydd wrtho, "Dywed wrthyf sut y bu pethau." Adroddodd yntau fel y bu i'r bobl ffoi o'r frwydr, a bod llawer ohonynt wedi syrthio a marw, a bod Saul a'i fab Jonathan hefyd wedi marw. ⁵Gofynnodd Dafydd i'r llanc oedd yn adrodd yr hanes wrtho, "Sut y gwyddost ti fod Saul a'i fab Jonathan wedi marw?" ⁶Ac meddai'r llanc oedd yn dweud yr hanes wrtho, "Yr oeddwn yn digwydd bod ar Fynydd Gilboa, a dyna lle'r oedd Saul yn pwyso ar ei waywffon, a'r cerbydau a'r marchogion yn cau amdano. ⁷Wrth iddo droi fe'm gwelodd i, a galw arnaf. 'Dyma fi,' meddwn innau. ⁸Gofynnodd i mi, 'Pwy wyt ti?' Atebais innau, 'Amaleciad.' ⁹Yna dywedodd wrthyf, 'Tyrd yma a lladd fi, oherwydd y mae gwendid wedi cydio ynof, er bod bywyd yn dal ynof.' ¹⁰Felly euthum ato a'i ladd, oherwydd gwyddwn na fyddai fyw wedi iddo gwympo. Cymerais y goron oedd ar ei ben a'r freichled oedd am ei fraich, a deuthum â hwy yma at f'arglwydd." ¹¹Gafaelodd Dafydd yn ei wisg a'i rhwygo, a gwnaeth yr holl ddynion oedd gydag ef yr un modd; ¹²a buont yn galaru, yn wylo ac yn ymprydio hyd yr hwyr dros Saul a'i fab Jonathan, a hefyd dros bobl yr ARGLWYDD a thŷ Israel, am eu bod wedi syrthio drwy'r cleddyf. ¹³Holodd Dafydd y llanc a ddaeth â'r newydd, "Un o ble wyt ti?" Atebodd yntau, "Mab i Amaleciad a ddaeth yma i fyw wyf fi." ¹⁴Ac meddai Dafydd wrtho, "Sut na

fyddai arnat ofn estyn dy law i ddistrywio eneiniog yr ARGLWYDD?" ¹⁵Yna galwodd Dafydd ar un o'r llanciau a dweud, "Tyrd, rho ergyd iddo!" Trawodd yntau ef, a bu farw. ¹⁶Yr oedd Dafydd wedi dweud wrtho, "Bydded dy waed ar dy ben di dy hun; tystiodd dy enau dy hun yn dy erbyn pan ddywedaist, 'Myfi a laddodd eneiniog yr AR-GLWYDD'."

Galarnad Dafydd am Saul a Jonathan

17 Canodd Dafydd yr alarnad hon am Saul a'i fab Jonathan, ¹⁸a gorchymyn ei dysgu[a] i'r Jwdeaid. Y mae wedi ei hysgrifennu yn Llyfr yr Uniawn:

> ¹⁹"O ardderchowgrwydd Israel, a
>   drywanwyd ar dy uchelfannau!
> O fel y cwympodd y cedyrn!
>
> ²⁰"Peidiwch â'i adrodd yn Gath,
>   na'i gyhoeddi ar strydoedd Ascalon,
> rhag i ferched y Philistiaid lawenhau,
> rhag i ferched y dienwaededig
>   orfoleddu.
>
> ²¹"O fynyddoedd Gilboa,
>   na foed gwlith na glaw arnoch,
> chwi feysydd marwolaeth[b].
> Canys yno yr halogwyd tarian y
>   cedyrn,
> tarian Saul heb ei hiro ag olew.
>
> ²²"Oddi wrth waed lladdedigion,
>   oddi wrth fraster rhai cedyrn,
> ni throdd bwa Jonathan erioed yn ôl;
> a chleddyf Saul ni ddychwelai'n wag.
>
> ²³"Saul a Jonathan, yr anwylaf a'r
>   hyfrytaf o wŷr,
> yn eu bywyd ac yn eu hangau ni
>   wahanwyd hwy;
> cyflymach nag eryrod oeddent, a
>   chryfach na llewod.
>
> ²⁴"O ferched Israel, wylwch am Saul,

---

[a]Felly Groeg. Hebraeg, *gorchymyn dysgu'r bwa.*

[b]Felly Groeg. Hebraeg, *offrymau.*

a fyddai'n eich gwisgo'n foethus mewn
ysgarlad,
ac yn rhoi gemau aur ar eich gwisg.

25 "O fel y cwympodd y cedyrn yng
nghanol y frwydr!
lladdwyd Jonathan ar dy uchelfannau.

26 "Gofidus wyf amdanat, fy mrawd
Jonathan;
buost yn annwyl iawn gennyf;
yr oedd dy gariad tuag ataf yn
rhyfeddol,
y tu hwnt i gariad gwragedd.

27 "O fel y cwympodd y cedyrn,
·   ac y difethwyd arfau rhyfel!"

Gwneud Dafydd yn Frenin Jwda

2 Wedi hyn ymofynnodd Dafydd â'r
ARGLWYDD a gofyn, "A af i fyny i
un o drefi Jwda?" Dywedodd yr AR-
GLWYDD wrtho, "Dos." Gofynnodd
Dafydd, "I ba un?" Atebodd yr AR-
GLWYDD, "I Hebron." ²Felly fe aeth
Dafydd i fyny yno, a'i ddwy wraig,
Ahinoam o Jesreel ac Abigail, gwraig
Nabal, o Garmel; ³hefyd fe aeth Dafydd
â'r gwŷr oedd ganddo, bob un â'i deulu, a
thrigo yn nhref Hebron. ⁴Yna daeth
gwŷr Jwda, ac eneinio Dafydd yno yn
frenin ar dŷ Jwda.
Dywedwyd wrth Ddafydd mai gwŷr
Jabes Gilead oedd wedi claddu Saul, ⁵ac
anfonodd Dafydd negeswyr at wŷr Jabes
Gilead a dweud wrthynt, "Bendith yr
ARGLWYDD arnoch am ichwi wneud y
cymwynas hon â'ch arglwydd Saul, a'i
gladdu. ⁶Ac yn awr bydded i'r AR-
GLWYDD ddangos caredigrwydd a ffydd-
londeb atoch chwithau; a gwnaf finnau
ddaioni i chwi, am ichwi wneud y peth
hwn. ⁷Byddwch gryf a dewr yn awr; y
mae eich arglwydd Saul wedi marw, ond
y mae tŷ Jwda wedi f'eneinio i yn frenin
arnynt."

Gwneud Isboseth yn Frenin Israel

8 Yr oedd Abner fab Ner, cadfridog
Saul, wedi cymryd Isboseth fab Saul ac
wedi mynd ag ef drosodd i Mahanaim.
⁹Gwnaeth ef yn frenin dros Gilead, pobl
Aser, Jesreel, Effraim a Benjamin, a
thros Israel gyfan. ¹⁰Deugain oed oedd
Isboseth fab Saul pan ddaeth yn frenin ar
Israel, a theyrnasodd am ddwy flynedd;

ond yr oedd tŷ Jwda yn dilyn Dafydd.
¹¹Saith mlynedd a chwe mis oedd hyd y
cyfnod y bu Dafydd yn frenin ar dŷ Jwda
yn Hebron.

Rhyfel rhwng Israel a Jwda

12 Aeth Abner fab Ner gyda dilynwyr
Isboseth allan o Mahanaim tua Gibeon.
¹³Aeth Joab fab Serfia a dilynwyr Dafydd
allan hefyd; a chyfarfu'r ddau wrth bwll
Gibeon, gyda'r naill fintai ar un ochr i'r
pwll, a'r llall yr ochr arall. ¹⁴Ac meddai
Abner wrth Joab, "Gad i'r llanciau ddod
a chynnal gornest o'n blaenau." Cytun-
odd Joab. ¹⁵Yna daethant ymlaen, a
chyfrifwyd deuddeg o lwyth Benjamin ar
ochr Isboseth fab Saul, a deuddeg o blith
dilynwyr Dafydd. ¹⁶Cydiodd pob un ym
mhen ei wrthwynebydd a thrywanu ei
gleddyf i'w ystlys, a syrthiodd y cwbl
gyda'i gilydd; am hynny galwyd y lle
hwnnw sydd yn Gibeon yn Llain y
Llafnau. ¹⁷Bu brwydr galed iawn y diwr-
nod hwnnw, a threchwyd Abner fab Ner
a gwŷr Israel gan ddilynwyr Dafydd.
18 Yr oedd tri mab Serfia yno, Joab,
Abisai ac Asahel; ac yr oedd Asahel cyn
gyflymed ei draed ag unrhyw ewig ar y
ddôl. ¹⁹Rhedodd Asahel ar ôl Abner heb
wyro i'r dde na'r chwith oddi ar ei ôl.
²⁰Edrychodd Abner o'i ôl a dywedodd,
"Ai ti sydd yna, Asahel?" Atebodd
yntau, "Ie." ²¹Dywedodd Abner wrtho,
"Tro draw i'r dde neu i'r chwith, a dal un
o'r llanciau, a chymer ei arfau ef." Ond
ni fynnai Asahel droi oddi ar ei ôl.
²²Dywedodd Abner eto wrth Asahel,
"Tro draw oddi wrthyf; pam y· mae'n
rhaid imi dy daro i'r llawr? Sut y gallwn
wynebu dy frawd Joab?" ²³Ond gwrth-
ododd droi draw, a thrawodd Abner ef yn
ei fol â bôn ei waywffon, nes iddo ddod
allan trwy ei gefn. Syrthiodd i lawr, ac
yno y bu farw. Ac wrth ddod heibio'r fan
y bu i Asahel syrthio a marw, safai pawb
yn ei unfan. ²⁴Ond daliodd Joab ac Abisai
i ymlid ar ôl Abner, ac fel yr oedd yr haul
yn machlud, daethant at fryn Amma sydd
gyferbyn â Gia, i gyfeiriad anialwch
Gibeon.
25 Ymgasglodd y Benjaminiaid at
Abner, ac ymffurfio'n un fintai a sefyll ar
gopa bryn Amma.ᶜʰ ²⁶Yna gwaeddodd
Abner ar Joab a dweud, "A yw'r cleddyf
i ddifa am byth? Oni wyddost mai
chwerw fydd diwedd hyn? Am ba hyd y

ᶜTebygol. Hebraeg, yn nhrefi.   ᶜʰTebygol. Hebraeg, un bryn.

gwrthodi ddweud wrth y bobl am beidio ag erlid eu brodyr?" ²⁷Atebodd Joab, "Cyn wired â bod Duw yn fyw, oni bai dy fod wedi siarad, ni fyddai'r bobl wedi peidio ag ymlid eu brodyr tan y bore." ²⁸Yna seiniodd Joab yr utgorn, a pheidiodd yr holl bobl ag ymlid yr Israeliaid, na brwydro rhagor.

29 Aeth Abner a'i ddynion ar draws yr Araba drwy'r nos, a chroesi'r Iorddonen, a dal ymlaen drwy gydol y bore nes dod i Mahanaim. ³⁰A phan ddaeth Joab yn ei ôl o ddilyn Abner, fe gasglodd y bobl ynghyd, ac yr oedd pedwar ar bymtheg o ddilynwyr Dafydd yn eisiau, yn ogystal ag Asahel. ³¹Yr oedd dilynwyr Dafydd wedi lladd o blith Benjamin dri chant a thrigain o ddynion Abner. Cymerwyd Asahel a'i gladdu ym medd ei dad ym Methlehem. ³²Yna cerddodd Joab a'i ddynion drwy'r nos, a chyrraedd Hebron fel yr oedd yn dyddio.

3 Parhaodd y rhyfel rhwng teulu Saul a theulu Dafydd yn hir, gyda Dafydd yn mynd yn gryfach, a theulu Saul yn mynd yn wannach.

Meibion Dafydd

2 Ganwyd meibion i Ddafydd yn Hebron. Ei gyntafanedig oedd Amnon, plentyn Ahinoam o Jesreel, ³Yr ail oedd Chileab, plentyn Abigail, gwraig Nabal, o Garmel; y trydydd oedd Absalom, mab Maacha merch Talmai brenin Gesur. ⁴Y pedwerydd oedd Adoneia mab Haggith; y pumed oedd Seffatia mab Abital; ⁵a'r chweched, Ithream, plentyn Egla gwraig Dafydd. Dyma'r rhai a anwyd i Ddafydd yn Hebron.

Abner yn Ymuno â Dafydd

6 Tra oedd rhyfel rhwng teulu Saul a theulu Dafydd, yr oedd Abner yn ennill mwy a mwy o ddylanwad gyda theulu Saul. ⁷Bu gan Saul ordderch o'r enw Rispa ferch Aia; a phan ddywedodd Isboseth wrth Abner, "Pam yr aethost i mewn at ordderch fy nhad?" ⁸fe lidiodd Abner yn fawr oherwydd geiriau Isboseth, ac atebodd, "Ai penci ar ochr Jwda wyf fi? Hyd yma bûm yn deyrngar i deulu dy dad Saul, ac i'w frodyr a'i gyfeillion; ac ni adewais i ti syrthio i ddwylo Dafydd, a dyma ti heddiw yn edliw imi drosedd gyda benyw. ⁹Gwnaed Duw fel hyn i mi, Abner, a rhagor hefyd, os na wnaf dros Ddafydd yr hyn a addawodd yr ARGLWYDD iddo, ¹⁰a thynnu'r frenhiniaeth oddi ar deulu Saul a sefydlu Dafydd ar orsedd Israel a Jwda, o Dan hyd Beerseba." ¹¹Ni fedrai Isboseth yngan yr un gair wrth Abner wedi hyn, oherwydd bod arno ei ofn.

12 Anfonodd Abner negeswyr ar ei ran at Ddafydd i ddweud, "Pwy biau'r wlad? Gwna di gyfamod â mi, ac yna bydd fy llaw o'th blaid i droi Israel gyfan atat." ¹³Atebodd yntau, "Ardderchog! Fe wnaf fi gyfamod â thi; ond yr wyf am hawlio un peth gennyt: ni chei weld fy wyneb, heb iti ddod â Michal ferch Saul gyda thi, pan ddoi i'm gweld." ¹⁴Yna anfonodd Dafydd negeswyr at Isboseth fab Saul, a dweud, "Rho imi fy ngwraig Michal, a ddyweddïais imi am gant o flaengrwyn Philistiaid." ¹⁵Anfonodd Isboseth a'i chymryd oddi wrth ei gŵr Paltiel fab Lais. ¹⁶Dilynodd ei gŵr yn wylofus ar ei hôl hyd Bahurim, ond wedi i Abner ddweud wrtho, "Dos yn d'ôl", fe ddychwelodd adref.

17 Anfonodd Abner air at henuriaid Israel a dweud, "Ers tro byd buoch yn ceisio cael Dafydd yn frenin arnoch. ¹⁸Yn awr, gweithredwch; oherwydd y mae'r ARGLWYDD wedi dweud am Ddafydd, 'Trwy law fy ngwas Dafydd y gwaredaf fy mhobl Israel oddi wrth y Philistiaid a'u gelynion i gyd.'" ¹⁹Siaradodd Abner hefyd â llwyth Benjamin. Yna aeth Abner i Hebron i ddweud wrth Ddafydd y cwbl yr oedd Israel a llwyth Benjamin wedi cytuno arno.

Llofruddio Abner

20 Daeth Abner at Ddafydd i Hebron gydag ugain o ddynion, a gwnaeth Dafydd wledd i Abner a'i ddynion. ²¹Yna dywedodd Abner wrth Ddafydd, "Yr wyf am fynd yn awr i gasglu Israel gyfan ynghyd at f'arglwydd frenin, er mwyn iddynt wneud cyfamod â thi; yna byddi'n frenin ar y cyfan yr wyt yn ei chwenychu." Gadawodd Dafydd i Abner fynd ymaith, ac aeth yntau mewn heddwch. ²²Ar hynny, cyrhaeddodd dilynwyr Dafydd gyda Joab; yr oeddent wedi bod ar gyrch, ac yn dwyn llawer o ysbail gyda hwy. Nid oedd Abner gyda Dafydd yn Hebron, oherwydd bod Dafydd wedi gadael iddo fynd mewn heddwch. ²³Pan gyrhaeddodd Joab a'r holl lu oedd gydag ef, clywodd fod Abner fab Ner wedi bod

gyda'r brenin, a'i fod yntau wedi gadael iddo fynd mewn heddwch. ²⁴Aeth Joab at y brenin a dweud, "Beth wyt ti wedi ei wneud? Fe ddaeth Abner yma atat; pam y gadewaist iddo fynd ymaith? ²⁵Yr wyt yn adnabod Abner fab Ner; i'th dwyllo di y daeth, ac i gael gwybod dy holl symudiadau a phopeth yr wyt yn ei wneud." ²⁶Pan aeth Joab allan oddi wrth Ddafydd, anfonodd negeswyr ar ôl Abner, a daethant ag ef yn ôl o ffynnon Sira heb yn wybod i Ddafydd. ²⁷Pan ddychwelodd Abner i Hebron, cymerodd Joab ef o'r neilltu yng nghanol y porth, fel pe bai am siarad yn gyfrinachol ag ef. Ond trawodd ef yn ei fol o achos gwaed ei frawd Asahel, a bu farw yno.

Claddu Abner

28 Wedi i'r peth ddigwydd y clywodd Dafydd, a dywedodd, "Dieuog wyf fi a'm teyrnas am byth gerbron yr ARGLWYDD ynglŷn â gwaed Abner fab Ner; ²⁹bydded ei waed ar Joab a'i holl deulu! Na fydded teulu Joab heb aelod diferllyd, neu wahanglwyfus, neu ar ei faglau, neu glwyfedig gan gleddyf, neu brin o fwyd!" ³⁰Yr oedd Joab a'i frawd Abisai wedi llofruddio Abner oherwydd iddo ef ladd eu brawd Asahel yn y frwydr yn Gibeon. ³¹Dywedodd Dafydd wrth Joab a'r holl bobl oedd gydag ef, "Rhwygwch eich dillad a gwisgwch sachliain a gwnewch alar o flaen Abner." Cerddodd y brenin Dafydd ar ôl yr elor, ³²a chladdwyd Abner yn Hebron. Wylodd y brenin yn uchel uwchben bedd Abner ac yr oedd yr holl bobl yn wylo hefyd. ³³Yna canodd y brenin yr alarnad hon am Abner:

³⁴"A oedd raid i Abner farw fel ynfytyn?
Nid oedd dy ddwylo wedi eu rhwymo, na'th draed ynghlwm mewn cyffion.
Syrthiaist fel un yn syrthio o flaen rhai twyllodrus."

Ac yr oedd yr holl bobl yn parhau i wylo drosto.

35 Daeth y bobl i gyd i gymell Dafydd i fwyta tra oedd yn olau dydd; ond aeth Dafydd ar ei lw, "Fel hyn y gwnelo Duw i mi, a rhagor, os cyffyrddaf â bara neu ddim oll cyn machlud haul." ³⁶Cymerodd pawb sylw o hyn, ac yr oedd yn dda ganddynt, fel yr oedd y cwbl a wnâi'r brenin yn dda yng ngolwg yr holl bobl.

³⁷Yr oedd yr holl bobl ac Israel gyfan yn sylweddoli y diwrnod hwnnw nad oedd a wnelo'r brenin ddim â lladd Abner fab Ner. ³⁸Dywedodd y brenin wrth ei ddilynwyr, "Onid ydych yn sylweddoli fod pendefig a gŵr mawr wedi syrthio heddiw yn Israel? ³⁹Er imi gael f'eneinio'n frenin, yr wyf heddiw yn wan, ac y mae'r dynion hyn, meibion Serfia, yn rhy arw i mi; bydded i'r ARGLWYDD dalu i'r sawl sy'n gwneud drwg, yn ôl ei ddrygioni."

Llofruddio Isboseth

4 Pan glywodd mab Saul fod Abner wedi marw yn Hebron, digalonnodd, ac yr oedd Israel gyfan mewn dryswch. ²Yr oedd gan fab Saul ddau ddyn yn benaethiaid ar finteioedd; Baana oedd enw un a Rechab oedd enw'r llall. Meibion i Rimon o Beeroth oeddent, ac aelodau o lwyth Benjamin. ³Ystyrid bod Beeroth yn perthyn i Benjamin, er bod trigolion Beeroth wedi ffoi i Gittaim ac wedi aros yno hyd heddiw fel dyfodiaid.

4 Yr oedd mab gan Jonathan fab Saul oedd yn gloff yn ei draed. Pumlwydd oed ydoedd pan ddaeth y newydd o Jesreel am Saul a Jonathan; cododd ei famaeth ef a ffoi, ond wrth iddi drysio i ffoi, fe syrthiodd a chael ei gloffi. Meffiboseth oedd ei enw.

5 Aeth Rechab a Baana, meibion Rimon o Beeroth, i dŷ Isboseth yng ngwres y dydd, tra oedd ef yn gorffwys ganol dydd. ⁶Yr oedd y wraig a oedd yn cadw drws y tŷ wedi bod yn glanhau gwenith, ond yr oedd wedi hepian a chysgu, a llithrodd Rechab a'i frawd heibio iddi.ᵈ ⁷Pan ddaethant i'r tŷ, yr oedd ef yn gorwedd ar ei wely yn ei ystafell gysgu, a thrawsant ef yn farw a thorri ei ben i ffwrdd, ac yna cymryd ei ben a mynd drwy'r nos ar hyd ffordd yr Araba. ⁸Daethant â phen Isboseth at Ddafydd i Hebron, a dweud wrth y brenin, "Dyma ben Isboseth, mab Saul, dy elyn oedd yn ceisio dy fywyd. Rhoddodd yr ARGLWYDD ddial heddiw i'n harglwydd frenin ar Saul a'i blant." ⁹Ond atebodd Dafydd Rechab a'i frawd Baana, meibion Rimon o Beeroth, a dweud, "Cyn wired â bod yr ARGLWYDD, a'm gwaredodd o bob cyfyngdra, yn fyw, ¹⁰pan ddaeth un i'm hysbysu fod Saul wedi marw, gan dybio'i fod yn dwyn

---

ᵈFelly Groeg. Hebraeg, *Daethant i mewn i'r tŷ i nôl gwenith, a thrawsant ef yn ei fol; yna dihangodd Rechab a'i frawd Baana.*

newydd da, fe gydiais ynddo a'i ladd yn Siclag; dyna a roddais i hwnnw am ei newyddion! ¹¹Pa faint mwy pan fo dynion drwg wedi lladd dyn cyfiawn yn ei gartref, ar ei wely? Oni fyddaf yn awr yn ceisio iawn am ei waed oddi ar eich llaw chwi, a'ch difa oddi ar y ddaear?" ¹²Rhoddodd Dafydd orchymyn i'w lanciau, a lladdasant hwy, a thorri eu dwylo a'u traed i ffwrdd, a'u crogi wrth y pwll yn Hebron. Yna cymerwyd pen Isboseth a'i gladdu ym meddrod Abner yn Hebron.

Dafydd yn Frenin ar Israel Gyfan
(1 Cron. 11:1-9; 14:1-7)

5 Daeth holl lwythau Israel at Ddafydd i Hebron a dweud wrtho, "Edrych, dy asgwrn a'th gnawd di ydym ni. ²Gynt, pan oedd Saul yn frenin arnom, ti oedd yn arwain Israel allan i ryfel ac yn ôl wedyn; ac fe ddywedodd yr ARGLWYDD wrthyt, 'Ti sydd i fugeilio fy mhobl Israel; ti sydd i fod yn dywysog Israel'." ³Yna daeth holl henuriaid Israel i Hebron at y brenin, a gwnaeth y Brenin Dafydd gyfamod â hwy yn Hebron gerbron yr ARGLWYDD, ac eneiniwyd Dafydd yn frenin ar Israel. ⁴Deng mlwydd ar hugain oed oedd Dafydd pan ddaeth yn frenin, a theyrnasodd am ddeugain mlynedd. ⁵Yn Hebron teyrnasodd dros Jwda am saith mlynedd a chwe mis; yna yn Jerwsalem fe deyrnasodd dros Israel a Jwda gyfan am dair ar ddeg ar hugain o flynyddoedd.

6 Pan aeth Dafydd a'i ddynion i Jerwsalem yn erbyn y Jebusiaid oedd yn byw yn y wlad, dywedasant wrth Ddafydd, "Ni ddoi i mewn yma; bydd deillion a chloffion yn dy droi di'n ôl"—gan dybio nad âi Dafydd i mewn yno. ⁷Eto fe enillodd Dafydd gaer Seion, sef Dinas Dafydd. ⁸Y diwrnod hwnnw fe ddywedodd Dafydd, "Pob un sydd am daro'r Jebusiaid, aed i fyny trwy'r siafft ddŵr at y cloffion a'r deillion sy'n gas gan enaid Dafydd." Dyna pam y dywedir, "Ni chaiff y dall na'r cloff ddod i'r deml." ⁹Pan ymsefydlodd Dafydd yn y gaer, galwodd hi yn Ddinas Dafydd, ac adeiladodd fur^dd o'i chwmpas, o'r Milo at y deml^e. ¹⁰Cynyddodd Dafydd fwyfwy, ac yr oedd ARGLWYDD Dduw y Lluoedd o'i blaid.

11 Anfonodd Hiram brenin Tyrus negeswyr at Ddafydd, a hefyd goed cedrwydd a seiri coed a seiri maen, ac adeiladodd y rhain dŷ ar gyfer Dafydd. ¹²Sylweddolodd Dafydd fod yr ARGLWYDD wedi ei gadarnhau yn frenin ar Israel, a'i fod wedi dyrchafu ei frenhiniaeth er mwyn ei bobl Israel.

13 Wedi iddo ddod o Hebron, cymerodd Dafydd ragor o ordderchwragedd ac o wragedd o Jerwsalem; a ganed rhagor o feibion ac o ferched iddo. ¹⁴Dyma enwau'r rhai a aned iddo yn Jerwsalem: Samua, Sobab, Nathan, Solomon, ¹⁵Ibhar, Elisua, Neffeg, Jaffia, ¹⁶Elisama, Eliada ac Eliffelet.

Buddugoliaeth dros y Philistiaid
(1 Cron. 14:8-17)

17 Pan glywodd y Philistiaid fod Dafydd wedi ei eneinio yn frenin ar Israel, aethant oll i chwilio amdano, ond clywodd ef am hyn ac aeth i lawr i'r gaer. ¹⁸Wedi i'r Philistiaid ddod ac ymledu dros Ddyffryn Reffaim, ¹⁹ymofynnodd Dafydd â'r ARGLWYDD a dweud, "A af i fyny yn erbyn y Philistiaid? A roi di hwy yn fy llaw?" Atebodd yr ARGLWYDD, "Dos i fyny, oherwydd yn sicr fe roddaf y Philistiaid yn dy law." ²⁰Felly aeth Dafydd i Baal Perasim, a'u taro yno. Ac meddai Dafydd, "Torrodd yr ARGLWYDD drwy fy ngelynion o'm blaen fel toriad dyfroedd." Dyna pam yr enwodd y lle hwnnw, Baal Perasim^f. ²¹Yr oedd y Philistiaid wedi gadael eu heilunod ar ôl yno, felly dygodd Dafydd a'i wŷr hwy i ffwrdd.

22 Ymosododd y Philistiaid unwaith eto, ac ymledu dros Ddyffryn Reffaim. ²³Ymofynnodd Dafydd â'r ARGLWYDD a chael yr ateb, "Paid â mynd i fyny, dos ar gylch i'r tu cefn iddynt, a thyrd atynt gyferbyn â'r morwydd. ²⁴Yna, pan glywi sŵn cerdded ym mrig y morwydd, dos yn dy flaen, oherwydd yr adeg honno bydd yr ARGLWYDD yn mynd allan o'th flaen i daro gwersyll y Philistiaid." ²⁵Gwnaeth Dafydd hynny, fel y gorchmynnodd yr ARGLWYDD, a tharo'r Philistiaid o Geba hyd gyrion Geser.

Dod ag Arch y Cyfamod i Jerwsalem
(1 Cron. 13:1-14; 15:25—16:6,43)

6 Unwaith eto casglodd Dafydd yr holl wŷr dethol oedd yn Israel, sef deng mil ar hugain, ²ac aeth â'r holl bobl oedd

---

^dd Tebygol. Cymh. 1 Cron. 11:8. Hebraeg, *Dafydd.*
^e Neu, *at i mewn.*   ^f H.y., *Toriad.*

gydag ef i Baalath[ff] Jwda, i gyrchu oddi yno arch Duw, a enwir ar ôl AR-GLWYDD y Lluoedd sydd â'i orsedd ar y cerwbiaid. [3]Rhoesant arch Duw ar fen newydd, a'i chymryd o dŷ Abinadab sydd ar y bryn, ac yr oedd Ussa ac Ahio, meibion Abinadab, yn tywys y fen newydd. [4]Wedi cychwyn gydag arch Duw o dŷ Abinadab sydd ar y bryn, yr oedd Ahio yn cerdded o flaen yr arch. [5]ac yr oedd Dafydd a holl dŷ Israel yn gorfoleddu o flaen yr ARGLWYDD â'u holl ynni, dan ganu[g] â thelynau, liwtiau, tympanau, castanedau a symbalau. [6]Pan ddaethant at lawr dyrnu Nachon, estynnodd Ussa ei law at arch Duw a gafael ynddi, am fod yr ychen yn ei hysgwyd. [7]Enynnodd dicter yr ARGLWYDD yn erbyn Ussa, trawodd Duw ef am yr amarch, a bu farw yno wrth arch Duw. [8]Cynhyrfodd Dafydd am fod llid yr ARGLWYDD wedi torri allan yn erbyn Ussa; a galwodd y lle hwnnw Peres[ng] Ussa; a dyna'i enw hyd y dydd hwn. [9]Yr oedd ofn yr ARGLWYDD ar Ddafydd y diwrnod hwnnw, a dywedodd, "Sut y deuai arch yr ARGLWYDD ataf fi?" [10]Ni fynnai Dafydd symud arch yr AR-GLWYDD ato i Ddinas Dafydd, ac fe'i trodd i dŷ Obed-edom o Gath. [11]Arhosodd arch yr ARGLWYDD yn nhŷ Obededom o Gath am dri mis, a bendithiodd yr ARGLWYDD Obed-edom a'i deulu i gyd.

12 Pan ddywedwyd wrth y Brenin Dafydd fod yr ARGLWYDD wedi bendithio teulu Obed-edom a'r cwbl oedd ganddo, o achos arch Duw, fe aeth Dafydd a chymryd arch Duw yn llawen o dŷ Obed-edom i Ddinas Dafydd. [13]Pan oedd cludwyr arch yr ARGLWYDD wedi cerdded chwe cham, aberthodd Dafydd ych ac anifail pasgedig. [14]Yr oedd Dafydd yn gwisgo effod liain a dawnsiai â'i holl egni o flaen yr ARGLWYDD, [15]wrth iddo ef a holl dŷ Israel hebrwng arch yr ARGLWYDD â banllefau a sain utgorn. [16]Pan gyrhaeddodd arch yr ARGLWYDD Ddinas Dafydd, yr oedd Michal merch Saul yn edrych drwy'r ffenestr, a gwelodd y brenin Dafydd yn neidio ac yn dawnsio o flaen yr ARGLWYDD, a dirmygodd ef yn ei chalon. [17]Daethant ag arch yr ARGLWYDD a'i gosod yn ei lle yng nghanol y babell a gododd Dafydd iddi, ac offrymodd Dafydd boethoffrymau a heddoffrymau o flaen yr ARGLWYDD. [18]Wedi iddo orffen offrymu'r poethoffrwm a'r heddoffrymau, bendithiodd y bobl yn enw AR-GLWYDD y Lluoedd; [19]yna rhannodd fwyd i bawb, torth o fara, darn o gig, a swp o resin i bob gŵr a gwraig o holl dyrfa Israel. Yna aeth pawb adref.

20 Pan ddaeth Dafydd yn ôl i gyfarch ei deulu, daeth Michal ferch Saul i'w gyfarfod a dweud, "O mor ogoneddus oedd brenin Israel heddiw, yn ei ddinoethi ei hun yng ngolwg morynion ei ddilynwyr, fel rhyw hurtyn yn dangos popeth!" [21]Ond meddai Dafydd wrthi, "Yr oedd hyn o flaen yr ARGLWYDD, a'm dewisodd i yn hytrach na'th dad na'r un o'i deulu, a gorchymyn imi fod yn arweinydd i Israel, pobl yr ARGLWYDD; yr wyf am ddangos llawenydd o flaen yr ARGLWYDD. [22]Ie, gwnaf fy hun yn fwy dirmygus, ac yn is na hyn yn dy olwg[h]; ond am y morynion hynny y soniaist amdanynt, byddaf yn anrhydeddus ganddynt hwy." [23]Bu Michal merch Saul yn ddiblentyn hyd ddydd ei marw.

Neges Nathan i Ddafydd
(1 Cron. 17:1-15)

7 Wedi i'r brenin fynd i fyw i'w dŷ ei hun, ac i'r ARGLWYDD roi llonyddwch iddo oddi wrth ei holl elynion o'i amgylch, [2]dywedodd y brenin wrth y proffwyd Nathan, "Edrych yn awr, yr wyf fi'n trigo mewn tŷ o gedrwydd, tra mae arch Duw yn aros mewn pabell." [3]Ac meddai Nathan wrth y brenin, "Dos, a gwna bopeth sydd yn dy galon, oherwydd y mae'r ARGLWYDD gyda thi." [4]Ond y noson honno daeth gair yr AR-GLWYDD at Nathan, yn dweud, [5]"Dos, dywed wrth fy ngwas Dafydd, 'Fel hyn y dywed yr ARGLWYDD: A wyt ti am adeiladu i mi dŷ i breswylio ynddo? [6]Yn wir, nid wyf wedi preswylio mewn tŷ o'r diwrnod y dygais yr Israeliaid allan o'r Aifft hyd heddiw; yr oeddwn yn mynd o le i le mewn pabell a thabernacl. [7]Ple bynnag y bûm yn teithio gyda'r holl Israeliaid, a fu imi yngan gair wrth unrhyw un o farnwyr[i] Israel, a benodais i fugeilio fy mhobl Israel, a gofyn, "Pam na

fyddech wedi adeiladu tŷ o gedrwydd i mi?" ' ⁸Felly, dywed fel hyn wrth fy ngwas Dafydd, 'Fel hyn y dywed Ar-glwydd y Lluoedd: Myfi a'th gymerodd di o'r maes, o ganlyn defaid, i fod yn arweinydd i'm pobl Israel. ⁹Yr oeddwn gyda thi ple bynnag yr aethost, a dinis-triais dy holl elynion o'th flaen, a gwneud iti enw mawr fel eiddo'r mawrion a fu ar y ddaear. ¹⁰Ac yr wyf am baratoi lle i'm pobl Israel, a'u plannu, iddynt gael ym-sefydlu heb eu tarfu rhagor; ac ni fydd treiswyr yn eu cystuddio eto, fel yn yr adeg gynt, ¹¹pan benodais farnwyr dros fy mhobl Israel; rhoddaf iti lonyddwch oddi wrth dy holl elynion. Y mae'r Ar-glwydd yn dy hysbysu mai ef, yr Arglwydd, fydd yn gwneud tŷ i ti. ¹²Pan ddaw dy ddyddiau i ben, a thithau'n gorwedd gyda'th dadau, codaf blentyn iti ar dy ôl, un yn hanu ohonot, a gwnaf ei deyrnas yn gadarn. ¹³Ef fydd yn adeiladu tŷ i'm henw, a gwnaf innau orsedd ei deyrnas yn gadarn am byth. ¹⁴Byddaf fi'n dad iddo ef, a bydd yntau'n fab i mi. Pan fydd yn troseddu, ceryddaf ef â gwialen fel y gwna dyn, ac â chernodau fel rhai dynion, ¹⁵ond ni chymeraf fy nhrugaredd oddi wrtho, fel y cymerais hi oddi wrth Saul pan symudais ef o'r ffordd o'th flaen. ¹⁶Sicrheir dy deulu a'th deyrnas am byth o'm blaen; erys dy orsedd yn gadarn hyd byth.'" ¹⁷Dywedodd Nathan wrth Ddafydd y cwbl a ddywedwyd ac a ddangoswyd iddo ef.

Dafydd yn Datgan ei Ddiolch mewn Gweddi
(1 Cron. 17:16-27)

18 Yna aeth y Brenin Dafydd i mewn ac eistedd o flaen yr Arglwydd a dweud, "Pwy wyf fi, O Arglwydd Dduw, a phwy yw fy nheulu, dy fod wedi dod â mi hyd yma? ¹⁹Ac fel pe byddai hyn eto'n beth bychan yn d'olwg, O Arglwydd Dduw, yr wyt hefyd wedi llefaru ynglŷn â theulu dy was ar gyfer y dyfodol pell, a gwneud hyn yn drefn dragwyddol¹, O Arglwydd Dduw. ²⁰Beth yn rhagor y medraf fi, Dafydd, ei ddweud wrthyt, a thithau yn adnabod dy was, O Arglwydd Dduw? ²¹Oherwydd dy addewid, ac yn ôl dy ewyllys, y gwnaethost yr holl fawredd hwn, a'i hysbysu i'th was. ²²Mawr wyt ti, O

Arglwydd Dduw, oblegid ni chlywodd ein clustiau am neb tebyg i ti, nac am un duw ar wahân i ti. ²³A phwy sydd fel dy bobl Israel, cenedl unigryw ar y ddaear? Aeth Duw ei hun i'w phrynu iddo'n bobl, ac i ennill bri iddo'i hun, a gwneud pethau mawr ac ofnadwy er ei mwyn¹¹, trwy fwrw allanᵐ genhedloedd a'u duwiau o flaen dy bobl, y rhai a brynaist i ti dy hun o'r Aifft. ²⁴Sicrheaist ti dy bobl Israel i fod yn bobl i ti hyd byth; a daethost tithau, O Arglwydd, yn Dduw iddynt hwy. ²⁵Yn awr, O Arglwydd Dduw, cadarnha hyd byth yr addewid a wnaeth-ost ynglŷn â'th was a'i deulu, a gwna fel y dywedaist. ²⁶Yna, fe fawrheir dy enw hyd byth, a dywedir, 'Arglwydd y Llu-oedd sydd Dduw ar Israel'; a bydd tŷ dy was Dafydd yn sicr ger dy fron. ²⁷Am i ti, Arglwydd y Lluoedd, Duw Israel, ddatgelu hyn i'th was a dweud, 'Adeil-adaf i ti dŷ', fe fentrodd dy was weddïo fel hyn arnat. ²⁸Yn awr, O Arglwydd Dduw, ti sydd Dduw; y mae d'eiriau di yn wir, ac fe addewaist y daioni hwn i'th was. ²⁹Felly'n awr, gwêl yn dda fendithio tŷ dy was, fel y caiff barhau am byth yn dy ŵydd; yn wir, yr wyt ti, O Arglwydd Dduw, wedi addo, a thrwy dy fendith di y bendithir tŷ dy was hyd byth."

Buddugoliaethau Milwrol Dafydd
(1 Cron. 18:1-17)

8 Wedi hyn gorchfygodd Dafydd y Philistiaid a'u darostwng, a chipiodd Metheg-amma oddi arnynt. ²Yna gorch-fygodd y Moabiaid, ac wedi gwneud iddynt orwedd ar lawr, fe'u mesurodd â llinyn; mesurodd ddau hyd llinyn i'w lladd, ac un hyd llinyn i'w cadw'n fyw. Felly daeth y Moabiaid yn weision i Ddafydd a thalu treth iddo. ³Gorchfygodd Dafydd hefyd Hadadeser fab Rehob, brenin Soba, pan oedd hwnnw ar ei ffordd i ailsefydlu ei awdurdod ar lan Afon Ewffrates. ⁴Cipiodd Dafydd oddi arno fil a saith gant o farchogion ac ugain mil o wŷr traed. Cadwodd Dafydd gant o feirch cerbyd, ond torrodd linynnau gar y lleill i gyd. ⁵Pan ddaeth Syriaid Damascus i helpu Hadadeser brenin Soba, trawodd Dafydd ddwy fil ar hugain ohonynt. ⁶Yna gosododd Dafydd garsiynau ymhlith Syriaid Damascus, a daeth y Syriaid yn weision i Ddafydd a thalu treth iddo. Yr

---

¹Tebygol. Hebraeg, *ddynol.*   ¹¹Felly rhai llawysgrifau. TM, *er eich mwyn.*
ᵐCymh. 1 Cron. 17:21a Fersiynau. Hebraeg, *er dy wlad.*

oedd yr ARGLWYDD yn rhoi buddug-
oliaeth i Ddafydd ple bynnag yr âi.
[7]Cymerodd Dafydd y tarianau aur oedd
gan weision Hadadeser, a dygodd hwy i
Jerwsalem. [8]Hefyd cymerodd y Brenin
Dafydd lawer iawn o bres o Beta a
Berothai, trefi Hadadeser.

9 Pan glywodd Toi brenin Hamath fod
Dafydd wedi gorchfygu holl fyddin
Hadadeser, [10]fe anfonodd ei fab Joram i
ddymuno'n dda i'r Brenin Dafydd a'i
longyfarch am iddo ymladd yn erbyn
Hadadeser a'i orchfygu; oherwydd bu
Hadadeser yn rhyfela'n gyson yn erbyn
Toi. Dygodd Joram gydag ef lestri o arian
ac o aur ac o bres, [11]a chysegrodd y
Brenin Dafydd hwy i'r ARGLWYDD, yn
ogystal â'r arian a'r aur oddi wrth yr holl
genhedloedd yr oedd wedi eu goresgyn—
[12]Syria, Moab, yr Ammoniaid, y Philist-
iaid a'r Amaleciaid—a hefyd ysbail
Hadadeser fab Rehob, brenin Soba.

13 Enillodd Dafydd fri pan ddychwel-
odd ar ôl gorchfygu dcunaw mil o Edom-
iaid[n] yn Nyffryn Halen. [14]Gosododd
garsiynau yn Edom[o], a daeth holl Edom
yn weision i Ddafydd. Yr oedd yr AR-
GLWYDD yn rhoi buddugoliaeth i
Ddafydd ple bynnag yr âi.

15 Yr oedd Dafydd yn teyrnasu dros
Israel gyfan, ac yn gweinyddu barn a
chyfiawnder i'w holl bobl. [16]Joab fab
Serfia oedd dros y fyddin, a Jehosaffat fab
Ahilud yn gofiadur. [17]Sadoc fab Ahitub,
ac Ahimelech fab Abiathar ocdd yr
offeiriaid, a Seraia yn ysgrifennydd.
[18]Benaia fab Jehoiada oedd dros y
Cerethiaid a'r Pelethiaid, ac yr oedd
meibion Dafydd yn offeiriaid.

Dafydd a Meffiboseth

9 Meddyliodd Dafydd, "Tybed a oes
unrhyw un ar ôl o deulu Saul erbyn
hyn, imi wneud caredigrwydd ag ef er
mwyn Jonathan?" [2]Yr oedd gan deulu
Saul was o'r enw Siba, a galwyd ef at
Ddafydd. Gofynnodd y brenin iddo, "Ai
Siba wyt ti?" Atebodd yntau, "Ie, dyma
dy was." [3]Yna gofynnodd y brenin, "A
oes unrhyw un ar ôl o deulu Saul imi
wneud caredigrwydd ag ef yn enw
Duw?" Atebodd Siba, "Oes, y mae mab
i Jonathan sydd yn gloff yn ei draed."

[4]Gofynnodd y brenin, "Ple mae ef?" A
dywedodd Siba, "Y mae yn Lo-debar,
yng nghartref Machir fab Ammiel."
[5]Anfonodd y Brenin Dafydd a'i gyrchu o
Lo-debar, o gartref Machir fab Ammiel.
[6]Pan gyrhaeddodd Meffiboseth fab
Jonathan, fab Saul, syrthiodd ar ei wyneb
o flaen Dafydd ac ymgreinio; gofynnodd
Dafydd, "Meffiboseth?" ac atebodd
yntau, "Ie, dyma dy was." [7]Dywedodd
Dafydd wrtho, "Paid ag ofni, yr wyf wedi
penderfynu gwneud caredigrwydd â thi er
mwyn Jonathan dy dad; yr wyf am roi'n
ôl i ti holl dir dy daid Saul, ac fe gei di dy
fwyd bob dydd wrth fy mwrdd i."
[8]Moesymgrymodd Meffiboseth a dweud,
"Beth yw dy was, dy fod yn troi i edrych
ar gi marw fel fi?" [9]Yna galwodd y
brenin am Siba gwas Saul, a dweud
wrtho, "Yr wyf yn rhoi i fab dy feistr
bopeth oedd yn perthyn i Saul ac i
unrhyw un o'i deulu. [10]Yr wyt ti i lafurio'r
tir drosto—ti, a'th blant, a'th weision—a
dod â'r cynnyrch yn fwyd i deulu[p] dy
feistr; ond caiff Meffiboseth, mab dy
feistr, ei fwyd bob dydd wrth fy mwrdd
i." Yr oedd gan Siba bymtheg o feibion ac
ugain gwas. [11]Dywedodd Siba wrth y
brenin, "Fe wna dy was yn union tel y
mae f'arglwydd frenin yn gorchymyn
iddo." Bu Meffiboseth yn bwyta wrth
fwrdd Dafydd[ph] fel un o blant y brenin.
[12]Yr oedd ganddo fab bach o'r enw
Micha. Yr oedd pawb oedd yn byw yn
nhŷ Siba yn weision i Meffiboseth. [13]Yr
oedd Meffiboseth yn byw yn Jerwsalem
am ei fod yn cael ei fwyd bob dydd wrth
fwrdd y brenin. Yr oedd yn gloff yn ei
ddeudroed.

Dafydd yn Gorchfygu'r Ammoniaid a'r Syriaid
(1 Cron. 19:1-19)

10 Wedi hyn bu farw brenin yr
Ammoniaid, a daeth Hanun ei fab
yn frenin yn ei le. [2]Dywedodd Dafydd,
"Gwnaf garedigrwydd â Hanun fab
Nahas, fel y gwnaeth ei dad â mi." Felly
anfonodd neges ato gyda'i weision, i'w
gysuro am ei dad. Ond pan ddaeth
gweision Dafydd i wlad yr Ammoniaid,
[3]dywedodd tywysogion yr Ammoniaid
wrth eu harglwydd Hanun, "A wyt ti'n

[n]Felly rhai llawysgrifau a Fersiynau. TM, *Syriaid.*
[o]Cymh. 1 Cron. 18:13 a Groeg. Hebraeg, *Gosododd garsiynau yn Edom; gosododd garsiynau drwy holl
Edom.*
[p]Felly Groeg. Hebraeg, *fab.*   [ph]Felly Groeg. Hebraeg, *fy mwrdd.*

tybio mai anrhydeddu dy dad y mae Dafydd wrth anfon cysurwyr atat? Onid er mwyn chwilio'r ddinas a'i hysbïo a'i goresgyn yr anfonodd Dafydd ei weision atat?" ⁴Yna cymerodd Hanun weision Dafydd, ac eillio hanner barf pob un ohonynt, a thorri gwisg pob un yn ei hanner hyd at ei gluniau, a'u hanfon ymaith. ⁵Pan ddywedwyd hyn wrth Ddafydd, anfonodd rai i'w cyfarfod, am fod cywilydd mawr ar y dynion, a dweud wrthynt am aros yn Jericho a pheidio â dychwelyd nes y byddai eu barfau wedi tyfu.

6 Pan welsant eu bod yn ffiaidd gan Ddafydd, anfonodd yr Ammoniaid a chyflogi mil o wŷr traed oddi wrth y Syriaid yn Bethrehob a Soba, a hefyd mil o wŷr oddi wrth frenin Maacha a deuddeng mil o wŷr Tob. ⁷Pan glywodd Dafydd, anfonodd Joab allan gyda'r holl fyddin a'r milwyr. ⁸Daeth yr Ammoniaid allan a ffurfio rhengoedd ar gyfer y frwydr ger porth y ddinas, gyda Syriaid o Soba a Rehob, a gwŷr Tob a Maacha ar eu pennau eu hunain mewn tir agored. ⁹Gwelodd Joab y byddai'n gorfod ymladd o'r tu blaen ac o'r tu ôl; felly dewisodd wŷr dethol o fyddin Israel, a'u trefnu'n rhengoedd i wynebu'r Syriaid. ¹⁰Gosododd weddill y fyddin dan awdurdod ei frawd Abisai, a'u trefnu'n rhengoedd i wynebu'r Ammoniaid. ¹¹A dywedodd, "Os bydd y Syriaid yn drech na mi, tyrd di i'm cynorthwyo; ond os bydd yr Ammoniaid yn drech na thi, dof finnau i'th gynorthwyo di. ¹²Bydd yn wrol! Byddwn ddewr dros ein pobl a dinasoedd ein Duw; a bydded i'r ARGLWYDD wneud yr hyn sy'n dda yn ei olwg." ¹³Yna nesaodd Joab a'r milwyr oedd gydag ef i ryfel yn erbyn y Syriaid, a ffoesant o'i flaen. ¹⁴Pan welodd yr Ammoniaid fod y Syriaid wedi ffoi, ffoesant hwythau o flaen Abisai, a mynd i'r ddinas. Gadawodd Joab ei gyrch yn erbyn yr Ammoniaid, a dychwelodd i Jerwsalem.

15 Pan welodd y Syriaid iddynt golli'r dydd o flaen Israel, daethant at ei gilydd eto, ¹⁶ac anfonodd Hadadeser i gyrchu'r Syriaid o Tu-hwnt-i'r-afon hefyd. Daethant ynghyd i Helam, gyda Sobach, pencapten Hadadeser, yn eu harwain. ¹⁷Pan ddywedwyd wrth Ddafydd, fe gasglodd ynghyd Israel gyfan, croesodd

ʳTebygol. Hebraeg, *â'th fod.*

yr Iorddonen, a dod i Helam. Trefnodd y Syriaid eu rhengoedd yn erbyn Dafydd a rhyfela yn ei erbyn. ¹⁸Ffodd y Syriaid o flaen Israel, a lladdodd Dafydd ohonynt saith gant o wŷr cerbyd a deugain mil o farchogion; ¹⁹a hefyd fe drawodd Sobach, y pencapten, a bu yntau farw yno. Pan welodd yr holl frenhinoedd oedd dan awdurdod Hadadeser iddynt golli'r dydd o flaen Israel, gwnaethant heddwch ag Israel a phlygu i'w hawdurdod. Wedi hyn ofnai'r Syriaid roi rhagor o gymorth i'r Ammoniaid.

Dafydd a Bathseba

11 Tua throad y flwyddyn, yr adeg y byddai'r brenhinoedd yn mynd i ryfela, fe anfonodd Dafydd Joab, gyda'i weision ei hun a byddin Israel gyfan, a distrywiasant yr Ammoniaid, a gosod Rabba dan warchae. Ond fe arhosodd Dafydd yn Jerwsalem. ²Un prynhawn yr oedd Dafydd wedi codi o'i wely ac yn cerdded ar do'r palas. Oddi yno gwelodd wraig yn ymolchi, a hithau'n un brydferth iawn. ³Anfonodd Dafydd i holi pwy oedd y wraig, a chael yr ateb, "Onid Bathseba ferch Eliam, gwraig Ureia yr Hethiad, yw hi?" ⁴Anfonodd Dafydd negeswyr i'w dwyn ato, ac wedi iddi ddod, gorweddodd yntau gyda hi. Yr oedd hi wedi ei glanhau o'i haflendid. Yna dychwelodd hi adref. ⁵Beichiogodd y wraig, ac anfonodd i hysbysu Dafydd ei bod yn feichiog. ⁶Anfonodd Dafydd at Joab, "Anfon ataf Ureia yr Hethiad." ⁷Pan gyrhaeddodd Ureia, holodd Dafydd hynt Joab a hynt y fyddin a'r rhyfel. ⁸Yna dywedodd Dafydd wrth Ureia, "Dos i lawr adref a golchi dy draed." Pan adawodd Ureia dŷ'r brenin anfonwyd rhodd o fwyd y brenin ar ei ôl. ⁹Ond gorweddodd Ureia yn nrws y palas gyda gweision ei feistr, ac nid aeth i'w dŷ ei hun. ¹⁰Pan fynegwyd wrth Ddafydd nad oedd Ureia wedi mynd adref, dywedodd Dafydd wrth Ureia, "Onid o daith y daethost ti? Pam nad aethost adref?" ¹¹Atebodd Ureia, "Y mae'r arch, ac Israel a Jwda hefyd, yn trigo mewn pebyll, ac y mae f'arglwydd Joab a gweision f'arglwydd yn gwersylla yn yr awyr agored. A wyf fi am fynd adref i fwyta ac yfed, ac i orwedd gyda'm gwraig? Cyn wired â bod yr AR-GLWYDDʳ yn fyw, a thithau hefyd, ni wnaf y fath beth!" [12] Dywedodd Dafydd wrth Ureia, "Aros di yma heddiw eto, ac anfonaf di'n ôl yfory." Felly arhosodd Ureia yn Jerwsalem y diwrnod hwnnw. [13] A thrannoeth[rh] gwahoddodd Dafydd ef i fwyta ac yfed gydag ef, a gwnaeth ef yn feddw. Pan aeth allan gyda'r nos, gorweddodd ar ei wely gyda gweision ei feistr, ac nid aeth adref. [14] Felly yn y bore ysgrifennodd Dafydd lythyr at Joab a'i anfon gydag Ureia. [15] Ac yn y llythyr yr oedd wedi ysgrifennu, "Rhowch Ureia ar flaen y gad lle mae'r frwydr boethaf; yna ciliwch yn ôl oddi wrtho, er mwyn iddo gael ei daro'n farw."

16 Pan oedd Joab yn gwarchae ar y ddinas, gosododd Ureia yn y lle y gwyddai fod ymladdwyr dewr. [17] A phan ddaeth gwŷr y ddinas allan ac ymladd yn erbyn Joab, syrthiodd rhai o weision Dafydd yn y fyddin, a bu farw Ureia yr Hethiad hefyd. [18] Yna anfonodd Joab i hysbysu holl hanes y frwydr i Ddafydd. [19] Gorchmynnodd i'r negesydd, "Wedi iti orffen dweud holl hanes y frwydr wrth y brenin, [20] yna os bydd y brenin yn llidio ac yn dweud wrthyt: 'Pam yr acthoch mor agos at y ddinas i ryfela? Onid oeddech yn gwybod y byddent yn saethu oddi ar y mur? [21] Pwy laddodd Abimelech fab Jerwbbeseth? Onid gwraig yn gollwng maen melin arno oddi ar y mur yn Thebes, ac yntau'n marw? Pam yr aethoch mor agos at y mur?'—yna dywed tithau, 'Y mae dy was Ureia yr Hethiad hefyd wedi marw'."

22 Aeth y negesydd, a dod ac adrodd wrth Ddafydd y cwbl yr anfonodd Joab ef i'w ddweud. [23] Yna dywedodd y negesydd wrth Ddafydd, "Pan ymwrolodd y dynion yn ein herbyn, a dod allan atom i'r maes agored, aethom ninnau yn eu herbyn hwy hyd at fynedfa'r porth, [24] a saethodd y saethwyr at dy weision oddi ar y mur, a bu farw rhai o weision y brenin, ac y mae dy was Ureia yr Hethiad hefyd wedi marw." [25] Yna dywedodd Dafydd wrth y negesydd, "Dywed fel hyn wrth Joab, 'Paid â gofidio am y peth hwn, oherwydd y mae'r cleddyf yn difa weithiau yma, weithiau acw; brwydra'n galetach yn erbyn y ddinas a distrywia hi'. Calonoga ef fel hyn."

26 Pan glywodd gwraig Ureia fod ei gŵr wedi marw, galarodd am ei phriod.

[27] Ac wedi i'r cyfnod galaru fynd heibio, anfonodd Dafydd a'i chymryd i'w dŷ, a daeth hi'n wraig iddo ef, a geni mab iddo. Ond yr oedd yr hyn a wnaeth Dafydd yn ddrwg yng ngolwg yr ARGLWYDD.

Neges Nathan ac Edifeirwch Dafydd

12 Afonodd yr ARGLWYDD y proffwyd[s] Nathan at Ddafydd; a phan ddaeth, dywedodd wrtho: "Yr oedd dau ddyn mewn rhyw dref, un yn gyfoethog a'r llall yn dlawd. [2] Yr oedd gan yr un cyfoethog lawer iawn o ddefaid ac ychen; [3] ond nid oedd dim gan yr un tlawd, ar wahân i un oenig fechan yr oedd wedi ei phrynu a'i magu, a thyfodd i fyny ar ei aelwyd gyda'i blant, yn bwyta o'r un tamaid ag ef, yn yfed o'r un cwpan, ac yn cysgu yn ei gôl; yr oedd fel merch iddo. [4] Pan ddaeth ymwelydd at y dyn cyfoethog, gofalodd hwnnw beidio â chymryd yr un o'i ddefaid na'i ychen ei hun i wneud pryd i'r teithiwr oedd wedi cyrraedd, yn hytrach fe gymerodd oenig y dyn tlawd a'i pharatoi ar gyfer y dyn a ddaeth ato." [5] Enynnodd dig Dafydd yn fawr yn erbyn y dyn, a dywedodd wrth Nathan, "Cyn wired â bod yr ARGLWYDD yn fyw, y mae'r dyn a wnaeth hyn yn haeddu marw! [6] Rhaid iddo dalu'r oen yn ôl bedair gwaith am wneud y fath beth ac am beidio â dangos trugaredd." [7] Dywedodd Nathan wrth Ddafydd, "Ti yw'r dyn. Fel hyn y dywed ARGLWYDD Dduw Israel, 'Fe'th eneiniais di yn frenin ar Israel, ac fe'th waredais o law Saul; [8] rhois iti dŷ dy feistr a gwragedd dy feistr yn dy fynwes, a rhois iti hefyd dŷ Israel a Jwda. A phe buasai hynny'n rhy ychydig, buaswn wedi ychwanegu cymaint eto. [9] Pam yr wyt wedi dirmygu gair yr ARGLWYDD drwy wneud yr hyn sydd ddrwg yn ei olwg? Yr wyt wedi lladd Ureia yr Hethiad â'r cleddyf, a chymryd ei wraig yn wraig i ti, wedi iti ei lofruddio ef â chleddyf yr Ammoniaid. [10] Bellach ni thry'r cleddyf oddi wrth dy dŷ hyd byth, gan i ti fy nirmygu i a chymryd gwraig Ureia yr Hethiad yn wraig i ti.' [11] Fel hyn y dywed yr ARGLWYDD: 'Wele fi'n codi yn dy erbyn ddrwg o blith dy deulu dy hun; o flaen dy lygad cymeraf dy wragedd a'u rhoi i'th gymydog, a bydd ef yn gorwedd gyda'th wragedd di yn llygad yr haul hwn. [12] Yn llechwraidd y gweithred-

---

[rh] Felly Fersiynau. Hebraeg yn ei gysylltu ag adn. 12.
[s] Felly rhai llawysgrifau a Fersiynau. TM heb y proffwyd.

aist ti, ond fe wnaf fi'r peth hwn yng ngŵydd Israel gyfan ac yn wyneb haul.'" [13]Yna dywedodd Dafydd wrth Nathan, "Yr wyf wedi pechu yn erbyn yr ARGLWYDD." Ac meddai Nathan wrth Ddafydd, "Y mae'r ARGLWYDD yntau wedi troi dy bechod heibio; ni fyddi farw. [14]Ond oherwydd iti lwyr ddiystyru'r ARGLWYDD[t] yn y mater hwn, yn ddi-os bydd farw y bachgen a enir iti."

Marw Mebyn Dafydd, a Geni Solomon

15 Wedi i Nathan fynd adref, trawodd yr ARGLWYDD y plentyn a ymddûg gwraig Ureia i Ddafydd, a chlafychodd. [16]Ymbiliodd Dafydd â Duw dros y bachgen; ymprydiodd, a mynd a threulio'r nos yn gorwedd ar lawr. [17]Pan geisiodd henuriaid ei dŷ ei godi oddi ar lawr, ni fynnai godi ac ni fwytâi fara gyda hwy. [18]Ar y seithfed dydd bu farw'r plentyn, ond yr oedd gweision Dafydd yn ofni dweud wrtho ei fod wedi marw. "Gwelwch," meddent, "tra oedd y plentyn yn fyw, nid oedd yn gwrando arnom, er inni siarad ag ef; sut y dywedwn wrtho fod y plentyn wedi marw? Gallai wneud rhyw niwed iddo'i hun." [19]Pan welodd Dafydd fod ei weision yn sibrwd ymhlith ei gilydd, deallodd fod y plentyn wedi marw; felly dywedodd Dafydd wrth ei weision, "A yw'r plentyn wedi marw?" "Ydyw," meddent hwythau. [20]Yna cododd Dafydd oddi ar lawr, ac ymolchi a'i eneinio'i hun a newid ei ddillad; ac aeth i dŷ Dduw i addoli. Wedyn aeth i'w dŷ a gofyn am fwyd; ac wedi iddynt ei osod iddo, fe fwytaodd. [21]Gofynnodd ei weision iddo, "Beth yw hyn yr wyt yn ei wneud? Tra oedd y plentyn yn fyw, yr oeddit yn ymprydio ac yn wylo; ond wedi i'r plentyn farw, yr wyt wedi codi a bwyta." [22]Eglurodd yntau, "Tra oedd y plentyn yn dal yn fyw, yr oeddwn yn ymprydio ac yn wylo am fy mod yn meddwl, 'Pwy a ŵyr a fydd yr ARGLWYDD yn trugarhau wrthyf, ac y bydd y plentyn fyw?' [23]Ond erbyn hyn y mae wedi marw; pam felly y dylwn ymprydio? A fedraf fi ddod ag ef yn ôl? Byddaf fi'n mynd ato ef, ond ni ddaw ef yn ôl ataf fi." [24]Cysurodd Dafydd ei wraig Bathseba, ac aeth i mewn ati a gorwedd gyda hi; esgorodd hithau ar fab, a'i alw'n Solomon. Hoffodd yr ARGLWYDD ef,

[25]ac anfonodd neges drwy law'r proffwyd Nathan i'w enwi yn Jedidia[th] oblegid yr ARGLWYDD.

Dafydd yn Meddiannu Rabba
(1 Cron. 20:1-3)

26 Ymosododd Joab ar Rabba'r Ammoniaid, a chipiodd ddinas y brenin. [27]Anfonodd Joab negeswyr at Ddafydd a dweud, "Yr wyf wedi ymosod ar Rabba, ac wedi cipio'r gronfa ddŵr. [28]Yn awr, casgla weddill y fyddin a gwersylla yn erbyn y ddinas a'i hennill, rhag i mi gipio'r ddinas ac iddi gael ei galw ar f'enw i." [29]Casglodd Dafydd y fyddin gyfan, ac aeth i Rabba ac ymladd yn ei herbyn a'i hennill. [30]Cymerodd goron eu brenin oddi ar ei ben—yr oedd yn pwyso talent o aur, a gem gwerthfawr ynddi—a rhoed hi ar ben Dafydd. Dygodd o'r ddinas lawer o ysbail, [31]ac aeth â'r bobl oedd ynddi a'u gosod i lafurio â llifiau a cheibiau heyrn a bwyeill heyrn, a hefyd i weithio[u] priddfeini. Gwnaeth Dafydd yr un modd â holl drefi'r Ammoniaid, ac yna dychwelodd ef a'r holl fyddin i Jerwsalem.

Amnon a Tamar

13 Yr oedd gan Absalom fab Dafydd chwaer brydferth o'r enw Tamar, a syrthiodd Amnon, un arall o feibion Dafydd, mewn cariad â hi. [2]Poenodd Amnon nes ei fod yn glaf o achos ei chwaer Tamar; oherwydd yr oedd hi yn wyryf, ac nid oedd yn bosibl yng ngolwg Amnon iddo wneud dim iddi. [3]Ond yr oedd ganddo gyfaill o'r enw Jonadab, mab Simea brawd Dafydd, ac yr oedd Jonadab yn ddyn cyfrwys iawn. [4]Gofynnodd hwn iddo, "Pam yr wyt ti'n nychu fel hyn o ddydd i ddydd, O fab y brenin? Oni ddywedi di wrthyf?" Atebodd Amnon, "Yr wyf mewn cariad â Tamar, chwaer fy mrawd Absalom." [5]Yna dywedodd Jonadab wrtho, "Gorwedd ar dy wely a chymer arnat dy fod yn glaf; a phan ddaw dy dad i'th weld, dywed wrtho, 'Gad i'm chwaer Tamar ddod i roi bwyd imi, a pharatoi'r bwyd yn fy ngolwg, er mwyn i mi gael gweld a bwyta o'i llaw hi.'" [6]Felly aeth Amnon i'w wely a chymryd arno ei fod yn glaf; a phan ddaeth y brenin i'w weld, dywedodd Amnon wrtho, "Gad i'm chwaer Tamar ddod a gwneud cwpl o deisennau bach o

---

[t]Tebygol. Hebraeg, *ddiystyru gelynion yr* ARGLWYDD.　　[th]H.y., *Anwylyn yr* ARGLWYDD.
[u]Tebygol. Hebraeg, *a hefyd parodd iddynt fynd trosodd trwy'r.*

flaen fy llygaid, fel y caf fwyta o'i llaw."
⁷Anfonodd Dafydd at Tamar i'r palas a dweud, "Dos yn awr i dŷ dy frawd Amnon a pharatoa fwyd iddo." ⁸Fe aeth Tamar i dŷ ei brawd Amnon, ac yntau yn ei wely; cymerodd does, a'i dylino a gwneud teisennau bach o flaen ei lygaid, a'u crasu. ⁹Yna cymerodd y badell a'u gosod o'i flaen. Ond gwrthododd Amnon fwyta, a gorchmynnodd iddynt anfon pawb allan. ¹⁰Wedi i bawb fynd allan, dywedodd Amnon wrth Tamar, "Tyrd â'r bwyd i'r siambr imi gael bwyta o'th law." Felly cymerodd Tamar y teisennau a baratôdd, a mynd â hwy at Amnon ei brawd i'r siambr; ¹¹ond pan gynigiodd hwy iddo i'w bwyta, ymaflodd ynddi, a dweud wrthi, "Tyrd, fy chwaer, gorwedd gyda mi." ¹²Dywedodd hithau wrtho, "Na, fy mrawd, paid â'm treisio, oherwydd ni wneir fel hyn yn Israel; paid â gwneud peth mor ffôl. ¹³Amdanaf fi, i ble y gallwn fynd â'm gwarth? A byddit tithau fel un o'r ffyliaid yn Israel. Dos i ofyn i'r brenin, oherwydd ni fyddai'n gwrthod fy rhoi iti." ¹⁴Ond gwrthododd wrando arni, a threchodd hi a'i threisio a gorwedd gyda hi.

15 Yna casaodd Amnon hi â chas perffaith; yn wir yr oedd ei gasineb tuag ati yn fwy na'r cariad a fu ganddo, a dywedodd wrthi, "Cod a dos." ¹⁶Dywedodd hithau, "Na, oherwydd y mae fy ngyrru i ffwrdd yn waeth cam na'r llall a wnaethost â mi." ¹⁷Galwodd am y llanc oedd yn gweini arno, a dweud, "Gyrrwch hon i ffwrdd oddi wrthyf, a chloi'r drws ar ei hôl." ¹⁸Yr oedd ganddi fantell amryliw amdani, oherwydd dyna sut yr arferai tywysogesau dibriod wisgo. Pan drodd ei was hi allan a chloi'r drws ar ei hôl, ¹⁹taflodd Tamar ludw drosti, rhwygodd ei mantell amryliw, gosododd ei llaw ar ei phen, ac aeth allan gan lefain.

20 Gofynnodd ei brawd Absalom iddi, "Ai dy frawd Amnon a fu gyda thi? Taw, yn awr, fy chwaer; dy frawd yw ef, paid â phoeni'n ormodol am hyn." Ond arhosodd Tamar yn alarus yng nghartref ei brawd Absalom. ²¹Pan glywodd y brenin Dafydd am hyn i gyd, bu'n ddig iawn, ond ni wastrododd ei fab Amnon, am ei fod yn ei garu, oherwydd ef oedd ei gyntafanedig ʷ. ²²Ni ddywedodd

Absalom air wrth Amnon na drwg na da; ond yr oedd Absalom yn casáu Amnon am iddo dreisio ei chwaer Tamar.

Dial Absalom

23 Ymhen dwy flynedd yr oedd yn ddiwrnod cneifio gan Absalom yn Baal-hasor ger Effraim, ac fe estynnodd wahoddiad i holl feibion y brenin. ²⁴Aeth Absalom at y brenin hefyd, a dweud, "Edrych, y mae gan dy was ddiwrnod cneifio; doed y brenin a'i weision yno gyda'th was." ²⁵Ond meddai'r brenin wrth Absalom, "Na, na, fy mab, ni ddown i gyd, rhag bod yn ormod o faich arnat." Ac er iddo grefu, gwrthododd fynd; ond rhoes ei fendith iddo. ²⁶Yna dywedodd Absalom, "Os na ddoi di, gad i'm brawd Amnon ddod gyda ni." Gofynnodd y brenin, "Pam y dylai ef fynd gyda thi?" ²⁷Ond wedi i Absalom grefu arno, fe anfonodd gydag ef Amnon a holl feibion y brenin.

28 Yna huliodd Absalom wledd frenhinol ʸ, a gorchymyn i'w lanciau, "Edrychwch, pan fydd Amnon yn llawen gan win, a minnau'n dweud, 'Tarwch Amnon', yna lladdwch ef. Peidiwch ag ofni; onid wyf fi wedi gorchymyn i chwi? Byddwch yn wrol a dewr." ²⁹Gwnaeth y llanciau i Amnon yn ôl gorchymyn Absalom, a neidiodd holl feibion y brenin ar gefn eu mulod a ffoi. ³⁰Tra oeddent ar y ffordd, daeth si i glyw Dafydd fod Absalom wedi lladd holl feibion y brenin, heb adael yr un ohonynt. ³¹Cododd y brenin a rhwygo ei ddillad; yna gorweddodd ar lawr, a'i holl weision yn sefyll o'i gwmpas â'u dillad wedi eu rhwygo. ³²Yna meddai Jonadab mab Simea brawd Dafydd, "Peidied f'arglwydd â meddwl eu bod wedi lladd y bechgyn, meibion y brenin, i gyd; Amnon yn unig sydd wedi marw. Y mae hyn wedi bod ym mwriad Absalom o'r dydd y treisiodd ei chwaer Tamar. ³³Peidied f'arglwydd yn awr â chymryd y peth at ei galon, fel petai holl feibion y brenin wedi marw; Amnon yn unig sy'n farw, ac y mae Absalom wedi ffoi ᵃ."

34 Fel yr oedd y llanc oedd ar wyliadwriaeth yn edrych allan, gwelodd dwr o bobl yn dod i lawr o gyfeiriad Horonaim. Aeth y gwyliwr a dweud wrth y brenin

---
ʷFelly Fersiynau. Hebraeg heb *ond ni...ei gyntafanedig.*
ʸFelly Fersiynau. Hebraeg heb *yna...frenhinol.*
ᵃHebraeg, *sy'n farw." 34 A ffodd Absalom.*

ei fod wedi gweld dynion yn dod o gyf-eiriad Horonaim[b] ar hyd ochr y mynydd. 35 Dywedodd Jonadab wrth y brenin, "Dacw feibion y brenin yn dod. Y mae wedi digwydd fel y dywedodd dy was." 36 Ac fel yr oedd yn gorffen siarad, dyma feibion y brenin yn cyrraedd ac yn torri allan i wylo, nes bod y brenin hefyd a'i holl weision yn wylo'n chwerw.

37 Ffodd Absalom, a mynd at Talmai fab Ammihur brenin Gesur; ac yr oedd Dafydd yn parhau i alaru ar ôl ei fab. 38 Wedi i Absalom ffoi a chyrraedd Gesur, arhosodd yno am dair blynedd. 39 Yna cododd hiraeth ar y brenin Dafydd am Absalom, unwaith yr oedd wedi ei gysuro am farwolaeth Amnon.

Joab yn Trefnu i Absalom Ddychwelyd

14 Yr oedd Joab fab Serfia yn gwybod fod calon Dafydd yn troi at Absalom. 2 Felly anfonodd Joab i Tecoa a chymryd oddi yno wraig ddoeth, a dywedodd wrthi, "Cymer arnat alaru a gwisg ddillad galar, a phaid â'th eneinio dy hun; bydd fel gwraig sydd ers amser maith yn galaru am y marw. 3 A dos at y brenin, a dywed fel hyn wrtho"—a gosododd Joab y geiriau yn ei genau. 4 Aeth[c] y wraig o Tecoa at y brenin, a syrthiodd ar ei hwyneb i'r llawr a moes-ymgrymu; yna dywedodd, "Rho help, O frenin." 5 Gofynnodd y brenin iddi, "Beth sy'n dy boeni?" Dywedodd hithau, "Gwraig weddw wyf fi a'm gŵr wedi marw. 6 Yr oedd gan dy lawforwyn ddau fab, ond cwerylodd y ddau allan yn y wlad, heb neb i'w gwahanu; a thrawodd un ohonynt y llall, a'i ladd. 7 Ac yn awr y mae'r holl dylwyth wedi codi yn erbyn dy lawforwyn, a dweud, 'Rho inni'r hwn a laddodd ei frawd, er mwyn inni ei ladd am fywyd y brawd a lofruddiodd; a difethwn yr etifedd hefyd.' Felly byddant yn diffodd y marworyn sydd ar ôl gennyf, fel na adewir i'm gŵr nac enw nac epil ar wyneb daear." 8 Dywedodd y brenin wrth y wraig, "Dos di adref, ac fe roddaf orchymyn yn dy gylch." 9 Atebodd hithau, "Bydded yr euogrwydd arnaf fi, f'arglwydd frenin, ac ar fy nheulu i; a bydded y brenin a'i orsedd yn ddieuog." 10 Dywedodd y brenin, "Pwy bynnag fydd yn yngan gair wrthyt, tyrd ag ef ataf fi, ac ni fydd yn dy boeni di byth mwy."

11 Atebodd hithau, "Bydded i'r brenin ddwyn hyn i sylw'r ARGLWYDD dy Dduw, rhag i'r dialwr gwaed ddistrywio eto, a rhag iddynt ddifetha fy mab." A dywedodd y brenin, "Cyn wired â bod yr ARGLWYDD yn fyw, ni chaiff blewyn o wallt pen dy fab syrthio i'r llawr."

12 Yna dywedodd y wraig, "Gad i'th lawforwyn ddweud un gair eto wrth f'arglwydd frenin." Dywedodd yntau, "Dywed." 13 Ac meddai'r wraig, "Pam yr wyt wedi cynllunio fel hyn yn erbyn pobl Dduw? Wrth wneud y dyfarniad hwn y mae'r brenin fel un sy'n euog ei hun, am nad yw'n galw'n ôl yr un a alltudiodd. 14 Rhaid inni oll farw; yr ydym fel dŵr a dywelltir ar lawr ac ni ellir ei gasglu eto. Nid yw Duw yn adfer bywyd, ond y mae'n cynllunio ffordd rhag i'r alltud barhau'n alltud. 15 Yn awr, y rheswm y deuthum i ddweud y neges hon wrth f'arglwydd frenin oedd fod y bobl wedi codi ofn arnaf; a phenderfynodd dy lawforwyn, 'Fe siaradaf â'r brenin; efallai y bydd yn gwneud dymuniad ei forwyn. 16 Y mae'n siŵr y gwrendy'r brenin, ac y bydd yn achub ei lawforwyn o law'r dyn sydd am fy nistrywio i a'm mab hefyd o etifeddiaeth Dduw.' 17 Meddyliodd dy lawforwyn hefyd y byddai gair f'arglwydd frenin yn gysur, oherwydd y mae f'arglwydd frenin fel angel Duw, yn medru dirnad rhwng da a drwg. Bydded yr ARGLWYDD dy Dduw gyda thi."

18 Dywedodd y brenin wrth y wraig, "Paid â chelu oddi wrthyf un peth yr wyf am ei ofyn iti." Atebodd hithau, "Gofyn di, f'arglwydd frenin." 19 Yna gofynnodd y brenin, "A yw llaw Joab gyda thi yn hyn i gyd?" Atebodd y wraig, "Cyn wired â bod f'arglwydd frenin yn fyw, nid oes modd osgoi yr hyn a ddywedodd f'arglwydd frenin, ie, dy was Joab a roddodd orchymyn imi, ac ef a osododd y geiriau hyn i gyd yng ngenau dy lawforwyn. 20 Er mwyn rhoi agwedd wahanol ar y peth y gwnaeth dy was Joab hyn, ond y mae f'arglwydd cyn galled ag angel Duw i ddeall popeth ar wyneb daear."

Cymodi Dafydd ac Absalom

21 Dywedodd y brenin wrth Joab, "Edrych, yr wyf am wneud hyn; felly, dos a thyrd â'r llanc Absalom yn ôl."

[b] Felly Groeg. Hebraeg heb Aeth...Horonaim.
[c] Felly rhai llawysgrifau a Fersiynau. TM, Dywedodd.

²²Syrthiodd Joab ar ei wyneb i'r llawr, a moesymgrymodd a bendithio'r brenin, a dweud, "Fe ŵyr dy was heddiw imi ennill ffafr yn dy olwg, f'arglwydd frenin, am iti wneud dymuniad dy was." ²³Aeth Joab ar unwaith i Gesur, a dod ag Absalom yn ôl i Jerwsalem. ²⁴Ond dywedodd y brenin, "Aed i'w dŷ ei hun; ni chaiff weld fy wyneb i." Felly aeth Absalom i'w dŷ ac ni welodd wyneb y brenin.

25 Trwy Israel gyfan nid oedd neb y gellid ei ganmol am ei harddwch fel Absalom; nid oedd mefl arno o wadn ei droed hyd ei gorun. ²⁶Byddai'n eillio'i ben ar ddiwedd pob blwyddyn am fod ei wallt mor drwm, a phan bwysai'r gwallt oedd wedi ei eillio oddi ar ei ben, pwysai ddau can sicl yn ôl safon y brenin. ²⁷Ganwyd i Absalom dri mab, ac un ferch, o'r enw Tamar; yr oedd honno'n ferch brydferth.

28 Arhosodd Absalom yn Jerwsalem am ddwy flynedd gyfan heb weld wyneb y brenin. ²⁹Yna anfonodd am Joab, er mwyn iddo'i anfon at y brenin, ond nid oedd yn fodlon dod. Anfonodd eilwaith, ond yr oedd yn gwrthod dod. ³⁰Yna dywedodd wrth ei weision, "Edrychwch, y mae llain Joab yn ffinio ar f'un i, ac y mae haidd ganddo yno; ewch a rhowch hi ar dân." A dyna weision Absalom yn rhoi'r llain ar dân. ³¹Aeth Joab ar unwaith at Absalom i'w dŷ, a gofyn iddo, "Pam y mae dy weision wedi rhoi fy llain i ar dân?" ³²Ac meddai Absalom wrth Joab, "Edrych, fe anfonais atat a dweud, 'Tyrd yma imi dy anfon di at y brenin i ofyn pam y deuthum yn ôl o Gesur; byddai'n well arnaf pe bawn wedi aros yno.' Yn awr yr wyf am weld wyneb y brenin, ac os oes camwedd ynof, lladded fi." ³³Yna daeth Joab at y brenin ac adrodd yr hanes wrtho, a galwodd yntau Absalom ato; ac wedi iddo ddod at y brenin, moesymgrymodd iddo â'i wyneb i'r llawr o flaen y brenin, a rhoddodd y brenin gusan i Absalom.

Absalom yn Cynllwynio Gwrthryfel

15 Wedi hyn darparodd Absalom iddo'i hun gerbyd a meirch, a hanner cant o ddynion i redeg o'i flaen. ²Codai'n fore, a sefyll ar ochr y ffordd at borth y ddinas, a phan fyddai unrhyw un yn dod ag achos at y brenin am ddedfryd, byddai Absalom yn ei alw ato ac yn holi,

"O ba dref yr wyt ti?" A byddai hwnnw'n ateb, "O un o lwythau Israel y mae dy was." ³Yna byddai Absalom yn dweud, "Edrych, y mae dy achos yn un da a chryf, ond ni chei wrandawiad gan y brenin." ⁴Ac ychwanegai Absalom, "O na fyddwn i yn cael fy ngosod yn farnwr dros y wlad! Yna byddai pob un â chŵyn neu achos ganddo yn dod ataf fi, a byddwn i yn sicrhau cyfiawnder iddo." ⁵Pan fyddai unrhyw un yn agosáu i ymgrymu iddo, byddai ef yn estyn ei law a gafael ynddo a'i gusanu. ⁶Fel hyn y byddai Absalom yn ymddwyn tuag at bob Israeliad oedd yn dod at y brenin am ddedfryd, a denodd fryd gwŷr Israel.

7 Wedi pedair[ch] blynedd dywedodd Absalom wrth y brenin, "Gad imi fynd i Hebron a thalu'r adduned a wneuthum i'r Arglwydd; ⁸oherwydd pan oeddwn yn byw yn Gesur yn Syria, gwnaeth dy was yr adduned hon, 'Os byth y daw'r Arglwydd â mi yn ôl i Jerwsalem, fe addolaf yr Arglwydd.'" ⁹Dywedodd y brenin, "Rhwydd hynt iti!" Aeth yntau i ffwrdd i Hebron. ¹⁰Yr oedd Absalom wedi anfon negeswyr drwy holl lwythau Israel a dweud wrthynt, "Pan glywch sain yr utgorn, cyhoeddwch, 'Y mae Absalom wedi dod yn frenin yn Hebron.'" ¹¹Aeth deucant o wŷr gydag Absalom o Jerwsalem; yr oeddent wedi eu gwahodd, ac yn mynd yn gwbl ddiniwed, heb wybod dim byd. ¹²Anfonodd Absalom hefyd am Ahitoffel y Giloniad, cynghorydd Dafydd, i ddod o'i dref, Gilo, i fod gydag ef wrth offrymu'r ebyrth. Yr oedd y cynllwyn yn cynyddu, a'r bobl oedd o blaid Absalom yn dal i amlhau.

Dafydd yn Ffoi o Jerwsalem

13 Daeth rhywun a dweud wrth Ddafydd fod bryd pobl Israel ar Absalom, ¹⁴a dywedodd Dafydd wrth ei holl weision oedd gydag ef yn Jerwsalem, "Codwch, inni gael ffoi; onid e, ni fydd modd inni ddianc rhag Absalom; brysiwch oddi yma rhag iddo ef ymosod yn sydyn arnom a pheri niwed inni, a tharo'r ddinas â'r cleddyf." ¹⁵Dywedodd gweision y brenin wrtho, "Beth bynnag yw penderfyniad ein harglwydd frenin, y mae dy weision yn barod." ¹⁶Yna ymadawodd y brenin, a'i deulu i gyd yn ei ganlyn, gan adael deg o'r gordderch-

[ch]Felly Fersiynau. Hebraeg, *deugain.*

wragedd i ofalu am y tŷ. ¹⁷Wedi i'r brenin a'r holl fintai oedd yn ei ganlyn fynd allan, safodd ger y tŷ pellaf. ¹⁸A safodd ei weision gerllaw iddo, tra oedd y Cerethiaid a'r Pelethiaid i gyd, a'r holl Gethiaid, sef y chwe chant o wŷr oedd wedi dod o Gath i'w ganlyn, yn croesi gerbron y brenin. ¹⁹Gofynnodd y brenin i Itai y Gethiad, "Pam yr wyt ti'n dod gyda ni? Dos yn ôl ac aros gyda'r brenin newydd, oherwydd dieithryn wyt ti, ac alltud oddi cartref. ²⁰Ddoe y daethost ti; a wnaf fi iti grwydro heddiw gyda ni ar daith, a minnau heb wybod i ble'r wyf yn mynd? Dos yn ôl, a dos â'th frodyr gyda thi; a bydded i'r ARGLWYDD ddangos iti ᵈ drugaredd a ffyddlondeb." ²¹Atebodd Itai a dweud wrth y brenin, "Cyn wired â bod yr ARGLWYDD yn fyw, a thithau hefyd, f'arglwydd frenin, ple bynnag yr â f'arglwydd frenin, i farw neu i fyw, yno'n sicr y bydd dy was hefyd." ²²Yna dywedodd Dafydd wrth Itai, "Dos ymlaen, ynteu." Felly aeth Itai y Gethiad yn ei flaen, a'i holl wŷr a'r holl blant oedd gydag ef. ²³Yr oedd sŵn wylo mawr trwy'r holl wlad pan oedd y bobl yn croesi. Safodd ᵈᵈ y brenin wrth Afon Cidron nes i'r bobl i gyd fynd drosodd i gyfeiriad yr anialwch.

24 Yr oedd Sadoc yno hefyd, a'r holl Lefiaid oedd gydag ef yn cario arch cyfamod Duw. Wedi iddynt osod arch Duw i lawr, bu Abiathar yn offrymu nes i'r bobl i gyd ymadael â'r ddinas. ²⁵Yna dywedodd y brenin wrth Sadoc, "Dos ag arch Duw yn ôl i'r ddinas; os caf ffafr yng ngolwg yr ARGLWYDD, fe ddaw â mi yn ôl, a gadael imi ei gweld hi a'i chartref. ²⁶Ond os dywed fel hyn, 'Nid oes arnaf d'eisiau,' dyma fi; caiff wneud fel y myn â mi." ²⁷Hefyd dywedodd y brenin wrth Sadoc yr offeiriad, "Edrych ᵉ, fe elli di ac Abiathar ᶠ ddychwelyd yn ddiogel i'r ddinas, a'ch dau fab gyda chwi, Ahimaas dy fab di a Jonathan, mab Abiathar. ²⁸Edrychwch, fe oedaf wrth rydau'r anialwch hyd nes y caf air oddi wrthych i'm hysbysu." ²⁹Felly dygodd Sadoc ac Abiathar arch Duw yn ôl i Jerwsalem, ac aros yno.

30 Dringodd Dafydd lethr Mynydd yr Olewydd dan wylo a chuddio'i wyneb a cherdded yn droednoeth. Yr oedd yr holl

bobl oedd gydag ef hefyd yn dringo gan guddio'u hwynebau ac wylo. ³¹Dywedwyd wrth Ddafydd fod Ahitoffel ymysg y cynllwynwyr gydag Absalom, a gweddïodd Dafydd, "O ARGLWYDD, tro gyngor Ahitoffel yn ffolineb."

32 Pan gyrhaeddodd Dafydd y copa, lle byddid yn addoli Duw, dyma Husai yr Arciad yn dod i'w gyfarfod â'i fantell wedi ei rhwygo a phridd ar ei ben. ³³Meddai Dafydd wrtho, "Os doi di gyda mi, byddi'n faich arnaf; ³⁴ond os ei di'n ôl i'r ddinas a dweud wrth Absalom, 'Dy was di wyf fi, f'arglwydd frenin ᶠᶠ; gwas dy dad oeddwn gynt, ond dy was di wyf yn awr', yna gelli ddrysu cyngor Ahitoffel drosof. ³⁵Bydd gennyt yr offeiriaid Sadoc ac Abiathar gyda thi yno; yr wyt i ddweud wrthynt hwy bob gair a glywi o dŷ'r brenin, ³⁶oherwydd y mae'r ddau fachgen, Ahimaas fab Sadoc a Jonathan fab Abiathar, yno gyda hwy, ac fe gewch anfon ataf trwyddynt hwy bob dim a glywch." ³⁷Daeth Husai, cyfaill Dafydd, i'r ddinas fel yr oedd Absalom yn cyrraedd Jerwsalem.

Dafydd a Siba

16 Wedi i Ddafydd fynd ychydig heibio i gopa'r mynydd, dyma Siba gwas Meffiboseth yn ei gyfarfod â chwpl o asynnod wedi eu cyfrwyo yn cario dau gan torth o fara, can swp o resin, cant o ffrwythau haf a photel o win. ²Dywedodd y brenin wrth Siba, "Beth yw'r rhain sydd gennyt?" Atebodd Siba, "Y mae'r asynnod ar gyfer teulu'r brenin i'w marchogaeth, y bara a'r ffrwythau i'r bechgyn i'w bwyta, a'r gwin i'w yfed gan unrhyw un fydd yn lluddedig yn yr anialwch." ³Holodd y brenin, "Ond ymhle y mae wyr dy feistr?" Atebodd Siba, "Y mae ef wedi aros yn Jerwsalem, oblegid y mae'n meddwl y bydd yr Israeliaid yn awr yn dychwelyd teyrnas ei daid iddo." ⁴Dywedodd y brenin wrth Siba, "Edrych, ti biau bopeth sydd gan Meffiboseth." Atebodd Siba, "Yr wyf yn ymostwng o'th flaen; bydded imi gael ffafr yn dy olwg, f'arglwydd frenin."

Dafydd a Simei

5 Pan gyrhaeddodd Dafydd Bahurim, dyma ddyn o dylwyth Saul, o'r enw

---

ᵈFelly Groeg. Hebraeg heb *a bydded...iti*.   ᵈᵈTebygol. Hebraeg, *Croesodd*.
ᵉFelly Groeg. Hebraeg, *A weli?*   ᶠTebygol. Hebraeg heb *ac Abiathar*.
ᶠᶠTebygol. Hebraeg, *fi, frenin*.

Simei fab Gera, yn dod allan oddi yno dan felltithio. ⁶Yr oedd yn taflu cerrig at Ddafydd a holl weision y brenin, er bod yr holl fintai a'r milwyr i gyd o boptu iddo. ⁷Ac fel hyn yr oedd Simei yn dweud wrth felltithio: "Dos i ffwrdd, dos i ffwrdd, y llofrudd, y dihiryn; ⁸y mae'r ARGLWYDD wedi talu iti am holl waed teulu Saul a ddisodlaist fel brenin; y mae'r ARGLWYDD wedi rhoi'r deyrnas yn llaw dy fab Absalom. Dyma ti mewn adfyd oherwydd mai llofrudd wyt ti."

9 Dywedodd Abisai fab Serfia wrth y brenin, "Pam y dylai'r ci marw hwn gael melltithio f'arglwydd frenin? Gad imi fynd ato a thorri ei ben i ffwrdd." ¹⁰Ond meddai'r brenin, "Beth sydd a wnelo hyn â mi neu â chwi, feibion Serfia? Y mae ef yn melltithio fel hyn am fod yr AR-GLWYDD wedi dweud wrtho am fellt-ithio Dafydd, a phwy sydd i ofyn, 'Pam y gwnaethost hyn?'" ¹¹Ychwanegodd Dafydd wrth Abisai a'i holl weision. "Edrychwch, y mae fy mab i fy hun yn ceisio fy mywyd; pa faint mwy y Benjam-iniad hwn? ¹²Gadewch iddo felltithio, oherwydd yr ARGLWYDD sydd wedi dweud wrtho. Efallai y bydd yr AR-GLWYDD yn edrych ar fy nghyni, ac yn gwneud daioni imi yn lle ei felltith yf heddiw." ¹³Yna, tra oedd Dafydd a'i wŷr yn mynd ar hyd y ffordd, yr oedd Simei yn mynd ar hyd ochr y mynydd gyferbyn ag ef, yn melltithio ac yn lluchio cerrig ac yn taflu pridd ato. ¹⁴Erbyn iddynt gyr-raedd yr Iorddonen⁸ yr oedd y brenin a'r holl bobl oedd gydag ef yn lluddedig, felly cymerasant seibiant yno.

Absalom yn Jerwsalem

15 Yr oedd Absalom a'r holl fyddin o Israeliaid wedi cyrraedd Jerwsalem, ac Ahitoffel gyda hwy. ¹⁶Yna, pan ddaeth Husai yr Arciad, cyfaill Dafydd, at Absalom a dweud wrtho, "Byw fyddo'r brenin, byw fyddo'r brenin!" ¹⁷gofyn-nodd Absalom i Husai, "Ai dyma dy deyrngarwch i'th gyfaill? Pam nad aethost ti gyda'th gyfaill?" ¹⁸Ac meddai Husai wrth Absalom, "O na, yr wyf fi o blaid yr un a ddewiswyd gan yr AR-GLWYDD, a'r bobl hyn a'r holl Israeliaid, a chydag ef yr arhosaf. ¹⁹Ac at hynny, pwy a ddylwn i ei wasanaethu? Onid ei fab? Fel y bûm yn gwasanaethu dy dad,

felly y byddaf gyda thi."

20 Yna dywedodd Absalom wrth Ahitoffel, "Rho gyngor inni beth i'w wneud." ²¹Atebodd Ahitoffel, "Dos i mewn at ordderchwragedd dy dad a adawodd ef i ofalu am y tŷ; a phan fydd Israel gyfan yn clywed dy fod wedi dy ffieiddio gan dy dad, fe gryfheir dwylo pawb sydd gyda thi." ²²Taenwyd pabell i Absalom ar y to, ac aeth yntau i mewn at ordderchwragedd ei dad yng ngolwg Israel gyfan. ²³Yr oedd y cyngor a roddai Ahitoffel yn y dyddiau hynny fel pe bai dyn yn ymofyn cyfarwyddyd gan Dduw; felly'y ystyrid ef gan Ddafydd ac Absalom hefyd.

Husai yn Camarwain Absalom

17 Yna dywedodd Ahitoffel wrth Absalom, "Gad imi ddewis deu-ddeng mil o ddynion a mynd ar ôl Dafydd heno. ²Dof ar ei warthaf pan fydd yn lluddedig a diymadferth, a chodaf arswyd arno, nes bod pawb sydd gydag ef yn ffoi; ni laddaf neb ond y brenin, ³a dof â'r holl bobl yn ôl atat fel priodferch yn dod adref at ei phriod. Bywyd un dynⁿᵍ yn unig sydd arnat ei eisiau; caiff gweddill y bobl lonydd." ⁴Yr oedd Absalom a holl hen-uriaid Israel yn gweld hwn yn gyngor da, ⁵ond dywedodd Absalom, "Galwch Husai yr Arciad hefyd er mwyn inni glywed beth sydd ganddo yntau i'w ddweud." ⁶Wedi i Husai gyrraedd, dywedodd Absalom wrtho, "Dyma sut y cynghorodd Ahitoffel. A ddylem dderbyn ei gyngor? Onid e, rho di dy gyngor."

7 Dywedodd Husai wrth Absalom, "Nid yw'r cyngor a roddodd Ahitoffel y tro hwn yn un da." ⁸Aeth Husai ymlaen, "Yr wyt ti'n adnabod dy dad a'i ddynion: y maent yn filwyr profiadol, ac mor filain ag arth wyllt wedi ei hamddifadu o'i chenawon; hefyd, y mae dy dad yn gynefin â rhyfela, ni fydd ef yn treulio'r nos gyda'r fyddin, ac y mae eisoes wedi ymguddio mewn ogof neu ryw lecyn arall. ⁹Pan leddir rhywrai o blith dy wŷr ar y dechrau, bydd pwy bynnag a fydd yn clywed y newydd yn meddwl bod cyflafan wedi digwydd ymysg y rhai sy'n dilyn Absalom. ¹⁰Yna fe fydd ysbryd y cryfaf, yr un â chalon fel llew, yn darfod yn llwyr, oherwydd y mae Israel gyfan yn gwybod mai milwr dewr yw dy dad, a bod

---

⁸Felly Groeg. Hebraeg heb *yr Iorddonen.*
ⁿᵍFelly Groeg. Hebraeg, *fel y daw adref y cwbl y dyn.*

dynion grymus gydag ef. [11]Yr wyf fi am dy gynghori i gasglu atat Israel gyfan o Dan i Beerseba, mor niferus â thywod glan y môr, a bod i tithau'n bersonol fynd gyda hwy i'r frwydr. [12]Ac fe ddown ar ei warthaf, ym mha le bynnag y ceir ef; disgynnwn arno fel gwlith yn syrthio ar y ddaear, ac ni adewir dim un ohonynt, ef na'r dynion sydd gydag ef. [13]Ac os digwydd iddo ddianc i ryw ddinas, bydd Israel gyfan yn taflu rhaffau am y ddinas honno a byddwn yn ei llusgo i'r ceunant, heb adael y garreg leiaf ohoni ar ôl." [14]Dywedodd Absalom a holl wŷr Israel, "Y mae cyngor Husai yr Arciad yn well na chyngor Ahitoffel." Yr ARGLWYDD oedd wedi peri drysu cyngor da Ahitoffel, er mwyn i'r ARGLWYDD ddwyn dinistr ar Absalom.

Rhybuddir Dafydd i Ffoi

15 Dywedodd Husai wrth yr offeiriaid Sadoc ac Abiathar, "Fel hyn ac fel hyn yr oedd cyngor Ahitoffel i Absalom a henuriaid Israel; ac fel hyn ac fel hyn y cynghorais innau. [16]Anfonwch yn awr ar frys a dywedwch wrth Ddafydd, 'Paid ag aros y nos wrth rydau'r anialwch, ond dos drosodd ar unwaith, rhag i'r brenin a'r holl bobl sydd gydag ef gael eu difa.' " [17]Yr oedd Jonathan ac Ahimaas yn aros yn Enrogel, a morwyn yn mynd â'r neges iddynt hwy, a hwythau wedyn yn mynd â'r neges i'r Brenin Dafydd; oherwydd ni feiddient gael eu gweld yn mynd i'r ddinas. [18]Ond fe welodd bachgen hwy, a dweud wrth Absalom; felly aeth y ddau ar frys nes dod i dŷ rhyw ddyn yn Bahurim. Yr oedd gan hwnnw bydew yn ei fuarth ac aethant i lawr iddo. [19]Yna cymerodd ei wraig y caead a'i osod ar geg y pydew a thaenu grawn drosto, fel nad oedd neb yn gwybod. [20]Pan ddaeth gweision Absalom at y tŷ a gofyn i'r wraig, "Ple mae Ahimaas a Jonathan?" dywedodd hithau, "Y maent wedi mynd dros y ffrwd[h] ddŵr." Ond er iddynt chwilio, ni chawsant mohonynt, ac aethant yn ôl i Jerwsalem. [21]Wedi iddynt fynd, daethant hwythau i fyny o'r pydew a mynd â'r neges i'r brenin Dafydd, a dweud wrtho am groesi'r dŵr ar unwaith, oherwydd bod Ahitoffel wedi cynghori fel y gwnaeth yn eu herbyn. [22]Dechreuodd Dafydd, a'r

holl bobl oedd gydag ef, groesi'r Iorddonen, ac erbyn toriad gwawr nid oedd neb ar ôl heb groesi'r Iorddonen.

23 Pan welodd Ahitoffel na chymerwyd ei gyngor ef, cyfrwyodd ei asyn a mynd adref i'w dref ei hun. Gosododd drefn ar ei dŷ, ac yna fe'i crogodd ei hun. Wedi iddo farw, fe'i claddwyd ym medd ei dad.

24 Yr oedd Dafydd wedi cyrraedd Mahanaim erbyn i Absalom a holl wŷr Israel gydag ef groesi'r Iorddonen. [25]Yr oedd Absalom wedi gosod Amasa dros y fyddin yn lle Joab. Yr oedd ef yn fab i ddyn o'r enw Ithra'r Ismaeliad[i], a oedd wedi priodi Abigal ferch Nahas, chwaer Serfia mam Joab. [26]Gwersyllodd Israel gydag Absalom yn nhir Gilead. [27]Wedi i Ddafydd gyrraedd Mahanaim, daeth Sobi fab Nahas o Rabba'r Ammoniaid, a Machir fab Ammiel o Lo-debar, a Barsilai y Gileadiad o Rogelim [28]â gwelyau, powlenni a llestri; hefyd gwenith, haidd, blawd, ŷd wedi ei grasu, ffa, ffacbys[l], [29]mêl, ceulion o laeth defaid[ll] a chaws o laeth gwartheg. Rhoesant hwy i Ddafydd a'r bobl oedd gydag ef i'w bwyta, oherwydd meddent, "Bydd y bobl yn newynog a lluddedig, ac yn sychedig yn yr anialwch."

Gorchfygu a Lladd Absalom

18 Rhestrodd Dafydd y bobl oedd gydag ef, a phenodi capteiniaid ar filoedd a chapteiniaid ar gannoedd. [2]Yna rhannodd y fyddin yn dair, traean o dan Joab, traean dan Abisai fab Serfia, brawd Joab, a thraean dan Ittai y Gethiad; a dywedodd y brenin wrth y fyddin, "Mi ddof finnau hefyd gyda chwi." [3]Ond atebasant, "Ni chei di ddod. Petaem ni yn ffoi am ein heinioes, ni fyddai neb yn meddwl dim o'r peth; a phetai ein hanner yn marw, ni fyddai neb yn malio amdanom; ond yr wyt ti cystal â deng mil ohonom ni[m]. Felly'n awr y mae'n well i ni dy fod yn aros i'n cynorthwyo o'r ddinas." [4]Dywedodd y brenin y gwnâi'r hyn a dybient hwy yn orau, a safodd yn ymyl y porth fel yr oedd y fyddin yn mynd allan yn ei channoedd a'i miloedd. [5]Gorchmynnodd y brenin i Joab, Abisai ac Ittai, "Er fy mwyn i byddwch yn dyner wrth y llanc Absalom." Yr oedd y fyddin

[h]Tebygol. Gair Hebraeg anhysbys.   [i]Felly Groeg a 1 Cron. 2:17. Hebraeg, *yr Israeliad*.
[l]Felly Groeg. Hebraeg yn ychwanegu *ac ŷd wedi ei grasu*.   [ll]Tebygol. Hebraeg, *a defaid*.
[m]Felly rhai llawysgrifau a Fersiynau. TM, *ond yn awr y mae deng mil fel ni*.

i gyd yn clywed pan roes y brenin orchymyn i'r capteiniaid ynglŷn ag Absalom.

6 Aeth y fyddin i'r maes i gyfarfod ag Israel, a digwyddodd y frwydr yng nghoetir Effraim. [7]Gorchfygwyd byddin Israel yno gan ddilynwyr Dafydd, a bu colledion mawr yno—ugain mil o fewn y diwrnod hwnnw. [8]Lledodd yr ymladd dros y wlad i gyd, a difaodd y goedwig fwy o'r fyddin nag a wnaeth a cleddyf y diwrnod hwnnw.

9 Digwyddodd dilynwyr Dafydd daro ar Absalom. Fel yr oedd Absalom yn marchogaeth ar ei ful, aeth hwnnw dan gangen derwen fawr; daliwyd pen Absalom yn y dderwen, a'i adael rhwng nef a daear wrth i'r mul oedd dano fynd yn ei flaen. [10]Gwelodd rhywun ef, a dweud wrth Joab ei fod wedi gweld Absalom ynghrog mewn derwen. [11]Ac meddai Joab wrth y dyn oedd wedi dweud wrtho, "Os gwelaist ti ef, pam na fu iti ei daro i lawr yn y fan? Fe fyddwn wedi gofalu am roi iti ddeg darn arian a gwregys." [12]Ond dywedodd y dyn wrth Joab, "Petawn i'n cael mil o ddarnau arian ar gledr fy llaw, ni feiddiwn estyn llaw yn erbyn mab y brenin; oherwydd fe glywsom â'n clustiau ein hunain pan roddodd y brenin orchymyn i ti ac i Abisai ac i Ittai, a dweud, 'Cymerwch ofal, bawb, o'r llanc Absalom.' [13]Pe bawn i wedi troseddu yn erbyn ei einioes, ni fyddai modd cuddio dim rhag y brenin; a byddit tithau wedi sefyll o'r naill ochr." [14]Atebodd Joab, "Nid wyf am wastraffu amser fel hyn gyda thi." Cymerodd dair picell[n] yn ei law a thrywanu Absalom yn ei galon, ac yntau'n dal yn fyw yng nghanol y dderwen. [15]Yna tyrrodd deg llanc oedd yn gofalu am arfau Joab o gwmpas Absalom, a'i daro a'i ladd. [16]Ar hyn canodd Joab yr utgorn, a dychwelodd y fyddin o erlid yr Israeliaid am i Joab eu galw'n ôl. [17]Cymerwyd Absalom a'i fwrw i geubwll mawr oedd yn y goedwig, a chodi tomen enfawr o gerrig drosto. Ffodd yr Israeliaid i gyd adref.

18 Yn ystod ei fywyd yr oedd Absalom wedi cymryd colofn a'i gosod i sefyll yn Nyffryn y Brenin, "Oherwydd," meddai, "nid oes gennyf fab i gadw f'enw mewn cof." Galwodd y golofn ar ei enw ei hun,

ac fe'i gelwir hi'n Gofeb Absalom hyd heddiw.

Hysbysu Dafydd am Farwolaeth Absalom

19 Dywedodd Ahimaas fab Sadoc, "Gad i mi redeg a rhoi'r newydd i'r brenin fod yr ARGLWYDD wedi achub ei gam oddi ar law ei elynion." [20]Ond dywedodd Joab wrtho, "Nid ti fydd y negesydd heddiw; cei fynd â'r neges rywdro arall, ond nid heddiw, oherwydd bod mab y brenin wedi marw." [21]Yna meddai Joab wrth ryw Ethiopiad, "Dos, dywed wrth y brenin yr hyn a welaist." Moesymgrymodd yr Ethiopiad i Joab a rhedodd ymaith. [22]Ond gwnaeth Ahimaas fab Sadoc gais arall, ac meddai wrth Joab, "Beth bynnag a ddigwydd, yr wyf finnau hefyd am gael rhedeg ar ôl yr Ethiopiad." Gofynnodd Joab, "Pam y mae arnat ti eisiau mynd, fy machgen? Ni chei wobr am ddwyn y neges." [23]Ond pleidiodd, "Sut bynnag y bydd, gad imi fynd." Felly dywedodd wrtho, "Dos, ynteu." Rhedodd Ahimaas ar hyd y gwastadedd, ac ennill y blaen ar yr Ethiopiad.

24 Yr oedd Dafydd yn eistedd rhwng y ddeuborth. Pan aeth gwyliwr i fyny uwchben y porth i ben y mur, a chodi ei lygaid ac edrych, dyna lle'r oedd dyn yn rhedeg ar ei ben ei hun. [25]Galwodd y gwyliwr a hysbysu'r brenin. Atebodd y brenin, "Os yw ar ei ben ei hun, y mae'n dod â neges." [26]Fel yr oedd yn dal i agosáu, sylwodd y gwyliwr ar ddyn arall yn rhedeg, a galwodd i lawr at y porthor a dweud, "Dacw ddyn arall[o] yn rhedeg ar ei ben ei hun." Dywedodd y brenin, "Negesydd yw hwn eto." [27]Yna dywedodd y gwyliwr, "Yr wyf yn gweld y cyntaf yn rhedeg yn debyg i Ahimaas fab Sadoc." Ac meddai'r brenin, "Dyn da yw hwnnw; daw ef â newyddion da," [28]Pan gyrhaeddodd[p] Ahimaas, dywedodd wrth y brenin, "Heddwch!" Yna moesymgrymodd i'r brenin â'i wyneb i'r llawr, a dweud, "Bendigedig fyddo'r ARGLWYDD dy Dduw, sydd wedi cau am y dynion a gododd yn erbyn f'arglwydd frenin." [29]Gofynnodd y brenin, "A yw'r llanc Absalom yn iawn?" Ac meddai Ahimaas, "Yr oedd dy was yn gweld cynnwrf mawr pan anfonodd Joab, gwas y brenin, fi i ffwrdd, ond ni wn beth

---

[n]Felly Groeg. Hebraeg, *gwialen.*   [o]Felly Fersiynau. Hebraeg heb *arall.*
[p]Felly Groeg. Hebraeg, *alwodd.*

oedd." ³⁰Dywedodd y brenin, "Saf yma o'r neilltu." Felly safodd o'r neilltu. ³¹Yna cyrhaeddodd yr Ethiopiad a dweud, "Newydd da, f'arglwydd frenin! Oherwydd y mae'r ARGLWYDD wedi achub dy gam heddiw yn erbyn yr holl rai oedd yn codi yn dy erbyn." ³²Gofynnodd y brenin i'r Ethiopiad, "A yw'r llanc Absalom yn iawn?" Atebodd yr Ethiopiad, "Bydded i elynion f'arglwydd frenin a phawb sy'n codi yn d'erbyn er drwg, fod fel y llanc." ³³Cynhyrfodd y brenin, ac aeth i fyny i'r llofft uwchben y porth ac wylo; ac wrth fynd, yr oedd yn dweud fel hyn, "O Absalom fy mab, fy mab Absalom! O na fyddwn i wedi cael marw yn dy le, O Absalom fy mab, fy mab!"

Joab yn Ceryddu Dafydd

19 Hysbyswyd Joab fod y brenin yn wylo ac yn galaru am Absalom. ²Trodd buddugoliaeth y dydd yn alar i'r holl fyddin wedi iddynt glywed y diwrnod hwnnw fod y brenin yn gofidio am ei fab. ³Sleifiodd y fyddin i mewn i'r ddinas y diwrnod hwnnw, fel y bydd byddin sydd wedi ei chywilyddio ar ôl ffoi mewn brwydr. ⁴Yr oedd y brenin yn cuddio'i wyneb ac yn gweiddi'n uchel, "Fy mab Absalom, Absalom fy mab, fy mab!" ⁵Yna aeth Joab i'r ystafell at y brenin a dweud, "Yr wyt ti heddiw yn gwaradwyddo dy ddilynwyr i gyd, sef y rhai sydd wedi achub dy fywyd di heddiw, a bywydau dy feibion a'th ferched, a bywydau dy wragedd a'th ordderchwragedd. ⁶Trwy ddangos cariad tuag at dy gaseion a chas at dy garedigion, yr wyt ti'n cyhoeddi heddiw nad yw dy swyddogion na'th filwyr yn ddim gennyt. Yn wir fe welaf yn awr y byddit wrth dy fodd heddiw pe byddai Absalom wedi byw a ninnau i gyd wedi marw. ⁷Felly cod, dos allan a dywed air o galondid wrth dy ddilynwyr, neu, onid ei di allan atynt, tyngaf i'r ARGLWYDD, erbyn heno ni fydd gennyt yr un dyn ar ôl; a byddi mewn gwaeth trybini na dim sydd wedi digwydd iti o'th febyd hyd yn awr." ⁸Ar hynny cododd y brenin ac eistedd yn y porth; anfonwyd neges at yr holl fyddin fod y brenin yn eistedd yn y porth, a daeth y fyddin gyfan ynghyd gerbron y brenin.

Dafydd yn Troi'n ôl am Jerwsalem

Yr oedd yr Israeliaid i gyd wedi ffoi i'w cartrefi. ⁹Yna dechreuodd pawb trwy holl lwythau Israel ddadlau a dweud, "Achubodd y brenin ni o afael ein gelynion, ac yn arbennig fe'n gwaredodd ni rhag y Philistiaid. Yn awr y mae wedi ffoi o'r wlad o achos Absalom. ¹⁰Ond y mae Absalom, a eneiniwyd gennym yn frenin, wedi marw yn y rhyfel; pam felly yr ydych yn oedi dod â'r brenin adref?" ¹¹Daeth dadleuon yr Israeliaid i gyd i glustiau'r brenin yn ei dŷ ᵖʰ, ac anfonodd at Sadoc ac Abiathar, yr offeiriaid, iddynt ddweud wrth henuriaid Jwda, "Pam yr ydych chwi'n oedi dod â'r brenin adref? ¹²Chwi yw fy mrodyr, fy asgwrn i a'm cnawd; pam yr ydych yn oedi dod â'r brenin adref? ¹³Dywedwch wrth Amasa, 'Onid fy asgwrn i a'm cnawd wyt tithau? Fel hyn y gwnelo Duw imi, a rhagor os nad ti o hyn ymlaen fydd capten y llu drosof yn lle Joab.'" ¹⁴Enillodd galon holl wŷr Jwda'n unfryd, ac anfonasant neges at y brenin, "Tyrd yn ôl, ti a'th holl ddilynwyr."

15 Daeth y brenin yn ôl, a phan gyrhaeddodd yr Iorddonen, yr oedd y Jwdeaid wedi cyrraedd Gilgal ar eu ffordd i gyfarfod y brenin a'i hebrwng dros yr Iorddonen. ¹⁶Brysiodd Simei, mab Gera y Benjaminiad o Bahurim, i fynd i lawr gyda gwŷr Jwda i gyfarfod y brenin Dafydd. ¹⁷Daeth mil o ddynion o Benjamin gydag ef. A rhuthrodd Siba gwas teulu Saul, gyda'i bymtheg mab ac ugain gwas, i lawr at yr Iorddonen o flaen y brenin, ¹⁸a chroesi'r rhyd i gario teulu'r brenin drosodd, er mwyn ennill ffafr yn ei olwg. Wedi i'r brenin groesi, syrthiodd Simei fab Gera o'i flaen ¹⁹a dweud wrtho, "O f'arglwydd, paid â'm hystyried yn euog, a phaid â chofio ymddygiad gwarthus dy was y diwrnod y gadawodd f'arglwydd frenin Jerwsalem, na'i gadw mewn cof. ²⁰Oherwydd y mae dy was yn sylweddoli iddo bechu, ac am hynny dyma fi wedi dod yma heddiw, yn gyntaf o holl dŷ Joseff i ddod i lawr i gyfarfod f'arglwydd frenin." ²¹Ymateb Abisai fab Serfia oedd, "Oni ddylid rhoi Simei i farwolaeth am felltithio eneiniog yr AR-GLWYDD?" ²²Ond dywedodd Dafydd, "Beth sydd a wneloch chwi â mi, C feibion Serfia, eich bod yn troi'n wrth-

---

ᵖʰSaif y geiriau *Daeth...yn ei dŷ* ar ddiwedd yr adn. yn Hebraeg.

wynebwyr imi heddiw? Ni chaiff neb yn Israel ei roi i farwolaeth heddiw, oherwydd oni wn i heddiw mai myfi sy'n frenin ar Israel?" ²³Dywedodd y brenin wrth Simei, "Ni fyddi farw." A thyngodd y brenin hynny wrtho.

Caredigrwydd Dafydd â Meffiboseth

24 Hefyd fe ddaeth Meffiboseth, ŵyr Saul, i lawr i gyfarfod y brenin. Nid oedd wedi trin ei draed na'i farf, na golchi ei ddillad o'r diwrnod yr ymadawodd y brenin hyd y dydd y dychwelodd yn ddiogel. ²⁵Pan gyrhaeddodd oʳ Jerwsalem i gyfarfod y brenin, gofynnodd y brenin iddo, "Pam nad aethost ti gyda mi, Meffiboseth?" ²⁶Atebodd yntau, "O f'arglwydd frenin, fy ngwas a'm twyllodd i; yr oeddwn i wedi bwriadu cyfrwyo asyn a marchogaeth arno yng nghwmni'r brenin, am fy mod yn gloff. ²⁷Y mae fy ngwas wedi f'enllibio i wrth f'arglwydd frenin, ond y mae f'arglwydd frenin fel angel Duw; gwna fel y gweli'n dda. ²⁸I'm harglwydd frenin nid oedd y cyfan o dylwyth fy nhad ond dynion meirw, ac eto gosodaist ti dy was ymhlith y rhai oedd yn cael bwyta wrth dy fwrdd; pa hawl bellach sydd gennyf i apelio eto at y brenin?" ²⁹Dywedodd y brenin wrtho, "Pam y rhwydi ragor? Penderfynais dy fod ti a Siba i rannu'r ystad." ³⁰Dywedodd Meffiboseth wrth y brenin, "Cymered ef y cwbl, gan fod f'arglwydd frenin wedi cyrraedd adref yn ddiogel."

31 Daeth Barsilai y Gileadiad i lawr o Rogelim a mynd cyn belled â'r Iorddonen i hebrwng y brenin. ³²Yr oedd Barsilai yn hen iawn, yn bedwar ugain oed, ac ef oedd wedi cynnal y brenin tra oedd yn arosʳʰ ym Mahanaim, oherwydd yr oedd yn ŵr cefnog iawn. ³³Dywedodd y brenin wrth Barsilai, "Tyrd drosodd gyda mi, a chynhaliaf di tra byddi gyda mi yn Jerwsalem." ³⁴Ond meddai Barsilai wrth y brenin, "Pa faint rhagor sydd gennyf i fyw, fel y down i fyny i Jerwsalem gyda'r brenin? ³⁵Yr wyf yn bedwar ugain oed erbyn hyn; ni allaf ddweud y gwahaniaeth rhwng da a drwg; nid wyf yn medru blasu'r hyn yr wyf yn ei fwyta na'i yfed, na chlywed erbyn hyn leisiau cantorion a chantoresau. Pam y byddwn yn faich pellach ar f'arglwydd frenin? ³⁶Yn fuan

iawn bydd dy was wedi hebrwng y brenin at yr Iorddonen; pam y dylai'r brenin roi'r fath dâl imi? ³⁷Gad i'th was ddychwelyd, fel y caf farw yn fy ninas fy hun, gerllaw bedd fy nhad a'm mam. Ond dyma dy was Cimham, gad iddo ef groesi gyda'm harglwydd frenin, a gwna iddo ef fel y gweli'n dda." ³⁸Dywedodd y brenin, "Fe gaiff Cimham fynd drosodd gyda mi, a gwnaf iddo fel y gweli di'n dda; a gwnaf i tithau beth bynnag a ddeisyfi gennyf." ³⁹Croesodd y bobl gyfan dros yr Iorddonen, tra oedd y brenin yn arosˢ; yna cusanodd y brenin Barsilai, a'i fendithio, ac aeth yntau adref. ⁴⁰Pan groesodd y brenin i Gilgal, aeth Cimham drosodd gydag ef; yr oedd holl bobl Jwda a hanner pobl Israel yn ei hebrwng drosodd.

Jwda ac Israel yn Cweryla dros y Brenin

41 Yna daeth holl wŷr Israel a dweud wrth y brenin, "Pam y mae'n brodyr, gwŷr Jwda, wedi dwyn y brenin, a dod ag ef a'i deulu dros yr Iorddonen, a holl ddynion Dafydd gydag ef?" ⁴²Dywedodd holl wŷr Jwda wrth wŷr Israel, "Y mae'r brenin yn perthyn yn nes i ni. Pam yr ydych mor ddig am hyn? A ydym ni wedi bwyta o gwbl ar ei draul, neu wedi derbyn unrhyw fantais ganddo?" ⁴³Ateb gwŷr Israel i wŷr Jwda ar hyn oedd: "Y mae gennym ni ddengwaith mwy o ran na chwi yn y brenin, ac yr ydym ni yn hŷn na chwiᵗ hefyd. Pam yr ydych yn ein bychanu ni? Onid ni oedd y cyntaf i sôn am ddod â'n brenin yn ôl?" Ond dadleuodd gwŷr Jwda yn ffyrnicach na gwŷr Israel.

Gwrthryfel Seba

20 Yr oedd yn digwydd bod yno ddihiryn o'r enw Seba fab Bichri, o lwyth Benjamin. Canodd ef yr utgorn a chyhoeddi,

"Nid oes i ni gyfran yn Nafydd,
nac etifeddiaeth ym mab Jesse.
Pob un i'w babell, O Israel!"

²Yna ciliodd yr Israeliaid oddi wrth Ddafydd, a dilyn Seba fab Bichri; ond glynodd y Jwdeaid wrth eu brenin bob cam, o'r Iorddonen i Jerwsalem.

3 Wedi i'r Brenin Dafydd gyrraedd Jerwsalem cymerodd y deg gordderchwraig a adawyd i ofalu am y tŷ, a'u rhoi dan warchod; yr oedd yn rhoi eu cynhal-

---

ʳFelly rhai llawysgrifau Groeg. Hebraeg, *i.*

ʳʰFelly llawysgrifau a Fersiynau. TM, *dychwelodd.*

ᵗFelly Fersiynau. Hebraeg, *ac yn Nafydd yr ydym yn hytrach na chwi.*

ˢFelly Groeg. Hebraeg, *yn croesi.*

iaeth iddynt, ond heb fynd i mewn atynt. A buont dan glo hyd ddydd eu marwolaeth, yn byw fel gweddwon[th].

4 Yna dywedodd y brenin wrth Amasa "Galw ynghyd ataf wŷr Jwda, a bydd yn ôl yma o fewn tridiau." [5]Aeth Amasa i alw Jwda ynghyd, ond oedodd yn hwy na'r amser penodedig. [6]Ac meddai Dafydd wrth Abisai,"Yn awr bydd Seba fab Bichri yn creu mwy o helynt inni nag Absalom; cymer fy ngweision ac erlid ar ei ôl, rhag iddo gyrraedd dinasoedd caerog a diflannu o'n golwg." [7]Dilynwyd Abisai gan[u] Joab a'r Cerethiaid a'r Pelethiaid a'r holl filwyr profiadol, a gadawsant Jerwsalem i erlid ar ôl Seba fab Bichri. Pan oeddent wrth y maen mawr yn Gibeon, daeth Amasa i'w cyfarfod. [8]Yr oedd Joab wedi gwregysu'r fantell yr oedd yn ei gwisgo, a throsti yr oedd gwregys ei gleddyf a oedd mewn gwain wedi ei rhwymo ar ei lwynau; ac wrth iddo symud ymlaen, fe syrthiodd y cleddyf. [9]Wedi i Joab ddweud wrth Amasa, "Sut yr wyt ti, fy mrawd?" gafaelodd â'i law dde ym marf Amasa i'w gusanu. [10]Nid oedd Amasa wedi sylwi ar y cleddyf oedd yn llaw Joab, a thrawodd Joab ef yn ei fol nes i'w ymysgaroedd ddisgyn i'r llawr, a bu farw heb ail ergyd. Yna aeth Joab a'i frawd Abisai yn eu blaen ar ôl Seba fab Bichri. [11]Safodd un o lanciau Joab wrth y corff a dweud, "Pwy bynnag sy'n fodlon ar Joab, a phwy bynnag sydd o blaid Dafydd, canlynwch Joab." [12]Yr oedd Amasa'n gorwedd yn bentwr gwaedlyd ar ganol yr heol, a phan welodd y dyn fod y bobl i gyd yn sefyll, symudodd Amasa o'r heol i'r cae a bwrw dilledyn drosto. [13]Yr oedd pawb a ddôi heibio wedi bod yn sefyll wrth ei weld; ond wedi iddo gael ei symud o'r heol, yr oedd pawb yn dilyn Joab i erlid ar ôl Seba fab Bichri.

14 Aeth Seba trwy holl lwythau Israel nes cyrraedd Abel Bethmaacha[w], ac ymgasglodd yr holl Bichriaid[y] a'i ddilyn. [15]Pan gyrhaeddodd holl fyddin Joab, rhoesant warchae arno yn Abel Bethmaacha a chodi gwarchglawdd yn erbyn y ddinas, a thurio[a] i ddymchwel y mur. [16]Yna safodd gwraig ddoeth ar yr amddi-

ffynfa a gweiddi o'r ddinas[b], "Gwrandewch, gwrandewch, a dywedwch wrth Joab am iddo ddod yma i mi gael siarad ag ef." [17]Daeth yntau ati, a gofynnodd y wraig, "Ai ti yw Joab?" "Ie," meddai yntau. Yna dywedodd hi wrtho, "Gwrando ar eiriau dy lawforwyn", ac atebodd yntau, "Rwy'n gwrando." [18]Ac meddai hi, "Byddent yn arfer dweud ers talwm, 'Dim ond iddynt geisio cyngor yn Abel, a dyna ben ar y peth.' [19]Un o rai heddychol a ffyddlon Israel wyf fi, ond yr wyt ti'n ceisio distrywio dinas sy'n fam yn Israel. Pam yr wyt am ddifetha etifeddiaeth yr Arglwydd?" [20]Atebodd Joab a dweud, "Pell y bo, pell y bo oddi wrthyf! Nid wyf am ddifetha na distrywio. [21]Nid felly y mae; ond dyn o fynydd-dir Effraim, o'r enw Seba fab Bichri, sydd wedi codi yn erbyn y brenin Dafydd; dim ond i chwi ei roi ef imi, fe adawaf y ddinas." Dywedodd y wraig wrth Joab, "Fe deflir ei ben iti dros y mur." [22]Yna fe aeth y wraig yn ei doethineb at yr holl bobl; torrwyd pen Seba fab Bichri a'i daflu i Joab. Seiniodd yntau'r utgorn, gadawyd y ddinas, a gwasgarodd pawb i'w cartrefi. Dychwelodd Joab i Jerwsalem at y brenin.

Swyddogion Dafydd

23 Joab oedd dros holl fyddin Israel, a Benaia fab Jehoiada dros y Cerethiaid a'r Pelethiaid. [24]Adoram oedd dros y llafur gorfod, a Jehosaffat fab Ahilud oedd y cofiadur. [25]Sefa oedd yr ysgrifennydd, a Sadoc ac Abiathar yn offeiriaid. [26]Yr oedd Ira y Jairiad hefyd yn offeiriad i Ddafydd.

Rhoi Disgynyddion Saul i Farwolaeth

21 Bu newyn yn nyddiau Dafydd am dair blynedd yn olynol. Ymofynnodd Dafydd â'r Arglwydd, ac atebodd yr Arglwydd fod Saul a'i dylwyth yn euog o waed am iddo ladd trigolion Gibeon. [2]Galwodd y brenin drigolion Gibeon a'u holi. Nid Israeliaid oedd y Gibeoniaid, ond gweddill o'r Amoriaid, ac yr oedd yr Israeliaid wedi gwneud cytundeb heddwch â hwy; eto yr oedd Saul wedi ceisio'u difa yn ei sêl dros

---

[th]Felly Groeg. Hebraeg, *marwolaeth, gweddwdod oes.*

[u]Cymh. Groeg. Hebraeg, *Dilynodd ar ei ôl wŷr.*

[y]Tebygol. Hebraeg, *Beriaid.*

[b]Tebygol. Hebraeg, *Yna gwaeddodd gwraig ddoeth o'r ddinas* (gyda *safodd hi ar yr amddiffynfa* ar ôl y *ddinas* yn adn. 15).

[w]Cymh. adn. 15. Hebraeg, *a Bethmaacha.*

[a]Felly Groeg. Hebraeg, *distrywir.*

yr Israeliaid a'r Jwdeaid. ³Gofynnodd Dafydd i'r Gibeoniaid, "Beth a gaf ei wneud ichwi? Sut y gwnaf iawn, er mwyn ichwi fendithio etifeddiaeth yr ARGLWYDD?" ⁴Dywedodd trigolion Gibeon wrtho, "Nid mater o arian ac aur yw hi rhyngom ni a Saul a'i deulu, ac nid mater i ni yw lladd neb yn Israel." Dywedodd y brenin, "Beth bynnag a ofynnwch, fe'i gwnaf i chwi." ⁵Dywedasant hwythau, "Am y dyn a'n difaodd ni ac a fwriadodd ein diddymu rhag cael lle o gwbl o fewn terfynau Israel, ⁶rhodder inni saith dyn o'i ddisgynyddion, fel y gallwn eu crogi o flaen yr ARGLWYDD yn Gibea Saul ym mynydd^c yr ARGLWYDD." Cytunodd y brenin i'w rhoi. ⁷Ond fe arbedodd Meffiboseth fab Jonathan, fab Saul oherwydd y llw yn enw'r ARGLWYDD a oedd rhyngddynt, sef rhwng Dafydd a Jonathan mab Saul. ⁸Cymerodd y brenin y ddau fab yr oedd Rispa ferch Aia wedi eu geni i Saul, sef Armoni a Meffiboseth, hefyd y pum mab yr oedd Jerab^{ch} ferch Saul wedi eu geni i Adriel fab Barsilai o Mehola. ⁹Trosglwyddodd hwy i'r Gibeoniaid, a chrogasant hwythau hwy yn y mynydd o flaen yr ARGLWYDD; syrthiodd y saith ohonynt gyda'i gilydd. Lladdwyd hwy yn nyddiau cyntaf y cynhaeaf, ar ddechrau'r cynhaeaf haidd. ¹⁰Cymerodd Rispa ferch Aia sachliain a'i daenu ar y graig iddi ei hun o ddechrau'r cynhaeaf hyd oni lawiodd diferion o'r awyr ar y cyrff. Ni adawodd i'r un aderyn rheibus ddisgyn arnynt liw dydd, nac anifail gwyllt liw nos. ¹¹Pan hysbyswyd i Ddafydd yr hyn a wnaeth Rispa ferch Aia, gordderchwraig Saul, ¹²fe aeth a chymryd esgyrn Saul a'i fab Jonathan oddi wrth reolwyr Jabes Gilead. Yr oeddent hwy wedi eu lladrata o'r maes yn Beth-san lle'r oedd y Philistiaid wedi eu crogi, y dydd y lladdodd y Philistiaid Saul yn Gilboa. ¹³Cymerodd esgyrn Saul a'i fab Jonathan oddi yno, a chasglwyd ynghyd esgyrn y rhai a grogwyd, ¹⁴a'u claddu gydag esgyrn Saul a'i fab Jonathan yn Sela yn nhir Benjamin, ym medd ei dad Cis. Gwnaed y cwbl a orchmynnodd y brenin, ac wedi hyn derbyniodd Duw ymbil ar ran y wlad.

Brwydrau yn erbyn Cewri'r Philistiaid
(1 Cron. 20:4-8)

15 Unwaith eto yr oedd rhyfel rhwng y Philistiaid ac Israel. Aeth Dafydd a'i weision i lawr, a rhyfela yn erbyn y Philistiaid nes bod Dafydd yn lluddedig. ¹⁶Yr oedd Isbi-benob, un o dylwyth y Reffaim yno; ac yr oedd ei waywffon yn pwyso tri chan sicl o bres. Yr oedd ef wedi ei wregysu â chleddyf newydd, ac yn meddwl lladd Dafydd. ¹⁷Ond fe ddaeth Abisai fab Serfia i'w helpu, a tharo'r Philistiad a'i ladd. Wedi hynny tyngodd gwŷr Dafydd wrtho, "Ni chei fynd allan eto gyda ni i ryfel rhag diffodd lamp Israel."

18 Ar ôl hynny bu rhyfel arall yn erbyn y Philistiaid yn Gob. Y tro hwnnw lladdwyd Saff, un arall o dylwyth y Reffaim, gan Sibbechai yr Husathiad. ¹⁹Bu rhyfel eilwaith yn Gob yn erbyn y Philistiaid, a lladdwyd Goliath o Gath gan Elhanan fab Jaare-oregim o Fethlehem; yr oedd coes gwaywffon Goliath fel carfan gwehydd. ²⁰Pan fu rhyfel eto yn Gath yr oedd yno gawr o ddyn â chwech o fysedd ar bob llaw a throed, pedwar ar hugain i gyd; ac yr oedd yntau yn hanu o'r Reffaim. ²¹Bwriodd sen ar Israel, ond lladdwyd ef gan Jonathan mab Simei brawd Dafydd. ²²Yr oedd y pedwar hyn yn hanu o'r Reffaim yn Gath, a chwympasant trwy law Dafydd a'i weision.

Cân Buddugoliaeth Dafydd
(Salm 18)

22 Llefarodd Dafydd eiriau'r gerdd hon wrth yr ARGLWYDD y diwrnod y gwaredodd yr ARGLWYDD ef o law ei holl elynion ac o law Saul, ²a dywedodd:

"Yr ARGLWYDD yw fy nghraig, fy
    nghadernid a'm gwaredydd;
³fy Nuw yw fy nghraig lle cysgodaf,
    fy nharian, fy amddiffynfa gadarn a'm
    caer,
fy noddfa, a'm hachubwr sy'n fy achub
    rhag trais.

⁴"Gwaeddaf ar yr ARGLWYDD sy'n
    haeddu mawl,
    ac fe'm gwaredir rhag fy ngelynion.
⁵Pan oedd tonnau angau yn
    f'amgylchynu
a llifeiriant distryw yn fy nal,
⁶pan oedd clymau Sheol yn f'amgylchu
a maglau angau o'm blaen,
⁷gwaeddais ar yr ARGLWYDD yn fy
    nghyfyngder,

^cCymh. Groeg. Hebraeg, *Saul, dewisedig.*   ^{ch}Felly llawysgrifau a Fersiynau. TM, *Michal.*

ac ar fy Nuw iddo fy nghynorthwyo;
clywodd fy llef o'i deml,
a daeth fy ngwaedd i'w glustiau.

⁸ "Crynodd y ddaear a gwegian,
ysgydwodd sylfeini'r nefoedd,
a siglo oherwydd ei ddicter ef.
⁹ Cododd mwg o'i ffroenau,
yr oedd tân yn ysu o'i enau,
a marwor yn cynnau o'i gwmpas.
¹⁰ Fe agorodd y ffurfafen a disgyn,
ac yr oedd tywyllwch dan ei draed.
¹¹ Marchogodd ar gerwb a hedfan,
gwibiodd ar adenydd y gwynt.
¹² Gosododd o'i amgylch dywyllwch yn
babell,
a chymylau duon yn orchudd.
¹³ O'r disgleirdeb o'i flaen
tasgodd cerrig tân.
¹⁴ Taranodd yr ARGLWYDD o'r nefoedd,
a llefarodd llais y Goruchaf.
¹⁵ Bwriodd allan ei saethau yma ac acw,
saethodd fellt a gwneud iddynt atsain.
¹⁶ Daeth gwaelodion y môr i'r golwg,
a dinoethwyd sylfeini'r byd,
oherwydd dy gerydd di, O ARGLWYDD,
a chwythiad anadl dy ffroenau.

¹⁷ "Ymestynnodd o'r uchelder a'm
cymryd,
tynnodd fi allan o'r dyfroedd cryfion.
¹⁸ Gwaredodd fi rhag fy ngelyn nerthol,
rhag y rhai sy'n fy nghasáu pan
oeddent yn gryfach na mi.
¹⁹ Daethant i'm herbyn yn nydd fy
argyfwng,
ond bu'r ARGLWYDD yn gynhaliaeth i
mi.
²⁰ Dygodd fi allan i le agored,
a'm gwaredu am ei fod yn fy hoffi.
²¹ "Gwnaeth yr ARGLWYDD â mi yn ôl fy
nghyfiawnder,
a thalodd i mi yn ôl glendid fy nwylo.
²² Oherwydd cedwais ffyrdd yr
ARGLWYDD,
heb droi oddi wrth fy Nuw at
ddrygioni;
²³ yr oedd ei holl gyfreithiau o'm blaen,
ac ni fwriais ei ddeddfau o'r neilltu.
²⁴ Yr oeddwn yn ddi-fai yn ei olwg,
a chedwais fy hun rhag troseddu.
²⁵ Talodd yr ARGLWYDD imi yn ôl fy
nghyfiawnder,
ac yn ôl glendid fy nwylo yn ei olwg.
²⁶ Yr wyt yn ffyddlon i'r ffyddlon,
yn ddifeius i'r dyn difeius,
²⁷ ac yn bur i'r rhai pur;

ond i'r cyfeiliornus yr wyt yn wyrgam.
²⁸ Oherwydd yr wyt yn gwaredu'r rhai
gostyngedig,
ac yn darostwng y beilchion.
²⁹ Ti sy'n goleuo fy llusern, ARGLWYDD;
fy Nuw sy'n troi fy nhywyllwch yn
ddisglair.
³⁰ Oherwydd trwot ti y gallaf oresgyn llu;
trwy fy Nuw gallaf neidio dros fur.
³¹ Y Duw hwn, y mae'n berffaith ei
ffordd,
ac y mae gair yr ARGLWYDD wedi ei
brofi'n bur;
y mae ef yn darian i bawb sy'n cysgodi
ynddo.

³² "Pwy sydd Dduw ond yr ARGLWYDD?
A phwy sydd graig ond ein Duw ni?
³³ Duw yw fy nghaer gadarn,
sy'n gwneud fy ffordd yn berffaith
rydd.
³⁴ Gwna fy nhraed fel rhai ewig,
a'm gosod yn gadarn ar y
mynyddoedd.
³⁵ Y mae'n dysgu i'm dwylo ryfela,
i'm breichiau dynnu bwa pres.
³⁶ Rhoist imi dy darian i'm gwaredu,
a'm gwneud yn fawr trwy dy ofal.
³⁷ Rhoist imi le llydan i'm camau,
ac ni lithrodd fy nhraed.
³⁸ Yr wyf yn ymlid fy ngelynion ac yn eu
distrywio;
ni ddychwelaf nes eu difetha.
³⁹ Yr wyf yn eu difa a'u trywanu fel na
allant godi,
ac y maent yn syrthio dan fy nhraed.
⁴⁰ Yr wyt wedi fy ngwregysu â nerth i'r
frwydr,
a darostwng fy ngelynion danaf.
⁴¹ Gosodaist fy nhroed ar eu gwddf,
a gwneud imi ddifetha'r rhai sy'n fy
nghasáu.
⁴² Y maent yn gweiddi, ond nid oes
gwaredydd,
yn galw ar yr ARGLWYDD, ond nid yw'n
eu hateb.
⁴³ Fe'u maluriaf cyn faned â llwch y
ddaear,
a'u malu a'u sathru fel llaid ar y
strydoedd.
⁴⁴ Yr wyt yn fy ngwaredu rhag ymrafael
pobl,
a'm cadw yn ben ar y cenhedloedd;
pobl nad oeddwn yn eu hadnabod sy'n
weision i mi.
⁴⁵ Estroniaid sy'n ymgreinio o'm blaen,
pan glywant amdanaf, maent yn

ufuddhau i mi.
⁴⁶ Y mae estroniaid yn gwan-galonni,
ac yn dyfod dan grynu o'u lloches.

⁴⁷ "Byw yw'r ARGLWYDD, bendigedig yw
fy nghraig,
dyrchafedig fyddo'r Duw ᵈ sy'n fy
ngwaredu,
⁴⁸ y Duw sy'n rhoi imi ddialedd,
ac yn darostwng pobloedd danaf,
⁴⁹ sy'n fy ngwaredu rhag fy ngelynion,
yn fy nyrchafu uwchlaw fy
ngwrthwynebwyr,
ac yn fy arbed rhag y gorthrymwyr.
⁵⁰ Oherwydd hyn, clodforaf di, O AR-
GLWYDD, ymysg y cenhedloedd,
a chanaf fawl i'th enw.
⁵¹ Y mae'n gwaredu ei frenin yn helaeth
ac yn cadw'n ffyddlon i'w eneiniog,
i Ddafydd ac i'w had am byth."

Geiriau Olaf Dafydd

23 Dyma eiriau olaf Dafydd:
"Oracl Dafydd fab Jesse,
ie, oracl y gŵr a godwyd yn uchel,
eneiniog Duw Jacob,
canwr ᵈᵈ caneuon Israel.

² "Ysbryd yr ARGLWYDD a lefarodd
drwof,
a'i air ef oedd ar fy nhafod.
³ Llefarodd Duw Jacob ᵉ,
dywedodd craig Israel wrthyf:
'Y mae'r sawl sy'n llywodraethu
dynion yn gyfiawn,
yn llywodraethu yn ofn Duw,
⁴ fel goleuni bore pan gyfyd haul
ar fore digwmwl,
a pheri i'r gwellt ddisgleirio o'r ddaear
ar ôl glaw.'
⁵ "Yn sicr, onid felly y mae fy nheulu
gyda Duw?
Oherwydd gwnaeth gyfamod
tragwyddol â mi,
un trefnus ym mhob cymal a diogel.
Ef yw fy nghymorth i gyd a'm
dymuniad;
oni rydd lwyddiant i mi?
⁶ "Y mae'r dihirod i gyd fel drain a
dorrir i lawr,

am na ellir eu casglu â llaw.
⁷ Nid yw dyn yn eu cyffwrdd
ond â haearn neu goes gwaywffon,
a'u llosgi'n llwyr yn y man lle maent."

Milwyr Enwog Dafydd
(1 Cron. 11:10-41)

8 Dyma enwau'r gwroniaid oedd gan
Ddafydd: Isbaal yr Hachmoniad ᶠ oedd
pen y Tri; chwifiodd ei waywffon mewn
buddugoliaeth ᶠᶠ uwchben wyth gant o
laddedigion ar un tro. ⁹ Y nesaf ato ef
ymysg y Tri Gwron oedd Eleasar fab
Dodo, fab Ahohi; yr oedd ef gyda Dafydd
yn herio'r Philistiaid pan ddaethant
ynghyd i ryfel, a'r Israeliaid yn cilio o'u
blaenau. ¹⁰ Safodd ei dir ac ymladd â'r
Philistiaid nes i'w law ddiffygio a glynu
yn ei gleddyf. Rhoes yr ARGLWYDD
waredigaeth fawr y diwrnod hwnnw, a
daeth y bobl yn ôl at Eleasar, ond i
ysbeilio'r cyrff yn unig. ¹¹ Y nesaf at
hwnnw oedd Samma fab Age yr Harur-
iad. Pan ddaeth y Philistiaid ynghyd yn
Lehi, lle'r oedd rhandir yn llawn ffacbys,
ffodd y bobl rhag y Philistiaid; ¹² ond
safodd Samma ei dir yng nghanol y llain
a'i hachub, a lladd y Philistiaid; a rhoes yr
ARGLWYDD waredigaeth fawr.

13 Aeth tri o'r Deg ar Hugain i lawr at
Ddafydd i ogof Adulam, a chyrraedd adeg
y cynhaeaf, pan oedd mintai o Philistiaid
wedi gwersyllu yn Nyffryn Reffaim. ¹⁴ Yr
oedd Dafydd ar y pryd yn yr amddiffynfa,
a garsiwn y Philistiaid ym Methlehem.
¹⁵ Cododd blys ar Ddafydd ac meddai, "O
na chawn ddiod o ddŵr o bydew Bethle-
hem sydd ger y porth!" ¹⁶ Ar hynny
rhuthrodd y Tri Gwron trwy wersyll y
Philistiaid, codi dŵr o bydew Bethlehem
gerllaw'r porth, a'i gludo'n ôl at Ddafydd.
Eto ni fynnai ef ei yfed, a thywalltodd ef
yn offrwm i'r ARGLWYDD, ¹⁷ a dweud,
"Na ato'r ARGLWYDD i mi wneud hyn!
A allaf fi yfed gwaed gwŷr a fentrodd eu
heinioes?" A gwrthododd ei yfed. Dyma
wrhydri y Tri Gwron.

18 Abisai brawd Joab fab Serfia oedd
pennaeth y Deg ar Hugain ᵍ. Chwifiodd ef
ei waywffon mewn buddugoliaeth uwch-
ben trichant o laddedigion; enillodd enw
iddo'i hun ymhlith y Deg ar Hugain. ¹⁹ Ef

ᵈ Felly Salm 18:46. Hebraeg yn ychwanegu *y graig.*
ᵉ Felly'r Fersiynau. Hebraeg, *Israel.*
ᶠ Tebygol. Cymh. Groeg a 1 Cron. 11:11. Hebraeg, *Joseb Bassebeth y Tachmoniad.*
ᶠᶠ Tebygol. Cymh. adn. 18 a 1 Cron. 11:11. Hebraeg yn aneglur.
ᵍ Felly llawysgrifau a Syrieg. TM, *Tri.* Felly hefyd ar ddiwedd yr adnod hon.

ᵈᵈ Neu, *anwylyd.*

yn wir oedd yr enwocaf o'r Deg ar Hugain[ng], a bu'n gapten arnynt; ond nid oedd ymysg y Tri.

20 Yr oedd Benaia fab Jehoiada o Cabseel yn ŵr dewr,[h] aml ei orchestion. Ef a laddodd ddau bencampwr Moab; ef hefyd a aeth i lawr i bydew a lladd llew yno ar ddiwrnod o eira. [21]Lladdodd gawr[i] o Eifftiwr, er bod gwaywffon yn llaw'r Eifftiwr, ac yntau'n ymosod heb ddim ond ffon. Cipiodd y waywffon o law'r Eifftiwr, a'i ladd â'i waywffon ei hun. [22]Dyma wrhydri Benaia fab Jehoiada, ac enillodd enw iddo'i hun ymhlith y Deg Gwron ar Hugain[l]. [23]Ef oedd yr enwocaf o'r Deg ar Hugain, ond nid oedd ymysg y Tri. Apwyntiodd Dafydd ef yn bennaeth ei warchodlu.

24 Yr oedd Asahel brawd Joab ymysg y Deg ar Hugain, hefyd Elhanan fab Dodo o Fethlehem, [25]Samma yr Harodiad, Elica yr Harodiad, [26]Heles y Paltiad, Ira fab Icces y Tecoiad, [27]Abieser yr Anathothiad, Mebunnai yr Husathiad, [28]Salmon yr Ahohiad, Maharai y Netoffathiad, [29]Heleb fab Baana y Netoffathiad, Itai fab Ribai o Gibea meibion Benjamin, [30]Benaia y Pirathoniad, Hiddai o Nahale Gaas, [31]Abialbon yr Arbathiad, Asmafeth y Barhumiad, [32]Eliahba y Saalboniad, Jasen y Nuniad, Jonathan fab[ll] [33]Samma yr Harariad, Ahiam fab Sarar yr Harariad, [34]Eliffelet fab Ahasbai, mab y Naachathiad, Eliam fab Ahitoffel y Giloniad, [35]Hesrai y Carmeliad, Paarai yr Arbiad, [36]Igael fab Nathan o Soba, Bani y Gadiad, [37]Selec yr Ammoniad, Naharai y Beerothiad (cludydd arfau Joab fab Serfia), [38]Ira yr Ithriad, Garob yr Ithriad, [39]Ureia yr Hethiad. Tri deg a saith i gyd.

Dafydd yn Gwneud Cyfrifiad
(1 Cron. 21:1-27)

24 Unwaith eto enynnodd dicter yr ARGLWYDD yn erbyn yr Israeliaid, ac anogodd Ddafydd yn eu herbyn trwy ddweud, "Dos, cyfrifa'r Israeliaid a'r Jwdeaid." [2]Felly fe ddywedodd y brenin wrth Joab, a swyddogion[m] y fyddin oedd gydag ef, "Dos drwy holl lwythau Israel o Dan i Beerseba a chyfrifa'r bobl, er mwyn imi wybod eu nifer." [3]Dywedodd Joab wrth y brenin, "Bydded i'r ARGLWYDD dy Dduw luosogi'r bobl ganwaith yr hyn ydynt, ac i tithau, f'arglwydd frenin, ei weld â'th lygaid dy hun; ond pam y mae f'arglwydd frenin â'i fryd ar wneud hyn?" [4]Ond yr oedd gair y brenin yn drech na Joab a swyddogion y fyddin; felly fe aeth Joab a swyddogion y fyddin allan yn ôl gorchymyn[n] y brenin i gyfrif pobl Israel. [5]Wedi croesi'r Iorddonen, dechreuasant[o] yn Aroer, i'r de o'r ddinas sydd yng nghanol y dyffryn, yna i Gad, ac ymlaen i Jaser. [6]Yna daethant i Gilead a gwlad yr Hethiaid, cyn belled â Cades[p]; ac i Dan a Jaan, a chwmpasu at Sidon. [7]Daethant wedyn at ddinas gaerog Tyrus, a holl drefi'r Hefiaid a'r Canaaneaid, a gorffen yn Negeb Jwda, yn Beerseba. [8]Wedi iddynt deithio drwy'r wlad gyfan, daethant yn ôl i Jerwsalem ymhen naw mis ac ugain diwrnod. [9]Rhoddodd Joab swm cyfrifiad y bobl i'r brenin: yr oedd yn Israel wyth gan mil o wŷr abl i drin cleddyf, ac yr oedd gwŷr Jwda yn bum can mil.

10 Wedi iddo gyfrif y bobl, pigodd cydwybod Dafydd ef; a dywedodd wrth yr ARGLWYDD, "Pechais yn fawr trwy wneud hyn; am hynny, O ARGLWYDD, maddau i'th was, oherwydd bûm yn ffôl iawn." [11]Wedi i Ddafydd godi fore trannoeth, daeth gair yr ARGLWYDD at y proffwyd Gad, gweledydd Dafydd, yn dweud, [12]"Dos a dywed wrth Ddafydd, 'Fel hyn y dywed yr ARGLWYDD: Yr wyf yn cynnig tri pheth iti; dewis di un ohonynt, ac fe'i gwnaf iti'." [13]Daeth Gad at Ddafydd a'i hysbysu a dweud wrtho, "A fynni di dair[ph] blynedd o newyn yn dy wlad, ynteu tri mis o ffoi o flaen dy wrthwynebwyr tra byddant yn dy erlid, ynteu tridiau o haint yn dy wlad? Ystyria ac edrych pa ateb a roddaf i'r un a'm hanfonodd." [14]Dywedodd Dafydd wrth Gad, "Y mae'n gyfyng iawn arnaf, ond bydded inni syrthio i law'r ARGLWYDD, am fod ei drugareddau'n aml, yn hytrach nag imi syrthio i law dynion." [15]Felly dewisodd Dafydd yr haint. Yr

---

[ng]Tebygol. Hebraeg, *Tri*.　　[h]Neu, *Cabseel, mab Is-ai, yn.*
[i]Felly 1 Cron. 11:23. Hebraeg, *ŵr prydweddol.*　　[l]Tebygol. Hebraeg, *Tri Gwron.*
[ll]Tebygol. Cymh. 1 Cron. 11:34 a Groeg. Hebraeg, *meibion Jasen Jonathan.*
[m]Felly Groeg a 1 Cron. 21:2. Hebraeg, *Joab, swyddog.*　　[n]Tebygol. Hebraeg, *wyneb.*
[o]Felly Groeg. Hebraeg, *gwersyllasant.*　　[p]Felly Groeg. Hebraeg, *Tahtim Hodsi.*
[ph]Felly 1 Cron. 21:12 a Groeg. Hebraeg, *saith.*

oedd yn dymor y cynhaeaf gwenith[r], ac anfonodd yr ARGLWYDD haint ar Israel o'r bore hyd derfyn y cyfnod penodedig. Bu farw deng mil a thrigain o'r bobl o Dan i Beerseba. [16]Ond pan estynnodd yr angel ei law yn erbyn Jerwsalem i'w dinistrio, edifarhaodd yr ARGLWYDD am y niwed, a dywedodd wrth yr angel oedd yn distrywio'r bobl, "Digon bellach! Atal dy law." Yr oedd angel yr ARGLWYDD yn ymyl llawr dyrnu Arafna y Jebusiad.

17 Pan welodd Dafydd yr angel yn taro'r bobl, dywedodd wrth yr AR- GLWYDD, "Myfi sydd wedi pechu, a myfi sydd wedi gwneud drwg; ond am y defaid hyn, beth a wnaethant hwy? Bydded dy law yn f'erbyn i a'm teulu." [18]Daeth Gad at Ddafydd y diwrnod hwnnw a dweud wrtho, "Dos, a chyfod allor i'r ARGLWYDD ar lawr dyrnu Arafna y Jebusiad." [19]Felly, ar air Gad, fe aeth Dafydd fel y gorchmynnodd yr ARGLWYDD. [20]Pan edrychodd Arafna a gweld y brenin a'i weision yn dod tuag ato, aeth allan a moesymgrymu i'r brenin â'i wyneb i'r llawr. [21]Ac meddai Arafna, "Pam y daeth f'arglwydd frenin at ei was?" Atebodd Dafydd, "I brynu gennyt y llawr dyrnu, i godi allor i'r ARGLWYDD er mwyn atal y pla sydd ar y bobl." [22]Yna dywedodd Arafna wrth Ddafydd, "Cymered f'arglwydd frenin ef ac offrymu'r hyn a fyn; edrych, dyma'r ychen ar gyfer y poethoffrwm, a'r sled ddyrnu ac iau'r ychen yn danwydd." [23]Rhoddodd Arafna'r cwbl[rh] i'r brenin, a dweud wrtho, "Bydded yr ARGLWYDD dy Dduw yn fodlon arnat." [24]Ond dyw- edodd y brenin wrth Arafna, "Na, rhaid imi ei brynu gennyt am bris. Nid wyf am aberthu i'r ARGLWYDD fy Nuw boeth- offrwm di-gost." Felly prynodd Dafydd y llawr dyrnu a'r ychen am hanner can sicl o arian; [25]a chododd yno allor i'r ARGLWYDD, ac aberthu poethoffrymau a heddoffrymau. Derbyniodd yr AR- GLWYDD ymbil ar ran y wlad, ac atal- iwyd y pla oddi ar Israel.

[r]Felly Fersiynau. Hebraeg heb *Felly...gwenith.*

[rh]Tebygol. Hebraeg, *Arafna'r brenin y cwbl.*

LLYFR CYNTAF Y

BRENHINOEDD

Y Brenin Dafydd yn ei Henaint

1 Yr oedd y Brenin Dafydd yn hen, mewn gwth o oedran; ni chynhesai, er pentyrru dillad drosto. [2]A dywedodd ei weision wrtho, "Ceisier i'n harglwydd frenin forwyn ifanc i ofalu am y brenin, i'th ymgeleddu a gorwedd yn dy fynwes, fel y cynheso'r arglwydd frenin." [3]Yna ceisiwyd geneth deg trwy holl wlad Israel, a chafwyd Abisag y Sunamees a'i dwyn at y brenin. [4]Yr oedd yn eneth deg odiaeth, a bu'n ymgeledd i'r brenin ac yn gofalu amdano; ond ni chafodd y brenin gyfathrach â hi.

Adoneia yn Hawlio'r Orsedd

5 Ymddyrchafodd Adoneia fab Haggith gan ddweud, "Yr wyf fi am fod yn frenin." A darparodd iddo'i hun gerbyd a marchogion, a hanner cant o wŷr i redeg o'i flaen. [6]Nid oedd ei dad wedi gomedd dim iddo erioed na dweud, "Pam y gwnaethost fel hyn?" [7]Yr oedd yntau hefyd yn hynod deg ei bryd; a ganed ef ar ôl Absalom. Bu'n trafod gyda Joab fab Serfia, ac Abiathar yr offeiriad; a rhoesant eu cefnogaeth i Adoneia. [8]Ond nid oedd Sadoc yr offeiriad, Benaia fab Jehoiada, Nathan y proffwyd, Simei, Rei, na'r cedyrn oedd gan Ddafydd, o blaid Adoneia. [9]Yna lladdodd Adoneia ddefaid a gwartheg a phasgedigion wrth faen Soheleth sydd gerllaw En-rogel; a gwa- hoddodd i'w wledd ei holl frodyr, meib- ion y brenin, a holl wŷr Jwda a oedd yn weision i'r brenin. [10]Ond ni wahoddodd

Nathan y proffwyd, na Benaia a'r cedyrn, na'i frawd Solomon.

Gwneud Solomon yn Frenin

11 Dywedodd Nathan wrth Bathseba, mam Solomon, "Oni chlywaist ti fod Adoneia fab Haggith yn frenin, heb i'n harglwydd Dafydd wybod? ¹²Yn awr, felly, tyrd, rhoddaf iti gyngor fel y gwaredi dy fywyd dy hun a bywyd dy fab Solomon. ¹³Dos i mewn ar unwaith at y Brenin Dafydd a dywed wrtho, 'Oni thyngaist, f'arglwydd frenin, wrth dy lawforwyn a dweud, "Solomon dy fab a deyrnasa ar fy ôl; ef sydd i eistedd ar fy ngorsedd"? Pam gan hynny y mae Adoneia yn frenin?' ¹⁴Tra byddi yno'n siarad â'r brenin, dof finnau i mewn i gadarnhau dy eiriau."

15 Aeth Bathseba i mewn at y brenin i'r siambr. Yr oedd y brenin yn hen iawn, ac Abisag y Sunamees yn gofalu amdano. ¹⁶Ymostyngodd Bathseba ac ymgrymu i'r brenin, a dywedodd y brenin, "Beth sy'n bod?" ¹⁷Atebodd hithau, "F'arglwydd, ti dy hun a dyngaist trwy'r ARGLWYDD dy Dduw wrth dy lawforwyn: 'Solomon dy fab a deyrnasa ar fy ôl; ef sydd i eistedd ar fy ngorsedd.' ¹⁸Ond yn awr, y mae Adoneia'n frenin, a thithau, f'arglwydd frenin, heb wybod. ¹⁹Y mae wedi lladd llawer o fustych, pasgedigion a defaid, a gwahodd holl feibion y brenin, Abiathar yr offeiriad a Joab, tywysog y llu; ond ni wahoddodd dy was Solomon. ²⁰Yn awr y mae llygaid holl Israel arnat ti, f'arglwydd frenin, fel y mynegi iddynt pwy sydd i eistedd ar orsedd f'arglwydd frenin ar ei ôl. ²¹Onid e, pan huna f'arglwydd frenin gyda'i dadau, cyfrifir fi a'm mab yn droseddwyr."

22 Tra oedd hi'n siarad â'r brenin, cyrhaeddodd y proffwyd Nathan, ²³a hysbyswyd y brenin: "Dyma Nathan y proffwyd." Daeth yntau gerbron y brenin, ac ymgrymu i'r brenin â'i wyneb i'r llawr. ²⁴A dywedodd Nathan, "F'arglwydd frenin, a ddywedaist ti mai Adoneia sydd i deyrnasu ar dy ôl, ac i eistedd ar dy orsedd? ²⁵Oblegid aeth i lawr heddiw, a lladdodd lawer o fustych, pasgedigion a defaid, a gwahodd i'w wledd holl feibion y brenin, tywysog y llu ac Abiathar yr offeiriad. Y maent yn bwyta ac yn yfed yn ei ŵydd, ac yn cyfarch, 'Henffych, y Brenin Adoneia!' ²⁶Ond nid yw wedi fy ngwahodd i, sy'n

was i ti, na Sadoc yr offeiriad, na Benaia fab Jehoiada, na Solomon dy was. ²⁷A wnaed y peth hwn trwy f'arglwydd frenin, heb i ti hysbysu dy was pwy sydd i eistedd ar orsedd f'arglwydd frenin ar ei ôl?"

28 Atebodd y Brenin Dafydd, "Galwch Bathseba." Daeth hithau i ŵydd y brenin a sefyll o'i flaen. ²⁹Yna tyngodd y brenin a dweud, "Cyn wired â bod yr ARGLWYDD yn fyw, a waredodd fy mywyd o bob cyfyngder, ³⁰yn ddiau fel y tyngais i ti trwy'r ARGLWYDD, Duw Israel, mai Solomon dy fab a deyrnasai ar fy ôl, ac eistedd ar fy ngorsedd yn fy lle, felly yn ddiau y gwnaf y dydd hwn." ³¹Ymostyngodd Bathseba â'i hwyneb i'r llawr ac ymgrymu i'r brenin, a dweud, "Boed i'm harglwydd, y Brenin Dafydd, fyw byth!"

32 Dywedodd y Brenin Dafydd, "Galwch Sadoc yr offeiriad, Nathan y proffwyd a Benaia fab Jehoiada." ³³Daethant i ŵydd y brenin, a dywedodd y brenin wrthynt, "Cymerwch weision eich arglwydd gyda chwi, a pheri i'm mab Solomon farchogaeth ar fy mules, a dewch ag ef i lawr i Gihon. ³⁴Yno boed i Sadoc yr offeiriad a Nathan y proffwyd ei eneinio ef yn frenin ar Israel; seiniwch yr utgorn a dywedwch, 'Henffych, y Brenin Solomon!' ³⁵Dewch chwithau i fyny ar ei ôl, a boed iddo eistedd ar fy ngorsedd; ef sydd i deyrnasu yn fy lle, a gorchmynnaf iddo fod yn dywysog ar Israel a Jwda." ³⁶Yna atebodd Benaia fab Jehoiada y brenin, a dweud, "Amen! Felly hefyd y dywedo'r ARGLWYDD, Duw fy arglwydd frenin. ³⁷Fel y bu'r ARGLWYDD gyda'm harglwydd frenin, felly bydded gyda Solomon; a gwnaed ei orsedd yn uwch na gorsedd f'arglwydd, y Brenin Dafydd." ³⁸Aeth Sadoc yr offeiriad a Nathan y proffwyd a Benaia fab Jehoiada, a'r Cerethiaid a'r Pelethiaid, i lawr, gan beri i Solomon farchogaeth ar fules y Brenin Dafydd, a dod ag ef i Gihon. ³⁹Cymerodd Sadoc yr offeiriad y corn olew o'r babell, ac eneiniodd Solomon; yna seiniwyd yr utgorn, a dywedodd yr holl bobl, "Henffych, y Brenin Solomon!" ⁴⁰Aeth yr holl bobl i fyny ar ei ôl dan ganu pibellau a llawenhau'n orfoleddus, nes hollti'r ddaear â'u sŵn.

41 Tra oeddent yn gorffen bwyta, clywodd Adoneia hyn, a'r holl wahodd-

edigion oedd gydag ef. A phan glywodd Joab sain yr utgorn dywedodd, "Pam y mae sŵn cynnwrf yn y ddinas?" [42]Ar y gair, dyma Jonathan fab Abiathar yr offeiriad yn cyrraedd. Dywedodd Adoneia, "Tyrd i mewn; gŵr teilwng wyt ti, a newydd da sydd gennyt." [43]Ond atebodd Jonathan a dweud wrth Adoneia, "Nage'n wir! Y mae ein harglwydd, y Brenin Dafydd, wedi gwneud Solomon yn frenin, [44]ac wedi anfon gydag ef Sadoc yr offeiriad, Nathan y proffwyd, Benaia fab Jehoiada, y Cerethiaid a'r Pelethiaid, a pheri iddo farchogaeth ar fules y brenin. [45]Ac eneiniodd Sadoc yr offeiriad a Nathan y proffwyd ef yn frenin yn Gihon, a daethant i fyny oddi yno dan lawenhau, a chynhyrfodd y ddinas. Dyna'r twrf a glywsoch. [46]A mwy na hynny, y mae Solomon yn eistedd ar orsedd y frenhiniaeth; [47]a daeth gweision y brenin ymlaen i gyfarch ein harglwydd, y Brenin Dafydd, a dweud, 'Gwneled dy Dduw enw Solomon yn well na'th enw di, a dyrchafed ei orsedd ef yn uwch na'th orsedd di!' Ac ymgrymodd y brenin ar ei wely. [48]Fel hyn y dywedodd y brenin: 'Bendigedig fyddo ARGLWYDD Dduw Israel, a roes heddiw un i eistedd ar fy ngorsedd, a'm llygaid innau'n gweld hynny.' "

49 Cododd holl wahoddedigion Adoneia mewn dychryn a mynd bob un i'w ffordd. [50]A chan fod Adoneia'n ofni rhag Solomon, cododd ac aeth i ymaflyd yng nghyrn yr allor. [51]Mynegwyd i Solomon, "Edrych, y mae Adoneia'n ofni'r Brenin Solomon; ymaflodd yng nghyrn yr allor a dweud, 'Tynged y Brenin Solomon wrthyf yn awr na fydd iddo ladd ei was â'r cledd.' " [52]A dywedodd Solomon, "Os bydd yn ŵr teilwng, ni syrth un blewyn o'i wallt i lawr; ond os ceir drygioni ynddo, fe fydd farw." [53]Ac anfonodd y Brenin Solomon i'w gyrchu ef i lawr oddi wrth yr allor. Daeth yntau ac ymgrymu i'r Brenin Solomon; a dywedodd Solomon wrtho, "Dos i'th dŷ."

Gorchymyn Olaf Dafydd i Solomon

2 Pan nesaodd y dyddiau i Ddafydd farw, gorchmynnodd i'w fab Solomon, a dweud, [2]"Yr wyf fi ar fynd i ffordd yr holl ddaear; am hynny ymnertha, a bydd yn ddyn. [3]Cadw ofynion yr ARGLWYDD dy Dduw, gan rodio yn ei ffyrdd, ac ufuddhau i'w ddeddfau, ei

orchmynion, ei farnedigaethau a'i dystiolaethau, fel yr ysgrifennwyd hwy yng nghyfraith Moses. Yna fe lwyddi ym mhob peth a wnei ym mhle bynnag y byddi'n troi; [4]ac fe gyflawna'r ARGLWYDD ei air, a addawodd wrthyf pan ddywedodd, 'Os gwylia dy feibion eu ffordd, a rhodio ger fy mron mewn gwirionedd, â'u holl galon ac â'u holl enaid, yna ni thorrir ymaith ŵr o'th dylwyth oddi ar orsedd Israel.'

5 "Gwyddost yr hyn a wnaeth Joab fab Serfia â mi, sef yr hyn a wnaeth i ddau gadfridog lluoedd Israel, Abner fab Ner ac Amasa fab Jether; fe'u lladdodd, a thywallt gwaed rhyfel ar adeg heddwch, a thaenu gwaed rhyfel ar y gwregys am ei lwynau a'r esgidiau am ei draed. [6]Am hynny gwna yn ôl dy ddoethineb; paid â gadael i'w benwynni ddisgyn i'r bedd mewn heddwch. [7]Ond bydd yn deg wrth feibion Barsilai o Gilead; gad iddynt fod ymysg y rhai a fydd yn bwyta wrth dy fwrdd, oherwydd daethant ataf pan oeddwn yn ffoi rhag dy frawd Absalom. [8]Y mae hefyd gyda thi Simei fab Gera, y Benjaminiad o Bahurim; fe'm melltithiodd yn filain y dydd yr euthum i Mahanaim, ond daeth i'm cyfarfod at yr Iorddonen, a thyngais wrtho yn enw'r ARGLWYDD, 'Ni'th laddaf â'r cleddyf.' [9]Ond yn awr, paid â'i adael yn ddi-gosb; yr wyt yn ŵr doeth, a gwyddost beth i'w wneud iddo; pâr i'w benwynni ddisgyn mewn gwaed i'r bedd."

Marwolaeth Dafydd

10 Hunodd Dafydd gyda'i dadau, a chladdwyd ef yn Ninas Dafydd. [11]Deugain mlynedd oedd y cyfnod y teyrnasodd Dafydd ar Israel; teyrnasodd yn Hebron am saith mlynedd, ac yn Jerwsalem am dri deg a thair o flynyddoedd. [12]Yna eisteddodd Solomon ar orsedd ei dad Dafydd, a sicrhawyd ei frenhiniaeth yn gadarn.

Marwolaeth Adoneia

13 Daeth Adoneia fab Haggith at Bathseba mam Solomon, a dywedodd hi, "Ai mewn heddwch yr wyt yn dod?" Atebodd yntau, "Mewn heddwch. [14]Hoffwn air â thi." Atebodd hithau, "Llefara." [15]Yna dywedodd ef, "Fe wyddost mai eiddof fi oedd y frenhiniaeth, ac i holl Israel roi eu bryd ar fy ngwneud yn frenin; ond daeth tro ar fyd,

ac aeth y frenhiniaeth i'm brawd; trwy'r ARGLWYDD y cafodd hi. ¹⁶Yn awr y mae gennyf un cais i'w ofyn gennyt; paid â'm gwrthod." Dywedodd hithau, "Gofyn." ¹⁷Ac meddai ef, "Gwna gais drosof at y Brenin Solomon am iddo roi Abisag y Sunamees yn wraig imi, oherwydd ni fydd yn dy wrthod di," ¹⁸A dywedodd Bathseba, "O'r gorau, mi ofynnaf drosot i'r brenin."

19 Felly aeth Bathseba at y Brenin Solomon i ofyn iddo dros Adoneia. Cododd y brenin i'w chyfarch ac ymgrymodd iddi; yna eisteddodd ar ei orsedd, a gosodwyd gorsedd i fam y brenin eistedd ar ei law dde. ²⁰Dywedodd hi, "Yr wyf am ofyn un cais bach gennyt; paid â'm gwrthod." Atebodd y brenin hi, "Gofyn, fy mam, oherwydd ni'th wrthodaf di." ²¹Dywedodd hi, "Rhodder Abisag y Sunamees i'th frawd Adoneia yn wraig." ²²Ond atebodd y Brenin Solomon ei fam, "A pham yr wyt ti'n gofyn am Abisag y Sunamees i Adoneia? Gofyn hefyd am y deyrnas iddo, oherwydd y mae'n frawd hŷn na mi; gofyn am y deyrnas iddo ef, a hefyd i Abiathar yr archoffeiriad, ac i Joab fab Serfia." ²³A thyngodd y Brenin Solomon i'r ARGLWYDD, "Fel hyn y gwnelo Duw i mi, a rhagor, os nad ar draul ei einioes ei hun y llefarodd Adoneia fel hyn. ²⁴Yn awr, cyn wired â bod yr ARGLWYDD yn fyw, a'm sicrhaodd ac a'm gosododd ar orsedd Dafydd fy nhad, ac a roes imi dylwyth yn ôl ei air, yn ddiau heddiw fe roir Adoneia i farwolaeth." ²⁵Yna gwysiodd y Brenin Solomon Benaia fab Jehoiada; ymosododd yntau ar Adoneia, a bu farw.

Diswyddo Abiathar a Lladd Joab

26 Ac wrth Abiathar yr archoffeiriad dywedodd y brenin, "Dos i Anathoth, i'th fro dy hun, oherwydd gŵr yn haeddu marw wyt ti, ond ni laddaf mohonot y tro hwn, am iti gludo arch yr Arglwydd DDUW o flaen fy nhad Dafydd, ac am iti ddioddef gyda'm tad yn ei holl gystuddiau." ²⁷Yna diswyddodd Solomon Abiathar o fod yn archoffeiriad i'r ARGLWYDD, er mwyn cyflawni gair yr ARGLWYDD a lefarodd yn erbyn tylwyth Eli yn Seilo. ²⁸Pan ddaeth y newydd at Joab, a fu'n cefnogi Adoneia—er na chefnogodd Absalom—fe ffodd i babell yr ARGLWYDD a chydiodd yng nghyrn yr allor. ²⁹Dywedwyd wrth y Brenin Solomon fod Joab wedi ffoi i babell yr ARGLWYDD a'i fod wrth yr allor. Yna anfonwyd Benaia fab Jehoiada gan Solomon â'r gorchymyn, "Dos ac ymosod arno." ³⁰Wedi i Benaia ddod i babell yr ARGLWYDD, dywedodd wrtho, "Fel hyn y dywedodd y brenin, 'Tyrd allan'." Atebodd yntau, "Na, yma y byddaf farw." ³¹Pan ddygodd Benaia adroddiad yn ôl at y brenin, a mynegi beth oedd ateb Joab, dywedodd y brenin wrtho, "Gwna fel y dywedodd; lladd ef, a'i gladdu, a symud oddi wrthyf ac oddi wrth fy nhylwyth euogrwydd y gwaed a dywalltodd Joab yn ddiachos. ³²Fe ddial yr ARGLWYDD y gwaed arno ef am iddo ymosod, heb i'm tad Dafydd wybod, ar ddau ŵr cyfiawnach a gwell nag ef ei hun, a'u lladd â'r cleddyf, sef Abner fab Ner, tywysog llu Israel, ac Amasa fab Jether, tywysog llu Jwda. ³³Erys eu gwaed hwy ar ben Joab a'i ddisgynyddion yn dragywydd; ond i Ddafydd a'i ddisgynyddion a'i deulu a'i orsedd fe fydd llwydd oddi wrth yr ARGLWYDD yn dragywydd." ³⁴Aeth Benaia fab Jehoiada i fyny, ac ymosod ar Joab a'i ladd; a chladdwyd ef yn ei gartref yn yr anialwch.

35 Gosododd y brenin Benaia fab Jehoiada yn bennaeth y fyddin yn lle Joab, a Sadoc yr offeiriad yn lle Abiathar.

Marwolaeth Simei

36 Yna gwysiodd y brenin Simei a dweud wrtho, "Adeilada dŷ yn Jerwsalem a thrig yno. Paid â symud oddi yno i unman, ³⁷oherwydd, cymer rybudd, yn y dydd y byddi'n croesi nant Cidron byddi farw'n gelain; bydd dy waed arnat ti dy hun." ³⁸Dywedodd Simei wrth y brenin, "Purion! Fel y mae f'arglwydd frenin yn gorchymyn y gwna dy was." ³⁹Trigodd Simei am gyfnod yn Jerwsalem; ond ymhen tair blynedd, ffodd dau o gaethweision Simei at Achis fab Maacha, brenin Gath. ⁴⁰Hysbyswyd Simei fod ei weision yn Gath, a chyfrwyodd ei asyn a mynd i Gath at Achis i geisio'i weision; ac aeth a dod â'i weision yn ôl o Gath. ⁴¹Pan hysbyswyd Solomon i Simei fynd o Jerwsalem i Gath a dychwelyd, ⁴²gwysiodd y brenin Simei a dweud wrtho, "Oni thynghedais di yn enw'r ARGLWYDD? Oni rybuddiais di y byddit farw'n gelain y dydd yr ait allan i unrhyw fan? A dywedaist wrthyf,

'Purion! Fe ufuddhaf.' ⁴³Pam na chedwaist lw yr ARGLWYDD a'r gorchymyn a roddais i ti?" ⁴⁴Yna dywedodd y brenin wrth Simei, "Fe wyddost yn dy galon yr holl ddrygioni a wnaethost i'm tad Dafydd. ⁴⁵Fe ddial yr ARGLWYDD dy ddrygioni arnat, ond bendithir y Brenin Solomon, a sicrheir gorsedd Dafydd gerbron yr ARGLWYDD yn dragywydd." ⁴⁶Yna rhoes y brenin orchymyn i Benaia fab Jehoiada; aeth yntau allan ac ymosod ar Simei, a bu ef farw. A sicrhawyd y frenhiniaeth yn llaw Solomon.

Solomon yn Gweddïo am Ddoethineb
(2 Cron. 1:3-12)

3 Ymgyfathrachodd Solomon â Pharo brenin yr Aifft trwy briodi merch Pharo. Daeth â hi i Ddinas Dafydd i fyw nes iddo ddarfod adeiladu ei dŷ ei hun a thŷ'r ARGLWYDD, a'r mur o amgylch Jerwsalem. ²Yr oedd y bobl yn dal i aberthu mewn uchelfeydd, am nad oedd tŷ i enw'r ARGLWYDD eto wedi ei adeiladu. ³Yr oedd Solomon yn caru'r ARLWYDD, gan rodio yn ôl deddfau ei dad Dafydd, ond yn aberthu ac arogldarthu mewn uchelfeydd.

4 Aeth y brenin i aberthu i Gibeon. Honno oedd y brif uchelfa; mil o boethoffrymau a offrymai Solomon ar yr allor yno. ⁵Ymddangosodd yr ARGLWYDD i Solomon yn Gibeon mewn breuddwyd liw nos; a dywedodd DUW, "Gofyn beth bynnag a fynni gennyf." ⁶Dywedodd Solomon, "Buost yn ffyddlon iawn i'm tad Dafydd, dy was, am iddo rodio gyda thi mewn gwirionedd a chyfiawnder a chywirdeb calon. Ie, parheaist yn ffyddlon iawn iddo, a rhoi iddo fab i eisteddd ar ei orseddfainc heddiw. ⁷Yn awr, O ARGLWYDD fy Nuw, gwnaethost dy was yn frenin yn lle fy nhad Dafydd, a minnau'n llanc ifanc, dibrofiad. ⁸Ac y mae dy was yng nghanol dy ddewis bobl, sy'n rhy niferus i'w rhifo na'u cyfrif. ⁹Felly rho i'th was galon ddeallus i farnu dy bobl, i ddirnad da a drwg; oherwydd pwy a ddichon farnu dy bobl luosog hyn?"

10 Bu'n dderbyniol yng ngolwg yr ARGLWYDD i Solomon ofyn y peth hwn, ¹¹a dywedodd Duw wrtho, "Oherwydd iti ofyn hyn, ac nid gofyn i ti dy hun flynyddoedd lawer, na chyfoeth, nac einioes dy elynion, ond gofyn deall wrth wrando achos, ¹²gwnaf yn ôl dy eiriau. Rhoddaf iti galon ddoeth a deallus, fel na bu dy fath o'th flaen, ac na chyfyd chwaith ar dy ôl. ¹³Rhoddaf hefyd iti yr hyn nis gofynnaist, sef cyfoeth a gogoniant, fel na bydd dy fath ymysg brenhinoedd, dy holl ddyddiau di. ¹⁴Ac os bydd iti rodio yn fy ffyrdd, a chadw fy neddfau a'm gorchmynion, fel y rhodiodd dy dad Dafydd, estynnaf dy ddyddiau hefyd."

15 Deffrôdd Solomon, a sylweddoli mai breuddwyd oedd. Pan ddaeth yn ôl i Jerwsalem, safodd o flaen arch cyfamod yr ARGLWYDD ac offrymodd boethoffrymau ac ebyrth hedd, a gwnaeth wledd i'w holl weision.

Solomon yn Barnu Achos Anodd

16 Daeth dwy buteinwraig at y brenin a sefyll o'i flaen. ¹⁷Dywedodd y naill, "O f'arglwydd, 'roeddwn i a'r wraig hon yn byw yn yr un tŷ, ac esgorais ar blentyn yn y tŷ, a hithau yno. ¹⁸Tridiau wedi i mi esgor, esgorodd y wraig hon hefyd, heb neb ond ni'n dwy yn y tŷ. ¹⁹Bu farw plentyn y wraig hon yn y nos, am iddi orwedd arno; ²⁰cododd hithau yn ystod y nos a chymryd fy mab o'm hymyl tra oeddwn i, dy lawforwyn, yn cysgu, a'i gymryd i'w chôl a gosod ei phlentyn marw yn fy nghôl i. ²¹Pan godais yn y bore i roi sugn i'm mab, yr oedd yn farw; ond wedi imi graffu arno yn y bore, nid hwnnw oedd y mab yr esgorais i arno."

22 Meddai'r wraig arall, "Na, fy mab i yw'r un byw; dy fab di yw'r un marw." Yna, dyma'r gyntaf yn dweud, "Na, dy fab di yw'r marw; fy mab i yw'r byw." Taeru felly y buont gerbron y brenin. ²³Yna dywedodd y brenin, "Y mae'r naill yn dweud, 'Hwn yw fy mab i, y byw; yr un marw yw dy fab di.' Ac y mae'r llall yn dweud, 'Na, dy fab di yw'r marw; fy mab i yw'r byw.'" ²⁴Yna dywedodd y brenin, "Dewch â chleddyf imi." ²⁵Pan ddaethant â'r cleddyf gerbron y brenin, ebe'r brenin, "Rhannwch y bachgen byw yn ddau, a rhowch hanner i'r naill a hanner i'r llall." ²⁶Ond meddai'r wraig oedd piau'r plentyn byw wrth y brenin (oherwydd enynnodd ei thosturi tuag at ei baban), "O f'arglwydd, rhowch iddi hi y plentyn byw, a pheidiwch â'i ladd ar un cyfrif." ²⁷Ond dywedodd y llall, "Na foed yn eiddo i mi na thithau; rhannwch ef." Atebodd y brenin, "Peidiwch â'i ladd; rhowch y plentyn byw i'r gyntaf; honno yw ei fam."

28 Clywodd holl Israel ddyfarniad y

brenin, ac ofnasant ef, am eu bod yn gweld ynddo ddoethineb ddwyfol i weinyddu barn.

Gweinidogion Solomon

4 Yr oedd Solomon yn frenin ar holl Israel. ²Dyma weinidogion y goron: Asareia fab Sadoc yn offeiriad; ³Elihoreff ac Ahia, meibion Sisa, yn ysgrifenyddion; Jehosaffat fab Ahilud yn gofiadur; ⁴Benaia fab Jehoiada yn bennaeth y fyddin; Sadoc ac Abiathar yn offeiriaid; ⁵Asareia fab Nathan yn bennaeth y rhaglawiaid; Sabud fab Nathan, yr offeiriad, yn gyfaill y brenin; ⁶Ahisar yn arolygwr y tŷ; Adoniram fab Abda yn swyddog llafur.

7 Yr oedd gan Solomon ddeuddeg rhaglaw yn holl Israel yn gofalu am ymborth y brenin a'i dŷ; am fis yn y flwyddyn y gofalai pob un am yr ymborth. ⁸Dyma'u henwau: Ben-hur yn ucheldir Effraim; ⁹Ben-decar yn Macas a Saalbim a Beth-semes ac Elon-beth-hanan; ¹⁰Benhesed yn Aruboth (ganddo ef yr oedd Soco a holl diriogaeth Heffer); ¹¹Benabinadab yn holl Naffath-dor (Taffath, merch Solomon, oedd ei wraig); ¹²Baana fab Ahilud yn Taanach a Megido a holl Bethsean, sydd gerllaw Sartana, islaw Jesreel, o Bethsean hyd Abel-mehola a thu hwnt i Jocneam; ¹³Bengeber yn Ramoth-gilead (ganddo ef yr oedd Hafoth Jair fab Manasse, sydd yn Gilead, a Hebel Argob, sydd yn Basan—trigain o ddinasoedd mawr â chaerau a barrau pres); ¹⁴Ahinadab fab Ido yn Mahanaim; ¹⁵Ahimaas yn Nafftali (cymerodd ef Basemath, merch Solomon, yn wraig); ¹⁶Baana fab Jusai yn Aser ac Aloth; ¹⁷Jehosaffat fab Parus yn Issachar; ¹⁸Simei fab Ela yn Benjamin; ¹⁹Geber fab Uri yn nhiriogaeth Gilead (gwlad Sihon brenin yr Amoriaid ac Og brenin Basan). Yr oedd un prif raglaw dros y wlad.

Teyrnasiad Llwyddiannus Solomon

20 Yr oedd Jwda ac Israel mor niferus â'r tywod ar lan y môr; yr oeddent yn bwyta ac yfed yn llawen.
21* Yr oedd Solomon yn llywodraethu ar yr holl deyrnasoedd o Afon Ewffrates drwy wlad Philistia at derfyn yr Aifft, a hwythau'n dwyn teyrnged ac yn gwasanaethu Solomon holl ddyddiau ei fywyd.

22 Ymborth beunyddiol Solomon oedd deg corus ar hugain o beilliaid a thrigain corus o flawd; ²³deg o ychen pasgedig, ac ugain o ychen o'r borfa, a chant o ddefaid, heblaw ceirw, iyrchod, ewigod, a dofednod breision. ²⁴Yr oedd yn llywodraethu'n frenin dros y gwledydd i'r gorllewin o Afon Ewffrates, o Tiffsa hyd Assa, dros yr holl frenhinoedd i'r gorllewin o Afon Ewffrates. ²⁵Cafodd heddwch ar bob tu, ac yr oedd Jwda ac Israel yn trigo'n ddiogel, holl ddyddiau Solomon, pob un dan ei winwydden a'i ffigysbren, o Dan hyd Beerseba.
26 Yr oedd gan Solomon ddeugain mil o bresebau ar gyfer ei geffylau-cerbyd, a deuddeng mil o feirch.
27 Gofalai'r rhaglawiaid hynny, pob un yn ei fis, am ymborth ar gyfer y Brenin Solomon a phawb a ddôi at ei fwrdd; nid oedd dim yn eisiau. ²⁸Dygent hefyd haidd a gwellt i'r ceffylau a'r meirch buan, i'r man lle'r oedd i fod, pob un yn ôl a ddisgwylid ganddo.
29 Rhoddodd Duw i Solomon ddoethineb a deall helaeth, ac amgyffrediad mor eang â thraeth y môr. ³⁰Rhagorodd doethineb Solomon ar ddoethineb holl feibion y Dwyrain a'r Aifft; ³¹yr oedd yn ddoethach na phob dyn, hyd yn oed Ethan yr Esrahiad, neu Heman, Chalcol a Darda, meibion Mahol; yr oedd ei fri wedi ymledu trwy'r holl genhedloedd oddi amgylch.
32 Llefarodd dair mil o ddiarhebion, ac yr oedd ei ganeuon yn rhifo mil a phump. ³³Traethodd am brennau, o'r cedrwydd sydd yn Lebanon hyd yr isop sy'n tyfu o'r pared; hefyd am anifeiliaid ac ehediaid, am ymlusgiaid a physgod. ³⁴Daethant o bob cenedl i wrando doethineb Solomon, ac o blith holl frenhinoedd y ddaear a glywodd am ei ddoethineb.

Solomon yn Paratoi i Adeiladu'r Deml
(2 Cron. 2:1-18)

5 * Pan glywodd Hiram brenin Tyrus mai Solomon oedd wedi ei eneinio yn frenin yn lle ei dad, anfonodd ei weision ato, oherwydd bu Dafydd yn hoff gan Hiram erioed. ²Anfonodd Solomon yn ôl at Hiram a dweud, ³"Gwyddost am fy nhad Dafydd, na allodd adeiladu tŷ i enw'r ARGLWYDD ei Dduw o achos y rhyfeloedd o'i amgylch, nes i'r ARGLWYDD roi ei elyn-

ion dan wadnau ei draed. ⁴Bellach, parodd yr ARGLWYDD fy Nuw imi gael llonydd oddi amgylch, heb na gwrthwynebydd na digwyddiad croes. ⁵Y mae yn fy mwriad adeiladu tŷ i enw'r AR-GLWYDD fy Nuw fel yr addawodd yr ARGLWYDD wrth fy nhad Dafydd, gan ddweud, 'Dy fab, y byddaf yn ei roi ar dy orsedd yn dy le, a adeilada'r tŷ i'm henw.' ⁶Felly rho orchymyn i dorri i mi gedrwydd o Lebanon; fe gaiff fy ngweision i fod gyda'th rai di, ac mi dalaf iti gyflog dy weision yn ôl yr hyn a ofynni; gwyddost nad oes gennym ni neb mor hyddysg â'r Sidoniaid mewn cymynu coed."

7 Llawenychodd Hiram yn fawr pan glywodd eiriau Solomon, a dywedodd, "Bendigedig fyddo'r ARGLWYDD heddiw am iddo roi i Ddafydd fab doeth dros y bobl niferus hyn." ⁸Anfonodd at Solomon, a dwcud, "'Rwy'n cydsynio â'r cais a wnaethost; gwnaf bopeth a ddymuni ynglŷn â'r cedrwydd a'r ffynidwydd. ⁹Caiff fy ngweision eu dwyn i lawr o Lebanon at y môr, a byddaf fi'n eu gyrru'n rafftiau dros y môr i'r man a benni imi; byddaf yn eu datod yno, i ti eu cymryd. Cei dithau gyflawni fy nymuniad innau a rhoi ymborth ar gyfer fy mhalas."

¹⁰Felly yr oedd Hiram yn rhoi i Solomon gymaint ag a fynnai o gedrwydd a ffynidwydd, ¹¹a Solomon yn rhoi i Hiram ugain mil o gorusau o wenith ac ugain corus o olew coeth yn gynhaliaeth i'w balas. Dyna beth yr oedd Solomon yn ei roi i Hiram yn flynyddol. ¹²A rhoes yr AR-GLWYDD ddoethineb i Solomon, yn ôl ei addewid iddo; felly bu heddwch rhwng Hiram a Solomon, a gwnaethant gyfamod â'i gilydd.

13 Cododd y Brenin Solomon dreth llafur ar holl Israel, sef deng mil ar hugain o wŷr. ¹⁴Byddai'n eu hanfon i Lebanon fesul deng mil o wŷr am fis ar y tro; byddent am fis yn Lebanon, a deufis gartref. ¹⁵Adoniram oedd pennaeth y dreth llafur. Yr oedd gan Solomon ddeng mil a thrigain o wŷr hefyd yn gludwyr, a phedwar ugain mil yn chwarelwyr yn y mynydd; ¹⁶heblaw y rhain yr oedd ganddo dair mil a thri chant o oruchwylwyr gwaith yn arolygu'r gweithwyr. ¹⁷Ar orchymyn y brenin yr oeddent yn cloddio meini enfawr a drud i wneud sylfaen o

feini nadd i'r tŷ. ¹⁸Yr oedd gwŷr Gebal ac adeiladwyr Solomon a Hiram yn naddu ac yn paratoi'r coed a'r meini i adeiladu'r tŷ.

6 Yn y flwyddyn pedwar cant wyth deg ar ôl exodus yr Israeliaid o wlad yr Aifft, ym mhedwaredd flwyddyn ei deyrnasiad ar Israel, ym mis Sif, yr ail fis, dechreuodd Solomon adeiladu tŷ'r AR-GLWYDD. ²Yr oedd y tŷ a adeiladodd y Brenin Solomon i'r ARGLWYDD yn drigain cufydd ei hyd, yn ugain cufydd ei led ac yn ddeg cufydd ar hugain ei uchder. ³Yr oedd y cyntedd o flaen corff y tŷ yn ugain cufydd ei hyd, gyda lled y tŷ, a deg cufydd o led o flaen y tŷ. ⁴A gwnaeth ffenestri i'r tŷ yn goleuo at i lawr trwy ddelltwaith. ⁵Cododd adeilad yn erbyn mur y tŷ o gylchᵃ corff y tŷ a'r gafell; a gwnaeth fwtresi o amgylch. ⁶Yr oedd y celloeddᵇ isaf yn bum cufydd o led, y rhai canol yn chwe chufydd, a'r drydedd res yn saith gufydd, oherwydd gwnaeth rabadau oddi allan i'r tŷ o amgylch fel na rwymid y trawstiau ym muriau'r tŷ. ⁷Adeiladwyd y tŷ o gerrig wedi eu cyweirio yn y chwarel, fel nad oedd sŵn morthwyl na neddau nac unrhyw erfyn haearn i'w glywed yn y tŷ wrth ei adeiladu.

8 Ar ochr dde'r tŷ yr oedd y mynediad i'r llawr isafᶜ, gyda grisiau tro yn esgyn i'r llawr canol ac o'r un canol i'r trydydd. ⁹Wedi iddo orffen ei adeiladu, coediodd y tŷ â thrawstiau ac ystyllod o gedrwydd. ¹⁰Cododd adeilad pum cufydd ei uchder yn erbyn yr holl dŷ, a'i gydio wrth y tŷ â chedrwydd.

11 Daeth gair yr ARGLWYDD at Solomon, yn dweud, ¹²"Ynglŷn â'r tŷ hwn yr wyt yn ei adeiladu, os bydd iti rodio yn fy neddfau a chyflawni fy marnedigaethau a chadw fy holl orchmynion a'u dilyn, yna cyflawnaf iti yr addewid a wneuthum i'th dad Dafydd; ¹³a thrigaf ymysg meibion Israel, ac ni adawaf fy mhobl Israel."

Tu Mewn y Deml
(2 Cron. 3:8-14)

14 Adeiladodd Solomon y tŷ a'i orffen; ¹⁵a byrddiodd barwydydd y tŷ ag ystyllod cedrwydd, a'u coedio o'r llawr hyd dulathau'rᶜʰ nenfwd, a llorio'r tŷ â phlanciau ffynidwydd. ¹⁶Caeodd ugain

---

ᵃFelly Groeg. Hebraeg, *o gylch gyda muriau'r tŷ o gylch.*   ᵇFelly Groeg. Hebraeg, *yr adail.*
ᶜFelly Groeg a Targwm. Hebraeg, *canol.*   ᶜʰFelly Groeg. Hebraeg, *parwydydd y.*

cufydd yn nhalcen y tŷ ag ystyllod cedrwydd, o'r llawr hyd y tulathau[d], a'i neilltuo iddo'i hun yn gafell, i fod yn gysegr sancteiddiaf. [17]Yr oedd y tŷ, sef corff y deml o flaen y gafell, yn ddeugain cufydd o hyd. [18]Yr oedd y cedrwydd y tu mewn i'r tŷ wedi eu cerfio'n gnapiau ac yn flodau agored; yr oedd yn gedrwydd i gyd, heb garreg yn y golwg.

19 Darparodd y gafell yn y man nesaf i mewn yn y tŷ i dderbyn arch cyfamod yr ARGLWYDD. [20]Yr oedd y[dd] gafell yn ugain cufydd o hyd, ugain o led ac ugain o uchder, a goreurodd hi ag aur pur; gwnaeth[e] hefyd allor gedrwydd. [21]Goreurodd Solomon y tŷ oddi mewn ag aur pur, a gosododd gadwyni aur ar draws, o flaen y gafell a oreurwyd. [22]Gwisgodd yr holl dŷ o'i gwr ag aur, a'r allor i gyd, a oedd yn perthyn i'r gafell.

23 Yn y gafell gwnaeth ddau gerwb, deg cufydd o uchder, o bren olewydd. [24]Yr oedd dwy adain y naill gerwb yn bum cufydd yr un, sef deg cufydd o flaen un adain i flaen y llall. [25]Yr oedd yr ail gerwb yn ddeg cufydd hefyd, gyda'r un mesur a'r un ffurf i'r ddau. [26]Deg cufydd oedd uchder y naill a'r llall. [27]Gosododd y cerwbiaid yng nghanol y gafell[f]. Yr oedd eu hadenydd ar led, ac adain y naill yn cyffwrdd ag un pared ac adain y llall yn cyffwrdd â'r pared arall, a'u hadenydd yn cyffwrdd â'i gilydd yn y canol. [28]Yr oedd wedi goreuro'r cerwbiaid. [29]Cerfiodd holl barwydydd y gafell[ff] o amgylch â lluniau cerwbiaid a phalmwydd a blodau agored, y tu mewn a'r tu allan; [30]a goreurodd lawr y gafell[g] oddi mewn ac oddi allan. 31 Gwnaeth ddorau o goed olewydd i fynedfa'r gafell, a'r capan a'r cilbyst yn bumochrog.

32 Cerfiodd gerwbiaid a phalmwydd a blodau agored ar y ddwy ddôr o goed olewydd; wedyn goreurodd hwy, a rhedeg aur dros y cerwbiaid a'r palmwydd.

33 Yn yr un modd gwnaeth gilbyst sgwâr[ng] o goed palmwydd i fynedfa corff y deml. [34]Yr oedd y ddwy ddôr o goed ffynidwydd, y naill a'r llall yn ddeuddarn yn plygu ar ei gilydd. [35]Cerfiodd gerwbiaid a phalmwydd a blodau agored arnynt,

a'u goreuro'n gytbwys dros y cerfiad. [36]Adeiladodd y cyntedd nesaf i mewn â thri chwrs o gerrig nadd ac â chwrs o drawstiau cedrwydd.

37 Gosodwyd sylfaen tŷ'r ARGLWYDD ym mis Sif o'r bedwaredd flwyddyn; [38]a gorffennwyd y tŷ yn ôl holl ofynion y cynllun ym mis Bul (dyna'r wythfed mis) o'r unfed flwyddyn ar ddeg. Felly saith mlynedd y bu'n ei adeiladu.

Palas Solomon

7 Tair blynedd ar ddeg y bu Solomon yn adeiladu ei dŷ ei hun cyn ei orffen yn llwyr.

2 Adeiladodd Dŷ Coedwig Lebanon, yn gan cufydd o hyd, yn hanner can cufydd o led, a deg cufydd ar hugain o uchder, ar dair[h] rhes o golofnau cedrwydd, gyda thrawstiau cedrwydd ar ben y colofnau. [3]To cedrwydd oedd uwchben y tulathau ar y pum colofn a deugain, a safai pymtheg ym mhob rhes. [4]Ac yr oedd tair rhes o ffenestri yn wynebu ei gilydd fesul tair. [5]Yr oedd fframiau sgwâr i'r holl ddrysau, ac i'r ffenestri[i] oedd yn wynebu ei gilydd fesul tair.

6 Gwnaeth Neuadd y Colofnau hefyd, yn hanner can cufydd o hyd a deg cufydd ar hugain o led, a chyntedd o'i blaen gyda cholofnau, a chornis uwchben.

7 Gwnaeth Neuadd yr Orsedd, lle'r oedd yn gweinyddu barn, sef y Neuadd Barn, wedi ei phanelu â chedrwydd o'r llawr i'r distiau[i]. [8]Ac yr oedd ei dŷ annedd ei hun ar y cwrt arall yn nes i mewn na'r neuadd, ond o'r un gwneuthuriad. Gwnaeth Solomon hefyd dŷ yr un fath â'r neuadd hon i'w briod, merch Pharo.

9 Yr oedd y rhai hyn i gyd, y tu mewn a'r tu allan, o feini trymion, wedi eu torri i fesur a'u llifio, o'r sylfaen i'r bondo, o gwrt tŷ'r ARGLWYDD[ll], hyd y cwrt mawr. [10]Yr oedd y sylfeini o feini mawr, trymion, rhai o wyth a rhai o ddeg cufydd; [11]ac uwchben, meini trymion wedi eu torri i fesur, a chedrwydd. [12]Yr oedd gan y cwrt mawr dri chwrs o gerrig nadd a chwrs o drawstiau cedrwydd, a'r un modd cwrt mewnol tŷ'r ARGLWYDD hyd borth y tŷ.

---

[d]Felly Groeg. Hebraeg, *parwydydd*.   [dd]Felly Fwlgat. Hebraeg, *o flaen y*.
[e]Felly Groeg. Hebraeg, *goreurodd*.   [f]Tebygol. Hebraeg, *y tŷ mewnol*.   [ff]Hebraeg, *y tŷ*.
[g]Hebraeg, *y tŷ*.   [ng]Tebygol. Hebraeg yn aneglur.   [h]Felly Groeg. Hebraeg, *pedair*.
[i]Felly Groeg. Hebraeg, *cilbyst*.   [i]Felly Syrieg, Lladin. Hebraeg, *llawr*.
[ll]Cymh. adn. 12. Hebraeg, *o'r tu allan*.

Tasg Hiram

13 Anfonodd y Brenin Solomon i Tyrus i gyrchu Hiram, [14]mab i wraig weddw o lwyth Nafftali, a'i dad yn hanu o Tyrus. Gof pres cywrain a deallus oedd ef, yn gwybod sut i wneud pob math o waith pres; a daeth at y Brenin Solomon a gwneud ei holl waith.

Y Ddwy Golofn Bres
(2 Cron. 3:15-17)

15 Bwriodd ddwy golofn bres, deunaw cufydd o uchder, gyda chylchlin o ddeuddeg cufydd yr un; yr oeddent yn wag o'r tu mewn, a'r deunydd yn bedair modfedd o drwch.[m] [16]Gwnaeth ddau gnap o bres tawdd i'w gosod ar ben y colofnau, y naill a'r llall yn bum cufydd o uchder. [17]Yna gwnaeth rwydwaith a phlethiadau o gadwynwaith[n] i'r naill a'r llall o'r cnapiau ar ben y colofnau. [18]Gwnaeth bomgranadau[o] yn ddwy res ar y rhwydwaith o'i amgylch, i guddio'r cnapiau ar ben y naill golofn a'r llall. [19]Yr oedd y cnapiau ar ben y colofnau yn y porth yn waith lili am bedwar cufydd. [20]Yr oedd y cnapiau ar ben y colofnau yn codi o'r cylch crwn oedd gogyfer â'r rhwydwaith, ac yr oedd dau gant o bomgranadau yn rhesi o gylch y ddau[p] gnap. [21]Gosododd y colofnau ym mhorth y deml; cododd y golofn dde a'i galw'n Jachin, yna cododd y golofn chwith a'i galw'n Boas. [22]Ar ben y colofnau yr oedd gwaith lili; ac fel hyn y gorffennwyd gwaith y colofnau.

Y Môr o Fetel Tawdd
(2 Cron. 4:2-5)

23 Yna fe wnaeth y môr o fetel tawdd; yr oedd yn grwn ac yn ddeg cufydd o ymyl i ymyl, a phum cufydd o uchder, yn nesur deg cufydd ar hugain o gylch. [24]O amgylch y môr, yn ei gylchynu dan ei ymyl am ddeg cufydd ar hugain[ph], yr oedd cnapiau; yr oeddent mewn dwy res ac wedi eu bwrw'n rhan ohono. [25]Safai'r môr ar gefn deuddeg ych, tri yn wynebu tua'r gogledd, tri tua'r gorllewin, tri tua'r de, a thri tua'r dwyrain, a'u cynffonnau at mewn. [26]Dyrnfedd oedd ei drwch, a'i ymyl wedi ei weithio fel ymyl cwpan neu flodyn lili; yr oedd yn dal dwy fil o bathau.

Y Trolïau Pres

27 Gwnaeth hefyd ddeg o drolïau pres, yn bedwar cufydd o hyd a phedwar cufydd o led a thri chufydd o uchder. [28]Yng ngwneuthuriad y trolïau yr oedd panelau rhwng fframiau, ac ar y panelau hyn yr oedd llewod ac ychen a cherwbiaid. [29]Ac yr oedd plethennau o riswaith ar y fframiau, uwchben ac o dan y llewod a'r ychen. [30]Yr oedd gan bob troli bedair olwyn bres ac echelau pres, ac ysgwyddau dan eu pedair congl ar gyfer y noe, a'r ysgwyddau yn waith tawdd, a phlethennau wrth bob un. [31]Yr oedd ei genau oddi mewn i gorongylch, yn gufydd o uchder, a'r genau yn gylch cufydd a hanner, fel gwneuthuriad soced. Yr oedd cerfiadau o gwmpas y genau, a'r panelau yn sgwâr, nid yn grwn. [32]Yr oedd y pedair olwyn o dan y panelau, a phlatiau echel yr olwynion yn y ffrâm; cufydd a hanner oedd uchder pob olwyn. [33]Yr oedd yr olwynion wedi eu gwneud fel olwyn cerbyd, a'u hechelau a'u camegau a'u ffyn a'u bothau i gyd yn waith tawdd. [34]Ac yr oedd pedair ysgwydd ym mhedair congl pob troli, a'r ysgwyddau yn un darn â'r troli. [35]Ac ar ben y troli yr oedd cylch crwn hanner cufydd o uchder, a'r platiau echel a'r panelau yn un darn â hi. [36]Ar wyneb y platiau a'r panelau cerfiodd gerwbiaid, llewod a phalmwydd, a phlethennau o amgylch pob un. [37]Fel hyn y gwnaeth y deg troli, gyda'r un mold, yr un maint a'r un ffurf i bob un.

38 Hefyd fe wnaeth ddeg noe bres i ddal deugain bath yr un, pob noc yn bedwar cufydd. Gosododd hwy bob yn un ar y deg troli, [39]pum troli ar ochr dde y tŷ, a phump ar yr ochr chwith; a gosododd y môr ar ochr dde-ddwyrain y tŷ.

Offer y Deml
(2 Cron. 4:11—5:1)

40 Gwnaeth Hiram y crochanau, y rhawiau a'r cawgiau, a gorffen yr holl waith a wnaeth i'r Brenin Solomon ar gyfer tŷ'r ARGLWYDD: [41]y ddwy golofn, y ddau gnap coronog ar ben y colofnau; y ddau rwydwaith dros y ddau gnap coronog ar ben y colofnau; [42]y pedwar can pomgranad yn ddwy res ar y ddau rwydwaith dros y ddau gnap coronog ar y colofnau; y deg troli; [43]y deg noe ar y

---

[m] Felly Groeg. Hebraeg heb *yr oeddent...o drwch.*
Felly Groeg. Hebraeg, *Gwnaeth y colofnau.*
Hebraeg, *am ddeg cufydd.*

[n] Felly Groeg. Hebraeg, *saith.*
[p] Hebraeg, *yr ail.*

trolïau; ⁴⁴y môr a'r deuddeg ych dano; ⁴⁵y crochanau, y rhawiau, a'r cawgiau. Ac yr oedd yr holl offer hyn a wnaeth Hiram i'r Brenin Solomon ar gyfer tŷ'r ARGLWYDD o bres gloyw. ⁴⁶Toddodd y brenin hwy yn y cleidir rhwng Succoth a Sarthan yng ngwastadedd yr Iorddonen. ⁴⁷Peidiodd Solomon â phwyso'r holl lestri gan mor niferus oeddent, ac na ellid pwyso'r pres.

48 A gwnaeth Solomon yr holl offer aur oedd yn perthyn i dŷ'r ARGLWYDD: yr allor aur a'r bwrdd aur i ddal y bara gosod; ⁴⁹y canwyllbrennau o aur pur, pump ar y dde a phump ar y chwith o flaen y gafell; y blodau a'r llusernau a'r gefeiliau aur; ⁵⁰y ffiolau, y sisyrnau, y cawgiau, y llwyau a'r thuserau hefyd o aur pur; a'r socedau aur i'r dorau tu mewn i'r cysegr sancteiddiaf ac i'r dorau o fewn y côr.

51 Wedi i'r Brenin Solomon orffen yr holl waith a wnaeth yn nhŷ'r AR-GLWYDD, dygodd y pethau yr oedd ei dad Dafydd wedi eu cysegru, yr arian a'r aur a'r offer, a'u gosod yn nhrysordai tŷ'r ARGLWYDD.

Cyrchu Arch y Cyfamod i'r Deml
(2 Cron. 5:2—6:2)

8 Yna cynullodd y Brenin Solomon henuriaid Israel a holl benaethiaid y llwythau a phennau-teuluoedd Israel ato'i hun yn Jerwsalem, i gyrchu arch cyfamod yr ARGLWYDD o Ddinas Dafydd, sef Seion. ²Daeth holl wŷr Israel ynghyd at y Brenin Solomon ar yr ŵyl ym mis Ethanim, y seithfed mis. ³Wedi i holl henuriaid Israel gyrraedd, cododd yr offeiriaid yr arch, ⁴a chyrchodd yr offeiriaid a'r Lefiaid arch yr ARGLWYDD a phabell y cyfarfod a'r holl lestri cysegredig oedd yn y babell. ⁵Ac yr oedd y Brenin Solomon, a phawb o gynulleidfa Israel oedd wedi ymgynnull ato, yno o flaen yr arch yn aberthu defaid a gwartheg rhy niferus i'w rhifo na'u cyfrif. ⁶Felly y dygodd yr offeiriaid arch cyfamod yr ARGLWYDD a'i gosod yn ei lle yng nghafell y tŷ, y cysegr sancteiddiaf, dan adenydd y cerwbiaid, ⁷oherwydd yr oedd y cerwbiaid yn estyn eu hadenydd dros le'r arch ac yn cysgodi dros yr arch a'i pholion. ⁸Yr oedd y polion yn ymestyn allan oddi wrth yr arch, fel y gellid gweld eu blaenau o'r cysegr o flaen y gafell, ond nid oeddent i'w gweld o'r tu allan. Ac yno

y maent hyd y dydd hwn. ⁹Nid oedd yn yr arch ond y ddwy lech garreg a osododd Moses ynddi yn Horeb, lle y gwnaeth yr ARGLWYDD gyfamod â'r Israeliaid pan oeddent yn dod allan o'r Aifft. ¹⁰Fel yr oedd yr offeiriaid yn dod allan o'r cysegr, llanwyd tŷ'r ARGLWYDD gan y cwmwl; ni fedrai'r offeiriaid barhau i weinyddu o achos y cwmwl; ¹¹yr oedd gogoniant yr ARGLWYDD yn llenwi tŷ'r AR-GLWYDD. ¹²Yna dywedodd Solomon:

"Dywedodd yr ARGLWYDD y trigai yn
　　y tywyllwch.
¹³Gorffennais adeiladu i ti dŷ aruchel,
　　lle iti breswylio ynddo dros byth."

Solomon yn Annerch y Bobl
(2 Cron. 6:3-11)

14 Yna tra oeddent i gyd yn sefyll, trodd y brenin atynt a bendithio holl gynulleidfa Israel. ¹⁵Dywedodd, "Bendigedig fyddo ARGLWYDD Dduw Israel, a gyflawnodd â'i law yr hyn a addawodd â'i enau i'm tad Dafydd, pan ddywedodd, ¹⁶'Er y dydd y dygais fy mhobl Israel allan o'r Aifft, ni ddewisais ddinas ymhlith holl lwythau Israel i adeiladu ynddi dŷ i'm henw fod yno; ond dewisais Jerwsalem i'm henw fod yno^r, a dewisais Ddafydd i fod yn ben ar fy mhobl Israel.' ¹⁷Yr oedd ym mryd fy nhad Dafydd adeiladu tŷ i enw ARGLWYDD Dduw Israel, ¹⁸ond dywedodd yr ARGLWYDD wrtho, 'Yr oedd yn dy fryd adeiladu tŷ i'm henw, a da oedd dy fwriad, ¹⁹ond nid tydi fydd yn adeiladu'r tŷ; dy fab, a enir iti, a adeilada'r tŷ i'm henw.' ²⁰Yn awr y mae'r ARGLWYDD wedi gwireddu'r addewid a wnaeth; yr wyf fi wedi dod i le fy nhad Dafydd i eistedd ar orsedd Israel, fel yr addawodd yr ARGLWYDD, ac wedi adeiladu'r tŷ i enw ARGLWYDD Dduw Israel. ²¹Yr wyf hefyd wedi trefnu lle i'r arch sy'n cynnwys y cyfamod a wnaeth yr ARGLWYDD â'n tadau pan ddaeth â hwy allan o'r Aifft."

Gweddi Solomon
(2 Cron. 6:12-42)

22 Yna safodd Solomon o flaen allor yr ARGLWYDD, yng ngŵydd holl gynull eidfa Israel, ac estynnodd ei ddwylo tua'r nef, ²³a dweud: "O ARGLWYDD Dduw Israel, nid oes Duw fel tydi yn y nef uwchben nac ar ddaear lawr, yn cadw cyfamod ac yn ffyddlon i'th weision sy'n

---

^rFelly Groeg a 2 Cron. 6:6. Hebraeg yma heb *ond dewisais...fod yno.*

dy wasanaethu â'u holl galon. ²⁴Canys cedwaist d'addewid i'th was Dafydd, fy nhad; heddiw cyflawnaist â'th law yr hyn a addewaist â'th enau. ²⁵Yn awr, felly, O ARGLWYDD Dduw Israel, cadw'r addewid a wnaethost i'th was Dafydd fy nhad, pan ddywedaist, 'Gofalaf na fyddi heb ŵr i eistedd ar orsedd Israel, dim ond i'th blant wylio'u ffordd, a'm gwasanaethu fel y gwnaethost ti.' ²⁶Yn awr, felly, O Dduw Israel, safed y gair a leferaist wrth dy was Dafydd, fy nhad.

27 "Ai gwir yw y preswylia Duw ar y ddaear? Wele, ni all y nefoedd na nef y nefoedd dy gynnwys; pa faint llai y tŷ hwn a godais! ²⁸Eto cymer sylw o weddi dy was ac o'i ddeisyfiad, O ARGLWYDD fy Nuw; gwrando ar fy llef, a'r weddi y mae dy was yn ei gweddïo heddiw ger dy fron. ²⁹Bydded dy lygaid, nos a dydd, ar y tŷ y dywedaist amdano, 'Fy enw a fydd yno', a gwrando'r weddi y bydd dy was yn ei gweddïo tua'r lle hwn. ³⁰Gwrando hefyd ar ddeisyfiad dy was a'th bobl Israel pan fyddant yn gweddïo tua'r lle hwn. Gwrando yn y nef, lle'r wyt yn preswylio, ac o glywed, maddau.

31 "Os bydd dyn wedi troseddu yn erbyn dyn arall ac yn gorfod cymryd llw, a'i dyngu gerbron dy allor yn y tŷ hwn, ³²gwrando di o'r nef a gweithredu. Gweinydda farn i'th weision drwy gondemnio'r drwgweithredwr yn ôl ei ymddygiad, ond llwydda achos y cyfiawn yn ôl ei gyfiawnder.

33 "Os trechir dy bobl Israel gan y gelyn am iddynt bechu yn dy erbyn, ac yna iddynt edifarhau a chyffesu dy enw, a gweddïo ac erfyn arnat yn y tŷ hwn, ³⁴gwrando di yn y nef a maddau bechod dy bobl Israel ac adfer hwy i'r tir a roddaist i'w tadau.

35 "Os bydd y nefoedd wedi cau, a'r glaw yn pallu, am iddynt bechu yn d'erbyn, ac yna iddynt weddïo tua'r lle hwn a chyffesu dy enw ac edifarhau am eu pechod oherwydd i ti eu cosbi, ³⁶gwrando di yn y nef a maddau bechod dy weision a'th bobl Israel, a dysg iddynt y ffordd dda y dylent ei rhodio; ac anfon law ar dy wlad, a roddaist yn etifeddiaeth i'th bobl.

37 "Os bydd yn y wlad newyn, haint, deifiad, malltod, locustiaid neu lindys, neu os bydd gelyn yn gwarchae ar unrhyw un^{rh} o'i dinasoedd—beth bynnag

fo'r pla neu'r clefyd—³⁸clyw bob gweddi, pob deisyfiad gan yr holl ddynion a chan bob un o'th bobl Israel sy'n ymwybodol o'i glwy ei hun, ac yn estyn ei ddwylo tua'r tŷ hwn; ³⁹gwrando hefyd yn y nef lle'r wyt yn preswylio, a maddau. Gweithreda a rho i bob un yn ôl ei ffyrdd, oherwydd yr wyt ti'n deall ei fwriad; canys ti yn unig sy'n adnabod calonnau holl blant dynion; ⁴⁰felly byddant yn dy ofni holl ddyddiau eu bywyd ar wyneb y tir a roddaist i'n tadau.

41 "Os daw dyn dieithr, nad yw'n un o'th bobl Israel, o wlad bell er mwyn dy enw—⁴²canys clywant am dy enw mawr, ac am dy law gref a'th fraich estynedig—ac os gweddïa tua'r tŷ hwn, ⁴³gwrando di yn y nef lle'r wyt yn preswylio, a gweithreda yn ôl y cwbl y mae'r dyn dieithr yn ei ddeisyf arnat, er mwyn i holl bobloedd y byd adnabod dy enw a'th ofni yr un fath â'th bobl Israel, a sylweddoli mai ar dy enw di y gelwir y tŷ hwn a adeiledais i.

44 "Os bydd dy bobl yn mynd i ryfela â'u gelyn, pa ffordd bynnag yr anfoni hwy, ac yna iddynt weddïo ar yr ARGLWYDD tua'r ddinas a ddewisaist, a'r tŷ a godais i'th enw, ⁴⁵gwrando di yn y nef ar eu gweddi a'u hymbil, a chynnal eu hachos.

46 "Os pechant yn dy erbyn—oherwydd nid oes neb nad yw'n pechu—a thithau'n digio wrthynt ac yn eu darostwng i'w gelynion a'u caethgludo i wlad y gelyn, boed bell neu agos, ⁴⁷ac yna iddynt ystyried yn y wlad lle caethgludwyd hwy, ac edifarhau a deisyf arnat o wlad eu caethiwed â'r geiriau, 'Yr ydym wedi pechu a throseddu a gwneud drygioni', ⁴⁸ac yna dychwelyd atat â'u holl galon a'u holl enaid yng ngwlad y gelynion sydd wedi eu caethgludo, a gweddïo arnat i gyfeiriad eu gwlad, a roddaist i'w tadau, a'r ddinas a ddewisaist, a'r tŷ a godais i'th enw, ⁴⁹gwrando di, yn y nef lle'r wyt yn preswylio, ar eu gweddi a'u deisyfiad, a chynnal eu hachos. ⁵⁰A maddau i'th bobl a bechodd yn d'erbyn am eu holl droseddu yn d'erbyn; rho iddynt ennyn trugaredd yng nghalon y rhai a'u caethgludodd. ⁵¹Oherwydd dy bobl a'th etifeddiaeth ydynt, gan mai ti a ddaeth â hwy allan o'r Aifft o ganol y ffwrn haearn. ⁵²Felly bydded dy lygaid yn sylwi ar ddeisyfiad dy was a'th bobl Israel, i wrando arnynt

bob tro y galwant arnat; [53]oherwydd ti sydd wedi eu neilltuo yn etifeddiaeth i ti dy hun a'u didoli oddi wrth bobloedd y byd, fel y dywedaist, O Arglwydd DDUW, drwy dy was Moses pan ddaethost â'n tadau allan o'r Aifft."

Y Weddi Derfynol

54 Wedi i Solomon orffen cyflwyno i'r ARGLWYDD yr holl weddi ac ymbil yma a'i ddwylo yn ymestyn tua'r nef, cododd o benlinio gerbron allor yr ARGLWYDD, [55]a sefyll i fendithio holl gynulleidfa Israel â llais uchel, a dweud: [56]"Bendigedig fyddo'r ARGLWYDD a roddodd orffwystra i'w bobl Israel yn hollol fel y dywedodd. Ni fethodd yr un gair o'i holl addewid ddaionus a fynegodd trwy ei was Moses. [57]Bydded yr ARGLWYDD ein Duw gyda ni fel y bu gyda'n tadau ni; na fydded iddo'n gwrthod na'n gadael. [58]Bydded inni droi ein calonnau tuag ato, a cherdded yn ei holl ffyrdd a chadw ei orchmynion, ei ordinhadau a'i farnedigaethau, a orchmynnodd i'n tadau. [59]Bydded fy ngeiriau hyn, a weddïais gerbron yr ARGLWYDD, yn agos at yr ARGLWYDD ein Duw ddydd a nos, fel y bo iddo gynnal achos ei was ac achos ei bobl Israel yn ôl yr angen, [60]er mwyn i holl bobloedd y byd wybod mai'r ARGLWYDD sydd Dduw ac nad oes arall. [61]Bydded eich calon yn llwyr ymroddedig i'r ARGLWYDD ein Duw, i rodio yn ei ordinhadau a chadw ei orchmynion fel heddiw."

Cysegru'r Deml
(2 Cron. 7:4-10)

62 Yna bu'r brenin, a holl Israel gydag ef, yn aberthu gerbron yr ARGLWYDD. [63]Aberthodd Solomon i'r ARGLWYDD ddwy fil ar hugain o wartheg a chwe ugain mil o ddefaid yn heddoffrwm. Felly y cysegrodd y brenin a'r holl Israeliaid dŷ'r ARGLWYDD. [64]Ar y diwrnod hwnnw cysegrodd y brenin ganol y cwrt oedd o flaen tŷ'r ARGLWYDD, gan mai yno'r oedd yn offrymu'r poethoffrwm a'r bwydoffrwm a braster y heddoffrwm, am fod yr allor bres oedd gerbron ARGLWYDD yn rhy fach i dderbyn y poethoffrwm a'r bwydoffrwm a braster yr heddoffrwm. 65 A'r pryd hwnnw cadwodd Solo-

mon, a holl Israel gydag ef, ŵyl gerbron yr ARGLWYDD ein Duw am wythnos[s], yn gynulliad mawr, o Lebo-Hamath hyd Gornant yr Aifft. [66]Ar yr wythfed dydd gollyngodd y bobl ymaith, ac wedi iddynt fendithio'r brenin, aethant adref yn llawen ac yn falch o galon am yr holl ddaioni a wnaeth yr ARGLWYDD i'w was Dafydd ac i'w bobl Israel.

Duw'n Ymddangos yr Eildro i Solomon
(2 Cron. 7:11-22)

9 Wedi i Solomon orffen adeiladu tŷ'r ARGLWYDD a thŷ'r brenin a'r cwbl a ddymunai ei wneud, [2]fe ymddangosodd yr ARGLWYDD iddo'r eildro, fel yr oedd wedi ymddangos iddo yn Gibeon. [3]Dywedodd yr ARGLWYDD wrtho, "Clywais dy weddi a'th ddeisyfiad a wnaethost ger fy mron; cysegrais y tŷ hwn a godaist, a gosod f'enw yno am byth, a bydd fy llygaid a'm calon tuag yno hyd byth. [4]Ac os byddi di'n rhodio ger fy mron fel y rhodiodd dy dad Dafydd, yn gywir ac uniawn, a gwneud popeth a orchmynnaf iti, a chadw fy ordinhadau a'm barnedigaethau, [5]yna sicrhaf dy orsedd frenhinol dros Israel am byth, fel y dywedais wrth dy dad Dafydd, 'Gofalaf na fyddi heb ŵr ar orsedd Israel.' [6]Ond os byddwch chwi a'ch plant yn gwrthgilio oddi wrthyf ac yn peidio â chadw fy ngorchmynion a'm hordinhadau, a osodais i chwi, ac os byddwch yn mynd a gwasanaethu duwiau estron a'u haddoli, [7]yna difodaf Israel o'r tir a rois iddynt, a bwriaf o'm golwg y tŷ a gysegrais i'm henw, a bydd Israel yn mynd yn ddihareb ac yn wawd ymysg yr holl bobloedd. [8]Bydd y tŷ hwn yn adfail[t], a phob un sy'n mynd heibio iddo yn chwibanu mewn syndod, ac yn dweud, 'Pam y gwnaeth yr ARGLWYDD fel hyn i'r wlad hon ac i'r tŷ hwn?' [9]A dywedir, 'Am iddynt wrthod yr ARGLWYDD eu Duw, a ddaeth â'u tadau o'r Aifft, a glynu wrth dduwiau estron a'u haddoli a'u gwasanaethu; dyna pam y dygodd yr ARGLWYDD yr holl ddrwg yma arnynt.'"

Y Cytundeb rhwng Solomon a Hiram
(2 Cron. 8:1-2)

10 Ar derfyn ugain mlynedd, wedi i Solomon adeiladu'r ddau dŷ, sef tŷ'r

---

[s]Felly Groeg. Hebraeg, *wythnos ac wythnos, sef pythefnos.*
[t]Felly rhai Fersiynau. Hebraeg, *uchel.*

ARGLWYDD a thŷ'r brenin, fe roes y brenin ugain tref yng Ngalilea i Hiram, [11]am fod Hiram brenin Tyrus wedi cyflenwi coed cedrwydd a ffynidwydd ac aur, gymaint ag a ddymunai, i Solomon. [12]Ond pan ddaeth Hiram o Tyrus i edrych y trefi a roes Solomon iddo, nid oeddent wrth ei fodd, [13]a dywedodd, "Beth yw'r trefi hyn yr wyt wedi eu rhoi imi, fy mrawd?" A gelwir hwy Gwlad Cabwl[th] hyd heddiw. [14]Chwe ugain talent o aur a anfonodd Hiram at y brenin.

Gweithgarwch Pellach Solomon
(2 Cron. 8:3-18)

15 Dyma gyfrif y llafur gorfod a bennodd y Brenin Solomon er mwyn adeiladu tŷ'r ARGLWYDD a'i dŷ ei hun, a'r Milo, a hefyd mur Jerwsalem a Hasor, Megido a Geser. [16]Yr oedd Pharo brenin yr Aifft wedi dod a chipio Geser, a'i llosgi, a lladd y Canaaneaid oedd yn byw yn y ddinas, ac yna wedi ei rhoi'n anrheg briodas i'w ferch, gwraig Solomon; [17]ac ailadeiladodd Solomon Geser. Hefyd adeiladodd Beth-horon Isaf, [18]Baalath a Tamar yn y diffeithwch yn nhir Jwda[u], [19]a'r holl ddinasoedd stôr oedd gan Solomon, a'i dinasoedd cerbydau a'r dinasoedd meirch, a phopeth arall a ddymunai Solomon ei adeiladu, prun ai yn Jerwsalem neu yn Lebanon neu drwy holl gyrrau ci deyrnas. [20]Gorfodwyd llafur oddi wrth holl weddill poblogaeth yr Amoriaid, Hethiaid, Peresiaid, Hefiaid a Jebusiaid, nad oeddent yn perthyn i'r Israeliaid. [21]Yr oedd disgynyddion y rhain yn parhau yn y wlad am nad oedd yr Israeliaid wedi medru eu difa, ac arnynt hwy y gosodod Solomon lafur gorfod sy'n parhau hyd heddiw. [22]Ni wnaeth Solomon yr un o'r Israeliaid yn daeog; hwy oedd ei filwyr, ei swyddogion, ei gadfridogion a'i gapteiniaid a phenaethiaid ei gerbydau a'i feirch, [23]a hwy hefyd oedd prif arolygwyr gwaith Solomon—pum cant a hanner ohonynt, yn rheoli'r gweithwyr.

24 Yr adeg honno[w] ymfudodd merch Pharo o Ddinas Dafydd i fyny i'r tŷ a gododd Solomon iddi; wedyn fe adeiladodd ef y Milo.

25 Byddai Solomon yn offrymu poethoffrymau ac offrymau hedd dair gwaith yn y flwyddyn ar yr allor a gododd i'r ARGLWYDD, ac at hynny yn arogldarthu gerbron yr ARGLWYDD. Felly y gorffennodd y tŷ.

26 Creodd y Brenin Solomon lynges yn Esion-geber sydd gerllaw Eloth ar lan y Môr Coch yng ngwlad Edom; [27]ac anfonodd Hiram longwyr profiadol o blith ei weision yn y llongau gyda gweision Solomon. [28]Aethant i Offir a dod â phedwar cant ac ugain o dalentau aur oddi yno i'r Brenin Solomon.

Ymweliad Brenhines Seba
(2 Cron. 9:1-12)

10 Pan glywodd brenhines Seba am fri Solomon[y], daeth i'w brofi â chwestiynau caled. [2]Daeth i Jerwsalem gyda gosgordd niferus iawn—camelod yn cludo peraroglau a stôr fawr o aur a gemau. Pan ddaeth hi at Solomon, dywedodd wrtho'r cwbl oedd ar ei meddwl, [3]ac atebodd yntau bob un o'i gofyniadau; nid oedd dim yn rhy dywyll i'r brenin ei esbonio iddi. [4]A phan welodd brenhines Seba holl ddoethineb Solomon, a'r tŷ a adeiladodd, [5]ac arlwy ei fwrdd, eisteddiad ei swyddogion, gwasanaeth ei weision a'i drulliaid yn eu lifrai, a'u poethoffrymau y byddai'n eu hoffrymu i'r ARGLWYDD, diffygiodd ei hysbryd. [6]Addefodd wrth y brenin, "Gwir oedd yr hyn a glywais yn fy ngwlad amdanat ac am dy ddoethineb. [7]Eto nid oeddwn yn credu'r hanes nes imi ddod a gweld â'm llygaid fy hun—ac wele, ni ddywedwyd mo'r hanner wrthyf! Y mae dy ddoethineb a'th gyfocth yn rhagori ar yr hyn a glywais. [8]Gwyn fyd dy wŷr, y gweision hyn sy'n gweini'n feunyddiol arnat ac yn clywed dy ddoethineb. [9]Bendith ar yr ARGLWYDD dy Dduw, a'th hoffodd di ddigon i'th osod ar orseddfainc Israel. Am i'r ARGLWYDD garu Israel am byth, y mae wedi dy roi di'n frenin, i weinyddu barn a chyfiawnder." [10]Yna rhoddodd hi i'r brenin chwe ugain talent o aur a llawer iawn o beraroglau a gemau. Ni chafwyd byth wedyn gymaint o beraroglau ag a roddodd brenhines Seba i'r Brenin Solomon.

11 Byddai llynges Hiram yn dod ag aur o Offir; byddai hefyd yn cludo o Offir lawer iawn o goed almug a gemau. [12]Gwnaeth y brenin fracedau i dŷ'r AR-GLWYDD ac i dŷ'r brenin o'r coed

---

[th]H.y., Da-i-ddim.   [u]Hebraeg heb Jwda.   [w]Felly Groeg. Hebraeg, Er hynny.
[y]Felly 2 Cron. 9:1. Hebraeg yn ychwanegu wrth enw'r ARGLWYDD.

almug, a hefyd delynau a chrythau i'r cantorion. Ni ddaeth ac ni welwyd cystal coed almug hyd heddiw.

13 Rhoddodd y Brenin Solomon i frenhines Seba bopeth a chwenychodd, yn ychwaneg at yr hyn a roddodd iddi o'i haelioni brenhinol. Yna troes hi a'i gweision yn ôl i'w gwlad.

Cyfoeth y Brenin Solomon
(2 Cron. 9:13-28)

14 Yr oedd pwysau'r aur a ddôi i Solomon mewn blwyddyn yn chwe chant chwe deg a chwech o dalentau, ¹⁵heblaw yr hyn a gâi gan y marchnadwyr ac o enillion masnachwyr, ac oddi wrth holl frenhinoedd Arabia a'r rheolwyr talaith. ¹⁶Gwnaeth y Brenin Solomon ddau gan tarian o aur gyr, a rhoi chwe chan sicl o aur ym mhob tarian. ¹⁷Gwnaeth hefyd dri chan bwcled o aur gyr, gyda thri mina o aur ym mhob un; a rhoddodd y brenin hwy yn Nhŷ Coedwig Lebanon. ¹⁸Gwnaeth y brenin orseddfainc fawr o ifori, a'i goreuro â'r aur coethaf. ¹⁹Yr oedd chwe gris i'r orseddfainc, pen ych ar gefn yr orseddfainc, dwy fraich o boptu i'r sedd, a dau lew yn sefyll wrth y breichiau. ²⁰Yr oedd hefyd ddeuddeg llew yn sefyll, un bob pen i bob un o'r chwe gris. ²¹Ni wnaed ei thebyg mewn unrhyw deyrnas. Yr oedd holl lestri gwledda'r Brenin Solomon o aur, a holl offer Tŷ Coedwig Lebanon yn aur pur. Nid oedd yr un ohonynt o arian, am nad oedd bri arno yn nyddiau Solomon. ²²Yr oedd gan y brenin ar y môr longau Tarsis gyda llynges Hiram, ac unwaith bob tair blynedd fe ddôi llongau Tarsis â'u llwyth o aur, arian, ifori, epaod a pheunod.

23 Rhagorodd y Brenin Solomon ar holl frenhinoedd y ddaear mewn cyfoeth a doethineb. ²⁴Ac yr oedd y byd i gyd yn ymweld â Solomon i glywed y ddoethineb a roddodd Duw yn ei galon. ²⁵Bob blwyddyn dôi rhai â'u rhoddion— llestri arian ac aur, gwisgoedd, myrr, perlysiau, meirch a mulod. ²⁶Casglodd Solomon gerbydau a meirch; ac yr oedd ganddo fil a phedwar cant o gerbydau a deuddeng mil o feirch, a gedwid yn y dinasoedd cerbyd a chyda'r brenin yn Jerwsalem. ²⁷Parodd y brenin i arian fod mor aml yn Jerwsalem â cherrig, a chedrwydd mor gyffredin â sycamor- wydd y Seffela. ²⁸O'r Aifft a Cŵe y dôi

ceffylau Solomon, a byddai porthmyn y brenin yn eu cyrchu o Cŵe am bris penodedig. ²⁹Byddent yn mewnforio cerbyd o'r Aifft am chwe chan sicl o arian, a cheffyl am gant a hanner, ac yn eu hallforio i holl frenhinoedd yr Hethiaid a'r Syriaid.

Solomon yn Troi oddi wrth Dduw

11 Carodd y Brenin Solomon lawer o ferched estron heblaw merch Pharo—merched o Moab, Ammon, Edom, Sidon a'r Hethiaid, ²y cenhed- loedd y dywedodd yr ARGLWYDD wrth yr Israeliaid amdanynt, "Peidiwch â'u priodi, a pheidiwch â rhoi mewn priodas iddynt; byddant yn sicr o'ch hudo i ddilyn eu duwiau." Ond dal i'w caru a wnâi Solomon. ³Yr oedd ganddo saith gant o brif wragedd a thri chant o ordderch- wragedd; a hudodd ei wragedd ef. ⁴Pan heneiddiodd Solomon, hudodd ei wragedd ef i ddilyn duwiau estron, ac nid oedd ei galon yn llwyr gyda'r AR- GLWYDD ei Dduw, fel y bu calon ei dad Dafydd. ⁵Aeth Solomon i addoli Astoreth duwies y Sidoniaid, a Milcom ffieiddbeth yr Ammoniaid; ⁶a gwnaeth ddrwg yng ngolwg yr ARGLWYDD, heb gyflawni ei ddyletswydd i'r ARGLWYDD fel y gwnaeth ei dad Dafydd. ⁷Dyna'r pryd yr adeiladodd Solomon uchelfa i Cemos ffieiddbeth Moab, ac i Moloch ffieiddbeth yr Ammoniaid, ar y mynydd i'r dwyrain o Jerwsalem. ⁸Gwnaeth yr un modd i'w holl wragedd estron oedd yn parhau i arogldarthu ac aberthu i'w duwiau.

9 Digiodd yr ARGLWYDD wrth Solomon am iddo droi oddi wrth AR- GLWYDD Dduw Israel, ac yntau wedi ymddangos ddwywaith iddo, ¹⁰a'i rybuddio ynglŷn â hyn, nad oedd i addoli duwiau eraill. ¹¹Ond ni chadwodd yr hyn a orchmynnodd yr ARGLWYDD. Am hynny dywedodd yr ARGLWYDD wrth Solomon, "Gan mai dyma dy ddewis, ac nad wyt ti wedi cadw fy nghyfamod na'm deddfau a orchmynnais iti, yr wyf am rwygo'r deyrnas oddi wrthyt a'i rhoi i un o'th weision. ¹²Eto, er mwyn dy dad Dafydd, nid yn dy oes di y gwnaf hyn chwaith, ond oddi wrth dy fab y rhwygaf hi. ¹³Ond nid wyf am rwygo ymaith y deyrnas i gyd; gadawaf un llwyth i'th fab, er mwyn fy ngwas Dafydd ac er mwyn Jerwsalem, a ddewisais."

Gelynion Solomon

14 A chododd yr ARGLWYDD Hadad yr Edomiad o deulu brenhinol Edom yn wrthwynebydd i Solomon. [15]Yr oedd Dafydd wedi difa Edom[a] pan aeth Joab capten y llu draw i gladdu'r lladdedigion, ac yr oedd wedi lladd pob gwryw yn Edom. [16]Arhosodd Joab a'r holl Israeliaid yno am chwe mis, nes difa pob gwryw yn Edom. [17]Ond yr oedd Hadad, a oedd yn llanc ifanc ar y pryd, wedi dianc i lawr i'r Aifft gyda'r rhai o'r Edomiaid a fu'n weision i'w dad. [18]Wedi gadael Midian a chyrraedd Paran, cymerasant wŷr gyda hwy o Paran a dod i'r Aifft at Pharo brenin yr Aifft; rhoddodd yntau lety i Hadad, a threfnu i'w gynnal a rhoi tir iddo. [19]Enillodd Hadad ffafr mawr yng ngolwg Pharo, a rhoddodd yntau chwaer ei wraig, sef chwaer y Frenhines Tachpenes, yn wraig iddo. [20]Pan roddodd chwaer Tachpenes enedigaeth i'w fab Genubath, magodd Tachpenes ef ar aelwyd Pharo, fel bod Genubath yng nghartref Pharo gyda phlant Pharo. [21]Ond pan glywodd Hadad yn yr Aifft fod Dafydd wedi huno gyda'i dadau, a bod Joab capten y llu hefyd wedi marw, dywedodd wrth Pharo, "Gad imi fynd i'm gwlad fy hun." [22]Gofynnodd Pharo, "Ond beth sy'n brin arnat gyda mi, dy fod am fynd adref?" Meddai yntau, "Dim, ond gad imi fynd."

23 Gwrthwynebydd arall a gododd Duw i Solomon oedd Reson fab Eliada. Yr oedd hwn wedi ffoi oddi wrth ei arglwydd, Hadadeser brenin Soba. [24]Casglodd rai o'i gwmpas a mynd yn gapten gwylliaid, ar ôl y lladdfa a wnaeth Dafydd arnynt, ac aethant i fyw i Ddamascus a'i rheoli. [25]Bu'n wrthwynebydd i Israel tra bu Solomon yn fyw, ac yn gwneud cymaint o ddrwg â Hadad, am ei fod yn ffieiddio Israel ac yn frenin ar Syria.

Addewid Duw i Jeroboam

26 Un arall a gododd mewn gwrthryfel yn erbyn y brenin oedd Jeroboam fab Nebat, Effratead o Sereda, a swyddog i Solomon; gwraig weddw o'r enw Serfa oedd ei fam. [27]A dyma'r achos iddo wrthryfela yn erbyn y brenin: pan oedd Solomon yn codi'r Milo ac yn cau'r bwlch ym mur dinas ei dad Dafydd, [28]yr oedd

Jeroboam yn nodedig o fedrus; a phan welodd Solomon sut yr oedd y llanc yn gwneud ei waith, gwnaeth ef yn arolygwr dros holl fintai llafur gorfod llwyth Joseff. [29]Y pryd hwnnw digwyddodd i Jeroboam fynd o Jerwsalem, ac ar y ffordd cyfarfu â'r proffwyd Aheia o Seilo mewn mantell newydd, heb neb ond hwy ill dau yn y fan. [30]Cydiodd Aheia yn y fantell newydd oedd amdano a'i rhwygo'n ddeuddeg darn, [31]a dweud wrth Jeroboam, "Cymer ddeg o'r darnau, oherwydd fel hyn y dywedodd ARGLWYDD Dduw Israel: 'Yr wyf ar rwygo'r deyrnas o afael Solomon, a rhoi i ti ddeg o'r llwythau. [32]Ond caiff ef un llwyth er mwyn fy ngwas Dafydd, ac er mwyn Jerwsalem, y ddinas a ddewisais allan o holl lwythau Israel. [33]Gwnaf hyn am ei fod wedi fy ngwadu i ac addoli Astoreth duwies y Sidoniaid, a Chemos duw Moab, a Milcom duw'r Ammoniaid, ac am nad yw wedi cerdded yn fy llwybrau i fel ei dad Dafydd, na gwneud yr hyn sy'n iawn gennyf fi, sef cadw fy ordeiniadau a'm barnedigaethau. [34]Eto nid wyf am gymryd y deyrnas i gyd o'i ddwylo; yn hytrach gadawaf ef yn bennaeth am ei oes, er mwyn fy ngwas Dafydd, a ddewisais ac a gadwodd fy ngorchmynion a'm deddfau. [35]Ond yr wyf am gymryd y deyrnas oddi ar ei fab a rhoi deg llwyth ohoni i ti. [36]Rhoddaf un llwyth i'w fab, fel y caiff fy ngwas Dafydd lamp ger fy mron am byth yn Jerwsalem, y ddinas a ddewisais i mi fy hun i osod fy enw yno. [37]Dewisaf dithau i deyrnasu ar gymaint ag a ddymuni, a byddi'n frenin ar Israel. [38]Ac os gwrandewi ar bopeth a orchmynnaf, a rhodio yn fy ffyrdd, a gwneud yr hyn sy'n iawn gennyf, sef cadw fy neddfau a'm gorchmynion fel y gwnaeth fy ngwas Dafydd, byddaf gyda thi a chodaf iti dŷ sicr fel y gwneuthum i Ddafydd. [39]Rhoddaf Israel i ti er mwyn cosbi hil Dafydd oherwydd hyn; eto nid am byth chwaith.'" [40]A cheisiodd Solomon ladd Jeroboam, ond ffôdd Jeroboam draw i'r Aifft at Sisac brenin yr Aifft, ac yno y bu hyd farwolaeth Solomon.

Marwolaeth Solomon
(2 Cron. 9:29-31)

41 Am weddill hanes Solomon, popeth a gyflawnodd, a'i ddoethineb, onid yw ar

---

[a]Felly Groeg. Hebraeg, *wedi bod yn Edom.*

gael yn llyfr gweithredoedd Solomon? [42] Deugain mlynedd oedd hyd yr amser y teyrnasodd Solomon yn Jerwsalem dros Israel. [43] Pan orweddodd Solomon gyda'i dadau, a'i gladdu yn ninas ei dad Dafydd, daeth ei fab Rehoboam yn frenin yn ei le.

Gwrthryfel Llwythau'r Gogledd
(2 Cron. 10:1-19)

12 Aeth Rehoboam i Sichem, gan mai i Sichem y daethai holl Israel i'w urddo'n frenin. [2] Pan glywodd Jeroboam fab Nebat, a oedd o hyd yn yr Aifft, lle'r oedd wedi ffoi rhag y Brenin Solomon, arhosodd yn yr Aifft. [3] Ond galwasant amdano, a daeth Jeroboam a holl gynulliad Israel a dweud wrth Rehoboam, [4] "Trymhaodd dy dad ein hiau; os gwnei di'n awr ysgafnhau peth ar gaethiwed caled dy dad a'r iau drom a osododd arnom, yna fe'th wasanaethwn." [5] Dywedodd yntau wrthynt, "Ewch i ffwrdd am dridiau, ac yna dewch yn ôl ataf." Aeth y bobl. [6] Ymgynghorodd Rehoboam â'r henuriaid oedd yn llys ei dad Solomon pan oedd yn fyw, a gofynnodd, "Sut y byddech chwi'n fy nghynghori i ateb y bobl hyn?" [7] Eu hateb oedd, "Os byddi di heddiw yn was i'r bobl hyn, a'u gwasanaethu a'u hateb â geiriau teg, byddant yn weision i ti am byth." [8] Ond gwrthododd y cyngor a roes yr henuriaid, a cheisiodd gyngor y llanciau oedd yn gyfoed ag ef ac yn aelodau o'i lys. [9] Gofynnodd iddynt hwy, "Beth ydych chwi'n fy nghynghori i ateb y bobl hyn sy'n dweud wrthyf, 'Ysgafnha beth ar yr iau a osododd dy dad arnom'?" [10] Atebodd y llanciau oedd yn gyfoed ag ef, "Fel hyn y dywedi wrth y bobl hyn sy'n dweud wrthyt: 'Gwnaeth dy dad ein hiau yn drwm; ysgafnha dithau arnom.' Ie, dyma a ddywedi wrthynt: 'Y mae fy mys bach i yn braffach na llwynau fy nhad! [11] Mae'n wir i'm tad osod iau drom arnoch, ond fe'i gwnaf fi hi'n drymach. Cystwyodd fy nhad chwi â chwip, ond fe'ch cystwyaf fi chwi â ffrewyll!'"

12 Pan ddaeth Jeroboam a'r holl bobl at Rehoboam ar y trydydd dydd, yn ôl gorchymyn y brenin, "Dewch yn ôl ataf ymhen tridiau", [13] atebodd y brenin hwy'n chwyrn. Diystyrodd gyngor yr henuriaid, a derbyn cyngor y llanciau. [14] Dywedodd wrthynt, "Trymhaodd fy nhad eich iau, ond fe'i gwnaf fi hi'n drymach; cystwyodd fy nhad chwi â chwip, ond fe'ch cystwynaf fi chwi â ffrewyll!" [15] Felly ni wrandawodd y brenin ar y bobl, oherwydd fel hyn y tynghedwyd gan yr ARGLWYDD, er mwyn i'r ARGLWYDD gyflawni'r gair a lefarodd drwy Aheia o Seilo wrth Jeroboam fab Nebat.

16 A phan welodd holl Israel nad oedd y brenin am wrando arnynt, daeth ateb oddi wrth y bobl at y brenin:
"Pa ran sydd i ni yn Nafydd?
Nid oes cyfran inni ym mab Jesse.
Adref i'th bebyll, Israel!
Edrych at dy dŷ dy hun, Ddafydd!"
Yna aeth Israel adref. [17] Ond yr oedd rhai Israeliaid yn byw yn nhrefi Jwda, a Rehoboam yn frenin arnynt.

18 Pan anfonodd y brenin atynt Adoram, goruchwyliwr y llafur gorfod, llabyddiodd yr Israeliaid ef a'i ladd; ond llwyddodd y Brenin Rehoboam i gyrraedd ei gerbyd a ffoi i Jerwsalem. [19] Ac y mae Israel mewn gwrthryfel yn erbyn llinach Dafydd hyd heddiw. [20] Wedi i Israel gyfan glywed fod Jeroboam wedi dychwelyd, anfonasant i'w wahodd i'r gymanfa, a'i urddo'n frenin dros Israel gyfan. Nid oedd ond llwyth Jwda'n unig yn glynu wrth linach Dafydd.

Proffwydoliaeth Semaia
(2 Cron. 11:1-4)

21 Pan ddychwelodd Rehoboam i Jerwsalem, galwodd ynghyd holl dylwyth Jwda a llwyth Benjamin, cant a phedwar ugain o filoedd o ryfelwyr dethol, i ryfela yn erbyn Israel i adennill y frenhiniaeth i Rehoboam fab Solomon. [22] Ond daeth gair Duw at y proffwyd Semaia: [23] "Dywed wrth Rehoboam fab Solomon, brenin Jwda, ac wrth holl bobl Jwda a Benjamin a phawb arall, [24] 'Fel hyn y dywed yr ARGLWYDD: Peidiwch â mynd i ryfela yn erbyn eich brodyr yr Israeliaid; ewch yn ôl adref bob un, gan mai oddi wrthyf fi y daw hyn.'" A gwrandawsant ar air yr ARGLWYDD, a dychwelyd adref yn ôl gair yr ARGLWYDD.

Jeroboam yn Troi oddi wrth yr ARGLWYDD

25 Adeiladodd Jeroboam Sichem ym mynydd-dir Effraim i fyw yno, ond wedyn gadawodd y fan ac adeiladu Penuel. [26] Meddyliodd Jeroboam, "Yn awr, efallai y dychwel y frenhiniaeth at linach Dafydd. [27] Os â'r bobl hyn i

offrymu yn nhŷ'r ARGLWYDD yn Jerw-
salem, yna fe fydd calon y bobl hyn yn
troi'n ôl at eu meistr, Rehoboam brenin
Jwda; fe'm lladdant i a dychwelyd at
Rehoboam brenin Jwda." ²⁸Felly cymer-
odd y brenin gyngor a gwneud dau lo aur,
a dweud wrth y bobl, "Y mae'n ormod i
chwi fynd i fyny i Jerwsalem; dyma dy
dduwiau, Israel, y rhai a ddaeth â chwi i
fyny o'r Aifft." ²⁹Gosodwyd un eilun i
fyny ym Methel, a rhoi'r llall yn Dan.
³⁰Ond bu hyn yn achos pechu, oherwydd
yr oedd y bobl yn mynd i addoli'r naill i
Fethel a'r llall i Dan.ᵇ ³¹Wedi iddo godi
uchelfeydd, urddodd offeiriaid o blith y
bobl i gyd, heb iddynt fod yn Lefiaid.
³²Sefydlodd Jeroboam ŵyl o bererindod
ar y pymthegfed dydd o'r wythfed mis, fel
yr ŵyl o bererindod oedd yn Jwda; ac yr
oedd yntau yn offrymu ar yr allor. Dyna
sut y gwnâi ym Methel, ac aberthu i'r lloi
a luniodd; hefyd fe osodod ym Methel
offeiriaid yr uchelfeydd a godwyd
ganddo. ³³Fe offrymodd ar yr allor a
wnaeth ym Methel ar y pymthegfed dydd
o'r wythfed mis. Dyfeisiodd ddyddiad
iddo'i hun, lluniodd ŵyl o bererindod i'r
Israeliaid ac aeth ef ei hun at yr allor i
offrymu.

Condemnio'r Addoliad yn Bethel

13 Tra oedd Jeroboam yn sefyll wrth
yr allor i offrymu, daeth proffwyd
o Jwda i Fethel yn ôl gair yr AR-
GLWYDD. ²A chyhoeddodd yn erbyn yr
allor drwy air yr ARGLWYDD: "Allor,
allor, fel hyn y dywed yr ARGLWYDD:
'Wele, fe enir mab i linach Dafydd o'r
enw Joseia; bydd ef yn aberthu arnat
offeiriaid yr uchelfeydd sy'n offrymu
arnat, a llosgir arnat esgyrn dynion.'"
³A rhoddodd argoel y dydd hwnnw, a
dweud, "Dyma'r argoel a addawodd yr
ARGLWYDD: bydd yr allor yn ddrylliau,
a chwelir y lludw sydd arni."

4 Pan glywodd y Brenin Jeroboam y
gair a gyhoeddodd y proffwyd yn erbyn
yr allor ym Methel, estynnodd ei law dros
yr allor a dweud, "Cydiwch ynddo!" Ond
gwywodd y llaw a estynnodd ato, ac ni
fedrai ei thynnu'n ôl. ⁵Yna drylliwyd yr
allor a chwalwyd y lludw o'r allor, yn
unol â'r argoel a roddodd y proffwyd
drwy air yr ARGLWYDD. ⁶Yna dywedodd
y brenin wrth y proffwyd, "Ymbil â'r
ARGLWYDD dy Dduw a gweddïa ar fy

ᵇFelly Groeg. Hebraeg, *addoli'r naill i Dan.*

rhan fel y caiff fy llaw ei hadfer." Ymbil-
iodd y proffwyd ar yr ARGLWYDD, ac
adferwyd llaw'r brenin iddo fel yr oedd
cynt. ⁷A dywedodd y brenin wrth y
proffwyd, "Tyrd adref gyda mi am
damaid, imi roi rhodd iti." ⁸Ond dywed-
odd y proffwyd wrth y brenin, "Petait yn
rhoi imi hanner dy dŷ, ni ddown gyda thi;
nid wyf am fwyta tamaid nac yfed llym-
aid yn y lle hwn. ⁹Fel hyn y gorchmyn-
nwyd imi drwy air yr ARGLWYDD, i
beidio â bwyta nac yfed dim, na dych-
welyd y ffordd y deuthum." ¹⁰Ac aeth
ffordd arall, heb ddychwelyd ar y ffordd
y daeth i Fethel.

Proffwyd Oedrannus Bethel

11 Yr oedd proffwyd oedrannus yn byw
ym Methel, a daeth ei feibion a dweud
wrtho am y cwbl a wnaeth y proffwyd y
dydd hwnnw ym Methel, ac adrodd wrth
eu tad yr hyn a ddywedodd wrth y brenin.
¹²Holodd eu tad hwy, "Pa ffordd yr
aeth?" A dangosodd ei feibion y ffordd
yr aeth y proffwyd oedd wedi dod o Jwda.
¹³Dywedodd yntau wrth ei feibion,
"Cyfrwywch asyn imi." Ac wedi iddynt
gyfrwyo'r asyn, marchogodd arno ¹⁴a
mynd ar ôl y proffwyd, a'i gael yn eistedd
tan dderwen. Gofynnodd iddo, "Ai ti
yw'r proffwyd a ddaeth o Jwda?" Ac
atebodd yntau, "Ie." ¹⁵Yna dywedodd y
proffwyd oedrannus, "Tyrd adref gyda
mi am bryd o fwyd." ¹⁶Atebodd y llall,
"Ni fedraf ddychwelyd gyda thi, na
bwyta nac yfed dim gyda thi yn y lle hwn.
¹⁷Dyma'r neges a gefais drwy air yr
ARGLWYDD: 'Paid â bwyta bara nac
yfed dim yno, na dychwelyd y ffordd yr
aethost.' " ¹⁸Ond dywedodd y proffwyd
oedrannus wrtho, "Yr wyf finnau'n
broffwyd fel ti, ac y mae angel wedi
dweud wrthyf drwy air yr ARGLWYDD,
'Dos ag ef yn ôl gyda thi adref i fwyta
bara ac yfed dŵr.' " Ond dweud celwydd
wrtho yr oedd. ¹⁹Aeth yntau'n ôl gydag
ef, a bwyta ac yfed yn ei gartref.

20 Tra oeddent yn eistedd wrth y
bwrdd, daeth gair yr ARGLWYDD at y
proffwyd a'i dygodd yn ôl, ²¹a chyhoedd-
odd wrth y proffwyd a ddaeth o Jwda,
"Fel hyn y dywed yr ARGLWYDD: 'Am
iti wrthod yr hyn a ddywedodd yr AR-
GLWYDD, a pheidio â chadw gorch-
ymyn yr ARGLWYDD dy Dduw, ²²ond yn
hytrach dychwelyd a bwyta ac yfed yn y

lle y dywedodd ef wrthyt am beidio â bwyta nac yfed, am hynny ni ddaw dy gorff i fedd dy dadau.'"

23 Ac wedi iddo orffen bwyta ac yfed, cyfrwywyd iddo asyn o eiddo'r proffwyd a'i dygodd yn ôl. ²⁴Fel yr oedd yn mynd ar hyd y ffordd, daeth llew i'w gyfarfod a'i ladd; gadawyd ei gorff i orwedd ar y ffordd, gyda'r asyn a'r llew yn sefyll yn ei ymyl. ²⁵Digwyddodd dynion ddod heibio a gweld y corff ar y ffordd, gyda'r llew yn ei ymyl, ac aethant ac adrodd yr hanes yn y dref lle'r oedd y proffwyd oedrannus yn byw. ²⁶Pan glywodd y proffwyd a'i dygodd yn ôl o'i daith, dywedodd, "Dyna'r proffwyd a wrthododd neges yr ARGLWYDD; y mae'r ARGLWYDD wedi ei roi i'r llew, a hwnnw wedi ei larpio a'i ladd yn ôl y gair a fynegodd yr AR-GLWYDD." ²⁷A dywedodd wrth ei feibion, "Cyfrwywch asyn imi." Wedi iddynt ei gyfrwyo, ²⁸aeth y proffwyd, a chael y corff ar y ffordd, a'r llew a'r asyn yn sefyll yn ei ymyl. Nid oedd y llew wedi bwyta'r corff na llarpio'r asyn. ²⁹Cododd y proffwyd y corff a'i osod ar yr asyn, a'i gludo'n ôl, a'i ddwyn i dref y proffwyd oedrannus er mwyn galaru drosto a'i gladdu. ³⁰Ac wedi gosod y corff yn ei fedd ei hun, galarodd drosto a dweud, "O fy mrawd!" ³¹Ar ôl ei gladdu, dywedodd wrth ei feibion, "Pan fyddaf farw, claddwch fi yn y bedd lle mae'r proffwyd wedi ei gladdu; gosodwch fy esgyrn wrth ei esgyrn ef. ³²Yn sicr fe ddigwydd yr hyn a gyhoeddodd drwy air yr ARGLWYDD yn erbyn yr allor ym Methel ac yn erbyn holl adeiladau'r uchelfeydd sydd yn nhrefi Samaria."

Drygioni Jeroboam

33 Ni throdd Jeroboam oddi wrth ei ffordd ddrygionus wedi'r digwyddiad hwn. Parhaodd i wneud offeiriaid uchel-feydd o'r bobl yn ddiwahân; byddai'n urddo pwy bynnag a ddymunai yn offeir-iaid uchelfeydd. ³⁴Bu hyn yn dramgwydd i deulu Jeroboam ac yn achos eu difetha a'u difodi oddi ar wyneb y ddaear.

Marwolaeth Mab Jeroboam

14 Yr adeg honno clafychodd Abeia, mab Jeroboam. ²A dywedodd Jeroboam wrth ei wraig, "Newid dy ddiwyg rhag i neb wybod mai gwraig Jeroboam ydwyt; yna dos i Seilo, lle mae'r proffwyd Aheia, a ddywedodd

wrthyf y byddwn yn frenin ar y bobl hyn. ³Cymer yn dy law ddeg torth, teisennau a photel o fêl, a dos ato; ac fe ddywed wrthyt sut y bydd hi ar y llanc." ⁴Gwnaeth gwraig Jeroboam felly; aeth draw i Seilo a dod i dŷ Aheia. Yr oedd Aheia'n methu gweld, am fod ei lygaid wedi pylu gan henaint. ⁵Dywedodd yr ARGLWYDD wrth Aheia, "Y mae gwraig Jeroboam yn dod atat i geisio gair gennyt ynglŷn â'i mab sy'n glaf; y peth a'r peth a ddywedi wrthi. Ond pan ddaw, bydd yn cymryd arni fod yn rhywun arall." ⁶Pan glywodd Aheia sŵn ei thraed yn cyr-raedd y drws, dywedodd, "Tyrd i mewn, wraig Jeroboam; pam yr wyt ti'n cymryd arnat fod yn rhywun arall? Newydd drwg sydd gennyf i ti. ⁷Dywed wrth Jeroboam, 'Fel hyn y dywed ARGLWYDD Dduw Israel: Dyrchefais di o blith y bobl a'th osod yn dywysog ar fy mhobl Israel, ⁸a rhwygais y deyrnas oddi ar linach Dafydd a'i rhoi i ti. Ond ni fuost fel fy ngwas Dafydd, yn cadw fy ngorchmyn-ion ac yn fy nghanlyn â'i holl galon, i wneud yn unig yr hyn oedd yn uniawn yn fy ngolwg. ⁹Yn hytrach gwnaethost fwy o ddrygioni na phawb o'th flaen. Buost yn gwneud duwiau estron a delwau tawdd er mwyn fy nghythruddo, a bwriaist fi heibio. ¹⁰Felly dygaf ddrwg ar deulu Jeroboam, a difa pob gwryw, caeth neu rydd, sy'n perthyn iddo yn Israel; ysaf yn llwyr deulu Jeroboam, fel un yn llosgi gleuad, nes y bydd wedi llwyr ddarfod. ¹¹Bydd cŵn yn bwyta'r rhai o deulu Jeroboam a fydd farw yn y ddinas, ac adar rheibus yn bwyta'r rhai a fydd farw yn y wlad. Yr ARGLWYDD a'i dywedodd.'

12 "Dos dithau adref. Pan fyddi'n cyr-raedd y dref, bydd farw'r bachgen. ¹³Bydd holl Israel yn galaru amdano ac yn dod i'w angladd, oherwydd hwn yn unig o deulu Jeroboam a gaiff feddrod, gan mai ynddo ef o blith teulu Jeroboam y cafodd ARGLWYDD Dduw Israel ryw gymaint o ddaioni. ¹⁴Fe gyfyd yr AR-GLWYDD iddo'i hun frenin ar Israel a fydd yn difodi tylwyth Jeroboam y dydd hwn—yr awr hon, ond odid. ¹⁵A bydd yr ARGLWYDD yn taro Israel nes y bydd yn siglo fel brwynen mewn llif, ac yn diwreiddio Israel o'r tir da hwn a roddodd i'w tadau, a'u gwasgaru y tu hwnt i Afon Ewffrates, am iddynt lunio'u delwau o Asera a chythruddo'r ARGLWYDD.

[16]Bydd yn gwrthod Israel, o achos y pechod a wnaeth Jeroboam, a barodd i Israel bechu."

17 Aeth gwraig Jeroboam yn ôl i Tirsa, ac fel yr oedd hi'n cyrraedd trothwy'r tŷ, bu farw'r llanc. [18]Daeth holl Israel i'w gladdu ac i alaru ar ei ôl, fel y llefarodd yr ARGLWYDD drwy ei was, y proffwyd Aheia.

Marwolaeth Jeroboam

19 Y mae gweddill hanes Jeroboam, ei ryfeloedd a'i deyrnasiad, wedi ei ysgrifennu yn llyfr hanesion brenhinoedd Israel. [20]Dwy flynedd ar hugain oedd hyd y cyfnod y bu Jeroboam yn frenin; yna hunodd gyda'i dadau, a daeth ei fab Nadab yn frenin yn ei le.

Rehoboam yn Frenin ar Jwda
(2 Cron. 11:5—12:15)

21 Daeth Rehoboam fab Solomon yn frenin ar Jwda; un a deugain oed oedd ef pan ddechreuodd deyrnasu, a bu'n frenin am ddwy flynedd ar bymtheg yn Jerwsalem, y ddinas a ddewisodd yr ARGLWYDD allan o holl lwythau Israel i osod ei enw yno. Naama yr Ammones oedd enw ei mam Rehoboam.

22 Gwnaeth Jwda ddrygioni yng ngolwg yr ARGLWYDD, a'i ddigio'n fwy â'u pechodau nag a wnaeth eu tadau. [23]Buont hefyd yn codi uchelfeydd a delwau o Baal ac Asera ar bob bryn uchel a than bob pren gwyrddlas; [24]ac yr oedd puteinwyr cwltig drwy'r wlad. Gwnaethant ffieidd-dra, yn hollol fel y cenhedloedd a ddisodlodd yr ARGLWYDD o flaen yr Israeliaid.

25 Ym mhumed flwyddyn y Brenin Rehoboam, daeth Sisac brenin yr Aifft i fyny yn erbyn Jerwsalem, [26]a dwyn holl drysorau tŷ'r ARGLWYDD a thŷ'r brenin, a dwyn hefyd yr holl darianau aur a wnaeth Solomon. [27]Yn eu lle gwnaeth y Brenin Rehoboam darianau pres, a'u rhoi yng ngofal swyddogion y gwarchodlu oedd yn gwylio porth tŷ'r brenin. [28]Bob tro yr âi'r brenin i dŷ'r ARGLWYDD, gwisgai'r gwarchodlu hwy ac yna'u dychwelyd i'r wardrys.

29 Ac onid yw gweddill hanes Rehoboam, a'r cwbl a wnaeth, wedi ei ysgrifennu yn llyfr hanesion brenhinoedd Jwda? [30]Bu rhyfel rhwng Rehoboam a Jeroboam trwy gydol yr amser. [31]Pan hunodd Rehoboam gyda'i dadau, claddwyd ef gyda hwy yn Ninas Dafydd. Naama yr Ammones oedd enw ei fam, a'i fab Abeiam a ddaeth yn frenin yn ei le.

Abeiam yn Frenin ar Jwda
(2 Cron. 13:1—14:1)

15 Yn y ddeunawfed flwyddyn i'r Brenin Jeroboam fab Nebat, daeth Abeiam yn frenin ar Jwda. [2]Teyrnasodd am dair blynedd yn Jerwsalem, a Maacha merch Abisalom oedd enw ei fam. [3]Dilynodd yr holl bechodau a gyflawnodd ei dad o'i flaen, a'i galon heb fod yn berffaith gywir i'r ARGLWYDD ei Dduw fel yr oedd calon ei dad Dafydd. [4]Ond er mwyn Dafydd rhoddodd yr ARGLWYDD ei Dduw lamp iddo yn Jerwsalem, a sefydlu ei fab ar ei ôl a sicrhau Jerwsalem, [5]am fod Dafydd wedi gwneud yr hyn oedd yn uniawn yng ngolwg yr ARGLWYDD, heb wyro oddi wrth ddim a orchmynnodd iddo drwy ei oes, ar wahân i achos Ureia'r Hethiad. [6]Ond bu rhyfel rhwng Rehoboam a Jeroboam ar hyd ei oes.

7 Ac onid yw gweddill hanes Abeiam, a'r cwbl a wnaeth, wedi ei ysgrifennu yn llyfr hanesion brenhinoedd Jwda? Bu rhyfel hefyd rhwng Abeiam a Jeroboam. [8]Pan hunodd Abeiam gyda'i dadau, claddwyd ef yn Ninas Dafydd, a daeth ei fab Asa yn frenin yn ei le.

Asa yn Frenin ar Jwda
(2 Cron. 15:16—16:6)

9 Yn yr ugeinfed flwyddyn i Jeroboam brenin Israel y daeth Asa yn frenin Jwda. [10]Teyrnasodd am un mlynedd a deugain yn Jerwsalem, a Maacha merch Abisalom oedd enw ei fam. [11]Gwnaeth Asa yr hyn oedd yn uniawn yng ngolwg yr ARGLWYDD, yr un fath â'i dad Dafydd. [12]Trodd y puteinwyr cwltig allan o'r wlad a symud ymaith y delwau a wnaeth ei dadau. [13]At hyn fe ddiswyddodd ei fam Maacha o fod yn fam-frenhines, am iddi lunio ffieiddbeth ar gyfer Asera. Drylliodd Asa ei delw a'i llosgi yn nant Cidron. [14]Ni symudwyd yr uchelfeydd; eto yr oedd calon Asa yn berffaith gywir i'r ARGLWYDD ar hyd ei oes. [15]Dygodd i dŷ'r ARGLWYDD yr addunedau o arian, aur a llestri a addawodd ei dad ac yntau.

16 Bu rhyfel rhwng Asa a Baasa brenin Israel ar hyd eu hoes. [17]Aeth Baasa brenin Israel yn erbyn Jwda ac adeiladu

Rama, rhag gadael i neb fynd a dod at Asa brenin Jwda. [18]Yna cymerodd Asa'r holl arian ac aur a adawyd yn nhrysorfeydd tŷ'r ARGLWYDD a thŷ'r brenin, a'u rhoi i'w weision a'u hanfon i Benhadad fab Tabrimon, fab Hesion, brenin Syria, a oedd yn byw yn Namascus, a dweud, [19]"Bydded cyfamod rhyngof fi a thi, fel yr oedd rhwng fy nhad a'th dad. 'Rwy'n anfon atat rodd o arian ac aur; tor dy gyfamod gyda Baasa brenin Israel er mwyn iddo gilio'n ôl oddi wrthyf." [20]Gwrandawodd Benhadad ar y Brenin Asa, ac anfon swyddogion ei gatrodau yn erbyn trefi Israel, ac ymosod ar Ijon a Dan ac Abel-beth-maacha a Cinneroth i gyd, a holl wlad Nafftali. [21]Pan glywodd Baasa, rhoddodd heibio adeiladu Rama ac ymsefydlodd yn Tirsa. [22]Yna gorchmynnodd y Brenin Asa holl Jwda yn ddieithriad i gymryd meini a choed Rama, y bu Baasa yn ei hadeiladu; a defnyddiodd hwy i adeiladu Geba Benjamin a Mispa.

23 Ac onid yw gweddill hanes Asa, ei holl wrhydri, y cwbl a wnaeth, a'r dinasoedd a adeiladodd, wedi ei ysgrifennu yn llyfr hanesion brenhinoedd Jwda, oddieithr iddo yn ei henaint ddioddef o glefyd yn ei draed? [24]Pan hunodd gyda'i dadau, claddwyd ef gyda hwy yn ninas ei dad Dafydd; a daeth ei fab Jehosaffat yn frenin yn ei le.

Nadab yn Frenin ar Israel

25 Daeth Nadab fab Jeroboam yn frenin ar Israel yn yr ail flwyddyn i Asa brenin Jwda, a theyrnasu am ddwy flynedd ar Israel. [26]Gwnaeth ddrwg yng ngolwg yr ARGLWYDD, a dilyn llwybr a phechod ei dad, a barodd i Israel bechu. [27]Gwnaeth Baasa fab Aheia o lwyth Issachar gynllwyn yn ei erbyn, a'i daro i lawr ger Gibbethon, a oedd ym meddiant y Philistiaid, gan fod Nadab yn gwarchae ar Gibbethon gyda holl Israel. [28]Lladdodd Baasa ef yn y drydedd flwyddyn i Asa brenin Jwda, a theyrnasodd yn ei le. [29]Pan ddaeth yn frenin, trawodd holl deulu Jeroboam a'u difa, heb adael un perchen anadl i Jeroboam, yn unol â gair yr ARGLWYDD drwy ei was Aheia o Seilo. [30]Digwyddodd hyn oherwydd y pechodau a wnaeth Jeroboam, a barodd i Israel bechu wrth ddigio yr ARGLWYDD, Duw Israel. [31]Ac onid yw gweddill hanes Nadab, a'r cwbl a wnaeth,

wedi ei ysgrifennu yn llyfr hanesion brenhinoedd Israel? [32]Bu rhyfel rhwng Asa a Baasa brenin Israel ar hyd eu hoes.

Baasa yn Frenin ar Israel

33 Yn y drydedd flwyddyn i Asa brenin Jwda daeth Baasa fab Aheia yn frenin ar Israel yn Tirsa, a theyrnasu am bedair blynedd ar hugain. [34]Gwnaeth ddrygioni yng ngolwg yr ARGLWYDD a dilyn llwybr a phechod Jeroboam, a barodd i Israel bechu.

16 Daeth gair yr ARGLWYDD at Jehu fab Hanani yn erbyn Baasa, a dweud: [2]"Codais di o'r llwch, a'th wneud yn dywysog ar fy mhobl Israel, ond dilynaist lwybr Jeroboam a pheraist i'm pobl Israel bechu er mwyn fy nigio â'u pechodau. [3]Am hyn yr wyf yn difa olion Baasa a'i deulu a'u gwneud fel teulu Jeroboam fab Nebat. [4]Bydd cŵn yn bwyta'r rhai o deulu Baasa a fydd farw yn y ddinas, ac adar rheibus yn bwyta'r rhai a fydd farw yn y wlad." [5]Ac onid yw gweddill hanes Baasa, ei hynt a'i wrhydri, wedi ei ysgrifennu yn llyfr hanesion brenhinoedd Israel? [6]Pan hunodd Baasa gyda'i dadau, claddwyd ef yn Tirsa, a daeth ei fab Ela yn frenin yn ei le. [7]Ond yr oedd gair yr ARGLWYDD wedi dod at Baasa a'i deulu drwy'r proffwyd Jehu fab Hanani am y drygioni a wnaeth yng ngolwg yr ARGLWYDD trwy ei ddigio â'i weithredoedd, a dod yn debyg i deulu Jeroboam; a hefyd am iddo ddinistrio hwnnw.

Ela yn Frenin ar Israel

8 Yn y chweched flwyddyn ar hugain i Asa brenin Jwda daeth Ela fab Baasa yn frenin ar Israel yn Tirsa, a theyrnasu am ddwy flynedd. [9]Yna gwnaeth ei was Simri, capten hanner y cerbydau, gynllwyn yn ei erbyn. Pan oedd y brenin yn Tirsa yn feddw chwil yn nhŷ Arsa rheolwr y tŷ yn Tirsa, [10]daeth Simri a'i daro'n farw; a daeth yn frenin yn ei le yn y seithfed flwyddyn ar hugain i Asa brenin Jwda. [11]Pan esgynnodd i'r orsedd ar ddechrau ei deyrnasiad, lladdodd bob un o deulu Baasa, heb adael ohonynt yr un gwryw, na châr na chyfaill. [12]Dinistriodd Simri holl dylwyth Baasa yn ôl gair yr ARGLWYDD wrth Baasa drwy'r proffwyd Jehu, [13]oherwydd i Baasa a'i fab Ela bechu cymaint eu hunain a pheri

i Israel bechu a digio ARGLWYDD Dduw Israel â'u heilunod. ¹⁴Ac onid yw gweddill hanes Ela, a'r cwbl a wnaeth, wedi ei ysgrifennu yn llyfr hanesion brenhinoedd Israel?

Simri yn Frenin ar Israel

15 Yn y seithfed flwyddyn ar hugain i Asa brenin Jwda daeth Simri'n frenin am saith diwrnod yn Tirsa. Yr oedd y bobl yn gwersyllu yn erbyn Gibbethon, a oedd ym meddiant y Philistiaid; ¹⁶a phan glywsant fod Simri wedi cynllwyn a lladd y brenin, y diwrnod hwnnw yn y gwersyll gwnaeth holl Israel Omri, capten y llu, yn frenin ar Israel. ¹⁷Yna aeth Omri i fyny o Gibbethon, a holl Israel gydag ef, a gwarchae ar Tirsa. ¹⁸A phan welodd Simri fod y ddinas wedi ei chipio, aeth i gaer tŷ'r brenin a llosgi tŷ'r brenin am ei ben, a bu farw. ¹⁹Digwyddodd hyn oherwydd y pechodau a gyflawnodd drwy wneud drwg yng ngolwg yr ARGLWYDD a dilyn llwybr Jeroboam, a'r pechod a wnaeth ef i beri i Israel bechu. ²⁰Ac onid yw gweddill hanes Simri a'i gynllwyn wedi ei ysgrifennu yn llyfr hanesion brenhinoedd Israel?

Omri yn Frenin ar Israel

21 Yr adeg honno rhannwyd cenedl Israel yn ddwy, gyda hanner y genedl yn dilyn Tibni fab Ginath i'w godi'n frenin, a'r hanner arall yn dilyn Omri. ²²Trechodd y bobl oedd yn dilyn Omri ddilynwyr Tibni fab Ginath, a phan fu Tibni farw, Omri oedd yn frenin.

23 Yn yr unfed flwyddyn ar ddeg ar hugain i Asa brenin Jwda daeth Omri yn frenin ar Israel, a theyrnasu am ddeuddeng mlynedd. ²⁴Wedi teyrnasu am chwe blynedd yn Tirsa, prynodd fynydd Samaria gan Semer am ddwy dalent o arian, ac adeiladu ar y mynydd ddinas, a alwodd yn Samaria ar ôl Semer perchennog y mynydd. ²⁵Ond gwnaeth Omri fwy o ddrwg yng ngolwg yr ARGLWYDD na phawb o'i flaen. ²⁶Dilynodd holl lwybr a phechod Jeroboam fab Nebat, a barodd i Israel bechu a digio ARGLWYDD Dduw Israel â'u heilunod. ²⁷Ac onid yw gweddill hanes Omri, ei hynt a'r gwrhydri a wnaeth, wedi ei ysgrifennu yn llyfr hanesion brenhinoedd Israel? ²⁸Pan hunodd Omri gyda'i dadau, claddwyd ef yn Samaria, a daeth ei fab Ahab yn frenin yn ei le.

Ahab yn Frenin ar Israel

29 Daeth Ahab fab Omri yn frenin ar Israel yn y ddeunawfed flwyddyn ar hugain i Asa brenin Jwda, a theyrnasodd Ahab fab Omri ar Israel yn Samaria am ddwy flynedd ar hugain. ³⁰Gwnaeth Ahab fab Omri fwy o ddrwg yng ngolwg yr ARGLWYDD na phawb o'i flaen. ³¹Ac fel petai'n ddibwys ganddo rodio ym mhechodau Jeroboam fab Nebat, fe gymerodd yn wraig Jesebel, merch Ethbaal brenin y Sidoniaid, ac yna addoli Baal ac ymgrymu iddo. ³²Cododd Ahab allor i Baal yn nhŷ Baal, a adeiladodd yn Samaria, a hefyd fe wnaeth ddelw. ³³Gwnaeth fwy i ddigio ARGLWYDD Dduw Israel na holl frenhinoedd Israel o'i flaen. ³⁴Yn ei adeg ef ailadeiladwyd Jericho gan Hiel o Fethel. Yr oedd ei sylfaenu wedi costio iddo Abiram, ei gyntafanedig, a gosod ei ddorau wedi costio iddo Segub ei fab ieuengaf—yn unol â gair yr ARGLWYDD drwy Josua fab Nun.

Elias a'r Weddw yn Sareffta

17 Dywedodd Elias y Thesbiad o Thisbe yn Gilead wrth Ahab, "Cyn wired â bod ARGLWYDD Dduw Israel yn fyw, yr hwn yr wyf yn ei wasanaethu, ni bydd na gwlith na glaw y blynyddoedd hyn ond yn ôl fy ngair i." ²Wedyn daeth gair yr ARGLWYDD ato: ³"Dos oddi yma a thro tua'r dwyrain ac ymguddia yn nant Cerith, sydd i'r dwyrain o'r Iorddonen. ⁴Cei yfed o'r nant, a pharaf i gigfrain dy borthi yno." ⁵Aeth yntau a gwneud yn ôl gair yr ARGLWYDD ac aros yn nant Cerith i'r dwyrain o'r Iorddonen. ⁶Bore a hwyr dôi cigfrain â bara a chig iddo, ac yfai o'r nant. ⁷Ond ymhen amser sychodd y nant o ddiffyg glaw yn y wlad, ⁸a daeth gair yr ARGLWYDD ato: ⁹"Cod a dos i Sareffta, sydd yn perthyn i Sidon, ac aros yno; wele, yr wyf yn peri i wraig weddw yno dy borthi." ¹⁰Cododd a mynd i Sareffta, a phan gyrhaeddodd borth y dref, yno'r oedd gwraig weddw yn casglu priciau; galwodd arni a dweud, "Estyn imi gwpanaid bach o ddŵr, imi gael yfed." ¹¹Pan aeth i'w 'mofyn, galwodd ar ei hôl, "A thyrd â thamaid o fara imi yn dy law." ¹²Ond meddai hi, "Cyn wired â bod yr ARGLWYDD dy Dduw yn fyw, nid oes gennyf yr un dorth, dim ond llond dwrn o beilliaid yn y celwrn a diferyn o olew yn y stên; casglu ychydig briciau yr oeddwn er mwyn eu paratoi i mi a'm mab i fwyta, ac yna trengi.'' ¹³Dywedodd Elias wrthi, ''Paid ag ofni; dos a gwna fel y dywedaist, ond gwna ohono yn gyntaf deisen fach i mi, a thyrd â hi ataf, a pharatoi i ti dy hun a'th fab wedyn. ¹⁴Oherwydd fel hyn y dywed Arglwydd Dduw Israel: 'Nid â'r celwrn blawd yn wag na'r stên olew yn sych hyd y dydd y bydd yr Arglwydd yn rhoi glaw ar wyneb y tir.''' ¹⁵Gwnaeth hithau yn ôl gair Elias, a chafodd ef a hi a'i theulu fwyd am amser. ¹⁶Nid aeth y celwrn blawd yn wag na'r stên olew yn sych, yn ôl gair yr Arglwydd drwy Elias.

17 Ymhen ysbaid clafychodd mab y wraig oedd biau'r tŷ; aeth yn ddifrifol wael, fel nad oedd anadl ar ôl ynddo. ¹⁸A dywedodd hi wrth Elias, ''Beth sydd gennyt yn f'erbyn, y proffwyd? Ai dod ataf a wnaethost i dynnu sylw at f'anwiredd, a lladd fy mab?'' ¹⁹Meddai yntau wrthi, ''Rho dy fab i mi.'' Cymerodd ef o'i mynwes a'i gludo i'r llofft lle'r oedd yn byw, a'i osod i orwedd ar ei wely. ²⁰Galwodd ar yr Arglwydd a dweud, ''O Arglwydd, fy Nuw, a wyt yn dwyn drwg hyd yn oed ar y weddw y cefais lety ganddi, ac yn lladd ei mab?'' ²¹Yna ymestynnodd ar y bachgen dair gwaith, a galw ar yr Arglwydd a dweud, ''O Arglwydd, fy Nuw, bydded i einioes y bachgen hwn ddod yn ôl iddo.'' ²²Gwrandawodd yr Arglwydd ar lef Elias, a daeth einioes y bachgen yn ôl iddo, ac adfywiodd. ²³Cymerodd Elias y bachgen, a mynd ag ef i lawr o'r llofft i mewn i'r tŷ a'i roi i'w fam, a dweud, ''Edrych, y mae dy fab yn fyw.'' ²⁴Dywedodd y wraig wrth Elias, ''Gwn yn awr dy fod yn broffwyd, a bod gair yr Arglwydd yn wir yn dy enau.''

Elias a Phroffwydi Baal

18 Aeth cryn amser heibio, ac yn y drydedd flwyddyn daeth gair yr Arglwydd at Elias yn dweud, ''Dos, dangos dy hun i Ahab er mwyn imi roi glaw ar wyneb y tir.'' ²Aeth Elias i'w ddangos ei hun i Ahab. ³Gan fod y newyn yn drwm yn Samaria, galwodd Ahab ar Obadeia, goruchwyliwr ei dŷ. ⁴Yr oedd Obadeia yn ofni'r Arglwydd yn fawr, a phan ddistrywiodd Jesebel broffwydi'r

Arglwydd, fe gymerodd Obadeia gant o broffwydi a'u cuddio mewn ogof fesul hanner cant, a'u cynnal â bwyd a diod. ⁵A dywedodd Ahab wrth Obadeia, ''Cerdda drwy'r wlad i bob ffynnon a nant, ac efallai y down o hyd i laswellt, a chadw'r ceffylau a'r mulod yn fyw, rhag inni golli pob anifail.'' ⁶Ac wedi rhannu'r wlad rhyngddynt i gerdded drwyddi, aeth Ahab ei hun un ffordd, ac Obadeia ffordd arall. ⁷A phan oedd Obadeia ar ei ffordd, daeth Elias i'w gyfarfod; adnabu yntau ef, a syrthio ar ei wyneb a dweud, ''Ai ti sydd yna, f'arglwydd Elias?'' ⁸''Ie,'' atebodd yntau, ''dos a dywed wrth dy arglwydd fod Elias ar gael.'' ⁹Ond meddai hwnnw, ''Beth yw fy mai, dy fod yn rhoi dy was yn llaw Ahab i'm lladd? ¹⁰Cyn wired â bod yr Arglwydd dy Dduw yn fyw, nid oes na chenedl na theyrnas nad yw f'arglwydd wedi anfon yno i'th geisio; a phan ddywedent, 'Nid yw yma', byddai'n mynnu i'r deyrnas neu'r genedl dyngu llw nad oeddent wedi dy weld. ¹¹A dyma ti'n dweud wrthyf, 'Dos a dywed wrth dy arglwydd fod Elias ar gael'! ¹²Cyn gynted ag yr af oddi wrthyt, bydd ysbryd yr Arglwydd yn dy gipio, ni wn i ble. Ac os af i ddweud wrth Ahab, ac yntau'n methu dy gael, bydd yn fy lladd —ac y mae dy was wedi ofni'r Arglwydd er pan yn fachgen. ¹³Oni ddywedwyd neb wrth f'arglwydd yr hyn a wneuthum pan oedd Jesebel yn lladd proffwydi'r Arglwydd, fy mod wedi cuddio cant o broffwydi'r Arglwydd mewn ogof, fesul hanner cant, a'u cynnal â bwyd a diod? ¹⁴A dyma ti'n dweud wrthyf, 'Dos a dywed wrth f'arglwydd fod Elias ar gael'! Y mae'n sicr o'm lladd.'' ¹⁵Dywedodd Elias, ''Cyn wired â bod Arglwydd y Lluoedd yn fyw, yr hwn yr wyf yn ei wasanaethu, yr wyf am ymddangos iddo heddiw.''

16 Yna aeth Obadeia i gyfarfod Ahab a dweud wrtho; ac aeth Ahab i gyfarfod Elias. ¹⁷Pan welodd Ahab ef, dywedodd wrtho, ''Ai ti sydd yna, gythryblwr Israel?'' ¹⁸Atebodd yntau, ''Nid myfi sydd wedi cythryblu Israel, ond tydi a'th deulu, drwy wrthod gorchmynion yr Arglwydd a dilyn y Baalim. ¹⁹Anfon yn awr a chasgla ataf holl Israel i Fynydd Carmel, a hefyd y pedwar cant a hanner o broffwydi Baal a'r pedwar cant o broffwydi Asera y mae Jesebel yn eu cynnal.'' ²⁰Anfonodd Ahab at yr holl

Israeliaid, a chasglu'r proffwydi i Fynydd Carmel.

21 Pan ddaeth Elias at yr holl bobl, gofynnodd, "Pa hyd yr ydych yn cloffi rhwng dau feddwl? Os yr ARGLWYDD sydd Dduw, dilynwch ef; ac os Baal, dilynwch hwnnw." Ond nid atebodd y bobl air iddo. ²²Yna meddai Elias wrth y bobl, "Myfi fy hunan a adawyd yn broffwyd i'r ARGLWYDD, tra mae proffwydi Baal yn bedwar cant a hanner. ²³Rhodder inni ddau fustach, hwy i ddewis un a'i ddatgymalu a'i osod ar y coed, ond heb roi tân dano; a gwnaf finnau'r llall yn barod a'i osod ar y coed, heb roi tân dano. ²⁴Yna galwch chwi ar eich duw chwi, a galwaf finnau ar yr ARGLWYDD, a'r duw a etyb drwy dân fydd Dduw." ²⁵Atebodd yr holl bobl, "Cynllun da!" Dywedodd Elias wrth broffwydi Baal, "Dewiswch chwi un bustach a'i baratoi'n gyntaf, gan eich bod yn niferus, a galwch ar eich duw, ond peidio â rhoi tân." ²⁶Ac wedi cymryd y bustach a roddwyd iddynt a'i baratoi, galwasant ar Baal o'r bore hyd hanner dydd, a dweud, "Baal, ateb ni!" Ond nid oedd llef nac ateb, er iddynt lamu o gylch yr allor. ²⁷Erbyn hanner dydd yr oedd Elias yn eu gwatwar ac yn dweud, "Galwch yn uwch, oherwydd duw ydyw; hwyrach ei fod yn synfyfyrio, neu wedi troi o'r neilltu, neu wedi mynd ar daith; neu efallai ei fod yn cysgu a bod yn rhaid ei ddeffro." ²⁸Galwasant yn uwch, a'u hanafu eu hunain yn ôl eu harfer â chyllyll a phicellau nes i'r gwaed lifo arnynt. ²⁹Ac wedi i hanner dydd fynd heibio, yr oeddent yn dal i broffwydo'n orffwyll hyd adeg offrymu'r hwyroffrwm; ond nid oedd llef nac ateb na sylw i'w gael.

30 Yna dywedodd Elias wrth yr holl bobl, "Dewch yn nes ataf"; a daeth yr holl bobl ato. Trwsiodd yntau allor yr ARGLWYDD a oedd wedi ei malurio; ³¹a chymerodd ddeuddeg carreg, yn ôl nifer llwythau meibion Jacob (yr un y daeth gair yr ARGLWYDD ato yn dweud, "Israel fydd dy enw"). ³²Yna adeiladodd y cerrig yn allor yn enw'r ARGLWYDD, ac o gylch yr allor gwneud ffos ddigon mawr i gymryd dau fesur o had. ³³Trefnodd y coed, a darnio'r bustach a'i osod ar y coed, ³⁴ac yna meddai, "Llanwch bedwar llestr â dŵr, a'i dywallt ar yr aberth a'r coed." Yna dywedodd, "Gwnewch eilwaith"; a gwnaethant yr

eildro. Yna dywedodd, "Gwnewch y drydedd waith"; a gwnaethant y trydydd tro, ³⁵nes bod y dŵr yn llifo o amgylch yr allor ac yn llenwi'r ffos. ³⁶Pan ddaeth awr offrymu'r hwyroffrwm, nesaodd y proffwyd Elias a dweud, "O ARGLWYDD, Duw Abraham, Isaac ac Israel, pâr wybod heddiw mai ti sydd Dduw yn Israel, a minnau'n was iti, ac mai trwy dy air di y gwneuthum hyn i gyd. ³⁷Ateb fi, O ARGLWYDD, ateb fi, er mwyn i'r bobl hyn wybod mai tydi, O ARGLWYDD, sydd Dduw, ac mai ti sydd yn troi eu calon yn ôl drachefn." ³⁸Ar hynny disgynnodd tân yr ARGLWYDD ac ysu'r poethoffrwm, y coed, y cerrig, a'r llwch, a lleibio'r dŵr oedd yn y ffos. ³⁹Pan welsant, syrthiodd yr holl bobl ar eu hwyneb a dweud, "Yr ARGLWYDD sydd Dduw! Yr ARGLWYDD sydd Dduw!" ⁴⁰Yna dywedodd Elias wrthynt, "Daliwch broffwydi Baal; peidiwch â gadael i'r un ohonynt ddianc." Ac wedi iddynt eu dal, aeth Elias â hwy i lawr i nant Cison a'u lladd yno.

Diwedd y Sychder

41 Dywedodd Elias wrth Ahab, "Dos yn ôl, cymer fwyd a diod, oherwydd y mae sŵn glaw." ⁴²Felly aeth Ahab yn ei ôl i fwyta ac yfed, ond aeth Elias i fyny i ben Carmel, a gwargrymu ar y ddaear nes bod ei wyneb rhwng ei liniau. ⁴³Yna dywedodd wrth ei lanc, "Dos di i fyny ac edrych tua'r môr." Ac wedi iddo fynd ac edrych dywedodd, "Nid oes dim i'w weld." A saith waith y dywedodd wrtho, "Dos eto." ⁴⁴A'r seithfed tro dywedodd y llanc, "Mae yna gwmwl bychan fel cledr llaw dyn yn codi o'r môr." Yna dywedodd Elias wrtho, "Dos, dywed wrth Ahab, 'Gwna dy gerbyd yn barod a dos, rhag i'r glaw dy rwystro.'" ⁴⁵Ar fyr dro duodd yr awyr gan gymylau a gwynt, a bu glaw trwm; ond yr oedd Ahab wedi gyrru yn ei gerbyd a chyrraedd Jesreel. ⁴⁶Daeth llaw yr ARGLWYDD ar Elias, tynhaodd yntau rwymyn am ei lwynau, a rhedodd o flaen Ahab hyd at y fynedfa i Jesreel.

Elias ar Fynydd Horeb

19 Mynegodd Ahab i Jesebel y cwbl yr oedd Elias wedi ei wneud, a'i fod wedi lladd yr holl broffwydi â'r cleddyf. ²Yna anfonodd Jesebel negesydd i ddweud wrth Elias, "Fel hyn y gwnelo'r duwiau i mi, a rhagor, os na fyddaf wedi gwneud dy einioes di fel einioes un ohonynt hwy erbyn yr amser hwn yfory." [3]Ofnodd[c] yntau a dianc am ei einioes nes dod i Beerseba, oedd yn perthyn i Jwda. [4]Gadawodd ei was yno, ond aeth ef yn ei flaen daith diwrnod i'r anialwch. Pan oedd yn cymryd seibiant dan ryw ferywen, deisyfodd o'i galon am gael marw, a dywedodd, "Dyma ddigon bellach, O ARGLWYDD; cymer f'einioes, oherwydd nid wyf fi ddim gwell na'm tadau." [5]Ond wedi iddo orwedd a chysgu dan y ferywen[ch], dyna angel yn ei gyffwrdd ac yn dweud wrtho, "Cod, bwyta." [6]A phan edrychodd, wrth ei ben yr oedd teisen radell a ffiolaid o ddŵr; a bwytaodd ac yfed ac ailgysgu. [7]Daeth yr angel yn ôl eilwaith a'i gyffwrdd a dweud, "Cod, bwyta, rhag i'r daith fod yn ormod iti." [8]Cododd yntau a bwyta ac yfed; a cherddodd yn nerth yr ymborth hwnnw am ddeugain diwrnod a deugain nos, hyd at Horeb, mynydd Duw.

9 Yno aeth i ogof i aros, a daeth gair yr ARGLWYDD ato yn dweud, "Beth a wnei di yma, Elias?" [10]Dywedodd yntau, "Bûm i'n selog iawn dros ARGLWYDD Dduw y Lluoedd; cefnodd yr Israeliaid ar dy gyfamod, a bwrw d'allorau i lawr, a lladd dy broffwydi â'r cleddyf; myfi'n unig sydd ar ôl, ac y maent yn ceisio f'einioes innau." [11]Yna dywedwyd wrtho, "Dos allan a saf ar y mynydd o flaen yr ARGLWYDD." A dyma'r ARGLWYDD yn dod heibio. Bu gwynt cryf nerthol, yn rhwygo mynyddoedd a dryllio creigiau, o flaen yr ARGLWYDD; nid oedd yr ARGLWYDD yn y gwynt. Ar ôl y gwynt bu daeargryn; nid oedd yr ARGLWYDD yn y ddaeargryn. Ar ôl y ddaeargryn bu tân; nid oedd yr ARGLWYDD yn y tân. [12]Ar ôl y tân, distawrwydd llethol.[d] [13]Pan glywodd Elias, lapiodd ei wyneb yn ei fantell a mynd i sefyll yng ngenau'r ogof; a daeth llais yn gofyn iddo, "Beth a wnei di yma, Elias?" [14]Atebodd yntau, "Bûm i'n selog iawn dros ARGLWYDD Dduw y Lluoedd; cefnodd yr Israeliaid ar dy gyfamod, a bwrw d'allorau i lawr, a lladd dy broffwydi â'r cleddyf; myfi'n unig sydd ar ôl, ac y maent yn ceisio f'einioes innau." [15]Dywedodd yr ARGLWYDD wrtho, "Dos yn ôl i gyfeiriad anialwch Damascus, a phan gyrhaeddi, eneinia Hasael yn frenin ar Syria, [16]a Jehu fab Nimsi yn frenin ar Israel, ac Eliseus fab Saffat o Abel Mehola yn broffwyd yn dy le. [17]Pwy bynnag fydd yn dianc rhag cleddyf Hasael, bydd Jehu yn ei ladd; pwy bynnag fydd yn dianc rhag cleddyf Jehu, bydd Eliseus yn ei ladd. [18]Ond gadawaf yn weddill yn Israel y saith mil sydd heb blygu glin i Baal, na'i gusanu."

Galw Eliseus

19 Wedi iddo ymadael oddi yno, cafodd Eliseus fab Saffat yn aredig, a deuddeg gwedd o'i flaen, ac yntau gyda'r ddeuddegfed. Wrth fynd heibio, taflodd Elias ei fantell drosto. [20]Gadawodd yntau'r ychen a rhedeg ar ôl Elias a dweud, "Gad imi ffarwelio â'm tad a'm mam, ac mi ddof ar dy ôl." [21]Dywedodd wrtho, "Dos yn ôl; beth a wneuthum i ti?" Aeth yntau'n ôl a chymryd y wedd ychen a'u lladd, a berwi'r cig â gêr yr ychen, a'i roi i'r bobl i'w fwyta. Yna fe ddilynodd Elias a gweini arno.

Rhyfel yn erbyn Syria

20 Casglodd Benhadad brenin Syria ei holl lu, gyda meirch a cherbydau, a deuddeg ar hugain o frenhinoedd gydag ef, ac aeth i warchae ar Samaria a brwydro yn ei herbyn. [2]Anfonodd negesyddion i'r ddinas at Ahab brenin Israel, [3]a dweud wrtho, "Fel hyn y dywed Benhadad: 'Fi piau dy arian a'th aur, a hefyd dy wragedd a'th blant tecaf.'" [4]Atebodd brenin Israel, "Fel y dywedi, f'arglwydd frenin; ti piau fi a phopeth a feddaf." [5]Ond daeth y negesyddion yn ôl drachefn a dweud, "Fel hyn y dywed Benhadad: 'Anfonais atat a dweud, "Dy arian a'th aur, a hefyd dy wragedd a'th blant a roddi imi"; [6]ond yr adeg yma yfory byddaf yn anfon fy ngweision atat i chwilio dy dŷ a thai dy weision, a chipio popeth dymunol yn dy olwg a'i ddwyn ymaith.'" [7]Yna galwodd brenin Israel holl henuriaid y wlad a dweud, "Sylwch fel y mae hwn am fynnu helynt. Oherwydd pan anfonodd ataf am fy ngwragedd a'm plant, a'm harian a'm haur, nid oeddwn yn eu gomedd iddo." [8]Dywedodd yr henuriaid i gyd a'r holl bobl wrtho, "Paid â gwrando, a phaid â chytuno." [9]Yna dywedodd y

brenin wrth negesyddion Benhadad, "Dywedwch wrth f'arglwydd frenin, 'Gwnaf bopeth a hawliaist gan dy was y tro cyntaf, ond ni allaf wneud y peth hwn.' " Ymadawodd y negesyddion a mynd â'r ateb i Benhadad. ¹⁰Anfonodd hwnnw'n ôl a dweud, "Fel hyn y gwnelo'r duwiau i mi, a rhagor, os bydd llwch Samaria yn ddigon i wneud dyrnaid bob un i'r bobl sy'n fy nilyn." ¹¹Ond ateb brenin Israel oedd, "Dywedwch wrtho, 'Peidied yr un sy'n codi arfau ag ymffrostio fel yr un sy'n eu rhoi i lawr.'" ¹²A phan glywodd Benhadad y dywediad hwn, ac yntau'n diota gyda'r brenhinoedd eraill yn y pebyll, dywedodd wrth ei weision, "Ymosodwch." Ac ymosodasant ar y ddinas.

13 Daeth rhyw broffwyd at Ahab brenin Israel a dweud wrtho, "Fel hyn y dywed yr ARGLWYDD: 'A weli di'r holl dyrfa fawr hon? Rhoddaf hi yn dy law heddiw, a chei wybod mai fi yw'r ARGLWYDD.'" ¹⁴Gofynnodd Ahab, "Trwy bwy?" Ac atebodd, "Fel hyn y dywed yr ARGLWYDD: 'Trwy filwyr ifainc llywodraethwyr y taleithiau.'" Yna gofynnodd, "Pwy sydd i gychwyn y frwydr?" Ac meddai'r proffwyd, "Tydi." ¹⁵Pan rifodd filwyr ifainc llywodraethwyr y taleithiau, yr oedd dau gant tri deg a dau ohonynt, ac yna rhifodd holl bobl Israel, ac yr oedd saith mil. ¹⁶Ac aethant allan ganol dydd, pan oedd Benhadad yn meddwi yn y pebyll gyda'r deuddeg brenin ar hugain oedd yn ei gynorthwyo. ¹⁷Daeth milwyr ifainc llywodraethwyr y taleithiau allan i ddechrau; ac anfonwyd neges at Benhadad fod dynion yn dod allan o Samaria. ¹⁸Dywedodd, "Prun bynnag ai ceisio heddwch ai ceisio rhyfel y maent, daliwch hwy yn fyw." ¹⁹Parhau i ddod allan o'r ddinas a wnaeth milwyr ifainc llywodraethwyr y taleithiau, gyda'r fyddin i'w canlyn. ²⁰Ac ymosododd pob un ar ei wrthwynebwr, nes i'r Syriaid ffoi, gyda'r Israeliaid ar eu gwarthaf; ond dihangodd Benhadad brenin Syria ar farch gyda gwŷr meirch. ²¹Aeth brenin Israel allan a tharo'r meirch a'r cerbydau, a gwneud lladdfa fawr ymhlith y Syriaid.

22 Yna daeth y proffwyd at frenin Israel a dweud wrtho, "Dos i geisio ymgryfhau a phenderfynu'n ofalus beth a wnei, oherwydd gyda'r gwanwyn fe ddaw brenin Syria yn dy erbyn."

Syria yn Ailymosod

23 Dywedodd gweision brenin Syria wrtho, "Duwiau'r mynyddoedd yw eu duwiau hwy; dyna pam y buont yn drech na ni. Ond pe baem ni'n ymladd â hwy ar y gwastadedd, yn sicr fe'u trechem. ²⁴Dyma a wnei: diswydda bob un o'r brenhinoedd hyn, gosod raglawiaid yn eu lle, ²⁵a chasgl ynghyd fyddin debyg i'r un a gollaist, gyda march am farch a cherbyd am gerbyd. Gad inni ymladd â hwy ar y gwastadedd, ac yn sicr fe'u trechwn." Cytunodd y brenin i wneud hynny.

26 Yn y gwanwyn casglodd Benhadad y Syriaid i ryfela ag Israel, ac aeth i Affec. ²⁷Yna galwyd yr Israeliaid i fyny, a darparu bwyd ar eu cyfer, ac aethant i'w gwrthsefyll. Yr oedd yr Israeliaid yn eu gwersyll gyferbyn â hwy fel dwy ddiadell fach o eifr, a'r Syriaid yn llenwi'r wlad. ²⁸A daeth proffwyd at frenin Israel a dweud, "Fel hyn y dywed yr ARGLWYDD: 'Am fod y Syriaid wedi dweud mai Duw mynydd-dir yw'r ARGLWYDD, ac nad yw'n Dduw gwastatir, yr wyf am roi'r holl dyrfa fawr hon yn dy law; a chewch wybod mai myfi yw'r ARGLWYDD.'" ²⁹Bu'r naill yn gwersyllu gyferbyn â'r llall am wythnos; yna ar y seithfed dydd dechreuodd y frwydr, a thrawodd yr Israeliaid gan mil o wŷr traed y Syriaid mewn un dydd. ³⁰Ffodd y gweddill i ddinas Affec, a chwympodd y mur ar y saith mil ar hugain ohonynt.

31 Ffodd Benhadad hefyd i'r ddinas, a chyrraedd y gaer nesaf i mewn. Ac meddai ei weision wrtho, "Gwrando'n awr, clywsom fod brenhinoedd Israel yn frenhinoedd tirion. Gad inni wisgo sachliain a rhoi rhaffau am ein gyddfau, a mynd allan at frenin Israel; efallai yr arbed dy einioes." ³²A rhoesant sachliain am eu llwynau a rhaffau am eu gyddfau, a mynd at frenin Israel a dweud wrtho, "Mae dy was Benhadad yn dweud, 'Arbed fy mywyd.' " Meddai yntau, "A yw'n fyw o hyd? Fy mrawd ydyw." ³³Yr oedd y dynion yn gwylio am arwydd, a buont yn gyflym i ddal ar ei eiriau, a dweud, "Ie, dy frawd Benhadad." A dywedodd, "Ewch i'w nôl." Pan ddaeth Benhadad allan ato, derbyniodd ef i'w gerbyd, ³⁴a dywedodd Benhadad wrtho, "Dychwelaf y trefi a ddygodd fy nhad oddi ar dy dad; a chei osod marchnadau i ti dy hun yn Namascus, fel y gwnaeth fy

nhad yn Samaria; rhyddha fi[dd] ar yr amod hwn." A gwnaeth Ahab gytundeb ag ef a'i ollwng yn rhydd.

Proffwyd yn Condemnio Ahab

35 Yna dywedodd un o urdd y proffwydi wrth gyfaill iddo trwy air yr ARGLWYDD, "Taro fi'n awr." Ond gwrthododd ei gyfaill ei daro. [36] A dywedodd yntau wrtho, "Am iti wrthod ufuddhau i lais yr ARGLWYDD, bydd llew yn ymosod arnat pan ei oddi wrthyf." Ac wedi iddo fynd oddi wrtho, cyfarfu llew ag ef ac ymosod arno. [37] Yna cafodd y proffwyd ŵr arall a dweud, "Taro fi'n awr." A thrawodd y gŵr hwnnw ef a'i glwyfo. [38] Wedyn aeth y proffwyd a disgwyl am y brenin ar y ffordd, a chadach dros ei lygaid rhag iddo'i adnabod. [39] Pan ddaeth y brenin heibio, llefodd arno a dweud, "Aeth dy was i ganol y frwydr, a dyna rywun yn dod ac yn trosglwyddo dyn imi ac yn dweud, 'Edrych ar ôl y dyn yma; os bydd yn dianc, rhaid i ti gymryd ei le neu dalu talent o arian.' [40] Ond tra oedd dy was yn brysur hwnt ac yma, diflannodd y dyn." Yna meddai brenin Israel wrtho, "Felly boed dy ddedfryd; tydi dy hun sydd wedi ei phennu." [41] Heb oedi dim, tynnodd yntau'r cadach oddi ar ei lygaid, a gwelodd brenin Israel mai un o'r proffwydi oedd. [42] Dywedodd wrtho, "Fel hyn y dywed yr ARGLWYDD: 'Am iti ollwng yn rhydd y gŵr oedd i'w ddifodi, rhaid i ti gymryd ei le, a'th bobl di le ei bobl ef.'" [43] Dychwelodd brenin Israel adref i Samaria yn ddigalon a dig.

Gwinllan Naboth

21 Ar ôl hyn digwyddodd fod gwinllan gan Naboth y Jesreeliad yn Jesreel ar gwr palas Ahab brenin Samaria. [2] A dywedodd Ahab wrth Naboth, "Rho dy winllan i mi i fod yn ardd lysiau, gan ei bod mor agos i'm tŷ; a rhof iti'n gyfnewid winllan well na hi. Neu, os yw'n well gennyt, rhof iti ei gwerth mewn arian." [3] Dywedodd Naboth wrth Ahab, "Yr ARGLWYDD a'm gwaredo rhag rhoi i ti etifeddiaeth fy nhadau." [4] Dychwelodd Ahab i'w dŷ yn ddigalon a dig am i Naboth y Jesreeliad ateb, "Ni roddaf iti etifeddiaeth fy nhadau." Bwriodd ei hun ar ei wely, a throi ei wyneb draw a gwrthod bwyta. [5] Daeth ei wraig Jesebel ato a gofyn iddo,

"Pam yr wyt yn ddi-hwyl dy ysbryd ac yn gwrthod bwyta?" [6] Atebodd yntau, "Dywedais wrth Naboth y Jesreeliad, 'Rho dy winllan i mi am arian; neu, os dewisi, rhof iti winllan yn ei lle.' Ac atebodd, 'Ni roddaf fy ngwinllan iti.'" [7] A dywedodd Jesebel wrtho, "Dangos yn awr mai ti yw'r brenin yn Israel. Cod, bwyta, cod dy galon, fe roddaf fi winllan Naboth y Jesreeliad iti." [8] Ysgrifennodd lythyrau yn enw Ahab, a'u selio â'i sêl, a'u hanfon at yr henuriaid a'r uchelwyr oedd yn byw yn yr un ddinas â Naboth. [9] Yn y llythyrau yr oedd wedi ysgrifennu, "Cyhoeddwch ympryd, a gosodwch Naboth i fyny o flaen y bobl, [10] a dau ddihiryn i dystio yn ei erbyn, 'Yr wyt ti wedi melltithio Duw a'r brenin.' Yna ewch ag ef allan a'i labyddio'n gelain." [11] A gwnaed â Naboth gan yr henuriaid a'r uchelwyr oedd yn byw yn yr un ddinas ag ef yn union fel y gorchmynnodd Jesebel yn y llythyrau a ysgrifennodd atynt. [12] Wedi cyhoeddi ympryd, gosodasant Naboth i fyny o flaen y bobl, [13] a daeth y ddau ddihiryn ac eistedd o'i flaen, a thystio yn erbyn Naboth gerbron y bobl a dweud, "Y mae Naboth wedi melltithio Duw a'r brenin." Aed ag ef y tu allan i'r ddinas a'i labyddio â cherrig nes iddo farw. [14] Yna anfonasant neges at Jesebel: "Mae Naboth wedi ei labyddio ac wedi marw." [15] Cyn gynted ag y clywodd Jesebel fod Naboth wedi ei labyddio'n gelain, dywedodd wrth Ahab, "Cod, meddianna'r winllan y gwrthododd Naboth y Jesreeliad ei hildio iti am arian. Nid yw Naboth yn fyw; y mae wedi marw." [16] A phan glywodd Ahab fod Naboth wedi marw, aeth i lawr i winllan Naboth y Jesreeliad i'w meddiannu.

17 Daeth gair yr ARGLWYDD at Elias y Thesbiad a dweud, [18] "Cod, a dos i lawr i gyfarfod Ahab brenin Israel yn Samaria. Fe'i cei yng ngwinllan Naboth; y mae wedi mynd yno i'w meddiannu. [19] Dywed wrtho, 'Fel hyn y dywed yr ARGLWYDD: "Wedi llofruddio, a fynni di hefyd feddiannu?"' Dywed hefyd wrtho, 'Fel hyn y dywed yr ARGLWYDD: "Lle y llyfodd y cŵn waed Naboth, fe lyfant dy waed dithau."'" [20] Dywedodd Ahab wrth Elias, "A ddaethost o hyd i mi, fy ngelyn?" Atebodd yntau, "Do; ac am dy fod wedi ymroi i wneud drwg yng ngolwg yr ARGLWYDD, [21] rwyf yn

[dd] Tebygol. Hebraeg, *rhyddhaf di.*

dwyn drwg arnat ti, ac yn dileu dy hiliogaeth; difodaf bob gwryw yn perthyn i Ahab yn Israel, caeth a rhydd. ²²Gwnaf dy dŷ fel tŷ Jeroboam fab Nebat a thŷ Baasa fab Aheia, oherwydd y dicter a achosaist wrth beri i Israel bechu. ²³Ac am Jesebel, fe ddywed yr ARGLWYDD, 'Y cŵn fydd yn bwyta Jesebel wrth fur Jesreel.' ²⁴Bydd y cŵn yn bwyta pob aelod o deulu Ahab a fydd farw yn y dref, ac adar rheibus yn bwyta pob un a fydd farw allan yn y wlad."

25 Eto ni bu neb cynddrwg ag Ahab, mewn ymroi i wneud drwg yng ngolwg yr ARGLWYDD, am fod Jesebel ei wraig yn ei annog. ²⁶ Gwnaeth yn ffiaidd iawn trwy addoli delwau, yn hollol fel y gwnâi'r Amoriaid a yrrodd yr ARGLWYDD allan o flaen yr Israeliaid.

27 Cyn gynted ag y clywodd Ahab eiriau Elias, rhwygodd ei ddillad a gwisgo sachliain ar ei gnawd, ac ymprydio, a chysgu ar sachliain, a cherdded yn araf. ²⁸Daeth gair yr ARGLWYDD at Elias y Thesbiad yn dweud, ²⁹"A sylwaist ti fod Ahab wedi ymostwng ger fy mron? Gan ei fod wedi ymostwng ger fy mron, nid wyf am ddod â'r drwg yn ei ddyddiau ef; yn nyddiau ei fab y dygaf y drwg ar ei deulu."

Y Proffwyd Michea yn Rhybuddio Ahab
(2 Cron. 18:2-27)

22 Bu Syria ac Israel am dair blynedd heb ryfela â'i gilydd. ²Ond yn y drydedd flwyddyn, tra oedd Jehosaffat brenin Jwda draw yn ymweld â brenin Israel, ³dywedodd brenin Israel wrth ei weision, "A wyddoch chwi mai ni piau Ramoth Gilead? A dyma ni'n dawel ddigon, yn lle ei chipio o law brenin Syria." ⁴A gofynnodd brenin Israel i Jehosaffat, "A ddoi di gyda mi i ryfel i Ramoth Gilead?" Dywedodd Jehosaffat wrth frenin Israel, "Yr wyf fi fel tydi, fy mhobl i fel dy bobl di, fy meirch i fel dy feirch di." ⁵Ond meddai Jehosaffat hefyd wrth frenin Israel, "Cais yn gyntaf hefyd air yr ARGLWYDD."

6 Yna casglodd brenin Israel y proffwydi, tua phedwar cant ohonynt, a dweud wrthynt, "A ddylwn fynd i fyny i ryfel yn erbyn Ramoth Gilead, ai peidio?" Dywedasant hwythau, "Dos i fyny, ac fe rydd yr ARGLWYDD hi yn llaw'r brenin." ⁷Ond holodd Jehosaffat, "Onid oes yma broffwyd arall i'r AR-GLWYDD, i ni ymgynghori ag ef?" ⁸Ac meddai brenin Israel wrth Jehosaffat, "Oes, y mae un gŵr eto i geisio'r AR-GLWYDD drwyddo, Michea fab Imla; ond y mae'n atgas gennyf, am nad yw'n proffwydo lles i mi, dim ond drwg." Dywedodd Jehosaffat, "Peidied y brenin â dweud fel yna." ⁹Felly galwodd brenin Israel ar swyddog a dweud, "Tyrd â Michea fab Imla yma ar frys." ¹⁰Yr oedd brenin Israel a Jehosaffat brenin Jwda yn eu gwisgoedd brenhinol yn eistedd ar eu gorseddau ar y llawr dyrnu wrth borth Samaria, gyda'r holl broffwydi'n proffwydo o'u blaen. ¹¹Gwnaeth Sedeceia fab Cenaana gyrn haearn, a dweud, "Fel hyn y dywed yr ARGLWYDD: 'Â'r rhain byddi'n cornio'r Syriaid nes iti eu difa.'" ¹²Ac yr oedd yr holl broffwydi'n proffwydo felly ac yn dweud, "Dos i fyny i Ramoth Gilead a llwydda; bydd yr AR-GLWYDD yn ei rhoi yn llaw'r brenin."

13 Dywedodd y negesydd a aeth i'w alw wrth Michea, "Edrych yn awr, y mae'r proffwydi'n unfrydol yn proffwydo llwyddiant i'r brenin. Bydded dy air dithau fel gair un ohonynt hwy, a phroffwyda lwyddiant." ¹⁴Atebodd Michea, "Cyn wired â bod yr AR-GLWYDD yn fyw, yr hyn a ddywed yr ARGLWYDD wrthyf a lefaraf." ¹⁵Daeth at y brenin, a dywedodd y brenin wrtho, "Michea, a awn ni i Ramoth Gilead i ryfel, ai peidio?" A dywedodd yntau wrtho, "Dos i fyny a llwydda, ac fe rydd yr ARGLWYDD hi yn llaw'r brenin." ¹⁶Ond dywedodd y brenin wrtho, "Pa sawl gwaith yr wyf wedi dy dynghedu i beidio â dweud dim ond y gwir wrthyf yn enw'r ARGLWYDD?" ¹⁷Yna dywedodd Michea:

"Gwelais Israel oll wedi eu
    gwasgaru ar y bryniau
fel defaid heb fugail ganddynt.
A dywedodd yr ARGLWYDD,
    'Nid oes feistr ar y rhain;
felly bydded iddynt ddychwelyd
    adref mewn heddwch.'"

18 Dywedodd brenin Israel wrth Jehosaffat, "Oni ddywedais wrthyt na fyddai'n proffwydo da i mi, ond yn hytrach drwg?" ¹⁹A dywedodd Michea, "Am hynny, gwrando air yr ARGLWYDD; gwelais yr ARGLWYDD yn eistedd ar ei orsedd, gyda holl lu'r nef yn sefyll ar y dde ac ar y chwith iddo. ²⁰A dywedodd yr ARGLWYDD, 'Pwy a fedr hudo Ahab i

I BRENHINOEDD 22

308

frwydro a chwympo yn Ramoth Gilead?' Ac yr oedd un yn dweud fel hyn a'r llall fel arall; [21]ond dyma un ysbryd yn sefyll allan o flaen yr ARGLWYDD a dweud, 'Fe'i hudaf fi ef.' Ac meddai'r ARGLWYDD, 'Sut?' [22]Dywedodd yntau, 'Af allan a bod yn ysbryd celwyddog yng ngenau ei broffwydi i gyd.' Yna dywedodd wrtho, 'Fe lwyddi di i'w hudo; dos a gwna hyn.' [23]Yn awr, y mae'r ARGLWYDD wedi rhoi ysbryd celwyddog yng ngenau dy holl broffwydi hyn; y mae'r ARGLWYDD wedi llunio drwg ar dy gyfer.'' [24]Nesaodd Sedeceia fab Cenaana a rhoi cernod i Michea, a dweud, "Sut yr aeth ysbryd yr ARGLWYDD oddi wrthyf fi i lefaru wrthyt ti?'' [25]Dywedodd Michea, "Cei weld ar y dydd hwnnw pan fyddi'n ceisio ymguddio yn yr ystafell nesaf i mewn.'' [26]A dywedodd brenin Israel, "Dos â Michea a'i roi yng ngofal Amon, rheolwr y dref, a Joas mab y brenin, a dywed wrthynt, [27]'Fel hyn y dywed y brenin: "Rhowch hwn yng ngharchar, a bwydwch ef â'r dogn prinnaf o fara a dŵr nes imi ddod yn ôl yn llwyddiannus"''' [28]Ac meddai Michea, "Os llwyddi i ddod yn ôl, ni lefarodd yr ARGLWYDD drwof; gwrandewch chwi bobl i gyd.''

Marwolaeth Ahab
(2 Cron. 18:28-34)

29 Aeth brenin Israel a Jehosaffat brenin Jwda i fyny i Ramoth Gilead. [30]A dywedodd brenin Israel wrth Jehosaffat, "Yr wyf fi am newid fy nillad cyn mynd i'r frwydr, ond gwisg di dy ddillad brenhinol.'' Newidiodd brenin Israel ei wisg a mynd i'r frwydr. [31]Yr oedd brenin Syria wedi gorchymyn i'r deuddeg capten ar hugain oedd ganddo ar y cerbydau, "Peidiwch ag ymladd â neb, bach na mawr, ond â brenin Israel yn unig.'' [32]A phan welodd capteiniaid y cerbydau Jehosaffat, dywedasant, "Hwn yn sicr yw brenin Israel.'' Yna troesant i ymladd ag ef; ond rhoddodd Jehosaffat waedd, [33]a phan welodd capteiniaid y cerbydau nad brenin Israel oedd, gadawsant lonydd iddo. [34]A thynnodd rhyw ddyn ei fwa ar antur, a tharo brenin Israel rhwng y darnau cyswllt a'r llurig. A dywedodd yntau wrth yrrwr ei gerbyd, "Tro'n ôl, a dwg fi allan o'r rhengoedd, oherwydd 'rwyf wedi fy nghlwyfo.'' [35]Ond ffyrnig-

odd y frwydr y diwrnod hwnnw, a bu raid i'r brenin aros yn ei gerbyd yn wynebu'r Syriaid hyd yr hwyr, pan fu farw; a llifodd gwaed yr archoll i waelod y cerbyd. [36]A phan fachludodd yr haul aeth y gri drwy'r gwersyll, "Adref, bawb i'w dref a'i fro; bu farw'r brenin!'' [37]Aethant â'r brenin i Samaria a'i gladdu yno; [38]a phan olchwyd y cerbyd wrth lyn Samaria, lleibiodd y cŵn ei waed ac ymolchodd y puteiniaid ynddo, yn ôl y gair a lefarodd yr ARGLWYDD.

39 Onid yw gweddill hanes Ahab, a'r cwbl a wnaeth, a hanes y palas ifori a gododd, a'r holl drefi a adeiladodd, wedi ei ysgrifennu yn llyfr hanesion brenhinoedd Israel? [40]A hunodd Ahab gyda'i dadau, a daeth ei fab Ahaseia i'r orsedd yn ei le.

Jehosaffat yn Frenin ar Jwda
(2 Cron. 20:31—21:1)

41 Yn y bedwaredd flwyddyn i Ahab brenin Israel daeth Jehosaffat fab Asa yn frenin ar Jwda. [42]Pymtheg ar hugain oedd ei oed pan ddaeth i'r orsedd, a theyrnasodd am bum mlynedd ar hugain yn Jerwsalem. Asuba merch Silhi oedd enw ei fam. [43]Dilynodd lwybr ei dad Asa yn hollol ddiwyro, a gwneud yr hyn oedd yn uniawn yng ngolwg yr ARGLWYDD. Er hynny, ni symudwyd yr uchelfeydd, ac yr oedd y bobl yn parhau i aberthu ac arogldarthu ynddynt. [44]Gwnaeth Jehosaffat heddwch â brenin Israel. [45]Ac onid yw gweddill hanes Jehosaffat, ei hynt a'i wrhydri a'i ryfela, wedi ei ysgrifennu yn llyfr hanesion brenhinoedd Jwda? [46]Hefyd fe ddileodd o'r tir yr olaf o'r puteinwyr cwltig a adawyd o ddyddiau ei dad Asa. [47]Nid oedd brenin yn Edom. Fe wnaeth rhaglaw'r brenin Jehosaffat[e] [48]long Tarsis i fynd i Offir am aur. Ond nid aeth, oherwydd drylliwyd y llong yn Esion Geber. [49]Yna dywedodd Ahaseia fab Ahab wrth Jehosaffat, "Fe â fy ngweision i gyda'th weision di mewn llongau.'' Ond nid oedd Jehosaffat yn fodlon. [50]Hunodd Jehosaffat gyda'i dadau, a chladdwyd ef gyda hwy yn ninas ei dad Dafydd, a daeth ei fab Jehoram yn frenin yn ei le.

Ahaseia yn Frenin ar Israel

51 Daeth Ahaseia fab Ahab yn frenin ar Israel yn Samaria yn yr ail flwyddyn

[e] Fe wnaeth...Jehosaffat. Tebygol. Hebraeg yn ansicr.

ar bymtheg i Jehosaffat brenin Jwda. Teyrnasodd ar Israel am ddwy flynedd. ⁵²Gwnaeth ddrwg yng ngolwg yr ARGLWYDD, a dilynodd lwybr ei dad a'i fam, a llwybr Jeroboam fab Nebat, a barodd i Israel bechu. ⁵³Gwasanaethodd ac addolodd Baal, a digio'r ARGLWYDD, Duw Israel, yn hollol fel y gwnaeth ei dad.

AIL LYFR Y

BRENHINOEDD

Elias a'r Brenin Ahaseia

1 Wedi marw Ahab gwrthryfelodd Moab yn erbyn Israel.
2 Syrthiodd Ahaseia o ffenestr ei lofft yn Samaria a chael ei anafu. Yna anfonodd negeswyr a dweud wrthynt, "Ewch i ymofyn â Baal-sebub duw Ecron, a fyddaf yn gwella o'm hanaf." ³A dywedodd angel yr ARGLWYDD wrth Elias y Thesbiad, 'Dos i gyfarfod negeswyr brenin Samaria, a dywed wrthynt, 'Ai am nad oes Duw yn Israel yr wyt yn anfon i ymofyn â Baal-sebub duw Ecron? ⁴Am hynny, fel hyn y dywed yr ARGLWYDD: Ni ddoi o'r gwely yr aethost iddo, ond byddi farw.'" Ac aeth Elias.
5 Dychwelodd y negeswyr, a gofynnodd Ahab iddynt, "Pam yr ydych wedi dychwelyd?" ⁶Eu hateb oedd, "Daeth rhyw ddyn i'n cyfarfod a dweud wrthym, 'Ewch yn ôl at y brenin sydd wedi'ch anfon, a dweud wrtho, "Fel hyn y dywed yr ARGLWYDD: Ai am nad oes Duw yn Israel yr wyt yn anfon i ymofyn â Baal-sebub duw Ecron? Am hynny, ni ddoi o'r gwely yr aethost iddo, ond byddi farw".'" ⁷Gofynnodd y brenin, "Sut un oedd y dyn a ddaeth i'ch cyfarfod a dweud hyn wrthych?" ⁸Atebodd y dynion, "Dyn blewog, a gwregys o groen am ei ganol." Ac meddai yntau, "Elias y Thesbiad oedd."
9 Yna anfonodd gapten hanner cant gyda'i ddynion at Elias, a daeth o hyd iddo yn eistedd ar ben bryncyn. Dywedodd wrtho, "Ti ŵr Duw, y mae'r brenin yn gorchymyn iti ddod i lawr." ¹⁰Atebodd Elias y capten, "Os wyf fi'n ŵr Duw, doed tân o'r nef a'th ddifa di a'th hanner cant." A disgynnodd tân o'r nefoedd a'i ddifa ef a'i hanner cant. ¹¹Anfonodd y brenin gapten hanner cant arall gyda'i ddynion; a daeth yntau a dweud, "Gŵr Duw, dyma a ddywed y brenin: Tyrd i lawr ar unwaith." ¹²Atebodd Elias, "Os wyf fi'n ŵr Duw, doed tân o'r nef a'th ddifa di a'th hanner cant." A disgynnodd tân o'r nefoedd a'i ddifa ef a'i hanner cant. Yna anfonwyd trydydd capten hanner cant gyda'i ddynion. Pan ddaeth y trydydd capten i fyny ato, fe syrthiodd ar ei liniau o flaen Elias a chrefu arno, "O ŵr Duw, gad i'm bywyd i, a bywyd yr hanner cant yma o'th weision, fod yn werthfawr yn d'olwg. ¹⁴Y mae tân wedi disgyn o'r nef a difa'r ddau gapten cyntaf a'u dynion, ond yn awr gad i'm bywyd fod yn werthfawr yn d'olwg." ¹⁵Dywedodd angel yr ARGLWYDD wrth Elias, "Dos i lawr gydag ef; paid â'i ofni." ¹⁶Yna aeth i lawr gydag ef at y brenin a dweud wrtho, "Fel hyn y dywed yr ARGLWYDD: Am iti anfon negeswyr i ymofyn â Baal-sebub duw Ecron (ai am nad oes Duw yn Israel i ymofyn am ei air?), ni ddoi o'r gwely yr aethost iddo, ond byddi farw." ¹⁷A marw a wnaeth, yn unol â gair yr ARGLWYDD, a lefarodd Elias. Am nad oedd ganddo fab, daeth Jehoram yn frenin yn ei le, yn ail flwyddyn Jehoram fab Jehosaffat, brenin Jwda. ¹⁸Am weddill y pethau a wnaeth Ahaseia, onid ydynt wedi eu hysgrifennu yn llyfr hanesion brenhinoedd Israel?

Cymryd Elias i'r Nefoedd

2 Pan oedd yr ARGLWYDD ar fedr cymryd Elias i'r nefoedd mewn corwynt, aeth Elias ac Eliseus allan o Gilgal. [2] A dywedodd Elias wrth Eliseus, "Aros di yma, oherwydd y mae'r ARGLWYDD yn f'anfon i Fethel." Dywedodd Eliseus, "Cyn wired â bod yr ARGLWYDD yn fyw, a thithau, ni'th adawaf." Felly aethant i Fethel. [3] Daeth y proffwydi oedd ym Methel at Eliseus a dweud wrtho, "A wyddost ti fod yr ARGLWYDD am gymryd dy feistr oddi arnat heddiw?" "Gwn yn iawn," meddai yntau, "tewch â sôn." [4] Dywedodd Elias wrtho, "Eliseus, aros di yma, oherwydd y mae'r ARGLWYDD yn f'anfon i Jericho." Dywedodd yntau, "Cyn wired â bod yr ARGLWYDD yn fyw, a thithau, ni'th adawaf." Felly aethant i Jericho. [5] Daeth y proffwydi oedd yn Jericho at Eliseus a dweud wrtho, "A wyddost ti fod yr ARGLWYDD am gymryd dy feistr oddi arnat heddiw?" "Gwn yn iawn," meddai yntau, "tewch â sôn." [6] Dywedodd Elias wrtho, "Aros di yma oherwydd y mae'r ARGLWYDD yn f'anfon at yr Iorddonen." Dywedodd yntau, "Cyn wired â bod yr ARGLWYDD yn fyw, a thithau, ni'th adawaf." Felly aethant ill dau. [7] Ac yr oedd hanner cant o broffwydi wedi dod ac aros gyferbyn â hwy o hirbell tra oeddent hwy ill dau yn sefyll ar lan yr Iorddonen. [8] Cymerodd Elias ei fantell a'i rholio a tharo'r dŵr. Ymrannodd y dŵr i'r ddeutu, a chroesodd y ddau ar dir sych. [9] Wedi iddynt groesi, dywedodd Elias wrth Eliseus, "Gofyn! Beth a wnaf iti cyn fy nghymryd oddi wrthyt?" Atebodd Eliseus, "Rhodder imi ddeuparth o'th ysbryd." [10] Dywedodd Elias, "Gwnaethost gais anodd. Os gweli fi yn cael fy nghymryd oddi wrthyt, fe gei hyn; ond os na weli, ni chei." [11] Ac fel yr oeddent yn mynd, dan siarad, dyma gerbyd tanllyd a meirch tanllyd yn eu gwahanu ill dau, ac Elias yn esgyn mewn corwynt i'r nef. [12] Ac yr oedd Eliseus yn syllu ac yn gweiddi, "Fy nhad, fy nhad; cerbyd a marchogion Israel!" Ni welodd ef wedyn, a chydiodd yn ei wisg a'i rhwygo'n ddau. [13] Yna cododd fantell Elias a oedd wedi syrthio oddi arno, a dychwelodd a sefyll ar lan yr Iorddonen. [14] Cymerodd y fantell a syrthiodd oddi ar Elias, a tharo'r dŵr a dweud, "Ple y mae'r ARGLWYDD, Duw Elias?" Traw-

odd yntau'r dŵr, ac fe ymrannodd i'r ddeutu, a chroesodd Eliseus. [15] Pan welodd y proffwydi oedd yr ochr draw, yn Jericho, dywedasant, "Disgynnodd ysbryd Elias ar Eliseus." [16] Ac aethant i'w gyfarfod ac ymgrymu hyd lawr iddo, a dweud, "Y mae gan dy weision hanner cant o ddynion cryfion; gad iddynt fynd i chwilio am dy feistr rhag ofn bod ysbryd yr ARGLWYDD, ar ôl ei gipio i fyny, wedi ei fwrw ar un o'r mynyddoedd, neu i ryw gwm." Dywedodd, "Peidiwch ag anfon." [17] Ond buont yn daer nes bod cywilydd arno, a dywedodd, "Anfonwch." Wedi iddynt anfon hanner cant o ddynion, buont yn chwilio am dridiau, ond heb ei gael. [18] Arhosodd Eliseus yn Jericho nes iddynt ddychwelyd; yna dywedodd wrthynt, "Oni ddywedais wrthych am beidio â mynd?"

Gwyrthiau Eliseus

19 Dywedodd trigolion y dref wrth Eliseus, "Edrych, y mae safle'r dref yn ddymunol, fel y sylwi, O feistr, ond y mae'r dŵr yn wenwynig a'r tir yn ddiffrwyth." [20] Dywedodd yntau, "Dewch â llestr newydd crai imi, a rhowch halen ynddo." [21] Wedi iddynt ddod ag ef ato, aeth at lygad y ffynnon a thaflu'r halen iddi a dweud, "Fel hyn y dywed yr ARGLWYDD: Purais y dyfroedd hyn; ni ddaw angau na diffrwythdra oddi yno mwy." [22] Ac y mae'r dŵr yn bur hyd heddiw, yn union fel y dywedodd Eliseus.

23 Aeth i fyny oddi yno i Fethel, ac fel yr oedd yn mynd, daeth bechgyn bach allan o ryw dref a'i wawdio a dweud wrtho, "Dos i fyny, foelyn! Dos i fyny, foelyn!" [24] Troes yntau i edrych arnynt, a'u melltithio yn enw'r ARGLWYDD. Yna daeth dwy arth allan o'r goedwig a llarpio dau a deugain o'r plant. [25] Oddi yno aeth i Fynydd Carmel, ac yna dychwelyd i Samaria.

Rhyfel rhwng Israel a Moab

3 Daeth Jehoram fab Ahab yn frenin ar Israel yn Samaria yn y ddeunawfed flwyddyn i Jehosaffat brenin Jwda. [2] Teyrnasodd am ddeuddeng mlynedd, a gwnaeth ddrwg yng ngolwg yr ARGLWYDD, er nad cymaint â'i dad a'i fam, oherwydd bwriodd allan y golofn Baal a wnaeth ei dad. [3] Ond glynodd yn ddi-wyro wrth bechod Jeroboam fab

Nebat, yr un a barodd i Israel bechu.

4 Perchen defaid oedd Mesa brenin Moab, a byddai'n talu i frenin Israel gan mil o ŵyn a gwlân can mil o hyrddod. [5]Ond wedi marw Ahab, gwrthryfelodd brenin Moab yn erbyn brenin Israel. [6]Ac ar unwaith aeth y Brenin Jehoram o Samaria i restru holl Israel. [7]Anfonodd hefyd at Jehosaffat brenin Jwda a dweud, "Y mae brenin Moab wedi gwrthryfela yn f'erbyn; a ddoi di gyda mi i ymladd yn erbyn Moab?" Dywedodd yntau, "Dof gam a cham gyda thi, dyn am ddyn, a march am farch." [8]A holodd, "Pa ffordd yr awn ni?" Atebodd yntau, "Ffordd anialwch Edom." [9]Felly aeth brenin Israel, brenin Jwda, a brenin Edom ar daith gylch o saith diwrnod, ac nid oedd dŵr i'r fyddin nac i'r anifeiliaid oedd yn eu canlyn. [10]Ac meddai brenin Israel, "Och bod yr ARGLWYDD wedi galw'r tri brenin hyn allan i'w rhoi yn llaw brenin Moab!" [11]Yna dywedodd Jehosaffat, "Onid oes yma broffwyd i'r ARGLWYDD, fel y gallwn ymofyn â'r ARGLWYDD drwyddo?" Atebodd un o weision brenin Israel, "Y mae Eliseus fab Saffat, a fu'n tywallt dŵr dros ddwylo Elias, yma." [12]Dywedodd Jehosaffat, "Y mae gair yr ARGLWYDD gydag ef." Ac aeth brenin Israel a Jehosaffat a brenin Edom draw ato. [13]Dywedodd Eliseus wrth frenin Israel, "Beth sydd a wnelom ni â'n gilydd? Dos at broffwydi dy dad a'th fam." Dywedodd brenin Israel wrtho, "Nage; yr ARGLWYDD sydd wedi galw'r tri brenin hyn i'w rhoi yn llaw Moab." [14]Atebodd Eliseus, "Cyn wired â bod ARGLWYDD y Lluoedd yn fyw, yr hwn yr wyf yn ei wasanaethu, oni bai fy mod yn parchu Jehosaffat brenin Jwda, ni fyddwn yn talu sylw iti nac yn edrych arnat. [15]Ond yn awr, dewch â thelynor ataf." [16]Ac fel yr oedd y telynor yn canu, daeth llaw yr ARGLWYDD arno, a dywedodd, "Fel hyn y dywed yr ARGLWYDD: Gwneir y dyffryn hwn yn llawn ffosydd. [17]Oherwydd fel hyn y dywed yr AR-GLWYDD: Ni welwch na gwynt na glaw; eto llenwir y dyffryn hwn â dŵr, a chewch chwi a'ch eiddo a'ch anifeiliaid yfed. [18]A chan mor rhwydd yw hyn yng ngolwg yr ARGLWYDD, fe rydd Moab yn eich llaw hefyd. [19]Dinistriwch bob dinas gaerog a phob tref ddewisol, torrwch i lawr bob pren teg, caewch bob ffynnon

[a]Felly Fersiynau. Hebraeg, gadael ei cherrig yn.

ddŵr a difwynwch bob darn o dir da â cherrig." [20]Ac yn y bore, tuag adeg offrymu'r aberth, gwelwyd dyfroedd yn llifo o gyfeiriad Edom ac yn llenwi'r tir.

21 Pan glywodd pobl Moab fod y brenhinoedd wedi dod i ryfel yn eu herbyn, galwyd i'r gad bob un oedd yn ddigon hen i drin arfau; ac yr oeddent yn sefyll ar y goror. [22]Wedi iddynt godi yn y bore, yr oedd yr haul yn tywynnu ar y dŵr, a'r Moabiaid yn gweld y dŵr o'u blaenau yn goch fel gwaed. [23]Ac meddent, "Gwaed yw hwn; y mae'r brenhinoedd wedi ymladd â'i gilydd, a'r naill wedi lladd y llall; ac yn awr, Moab, at yr anrhaith!" [24]Ond pan ddaethant at wersyll Israel, cododd yr Israeliaid a tharo Moab; ffodd y Moabiaid o'u blaenau, a hwythau'n dal i'w hymlid a'u taro. [25]Yna aethant i ddistrywio'r dinasoedd, a thaflu bawb ei garreg a llenwi pob darn o dir da, a chau pob ffynnon ddŵr, a chwympo pob pren teg, nes gadael dim ond[a] Cir-hareseth; ac amgylchodd y ffon-daflwyr hi, a'i tharo hithau.

26 Pan welodd brenin Moab fod y frwydr yn drech nag ef, cymerodd gydag ef saith gant o wŷr cleddyf i ruthro ar frenin Edom, ond methodd. [27]Felly cymerodd ei fab cyntafanedig, a fyddai'n teyrnasu ar ei ôl, ac offrymodd ef yn aberth ar y mur. A bu llid mawr yn erbyn Israel, a chiliasant oddi wrtho a dychwelyd i'w gwlad.

Eliseus yn Cynorthwyo Gweddw Dlawd

4 Apeliodd gwraig un o'r proffwydi at Eliseus a dweud, "Bu farw dy was, fy ngŵr, ac yr oedd yn ddyn duwiol, fel y gwyddost; ac y mae'r echwynnwr wedi dod i gymryd fy nau blentyn yn gaethion iddo." [2]Dywedodd Eliseus wrthi, "Beth a gaf ei wneud i ti? Dywed wrthyf beth sydd gennyt yn dy dŷ." Atebodd hithau, "Nid oes gan dy lawforwyn ddim yn y tŷ ond ystenaid o olew." [3]Dywedodd Eliseus, "Dos a benthyg llestri gan dy holl gymdogion yn y stryd; paid â bod yn brin o lestri gweigion. [4]Yna dos i mewn a chau'r drws arnat ti a'th feibion, a thywallt yr olew i'r holl lestri hynny, a gosod pob un llawn o'r neilltu." [5]Aeth oddi wrtho a chau'r drws arni hi a'i dau fab; ac fel yr oedd hi'n tywallt, yr oeddent hwythau'n dod â'r llestri ati. [6]Pan oedd wedi llenwi'r llestri, meddai hi wrth

ei mab, "Tyrd â llestr arall imi;" a dywedodd yntau, "Nid oes yr un llestr arall." Yna peidodd yr olew. [7]Pan ddaeth a dweud yr hanes wrth ŵr Duw, dywedodd ef, "Dos, gwerth yr olew a thâl dy ddyled, a chei di a'th feibion fyw ar y gweddill."

Eliseus a'r Wraig Fonheddig o Sunem

8 Rhyw ddiwrnod aeth Eliseus heibio i Sunem, lle'r oedd gwraig fonheddig; a bu hi'n daer arno i gymryd bwyd yno. Felly bob tro y byddai'n dod heibio, byddai'n troi i mewn yno i fwyta. [9]Dywedodd y wraig wrth ei gŵr, "'Rwy'n gwybod mai proffwyd sanctaidd yw hwn sy'n dod heibio i ni o hyd. [10]'Rwyf am inni wneud llofft fechan ar y mur, a gosod yno wely a bwrdd a chadair a chanhwyllbren, iddo gael troi i mewn yno pan ddaw atom." [11]Un diwrnod pan ddaeth yno a mynd i mewn i'r llofft i orwedd, [12]dywedodd wrth ei was Gehasi, "Galw'r Sunamees." Wedi iddo'i galw ac iddi hithau ddod ato, [13]dywedodd Eliseus wrtho, "Dywed wrthi, 'Dyma ti wedi mynd i'r holl drafferth yma er ein mwyn; beth sydd i'w wneud drosot ti? A oes eisiau dweud gair drosot wrth y brenin neu wrth bennaeth y fyddin?'" Ond dywedodd hi: "Ymysg fy nhylwyth yr wyf fi'n byw." [14]Pan ofynnodd Eliseus, "Beth sydd i'w wneud drosti?" atebodd Gehasi, "Wel, nid oes ganddi fab, ac y mae ei gŵr yn hen." [15]Dywedodd, "Galw hi." Wedi iddo ei galw, a hithau'n sefyll yn y drws, [16]dywedodd wrthi, "Yr adeg hon yn nhymor y gwanwyn byddi'n cofleidio mab." Atebodd hithau, "Na, syr[b], paid â dweud celwydd wrth dy lawforwyn." [17]Ond beichiogodd y wraig ac ymddŵyn mab yr adeg honno yn nhymor y gwanwyn, fel y dywedodd Eliseus wrthi.

18 Wedi i'r bachgen dyfu, aeth allan ryw ddiwrnod at ei dad i blith y medelwyr, [19]a gwaeddodd ar ei dad, "Fy mhen, fy mhen!" Dywedodd yntau wrth y gwas, "Dos ag ef at ei fam." [20]Cododd hwnnw ef a mynd ag ef at ei fam; bu'n eistedd ar ei glin hyd hanner dydd, ac yna bu farw. [21]Cymerodd ef i fyny, a'i roi i orwedd ar wely gŵr Duw; yna aeth allan, a chau'r drws. [22]Wedyn galwodd ei gŵr a dweud, "Anfon un o'r gweision ac un o'r asennod ataf, fel y gallaf frysio at ŵr Duw ac yn ôl." [23]Dywedodd ef, "Pam yr ei di ato heddiw? Nid yw'n newydd-loer nac yn saboth." "Popeth yn dda," meddai hithau. [24]Cyfrwyodd yr asen a dywedodd wrth ei gwas, "Gyr ymlaen, paid ag arafu er fy mwyn i, os na ddywedaf wrthyt." [25]Aeth ar ei thaith, a dod at ŵr Duw ym Mynydd Carmel; a phan welodd gŵr Duw hi'n dod, dywedodd wrth ei was Gehasi, "Dacw'r Sunamees fan draw; [26]rhed yn awr i'w chyfarfod a gofyn iddi, 'A yw popeth yn iawn gyda thi, gyda'th ŵr, gyda'th blentyn?'" Dywedodd hi, "Ydyw, yn iawn." [27]Ond pan ddaeth at ŵr Duw i'r mynydd, ymaflodd yn ei draed, a phan ddaeth Gehasi i'w gwthio draw, dywedodd gŵr Duw, "Gad iddi, oherwydd y mae mewn loes mawr, ac y mae'r ARGLWYDD wedi ei gelu oddi wrthyf a heb ei fynegi imi." [28]A dywedodd hi, "A ofynnais i am fab oddi wrth f'arglwydd? Oni ddywedais, 'Paid â'm twyllo'?" [29]Yna dywedodd Eliseus wrth Gehasi, "Clyma dy wisg am dy ganol, cymer fy ffon, a dos; os gweli rywun, paid â'i gyfarch, ac os bydd rhywun yn dy gyfarch di, paid ag aros i ateb. Rho fy ffon ar wyneb y bachgen." [30]Ond dywedodd mam y bachgen, "Cyn wired â bod yr ARGLWYDD yn fyw, a thithau, nid wyf fi am d'adael." Cododd yntau a mynd yn ôl gyda hi. [31]Yr oedd Gehasi wedi mynd o'u blaen, a rhoi'r ffon ar wyneb y bachgen, ond ni ddaeth na sŵn na chyffro. Felly aeth yn ôl i gyfarfod Eliseus a dweud wrtho, "Ni ddeffrôdd y bachgen."

32 Aeth Eliseus i mewn i'r tŷ, a dyna lle'r oedd y bachgen yn farw, ac wedi ei roi i orwedd ar ei wely ef. [33]Caeodd Eliseus y drws arnynt ill dau, a gweddïodd ar yr ARGLWYDD. [34]Yna aeth at y plentyn a gorwedd drosto, a rhoi ei geg ar ei geg, a'i lygaid ar ei lygaid, a'i ddwylo ar ei ddwylo, ac ymestyn drosto nes i gnawd y plentyn gynhesu. [35]Yna cododd a cherddodd unwaith yn ôl ac ymlaen yn y tŷ, cyn mynd yn ôl ac ymestyn arno. Tisiodd y bachgen seithwaith, ac agor ei lygaid. [36]Yna galwodd Eliseus ar Gehasi a dweud, "Galw'r Sunamees." [37]Wedi iddo'i galw, ac iddi hithau ddod, dywedodd, "Cymer dy fab." Syrthiodd hi wrth ei draed a moesymgrymu i'r llawr cyn cymryd ei mab a mynd allan.

---

[b]Felly Groeg. Hebraeg yn ychwanegu ŵr Duw.

Dwy Wyrth Arall

38 Dychwelodd Eliseus i Gilgal pan oedd newyn yn y wlad. Yr oedd nifer o broffwydi dan ei ofal, a dywedodd wrth ei was, "Gosod y crochan mawr ar y tân a berwa gawl i'r proffwydi." ³⁹Yr oedd un ohonynt wedi mynd allan i'r maes i gasglu llysiau, a chafodd winwydden wyllt, a chasglodd goflaid llawn o rawn gwylltion oddi arni, heb wybod beth oeddent, a dod a'u bwrw i'r crochan cawl. ⁴⁰Tywalltwyd y cawl i'r dynion ei fwyta, a chyn gynted ag iddynt brofi o'r cawl, yr oeddent yn gweiddi ac yn dweud, "O ŵr Duw, y mae angau yn y crochan." Ac ni allent ei fwyta. ⁴¹Dywedodd yntau, "Dewch â blawd." Ac wedi iddo'i daflu i'r crochan, dywedodd, "Rhannwch i'r dynion, iddynt fwyta." Ac nid oedd dim niweidiol yn y crochan.

42 Daeth gŵr o Baal-salisa â bara blaenffrwyth i ŵr Duw, yn cynnwys ugain torth haidd a thywysennau o ŷd newydd^c. ⁴³Dywedodd, "Rhowch hwy i'r dynion i'w bwyta." Ond dywedodd ei wasanaethwr, "Sut y gallaf rannu hyn rhwng cant o ddynion?" Ond atebodd, "Rho hwy i'r dynion i'w bwyta, oherwydd fel hyn y dywed yr ARGLWYDD: Bydd bwyta a gadael gweddill." ⁴⁴A gosododd y torthau o'u blaen, a chawsant fwyta a gadael gweddill, yn ôl gair yr ARGLWYDD.

Iacháu Naaman

5 Yr oedd Naaman capten byddin brenin Syria yn ddyn uchel gan ei feistr ac yn fawr ei barch, am mai trwyddo ef yr oedd yr ARGLWYDD wedi gwaredu Syria. Ond aeth y rhyfelwr praff yn ŵr gwahanglwyfus. ²Pan oeddent ar gyrch yn nhir Israel cipiodd y Syriaid eneth fach a'i dwyn i weini ar wraig Naaman. ³Dywedodd wrth ei meistres, "Gresyn na fyddai fy meistr yn gweld y proffwyd sydd yn Samaria; byddai ef yn ei wella o'i wahanglwyf." ⁴Aeth Naaman a dweud wrth ei feistr, "Y mae'r eneth o wlad Israel yn dweud fel a'r fel." ⁵Ac meddai brenin Syria, "Dos di, ac anfonaf finnau lythyr at frenin Israel." Yna aeth, a chymryd deg talent o arian, chwe mil o siclau aur a deg pâr o ddillad. ⁶Dygodd hefyd at frenin Israel lythyr yn dweud, "Dyma fi'n anfon atat

^cTebygol. Hebraeg yn aneglur.

fy ngwas Naaman; cyn gynted ag y derbynni'r llythyr hwn, 'rwyt i'w wella o'i wahanglwyf." ⁷Pan ddarllenodd brenin Israel y llythyr, rhwygodd ei ddillad a dweud, "Ai Duw wyf fi i beri marw neu fyw, bod hwn yn anfon ataf i wella dyn o'i wahanglwyf? Sylwch ar hyn, yn awr, a gwelwch mai chwilio am achos yn f'erbyn y mae."

8 Pan glywodd Eliseus, gŵr Duw, fod brenin Israel wedi rhwygo'i ddillad, anfonodd at y brenin a dweud, "Pam yr wyt yn rhwygo dy ddillad? Gad iddo ddod ataf fi, er mwyn iddo wybod fod proffwyd yn Israel." ⁹Felly daeth Naaman, gyda'i feirch a'i gerbydau, a sefyll o flaen drws tŷ Eliseus, ¹⁰a gyrrodd Eliseus neges allan ato: "Dos ac ymolchi saith waith yn yr Iorddonen, ac adferir dy gnawd yn holliach iti." ¹¹Ffromodd Naaman, ac aeth i ffwrdd a dweud, "Meddyliais y byddai o leiaf yn dod allan a sefyll a galw ar enw'r ARGLWYDD ei Dduw, a symud ei law dros y fan, a gwella'r gwahanglwyf. ¹²Onid yw Abana a Pharpar, afonydd Damascus, yn well na holl ddyfroedd Israel? Oni allwn ymolchi ynddynt hwy, a dod yn lân?" Trodd, a mynd i ffwrdd yn ei ddig.

13 Ond daeth ei weision ato a dweud wrtho, "Petai'r proffwyd wedi dweud rhywbeth mawr wrthyt, oni fyddit wedi ei wneud? Onid rheitiach felly gan mai dim ond 'Ymolch a bydd lân' a ddywedodd?" ¹⁴Ar hynny fe aeth i lawr, ac ymdrochi saith waith yn yr Iorddonen yn ôl gair y proffwyd, a daeth ei gnawd yn lân eto fel cnawd bachgen bach. ¹⁵Yna dychwelodd ef a'i holl fintai at ŵr Duw, a sefyll o'i flaen a dweud, "Dyma fi'n gwybod yn awr nad oes Duw mewn un wlad ond yn Israel; felly, derbyn yn awr anrheg oddi wrth dy was." ¹⁶Atebodd yntau, "Cyn wired â bod yr ARGLWYDD a wasanaethaf, yn fyw, ni chymeraf ddim." ¹⁷Ac er pwyso arno i gymryd, gwrthod a wnaeth. Dywedodd Naaman, "Os na chymeri, ynteu, rhodder llwyth cwpl o fulod o bridd i mi, dy was, gan na fyddaf ar ôl hyn yn offrymu offrwm nac aberth i'r un duw arall ond i'r AR-GLWYDD. ¹⁸Ond yn unig—maddeued yr ARGLWYDD imi—pan fydd fy meistr yn mynychu teml Rimon i addoli yno, ac yn pwyso ar fy llaw, byddaf finnau'n moesymgrymu yn nheml Rimon pan fydd ef yn

ymgrymu yno. Maddeued yr ARGLWYDD i'th was am y peth hwn." [19]Dywedodd Eliseus wrtho, "Heddwch iti."

Pan oedd wedi mynd ychydig o ffordd, [20]meddyliodd Gehasi, gwas Eliseus gŵr Duw, "Y mae fy meistr wedi arbed y Syriad hwn, Naaman, drwy wrthod derbyn yr hyn a ddygodd; cyn wired â bod yr ARGLWYDD yn fyw, mi redaf ar ei ôl i gael rhywbeth ganddo." [21]Rhedodd ar ôl Naaman, a phan welodd Naaman ef yn rhedeg, disgynnodd o'i gerbyd i'w gyfarfod, a gofyn, "A yw popeth yn iawn?" [22]"Ydyw, yn iawn," meddai yntau, "fy meistr sydd wedi f'anfon i ddweud fod dau broffwyd ifanc newydd gyrraedd o ucheldir Effraim; bydd cystal â rhoi iddynt dalent o arian a dau bâr o ddillad." [23]Atebodd Naaman, "Ar bob cyfrif; cymer ddwy dalent." Bu'n daer arno; clymodd ddwy dalent mewn dwy god, a'u rhoi gyda dau bâr o ddillad i ddau o'i weision i'w cario o'i flaen. [24]Pan ddaethant at y bonc, cymerodd Gehasi hwy o'u llaw a'u rhoi i gadw, ac yna anfonodd y gweision yn ôl. [25]Wedi iddynt fynd, aeth yntau i mewn i weini ar ei feistr, a dywedodd Eliseus wrtho, "Ple buost ti, Gehasi?" Atebodd, "Ni fu dy was yn unman." [26]Ond dywedodd Eliseus, "Onid oedd fy nghalon gyda thi pan ddisgynnodd y gŵr o'i gerbyd i'th gyfarfod, a phan dderbyniaist yr arian? Pryn ddillad a gerddi olewydd a gwinllannau a defaid a gwartheg a gweision a morynion; [27]ond bydd gwahanglwyf Naaman yn glynu wrthyt ti a'th deulu am byth." Aeth Gehasi allan o'i ŵydd yn wahanglwyfus, cyn wynned â'r eira.

Adfer y Fwyell

6 Dywedodd y proffwydi wrth Eliseus, "Edrych yn awr, y mae'r lle yr ydym yn byw ynddo gyda thi yn rhy gyfyng inni. [2]Gad inni fynd at yr Iorddonen a chymryd oddi yno drawst bob un i wneud lle y gallwn fyw ynddo." Dywedodd yntau, "Ewch." [3]Ond meddai un, "Bydd dithau fodlon i ddod gyda'th weision." Ac atebodd, "Dof." [4]Yna aeth gyda hwy at yr Iorddonen i dorri coed. [5]Tra oedd un yn cwympo trawst, syrthiodd ei fwyell i'r dŵr, a dywedodd, "Gwae fi, syr; un fenthyg oedd hi." [6]Dywedodd gŵr Duw, "Ple y syrthiodd?" Dangosodd y lle iddo; tor-

rodd yntau ffon a'i thaflu yno, a nofiodd y fwyell. [7]Dywedodd, "Cod hi." Ac estynnodd ei law a'i chymryd.

Gorchfygu Byddin Syria

8 Pan oedd brenin Syria am ryfela yn erbyn Israel, ymgynghorodd â'i weision a phenderfynu, "Yn y fan a'r fan y bydd fy ngwersyll." [9]Ac anfonodd gŵr Duw at frenin Israel a dweud, "Gwylia rhag mynd heibio'r fan a'r fan, oherwydd y mae'r Syriaid yn mynd i lawr yno." [10]Ac anfonodd brenin Israel ddynion i'r fan a ddywedodd gŵr Duw, ac felly y rhybuddiwyd ef i fod yn wyliadwrus, dro ar ôl tro.

11 Cynhyrfodd brenin Syria am hyn a galwodd ei weision ato a dweud wrthynt, "Oni ddywedwch wrthyf pwy ohonom sydd o blaid brenin Israel?" [12]Ond dywedodd un o'i weision, "Nid oes neb, f'arglwydd frenin; Eliseus, y proffwyd o Israel, sy'n dweud wrth frenin Israel y geiriau yr wyt ti'n eu llefaru yn d'ystafell wely." [13]Dywedodd yntau, "Ewch ac edrychwch ble y mae ef, er mwyn i mi anfon i'w ddal." [14]Dywedwyd wrtho, "Y mae yn Dothan." Ac anfonodd yno feirch a cherbydau a byddin gref. Daethant liw nos ac amgylchu'r dref.

15 Pan godod gwas y proffwyd yn y bore bach, a mynd allan, dyna lle'r oedd byddin a meirch a cherbydau o amgylch y dref, ac meddai, "O feistr, beth a wnawn ni?" [16]Dywedodd yntau, "Paid ag ofni; y mae mwy gyda ni nag sydd gyda hwy." [17]Yna gweddïodd Eliseus, "ARGLWYDD, agor ei lygaid, iddo weld." Ac agorodd yr ARGLWYDD lygaid y llanc, ac yna fe welodd y mynydd yn llawn meirch a cherbydau tanllyd o gwmpas Eliseus. [18]Pan ddaeth a Syriaid i lawr ato, gweddïodd Eliseus ar yr ARGLWYDD a dweud, "Taro'r bobl hyn yn ddall;" a thrawyd hwy'n ddall, yn ôl gair Eliseus. [19]A dywedodd Eliseus wrthynt, "Nid dyma'r ffordd; nid hon yw'r dref. Dilynwch fi, ac af â chwi at y gŵr yr ydych yn ei geisio." Ac arweiniodd hwy i Samaria.

20 Wedi iddynt gyrraedd Samaria, dywedodd Eliseus, "ARGLWYDD, agor lygaid y bobl hyn, iddynt weld." Pan agorodd yr ARGLWYDD eu llygaid a hwythau'n gweld, yno yng nghanol Samaria yr oeddent. [21]A phan welodd

brenin Israel hwy, gofynnodd i Eliseus, "Fy nhad, a gaf fi eu lladd bob un?" [22] Atebodd yntau, "Na, paid â'u lladd. A fyddit ti'n lladd y rhai a gymerit yn gaeth trwy dy gleddyf a'th fwa? Rho fara a dŵr o'u blaenau, iddynt gael bwyta ac yfed a mynd yn ôl at eu meistr." [23] Arlwyodd wledd fawr iddynt, ac wedi iddynt fwyta ac yfed, gollyngodd hwy. Aethant at eu meistr, ac ni ddaeth byddinoedd Syria rhagor i dir Israel.

Gwarchae ar Samaria

[24] Ymhen amser, cynullodd Benhadad brenin Syria ei holl fyddin a mynd i warchae ar Samaria. [25] Yna bu newyn mawr yn Samaria, a'r gwarchae mor dyn nes bod pen asyn yn costio pedwar ugain sicl o arian, a chwarter pwys o ddail colomen bum sicl. [26] Fel yr oedd brenin Israel yn cerdded ar y mur, gwaeddodd gwraig arno, "F'arglwydd frenin, helpa fi!" [27] Ond dywedodd, "Na! Bydded i'r ARGLWYDD dy helpu; o ble y caf fi help iti—ai o'r llawr dyrnu neu o'r gwinwryf?" [28] Yna gofynnodd y brenin, "Beth sydd o'i le?" Meddai hithau, "Dywedodd y ddynes yma wrthyf, 'Dyro di dy blentyn inni ei fwyta heddiw, a chawn fwyta fy mab i yfory.' [29] Felly berwyd fy mab i a'i fwyta, ac yna dywedais wrthi y diwrnod wedyn, 'Dyro dithau dy fab inni ei fwyta.' Ond y mae hi wedi cuddio'i phlentyn." [30] Pan glywodd y brenin eiriau'r wraig, rhwygodd ei wisg; a chan ei fod yn cerdded ar y mur, gwelodd y bobl ei fod yn gwisgo sachliain yn nesaf at ei groen. [31] Ac meddai, "Fel hyn y gwnelo Duw i mi, a rhagor, os ceidw Eliseus fab Saffat ei ben ar ei ysgwyddau heddiw."

[32] Gartref yr oedd Eliseus, a'r henuriaid yn eistedd gydag ef. Anfonodd y brenin ŵr o'i lys, ond cyn i'r negesydd gyrraedd, yr oedd Eliseus wedi dweud wrth yr henuriaid, "A welwch chwi fod y cyw llofrudd hwn wedi anfon rhywun i dorri fy mhen? Edrychwch; pan fydd y negesydd yn cyrraedd, caewch y drws a daliwch y drws yn ei erbyn. Onid wyf yn clywed sŵn traed ei feistr yn ei ddilyn?" [33] A thra oedd eto'n siarad â hwy, dyna'r brenin[ch] yn cyrraedd ac yn dweud, "Oddi wrth yr ARGLWYDD y daeth ein haflwydd, pam y disgwyliaf rhagor wrtho?"

[ch] Tebygol. Hebraeg, *negesydd.*

7 Ond dywedodd Eliseus, "Gwrando air yr ARGLWYDD. Fel hyn y dywed yr ARGLWYDD: Tua'r adeg yma yfory gwerthir ym mhorth Samaria bwn o beilliad am sicl, a dau bwn o haidd am sicl." [2] Atebwyd Eliseus gan y swyddog yr oedd y brenin yn pwyso ar ei fraich: "Hyd yn oed pe bai'r ARGLWYDD yn agor ffenestri yn y nefoedd, a allai hyn ddigwydd?" Meddai yntau, "Cei ei weld â'th lygaid dy hun, ond ni chei fwyta ohono."

Byddin Syria yn Ymadael

[3] Y tu allan i'r porth yr oedd pedwar dyn gwahanglwyfus, ac meddent wrth ei gilydd, "Pam aros yma nes inni farw? [4] Pe byddem yn penderfynu mynd i'r ddinas, byddem yn marw yno am fod newyn yn y ddinas; a marw y byddwn os arhoswn yma. Dewch, mentrwn i wersyll Syria. Os arbedant ni, cawn fyw; os lladdant ni, byddwn farw." [5] Felly gyda'r nos aethant draw i wersyll y Syriaid; ond wedi iddynt gyrraedd cwr y gwersyll, nid oedd yr un Syriad yno. [6] Yr oedd yr ARGLWYDD wedi peri i wersyll y Syriaid glywed trwst cerbydau a meirch a byddin gref, nes bod pawb yn dweud, "Y mae brenin Israel wedi cyflogi brenhinoedd yr Hethiaid a'r Eifftiaid i ymosod arnom." [7] Dyna pam yr oeddent wedi ffoi gyda'r nos, a gadael eu pebyll a'u meirch a'u hasynnod a'r gwersyll fel yr oedd, a ffoi am eu heinioes. [8] Pan ddaeth y gwahangleifion hyn i gwr y gwersyll, aethant i mewn i un o'r pebyll, a bwyta ac yfed; ac yna aethant ag arian ac aur a dilladau oddi yno a'u cuddio; wedyn dod yn ôl a mynd i babell arall a dwyn o honno a'i guddio. [9] Yna dyma hwy'n dweud wrth ei gilydd, "Nid ydym yn gwneud y peth iawn; dydd o newyddion da yw heddiw, a ninnau'n dweud dim. Os arhoswn hyd olau dydd, byddwn ar fai; felly gadewch inni fynd a dweud ym mhalas y brenin." [10] Aethant a galw ar borthorion y ddinas a dweud, "Buom yng ngwersyll y Syriaid, ond nid oedd undyn yno, na sôn am neb—dim ond ambell geffyl ac asyn wedi ei rwymo, a'r pebyll wedi eu gadael fel yr oeddent." [11] Gwaeddodd y porthorion a dweud wrth y rhai oedd i mewn ym mhalas y brenin. [12] Yna cododd y brenin gefn nos, ac meddai wrth ei weision, "Mi ddywedaf

wrthych beth y mae'r Syriaid yn ei wneud i ni; y maent yn gwybod bod newyn arnom, ac y maent wedi mynd allan o'r gwersyll i guddio, gan feddwl, 'Pan ddônt allan o'r ddinas, daliwn hwy'n fyw, a mynd i mewn i'r ddinas.'" [13]Atebodd un o'i weision, "Beth am gymryd pump o'r meirch sydd ar ôl, ac anfon rhywrai inni gael gweld? Achos, os arhoswn yn y ddinas[d], fe fydd holl liaws Israel sydd ar ôl yr un fath â'r holl lu o Israeliaid sydd wedi darfod." [14]Wedi dewis dau farchog, anfonodd y brenin hwy ar ôl byddin Syria, gyda'r siars, "Ewch i edrych." [15]Aethant ar eu hôl cyn belled â'r Iorddonen, ac yr oedd y ffordd ar ei hyd yn llawn o ddillad a chelfi wedi eu taflu i ffwrdd gan y Syriaid yn eu brys. Yna dychwelodd y negeswyr a dweud wrth y brenin.

16 Wedi hynny aeth y bobl allan ac ysbeilio gwersyll y Syriaid, a chaed pwn o beilliaid am sicl a dau bwn o haidd am sicl, yn ôl gair yr ARGLWYDD. [17]Yr oedd y brenin wedi penodi'r swyddog y pwysai ar ei fraich i arolygu'r porth; ond mathrodd y bobl ef yn y porth, a bu farw, fel yr oedd gŵr Duw wedi dweud pan aeth y brenin ato. [18]Digwyddodd hefyd yn ôl fel y dywedodd gŵr Duw wrth y brenin, "Bydd dau bwn o haidd am sicl, a phwn o beilliaid am sicl yr adeg yma yfory ym mhorth Samaria." [19]Pan atebodd y swyddog ŵr Duw a dweud, "Hyd yn oed pe bai'r ARGLWYDD yn gwneud ffenestri yn y nef, a allai hyn ddigwydd?" cafodd yr ateb, "Cei ei weld â'th lygaid dy hun, ond ni chei fwyta ohono." [20]Ac felly y digwyddodd: mathrodd y bobl ef yn y porth, a bu farw.

Y Wraig o Sunem yn Dychwelyd

8 Yr oedd Eliseus wedi dweud wrth y wraig yr adfywiodd ei mab, "Muda oddi yma, ti a'th deulu, a dos i fyw lle medri, oherwydd y mae'r ARGLWYDD wedi cyhoeddi newyn, a bydd yn y wlad am saith mlynedd." [2]Cychwynnodd y wraig yn ôl gair gŵr Duw, ac aeth hi a'i theulu, a byw am saith mlynedd yn Philistia. [3]Ymhen y saith mlynedd, dychwelodd y wraig o Philistia a mynd at y brenin i erfyn am ei thŷ a'i thir. [4]Yr oedd y brenin ar y pryd yn ymddiddan â Gehasi, gwas gŵr Duw, ac yn dweud, "Dywed wrthyf hanes yr holl wrhydri

[d]Hebraeg, *ynddi.*

a wnaeth Eliseus." [5]Ac fel yr oedd Gehasi'n adrodd wrth y brenin amdano'n adfywio un oedd wedi marw, dyna'r wraig yr adfywiodd ei mab yn dod i erfyn ar y brenin am ei thŷ a'i thir. Ac meddai Gehasi, "F'arglwydd frenin, hon yw'r wraig, a dyma'r mab a adfywiodd Eliseus." [6]Holodd y brenin hi, ac adroddodd hithau'r hanes wrtho. Yna penododd y brenin swyddog i ofalu amdani, a dweud wrtho, "Rho'n ôl iddi ei heiddo i gyd, a chynnyrch y tir hefyd o'r diwrnod y gadawodd y wlad hyd heddiw."

Eliseus a Benhadad Brenin Syria

7 Daeth Eliseus i Damascus. Yr oedd Benhadad brenin Syria yn glaf, a dywedwyd wrtho fod gŵr Duw wedi cyrraedd. [8]Yna dywedodd y brenin wrth Hasael, "Cymer rodd gyda thi, a dos at ŵr Duw i ymofyn â'r ARGLWYDD, a fyddaf yn gwella o'r clefyd hwn." [9]Aeth Hasael ato gyda deugain llwyth camel o holl nwyddau gorau Damascus yn rhodd. Ar ôl cyrraedd, safodd o'i flaen a dweud, "Y mae dy fab, Benhadad brenin Syria, wedi f'anfon atat i ofyn, 'A fyddaf yn gwella o'r clefyd hwn?' " [10]Atebodd Eliseus, "Dos a dweud wrtho, 'Rwyt yn sicr o wella.' Ond y mae'r ARGLWYDD wedi dangos i mi y bydd yn sicr o farw." [11]A syllodd yn graff ar Hasael nes iddo gywilyddio, ac wylodd gŵr Duw. [12]Gofynnodd Hasael, "Pam y mae f'arglwydd yn wylo?" Atebodd, "Am fy mod yn gwybod maint y niwed a wnei i'r Israeliaid: bwrw tân i'w caerau a lladd eu hieuenctid â'r cleddyf, mathru'r plant bach a rhwygo'r beichiog." [13]Dywedodd Hasael, "Sut y gall dy was, nad yw ond ci, wneud peth mor fawr â hyn?" Atebodd Eliseus, "Y mae'r ARGLWYDD wedi dy ddangos imi yn frenin ar Syria." [14]Ymadawodd ag Eliseus, a phan ddaeth at ei feistr, gofynnodd hwnnw iddo, "Beth a ddywedodd Eliseus wrthyt?" Atebodd yntau, "Dweud wrthyf y byddi'n sicr o wella." [15]Ond trannoeth cymerodd Hasael wrthban a'i drochi mewn dŵr a'i daenu dros wyneb y brenin. Bu farw, a daeth Hasael yn frenin yn ei le.

Jehoram Brenin Jwda
(2 Cron. 21:1-20)

16 Yn y bumed flwyddyn i Joram fab

Ahab, brenin Israel, tra oedd Jehosaffat yn frenin ar Jwda, dechreuodd Jehoram fab Jehosaffat, brenin Jwda, deyrnasu. [17]Deuddeg ar hugain oedd ei oed pan ddaeth yn frenin, a theyrnasodd yn Jerwsalem am wyth mlynedd. [18]Dilynodd lwybr brenhinoedd Israel, fel y gwnâi tŷ Ahab, gan mai merch Ahab oedd ei wraig, a gwnaeth yr hyn oedd ddrwg yng ngolwg yr ARGLWYDD. [19]Eto ni fynnai'r ARGLWYDD, er mwyn ei was Dafydd, ddifetha Jwda, am iddo addo rhoi lamp iddo ger ei fron[dd] am byth.

20 Yn ei gyfnod ef gwrthryfelodd Edom yn erbyn Jwda a gosod brenin arnynt eu hunain. [21]Croesodd Joram i Sair a'i holl gerbydau gydag ef; cododd liw nos ac ymosododd ef a'i gerbydwyr ar yr Edomiaid oedd yn ei amgylchu, ond ffodd y fyddin adref. [22]Ac y mae Edom mewn gwrthryfel yn erbyn Jwda hyd y dydd hwn. Gwrthryfelodd Libna hefyd yr un pryd. [23]Am weddill yr holl bethau a wnaeth Joram, onid ydynt wedi eu hysgrifennu yn llyfr hanesion brenhinoedd Jwda? [24]A hunodd Joram gyda'i dadau, a chladdwyd ef gyda hwy yn Ninas Dafydd; a daeth ei fab Ahaseia yn frenin yn ei le.

Ahaseia Brenin Jwda
(2 Cron. 22:1-6)

25 Yn y ddeuddegfed flwyddyn i Joram fab Ahab, brenin Israel, daeth Ahaseia fab Jehoram, brenin Jwda, yn frenin. [26]Dwy ar hugain oedd oed Ahaseia pan ddaeth yn frenin, a theyrnasodd yn Jerwsalem am flwyddyn. Athaleia oedd enw ei fam, wyres i Omri brenin Israel. [27]Dilynodd yr un llwybr â thŷ Ahab, a gwnaeth yr hyn oedd ddrwg yng ngolwg yr ARGLWYDD, fel tŷ Ahab, am ei fod yn perthyn trwy briodas i dŷ Ahab. [28]Aeth gyda Joram fab Ahab i ryfel yn erbyn Hasael brenin Syria i Ramoth Gilead, ac anafodd y Syriaid Joram. [29]Ciliodd y Brenin Joram i Jesreel i geisio gwellhad o'r clwyfau a gafodd gan y Syriaid yn Rama yn y frwydr yn erbyn Hasael brenin Syria. A daeth Ahaseia fab Jehoram, brenin Jwda, i edrych am Joram fab Ahab yn Jesreel am ei fod yn glaf.

Eneinio Jehu yn Frenin Israel

9 Galwodd y proffwyd Eliseus ar un o'r proffwydi a dweud wrtho,

"Clyma dy wisg am dy ganol, cymer y ffiol olew hon yn dy law a dos i Ramoth Gilead. [2]Wedi iti gyrraedd, edrych yno am Jehu fab Jehosaffat, fab Nimsi; [3]yna dos a chymer ef allan o blith ei gymrodyr a mynd ag ef i ystafell fewnol, a chymryd y ffiol olew a'i harllwys ar ei ben a dweud, 'Fel hyn y dywed yr ARGLWYDD: 'Rwy'n dy eneinio'n frenin ar Israel.' Yna agor y drws a ffo heb oedi."

4 Aeth y llanc o broffwyd i Ramoth Gilead. [5]A phan gyrhaeddodd, yr oedd swyddogion y fyddin yn eistedd gyda'i gilydd, a dywedodd, "Y mae gennyf neges i ti, syr." Gofynnodd Jehu, "I ba un ohonom?" "I ti, syr," meddai yntau. [6]Cododd a mynd i mewn; yna tywalltodd y llanc yr olew ar ben Jehu, a dweud wrtho, "Fel hyn y dywed yr ARGLWYDD, Duw Israel: 'Rwy'n dy eneinio'n frenin ar Israel, pobl yr ARGLWYDD. [7]Taro dŷ Ahab, dy feistr, fel y caf ddial ar Jesebel am waed fy ngweision y proffwydi, a holl weision yr ARGLWYDD. [8]Difethir holl dŷ Ahab, a distrywiaf bob gwryw sydd gan Ahab yn Israel, caeth neu rydd. [9]A gwnaf dŷ Ahab fel tŷ Jeroboam fab Nebat a thŷ Baasa fab Aheia. [10]Ac am Jesebel, bydd y cŵn yn ei bwyta yn rhandir Jesreel, heb neb i'w chladdu." Yna fe agorodd y drws a ffoi.

11 Pan ddaeth Jehu allan at weision eraill ei feistr, holodd un, "A yw popeth yn iawn? Pam y daeth yr ynfyd yna atat?" Atebodd yntau, "Gwyddoch am y dyn a'i siarad." [12]"Paid â'th gelwydd;" meddent, "da thi, dywed wrthym." Ac atebodd, "Dyma'r hyn a ddywedodd wrthyf: 'Fel hyn y dywed yr ARGLWYDD: 'Rwy'n dy eneinio'n frenin ar Israel.'" [13]Yna cipiodd pob un ddilledyn a'i roi dano ar ben y grisiau, a chwythu utgorn a dweud, "Jehu sydd frenin!" [14]A gwnaeth Jehu fab Jehosaffat, fab Nimsi gynllwyn yn erbyn Joram.

Lladd Joram Brenin Israel ac Ahaseia Brenin Jwda

Yr oedd Joram a holl Israel ar wyliadwriaeth yn Ramoth Gilead rhag Hasael brenin Syria; [15]ond yr oedd Joram wedi dychwelyd adref i Jesreel i wella o'r clwyfau a gafodd gan y Syriaid wrth ymladd â Hasael brenin Syria. A dywedodd Jehu, "Os dyma'ch teimlad,

Cymh. I Bren. 11:36. Hebraeg, *i'w feibion*.

peidiwch â gadael i neb ddianc o'r ddinas i yngan gair yn Jesreel." ¹⁶Aeth Jehu yn ei gerbyd am Jesreel, gan fod Joram yn orweiddiog yno. Ac yr oedd Ahaseia brenin Jwda wedi dod i edrych am Joram.

17 Yr oedd gwyliwr yn sefyll ar dŵr yn Jesreel, a gwelodd fintai Jehu yn dod, a dywedodd, "Rwy'n gweld mintai." Dywedodd Joram, "Dewis farchog, a'i anfon i'w cyfarfod, i ofyn a yw popeth yn iawn." ¹⁸Yna fe aeth marchog i'w cyfarfod a dweud, "Fel hyn y mae'r brenin yn gofyn; 'A yw popeth yn iawn?' " Ac meddai Jehu, "Pa wahaniaeth i ti a yw popeth yn iawn? Tyrd i'm canlyn." Cyhoeddodd y gwyliwr, "Y mae'r negesydd wedi cyrraedd atynt, ond nid yw'n dod yn ôl." ¹⁹Yna anfonwyd ail farchog, a phan gyrhaeddodd atynt, dywedodd, "Fel hyn y dywed y brenin; 'A yw popeth yn iawn?' " Atebodd Jehu, "Pa wahaniaeth i ti a yw popeth yn iawn? Tyrd i'm canlyn." ²⁰A chyhoeddodd y gwyliwr, "Y mae wedi cyrraedd atynt, ond nid yw'n dod yn ôl; ac y mae'r gyrru fel gyrru Jehu fab Nimsi, oherwydd y mae'n gyrru'n ynfyd."

21 Dywedodd Jehoram, "Cyplwch fy ngherbyd." Ac wedi iddynt ei gyplu, aeth Jehoram brenin Israel ac Ahaseia brenin Jwda allan bob un yn ei gerbyd, i gyfarfod Jehu; a chawsant ef yn rhandir Naboth y Jesreeliad. ²²Pan welodd Jehoram Jehu gofynnodd, "A yw popeth yn iawn, Jehu?" Atebodd yntau, "Sut y gall fod yn iawn tra bo cymaint o buteindra a hudoliaeth dy fam Jesebel yn aros?" ²³Yna troes Jehoram ei gerbyd yn ôl a ffoi, a gweiddi ar Ahaseia, "Brad, Ahaseia!" ²⁴Cydiodd Jehu yn ei fwa a saethu Jehoram rhwng ei ysgwyddau nes i'r saeth fynd trwy ei galon, a syrthiodd i'r cerbyd. ²⁵Dywedodd Jehu wrth Bidcar ei is-gapten, "Gafael ynddo a bwrw ef i randir Naboth y Jesreeliad; oblegid 'rwyf fi a thithau'n cofio, pan oeddem yn cydyrru cerbyd ar ôl ei dad Ahab, fod yr ARGLWYDD wedi cyhoeddi'r oracl hwn yn ei erbyn: ²⁶'Cyn wired ag y gwelais waed Naboth a'i feibion ddoe, medd yr ARGLWYDD, fe dalaf yn ôl i ti yn y rhandir hwn, medd yr ARGLWYDD'; felly, gafael ynddo a bwrw ef allan i'r rhandir, yn ôl gair yr ARGLWYDD."

27 Pan welodd Ahaseia brenin Jwda hyn, ffodd i gyfeiriad Beth-haggan, a

ᵉFelly Groeg. Hebraeg heb A thrawsant ef.

Jehu yn erlyn ar ei ôl ac yn dweud "Tarwch yntau hefyd." A thrawsant ef yn ei gerbyd wrth allt Gur ger Ibleam, ond ffodd i Megido a marw yno. ²⁸Yna cludodd ei weision ef i Jerwsalem, a'i gladdu yn ei feddrod gyda'i dadau yn Ninas Dafydd.

29 Yn yr unfed flwyddyn ar ddeg Joram fab Ahab y daeth Ahaseia yn frenin ar Jwda.

Lladd Jesebel

30 Daeth Jehu i Jesreel. Pan glywodd Jesebel, colurodd ei hwyneb ac addurno ei phen, ac edrychodd allan trwy'r ffenestr. ³¹Fel yr oedd Jehu yn cyrraedd y porth, dywedodd wrtho, "A fydd heddwch, Simri, llofrudd ei feistr?" ³²Cododd yntau ei olwg at y ffenestr a gofyn, "Pwy sydd o'm plaid? Pwy?" Edrychodd dau neu dri o'r gweision allan, ac meddai Jehu "Taflwch hi lawr." ³³Taflasant hi i lawr, a thasgodd peth o'i gwaed ar y pared ac ar y meirch a mathrwyd hithau.

34 Wedi iddo fwyta ac yfed, dywedodd, "Gofalwch am gladdu'r ddynes felltigedig yna, oblegid merch i frenin oedd hi." ³⁵Ond pan aethant i'w chladdu ni chawsant ddim ohoni ond y benglog a'r traed a chledrau'r dwylo. ³⁶A phan ddaethant yn ôl a dweud wrtho, dywedodd Jehu, "Dyma a fynegodd yr AR GLWYDD drwy ei was Elias y Thesbiad Yn rhandir Jesreel fe fwyty'r cŵn gnawd Jesebel, ³⁷a bydd corff Jesebel fel tail ar wyneb cae yn rhandir Jesreel, fel na elli dweud, 'Dyma Jesebel.'"

Lladd Meibion Ahab a Brodyr Ahaseia

10 Yr oedd gan Ahab ddeg a thrigain o feibion yn Samaria. Ysgrifennodd Jehu lythyrau a'u hanfon i Samaria at swyddogion y ddinasᶠ, yr henuriaid a'r rhai oedd yn gofalu am blant Ahab, yn dweud, ²"Cyn gynted ag y cewch llythyr hwn, gan fod meibion eich arglwydd gyda chwi, a bod gennych gerbydau a meirch a dinas gaerog ac arfau ³dewiswch y gorau a'r cymhwysaf o feibion eich arglwydd a'i osod ar orsedd ei dad, ac ymladdwch dros dylwyth eich arglwydd." ⁴Ond cawsant ofn mawr dweud, "Gwelwch, methodd dau freni ei wrthsefyll; sut y safwn ni?" ⁵Yna anfonodd goruchwyliwr y palas a llyw

ᶠFelly Groeg. Hebraeg, Jesreel.

odraethwr y ddinas a'r henuriaid a'r gwarcheidwaid at Jehu a dweud, "Dy weision di ydym, a gwnawn bopeth a ddywedi wrthym; nid ydym am ddewis neb yn frenin; gwna di'r hyn sydd orau gennyt." ⁶Ysgrifennodd ail lythyr atynt, yn dweud, "Os ydych o'm plaid ac am ufuddhau imi, cymerwch bennau holl feibion eich arglwydd, a dewch ataf i Jesreel tua'r amser hwn yfory." Yr oedd meibion y brenin, deg a thrigain ohonynt, yn cael eu magu gydag uchelwyr y ddinas. ⁷Ar ôl iddynt dderbyn y llythyr, cymerasant feibion y brenin, a lladd y deg a thrigain a rhoi eu pennau mewn cewyll a'u hanfon ato i Jesreel. ⁸Pan ddaeth y cennad a'i hysbysu eu bod wedi dod â phennau meibion y brenin, dywedodd, "Gosodwch hwy yn ddau bentwr o flaen y porth hyd y bore." ⁹Aeth yntau allan yn y bore a sefyll yno a dweud wrth yr holl bobl, "Yr ydych chwi'n bobl deg. Edrychwch, gwneuthum i gynllwyn yn erbyn f'arglwydd a'i ladd, ond pwy a laddodd y rhain i gyd? ¹⁰Gwelwch felly nad yw'r un gair o'r hyn a lefarodd yr ARGLWYDD yn erbyn teulu Ahab wedi methu; y mae'r ARGLWYDD wedi gwncud yr hyn a addawodd drwy ci was Elias." ¹¹Lladdodd Jehu bawb oedd ar ôl o deulu Ahab yn Jesreel, a'i holl uchelwyr a'i gyfeillion a'i offeiriaid, heb adael neb. ¹²Yna ymadawodd Jehu i fynd i Samaria; ac yn ymyl Betheced y Bugeiliaid ¹³cyfarfu â brodyr Ahaseia brenin Jwda, a gofyn, "Pwy ydych chwi?" Atebasant, "Brodyr Ahaseia, ac yr ydym yn mynd i gyfarch plant y brenin a'r frenhines." ¹⁴Ar hynny dywedodd, "Daliwch hwy'n fyw." Ac wedi iddynt eu dal, lladdasant hwy wrth bydew Betheced, dau a deugain ohonynt, heb arbed yr un.

Lladd Gweddill Teulu Ahab

15 Wedi iddo ymadael oddi yno, gwelodd Jehonadab fab Rechab yn dod i'w gyfarfod. Cyfarchodd ef a gofyn, "A wyt ti mor ddiffuant gyda mi ag yr wyf fi gyda thi?" Atebodd Jehonadab, "Ydwyf." Yna dywedodd Jehu, "Os wyt, estyn dy law." Estynnodd ei law, a chymerodd yntau ef ato i'r cerbyd, ¹⁶a dweud wrtho, "Tyrd gyda mi, a gwêl fy sêl dros yr ARGLWYDD." ¹⁷Aeth ag ef yn ei gerbyd, a phan ddaeth i Samaria, lladdodd bawb oedd yn weddill o deulu Ahab yn Samaria, a'u difa, yn ôl y gair a lefarodd yr ARGLWYDD wrth Elias.

Lladd Addolwyr Baal

18 Casglodd Jehu yr holl bobl a dweud wrthynt, "Yr oedd Ahab yn addoli Baal ychydig; bydd Jehu yn ei addoli lawer. ¹⁹Felly galwch ataf holl broffwydi Baal, ei holl addolwyr a'i holl offeiriaid, heb adael yr un ar ôl, oherwydd 'rwyf am gynnal aberth mawr i Baal, ac ni chaiff neb fydd yn absennol fyw." Ond gweithredu'n gyfrwys yr oedd Jehu, er mwyn difa addolwyr Baal. ²⁰Gorchmynnodd Jehu, "Cyhoeddwch gymanfa sanctaidd i Baal." Gwnaethant hynny, ²¹ac anfonodd Jehu drwy holl Israel, a daeth holl addolwyr Baal yno, heb adael neb ar ôl, a daethant i deml Baal a'i llenwi i'r ymylon. ²²Yna dywedodd wrth yr un oedd yn gofalu am y gwisgoedd, "Dwg allan wisg i bob un o addolwyr Baal." A dygodd yntau'r gwisgoedd iddynt. ²³Yna daeth Jehu a Jehonadab fab Rechab at deml Baal, a dweud wrth addolwyr Baal, "Chwiliwch yn fanwl rhag bod neb o addolwyr yr ARGLWYDD yna gyda chwi, dim ond addolwyr Baal yn unig." ²⁴A phan aethant i offrymu aberthau a phoethoffrymau, gosododd Jehu bedwar ugain o wŷr y tu allan a dwcud, "Os bydd un o'r dynion a roddais yn eich llaw yn dianc, cymeraf fywyd un ohonoch chwi yn ei le." ²⁵Ar ôl gorffen poethoffrymu, dywedodd Jehu wrth y gwarchodlu a'r swyddogion, "Dewch, lladdwch hwy heb adael i neb ddianc;" a lladdasant hwy â'r cleddyf. Yna rhuthrodd y gwarchodlu a'r swyddogion at dŵr teml Baal, ²⁶a dwyn allan eilun teml Baal a'i losgi, ²⁷ac yna distrywio delw Baal a difrodi teml Baal a'i throi'n geudy, fel y mae hyd heddiw. ²⁸Er i Jehu ddileu Baal o Israel, ²⁹ni throdd oddi wrth bechodau Jeroboam fab Nebat, a wnaeth i Israel bechu, sef oddi wrth y lloi aur oedd ym Methel a Dan.

30 Yna dywedodd yr ARGLWYDD wrth Jehu, "Gan dy fod wedi rhagori mewn gwneud yr hyn sy'n iawn yn fy ngolwg, a gwneud y cyfan oedd yn fy mwriad yn erbyn teulu Ahab, bydd plant i ti hyd y bedwaredd genhedlaeth yn eistedd ar orsedd Israel." ³¹Ond ni ofalodd Jehu am rodio yng nghyfraith yr ARGLWYDD, Duw Israel, â'i holl galon; ni throdd oddi wrth bechodau Jeroboam, a barodd i Israel bechu.

Marwolaeth Jehu

32 Yr adeg honno y dechreuodd yr

ARGLWYDD gyfyngu terfynau Israel, a bu Hasael yn ymosod ar holl oror Israel [33]i'r tu dwyrain o'r Iorddonen, gwlad Gilead i gyd, tir Gad, Reuben a Manasse, i fyny o Aroer sydd wrth geunant Arnon, sef Gilead a Basan. 34 Am weddill hanes Jehu, a'i holl wrhydri a'r cwbl a wnaeth, onid yw wedi ei ysgrifennu yn llyfr hanesion brenhinoedd Israel? [35]Hunodd Jehu gyda'i dadau, a chladdwyd ef yn Samaria, a daeth ei fab Jehoahas yn frenin yn ei le. [36]Wyth mlynedd ar hugain y bu Jehu yn frenin ar Israel yn Samaria.

Athaleia Brenhines Jwda

11 Pan welodd Athaleia, mam Ahaseia, fod ei mab wedi marw, aeth ati i ddifodi'r holl linach frenhinol. [2]Ond cymerwyd Joas fab Ahaseia gan Jehoseba, merch y Brenin Joram a chwaer Ahaseia, a'i ddwyn yn ddirgel o blith plant y brenin, a oedd i'w lladd. Rhoed ef a'i famaeth mewn ystafell wely, a'i guddio rhag Athaleia, ac ni laddwyd ef. [3]A bu ynghudd gyda hi yn nhŷ'r ARGLWYDD am chwe blynedd, tra oedd Athaleia'n rheoli'r wlad. [4]Ond yn y seithfed flwyddyn anfonodd Jehoiada am gapteiniaid y Cariaid a'r gwarchodlu, a'u dwyn ato i dŷ'r ARGLWYDD. Gwnaeth gytundeb â hwy, a pharodd iddynt dyngu llw yn nhŷ'r ARGLWYDD; yna dangosodd iddynt fab y brenin, [5]a gorchymyn iddynt, "Dyma'r hyn a wnewch: y mae traean ohonoch yn dod i mewn ar y Saboth ac ar wyliadwriaeth yn y palas; [6]y mae'r ail draean ym mhorth Sur, a'r trydydd ym mhorth cefn y gwarchodlu, ac yn cymryd eu tro i warchod y palas. [7]Ond yn awr, y mae'r ddau gwmni sy'n rhydd ar y Saboth i warchod o gwmpas y brenin yn nhŷ'r ARGLWYDD. [8]Safwch o amgylch y brenin, pob un a'i arfau yn ei law, a lladdwch unrhyw un a ddaw'n agos at y rhengoedd; arhoswch gyda'r brenin ble bynnag yr â."

9 Gwnaeth y capteiniaid bopeth a orchmynnodd yr offeiriad Jehoiada, pob un yn cymryd ei gwmni, y rhai oedd ar ddyletswydd ar y Saboth, a'r rhai oedd yn rhydd, a dod at yr offeiriad Jehoiada. [10]Yna rhoddodd yr offeiriad i'r capteiniaid y gwaywffyn a'r tarianau a fu gan Dafydd ac a oedd yn nhŷ'r ARGLWYDD. [11]Safodd y gwarchodlu i amgylchu'r

brenin, pob un a'i arfau yn ei law, ar draws y tŷ o'r ochr dde i'r ochr chwith, o gwmpas yr allor a'r tŷ. [12]Yna dygwyd mab y brenin gerbron, a rhoi'r goron a'r warant iddo. Urddasant ef yn frenin, a'i eneinio, a churo dwylo a dweud, "Byw fyddo'r brenin!"

13 Clywodd Athaleia drwst y gwarchodlu a'r bobl, a daeth atynt i dŷ'r ARGLWYDD. [14]Pan welodd hi y brenin yn sefyll wrth y golofn yn ôl y ddefod, gyda'r capteiniaid a'r utgyrn o amgylch y brenin, a holl bobl y wlad yn llawenhau ac yn canu utgyrn, rhwygodd ei dillad a gweiddi, "Brad, brad!" [15]Gorchmynnodd yr offeiriad Jehoiada i'r capteiniaid, swyddogion y fyddin, "Ewch â hi y tu allan i gyffiniau'r tŷ, a lladdwch â'r cleddyf unrhyw un sy'n ei dilyn; ond peidier," meddai'r offeiriad, "â'i lladd yn nhŷ'r ARGLWYDD." [16]Felly daliasant hi a'i dwyn at fynedfa Porth y Meirch i'r palas, a'i lladd yno.

Diwygiadau Jehoiada
(2 Cron. 23:16-21)

17 Gwnaeth Jehoiada gyfamod rhwng yr ARGLWYDD a'r brenin a'i bobl, iddynt fod yn bobl i'r ARGLWYDD; gwnaeth gyfamod hefyd rhwng y brenin a'r bobl. [18]Aeth holl bobl y wlad at deml Baal a'i thynnu i lawr, a dryllio'i hallorau a'i delwau'n chwilfriw, a lladd Mattan, offeiriad Baal, o flaen yr allorau; a phenododd yr offeiriad arolygwyr ar dŷ'r ARGLWYDD. [19]Yna cymerodd Jehoiada y capteiniaid a'r Cariaid a'r gwarchodlu, a holl bobl y wlad, i hebrwng y brenin o dŷ'r ARGLWYDD, a'i ddwyn trwy borth y gwarchodlu i'r palas a'i osod ar yr orsedd frenhinol. [20]Llawenhaodd holl bobl y wlad, a daeth llonyddwch i'r ddinas wedi lladd Athaleia â'r cleddyf yn y palas. [21]*Saith oed oedd Jehoas pan ddaeth yn frenin.

Jehoas Brenin Jwda
(2 Cron. 24:1-16)

12 Yn y seithfed flwyddyn i Jehu y daeth Jehoas i'r orsedd a theyrnasodd ddeugain mlynedd yn Jerwsalem. Sibia o Beerseba oedd enw ei fam. [2]Ar hyd ei oes gwnaeth Jehoas yr hyn oedd uniawn yng ngolwg yr ARGLWYDD, fel yr oedd yr offeiriad Jehoiada wedi ei ddysgu. [3]Er hynny ni thynnwyd ymaith

*Yn Hebraeg, 12:1.

yr uchelfeydd; yr oedd y bobl yn parhau i aberthu ac arogldarthu ynddynt.

4 Dywedodd Jehoas wrth yr offeiriaid, "Cymerwch yr holl arian cysegredig sy'n dod i dŷ'r ARGLWYDD, sef arian treth pob un yn ôl swm y trethiant ar gyfer ei deulu[ff] a hefyd yr holl arian sy'n dod i mewn yn wirfoddol ar gyfer tŷ'r ARGLWYDD; [5]cymered yr offeiriaid hefyd o'r cyfraniadau a dderbyniant, ac atgyweirio pob agen ym muriau'r tŷ." [6]Eto erbyn y drydedd flwyddyn ar hugain i'r Brenin Jehoas nid oedd yr offeiriaid wedi atgyweirio agennau'r tŷ; [7]a galwodd y Brenin Jehoas am yr archoffeiriad Jehoiada ac am yr offeiriaid, a dweud wrthynt, "Pam nad ydych wedi atgyweirio agennau'r tŷ? Yn awr, felly, nid ydych i dderbyn arian o'r cyfraniadau; y maent i'w rhoi at atgyweirio agennau'r tŷ." [8]Cytunodd yr offeiriaid i beidio â derbyn arian gan y bobl i atgyweirio agennau'r tŷ. [9]A chymerodd yr offeiriad Jehoiada gist, a gwneud twll yn ei chaead a'i gosod yn ymyl yr allor, ar y dde wrth fynd i mewn i dŷ'r ARGLWYDD; ac yno y rhoddai'r offeiriaid oedd yn gwylio'r drws yr holl arian a ddygid i dŷ'r ARGLWYDD. [10]A phan welent fod llawer o arian yn y gist, byddai ysgrifennydd y brenin yn dod i fyny gyda'r archoffeiriad, a'u rhoi mewn codau ac yna cyfrif yr arian a gafwyd yn nhŷ'r ARGLWYDD. [11]Ar ôl eu harchwilio, rhoddid yr arian i'r rhai a benodwyd i ofalu am y gwaith yn nhŷ'r ARGLWYDD; hwy oedd yn talu i'r seiri coed a'r adeiladwyr oedd yn gweithio ar dŷ'r ARGLWYDD, [12]hefyd i'r seiri maen a'r naddwyr cerrig, a hwy oedd yn prynu coed a cherrig nadd i atgyweirio agennau tŷ'r ARGLWYDD, ac yn gwneud pob taliad ynglŷn â diddosi'r tŷ. [13]Ni wnaed o'r arian a ddygwyd i dŷ'r ARGLWYDD gwpanau arian, saltringau, cawgiau, utgyrn, nac unrhyw offer aur nac arian yn nhŷ'r ARGLWYDD; [14]ond yn hytrach fe'u rhoed yn dâl i'r gweithwyr am atgyweirio tŷ'r ARGLWYDD. [15]Ac nid oeddent yn hawlio cyfrif oddi wrth y rhai oedd yn gofalu am y gwaith ac yn cael yr arian i dalu i'r gweithwyr, am eu bod yn gweithredu'n onest. [16]Ni ddefnyddid ar gyfer tŷ'r ARGLWYDD arian yr offrwm am drosedd a phechod; eiddo'r offeiriaid oeddent hwy.

17 Yr adeg honno aeth Hasael brenin Syria i ryfel yn erbyn Gath, a'i chipio, ac yna rhoi ei fryd ar ymosod ar Jerwsalem. [18]A chymerodd Jehoas brenin Jwda yr holl roddion a gysegrodd ei gyndadau Jehosaffat, Jehoram ac Ahaseia, brenhinoedd Jwda, a hefyd ei roddion ei hun a'r holl aur oedd ar gael yn nhrysorfa tŷ'r ARGLWYDD a'r palas, a'u hanfon at Hasael brenin Syria; troes yntau yn ôl oddi wrth Jerwsalem.

19 Am weddill hanes Joas, a'r cwbl a gyflawnodd, onid yw wedi ei ysgrifennu yn llyfr hanesion brenhinoedd Jwda? [20]Gwnaeth ei weision gynllwyn yn erbyn Joas a'i ladd yn Beth Milo wrth riw Sila. [21]Ei weision Josabad fab Simath a Jehosabad fab Somer a'i lladdodd. Bu farw a chladdwyd ef gyda'i dadau yn Ninas Dafydd, a daeth ei fab Amaseia yn frenin yn ei le.

Jehoahas Brenin Israel

13 Yn y drydedd flwyddyn ar hugain i Joas fab Ahaseia brenin Jwda daeth Jehoahas fab Jehu yn frenin ar Israel yn Samaria am ddwy flynedd ar hymtheg. [2]Gwnaeth yr hyn oedd ddrwg yng ngolwg yr ARGLWYDD, a dilyn pechodau Jeroboam fab Nebat, a barodd i Israel bechu; ni throdd oddi wrthynt. [3]Llidiodd yr ARGLWYDD wrth Israel, a rhoddodd hwy yn llaw Hasael brenin Syria a Benhadad fab Hasael am gyfnod. [4]Ond erfyniodd Jehoahas ar yr ARGLWYDD, a gwrandawodd yntau arno wrth weld fel y dioddefai Israel dan orthrwm brenin Syria. [5]Rhoddodd yr ARGLWYDD waredydd i Israel a'u rhyddhau o afael Syria, a chafodd yr Israeliaid fyw yn eu cartrefi fel o'r blaen. [6]Eto ni throesant oddi wrth bechodau tylwyth Jeroboam, a barodd i Israel bechu, ond parhau ynddynt, ac yr oedd hyd yn oed yr Asera'n aros yn Samaria. [7]Ni adawodd Hasael i Jehoahas fwy na hanner cant o farchogion, a deg o gerbydau, a deng mil o wŷr traed, gan fod brenin Syria wedi eu dinistrio a'u gwneud fel llwch dyrnwr. [8]Am weddill hanes Jehoahas, a'i weithredoedd a'i wrhydri, onid yw wedi ei ysgrifennu yn llyfr hanesion brenhinoedd Israel? [9]Hunodd Jehoahas gyda'i dadau, a'i gladdu yn Samaria, a daeth ei fab Joas yn frenin yn ei le.

Jehoas Brenin Israel

10 Yn yr ail flwyddyn ar bymtheg ar hugain i Joas brenin Jwda y daeth Jehoas fab Jehoahas yn frenin ar Israel yn Samaria am un mlynedd ar bymtheg. [11]Gwnaeth yr hyn oedd ddrwg yng ngolwg yr ARGLWYDD, ac ni throdd oddi wrth holl bechodau Jeroboam fab Nebat, a barodd i Israel bechu, ond parhaodd ynddynt. [12]Am weddill hanes Joas a'r cwbl a wnaeth, a'i wrhydri wrth frwydro yn erbyn Amaseia brenin Jwda, onid yw wedi ei ysgrifennu yn llyfr hanesion brenhinoedd Israel? [13]Hunodd Joas gyda'i dadau, a chladdwyd ef yn Samaria gyda brenhinoedd Israel; yna daeth Jeroboam i'w orsedd.

Marwolaeth Eliseus

14 Pan oedd Eliseus yn glaf o'i glefyd olaf, daeth Joas brenin Israel i ymweld ag ef, ac wylo yn ei ŵydd a dweud, "Fy nhad, fy nhad, cerbydau a marchogion Israel." [15]Dywedodd Eliseus wrtho, "Cymer fwa a saethau"; a gwnaeth yntau hynny. [16]Yna meddai wrth frenin Israel, "Cydia yn y bwa"; gwnaeth yntau, a gosododd Eliseus ei ddwylo ar ddwylo'r brenin. [17]Yna dywedodd, "Agor y ffenestr tua'r dwyrain." Agorodd hi, a dywedodd Eliseus, "Saetha." A phan oedd yn saethu, dywedodd, "Saeth buddugoliaeth i'r ARGLWYDD, saeth buddugoliaeth dros Syria! Byddi'n taro'r Syriaid yn Affec ac yn eu difa." [18]Dywedodd wedyn, "Cymer y saethau"; a chymerodd yntau hwy. Yna dywedodd Eliseus wrth frenin Israel, "Taro hwy ar y ddaear." Trawodd yntau deirgwaith ac yna peidio. [19]Digiodd gŵr Duw wrtho a dweud, "Pe bait wedi taro pump neu chwech o weithiau, yna byddit yn taro Syria yn Affec nes ei difa; ond yn awr, teirgwaith yn unig y byddi'n taro Syria." [20]Wedi hyn bu Eliseus farw, a chladdwyd ef.

Bob blwyddyn byddai minteioedd o Moab yn arfer dod ar draws y wlad. [21]Un tro, yn ystod angladd rhyw ddyn, gwelwyd mintai'n dod, a bwriwyd y dyn i fedd Eliseus; ond cyn gynted ag y cyffyrddodd ag esgyrn Eliseus, adfywiodd a chodi ar ei draed.

Rhyfel rhwng Israel a Syria

22 Bu Hasael brenin Syria yn gorthrymu Israel holl ddyddiau Jehoahas, [23]nes i'r ARGLWYDD dosturio a dangos trugaredd a ffafr tuag atynt er mwyn ei gyfamod ag Abraham, Isaac a Jacob, am nad oedd yn ewyllysio'u dinistrio ac nad oedd hyd yn hyn wedi eu bwrw allan o'i olwg. [24]Pan fu farw Hasael brenin Syria, daeth ei fab Benhadad yn frenin yn ei le; [25]ac enillodd Jehoas fab Jehoahas o law Benhadad mab Hasael y trefi yr oedd Hasael wedi eu dwyn o law ei dad Jehoahas trwy ryfel. Gorchfygodd Joas ef dair gwaith, ac ennill yn ôl drefi Israel.

Amaseia Brenin Jwda
(2 Cron. 25:1-24)

14 Yn ail flwyddyn Jehoas fab Jehoahas brenin Israel, daeth Amaseia fab Joas yn frenin ar Jwda. [2]Pump ar hugain oedd ei oed pan ddaeth yn frenin, a theyrnasodd am naw mlynedd ar hugain yn Jerwsalem. Jehoadan o Jerwsalem oedd enw ei fam. [3]Gwnaeth yr hyn oedd uniawn yng ngolwg yr ARGLWYDD, er nad fel ei dad Dafydd; gwnaeth yn union fel ei dad Joas. [4]Er hynny ni thynnwyd ymaith yr uchelfeydd, yr oedd y bobl yn parhau i aberthu ac arogldarthu ynddynt.

5 Wedi iddo sicrhau ei afael ar y deyrnas, lladdodd y gweision oedd wedi lladd y brenin ei dad, [6]ond ni roddodd blant y lleiddiaid i farwolaeth, yn unol â'r hyn sy'n ysgrifenedig yn llyfr cyfraith Moses, lle mae'r ARGLWYDD yn gorchymyn, "Na rodder tadau i farwolaeth o achos eu plant, na phlant o achos eu tadau; am ei bechod ei hun y rhoddir dyn i farwolaeth."

7 Trawodd Amaseia ddeng mil o wŷr Edom yn Nyffryn yr Halen, a chymryd Sela mewn brwydr a'i enwi'n Joctheel hyd heddiw. [8]Yna anfonodd genhadau at Jehoas fab Jehoahas, fab Jehu, brenin Israel, a dweud, "Tyrd, gad inni ddod wyneb yn wyneb." [9]Anfonodd Jehoas brenin Israel yn ôl at Amaseia brenin Jwda, a dweud, "Gyrrodd ysgellyn oedd yn Lebanon at gedrwydden Lebanon yn dweud, 'Rho dy ferch yn wraig i'm mab.' Ond daeth rhyw fwystfil oedd yn Lebanon heibio a mathru'r ysgellyn. [10]Gorchfygaist Edom ac aethost yn ffroenuchel. Mwynha d'ogoniant, ac aros gartref; pam y codi helynt, ac yna cwympo a thynnu Jwda i lawr i'th ganlyn?" [11]Ond ni fynnai Amaseia wrando; felly daeth Jehoas brenin Israel

ac Amaseia brenin Jwda wyneb yn wyneb ger Bethsemes yn Jwda. [12]Gorchfygwyd Jwda gan Israel, a ffodd pawb adref. [13]Wedi i Jehoas brenin Israel ddal Amaseia fab Joas, fab Ahaseia, brenin Jwda, yn Bethsemes, aeth yn ei flaen i Jerwsalem a thorri i lawr fur Jerwsalem o borth Effraim hyd borth y gongl, sef pedwar can cufydd. [14]Hefyd aeth â'r holl aur, arian a chelfi a gafwyd yn y deml ac yng nghoffrau'r palas; yna cymerodd wystlon, a dychwelodd i Samaria.

15 Am weddill hanes Jehoas, a'i wrhydri a'i frwydr yn erbyn Amaseia brenin Jwda, onid yw wedi ei ysgrifennu yn llyfr hanesion brenhinoedd Israel? [16]Hunodd Jehoas gyda'i dadau, a chladdwyd ef yn Samaria gyda brenhinoedd Israel, a daeth ei fab Jeroboam yn frenin yn ei le.

Marwolaeth Amaseia Brenin Jwda
(2 Cron. 25:25-28)

17 Bu Amaseia fab Joas, brenin Jwda, fyw am bymtheng mlynedd wedi i Jehoas fab Jehoahas, brenin Israel, farw. [18]Am weddill hanes Amaseia, onid yw wedi ei ysgrifennu yn llyfr hanesion brenhinoedd Jwda? [19]Pan gynlluniwyd brad yn ei erbyn yn Jerwsalem, ffodd i Lachis, ond anfonwyd ar ei ôl i Lachis a'i ladd yno, [20]a chludwyd ef ar feirch i Jerwsalem, a'i gladdu gyda'i dadau yn Ninas Dafydd. [21]Yna cymerodd holl bobl Jwda Asareia, a oedd yn un ar bymtheg oed, a'i wneud yn frenin yn lle ei dad Amaseia. [22]Ef a ailadeiladodd Elath a'i hadfer i Jwda wedi i'r brenin orwedd gyda'i dadau.

Jeroboam II Brenin Israel

23 Yn y bymthegfed flwyddyn i Amaseia fab Joas brenin Jwda, daeth Jeroboam fab Jehoas brenin Israel yn frenin yn Samaria am un mlynedd a deugain. [24]Gwnaeth yr hyn oedd ddrwg yng ngolwg yr ARGLWYDD; ni throdd oddi wrth holl bechodau Jeroboam fab Nebat, a barodd i Israel bechu. [25]Adferodd oror Israel o Lebo-Hamath hyd Fôr yr Araba, yn unol â'r gair a lefarodd yr ARGLWYDD, Duw Israel, drwy ei was Jona fab Amittai y proffwyd o Gathheffer. [26]Gwelodd yr ARGLWYDD fod cystudd Israel yn flin iawn i gaeth a rhydd fel ei gilydd, ac nid oedd neb i gynorthwyo Israel. [27]Ond nid oedd yr AR-

GLWYDD wedi dweud y dileai enw Israel yn llwyr, a gwaredodd hwy drwy Jeroboam fab Jehoas.

28 Am weddill hanes Jeroboam, a'r cwbl a wnaeth, a'i wrhydri wrth ymladd ac wrth adfer Damascus a Hamath Iawdi i Israel[g], onid yw wedi ei ysgrifennu yn llyfr hanesion brenhinoedd Israel? [29]Hunodd Jeroboam gyda'i dadau, brenhinoedd Israel, a daeth ei fab Sechareia yn frenin yn ei le.

Asareia Brenin Jwda
(2 Cron. 26:1-23)

15 Yn y seithfed flwyddyn ar hugain i Jeroboam brenin Israel, daeth Asareia fab Amaseia brenin Jwda yn frenin. [2]Un ar bymtheg oedd ei oed pan ddaeth i'r orsedd, a theyrnasodd am hanner cant a dwy o flynyddoedd yn Jerwsalem. Jecholeia o Jerwsalem oedd enw ei fam. [3]Gwnaeth yr hyn oedd uniawn yng ngolwg yr ARGLWYDD, yn hollol fel y gwnaeth ei dad Amaseia; [4]er hynny ni thynnwyd ymaith yr uchelfeydd; yr oedd y bobl yn parhau i aberthu ac arogldarthu ynddynt. [5]Trawodd yr ARGLWYDD y brenin, a bu'n wahanglwyfus hyd ddydd ei farw, yn byw o'r neilltu yn ei dŷ, a Jotham mab y brenin yn oruchwyliwr y palas ac yn rheoli pobl y wlad.

6 Am weddill hanes Asareia a'r cwbl a wnaeth, onid yw wedi ei ysgrifennu yn llyfr hanesion brenhinoedd Jwda? [7]Hunodd Asareia gyda'i dadau, a chladdwyd ef gyda'i dadau yn Ninas Dafydd, a daeth ei fab Jotham yn frenin yn ei le.

Sechareia Brenin Israel

8 Yn y ddeunawfed flwyddyn ar hugain i Asareia brenin Jwda, daeth Sechareia fab Jeroboam yn frenin ar Israel yn Samaria am chwe mis. [9]Gwnaeth yr hyn oedd ddrwg yng ngolwg yr ARGLWYDD, fel y gwnaeth ei dadau, heb droi oddi wrth bechodau Jeroboam fab Nebat, a barodd i Israel bechu. [10]Gwnaeth Salum fab Jabes gynllwyn yn ei erbyn ac ymosod arno yn Ibleam[ng] a'i ladd, a theyrnasu yn ei le. [11]Am weddill hanes Sechareia, y mae wedi ei ysgrifennu yn llyfr hanesion brenhinoedd Israel. [12]Dyma addewid yr ARGLWYDD i Jehu: "Bydd

[g] Ystyr tebygol. Cymh. Syrieg. Hebraeg, *Hamath i Jwda yn Israel*.
[ng] Felly Groeg. Hebraeg yn aneglur.

plant i ti yn eistedd ar orsedd Israel hyd y bedwaredd genhedlaeth." Ac felly y bu.

13 Yn y bedwaredd flwyddyn ar bymtheg ar hugain i Usseia[h] brenin Jwda, daeth Salum fab Jabes i'r orsedd, a theyrnasu yn Samaria am fis. [14]Daeth Menahem fab Gadi o Tirsa i Samaria ac ymosod yno ar Salum fab Jabes a'i ladd, a theyrnasu yn ei le. [15]Am weddill hanes Salum a'i gynllwyn, y mae wedi ei ysgrifennu yn llyfr hanesion brenhinoedd Israel. [16]Dyna'r pryd yr ymosododd Menahem o Tirsa ar Tiffsa a'i thrigolion a'i thiriogaeth, am nad ildiodd iddo; rheibiodd hi a rhwygo ei holl wragedd beichiog.

Menahem Brenin Israel

17 Yn y bedwaredd flwyddyn ar bymtheg ar hugain i Asareia brenin Jwda, daeth Menahem fab Gadi yn frenin ar Israel yn Samaria am ddeng mlynedd. [18]Gwnaeth yr hyn oedd ddrwg yng ngolwg yr ARGLWYDD, heb droi oddi wrth bechodau Jeroboam fab Nebat, a barodd i Israel bechu. [19]Yn ei ddyddiau ef[i] daeth Pul brenin Asyria yn erbyn y wlad, a rhoddodd Menahem i Pul fil o dalentau arian i ennill ei gefnogaeth a sicrhau'r frenhiniaeth iddo'i hun. [20]Cododd Menahem yr arian oddi ar fonedd Israel er mwyn rhoi i frenin Asyria yn ôl hanner can sicl y pen. [21]Yna dychwelodd brenin Asyria heb aros rhagor yn y wlad. Am weddill hanes Menahem, a'r cwbl a wnaeth, onid yw wedi ei ysgrifennu yn llyfr hanesion brenhinoedd Israel? [22]Hunodd Menahem gyda'i dadau, a theyrnasodd ei fab Pecaheia yn ei le.

Pecaheia Brenin Israel

23 Yn y ddegfed flwyddyn a deugain i Asareia brenin Jwda, daeth Pecaheia fab Menahem yn frenin ar Israel yn Samaria am ddwy flynedd. [24]Gwnaeth yr hyn oedd ddrwg yng ngolwg yr ARGLWYDD, heb droi oddi wrth bechodau Jeroboam fab Nebat, a barodd i Israel bechu. [25]Cynllwyniodd ei is-gapten Pecach fab Remaleia yn ei erbyn, a chyda hanner cant o wŷr o Gilead ymosododd arno yn Samaria, yng nghaer y palas.[1] Lladdodd ef, a theyrnasu yn ei le. [26]Am weddill hanes Pecaheia, a'r cwbl a wnaeth, y mae wedi ei ysgrifennu yn llyfr hanesion brenhinoedd Israel.

Pecach Brenin Israel

27 Yn y ddeuddegfed flwyddyn a deugain i Asareia brenin Jwda, daeth Pecach fab Remaleia yn frenin ar Israel yn Samaria am ugain mlynedd. [28]Gwnaeth yr hyn oedd ddrwg yng ngolwg yr ARGLWYDD, heb droi oddi wrth bechodau Jeroboam fab Nebat, a barodd i Israel bechu. [29]Yn nyddiau Pecach brenin Israel daeth Tiglath Pileser brenin Asyria a goresgyn Ion, Abel-beth-maacha, Ianoach, Cedes a Hasor, a hefyd Gilead, Galilea a holl diriogaeth Nafftali; a chaethgludodd hwy i Asyria. [30]Gwnaeth Hosea fab Ela gynllwyn yn erbyn Pecach fab Remaleia, ac ymosod arno a'i ladd, a dod yn frenin yn ei le yn yr ugeinfed flwyddyn i Jotham fab Usseia. [31]Am weddill hanes Pecach, a'r cwbl a wnaeth, y mae wedi ei ysgrifennu yn llyfr hanesion brenhinoedd Israel.

Jotham Brenin Jwda
(2 Cron. 27:1-9)

32 Yn yr ail flwyddyn i Pecach fab Remaleia brenin Israel, daeth Jotham fab Usseia brenin Jwda i'r orsedd. [33]Pump ar hugain oedd ei oed pan ddaeth yn frenin, a theyrnasodd am un mlynedd ar bymtheg yn Jerwsalem. Jerusa merch Sadoc oedd enw ei fam. [34]Gwnaeth yr hyn oedd uniawn yng ngolwg yr ARGLWYDD, a gweithredu yn hollol fel y gwnaeth ei dad Usseia; [35]er hynny ni thynnwyd ymaith yr uchelfeydd; yr oedd y bobl yn parhau i aberthu ac arogldarthu ynddynt. Ef a adeiladodd borth uchaf tŷ'r ARGLWYDD. [36]Am weddill hanes Jotham, a'r hyn a wnaeth, onid yw wedi ei ysgrifennu yn llyfr hanesion brenhinoedd Jwda? [37]Yn y dyddiau hynny y dechreuodd yr ARGLWYDD anfon Resin brenin Syria a Pecach fab Remaleia i ymosod ar Jwda. [38]Hunodd Jotham gyda'i dadau, a'i gladdu gyda'i dadau yn ninas ei dad Dafydd, a theyrnasodd ei fab Ahas yn ei le.

---

[h]Enw arall ar Asareia yw *Usseia*. Cymh. adn. 30, 32 a 34 isod.
[i]Felly Groeg. Hebraeg, *ei holl ddyddiau*.
[1]Hebraeg yn ychwanegu *ac Argob ac Arie*.

Ahas Brenin Jwda
(2 Cron. 28:1-27)

16 Yn yr ail flwyddyn ar bymtheg i Pecach fab Remaleia, daeth Ahas fab Jotham brenin Jwda i'r orsedd. [2]Ugain oed oedd Ahas pan ddaeth yn frenin, a theyrnasodd am un mlynedd ar bymtheg yn Jerwsalem; ond ni wnaeth yr hyn oedd uniawn yng ngolwg yr ARGLWYDD ei Dduw fel y gwnaeth ei dad Dafydd. [3]Dilynodd esiampl brenhinoedd Israel, ac yn waeth, fe barodd i'w fab fynd trwy dân yn ôl arfer ffiaidd y cenhedloedd a ddisodlodd yr ARGLWYDD o flaen yr Israeliaid. [4]Yr oedd yn aberthu ac yn arogldarthu yn yr uchelfeydd ac ar y bryniau a than bob pren gwyrddlas.

5 Yr adeg honno daeth Resin brenin Syria a Pecach fab Remaleia brenin Israel i ryfela yn erbyn Jerwsalem. Rhoesant warchae ar Ahas, ond methu ei gael i frwydro. [6]Y pryd hwnnw enillwyd Elath yn ôl i Edom gan frenin Edom[ll], a gyrrodd ef yr Iddewon allan o Elath. Daeth yr Edomiaid yn ôl i Elath, ac y maent yn byw yno hyd heddiw.

7 Anfonodd Ahas genhadau at Tiglath Pileser brenin Asyria a dweud, "Gwas a mab i ti wyf fi; tyrd i'm gwaredu o law brenhinoedd Syria ac Israel, sy'n ymosod arnaf." [8]Cymerodd Ahas yr arian a'r aur oedd ar gael yn nhŷ'r ARGLWYDD ac yng nghoffrau'r palas a'u hanfon yn rhodd i frenin Asyria. [9]Gwrandawodd brenin Asyria arno, a mynd yn erbyn Damascus a'i goresgyn; caethgludodd ei thrigolion i Cir, a lladd Resin. [10]Yna aeth y Brenin Ahas i Damascus i gyfarfod Tiglath Pileser brenin Asyria. Gwelodd yno allor, ac anfonodd batrwm ohoni a holl fanylion ei gwneuthuriad at Ureia yr offeiriad. [11]Yna adeiladodd yr offeiriad Ureia allor, yn ôl y manylion a anfonodd y Brenin Ahas o Damascus, a'i gwneud yn barod erbyn i'r Brenin Ahas gyrraedd. [12]Pan gyrhaeddodd y brenin o Damascus a gweld yr allor, aeth i fyny a neśau ati. [13]Yna llosgodd ei boethoffrwm a'i fwydoffrwm, a thywallt ei ddiodoffrwm a lluchio gwaed ei heddoffrymau yn erbyn yr allor. [14]Symudodd yr allor bres a arferai fod gerbron yr ARGLWYDD ym mlaen y tŷ, a'i gosod rhwng yr allor newydd a thŷ'r ARGLWYDD, ar ochr ogleddol yr allor honno. [15]A gorchmyn-

nodd y Brenin Ahas i'r offeiriad Ureia, "Ar yr allor fawr yr wyt i losgi'r poethoffrwm boreol a'r bwydoffrwm hwyrol, a hefyd poethoffrwm a bwydoffrwm y brenin, a phoethoffrwm holl bobl y wlad ynghyd â'u bwydoffrwm a'u diodoffrymau. Ac yn ei herbyn hi y lluchi holl waed y poethoffrymau a'r aberthau. Ond ar fy nghyfer i y bydd yr allor bres i ymofyn wrthi." [16]Gwnaeth yr offeiriad Ureia yn union fel y gorchmynnodd y Brenin Ahas.

17 Tynnodd y Brenin Ahas fframiau'r trolïau a gwneud i ffwrdd â'u carfanau a'r noe; hefyd dymchwelodd y môr oddi ar gefn yr ychen pres a fu dano, a'i osod ar sylfaen o gerrig. [18]Hefyd, o achos brenin Asyria, cymerodd o dŷ yr ARGLWYDD lidiart y Saboth a adeiladwyd yn y deml wrth fynedfa allanol y brenin.[m] [19]Am weddill hanes Ahas, a'r hyn a wnaeth, onid yw wedi ei ysgrifennu yn llyfr hanesion brenhinoedd Jwda? [20]Hunodd Ahas gyda'i dadau, a chladdwyd ef gyda'i dadau yn Ninas Dafydd, a theyrnasodd ei fab Heseceia yn ei le.

Hosea Brenin Israel

17 Yn y ddeuddegfed flwyddyn i Ahas brenin Jwda, daeth Hosea fab Ela yn frenin ar Israel yn Samaria am naw mlynedd. [2]Gwnaeth yr hyn oedd ddrwg yng ngolwg yr ARGLWYDD, er nad fel brenhinoedd Israel o'i flaen. [3]Ymosododd Salmaneser brenin Asyria arno, ac ymostyngodd Hosea ac anfon teyrnged iddo. [4]Ond darganfu brenin Asyria fod Hosea'n ei dwyllo, a'i fod wedi anfon cenhadau at So brenin yr Aifft, ac atal y deyrnged yr arferai ei thalu'n flynyddol i frenin Asyria; felly daliodd ef a'i garcharu. [5]Yna ymosododd ar y wlad i gyd, ac aeth i fyny yn erbyn Samaria a gwarchae arni am dair blynedd. [6]Yn y nawfed flwyddyn i Hosea, gorchfygwyd Samaria gan frenin Asyria, a chaethgludodd ef yr Israeliaid i Asyria a'u rhoi yn Hala ac ar lannau Afon Habor yn Gosan, ac yn ninasoedd y Mediaid.

Cwymp Samaria

7 Digwyddodd hyn am i'r Israeliaid bechu yn erbyn yr ARGLWYDD eu Duw, a'u dygodd i fyny o wlad yr Aifft, o law Pharo brenin yr Aifft. [8]Aethant i addoli duwiau eraill a dilyn arferion y cenhed-

---

[ll]Tebygol. Hebraeg, *i Syria gan Resin brenin Syria.*   [m]*lidiart... brenin.* Yr ystyr yn ansicr.

loedd a yrrodd yr ARGLWYDD allan o flaen yr Israeliaid; hynny hefyd a wnaeth brenhinoedd Israel. ⁹Yr oedd yr Israeliaid yn llechwraidd yn gwneud pethau anweddus yn erbyn yr ARGLWYDD eu Duw, ac yn adeiladu uchelfeydd ym mhob un o'u trefi, o dŵr gwylwyr hyd ddinas gaerog, ¹⁰a chodi hefyd feini hirion a physt cysegredig ar bob bryn uchel a than bob pren gwyrddlas. ¹¹Yno yn yr holl uchelfeydd yr oeddent yn arogldarthu yr un fath â'r cenhedloedd a ddisodlodd yr ARGLWYDD o'u blaen, ac yn cyflawni gweithredoedd drygionus i ddigio'r ARGLWYDD, ¹²ac yn addoli delwau, er i'r ARGLWYDD wahardd hyn iddynt. ¹³Yr oedd yr ARGLWYDD wedi rhybuddio Israel a Jwda drwy bob proffwyd a gweledydd, a dweud, "Trowch oddi wrth eich gweithredoedd drwg, a chadwch fy ngorchmynion a'm deddfau yn ôl yr holl gyfraith a orchmynnais i'ch tadau ac a hysbysais i chwi drwy fy ngweision y proffwydi." ¹⁴Eto nid oeddent yn gwrando, ond yn ystyfnigo fel eu tadau oedd heb ymddiried yn yr ARGLWYDD eu Duw. ¹⁵Yr oeddent yn gwrthod ei ddeddfau a'r cyfamod a wnaeth â'u tadau a'r rhybuddion a roddodd iddynt, a dilyn oferedd a throi'n ofer, yr un fath â'r cenhedloedd oedd o'u cwmpas, er i'r ARGLWYDD orchymyn iddynt beidio â gwneud felly. ¹⁶Yr oeddent yn diystyru holl orchmynion yr ARGLWYDD eu Duw, ac wedi gwneud iddynt eu hunain ddwy ddelw o lo, ac eilun o Asera, ac yn ymgrymu i holl lu'r nef ac yn addoli Baal, a pheri i'w meibion a'u merched fynd trwy dân. ¹⁷Yr oeddent yn arfer dewiniaeth a swynion, ac yn ymroi'n llwyr i wneud yr hyn oedd ddrwg yng ngolwg yr ARGLWYDD, i'w ddigio. ¹⁸Llidiodd yr ARGLWYDD yn fawr yn erbyn Israel, a gyrrodd hwy o'i ŵydd, heb adael ond llwyth Jwda'n unig ar ôl. ¹⁹Eto ni chadwodd Jwda chwaith orchmynion yr ARGLWYDD eu Duw, ond dilyn yr un arferion ag Israel. ²⁰Felly gwrthododd yr ARGLWYDD holl hil Israel, a'u darostwng a'u rhoi yn llaw rheibwyr, ac yna'u bwrw'n llwyr o'i ŵydd.

21 Pan dorrodd Israel i ffwrdd oddi wrth linach Dafydd, gwnaethant Jeroboam fab Nebat yn frenin, a throdd yntau hwy oddi wrth yr ARGLWYDD a pheri iddynt bechu'n fawr. ²²Glynodd yr Israel-

iaid wrth holl bechodau Jeroboam, heb droi oddi wrthynt, ²³hyd nes i'r ARGLWYDD yrru Israel o'i ŵydd, fel yr oedd wedi dweud trwy ei weision y proffwydi; a chaethgludwyd Israel o'u gwlad i Asyria hyd heddiw.

Asyriaid yn Dod i Fyw yn Israel

24 Yna daeth brenin Asyria â phobl o Babilon, Cutha, Awa, Hamath a Seffarfaim a'u rhoi yn nhrefi Samaria yn lle'r Israeliaid; cawsant feddiannu Samaria a byw yn ei threfi. ²⁵Pan ddaethant yno i fyw gyntaf, nid oeddent yn addoli'r ARGLWYDD, ac anfonodd yr ARGLWYDD lewod i'w plith a byddai'r rheini'n eu lladd. ²⁶Yna dywedwyd wrth frenin Asyria, "Nid yw'r cenhedloedd a anfonaist i fyw yn nhrefi Samaria yn deall defod duw'r wlad, ac y mae wedi anfon i'w mysg lewod, ac y maent yn eu lladd am nad oes neb yn gwybod defod duw'r wlad." ²⁷Gorchmynnodd brenin Asyria, "Anfonwch yn ôl un o'r offeiriaid a ddygwyd oddi yno, gadewch iddo fynd i fyw yno, a dysgu defod duw'r wlad iddynt." ²⁸Felly aeth un o'r offeiriaid, a gafodd ei gaethgludo o Samaria, i fyw ym Methel, a'u dysgu sut i addoli'r ARGLWYDD.

29 Yr oedd pob cenedl yn gwneud duw ei hun ac yn ei osod yng nghysegr yr uchelfeydd a wnaeth y Samariaid, pob cenedl yn y dref lle'r oedd yn byw. ³⁰Yr oedd pobl Babilon yn gwneud Sucothbenoth, pobl Cuth yn gwneud Nergal, pobl Hamath yn gwneud Asima, ³¹yr Awiaid yn gwneud Nibhas a Tartac, a gwŷr Seffarfaim yn llosgi eu plant i Adrammelech ac Anammelech duwiau Seffarfaim. ³²Yr oeddent yn cydnabod yr ARGLWYDD, ac ar yr un pryd yn penodi o'u mysg rai o bob math yn offeiriaid, i weithredu drostynt yng nghysegrau'r uchelfeydd. ³³Yr oeddent yn cydnabod yr ARGLWYDD, a hefyd yn gwasanaethu eu duwiau eu hunain yn ôl defod y genedl y caethgludwyd hwy ohoni i Samaria. ³⁴Hyd heddiw y maent yn dal at eu hen arferion. Nid addoli'r ARGLWYDD y maent, na gweithredu yn ôl y deddfau a'r arferⁿ a'r gyfraith a'r gorchymyn a roes yr ARGLWYDD i feibion Jacob, a enwyd Israel. ³⁵Oherwydd, wrth wneud cyfamod â hwy, gorchmynnodd yr ARGLWYDD iddynt, "Peidiwch ag addoli duwiau eraill

ⁿHebraeg, *yn ôl eu deddfau a'u harfer.*

nac ymostwng iddynt na'u gwasanaethu nac aberthu iddynt, ³⁶ond yn hytrach addoli ac ymostwng ac aberthu i'r ARGLWYDD a ddaeth â chwi o wlad yr Aifft â nerth mawr a braich estynedig. ³⁷Gofalwch gadw bob amser y deddfau a'r barnedigaethau a'r gyfraith a'r gorchymyn a ysgrifennodd ef ar eich cyfer; peidiwch ag addoli duwiau eraill. ³⁸Peidiwch ychwaith ag anghofio'r cyfamod a wneuthum â chwi, a pheidiwch ag addoli duwiau eraill. ³⁹Ond addolwch yr ARGLWYDD eich Duw, ac fe'ch gwared o law eich holl elynion." ⁴⁰Eto ni wrandawsant, eithr dal at eu hen arferion. ⁴¹Yr oedd y cenhedloedd hyn yn addoli'r ARGLWYDD, a'r un pryd yn gwasanaethu eu delwau; ac y mae eu plant a'u hwyrion wedi gwneud fel eu tadau hyd heddiw.

Heseceia Brenin Jwda
(2 Cron. 29:1-2; 31:1)

18 Yn y drydedd flwyddyn i Hosea fab Ela brenin Israel, daeth Heseceia fab Ahas brenin Jwda i'r orsedd. ²Yr oedd yn bump ar hugain oed pan ddaeth yn frenin, a theyrnasodd am naw mlynedd ar hugain yn Jerwsalem. Abi merch Sccharcia oedd enw ei fam. ³Gwnaeth yr hyn oedd uniawn yng ngolwg yr ARGLWYDD, yn hollol fel y gwnaeth ei dad Dafydd. ⁴Tynnodd ymaith yr uchelfeydd a dryllio'r meini hirion a thorri pyst yr Asera, a malu'r sarff bres a wnaeth Moses; oherwydd hyd y dyddiau hynny bu'r Israeliaid yn arogldarthu iddi ac yn ei galw'n Nehustan. ⁵Ymddiriedai Heseceia yn yr ARGLWYDD, Duw Israel, ac ni fu neb tebyg iddo ymhlith holl frenhinoedd Jwda, ar ei ôl nac o'i flaen. ⁶Glynodd yn ddiwyro wrth yr ARGLWYDD, a chadw'r gorchmynion a roddodd ef i Moses. ⁷Yr oedd yr ARGLWYDD gydag ef, a llwyddai ym mhopeth a wnâi; gwrthryfelodd yn erbyn brenin Asyria a gwrthod ei wasanaethu. ⁸Trawodd y Philistiaid, yn dŵr gwylwyr ac yn ddinas gaerog, hyd at Gasa a'i therfynau.

9 Yn y bedwaredd flwyddyn i'r Brenin Heseceia (y seithfed flwyddyn i Hosea fab Ela brenin Israel) ymosododd Salmaneser brenin Asyria ar Samaria a gwarchae arni. ¹⁰Wedi tair blynedd enillodd hi; yn y chweched flwyddyn i Heseceia, sef y nawfed flwyddyn i Hosea brenin Israel, yr enillwyd Samaria. ¹¹Caethgludodd brenin Asyria yr Israeliaid i Asyria, a'u rhoi yn Hala ac ar lannau Afon Habor yn Gosan, ac yn ninasoedd y Mediaid. ¹²Bu hyn am nad oeddent wedi gwrando ar lais yr ARGLWYDD eu Duw, ond troseddu yn erbyn ei gyfamod a'r cwbl a orchmynnodd Moses gwas yr ARGLWYDD; nid oeddent yn gwrando nac yn gwneud.

Senacherib yn Bygwth Jerwsalem
(2 Cron. 32:1-19; Eseia 36:1-22)

13 Yn y bedwaredd flwyddyn ar ddeg i'r Brenin Heseceia, ymosododd Senacherib brenin Asyria ar holl ddinasoedd caerog Jwda a'u goresgyn. ¹⁴Yna anfonodd Heseceia brenin Jwda at frenin Asyria i Lachis a dweud, "'Rwyf ar fai. Dychwel oddi wrthyf, a thalaf iti beth bynnag a godi arnaf." Rhoddodd brenin Asyria ddirwy o dri chan talent o arian a deg talent ar hugain o aur ar Hescccia brenin Jwda. ¹⁵Talodd Heseceia yr holl arian oedd yng nghoffrau'r palas; ¹⁶a'r un pryd tynnodd yr aur oddi ar ddrysau a cholofnau teml yr ARGLWYDD, y rhai yr oedd ef ei hun wedi eu goreuro, ac fe'i rhoddodd i frenin Asyria.

17 Anfonodd brenin Asyria y cadlywydd, y cadfridog a'r prif swyddog^o gyda byddin gref o Lachis i Jerwsalem at y Brenin Heseceia. Wedi iddynt ddringo i fyny i Jerwsalem^p, safasant wrth bistyll y llyn uchaf sydd ger llaw priffordd Maes y Pannwr, a galw am y brenin. ¹⁸Daeth Eliacim fab Hilceia arolygwr y palas, a Sebna yr ysgrifennydd, a Joa fab Asaff y cofiadur, allan atynt; ¹⁹a dywedodd y prif swyddog wrthynt, "Dywedwch wrth Heseceia mai dyma neges yr ymerawdwr, brenin Asyria; 'Beth yw sail yr hyder hwn sydd gennyt? ²⁰A wyt ti'n meddwl bod geiriau yn gwneud y tro ar gyfer rhyfel, yn lle cynllun a nerth? Ar bwy, ynteu, yr wyt yn dibynnu wrth godi gwrthryfel yn f'erbyn? ²¹Ai yr Aifft— ffon o gorsen wedi ei hysigo, sy'n rhwygo ac agor llaw dyn os pwysa arni? Un felly yw Pharo brenin yr Aifft i bwy bynnag sy'n dibynnu arno. ²²Neu os dywedi wrthyf, "Yr ydym yn dibynnu ar yr ARGLWYDD ein Duw", onid ef yw'r un y tynnodd Heseceia ei uchelfeydd a'i allorau, a dweud wrth Jwda a Jerwsalem, "O flaen yr allor hon yn Jerwsalem yr addolwch?"' ²³Yn awr, ynteu, beth

---

^oNeu, *y Tartan, y Rabsaris a'r Rabsace.*   ^pFelly Groeg. Hebraeg, *Jerwsalem a dringo i fyny.*

am daro bargen â'm meistr, brenin Asyria? Rhoddaf ddwy fil o feirch iti, os gelli di gael marchogion iddynt. ²⁴Sut, ynteu, y gelli wrthsefyll un capten o blith gweision lleiaf fy meistr, a dibynnu ar yr Aifft am gerbydau a marchogion? ²⁵Heblaw hyn, ai heb yr ARGLWYDD y deuthum i fyny yn erbyn y lle hwn i'w ddinistrio? Yr ARGLWYDD a ddywedodd wrthyf, 'Dos i fyny yn erbyn y wlad hon a dinistria hi.'"

26 Atebwyd y prif swyddog gan Eliacim fab Hilceia a Sebna a Joa, "Gwell gennym iti siarad â ni yn Aramaeg, oherwydd yr ydym yn ei deall, a pheidio â siarad yn Hebraeg yng nghlyw'r bobl sydd ar y mur." ²⁷Ond dywedodd y prif swyddog wrthynt, "Ai at eich meistr a chwi yma yr anfonodd fy meistr fi i ddweud fy neges, yn hytrach nag at y bobl? Onid hefyd at y dynion sydd ar y mur, ac a fydd, fel chwithau, yn bwyta eu tom ac yn yfed eu dŵr eu hunain?" ²⁸Yna fe safodd y prif swyddog a gweiddi'n uchel mewn Hebraeg, "Clywch eiriau'r ymerawdwr, brenin Asyria. ²⁹Dyma y mae'n ei ddweud, 'Peidiwch â gadael i Heseceia eich twyllo; ni all ef eich gwaredu o'm llaw. ³⁰Peidiwch â chymryd eich perswadio ganddo i ddibynnu ar yr ARGLWYDD pan yw'n dweud, Bydd yr ARGLWYDD yn siŵr o'n gwaredu ni, ac ni roir y ddinas hon i afael brenin Asyria.' ³¹Peidiwch â gwrando ar Heseceia. Dyma eiriau brenin Asyria: 'Gwnewch delerau heddwch â mi, dewch allan ataf, ac yna caiff pob un fwyta o'i winwydden ac o'i ffigysbren, ac yfed o ddŵr ei ffynnon ei hun, ³²nes imi ddyfod i'ch dwyn i wlad debyg i'ch gwlad eich hun, gwlad ŷd a gwin, gwlad bara a gwinllannoedd, gwlad olewydd, olew a mêl; a chewch fyw ac nid marw.' Peidiwch â gwrando ar Heseceia yn eich hudo trwy ddweud, 'Bydd yr ARGLWYDD yn ein gwaredu.' ³³A yw duw unrhyw un o'r cenhedloedd wedi gwaredu ei wlad o afael brenin Asyria? ³⁴Ple mae duwiau Hamath ac Arpad? Ple mae duwiau Seffarfaim, Hena ac Isa? A wnaethant hwy waredu Samaria o'm gafael? ³⁵Prun o holl dduwiau'r gwledydd hyn sydd wedi gwaredu ei wlad o'm gafael? Sut felly y bydd i'r ARGLWYDD waredu Jerwsalem o'm gafael?" ³⁶Cadw'n ddistaw a wnaeth y bobl, heb ateb gair, oherwydd

yr oedd y brenin wedi rhoi gorchymyn nad oeddent i'w ateb. ³⁷Yna daeth Eliacim fab Hilceia, arolygwr y palas, a Sebna yr ysgrifennydd, a Joa fab Asaff, y cofiadur, at Heseceia, a'u dillad wedi eu rhwygo, ac adrodd wrtho eiriau'r prif swyddog.

Y Brenin yn Ceisio Cyngor Eseia
(Eseia 37:1-7)

19 Pan glywodd y Brenin Heseceia yr hanes, rhwygodd ei ddillad a rhoi sachliain amdano, a mynd i dŷ'r ARGLWYDD. ²Yna anfonodd Eliacim, arolygwr y palas, a Sebna'r ysgrifennydd a'r rhai hynaf o'r offeiriaid, i gyd mewn sachliain, at y proffwyd Eseia fab Amos, i ddweud wrtho, ³"Fel hyn y dywed Heseceia: 'Y mae heddiw'n ddydd o gyfyngder a cherydd a gwarth; y mae fel pe bai plant ar fin cael eu geni, a'r fam heb nerth i esgor. ⁴O na fyddai'r ARGLWYDD dy Dduw yn gwrando ar eiriau'r prif swyddog a anfonwyd gan ei feistr, brenin Asyria, i gablu'r Duw byw, ac y byddai yn ei geryddu am y geiriau a glywodd yr ARGLWYDD dy Dduw! Felly dos i weddi dros y gweddill sydd ar ôl.'" ⁵Pan ddaeth gweision y Brenin Heseceia at Eseia, ⁶dywedodd Eseia wrthynt, "Dywedwch wrth eich meistr, 'Fel hyn y dywed yr ARGLWYDD: Paid ag ofni'r pethau a glywaist, pan oedd llanciau brenin Asyria yn fy nghablu. ⁷Edrych, 'rwy'n rhoi ysbryd ynddo, ac fe glyw si fydd yn peri iddo ddychwelyd i'w wlad; hefyd gwnaf iddo syrthio gan y cleddyf yn y wlad honno.'"

Yr Asyriaid yn Bygwth Eto
(Eseia 37:8-20)

8 Pan ddychwelodd y prif swyddog, cafodd ar ddeall fod brenin Asyria wedi gadael Lachis, a'i fod yn rhyfela yn erbyn Libna. ⁹Ond pan ddeallodd fod Tirhaca brenin Ethiopia ar ei ffordd i ryfela yn ei erbyn, fe anfonodd genhadau eilwaith at Heseceia, a dweud, ¹⁰"Dywedwch wrth Heseceia brenin Jwda, 'Paid â chymryd dy dwyllo gan dy Dduw yr wyt yn ymddiried ynddo, ac sy'n dweud na roddir Jerwsalem i afael brenin Asyria. ¹¹Yn sicr, fe glywaist am yr hyn a wnaeth brenhinoedd Asyria i'r holl wledydd, sef eu difrodi. A gei di dy arbed? ¹²A waredodd duwiau'r cenhedloedd hwy—y cenhedloedd a ddinistriodd fy nhadau, fel

Gosan a Haran a Reseff, a meibion Eden oedd yn trigo yn Telasar? ¹³Ple mae brenhinoedd Hamath, Arpad, Lair, Seffarfaim, Hena ac Ifa?'"

14 Cymerodd Heseceia y neges gan y cenhadau a'i darllen. Yna aeth i fyny i'r deml, a'i hagor yng ngŵydd yr ARGLWYDD, a gweddïo fel hyn o flaen yr ARGLWYDD: ¹⁵"O ARGLWYDD Dduw Israel, sydd wedi ei orseddu ar y cerwbiaid, ti yn unig sydd Dduw dros holl deyrnasoedd y byd; ti a wnaeth y nefoedd a'r ddaear. ¹⁶O ARGLWYDD, gogwydda dy glust a chlyw. O ARGLWYDD, agor dy lygaid a gwêl. Gwrando'r neges a anfonodd Senacherib i watwar y Duw byw. ¹⁷Y mae'n wir, O ARGLWYDD, fod brenhinoedd Asyria wedi difa'r cenhedloedd a'u gwledydd, ¹⁸a thaflu eu duwiau i'r tân; cawsant eu dinistrio am nad duwiau mohonynt, ond gwaith dwylo dyn, o goed a charreg. ¹⁹Yn awr, O ARGLWYDD ein Duw, gwared ni o'i afael, ac yna caiff holl deyrnasoedd y ddaear wybod mai ti yn unig, O ARGLWYDD, sydd Dduw."

Neges Eseia i'r Brenin
(Eseia 37:21-38)

20 Anfonodd Eseia fab Amos at Heseceia, a dweud, "Fel hyn y dywed yr ARGLWYDD, Duw Israel; ²¹'Clywais yr hyn a weddïaist ynglŷn â Senacherib brenin Asyria, a dyma'r gair a lefarodd yr ARGLWYDD yn ei erbyn:

Y mae'r forwyn, merch Seion, yn dy ddirmygu,
yn chwerthin am dy ben;
y mae merch Jerwsalem yn ysgwyd ei phen ar dy ôl.
²²Pwy wyt ti yn ei ddifenwi ac yn ei gablu?
Yn erbyn pwy y codi dy lais?
Yr wyt yn gwneud ystum dirmygus yn erbyn Sanct Israel.
²³Trwy dy weision fe geblaist yr Arglwydd, a dweud,
"Gyda lliaws fy ngherbydau dringais yn uchel i gopa'r mynyddoedd,
i bellterau Lebanon;
torrais y praffaf o'i gedrwydd, a'r dewisaf o'i ffynidwydd;
euthum i'w gwr uchaf, ei lechweddau coediog.
²⁴Cloddiais bydewau ac yfed dyfroedd estron;

â gwadn fy nhroed sychais holl ffrydiau Afon Neil.
²⁵Oni chlywaist ers talm mai myfi a'i gwnaeth,
ac imi lunio hyn yn y dyddiau gynt?
Bellach 'rwy'n ei ddwyn i ben;
bydd dinasoedd caerog yn syrthio yn garneddau wedi eu dinistrio;
²⁶bydd y trigolion a'u nerth yn pallu,
yn ddigalon ac mewn gwarth,
fel gwellt y maes, llysiau gwyrdd a glaswellt pen to
wedi eu deifio cyn llawn dyfu.
²⁷'Rwy'n gwybod pryd yr wyt yn eistedd,
yn mynd allan ac yn dod i mewn,
a'r modd yr wyt yn cynddeiriogi yn f'erbyn.
²⁸Am dy fod yn cynddeiriog yn f'erbyn,
a bod sen dy draha yn fy nghlustiau,
fe osodaf fy mach yn dy ffroen a'm ffrwyn yn dy weflau,
a'th yrru'n ôl ar hyd y ffordd y daethost."

29 "'Hyn fydd yr arwydd i ti: eleni, bwyteir yr ŷd sy'n tyfu ohono'i hun, a'r flwyddyn nesaf, yr hyn sydd wedi ei hau ohono'i hun; ond yn y drydedd flwyddyn cewch hau a medi, a phlannu gwinllannoedd a bwyta eu ffrwyth. ³⁰Bydd y dihangol a adewir yn nhŷ Jwda yn gwreiddio i lawr ac yn ffrwytho i fyny; ³¹oherwydd fe ddaw gweddill allan o Jerwsalem, a rhai dihangol allan o Fynydd Seion. Sêl ARGLWYDD y lluoedd a wna hyn.'

32 "Am hynny, fel hyn y dywed yr ARGLWYDD am frenin Asyria:
'Ni ddaw i mewn i'r ddinas hon, nac anfon saeth i'w mewn;
nid ymesyd arni â tharian, na chodi clawdd i'w herbyn.
³³Ar hyd y ffordd y daeth, fe ddychwel;
ac ni ddaw i mewn i'r ddinas hon, medd yr ARGLWYDD.
³⁴Byddaf yn darian i'r ddinas hon i'w gwaredu,
er fy mwyn fy hun ac er mwyn fy ngwas Dafydd.'"

35 A'r noson honno aeth angel yr ARGLWYDD allan a tharo yng ngwersyll Asyria gant a phedwar ugain a phump o filoedd; pan ddaeth y bore cafwyd hwy i gyd yn gelanedd meirwon. ³⁶Yna aeth Sennacherib brenin Asyria i ffwrdd a dychwelyd i Ninefe ac aros yno. ³⁷Pan

oedd yn addoli yn nheml ei dduw Nis-
roch, daeth ei feibion Adrammelech a
Sareser a'i ladd â'r cleddyf, ac yna dianc
i wlad Ararat. Daeth ei fab Esarhadon i'r
orsedd yn ei le.

Gwaeledd ac Adferiad y Brenin Heseceia
(Eseia 38:1-8, 21-22; 2 Cron. 32:24-26)

20 Yn y dyddiau hynny aeth Hese-
ceia'n glaf hyd farw, a daeth y
proffwyd Eseia fab Amos ato a dweud,
"Fel hyn y dywed yr ARGLWYDD:
'Trefna dy dŷ, oherwydd yr wyt ar fin
marw; ni fyddi fyw.'" ²Trodd yntau ei
wyneb at y pared a gweddïo ar yr AR-
GLWYDD, a dweud: ³"O ARGLWYDD,
cofia fel yr oeddwn yn rhodio ger dy fron
di mewn cywirdeb ac â chalon berffaith,
ac yn gwneud yr hyn oedd dda yn dy
olwg." Yna beichiodd wylo. ⁴A chyn
bod Eseia wedi gadael y cyntedd canol
daeth gair yr ARGLWYDD ato yn dweud,
⁵"Dos yn ôl, a dywed wrth Heseceia,
tywysog fy mhobl, 'Fel hyn y dywed yr
ARGLWYDD, Duw dy dad Dafydd: Clyw-
ais dy weddi a gwelais dy ddagrau; wele,
yr wyf am dy iacháu. Ymhen tridiau
byddi'n mynd i fyny i'r deml. ⁶Ychwan-
egaf bymtheng mlynedd at dy oes, a
gwaredaf di a'r ddinas hon o afael brenin
Asyria, a byddaf yn gysgod dros y ddinas
hon er fy mwyn fy hun ac er mwyn fy
ngwas Dafydd.'" ⁷Yna dywedodd Eseia
wrthynt, "Cymerwch bowltis ffigys." Ac
wedi iddynt wneud hynny a'i osod ar y
cornwyd, fe wellodd.

8 Gofynnodd Heseceia i Eseia, "Beth
yw'r arwydd y bydd yn fy iacháu, ac yr
af i fyny i'r deml ymhen tridiau?"
⁹Dywedodd Eseia, "Dyma fydd yr
arwydd iti oddi wrth yr ARGLWYDD y
bydd yn cyflawni'r hyn a ddywedodd:
bydd y cysgod yn symud ddeg gris
ymlaen neu ddeg gris yn ôl." ¹⁰Dywed-
odd Heseceia, "Y mae'n haws i'r cysgod
symud ymlaen ddeg gris; na, aed y
cysgod yn ôl ddeg gris." ¹¹Galwodd y
proffwyd Eseia ar yr ARGLWYDD, a
gwnaeth yntau i'r cysgod fynd yn ei ôl
ddeg gris, lle'r arferai fynd i lawr ar risiau
Ahas.

Cenhadau o Fabilon
(Eseia 39:1-8)

12 Yr adeg honno anfonodd Merodach
Baladan, mab Baladan brenin Babilon,
genhadau gydag anrheg i Heseceia,
oherwydd clywsai fod Heseceia wedi bod

yn wael. ¹³Croesawoddd Heseceia hwy a
dangos iddynt ei drysordy i gyd, yr arian
a'r aur, a'r perlysiau a'r olew persawrus,
a'i arfdy a phopeth oedd yn ei storfeydd.
Nid oedd dim yn ei balas na'i deyrnas
na ddangosodd Heseceia iddynt. ¹⁴Yna
daeth y proffwyd Eseia at y Brenin
Heseceia a gofyn, "Beth a ddywedodd y
dynion hyn, ac o ble y daethant?"
Atebodd Heseceia, "O wlad bell, o
Fabilon y daethant." ¹⁵Yna holodd,
"Beth a welsant yn dy dŷ?" Dywedodd
Heseceia, "Gwelsant y cwbl sydd yn fy
nhŷ; nid oes dim yn fy nhrysorfa nad wyf
wedi ei ddangos iddynt." ¹⁶Yna dywed-
odd Eseia wrth Heseceia, "Gwrando air
yr ARGLWYDD: ¹⁷'Wele'r dyddiau yn
dod pan ddygir popeth sydd yn dy balas,
a phopeth a grynhôdd dy dadau hyd y
dydd hwn, i Fabilon, ac ni adewir dim,'
medd yr ARGLWYDD. ¹⁸Dygir oddi arnat
rai o'r meibion a genhedli, had dy gorff, a
byddant yn ystafellyddion yn llys brenin
Babilon." ¹⁹Atebodd Heseceia, "O'r
gorau; gair yr ARGLWYDD yr wyt yn ei
lefaru." Meddyliai, "Oni fydd heddwch a
sicrwydd dros fy nghyfnod i?"

Diwedd Teyrnasiad Heseceia
(2 Cron. 32:32-33)

20 Am weddill hanes Heseceia, a'i holl
wrhydri, ac fel y gwnaeth gronfa ddŵr a'r
ffos a ddôi â dŵr i'r ddinas, onid yw wedi
ei ysgrifennu yn llyfr hanesion brenhin-
oedd Jwda? ²¹Hunodd Heseceia gyda'i
dadau, a daeth Manasse yn frenin yn
ei le.

Manasse Brenin Jwda
(2 Cron. 33:1-20)

21 Deuddeng mlwydd oed oedd
Manasse pan ddaeth yn frenin, a
theyrnasodd am hanner cant a phump o
flynyddoedd yn Jerwsalem. Heffsiba oedd
enw ei fam. ²Gwnaeth yr hyn oedd ddrwg
yng ngolwg yr ARGLWYDD, yn ôl ffieidd-
dra'r cenhedloedd a yrrodd yr AR-
GLWYDD allan o flaen yr Israeliaid. ³Ail-
adeiladodd yr uchelfeydd a ddinistriodd
ei dad Heseceia, a chododd allorau i Baal
a gwneud delw o Asera, fel y gwnaeth
Ahab brenin Israel, ac ymgrymodd i holl
lu'r nef a'u haddoli. ⁴Adeiladodd allorau
yn y deml a dywedodd yr ARGLWYDD
amdani, "Yn Jerwsalem y gosodaf fy
enw." ⁵Cododd allorau i holl lu'r nef yn
nau gyntedd y deml. ⁶Parodd i'w fab

fynd trwy dân, ac arferodd hudoliaeth a swynion, a bu'n ymhel ag ysbrydion a dewiniaid. Yr oedd yn ymroi i wneud yr hyn oedd ddrwg yng ngolwg yr ARGLWYDD, i'w ddigio. ⁷Gwnaeth ddelw o Asera a'i gosod yn y deml y dywedodd yr ARGLWYDD amdani wrth Ddafydd a'i fab Solomon, "Yn y tŷ hwn ac yn Jerwsalem, y lle a ddewisais allan o holl lwythau Israel, yr wyf am osod fy enw yn dragwyddol. ⁸Ni throf Israel allan mwyach o'r tir a roddais i'w tadau, ond iddynt ofalu gwneud fel y gorchmynnais iddynt yn y gyfraith a roes fy ngwas Moses iddynt." ⁹Eto ni fynnent wrando, ac arweiniodd Manasse hwy i ddrygioni gwaeth na'r eiddo'r cenhedloedd a ddinistriodd yr ARGLWYDD o flaen yr Israeliaid. ¹⁰Yna dywedodd yr ARGLWYDD trwy ei weision y proffwydi, ¹¹"Am i Manasse wneud y ffieidd-dra hwn, a gweithredu'n waeth na'r Amoriaid oedd o'i flaen, ac arwain Jwda hefyd i bechu gyda'ı eilunod, ¹²fel hyn y dywed yr ARGLWYDD, Duw Israel: Dygaf y fath ddrwg ar Jerwsalem a Jwda fel y bydd yn merwino clustiau pwy bynnag a glyw. ¹³Rhoddaf ar Jerwsalem yr un llinyn ag ar Samaria, a'r un mesur ag ar dŷ Ahab. Golchaf Jerwsalem fel y bydd un yn golchi llestr ac yna'n ei droi ar ei wyneb. ¹⁴Byddaf yn gwrthod gweddill fy etifeddiaeth, a'u rhoi yn llaw eu holl elynion i fod yn anrhaith ac yn ysbail, ¹⁵am eu bod wedi gwneud yr hyn sydd ddrwg yn fy ngolwg a'm digio, o'r dydd y daeth eu tadau o'r Aifft hyd heddiw."

16 Tywalltodd Manasse gymaint o waed dieuog nes llenwi Jerwsalem drwyddi, heb sôn am ei bechod yn arwain Jwda i bechu a gwneud yr hyn oedd ddrwg yng ngolwg yr ARGLWYDD. ¹⁷Am weddill hanes Manasse, a'i holl waith a'r pechu a wnaeth, onid yw wedi ei ysgrifennu yn llyfr hanesion brenhinoedd Jwda? ¹⁸A hunodd Manasse gyda'i dadau, a'i gladdu yng ngardd ei balas, sef yng ngardd Ussa. A daeth ei fab Amon yn frenin yn ei le.

Amon Brenin Jwda
(2 Cron. 33:21-25)

19 Dwy ar hugain oedd oed Amon pan ddaeth yn frenin, a theyrnasodd am ddwy flynedd yn Jerwsalem. Mesulemeth merch Harus o Iotba oedd enw ei fam. ²⁰Gwnaeth yr hyn oedd ddrwg yng

ngolwg yr ARGLWYDD, fel y gwnaeth ei dad Manasse. ²¹Dilynodd yn ôl troed ei dad, a gwasanaethu ac addoli'r un eilunod â'i dad. ²²Gwrthododd yr ARGLWYDD, Duw ei dadau, ac ni rodiodd yn ffordd yr ARGLWYDD.

23 Cynllwynodd gweision Amon yn ei erbyn, a lladd y brenin yn ei dŷ; ²⁴ond lladdwyd yr holl rai a fu'n cynllwyn yn erbyn y Brenin Amon gan bobl y wlad, a gwnaethant ei fab Joseia yn frenin yn ei le.

25 Am weddill hanes Amon, a'r hyn a wnaeth, onid yw wedi ei ysgrifennu yn llyfr hanesion brenhinoedd Jwda? ²⁶Claddwyd ef yn ei feddrod yng ngardd Ussa, a daeth ei fab Joseia yn frenin yn ei le.

Joseia Brenin Jwda
(2 Cron. 34:1-2)

22 Wyth mlwydd oed oedd Joseia pan ddaeth yn frenin, a theyrnasodd am un ar ddeg ar hugain o flynyddoedd yn Jerwsalem. Jedida merch Adaia o Boscath oedd enw ei fam. ²Gwnaeth yr hyn oedd uniawn yng ngolwg yr ARGLWYDD, a dilyn llwybr ei dad Dafydd yn gwbl ddiwyro.

Darganfod Llyfr y Gyfraith
(2 Cron. 34:8-28)

3 Yn ei ddeunawfed flwyddyn anfonodd y Brenin Joseia ei ysgrifennydd Saffan fab Asaleia, fab Mesulam, i dŷ'r ARGLWYDD a dweud, ⁴"Dos at Hilceia yr archoffeiriad, er mwyn iddo gyfrif yr arian a ddygwyd i dŷ'r ARGLWYDD ac a gasglodd ceidwaid y drws gan y bobl, i'w trosglwyddo i'r ymgymerwyr sy'n gofalu am dŷ'r ARGLWYDD. ⁵Y maent i'w rhoi yn awr i'r ymgymerwyr yn nhŷ'r ARGLWYDD, a hwythau i'w rhoi i'r gweithwyr yn nhŷ'r ARGLWYDD, sy'n atgyweirio agennau'r tŷ, ⁶i gael seiri ac adeiladwyr a seiri maen, ac i brynu coed a cherrig nadd i atgyweirio'r tŷ. ⁷Ond nid ydynt i roi cyfrif o'r arian a roddir i'w gofal, am eu bod yn gweithredu'n onest."

8 Dywedodd yr archoffeiriad Hilceia wrth Saffan yr ysgrifennydd, "Cefais lyfr y gyfraith yn nhŷ'r ARGLWYDD." A rhoddodd y llyfr i Saffan i'w ddarllen. ⁹Yna aeth Saffan yr ysgrifennydd yn ôl at y brenin, a dwyn adroddiad iddo, a dweud, "Y mae dy weision wedi cyfrif yr

arian oedd yn y deml, ac wedi eu tros-glwyddo i'r ymgymerwyr sy'n gofalu am dŷ'r ARGLWYDD." [10]Ac ychwanegodd, "Fe roddodd yr offeiriad Hilceia lyfr imi." Yna darllenodd Saffan ef i'r brenin.

11 Pan glywodd y brenin gynnwys llyfr y gyfraith, rhwygodd ei ddillad, [12]a gorchmynnodd i'r offeiriad Hilceia, ac i Ahicam fab Saffan, ac i Achbor fab Michaia, ac i'r ysgrifennydd Saffan, ac i Asaia gwas y brenin, [13]"Ewch i ym-gynghori â'r ARGLWYDD ar fy rhan, ac ar ran y bobl a holl Jwda, ynglŷn â chynnwys y llyfr hwn a ddaeth i'r golwg; oherwydd y mae llid yr ARGLWYDD yn fawr, ac wedi ei ennyn yn ein herbyn am na wrandawodd ein tadau ar eiriau'r llyfr hwn, na gwneud yr hyn a ysgrifennwyd ar ein cyfer." [14]Aeth yr offeiriad Hilceia, ac Ahicam ac Achbor a Saffan ac Asaia, at y broffwydes Hulda, gwraig Salum fab Ticfa, fab Harhas, ceidwad y gwisgoedd. Yr oedd hi'n byw yn yr Ail Barth yn Jerwsalem; ac wedi iddynt ddweud eu neges, [15]dywedodd hi wrthynt, "Fel hyn y dywed yr ARGLWYDD, Duw Israel. Dywedwch wrth y gŵr a'ch anfonodd ataf, [16]'Fel hyn y dywed yr AR-GLWYDD: Yr wyf yn dwyn drwg ar y lle hwn a'i drigolion, popeth sydd yn y llyfr a ddarllenodd brenin Jwda, [17]am eu bod wedi fy ngwrthod ac wedi arogldarthu i dduwiau eraill, i'm digio ym mhopeth a wnânt; y mae fy nig wedi ei ennyn yn erbyn y lle hwn, ac nid oes a'i diffydd.' [18]A dyma a ddywedwch wrth frenin Jwda, a'ch anfonodd i ymgynghori â'r ARGLWYDD: 'Fel hyn y dywed yr ARGLWYDD, Duw Israel, ynglŷn â'r geiriau a glywaist: [19]Am i'th galon dyneru, ac iti ymostwng o flaen yr AR-GLWYDD pan glywaist fi'n dweud am y lle hwn a'i drigolion, y byddai'n ddifrod ac yn felltith, ac am iti rwygo dy ddillad ac wylo o'm blaen, yr wyf finnau wedi gwrando, medd yr ARGLWYDD. [20]Ac am hynny casglaf di at dy dadau, a dygir di i'r bedd mewn heddwch, ac ni wêl dy lygaid y drwg a ddygaf ar y lle hwn.'" Dygasant hwythau'r ateb i'r brenin.

Joseia yn Dileu Addoliad Paganaidd
(2 Cron. 34:3-7, 29-33)

23 Yna anfonodd y brenin a chasglu ato holl henuriaid Jwda a Jerw-salem; [2]ac aeth i fyny i'r deml, a holl wŷr Jwda a thrigolion Jerwsalem gydag ef, a hefyd yr offeiriad a'r proffwydi a phawb o'r bobl, bach a mawr. Yna darllenodd yn eu clyw holl gynnwys y llyfr cyfamod a gaed yn nhŷ'r ARGLWYDD.

3 Safodd y brenin wrth y golofn a gwnaeth gyfamod o flaen yr AR-GLWYDD, i ddilyn yr ARGLWYDD ac i gadw ei orchmynion a'i dystiolaethau a'i ddeddfau â'i holl galon ac â'i holl enaid, ac i gyflawni holl eiriau'r cyfamod a ysgrifennwyd yn y llyfr hwn. A safodd yr holl bobl wrth y cyfamod.

4 Yna gorchmynnodd y brenin i'r archoffeiriad Hilceia, a'r is-offeiriaid, a cheidwaid y drws symud allan o deml yr ARGLWYDD yr holl offer a wnaed ar gyfer Baal ac Asera a holl lu'r nef; llosgwyd hwy y tu allan i Jerwsalem ar lethrau Cidron, a mynd â'u llwch i Fethel. [5]Diswyddodd yr offeiriaid gau a osododd brenhinoedd Jwda i arogl-darthu[ph] yn yr uchelfeydd yn nhrefi Jwda a chyffiniau Jerwsalem, a'r rhai oedd yn arogldarthu i Baal a'r haul a'r lloer a'r planedau a holl lu'r nef. [6]Dygodd yr Asera allan o dŷ'r ARGLWYDD i lawr i nant Cidron y tu allan i Jerwsalem, a'i llosgi yno, a'i malu'n llwch a thaenu'r llwch yn y fynwent gyffredin. [7]Bwriodd i lawr dai'r sodomiaid oedd yn nhŷ'r AR-GLWYDD, lle'r oedd gwragedd yn gweu gwisgoedd ar gyfer delw Asera. [8]Symud-odd yr holl offeiriaid o drefi Jwda, a halogodd yr uchelfeydd lle bu'r offeiriaid yn arogldarthu, o Geba hyd Beerseba. Tynnodd i lawr uchelfeydd y pyrth oedd wrth borth Josua pennaeth y ddinas, ar y chwith i borth y ddinas. [9]Eto ni ddôi offeiriaid yr uchelfeydd i fyny at allor yr ARGLWYDD yn Jerwsalem, ond bwyta bara croyw ymhlith eu brodyr.

10 Halogodd y Toffet oedd yn Nyffryn Meibion Hinnom, rhag i neb losgi ei fab na'i ferch i Moloch. [11]A gwnaeth i ffwrdd â'r meirch a gysegrodd brenhinoedd Jwda i'r haul ym mynedfa tŷ'r ARGLWYDD, wrth ystafell Nathanmelech yr ystafell-ydd yn y glwysty, a llosgodd gerbyd yr haul. [12]Tynnodd i lawr yr allorau a wnaeth brenhinoedd Jwda ar do gor-uwchystafell Ahas, a'r allorau a wnaeth Manasse yn nau gyntedd tŷ'r AR-GLWYDD; ac ar ôl eu dryllio yno, taflodd eu llwch i nant Cidron. [13]Yna halogodd y brenin yr uchelfeydd oedd

[ph]Felly Fersiynau. Hebraeg, *ac arogldarthodd.*

gyferbyn â Jerwsalem i'r de o Fynydd yr Olewydd[r], ac a adeiladwyd gan Solomon brenin Israel ar gyfer Astoreth, ffieiddbeth Sidon, a Chemos, ffieiddbeth Moab, a Milcom, ffieidd-dra'r Ammoniaid. [14]Drylliodd y meini hirion, a thorri i lawr brennau'r Asera a llenwi eu cysegrleoedd ag esgyrn dynion.

15 Ym Methel tynnodd i lawr yr allor a'r uchelfa a gododd Jeroboam fab Nebat, a barodd i Israel bechu. Llosgodd yr uchelfa a'i malu'n llwch, a llosgi'r Asera. [16]Wrth droi ymaith, sylwodd Joseia ar y tynwent oedd yno ar y mynydd, ac anfonodd a chymryd esgyrn o'r beddau a'u llosgi ar yr allor a'i halogi, a hynny'n cyflawni gair yr ARGLWYDD, a gyhoeddodd gŵr Duw pan ragfynegodd y pethau ayn. [17]Wedyn gofynnodd, "Beth yw'r gofeb acw a welaf?" Atebodd gwŷr y ddinas ef, "Dyna fedd gŵr Duw, a ddaeth o Jwda a rhagfynegi'r pethau ayn yr wyt ti wedi eu gwneud ag allor Bethel." [18]Yna dywedodd wrthynt am adael llonydd iddo ac nad oedd neb i myrryd â'i esgyrn. Felly arbedwyd ei esgyrn, a hefyd esgyrn y proffwyd a ddaeth o Samaria.

19 Yn nhrefi Samaria dinistriodd Joseia holl demlau'r uchelfeydd a wnaeth brenhinoedd Israel i ddigio'r AR-LWYDD[rh]. Gwnaeth iddynt yno yn ollol fel y gwnaeth ym Methel. [20]Lladddd ar yr allorau bob un o offeiriaid yr uchelfeydd oedd yno, a llosgi esgyrn dynion arnynt cyn dychwelyd i Jerwalcm.

Joseia'n Cadw'r Pasg
(2 Cron. 35:1-19)

21 Rhoddodd y brenin orchymyn i'r oll bobl, "Gwnewch Basg i'r AR-LWYDD eich Duw, fel sydd wedi ei sgrifennu yn y llyfr cyfamod hwn." Oherwydd ni chadwyd Pasg fel hwn er yddiau'r barnwyr a fu'n barnu Israel, a thrwy holl flynyddoedd brenhinoedd rael a Jwda. [23]Yn y ddeunawfed vyddyn i'r Brenin Joseia y cadwyd y asg hwn i'r ARGLWYDD yn Jerwsalem.

Diwygiadau Eraill Joseia

24 Dileodd Joseia y swynwyr a'r ewiniaid, y delwau a'r eilunod, a phob eidd-dra tebyg a welwyd yng ngwlad

Jwda ac yn Jerwsalem. Gwnaeth hyn er mwyn cadw geiriau'r gyfraith a ysgrifennwyd yn y llyfr a ddarganfu'r offeiriad Hilceia yn y deml. [25]Erioed o'r blaen ni chaed brenin tebyg iddo, yn troi at yr ARGLWYDD â'i holl galon, ac â'i holl enaid, ac â'i holl egni yn ôl holl gyfraith Moses. Ac ni chododd neb tebyg iddo ar ei ôl.

26 Er hynny ni throdd yr ARGLWYDD oddi wrth angerdd ei ddigofaint mawr yn erbyn Jwda o achos yr holl bethau a wnaeth Manasse i'w ddigio. [27]A dywedodd yr ARGLWYDD, "Symudaf Jwda hefyd allan o'm gŵydd, fel y symudais Israel; a gwrthodaf Jerwsalem, y ddinas hon a ddewisais, a hefyd y tŷ hwn a dywedais y byddai f'enw yno."

Diwedd Teyrnasiad Joseia
(2 Cron. 35:20—36:1)

28 Am weddill hanes Joseia, a'r cwbl a wnaeth, onid yw wedi ei ysgrifennu yn llyfr hanesion brenhinoedd Jwda? [29]Yn ei ddyddiau ef daeth Pharo Necho brenin yr Aifft at Afon Ewffrates, at frenin Asyria; a phan aeth Joseia allan yn ei erbyn, lladdodd Necho ef yn Megido, pan welodd ef. [30]Cludodd ei weision ef yn farw o Megido, a'i ddwyn i Jerwsalem a'i gladdu yn ei feddrod. Dewisodd pobl y wlad Jehoahas fab Joseia, a'i eneinio'n frenin yn lle ei dad.

Jehoahas Brenin Jwda
(2 Cron. 36:2-4)

31 Tair ar hugain oedd oed Jehoahas pan ddaeth yn frenin, a theyrnasodd am dri mis yn Jerwsalem. Hamutal merch Jeremeia o Libna oedd enw ei fam. [32]Gwnaeth yr hyn oedd ddrwg yng ngolwg yr ARGLWYDD, yn union fel y gwnaeth ei dadau. [33]Carcharodd Pharo Necho ef yn Ribla yng ngwlad Hamath, rhag iddo fod yn frenin yn Jerwsalem, a gosododd ar y wlad dreth o gan talent o arian a thalent o aur. [34]Gwnaeth Eliacim fab Joseia yn frenin yn lle ei dad Joseia, a newid ei enw i Jehoiacim. Cymerodd Jehoahas i lawr i'r Aifft, lle bu farw. [35]Fe roddodd Jehoiacim yr arian a'r aur i Pharo, ond trethodd y wlad i godi'r arian yr oedd Pharo yn eu hawlio; gosodwyd trethiant ar bob un o bobl y wlad i godi'r arian a'r aur i dalu i Pharo Necho.

elly Targum. Hebraeg, y Dinistrydd.   [rh]Felly Fersiynau. Hebraeg heb yr ARGLWYDD.

Jehoiacim Brenin Jwda
(2 Cron. 36:5-8)

36 Pump ar hugain oedd oed Jehoiacim pan ddaeth yn frenin, a theyrnasodd yn Jerwsalem am un mlynedd ar ddeg. Sebuda merch Pedaia o Ruma oedd enw ei fam. [37] Gwnaeth yr hyn oedd ddrwg yng ngolwg yr ARGLWYDD, yn union fel y gwnaeth ei dadau. [1] Yn ei ddyddiau ef daeth Nebuchadnesar brenin Babilon yn ei erbyn, a bu Jehoiacim yn ddarostyngedig iddo am dair blynedd cyn gwrthryfela. [2] Anfonodd yr ARGLWYDD finteioedd o Galdeaid ac o Syriaid a Moabiaid ac Ammoniaid i ymosod ar Jwda a'i difa, yn ôl yr hyn yr oedd yr ARGLWYDD wedi ei ddweud trwy ei weision y proffwydi. [3] Yn sicr, trwy orchymyn yr ARGLWYDD y digwyddodd hyn i Jwda, i'w symud o'i olwg am yr holl bechodau a wnaeth Manasse, [4] a'r gwaed dieuog a dywalltodd; llanwodd Jerwsalem â gwaed dieuog, ac nid oedd yr ARGLWYDD yn fodlon maddau.

5 Am weddill hanes Jehoiacim, a'r cwbl a wnaeth, onid yw wedi ei ysgrifennu yn llyfr hanesion brenhinoedd Jwda? [6] Hunodd Jehoiacim gyda'i dadau, a daeth ei fab Jehoiachin yn frenin yn ei le. [7] Ni ddaeth brenin yr Aifft allan o'i wlad mwyach, oherwydd yr oedd brenin Babilon wedi cipio'r cwbl a fu'n eiddo brenin yr Aifft rhwng nant yr Aifft ac Afon Ewffrates.

Jehoiachin Brenin Jwda
(2 Cron. 36:9-10)

8 Deunaw mlwydd oedd oed Jehoiachin pan ddaeth yn frenin, a theyrnasodd am dri mis yn Jerwsalem. Nehushta merch Elnathan o Jerwsalem oedd enw ei fam. [9] Gwnaeth yr hyn oedd ddrwg yng ngolwg yr ARGLWYDD, yn union fel y gwnaeth ei dadau. [10] Yr adeg honno daeth gweision Nebuchadnesar brenin Babilon i Jerwsalem a gosod gwarchae ar y ddinas. [11] Yna, tra oedd ei weision yn gwarchae arni, daeth Nebuchadnesar brenin Babilon i ymosod ar y ddinas, [12] ac aeth Jehoiachin brenin Jwda allan gyda'i fam a'i weision a'i swyddogion a'i weinyddwyr at frenin Babilon. Cymerodd brenin Babilon ef yn garcharor yn yr

wythfed flwyddyn o'i deyrnasiad, [13] a chludodd holl drysorau tŷ'r ARGLWYDD a thŷ'r brenin oddi yno, a dryllio'r holl gelfi aur a wnaeth Solomon brenin Israel yn nheml yr ARGLWYDD, fel y rhagddywedodd yr ARGLWYDD. [14] Caethgludodd ddeng mil o Jerwsalem, yr holl dywysogion a'r gwŷr cefnog, a phob crefftwr a gof hefyd, heb adael neb ond y tlotaf o bobl y wlad.

15 Aeth â Jehoiachin i Fabilon, a hefyd dwyn yn gaeth o Jerwsalem i Fabilon ei fam a'i wragedd a'i weinyddwyr a phen defigion y wlad. [16] Dygodd brenin Babilon yn gaeth i Fabilon saith mil o wŷr cefnog a mil o grefftwyr a gofaint, y cwbl yn wŷr glew yn medru rhyfela. [17] Gwnaeth brenin Babilon Mataneia ewythr Jehoiachin yn frenin yn ei le, a newid ei enw i Sedeceia.

Sedeceia Brenin Jwda
(2 Cron. 36:11-12; Jer. 52:1-3)

18 Un ar hugain oedd oed Sedeceia pan ddaeth yn frenin, a theyrnasod am un mlynedd ar ddeg yn Jerwsalem. Hamutal merch Jeremeia o Libna oed enw ei fam. [19] A gwnaeth yr hyn oed ddrwg yng ngolwg yr ARGLWYDD, y union fel y gwnaeth Jehoiacim. [20] O acho dig yr ARGLWYDD yn erbyn Jerwsalem a Jwda y daeth i hyn: iddo eu bwrw hwy allan o'i olwg.

Cwymp Jerwsalem
(2 Cron. 36:13-21; Jer. 52:3-11)

Gwrthryfelodd Sedeceia yn erbyn brenin Babilon, [1] ac yn y nawfed flwyddyn o'i deyrnasiad, ar y degfed dydd o'r degfed mis, daeth Nebuchadnesar brenin Babilon gyda'i holl fyddin yn erbyn Jerwsalem, a gwersyllu yno, a chodi gwrthglawdd o'i chwmpas. [2] Bu'r ddinas dan warchae hyd yr unfed flwyddyn ar ddeg i'r Brenin Sedeceia. [3] A'r y nawfed dydd o'r pedwerydd[5] mis, pa oedd newyn trwm yn y ddinas a phobl wlad heb fwyd, bylchwyd mur y ddinas, [4] A phan welodd Sedeceia brenin Jwd hyn, ffodd gyda'i holl filwyr allan o ddinas[t] liw nos, drwy'r porth rhwng ddau fur sydd wrth ardd y brenin; ac bod y Caldeaid o amgylch y ddinas, ffoc y brenin i gyfeiriad yr Araba. [5] Or erlidiodd byddin y Caldeaid ar ôl y bren a'i oddiweddyd yn rhosydd Jericho, ac

---

[5] Felly Jer. 52:6. Hebraeg heb pedwerydd.
[t] Felly Jer. 39:4; cymh. Jer. 52:7. Hebraeg heb A phan welodd...ffodd a allan o'r ddinas.

oedd ei filwyr i gyd ar chwâl. ⁶Felly daliwyd y brenin a'i ddwyn yn ôl at frenin Babilon i Ribla, a rhoi dedfryd arno. ⁷Lladdasant feibion Sedeceia o flaen ei lygaid, ac yna dallu Sedeceia a'i roi mewn cadwynau a'i ddwyn i Fabilon.

Dinistrio'r Deml
(Jer. 52:12-33)

8 Ar y seithfed dydd o'r pumed mis yn y bedwaredd flwyddyn ar bymtheg i'r Brenin Nebuchadnesar brenin Babilon, daeth Nebusaradan capten y gwarchodlu, swyddog brenin Babilon, i Jerwsalem. ⁹Rhoddodd dŷ'r ARGLWYDD a phalas y brenin ar dân, a llosgi hefyd bob tŷ o faint yn Jerwsalem. ¹⁰Drylliwyd y mur o amgylch Jerwsalem gan holl fyddin y Caldeaid a oedd gyda chapten y gwarchodlu. ¹¹Caethgludodd Nebusaradan, capten y gwarchodlu, y gweddill o'r bobl a adawyd yn y ddinas, a'r rhai oedd wedi gwrthgilio at frenin Babilon, a gweddill y crefftwyr[th]. ¹²Gadawodd capten y gwarchodlu rai o dlodion y wlad i fod yn winllanwyr ac yn arddwyr. ¹³Drylliodd y Caldeaid y colofnau pres oedd yn y deml, a'r troliau a'r môr pres oedd yn y deml, a mynd â'r pres i Fabilon, ¹⁴a chymryd y crochanau a'r rhawiau a'r saltringau a'r llwyau a'r offer pres i gyd a ddefnyddid yn y gwasanaethau. ¹⁵Ond cymerodd capten y gwarchodlu feddiant o'r padellau tân a'r cawgiau oedd o aur ac arian pur. ¹⁶Ac am y ddwy golofn bres a'r môr a'r troliau a wnaeth Solomon i dŷ'r ARGLWYDD, nid oedd yn bosibl pwyso'r pres yn yr offer hyn. ¹⁷Deunaw cufydd oedd uchder y naill golofn, a'r cnap pres arni yn dri chufydd o uchder, a rhwydwaith o bomgranadau o gwmpas y cnap, a'r cwbl o bres; ac yr oedd yr ail golofn a'i rhwydwaith yr un fath.

Caethgludo Jwda i Fabilon
(Jer. 52:24-27)

18 Cymerodd capten y gwarchodlu Sereia yr archoffeiriad a Seffaneia yr ail offeiriad a thri cheidwad y drws; ¹⁹a chymerodd o'r ddinas swyddog a ofalai am y gwŷr rhyfel, pump o blith cynghorwyr y brenin oedd yn parhau yn y ddinas, ysgrifennydd pennaeth y fyddin a fyddai'n galw'r bobl i'r fyddin, a thrigain o bobl y wlad oedd yn parhau yn y ddinas. ²⁰Aeth Nebusaradan capten y gwarchodlu â'r rhai hyn at frenin Babilon i Ribla. ²¹Fflangellodd brenin Babilon hwy i farwolaeth yn Ribla, yng ngwlad Hamath. Felly y caethgludwyd Jwda allan o'i gwlad ei hun.

Penodi Gedaleia yn Llywodraethwr Jwda
(Jer. 40:7-9; 41:1-3)

22 Penododd Nebuchadnesar brenin Babilon Gedaleia fab Ahicam, fab Saffan dros y bobl a adawyd ganddo yn nhir Jwda. ²³Pan glywodd holl swyddogion y lluoedd, a'r milwyr, fod brenin Babilon wedi penodi Gedaleia, daethant at Gedaleia i Mispa. Eu henwau oedd Ismael fab Nethaneia, Johanan fab Carea, Seraia fab Tanhumath y Netoffathiad, a Jaasaneia fab y Maachathiad. ²⁴Tyngodd Gedaleia wrthynt ac wrth eu milwyr, "Nid oes angen i chwi ofni swyddogion y Caldeaid. Arhoswch yn y wlad a gwasanaethwch frenin Babilon, a bydd yn iawn arnoch."

25 Yn y seithfed mis daeth Ismael fab Nethaneia, fab Elishama, a oedd o'r llinach frenhinol, a deg o ddynion gydag ef, a tharo'n farw Gedaleia a'r Iddewon a'r Caldeaid oedd gydag ef yn Mispa. ²⁶Yna cododd yr holl bobl, bach a mawr, a swyddogion y lluoedd, a ffoi i'r Aifft rhag ofn y Caldeaid.

Rhyddhau Jehoiachin o Garchar
(Jer. 52:31-34)

27 Yn yr ail flwyddyn ar bymtheg ar hugain o gaethgludiad Jehoiachin brenin Jwda, ar y seithfed ar hugain o'r deuddegfed mis, gwnaeth Efilmerodach brenin Babilon, yn y flwyddyn y daeth i'r orsedd, ffafr â Jehoiachin brenin Jwda, a'i ryddhau[u] o garchar. ²⁸Bu'n garedig wrtho a rhoi iddo sedd uwch na brenhinoedd eraill oedd gydag ef ym Mabilon. ²⁹Newidiodd Jehoiachin o'i ddillad carchar, a chafodd fwyta'i fara'n feunyddiol gydag ef weddill ei oes, ³⁰a chael dogn beunyddiol gan y brenin weddill ei ddyddiau.

[th]Felly Jer. 52:15. Hebraeg, *dorf*.   [u]Felly Groeg, Syrieg a Jer. 52:32. Hebraeg heb *a'i ryddhau*.

CRONICL

O Adda hyd Abraham
(Gen. 5:1-32; 10:1-32; 11:10-26)

1 Adda, Seth, Enos, [2]Cenan, Mahalaleel, Jered, [3]Enoch, Methusela, Lamech, [4]Noa, Sem, Cham, a Jaffeth.

5 Meibion Jaffeth: Gomer, Magog, Madai, Jafan, Tubal, Mesech, Tiras. [6]Meibion Gomer: Aschenas, Riffath[a], Togarma. [7]Meibion Jafan: Elisa, Tarsis, Cittim, Dodanim.

8 Meibion Cham: Cus, Misraim, Put, Canaan. [9]Meibion Cus: Seba, Hafila, Sabta, Raama a Sabtecha. Meibion Raama: Seba a Dedan. [10]Cus oedd tad Nimrod; hwn oedd y cyntaf o gedyrn y ddaear. [11]Misraim oedd tad Ludim, Anamim, Lehabim, Nafftuhim, [12]Pathrusim, Casluhim a Chafftorim[b], y tarddodd y Philistiaid ohonynt.

13 Canaan oedd tad Sidon, ei gyntafanedig, a Heth, [14]a'r Jebusiaid, yr Amoriaid, y Girgasiaid, [15]yr Hefiaid, yr Arciaid, y Siniaid, [16]yr Arfadiaid, y Semaniaid a'r Hamathiaid.

17 Meibion Sem: Elam, Assur, Arffaxad, Lud, Aram, Us, Hul, Gether, Mesech. [18]Arffaxad oedd tad Sela, a Sela oedd tad Heber. [19]I Heber y ganwyd dau fab; enw un oedd Peleg, oherwydd yn ei ddyddiau ef y rhannwyd y ddaear, a Joctan oedd enw ei frawd. [20]Joctan oedd tad Almodad, Seleff, Hasarmafeth, Jera, [21]Hadoram, Usal, Dicla, [22]Ebal, Abimael, Seba, [23]Offir, Hafila, Jobab; yr oedd y rhain i gyd yn feibion Joctan.

24 Sem, Arffaxad, Sela, [25]Heber, Peleg, Reu, [26]Serug, Nachor, Tera, [27]Abram, sef Abraham.

Meibion Ismael
(Gen. 25:12-16)

28 Meibion Abraham: Isaac ac Ismael, [29]a dyma eu cenedlaethau: Nebaioth, cyntafanedig Ismael, yna Cedar, Adbeel, Mibsam, [30]Misma, Duma, Massa, Hadad, Tema, [31]Jetur, Naffis, Cedema. Dyma feibion Ismael.

32 Yr oedd Cetura, gordderchwraig Abraham, yn fam i Simran, Jocsan, Medan, Midian, Ibac, Sua. Meibion Jocsan: Seba a Dedan. [33]Meibion Midian: Effa, Effer, Enoch, Abida, Eldaa; yr oedd y rhain i gyd yn blant Cetura.

Meibion Esau a Thrigolion Gwreiddiol Edom
(Gen. 36:1-30)

34 Abraham oedd tad Isaac. Meibion Isaac: Esau ac Israel. [35]Meibion Esau: Eliffas, Reuel, Jeus, Jaalam, Cora. [36]Meibion Eliffas: Teman, Omar, Seffi, Gatam, Cenas, Timna, Amalec. [37]Meibion Reuel: Nahath, Sera, Samma, Missa. [38]Meibion Seir: Lotan, Sobal, Sibeon, Ana, Dison, Eser, Disan. [39]Meibion Lotan: Hori, Homam; a chwaer Lotan oedd Timna. [40]Meibion Sobal: Alïan, Manahath, Ebal, Seffi, Onam. Meibion Sibeon: Aia ac Ana. [41]Mab Ana: Dison. Meibion Dison: Amram, Esban, Ithran, Ceran. [42]Meibion Eser: Bilhan, Safan, Jacan. Meibion Dison: Us ac Aran.

Brenhinoedd Edom
(Gen. 36:31-43)

43 Dyma'r brenhinoedd a fu'n teyrnasu yng ngwlad Edom cyn i'r Israeliaid gael brenin: Bela fab Beor; enw ei ddinas ef oedd Dinhaba. [44]Bu farw Bela, a theyrnasodd Jobab fab Sera o Bosra yn ei le. [45]Bu farw Jobab, a theyrnasodd Husam o wlad y Temaniaid yn ei le. [46]Bu farw Husam, a theyrnasodd Hadad fab Bedad yn ei le; ymosododd ef ar Midian yng ngwlad Moab, ac Afith oedd enw ei ddinas. [47]Bu farw Hadad, a theyrnasodd Samla o Masreca yn ei le. [48]Bu farw Samla, a theyrnasodd Saul o Rehoboth ger Ewffrates yn ei le. [49]Bu farw Saul, a theyrnasodd Baalhanan fab Achbor yn ei le. [50]Bu farw Baalhanan, a theyrnasodd

---

[a]Cymh. Gen.10:3. TM, *Diffaith*.   [b]Cymh. Amos 9:7. Ar ddiwedd yr adn. yn TM.

Hadad yn ei le, a Pai oedd enw ei ddinas. Mehetabel ferch Matred, merch Mesahab, oedd enw ei wraig.

51 Bu farw Hadad; yna daeth penaethiaid ar Edom: y penaethiaid Timna, Alia, Jetheth, [52]Aholibama, Ela, Pinon, [53]Cenas, Teman, Mibsar, [54]Magdiel, Iram; y rhain oedd penaethiaid Edom.

Meibion Jwda

2 Dyma feibion Israel: Reuben, Simeon, Lefi, Jwda, Issachar, Sabuon, [2]Dan, Joseff, a Benjamin, Nafftali, Gad ac Aser.

3 Meibion Jwda: Er, Onan a Sela. Mam y tri oedd Bathsua y Ganaanees. Ond pechodd Er, cyntafanedig Jwda, yn erbyn yr ARGLWYDD, a lladdodd yr ARGLWYDD ef. [4]Yr oedd Tamar, merch-yng-nghyfraith Jwda, yn fam i'w eibion Phares a Sera; pump o feibion i yd oedd gan Jwda. [5]Meibion Phares: Hesron a Hamul. [6]Meibion Sera: Simri, Ethan, Heman, Calcol, a Dara, pump i yd. [7]Mab Carmi: Achar, yr un a flinodd Israel trwy wneud camwedd ynglŷn â liofryd. [8]Mab Ethan: Asareia.

Llinach Dafydd

9 Meibion Hesron: ganwyd iddo erahmeel, Ram, Celubai. [10]Ram oedd ad Amminadab; Amminadab oedd tad Iahson, pennaeth meibion Jwda; Nahson oedd tad Salma; Salma oedd ad Boas; [12]Boas oedd tad Obed; ac Obed edd tad Jesse; [13]Jesse oedd tad Eliab, ei yntafanedig, Abinadab yn ail, Simma n drydydd, [14]Nethaneel yn bedwerydd, adai yn bumed, [15]Osem yn chweched, afydd yn seithfed, [16]a'u chwiorydd wy, Serfia ac Abigail. Meibion Serfia: bisai, Joab, Asahel, tri. [17]Abigail oedd am Amasa, a'i dad ef oedd Jether yr maeliad.

Meibion Hesron

18 Yr oedd Asuba, gwraig Caleb fab esron, yn fam i Jerioth[c], ac i Jeser, hab ac Adron. [19]Pan fu farw Asuba merodd Caleb Effrata yn wraig iddo; hi dd mam Hur. [20]Hur oedd tad Uri, ac ri oedd tad Besaleel.

21 Wedi hynny aeth Hesron i mewn at rch Machir tad Gilead, a'i phriodi ac tau'n drigain oed; hi oedd mam Segub. Segub oedd tad Jair, a oedd yn berchen

ymh. Fersiynau. Hebraeg yn aneglur.

ar dair ar hugain o ddinasoedd yng ngwlad Gilead. [23]Fe gymerodd oddi ar Gesur ac Aram Hafoth Jair, a Chenath a'i phentrefi, sef trigain o ddinasoedd. Yr oedd y rhain i gyd yn perthyn i feibion Machir tad Gilead. [24]Ar ôl marw Hesron, priododd Caleb Effrata, gwraig ei dad Hesron, a hi oedd mam ei fab Ashur, tad Tecoa.

Meibion Jerahmeel

25 Meibion Jerahmeel, cyntafanedig Hesron: Ram yr hynaf, Buna, Oren, Osem, Aheia. [26]Yr oedd gan Jerahmeel wraig arall o'r enw Atara; hi oedd mam Onam. [27]Meibion Ram, cyntafanedig Jerahmeel: Maas, Jamin, Ecer. [28]Meibion Onam: Sammai a Jada. Meibion Sammai: Nadab ac Abisur. [29]Enw gwraig Abisur oedd Abihail; hi oedd mam Aban a Molid. [30]Meibion Nadab: Seled ac Appaim; a bu farw Seled yn ddi-blant. [31]Mab Appaim: Isi. Mab Isi: Sesan. Mab Sesan: Alai. [32]Meibion Jada, brawd Sammai: Jether a Jonathan; a bu farw Jether yn ddi-blant. [33]Meibion Jonathan: Peleth a Sasa. Y rhain oedd meibion Jerahmeel.

34 Nid oedd gan Sesan feibion, dim ond merched. Yr oedd ganddo was o Eifftiad o'r enw Jarha, [35]ac fe roddodd Sesan ei ferch yn wraig iddo. Hi oedd mam Attai. [36]Attai oedd tad Nathan, a Nathan oedd tad Sabad. [37]Sabad oedd tad Efflal, Efflal oedd tad Obed, [38]Obed oedd tad Jehu, Jehu oedd tad Asareia, [39]Asareia oedd tad Heles, Heles oedd tad Eleasa, [40]Eleasa oedd tad Sisamai, Sisamai oedd tad Salum, [41]Salum oedd tad Jecameia, Jecameia oedd tad Elisama.

Meibion Caleb

42 Meibion Caleb brawd Jerahmeel: Mesa, ei gyntafanedig, tad Siff, a'i fab Maresa, tad Hebron. [43]Meibion Hebron: Cora, Tappua, Recem, Sema. [44]Sema oedd tad Raham, tad Jorcoam; a Recem oedd tad Sammai. [45]Mab Sammai oedd Maon, a Maon oedd tad Bethsur. [46]Effa, gordderchwraig Caleb, oedd mam Haran, Mosa, Gases; a Haran oedd tad Gases. [47]Meibion Jahdai: Regem, Jotham, Gesan, Pelet, Effa, Saaff. [48]Gordderchwraig Caleb, sef Maacha, oedd mam

I CRONICL 2-4

338

Seber a Tirhana. ⁴⁹Hi hefyd oedd mam Saaff tad Madmanna, Sefa tad Machbena a Gibea; merch Caleb oedd Achsa.
⁵⁰Y rhain oedd meibion Caleb. Meibion Hur, cyntafanedig Effrata: Sobal tad Ciriath Jearim, ⁵¹Salma tad Bethlehem, Hareth tad Beth-gader. ⁵²Meibion Sobal tad Ciriath Jearim: Haroe, hanner y Manahethiaid, ⁵³sef tylwythau Ciriath Jearim, sef yr Ithriaid, y Puhiaid, y Sumathiaid, y Misraiaid; eu disgynyddion hwy oedd y Sareathiaid a'r Estauliaid. ⁵⁴Meibion Salma: Bethlehem, y Netoffathiaid, Ataroth tŷ Joab, hanner y Manahethiaid, y Soriaid, ⁵⁵tylwythau'r Soffriaid oedd yn Jabes, y Tirathiaid, y Simeathiaid, y Suchathiaid. Y rhain oedd y Ceniaid, disgynyddion Hemath tad tylwyth Rechab.

Meibion y Brenin Dafydd

3 Dyma feibion Dafydd. Ganwyd iddo yn Hebron: y cyntafanedig, Amnon, o Ahinoam y Jesreeles; yr ail, Daniel, o Abigail y Garmeles; ²y trydydd, Absalom, mab Maacha, merch Talmai brenin Gesur, y pedwerydd, Adoneia, mab Haggith; ³y pumed, Seffateia, o Abital; y chweched, Ithream, o'i wraig Egla. ⁴Ganwyd y chwech yma iddo yn Hebron, lle bu'n teyrnasu am saith mlynedd a chwe mis. ⁵Teyrnasodd yn Jerwsalem am dair blynedd ar ddeg ar hugain, ac yno fe anwyd y rhain iddo: Simea, Sobab, Nathan a Solomon; Bathsua ferch Ammiel oedd mam y pedwar. ⁶Hefyd naw arall, sef Ibhar, Elisama, Eliffelet, ⁷Noga, Neffeg, Jaffia, ⁸Elisama, Eliada, Eliffelet, naw. ⁹Dyma holl feibion Dafydd, heblaw meibion y gordderchwragedd; Tamar oedd eu chwaer.

Meibion y Brenin Solomon

10 Rehoboam oedd mab Solomon; Abeia ei fab yntau; Asa ei fab yntau; Jehosaffat ei fab yntau; ¹¹Joram ei fab yntau; Ahaseia ei fab yntau; Joas ei fab yntau; ¹²Amaseia ei fab yntau; Asareia ei fab yntau; Jotham ei fab yntau; ¹³Ahas ei fab yntau; Heseceia ei fab yntau; Manasse ei fab yntau; ¹⁴Amon ei fab yntau; Joseia ei fab yntau. ¹⁵Meibion Joseia: Johanan, y cyntafanedig; yr ail, Joacim; y trydydd, Sedeceia; y pedwerydd, Salum. ¹⁶Meibion Joacim: Jechoneia a Sedeceia.

ᶜʰFelly Groeg. Hebraeg, *Dyma dad.*

Meibion y Brenin Jechoneia

17 Meibion Jechoneia'r carcharor: Salathiel, ¹⁸Malciram, Pedaia, Senasar, Jecameia, Hosama, Nedabeia. ¹⁹Meibion Pedaia: Sorobabel a Simei. Meibion Sorobabel: Mesulam a Hananeia; Selomith oedd eu chwaer hwy, ²⁰ac yna Hasuba, Ohel, Berecheia, Hasadeia, Jusab-hesed, pump. ²¹Meibion Hananeia: Pelatia a Jesaia. Meibion Reffaia: Arnan, Obadeia, Sechaneia. ²²Mab Sechaneia: Semaia. Meibion Semaia: Hattus, Igeal, Bareia, Nearia, Saffat, chwech. ²³Meibion Nearia: Elioenai, Heseceia, Asricam, tri. ²⁴Meibion Elioenai: Hodaia, Eliasib Pelaia, Accub, Johanan, Dalaia, Anani saith.

Meibion Jwda

4 Meibion Jwda: Phares, Hesron Carmi, Hur, Sobal. ²Reaia fab Soba oedd tad Jahath; a Jahath oedd tad Ahumai a Lahad. Dyma dylwythau' Sorathiaid. ³Meibionᶜʰ Etam: Jesreel Isma, Idbas; enw eu chwaer oedd Haselelponi. ⁴Penuel oedd tad Gedor, a Eser oedd tad Husa. Y rhain oedd meibion Hur, cyntafanedig Effrata, ta Bethlehem. ⁵Yr oedd gan Asur tad Teco ddwy wraig, Hela a Naara. ⁶Naara oedd mam Ahusam, Heffer, Temeni, Hahas tari; y rhain oedd meibion Naara. ⁷Meibion Hela: Sereth, Jesoar, Ethnan. ⁸Cc oedd tad Anub, Sobeba, a thylwytha Aharhel fab Harum.

9 Yr oedd Jabes yn bwysicach na frodyr; galwodd ei fam ef yn Jabes ar iddi, meddai, esgor arno mewn poer ¹⁰Gweddïodd Jabes ar Dduw Israel, dweud, "O na fyddit yn fy mendithio yn ehangu fy nherfynau! O na fyddai c law gyda mi i'm hamddiffyn oddi wr niwed rhag fy mhoeni!" Rhoddodd Du ei ddymuniad iddo.

Achresi Eraill

11 Celub brawd Sua oedd tad Mehi tad Eston. ¹²Eston oedd tad Bethraff Pasea, Tehinna tad Irnahas. Y rhain oec dynion Recha. ¹³Meibion Cenas: Othni a Seraia; a mab Othniel: Hathat ¹⁴Meonothai oedd tad Offra; Seraia oec tad Joab, tad Geharashim, canys cref wyr oeddent. ¹⁵Meibion Caleb fa Jeffunne: Iru, Ela, Naam; mab El

Cenas. ¹⁶Meibion Jehaleleel: Siff, Siffa, Tiria, Asareel. ¹⁷Meibion Esra: Jether, Mered, Effer a Jalon. Bitheia, merch Pharo, gwraig Mered, oedd mam Miriam, Sammai, ac Isba tad Estemoa. ¹⁸Ei wraig Jehwdia oedd mam Jered tad Gedor, Heber tad Socho, a Jecuthiel tad Sanoa. ¹⁹Meibion gwraig Hodeia, chwaer Naham, oedd tad Ceila y Garmiad, a thad Estemoa y Maachathiad. ²⁰Meibion Simon: Amnon, Rinna, Benhanan, Tilon. Meibion Isi: Soheth a Bensoheth. ²¹Meibion Sela fab Jwda: Er tad Lecha, Laada tad Maresa (tylwythau'r rhai o Bethasbea oedd yn gwneud lliain main); ²²Jocim, dynion Choseba, a Joas a Saraff, a fu'n arglwyddiaethu ar Moab cyn dychwelyd i Bethlehem. (Y mae'r hanesion hyn yn hen.) ²³Y rhain oedd y crochenyddion oedd yn byw yn Netaim a Gedara; yr oeddent yn byw yno yng ngwasanaeth y brenin.

Meibion Simeon

24 Meibion Simeon: Nemuel, Jamin, Jarib, Sera, Saul; ²⁵Salum ei fab yntau, Mibsam ei fab yntau, Misma ei fab yntau. ²⁶Meibion Misma: Hamuel, Sacchur, Simei. ²⁷Yr oedd gan Simei un ar bymtheg o feibion a chwech o ferched, ond ychydig o feibion oedd gan ei frodyr; er hynny nid oedd eu holl deulu hwy wedi cynyddu cymaint â meibion Jwda. ²⁸Yr oeddent yn byw yn Beerseba, Molada, Hasar-sual, ²⁹Bilha, Esem, Tolad, ³⁰Bethuel, Horma, Siclag, ³¹Bethmarcaboth, Hasar-susim, Beth-birei a Saaraim. Y rhain oedd eu dinasoedd nes i Ddafydd ddod yn frenin. ³²Eu trefi oedd Etam, Ain, Rimmon, Tochen, Asan; pump i gyd. ³³Ac yr oedd ganddynt bentrefi o gwmpas y trefi hyn hyd at Baal. Yma yr oeddent yn byw, ac yr oeddent yn cadw rhestr o'u hachau: ³⁴Mesobab, Jamlech, Josa fab Amaseia, ³⁵Joel; Jehu fab Josibia, fab Seraia, fab Asiel; ³⁶Elioenai, Jaacoba, Jesohaia, Asaia, Adiel, Jesimiel, Benaia; ³⁷Sisa fab Siffi, fab Alon, fab Jedaia, fab Simri, fab Semaia. ³⁸Aeth y rhai a enwyd uchod yn benaethiaid eu teuluoedd, ac fe gynyddodd eu tylwyth yn fawr iawn. ³⁹Daethant i fwlch Gedor, i'r dwyrain o'r dyffryn, i geisio porfa i'w defaid. ⁴⁰Fe gawsant borfa fras a da mewn gwlad eang, dawel a heddychol; oherwydd rhai o dylwyth Ham oedd yn byw yno o'r blaen. ⁴¹Yn

nyddiau Heseceia brenin Jwda, daeth y rhai a restrwyd ac ymosod ar bebyll Ham a'r pentrefi oedd ganddynt yno, a'u gwneud yn adfeilion hyd heddiw. Daethant i fyw yno yn eu lle am fod yno borfa i'w praidd. ⁴²Aeth pum cant ohonynt, o lwyth Simeon, i Fynydd Seir, ac yn eu harwain yr oedd Pelatia, Nearia, Reffaia ac Ussiel, meibion Isi. ⁴³Gorchfygasant weddill yr Amaleciaid, ac y maent yn dal i fyw yno hyd heddiw.

Meibion Reuben

5 Dyma feibion Reuben, cyntafanedig Israel.(Ef yn wir oedd y cyntafanedig, ond am iddo halogi gwely ei dad rhoddwyd ei enedigaeth-fraint i feibion Joseff, fab Israel, ²ac felly ni restrir yr achau yn ôl yr enedigaeth-fraint. Er bod Jwda wedi rhagori ar ei frodyr, ac arweinydd wedi tarddu ohono, Joseff a gafodd yr enedigaeth-fraint). ³Meibion Reuben, cyntafanedig Israel: Enoch, Palu, Hesron, Carmi. ⁴Meibion Joel: Semaia ei fab, Gog ei fab yntau, Simei ei fab yntau, ⁵Micha ei fab yntau, Reaia ei fab yntau, Baal ei fab yntau. ⁶Beera ei fab yntau a gaethgludodd Tiglath-pileser brenin Asyria; ef oedd pennaeth y Reubeniaid. ⁷Dyma'i frodyr yn ôl eu teuluoedd ac yn ôl achau eu cenedlaethau: Jeiel y pennaeth, Sechareia, Bela fab Asas, fab Sema, fab Joel. ⁸Bu'r rhain yn byw yn Aroer a chyn belled â Nebo a Baalmeon. ⁹Tua'r dwyrain yr oedd eu tir yn cyrraedd at ymylon yr anialwch sy'n ymestyn o Afon Ewffrates, oherwydd yr oedd eu hanifeiliaid wedi cynyddu yng ngwlad Gilead. ¹⁰Yn ystod teyrnasiad Saul, aethant i ryfel yn erbyn yr Hagariaid a'u trechu, a byw yn eu pebyll trwy holl ddwyrain Gilead.

Meibion Gad

11 Dyma feibion Gad oedd yn byw nesaf atynt yng ngwlad Basan hyd at Salcha: Joel y pennaeth, ¹²Saffam yr ail, Jaanai, Saffat. ¹³Eu brodyr hwy o dŷ eu tadau: Michael, Mesulam, Seba, Jorai, Jacan, Sïa, Heber, saith. ¹⁴Meibion Abihail: Ben-Huri, Ben-Jaroa, Ben-Gilead, Ben-Michael, Ben-Jesisai, Ben-Jahdo, Ben-Bus. ¹⁵Ahi fab Abdiel, fab Guni, oedd y penteulu. ¹⁶Yr oeddent hwy yn byw yn Gilead ac ym mhentrefi Basan, a thrwy holl gytir Saron o un terfyn i'r llall. ¹⁷Cafodd y rhain i gyd eu

rhestru yn ôl eu hachau yn nyddiau Jotham brenin Jwda a Jeroboam brenin Israel.

Y Llwythau Dwyreiniol

18 Ymysg meibion Reuben a'r Gadiaid a hanner llwyth Manasse yr oedd pedair mil a deugain, saith gant a thrigain o wŷr cryfion yn cario tarian a chleddyf ac yn tynnu bwa; yr oeddent wedi dysgu ymladd, ac yn barod i fynd allan i ryfel. ¹⁹Buont yn ymladd yn erbyn yr Hagariaid, Jetur, Neffis, a Nodab. ²⁰Fe gawsant help yn eu herbyn, a gorchfygu'r Hagariaid a phawb oedd gyda hwy, oherwydd iddynt alw ar Dduw yn y frwydr ac iddo yntau wrando arnynt am eu bod yn ymddiried ynddo. ²¹Cymerasant o'u hanifeiliaid yn ysbail: hanner can mil o'u camelod, hanner can mil a dau gant o ddefaid, dwy fil o asynnod, a hefyd can mil o bobl. ²²(Am mai rhyfel Duw oedd hwn, yr oedd llawer wedi marw o'u clwyfau.) A buont yn byw yno yn eu lle hyd gyfnod y gaethglud.

23 Yr oedd hanner llwyth Manasse yn byw yn y tir rhwng Basan, Baalhermon, Senir a Mynydd Hermon, ac yr oedd llawer ohonynt. ²⁴Y rhain oedd eu pennau-teuluoedd: Effer, Isi, Eliel, Asriel, Jeremeia, Hodafia, Jadiel; gwŷr blaenllaw ac enwog oedd y pennau-teuluoedd hyn. ²⁵Ond buont yn anffyddlon i Dduw eu tadau, a phuteinio gyda duwiau pobl y wlad yr oedd Duw wedi eu dinistrio o'u blaenau. ²⁶Felly anogodd Duw Israel Pul, hynny yw Tiglath-pileser brenin Asyria, i fynd â'r Reubeniaid a'r Gadiaid a hanner llwyth Manasse i gaethglud. Aeth yntau â hwy i Hala, Habor, Hara ac afon Gosen, ac yno y maent hyd heddiw.

Meibion Lefi

6 Meibion Lefi: Gerson, Cohath, a Merari. ²Meibion Cohath: Amram, Ishar, Hebron, ac Ussiel. ³Plant Amram: Aaron, Moses, a Miriam. Meibion Aaron: Nadab, Abihu, Eleasar ac Ithamar. ⁴Eleasar oedd tad Phinees, Phinees oedd tad Abisua, ⁵Abisua oedd tad Bucci, Bucci oedd tad Ussi, ⁶Ussi oedd tad Seraheia, Seraheia oedd tad Meraioth. ⁷Meraioth oedd tad Amareia, Amareia oedd tad Ahitub, ⁸Ahitub oedd tad Sadoc, Sadoc oedd tad Ahimaas, ⁹Ahimaas oedd tad Asareia, Asareia oedd

tad Johanan, ¹⁰Johanan oedd tad Asareia (yr oedd ef yn offeiriad yn y tŷ a adeiladodd Solomon yn Jerwsalem); ¹¹Asareia oedd tad Amareia, Amareia oedd tad Ahitub, ¹²Ahitub oedd tad Sadoc, Sadoc oedd tad Salum, ¹³Salum oedd tad Hilceia, Hilceia oedd tad Asareia, ¹⁴Asareia oedd tad Seraia, Seraia oedd tad Jehosadac. ¹⁵Aeth Jehosadac i ffwrdd pan gaethgludodd yr ARGLWYDD Jwda a Jerwsalem o dan Nebuchadnesar.

16 Meibion Lefi: Gersom, Cohath, a Merari. ¹⁷Dyma enwau meibion Gersom: Libni a Simei. ¹⁸Meibion Cohath: Amram, Ishar, Hebron, ac Ussiel. ¹⁹Meibion Merari: Mahli a Musi. ²⁰Dyma dylwyth y Lefiaid, yn ôl eu teuluoedd. I Gersom: Libni ei fab, Jahath ei fab yntau, Simma ei fab yntau, ²¹Joa ei fab yntau, Ido ei fab yntau, Sera ei fab yntau, a Jeaterai ei fab yntau. ²²Meibion Cohath: Aminadab ei fab, Cora ei fab yntau, Assir ei fab yntau, ²³Elcana ei fab yntau, Ebiasaff ei fab yntau, Assir ei fab yntau. ²⁴Tahath ei fab yntau, Uriel ei fab yntau, Usseia ei fab yntau, a Saul ei fab yntau. ²⁵Meibion Elcana: Amasai ac Ahimoth, ²⁶Elcana, Ben-Elcana, Soffai ei fab, a Nahath ei fab yntau, ²⁷Eliab ei fab yntau, Jeroham ei fab yntau, Elcana ei fab yntau. ²⁸Meibion Samuel: Fasni y cyntafanedig, ac Abeia. ²⁹Meibion Merari: Mahli, Libni ei fab yntau, Simei ei fab yntau, Ussa ei fab yntau, ³⁰Simea ei fab yntau, Haggia ei fab yntau, Asaia ei fab yntau.

Cantorion Tŷ yr ARGLWYDD

31 Dyma'r rhai a wnaeth Dafydd yn gantorion yn nhŷ yr ARGLWYDD ar ôl gosod yr arch yno, ³²A buont yn gwasanaethu fel cantorion o flaen tabernacl pabell y cyfarfod nes i Solomon adeiladu tŷ yr ARGLWYDD yn Jerwsalem, ac yn gwneud eu gwaith yn ôl y drefn a osodwyd iddynt. ³³Dyma'r rhai oedd yn y swydd hon a'u meibion. Meibion y Cohathiaid: Heman y cantor, mab Joel fab Semuel, ³⁴fab Elcana, fab Jeroham, fab Eliel, fab Toa, ³⁵fab Suff, fab Elcana, fab Mahath, fab Amasai, ³⁶fab Elcana, fab Joel, fab Asareia, fab Seffaneia, ³⁷fab Tahath, fab Assir, fab Ebiasaff, fab Cora, ³⁸fab Ishar, fab Cohath, fab Lefi, fab Israel. ³⁹Yr oedd ei frawd Asaff yn sefyll ar ei law dde: Asaff fab Beracheia, fab Simea, ⁴⁰fab Michael, fab Baaseia,

fab Malcheia, ⁴¹fab Ethni, fab Sera, fab Adaia, ⁴²fab Ethan, fab Simma, fab Simei, ⁴³fab Jahath, fab Gersom, fab Lefi. ⁴⁴Yr oedd eu brodyr, meibion Merari, ar y llaw aswy: Ethan fab Cisi, fab Abdi, fab Maluc, ⁴⁵fab Hasabeia, fab Amaseia, fab Hilceia, ⁴⁶fab Amsi, fab Bani, fab Samer, ⁴⁷fab Mahli, fab Musi, fab Merari, fab Lefi. ⁴⁸Yr oedd eu brodyr y Lefiaid yn gyfrifol am holl wasanaeth tabernacl tŷ Dduw.

Meibion Aaron

49 Ond Aaron a'i feibion oedd yn aberthu ar allor y poethoffrwm ac ar allor yr arogldarth, sef holl waith y cysegr sancteiddiaf, a gwneud cymod dros Israel yn union fel y gorchmynnodd Moses gwas Duw. ⁵⁰Dyma feibion Aaron: Eleasar ei fab, Phinees ei fab yntau, Abisua ei fab yntau, ⁵¹Bucci ei fab yntau, Ussi ei fab yntau, Seraheia ei fab yntau, ⁵²Meraioth ei fab yntau, Amareia ei fab yntau, Ahitub ei fab yntau, ⁵³Sadoc ei fab yntau, Ahimaas ei fab yntau.

Trigleoedd y Lefiaid

54 Dyma lle'r oeddent yn byw y tu mewn i ffiniau eu tiriogaeth: i deulu'r Cohathiaid o feibion Aaron (am fod y coelbren wedi syrthio arnynt hwy) ⁵⁵rhoesant Hebron yng ngwlad Jwda a'r cytir o'i hamgylch; ⁵⁶ond rhoesant feysydd y ddinas a'i phentrefi i Caleb fab Jeffunne. ⁵⁷I feibion Aaron fe roesant y dinasoedd noddfa, sef Hebron, Libna, Jattir, Estemoa, ⁵⁸Hilen, Debir, Asan, ⁵⁹a Bethsemes, pob un gyda'i chytir; ⁶⁰Ac o lwyth Benjamin rhoesant Geba, Alemeth ac Anathoth, pob un gyda'i chytir; cyfanswm o dair dinas ar ddeg yn ôl eu teuluoedd. ⁶¹I weddill teuluoedd meibion Cohath rhoesant trwy goelbren ddeg dinas o hanner llwyth Manasse. ⁶²I feibion Gersom yn ôl eu teuluoedd rhoesant dair ar ddeg o ddinasoedd o lwythau Issachar, Aser, Nafftali, Manasse yn Basan. ⁶³I feibion Merari yn ôl eu teuluoedd, o lwythau Reuben, Gad, Sabulon, rhoesant trwy goelbren ddeuddeg o ddinasoedd. ⁶⁴Rhoes meibion Israel i'r Lefiaid y dinasoedd hyn, pob un gyda'i chytir. ⁶⁵Rhoesant trwy goelbren, o lwythau Jwda, Simeon, a Benjamin, y dinasoedd hyn oedd wedi eu galw ar eu henwau. ⁶⁶I rai o deuluoedd y Cohathiaid fe roddwyd dinasoedd o fewn terfyn llwyth Effraim. ⁶⁷Rhoesant iddynt ym mynydd-dir Effraim: Sichem, dinas noddfa; Geser, ⁶⁸Jocmeam a Beth-horon, ⁶⁹Ajalon, Gath-rimmon, pob un gyda'i chytir. ⁷⁰Ac o hanner llwyth Manasse rhoddwyd i weddill y Cohathiaid: Aner a Bileam, pob un gyda'i chytir. ⁷¹I feibion Gersom rhoddwyd: o hanner llwyth Manasse, Golan yn Basan ac Astaroth, pob un gyda'i chytir; ⁷²o lwyth Issachar, Cedes, Daberath, ⁷³Ramoth, Anem, pob un gyda'i chytir; ⁷⁴o lwyth Aser: Masal, Abdon, ⁷⁵Hucoc, Rehob, pob un gyda'i chytir; ⁷⁶o lwyth Nafftali: Cedes yng Ngalilea, Hammon, Ciriathaim, pob un gyda'i chytir. ⁷⁷I'r rhan arall o feibion Merari rhoddwyd o lwyth Sabulon: Rimmon a Tabor, pob un gyda'i chytir. ⁷⁸O'r Iorddonen a Jericho, sef o du dwyrain yr Iorddonen, rhoddwyd o lwyth Reuben: Beser yn yr anialwch, Jasa, ⁷⁹Cedemoth a Meffaath, pob un gyda'i chytir, ⁸⁰o lwyth Gad: Ramoth yn Gilead, Mahanaim, ⁸¹Hesbon a Jaser, pob un gyda'i chytir.

Meibion Issachar

7 Meibion Issachar: Tola, Pua, Jasub a Simron, pedwar. ²Meibion Tola: Ussi, Reffaia, Jeriel, Jabmai, Jibsam a Semuel, pennau-teuluoedd. Yn nyddiau Dafydd yr oedd dwy fil ar hugain a chwe chant o ddisgynyddion Tola yn ddynion abl yn ôl eu rhestrau. ³Mab Ussi: Israhïa; meibion Israhïa: Michael, Obadeia, Joel ac Isia. Yr oeddent yn bump i gyd, a phob un ohonynt yn bennaeth. ⁴Yn ogystal â hwy, yn ôl rhestrau eu teuluoedd, yr oedd un fil ar bymtheg ar hugain o filwyr yn barod i ryfel, oherwydd yr oedd ganddynt lawer o wragedd a phlant. ⁵Yr oedd ganddynt frodyr yn perthyn i holl deuluoedd Issachar, dynion abl, saith a phedwar ugain mil i gyd, wedi eu cofrestru yn ôl eu hachau.

Meibion Benjamin

6 Meibion Benjamin: Bela, Becher a Jediael, tri. ⁷Meibion Bela: Esbon, Ussi, Ussiel, Jerimoth, ac Iri; pump o bennau-teuluoedd, a dynion abl; yn ôl eu rhestrau yr oeddent yn ddwy fil ar hugain a phedwar ar ddeg ar hugain. ⁸Meibion Becher: Semira, Joas, Elieser, Elioenai, Omri, Jerimoth, Abeia, Anathoth ac Alemeth. ⁹Yr oedd y rhain oll yn feibion

Becher, yn bennau-teuluoedd ac yn ddynion abl; yn ôl rhestrau eu teuluoedd yr oeddent yn ugain mil a dau gant. [10]Mab Jediael: Bilhan; meibion Bilhan: Jeus, Benjamin, Ehud, Cenaana, Sethan, Tarsis ac Ahisahar. [11]Yr oedd y rhain oll yn feibion Jediael, yn bennau-teuluoedd, yn ddynion abl ac yn mynd allan yn fyddin i ryfel; yr oeddent yn ddwy fil ar bymtheg a deucant. [12]Suppim hefyd, a Huppim, meibion Ir; Husim, mab Aher.

Meibion Nafftali

13 Meibion Nafftali: Jasiel, Guni, Geser a Salum, meibion Bilha.

Meibion Manasse

14 Meibion Manasse: Asriel, plentyn ei ordderchwraig o Syria. Hi hefyd oedd mam Machir tad Gilead; [15]cymerodd Machir wraig i Huppim a Suppim, ac enw ei chwaer oedd Maacha. Enw'r ail fab oedd Salffaad, ac yr oedd ganddo ef ferched. [16]Cafodd Maacha gwraig Machir fab, ac enwodd ef yn Peres a'i frawd yn Seres. Ei feibion ef oedd Ulam a Racem. [17]Mab Ulam: Bedan. Dyma feibion Gilead fab Machir, fab Manasse. [18]Hammolecheth ei chwaer ef oedd mam Isod, Abieser a Mahala. [19]Meibion Semida: Ahïan, Sechem, Lichi ac Aniham.

Meibion Effraim

20 Meibion Effraim: Suthela, Bered ei fab, Tahath ei fab yntau, Elada ei fab yntau, Tahath ei fab yntau, [21]Sabad ei fab yntau, Suthela ei fab yntau, Eser, ac Elead; fe'u lladdwyd hwy gan ddynion Gath, a anwyd yn y wlad, am iddynt ddod i lawr i ddwyn eu gwartheg. [22]Bu eu tad Effraim yn galaru amdanynt am amser maith, a daeth ei frodyr i'w gysuro. [23]Yna aeth Effraim at ei wraig, a beichiogodd hithau ac esgor ar fab. Fe'i henwodd yn Bereia oherwydd y trybini[d] a fu yn ei dŷ. [24]Ei ferch oedd Seera, ac fe adeiladodd hi Beth-horon Isaf ac Uchaf, a hefyd Ussen-sera. [25]Reffa oedd ei fab ef, Reseff ei fab yntau, Tola ei fab yntau, Tahan ei fab yntau, [26]Laadan ei fab yntau, Ammihud ei fab yntau, Elisama ei fab yntau, [27]Nun ei fab yntau, Josua ei fab yntau.

28 Yr oedd eu tiriogaeth a'u cartrefi ym Methel a'i phentrefi, ac i'r dwyrain yn

Naaran, ac i'r gorllewin yn Geser a'i phentrefi, ac yn Sichem a'i phentrefi hyd at Gasa a'i phentrefi. [29]Meibion Manasse oedd berchen Bethsean a'i phentrefi, Taanach a'i phentrefi, Megido a'i phentrefi, Dor a'i phentrefi; yno yr oedd meibion Joseff fab Israel yn byw.

Meibion Aser:

30 Meibion Aser: Imna, Isua, Isuai, Bereia, a Sera eu chwaer. [31]Meibion Bereia: Heber, Malchiel, sef tad Birsafith. [32]Heber oedd tad Jafflet, Somer, Hotham, a Sua eu chwaer. [33]Meibion Jafflet: Pasach, Bimhal ac Asuath. [34]Hwy oedd meibion Jafflet. Meibion Samer: Ahi, Roga, Jehubba ac Aram. [35]Meibion Helem ei frawd: Soffa, Imna, Seles ac Amal. [36]Meibion Soffa: Sua, Harneffer, Sual, Beri, Imra, [37]Beser, Hod, Samma, Silsa, Ithran a Beera. [38]Meibion Jether: Jeffune, Pispa ac Ara. [39]Meibion Ula: Ara, Haniel a Resia. [40]Yr oedd y rhain i gyd yn feibion Aser, pennau-teuluoedd, gwŷr dethol ac abl, penaethiaid y tywysogion. Yn ôl y rhestrau achau yr oedd chwe mil ar hugain o wŷr yn barod i ryfel.

Meibion Benjamin

8 Benjamin oedd tad Bela ei gyntafanedig, Asbel yr ail, ac Ahara y trydydd, [2]Noha y pedwerydd, a Raffa y pumed. [3]Meibion Bela: Adar, Gera, Abihud, [4]Abisua, Naaman, Ahoa, [5]Gera, Seffuffan a Huram. [6]Dyma feibion Ehud, a oedd yn bennau-teuluoedd preswylwyr Geba, ac a gaethgludwyd i Manahath: [7]Naaman, Ahïa a Gera a fu'n gyfrifol am y gaethglud, ac ef oedd tad Ussa ac Ahihud. [8]Ef hefyd oedd tad Saharaim, a anwyd iddo yng ngwlad Moab ar ôl iddo anfon ymaith ei wragedd Husim a Baara. [9]O Hodes ei wraig ganwyd iddo Jobab, Sibia, Mesa, Malcham, [10]Jeus, Sabia, Mirma. Dyma ei feibion ef, pennauteuluoedd i gyd. [11]O Husim ganwyd iddo Ahitub ac Elpaal. [12]Meibion Elpaal: Eber, Misam, Samed, a adeiladodd Ono, a Lod a'i phentrefi; [13]Bereia a Sema, pennau-teuluoedd preswylwyr Ajalon, a fu'n ymlid trigolion Gath; [14]Ahïo, Sasac, Jeremoth, [15]Sebadeia, Arad, Ader, [16]Michael, Ispa, Joha, meibion Bereia; [17]Sebadeia, Mesulam, Heseci, Heber, [18]Ismerai, Jeslïa, Jobab, meib-

[d]Hebraeg, *beraa*.

ion Elpaal; [19]Jacim, Sichri, Sabdi, [20]Elienai, Silthai, Eliel, [21]Adaia, Beraia, Simrath, meibion Simhi; [22]Ispan, Heber, Eliel, [23]Abdon, Sichri, Hanan, [24]Hananeia, Elam, Antotheia, [25]Iffedeia, Penuel, meibion Sasac; [26]Samserai, Sehareia, Athaleia, [27]Jareseia, Eleia, Sichri, meibion Jeroham. [28]Yr oedd y rhain yn byw yn Jerwsalem ac yn bennau-teuluoedd a phenaethiaid yn ôl eu rhestrau. [29]Yr oedd tad Gibeon yn byw yn Gibeon; enw ei wraig oedd Maacha, [30]a'i gyntafanedig Abdon, ac yna Sur, Cis, Baal, Nadab, [31]Gedor, Ahïo, Sacher, [32]a Micloth tad Simea; yr oeddent yn byw gyda'u brodyr yn Jerwsalem.

Teulu'r Brenin Saul
(1 Cron. 9:35-44)

33 Ner oedd tad Cis, Cis oedd tad Saul, a Saul oedd tad Jonathan, Malcisua, Abinadab ac Esbaal. [34]Mab Jonathan oedd Meribaal; a Meribaal oedd tad Micha. [35]Meibion Micha: Pithon, Melech, Tarea ac Ahas. [36]Ahas oedd tad Jehoada, Jehoada oedd tad Alemeth, Asmafeth a Simri; Simri oedd tad Mosa; [37]Mosa oedd tad Binea; Raffa oedd ei fab ef, Eleasa ei fab yntau, Asel ei fab yntau. [38]Yr oedd gan Asel chwech o feibion, a'u henwau oedd: Asricam, Bocheru, Ismael, Seareia, Obadeia a Hanan. Hwy oedd meibion Asel. [39]Meibion Esec ei frawd ef oedd Ulam ei gyntafanedig, Jehus yr ail, Eliffelet y trydydd. [40]Yr oedd meibion Ulam yn ddynion abl ac yn saethyddion, ac yr oedd ganddynt gant a hanner o feibion ac wyrion. Yr oedd y rhain i gyd yn feibion Benjamin.

Y Rhai a Ddychwelodd o'r Gaethglud

9 Rhifwyd holl Israel wrth eu hachau, ac y maent yn awr yn ysgrifenedig yn llyfr brenhinoedd Israel, ond cafodd Jwda ei chaethgludo i Fabilon am ei chamwedd. [2]Y rhai cyntaf i ddod i fyw yn eu tiriogaeth a'u trefi eu hunain oedd yr Israeliaid, yn offeiriaid, Lefiaid a gweision y deml. [3]Dyma'r rhai o lwyth Jwda, o lwyth Benjamin ac o lwyth Effraim a Manasse, oedd yn byw yn Jerwsalem: [4]O lwyth Jwda: Uthai fab Ammihud, fab Omri, fab Imri, fab Bani, o feibion Phares fab Jwda; [5]ac o'r Siloniaid: Asaia y cyntafanedig, a'i feibion; [6]ac o feibion Sera: Jeuel. Yr oeddent yn chwe chant a deg a phedwar ugain.

7 O lwyth Benjamin: Salu fab Mesulam, fab Hodafia, fab Hasenua; [8]Ibneia fab Meroham, Ela fab Ussi, fab Michri: Mesulam fab Seffatia, fab Reuel, fab Ibnija; [9]yn ôl rhestrau eu teuluoedd yr oeddent yn naw cant a deg a deugain a chwech. Yr oeddent i gyd yn bennau-teuluoedd.

Yr Offeiriaid yn Jerwsalem

10 O'r offeiriaid: Jedaia, Jehoiarib, Jachin, [11]Asareia fab Hilceia, fab Mesulam, fab Sadoc, fab Meraioth, fab Ahitub, arolygwr tŷ Dduw; [12]Adaia fab Jeroham, fab Passur, fab Malceia; Maasia fab Adiel, fab Jasera, fab Mesulam, fab Mesilemith, fab Immer. [13]Ac yr oedd eu brodyr, eu pennau-teuluoedd yn fil saith gant chwe deg, dynion abl ar gyfer y gwaith o wasanaethu yn nhŷ Dduw.

Y Lefiaid a'r Porthorion yn Jerwsalem

14 O'r Lefiaid: Semaia fab Hassub, fab Asricam, fab Hasabeia, o feibion Merari; [15]Bacbaccar, Heres, Galal, Mataneia fab Micha, fab Sichri, fab Asaff; [16]Obadeia fab Semaia, fab Galal, fab Jeduthun; Berecheia fab Asa, fab Elcana, oedd yn byw yn nhrefydd y Netoffathiaid. [17]O'r porthorion: Salum, Accub, Talmon, Ahiman, a'u brodyr; Salum oedd y pennaeth. [18]Hyd at yr amser hwnnw porthorion oeddent yng ngwersylloedd y Lefiaid wrth ymyl porth y brenin i'r dwyrain. [19]Salum fab Core, fab Ebiasaff, fab Cora, a'i frodyr y Corahiaid o dŷ ei dad, oedd yn gyfrifol am y gwasanaeth o gadw trothwy'r babell, fel yr oedd eu tadau yn geidwaid y fynedfa i wersyll yr Arglwydd. [20]Phinees fab Eleasar oedd eu harolygwr, ac yr oedd yr Arglwydd gydag ef. [21]Sechareia fab Maselmeia oedd ceidwad drws pabell y cyfarfod. [22]Yr oedd cyfanswm y rhai oedd wedi eu dethol i fod yn borthorion wrth y trothwy yn ddau gant a deuddeg, wedi eu cofrestru yn ôl eu pentrefi. Dafydd a Samuel y gweledydd oedd wedi eu gosod yn eu swydd. [23]Yr oeddent hwy a'u meibion yn cadw gwyliadwriaeth wrth byrth tŷ'r Arglwydd a thŷ'r babell. [24]Yr oedd y porthorion i fod ar bedair ochr, y dwyrain, y gorllewin, y gogledd a'r de. [25]Yr oedd eu brodyr o'r pentrefi i ddod atynt am wythnos bob hyn a hyn. [26]Am eu bod yn ddibynadwy, Lefiaid oedd y pedwar prif borthor, a hwy

oedd yn gofalu am ystafelloedd a thrysorau tŷ Dduw. ²⁷Yr oeddent yn lletya o gwmpas tŷ Dduw am mai hwy oedd yn gofalu amdano ac yn ei agor bob bore. ²⁸Yr oedd rhai ohonynt yn gofalu am lestri'r gwasanaeth; yr oeddent yn eu cyfrif wrth eu cario allan ac wrth eu cadw. ²⁹Yr oedd eraill yn gofalu am ddodrefn a llestri'r cysegr, y peilliaid, y gwin, yr olew, y thus a'r perlysiau. ³⁰Yr oedd rhai o feibion yr offeiriad yn gwneud ennaint gyda pheraroglau. ³¹Am ei fod yn ddibynadwy, yr oedd Matitheia, un o'r Lefiaid a mab cyntafanedig Salum y Corahiad, yn gweithio wrth y radell. ³²Yr oedd rhai o'u brodyr y Cohathiaid yn gyfrifol am ddarparu'r bara gosod bob Saboth.

33 Dyma'r cantorion, pennau-teuluoedd y Lefiaid, a oedd mewn ystafelloedd ar wahân am eu bod wrth eu gwaith ddydd a nos. ³⁴Dyma bennau-teuluoedd y Lefiaid, a oedd yn byw yn Jerwsalem, yn ôl eu rhestrau.

Teulu'r Brenin Saul
(1 Cron. 8:29-38)

35 Yr oedd Jehiel tad Gibeon yn byw yn Gibeon; enw ei wraig oedd Maacha, ³⁶a'i gyntafanedig Abdon, ac yna Sur, Cis, Baal, Ner, Nadab, ³⁷Gedor, Ahïo, Sechareia a Micloth; ³⁸Micloth oedd tad Simeam. Yr oeddent hwy yn byw yn Jerwsalem yn ymyl eu brodyr. ³⁹Ner oedd tad Cis, a Cis oedd tad Saul, a Saul oedd tad Jonathan, Malcisua, Abinadab ac Esbaal. ⁴⁰Mab Jonathan oedd Meribaal; a Meribaal oedd tad Micha. ⁴¹Meibion Micha: Pithon, Melech, Tarea ac Ahas. ⁴²Ahas oedd tad Jara, a Jara oedd tad Aleneth, Asmafeth a Simri; a Simri oedd tad Mosa; ⁴³Mosa oedd tad Binea; a Reffaia oedd ei fab ef, Elasa ei fab yntau, Asel ei fab yntau. ⁴⁴Yr oedd gan Asel chwech o feibion, a'u henwau oedd: Asricam, Bocheru, Ismael, Seareia, Obadeia a Hanan. Hwy oedd meibion Asel.

Marw'r Brenin Saul
(1 Sam. 31:1-13)

10 Ymladdodd y Philistiaid yn erbyn yr Israeliaid, a ffodd yr Israeliaid rhagddynt gan syrthio'n glwyfedig ar Fynydd Gilboa. ²Daliodd y Philistiaid Saul a'i feibion, a lladd Jonathan, Abinadab a Malcisua, meibion Saul. ³Aeth y frwydr yn galed yn erbyn Saul, a daeth saethwyr o hyd iddo a'i glwyfo. ⁴Yna dywedodd Saul wrth ei gludydd arfau, "Tyn dy gleddyf a thrywana fi, rhag i'r rhai dienwaededig hyn ddod a'm gwaradwyddo." Nid oedd ei gludydd arfau yn fodlon, oherwydd yr oedd ofn mawr arno; felly cymerodd Saul y cleddyf a syrthio arno. ⁵Pan welodd y cludydd arfau fod Saul wedi marw, syrthiodd yntau ar ei gleddyf a marw. ⁶Felly bu farw Saul a'i dri mab, ei holl deulu yn marw yr un pryd. ⁷Pan welodd yr holl Israeliaid oedd yn y dyffryn fod y fyddin wedi ffoi, a bod Saul a'i feibion wedi marw, gadawsant eu trefi a ffoi; yna daeth y Philistiaid a byw ynddynt.

8 Trannoeth, pan ddaeth y Philistiaid i ysbeilio'r lladdedigion, cawsant Saul a'i feibion yn farw ar Fynydd Gilboa. ⁹Wedi iddynt ei ysbeilio torasant ei ben a chymryd ei arfau oddi arno, ac anfon neges drwy Philistia i gyhoeddi'r newydd da i'w delwau ac i'r bobl. ¹⁰Rhoesant ei arfau yn nheml eu duwiau, a chrogi ei benglog yn nheml Dagon. ¹¹Pan glywodd pobl Jabes Gilead y cwbl yr oedd y Philistiaid wedi ei wneud i Saul, ¹²aeth yr holl ryfelwyr allan ar unwaith a chymryd corff Saul a chyrff ei feibion, a'u cludo i Jabes a chladdu eu hesgyrn dan y dderwen yno, ac ymprydio am saith diwrnod.

13 Bu Saul farw am iddo fradychu'r ARGLWYDD trwy anufuddhau i'w air, a throi at ddewiniaeth am arweiniad yn lle ceisio arweiniad gan yr ARGLWYDD. ¹⁴Felly lladdodd yr ARGLWYDD ef a rhoi'r frenhiniaeth i Ddafydd fab Jesse.

Dafydd yn Frenin Israel a Jwda
(2 Sam. 5:1-10)

11 Daeth holl Israel at Ddafydd i Hebron a dweud wrtho, "Edrych, dy asgwrn a'th gnawd di ydym ni. ²Gynt, pan oedd Saul yn frenin, ti oedd yn arwain Israel allan i ryfel ac yn ôl wedyn; ac fe ddywedodd yr ARGLWYDD Dduw wrthyt, 'Ti sydd i fugeilio fy mhobl Israel; ti sydd i fod yn dywysog arnynt.'" ³Yna daeth holl henuriaid Israel i Hebron at y brenin, a gwnaeth Dafydd gyfamod â hwy yno gerbron yr ARGLWYDD, ac eneiniwyd Dafydd yn frenin ar Israel, yn ôl gair yr ARGLWYDD trwy Samuel.

4 Pan aeth Dafydd a holl Israel i Jerwsalem (hynny yw, Jebus, lle'r oedd

y Jebusiaid, trigolion y wlad, yn byw) [5]dywedodd pobl Jebus wrth Ddafydd, "Ni chei ddod i mewn yma." Er hynny, fe enillodd Dafydd gaer Seion, sef Dinas Dafydd, [6]a dywedodd, "Caiff y cyntaf i daro'r Jebusiaid ei wneud yn ben swyddog." Y cyntaf i fynd i fyny oedd Joab fab Serfia; felly cafodd ei wneud yn ben. [7]Yna fe ymsefydlodd Dafydd yn y gaer, ac am hynny fe'i gelwir yn Ddinas Dafydd. [8]Adeiladodd y ddinas oddi amgylch o'r Milo yn gylch cyfan, tra oedd Joab yn adnewyddu gweddill y ddinas. [9]Cynyddodd Dafydd fwyfwy oherwydd bod ARGLWYDD y Lluoedd gydag ef.

Penaethiaid Dafydd
(2 Sam. 23:8-39)

10 Dyma benaethiaid Dafydd, a aeth yn fwy a mwy nerthol gydag cf yn ystod ei deyrnasiad, ac a ymunodd gyda holl Israel i'w wneud ef yn frenin ar Israel yn ôl gair yr ARGLWYDD. [11]Dyma restr y gwroniaid oedd gan Ddafydd. Jasobeam fab Hachmoni oedd capten y Deg ar Hugain; chwifiodd ef ei waywffon mewn buddugoliaeth uwchben tri chant o wŷr a laddodd ar un tro. [12]Y nesaf ato ef ymysg y tri gwron oedd Eleasar fab Dodo, yr Ahohiad; [13]bu ef gyda Dafydd yn Pasdammim, lle'r oedd rhandir yn llawn ffacbys, pan ymgasglodd y Philistiaid yno i ryfel ac y ffodd y bobl rhagddynt. [14]Ond daliodd ef ei dir yng nghanol y llain, a'i amddiffyn a lladd y Philistiaid; a rhoes yr ARGLWYDD waredigaeth fawr.

15 Aeth tri o'r Deg ar Hugain o benaethiaid i lawr at Ddafydd i'r graig ger ogof Adulam, pan oedd mintai o Philistiaid yn gwersyllu yn Nyffryn Reffaim. [16]Yr oedd Dafydd ar y pryd yn y gaer, a garsiwn y Philistiaid ym Methlehem. [17]Cododd blys ar Ddafydd ac meddai, "O na chawn ddiod o ddŵr o bydew Bethlehem, sydd ger y porth!" [18]Ar hynny, rhuthrodd y tri trwy wersyll y Philistiaid, codi dŵr o bydew Bethlehem gerllaw'r porth, a'i gludo'n ôl at Ddafydd. Eto, ni fynnai ef ei yfed, a thywalltodd ef yn offrwm i'r ARGLWYDD, [19]a dweud, "Na ato Duw i mi wneud hyn! A allaf fi yfed gwaed y gwŷr hyn a fentrodd eu heinioes i ddod ag ef i mi?" Felly gwrthododd ei yfed. Dyma wrhydri y tri gwron.

20 Abisai brawd Joab fab Serfia oedd pennaeth y Deg ar Hugain. [dd] Chwifiodd ef ei waywffon mewn buddugoliaeth uwchben trichant o wŷr, a lladdodd hwy gan ennill enw iddo'i hun ymhlith y Deg ar Hugain. [dd] [21]Yr oedd ef yn enwog ymhlith y Deg ar Hugain [dd], ac yn gapten arnynt; ond nid oedd i'w gymharu â'r Tri.

22 Yr oedd Benaia fab Jehoiada o Cabseel yn ŵr dewr ac aml ei orchestion. Ef a laddodd ddau bencampwr o Moab; ef hefyd a aeth i lawr i bydew a lladd llew yno ar ddiwrnod o eira. [23]Lladdodd Eifftiwr, cawr o bum cufydd, er bod gan hwnnw waywffon fel carfan gwehydd yn ei law, ac yntau'n ymosod â dim ond ffon. Cipiodd y waywffon o law'r Eifftiwr, a'i ladd â'i waywffon ei hun. [24]Dyma wrhydri Benaia fab Jehoiada, ac enillodd enw iddo'i hun ymhlith y Deg Gwron ar Hugain. [e] [25]Yr oedd yn enwog ymhlith y Deg ar Hugain, ond nid oedd i'w gymharu â'r Tri. Apwyntiodd Dafydd ef yn bennaeth ei warchodlu.

26 Y rhain oedd y gwroniaid: Asahel brawd Joab, Elhanan fab Dodo o Fethlehem, [27]Samma yr Harodiad, Heles y Peloniad. [28]Ira fab Icces y Tecoiad, Abieser yr Anathothiad, [29]Sibbechai yr Husathiad, Ilai yr Ahohiad, [30]Maharai y Netoffathiad, Heled fab Baana y Netoffathiad, [31]Itai fab Ribai o Gibea'r Benjaminiaid, Benaia y Pirathoniad, [32]Hurai o Nahale Gaas, Abiel yr Arbathiad, [33]Asmafeth y Bahrumiad, Eliahba y Saalboniad, [34]meibion Hasem y Gisoniad, Jonathan fab Sage yr Harariad, [35]Ahiam fab Sachar yr Harariad, Eliffal fab Ur, [36]Heffer y Mecherathiad, Aheia y Peloniad, [37]Hesro y Carmeliad, Naarai fab Esbai, [38]Joel brawd Nathan, Mibhar Haggeri, [39]Selec yr Ammoniad, Naharai y Beerothiad (cludydd arfau Joab fab Serfia), [40]Ira yr Ithriad, Gareb yr Ithriad, [41]Ureia yr Hethiad, Sabad fab Ahlai, [42]Adina fab Sisa y Reubeniad (pennaeth y Reubeniaid, a chydag ef ddeg ar hugain), [43]Hanan fab Maacha, Josaffat y Mithriad, [44]Usseia yr Asterathiad, Sama a Jehiel meibion Hothan yr Aroeriad, [45]Jedidael fab Simri, a Joha ei frawd ef, y Tisiad, [46]Eliel y Mahafiad, Jeribai a Josafia, meibion Elnaam, Ithma y Moabiad, [47]Eliel, Obed, a Jasiel y Mesobaiad.

[dd]Felly Syrieg. Hebraeg, y Tri.　　　[e]Tebygol. Cymh. adn. 20–21. Hebraeg, y Tri Gwron.

Dilynwyr Cynnar Dafydd, o Lwyth Benjamin

12 Dyma'r rhai a ddaeth i Siclag at Ddafydd tra oedd yn ymguddio rhag Saul fab Cis. Yr oeddent yn wŷr cedyrn, ac yn ddefnyddiol mewn brwydr am eu bod yn cario bwâu ac yn gallu taflu cerrig a saethu â'r bwa gyda'u llaw dde a'u llaw chwith. ²Benjaminiaid oeddent, o dylwyth Saul. ³Ahieser a Joas meibion Semaa o Gibeath oedd yr arweinwyr; Jesiwl a Phelet meibion Asmafeth; Beracha, a Jehu o Anathoth; ⁴Ismaia o Gibeon, y grymusaf o'r Deg ar Hugain ac yn bennaeth arnynt; Jeremeia, Jehasiel, Johanan a Josabad o Gedera, ⁵Elusai, Jerimoth, Bealeia, Semareia, Seffatia yr Haruffiad, ⁶Elcana, Jeseia, Asareel, Joeser a Jasobeam y Corahiaid, ⁷Joela a Sebadeia, meibion Jehoram o Gedor.

Dilynwyr Dafydd o Lwyth Gad

8 Aeth rhai o'r Gadiaid at Ddafydd i'r gaer yn yr anialwch. Gwŷr nerthol oeddent, milwyr profiadol mewn brwydr, yn fedrus â tharian a gwaywffon, yn edrych fel llewod ac mor gyflym â iyrchod ar y mynyddoedd. ⁹Y cyntaf oedd Eser, yr ail Obadeia, y trydydd Eliab, ¹⁰y pedwerydd Mismanna, y pumed Jeremeia, ¹¹y chweched Attai, y seithfed Eliel, ¹²yr wythfed Johanan, y nawfed Elsabad, ¹³y degfed Jeremeia a'r unfed ar ddeg Machbanai. ¹⁴Gadiaid oedd y rhain, a phenaethiaid y fyddin; yr oedd cant o ddynion dan y lleiaf ohonynt a mil dan y pwysicaf. ¹⁵Dyma'r rhai a groesodd yr Iorddonen yn y mis cyntaf, pan oedd yr afon wedi gorlifo'i glannau, gan yrru ar ffo bawb oedd yn byw yn y dyffrynnoedd i'r dwyrain a'r gorllewin.

Dilynwyr o Benjamin a Jwda

16 Daeth rhai o wŷr Benjamin a Jwda i'r gaer at Ddafydd, ¹⁷ac aeth yntau allan atynt a dweud, "Os daethoch ataf mewn heddwch i'm cynorthwyo, yr wyf yn barod i ymuno â chwi. Ond os daethoch i'm bradychu i'm gelynion, a minnau'n ddieuog, bydded i Dduw ein tadau sylwi a chosbi." ¹⁸Yna meddiannwyd Amasai, pennaeth y Deg ar Hugain, gan yr ysbryd, ac meddai:

"Yr ydym ni gyda thi, Ddafydd!
Yr ydym o'th blaid, fab Jesse!
Llwydd, llwydd fo i ti,
a llwydd i'th gynorthwywr!

Oherwydd dy Dduw yw dy gymorth."
Felly croesawodd Dafydd hwy a'u gwneud yn benaethiaid ar finteioedd.

Dilynwyr o Manasse

19 Ciliodd rhai o wŷr Manasse at Ddafydd pan ddaeth ef gyda'r Philistiaid i ymladd yn erbyn Saul. Ond ni chynorthwyodd ef y Philistiaid am i'w tywysogion, wedi ymgynghori â'i gilydd, ei yrru i ffwrdd gan ddweud, "Pe bai'n dychwelyd at ei feistr Saul fe gaem ein lladd." ²⁰Y rhain oedd y gwŷr o Manasse a ddaeth ato pan oedd ar y ffordd i Siclag: Adna, Josabad, Jediael, Michael, Josabad, Elihu a Silthai, penaethiaid miloedd ym Manasse. ²¹Buont hwy o gymorth i Ddafydd yn erbyn yr ysbeilwyr am eu bod i gyd yn wŷr nerthol ac yn gapteiniaid yn y fyddin. ²²Beunydd yr oedd rhai yn dod i gynorthwyo Dafydd, nes bod y gwersyll wedi tyfu'n un mawr iawn.

Rhestr Lluoedd Dafydd

23 Dyma nifer penaethiaid y lluoedd arfog a ddaeth at Ddafydd yn Hebron i roi brenhiniaeth Saul iddo, yn ôl gair yr ARGLWYDD: ²⁴o feibion Jwda a gludai darian a gwaywffon, chwe mil wyth gant yn y lluoedd arfog; ²⁵o feibion Simeon, dynion nerthol i ryfel, saith mil un cant; ²⁶o feibion Lefi, pedair mil chwe chant, ²⁷yn ogystal â Jehoiada arweinydd yr Aaroniaid gyda thair mil saith gant, ²⁸a Sadoc, llanc nerthol, gyda dau ar hugain o gapteiniaid o dŷ ei dad; ²⁹o feibion Benjamin, brodyr Saul, tair mil a oedd hyd yr amser hwnnw yng ngwasanaeth tŷ Saul; ³⁰o feibion Effraim, ugain mil wyth gant o wŷr nerthol, dynion oedd yn enwog yn eu teuluoedd; ³¹o hanner llwyth Manasse, deunaw mil o wŷr a etholwyd i ddod a gwneud Dafydd yn frenin; ³²o feibion Issachar, y rhai oedd yn deall arwyddion yr amseroedd a wybod beth ddylai Israel ei wneud, dau gant o benaethiaid a oedd yn rheoli eu holl frodyr; ³³o Sabulon, pum mil o ddynion arfog, profiadol mewn rhyfel a pharod eu cymorth; ³⁴o Nafftali, mil o dywysogion, a chyda hwy, yn cario tarian a gwaywffon, dwy fil ar bymtheg ar hugain; ³⁵o'r Daniaid, wyth mil ar hugain chwe chant yn barod i ryfel; ³⁶o Aser, deugain mil o filwyr yn barod i fynd allan i ryfela; ³⁷o'r tu hwnt i'r Iorddonen, o'r Reubeniaid a'r Gadiaid a hanner llwyth Manasse, daeth

chwe mil ar hugain gyda phob math o arfau cymwys i ryfel.

38 Yr oedd y rhain i gyd yn filwyr parod eu cymorth, a daethant i Hebron yn unfryd i wneud Dafydd yn frenin ar holl Israel. Yr oedd pawb arall yn Israel hefyd yn unfryd o blaid gwneud Dafydd yn frenin. ³⁹Buont yno gyda Dafydd am dridiau yn bwyta ac yn yfed, oherwydd yr oedd eu brodyr wedi paratoi ar eu cyfer. ⁴⁰Yr oedd eu cymdogion hefyd, o gyn belled ag Issachar, Sabulon a Nafftali, wedi dod â bwyd ar asynnod, camelod, mulod ac ychen. Daethant â blawd, teisennau ffigys, rhesin, gwin, olew, a llawer o warheg a defaid, oherwydd yr oedd llawenydd yn Israel.

Symud Arch y Cyfamod o Ciriath Jearim
(2 Sam. 6:1-11)

13 Wedi iddo ymgynghori â chap-teiniaid y miloedd a'r cannoedd, ac â'r holl swyddogion, ²dywedodd Dafydd wrth holl gynulleidfa Israel, "Os ydych yn cytuno, ac os dyma ewyllys yr ARGLWYDD ein Duw, gadewch inni anfon gair at ein brodyr sydd ar ôl yn holl wlad Israel, a hefyd at yr offeiriaid a'r Lefiaid sydd mewn dinasoedd gyda chytir, yn gofyn iddynt ymuno â ni. ³Yna down ag arch ein Duw yn ôl atom, oherwydd yn nyddiau Saul yr oeddem yn ei hesgeuluso." ⁴Cytunodd yr holl gynulleidfa i wneud felly am fod y peth yn dderbyniol gan bawb.

5 Felly casglodd Dafydd Israel gyfan o Sihor yn yr Aifft hyd at Fynedfa Hamath, i ddod ag arch Duw o Ciriath Jearim. ⁶Ac aeth Dafydd a holl Israel i Baala yn Jwda, sef Ciriath Jearim, i gyrchu oddi yno arch Duw, a enwir ar ôl yr ARGLWYDD sydd â'i orsedd ar y cerwbiaid. ⁷Daethant ag arch Duw ar fen newydd o dŷ Abinadab, ac Ussa ac Ahio oedd yn tywys y fen. ⁸Yr oedd Dafydd a holl Israel yn gorfoleddu o flaen Duw â'u holl ynni, dan ganu gyda thelynau, liwtiau, tympanau, symbalau ac utgyrn. ⁹Pan ddaethant at lawr dyrnu Cidon, estynnodd Ussa ei law i afael yn yr arch am fod yr ychen yn ei hysgwyd. ¹⁰Enynnodd dicter yr ARGLWYDD yn erbyn Ussa, ac fe'i trawodd am iddo estyn ei law at yr arch; a bu farw yno gerbron Duw. ¹¹Cynhyrfodd Dafydd am fod llid yr ARGLWYDD wedi torri allan yn erbyn Ussa, a galwodd y lle hwnnw

yn Peresᶠ Ussa; a dyna'i enw hyd y dydd hwn. ¹²Yr oedd ofn Duw ar Ddafydd y diwrnod hwnnw a dywedodd, "Sut y dof ag arch Duw i mewn ataf?" ¹³Felly ni ddaeth Dafydd â'r arch i Ddinas Dafydd, ond fe'i rhoddodd yn nhŷ Obed-edom o Gath. ¹⁴Bu arch Duw yn nhŷ Obed-edom a'i deulu am dri mis. A bendithiodd yr ARGLWYDD dŷ Obed-edom a'i holl eiddo.

Gweithgarwch Dafydd yn Jerwsalem
(2 Sam. 5:11-16)

14 Anfonodd Hiram brenin Tyrus negeswyr at Ddafydd, a hefyd goed cedrwydd, seiri maen a seiri coed i adeiladu tŷ iddo. ²Sylweddolodd Dafydd fod yr ARGLWYDD wedi ei gadarnhau yn frenin ar Israel, a bod ei frenhiniaeth wedi ei dyrchafu'n uchel er mwyn ei bobl Israel.

3 Cymerodd Dafydd ychwaneg o wragedd yn Jerwsalem a chenhedlu rhagor o feibion a merched. ⁴Dyma enwau'r plant a gafodd yn Jerwsalem: Sammua, Sobab, Nathan, Solomon, ⁵Ibhar, Elisua, Elpalet, ⁶Noga, Neffeg, Jaffa, ⁷Elisama, Beeliada ac Eliffalet.

Trechu'r Philistiaid
(2 Sam. 5:17-25)

8 Pan glywodd y Philistiaid fod Dafydd wedi ei eneinio'n frenin ar Israel gyfan, aethant oll i chwilio amdano, ond clyw-odd cf am hyn ac acth allan i'w herbyn. ⁹Wedi i'r Philistiaid ddod ac ymledu dros Ddyffryn Reffaim, ¹⁰gofynnodd Dafydd i Dduw, "A af i fyny yn erbyn y Philist-iaid? A roi di hwy yn fy llaw?" Ateb-odd yr ARGLWYDD, "Dos i fyny, oherwydd yn sicr fe rof y Philistiaid yn dy law." ¹¹Felly pan aethant i fyny i Baal Perasim, fe drawodd Dafydd hwy yno, a dweud, "Fel toriad dyfroedd, fe dorrodd Duw drwy fy ngelynion â'm llaw i." Dyma pam y galwyd y lle hwnnw, Baal Perasim.ᶠᶠ ¹²A phan adawsant eu duwiau ar ôl yno, gorchmynnodd Dafydd eu llosgi â thân.

13 Unwaith eto ymledodd y Philistiaid dros y dyffryn. ¹⁴Pan ymofynnodd Dafydd â Duw drachefn, dywedodd Duw wrtho, "Paid â mynd i fyny ar eu hôl; dos ar gylch oddi wrthynt, a thyrd arnynt gyferbyn â'r morwydd. ¹⁵Yna pan glywi sŵn cerdded ym mrig y morwydd, dos

ᶠSef, Toriad.   ᶠᶠNeu, Baal Toriadau.

allan i ryfel, oherwydd bydd Duw yn mynd allan o'th flaen i daro gwersyll y Philistiaid." [16]A gwnaeth Dafydd fel y gorchmynnodd Duw iddo, ac fe drawsant wersyll y Philistiaid o Gibeon hyd Geser. [17]Ac aeth enw Dafydd drwy'r gwledydd i gyd, a gwnaeth yr ARGLWYDD i'r holl genhedloedd ei ofni.

Paratoi i Symud Arch y Cyfamod

15 Adeiladodd Dafydd dai iddo'i hun yn Ninas Dafydd, a pharatoi lle i arch Duw a gosod pabell iddi. [2]Yna dywedodd, "Nid oes neb i gario arch Duw ond y Lefiaid, oherwydd hwy a ddewiswyd gan yr ARGLWYDD i'w chario ac i'w wasanaethu ef am byth." [3]Cynullodd Dafydd Israel gyfan i Jerwsalem, i ddod ag arch yr ARGLWYDD i fyny i'r lle yr oedd wedi ei baratoi iddi. [4]Casglodd feibion Aaron a'r Lefiaid: [5]o feibion Cohath, Uriel y pennaeth a chant ac ugain o'i frodyr; [6]o feibion Merari, Asaia y pennaeth a dau gant ac ugain o'i frodyr; [7]o feibion Gersom, Joel y pennaeth a chant a thri deg o'i frodyr; [8]o feibion Elisaffan, Semaia y pennaeth a dau gant o'i frodyr; [9]o feibion Hebron, Eliel y pennaeth a phedwar ugain o'i frodyr; [10]o feibion Ussiel, Amminadab y pennaeth a chant a deuddeg o'i frodyr. [11]Yna galwodd Dafydd am Sadoc ac Abiathar yr offeiriaid, ac am y Lefiaid, Uriel, Asaia, Joel, Semaia, Eliel ac Amminadab, [12]a dywedodd wrthynt, "Chwi yw pennau-teuluoedd y Lefiaid. Sancteiddiwch eich hunain, chwi a'ch brodyr, i fynd ag arch ARGLWYDD Dduw Israel i'r lle a baratoais iddi. [13]Am nad oeddech chwi gyda ni y tro cyntaf, ac na fuom ninnau yn ymgynghori ag ef ynglŷn â'i drefn, fe dorrodd yr AR-GLWYDD ein Duw allan i'n herbyn." [14]Felly sancteiddiodd yr offeiriaid a'r Lefiaid eu hunain i ddod ag arch AR-GLWYDD Dduw Israel i fyny. [15]Ac fe gludodd y Lefiaid arch Duw ar eu hysgwyddau gyda pholion, fel y gorchmynnodd Moses yn ôl gair yr ARGLWYDD.

16 Rhoddodd Dafydd orchymyn i benaethiaid y Lefiaid osod eu brodyr yn gerddorion i ganu mawl yn llawen gydag offer cerdd, sef liwtiau, telynau a symbalau. [17]Felly etholodd y Lefiaid Heman fab Joel ac, o'i frodyr, Asaff fab Berecheia; a hefyd Ethnan fab Cusaia o blith eu

brodyr, meibion Merari. [18]A chyda hwy eu brodyr o'r ail radd: y porthorion Sechareia[g], Jaasiel, Semiramoth, Jehiel, Unni, Eliab, Benaia, Maaseia, Matitheia, Eliffele, Micneia, Obed-edom a Jehiel. [19]Heman, Asaff ac Ethan, y cerddorion, oedd i seinio'r symbalau pres. [20]Sechareia, Asiel, Semiramoth, Jehiel, Unni, Eliab, Maaseia a Benaia oedd i ganu liwtiau ar Alamoth. [21]Matitheia, Eliffele, Micneia, Obed-edom, Jehiel ac Asaseia oedd i ganu'r telynau ac arwain ar Seminith. [22]Chenaneia, pennaeth y Lefiaid, oedd yn gofalu am y canu, ac ef oedd yn ei ddysgu i eraill am ei fod yn hyddysg ynddo. [23]Berecheia ac Elcana oedd i fod yn borthorion i'r arch. [24]Sebaneia, Jehosaffat, Nathaneel, Amisai, Sechareia, Benaia ac Elieser, yr offeiriaid, oedd i ganu'r utgyrn o flaen arch Duw; yr oedd Obed-edom a Jeheia hefyd i fod yn borthorion i'r arch.

Symud Arch y Cyfamod i Jerwsalem (2 Sam. 6:12-22)

25 Felly aeth Dafydd a henuriaid Israel a phenaethiaid y miloedd i ddod ag arch cyfamod yr ARGLWYDD i fyny o dŷ Obed-edom mewn llawenydd. [26]Ac am i Dduw gynorthwyo'r Lefiaid oedd yn cario arch cyfamod yr ARGLWYDD, aberthasant saith o fustych a saith o hyrddod. [27]Yr oedd Dafydd wedi ei wisgo mewn lliain main, ac felly hefyd yr holl Lefiaid oedd yn cario'r arch, a'r cerddorion a'u pennaeth Chenaneia. Yr oedd gan Ddafydd effod liain hefyd. [28]Yr oedd holl Israel yn hebrwng arch cyfamod yr ARGLWYDD â banllefau a sain utgorn, ac yn canu trwmpedau, symbalau, liwtiau a thelynau.

29 Pan gyrhaeddodd arch cyfamod yr ARGLWYDD Ddinas Dafydd, yr oedd Michal merch Saul yn edrych drwy'r ffenestr, a gwelodd y Brenin Dafydd yn dawnsio ac yn gorfoleddu, a dirmygodd ef yn ei chalon.

16 Daethant ag arch Duw a'i gosod yng nghanol y babell a gododd Dafydd iddi, ac aberthu poethoffrymau a heddoffrymau o flaen Duw. [2]Wedi iddo orffen aberthu'r poethoffrwm a'r heddoffrymau, bendithiodd Dafydd y bobl yn enw'r ARGLWYDD, [3]a rhannodd i bob un o'r Israeliaid, yn wŷr a gwragedd, dorth o fara, darn o gig a swp o resin.

[g]Felly llawysgrifau a Groeg. Cymh. adn. 20. TM yn ychwanegu *Ben, a.*

⁴Penododd rai o'r Lefiaid i wasanaethu o
flaen arch yr Arglwydd, i goffáu a
moliannu a chlodfori Arglwydd Dduw
Israel: ⁵Asaff yn gyntaf, ac ar ei ôl ef
Sechareia, Jeiel, Semiramoth, Jehiel,
Matitheia, Eliab, Benaia ac Obed-edom.
Yr oedd gan Jeiel liwtiau a thelynau, ac
yr oedd Asaff yn canu'r symbalau. ⁶Yr
oedd yr offeiriaid Benaia a Jahasiel i
chwythu utgyrn yn barhaus o flaen arch
cyfamod Duw.

Emyn o Fawl
(Salmau 105:1-15; 96:1-13;
106:1, 47-48)

7 Y pryd hwnnw y rhoddodd Dafydd
am y tro cyntaf i Asaff a'i frodyr y
moliant hwn i'r Arglwydd:
⁸Diolchwch i'r Arglwydd! Galwch ar
ei enw,
gwnewch yn hysbys ei weithredoedd
ymysg y bobloedd.
⁹Canwch iddo, moliannwch ef,
dywedwch am ei holl ryfeddodau.
¹⁰Gorfoleddwch yn ei enw sanctaidd,
llawenhaed calon y rhai sy'n ceisio'r
Arglwydd.
¹¹Ceisiwch yr Arglwydd a'i nerth,
ceisiwch ei wyneb bob amser.
¹²Cofiwch y rhyfeddodau a wnaeth,
ei wyrthiau a'r barnedigaethau a
gyhoeddodd,
¹³chwi feibion Israel, ei was,
chwi feibion Jacob, ei etholedig.

¹⁴Ef yw'r Arglwydd ein Duw,
ac y mae ei farnedigaethau dros yr holl
ddaear.
¹⁵Cofiwch ei gyfamod dros byth,
gair ei orchymyn hyd fil o
genedlaethau,
¹⁶sef y cyfamod a wnaeth ag Abraham,
a'i lw i Isaac,
¹⁷yr hyn a osododd yn ddeddf i Jacob,
ac yn gyfamod tragwyddol i Israel,
¹⁸a dweud, "I chwi y rhoddaf wlad
Canaan
yn gyfran eich etifeddiaeth."
¹⁹Pan oeddech yn fychan o rif,
yn ychydig, ac yn grwydriaid yn y
wlad,
²⁰yn crwydro o genedl i genedl,
ac o deyrnas at bobl eraill,
²¹ni adawodd i neb eich darostwng,
ond ceryddodd frenhinoedd o'ch
achos,

²²a dweud, "Peidiwch â chyffwrdd â'm
heneiniog,
na gwneud niwed i'm proffwydi."

²³Canwch i'r Arglwydd, yr holl ddaear,
cyhoeddwch o ddydd i ddydd ei
iachawdwriaeth.
²⁴Dywedwch am ei ogoniant ymysg y
bobloedd,
ac am ei ryfeddodau ymysg yr holl
genhedloedd.
²⁵Oherwydd mawr yw'r Arglwydd, a
theilwng iawn o fawl;
y mae i'w ofni'n fwy na'r holl dduwiau.
²⁶Eilunod yw holl dduwiau'r bobloedd,
ond yr Arglwydd a wnaeth y
nefoedd.
²⁷Y mae anrhydedd a mawredd o'i flaen,
nerth a llawenydd yn ei fangre ef.

²⁸Rhowch i'r Arglwydd, dylwythau'r
cenhedloedd,
rhowch i'r Arglwydd anrhydedd a
nerth;
²⁹rhowch i'r Arglwydd anrhydedd ei
enw,
dygwch offrwm a dewch o'i flaen.
Ymgrymwch i'r Arglwydd yn
ysblander ei sancteiddrwydd.
³⁰Crynwch o'i flaen, yr holl ddaear;
yn awr y mae'r byd yn sicr, ac nis
symudir.
³¹Bydded y nefoedd yn llawen a
gorfoledded y ddaear,
a dywedent ymhlith y cenhedloedd,
"Y mae'r Arglwydd yn frenin."
³²Rhued y môr a'r cyfan sydd ynddo,
llawenyched y maes a phopeth sydd
ynddo.
³³Yna bydd prennau'r goedwig yn
canu'n llawen
o flaen yr Arglwydd, oherwydd y
mae'n dod i farnu'r ddaear.
³⁴Diolchwch i'r Arglwydd, oherwydd
da yw,
ac y mae ei gariad hyd byth.
³⁵Dywedwch, "Achub ni, O Dduw ein
hiachawdwriaeth;
cynnull ni ac arbed ni o blith y
cenhedloedd,
inni gael rhoi diolch i'th enw sanctaidd
ac ymhyfrydu yn dy fawl."
³⁶Bendigedig fyddo'r Arglwydd, Duw
Israel,
o dragwyddoldeb hyd dragwyddoldeb.
A dywedodd yr holl bobl, "Amen", a
moli'r Arglwydd.

Addoli yn Jerwsalem a Gibeon

37 A gadawodd Dafydd Asaff a'i frodyr o flaen arch cyfamod yr ARGLWYDD i wasanaethu yno'n barhaol yn ôl gofynion pob dydd. [38]Gadawodd yno hefyd Obed-edom gyda'i[ng] wyth brawd a thrigain; Obed-edom fab Jeduthun, a Hosa, oedd i fod yn borthorion. [39]Ond gadawodd ef Sadoc yr offeiriad, a'i frodyr yr offeiriaid, o flaen tabernacl yr ARGLWYDD yn yr uchelfa yn Gibeon, [40]i aberthu poethoffrymau i'r ARGLWYDD ar allor y poethoffrwm yn gyson fore a hwyr fel sy'n ysgrifenedig yng nghyfraith yr ARGLWYDD, a orchmynnodd ef i Israel. [41]Gyda hwy yr oedd Heman, Jeduthun a'r rhai eraill oedd wedi eu hethol a'u henwi i foliannu'r ARGLWYDD am fod ei gariad hyd byth. [42]Heman a Jeduthun oedd yn gofalu am yr utgyrn a'r symbalau a'r offerynnau cerdd cysegredig ar gyfer y cantorion. A meibion Jeduthun oedd yn gofalu am y porth. 43 Yna aeth pawb adref a dychwelodd Dafydd i gyfarch ei deulu.

Neges Nathan i Ddafydd
(2 Sam. 7:1-17)

17 Wedi i Ddafydd fynd i fyw i'w dŷ ei hun, dywedodd wrth y proffwyd Nathan, "Edrych yn awr, yr wyf fi'n byw mewn tŷ o gedrwydd, tra mae arch cyfamod yr ARGLWYDD mewn pabell." [2]Ac meddai Nathan wrth Ddafydd, "Dos, a gwna bopeth sydd yn dy galon, oherwydd y mae Duw gyda thi." [3]Ond y noson honno daeth gair Duw at Nathan, yn dweud, [4]"Dos, dywed wrth fy ngwas Dafydd, 'Fel hyn y dywed yr ARGLWYDD: Ni chei di adeiladu i mi dŷ i breswylio ynddo. [5]Yn wir, nid wyf wedi preswylio mewn tŷ o'r diwrnod y dygais Israel allan o'r Aifft hyd heddiw; yr oeddwn yn mynd o babell i babell ac o un tabernacl i'r llall. [6]Ple bynnag y bûm yn teithio gyda holl Israel, a fu imi yngan gair wrth unrhyw un o farnwyr Israel, a benodais i fugeilio fy mhobl, a gofyn, "Pam na fyddech wedi adeiladu tŷ o gedrwydd i mi?" ' [7]Felly dywed wrth fy ngwas Dafydd, 'Fel hyn y dywed ARGLWYDD y Lluoedd: Myfi a'th gymerodd di o'r maes, o ganlyn defaid, i fod yn arweinydd i'm pobl Israel. [8]Yr oeddwn gyda thi ple bynnag yr aethost, a dinistriais dy holl elynion o'th flaen, a gwneud iti enw mawr fel eiddo'r mawrion a fu ar y ddaear. [9]Ac yr wyf am baratoi lle i'm pobl Israel, a'u plannu, iddynt gael ymsefydlu yno heb eu tarfu rhagor; ac ni fydd treiswyr yn eu cystuddio eto, fel yn yr adeg gynt, [10]pan benodais farnwyr dros fy mhobl Israel; darostyngaf dy holl elynion. Yr wyf yn dy hysbysu mai yr ARGLWYDD fydd yn adeiladu tŷ i ti. [11]Pan ddaw dy ddyddiau i ben, ac yn amser iti ymuno â'th dadau, codaf blentyn iti ar dy ôl, un yn hanu o'th feibion, a gwnaf ei deyrnas yn gadarn. [12]Ef fydd yn adeiladu tŷ i mi, a gwnaf finnau ei orsedd yn gadarn am byth. [13]Byddaf fi'n dad iddo ef, a bydd yntau'n fab i mi, ac ni chymeraf fy nhrugaredd oddi wrtho, fel y cymerais hi oddi wrth yr un oedd o'th flaen di. [14]Gosodaf ef yn fy nhŷ ac yn fy nheyrnas am byth; erys ei orsedd yn gadarn hyd byth.' " [15]Dywedodd Nathan wrth Ddafydd y cwbl a ddywedwyd ac a ddangoswyd iddo ef.

Dafydd yn Datgan ei Ddiolch mewn Gweddi
(2 Sam. 7:18-29)

16 Yna fe aeth y Brenin Dafydd i mewn ac eistedd o flaen yr ARGLWYDD a dweud, "Pwy wyf fi, O Arglwydd DDUW, a phwy yw fy nheulu, dy fod wedi dod â mi hyd yma? [17]Ac fel pe byddai hyn eto'n beth bychan yn d'olwg, O Dduw, yr wyt hefyd wedi llefaru ynglŷn â theulu dy was ar gyfer y dyfodol pell, a'm hystyried i'n llinach o ddynion dyrchafedig, O Arglwydd DDUW. [18]Beth rhagor y medraf fi, Dafydd, ei ddweud wrthyt am anrhydeddu dy was, a thithau yn ei adnabod? [19]O ARGLWYDD, er mwyn dy was, ac yn ôl dy ewyllys dy hun, y gwnaethost yr holl fawredd hwn a hysbysu'r holl fawrion bethau. [20]O ARGLWYDD, ni chlywodd ein clustiau am neb tebyg i ti, nac am un duw ar wahân i ti. Pa genedl arall ar y ddaear sydd fel dy bobl Israel? [21]Gwaredodd Duw hi i fod yn bobl iddo'i hun ac i ennill bri, a gwneud pethau mawr ac ofnadwy trwy fwrw allan genhedloedd o flaen dy bobl, y rhai a brynaist o'r Aifft. [22]Gwnaethost dy bobl Israel i fod yn bobl i ti hyd byth;

a daethost tithau, O ARGLWYDD, yn Dduw iddynt hwy. [23]Yn awr, O ARGLWYDD, bydded i'r addewid a wnaethost ynglŷn â'th was a'i deulu sefyll am byth, a gwna fel y dywedaist. [24]Bydded iddi sefyll fel y mawrheir dy enw hyd byth, ac y dywedir, 'ARGLWYDD y Lluoedd, Duw Israel, sydd Dduw ar Israel'; a bydd tŷ dy was Dafydd yn sicr ger dy fron. [25]Am i ti, O fy Nuw, ddatgelu i'th was y byddit yn adeiladu tŷ iddo, fe fentrodd dy was weddïo arnat. [26]Yn awr, O ARGLWYDD, ti sydd Dduw, ac fe addewaist ti y daioni hwn i'th was. [27]Felly'n awr, gwêl yn dda fendithio tŷ dy was, fel y caiff barhau am byth yn dy ŵydd; am i ti, ARGLWYDD, ei fendithio, bendigedig fydd hyd byth."

Buddugoliaethau Milwrol Dafydd
(2 Sam. 8:1-18)

18 Wedi hyn gorchfygodd Dafydd y Philistiaid a'u darostwng, a chipiodd Gath a'i phentrefi oddi arnynt. [2]Yna gorchfygodd y Moabiaid, a daethant hwy yn weision iddo gan dalu treth. [3]Gorchfygodd Dafydd hefyd Hadadeser brenin Soba hyd Hamath, pan oedd hwnnw ar ei ffordd i sefydlu ei awdurdod ar lan Afon Ewffrates. [4]Cipiodd Dafydd oddi arno fil o gerbydau, saith mil o farchogion ac ugain mil o wŷr traed. Cadwodd Dafydd gant o feirch cerbyd, ond torrodd linynnau gar y lleill i gyd. [5]Pan ddaeth Syriaid Damascus i helpu Hadadeser brenin Soba, trawodd Dafydd ddwy fil ar hugain ohonynt. [6]Yna fe osododd Dafydd garsiynau[h] ymhlith Syriaid Damascus, a daeth y Syriaid yn weision i Ddafydd a thalu treth iddo. Yr oedd yr ARGLWYDD yn rhoi buddugoliaeth i Ddafydd ple bynnag yr âi. [7]Cymerodd Dafydd y tarianau aur oedd gan weision Hadadeser, a dygodd hwy i Jerwsalem. [8]Hefyd, o Tibhath a Chun, trefi Hadadeser, fe gymerodd Dafydd lawer iawn o bres a ddefnyddiwyd gan Solomon i wneud y môr pres a'r colofnau a'r llestri pres.

9 Pan glywodd Toi brenin Hamath fod Dafydd wedi gorchfygu holl fyddin Hadadeser brenin Soba, [10]fe anfonodd ei fab Hadoram i ddymuno'n dda i'r Brenin Dafydd a'i longyfarch am iddo ymladd yn erbyn Hadadeser a'i orchfygu; oherwydd bu Hadadeser yn rhyfela'n gyson yn erbyn Toi. Anfonodd hefyd lestri o arian ac o aur ac o bres, [11]a chysegrodd y Brenin Dafydd hwy i'r ARGLWYDD, yn ogystal â'r arian a'r aur a gymerodd oddi ar yr holl genhedloedd, sef Edom, Moab, yr Ammoniaid, y Philistiaid a'r Amaleciaid.

12 Lladdodd Abisai fab Serfia ddeunaw mil o Edomiaid yn Nyffryn Halen; [13]yna gosododd garsiynau yn Edom, a daeth yr Edomiaid i gyd yn weision i Ddafydd. Yr oedd yr ARGLWYDD yn rhoi buddugoliaeth i Ddafydd ple bynnag yr âi.

14 Yr oedd Dafydd yn teyrnasu dros Israel gyfan, ac yn gweinyddu barn a chyfiawnder i'w holl bobl. [15]Joab fab Serfia oedd dros y fyddin; Jehosaffat fab Ahilud yn gofiadur; [16]Sadoc fab Ahitub, ac Abimelech fab Abiathar yn offeiriaid; Safsa yn ysgrifennydd; [17]Benaia fab Jehoiada dros y Cerethiaid a'r Pelethiaid; a meibion Dafydd yn brif swyddogion yng ngwasanaeth y brenin.

Dafydd yn Gorchfygu'r Ammoniaid a'r Syriaid
(2 Sam. 10:1-19)

19 Wedi hyn bu farw Nahas brenin yr Ammoniaid, a daeth ei fab yn frenin yn ei le. [2]Dywedodd Dafydd, "Gwnaf garedigrwydd â Hanun fab Nahas, fel y gwnaeth ei dad â mi." Felly anfonodd negeswyr i'w gysuro am ei dad. Ond pan ddaeth gweision Dafydd i wlad yr Ammoniaid at Hanun i'w gysuro, [3]dywedodd tywysogion yr Ammoniaid wrth Hanun, "A wyt ti'n tybio mai anrhydeddu dy dad y mae Dafydd wrth anfon cysurwyr atat? Onid er mwyn chwilio'r wlad a'i hysbïo a'i goresgyn y daeth ei weision atat?" [4]Yna cymerodd Hanun weision Dafydd a'u heillio, a thorri gwisg pob un yn ei hanner hyd at ei gluniau, a'u hanfon hwy ymaith. [5]Pan ddywedwyd wrth Ddafydd am y dynion, fe anfonodd rai i'w cyfarfod, am fod cywilydd mawr arnynt, a dweud wrthynt am aros yn Jericho a pheidio â dychwelyd nes y byddai eu barfau wedi tyfu.

6 Pan welsant eu bod yn ffiaidd gan Ddafydd, anfonodd Hanun a'r Ammoniaid fil o dalentau arian i gyflogi cerbydau a marchogion o Mesopotamia, Syriamaacha a Soba. [7]Cyflogasant ddeuddeng mil ar hugain o gerbydau, yn ogystal â

---

[h]Felly Fersiynau. TM heb *garsiynau*.

brenin Maacha a'i fyddin, a daethant i wersyllu o flaen Medeba. Ymgasglodd yr Ammoniaid hefyd o'u dinasoedd a dod allan i ryfel. ⁸Pan glywodd Dafydd, anfonodd Joab allan gyda'r holl fyddin a'r milwyr. ⁹Daeth yr Ammoniaid allan a ffurfio rhengoedd ar gyfer y frwydr ger porth y ddinas, ac yr oedd y brenhinoedd, a oedd wedi dod, ar eu pen eu hunain mewn tir agored. ¹⁰Pan welodd Joab y byddai'n gorfod ymladd o'r tu blaen ac o'r tu ôl, dewisodd wŷr dethol o fyddin Israel, a'u trefnu mewn rhengoedd i wynebu'r Syriaid. ¹¹Gosododd weddill y fyddin dan awdurdod ei frawd Abisai, a safasant yn rhengoedd i wynebu'r Ammoniaid. ¹²A dywedodd, "Os bydd y Syriaid yn drech na mi, tyrd di i'm cynorthwyo; ac os bydd yr Ammoniaid yn drech na thi, dof finnau i'th gynorthwyo di. ¹³Bydd yn wrol! Byddwn ddewr dros ein pobl a dinasoedd ein Duw; a bydded i'r ARGLWYDD wneud yr hyn sy'n dda yn ei olwg." ¹⁴Yna nesaodd Joab a'r milwyr oedd gydag ef i ryfel yn erbyn y Syriaid, a ffoesant o'i flaen. ¹⁵Pan welodd yr Ammoniaid fod y Syriaid wedi ffoi, ffoesant hwythau o flaen Abisai ei frawd, a mynd i'r ddinas. Yna dychwelodd Joab i Jerwsalem.

16 Pan welodd y Syriaid iddynt golli'r dydd o flaen Israel, anfonasant negeswyr i gyrchu'r Syriaid o Tu-hwnt-i'r-afon, gyda Sobach, pencapten byddin Hadadeser, yn eu harwain. ¹⁷Pan ddywedwyd wrth Ddafydd, fe gasglodd ynghyd Israel gyfan, croesodd yr Iorddonen, a dod atynt a sefyll yn rhengoedd yn eu herbyn. Trefnodd rengoedd yn erbyn y Syriaid, a brwydrasant hwythau yn ei erbyn. ¹⁸Ffôdd y Syriaid o flaen Israel, a lladdodd Dafydd ohonynt saith mil o wŷr cerbyd a deugain mil o wŷr traed, a hefyd Sobach y pencapten. ¹⁹Pan welodd gweision Hadadeser iddynt golli'r dydd o flaen Israel, gwnaethant heddwch â Dafydd a phlygu i'w awdurdod. Wedi hyn yr oedd y Syriaid yn anfodlon rhoi rhagor o gymorth i'r Ammoniaid.

Dafydd yn Meddiannu Rabba
(2 Sam. 12:26-31)

20 Tua throad y flwyddyn, yr adeg y byddai'r brenhinoedd yn mynd i ryfela, arweiniodd Joab y fyddin allan a distrywio Ammon a gosod Rabba dan warchae; ond fe arhosodd Dafydd yn Jerwsalem. Trawodd Joab Rabba a'i dinistrio. ²Yna cymerodd Dafydd goron eu brenin oddi ar ei ben a chael ei bod yn pwyso talent o aur, a bod gem gwerthfawr ynddi; fe'i rhoed ar ben Dafydd. ³Dygodd o'r ddinas lawer o ysbail, ac aeth â'r bobl oedd ynddi ymaith a'u gosod i lafurio â llifiau a cheibiau heyrn a bwyeill. Gwnaeth Dafydd yr un modd â holl drefi'r Ammoniaid, ac yna dychwelodd ef a'r holl fyddin i Jerwsalem.

Brwydrau yn erbyn Cewri'r Philistiaid
(2 Sam. 21:15-22)

4 Ar ôl hynny bu rhyfel yn erbyn y Philistiaid yn Geser. Y tro hwnnw lladdwyd Sippai, un o dylwyth y Reffaim, gan Sibbechai yr Husathiad. ⁵A bu rhyfel eilwaith yn erbyn y Philistiaid, a lladdwyd Lahmi, brawd Goliath o Gath, gan Elhanan fab Jair; yr oedd coes gwaywffon Goliath fel carfan gwehydd. ⁶Pan fu rhyfel eto yn Gath, yr oedd yno gawr o ddyn gyda chwech o fysedd ar bob llaw a throed, pedwar ar hugain i gyd; ac yr oedd yntau yn hanu o'r Reffaim. ⁷Bwriodd sen ar Israel, ond lladdwyd ef gan Jonathan fab Simei, brawd Dafydd. ⁸Yr oedd y rhain yn hanu o'r Reffaim yn Gath, a chwympasant trwy law Dafydd a'i weision.

Dafydd yn Gwneud Cyfrifiad
(2 Sam. 24:1-25)

21 Cododd Satan yn erbyn Israel ac annog Dafydd i gyfrif yr Israeliaid. ²Felly dywedodd Dafydd wrth Joab a swyddogion y fyddin, "Ewch a chyfrifwch Israel o Beerseba i Dan; yna dychwelwch ataf er mwyn i mi wybod eu nifer." ³Dywedodd Joab, "Bydded i'r ARGLWYDD luosogi ei bobl ganwaith yr hyn ydynt. F'arglwydd frenin, onid gweision f'arglwydd ydynt i gyd? Pam y mae f'arglwydd yn gwneud ymholiad fel hyn? Pam y dylai camwedd ddod ar Israel?" ⁴Ond yr oedd gair y brenin yn drech na Joab, ac fe aeth Joab allan a thramwyo trwy holl Israel, a dychwelodd i Jerwsalem. Yna rhoddodd swm y cyfrifiad o'r bobl i Ddafydd: ⁵yr oedd yn Israel filiwn a chan mil o wŷr a fedrai drin y cleddyf, ac yn Jwda bedwar cant saith deg o filoedd. ⁶Ond nid oedd Joab wedi cynnwys Lefi a Benjamin yn eu mysg am ei fod yn ffieiddio gorchymyn y brenin.

7 Yr oedd hyn yn ddrwg yng ngolwg

Duw, ac felly trawodd Israel. ⁸A dywed-
odd Dafydd wrth Dduw, "Pechais yn
fawr trwy wneud hyn; am hynny maddau
i'th was, oherwydd bûm yn ffôl iawn."
⁹Daeth gair yr ARGLWYDD at Gad,
gweledydd Dafydd, yn dweud, ¹⁰"Dos a
dywed wrth Ddafydd, 'Fel hyn y dywed
yr ARGLWYDD: Yr wyf yn cynnig tri
pheth iti; dewis di un ohonynt, ac fe'i
gwnaf iti.'" ¹¹Daeth Gad at Ddafydd
ac meddai wrtho, "Fel hyn y dywed
yr ARGLWYDD: ¹²Dewis naill ai tair
blynedd o newyn, neu dri mis o ffoi o flaen
dy wrthwynebwyr a chleddyf dy elynion
yn dy oddiweddyd, neu dridiau o haint
yn y wlad, sef cleddyf yr ARGLWYDD,
ac angel yr ARGLWYDD yn dinistrio
trwy holl derfynau Israel. Ystyria pa
ateb a roddaf i'r un a'm hanfonodd."
¹³Dywcdodd Dafydd wrth Gad, "Y
mae'n gyfyng iawn arnaf, ond bydded
imi syrthio i law'r ARGLWYDD, am
fod ei drugareddau'n aml, yn hytrach
nag imi syrthio i law dynion." ¹⁴Felly
anfonodd yr ARGLWYDD haint ar Israel,
a bu farw deng mil a thrigain o'r bobl.
⁵Anfonodd Duw hefyd angel i Jerw-
salem i'w dinistrio, ond fel yr oedd ar fin
el dinistrio edrychodd yr ARGLWYDD ac
edifarhaodd am y niwed, a dywedodd
wrth yr angel oedd yn gyfrifol am y
dinistr, "Digon bellach! Atal dy law."
Yr oedd angcl yr ARGLWYDD yn ymyl
llawr dyrnu Ornan y Jebusiad. ¹⁶Yna
edrychodd Dafydd a gweld angel yr AR-
GLWYDD yn sefyll rhwng daear a
nefoedd, â'i gleddyf noeth yn ei law wedi
ei estyn dros Jerwsalem; ac fe syrthiodd
Dafydd a'r henuriaid, a oedd wedi eu
gwisgo mewn sachliain, ar eu hwynebau.
⁷Dywedodd Dafydd wrth Dduw, "Onid
nyfi a orchmynnodd rifo'r bobl? Onid
nyfi sydd wedi pechu a gwneud drwg?
Am y defaid hyn, beth a wnaethant
wy? O ARGLWYDD fy Nuw, bydded
dy law yn f'erbyn i a'm teulu, ond paid ag
anfon pla ar dy bobl."
18 Yna dywedodd angel yr AR-
GLWYDD wrth Gad am orchymyn i
Ddafydd fynd i fyny a chodi allor i'r
ARGLWYDD ar lawr dyrnu Ornan y
Jebusiad. ¹⁹Felly fe aeth Dafydd, ar air
Gad, fel y gorchmynnodd yn enw'r AR-
GLWYDD. ²⁰Yr oedd Ornan yn dyrnu
gwenith; trodd a gweld yr angel, ac aeth
ei bedwar mab oedd gydag ef i ymguddio.
Daeth Dafydd at Ornan, a phan welodd

Ornan ef aeth allan o'r llawr dyrnu ac
ymgrymu iddo hyd lawr. ²²Dywedodd
Dafydd wrtho, "Rho i mi'r llawr dyrnu,
er mwyn i mi godi allor yno i'r AR-
GLWYDD; rho ef i mi am ei lawn bris, er
mwyn atal y pla rhag y bobl." ²³Meddai
Ornan wrth Ddafydd, "Cymered f'ar-
glwydd frenin ef a gwneud yr hyn a fyn;
edrych, yr wyf yn rhoi'r ychen ar gyfer y
poethoffrymau, a'r offer dyrnu yn dan-
wydd a'r gwenith yn fwydoffrwm. Fe
gei'r cwbl gennyf." ²⁴Ond dywedodd y
brenin wrth Ornan, "Na, rhaid i mi ei
brynu am ei lawn werth. Ni chymeraf yr
hyn sydd eiddot ti ac aberthu i'r AR-
GLWYDD boethoffrwm di-gost." ²⁵Felly
talodd Dafydd chwe chan sicl o aur wrth
eu pwysau i Ornan am y lle; ²⁶a chododd
yno allor i'r ARGLWYDD, ac aberthu
poethoffrymau. Galwodd ar yr AR-
GLWYDD, ac atebodd yntau ef trwy
anfon tân o'r nefoedd ar allor y poeth-
offrwm. ²⁷A gorchmynnodd yr AR-
GLWYDD i'r angel roi ei gleddyf yn ôl yn
ei wain.

28 Y pryd hwnnw, pan welodd Dafydd
fod yr ARGLWYDD wedi ei ateb yn
llawr dyrnu Ornan y Jebusiad, fe aberth-
odd yno. ²⁹Yr oedd tabernacl yr AR-
GLWYDD, a wnaeth Moses yn yr anial-
wch, ac allor y poethoffrwm, yn yr
uchelfa yn Gibeon y pryd hwnnw; ³⁰ond
ni allai Dafydd fynd o'i flaen i ymofyn
â Duw am ei fod yn ofni cleddyf angel
22 yr ARGLWYDD. ¹Dywedodd
Dafydd, "Hwn fydd tŷ'r AR-
GLWYDD Dduw, ac allor y poethoffrwm
i Israel."

Paratoi i Adeiladu'r Deml

2 Rhoddodd Dafydd orchymyn i
gasglu'r dieithriaid oedd yng ngwlad
Israel, a phenododd seiri maen i baratoi
cerrig i adeiladu tŷ Dduw. ³Fe baratôdd
hefyd lawer o haearn i wneud hoelion ar
gyfer drysau'r pyrth a'r cysylltiadau, a
chymaint o bres fel nad oedd modd ei
bwyso; ⁴darparodd hefyd goed cedrwydd
di-rif, oherwydd bod y Sidoniaid a'r
Tyriaid wedi dod â llawer ohonynt iddo.
⁵Ac meddai Dafydd, "Y mae Solomon fy
mab yn ifanc a dibrofiad, a rhaid i'r tŷ a
adeiledir i'r ARGLWYDD fod yn uwch,
yn enwocach ac yn fwy gogoneddus
na'r un arall trwy'r holl wledydd; felly
dechreuaf baratoi ar ei gyfer." Ac fe

baratôdd Dafydd yn helaeth cyn iddo farw.

6 Yna galwodd ar Solomon ei fab, a'i orchymyn i adeiladu tŷ i ARGLWYDD Dduw Israel, gan ddweud wrtho, 7"Fy mab, yr oeddwn â'm bryd ar adeiladu tŷ i enw'r ARGLWYDD fy Nuw, ond daeth gair yr ARGLWYDD ataf gan ddweud, 8'Yr wyt wedi tywallt llawer o waed ac ymladd brwydrau mawr; ni chei di adeiladu tŷ i mi, am iti dywallt llawer o waed ar y ddaear yn fy ngŵydd i. 9Ond edrych, genir iti fab a fydd yn ŵr heddychlon, ac mi roddaf iddo lonydd oddi wrth yr holl elynion o'i amgylch. 10Solomon fydd ei enw, a rhoddaf heddwch a thangnefedd i Israel yn ei oes ef. Ef fydd yn adeiladu tŷ i'm henw. Bydd ef yn fab i mi a minnau'n dad iddo yntau; gwnaf orsedd ei frenhiniaeth ar Israel yn gadarn am byth.' 11Yn awr, fy mab, yr ARGLWYDD fyddo gyda thi, er mwyn i ti lwyddo wrth adeiladu tŷ'r ARGLWYDD dy Dduw fel y dywedodd ef amdanat. 12Rhodded yr ARGLWYDD i ti hefyd ddoethineb a deall, pan rydd i ti awdurdod dros Israel, er mwyn iti gadw cyfraith yr ARGLWYDD dy Dduw. 13Yna, os cedwi'r deddfau a'r barnedigaethau a orchmynnodd yr ARGLWYDD i Moses ynglŷn ag Israel, fe lwyddi. Bydd yn gryf a gwrol; paid ag ofni na bod yn wangalon. 14Edrych, er fy mod yn dlawd rhoddais ar gyfer tŷ'r ARGLWYDD gan mil o dalentau aur a miliwn o dalentau arian, a chymaint o bres a haearn fel nad oedd modd eu pwyso am fod cymaint ohonynt, a choed a cherrig yn ogystal. Ychwanega dithau atynt. 15Y mae gennyt lawer iawn o weithwyr, yn naddwyr, seiri maen a seiri coed, ac eraill yn gallu gwneud pob math o waith; 16a bydd yr aur, yr arian, y pres a'r haearn yn aneirif. Cod a gweithia, a bydded yr ARGLWYDD gyda thi."

17 Gorchmynnodd Dafydd i holl arweinwyr Israel gynorthwyo Solomon ei fab, gan ddweud, 18"Onid yw'r ARGLWYDD eich Duw gyda chwi? Onid yw wedi rhoi llonydd i chwi oddi wrth bawb o'ch cwmpas? Yn wir, y mae wedi rhoi pobl y wlad yn fy llaw, a darostyngwyd y wlad o flaen yr ARGLWYDD a'i bobl. 19Yn awr ymrowch, galon ac enaid, i geisio'r ARGLWYDD eich Duw. Codwch ac adeiladwch gysegr yr ARGLWYDD

Dduw, er mwyn dod ag arch cyfamod yr ARGLWYDD a llestri cysegredig Duw i'r tŷ a adeiledir i enw'r ARGLWYDD."

Gwaith y Lefiaid

23 Wedi i Ddafydd fynd yn hen a chyrraedd oedran teg, fe wnaeth Solomon ei fab yn frenin ar Israel. 2Yna fe gasglodd ynghyd holl arweinwyr Israel, a'r offeiriaid a'r Lefiaid. 3Rhifwyd y Lefiaid a oedd yn ddeg ar hugain oed a throsodd, a'r cyfanrif oedd deunaw mil ar hugain. 4O'r rhain yr oedd pedair mil ar hugain i arolygu'r gwaith yn nhŷ'r ARGLWYDD, chwe mil i fod yn swyddogion ac yn farnwyr, 5pedair mil yn borthorion, a phedair mil i foli'r ARGLWYDD â'r offerynnau mawl a wnaeth Dafydd[i]. 6Rhannodd Dafydd hwy yn ddosbarthiadau yn ôl meibion Lefi, sef Gerson, Cohath a Merari.

7 Meibion Gerson: Ladan a Simei. 8Meibion Ladan: Jehiel yn gyntaf, yna Setham a Joel, tri. 9Meibion Simei: Selomith, Hasiel a Haran, tri. Y rhain oedd pennau-teuluoedd Ladan. 10Meibion Simei: Jahath, Sisa[i], Jeus a Bereia. Dyma bedwar mab Simei, 11Jahath yn gyntaf a Sisa yn ail; ond nid oedd gan Jeus a Bereia lawer o feibion, felly cyfrifwyd hwy fel un teulu.

12 Meibion Cohath: Amram, Ishar, Hebron ac Ussiel, pedwar. 13Meibion Amram: Aaron a Moses. Cafodd Aaron a'i feibion eu neilltuo am byth i sancteiddio'r cysegr sancteiddiaf ac i arogldarthu gerbron yr ARGLWYDD, i'w wasanaethu ac i fendithio yn ei enw dros byth. 14Ond yr oedd meibion Moses, gŵr Duw, i'w cyfrif ymhlith llwyth Lefi. 15Meibion Moses: Gersom ac Elieser. 16Meibion Gersom: Sebuel yn gyntaf. 17Meibion Elieser: Rehabia yn gyntaf; nid oedd ganddo feibion eraill, ond yr oedd meibion Rehabia yn niferus iawn. 18Meibion Ishar: Selomith yn gyntaf. 19Meibion Hebron: Jereia yn gyntaf, Amareia yn ail, Jahasiel yn drydydd a Jecameam yn bedwerydd. 20Meibion Ussiel: Micha yn gyntaf a Jeseia yn ail.

21 Meibion Merari: Mahli a Musi. Meibion Mahli: Eleasar a Cis. 22Bu farw Eleasar; nid oedd ganddo feibion, dim ond merched, a phriododd eu cefndyr meibion Cis, â hwy. 23Meibion Musi: Mahli, Eder a Jerimoth, tri.

---

[i]Cymh. Fersiynau. Hebraeg, a wneuthum.

[i]Felly llawysgrifau a Fersiynau. Hebraeg, Sina.

24 Dyma feibion Lefi yn ôl eu teulu-oedd, a dyma'r pennau-teuluoedd yn ôl eu swyddi ac wedi eu rhifo fesul un wrth eu henwau; yr oedd pob un ugain oed a throsodd i ofalu am waith tŷ'r ARGLWYDD,[b] 25 oherwydd i Ddafydd ddweud, "Am fod yr ARGLWYDD, Duw Israel, wedi rhoi diogelwch i'w bobl, ac wedi dod i breswylio yn Jerwsalem am byth, 26 nid oes rhaid mwyach i'r Lefiaid gario'r tabernacl na'r holl offer sydd ar ei gyfer." 27 Yn ôl geiriau olaf Dafydd yr oedd y Lefiaid ugain oed a throsodd i'w rhifo. 28 Eu dyletswydd oedd cynorthwyo meibion Aaron yng ngwasanaeth tŷ'r ARGLWYDD, gofalu am y cynteddau a'r ystafelloedd, puro popeth sanctaidd ac ymgymryd â gwasanaeth tŷ Dduw. 29 Yr oeddent yn gyfrifol am y bara gosod, y blawd ar gyfer y bwydoffrwm, y teisen-nau croyw, y bara radell, y toes cymysg, a'r holl bwysau a mesurau. 30 Yr oeddent i fod yn bresennol fore a hwyr i roi mawl a chlod i'r ARGLWYDD. 31 Bob tro yr aberthid i'r ARGLWYDD ar Saboth, newydd-loer neu ŵyl, rhaid oedd i'r nifer dyladwy ohonynt fod ger ei fron ef. 32 Yr oeddent i oruchwylio pabell y cyfamod a'r cysegr, a gwcini ar eu brodyr, meibion Aaron, wrth iddynt wasanaethu yn nhŷ'r ARGLWYDD.

Gwaith yr Offeiriaid

24 Dyma ddosbarthiadau meibion Aaron. Meibion Aaron: Nadab, Abihu, Eleasar ac Ithamar. 2 Bu farw Nadab ac Abihu yn ddi-blant, a'u tad eto'n fyw; felly daeth Eleasar ac Ithamar yn offeiriaid. 3 Gyda chymorth Sadoc o feibion Eleasar ac Ahimelech o feibion Ithamar, gosododd Dafydd hwy yn eu swyddi ar gyfer eu gwasanaeth. 4 Gan fod mwy o ddynion blaenllaw ymysg meibion Eleasar na meibion Ithamar, rhannwyd hwy fel hyn: o feibion Eleasar, un ar bymtheg o bennau-teuluoedd, ac o feib-ion Ithamar, wyth. 5 Dosbarthwyd y naill a'r llall trwy goelbren, gan fod swydd-ogion y cysegr a swyddogion Duw o blith meibion Eleasar a meibion Ithamar. 6 Cofrestrwyd eu henwau gan Semaia fab Nathaneel, ysgrifennydd o lwyth Lefi, yng ngŵydd y brenin, y swyddogion, Sadoc yr offeiriad, Ahimelech fab Abiathar, a phennau-teuluoedd yr offeir-iaid a'r Lefiaid, a dewiswyd un teulu o

feibion Eleasar ac un[ll] o feibion Ithamar. 7 Syrthiodd y coelbren cyntaf ar Jehoi-arib, yr ail ar Jedaia, 8 y trydydd ar Harim, y pedwerydd ar Seorim, 9 y pumed ar Malcheia, y chweched ar Mijamin, 10 y seithfed ar Haccos, yr wythfed ar Abeia, 11 y nawfed ar Jesua, y degfed ar Sechaneia, 12 yr unfed ar ddeg ar Eliasib, y deuddegfed ar Jacim, 13 y trydydd ar ddeg ar Huppa, y pedwerydd ar ddeg ar Jesebeab, 14 y pymthegfed at Bilga, yr unfed ar bymtheg ar Immer, 15 yr ail ar bymtheg ar Hesir, y deunawfed ar Affses, 16 y pedwerydd ar bymtheg ar Pethaheia, yr ugeinfed ar Jehesecel, 17 yr unfed ar hugain ar Jachin, yr ail ar hugain ar Gamul, 18 y trydydd ar hugain ar Delaia, y pedwerydd ar hugain ar Maaseia. 19 Swyddogaeth y rhain yn y gwasanaeth oedd dod i mewn i dŷ Dduw yn ôl y drefn a osodwyd gan Aaron cu tad, fel y gorchmynnwyd iddo gan ARGLWYDD Dduw Israel.

Rhestr o'r Lefiaid

20 Dyma weddill meibion Lefi. O feibion Amram: Subael; o feibion Subael: Jehdeia; 21 o Rehabia a'i feibion: Issia yn gyntaf; 22 o'r Ishariad: Selomoth; o feib-ion Selomoth: Jahath. 23 Meibion Hebr-on[m]: Jereia yn gyntaf, Amareia yn ail, Jahasiel yn drydydd a Jecameam yn bedwerydd. 24 O feibion Ussiel: Micha; o feibion Micha: Samir. 25 Brawd Micha oedd Issia. O feibion Issia: Sechareia. 26 Meibion Merari: Mahli a Musi. Meibion Jaasei: Beno. 27 Meibion Merari trwy Jaaseia: Beno, Soham, Saccur ac Ibri. 28 O Mahli: Eleasar, a oedd yn ddi-blant. 29 O Cis, meibion Cis: Jerahmeel. 30 Meib-ion Musi: Mahli, Eder a Jerimoth. Y rhain oedd y Lefiaid yn ôl eu teuluoedd. 31 Ac yn union fel y gwnaeth eu brodyr, meib-ion Aaron, fe fwriodd yr hen a'r ifanc goelbrennau yng ngŵydd y Brenin Dafydd, Sadoc, Ahimelech a phennau-teuluoedd yr offeiriaid a'r Lefiaid.

Cerddorion y Deml

25 Dewisodd Dafydd a'r swyddog-ion feibion Asaff, Heman a Jeduthun ar gyfer y gwaith o broffwydo â thelynau, nablau a symbalau. Dyma restr o'r dynion a etholwyd ar gyfer y gwaith. 2 O feibion Asaff: Saccur, Joseff, Neth-aneia ac Asarela. Yr oedd meibion Asaff

---

[ll] Felly llawysgrifau a Fersiynau. Hebraeg, *a dewiswyd.*

[m] Cymh. 23:19. TM heb *Hebron.*

o dan gyfarwyddyd Asaff, a oedd yn proffwydo mewn ufudd-dod i'r brenin. ³O Jeduthun, meibion Jeduthun: Gedaleia, Seri, Jesaia, Simeiⁿ, Hasabeia a Matitheia, chwech, o dan gyfarwyddyd eu tad Jeduthun, a oedd yn proffwydo ar y delyn er mawl a chlod i'r ARGLWYDD. ⁴O Heman, meibion Heman: Bucceia, Mataneia, Ussiel, Sebuel, Jerimoth, Hananeia, Hanani, Eliatha, Gidalti, Romamti-eser, Josbecasa, Malothi, Hothir a Mahasioth. ⁵Yr oedd y rhain i gyd yn feibion Heman, gweledydd y brenin, gan fod Duw wedi addo ei ddyrchafu, ac wedi rhoi iddo bedwar ar ddeg o feibion a thair merch. ⁶Yr oedd y rhain i gyd o dan gyfarwyddyd eu tad yn canu yn nhŷ'r ARGLWYDD gyda symbalau, nablau a thelynau, tra oedd Asaff, Jeduthun a Heman o dan gyfarwyddyd y brenin. ⁷Y cyfanrif, gan gynnwys eu brodyr a oedd wedi eu hyfforddi sut i ganu i'r ARGLWYDD ac wedi meistroli'r grefft, oedd dau gant wyth deg ac wyth. ⁸Bwriasant goelbrennau ynglŷn â'u dyletswyddau, ifanc a hen, athro a disgybl fel ei gilydd.

9 Syrthiodd y coelbren cyntaf ar Joseff yr Asaffiad, ef a'i feibion a'i frodyr, deuddeg°. Yr ail ar Gedaleia, ef a'i frodyr a'i feibion, deuddeg. ¹⁰Y trydydd ar Saccur, ei feibion a'i frodyr, deuddeg. ¹¹Y pedwerydd ar Isri, ei feibion a'i frodyr, deuddeg. ¹²Y pumed ar Nethaneia, ei feibion a'i frodyr, deuddeg. ¹³Y chweched ar Bucceia, ei feibion a'i frodyr, deuddeg. ¹⁴Y seithfed ar Jesarela, ei feibion a'i frodyr, deuddeg. ¹⁵Yr wythfed ar Jesaia, ei feibion a'i frodyr, deuddeg. ¹⁶Y nawfed ar Mataneia, ei feibion a'i frodyr, deuddeg. ¹⁷Y degfed ar Simei, ei feibion a'i frodyr, deuddeg. ¹⁸Yr unfed ar ddeg ar Asareel, ei feibion a'i frodyr, deuddeg. ¹⁹Y deuddegfed ar Hasabeia, ei feibion a'i frodyr, deuddeg. ²⁰Y trydydd ar ddeg ar Subael, ei feibion a'i frodyr, deuddeg. ²¹Y pedwerydd ar ddeg ar Matitheia, ei feibion a'i frodyr, deuddeg. ²²Y pymthegfed ar Jerimoth, ei feibion a'i frodyr, deuddeg. ²³Yr unfed ar bymtheg ar Hananeia, ei feibion a'i frodyr, deuddeg. ²⁴Yr ail ar bymtheg ar Josbecasa, ei feibion a'i frodyr, deuddeg. ²⁵Y deunawfed ar Hanani, ei feibion a'i frodyr, deuddeg. ²⁶Y pedwerydd ar bymtheg ar Malothi, ei feibion a'i frodyr, deuddeg. ²⁷Yr ugeinfed ar Eliatha, ei feibion a'i frodyr, deuddeg. ²⁸Yr unfed ar hugain ar Hothir, ei feibion a'i frodyr, deuddeg. ²⁹Yr ail ar hugain ar Gidalti, ei feibion a'i frodyr, deuddeg. ³⁰Y trydydd ar hugain ar Mahasioth, ei feibion a'i frodyr, deuddeg. ³¹Y pedwerydd ar hugain ar Romamti-eser, ei feibion a'i frodyr, deuddeg.

Y Porthorion

26 Dyma ddosbarthiadau'r porthorion. O'r Corahiaid; Meselemia fab Core, o feibion Asaff. ²O feibion Meselemia: Sechareia y cyntafanedig, Jediael, yr ail, Sebadeia y trydydd, Jathniel y pedwerydd, ³Elam y pumed, Jehohanan y chweched, Elioenai y seithfed. ⁴O feibion Obed-edom: Semaia y cyntafanedig, Jehosabad yr ail, Joa y trydydd, Sachar y pedwerydd, Nethaneel y pumed, ⁵Ammiel y chweched, Issachar y seithfed, Peulthai yr wythfed; oherwydd yr oedd Duw wedi ei fendithio. ⁶I'w fab Semaia ganwyd meibion a ddaeth yn arweinwyr eu teulu am eu bod yn ddynion galluog iawn. ⁷Meibion Semaia: Othni, Reffael, Obed, Elsabad a'i frodyr Elihu a Semachei, gwŷr galluog. ⁸Disgynyddion Obed-edom oedd y rhain i gyd, ac yr oeddent hwy a'u meibion a'u brodyr yn ddynion galluog ac yn gymwys ar gyfer y gwasanaeth, chwe deg a dau ohonynt. ⁹O feibion a brodyr Meselemia, dynion galluog: deunaw. ¹⁰O feibion Hosa y Merariad: Simri yn gyntaf (er nad ef oedd y cyntafanedig, gwnaeth ei dad ef yn gyntaf). ¹¹Hilceia yn ail, Tebaleia yn drydydd, Sechareia yn bedwerydd; yr oedd meibion a brodyr Hosa yn dri ar ddeg i gyd.

12 Trwy'r rhain, y dynion mwyaf blaenllaw, yr oedd gan ddosbarthiadau'r porthorion ddyletswyddau ynglŷn â gwasanaeth yn nhŷ yr ARGLWYDD gyda'u brodyr. ¹³Bwriasant goelbrennau ar gyfer y pyrth yn ôl eu teuluoedd, ifanc a hen fel ei gilydd. ¹⁴Syrthiodd y coelbren am borth y dwyrain ar Selemeia. Yna bwriasant goelbrennau dros ei fab Sechareia, a oedd yn gynghorwr deallus, a chafodd yntau borth y gogledd. ¹⁵Cafodd Obededom borth y de, a'i feibion yr ystordy. ¹⁶Cafodd Suppim a Hosa borth y

gorllewin gyda phorth Salecheth ar y briffordd uchaf. [17]Yr oedd y gwylwyr yn cyfnewid â'i gilydd: chwech bob dydd[P] ym mhorth y dwyrain, pedwar bob dydd ym mhorth y gogledd, a phedwar bob dydd ym mhorth y de, dau yr un ar gyfer yr ystordai, [18]ac ar gyfer y glwysty gorllewinol, pedwar ar y briffordd a dau i'r glwysty ei hun, [19]Y rhain oedd dosbarthiadau'r porthorion o blith meibion Cora a meibion Merari.

Dyletswyddau Eraill y Lefiaid

20 Eu brodyr y Lefiaid[ph] oedd yn gofalu am drysordai tŷ Dduw a thrysordai'r pethau cysegredig. [21]O feibion Ladan, a oedd yn Gersoniaid trwy Ladan ac yn bennau-teuluoedd i Ladan y Gersoniad: Jehieli. [22]O feibion Jehieli: Setham a Joel ei frawd; hwy oedd yn gyfrifol am drysordai tŷ'r ARGLWYDD. [23]O'r Amramiaid, yr Ishariaid, yr Hebroniaid a'r Ussieliaid: [24]Sebuel fab Gersom, fab Moses oedd yn bennaeth ar y trysordai. [25]Ei berthnasau ef trwy Eleasar: Rehabia ei fab, Jeseia ei fab, Joram ei fab, Sichri ei fab a Selomoth ei fab. [26]Y Selomoth hwn a'i frodyr oedd yn gofalu am holl drysordai'r pethau sanctaidd a gysegrodd y Brenin Dafydd, y pennau-teuluoedd, capteiniaid y miloedd a'r cannoedd, a swyddogion y fyddin. [27]Yr oeddent hwy wedi cysegru rhan o'r ysbail rhyfel er mwyn cynnal tŷ'r ARGLWYDD. [28]Yr oedd y cwbl a gysegrodd Samuel y gweledydd, Saul fab Cis, Abner fab Ner a Joab fab Serfia—hynny yw, popeth cysegredig—yng ngofal Selomoth a'i frodyr. [29]O'r Ishariaid: Cenaneia a'i feibion oedd yn gweithredu fel swyddogion a barnwyr ar Israel mewn materion y tu allan i'r deml. [30]O'r Hebroniaid: Hasabeia a'i frodyr, mil saith gant o ddynion galluog, oedd yn arolygu gwaith yr ARGLWYDD a gwasanaeth y brenin yn Israel y tu hwnt i'r Iorddonen. [31]O'r Hebroniaid: Jereia yn gyntaf. Yn neugeinfed flwyddyn teyrnasiad Dafydd chwiliwyd achau'r Hebroniaid, a chafwyd bod dynion galluog iawn yn eu mysg yn Jaser Gilead. [32]Yr oedd gan Jereia ddwy fil saith gant o berthnasau yn bennau-teuluoedd ac yn ddynion galluog. A dewisodd y Brenin Dafydd hwy i arolygu'r Reubeniaid, y Gadiaid a hanner llwyth Manasse mewn materion yn ymwneud â Duw ac â'r brenin.

Trefn Filwrol a Sifil

27 Dyma nifer meibion Israel, yn bennau-teuluoedd a chapteiniaid y miloedd a'r cannoedd a'u swyddogion, oedd yn gwasanaethu'r brenin yn y gwahanol adrannau fis ar y tro trwy gydol y flwyddyn: pedair mil ar hugain ymhob adran. [2]Jasobeam fab Sabdiel oedd yn gofalu am yr adran gyntaf am y mis cyntaf, ac yn ei adran ef yr oedd pedair mil ar hugain. [3]Yr oedd ef o feibion Peres ac yn brif swyddog y llu am y mis cyntaf. [4]Dodai yr Ahohiad oedd dros adran yr ail fis, ac yn ei adran ef a Micloth y pennaeth yr oedd pedair mil ar hugain. [5]Benaia fab Jehoiada yr archoffeiriad oedd trydydd swyddog y llu, am y trydydd mis, ac yn ei adran yntau yr oedd pedair mil ar hugain. [6]Y Benaia hwn oedd yr arwr ymhlith y Deg ar Hugain, ac ef oedd yn gofalu amdanynt. Amisabad ei fab oedd dros ei adran ef. [7]Asahel brawd Joab oedd y pedwerydd, am y pedwerydd mis, a Sebadeia ei fab ar ei ôl; yn ei adran yntau yr oedd pedair mil ar hugain. [8]Samuth yr Israhiad oedd y pumed swyddog, am y pumed mis, ac yn ei adran yntau yr oedd pedair mil ar hugain. [9]Ira fab Icces y Tecoad oedd y chweched, am y chweched mis, ac yn ei adran yntau yr oedd pedair mil ar hugain. [10]Heles y Peloniad, o feibion Effraim, oedd y seithfed, am y seithfed mis, ac yn ei adran yntau yr oedd pedair mil ar hugain. [11]Sibbechai yr Husathiad, un o'r Sarhiaid, oedd yr wythfed am yr wythfed mis, ac yn ei adran ef yr oedd pedair mil ar hugain. [12]Abieser o Anathoth, un o'r Benjaminiaid, oedd y nawfed, am y nawfed mis, ac yn ei adran yntau yr oedd pedair mil ar hugain. [13]Maharai o Netoffa, un o'r Sarhiaid, oedd y degfed, am y degfed mis, ac yn ei adran yntau yr oedd pedair mil ar hugain. [14]Benaia y Pirathoniad, o feibion Effraim, oedd yr unfed ar ddeg, am yr unfed mis ar ddeg, ac yn ei adran yntau yr oedd pedair mil ar hugain. [15]Heldai y Netoffathiad o Othniel oedd y deuddegfed, am y deuddegfed mis, ac yn ei adran ef yr oedd pedair mil ar hugain.

[P]Felly Groeg. Hebraeg, *chwech y Lefiaid.*
[ph]Felly Groeg. Hebraeg, *Y Lefiaid, Aheia.*

Swyddogion Llwythau Israel

16 Prif swyddogion llwythau Israel: Elieser fab Sichri dros y Reubeniaid; Seffatia fab Maacha dros y Simeoniaid; [17]Hasabeia fab Cemual dros y Lefiaid; Sadoc dros yr Aaroniaid; [18]Elihu, un o frodyr Dafydd, dros Jwda; Omri fab Michael dros Issachar; [19]Ismaia fab Obadeia dros Sabulon; Jerimoth fab Asriel dros Nafftali; [20]Hosea fab Asaseia dros feibion Effraim; Joel fab Pedaia dros hanner llwyth Manasse; [21]Ido fab Sechareia dros hanner llwyth Manasse yn Gilead; Jaasiel fab Abner dros Benjamin; [22]Asarel fab Jeroham dros Dan. Y rhain oedd swyddogion llwythau Israel.

23 Ni restrodd Dafydd y rhai ugain mlwydd oed a thanodd, am fod yr AR-GLWYDD wedi addo gwneud Israel mor niferus â sêr y nefoedd. [24]Fe ddechreuodd Joab fab Serfia wneud cyfrifiad, ond nis gorffennodd. O achos hyn fe ddaeth llid ar Israel, a dyna pam na cheir y cyfanswm yng nghronicl y Brenin Dafydd.

Swyddogion Trysordai'r Brenin

25 Dros drysordai'r brenin: Asmafeth fab Abdiel; dros y trysordai yn y wlad, y dinasoedd, y pentrefi a'r caerau: Jehonathan fab Usseia; [26]dros y rhai oedd yn gweithio ar y tir: Esri fab Celub; [27]dros y gwinllannoedd: Simei y Ramathiad; dros gynnyrch y gwinllannoedd yn y selerau gwin: Sabdi y Siffniad; [28]dros yr olewydd a'r sycamorwydd yn y Sheffela: Baalhanan y Gederiad; dros y selerau olew: Joas; [29]dros yr ychen yn pori yn Saron: Sitrai y Saroniad; dros yr ychen yn y dyffrynnoedd: Saffat fab Adlai; [30]dros y camelod: Obil yr Ismaeliad; dros yr asynnod: Jehdeia y Moronothiad; dros y defaid: Jasis yr Hageriad. [31]Dyma'r swyddogion oedd yn gofalu am eiddo'r Brenin Dafydd.

Cynghorwyr Personol Dafydd

32 Jehonathan, ewythr Dafydd, cynghorwr ac ysgrifennydd deallus, a Jehiel fab Hachmon oedd yn gofalu am feibion y brenin. [33]Yr oedd Ahitoffel yn gynghorwr i'r brenin, a Husai yr Arciad yn gyfaill y brenin. [34]Dilynwyd Ahitoffel gan Jehoiada fab Benaia, ac Abiathar. Joab oedd cadfridog byddin y brenin.

Gorchmynion Dafydd ynglŷn â'r Deml

28 Casglodd Dafydd i Jerwsalem holl swyddogion Israel, arweinwyr y llwythau, swyddogion y dosbarthiadau a oedd yn gwasanaethu'r brenin, capteiniaid y miloedd a'r cannoedd, arolygwyr holl eiddo a gwartheg y brenin a'i feibion, ynghyd â'r eunuchiaid, y rhyfelwyr a phob gŵr nerthol. [2]Cododd y Brenin Dafydd ar ei draed a dweud, "Gwrandewch arnaf fi, fy mrodyr a'm pobl. Yr oeddwn â'm bryd ar adeiladu tŷ, yn orffwysfa i arch cyfamod yr AR-GLWYDD ac yn droedfainc i'n Duw, a pharatoais i wneud hynny. [3]Ond dywedodd Duw wrthyf, 'Ni chei di adeiladu tŷ i mi, oherwydd buost yn rhyfelwr ac yn tywallt gwaed.' [4]Dewisodd AR-GLWYDD Dduw Israel fyfi o'm holl deulu i fod yn frenin ar Israel am byth; dewisodd Jwda i arwain, ac o fewn Jwda fy nheulu i, ac o blith meibion fy nhad, i mi y rhoes y fraint o fod yn frenin ar Israel gyfan. [5]O'm holl feibion—ac fe roddodd yr ARGLWYDD lawer ohonynt imi—fe ddewisodd fy mab Solomon i eistedd ar orsedd frenhinol yr AR-GLWYDD dros Israel. [6]Dywedodd wrthyf, 'Dy fab Solomon sydd i adeiladu fy nhŷ a'm cynteddau, oherwydd dewisais ef yn fab imi, a byddaf finnau'n dad iddo yntau. [7]Sefydlaf ei frenhiniaeth ef am byth, os bydd yn ymdrechu i gadw fy ngorchmynion a'm barnedigaethau fel y gwneir heddiw.' [8]Yn awr, yng ngŵydd holl Israel, sef cynulleidfa yr AR-GLWYDD, ac yng nghlyw ein Duw ni, gofalwch gadw holl orchmynion yr ARGLWYDD eich Duw, er mwyn i chwi feddiannu'r wlad dda hon a'i gadael yn etifeddiaeth i'ch meibion am byth. [9]A thithau, Solomon fy mab, bydded i ti adnabod Duw dy dad, a'i wasanaethu ef â chalon berffaith ac ysbryd ewyllysgar, oherwydd y mae'r ARGLWYDD yn chwilio pob calon ac yn deall holl ddychymyg y meddwl. Os ceisi ef, fe'i cei; ond os gwrthodi ef, bydd yntau'n dy wrthod dithau am byth. [10]Ystyria'n awr, oherwydd y mae'r ARGLWYDD wedi dy ddewis i adeiladu tŷ yn gysegr iddo; bydd gryf, a dechrau ar y gwaith."

11 Rhoddodd Dafydd i'w fab Solomon gynllun porth y deml, a'i hadeiladau, ei hystordai, ei goruwchystafelloedd, ei hystafelloedd mewnol a'r drugareddfa. [12]Rhoddodd iddo hefyd gynllun o'r cyfan

a gafodd trwy'r ysbryd ynglŷn â chynteddau tŷ'r ARGLWYDD, yr holl ystafelloedd o'i gwmpas, trysordai tŷ Dduw a thrysordai'r pethau cysegredig. ¹³Rhoddodd iddo gyfarwyddyd am ddosbarthiadau'r offeiriaid a'r Lefiaid, yr holl waith ynglŷn â thŷ'r ARGLWYDD, a'r holl lestri ar gyfer y gwasanaeth. ¹⁴Pennodd bwysau'r aur ar gyfer yr offer aur, a'r arian ar gyfer yr offer arian a ddefnyddid yn y gwahanol wasanaethau: ¹⁵pwysau'r aur ar gyfer y canwyllbrennau aur a'u lampau; pwysau'r canwyllbrennau yn ôl pwysau pob canhwyllbren a'i lampau, a'r defnydd a wneid ohonynt; ¹⁶pwysau'r aur ar gyfer un o fyrddau'r bara gosod, ac arian ar gyfer y byrddau arian; ¹⁷aur pur ar gyfer y ffyrch, y costrelau a'r dysglau; pwysau'r aur ar gyfer y cawgiau aur, a phwysau'r arian ar gyfer y cawgiau arian; ¹⁸pwysau'r aur cocth ar gyfcr allor yr arogldarth. Rhoddodd iddo hefyd gynllun cerbyd, a'r cerwbiaid aur oedd ag adenydd estynedig yn gorchuddio arch cyfamod yr ARGLWYDD. ¹⁹"Hyn oll", meddai Dafydd, "a ysgrifennwyd gan law yr ARGLWYDD; fy nghyfrifoldeb i oedd deall sut yr oedd pob cynllun yn gwcithio."

20 Yna dywedodd Dafydd wrth ei fab Solomon, "Bydd gryf a dyfal, a dechrau ar y gwaith; paid ag ofni na digalonni, oherwydd y mae'r ARGLWYDD Dduw, fy Nuw i, gyda thi; ni fydd yn cefnu arnat na'th adael cyn iti orffen y cyfan sy'n angenrheidiol at wasanaeth tŷ'r ARGLWYDD. ²¹Dyma ddosbarthiadau'r offeiriaid a'r Lefiaid ar gyfer holl wasanaeth tŷ Dduw. Trwy gydol y gwaith fe fydd pob crefftwr ewyllysgar gyda thi, a bydd y swyddogion a'r holl bobl yn barod i ufuddhau iti."

Rhoddion at Adeiladu'r Deml

29 Dywedodd y Brenin Dafydd wrth yr holl gynulleidfa, "Y mae fy mab Solomon, a ddewiswyd gan Dduw, yn ifanc a dibrofiad, ond y mae'r gwaith yn fawr oherwydd mai palas i'r ARGLWYDD Dduw, ac nid i ddyn, yw'r hwn. ²Yr wyf wedi paratoi hyd eithaf fy ngallu ar gyfer tŷ fy Nuw; rhoddais aur ar gyfer popeth aur, arian ar gyfer popeth arian, pres ar gyfer popeth pres, haearn ar gyfer popeth haearn a choed ar gyfer popeth o goed. Rhoddais hefyd feini onyx a meini i'w gosod, meini glas ac amryliw, gemau gwerthfawr o bob math, a llawer o alabaster. ³Hefyd, am fy mod yn ymhyfrydu yn nhŷ fy Nuw, yr wyf wedi rhoi fy nhrysor personol o aur ac arian i dŷ fy Nuw; ⁴ar ben y cwbl, yr wyf wedi paratoi ar gyfer y cysegr dair mil o dalentau o aur Offir a saith mil o dalentau o arian coeth, i'w rhoi'n haenau ar barwydydd y tai, ⁵yr aur ar gyfer popeth aur, a'r arian ar gyfer popeth arian, ac ar gyfer holl waith celfydd. Pwy sy'n barod i ymgysegru o'i wirfodd i'r ARGLWYDD heddiw?"

6 Yna rhoddodd arweinwyr y teuluoedd, penaethiaid llwythau Israel, capteiniaid y miloedd a'r cannoedd, a swyddogion gwaith y brenin i gyd offrwm gwirfodd. ⁷Rhoesant at waith tŷ Dduw bum mil o dalentau aur, deng mil o ddariciau, deng mil o dalentau arian, deunaw mil o dalentau pres a chan mil o dalentau haearn. ⁸Yr oedd pob un a feddai emau gwerthfawr yn cu rhoi yn nhrysordy tŷ'r ARGLWYDD a oedd dan ofal Jehiel y Gersoniad. ⁹Yr oedd eu haelioni yn achos llawenydd i'r bobl am eu bod yn offrymu i'r ARGLWYDD o'u gwirfodd ac â chalon berffaith. ¹⁰Yr oedd y brenin Dafydd hefyd yn llawen iawn.

Dafydd yn Bendithio'r Arglwydd

Bendithiodd yr ARGLWYDD o flaen yr holl gynulleidfa a dweud, "Bendigedig wyt ti, ARGLWYDD Dduw Israel ein tad, o dragwyddoldeb hyd dragwyddoldeb. ¹¹I ti, ARGLWYDD, y perthyn mawredd, gallu, gogoniant, ysblander a mawrhydi; oherwydd y mae popeth yn y nefoedd ac ar y ddaear yn eiddo i ti; ti, ARGLWYDD, biau'r deyrnas, ac fe'th ddyrchafwyd yn ben ar y cwbl. ¹²Oddi wrthyt ti y daw cyfoeth ac anrhydedd, a thi sy'n arglwyddiaethu ar bopeth; yn dy law di y mae nerth a chadernid, a thi sy'n rhoi cynnydd a chryfder i bob dim. ¹³Yn awr, ein Duw, moliannwn di a chlodforwn dy enw gogoneddus. ¹⁴Oherwydd pwy wyf fi a'm pobl i fedru rhoi o'u gwirfodd fel hyn? Canys oddi wrthyt ti y daw popeth, ac o'th eiddo dy hun y rhoesom iti. ¹⁵Dieithriaid ac alltudion ydym ni yn dy olwg, fel ein holl dadau; y mae ein dyddiau ar y ddaear fel cysgod, a heb obaith. ¹⁶ARGLWYDD ein Duw, eiddot ti yw'r holl gyfoeth hwn a phopeth arall a roesom o'r neilltu i adeiladu tŷ iti er anrhydedd i'th enw sanctaidd. ¹⁷Gwn, fy Nuw, dy fod yn profi'r galon ac yn ymhyfrydu mewn cyfiawnder. Â chalon uniawn yr offrymais o'm gwirfodd yr holl bethau hyn; ac yn awr gwelais dy bobl sydd wedi ymgynnull yma yn offrymu iti yn llawen ac o'u gwirfodd. ¹⁸ARGLWYDD Dduw Abraham, Isaac ac Israel, ein tadau, cadw'r dyhead hwn yng nghalon dy bobl am byth, a thro eu calon atat. ¹⁹Rho galon berffaith i Solomon fy mab, iddo gadw dy orchmynion, dy dystiolaethau a'th ddeddfau, a'u gwneud bob un, ac iddo adeiladu'r deml a ddarparais i."

20 Dywedodd Dafydd hefyd wrth yr holl dyrfa, "Yn awr bendithiwch yr ARGLWYDD eich Duw." Yna bendithiodd yr holl gynulleidfa ARGLWYDD Dduw eu tadau trwy ymostwng ac ymgrymu i'r ARGLWYDD ac i'r brenin. ²¹Trannoeth aberthasant i'r ARGLWYDD ac offrymu iddo boethoffrymau, sef mil o ychen, mil o hyrddod, mil o ŵyn, ynghyd â'u diod-offrymau a llawer iawn o aberthau dros holl Israel. ²²Buont yn bwyta ac yfed o flaen yr ARGLWYDD y diwrnod hwnnw â llawenydd mawr. Gwnaethant Solomon fab Dafydd yn frenin yr ail waith, a'i eneinio ef yn arweinydd i'r ARGLWYDD, a Sadoc yn offeiriad. ²³Felly eisteddodd Solomon ar orsedd yr ARGLWYDD yn frenin yn lle Dafydd ei dad; cafodd lwyddiant, a bu holl Israel yn ufudd iddo. ²⁴Rhoddodd yr holl swyddogion a'r rhyfelwyr, a phob un o feibion y Brenin Dafydd, wrogaeth i'r Brenin Solomon. ²⁵Dyrchafodd yr ARGLWYDD Solomon yn uchel iawn yng ngolwg holl Israel, a rhoi iddo fawrhydi brenhinol na welwyd mo'i debyg gan unrhyw un o frenhinoedd Israel o'i flaen.

Crynodeb o Deyrnasiad Dafydd

26 Teyrnasodd Dafydd fab Jesse ar Israel gyfan am ddeugain mlynedd; ²⁷bu'n frenin am saith mlynedd yn Hebron a thair ar ddeg ar hugain yn Jerwsalem. ²⁸Bu farw'n hen ŵr mewn oedran teg, yn berchen ar gyfoeth ac yn llawn anrhydedd; a theyrnasodd ei fab Solomon yn ei le. ²⁹Y mae hanes y Brenin Dafydd o'r dechrau i'r diwedd, wedi ei ysgrifennu yng Nghronicl Samuel y gweledydd, Cronicl Nathan y proffwyd, a Chronicl Gad y gweledydd; ³⁰yno hefyd ceir hanes ei frenhiniaeth a'i wrhydri, a'r cyfnod yr oedd ef, ac Israel, a holl deyrnasoedd y byd, yn perthyn iddo.

AIL LYFR Y
CRONICL

Solomon yn Gweddïo am Ddoethineb
(1 Bren. 3:1-15)

1 Sicrhaodd Solomon fab Dafydd ei afael ar ei deyrnas, ac yr oedd yr ARGLWYDD ei Dduw gydag ef, yn ei ddyrchafu'n uchel iawn. 2 Cyfarchodd Solomon holl Israel, capteiniaid y miloedd a'r cannoedd, y barnwyr a phob tywysog a phenteulu trwy Israel gyfan. ³Yna fe aeth ef a'r gynulleidfa i gyd i'r uchelfa yn Gibeon, oherwydd yno yr oedd pabell cyfarfod Duw, a wnaeth Moses gwas yr ARGLWYDD yn yr anialwch. ⁴Ond yr oedd arch Duw wedi ei chludo gan Ddafydd o Ciriath Jearim i'r lle a ddarparodd ar ei chyfer, sef y babell a gododd yn Jerwsalem. ⁵Yno, o flaen tabernacl yr ARGLWYDD, yr oedd yr allor bres a wnaeth Besalel fab Uri, fab Hur; ac fe nesaodd Solomon a'r gynulleidfa ati. ⁶Aeth Solomon i fyny at yr allor bres gerbron yr ARGLWYDD ym mhabell y cyfarfod, ac offrymodd arni fil o boethoffrymau. ⁷Y noson honno ymddangosodd Duw i Solomon a dweud wrtho, "Gofyn beth bynnag a fynni gennyf." ⁸Dywedodd Solomon wrth Dduw, "Buost yn ffyddlon iawn i'm tad Dafydd, a gwnaethost fi yn frenin yn ei le. ⁹Yn awr, ARGLWYDD Dduw, cyflawner dy addewid i'm tad Dafydd, oherwydd gwnaethost fi'n frenin ar bobl mor aneirif â llwch y ddaear. ¹⁰Yn awr, rho i mi ddoethineb a deall i arwain y bobl hyn, oherwydd pwy a all farnu dy bobl, sydd mor niferus?" ¹¹Meddai Duw wrth Solomon, "Gan mai dyma dy ddymuniad, ac na ofynnaist am gyfoeth na golud nac anrhydedd, nac einioes dy elynion, na hir oes i ti dy hun, ond yn hytrach am ddoethineb a deall i farnu fy mhobl y gwneuthum di'n frenin arnynt, ¹²fe roddir doethineb a deall iti. Rhoddaf iti hefyd gyfoeth, golud ac anrhydedd na fu eu tebyg gan y brenhinoedd o'th flaen, ac na fydd gan y rhai ar dy ôl." ¹³Yna dychwelodd Solomon o babell y cyfarfod yn yr uchelfa yn Gibeon, a daeth i Jerwsalem, lle y teyrnasodd ar Israel.

Gallu a Chyfoeth y Brenin Solomon
(1 Bren. 10:26-29)

14 Casglodd Solomon gerbydau a meirch; ac yr oedd ganddo fil a phedwar cant o gerbydau a deuddeng mil o feirch a gedwid yn y dinasoedd cerbyd a chyda'r brenin yn Jerwsalem. ¹⁵Parodd y brenin i arian ac aur fod mor aml yn Jerwsalem â cherrig, a chedrwydd mor gyffredin â sycamorwydd y Seffela. ¹⁶O'r Aifft a Cŵe y dôi ceffylau Solomon, a byddai porthmyn y brenin yn eu cyrchu o Cŵe am bris penodedig. ¹⁷Byddent yn mewnforio cerbyd o'r Aifft am chwe chan sicl o arian, a cheffyl am gant a hanner, ac yn eu hallforio i holl frenhinoedd yr Hethiaid a'r Syriaid.

Solomon yn Paratoi i Adeiladu'r Deml
(1 Bren. 5:1-18)

2 Penderfynodd Solomon adeiladu tŷ i enw'r ARGLWYDD, a phalas iddo'i hun. ²Dewisodd ddeng mil a thrigain o ddynion yn gludwyr, a phedwar ugain mil yn chwarelwyr yn y mynydd, a thair mil a chwe chant yn oruchwylwyr drostynt. ³Yna fe anfonodd y neges hon at Hiram brenin Tyrus, "Gwna i mi yn union fel y gwnaethost i Ddafydd fy nhad pan anfonaist iddo gedrwydd er mwyn iddo adeiladu tŷ i fyw ynddo. ⁴Yr wyf fi am adeiladu tŷ i enw'r ARGLWYDD fy Nuw a'i gysegru iddo, er mwyn llosgi arogldarth peraidd a rhoi'r bara gosod o'i flaen yn rheolaidd, a gwneud poethoffrymau fore a hwyr, ar y Sabothau, y newydd-loerau a gwyliau penodedig yr ARGLWYDD ein Duw; oherwydd y mae hon yn ddeddf i'w chadw gan Israel am byth. ⁵Bydd y tŷ a adeiladaf fi yn un mawr, am fod ein Duw ni yn fwy na'r holl dduwiau. ⁶Ond pwy a all adeiladu tŷ iddo pan yw'r nefoedd a nef y nefoedd yn methu ei gynnwys? A phwy wyf fi i godi tŷ iddo, heblaw i arogldarthu o'i flaen?

⁷Felly, anfon ataf grefftwr medrus i weithio mewn aur, arian, pres a haearn, ac mewn defnydd porffor ac ysgarlad, a sidan glas, un sydd hefyd yn gerfiwr cywrain, er mwyn iddo ymuno â'r crefftwyr a benododd fy nhad Dafydd, ac sydd gennyf yn Jwda a Jerwsalem. ⁸Anfon ataf hefyd gedrwydd, ffynidwydd a choed almug o Lebanon, oherwydd gwn fod dy weision yn gyfarwydd â thorri coed Lebanon. Bydd fy ngweision yn cynorthwyo dy weision di ⁹i ddarparu llawer o goed i mi, oherwydd fe fydd y tŷ yr wyf am ei adeiladu yn fawr a rhyfeddol. ¹⁰Fe roddaf i'th weision, sef y coedwigwyr sy'n torri'r coed, ugain mil o corusau o wenith wedi ei falu, ugain mil o corusau o haidd, ugain mil o bathau o win ac ugain mil o bathau o olew."

11 Anfonodd Hiram brenin Tyrus yr ateb hwn i Solomon mewn llythyr: "Am i'r ARGLWYDD garu ei bobl, fe'th wnaeth di'n frenin arnynt. ¹²Bendigedig fyddo'r ARGLWYDD, Duw Israel, gwneuthurwr nef a daear, am iddo roi i'r Brenin Dafydd fab doeth, wedi ei ddonio â synnwyr a deall, i adeiladu tŷ i'r ARGLWYDD a phalas iddo'i hun. ¹³Yr wyf yn anfon iti'n awr grefftwr medrus a fu'n gweithio i Hiram fy nhad; ¹⁴mab ydyw i un o ferched Dan, a'i dad yn hanu o Tyrus. Y mae wedi ei hyfforddi i weithio mewn aur, arian, pres, haearn, cerrig a choed, yn ogystal â defnydd porffor ac ysgarlad, sidan glas, a lliain main; gŵyr hefyd sut i gerfio unrhyw beth, a sut i weithio yn ôl unrhyw batrwm a roddir iddo. Gad iddo ymuno â'th grefftwyr di a chrefftwyr f'arglwydd Dafydd, dy dad. ¹⁵Felly, anfoner y gwenith, yr haidd, yr olew a'r gwin a addawodd fy arglwydd i'w was, ¹⁶ac fe dorrwn ninnau hynny o goed a fynni o Lebanon, a'u gyrru'n rafftiau i ti dros y môr i Jopa; cei dithau eu cario i fyny i Jerwsalem."

17 Rhifodd Solomon yr holl ddieithriaid oedd yng ngwlad Israel, yn union fel y rhifodd Dafydd ei dad hwy, a'r cyfanswm oedd cant pum deg a thri o filoedd a chwe chant. ¹⁸Fe wnaeth ddeng mil a thrigain ohonynt yn gludwyr a phedwar ugain mil yn chwarelwyr yn y mynydd, a thair mil a chwe chant yn oruchwylwyr i sicrhau fod y bobl yn gweithio.

ᵃFelly Fersiynau. Hebraeg, yn gant ac ugain.
ᶜTebygol. Hebraeg, rwydwaith yn y gafell.

Dechrau Adeiladu'r Deml
(1 Bren. 6:1-38; 7:15-22)

3 Dechreuodd Solomon adeiladu tŷ'r ARGLWYDD yn Jerwsalem ar Fynydd Moreia, lle'r oedd yr ARGLWYDD wedi ymddangos i'w dad Dafydd. Yr oedd ar lawr dyrnu Ornan y Jebusiad, y lle a baratowyd gan Ddafydd. ²Dechreuodd adeiladu ar yr ail ddydd o'r ail fis ym mhedwaredd flwyddyn ei deyrnasiad. ³Dyma fesurau'r sylfeini a osododd Solomon wrth adeiladu tŷ Dduw: yr hyd, yn ôl yr hen fesur, yn drigain cufydd, a'r lled yn ugain cufydd. ⁴Yr oedd y cyntedd o flaen y tŷ yr un hyd â lled y tŷ, ugain cufydd, a'i uchder yn ugain cufyddᵃ; ac fe'i goreurodd oddi mewn ag aur pur. ⁵Byrddiodd y brif gafell â ffynidwydd, a'i thaenu ag aur coeth, gyda cherfiadau o balmwydd a chadwynau arno. ⁶Addurnodd y gafell â meini gwerthfawr i'w harddu, gan ddefnyddio aur o Parfaim. ⁷Taenodd drawstiau, rhiniogau, parwydydd a drysau'r gafell ag aur, a cherfio cerwbiaid ar y parwydydd.

8 Fe wnaeth gafell y cysegr sancteiddiaf yr un hyd â lled y tŷ, ugain cufydd, ac yn ugain cufydd o led, a'i thaenu â chwe chan talent o aur coeth. ⁹Yr oedd yr hoelion aur yn pwyso hanner can sicl. ¹⁰Taenodd y goruwchystafelloedd hefyd ag aur. Yng nghafell y cysegr sancteiddiaf fe wnaeth ddau gerwb prenᵇ a'u goreuro. ¹¹Ugain cufydd oedd hyd adenydd y cerwbiaid; yr oedd aden un ohonynt yn bum cufydd ac yn cyffwrdd pared y gafell, a'r aden arall yn bum cufydd ac yn cyffwrdd aden yr ail gerwb. ¹²Yr oedd aden yr ail gerwb yn bum cufydd ac yn cyffwrdd pared y gafell, a'r aden arall yn bum cufydd ac yn cydio wrth aden y cerwb cyntaf. ¹³Yr oedd adenydd y cerwbiaid hyn yn ymestyn ugain cufydd. Yr oedd y cerwbiaid hyn yn sefyll ar eu traed yn wynebu at i mewn. ¹⁴Gwnaeth y llen o borffor ac ysgarlad, sidan glas a lliain main, gyda brodwaith o gerwbiaid arni. ¹⁵O flaen y gafell gosododd ddwy golofn o bymtheg cufydd ar hugain o hyd, a chnap o bum cufydd ar ben pob un. ¹⁶Gwnaeth rwydwaith ar ffurf cadwynᶜ a'i osod ar ben y colofnau, a chant o bomgranadau i'w haddurno. ¹⁷Gosododd y colofnau o flaen y

ᵇFelly Groeg. Hebraeg yn aneglur.

deml, un ar y dde a'r llall ar y chwith; fe alwodd yr un ar y dde yn Jachin a'r un ar y chwith yn Boas.

Offer y Deml
(1 Bren. 7:23-51)

4 Gwnaeth allor bres, ugain cufydd o hyd, ugain cufydd o led a deg cufydd o uchder. [2]Yna fe wnaeth y môr o fetel tawdd; yr oedd yn grwn ac yn ddeg cufydd o ymyl i ymyl, a phum cufydd o uchder, yn mesur deg cufydd ar hugain o gylch. [3]O amgylch y môr, yn ei gylchynu dan ei ymyl am ddeg cufydd, yr oedd rhywbeth tebyg i ychen; yr oeddent mewn dwy res ac wedi eu bwrw'n rhan ohono. [4]Safai'r môr ar gefn deuddeg ych, tri yn wynebu tua'r gogledd, tri tua'r gorllewin, tri tua'r de a thri tua'r dwyrain, a'u cynffonnau at i mewn. [5]Dyrnfedd oedd ei drwch, a'i ymyl wedi ei weithio fel ymyl cwpan neu flodyn lili. [6]Yr oedd yn gallu dal tair mil o bathau. Hefyd fe wnaeth ddeg noe i ymolchi ynddynt, pump ar y dde a phump ar y chwith, ac yn y rhain yr oeddent yn trochi offer y poethoffrwm; ond yn y môr yr oedd yr offeiriaid yn ymolchi. [7]Gwnaeth ddeg canhwyllbren aur yn ôl y cynllun, a'u rhoi yn y deml, pump ar y dde a phump ar y chwith. [8]Gwnaeth ddeg bwrdd a'u gosod yn y deml, pump ar y dde a phump ar y chwith, a hefyd gant o gawgiau aur. [9]Gwnaeth gyntedd yr offeiriaid a'r cyntedd mawr gyda'i ddorau, a thaenodd y dorau â phres. [10]Gosododd y môr ar yr ochr dde-ddwyreiniol i'r tŷ.

11 Gwnaeth Hiram y crochanau, y rhawiau a'r cawgiau, a gorffen y gwaith a wnaeth i'r Brenin Solomon ar gyfer tŷ Dduw: [12]y ddwy golofn; y ddau gnap coronog ar ben y colofnau; y ddau rwydwaith drostynt; [13]y pedwar can pomgranad yn ddwy res ar y ddau rwydwaith dros y ddau gnap coronog ar y colofnau; [14]y deg troli; y deg noe ar y trolïau; [15]y môr a'r deuddeg ych dano; y crochanau, y rhawiau, a'r cawgiau. [16]Ac yr oedd yr holl offer hyn a wnaeth Hiram i'r Brenin Solomon ar gyfer tŷ'r ARGLWYDD o bres gloyw. [17]Toddodd y brenin hwy yn y cleidir rhwng Succoth a Seredetha yng ngwastadedd yr Iorddonen. [18]Gwnaeth Solomon gymaint o'r holl lestri hyn fel na ellid pwyso'r pres.

19 Gwnaeth Solomon yr holl offer aur oedd yn perthyn i dŷ Dduw: yr allor aur a'r byrddau i ddal y bara gosod; [20]y canwyllbrennau a'u lampau o aur pur, i oleuo o flaen y gafell yn ôl y ddefod; [21]y blodau, y llusernau, a'r gefeiliau aur, a hwnnw'n aur perffaith; [22]y sisyrnau, y cawgiau, y llwyau a'r thuserau o aur pur; o aur hefyd yr oedd drws y tŷ a'i ddorau tu mewn i'r cysegr sancteiddiaf, a'r dorau o fewn y côr.

5 Wedi i Solomon orffen yr holl waith a wnaeth yn nhŷ'r ARGLWYDD, dygodd y pethau yr oedd ei dad Dafydd wedi eu cysegru, yr arian a'r aur a'r holl offer, a'u gosod yn nhrysordai tŷ Dduw.

Cyrchu Arch y Cyfamod i'r Deml
(1 Bren. 8:1-9)

2 Yna cynullodd Solomon henuriaid Israel a holl benaethiaid y llwythau a phennau-teuluoedd Israel i Jerwsalem, i gyrchu arch cyfamod yr ARGLWYDD o ddinas Dafydd, sef Seion. [3]Daeth holl wŷr Israel ynghyd at y brenin ar yr ŵyl yn y seithfed mis. [4]Wedi i holl henuriaid Israel gyrraedd, cododd y Lefiaid yr arch, [5]a chyrchodd yr offeiriaid a'r Lefiaid yr arch a phabell y cyfarfod a'r holl lestri cysegredig oedd yn y babell. [6]Ac yr oedd y Brenin Solomon, a phawb o gynulleidfa Israel oedd wedi ymgynnull ato, yno o flaen yr arch yn aberthu defaid a gwartheg rhy niferus i'w rhifo na'u cyfrif. [7]Felly y dygodd yr offeiriaid arch cyfamod yr ARGLWYDD a'i gosod yn ei lle yng nghafell y tŷ, y cysegr sancteiddiaf, dan adenydd y cerwbiaid. [8]Yr oedd y cerwbiaid yn estyn eu hadenydd dros le'r arch ac yn cysgodi dros yr arch a'i pholion. [9]Yr oedd y polion yn ymestyn allan oddi wrth yr arch, fel y gellid gweld eu blaenau o flaen y gafell, ond nid oeddent i'w gweld o'r tu allan. Ac yno y maent hyd y dydd hwn. [10]Nid oedd yn yr arch ond y ddwy lech a osododd Moses ynddi yn Horeb, lle gwnaeth yr ARGLWYDD gyfamod â'r Israeliaid pan oeddent yn dod allan o'r Aifft. Yna daeth yr offeiriaid allan o'r cysegr. [11]Yr oedd pob offeiriad oedd yn bresennol, i ba ddosbarth bynnag y perthynai, wedi ei gysegru ei hun. [12]Yr oedd yr holl Lefiaid, sef y cantorion oedd yn perthyn i Asaff, Heman a Jeduthun, a'u meibion a'u brodyr, wedi eu gwisgo mewn lliain main ac yn sefyll i'r dwyrain o'r allor gyda symbalau, nablau a thelynau; ac yr oedd cant ac ugain o offeiriaid yn canu utgyrn wrth eu hymyl. [13]Ac fel yr

oedd yr utganwyr a'r cantorion yn uno mewn mawl a chlod i'r ARGLWYDD ac yn seinio utgyrn, nablau ac offer cerdd er moliant iddo, gan ddweud, "Yn wir da yw, a'i drugaredd yn dragywydd", llanwyd tŷ'r ARGLWYDD gan gwmwl. ¹⁴Felly ni fedrai'r offeiriaid barhau i weinyddu o achos y cwmwl; yr oedd gogoniant yr ARGLWYDD yn llenwi tŷ Dduw.

Solomon yn Annerch y Bobl
(1 Bren. 8:14-21)

6 Yna dywedodd Solomon:
"Dywedodd yr ARGLWYDD y trigai yn y tywyllwch.
² Adeiledais innau i ti dŷ aruchel,
a lle iti breswylio ynddo dros byth."

3 Yna tra oeddent i gyd yn sefyll, troes y brenin atynt a bendithio holl gynulleidfa Israel. ⁴Dywedodd: "Bendigedig fyddo ARGLWYDD Dduw Israel, a gyflawnodd â'i law yr hyn a addawodd â'i enau wrth fy nhad Dafydd, pan ddywedodd, ⁵'Er y dydd y dygais fy mhobl o wlad yr Aifft, ni ddewisais ddinas ymhlith holl lwythau Israel i adeiladu ynddi dŷ i'm henw fod yno, ac ni ddewisais neb i fod yn arwein-ydd i'm pobl Israel. ⁶Ond dewisais Jerw-salem i'm henw fod yno, a dewisais Ddafydd i fod yn ben ar fy mhobl Israel.' ⁷Yr oedd ym mryd fy nhad Dafydd adeiladu tŷ i enw ARGLWYDD Dduw Israel, ⁸ond dywedodd yr ARGLWYDD wrtho, 'Yr oedd yn dy fryd adeiladu tŷ i'm henw, a da oedd dy fwriad, ⁹ond nid tydi fydd yn adeiladu'r tŷ; dy fab, a enir iti, a adeilada'r tŷ i'm henw.' ¹⁰Yn awr y mae'r ARGLWYDD wedi gwireddu'r addewid a wnaeth; yr wyf fi wedi dod i le fy nhad Dafydd i eistedd ar orsedd Israel, fel yr addawodd yr ARGLWYDD, ac wedi adeiladu tŷ i enw ARGLWYDD Dduw Israel. ¹¹Yr wyf hefyd wedi gosod yno yr arch sy'n cynnwys y cyfamod a wnaeth yr ARGLWYDD â meibion Israel."

Gweddi Solomon
(1 Bren. 8:22-53)

12 Yna safodd Solomon o flaen allor yr ARGLWYDD, yng ngŵydd holl gynull-eidfa Israel, a chodi ei ddwylo. ¹³Yr oedd wedi gwneud llwyfan pres, pum cufydd o hyd, pum cufydd o led, a thri chufydd o uchder, a'i osod yng nghanol y cyntedd. Dringodd i fyny arno a phenlinio yng ngŵydd holl gynulleidfa Israel, gan estyn ei ddwylo tua'r nef ¹⁴a dweud: "O AR-GLWYDD Dduw Israel, nid oes Duw fel tydi yn y nefoedd na'r ddaear, yn cadw cyfamod ac yn ffyddlon i'th weision sy'n dy wasanaethu â'u holl galon. ¹⁵Canys cedwaist dy addewid i'th was Dafydd, fy nhad; heddiw cyflawnaist â'th law yr hyn a addewaist â'th enau. ¹⁶Yn awr, felly, O ARGLWYDD Dduw Israel, cadw'r addewid a wnaethost i'th was Dafydd, fy nhad, pan ddywedaist wrtho, 'Gofalaf na fyddi heb ŵr i eistedd ar orsedd Israel, dim ond i'th blant wylio'u ffordd, a chadw fy nghyfraith fel y gwnaethost ti.' ¹⁷Yn awr, felly, O ARGLWYDD Dduw Israel, safed y gair a leferaist wrth dy was Dafydd.

18 "Ai gwir yw y preswylia Duw ar y ddaear gyda dyn? Wele, ni all y nefoedd na nef y nefoedd dy gynnwys; pa faint llai y tŷ hwn a godais! ¹⁹Eto cymer sylw o weddi dy was ac o'i ddeisyfiad, O AR-GLWYDD fy Nuw; gwrando ar fy llef, a'r weddi y mae dy was yn ei weddïo ger dy fron. ²⁰Bydded dy lygaid, nos a dydd, ar y tŷ y dywedaist amdano, 'Fy enw a fydd yno': a gwrando'r weddi y bydd dy was yn ei weddïo tua'r lle hwn. ²¹Gwrando hefyd ar ddeisyfiadau dy was a'th bobl Israel pan fyddant yn gweddïo tua'r lle hwn. Gwrando o'r nef lle'r wyt yn preswylio, ac. o glywed, maddau.

22 "Os bydd dyn wedi troseddu yn erbyn dyn arall ac yn gorfod cymryd llw, a'i dyngu gerbron dy allor yn y tŷ hwn, ²³gwrando di o'r nef a gweithredu. Gweinydda farn i'th weision drwy gosbi'r drwgweithredwr yn ôl ei ymddygiad, ond llwydda achos y cyfiawn yn ôl ei gyf-iawnder.

24 "Os trechir dy bobl Israel gan y gelyn am iddynt bechu yn dy erbyn, ac yna iddynt edifarhau a chyffesu dy enw, a gweddïo ac erfyn arnat yn y tŷ hwn, ²⁵gwrando di o'r nef a maddau bechod dy bobl Israel, ac adfer hwy i'r tir a roddaist iddynt hwy ac i'w tadau.

26 "Os bydd y nefoedd wedi cau, heb ddim glaw, am iddynt bechu yn dy erbyn, ac yna iddynt weddïo tua'r lle hwn a chyffesu dy enw ac edifarhau am eu pechodau oherwydd iti eu cosbi, ²⁷gwrando di yn y nef a maddau bechod dy weision a'th bobl Israel, a dysg iddynt y ffordd dda y dylent ei rhodio; ac anfon law ar dy wlad, a roddaist yn etifeddiaeth

i'th bobl.

28 "Os bydd yn y wlad newyn, haint, deifiad, malltod, locustiaid neu lindys, neu os bydd gelynion yn gwarchae ar unrhyw un[ch] o'i dinasoedd—beth bynnag fo'r pla neu'r clefyd—²⁹clyw bob gweddi, pob deisyfiad gan unrhyw ddyn a chan bob un o'th bobl Israel sy'n ymwybodol o'i glwy ei hun a'i boen, ac yn estyn ei ddwylo tua'r tŷ hwn; ³⁰gwrando hefyd o'r nef lle'r wyt yn preswylio, a maddau, a rho i bob un yn ôl ei ffyrdd, oherwydd yr wyt ti'n deall ei fwriad; canys ti yn unig sy'n adnabod calonnau plant dynion; ³¹felly byddant yn dy ofni ac yn rhodio yn dy ffyrdd holl ddyddiau eu bywyd ar wyneb y tir a roddaist i'n tadau.

32 "Os daw dyn dieithr, nad yw'n un o'th bobl Israel, o wlad bell er mwyn dy enw mawr a'th law gref a'th fraich estynedig, a gweddïo tua'r tŷ hwn, ³³gwrando di o'r nef lle'r wyt yn preswylio, a gweithreda yn ôl y cwbl y mae'r dyn dieithr yn ei ddeisyf arnat, er mwyn i holl bobloedd y byd adnabod dy enw a'th ofni yr un fath â'th bobl Israel, a sylweddoli mai ar dy enw di y gelwir y tŷ hwn a adeiledais i.

34 "Os bydd dy bobl yn mynd i ryfela â'u gelynion, pa ffordd bynnag yr anfoni hwy, ac yna iddynt weddïo arnat tua'r ddinas hon a ddewisaist, a'r tŷ a godais i'th enw, ³⁵gwrando di o'r nef ar eu gweddi a'u hymbil, a chynnal eu hachos.

36 "Os pechant yn d'erbyn oherwydd nid oes neb nad yw'n pechu—a thithau'n digio wrthynt ac yn eu darostwng i'w gelynion a'u caethgludo i wlad bell neu agos, ³⁷ac yna iddynt ystyried yn y wlad lle caethgludwyd hwy, ac edifarhau a deisyf arnat yng ngwlad eu caethiwed â'r geiriau, 'Yr ydym wedi pechu a throseddu a gwneud drygioni', ³⁸ac yna dychwelyd atat â'u holl galon a'u holl enaid yng ngwlad eu caethiwed lle y cawsant eu caethgludo, a gweddïo arnat i gyfeiriad eu gwlad, a roddaist i'w tadau, a'r ddinas a ddewisaist, a'r tŷ a godais i'th enw, ³⁹gwrando di o'r nef lle'r wyt yn preswylio ar eu gweddi a'u deisyfiad, a chynnal eu hachos a maddau i'th bobl a bechodd yn d'erbyn. ⁴⁰Felly, fy Nuw, bydded dy lygaid yn sylwi a'th glust yn gwrando ar y weddi a offrymir yn y lle hwn. ⁴¹Cyfod, yn awr, O Arglwydd

Dduw, a thyrd i'th orffwysfa, ti ac arch dy nerth. Bydded dy offeiriaid, O Arglwydd Dduw, wedi eu gwisgo ag iachawdwriaeth, a bydded i'th ffyddloniaid orfoleddu yn eu llwyddiant. ⁴²O Arglwydd Dduw, paid â throi oddi wrth wyneb dy eneiniog; cofia ffyddlondeb dy was Dafydd."

Cysegru'r Deml
(1 Bren. 8:62-66)

7 Wedi i Solomon orffen gweddïo, daeth tân i lawr o'r nefoedd ac ysu'r poethoffrwm a'r aberthau, a llanwyd y tŷ â gogoniant yr Arglwydd. ²Ni allai'r offeiriaid fynd i mewn i dŷ'r Arglwydd am fod gogoniant yr Arglwydd yn llenwi'r tŷ. ³Pan welodd holl feibion Israel y tân a gogoniant yr Arglwydd yn dod i lawr ar y tŷ, ymgrymasant yn isel â'u hwynebau i'r llawr, ac addoli a moliannu'r Arglwydd a dweud, "Da yw, oherwydd y mae ei gariad hyd byth."

4 Yna bu'r brenin a'r holl bobl yn aberthu gerbron yr Arglwydd. ⁵Aberthodd y Brenin Solomon ddwy fil ar hugain o wartheg a chwe ugain mil o ddefaid. Felly y cysegrodd y brenin a'r holl bobl dŷ'r Arglwydd. ⁶Yr oedd yr offeiriaid yn sefyll ar ddyletswydd, a'r Lefiaid hefyd, gyda'r offerynnau cerdd a wnaeth y Brenin Dafydd i foliannu'r Arglwydd pan fyddai'n canu mawl a dwcud, "Oherwydd y mae ei gariad hyd byth." Gyferbyn â hwy yr oedd yr offeiriaid yn canu utgyrn, a'r holl Israeliaid yn sefyll.

7 Cysegrodd Solomon ganol y cwrt oedd o flaen tŷ'r Arglwydd, gan mai yno'r oedd yn offrymu'r poethoffrymau a braster yr heddoffrwm, am na allai'r allor bres a wnaeth dderbyn y poethoffrwm a'r bwydoffrwm a'r braster. ⁸A'r pryd hwnnw cadwodd Solomon, a holl Israel gydag ef, ŵyl am wythnos, yn gynulliad mawr o Ddyfodfa Hamath hyd Gornant yr Aifft. ⁹Ar yr wythfed dydd bu'r cynulliad terfynol, wedi iddynt gadw gŵyl cysegru'r allor a'r brif ŵyl am wythnos. ¹⁰Ar y trydydd dydd ar hugain o'r seithfed mis anfonodd Solomon y bobl adref yn llawen ac yn falch o galon am y daioni a wnaeth yr Arglwydd i Ddafydd ac i Solomon ac i'w bobl Israel.

[ch]Felly Groeg 1 Bren. 8:37. Hebraeg, *ar wlad.*

Duw'n Ymddangos yr Eildro i Solomon
(1 Bren. 9:1-9)

11 Wedi i Solomon orffen tŷ'r AR-GLWYDD a thŷ'r brenin, a llwyddo i wneud iddynt y cwbl a fwriadai, [12]ymddangosodd yr ARGLWYDD iddo liw nos a dweud wrtho, "Clywais dy weddi, ac yr wyf wedi dewis i mi y lle hwn fel man i aberthu. [13]Os byddaf wedi cau'r nefoedd fel na fydd glaw, neu orchymyn i'r locustiaid ddifa'r ddaear, neu anfon pla ar fy mhobl, [14]ac yna bod fy mhobl, a elwir wrth fy enw, yn ymostwng a gweddïo, a'm ceisio a dychwelyd o'u ffyrdd drygionus, yna fe wrandawaf o'r nef, a maddau eu pechod ac adfer eu gwlad. [15]Bydd fy llygaid yn sylwi a'm clustiau yn gwrando ar y weddi a offrymir yn y lle hwn. [16]Yr wyf wedi dewis a sancteiddio'r tŷ hwn, i'm henw fod yno am byth; yno hefyd y bydd fy llygaid a'm calon hyd byth. [17]Os byddi di'n rhodio ger fy mron fel y rhodiodd dy dad Dafydd, a gwneud popeth a orchmynnaf iti, a chadw f'ordinhadau a'm barnedigaethau, [18]yna sicrhaf dy orsedd frenhinol fel yr addewais i'th dad Dafydd gan ddweud, 'Ni fyddi heb ŵr i lywodraethu Israel.' [19]Ond os byddwch chwi'n gwrthgilio ac yn gwrthod fy ordinhadau a'm gorchmynion, a osodais o'ch blaen, ac os byddwch yn mynd a gwasanaethu duwiau estron a'u haddoli, [20]yna fe ddiwreiddiaf Israel o'm gwlad, a roddais iddynt, a bwriaf o'm golwg y tŷ a gysegrais i'm henw, a'i wneud yn ddihareb ac yn wawd ymysg yr holl bobloedd. [21]Bydd y tŷ hwn yn adfail[d], a phob un sy'n mynd heibio iddo yn synnu a dweud, 'Pam y gwnaeth yr ARGLWYDD fel hyn i'r wlad hon ac i'r tŷ hwn?' [22]A dywedir, 'Am iddynt wrthod yr ARGLWYDD, Duw eu tadau, a ddaeth â hwy o wlad yr Aifft, a glynu wrth dduwiau estron a'u haddoli a'u gwasanaethu; dyna pam y dygodd ef yr holl ddrwg yma arnynt.'"

Gweithgarwch Solomon
(1 Bren. 9:10-28)

8 Ar derfyn yr ugain mlynedd a gymerodd Solomon i adeiladu tŷ'r ARGLWYDD a'i dŷ ei hun, [2]fe ailadeiladodd y dinasoedd a roddodd Hiram iddo, a rhoi Israeliaid i fyw ynddynt. [3]Aeth Solomon i Hamath-soba a'i gorch-

fygu, [4]ac fe ailadeiladodd Tadmor yn y diffeithwch, a'r holl ddinasoedd stôr yr oedd wedi eu hadeiladu yn Hamath. [5]Fe adeiladodd Beth-horon Uchaf a Beth-horon Isaf yn ddinasoedd caerog â muriau, dorau a barrau, [6]hefyd Baalath a'r holl ddinasoedd stôr oedd gan Solomon, a'r holl ddinasoedd cerbydau a'r dinasoedd meirch, a phopeth arall y dymunai ei adeiladu, prun ai yn Jerwsalem neu yn Lebanon neu drwy holl gyrrau ei deyrnas. [7]Gorfodwyd llafur oddi wrth holl weddill poblogaeth yr Hethiaid, Amoriaid, Peresiaid, Hefiaid a Jebusiaid, nad oeddent yn perthyn i'r Israeliaid. [8]Yr oedd disgynyddion y rhain wedi eu gadael ar ôl yn y wlad am nad oedd yr Israeliaid wedi medru eu difa; arnynt hwy y gosododd Solomon lafur gorfod sy'n parhau hyd heddiw. [9]Ni wnaeth Solomon yr un o'r Israeliaid yn daeog ar gyfer ei waith; hwy oedd ei filwyr, ei gapteiniaid a phenaethiaid ei gerbydau a'i feirch, [10]a hwy hefyd oedd prif arolygwyr y Brenin Solomon—dau gant a hanner ohonynt, yn rheoli'r bobl.

11 Daeth Solomon â merch Pharo i fyny o Ddinas Dafydd i'r tŷ a gododd iddi, oherwydd dywedodd, "Ni chaiff fy ngwraig i fyw yn nhŷ Dafydd brenin Israel, am fod pob man yr aeth arch yr ARGLWYDD iddo yn gysegredig."

12 Yna fe offrymodd Solomon boeth-offrymau i'r ARGLWYDD ar allor yr ARGLWYDD, a gododd o flaen y porth. [13]Offrymai yn unol â'r gofynion dyddiol a orchmynnodd Moses ynglŷn â'r Sabothau, y newydd-loerau a'r tair gŵyl flynyddol arbennig, sef gŵyl y Bara Croyw, gŵyl yr Wythnosau a gŵyl y Pebyll. [14]Ac yn unol â threfn ei dad Dafydd, fe osododd yr offeiriaid mewn dosbarthiadau ar gyfer gwasanaethu, a'r Lefiaid ar ddyletswydd i ganu mawl ac i wasanaethu'r offeiriaid yn feunyddiol yn ôl y gofyn, a'r porthorion mewn dosbarthiadau wrth bob porth, oherwydd dyma orchymyn Dafydd, gŵr Duw. [15]Nid anghofiwyd gorchymyn y brenin i'r offeiriaid a'r Lefiaid ynglŷn â'r trysordai, na dim arall.

16 Felly cyflawnwyd holl waith Solomon, o'r[dd] dydd y gosodwyd sylfaen tŷ'r ARGLWYDD nes ei gwblhau; a gorffennwyd tŷ'r ARGLWYDD.

[d] Felly Groeg. Hebraeg, *yn uchel.*   [dd] Felly Fersiynau. Hebraeg, *hyd y.*

17 Yna aeth Solomon i Esion-geber ac i Eloth, sydd ar lan y môr yng ngwlad Edom. [18]Anfonodd Hiram longau iddo gyda'i weision oedd yn forwyr profiadol, ac aethant gyda gweision Solomon i Offir, a dod â phedwar cant a hanner o dalentau aur oddi yno i'r Brenin Solomon.

Ymweliad Brenhines Seba
(1 Bren. 10:1-13)

9 Pan glywodd brenhines Seba am fri Solomon, daeth i Jerwsalem i'w brofi â chwestiynau caled. Cyrhaeddodd gyda gosgordd niferus iawn—camelod yn cludo peraroglau a stôr fawr o aur a gemau. Pan ddaeth hi at Solomon, dywedodd wrtho'r cwbl oedd ar ei meddwl, [2]ac atebodd yntau bob un o'i gofyniadau; nid oedd dim yn rhy dywyll i Solomon ei esbonio iddi. [3]A phan welodd brenhines Seba ddoethineb Solomon, a'r tŷ a adeiladodd, [4]ac arlwy ei fwrdd, eisteddiad ei swyddogion, gwasanaeth ei weision a'i drulliaid yn eu lifrai, a'i esgynfa i fyny i dŷ'r ARGLWYDD, diffygiodd ei hysbryd. [5]Addefodd wrth y brenin, "Gwir oedd yr hyn a glywais yn fy ngwlad amdanat ti a'th ddoethineb. [6]Eto nid oeddwn yn credu'r hanes nes imi ddod a gweld â'm llygaid fy hun—ac wele, ni ddywedwyd wrthyf mo'r hanner am dy ddoethineb enfawr; yr wyt yn tra rhagori ar yr hyn a glywais. [7]Gwyn fyd dy wŷr, y gweision hyn sy'n gweini'n feunyddiol arnat ac yn clywed dy ddoethineb. [8]Bendith ar yr ARGLWYDD dy Dduw, a'th hoffodd di ddigon i'th osod ar ei orseddfainc yn frenin iddo. Am i'th Dduw garu Israel a'i sefydlu am byth, y mae wedi dy wneud di'n frenin arnynt, i weinyddu barn a chyfiawnder." [9]Yna rhoddodd hi i'r brenin chwe ugain talent o aur a llawer iawn o beraroglau a gemau. Ni fu erioed y fath beraroglau â'r rhai a roddodd brenhines Seba i'r Brenin Solomon.

10 Byddai gweision Hiram a gweision Solomon yn dod ag aur o Offir; byddent hefyd yn cludo llawer iawn o goed almug a gemau. [11]Gwnaeth y brenin risiau[e] ar gyfer tŷ'r ARGLWYDD a'i dŷ ei hun allan o'r coed almug, a hefyd gwnaeth i'r cantorion delynau a chrythau na welwyd eu bath o'r blaen yng ngwlad Jwda. 12 Rhoddodd y Brenin Solomon i

[e]Felly Groeg. Hebraeg yn aneglur.

frenhines Seba bopeth a chwenychodd, mwy nag a ddug hi iddo ef. Yna troes hi a'i gweision yn ôl i'w gwlad.

Cyfoeth y Brenin Solomon
(1 Bren. 10:14-25)

13 Yr oedd pwysau'r aur a ddôi i Solomon mewn blwyddyn yn chwe chant chwe deg a chwech o dalentau, [14]heblaw yr hyn a gâi gan y marchnadwyr a'r masnachwyr; hefyd fe ddôi holl frenhinoedd Arabia a rheolwyr y taleithiau ag aur ac arian iddo. [15]Gwnaeth y Brenin Solomon ddau gan tarian o aur gyr, a rhoi chwe chan sicl o aur gyr ym mhob tarian. [16]Gwnaeth hefyd dri chan bwcled o aur gyr, gyda thri mina o aur ym mhob un; [17]a rhoddodd y brenin hwy yn Nhŷ Coedwig Lebanon. Gwnaeth y brenin orseddfainc fawr o ifori, a'i goreuro ag aur coeth. [18]Yr oedd i'r orseddfainc chwe gris a throedle aur; yr oedd dwy fraich o boptu i'r sedd a dau lew yn sefyll wrth y breichiau. [19]Yr oedd hefyd ddeuddeg llew yn sefyll, un bob pen i bob un o'r chwe gris. Ni wnaed ei thebyg mewn unrhyw deyrnas. [20]Yr oedd holl lestri gwledda'r Brenin Solomon o aur, a holl offer Tŷ Coedwig Lebanon yn aur pur. Nid oedd yr un ohonynt o arian, am nad oedd bri arno yn nyddiau Solomon. [21]Yr oedd gweision Hiram yn mynd â llongau'r brenin i Tarsis, ac unwaith bob tair blynedd fe ddôi llongau Tarsis â'u llwyth o aur, arian ac ifori, ac epaod a pheunod.

22 Rhagorodd y Brenin Solomon ar holl frenhinoedd y ddaear mewn cyfoeth a doethineb. [23]Ac yr oedd holl frenhinoedd y ddaear yn ymweld â Solomon i glywed y ddoethineb a roes Duw yn ei galon. [24]Bob blwyddyn dôi rhai gyda'u rhoddion—llestri aur ac arian, gwisgoedd, myrr, perlysiau, meirch a mulod. [25]Yr oedd gan Solomon bedair mil o gorau ar gyfer meirch a cherbydau, a deuddeng mil o feirch, a gedwid yn y dinasoedd cerbyd a chydag ef yn Jerwsalem. [26]Ac yr oedd yn teyrnasu ar yr holl frenhinoedd o Afon Ewffrates hyd at wlad y Philistiaid ar derfyn yr Aifft. [27]Parodd y brenin i arian fod mor aml yn Jerwsalem â cherrig, a chedrwydd mor gyffredin â sycamorwydd y Seffela. [28]A dôi ceffylau i Solomon o'r Aifft ac o'r holl wledydd.

Crynodeb o Deyrnasiad Solomon
(1 Bren. 11:41-43)

29 Am weddill hanes Solomon, o'r dechrau i'r diwedd, onid yw ar gael yn llyfr Nathan y proffwyd, ac ym mhroffwydoliaeth Aheia o Seilo, ac yng ngweledigaethau Ido y gweledydd yn erbyn Jeroboam fab Nebat? ³⁰Teyrnasodd Solomon yn Jerwsalem dros Israel gyfan am ddeugain mlynedd. ³¹Pan hunodd gyda'i dadau, a'i gladdu yn ninas ei dad Dafydd, daeth ei fab Rehoboam yn frenin yn ei le.

Gwrthryfel Llwythau'r Gogledd
(1 Bren. 12:1-20)

10 Aeth Rehoboam i Sichem, gan mai i Sichem y daethai holl Israel i'w urddo'n frenin. ²Pan glywodd Jeroboam fab Nebat, ac yntau yn yr Aifft, lle'r oedd wedi ffoi rhag y Brenin Solomon, dychwelodd oddi yno. ³Galwyd arno, ac fe ddaeth yntau a holl Israel a dweud wrth Rehoboam, ⁴"Trymhaodd dy dad ein hiau; os gwnei di'n awr ysgafnhau peth ar gaethiwed caled dy dad, a'r iau drom a osododd arnom, yna fe'th wasanaethwn." ⁵Dywedodd yntau wrthynt, "Ewch i ffwrdd am dridiau, ac yna dewch yn ôl ataf." Aeth y bobl. ⁶Ymgynghorodd Rehoboam â'r henuriaid oedd yn llys ei dad Solomon pan oedd yn fyw, a gofynnodd, "Sut y byddech chwi'n fy nghynghori i ateb y bobl hyn?" ⁷Eu hateb oedd, "Os byddi'n glên wrthynt, a'u bodloni a'u hateb â geiriau teg, byddant yn weision iti am byth." ⁸Ond gwrthododd y cyngor a roes yr henuriaid, a cheisiodd gyngor y llanciau oedd yn gyfoedion iddo ac yn aelodau o'i lys. ⁹Gofynnodd iddynt hwy, "Beth ydych chwi'n fy nghynghori i ateb y bobl hyn sy'n dweud wrthyf, 'Ysgafnha beth ar yr iau a osododd dy dad arnom'?" ¹⁰Atebodd y llanciau oedd yn gyfoed ag ef, "Fel hyn y dywedi wrth y bobl hyn sy'n dweud wrthyt, 'Gwnaeth dy dad ein hiau yn drwm; ysgafnha dithau arnom'. Ie, dyma a ddywedi wrthynt: 'Y mae fy mys bach i yn braffach na llwynau fy nhad! ¹¹Y mae'n wir i'm tad osod iau drom arnoch, ond fe'i gwnaf fi hi'n drymach. Cystwyodd fy nhad chwi â chwip, ond fe'ch cystwyaf fi chwi â ffrewyll!'"

12 Pan ddaeth Jeroboam a'r holl bobl at Rehoboam ar y trydydd dydd, yn ôl gorchymyn y brenin, "Dewch yn ôl ataf ymhen tridiau", ¹³atebodd y brenin hwy'n chwyrn. Diystyrodd Rehoboam gyngor yr henuriaid, a derbyn cyngor y llanciau. ¹⁴Dywedodd wrthynt, "Trymhaodd fy nhad eich iau, ond fe'i gwnaf fi hi'n drymach; cystwyodd fy nhad chwi â chwip, ond fe'ch cystwyaf fi chwi â ffrewyll!" ¹⁵Felly ni wrandawodd y brenin ar y bobl, oherwydd fel hyn y tynghedwyd gan Dduw, er mwyn i'r ARGLWYDD gyflawni'r gair a lefarwyd drwy Aheia o Seilo wrth Jeroboam fab Nebat.

16 A phan welodd holl Israel nad oedd y brenin am wrando arnynt, daeth ateb oddi wrth y bobl at y brenin:

"Pa ran sydd i ni yn Nafydd?
Nid oes gyfran inni ym mab Jesse.
Adref i'th bebyll, Israel!
Edrych at dy dŷ dy hun, Ddafydd!"

17 Yna aeth Israel adref. Ond yr oedd rhai Israeliaid yn byw yn nhrefi Jwda, a Rehoboam yn frenin arnynt. ¹⁸Pan anfonodd y brenin atynt Adoram, goruchwyliwr y llafur gorfod, llabyddiodd yr Israeliaid ef a'i ladd; ond llwyddodd y Brenin Rehoboam i gyrraedd ei gerbyd a ffoi i Jerwsalem. ¹⁹Ac y mae Israel mewn gwrthryfel yn erbyn llinach Dafydd hyd heddiw.

Proffwydoliaeth Semaia
(1 Bren. 12:21-24)

11 Pan ddychwelodd Rehoboam i Jerwsalem, galwodd ynghyd dylwythau Jwda a Benjamin, cant a phedwar ugain o filoedd o ryfelwyr dethol, i ryfela yn erbyn Israel i adennill y frenhiniaeth i Rehoboam. ²Ond daeth gair yr ARGLWYDD at y proffwyd Semaia: ³"Dywed wrth Rehoboam fab Solomon, brenin Jwda, ac wrth holl Israel yn Jwda a Benjamin, ⁴'Fel hyn y dywed yr ARGLWYDD: Peidiwch â mynd i ryfela yn erbyn eich brodyr; ewch yn ôl adref bob un, gan mai oddi wrthyf fi y daw hyn.'" A gwrandawsant ar eiriau'r ARGLWYDD, a pheidio â mynd yn erbyn Jeroboam.

Dinasoedd Caerog Rehoboam

5 Arhosodd Rehoboam yn Jerwsalem, ac adeiladu dinasoedd caerog yn Jwda. ⁶Adeiladodd Bethlehem, Etam, Tecoa, ⁷Bethsur, Socho, Adulam, ⁸Gath, Maresah, Siph, ⁹Adoraim, Lachis, Aseca, ¹⁰Sora, Ajalon a Hebron, sef

dinasoedd caerog Jwda a Benjamin. ¹¹Cryfhaodd y caerau a rhoi rheolwyr ynddynt, a hefyd stôr o fwyd, olew a gwin. ¹²Gwnaeth bob dinas yn amddiffynfa gadarn iawn ac yn lle i gadw tarianau a gwaywffyn. Felly daliodd ei afael ar Jwda a Benjamin.

Offeiriaid a Lefiaid yn Dod at Rehoboam

13 Daeth yr offeiriaid a'r Lefiaid ato o ble bynnag yr oeddent yn byw yn Israel gyfan; ¹⁴oherwydd yr oedd y Lefiaid wedi gadael eu cytir a'u tiriogaeth a dod i Jwda a Jerwsalem, am fod Jeroboam a'i feibion wedi eu rhwystro rhag bod yn offeiriaid i'r ARGLWYDD, ¹⁵ac wedi penodi ei offeiriaid ei hun ar gyfer yr uchelfeydd ac ar gyfer y bychod geifr a'r lloi a luniodd. ¹⁶A daeth pawb o lwythau Israel, a oedd yn awyddus i geisio ARGLWYDD Dduw Israel, ar ôl y Lefiaid i Jerwsalem er mwyn aberthu i ARGLWYDD Dduw eu tadau. ¹⁷Felly cryfhasant frenhiniaeth Jwda, a chadarnhau Rehoboam fab Solomon am dair blynedd, gan ddilyn yn llwybrau Dafydd a Solomon trwy'r cyfnod hwn.

Teulu Rehoboam

18 Priododd Rehoboam â Mahalath; merch i Jerimoth fab Dafydd ac i Abihail ferch Eliab, fab Jesse oedd hi, ¹⁹ac fe roes iddo feibion, sef Jeus, Samareia a Saham. ²⁰Ar ei hôl hi, fe gymerodd Maacha ferch Absalom, a rhoes hithau iddo Abeia, Attai, Sisa a Selomith. ²¹Yr oedd Rehoboam yn caru Maacha ferch Absalom yn fwy na'i holl wragedd a'i ordderchwragedd. Yr oedd ganddo ddeunaw o wragedd a thrigain o ordderchwragedd, ac fe genhedlodd wyth ar hugain o feibion a thrigain o ferched. ²²Gosododd Rehoboam Abeia fab Maacha yn bennaeth ar ei frodyr, er mwyn ei wneud yn frenin. ²³Bu'n ddigon doeth i wasgaru ei feibion trwy'r holl ddinasoedd caerog yn nhiriogaeth Jwda a Benjamin. Darparodd yn hael ar eu cyfer a cheisiodd lawer o wragedd iddynt.

Yr Aifft yn Goresgyn Jerwsalem
(1 Bren. 14:25-28)

12 Ar ôl i Rehoboam wneud ei frenhiniaeth yn gadarn a sicr, fe gefnodd ef a holl Israel gydag ef ar gyfraith yr ARGLWYDD. ²Am iddynt wrthryfela yn erbyn yr ARGLWYDD, ym mhumed flwyddyn y Brenin Rehoboam, daeth Sisac brenin yr Aifft i fyny yn erbyn Jerwsalem ³gyda mil a dau gant o gerbydau a thrigain mil o farchogion; daeth hefyd lu aneirif o Lubiaid, Suciaid ac Ethiopiaid gydag ef o'r Aifft. ⁴Cymerodd ddinasoedd caerog Jwda a chyrhaeddodd Jerwsalem. ⁵Yna daeth y proffwyd Semaia at Rehoboam a thywysogion Jwda, a oedd wedi ymgasglu yn Jerwsalem o achos Sisac, a dywedodd wrthynt, "Fel hyn y dywed yr ARGLWYDD: 'Yr ydych chwi wedi cefnu arnaf fi; felly yr wyf finnau wedi cefnu arnoch chwi a'ch rhoi yn llaw Sisac.'" ⁶Yna fe ymostyngodd tywysogion Israel a'r brenin, a dweud, "Cyfiawn yw'r ARGLWYDD." ⁷A phan welodd yr ARGLWYDD iddynt ymostwng, daeth gair yr ARGLWYDD at Semaia a dweud, "Am iddynt ymostwng ni ddifethaf hwy, ond rhoddaf gyfle iddynt ddianc, ac ni thywelltir fy llid ar Jerwsalem trwy law Sisac. ⁸Er hynny, fe fyddant yn weision iddo, er mwyn iddynt wybod y gwahaniaeth rhwng fy ngwasanaethu i a gwasanaethu teyrnasoedd y byd." ⁹Yna daeth Sisac brenin yr Aifft i fyny yn erbyn Jerwsalem a dwyn holl drysorau tŷ'r ARGLWYDD a thrysorau tŷ'r brenin, a dwyn hefyd y tarianau aur a wnaeth Solomon. ¹⁰Yn eu lle gwnaeth y Brenin Rehoboam darianau pres, a'u rhoi yng ngofal swyddogion y gwarchodlu oedd yn gwylio porth tŷ'r brenin. ¹¹Bob tro yr âi'r brenin i dŷ'r ARGLWYDD, fe ddôi'r gwarchodlu a'u cyrchu, ac yna eu dychwelyd i'r wardws. ¹²A phan ymostyngodd, fe drodd yr ARGLWYDD ei lid oddi wrtho, a pheidio â'i lwyr ddinistrio. Yna daeth ffyniant i Jwda.

Crynodeb o Deyrnasiad Rehoboam

13 Sicrhaodd y Brenin Rehoboam ei afael ar Jerwsalem a theyrnasu yno. Yr oedd yn un a deugain oed pan ddechreuodd deyrnasu, a bu'n frenin am ddwy flynedd ar bymtheg yn Jerwsalem, y ddinas a ddewisodd yr ARGLWYDD allan o holl lwythau Israel i osod ei enw yno. Naama yr Ammones oedd enw mam Rehoboam. ¹⁴Ond fe wnaeth y brenin ddrwg trwy beidio â rhoi ei fryd ar geisio'r ARGLWYDD.

15 Ac onid yw hanes Rehoboam, o'r dechrau i'r diwedd, yn ysgrifenedig yng nghroniclau ac achau Semaia y proffwyd

ac Ido y gweledydd? Bu rhyfeloedd rhwng Rehoboam a Jeroboam trwy gydol yr amser. ¹⁶Pan hunodd Rehoboam gyda'i dadau, claddwyd ef yn Ninas Dafydd, a daeth Abeia ei fab yn frenin yn ei le.

Rhyfel rhwng Abeia a Jeroboam
(1 Bren. 15:1-8)

13 Yn y ddeunawfed flwyddyn i'r Brenin Jeroboam, daeth Abeia yn frenin ar Jwda. ²Teyrnasodd am dair blynedd yn Jerwsalem, a Michaia ferch Uriel o Gibea oedd enw ei fam. ³Bu rhyfel rhwng Abeia a Jeroboam; aeth Abeia i'r frwydr gyda byddin o filwyr grymus, pedwar can mil o wŷr dethol, a daeth Jeroboam i'w gyfarfod gydag wyth can mil o wroniaid dethol. ⁴Safodd Abeia ar Fynydd Semaraim ym mynydd-dir Effraim a dweud, "Gwrandewch arnaf fi, Jeroboam a holl Israel. ⁵Oni wyddoch fod ARGLWYDD Dduw Israel wedi rhoi i Ddafydd a'i feibion yr hawl i deyrnasu am byth ar Israel trwy gyfamod halen? ⁶Ond gwrthryfelodd Jeroboam fab Nebat, gwas Solomon fab Dafydd, yn erbyn ei arglwydd, ⁷a chasglu ato ddihirod ofer, a fu'n herio Rehoboam fab Solomon, pan oedd yn llanc ifanc ofnus a heb fod yn ddigon cryf i'w gwrthsefyll. ⁸Yn awr, yr ydych chwi'n bwriadu gwrthsefyll teyrnas yr ARGLWYDD, sydd wedi ei rhoi i feibion Dafydd, am eich bod yn niferus iawn ac yn berchen ar y lloi aur a wnaeth Jeroboam yn dduwiau i chwi. ⁹Onid ydych wedi diarddel offeiriaid yr AR-GLWYDD, meibion Aaron, a'r Lefiaid, ac ethol eich offeiriaid eich hunain, fel y gwna pobl gwledydd eraill? Y mae pwy bynnag sy'n dod i'w gysegru ei hun â bustach ifanc a saith o hyrddod yn mynd yn offeiriad i'r un nad yw'n dduw. ¹⁰Ond yr ARGLWYDD yw ein Duw ni, ac nid ydym wedi ei wrthod; meibion Aaron yw'r offeiriaid sydd gennym ni yn gwasanaethu'r ARGLWYDD, a'r Lefiaid yn eu cynorthwyo. ¹¹Y maent yn llosgi poeth-offrymau ac arogldarth peraidd i'r ARGLWYDD bob bore a hwyr, ac yn trefnu'r bara gosod ar y bwrdd dihalog a chynnau'r lampau yn y canhwyllbren aur bob prynhawn. Oherwydd yr ydym ni'n dal i wasanaethu'r ARGLWYDD ein Duw; ond yr ydych chwi wedi ei wrthod. ¹²Wele, y mae Duw gyda ni i'n harwain, a'i offeiriaid ag utgyrn yn galw brwydr yn eich erbyn. Meibion Israel, peidiwch

ag ymladd yn erbyn ARGLWYDD Dduw eich tadau, oherwydd ni fyddwch yn llwyddo."

13 Anfonodd Jeroboam rai o'u ham-gylch i ymguddio ac ymosod arnynt o'r tu ôl; felly, tra oedd rhai o flaen Jwda, yr oedd y lleill mewn cuddfan y tu cefn iddynt. ¹⁴Troes gwŷr Jwda, a gweld y byddai'n rhaid iddynt ymladd o'r tu blaen ac o'r tu ôl; ¹⁵yna galwasant ar yr AR-GLWYDD, ac fe ganodd yr offeiriaid yr utgyrn, a bloeddiodd gwŷr Jwda. Pan floeddiodd gwŷr Jwda, trawodd Duw Jeroboam a holl Israel o flaen Abeia a Jwda. ¹⁶Ffodd yr Israeliaid o flaen gwŷr Jwda, ac fe roddodd Duw hwy yn eu llaw. ¹⁷Lladdodd Abeia a'i filwyr lawer iawn ohonynt; syrthiodd yn gelain bum mil o wŷr dethol Israel. ¹⁸Darostyngwyd yr Israeliaid y pryd hwnnw, a chafodd gwŷr Jwda fuddugoliaeth am iddynt ymddiried yn ARGLWYDD Dduw eu tadau. ¹⁹Ym-lidiodd Abeia ar ôl Jeroboam a chymryd oddi arno ddinasoedd Bethel, Jesana ac Effraim a'u pentrefi. ²⁰Ni lwyddodd Jeroboam i adennill ei nerth yn ystod teyrnasiad Abeia; trawyd ef gan yr AR-GLWYDD, a bu farw. ²¹Ond cryfhaodd Abeia; priododd bedair ar ddeg o wragedd, a chenhedlu dau fab ar hugain ac un ar bymtheg o ferched. ²²Y mae gweddill hanes Abeia, yr hyn a wnaeth ac a ddywedodd, yn ysgrifenedig yn llyfr y proffwyd Ido.

Y Brenin Asa yn Gorchfygu'r Ethiopiaid

14 Pan hunodd Abeia gyda'i dadau, a'i gladdu yn Ninas Dafydd, daeth ei fab Asa yn frenin yn ei le. Yn ystod ei deyrnasiad ef cafodd y wlad lonydd am ddeng mlynedd. ²Gwnaeth Asa yr hyn oedd dda ac uniawn yng ngolwg yr ARGLWYDD ei Dduw. ³Symudodd ymaith allorau'r duwiau dieithr a'r uchelfeydd, a dryllio'r col-ofnau a chwalu delwau Asera. ⁴Anogodd Jwda i geisio ARGLWYDD Dduw eu tadau a chadw'r gyfraith a'r gorchmynion, ⁵ac fe symudodd ymaith o holl ddinasoedd Jwda yr uchelfeydd a'r allorau. Cafodd y deyrnas lonydd yn ei oes ef. ⁶Adeiladodd ddinasoedd caerog yn Jwda tra oedd y wlad yn cael llonydd, ac ni fu rhyfel yn ei erbyn yn ystod y blynyddoedd hynny am fod yr ARGLWYDD wedi rhoi heddwch iddo. ⁷Dywedodd wrth Jwda, "Gadewch i ni adeiladu'r dinasoedd hyn a'u hamgylchu â muriau gyda thyrau, a dorau a barrau. Y mae'r wlad yn dal yn agored o'n blaen am i ni geisio'r ARGLWYDD ein Duw. Yr ydym ni wedi ei geisio ef, ac y mae yntau wedi rhoi heddwch i ni oddi amgylch." Felly, adeiladodd y bobl a llwyddo.

8 Yr oedd gan Asa fyddin o dri chan mil o wŷr Jwda yn dwyn tarian a gwaywffon, a dau gant a phedwar ugain mil o wŷr Benjamin yn dwyn tarian a thynnu bwa; yr oeddent oll yn wroniaid. ⁹Daeth Sera yr Ethiopiad yn eu herbyn gyda byddin o filiwn, a thri chant o gerbydau. ¹⁰Pan gyrhaeddodd Maresa, daeth Asa allan yn ei erbyn, a pharatoesant i ymladd yn Nyffryn Seffatha, yn ymyl Maresa. ¹¹Galwodd Asa ar yr ARGLWYDD ei Dduw a dweud, "O ARGLWYDD, nid oes neb fel ti i gynorthwyo'r gwan yn erbyn y cryf; cynorthwya ni, O ARGLWYDD ein Duw, oherwydd yr ydym yn ymddiried ynot, ac yn dy enw di y daethom yn erbyn y dyrfa hon. O ARGLWYDD, ein Duw ni wyt ti; na fydded i ddyn gystadlu â thi." ¹²Felly, gorchfygodd yr ARGLWYDD yr Ethiopiaid o flaen Asa a Jwda. Fe ffoesant, ¹³gydag Asa a'i fyddin yn eu herlid, hyd at Gerar, lle syrthiodd cymaint ohonynt o flaen yr ARGLWYDD a'i fyddin fel na allent adennill eu nerth. ¹⁴Casglodd gwŷr Jwda anrhaith mawr iawn, a choncro'r holl ddinasoedd o gwmpas Gerar, am fod ofn yr ARGLWYDD arnynt. Anrheithiasant yr holl ddinasoedd am fod ysbail mawr iawn ynddynt. ¹⁵Ymosodasant hefyd ar gorlannau'r anifeiliaid a chario ymaith lawer o ddefaid a chamelod, ac yna dychwelyd i Jerwsalem.

Diwygiadau Asa

15 Daeth ysbryd Duw ar Asareia fab Oded, ²ac fe aeth allan i gyfarfod Asa, a dweud wrtho, "O Asa, a holl Jwda a Benjamin, gwrandewch arnaf fi. Bydd yr ARGLWYDD gyda chwi os byddwch chwi gydag ef. Os ceisiwch ef, fe'i cewch; ond os cefnwch arno, bydd yntau yn cefnu arnoch chwithau. ³Am amser maith bu Israel heb y gwir Dduw, heb offeiriad i'w dysgu a heb gyfraith. ⁴Yn eu trybini dychwelsant at ARGLWYDD Dduw Israel, a'i geisio, ac amlygodd yntau ei hun iddynt. ⁵Yn y cyfnod hwnnw nid oedd heddwch i neb yn ei fywyd beunyddiol, am fod trigolion y gwledydd mewn ym-

rafael parhaus; ⁶dinistrid cenedl gan genedl, a dinas gan ddinas, am fod Duw yn eu poeni â phob aflwydd. ⁷Ond byddwch chwi'n wrol! Peidiwch â llaesu dwylo, oherwydd fe gewch wobr am eich gwaith."

8 Pan glywodd Asa y geiriau hyn, sef y broffwydoliaeth gan Asareia fab Odedᶠ y proffwyd, fe ymwrolodd. Ysgubodd ymaith y pethau ffiaidd o holl wlad Jwda a Benjamin, ac o'r dinasoedd a enillodd ym mynydd-dir Effraim, ac adnewyddodd allor yr ARGLWYDD a safai o flaen porth teml yr ARGLWYDD. ⁹Casglodd ynghyd holl Jwda a Benjamin, a phob dieithryn o Effraim, Manasse a Simeon oedd yn byw gyda hwy, oherwydd yr oedd llawer iawn o Israeliaid wedi dod i lawr at Asa pan welsant fod yr ARGLWYDD ei Dduw gydag ef. ¹⁰Daethant ynghyd i Jerwsalem yn y trydydd mis o'r bymthegfed flwyddyn o deyrnasiad Asa. ¹¹Y diwrnod hwnnw aberthasant i'r ARGLWYDD saith gant o wartheg a saith mil o ddefaid o'r anrhaith a ddygasant. ¹²Gwnaethant gyfamod i geisio ARGLWYDD Dduw eu tadau â'u holl galon ac â'u holl enaid. ¹³Yr oedd pwy bynnag a wrthodai geisio AR-GLWYDD Dduw Israel i'w roi i farwolaeth, boed fach neu fawr, gŵr neu wraig. ¹⁴Tyngasant i'r ARGLWYDD â llais uchel a bloedd, ac utgyrn a thrwmpedau. ¹⁵Gorfoleddodd holl Jwda o achos y llw, am iddynt ei dyngu â'u holl galon; ceisiasant yr ARGLWYDD o'u gwirfodd, a datguddiodd yntau ei hun iddynt. Felly rhoes yr ARGLWYDD lonydd iddynt oddi amgylch.

16 Yna fe ddiswyddodd y Brenin Asa ei fam Maacha o fod yn fam-frenhines, am iddi lunio ffieiddbeth ar gyfer Asera. Drylliodd Asa ei delw yn ddarnau, a'i llosgi yn nant Cidron. ¹⁷Ni symudwyd yr uchelfeydd o Israel; eto yr oedd calon Asa yn berffaith gywir ar hyd ei oes. ¹⁸Dygodd i dŷ'r ARGLWYDD yr addunedau o arian, aur a llestri a addawodd ei dad ac yntau. ¹⁹Ac ni bu rhyfel hyd y bymthegfed flwyddyn ar hugain o deyrnasiad Asa.

Helynt rhwng Israel a Jwda
(1 Bren. 15:17-22)

16 Yn yr unfed flwyddyn ar bymtheg ar hugain o deyrnasiad Asa, daeth Baasa brenin Israel yn erbyn Jwda ac adeiladu Rama, rhag gadael i neb fynd a

ᶠFelly Fersiynau. Hebraeg, *broffwydoliaeth, Oded.*

dod at Asa brenin Jwda. ²Cymerodd Asa arian ac aur allan o drysorfeydd tŷ'r ARGLWYDD a thŷ'r brenin, a'u hanfon i Benhadad brenin Syria, a oedd yn byw yn Namascus; a dywedodd wrtho, ³"Bydded cyfamod rhyngof fi a thi, fel yr oedd rhwng fy nhad a'th dad. 'Rwy'n anfon atat arian ac aur; tor dy gyfamod gyda Baasa brenin Israel er mwyn iddo gilio'n ôl oddi wrthyf." ⁴Gwrandawodd Benhadad ar y Brenin Asa, ac anfon swyddogion ei gatrodau yn erbyn trefi Israel, i ymosod ar Ijon, Dan ac Abel-maim, ac ar holl ddinasoedd stôr Nafftali. ⁵Pan glywodd Baasa, rhoddodd heibio adeiladu Rama a gadawodd y gwaith. ⁶Yna daeth y Brenin Asa â holl Jwda i gymryd y meini a'r coed oedd gan Baasa yn adeiladu Rama, a'u defnyddio i adeiladu Geba a Mispa.

Y Proffwyd Hanani

7 Y pryd hwnnw daeth Hanani y gweledydd at Asa brenin Jwda, a dweud wrtho, "Am i ti ymddiried ym mrenin Syria, a gwrthod ymddiried yn yr AR-GLWYDD dy Dduw, dihangodd byddin brenin Syria o'th afael. ⁸Onid oedd yr Ethiopiaid a'r Lubiaid yn llu aneirif gyda llawer iawn o gerbydau a marchogion? Ond am i ti ymddiried yn yr ARGLWYDD, rhoddodd ef hwy yn dy law. ⁹Oherwydd y mae llygaid yr ARGLWYDD yn tramwyo dros yr holl ddaear, i ddangos ei gryfder i'r sawl sy'n gwbl ymroddedig iddo. Buost yn ynfyd yn hyn o beth; felly, o hyn allan ymladd fydd dy ran." ¹⁰Gwylltiodd Asa wrth y gweledydd a'i roi yn y carchar, oherwydd yr oedd yn ddig wrtho am ddweud hyn. A'r pryd hwnnw fe orthrymodd Asa rai o'r bobl.

Diwedd Teyrnasiad Asà
(1 Bren. 15:23-24)

11 Y mae hanes Asa, o'r dechrau i'r diwedd, wedi ei ysgrifennu yn llyfr bren-hinoedd Jwda ac Israel. ¹²Yn y bedwar-edd flwyddyn ar bymtheg ar hugain o'i deyrnasiad dechreuodd Asa ddioddef yn enbyd o glefyd yn ei draed; ond yn ei waeledd fe geisiodd y meddygon yn hytrach na'r ARGLWYDD. ¹³Bu Asa farw yn yr unfed flwyddyn a deugain o'i deyrnasiad, a hunodd gyda'i dadau. ¹⁴Claddwyd ef yn y bedd a wnaeth iddo'i hun yn Ninas Dafydd, a'i roi i orwedd ar wely yn llawn peraroglau a phob math o

ennaint wedi eu cymysgu'n ofalus gan y peraroglydd; a gwnaethant dân mawr iawn i'w anrhydeddu.

Jehosaffat yn Frenin

17 Daeth ei fab Jehosaffat yn frenin yn lle Asa, ac fe benderfynodd ef wrthsefyll Israel. ²Rhoddodd filwyr ym mhob un o ddinasoedd caerog Jwda, a gosod garsiynau yng ngwlad Jwda ac yn ninasoedd Effraim, sef y dinasoedd a gymerwyd gan ei dad Asa. ³A bu'r AR-GLWYDD gyda Jehosaffat am iddo ddilyn llwybrau cynnar ei dad Dafydd a gwrthod ymofyn â'r Baalim, ⁴a throi yn hytrach at Dduw ei dadau a chadw ei orchmynion, a pheidio â dilyn esiampl Israel. ⁵Felly, sicrhaodd yr ARGLWYDD y frenhiniaeth yn llaw Jehosaffat, ac fe roddodd holl Jwda anrhegion iddo, nes bod ganddo olud a chyfoeth mawr iawn. ⁶Dilynodd yr ARGLWYDD yn ffyddlon, a hefyd fe dynnodd ymaith o Jwda yr uchelfeydd a'r delwau o Asera.

7 Yn nhrydedd flwyddyn ei deyrnas-iad anfonodd ei dywysogion Benhail, Obadeia, Sechareia, Nethaneel a Mich-aia i ddysgu yn ninasoedd Jwda. ⁸Gyda hwy fe aeth y Lefiaid Semaia, Nethaneia, Sebadeia, Asahel, Semiramoth, Jeho-nathan, Adoneia, Tobeia a Tob-adoneia, a hefyd yr offeiriaid Elisama a Jehoram. ⁹Aeth y rhain i ddysgu yn Jwda, ac yr oedd llyfr cyfraith yr ARGLWYDD gan-ddynt; teithiasant trwy holl ddinasoedd Jwda yn hyfforddi'r bobl.

10 Daeth ofn yr ARGLWYDD ar holl deyrnasoedd y gwledydd o amgylch Jwda, ac ni ddaethant i ryfela yn erbyn Jehosaffat. ¹¹Daeth rhai o'r Philistiaid ag anrhegion ac arian teyrnged i Jehosaffat; a daeth yr Arabiaid â diadelloedd, sef saith mil saith gant o hyrddod a saith mil saith gant o fychod. ¹²Aeth Jehosaffat o nerth i nerth. Adeiladodd gestyll a dinas-oedd stôr yn Jwda, ac yr oedd yn gyfrifol am lawer o waith yn ninasoedd Jwda. ¹³Yr oedd ganddo hefyd filwyr nerthol yn Jerwsalem, ¹⁴wedi eu rhestru yn ôl tŷ eu tadau fel hyn. O Jwda, swyddogion ar 'uned o fil: Adna yn ben, a chydag ef dri chan mil o wroniaid; ¹⁵y nesaf ato ef, Jehohanan, y capten; gyda dau gant wyth deg o filoedd; ¹⁶yna Amaseia fab Sichri, a oedd yn gwasanaethu'r ARGLWYDD o'i wirfodd, gyda dau gan mil o wroniaid. ¹⁷O Benjamin: y gwron Eliada, gyda dau gan

mil yn cario bwa a tharian; ¹⁸yna Jehosabad, gyda chant wyth deg o filoedd yn barod i ryfel. ¹⁹Dyma'r rhai oedd yn gwasanaethu'r brenin, ar wahân i'r rhai a osododd ef yn y dinasoedd caerog trwy holl Jwda.

Y Proffwyd Michea yn Rhybuddio Ahab
(1 Bren. 22:1-28)

18 Yr oedd gan Jehosaffat olud a chyfoeth mawr iawn, ac yr oedd yn perthyn i Ahab trwy briodas. ²Ymhen rhai blynyddoedd fe aeth i lawr i Samaria at Ahab, a lladdodd yntau lawer o ddefaid a gwartheg iddo ef a'r bobl oedd gydag ef, a'i ddenu i ymosod ar Ramoth Gilead. ³Meddai Ahab brenin Israel wrth Jehosaffat brenin Jwda, "A ddoi di gyda mi i Ramoth Gilead?" Atebodd yntau, "Yr wyf fi fel tydi, fy mhobl i fel dy bobl di; down gyda thi i ryfel." ⁴Ond ychwanegodd Jehosaffat wrth frenin Israel, "Cais yn gyntaf air yr ARGLWYDD." ⁵Yna casglodd brenin Israel y proffwydi, pedwar cant ohonynt, a dweud wrthynt, "A ddylem fynd i fyny i ryfel yn erbyn Ramoth Gilead, ai peidio?" Dywedasant hwythau, "Dos i fyny, ac fe rydd Duw hi yn llaw'r brenin." ⁶Ond holodd Jehosaffat, "Onid oes yma broffwyd arall i'r ARGLWYDD, i ni ymgynghori ag ef?" ⁷Ac meddai brenin Israel wrth Jehosaffat, "Oes, y mae un gŵr cto i gcisio'r ARGLWYDD drwyddo, Michea fab Imla. Ond y mae ef yn atgas gennyf am nad yw byth yn proffwydo lles i mi, dim ond drwg." Dywedodd Jehosaffat, "Peidied y brenin â dweud fel yna." ⁸Felly galwodd brenin Israel ar swyddog a dweud, "Tyrd â Michea fab Imla yma ar frys." ⁹Yr oedd brenin Israel a Jehosaffat brenin Jwda yn eu gwisgoedd brenhinol yn eistedd ar eu gorseddau ar y llawr dyrnu wrth borth Samaria, gyda'r holl broffwydi'n proffwydo o'u blaen. ¹⁰Gwnaeth Sedeceia fab Cenaana gyrn haearn, a dweud, "Fel hyn y dywed yr ARGLWYDD: 'Gyda'r rhain byddi'n cornio'r Syriaid nes iti eu difa.'" ¹¹Ac yr oedd yr holl broffwydi'n proffwydo felly ac yn dweud, "Dos i fyny i Ramoth Gilead a llwydda; bydd yr ARGLWYDD yn ei rhoi yn llaw'r brenin."

12 Dywedodd y negesydd a aeth i'w alw wrth Michea, "Edrych yn awr, y mae'r proffwydi'n unfrydol yn proffwydo llwyddiant i'r brenin. Bydded dy air dithau fel gair un ohonynt hwy, a phroff-

wyda lwyddiant." ¹³Atebodd Michea, "Cyn wired â bod yr ARGLWYDD yn fyw, yr hyn a ddywed fy Nuw wrthyf a lefaraf." ¹⁴Daeth at y brenin, a dywedodd y brenin wrtho, "Michea, a awn ni i Ramoth Gilead i ryfel, ai peidio?" A dywedodd wrtho, "Ewch i fyny a llwyddo; fe'u rhoddir hwy yn eich llaw." ¹⁵Ond dywedodd y brenin wrtho, "Pa sawl gwaith yr wyf wedi dy dynghedu i beidio â dweud dim ond y gwir wrthyf yn enw'r ARGLWYDD?" ¹⁶Yna dywedodd Michea:

"Gwelais Israel oll wedi eu gwasgaru
        ar y bryniau
    fel defaid heb fugail ganddynt.
A dywedodd yr ARGLWYDD, 'Nid oes
        feistr ar y rhain;
    felly bydded iddynt ddychwelyd adref
        mewn heddwch.'"

17 Dywedodd brenin Israel wrth Jehosaffat, "Oni ddywedais wrthyt na fyddai'n proffwydo da i mi, ond yn hytrach ddrwg?" ¹⁸A dywedodd Michea, "Am hynny, gwrandewch air yr ARGLWYDD; gwelais yr ARGLWYDD yn eistedd ar ei orsedd, gyda holl lu'r nef yn sefyll ar y dde ac ar y chwith iddo. ¹⁹A dywedodd yr ARGLWYDD, 'Pwy a fedr hudo Ahab i frwydro a chwympo yn Ramoth Gilead?' Ac yr oedd un yn dweud fel hyn, a'r llall fel arall; ²⁰ond dyma un ysbryd yn sefyll allan o flaen yr ARGLWYDD a dweud, 'Fe'i hudaf fi ef'. Ac meddai'r ARGLWYDD, 'Sut?' ²¹Dywedodd yntau, 'Af allan a bod yn ysbryd celwyddog yng ngenau ei broffwydi i gyd.' Yna dywedodd wrtho, 'Fe lwyddi di i'w hudo; dos a gwna hyn.' ²²Yn awr, rhoddodd yr ARGLWYDD ysbryd celwyddog yng ngenau dy broffwydi hyn; y mae'r ARGLWYDD wedi llunio drwg ar dy gyfer."

23 Nesaodd Sedeceia fab Cenaana a rhoi cernod i Michea, a dweud, "Sut yr aeth ysbryd yr ARGLWYDD oddi wrthyf fi i lefaru wrthyt ti?" ²⁴Dywedodd Michea, "Cei weld ar y dydd hwnnw pan fyddi'n ceisio ymguddio yn yr ystafell nesaf i mewn." ²⁵A dywedodd brenin Israel, "Ewch â Michea a'i roi yng ngofal Amon, rheolwr y dref, a Joas mab y brenin, ²⁶a dywedwch wrthynt, 'Fel hyn y dywed y brenin: Rhowch hwn yng ngharchar, a bwydwch ef â'r dogn prinnaf o fara a dŵr nes imi ddod yn ôl yn

llwyddiannus.'" [27]Ac meddai Michea, "Os llwyddi i ddod yn ôl, ni lefarodd yr ARGLWYDD drwof; gwrandewch chwi bobl i gyd."

Marwolaeth Ahab
(1 Bren. 22:29-35)

28 Aeth brenin Israel a Jehosaffat brenin Jwda i fyny i Ramoth Gilead. [29]A dywedodd brenin Israel wrth Jehosaffat, "Yr wyf fi am newid fy nillad cyn mynd i'r frwydr, ond gwisg di dy ddillad brenhinol." Newidiodd brenin Israel ei wisg, ac aethant i'r frwydr. [30]Yr oedd brenin Syria wedi gorchymyn i gapteiniaid ei gerbydau, "Peidiwch ag ymladd â neb, bach na mawr, ond â brenin Israel yn unig." [31]A phan welodd capteiniaid y cerbydau Jehosaffat, dywedasant, "Hwn yn sicr yw brenin Israel." Yna troesant i ymladd ag ef; ond rhoddodd Jehosaffat waedd, a chynorthwyodd yr ARGLWYDD Dduw ef trwy eu hudo oddi wrtho. [32]A phan welodd capteiniaid y cerbydau nad brenin Israel oedd, gadawsant lonydd iddo. [33]A thynnodd rhyw ddyn ei fwa ar antur, a tharo brenin Israel rhwng y darnau cyswllt a'r llurig. A dywedodd yntau wrth yrrwr ei gerbyd, "Tro'n ôl, a dwg fi allan o'r rhengoedd, oherwydd 'rwyf wedi fy nghlwyfo." [34]Ond ffyrnigodd y frwydr y diwrnod hwnnw, a bu raid i frenin Israel aros yn ei gerbyd yn wynebu'r Syriaid hyd yr hwyr; yna ar fachlud haul bu farw.

Proffwyd yn Ceryddu Jehosaffat

19 Dychwelodd Jehosaffat brenin Jwda yn ddiogel i'w dŷ yn Jerwsalem. [2]A daeth Jehu fab Hanani y gweledydd allan i'w gyfarfod a dweud wrtho, "A wyt ti'n ymhyfrydu mewn cynorthwyo'r annuwiol a'r rhai sy'n casáu'r ARGLWYDD? Daw llid arnat am hyn. [3]Eto, y mae daioni ynot, oherwydd fe dynnaist ymaith ddelwau Asera o'r wlad, a rhoddaist dy fryd ar geisio Duw."

Diwygiadau Jehosaffat

4 Yr oedd Jehosaffat yn byw yn Jerwsalem, ond yn dal i fynd allan ymysg y bobl o Beerseba hyd fynydd-dir Effraim, a dod â hwy'n ôl at ARGLWYDD Dduw eu tadau. [5]Gosododd farnwyr ar y wlad, un ymhob un o ddinasoedd caerog Jwda, [6]a

dweud wrthynt, "Gofalwch sut yr ydych yn ymddwyn, oherwydd nid yn enw dyn ond yn enw'r ARGLWYDD yr ydych yn barnu, a bydd ef gyda chwi pan farnwch. [7]Yn awr, bydded arnoch ofn yr ARGLWYDD, a gweithredwch yn ofalus, oherwydd nid oes anghyfiawnder na ffafriaeth na llwgrwobr yn perthyn i'r ARGLWYDD ein Duw." [8]Hefyd, fe osododd Jehosaffat yn Jerwsalem rai o'r Lefiaid a'r offeiriaid, a phennau-teuluoedd yr Israeliaid, i weinyddu cyfraith yr ARGLWYDD ac i dorri dadleuon trigolion[ff] Jerwsalem. [9]Dyma ei orchymyn iddynt: "Yr ydych i weithredu'n ffyddlon a didwyll yn ofn yr ARGLWYDD. [10]Ym mhob achos a ddaw o'ch blaen oddi wrth eich brodyr sy'n byw yn eu dinasoedd, prun ai achosion o dywallt gwaed neu unrhyw achos arall o gyfraith, gorchymyn, deddfau a barnedigaethau, rhybuddiwch hwy i beidio â throseddu yn erbyn yr ARGLWYDD, neu fe ddaw ei lid arnoch chwi a'ch brodyr. Ond ichwi wneud hyn, ni fyddwch yn troseddu. [11]Amareia yr archoffeiriad fydd ag awdurdod drosoch ym mhob peth sy'n ymwneud â'r ARGLWYDD, a Sebadeia fab Ismael, llywodraethwr tŷ Jwda, ym mhob peth sy'n ymwneud â'r brenin; y Lefiaid fydd yn swyddogion i chwi. Ymrowch a gwnewch fel hyn; bydded yr ARGLWYDD gyda'r daionus."

Rhyfel yn erbyn Edom

20 Wedi hyn, dechreuodd y Moabiaid a'r Ammoniaid, gyda rhai o'r Meuniaid[g] ryfela yn erbyn Jehosaffat. [2]Daeth rhywrai at Jehosaffat a dweud wrtho, "Y mae mintai fawr yn dod yn dy erbyn o Edom[ng], o'r ochr draw i'r môr, ac y mae hi eisoes yn Hasason-Tamara" (hynny yw, En-gedi). [3]Yn ei ddychryn penderfynodd Jehosaffat geisio'r ARGLWYDD, a chyhoeddodd ympryd trwy holl Jwda. [4]Yna ymgasglodd pobl Jwda i ofyn am gymorth gan yr ARGLWYDD; daethant o bob un o'u dinasoedd i'w geisio ef. [5]Yn y cynulliad hwn o bobl Jwda a Jerwsalem yn nhŷ yr ARGLWYDD, fe safodd Jehosaffat o flaen y cyntedd newydd, [6]a dweud, "O ARGLWYDD, Duw ein tadau, onid ti sy'n Dduw yn y nefoedd? Ti sy'n llywodraethu ar holl deyrnasoedd y cenhedloedd; yn dy law di

---

[ff]Cymh. Fersiynau. Hebraeg, *a ddychwelsant i.*
[ng]Felly llawysgrif. TM, *Aram.*

[g]Felly Groeg. Hebraeg, *Ammoniaid.*

y mae nerth a chadernid, fel na ddichon neb dy wrthsefyll. ⁷Onid ti, ein Duw, a yrraist drigolion y wlad hon allan o flaen dy bobl Israel, a'i rhoi hi am byth i had Abraham, dy gyfaill? ⁸Y maent hwy wedi byw ynddi ac wedi adeiladu cysegr i'th enw di, a dweud, ⁹'Os daw unrhyw niwed i ni trwy gleddyf, llifeiriant ʰ, haint neu newyn, yna fe safwn o'th flaen di ac o flaen y tŷ hwn, oherwydd y mae dy enw arno. Gwaeddwn arnat yn ein trybini, ac fe wrandewi di arnom a'n gwaredu.' ¹⁰Yn awr, dyma'r Ammoniaid, y Moabiaid a gwŷr Mynydd Seir, pobl na adewaist i Israel ymosod arnynt wrth ddod allan o'r Aifft, pobl y troes Israel i ffwrdd oddi wrthynt a pheidio â'u difetha; ¹¹gwêl sut y mae'r rhain yn talu'n ôl i ni trwy ddod i'n gyrru allan o'th etifeddiaeth, a roddaist i ni. ¹²O ein Duw, oni wnei di gyhoeddi barn arnynt? Oherwydd nid ydym ni'n ddigon cryf i wrthsefyll y fintai fawr hon sy'n dod yn ein herbyn. Ni wyddom ni beth i'w wneud, ond dibynnwn arnat ti."

13 Yr oedd holl wŷr Jwda, gyda'u rhai bach, eu gwragedd a'u plant, yn sefyll o flaen yr ARGLWYDD. ¹⁴Yr oedd Jehasiel fab Sechareia, fab Benaia, fab Jeiel, fab Mattaneia, Lefiad o feibion Asaff, yng nghanol y cynulliad; daeth ysbryd yr ARGLWYDD arno, ¹⁵a dywedodd, "Gwrandewch, holl Jwda a thrigolion Jerwsalem ynghyd â'r brenin Jehosaffat. Y mae'r ARGLWYDD yn dweud wrthych am beidio ag ofni na digalonni o achos y fintai fawr yma, oherwydd brwydr Duw yw hon, nid cich brwydr chwi. ¹⁶Ewch i lawr yn eu herbyn yfory, pan fyddant yn dringo rhiw Sis, ac fe'u cewch ym mhen draw'r dyffryn, yn ymyl anialwch Jerual. ¹⁷Ni fydd raid i chwi ymladd yn y frwydr hon; safwch yn llonydd yn eich lle, ac fe welwch y fuddugoliaeth a rydd yr AR-GLWYDD ichwi, O Jwda a Jerwsalem. Peidiwch ag ofni na digalonni; ewch allan yn eu herbyn yfory, a bydd yr AR-GLWYDD gyda chwi." ¹⁸Yna fe ym-grymodd Jehosaffat i'r llawr, a syrthiodd holl Jwda a thrigolion Jerwsalem o flaen yr ARGLWYDD a'i addoli. ¹⁹Yna safodd y Lefiaid oedd yn perthyn i'r Cohathiaid a'r Corhiaid i foliannu'r ARGLWYDD, Duw Israel, â bloedd uchel.

20 Felly, codasant yn fore a mynd i anialwch Tecoa. Fel yr oeddent yn cychwyn, safodd Jehosaffat a dweud, "Gwrandewch arnaf fi, Jwda a thrigolion Jerwsalem. Ymddiriedwch yn yr AR-GLWYDD eich Duw, ac fe fyddwch yn ddiogel; credwch yn ei broffwydi, ac fe lwyddwch." ²¹Wedi ymgynghori â'r bobl, penododd gantorion i foli'r ARGLWYDD, ac i ganu mawl i brydferthwch ei sanct-eiddrwydd, wrth fynd allan ar flaen y fyddin. Dywedasant,

"Diolchwch i'r ARGLWYDD,
oherwydd y mae ei gariad hyd byth."

22 Fel yr oeddent yn dechrau canu a moli, gosododd yr ARGLWYDD gynllwyn yn erbyn yr Ammoniaid a'r Moabiaid a gwŷr Mynydd Seir, a oedd yn ymosod ar Jwda, a chawsant eu gorchfygu. ²³Trodd yr Ammoniaid a'r Moabiaid i ymosod ar drigolion Mynydd Seir, a'u difa'n llwyr; ac wedi iddynt eu difodi hwy aethant ymlaen i ddifetha'i gilydd. ²⁴Pan gyr-haeddodd Jwda wylfa ger yr anialwch, a throi i edrych ar y fintai, gwelsant gyrff y meirw ar y llawr ym mhobman; nid oedd neb wedi dianc. ²⁵Daeth Jehosaffat a'i wŷr i'w hysbeilio, a chawsant arnynt lawer o olud a gwisgoedd ¹, ac eiddo gwerthfawr. Yr oedd ganddynt fwy o ysbail nag y gallent ei gario, ac am fod cymaint ohono buont am dridiau yn ei gludo. ²⁶Ar y pedwerydd dydd daethant ynghyd i Ddyffryn Beracha; am iddynt fendithio'r ARGLWYDD yno, gelwir y lle yn Ddyffryn Beracha ¹ hyd heddiw. ²⁷Yna dychwelodd holl wŷr Jwda a Jerwsalem dan arweiniad Jehosaffat i Jerwsalem mewn llawcnydd, am i'r ARGLWYDD roi buddugoliaeth iddynt dros eu gelynion; ²⁸daethant i dŷ'r ARGLWYDD yn Jerw-salem gyda nablau, telynau ac utgyrn. ²⁹Daeth ofn Duw ar holl deyrnasoedd y gwledydd pan glywsant fod yr AR-GLWYDD wedi ymladd yn erbyn gelynion Israel. ³⁰Felly cafodd teyrnas Jehosaffat heddwch, a rhoddodd ei Dduw lonydd iddo oddi wrth bawb o'i amgylch.

Diwedd Teyrnasiad Jehosaffat
(1 Bren. 22:41-50)

31 Teyrnasodd Jehosaffat ar Jwda. Pymtheg ar hugain oedd ei oed pan ddaeth i'r orsedd, a theyrnasodd am bum mlynedd ar hugain yn Jerwsalem. Asuba ferch Silhi oedd enw ei fam. ³²Dilynodd lwybr ei dad Asa yn hollol ddi-wyro, a

ʰCymh. Groeg. Hebraeg, *barn.*   ¹Felly llawysgrifau a Fersiynau. TM, *a chelaneddau.*
¹H.y., *Bendith.*

gwneud yr hyn oedd yn uniawn yng ngolwg yr ARGLWYDD. [33]Er hynny, ni symudwyd yr uchelfeydd, ac nid oedd y bobl eto wedi gosod eu bryd ar Dduw eu tadau. [34]Y mae gweddill hanes Jehosaffat, o'r dechrau i'r diwedd, wedi ei ysgrifennu yng nghronicl Jehu fab Hanani, sydd wedi ei gynnwys yn Llyfr Brenhinoedd Israel.

35 Wedi hyn gwnaeth Jehosaffat brenin Jwda gynghrair â'r drwgweithredwr, Ahaseia brenin Israel. [36]Cydweithiodd ag ef i wneud llongau i fynd i Tarsis, a'u hadeiladu yn Esion-Geber. [37]Ond proffwydodd Elieser fab Dodafa o Maresa yn erbyn Jehosaffat, a dweud, "Am i ti wneud cynghrair ag Ahaseia, fe ddryllia yr ARGLWYDD dy waith." Felly dinistriwyd y llongau, ac ni allent hwylio i Tarsis.

21 Hunodd Jehosaffat gyda'i dadau, a chladdwyd ef gyda hwy yn ninas ei dad Dafydd, a daeth ei fab Jehoram yn frenin yn ei le.

Jehoram Brenin Jwda
(2 Bren. 8:17-24)

2 Yr oedd gan Jehoram frodyr, meibion i Jehosaffat, sef Asareia, Jehiel, Sechareia, Asareia, Michael a Seffateia. Meibion i Jehosaffat brenin Jwda[ll] oeddent i gyd, [3]a rhoddodd eu tad iddynt lawer o anrhegion, arian ac aur a phethau gwerthfawr, yn ogystal â dinasoedd caerog yn Jwda; ond i Jehoram y rhoddodd y frenhiniaeth, am mai ef oedd y cyntafanedig. [4]Ar ôl i Jehoram ymsefydlu ar deyrnas ei dad, lladdodd bob un o'i frodyr a rhai o dywysogion Israel â'r cleddyf. [5]Deuddeg ar hugain oed oedd Jehoram pan ddaeth yn frenin, a theyrnasodd am wyth mlynedd yn Jerwsalem. [6]Dilynodd lwybr brenhinoedd Israel, fel y gwnâi tŷ Ahab, gan mai merch Ahab oedd ei wraig, a gwnaeth yr hyn oedd ddrwg yng ngolwg yr ARGLWYDD. [7]Eto, oherwydd y cyfamod a wnaeth â Dafydd, ni fynnai'r ARGLWYDD ddifetha tŷ Dafydd, am iddo addo rhoi lamp iddo ef a'i feibion am byth.

8 Yn ei gyfnod ef gwrthryfelodd Edom yn erbyn Jwda a gosod brenin arnynt eu hunain. [9]Croesodd Jehoram yno gyda'i dywysogion a'i holl gerbydau; cododd liw nos ac ymosod gyda'i gerbydwyr ar yr Edomiaid oedd yn ei amgylchu. [10]Ac y

mae Edom mewn gwrthryfel yn erbyn Jwda hyd y dydd hwn. Yr un pryd gwrthryfelodd Libna yn ei erbyn, am iddo droi cefn ar yr ARGLWYDD, Duw ei dadau. [11]Ef hefyd a adeiladodd uchelfeydd ym mynydd-dir Jwda, a gwneud i drigolion Jerwsalem buteinio, ac arwain Jwda ar gyfeiliorn.

12 Daeth llythyr at Jehoram oddi wrth y proffwyd Eleias yn dweud, "Fel hyn y dywed yr ARGLWYDD, Duw Dafydd dy dad: 'Ni ddilynaist ti lwybrau Jehosaffat dy dad ac Asa brenin Jwda, [13]ond dilynaist frenhinoedd Israel, a gwneud i Jwda a thrigolion Jerwsalem buteinio, fel y gwnaeth tŷ Ahab gydag Israel; yr wyt hefyd wedi lladd dy frodyr o dŷ dy dad, dynion gwell na thi. [14]Am hyn, fe ddaw'r ARGLWYDD â phla mawr ar dy bobl, dy feibion, dy wragedd a'th holl olud. [15]Fe fyddi di dy hun yn dioddef o glefyd enbyd yn dy goluddion, clefyd fydd ymhen amser yn gwneud i'r coluddion ddisgyn allan.'"

16 Yna cyffrôdd yr ARGLWYDD y Philistiaid, a'r Arabiaid oedd yn byw yn ymyl yr Ethiopiaid, yn erbyn Jehoram. [17]Daethant i fyny yn erbyn Jwda ac ymosod arni, a chludo ymaith yr holl olud oedd yn nhŷ'r brenin, yn ogystal â'i feibion a'i wragedd; ni adawyd neb ond Jehoahas, ei fab ieuengaf, ar ôl.

18 Ar ôl hyn i gyd trawodd yr ARGLWYDD ef â chlefyd marwol yn ei goluddion. [19]Ac yng nghwrs amser, wedi i ddwy flynedd ddod i ben, disgynnodd ei goluddion allan o achos y clefyd, a bu farw mewn poenau enbyd. Ni wnaeth y bobl dân er anrhydedd iddo, fel y gwnaethant i'w dadau. [20]Deuddeg ar hugain oedd ei oed pan ddaeth yn frenin, a theyrnasodd am wyth mlynedd yn Jerwsalem. Bu farw heb neb yn galaru amdano, ac fe'i claddwyd yn Ninas Dafydd, ond nid ym meddau'r brenhinoedd.

Ahaseia Brenin Jwda
(2 Bren. 8:25-29; 9:21-28)

22 Gwnaeth trigolion Jerwsalem ei fab ieuengaf Ahaseia yn frenin yn lle Jehoram, oherwydd yr oedd y milwyr a ddaeth i'r gwersyll gyda'r Arabiaid wedi lladd pob un o'r meibion hynaf. Dyna sut y daeth Ahaseia fab Jehoram, brenin Jwda, i'r orsedd. [2]Dwy a deugain oedd

---

[ll]Felly Groeg. Hebraeg, *Israel*.

oed Ahaseia pan ddaeth yn frenin, a theyrnasodd yn Jerwsalem am flwyddyn. [3] Athaleia oedd enw ei fam, wyres Omri. Dilynodd yntau hefyd yr un llwybr â thŷ Ahab, oherwydd yr oedd ei fam yn ei arwain i wneud drwg. [4] Gwnaeth yr hyn oedd ddrwg yng ngolwg yr ARGLWYDD, yn union fel y gwnaeth tŷ Ahab; oherwydd ar ôl marw ei dad hwy oedd yn ei gynghori, er mawr niwed iddo. [5] Fe gymerodd eu cyngor hwy, ac aeth gyda Joram fab Ahab, brenin Israel, i ryfel yn erbyn Hasael brenin Syria yn Ramoth Gilead. [6] Ond anafodd y Syriaid Joram a chiliodd yntau i Jesreel i geisio gwellhad o'r[m] clwyfau a gafodd yn Rama yn y frwydr yn erbyn Hasael brenin Syria. A daeth Ahaseia[n] fab Jehoram, brenin Jwda, i edrych am Joram fab Ahab yn Jesreel am ei fod yn glaf.

7 Penderfyniodd Duw ddinistrio Ahaseia wrth iddo ymweld â Jehoram. Pan gyrhaeddodd Ahaseia, aeth allan gyda Jehoram yn erbyn Jehu fab Nimsi, a eneiniwyd gan yr ARGLWYDD i ddifodi tŷ Ahab. [8] Fel yr oedd Jehu yn cosbi tŷ Ahab, daeth o hyd i dywysogion Jwda a meibion brodyr Ahaseia, a fu'n gwasanaethu Ahaseia, ac fe'u lladdodd. [9] Yna aeth i chwilio am Ahaseia. Daliwyd Ahaseia yn cuddio yn Samaria, a chafodd ei ddwyn at Jehu a'i roi i farwolaeth. Claddwyd ef mewn bedd, oherwydd dywedasant, "Yr oedd yn ŵyr i Jehosaffat, a geisiodd yr ARGLWYDD â'i holl galon." Felly nid oedd neb o dŷ Ahaseia yn ddigon grymus i deyrnasu.

Athaleia Brenhines Jwda
(2 Bren. 11:1-3)

10 Pan welodd Athaleia, mam Ahaseia, fod ei mab wedi marw, aeth ati i ddifodi[o] holl linach frenhinol tŷ Jwda. [11] Ond cymerwyd Joas fab Ahaseia gan Jehoseba, merch y brenin, a'i ddwyn yn ddirgel o blith plant y brenin, a oedd i'w lladd, a'i roi ef a'i famaeth mewn ystafell wely. Felly y cuddiwyd ef rhag Athaleia, fel na allai ei ladd, gan Jehoseba, merch y Brenin Jehoram, gwraig Jehoiada yr offeiriad, oherwydd yr oedd hi'n chwaer i Ahaseia. [12] A bu ynghadw gyda hwy yn nhŷ Dduw am chwe blynedd, tra oedd Athaleia'n rheoli'r wlad.

23 Yn y seithfed flwyddyn ymwrolodd Jehoiada, a gwnaeth gynghrair â'r capteiniaid, Asareia fab Jeroham, Ismael fab Jehohanan, Asareia fab Obed, Maaseia fab Adaia, ac Elisaffat fab Sichri. [2] Aethant hwythau trwy Jwda a chasglu'r Lefiaid o bob dinas, a phennauteuluoedd Israel, i ddod i Jerwsalem. [3] Yna gwnaeth y gynulleidfa gyfan gyfamod â'r brenin yn nhŷ Dduw. Dywedodd Jehoiada wrthynt, "Dyma fab y brenin! Bydded iddo deyrnasu, fel y dywedodd yr ARGLWYDD y gwnâi meibion Dafydd. [4] Dyma'r hyn a wnewch: y mae traean ohonoch chwi'r offeiriaid a'r Lefiaid, sy'n dod ar ddyletswydd ar y Saboth, i wylio'r pyrth; [5] traean arall i aros yn nhŷ'r brenin, a thraean i fod wrth Borth y Sylfaen. Bydded i'r holl bobl aros yng nghynteddau tŷ'r ARGLWYDD. [6] Nid oes neb i fynd i mewn i dŷ'r ARGLWYDD ond yr offeiriaid a'r Lefiaid sydd ar ddyletswydd; cânt hwy fynd am eu bod yn sanctaidd; rhaid i bawb arall gadw gorchymyn yr ARGLWYDD. [7] Y mae'r Lefiaid i sefyll o amgylch y brenin, pob un â'i arfau yn ei law, a lladder pwy bynnag a ddaw i mewn i'r tŷ; byddant gyda'r brenin lle bynnag yr â."

8 Gwnaeth y Lefiaid a holl Jwda bopeth a orchmynnodd yr offeiriad Jehoiada, pob un yn cymryd ei gwmni, y rhai oedd ar ddyletswydd ar y Saboth, a'r rhai oedd yn rhydd, oherwydd nid oedd yr offeiriad Jehoiada wedi rhyddhau yr un o'r adrannau. [9] Yna rhoddodd yr offeiriad Jehoiada i'r capteiniaid y gwaywffyn, y tarianau a'r bwcledi a fu gan Ddafydd ac a oedd yn nhŷ Dduw. [10] Gwnaeth i'r holl bobl sefyll i amgylchu'r brenin, pob un â'i arf yn ei law, ar draws y tŷ o'r ochr dde i'r ochr chwith, o gwmpas yr allor a'r tŷ. [11] Yna dygwyd mab y brenin gerbron, a rhoi'r goron a'r warant iddo. Urddodd Jehoiada a'i feibion ef, a'i eneinio, a dweud, "Byw fyddo'r brenin!"

12 Clywodd Athaleia drwst y bobl yn rhedeg ac yn clodfori'r brenin, a daeth atynt i dŷ'r ARGLWYDD. [13] Pan welodd hi y brenin yn sefyll wrth ei golofn yn y fynedfa, gyda'r capteiniaid a'r utgyrn o amgylch y brenin, a holl bobl y wlad yn llawenhau ac yn canu utgyrn, a'r cantorion gydag offerynnau yn arwain y

---

[m] Felly llawysgrifau a Fersiynau. Cymh. 2 Bren. 8:29. Hebraeg, *canys.*
[n] Felly llawysgrifau a Fersiynau. Cymh. 2 Bren. 8:29. Hebraeg, *Asareia.*
[o] Felly llawysgrifau a Fersiynau. Cymh. 2 Bren. 11:1. Hebraeg, *i ddweud.*

moliant, rhwygodd ei dillad a gweiddi, "Brad! brad!" ¹⁴Gorchmynnoddᴾ yr offeiriad Jehoiada i'r capteiniaid, swyddogion y fyddin, "Ewch â hi y tu allan i gyffiniau'r tŷ, a lladder â'r cleddyf unrhyw un sy'n ei dilyn; ond peidier," meddai'r offeiriad, "â'i lladd yn nhŷ'r ARGLWYDD." ¹⁵Felly daliasant hi fel yr oedd yn cyrraedd mynedfa Porth y Meirch i'r palas, a'i lladd yno.

Diwygiadau Jehoiada
(2 Bren. 11:17-20)

16 Gwnaeth Jehoiada gyfamod y byddai ef ei hun a'r holl bobl a'r brenin yn bobl i'r ARGLWYDD. ¹⁷Aeth yr holl bobl at deml Baal a'i thynnu i lawr, a dryllio'i hallorau a'i delwau'n chwilfriw, a lladd Mattan, offeiriad Baal, o flaen yr allorau. ¹⁸Yna rhoddodd Jehoiada y cyfrifoldeb o edrych ar ôl tŷ'r ARGLWYDD i'r offeiriaid oedd yn Lefiaid, ac a osodwyd gan Ddafydd dros dŷ'r ARGLWYDD i offrymu aberthau i'r ARGLWYDD, fel y mae'n ysgrifenedig yn neddf Moses, ac i wneud hynny gyda llawenydd a chân yn ôl trefn Dafydd, ¹⁹Gosododd y porthorion wrth byrth tŷ'r ARGLWYDD i sicrhau na fyddai neb oedd yn aflan mewn urhyw ffordd yn mynd i mewn. ²⁰Yna daeth Jehoiada â'r capteiniaid, y pendefigion, llywodraethwyr y bobl a holl bobl y wlad, i hebrwng y brenin o dŷ'r ARGLWYDD. Daethant trwy'r porth uchaf i'r palas, a gosod y brenin ar yr orsedd frenhinol. ²¹Llawenhaodd holl bobl y wlad, a daeth llonyddwch i'r ddinas wedi lladd Athaleia â'r cleddyf.

Jehoas Brenin Jwda
(2 Bren. 12:1-16)

24 Saith oed oedd Joas pan ddaeth yn frenin, a theyrnasodd yn Jerwsalem am ddeugain mlynedd. Sibia o Beerseba oedd enw ei fam. ²Gwnaeth Joas yr hyn oedd uniawn yng ngolwg yr ARGLWYDD trwy gydol cyfnod Jehoiada'r offeiriad. ³Dewisodd Jehoiada ddwy wraig iddo, a chafodd ganddynt feibion a merched.

4 Wedi hyn, rhoddodd Joas ei fryd ar adnewyddu tŷ'r ARGLWYDD. ⁵Cynullodd yr offeiriaid a'r Lefiaid a dweud wrthynt, "Ewch ar frys trwy holl ddinasoedd Jwda i gasglu'r dreth flynyddol gan Israel gyfan, er mwyn atgyweirio tŷ eich Duw." Ond

ni frysiodd y Lefiaid. ⁶Galwodd y brenin ar Jehoiada, yr archoffeiriad, a dweud wrtho, "Pam na fynnaist fod y Lefiaid yn casglu o Jwda a Jerwsalem y dreth a osododd Moses gwas yr ARGLWYDD ar gynulleidfa Israel ar gyfer pabell y dystiolaeth? ⁷Oherwydd y mae meibion y wraig ddrwg Athaleia wedi malurio tŷ Dduw, a rhoi pob un o'i bethau cysegredig i'r Baalim."

8 Ar orchymyn y brenin gwnaethant gist a'i gosod y tu allan i borth tŷ'r ARGLWYDD. ⁹Yna cyhoeddwyd trwy Jwda a Jerwsalem fod pawb i roi i'r ARGLWYDD y dreth a osododd Moses gwas Duw ar Israel yn yr anialwch. ¹⁰Dygodd yr holl dywysogion a'r bobl yr arian yn llawen, a'i roi yn y gist nes ei bod yn llawn. ¹¹Bob tro y byddai'r Lefiaid yn dod â'r gist at swyddogion y brenin, a hwythau'n gweld fod ynddi swm mawr o arian, byddai ysgrifennydd y brenin a swyddog yr archoffeiriad yn dod ac yn gwagio'r gist, ac yna mynd â hi'n ôl i'w lle. Gwnaent hyn yn gyson, a chasglu llawer o arian. ¹²Rhoddai'r brenin a Jehoiada yr arian i'r rhai a benodwyd i ofalu am y gwaith yn nhŷ'r ARGLWYDD; yr oeddent hwythau yn cyflogi seiri maen a seiri coed i adnewyddu tŷ'r ARGLWYDD, a gweithwyr mewn haearn a phres i'w atgyweirio. ¹³Yr oedd y rhai a benodwyd yn gweithio'n ddyfal, a bu'r atgyweirio'n llwyddiant dan eu gofal; gwnaethant dŷ Dduw yn gadarn, a'i adfer i'w gyflwr gwreiddiol. ¹⁴Wedi iddynt orffen, daethant â gweddill yr arian i'r brenin ac i Jehoiada, ac fe'i defnyddiwyd i wneud llestri i dŷ'r ARGLWYDD, sef llestri ar gyfer y gwasanaeth a'r offrwm, llwyau a llestri aur ac arian. Buont yn offrymu poethoffrymau yn barhaus yn nhŷ'r ARGLWYDD holl ddyddiau Jehoiada.

15 Aeth Jehoiada'n hen, a bu farw mewn oedran teg. Yr oedd yn gant tri deg pan fu farw, ¹⁶a chafodd ei gladdu gyda'r brenhinoedd yn Ninas Dafydd, am iddo wneud daioni yn Israel a gwasanaethu Duw a'i dŷ.

Newid Polisïau Jehoiada

17 Wedi marw Jehoiada, daeth tywysogion Jwda i dalu gwrogaeth i'r brenin, a gwrandawodd yntau arnynt. ¹⁸Yna troesant eu cefn ar dŷ'r ARGLWYDD,

ᴾFelly Fersiynau. Cymh. 2 Bren. 11:15. Hebraeg, *Arweiniodd allan.*

Duw eu tadau, a gwasanaethu'r Aserim a'r delwau. Daeth llid Duw ar Jwda a Jerwsalem am iddynt droseddu fel hyn. [19]Ac er i'r ARGLWYDD anfon proffwydi atynt i'w harwain yn ôl ato ac i'w hargyhoeddi, ni wrandawsant arnynt.

20 Yna daeth ysbryd Duw ar Sechareia fab Jehoiada yr offeiriad, ac fe safodd gerbron y bobl a dweud, "Fel hyn y dywed Duw: 'Pam yr ydych yn torri gorchmynion yr ARGLWYDD? Ni fyddwch yn ffynnu. Am i chwi droi cefn ar yr ARGLWYDD, mae yntau wedi troi ei gefn arnoch chwi.'" [21]Ond gwnaethant gynllwyn yn ei erbyn, ac ar orchymyn y brenin fe'i llabyddiwyd yng nghyntedd tŷ'r ARGLWYDD. [22]Anghofiodd y Brenin Joas am y caredigrwydd a gafodd gan Jehoiada tad Sechareia, a lladdodd ei fab. Fel yr oedd Sechareia'n marw, dywedodd, "Bydded i'r ARGLWYDD weld, a'th alw i gyfrif."

Diwedd Teyrnasiad Joas

23 Ar ddiwedd y flwyddyn daeth byddin Syria i ryfela yn erbyn Joas. Daethant i Jwda a Jerwsalem, a lladd pob un o dywysogion y bobl, ac anfon eu hysbail i gyd i frenin Damascus. [24]Er i'r Syriaid ddod gyda byddin fechan, rhoddodd yr ARGLWYDD lu mawr iawn yn eu dwylo, am i'r bobl droi eu cefn ar yr ARGLWYDD, Duw eu tadau. Felly daethant â barn ar Joas. 25 Ar ôl i'r Syriaid fynd ymaith, a'i adael wedi ei glwyfo'n ddrwg, cynllwyniodd ei weision ei hun yn ei erbyn i ddial am farwolaeth mab[ph] Jehoiada yr offeiriad, a lladdasant Joas ar ei wely. Felly bu farw, ac fe'i claddwyd yn Ninas Dafydd, ond nid ym meddau'r brenhinoedd. [26]Y rhai a gynllwyniodd yn ei erbyn oedd Sabad fab Simeath yr Ammones, a Jehosabad fab Simrith y Foabes. [27]Y mae hanes ei feibion, y llu oraclau a draddodwyd yn ei erbyn, a hanes ei waith yn atgyweirio tŷ Dduw, i gyd wedi eu hysgrifennu yn yr esboniad ar Lyfr y Brenhinoedd. Daeth ei fab Amaseia yn frenin yn ei le.

Amaseia Brenin Jwda
(2 Bren. 14:2-6)

25 Pump ar hugain oedd oed Amaseia pan ddaeth yn frenin, a theyrnasodd am naw mlynedd ar hugain yn

[ph]Felly Fersiynau. Hebraeg, meibion.

Jerwsalem. Jehoadan o Jerwsalem oedd enw ei fam. [2]Gwnaeth yr hyn oedd uniawn yng ngolwg yr ARGLWYDD, ond nid â chalon berffaith. [3]Wedi iddo sicrhau ei afael ar y deyrnas, lladdodd y gweision oedd wedi llofruddio'r brenin, ei dad. [4]Ond ni roddodd eu plant i farwolaeth, yn unol â'r hyn sy'n ysgrifenedig yn y gyfraith, yn llyfr Moses, lle mae'r ARGLWYDD yn gorchymyn, "Na rodder tadau i farwolaeth o achos eu plant, na phlant o achos eu tadau; am ei bechod ei hun y rhoddir dyn i farwolaeth."

Rhyfel yn erbyn Edom
(2 Bren. 14:7)

5 Yna fe gasglodd Amaseia wŷr Jwda a'u gosod fesul teuluoedd o dan gapteiniaid miloedd a chapteiniaid cannoedd trwy holl Jwda a Benjamin. Rhifodd y rhai oedd yn ugain mlwydd oed a throsodd, a'u cael yn dri chan mil o wŷr dethol, parod i fynd allan i ryfel ac yn medru trin gwaywffon a tharian. [6]Cyflogodd hefyd gan mil o wroniaid o Israel am gan talent o arian. [7]Ond daeth gŵr Duw ato a dweud, "O frenin, paid â gadael i fyddin Israel fynd gyda thi, oherwydd nid yw'r ARGLWYDD gydag Israel, sef holl feibion Effraim. [8]Ond os ei ac ymgryfhau ar gyfer brwydr, bydd Duw yn dy ddymchwel o flaen y gelyn; oherwydd y mae gan Dduw y gallu i gynorthwyo neu i ddymchwel." [9]Meddai Amaseia wrth ŵr Duw, "Ond beth a wnawn am y can talent a roddais i'r fintai o Israel?" Dywedodd gŵr Duw,"Gall yr ARGLWYDD roi llawer mwy na hynny iti." [10]Felly rhyddhaodd Amaseia y fintai a ddaeth ato o Effraim, a'i hanfon adref. Yr oeddent hwy yn flin iawn gyda Jwda, ac aethant adref yn ddicllon. [11]Ond ymgryfhaodd Amaseia, ac arweiniodd ei filwyr i Ddyffryn yr Halen, lle lladdodd ddeng mil o wŷr Seir. [12]Daliodd gwŷr Jwda ddeng mil arall ohonynt yn fyw, a mynd â hwy i ben craig a'u taflu oddi arni, nes darnio pob un ohonynt. [13]Ond yr oedd y fintai a waharddodd Amaseia rhag dod gydag ef i'r frwydr wedi anrheithio dinasoedd Jwda, o Samaria i Beth-horon, a lladd tair mil o'u trigolion a chymryd llawer iawn o ysbail.

14 Pan ddychwelodd Amaseia ar ôl gorchfygu'r Edomiaid, daeth â duwiau pobl Seir a'u gosod yn dduwiau iddo'i

hun; addolodd hwy ac arogldarthu iddynt. [15]Am hynny digiodd yr ARGLWYDD wrth Amaseia ac anfonodd broffwyd ato. Dywedodd hwnnw wrtho, "Pam yr wyt wedi troi at dduwiau na fedrent achub eu pobl eu hunain rhagot?" [16]Fel yr oedd yn siarad, dywedodd y brenin, "A ydym wedi dy benodi'n gynghorwr i'r brenin? Taw! Pam y perygli dy fywyd?" Tawodd y proffwyd, ond nid cyn dweud, "Gwn fod Duw wedi penderfynu dy ddinistrio am iti wneud hyn a gwrthod gwrando ar fy nghyngor."

Rhyfel yn erbyn Israel
(2 Bren. 14:8-20)

17 Wedi ymgynghori, anfonodd Amaseia brenin Jwda neges at Joas fab Jehoahas, fab Jehu, brenin Israel, a dweud, "Tyrd, gad inni ddod wyneb yn wyneb." [18]Anfonodd Joas brenin Israel yn ôl at Amaseia brenin Jwda a dweud, "Gyrrodd ysgellyn oedd yn Lebanon at gedrwydden Lebanon, a dweud, 'Rho dy ferch yn wraig i'm mab'. Ond daeth rhyw fwystfil oedd yn Lebanon heibio a mathru'r ysgellyn. [19]Y mae'n wir iti daro[r] Edom, ond aethost yn ffroenuchel a balch. Yn awr, aros gartref; pam y codi helynt, ac yna cwympo a thynnu Jwda i lawr gyda thi?" [20]Ond ni fynnai Amaseia wrando, oherwydd gwaith Duw oedd hyn er mwyn eu rhoi yn llaw Joas am iddynt droi at dduwiau Edom. [21]Felly daeth Joas brenin Israel ac Amaseia brenin Jwda wyneb yn wyneb ger Bethsemes yn Jwda. [22]Gorchfygwyd Jwda gan Israel, a ffodd pawb adref. [23]Wedi i Joas brenin Israel ddal brenin Jwda, sef Amaseia fab Joas, fab Jehoahas, yn Bethsemes, daeth ag ef i Jerwsalem, a thorrodd i lawr fur Jerwsalem o Borth Effraim hyd Borth y Gongl, sef pedwar can cufydd. [24]Hefyd aeth â'r holl aur, arian a chelfi a gafwyd yn nhŷ Dduw dan ofal Obed-edom, ynghyd â thrysorau'r palas a gwystlon, a dychwelodd i Samaria.

25 Bu Amaseia fab Joas, brenin Jwda, fyw am bymtheng mlynedd ar ôl marw Joas fab Jehoahas, brenin Israel. [26]Am weddill hanes Amaseia, o'r dechrau i'r diwedd, onid yw wedi ei ysgrifennu yn llyfr brenhinoedd Jwda ac Israel? [27]O'r amser y gwrthododd Amaseia ddilyn yr ARGLWYDD, cynllwyniwyd brad yn ei erbyn yn Jerwsalem. Ffodd yntau i Lachis, ond anfonwyd ar ei ôl i Lachis a'i ladd yno. [28]Yna cludwyd ef ar feirch, a'i gladdu gyda'i dadau yn Ninas Dafydd.[rh]

Usseia Brenin Jwda
(2 Bren. 14:21-22; 15:1-7)

26 Pan oedd Usseia yn un ar bymtheg oed, cymerodd holl bobl Jwda ef a'i wneud yn frenin yn lle ei dad Amaseia. [2]Ef a ailadeiladodd Eloth a'i hadfer i Jwda wedi i'r brenin orwedd gyda'i dadau. [3]Un ar bymtheg oedd oed Usseia pan ddaeth i'r orsedd, a theyrnasodd am hanner cant a dwy o flynyddoedd yn Jerwsalem. Jecholeia o Jerwsalem oedd enw ei fam. [4]Gwnaeth yr hyn oedd uniawn yng ngolwg yr ARGLWYDD, yn hollol fel y gwnaeth ei dad Amaseia. [5]Ceisiodd Dduw yn nyddiau Sechareia; ef a'i dysgodd i ofni Duw, a thra oedd yn ceisio'r ARGLWYDD, rhoddodd Duw lwyddiant iddo.

6 Aeth allan i ryfela yn erbyn y Philistiaid, a chwalu muriau Gath, Jabne ac Asdod; yna fe adeiladodd ddinasoedd yng nghyffiniau Asdod ac ymysg y Philistiaid. [7]Cynorthwyodd Duw ef yn erbyn y Philistiaid, yr Arabiaid oedd yn byw yn Gur-baal, a'r Mehuniaid. [8]Rhoddodd yr Ammoniaid deyrnged i Usseia, ac yr oedd yn enwog hyd at derfyn yr Aifft am ei fod mor rymus. [9]Adeiladodd Usseia dyrau yn Jerwsalem wrth Borth y Gongl, Porth y Glyn a Thro'r Mur, a'u hatgyfnerthu. [10]Adeiladodd dyrau hefyd yn yr anialwch, a chloddio llawer o bydewau, am fod ganddo lawer o anifeiliaid yn y Seffela ac ar y gwastadedd; yr oedd ganddo hefyd lafurwyr a gwinllanwyr yn y mynydd-dir ac yng Ngharmel, oherwydd yr oedd yn hoff o'r tir. [11]Yr oedd gan Usseia fyddin o filwyr yn barod i'r gad, wedi eu trefnu'n rhengoedd gan Jeiel yr ysgrifennydd a Maaseia y swyddog, yn ôl cyfarwyddyd Hananeia, un o swyddogion y brenin. [12]Cyfanswm pennau-teuluoedd y gwroniaid oedd dwy fil chwe chant. [13]Dan eu gofal hwy yr oedd byddin o dri chant a saith o filoedd a phum cant o ryfelwyr nerthol i gynorthwyo'r brenin yn erbyn y gelyn. [14]Ar gyfer yr holl fyddin paratodd Usseia darianau, gwaywffyn, helmau, llurigau, bwâu a cherrig ffyn tafl.

[r]Cymh. Fersiynau a 2 Bren. 14:10. Hebraeg, *Dywedaist, Wele, trewaist.*
[rh]Felly llawysgrifau, Fersiynau a 2 Bren. 14:20. TM, *Jwda.*

¹⁵Yn Jerwsalem, gyda chymorth gweith-
wyr medrus, gwnaeth beiriannau ar gyfer
y tyrau a'r conglau, i daflu saethau a
cherrig mawr. Yr oedd yn enwog ymhell
ac agos, am ei fod yn cael ei gynorth-
wyo'n rhyfeddol nes iddo ddod yn
rymus.

Cosbi Usseia am ei Falchder

16 Ond wedi iddo fynd yn rymus aeth
ei falchder yn drech nag ef; troseddodd
yn erbyn yr ARGLWYDD ei Dduw trwy
fynd i mewn i deml yr ARGLWYDD i
arogldarthu ar allor yr arogldarth. ¹⁷Aeth
Asareia yr offeiriad i mewn ar ei ôl gyda
phedwar ugain o wŷr dewr a oedd yn
offeiriaid yr ARGLWYDD. ¹⁸Safasant o
flaen y Brenin Usseia a dweud wrtho,
"Nid gennyt ti, Usseia, y mae'r hawl i
arogldarthu i'r ARGLWYDD, ond gan
yr offeiriaid, meibion Aaron, y rhai a
gysegrwyd i arogldarthu. Dos allan o'r
cysegr, oherwydd troseddaist; ni chei
anrhydedd gan yr ARGLWYDD Dduw."
¹⁹Ffromodd Usseia. Yn ei law yr oedd
thuser i arogldarthu, ac fel yr oedd yn
ffromi wrth yr offeiriaid fe dorrodd
gwahanglwyf allan ar ei dalcen, yng
ngŵydd yr offeiriaid yn nhŷ'r AR-
GLWYDD yn ymyl allor yr arogldarth.
²⁰Edrychodd Asareia yr archoffeiriad a'r
holl offeiriaid arno a gweld y gwahan-
glwyf ar ei dalcen, a gwnaethant iddo
frysio oddi yno. ²¹Aeth yntau allan ar
frys, oherwydd i'r ARGLWYDD ei daro. A
bu'r Brenin Usseia yn wahanglwyfus hyd
ddydd ei farw, yn byw o'r neilltu yn ei dŷ
o achos y gwahanglwyf, ac wedi ei dorri
allan o dŷ'r ARGLWYDD. Daeth Jotham ei
fab i oruchwylio'r palas ac i reoli pobl y
wlad.

22 Am weddill hanes Usseia, o'r
dechrau i'r diwedd, fe'i hysgrifennwyd
gan y proffwyd Eseia fab Amos. ²³Hun-
odd Usseia gyda'i dadau, a chladdwyd ef
gyda hwy mewn man claddu yn perthyn
i'r brenhinoedd, oherwydd dywedasant,
"Yr oedd yn wahanglwyfus." A daeth ei
fab Jotham yn frenin yn ei le.

Jotham Brenin Jwda
(2 Bren. 15:32-38)

27 Pump ar hugain oedd oed Jotham
pan ddaeth yn frenin, a theyr-
nasodd am un mlynedd ar bymtheg yn
Jerwsalem. Jerusa ferch Sadoc oedd enw
ei fam. ²Gwnaeth yr hyn oedd uniawn

yng ngolwg yr ARGLWYDD, yn hollol fel
y gwnaeth ei dad Usseia, ar wahân i fynd
i mewn i deml yr ARGLWYDD; ³eto yr
oedd y bobl yn dal i fyw mewn llygredd.
Ef a adeiladodd Borth Uchaf tŷ'r AR-
GLWYDD, ac atgyweirio rhan fawr o fur yr
Offel. ⁴Adeiladodd ddinasoedd hefyd ym
mynydd-dir Jwda, a chaerau a thyrau ar
y bryniau coediog. ⁵Brwydrodd yn erbyn
yr Ammoniaid a'u brenin, a'u trechu. Y
flwyddyn honno rhoddodd yr Ammoniaid
iddo gan talent o arian, deng mil corus o
wenith a deng mil corus o haidd; rhoesant
yr un faint iddo yn yr ail a'r drydedd
flwyddyn. ⁶Ymgryfhaodd Jotham am iddo
drefnu ei fywyd yn ôl ewyllys yr AR-
GLWYDD ei Dduw. ⁷Am weddill hanes
Jotham, ei holl ryfeloedd a'i arferion, y
maent yn ysgrifenedig yn llyfr brenhin-
oedd Israel a Jwda. ⁸Pump ar hugain oedd
ei oed pan ddaeth yn frenin, a theyr-
nasodd am un mlynedd ar bymtheg yn
Jerwsalem. ⁹Hunodd Jotham gyda'i
dadau, a chladdwyd ef yn Ninas Dafydd,
a theyrnasodd ei fab Ahas yn ei le.

Ahas Brenin Jwda
(2 Bren. 16:1-4)

28 Ugain oed oedd Ahas pan ddaeth
yn frenin, a theyrnasodd am un
mlynedd ar bymtheg yn Jerwsalem. Ni
wnaeth yr hyn oedd uniawn yng ngolwg
yr ARGLWYDD fel y gwnaeth ei dad
Dafydd, ²ond dilynodd esiampl brenhin-
oedd Israel. Gwnaeth ddelwau i'r Baalim,
³arogldarthodd yn Nyffryn Ben-hinnom,
ac fe barodd i'w feibion fynd trwy dân yn
ôl arfer ffiaidd y cenhedloedd a ddi-
sodlodd yr ARGLWYDD o flaen yr Israel-
iaid. ⁴Yr oedd yn aberthu ac yn arogl-
darthu yn yr uchelfeydd, ar y bryniau a
than bob pren gwyrddlas.

Rhyfel yn erbyn Syria ac Israel
(2 Bren. 16:5)

5 Am hynny rhoddodd yr ARGLWYDD
ei Dduw ef yn llaw brenin Syria; gorch-
fygodd yntau ef a chaethgludo llawer
iawn o'i bobl a mynd â hwy i Ddamascus.
Rhoddwyd ef hefyd yn llaw brenin Israel,
a gorchfygwyd ef ganddo mewn lladdfa
fawr. ⁶Yn wir, lladdodd Peca fab Remal-
eia chwe ugain mil o wŷr grymus yn Jwda
mewn un diwrnod, am iddynt gefnu ar
ARGLWYDD Dduw eu tadau. ⁷Lladdwyd
Maaseia mab y brenin, Asricam llywod-
raethwr y palas, ac Elcana y nesaf at y

brenin, gan Sichri, un o wroniaid Effraim. [8]Caethgludodd yr Israeliaid ddau gan mil o'u pobl, yn wragedd, meibion a merched, a chymryd llawer iawn o ysbail oddi arnynt a'i gludo i Samaria.

Y Proffwyd Oded

9 Ond yr oedd yno broffwyd yr ARGLWYDD o'r enw Oded; aeth ef allan i gyfarfod â'r fyddin oedd yn dychwelyd i Samaria, a dweud wrthynt, "Gwrandewch! Am fod ARGLWYDD Dduw eich tadau yn ddig wrth Jwda y rhoddodd hwy yn eich llaw; ond yr ydych chwi wedi eu lladd mewn cynddaredd sy'n ymestyn hyd y nefoedd. [10]Eich bwriad yn awr yw gorfodi pobl Jwda a Jerwsalem i fod yn weision a morynion i chwi. Onid ydych chwithau hefyd yn troseddu yn erbyn yr ARGLWYDD eich Duw? [11]Yn awr gwrandewch arnaf fi. Anfonwch adref eich brodyr a gaethgludwyd gennych, oherwydd y mae llid tanbaid yr ARGLWYDD yn eich erbyn." [12]Yna daeth rhai o benaethiaid pobl Effraim allan, sef Asareia fab Johanan, Berecheia fab Mesilemoth, Jehisceia fab Salum ac Amasa fab Hadlai, a gwrthwynebu y rhai oedd yn dod o'r frwydr. [13]Dywedasant wrthynt, "Ni chewch ddod â'r caethgludion yma, oherwydd byddai'r hyn y bwriadwch chwi ei wneud yn ein harwain i droseddu yn erbyn yr ARGLWYDD, ac yn ychwanegu at ein pechodau a'n troseddau. Y mae ein trosedd eisoes yn fawr ac y mae llid tanbaid yn erbyn Israel." [14]Felly gadawodd y milwyr y caethgludion a'r ysbail o flaen y swyddogion a'r holl gynulliad. [15]Aeth y gwŷr a enwyd eisoes i ofalu am y caethgludion: rhoesant ddillad ac esgidiau o'r ysbail i bawb oedd heb ddim, gofalu bod ganddynt fwyd a diod, rhoi ennaint iddynt, rhoi pob un oedd yn llesg ar asynnod a'u hanfon at eu brodyr i Jericho, dinas y palmwydd; ac yna dychwelyd i Samaria.

Ahas yn Gofyn am Gymorth Asyria
(2 Bren. 16:7-9)

16 Yr adeg honno anfonodd y brenin Ahas neges at frenin[s] Asyria i ofyn am gymorth. [17]Yr oedd yr Edomiaid wedi ymosod ar Jwda unwaith eto a chymryd caethgludion; [18]yr oedd y Philistiaid hefyd wedi anrheithio dinasoedd y Seffela a de Jwda a chymryd Bethsemes, Ajalon

a Gederoth, a hefyd Socho, Timna a Gimso a'u pentrefi, ac wedi mynd i fyw ynddynt. [19]Yr oedd yr ARGLWYDD wedi darostwng Jwda o achos Ahas brenin Israel am iddo golli pob rheolaeth yn Jwda a throseddu'n enbyd yn erbyn yr ARGLWYDD. [20]Daeth Tiglath-pileser[t] brenin Asyria ato, ond yn lle ei gynorthwyo fe wasgodd arno. [21]Er i Ahas ysbeilio trysor tŷ'r ARGLWYDD, palas y brenin a thai'r swyddogion, a'i roi i frenin Asyria, ni fu hynny o gymorth iddo.

Pechodau Ahas

22 Fel yr âi'n gyfyng arno, troseddai'r Brenin Ahas fwyfwy yn erbyn yr ARGLWYDD. [23]Aberthodd i dduwiau Damascus a oedd wedi ei orchfygu, a dweud, "Am fod duwiau brenhinoedd y Syriaid wedi eu cynorthwyo hwy, fe aberthaf fi iddynt er mwyn iddynt fy nghynorthwyo innau." Ond buont yn dramgwydd iddo ef ac i holl Israel. [24]Casglodd Ahas lestri tŷ Dduw a'u malu'n chwilfriw; caeodd ddrysau tŷ'r ARGLWYDD a gwneud allorau iddo'i hun ym mhob congl o Jerwsalem. [25]Gwnaeth uchelfeydd i arogldarthu i dduwiau dieithr ym mhob un o ddinasoedd Jwda, ac fe gythruddodd ARGLWYDD Dduw ei dadau. [26]Am weddill ei hanes, a'i holl arferion o'r dechrau i'r diwedd, y maent yn ysgrifenedig yn llyfr brenhinoedd Jwda ac Israel. [27]Hunodd Ahas gyda'i dadau, a chladdwyd ef yn ninas Jerwsalem, ond ni roesant ef ym mynwent brenhinoedd Israel; yna teyrnasodd ei fab Heseceia yn ei le.

Heseceia Brenin Jwda
(2 Bren. 18:1-3)

29 Pump ar hugain oedd oed Heseceia pan ddaeth yn frenin, a theyrnasodd am naw mlynedd ar hugain yn Jerwsalem. Abeia ferch Sechareia oedd enw ei fam. [2]Gwnaeth yr hyn oedd uniawn yng ngolwg yr ARGLWYDD, yn hollol fel y gwnaeth ei dad Dafydd.

Sancteiddio ac Ailgysegru'r Deml

3 Yn y mis cyntaf o'r flwyddyn gyntaf o'i deyrnasiad agorodd ddrysau tŷ'r ARGLWYDD a'u hatgyweirio. [4]Cynullodd yr offeiriaid a'r Lefiaid yn y sgwâr ar yr ochr ddwyreiniol, [5]a dweud wrthynt, "Lefiaid, gwrandewch arnaf fi. Sancteiddiwch eich

---

[s]Felly Groeg. Hebraeg, *frenhinoedd*.　　　　[t]Felly llawysgrifau a Fersiynau. TM, *Tilgath-pilneser*.

hunain yn awr, a sancteiddiwch dŷ'r ARGLWYDD, Duw eich tadau, a dewch â phob aflendid allan o'r cysegr. ⁶Oherwydd troseddodd ein tadau, a gwneud drwg yng ngolwg yr ARGLWYDD ein Duw, ei wrthod, a throi oddi wrth babell yr ARGLWYDD a chefnu arni. ⁷Hefyd caeasant ddrysau'r cyntedd a diffodd y lampau; peidiasant ag arogldarthu ac offrymu poethoffrymau yn y cysegr i Dduw Israel. ⁸Felly daeth llid yr ARGLWYDD ar Jwda a Jerwsalem a'u gwneud yn destun arswyd, syndod a gwatwar, fel y gwelwch â'ch llygaid eich hun. ⁹Ystyriwch fel y syrthiodd ein tadau trwy fin y cleddyf, ac fel yr aeth ein meibion, ein merched a'n gwragedd i gaethiwed o achos hyn. ¹⁰Yn awr, yr wyf â'm bryd ar wneud cyfamod â'r ARGLWYDD, Duw Israel, er mwyn troi ei lid tanbaid oddi wrthym. ¹¹Felly, fy meibion, peidiwch â bod yn esgeulus, oherwydd dewisodd yr ARGLWYDD chwi i sefyll ger ei fron er mwyn gweini arno ac arogldarthu iddo.''

12 Yna cododd y Lefiaid, sef Mahath fab Amasai a Joel fab Asareia o deulu'r Cohathiaid, Cis fab Abdi ac Asareia fab Jehaleleel o deulu Merari, Joa fab Simma ac Eden fab Joa o deulu'r Gersoniaid, ¹³Simri a Jeiel o deulu Elisaffan, Sechareia a Mattaneia o deulu Asaff, ¹⁴Jehiel a Simei o deulu Heman, a Semaia ac Ussiel o deulu Jeduthun. ¹⁵Cynullasant eu brodyr ac ymgysegru; yna aethant i buro tŷ'r ARGLWYDD yn ôl gorchymyn y brenin trwy air yr ARGLWYDD. ¹⁶Aeth yr offeiriaid i mewn i dŷ'r ARGLWYDD i'w buro; daethant â phopeth halogedig a oedd yn y deml allan i gwrt tŷ'r ARGLWYDD. Oddi yno aeth y Lefiaid â hwy allan i ddyffryn Cidron. ¹⁷Dechreusant sancteiddio ar y dydd cyntaf o'r mis cyntaf, ac erbyn yr wythfed dydd o'r mis yr oeddent wedi cyrraedd cyntedd yr ARGLWYDD. Am wyth diwrnod buont yn sancteiddio tŷ'r ARGLWYDD, a gorffen ar yr unfed dydd ar bymtheg o'r mis cyntaf. ¹⁸Yna aethant i'r palas at y Brenin Heseceia, a dweud, "Yr ydym wedi puro tŷ'r ARGLWYDD drwyddo, a hefyd allor y poethoffrwm a bwrdd y bara gosod a'u holl lestri. ¹⁹Yr ydym hefyd wedi paratoi a chysegru'r holl lestri a daflwyd allan gan y Brenin Ahas yn ystod ei deyrnasiad, pan oedd yn anffyddlon; y maent yn awr o flaen allor yr ARGLWYDD.''

20 Yna cododd y Brenin Heseceia yn

fore, a chynnull swyddogion y ddinas a mynd i fyny i dŷ'r ARGLWYDD. ²¹Daethant â saith bustach, saith hwrdd, saith oen a saith bwch gafr yn aberth dros bechod ar ran y frenhiniaeth, y cysegr, a Jwda; a gorchmynnodd y brenin i'r offeiriaid, meibion Aaron, eu hoffrymu ar allor yr ARGLWYDD. ²²Felly lladdwyd y bustych, a derbyniodd yr offeiriaid eu gwaed a'i luchio yn erbyn yr allor; wedyn lladdwyd yr hyrddod a'r ŵyn, a lluchio'r gwaed yn erbyn yr allor. ²³Daethant â bychod yr aberth dros bechod o flaen y brenin a'r gynulleidfa, a gosod eu dwylo arnynt; ²⁴yna lladdodd yr offeiriaid hwy a chyflwyno'u gwaed yn aberth dros bechod ar yr allor, i wneud cymod dros holl Israel. Oherwydd gorchmynnodd y brenin y dylid offrymu poethoffrwm ac aberth dros bechod ar ran Israel gyfan.

25 Gosododd Heseceia y Lefiaid yn nhŷ'r ARGLWYDD gyda symbalau, nablau a thelynau yn ôl gorchymyn Dafydd, a Gad gweledydd y brenin, a Nathan y proffwyd; gorchymyn oedd hwn a ddaeth oddi wrth yr ARGLWYDD trwy ei broffwydi. ²⁶Safodd y Lefiaid gydag offerynnau Dafydd, a'r offeiriaid gyda'r utgyrn. ²⁷Rhoddodd Heseceia orchymyn i offrymu'r poethoffrwm ar yr allor; a phan ddechreuodd y poethoffrwm, fe ddechreuodd cân i'r ARGLWYDD gyda'r utgyrn ac offerynnau Dafydd brenin Israel. ²⁸Yr oedd yr holl gynulleidfa yn ymgrymu, y cantorion yn canu a'r utgyrn yn seinio; parhaodd y cwbl nes gorffen y poethoffrwm. ²⁹Wedi gorffen offrymu, plygodd y brenin, a phawb oedd gydag ef, ac ymgrymu. ³⁰Gorchmynnodd y Brenin Heseceia a'r swyddogion i'r Lefiaid foliannu'r ARGLWYDD yng ngeiriau Dafydd ac Asaff y gweledydd. Felly canasant fawl yn llawen, ac ymostwng ac ymgrymu.

31 Dywedodd Heseceia, "Yr ydych yn awr wedi ymgysegru i'r ARGLWYDD; dewch i'w dŷ gydag aberthau ac offrymau diolch.'' Felly dygodd y gynulleidfa aberthau ac offrymau diolch, a daeth pob un ewyllysgar â phoethoffrymau. ³²Nifer y poethoffrymau a ddygodd y gynulleidfa oedd deg a thrigain o fustych, cant o hyrddod a dau gant o ŵyn, pob un yn boethoffrwm i'r ARGLWYDD; ³³nifer yr offrymau cysegredig oedd chwe chant o fustych a thair mil o ddefaid. ³⁴Ond nid oedd digon o offeiriaid i flingo'r holl

boethoffrymau; felly cynorthwyodd eu brodyr y Lefiaid hwy i orffen y gwaith, nes i fwy o offeiriaid ymgysegru, oherwydd yr oedd y Lefiaid yn cymryd mwy o ofal wrth ymgysegru na'r offeiriaid. ³⁵Yn ogystal â llawer iawn o boethoffrymau, yr oedd yno fraster yr heddoffrymau a diodoffrymau ar gyfer y poethoffrymau. Fel hyn yr aildrefnwyd gwasanaeth tŷ'r ARGLWYDD. ³⁶Llawenhaodd Heseceia a'r holl bobl am yr hyn a wnaeth Duw iddynt, oherwydd fe ddigwyddodd y peth mor ddisymwth.

Paratoi at Gadw'r Pasg

30 Anfonodd Heseceia negeswyr trwy holl Israel a Jwda, ac ysgrifennu llythyrau at Effraim a Manasse i'w gwahodd i ddod i gadw Pasg yr ARGLWYDD, Duw Israel, yn nhŷ'r ARGLWYDD yn Jerwsalem. ²Yr oedd y brenin a'i swyddogion a'r holl gynulleidfa yn Jerwsalem wedi cytuno i gadw'r Pasg yn yr ail fis, ³oherwydd ni allent ei gadw ar yr amser priodol am nad oedd digon o offeiriaid wedi ymgysegru, ac am nad oedd y bobl wedi ymgasglu yn Jerwsalem. ⁴Yr oedd y brenin a'r holl gynulleidfa yn gweld y cynllun yn un da. ⁵Felly gorchmynasant gyhoeddi trwy Israel gyfan, o Beerseba i Dan, fod pawb i ddod i Jerwsalem i gadw Pasg yr ARGLWYDD, Duw Israel; oherwydd nid oeddent wedi ei gadw yn ôl y drefn ysgrifenedig ers amser maith. ⁶Aeth negeswyr trwy holl Israel a Jwda, ar orchymyn y brenin, gyda llythyrau oddi wrtho ef a'i swyddogion, yn dweud, "Bobl Israel, dychwelwch at yr ARGLWYDD, Duw Abraham, Isaac ac Israel, ac fe ddychwel yntau at y gweddill ohonoch chwi a ddihangodd o law brenhinoedd Asyria. ⁷Peidiwch â bod fel eich tadau a'ch brodyr, a droseddodd yn erbyn yr ARGLWYDD, Duw eu tadau; oherwydd cawsant hwy eu hanrheithio, fel y gwelwch. ⁸Yn awr, peidiwch â bod yn ystyfnig fel eich tadau, ond ymostyngwch i'r ARGLWYDD, a dewch i'w gysegr a gysegrodd ef yn dragywydd; gwasanaethwch yr ARGLWYDD eich Duw er mwyn iddo droi ei lid tanbaid oddi wrthych. ⁹Oherwydd os dychwelwch at yr ARGLWYDD, caiff eich brodyr a'ch meibion drugaredd gan eu caethgludwyr, a dychwelyd i'r wlad hon; oblegid y mae'r ARGLWYDD eich Duw yn rasol a thrugarog, ac ni thry ei wyneb oddi wrthych

os dychwelwch ato."

10 Aeth y negeswyr o ddinas i ddinas trwy wlad Effraim a Manasse hyd at Sabulon, ond cawsant eu gwatwar a'u gwawdio. ¹¹Er hynny, cytunodd rhai o wŷr Aser, Manasse a Sabulon i ddod i Jerwsalem. ¹²Bu llaw Duw ar Jwda hefyd yn annog y bobl i ufuddhau'n unfryd i orchymyn y brenin a'r swyddogion, yn unol â gair yr ARGLWYDD.

Cadw'r Pasg

13 Daeth llawer iawn o bobl ynghyd i Jerwsalem yn yr ail fis i gadw gŵyl y Bara Croyw; yr oedd yn gynulliad enfawr. ¹⁴Dechreuasant symud ymaith yr allorau oedd yn Jerwsalem, ac aethant â'r holl allorau arogldarth a'u taflu i ddyffryn Cidron. ¹⁵Yna, ar y pedwerydd dydd ar ddeg o'r ail fis, lladdasant oen y Pasg. Cywilyddiodd yr offeiriaid a'r Lefiaid am hyn; ac wedi iddynt ymgysegru, daethant â phoethoffrymau i dŷ'r ARGLWYDD. ¹⁶Safasant yn eu lle arferol yn ôl cyfraith Moses gŵr Duw, a lluchiodd yr offeiriaid y gwaed a gawsant gan y Lefiaid. ¹⁷Am fod llawer yn y gynulleidfa heb ymgysegru, yr oedd y Lefiaid yn lladd oen y Pasg dros bawb halogedig, er mwyn eu cysegru i'r ARGLWYDD. ¹⁸Oherwydd yr oedd nifer mawr o bobl, llawer ohonynt o Effraim, Manasse, Issachar a Sabulon, heb ymgysegru, ac felly'n bwyta'r Pasg yn groes i'r rheol. Ond gweddïodd Heseceia drostynt a dweud, ¹⁹"Bydded i'r ARGLWYDD da faddau i bob un a roes ei fryd ar geisio Duw, sef ARGLWYDD Dduw ei dadau, er nad yw wedi gwneud hynny yn ôl defod puredigaeth y cysegr." ²⁰Gwrandawodd yr ARGLWYDD ar Heseceia, ac fe iachaodd y bobl. ²¹Cadwodd yr Israeliaid oedd yn Jerwsalem ŵyl y Bara Croyw am saith diwrnod â llawenydd mawr, ac yr oedd y Lefiaid a'r offeiriaid yn moliannu'r ARGLWYDD yn feunyddiol ag offer soniarus yn perthyn i'r ARGLWYDD. ²²Calonogodd Heseceia bob un o'r Lefiaid oedd yn gyfrifol am ddysgu ffyrdd daionus yr ARGLWYDD. Yna, am saith diwrnod yr ŵyl bu pawb yn gwledda, yn aberthu heddoffrymau ac yn diolch i ARGLWYDD Dduw eu tadau.

Estyn Cyfnod y Pasg

23 Cytunodd yr holl gynulleidfa i gadw'r ŵyl am saith diwrnod arall, ac fe wnaethant hynny'n llawen. ²⁴Darparodd

Heseceia brenin Jwda fil o fustych a saith mil o ddefaid i'r gynulleidfa, a rhoddodd y swyddogion fil o fustych a deng mil o ddefaid iddynt. Yna ymgysegrodd llawer iawn o'r offeiriaid. ²⁵ Llawenhaodd holl gynulleidfa Jwda, gyda'r offeiriaid, y Lefiaid, a'r holl gynulleidfa a ddaeth o Israel, gan gynnwys y dieithriaid oedd wedi dod o wlad Israel, a thrigolion Jwda. ²⁶ Felly bu llawenydd mawr yn Jerwsalem, na fu ei debyg yno er dyddiau Solomon fab Dafydd, brenin Israel. ²⁷ Yna safodd yr offeiriaid a'r Lefiaid i fendithio'r bobl; gwrandawodd Duw ar eu llef, ac esgynnodd eu gweddi i'w breswylfa sanctaidd yn y nefoedd.

Diwygiadau Heseceia

31 Pan ddaeth hyn i ben, aeth yr holl Israeliaid oedd yn bresennol allan i ddinasoedd Jwda i ddryllio'r colofnau, torri pyst yr Asera, a distrywio'r uchelfeydd a'r allorau trwy holl Jwda, Benjamin, Effraim a Manasse. Ar ôl eu difa'n llwyr dychwelodd yr holl Israeliaid i'w dinasoedd, pob un i'w gartref ei hun.

2 Trefnodd Heseceia yr offeiriaid a'r Lefiaid yn ddosbarthiadau ar gyfer eu gwasanaeth; yr oedd pob offeiriad a Lefiad yn gyfrifol am y poethoffrwm a'r heddoffrymau, ac yr oeddent i weini a rhoi diolch a moliannu ym mhyrth gwersylloedd yr ARGLWYDD. ³ Cyfrannodd y brenin o'i olud ei hun tuag at y poethoffrymau, sef at boethoffrymau'r bore a'r hwyr a phoethoffrymau'r Sabothau, y newydd-loerau a'r gwyliau penodedig, fel y mae'n ysgrifenedig yng nghyfraith yr ARGLWYDD. ⁴ Gorchmynnodd i'r bobl oedd yn byw yn Jerwsalem roi i'r offeiriaid a'r Lefiaid eu cyfran, er mwyn iddynt gadw cyfraith yr ARGLWYDD yn well. ⁵ Pan gyhoeddwyd hyn, daeth yr Israeliaid â llawer o flaenffrwyth 'd, gwin, olew, mêl a holl gnwd y maes; daethant â degwm llawn o bopeth. ⁶ Daeth pobl Israel a Jwda oedd yn byw yn dinasoedd Jwda â degwm o wartheg a defaid, ac o'r pethau cysegredig a gysgrwyd i'r ARGLWYDD eu Duw, a'u gosod yn bentyrrau. ⁷ Dechreusant godi'r pentyrrau yn y trydydd mis, a'u gorffen n y seithfed mis. ⁸ Pan ddaeth Heseceia .'i swyddogion a gweld y pentyrrau, bendithiasant yr ARGLWYDD a'i bobl

Israel. ⁹ Pan ofynnodd Heseceia i'r offeiriaid a'r Lefiaid ynglŷn â'r pentyrrau, ¹⁰ dywedodd Asareia yr archoffeiriad o dŷ Sadoc wrtho, "Er pan ddechreuodd y bobl ddod â chyfraniadau i dŷ'r ARGLWYDD, bwytasom a chawsom ein digoni, ac y mae llawer yn weddill, oherwydd bendithiodd yr ARGLWYDD ei bobl; dyna pam y mae cymaint ar ôl fel hyn."

11 Gorchmynnodd Heseceia baratoi ystordai yn nhŷ'r ARGLWYDD; gwnaethant felly, ¹² a daeth y bobl â'r blaenffrwyth, y degwm a'r pethau cysegredig i mewn yn ffyddlon. Y pennaeth oedd Conaneia y Lefiad, a'i frawd Simei oedd y nesaf ato. ¹³ Yn ôl gorchymyn y Brenin Heseceia ac Asareia pennaeth tŷ Dduw, yr oedd Conaneia a'i frawd Simei yn cael eu cynorthwyo gan oruchwylwyr, sef Jehiel, Ahaseia, Nahath, Asahel, Jerimoth, Josabad, Eliel, Ismachëa, Mahath a Benaia. ¹⁴ Core fab Imna y Lefiad, y porthor wrth borth y dwyrain, oedd yn gofalu am yr offrymau gwirfoddol i Dduw; ac yn dosbarthu'r cyfraniadau a wnaed i'r ARGLWYDD a'r offrymau mwyaf sanctaidd. ¹⁵ Yr oedd Eden, Miniamin, Jesua, Semaia, Amareia a Sechaneia yn ei gynorthwyo yn ninasoedd yr offeiriaid i rannu'n deg i'w brodyr, yn fach a mawr, fesul dosbarth. ¹⁶ Yn ychwanegol, rhoddwyd ar y rhestr bob gwryw tair oed a throsodd a oedd yn dod yn ei dro i dŷ'r ARGLWYDD i wasanaethu trwy gadw dyletswyddau yn ôl eu dosbarthiadau. ¹⁷ Rhoddwyd ar y rhestr hefyd yr offeiriaid, yn ôl eu teuluoedd, a'r Lefiaid oedd yn ugain oed a throsodd, yn ôl eu dyletswyddau a'u dosbarthiadau. ¹⁸ Rhoddwyd hwy ar y rhestr gyda'u holl blant, gwragedd, meibion a merched, y cwmni i gyd. Trwy eu ffyddlondeb yr oeddent yn ymgysegru. ¹⁹ Ar gyfer meibion Aaron, yr offeiriaid, a oedd yn byw yng nghytir eu dinasoedd, penodwyd dynion ym mhob dinas i roi cyfraniadau i bob gwryw yn eu plith ac i bob un o'r Lefiaid oedd ar y rhestr.

20 Dyma a wnaeth Heseceia trwy holl Jwda; gwnaeth yr hyn oedd dda, uniawn a ffyddlon gerbron yr ARGLWYDD ei Dduw. ²¹ Pa beth bynnag a wnâi i geisio ei Dduw yng ngwasanaeth tŷ Dduw, yn ôl gofynion y gyfraith a'r gorchmynion, fe'i gwnâi â'i holl galon, a llwyddo.

Senacherib yn Bygwth Jerwsalem
(2 Bren. 18:13-37; 19:14-19, 35-37;
Eseia 36:1-22; 37:8-38)

32 Yn fuan ar ôl yr enghreifftiau hyn o ffyddlondeb, daeth Senacherib brenin Asyria yn erbyn Jwda. ²Gwersyllodd o gwmpas y dinasoedd caerog gan feddwl eu hennill drosodd. Pan welodd Heseceia fod Senacherib wedi cyrraedd a'i fod yn bwriadu ymosod ar Jerwsalem, ³ymgynghorodd â'i gapteiniaid a'i wroniaid ynglŷn â chau'r ffynhonnau oedd y tu allan i'r ddinas, ⁴a chafodd eu cefnogaeth. Yna daeth llawer iawn o bobl ynghyd, a chaewyd yr holl ffynhonnau a'r nant oedd yn llifo trwy ganol y wlad. "Pam," meddent, "y dylai brenhinoedd Asyria gael digon o ddŵr pan ddônt yma?" ⁵Ymroes y brenin i ailadeiladu pob rhan o'r mur oedd wedi ei ddryllio, a chodi ar y tyrau ac adeiladu mur arall ar yr ochr allan. Cryfhaodd y Milo yn Ninas Dafydd a gwneud llawer o arfau a tharianau. ⁶Gosododd gapteiniaid milwrol dros y bobl, a'u casglu ato i'r sgwâr wrth borth y ddinas. Fe'u calonogodd gan ddweud, ⁷"Byddwch wrol a dewr. Peidiwch ag ofni na digalonni o flaen brenin Asyria a'i holl fintai. Y mae gennym ni fwy nag sydd ganddo ef. ⁸Gallu dynol sydd ganddo ef, ond y mae yr ARGLWYDD ein Duw gyda ni i'n cynorthwyo ac i ymladd ein brwydrau." Ac fe ymddiriedodd y bobl yng ngeiriau Heseceia brenin Jwda.

9 Yn ddiweddarach, pan oedd Senacherib brenin Asyria a'i holl fyddin yn gwarchae ar Lachis, anfonodd ei weision i Jerwsalem gyda'r neges hon i Heseceia brenin Jwda a phawb o Jwda oedd yn Jerwsalem: ¹⁰"Fel hyn y dywed Senacherib brenin Asyria: Ym mha beth yr ydych yn ymddiried, fel eich bod yn aros dan warchae yn Jerwsalem? ¹¹Onid yw Heseceia yn eich twyllo a'ch condemnio i farw o newyn a syched trwy ddweud, 'Yr Arglwydd ein Duw a'n gwared ni o law brenin Asyria'? ¹²Onid yr Heseceia hwn a dynnodd ymaith ei uchelfeydd a'i allorau, a dweud wrth Jwda a Jerwsalem, 'O flaen un allor yr addolwch ac arni hi yn unig yr arogldarthwch'? ¹³Oni wyddoch beth a wneuthum i a'm tadau i holl bobloedd y gwledydd? ¹⁴Prun o holl dduwiau'r cenhedloedd hyn, a ddinistriwyd gan fy nhadau, a allodd waredu ei bobl o'm gafael? Sut felly y gall eich Duw chwi eich gwaredu o'm gafael? ¹⁵Yn awr, peidiwch â gadael i Heseceia eich twyllo a'ch hudo fel hyn. Peidiwch ag ymddiried ynddo, oherwydd ni allodd duw unrhyw genedl na theyrnas waredu ei bobl o'm gafael i nac o afael fy nhadau. Yn sicr ni all eich Duw chwi eich gwaredu o'm gafael!" ¹⁶Dywedodd gweision Senacherib lawer mwy yn erbyn yr ARGLWYDD Dduw a'i was Heseceia. ¹⁷Ysgrifennodd lythyrau hefyd yn gwatwar yr ARGLWYDD, Duw Israel, fel hyn: "Fel y methodd duwiau cenhedloedd y gwledydd waredu eu pobl o'm gafael, ni fydd Duw Heseceia chwaith yn gwaredu ei bobl o'm gafael." ¹⁸A gwaeddasant yn uchel mewn Hebraeg ar bobl Jerwsalem oedd ar y mur, i godi arswyd arnynt er mwyn cymryd y ddinas. ¹⁹Dywedasant fod Duw Jerwsalem yr un fath â duwiau pobloedd y ddaear, sef gwaith dwylo dyn. ²⁰Oherwydd hyn gweddïodd y Brenin Heseceia a'r proffwyd Eseia fab Amos â llef uchel tua'r nefoedd. ²¹Ac anfonodd yr ARGLWYDD angel a lladd pob gwron, arweinydd a chapten yng ngwersyll brenin Asyria. Dychwelodd yntau mewn cywilydd i'w wlad. A phan aeth i dŷ ei dduw, lladdwyd ef yno â'r cleddyf gan rai o'i blant ei hun. ²²Felly gwaredodd yr ARGLWYDD Heseceia a thrigolion Jerwsalem o afael Senacherib brenin Asyria ac o afael eu holl elynion; amddiffynnodd hwy rhag pawb o'u hamgylch. ²³Daeth llawer i Jerwsalem gydag offrymau i'r ARGLWYDD ac anrhegion gwerthfawr i Heseceia brenin Jwda. Ac ar ôl hynny cafodd y brenin ei barchu gan yr holl genhedloedd.

Heseceia—ei Falchder, ei Lwyddiant a'i Farw
(2 Bren. 20:1-3, 12-21;
Eseia 38:1-3; 39:1-8)

24 Yn y dyddiau hynny aeth Heseceia'n glaf hyd farw, a gweddïodd ar yr ARGLWYDD. Atebodd yntau ef trwy ro arwydd iddo. ²⁵Ond am ei fod yn falch, ni werthfawrogodd Heseceia yr hyn a wnaed iddo, a daeth llid Duw arno ef ac ar Jwda a Jerwsalem. ²⁶Yna, edifarhaodd Heseceia am ei falchder, a phobl Jerwsalem gyda'g ef, ac ni ddaeth llid yr ARGLWYDD arnynt wedyn yng nghyfnod Heseceia.

27 Yr oedd gan Heseceia olud a chyf

oeth mawr iawn, a gwnaeth iddo'i hun drysordai ar gyfer arian ac aur, meini gwerthfawr, peraroglau, tarianau a phob math o bethau godidog. ²⁸Gwnaeth ysguboriau i'r cynhaeaf gwenith, gwin ac olew, a hefyd ystablau i bob math o anifail, a chorlannau i ddiadellau. ²⁹Adeiladodd ddinasoedd iddo'i hun, a phrynodd lawer o ddefaid a gwartheg, oherwydd rhoddodd Duw olud mawr iawn iddo. ³⁰Heseceia oedd yr un a gaeodd darddiad uchaf dyfroedd Gihon, a'u cyfeirio i lawr tua'r gorllewin i Ddinas Dafydd. Bu Heseceia'n llwyddiannus ym mhopeth a wnaeth. ³¹Hyd yn oed pan anfonwyd negeswyr ato gan swyddogion Babilon i holi ynghylch yr arwydd a welwyd yn y wlad, gadawodd Duw lonydd iddo er mwyn ei brofi a gwybod y cwbl oedd yn ei galon.

32 Am weddill hanes Heseceia, a'i deyrngarwch, y mae wedi ei ysgrifennu yng ngweledigaeth y proffwyd Eseia fab Amos, yn llyfr brenhinoedd Jwda ac Israel. ³³Hunodd Heseceia gyda'i dadau, ac fe'i claddwyd ar y bryn lle mae beddau disgynyddion Dafydd. Pan fu farw, talodd holl Jwda a thrigolion Jerwsalem deyrnged iddo, a daeth ei fab Manasse yn frenin yn ei le.

Manasse Brenin Jwda
(2 Bren. 21:1-9, 17-18)

33 Deuddeng mlwydd oed oedd Manasse pan ddaeth yn frenin, a theyrnasodd am hanner cant a phump o flynyddoedd yn Jerwsalem. ²Gwnaeth yr hyn oedd ddrwg yng ngolwg yr AR- GLWYDD, yn ôl ffieidd-dra'r cenhedloedd a yrrodd yr ARGLWYDD allan o flaen yr Israeliaid. ³Ailadeiladodd yr uchelfeydd a ddinistriodd ei dad Heseceia, a chododd allorau i'r Baalim a gwneud delwau o Asera, ac ymgrymodd i holl lu'r nef a'u haddoli. ⁴Adeiladodd allorau yn y deml y dywedodd yr ARGLWYDD amdani, "Yn Jerwsalem y bydd fy enw am byth." ⁵Cododd allorau i holl lu'r nef yn nau gyntedd y deml. ⁶Ef oedd yr un a barodd i'w feibion fynd trwy dân yn Nyffryn Ben-hinnom, arferodd hudoliaeth, swyn- ion a chyfaredd, ac ymhel ag ysbrydion a dewiniaeth. Yr oedd yn ymroi i wneud yr hyn oedd ddrwg yng ngolwg yr AR- GLWYDD, i'w ddigio. ⁷Gwnaeth ddelw gerfiedig a'i gosod yn y deml y dywed-

odd Duw amdani wrth Ddafydd a'i fab Solomon, "Yn y tŷ hwn ac yn Jerwsalem, y lle a ddewisais allan o holl lwythau Israel, yr wyf am osod fy enw'n dra- gwyddol. ⁸Ni throf Israel allan mwyach o'r tir a roddais i'ch tadau, ond iddynt ofalu gwneud y cwbl a orchmynnais iddynt yn y gyfraith, y deddfau a'r barnedigaethau a gawsant gan Moses." ⁹Ond arweiniodd Manasse Jwda a thrig- olion Jerwsalem ar gyfeiliorn, i wneud yn waeth na'r cenhedloedd a ddinistriodd yr ARGLWYDD o flaen yr Israeliaid.

10 Er i'r ARGLWYDD lefaru wrth Manasse a'i bobl, ni wrandawsant. ¹¹Yna anfonodd yr ARGLWYDD swyddogion byddin brenin Asyria yn eu herbyn; dal- iasant hwy Manasse â bachau a'i roi mewn gefynnau pres a mynd ag ef i Fabilon. ¹²Yn ei gyfyngder gweddïodd Manasse ar yr ARGLWYDD ei Dduw, a'i ddarostwng ei hun o flaen Duw ei dadau. ¹³Pan weddïodd arno, trugarhaodd Duw wrtho; gwrandawodd ar ei weddi a dod ag ef yn ôl i Jerwsalem i'w frenhiniaeth. Yna gwybu Manasse mai'r ARGLWYDD oedd Dduw.

14 Ar ôl hyn adeiladodd fur allanol i Ddinas Dafydd yn y dyffryn i'r gorllewin o Gihon hyd at fynedfa Porth y Pysgod, ac amgylchu Offel a'i wneud yn uchel iawn. Gosododd hefyd swyddogion mil- wrol yn holl ddinasoedd caerog Jwda. ¹⁵Tynnodd ymaith y duwiau dieithr a'r ddelw o dŷ'r ARGLWYDD, a'r holl allorau a adeiladodd ym mynydd tŷ'r AR- GLWYDD ac yn Jerwsalem, a'u taflu allan o'r ddinas. ¹⁶Atgyweiriodd allor yr ARGLWYDD, ac offrymodd arni aberthau hedd ac aberthau moliant a gorchymyn Jwda i wasanaethu'r ARGLWYDD, Duw Israel. ¹⁷Er hynny, yr oedd y bobl yn dal i aberthu ar yr uchelfeydd, ond i'r AR- GLWYDD eu Duw yn unig.

18 Am weddill hanes Manasse, ei weddi ar ei Dduw, a geiriau'r gweled- yddion a fu'n siarad ag ef yn enw'r ARGLWYDD, Duw Israel, y maent yng nghronicl brenhinoedd Israel. ¹⁹Y mae ei weddi a'r ateb ffafriol a gafodd, a hanes ei holl bechod a'i gamwedd, a'r lleoedd yr adeiladodd uchelfeydd a gosod Aserim ac eilunod ynddynt cyn iddo ymostwng, wedi eu hysgrifennu yng nghronicl y gweledyddion. ²⁰A hunodd Manasse gyda'i dadau, a'i gladdu yn ei balas; a daeth ei fab Amon yn frenin yn ei le.

Amon Brenin Jwda
(2 Bren. 21:19-26)

21 Dwy ar hugain oed oedd Amon pan ddaeth yn frenin, a theyrnasodd am ddwy flynedd yn Jerwsalem. ²²Gwnaeth yr hyn oedd ddrwg yng ngolwg yr ARGLWYDD, fel y gwnaeth ei dad Manasse. Aberthodd Amon i'r holl eilunod a wnaeth ei dad, ac fe'u gwasanaethodd. ²³Ond nid ymostyngodd o flaen yr ARGLWYDD fel y gwnaeth ei dad Manasse; yr oedd ef, Amon, yn troseddu'n waeth. ²⁴Cynllwynodd ei weision yn ei erbyn, a'i ladd yn ei dŷ; ²⁵ond yna, lladdwyd pawb a fu'n cynllwyn yn erbyn y Brenin Amon gan bobl y wlad, a gwnaethant ei fab Joseia yn frenin yn ei le.

Joseia a'i Ddiwygiad
(2 Bren. 22:1-2)

34 Wyth mlwydd oed oedd Joseia pan ddaeth yn frenin, a theyrnasodd am dri deg ac un o flynyddoedd yn Jerwsalem. ²Gwnaeth yr hyn oedd uniawn yng ngolwg yr ARGLWYDD, a dilyn llwybrau ei dad Dafydd yn gwbl ddiwyro. ³Yn yr wythfed flwyddyn o'i deyrnasiad, ac yntau'n dal yn llanc ifanc, dechreuodd geisio Duw ei dad Dafydd. Yn y ddeuddegfed flwyddyn, dechreuodd buro Jwda a Jerwsalem o'r uchelfeydd, yr Aserim, y cerfluniau a'r delwau tawdd. ⁴Gorchmynnodd ddinistrio allorau'r Baalim, a thorrodd i lawr ddelwau'r haul a oedd uwch eu pen; drylliodd yn chwilfriw yr Aserim, y cerfluniau a'r delwau tawdd; malodd hwy'n yfflon a thaenu eu llwch hyd wyneb beddau y rhai a fu'n aberthu iddynt. ⁵Llosgodd esgyrn yr offeiriaid ar eu hallorau, a phurodd Jwda a Jerwsalem. ⁶Gwnaeth yr un peth yn ninasoedd Manasse, Effraim a Simeon, hyd at Nafftali, ac yn yr adfeilion o'u cwmpas, ⁷sef dryllio'r allorau a'r Aserim, a malu'r cerfluniau'n yfflon a dinistrio holl ddelwau'r haul trwy Israel gyfan; yna dychwelodd i Jerwsalem.

Darganfod Llyfr y Gyfraith
(2 Bren. 22:3-20)

8 Yn y ddeunawfed flwyddyn o'i deyrnasiad, ar ôl puro'r wlad a'r deml, anfonodd Saffan fab Asaleia, Maaseia rheolwr y ddinas a Joa fab Joahas y cofiadur i atgyweirio tŷ'r ARGLWYDD ei Dduw. ⁹Pan ddaethant at Hilceia yr

archoffeiriad rhoesant iddo'r arian a ddygwyd i dŷ Dduw ac a gasglodd y Lefiaid, ceidwaid y drws, oddi wrth Manasse ac Effraim a gweddill Israel, ac o holl Jwda, Benjamin a thrigolion Jerwsalem. ¹⁰Yna rhoddwyd ef i'r ymgymerwyr oedd yn gofalu am dŷ'r ARGLWYDD; rhoddasant hwythau ef i'r gweithwyr oedd yn gweithio yn nhŷ'r ARGLWYDD ac yn atgyweirio'i agennau. ¹¹Fe'i rhoesant hefyd i'r seiri a'r adeiladwyr i brynu cerrig nadd a choed ar gyfer distiau a thrawstiau i'r adeiladau yr oedd brenhinoedd Jwda wedi eu hesgeuluso. ¹²Yr oedd y dynion yn gweithio'n ddiwyd dan oruchwyliaeth y Lefiaid oedd yn eu hannog, sef Jahath ac Obadeia o feibion Merari, a Sechareia a Mesulam o feibion y Cohathiaid. Ac yr oedd y Lefiaid, pob un a fedrai ganu offeryn cerdd, ¹³hefyd yn gofalu am y cludwyr ac yn arolygu pob gweithiwr, beth bynnag oedd ei waith. Yr oedd rhai o'r Lefiaid hefyd yn ysgrifenyddion, swyddogion a phorthorion.

14 Wrth iddynt ddwyn allan yr arian a ddygwyd i dŷ'r ARGLWYDD, darganfu Hilceia'r offeiriad lyfr cyfraith yr ARGLWYDD, a roddwyd trwy Moses. ¹⁵Dywedodd Hilceia wrth Saffan yr ysgrifennydd, "Cefais lyfr y gyfraith yn nhŷ'r ARGLWYDD." A rhoddodd y llyfr i Saffan. ¹⁶Aeth Saffan â'r llyfr at y brenin a'r un pryd rhoi adroddiad iddo a dweud, "Y mae dy weision yn gwneud y cwbl a orchmynnwyd iddynt. ¹⁷Y maent wedi cyfrif yr arian oedd yn nhŷ'r ARGLWYDD ac wedi ei drosglwyddo i'r ymgymerwyr a'r gweithwyr." ¹⁸Ac ychwanegodd Saffan yr ysgrifennydd wrth y brenin, "Rhoddodd Hilceia'r offeiriad lyfr imi"; a darllenodd Saffan ef i'r brenin. ¹⁹Pan glywodd y brenin gynnwys y gyfraith, rhwygodd ei ddillad, ²⁰a gorchmynnodd i Hilceia ac i Ahicam fab Saffan, ac i Abdon fab Nicha, ac i Saffan yr ysgrifennydd ac i Asaia gwas y brenin, ²¹"Ewch i ymgynghori â'r ARGLWYDD ar fy rhan, ac ar ran pawb sydd ar ôl yn Israel a Jwda, ynglŷn â chynnwys y llyfr a ddaeth i'r golwg; oherwydd y mae llid yr ARGLWYDD yn fawr, ac wedi ei ennyn yn ein herbyn am na chadwodd ein tadau air yr ARGLWYDD na gwneud yr hyn a ysgrifennwyd yn y llyfr hwn."

22 Yna aeth Hilceia, a'r rhai a orchmynnoddᵗʰ y brenin, at y broffwydes

ᵗʰFelly llawysgrifau. TM heb *a orchmynnodd*.

Hulda, gwraig Salum fab Ticfa, fab Hasra, ceidwad y gwisgoedd. Yr oedd hi'n byw yn yr Ail Barth yn Jerwsalem; ac wedi iddynt ddweud eu neges, ²³dywedodd hi wrthynt, "Fel hyn y dywed yr ARGLWYDD, Duw Israel. Dywedwch wrth y gŵr a'ch anfonodd ataf, ²⁴'Fel hyn y dywed yr ARGLWYDD: Yr wyf yn dwyn drwg ar y lle hwn a'i drigolion, yr holl felltithion sy'n ysgrifenedig yn y llyfr a ddarllenwyd yng ngŵydd brenin Jwda, ²⁵am eu bod wedi fy ngwrthod ac wedi arogldarthu i dduwiau eraill, i'm digio ym mhopeth a wnânt; y mae fy nig wedi ei ennyn yn erbyn y lle hwn, ac nis diffoddir.' ²⁶Dyma a ddywedwch wrth frenin Jwda, a'ch anfonodd i ymgynghori â'r ARGLWYDD: 'Fel hyn y dywed yr ARGLWYDD, Duw Israel, ynglŷn â'r geiriau a glywaist: ²⁷Am i'th galon dyneru ac iti ymostwng o flaen Duw pan glywaist ei eiriau am y lle hwn a'i drigolion, am iti ymostwng ac wylo o'i flaen, a rhwygo dy ddillad, yr wyf finnau wedi gwrando, medd yr ARGLWYDD. ²⁸Am hynny casglaf di at dy dadau, a dygir di i'r bedd mewn heddwch, ac ni wêl dy lygaid yr holl ddrwg a ddygaf ar y lle hwn a'i drigolion.'" Dygasant hwythau'r ateb i'r brenin.

Cyfamod Joseia
(2 Bren. 23:1-20)

29 Yna anfonodd y brenin a chasglu ynghyd holl henuriaid Jwda a Jerwsalem; ³⁰ac aeth i fyny i dŷ'r ARGLWYDD, a holl wŷr Jwda a thrigolion Jerwsalem gydag ef, a hefyd yr offeiriaid a'r Lefiaid a phawb o'r bobl, o'r lleiaf hyd y mwyaf. Yna darllenodd yn eu clyw holl gynnwys y llyfr cyfamod a gaed yn nhŷ'r AR-GLWYDD. ³¹Safodd y brenin wrth ei golofn, a gwnaeth gyfamod o flaen yr ARGLWYDD i ddilyn yr ARGLWYDD ac i gadw ei orchmynion a'i dystiolaethau a'i ddeddfau â'i holl galon ac â'i holl enaid, ac i gyflawni geiriau'r cyfamod a ysgrifennwyd yn y llyfr hwn. ³²Gwnaeth i bawb oedd yn byw yn Jerwsalem a Benjamin gadw'r cyfamod. Yna cadwodd trigolion Jerwsalem gyfamod Duw, Duw eu tadau. ³³Felly tynnodd Joseia ymaith bob ffieidd-dra o'r holl wledydd oedd yn perthyn i'r Israeliaid, a gwnaeth i bawb oedd yn byw yn Israel wasanaethu'r ARGLWYDD eu Duw. Yn ei gyfnod ef ni throesant oddi ar ôl yr ARGLWYDD, Duw eu tadau.

Joseia'n Cadw'r Pasg
(2 Bren. 23:21-23)

35 Cadwodd Joseia Basg i'r AR-GLWYDD yn Jerwsalem; lladdasant oen y Pasg ar y pedwerydd dydd ar ddeg o'r mis cyntaf. ²Gosododd yr offeiriaid ar ddyletswydd, a'u hannog i wasanaethu yn nhŷ yr ARGLWYDD. ³Dywedodd wrth y Lefiaid oedd yn sanctaidd i'r ARGLWYDD ac yn dysgu holl Israel, "Rhowch yr arch sanctaidd yn y tŷ a adeiladodd Solomon fab Dafydd, brenin Israel; nid ydych i'w chario ar eich ysgwyddau. Yn awr, gwasanaethwch yr ARGLWYDD eich Duw a'i bobl Israel. ⁴Paratowch eich hunain fesul teulu yn ôl eich dosbarthiadau, fel yr ysgrifennodd Dafydd brenin Israel a'i fab Solomon. ⁵Safwch yn y cysegr dros eich brodyr lleyg fesul teulu yn ôl eich dosbarthiadau; y mae gan y Lefiaid gyfran ym mhob teulu. ⁶Lladdwch oen y Pasg; ymgysegrwch a pharatoi, er mwyn i'ch brodyr wneud yn ôl gair yr ARGLWYDD trwy Moses."

7 Rhoddodd Joseia i'r holl bobl oedd yn bresennol ddeng mil ar hugain o ddefaid, sef ŵyn a mynnod, a thair mil o ychen ar gyfer y Pasg; daeth y cwbl o'r drysorfa frenhinol. ⁸Hefyd, rhoddodd ei swyddogion o'u gwirfodd i'r bobl, a'r offeiriaid a'r Lefiaid. Rhoddodd Hilceia, Sechareia a Jehiel, prif swyddogion tŷ Dduw, ddwy fil a chwe chant o ddefaid a thri chant o ychen i'r offeiriaid ar gyfer y Pasg. ⁹A rhoddodd Cononeia a'i frodyr Semaia a Nethaneel, a Hasabeia, Jehiel a Josabad, swyddogion y Lefiaid, bum mil o ddefaid a phum cant o ychen ar gyfer y Pasg. ¹⁰Felly paratowyd y gwasanaeth, a safodd yr offeiriaid yn eu lle a'r Lefiaid yn eu dosbarthiadau, yn ôl gorchymyn y brenin. ¹¹Lladdasant oen y Pasg, a lluchiodd yr offeiriaid beth o'r gwaed ar yr allor tra oedd y Lefiaid yn blingo'r anifeiliaid. ¹²Yna aethant â'r poethoffrymau ymaith i'w dosbarthu yn ôl rhaniadau teuluoedd y bobl, er mwyn iddynt offrymu i'r ARGLWYDD fel y mae'n ysgrifenedig yn llyfr Moses; felly hefyd a gwnaethant â'r ychen. ¹³Rhostiwyd oen y Pasg ar y tân, yn ôl y ddefod, a berwi'r pethau cysegredig mewn crochanau, peiriau a phedyll, a'u rhannu ar frys i'r holl bobl. ¹⁴Yna paratoesant ar eu cyfer eu hunain ac ar gyfer yr offeiriad, oherwydd yr oedd yr offeiriaid,

meibion Aaron, wedi bod yn aberthu'r poethoffrwm a'r offrymau o fraster hyd yr hwyr. Fel hyn y paratodd y Lefiaid ar eu cyfer eu hunain a'r offeiriaid, meibion Aaron. ¹⁵Yr oedd y cantorion, meibion Asaff, yn eu lle yn ôl gorchymyn Dafydd: Asaff, Heman a Jeduthun, gweledydd y brenin; ac yr oedd pob un o'r porthorion wrth ei borth. Nid oedd raid iddynt adael eu gwaith, oherwydd yr oedd eu brodyr y Lefiaid yn paratoi ar eu cyfer.

16 Fel hyn y paratowyd holl wasanaeth yr ARGLWYDD y diwrnod hwnnw, er mwyn cadw'r Pasg ac offrymu poethoffrymau ar allor yr ARGLWYDD yn ôl gorchymyn y Brenin Joseia. ¹⁷Yr adeg honno cadwodd yr Israeliaid oedd yn bresennol y Pasg a gŵyl y Bara Croyw am saith diwrnod. ¹⁸Ni chadwyd Pasg fel hwn yn Israel er dyddiau Samuel y proffwyd, ac ni chadwodd yr un o frenhinoedd Israel y Pasg fel y cadwodd Joseia ef gyda'r offeiriaid, y Lefiaid, pawb oedd yn bresennol o Jwda ac Israel, a thrigolion Jerwsalem. ¹⁹Yn y ddeunawfed flwyddyn o deyrnasiad Joseia y cadwyd y Pasg hwn.

Marw Joseia
(2 Bren. 23:28-30)

20 Ar ôl hyn oll, pan oedd Joseia wedi paratoi'r deml, daeth Necho brenin yr Aifft i fyny i ymladd yn Carchemis ar lan Afon Ewffrates, ac aeth Joseia allan i'w gyfarfod. ²¹Ond anfonodd Necho negeswyr ato i ddweud, "Beth sydd a wnelwyf fi â thi, brenin Jwda? Nid yn dy erbyn di yr wyf fi wedi dod yma heddiw, ond i ymladd yn erbyn teyrnas arall. Dywedodd Duw wrthyf am frysio, a phaid ti â rhwystro'r Duw sydd gyda mi, rhag iddo dy ddifa." ²²Ond ni throdd Joseia oddi wrtho, oherwydd yr oedd yn benderfynol o ymladd ag ef; gwrthododd wrando ar eiriau Necho, a ddaeth oddi wrth Dduw, ac aeth i ymladd yn nyffryn Megido. ²³Saethwyd y Brenin Joseia gan y saethyddion, a dywedodd wrth ei weision, "Ewch â mi ymaith, oherwydd cefais fy nghlwyfo'n   ddrwg."   ²⁴Tynnodd   ei weision ef allan o'r cerbyd, a'i roi yn ei ail gerbyd a mynd ag ef i Jerwsalem. Bu farw yno ac fe'i claddwyd ym meddrod ei dadau, a galarodd holl Jwda a Jerwsalem amdano. ²⁵Gwnaeth Jeremeia alarnad am Joseia, a hyd heddiw y mae pob canwr a

chantores yn sôn amdano yn eu galarnadau. Y mae caniadau o'r fath yn ddefod yn Israel, ac y maent wedi eu hysgrifennu yn y Galarnadau.

26 Am weddill hanes Joseia, ei ddaioni yn gwneud yn ôl yr hyn a ysgrifennwyd yng   nghyfraith   yr   ARGLWYDD,   ²⁷a'i weithredoedd o'r dechrau i'r diwedd, y maent wedi eu hysgrifennu yn llyfr brenhinoedd Israel a Jwda.

Jehoahas Brenin Jwda
(2 Bren. 23:30-35)

36 Dewisodd pobl y wlad Jehoahas fab Joseia, a'i wneud yn frenin yn lle ei dad yn Jerwsalem. ²Tair ar hugain oedd oed Jehoahas pan ddaeth yn frenin, a theyrnasodd am dri mis yn Jerwsalem. ³Ond diorseddodd Necho brenin yr Aifft ef yn Jerwsalem, a gosododd ar y wlad dreth o gan talent o arian a thalent o aur. ⁴Hefyd gwnaeth Eliacim ei frawd yn frenin ar Jwda a Jerwsalem, a newid ei enw i Jehoiacim, a chymerodd Jehoahas brawd y brenin i lawr i'r Aifft.

Jehoiacim Brenin Jwda
(2 Bren. 23:36—24:7)

5 Pump ar hugain oedd oed Jehoiacim pan ddaeth yn frenin, a theyrnasodd yn Jerwsalem am un mlynedd ar ddeg. Gwnaeth yr hyn oedd ddrwg yng ngolwg yr ARGLWYDD ei Dduw. ⁶Daeth Nebuchadnesar brenin Babilon yn ei erbyn, a'i garcharu mewn gefynnau pres a mynd ag ef i Fabilon. ⁷Aeth â rhai o lestri tŷ'r ARGLWYDD hefyd i Fabilon a'u gosod yn ei balas yno. ⁸Am weddill hanes Jehoiacim, y ffieidd-dra a wnaeth a'r cyhuddiadau yn ei erbyn, y maent wedi eu hysgrifennu yn llyfr brenhinoedd Israel a Jwda. Daeth ei fab Jehoiachin yn frenin yn ei le.

Jehoiachin Brenin Jwda
(2 Bren. 24:2-17)

9 Deunawᵘ mlwydd oed oedd Jehoiachin pan ddaeth yn frenin, a theyrnasodd am dri mis a deg diwrnod yn Jerwsalem. Gwnaeth yr hyn oedd ddrwg yng ngolwg yr ARGLWYDD. ¹⁰Ar droad y flwyddyn, anfonodd y Brenin Nebuchadnesar i'w gyrchu i Fabilon gyda'r llestri gorau o dŷ'r ARGLWYDD, a gwnaeth ei frawd Sedeceia yn frenin ar Jwda a Jerwsalem.

ᵘFelly 2 Bren. 24:8. TM, *Wyth.*

Sedeceia Brenin Jwda
(2 Bren. 24:18-20; 25:1-20; Jer. 52:1-11)

11 Un ar hugain oedd oed Sedeceia pan ddaeth yn frenin, a theyrnasodd am un mlynedd ar ddeg yn Jerwsalem. [12]Gwnaeth yr hyn oedd ddrwg yng ngolwg yr ARGLWYDD ei Dduw. Gwrthododd ymostwng o flaen y proffwyd Jeremeia, a oedd yn llefaru dros yr ARGLWYDD. [13]Gwrthryfelodd hefyd yn erbyn y Brenin Nebuchadnesar, a oedd wedi gwneud iddo dyngu i Dduw. Ystyfnigodd a chaledodd ei galon rhag dychwelyd at yr ARGLWYDD, Duw Israel. [14]Aeth swyddogion yr offeiriaid a'r bobl yn fwy anffyddlon fyth, gan ddilyn holl ffieidd-dra'r cenhedloedd a halogi tŷ'r ARGLWYDD a gysegrodd ef yn Jerwsalem. [15]Anfonodd yr ARGLWYDD, Duw eu tadau, atynt yn barhaus trwy law ei negeswyr, am ei fod yn tosturio wrth ei bobl a'i drigfan. [16]Ond yr oeddent hwy yn gwatwar ei negeswyr, yn gwawdio ei eiriau ac yn dirmygu ei broffwydi, nes y daeth llid yr ARGLWYDD ar ei bobl heb arbed. [17]Anfonodd frenin y Caldeaid i fyny yn eu herbyn, a lladdodd hwnnw eu gwŷr ifainc â'r cleddyf yn eu cysegrle, heb arbed na llanc na morwyn, na'r hen na'r oedrannus; rhoddodd bob un ohonynt yn ei afael. [18]Dygodd i Fabilon holl lestri tŷ Dduw, bach a mawr, trysorau tŷ'r ARGLWYDD a thrysorau'r brenin a'i swyddogion. [19]Llosgasant dŷ Dduw a dinistrio mur Jerwsalem, a llosgi hefyd ei holl balasau â thân, a distrywio'i holl lestri godidog. [20]Caethgludodd i Fabilon bawb a achubwyd rhag y cleddyf, a buont yn weision iddo ef a'i feibion nes y dechreuodd y Persiaid deyrnasu. [21]Mwynhaodd y wlad ei Sabothau; trwy'r holl amser y bu'n anghyfannedd fe orffwysodd, nes cwblhau deng mlynedd a thrigain, a chyflawni gair yr ARGLWYDD trwy Jeremeia'r proffwyd.

Cyrus a Dychweliad yr Iddewon
(Esra 1:1-4)

22 Yn y flwyddyn gyntaf i Cyrus brenin Persia, er mwyn cyflawni gair yr ARGLWYDD trwy Jeremeia, cynhyrfodd yr ARGLWYDD ysbryd Cyrus, a chyhoeddodd yntau ddatganiad trwy ei holl deyrnas, ac ysgrifennu: [23]"Fel hyn y dywed Cyrus brenin Persia: Y mae'r ARGLWYDD, Duw'r nefoedd, wedi rhoi holl deyrnasoedd y byd i mi, ac wedi gorchymyn i mi adeiladu tŷ iddo yn Jerwsalem yn Jwda. Pob un o'ch plith sy'n perthyn i'w bobl, bydded yr ARGLWYDD ei Dduw gydag ef, ac aed i fyny."

LLYFR

ESRA

Cyrus yn Gorchymyn i'r Iddewon Ddychwelyd

1 Yn y flwyddyn gyntaf i Cyrus brenin Persia, er mwyn cyflawni gair yr ARGLWYDD a ddaeth trwy Jeremeia, cynhyrfodd yr ARGLWYDD ysbryd Cyrus, ac anfonodd allan ddatganiad trwy ei holl deyrnas ac ysgrifennu: ²"Fel hyn y dywed Cyrus brenin Persia: Y mae'r ARGLWYDD, Duw'r nefoedd, wedi rhoi holl deyrnasoedd y byd i mi, ac wedi gorchymyn i mi adeiladu tŷ iddo yn Jerwsalem yn Jwda. ³Pob un o'ch plith sy'n perthyn i'w bobl, bydded ei Dduw gydag ef, ac aed i fyny i Jerwsalem yn Jwda i ailadeiladu tŷ ARGLWYDD Dduw Israel, y Duw sydd yn Jerwsalem. ⁴Pob un a arbedwyd, ple bynnag y mae'n byw, bydded iddo gael cymorth gan ei gymdogion mewn arian ac aur ac offer ac anifeiliaid, yn ogystal ag offrwm gwirfoddol i dŷ Dduw yn Jerwsalem."

5 Yna dechreuodd pennau-teuluoedd Jwda a Benjamin, a'r offeiriaid a'r Lefiaid, pob un a symbylwyd gan Dduw, baratoi i fynd i ailadeiladu tŷ'r ARGLWYDD yn Jerwsalem. ⁶Cawsant gefnogaeth eu holl gymdogion gyda llestri arian ac aur, ac offer ac anifeiliaid ac anrhegion gwerthfawr, at y cwbl a roed yn wirfoddol. ⁷Cyflwynodd y Brenin Cyrus lestri tŷ'r ARGLWYDD a ddygwyd gan Nebuchadnesar o Jerwsalem i'w gosod yn nheml ei dduwiau, a rhoddodd hwy i Mithredath y trysorydd; ⁸rhestrodd yntau hwy ar gyfer Sesbassar, llywodraethwr Jwda. ⁹A dyma'r rhestr: dysglau aur, tri deg; dysglau arian, mil; thuserau, dau ddeg a naw; ¹⁰cawgiau aur, tri deg; cawgiau arian, pedwar cant a deg; llestri eraill, mil. ¹¹Cyfanswm y llestri aur ac arian, pum mil a phedwar cant. A daeth Sesbassar â'r cwbl gydag ef pan ddychwelodd y gaethglud o Fabilon i Jerwsalem.

Rhestr y Rhai a Ddychwelodd o'r Gaethglud
(Neh. 7:4-73)

2 Dyma bobl y dalaith a ddychwelodd o gaethiwed, o'r gaethglud a ddygwyd i Fabilon gan Nebuchadnesar brenin Babilon; daethant yn ôl i Jerwsalem ac i Jwda, pob un i'w dref ei hun. ²Gyda Sorobabel yr oedd Jesua, Nehemeia, Seraia, Reelaia, Mordecai, Bilsan, Mispar, Bigfai, Rehum a Baana. Rhestr pobl Israel: ³teulu Paros, dwy fil un cant saith deg a dau; ⁴teulu Seffateia, tri chant saith deg a dau; ⁵teulu Ara, saith gant saith deg a phump; ⁶teulu Pahath-Moab, hynny yw teuluoedd Jesua a Joab, dwy fil wyth gant a deuddeg; ⁷teulu Elam, mil dau gant pum deg a phedwar; ⁸teulu Sattu, naw cant pedwar deg a phump; ⁹teulu Saccai, saith gant chwe deg; ¹⁰teulu Bani, chwe chant pedwar deg a dau; ¹¹teulu Bebai, chwe chant dau ddeg a thri; ¹²teulu Asgad, mil dau gant dau ddeg a dau; ¹³teulu Adonicam, chwe chant chwe deg a chwech; ¹⁴teulu Bigfai, dwy fil pum deg a chwech; ¹⁵teulu Adin, pedwar cant pum deg a phedwar; ¹⁶teulu Ater, hynny yw Heseceia, naw deg ac wyth; ¹⁷teulu Besai, tri chant dau ddeg a thri; ¹⁸teulu Jora, cant a deuddeg; ¹⁹teulu Hasum, dau gant dau ddeg a thri; ²⁰teulu Gibbar, naw deg a phump; ²¹teulu Bethlehem, cant dau ddeg a thri. ²²Gwŷr Netoffa, pum deg a chwech; ²³gwŷr Anathoth, cant dau ddeg ac wyth. ²⁴Teulu Asmafeth, pedwar deg a dau; ²⁵teulu Ciriath-arim a Ceffira a Beeroth, saith gant pedwar deg a thri; ²⁶teulu Rama a Gaba, chwe chant dau ddeg ac un. ²⁷Gwŷr Michmas, cant dau ddeg a dau; ²⁸gwŷr Bethel ac Ai, dau gant dau ddeg a thri. ²⁹Teulu Nebo, pum deg a dau; ³⁰teulu Magbis, cant pum deg a phedwar; ³¹teulu'r Elam arall, mil dau gant pum deg a phedwar; ³²teulu Harim, tri chant dau ddeg; ³³teulu Lod a Hadid ac Ono, saith gant dau ddeg a phump; [34]teulu Jericho, tri chant pedwar deg a phump; [35]teulu Senaa, tair mil chwe chant tri deg.

36 Yr offeiriaid: teulu Jedeia, o linach Jesua, naw cant saith deg a thri; [37]teulu Immer, mil pum deg a dau; [38]teulu Pasur, mil dau gant pedwar deg a saith; [39]teulu Harim, mil un deg a saith.

40 Y Lefiaid: teulu Jesua a Cadmiel, o deulu Hodafeia, saith deg a phedwar.

41 Y cantorion: teulu Asaff, cant dau ddeg ac wyth.

42 Y porthorion: teuluoedd Salum, Ater, Talmon, Accub, Hatita, a Sobai, cant tri deg a naw i gyd.

43 Gweision y deml: teuluoedd Siha, Hasuffa, Tabbaoth, [44]Ceros, Siaha, Padon, [45]Lebana, Hagaba, Accub, [46]Hagab, Samlai, Hanan, [47]Gidel, Gahar, Reaia, [48]Resin, Necoda, Gassam, [49]Ussa, Pasea, Besai, [50]Asna, Meunim, Neffusim, [51]Bacbuc, Hacuffa, Harhur, [52]Basluth, Mehida, Harsa, [53]Barcos, Sisera, Tama, [54]Neseia, a Hatiffa.

55 Disgynyddion gweision Solomon: teuluoedd Sotai, Soffereth, Peruda, [56]Jaala, Darcon, Gidel, [57]Seffateia, Hattil, Pochereth o Sebaim, ac Ami. [58]Cyfanswm gweision y deml a disgynyddion gweision Solomon oedd tri chant naw deg a dau.

59 Daeth y rhai canlynol i fyny o Tel-mela, Tel-harsa, Cerub, Adan ac Immer, ond ni fedrent brofi mai o Israel yr oedd eu llinach a'u tras: [60]teuluoedd Delaia, Tobeia, a Necoda, chwe chant pum deg a dau. [61]Ac o blith yr offeiriaid: teuluoedd Hobaia, Cos, a'r Barsilai a briododd un o ferched Barsilai o Gilead a chymryd ei enw[a]. [62]Chwiliodd y rhain am gofnod o'u hachau, ond methu ei gael; felly cawsant eu hatal o'r offeiriadaeth, [63]a gwaharddodd y llywodraethwr iddynt fwyta'r pethau mwyaf cysegredig nes y ceid offeiriad i ymgynghori â'r Wrim a'r Twmim.

64 Nifer y fintai gyfan oedd pedwar deg a dwy o filoedd tri chant chwe deg, [65]heblaw eu gweision a'u morynion, oedd yn saith mil tri chant tri deg a saith. Yr oedd ganddynt hefyd ddau gant o gantorion a chantoresau. [66]Yr oedd ganddynt saith gant tri deg a chwech o geffylau, dau gant pedwar deg a phump o fulod, [67]pedwar cant tri deg a phump o

gamelod, a chwe mil saith gant dau ddeg o asynnod.

68 Pan ddaethant i dŷ'r ARGLWYDD yn Jerwsalem, ymrwymodd rhai o'r pennau-teuluoedd o'u gwirfodd i ailgodi tŷ Dduw ar ei hen sylfaen yn ôl eu gallu. [69]Rhoesant i drysorfa'r gwaith chwe deg ac un o filoedd o ddracmonau aur a phum mil mina o arian a chant o wisgoedd offeiriadol. [70]Cartrefodd yr offeiriaid a'r Lefiaid a rhai o'r bobl yn Jerwsalem[b], a'r cantorion, y porthorion a gweision y deml yn y cyffiniau[c], a'r Israeliaid eraill yn eu trefi eu hunain.

Ailgodi'r Allor

3 Pan ddaeth y seithfed mis, a'r Israeliaid erbyn hyn yn eu trefi, ymgasglodd y bobl fel un gŵr i Jerwsalem. [2]A dcchreuodd Jesua fab Josadac a'i gyd-offeiriaid, a Sorobabel fab Salathiel a'i frodyr, ailadeiladu allor Duw Israel er mwyn aberthu poethoffrymau arni, fel y mae'n ysgrifenedig yng nghyfraith Moses gŵr Duw. [3]Er eu bod yn ofni'r bobloedd oddi amgylch, codasant yr allor yn ei lle, ac aberthu arni boethoffrymau i'r ARGLWYDD fore a hwyr. [4]Yr oeddent yn dathlu Gŵyl y Pcbyll fel yr oedd yn ysgrifenedig, ac yn aberthu'n ddyddiol y nifer priodol o boethoffrymau ar gyfer pob dydd. [5]Ar ôl hyn yr oeddent yn aberthu'r poethoffrymau cyson, a'r rhai ar gyfer y newydd-loerau a holl wyliau penodedig yr ARGLWYDD, a'r holl aberthau a roddid yn wirfoddol i'r AR-GLWYDD. [6]Dechreusant aberthu poethoffrymau i'r ARGLWYDD o ddydd cyntaf y seithfed mis, er nad oedd sylfaen teml yr ARGLWYDD wedi ei gosod.

Dechrau Ailadeiladu'r Deml

7 Yna rhoesant arian i'r seiri meini a'r seiri coed, a bwyd a diod ac olew i'r Sidoniaid a'r Tyriaid i ddod â chedrwydd dros y môr o Lebanon i Jopa trwy ganiatâd Cyrus brenin Persia. [8]Yn ail fis yr ail flwyddyn wedi iddynt ddychwelyd i dŷ Dduw yn Jerwsalem, dechreuodd Sorobabel fab Salathiel a Jesua fab Josadac ar y gwaith gyda'r gweddill o'u brodyr, a'r offeiriaid a'r Lefiaid, a phawb oedd wedi dychwelyd o'r gaethglud i Jerwsalem; a phenodwyd y Lefiaid oedd dros ugain mlwydd oed i arolygu gwaith tŷ'r ARGLWYDD. [9]Jesua a'i feibion a'i

---

[a]Felly Groeg. Hebraeg, *eu henw.*   [b]Felly Groeg. Hebraeg heb *yn Jerwsalem.*
[c]Felly Groeg. Hebraeg, *yn eu trefi.*

frodyr oedd yn gyfrifol am arolygu'r gweithwyr yn nhŷ Dduw, a chyda hwy yr oedd y Jwdead Cadmiel a'i feibion, a meibion Henadad a'u meibion hwythau, a'u brodyr y Lefiaid. [10]Wedi i'r adeiladwyr osod sylfaen teml yr ARGLWYDD, safodd yr offeiriaid yn eu gwisgoedd gydag utgyrn, a'r Lefiaid, meibion Asaff, gyda symbalau i foliannu'r ARGLWYDD yn ôl gorchymyn Dafydd brenin Israel. [11]Yr oeddent yn ateb ei gilydd mewn mawl a diolch i'r ARGLWYDD: "Y mae ef yn dda, a'i ffyddlondeb at Israel yn parhau byth." Yna bloeddiodd yr holl bobl yn uchel mewn moliant i'r ARGLWYDD am fod sylfaen tŷ'r ARGLWYDD wedi ei gosod. [12]Yr oedd llawer o'r offeiriaid a'r Lefiaid a'r pennau-teuluoedd, a oedd yn ddigon hen i fod wedi gweld y tŷ cyntaf, yn wylo'n hidl pan welsant osod sylfaen y tŷ hwn; ond yr oedd llawer yn bloeddio'n uchel o lawenydd. [13]Ac ni fedrai neb wahaniaethu rhwng sŵn y llawenydd a sŵn y bobl yn wylo, am fod y bobl yn gweiddi mor uchel nes bod y sŵn i'w glywed o bell.

Gwrthwynebu Ailadeiladu'r Deml

4 Pan glywodd gelynion Jwda a Benjamin fod y rhai oedd wedi bod yn y gaethglud yn adeiladu teml i ARGLWYDD Dduw Israel, [2]daethant at Sorobabel a'r pennau-teuluoedd a dweud wrthynt: "Gadewch i ni adeiladu gyda chwi, oherwydd yr ydym ni yn addoli eich Duw fel chwithau, ac iddo ef yr ydym wedi aberthu er amser Esarhadon brenin Asyria, a ddaeth â ni yma." [3]Ond dywedodd Sorobabel a Jesua a gweddill pennau-teuluoedd Israel: "Nid oes a wneloch chwi ddim â ni i adeiladu tŷ i'n Duw; ni yn unig sydd i adeiladu i ARGLWYDD Dduw Israel, fel y gorchmynnodd Cyrus brenin Persia i ni." [4]Yna dechreuodd pobl y wlad ddigalonni pobl Jwda a pheri iddynt ofni adeiladu; [5]a holl ddyddiau Cyrus brenin Persia hyd at deyrnasiad Dareius brenin Persia cyflogasant gynghorwyr llys yn eu herbyn i ddrysu eu bwriad.

Gwrthwynebu Ailadeiladu Jerwsalem

6 Yn nechrau teyrnasiad Ahasferus gwnaethant gyhuddiad ysgrifenedig yn erbyn preswylwyr Jwda a Jerwsalem. [7]Hefyd yn amser Artaxerxes ysgrifen

nodd Bislam, Mithredath, Tabeel a'r gweddill o'u cefnogwyr at Artaxerxes brenin Persia; yr oedd y llythyr wedi ei ysgrifennu mewn Aramaeg, a rhoddir ei gynnwys mewn Aramaeg[ch].

8 Rehum y rhaglaw a Simsai yr ysgrifennydd a ysgrifennodd y llythyr hwn at Artaxerxes y brenin ynglŷn â Jerwsalem: [9]"Oddi wrth y rhaglaw Rehum a'r ysgrifennydd Simsai a'r gweddill o'u cefnogwyr, y barnwyr, y penaethiaid, y goruchwylwyr, y swyddogion; hefyd gwŷr Erech a Babilon, a'r Elamitiaid o Susa, [10]a phawb arall a alltudiodd Asnappar fawr ac enwog a'u gosod yn nhref Samaria ac yng ngweddill talaith Tu-hwnt-i'r-afon." [11]Yn awr dyma gynnwys y llythyr a anfonasant ato: "I'r Brenin Artaxerxes oddi wrth dy ddeiliaid, pobl talaith Tu-hwnt-i'r-afon. [12]Bydded hysbys i'r brenin fod yr Iddewon a ddaeth atom oddi wrthyt wedi cyrraedd Jerwsalem; y maent yn ailgodi'r ddinas wrthryfelgar a drwg, yn cyfannu'r muriau ac yn atgyweirio'r sylfeini. [13]Yn awr bydded hysbys i'r brenin, os ailadeiledir y ddinas hon a gorffen ei muriau, ni thalant na threth, na theyrnged, na tholl; a bydd hyn yn sicr o amharu ar les y brenin. [14]Felly, am ein bod ni yn cael ein cynnal gan lys y brenin, ac am nad yw'n weddus i ni fod yn dystion o'r amarch hwn tuag at y brenin, yr ydym yn anfon gair at y brenin, [15]er mwyn iti chwilio yn llyfr cofnodion dy dadau. Fe weli oddi wrth lyfr cofnodion mai dinas wrthryfelgar fu hon, andwyol i frenhinoedd a thaleithiau, a bod gwrthryfel yn nodwedd arni ers amser maith. Dyna pam y dinistriwyd y ddinas. [16]Yr ydym yn hysbysu'r brenin, os adeiledir y ddinas hon a gorffen ei muriau, ni fydd gennyt diriogaeth yn nhalaith Tu-hwnt-i'r-afon."

17 Dyma ateb y brenin: "At Rehum y rhaglaw a Simsai yr ysgrifennydd a'r gweddill o'u cefnogwyr sy'n byw yn Samaria ac ym mhob rhan o dalaith Tu-hwnt-i'r-afon, cyfarchion! [18]Darllenwyd yn eglur yn fy ngŵydd y llythyr a anfonasoch atom. [19]Ar fy ngorchymyn gwnaethpwyd ymchwiliad, a darganfod i'r ddinas hon wrthryfela ers amser maith yn erbyn brenhinoedd, a bod brad a gwrthryfel wedi codi ynddi. [20]Bu brenhinoedd cryfion yn teyrnasu dros Jerwsalem a thros holl dalaith Tu-hwnt-

i'r-afon, a rhoddwyd iddynt dreth, teyrn-
ged a tholl. ²¹Felly gorchmynnwch i'r
dynion hyn beidio ag ailadeiladu'r ddinas
nes cael caniatâd gennyf fi. ²²Gofalwch
beidio â bod yn esgeulus yn hyn o beth,
rhag i'r frenhiniaeth gael niwed pellach."
23 Yna, pan ddarllenwyd copi o lythyr
Artaxerxes i Rehum a Simsai yr ysgrifen-
nydd a'u cefnogwyr, aethant ar frys at yr
Iddewon yn Jerwsalem a thrwy nerth
braich eu rhwystro rhag gweithio. ²⁴Felly
yr ataliwyd y gwaith ar dŷ Dduw yn
Jerwsalem; a bu'n sefyll hyd ail flwyddyn
teyrnasiad Dareius brenin Persia.

Ailddechrau Adeiladu'r Deml

5 Ond wedi i'r proffwydi, Haggai a
Sechareia fab Ido, broffwydo yn
enw Duw Israel i'r Iddewon yn Jwda a
Jerwsalem, ²dechreuodd Sorobabel fab
Salathiel a Jesua fab Josadac ailadeiladu
tŷ Dduw yn Jerwsalem; ac yr oedd
proffwydi Duw gyda hwy yn eu cefnogi.
³Ond ar unwaith daeth Tatnai, llywod-
raethwr talaith Tu-hwnt-i'r-afon, a Seth-
arbosnai a'u cefnogwyr atynt a gofyn,
"Pwy a roes ganiatâd i chwi ailadeil-
adu'r tŷ hwn a gorffen ei goedio?"
⁴Gofynasant hefyd, "Beth yw enwau'r
dynion sy'n codi'r adeilad hwn?" ⁵Ond
yr oedd eu Duw yn gofalu am henuriaid yr
Iddewon, ac ni chawsant eu rhwystro nes
i adroddiad fynd at Dareius ac iddynt gael
ateb ar y mater.
6 Dyma gopi o'r llythyr a anfonodd
Tatnai, llywodraethwr talaith Tu-hwnt-
i'r-afon, a Setharbosnai a'u cefnogwyr,
penaethiaid Tu-hwnt-i'r-afon, at y Brenin
Dareius. ⁷A dyma'r adroddiad ysgrifen-
edig a anfonwyd: "I'r Brenin Dareius,
cyfarchion! ⁸Bydded hysbys i'r brenin i ni
fynd i dalaith Jwda, a gweld tŷ'r Duw
mawr yn cael ei adeiladu â cherrig
enfawr, gyda choed yn y muriau; y mae'r
gwaith yn mynd rhagddo ac yn llwyddo
dan ofal henuriaid yr Iddewon. ⁹Yna
gofynasom i'r henuriaid, 'Pwy a roes
ganiatâd i chwi ailadeiladu'r tŷ hwn a
gorffen ei goedio?' ¹⁰Gofynasom hefyd
iddynt am eu henwau fel y medrem
gofnodi enwau eu harweinwyr a rhoi
gwybod i ti. ¹¹A dyma'r ateb a gawsom:
'Gweision Duw nef a daear ydym ni, ac yr
ydym yn ailadeiladu tŷ a godwyd lawer o
flynyddoedd yn ôl; un o frenhinoedd
enwog Israel a'i cododd a'i orffen. ¹²Ond
am i'n tadau ddigio Duw'r nefoedd,

rhoddodd ef hwy i Nebuchadnesar y
Caldead, brenin Babilon; dinistriodd
yntau'r tŷ hwn a chaethgludo'r bobl i
Fabilon. ¹³Ond ym mlwyddyn gyntaf ei
deyrnasiad, rhoes Cyrus brenin Babilon
orchymyn i ailadeiladu'r tŷ hwn. ¹⁴Yr
oedd llestri aur ac arian yn perthyn i dŷ
Dduw; dygodd Nebuchadnesar hwy o'r
deml yn Jerwsalem a'u rhoi yn nheml
Babilon, ond cymerodd y Brenin Cyrus
hwy o'r deml ym Mabilon a'u rhoi i ŵr o'r
enw Sesbassar, a oedd wedi ei benodi'n
llywodraethwr. ¹⁵Dywedodd wrtho,
"Cymer y llestri yma, a dos â hwy i'r
deml sydd yn Jerwsalem, a bydded i dŷ
Dduw gael ei adeiladu ar ei hen safle."
¹⁶Yna daeth Sesbassar a gosod sylfeini tŷ
Dduw yn Jerwsalem; a bu adeiladu o'r
amser hwnnw hyd yn awr, ond nid yw
wedi ei orffen.' ¹⁷Felly, os cytuna'r
brenin, chwilier yn yr archifau brenhinol
ym Mabilon i weld a roes y Brenin Cyrus
orchymyn i ailadeiladu'r deml hon yn
Jerwsalem. Anfoner i ni ddyfarniad y
brenin ynglŷn â'r mater."

Ailddarganfod Gorchymyn Cyrus

6 Yna, ar orchymyn y Brenin Dareius,
chwiliwyd yn yr archifau ym
Mabilon lle cedwid y dogfennau. ²Ac ym
mhalas Ecbatana yn nhalaith Media
cafwyd sgrôl, a dyma'r cofnod oedd wedi
ei ysgrifennu arni: ³"Ym mlwyddyn
gyntaf ei deyrnasiad gorchmynnodd y
Brenin Cyrus fel hyn am dŷ Dduw yn
Jerwsalem: Ailadeilader y tŷ yn lle i
aberthu ac i ddwyn poethoffrymau. ⁴Ei
uchder fydd trigain cufydd a'i led trigain
cufydd, gyda thair rhes o gerrig mawr ac
un rhes o goed newydd; taler y gost o'r
drysorfa frenhinol. ⁵Hefyd, dychweler i'r
deml yn Jerwsalem lestri aur ac arian tŷ
Dduw, a ddygodd Nebuchadnesar o'r
deml yn Jerwsalem a'u cludo i Fabilon;
dychweler pob un i'w le priodol yn nhŷ
Dduw." ⁶A dyfarniad y Brenin Dareius
oedd: "Yn awr, Tatnai, llywodraethwr
talaith Tu-hwnt-i'r-afon, a Setharbosnai
a'ch cefnogwyr, penaethiaid Tu-hwnt-i'r-
afon, cadwch draw oddi yno; ⁷peidiwch
ag ymyrryd â gwaith tŷ Dduw; gadewch i
bennaeth yr Iddewon a'u henuriaid ail-
godi tŷ Dduw ar ei hen safle. ⁸Ar fy
ngorchymyn i, fel hyn yr ydych i gyd-
weithredu â henuriaid yr Iddewon i ail-
adeiladu tŷ Dduw: taler yn llawn ac yn
ddiymdroi i'r dynion hyn dreth talaith

Tu-hwnt-i'r-afon allan o'r drysorfa frenhinol. ⁹Rhodder iddynt bob dydd yn ddi-feth beth bynnag sy'n angenrheidiol i aberthu i Dduw'r nefoedd—teirw, hyrddod, defaid, gwenith, halen, gwin ac olew—¹⁰yn ôl gofynion yr offeiriaid yn Jerwsalem, fel y dygont ebyrth cymeradwy i Dduw'r nefoedd a gweddïo dros y brenin a'i feibion. ¹¹Ac yr wyf yn gorchymyn, os bydd i unrhyw un ymyrryd â'r datganiad hwn, fod trawst i'w dynnu o'i dŷ a'i godi, a'i fod yntau i'w grogi arno, a bod ei gartref i'w droi'n domen. ¹²A bydded i'r Duw sydd wedi gosod ei enw yno ddymchwel pob brenin a chenedl sy'n beiddio ymyrryd â hyn neu'n dinistrio tŷ'r Duw hwn yn Jerwsalem. Myfi, Dareius, sy'n rhoi'r gorchymyn hwn; rhaid ei gadw'n fanwl."

Cysegru'r Deml

13 Yna gwnaeth Tatnai, llywodraethwr talaith Tu-hwnt-i'r-afon, a Setharbosnai a'u cefnogwyr yn union fel yr oedd y Brenin Dareius wedi gorchymyn. ¹⁴Trwy gymorth proffwydoliaeth Haggai'r proffwyd a Sechareia fab Ido, llwyddodd henuriaid yr Iddewon gyda'r adeiladu, a'i orffen yn ôl gorchymyn Duw Israel a gorchymyn Cyrus a Dareius ac Artaxerxes brenin Persia. ¹⁵Gorffennwyd y tŷ hwn ar y trydydd o fis Adar, yn y chweched flwyddyn o deyrnasiad y Brenin Dareius. ¹⁶A chysegrwyd tŷ Dduw mewn llawenydd gan yr Israeliaid, yr offeiriaid a'r Lefiaid a gweddill y rhai oedd wedi bod yn y gaethglud. ¹⁷Wrth gysegru tŷ Dduw, aberthwyd cant o deirw, dau gant o hyrddod, pedwar cant o ŵyn, a deuddeg hwrdd, yn ôl nifer llwythau Israel, yn bechaberth dros holl Israel. ¹⁸Trefnwyd yr offeiriaid yn eu dosbarthiadau a'r Lefiaid yn eu hadrannau ar gyfer gwasanaethu Duw yn Jerwsalem, fel y mae'n ysgrifenedig yn llyfr Moses.

Cadw'r Pasg

19 Ac ar y pedwerydd dydd ar ddeg o'r mis cyntaf cadwodd y rhai oedd wedi bod yn y gaethglud y Pasg. ²⁰Am fod pob un o'r offeiriaid a'r Lefiaid wedi ei buro'i hun, a'u bod i gyd yn bur, aberthwyd y Pasg ar gyfer pawb a ddaeth o'r gaethglud, a'u cyd-offeiriaid a hwy eu hunain. ²¹Bwytawyd y Pasg gan yr Israeliaid a ddychwelodd o'r gaethglud a chan bawb oedd wedi ymwahanu oddi wrth aflendid y bobloedd oddi amgylch ac wedi dod atynt i geisio ARGLWYDD Dduw Israel. ²²Ac am saith diwrnod cadwasant ŵyl y Bara Croyw mewn llawenydd, oherwydd i'r ARGLWYDD beri llawenydd iddynt trwy droi calon brenin Asyria tuag atynt i'w cynorthwyo yng ngwaith tŷ Dduw, Duw Israel.

Esra yn Cyrraedd Jerwsalem

7 Ar ôl hyn, yn nheyrnasiad Artaxerxes brenin Persia, daeth Esra i fyny o Fabilon; hwn oedd Esra fab Seraia, fab Asareia, fab Hilceia, ²fab Salum, fab Sadoc, fab Ahitub, ³fab Amareia, fab Asareia, fab Meraioth, ⁴fab Seracheia, fab Ussi, fab Bucci, ⁵fab Abisua, fab Phinees, fab Eleasar, fab Aaron yr archoffeiriad. ⁶Yr oedd Esra yn ysgrifennydd hyddysg yng nghyfraith Moses, a roddwyd gan ARGLWYDD Dduw Israel; ac am ei fod yn derbyn ffafr gan yr ARGLWYDD ei Dduw, cafodd y cwbl a ddymunai gan y brenin. ⁷Yn y seithfed flwyddyn i'r Brenin Artaxerxes, dychwelodd i Jerwsalem gyda rhai o'r Israeliaid ac o'r offeiriaid a'r Lefiaid a'r cantorion a'r porthorion a gweision y deml; ⁸a chyrhaeddodd Jerwsalem yn y pumed mis yn seithfed flwyddyn y brenin. ⁹Yr oedd wedi cychwyn ar y daith o Fabilon ar y dydd cyntaf o'r mis cyntaf, a chyrraedd Jerwsalem ar y dydd cyntaf o'r pumed mis; yr oedd Esra wedi cael ffafr gan ei Dduw, ¹⁰oherwydd iddo ymroi i chwilio cyfraith yr ARGLWYDD a'i chadw, ac i ddysgu deddfau a barn yn Israel.

Y Llythyr a Roes Artaxerxes i Esra

11 Dyma gopi o'r llythyr a roes y Brenin Artaxerxes i Esra'r offeiriad a'r ysgrifennydd, un cyfarwydd â chynnwys gorchmynion yr ARGLWYDD a'i ddeddfau i Israel: ¹²"Artaxerxes brenin y brenhinoedd at Esra'r offeiriad, ysgrifennydd cyfraith Duw'r nefoedd, cyfarchion! ¹³Yn awr dyma fy ngorchmynion i bwy bynnag yn fy nheyrnas o bobl Israel a'u hoffeiriaid a'u Lefiaid sy'n dymuno mynd gyda thi i Jerwsalem: caiff fynd. ¹⁴Oherwydd fe'th anfonir gan y brenin a'i saith cynghorwr i wneud arolwg o Jwda a Jerwsalem ynglŷn â chyfraith dy Dduw, sydd dan dy ofal. ¹⁵Dygi'r arian a'r aur a roddwyd yn wirfoddol gan y brenin a'i gynghorwyr i Dduw Israel, sydd â'i drig-

fan yn Jerwsalem, [16]a hefyd yr holl arian a'r aur a gei di trwy holl dalaith Babilon, ac offrymau gwirfoddol y bobl a'r offeiriaid a roddwyd at dŷ eu Duw yn Jerwsalem. [17]Â'r arian yma gofala brynu teirw, hyrddod ac ŵyn, gyda'u hoffrymau o flawd a diod, a'u haberthu ar allor tŷ eich Duw yn Jerwsalem. [18]Â gweddill yr arian cei di a'th frodyr wneud fel y gwelwch orau, yn ôl ewyllys eich Duw. [19]Am y llestri a roddwyd i ti at wasanaeth tŷ dy Dduw, gosod hwy o'i flaen yn Jerwsalem. [20]A pha beth bynnag arall sy'n angenrheidiol i dŷ dy Dduw, ac y disgwylir i ti ei roi, rho ef o storfa'r brenin. [21]Ac yr wyf fi, y Brenin Artaxerxes, yn rhoi'r gorchymyn hwn i holl drysoryddion talaith Tu-hwnt-i'r-afon: Rhowch yn ddiymdroi bob peth a ofynnir ichwi gan Esra'r offeiriad, ysgrifennydd cyfraith Duw'r nefoedd, [22]hyd at gan talent o arian, can mesur yr un o wenith, gwin ac olew, a halen heb fesur. [23]Gwnewch bopeth ar gyfer tŷ Duw'r nefoedd yn union fel y mae Duw'r nefoedd wedi ei orchymyn, rhag iddo lidio yn erbyn teyrnas y brenin a'i feibion. [24]Yr ydym hefyd yn eich hysbysu nad yw'n gyfreithlon gosod treth, teyrnged na tholl ar neb o offeiriaid, Lefiaid, cantorion, porthorion, gweision na gweinidogion tŷ Dduw. [25]A thithau, Esra, yn unol â'r ddoethineb ddwyfol sydd gennyt, ethol swyddogion a barnwyr i farnu pawb yn Tu-hwnt-i'r-afon sy'n gwybod cyfraith dy Dduw, ac i ddysgu pawb sydd heb ei gwybod. [26]Pob un nad yw'n cadw cyfraith dy Dduw a chyfraith y brenin, dyger ef yn ddi-oed i farn, a'i ddedfrydu naill ai i farwolaeth neu i alltudiaeth neu ddirwy neu garchar."

Esra'n Moliannu Duw

[27]Yna dywedodd Esra: "Bendigedig fyddo ARGLWYDD Dduw ein tadau, a symbylodd y brenin i harddu tŷ'r ARGLWYDD yn Jerwsalem, [28]ac a barodd i mi gael ffafr gan y brenin a'i gynghorwyr a'i bendefigion. Am fod yr ARGLWYDD fy Nuw yn fy nerthu, ymwrolais a chasglu gwŷr blaenllaw o blith yr Israeliaid i fynd gyda mi."

Y Rhai a Ddychwelodd gydag Esra

8 Dyma restr, gyda'r achau, o'r pennau-teuluoedd a ddaeth gyda mi o Fabilon yn nheyrnasiad y Brenin Artaxerxes. [2]O deulu Phinees, Gersom; o deulu Ithamar, Daniel; o deulu Dafydd, Hattus fab Sechaneia; [3]o deulu Pharos, Sechareia, a chant a hanner o ddynion wedi eu rhestru gydag ef. [4]O deulu Pahath-Moab, Elihoenai fab Seraheia, a dau gant o ddynion gydag ef. [5]O deulu Sattu, Sechaneia fab Jahasiel, a thri chant o ddynion gydag ef. [6]O deulu Adin, Ebed fab Jonathan, a hanner cant o ddynion gydag ef. [7]O deulu Elam, Eseia fab Athaleia, a saith deg o ddynion gydag ef. [8]O deulu Seffateia, Sebadeia fab Michael, ac wyth deg o ddynion gydag ef. [9]O deulu Joab, Obadeia fab Jehiel, a dau gant a deunaw o ddynion gydag ef. [10]O deulu Bani, Selomith fab Josiffeia, a chant chwe deg o ddynion gydag ef. [11]O deulu Bebai, Sechareia fab Bebai, a dau ddeg ac wyth o ddynion gydag ef. [12]O deulu Asgad, Johanan fab Haccatan, a chant a deg o ddynion gydag ef. [13]Ac yn olaf, o deulu Adonicam, y rhai canlynol: Eliffelet, Jehiel a Semaia, a chwe deg o ddynion gyda hwy; [14]ac o deulu Bigfai, Uthai a Sabbud, a saith deg o ddynion gyda hwy.

Esra'n Ceisio Lefiaid i'r Deml

15 Cesglais hwy ynghyd wrth yr afon sy'n llifo i Afon Ahafa a gwersyllu yno dridiau. Wedi bwrw golwg dros y bobl a'r offeiriaid, cefais nad oedd Lefiad yn eu plith. [16]Yna gelwais am y penaethiaid Elieser, Ariel, Semaia, Elnathan, Jarib, Elnathan, Nathan, Sechareia a Mesulam, ac am y doethion Joiarib ac Elnathan, [17]a'u hanfon at Ido, y pennaeth yng nghanolfan Chasiffeia; rhois iddynt neges i'w chyflwyno i Ido a'i frodyr, gweision y deml, oedd yn Chasiffeia, yn gofyn iddo anfon atom wasanaethyddion ar gyfer tŷ ein Duw. [18]Ac am ein bod yn derbyn ffafr ein Duw, anfonasant atom Serebeia, gŵr deallus o deulu Mahli, fab Lefi, fab Israel, gyda'i feibion a'i frodyr, deunaw ohonynt i gyd; [19]hefyd Hasabeia, a chydag ef Eseia o deulu Merari, gyda'i frodyr a'u meibion, ugain ohonynt; [20]a dau gant ac ugain o weision y deml, yn unol â threfn Dafydd a'i swyddogion, i gynorthwyo'r Lefiaid. Rhestrwyd hwy oll wrth eu henwau.

Ympryd a Gweddi cyn Cychwyn

21 Ac yno wrth Afon Ahafa cyhoeddais ympryd i ymostwng o flaen ein Duw, i weddïo am siwrnai ddiogel i ni a'n plant

a'n heiddo. ²²Yr oedd arnaf gywilydd gofyn i'r brenin am filwyr a marchogion i'n hamddiffyn yn erbyn gelynion ar y ffordd, am ein bod eisoes wedi dweud wrtho, "Y mae ein Duw yn rhoi cymorth i bawb sy'n ei geisio, ond daw grym ei lid yn erbyn pawb sy'n ei wadu." ²³Felly gwnaethom ympryd ac ymbil ar ein Duw am hyn, a gwrandawodd yntau arnom.

Anrhegion ar gyfer y Deml

24 Yna neilltuais ddeuddeg o benaethiaid yr offeiriaid, a hefyd Serebeia a Hasabeia, a deg o'u brodyr gyda hwy, ²⁵a throsglwyddo iddynt hwy yr arian a'r aur a'r llestri a roddwyd yn anrheg i dŷ ein Duw gan y brenin a'i gynghorwyr a'i dywysogion a'r holl Israeliaid oedd gyda hwy. ²⁶Rhoddais iddynt chwe chant a hanner o dalentau arian, llestri arian gwerth can talent, a chan talent o aur, ²⁷ac ugain o flychau aur gwerth mil o ddrachmâu, a dau lestr o bres melyn coeth, mor brydferth ag aur. ²⁸A dywedais wrthynt, "Yr ydych chwi a'r llestri yn gysegredig i'r ARGLWYDD, ac offrwm gwirfoddol i ARGLWYDD Dduw eich tadau yw'r arian a'r aur. ²⁹Gwyliwch drostynt a'u cadw nes eu trosglwyddo i ystafelloedd tŷ'r ARGLWYDD yng ngŵydd penaethiaid yr offeiriaid a'r Lefiaid a phennau-teuluoedd Israel sydd yn Jerwsalem."

Dychwelyd i Jerwsalem

30 Yna cymerodd yr offeiriaid a'r Lefiaid y swm o arian ac aur a'r llestri i'w dwyn i Jerwsalem i dŷ ein Duw. ³¹Ar y deuddegfed dydd o'r mis cyntaf cychwynasom o Afon Ahafa i fynd i Jerwsalem, ac yr oedd ein Duw gyda ni, ac fe'n gwaredodd o law gelynion a lladron pen-ffordd. ³²Wedi cyrraedd Jerwsalem cawsom orffwys am dridiau. ³³Ac ar y pedwerydd dydd trosglwyddwyd yr arian a'r aur a'r llestri yn nhŷ ein Duw i ofal Meremoth fab Ureia, yr offeiriad, ac Eleasar fab Phinees, ac yr oedd Josabad fab Jesua a Noadeia fab Binnui, y Lefiaid, gyda hwy. ³⁴Gwnaed cyfrif o bopeth wrth ei drosglwyddo, a'r un pryd gwnaed rhestr o'r rhoddion. ³⁵Offrymodd y rhai a ddychwelodd o'r gaethglud bethoffrymau i Dduw Israel: deuddeg bustach dros holl Israel, naw deg a chwech o hyrddod, saith deg a saith o ŵyn, a deuddeg bwch yn bechaberth; yr oedd

y cwbl yn boethoffrwm i'r ARGLWYDD. ³⁶Hefyd rhoesant orchymyn y brenin i'w swyddogion a'i dywysogion yn nhalaith Tu-hwnt-i'r-afon, a chael eu cefnogaeth i'r bobl ac i dŷ Dduw.

Priodasau Cymysg yn Poeni Esra

9 Wedi hyn daeth y swyddogion ataf a dweud, "Nid yw pobl Israel, na'r offeiriaid na'r Lefiaid, wedi ymneilltuo oddi wrth bobloedd y gwledydd nac oddi wrth ffieidd-dra'r Canaaneaid, yr Hethiaid, y Peresiaid, y Jebusiaid, yr Ammoniaid, y Moabiaid, yr Eifftiaid a'r Amoriaid. ²Y maent wedi cymryd merched y rheini yn wragedd iddynt hwy a'u meibion, a chymysgu'r hil sanctaidd â phobloedd y gwledydd; a'r prif droseddwyr yn y camwedd hwn yw'r swyddogion a'r penaethiaid." ³Pan glywais hyn rhwygais fy nillad a'm mantell, tynnais wallt fy mhen a'm barf, ac eisteddais yn syn. ⁴Ac oherwydd camwedd y rheini oedd wedi bod yn y gaethglud, daeth ataf bawb oedd yn ofni geiriau Duw Israel, ac eisteddais innau yno'n syn hyd offrwm y prynhawn. ⁵Ar adeg offrwm y prynhawn codais o'm cyflwr darostyngedig, a'm dillad a'm mantell wedi eu rhwygo, a phenliniais a lledu fy nwylo o flaen yr ARGLWYDD fy Nuw, ⁶a dweud: "O fy Nuw, yr wyf mewn gwaradwydd, ac y mae cywilydd mawr arnaf godi fy wyneb atat, O Dduw, oherwydd y mae'n hanwireddau wedi codi'n uwch na'n pennau, a'n trosedd wedi cynyddu hyd y nefoedd. ⁷O ddyddiau ein tadau hyd yn awr mawr fu ein trosedd, ac o achos ein hanwireddau fe'n rhoed ni, ein brenhinoedd a'n hoffeiriaid yng ngafael brenhinoedd y gwledydd, i'r cleddyf, i gaethiwed, i anrhaith ac i warth, fel y mae heddiw. ⁸Ond yn awr, am ennyd, bu'r ARGLWYDD ein Duw yn raslon tuag atom a gadael inni weddill a rhoi lloches inni yn ei le sanctaidd, er mwyn iddo oleuo ein llygaid a'n hadfywio am ychydig yn ein caethiwed. ⁹Er mai caethion ydym, ni chefnodd ein Duw arnom yn ein caethiwed. Parodd inni gael caredigrwydd gan frenhinoedd Persia i'n hadfywio er mwyn inni adnewyddu tŷ ein Duw ac ailgodi ei adfeilion, a rhoddodd inni amddiffynfa yn Jwda a Jerwsalem. ¹⁰Ac yn awr, ein Duw, beth a ddywedwn ar ôl hyn? Oherwydd yr ydym wedi cefnu ar dy gyfreithiau, ¹¹a orchmynnaist trwy dy weision y

proffwydi, gan ddweud, 'Gwlad halog-
edig yw'r wlad yr ydych yn mynd i'w
meddiannu, wedi ei halogi gan ffieidd-
dra pobloedd y gwledydd, sy'n ei llenwi
â'u haflendid o un cwr i'r llall. [12]Felly
peidiwch â rhoi eich merched i'w meib-
ion, na chymryd eu merched i'ch meib-
ion; a pheidiwch byth â cheisio eu
heddwch na'u lles. Felly y byddwch yn
gryf, a mwynhau braster y wlad, a'i
gadael yn etifeddiaeth i'ch meibion am
byth.' [13]Ac ar ôl y cwbl a ddioddefasom
am ein drwgweithredoedd a'n trosedd
mawr—er i ti, ein Duw, roi i ni gosb lai
nag a haeddai ein drwgweithredoedd, a
rhoi i ni y waredigaeth hon—[14]a dorrwn
ni dy gyfreithiau unwaith eto ac ym-
gyfathrachu â'r bobloedd ffiaidd yma?
Oni fyddet ti'n digio'n ddiedifar wrthym,
fel na byddai gweddill na gwaredigaeth?
[15]ARGLWYDD Dduw Israel, cyfiawn wyt
ti; yr ydym ni yma heddiw yn weddill a
waredwyd; yr ydym yn dy ŵydd yn ein
troseddau, er na all neb sefyll o'th flaen
felly."

Cynllun i Ddiddymu Priodasau Cymysg

10 Tra ocdd Esra'n gweddïo yn ei
ddagrau, yn cyffesu ar ei hyd o
flaen tŷ Dduw, ymgasglodd tyrfa fawr
iawn o Israeliaid ato, yn wŷr, gwragedd a
phlant, ac yr oedd y bobl yn wylo'n hidl.
[2]Yna dywedodd Sechaneia fab Jehiel, o
deulu Elam, wrth Esra, "Yr ydym wedi
pechu yn erbyn ein Duw trwy briodi
merched estron o blith pobloedd y wlad;
eto y mae gobaith i Israel er gwaethaf
hyn. [3]Yn awr gadewch i ni wneud cyf-
amod â'n Duw i droi ymaith yr holl
ferched hyn a'u plant, yn ôl cyngor
f'arglwydd a'r rhai sy'n parchu gorch-
ymyn ein Duw; a byddwn felly'n cadw'r
gyfraith. [4]Cod, oherwydd dy gyfrifoldeb
di yw hyn, ond fe fyddwn ni gyda thi;
gweithreda'n wrol." [5]Yna cododd Esra a
pheri i arweinwyr yr offeiriaid a'r Lefiaid
ac i holl Israel addo hyn, a gwnaethant
hwythau addewid. [6]Aeth Esra o dŷ'r
Arglwydd i ystafell Johanan fab Eliasib,
ac aros[d] yno heb fwyta bara nac yfed dŵr
am ei fod yn dal i alaru am gamwedd y
rhai a ddaeth o'r gaethglud. [7]Yna anfon-
wyd neges trwy Jwda a Jerwsalem yn
gorchymyn i bawb a fu yn y gaethglud
ymgynnull yn Jerwsalem, [8]a byddai pob
un na ddôi o fewn tridiau ar wŷs y

<hr/>

penaethiaid a'r henuriaid yn colli ei
gyfoeth ac yn cael ei dorri allan o gynull-
eidfa'r gaethglud. [9]O fewn tridiau, ar yr
ugeinfed dydd o'r nawfed mis, ym-
gasglodd holl wŷr Jwda a Benjamin i
Jerwsalem, ac eisteddodd pawb yn y
sgwâr o flaen tŷ Dduw yn crynu o achos yr
hyn oedd yn digwydd ac o achos y
glawogydd. [10]Cododd Esra yr offeiriad a
dweud wrthynt, "Yr ydych wedi gwneud
camwedd ac wedi ychwanegu at drosedd
Israel trwy briodi merched estron. [11]Yn
awr cyffeswch gerbron ARGLWYDD
Dduw eich tadau; gwnewch ei ewyllys ef
ac ymwahanwch oddi wrth bobloedd y
wlad a'r merched estron." [12]Atebodd yr
holl gynulleidfa â llais uchel, "Gwnawn;
rhaid i ni wneud fel yr wyt ti'n gorch-
ymyn. [13]Ond y mae yma lawer o bobl; y
mae'n dymor y glawogydd, ac ni allwn
aros yn yr awyr agored. Nid gwaith
diwrnod neu ddau ydyw, oherwydd y
mae llawer ohonom wedi pechu yn hyn o
beth. [14]Caiff cin penaethiaid gynrychioli'r
gynulleidfa gyfan, a bydded i'r rhai yn ein
dinasoedd sydd wedi priodi merched
estron ddod ar amseroedd penodedig,
pob un gyda henuriaid a barnwyr ei
ddinas ei hun, nes i ddicter mawr ein Duw
am hyn droi oddi wrthym." [15]Yr unig
wrthwynebwyr oedd Jonathan fab Asahel
ac Eseia fab Ticfa, a chawsant gefnogaeth
Mesulam a Sabethai y Lefiad. [16]Wedi i'r
rhai oedd wedi bod yn y gaethglud
gytuno, fe neilltuodd Esra yr offeiriad
ddynion oedd yn bennau-teuluoedd
i gynrychioli eu teuluoedd wrth eu
henwau. Eisteddasant ar y dydd cyntaf
o'r degfed mis i archwilio'r mater, [17]ac
erbyn y dydd cyntaf o'r mis cyntaf yr
oeddent wedi gorffen eu hymchwiliad i'r
holl briodasau gyda merched estron.

Y Rhai oedd wedi Priodi Merched Estron

[18]Ymysg meibion yr offeiriaid oedd
wedi priodi merched estron yr oedd
y canlynol: Maseia, Elieser, Jarib a
Gedaleia o deulu Jesua fab Josadac a'i
frodyr. [19]Gwnaethant addewid i ysgaru
eu gwragedd ac offrymasant hwrdd o'r
praidd am eu trosedd. [20]O feibion Immer:
Hanani a Sebadeia. [21]O feibion Harim:
Maseia, Eleia, Semaia, Jehiel ac Usseia.
[22]O feibion Pasur: Elioenai, Maseia,
Ismael, Nethaneel, Josabad ac Elasa.

<hr/>

Felly Groeg. Hebraeg, *aeth*.

²³O'r Lefiaid: Josabad, Simei a Chelaia (hynny yw, Celita), Pethaheia, Jwda ac Elieser. ²⁴O'r cantorion: Eliasib. O'r porthorion: Salum, Telem ac Uri. ²⁵O Israel, o feibion Paros: Rameia, Jeseia, Malcheia, Miamin, Eleasar, Malcheia a Benaia. ²⁶O feibion Elam: Mataneia, Sechareia, Jehel, Abdi, Jeremoth ac Eleia. ²⁷O feibion Sattu: Elioenai, Eliasib, Mataneia, Jeremoth, Sabad ac Asisa. ²⁸O feibion Bebai: Jehohanan, Hananeia, Sabai ac Athlai. ²⁹O feibion Bani: Mesulam, Maluch, Adaia, Jasub, Seal a Ramoth. ³⁰O feibion Pahath-Moab: Adna, Celal, Benaia, Maaseia, Mataneia, Besaleel, Binnui a Manasse. ³¹O feibion

Harim: Elieser, Isia, Malcheia, Semaia, Simeon, ³²Benjamin, Maluch a Semareia. ³³O feibion Hasum: Matenai, Matatha, Sabad, Eliffelet, Jeremai, Manasse a Simei. ³⁴O feibion Bani: Maadai, Amram, Uel, ³⁵Benaia, Bedeia, Celu, ³⁶Faneia, Meremoth, Eliasib, ³⁷Mataneia, Matenai, Jasau, ³⁸Bani, Binnui, Simei, ³⁹Selemeia, Nathan, Adaia, ⁴⁰Machnadebai, Sasai, Sarai, ⁴¹Asareel, Selemeia, Semareia, ⁴²Salum, Amareia a Joseff. ⁴³O feibion Nebo: Jeiel, Matitheia, Sabad, Sebina, Jadue, Joel a Benaia. ⁴⁴Yr oedd y rhain i gyd wedi priodi merched estron, ond troesant hwy allan, yn wragedd a phlant. ᵈᵈ

ᵈᵈCymh. Groeg. Hebraeg, *merched estron, yr oedd ohonynt wragedd a roesant feibion.*

LLYFR
NEHEMEIA

Pryder Nehemeia dros Jerwsalem

1 Geiriau Nehemeia fab Hachaleia. Ym mis Cislef yn yr ugeinfed flwyddyn, pan oeddwn yn y palas yn Susan, ²cyrhaeddodd Hanani, un o'm brodyr, a gwŷr o Jwda gydag ef. Holais hwy am Jerwsalem ac am yr Iddewon, y rhai dihangol a adawyd ar ôl heb fynd i'r gaethglud. ³Dywedasant hwythau wrthyf, "Y mae'r gweddill a adawyd ar ôl yn y dalaith, heb eu caethgludo, mewn trybini mawr a gofid; drylliwyd mur Jerwsalem a llosgwyd ei phyrth â thân." ⁴Pan glywais hyn eisteddais i lawr ac wylo, a bûm yn galaru ac yn ymprydio am ddyddiau, ac yn gweddïo ar Dduw y nefoedd. ⁵Dywedais, "O ARGLWYDD Dduw y nefoedd, y Duw mawr ac ofnadwy, sy'n cadw cyfamod ac sy'n ffyddlon i'r rhai sy'n ei garu ac yn cadw ei orchmynion, ⁶yn awr bydded dy glust yn gwrando a'th lygaid yn agored i dderbyn y weddi yr wyf fi, dy was, yn ei gweddïo o'th flaen ddydd a nos, dros blant Israel, dy weision. Yr wyf yn cyffesu'r pechodau 'a wnaeth-

om ni, feibion Israel, yn dy erbyn; yr wyf fi a thŷ fy nhad wedi pechu yn dy erbyn, ⁷ac ymddwyn yn llygredig iawn tuag atat trwy beidio â chadw'r gorchmynion a'r deddfau a'r barnedigaethau a orchmynnaist i'th was Moses. ⁸Cofia'r rhybudd a roddaist i'th was Moses pan ddywedaist 'Os byddwch yn anffyddlon, byddaf fi'n eich gwasgaru ymysg y bobloedd; ⁹ond os dychwelwch ataf a chadw fy ngorchmynion a'u gwneud, byddaf yn casglu'r rhai a wasgarwyd hyd gyrion byd, ac yr eu cyrchu i'r lle a ddewisais i roi fy enw yno.' ¹⁰Dy weision a'th bobl di ydyn —rhai a waredaist â'th allu mawr a'th law nerthol. ¹¹O ARGLWYDD gwrando ar weddi dy was a'th weision sy'n ymhyfrydu mewn parchu dy enw, a rho lwyddiant i'th was heddiw a phâr iddo gael trugaredd gerbron y gŵr hwn."
Yr oeddwn i yn drulliad i'r brenin.

Nehemeia'n Cyrraedd Jerwsalem

2 Ac ym mis Nisan, yn ugeinfed flwyddyn y Brenin Artaxerxes cymerais y gwin oedd wedi ei osod o flaen, a'i roi iddo. Yr oeddwn[a] yn drist yn ei ŵydd, [2]a gofynnodd y brenin i mi, "Pam yr wyt yn drist? Nid wyt yn glaf; felly nid yw hyn ond tristwch meddwl." Daeth ofn mawr arnaf [3]a dywedais, "O frenin, bydd fyw byth! Sut y medraf beidio ag edrych yn drist pan yw'r ddinas lle y claddwyd fy nhadau yn adfeilion, a'i phyrth wedi eu hysu â thân?" [4]Dywedodd y brenin, "Beth yw dy ddymuniad?" Yna gweddïais ar Dduw'r nefoedd, [5]a dweud wrth y brenin, "Os gwêl y brenin yn dda, ac os yw dy was yn gymeradwy gennyt, anfon fi i Jwda, i'r ddinas lle y claddwyd fy nhadau, i'w hailadeiladu." [6]Ac meddai'r brenin wrthyf, a'r frenhines yn eistedd wrth ei ochr, "Pa mor hir fydd dy daith, a pha bryd y dychweli?" Rhoddais amser penodol oedd yn dderbyniol i'r brenin, a gadawodd yntau imi fynd. [7]Yna dywedais wrtho, "Os gwêl y brenin yn dda, rho i mi ythyrau at lywodraethwyr Tu-hwnt-i'r-afon er mwyn iddynt hwyluso fy nhaith i wda, [8]a llythyr hefyd at Asaff, ceidwad y goedwig frenhinol, yn gofyn iddo roi coed mi i wneud trawstiau ar gyfer pyrth y balas sydd yn ymyl y deml, a muriau'r ddinas a'r tŷ y byddaf yn byw ynddo." Trwy ffafr fy Nuw cefais fy nymuniad gan y brenin. [9]Yr oedd y brenin wedi anfon yda mi swyddogion o'r fyddin a marchogion, a phan ddeuthum at lywodraethwyr yr Tu-hwnt-i'r-afon rhoddais iddynt lythyrau'r brenin. [10]Ond pan glywodd anbalat yr Horoniad a'r gwas Tobeia yr Amoniad am hyn, yr oeddent yn flin iawn od rhywun wedi dod i geisio cynorthwyo meibion Israel.

[11] Wedi imi gyrraedd Jerwsalem a bod no dridiau, [12]codais liw nos, myfi a'r chydig ddynion oedd gyda mi, ond heb ddweud wrth neb beth oedd fy Nuw wedi i roi yn fy meddwl i'w wneud i Jerwsalem. Nid oedd anifail gyda mi ar wahân ir un yr oeddwn yn marchogaeth arno. Euthum allan liw nos trwy Borth y Glyn gyfeiriad Ffynnon y Ddraig ac at Borth Dom, ac archwilio muriau drylliedig erwsalem a hefyd ei phyrth a losgwyd â ân. [14]Euthum ymlaen i Borth y Ffynnon c i Lyn y Brenin, ond nid oedd lle i'm anifail fynd trwodd. [15]Euthum i fyny'r yffryn liw nos i archwilio'r mur, ac yna oi'n ôl a dychwelyd trwy Borth y Glyn.

[16]Ni wyddai'r swyddogion i ble yr oeddwn wedi mynd na beth yr oeddwn yn ei wneud; hyd yma nid oeddwn wedi dweud dim wrth yr Iddewon na'r offeiriaid na'r penaethiaid na'r swyddogion na'r rhai a fyddai'n gyfrifol am wneud y gwaith. [17]Yna dywedais wrthynt, "Yr ydych yn gweld y trybini yr ydym ynddo; y mae Jerwsalem yn adfeilion a'i phyrth wedi eu llosgi â thân; dewch, adeiladwn fur Jerwsalem rhag inni fod yn waradwydd mwyach." [18]Dywedais wrthynt fel yr oedd fy Nuw wedi fy helpu, a hefyd yr hyn a ddywedodd y brenin wrthyf. Yna dywedasant, "Awn ati i adeiladu." A bu iddynt ymroi i'r gwaith yn ewyllysgar.

19 Pan glywodd Sanbalat yr Horoniad, a'r gwas Tobeia yr Amoniad, a Gesem yr Arabiad, gwatwarasant ni a'n dirmygu a gofyn, "Beth yw hyn yr ydych yn ei wneud? A ydych yn gwrthryfela yn erbyn y brenin?" [20]Atebais hwy a dweud, "Bydd Duw y nefoedd yn rhoi llwyddiant i ni, ac yr ydym ninnau, ei weision ef, yn mynd ati i adeiladu. Ond nid oes gennych chwi ran na hawl na breiniau yn Jerwsalem."

Ailgodi Mur Jerwsalem

3 Yna dechreuodd Eliasib yr archoffeiriad a'i gyd-offeiriaid ailgodi Porth y Defaid; gosodasant ei gilbyst a rhoi[b] ei ddorau yn eu lle, ac atgyweirio[c] hyd at Dŵr y Cant a Thŵr Hananel. [2]Adeiladodd gwŷr Jericho yn ei ymyl, a Sacur fab Imri yn eu hymyl hwythau. [3]Ailgodwyd Porth y Pysgod gan fcibion Hasena; gosodasant ei gilbyst a rhoi ei ddorau yn eu lle gyda'r cloeau a'r barrau. [4]Yn eu hymyl hwy yr oedd Meremoth fab Ureia fab Cos yn atgyweirio, ac yn ei ymyl ef Mesulam, fab Berecheia, fab Mesesabel, ac yn ei ymyl yntau yr oedd Sadoc fab Bana yn atgyweirio. [5]Y Tecoiaid oedd yn atgyweirio yn eu hymyl hwy, ond nid oedd eu pendefigion yn fodlon gwasanaethu meistriaid. [6]Atgyweiriwyd yr Hen Borth gan Joiada fab Pesach a Mesulam fab Besodeia; gosodasant ei drawstiau a rhoi ei ddorau yn eu lle gyda'r cloeau a'r barrau. [7]Yn eu hymyl hwy yr oedd Melateia o Gibeon a Jadon o Meronoth, gwŷr Gibeon a Mispa, yn atgyweirio hyd at blas llywodraethwr Tu-hwnt-i'r-afon. [8]Yn ei ymyl ef yr oedd

Usiel fab Harhaia, un o'r gofaint aur, ac yn ei ymyl yntau Hananeia, un o'r apothecariaid; hwy oedd yn trwsio Jerwsalem hyd at y Mur Llydan. ⁹Yn eu hymyl hwy yr oedd Reffaia fab Hur, rheolwr hanner rhanbarth Jerwsalem. ¹⁰Yn ei ymyl ef yr oedd Jedaia fab Harumaff yn atgyweirio o flaen ei dŷ, a Hatus fab Hasabneia yn ei ymyl yntau. ¹¹Yr oedd Malcheia fab Harim a Hasub fab Pahath-Moab yn atgyweirio dwy ran a Thŵr y Ffwrneisiau. ¹²Yn ei ymyl ef yr oedd Salum fab Haloches, pennaeth hanner rhanbarth Jerwsalem, yn atgyweirio gyda'i ferched. ¹³Atgyweiriwyd Porth y Glyn gan Hanun a thrigolion Sanoach; ailgodasant ef a gosod ei ddorau gyda'r cloeau a'r barrau. ¹⁴Hwy hefyd a atgyweiriodd y mur am fil o gufyddau hyd at Borth y Dom. Ond atgyweiriwyd Porth y Dom gan Malacheia fab Rechab, rheolwr rhanbarth Bethhacerem; fe'i hailgododd a gosod ei ddorau yn eu lle gyda'r cloeau a'r barrau. ¹⁵Atgyweiriwyd Porth y Ffynnon gan Salum fab Colchose, rheolwr rhanbarth Mispa; fe'i hailgododd a rhoi to arno a gosod ei ddorau yn eu lle gyda'r cloeau a'r barrau; cododd fur Pwll Selach wrth ardd y brenin hyd at y grisiau sy'n arwain i lawr o Ddinas Dafydd. ¹⁶Ar ei ôl ef atgyweiriodd Nehemeia fab Asbuc, rheolwr hanner rhanbarth Bethsur, hyd at le gyferbyn â mynwent Dafydd a hyd at Bwll y Gloddfa ac at Dŷ'r Cedyrn. ¹⁷Ar ei ôl ef atgyweiriodd y Lefiaid: Rehum fab Bani, ac yn ei ymyl Hasabeia, rheolwr hanner rhanbarth Ceila, yn atgyweirio ei ran ei hun. ¹⁸Ar ei ôl ef atgyweiriodd eu brodyr, Bafai fab Henadad, rheolwr ail ranbarth Ceila. ¹⁹Yn ei ymyl ef yr oedd Eser fab Jesna, rheolwr Mispa, yn atgyweirio dwy ran gyferbyn â'r allt at dŷ'r arfau, wrth y drofa. ²⁰Ar ei ôl ef atgyweiriodd Baruch fab Sabai^ch ddwy ran, o'r drofa hyd at ddrws tŷ Eliasib yr archoffeiriad. ²¹Ar ei ôl ef atgyweiriodd Meremoth fab Ureia fab Cos ddwy ran, o ddrws tŷ Eliasib hyd at dalcen tŷ Eliaseb. ²²Ac ar ei ôl ef atgyweiriodd yr offeiriaid oedd yn byw yn y gymdogaeth. ²³Ar eu hôl hwy atgyweiriodd Benjamin a Hasub gyferbyn â'u tŷ eu hunain. ²⁴Ar eu hôl hwy atgyweiriodd Binnui fab Henadad ddwy ran, o dŷ Asareia hyd at y drofa a'r gongl. ²⁵Palal fab Usai oedd yn atgyw-

eirio gyferbyn â'r drofa a'r tŵr sy'n codi o dŷ uchaf y brenin ac yn perthyn i gyntedd y gwarchodlu. Ar ei ôl ef atgyweiriodd Pedaia fab Paros ²⁶a'r Nethiniaid oedd yn byw yn Offel hyd at le gyferbyn â Phorth y Dŵr i'r dwyrain o'r tŵr uchel. ²⁷Ar eu hôl hwy atgyweiriodd y Tecoiaid ddwy ran gyferbyn â'r tŵr mawr uchel hyd at fur Offel. ²⁸O Borth y Meirch yr offeiriaid oedd yn atgyweirio, pob un gyferbyn â'i dŷ. ²⁹Ar eu hôl hwy atgyweiriodd Sadoc fab Immer gyferbyn â'i dŷ. Ac ar ei ôl ef atgyweiriodd Semaia fab Sechareia, ceidwad Porth y Dwyrain. ³⁰Ar ei ôl ef atgyweiriodd Hananeia fab Selemeia a Hanun, chweched mab Salaff, ddwy ran. Ar ei ôl yntau atgyweiriodd Mesulam fab Berecheia gyferbyn â'i lety. ³¹Ar ei ôl ef atgyweiriodd Malceia, y gof aur, hyd at dŷ'r Nethiniaid a'r marchnatwyr, gyferbyn â Phorth y Cynnull hyd at yr oruwchystafell ar y gongl. ³²A rhwng yr oruwchystafell ar y gongl a Phorth y Defaid yr oedd y gofaint aur a'r marchnatwyr yn atgyweirio.

Nehemeia yn Trechu ei Wrthwynebwyr

4 Pan glywodd Sanbalat ein bod yn ailgodi'r mur, gwylltiodd a ffrom drwyddo. ²Dechreuodd wawdio'r Iddewon yng ngŵydd ei frodyr a byddin Samaria a dweud, "Beth y mae'r Iddewon gweiniaid hyn yn ei wneud? A adewir llonydd iddynt? A ydynt am aberthu a gorffen y gwaith mewn diwrnod? A ydynt am ailddefnyddio'r cerrig o'r pentyrrau rwbel, a hwythau wedi eu llosgi?" ³A dywedodd Tobeia yr Ammoniad, a oedd yn ei ymyl, "Beth bynnag y maent yn ei adeiladu, dim ond llwynog ddringo'u mur cerrig, fe'i dymchwel."

⁴ Gwrando, O ein Duw, oherwydd maent yn ein dirmygu. Tro eu gwarad wydd yn ôl ar eu pennau eu hunain, gwna hwy'n anrhaith mewn gwlad caeth iwed. ⁵Paid â chuddio eu hanwiredd na dileu eu pechod o'th ŵydd, oherwydd maent wedi dy sarhau di gerbron y adeiladwyr.

⁶ Felly codasom yr holl fur a'i orffe hyd at ei hanner, oherwydd yr oedd gan bobl galon i weithio. ⁷*Ond pan glywodd Sanbalat a Tobeia a'r Arabiaid a'r Ammoniaid a'r Asdodiaid fod atgyweiri muriau Jerwsalem yn mynd rhagddo, a

bylchau yn dechrau cael eu llenwi, yr oeddent yn ddig iawn, [8] a gwnaethant gynllun gyda'i gilydd i ddod i ryfela yn erbyn Jerwsalem a chreu helbul i ni. [9] Felly bu inni weddïo ar ein Duw o'u hachos, a gosod gwylwyr yn eu herbyn ddydd a nos.

10 Ond dywedodd gwŷr Jwda, "Pallodd nerth y cludwyr, ac y mae llawer o rwbel; ni allwn byth ailgodi'r mur ein hunain. [11] Y mae'n gwrthwynebwyr wedi dweud, 'Heb iddynt wybod na gweld, fe awn i'w canol a'u lladd a rhwystro'r gwaith'." [12] A daeth Iddewon oedd yn byw yn eu hymyl atom i'n rhybuddio ddengwaith y doent yn ein herbyn o bob cyfeiriad. [13] Felly gosodais rai yn y lleoedd isaf y tu ôl i'r mur mewn mannau gwan, a gosodais y bobl fesul teulu gyda'u cleddyfau a'u gwaywffyn a'u bwâu. [14] Wedi imi weld ynglŷn â hyn, euthum i ddweud wrth y pendefigion a'r swyddogion a gweddill y bobl, "Peidiwch â'u hofni; cadwch eich meddwl ar yr ARGLWYDD sy'n fawr ac ofnadwy, ac ymladdwch dros eich brodyr, eich meibion a'ch merched, eich gwragedd a'ch cartrefi."

15 Pan glywodd ein gelynion ein bod yn gwybod am y peth, a bod Duw wedi drysu eu cynlluniau, aethom ni i gyd yn ôl at y mur, bob un at ei waith. [16] Ac o'r dydd hwnnw ymlaen yr oedd hanner fy ngweision yn llafurio yn y gwaith, a'r hanner arall â gwaywffyn a tharianau a bwâu yn eu dwylo ac yn gwisgo llurigau; ac yr oedd y swyddogion yn arolygu holl bobl Jwda [17] oedd yn ailgodi'r mur. Yr oedd y rhai a gariai'r beichiau yn gweithio ag un llaw, ac yn dal arf â'r llall. [18] Yr oedd pob un o'r adeiladwyr yn gweithio â'i gleddyf ar ei glun. Yr oedd yr un a seiniai'r utgorn yn fy ymyl i, [19] a dywedais wrth y pendefigion a'r swyddogion a gweddill y bobl, "Y mae'r gwaith yn fawr ac ar wasgar, a ninnau wedi ein gwahanu ar y mur, pob un ymhell oddi wrth ei gymydog. [20] Ple bynnag y clywch sŵn yr utgorn, ymgasglwch atom yno; bydd ein Duw yn ymladd drosom." [21] Felly yr aeth y gwaith rhagddo, gyda hanner y bobl yn dal gwaywffyn o doriad gwawr hyd ddyfodiad y sêr. [22] Y pryd hwnnw hefyd dywedais wrth y bobl fod pob dyn a'i was i letya y tu mewn i Jerwsalem er mwyn cadw gwyliadwriaeth liw nos a gweithio

liw dydd. [23] Ac nid oedd yr un ohonom, myfi na'm brodyr na'm gweision na'r gwylwyr o'm cwmpas, yn tynnu ein dillad; yr oedd gan bob un ei arf wrth law.

Gorthrymu'r Tlodion

5 Dechreuodd y bobl gyffredin a'u gwragedd gwyno'n enbyd yn erbyn eu cyd-Iddewon. [2] Yr oedd rhai yn dweud, "Yr ydym yn gorfod gwystlo[d] ein meibion a'n merched i gael ŷd er mwyn bwyta a byw." [3] Yr oedd eraill yn dweud, "Yr ydym yn gorfod gwystlo ein meysydd a'n gwinllannoedd a'n tai er mwyn prynu ŷd yn ystod y newyn." [4] Dywedai eraill, "Yr ydym wedi benthyca arian ar ein meysydd a'n gwinllannoedd i dalu treth y brenin. [5] Yr ydym o'r un cnawd â'n brodyr, ac y mae ein plant ni fel eu plant hwy; eto, yr ydym ni'n gorfod gwneud caethweision o'n meibion a'n merched. Y mae rhai o'n merched eisoes yn gaethion, ond ni allwn wneud dim, gan fod ein meysydd a'n gwinllannoedd ym meddiant eraill."

6 Pan glywais eu cwyn a'r hyn yr oeddent yn ei ddweud, yr oeddwn yn ddig iawn. [7] Yna, ar ôl imi feistroli fy nheimladau, ceryddais y pendefigion a'r swyddogion a dweud wrthynt, "Yr ydych yn pwyso'n drwm ar eich brodyr." Ceryddais hwy'n llym, [8] a dweud, "Yr ydym ni, yn ôl ein gallu, wedi prynu ein cyd-Iddewon a werthwyd i'r cenhedloedd, ond yr ydych chwi'n gwerthu eich brodyr, a ninnau'n gorfod eu prynu'n ôl." Yr oeddent yn ddistaw heb air i'w ddweud. [9] Ac meddwn wrthynt, "Nid ydych yn ymddwyn yn iawn. Oni ddylech ofni ein Duw yn hytrach na gwaradwydd y cenhedloedd, ein gelynion? [10] Yr wyf fi a'm brodyr a'm gweision yn rhoi arian ac ŷd ar fenthyg iddynt. Gadewch i ni roi terfyn ar y baich yma. [11] Rhowch yn ôl iddynt ar unwaith eu meysydd, eu gwinllannoedd, eu holewyddlannau a'u tai; a hefyd y ganfed ran yr ydych wedi ei chymryd ganddynt yn llog mewn arian, ŷd, gwin ac olew." [12] Dywedasant, "Fe'u rhoddwn yn ôl, ac ni ofynnwn iddynt am ragor; gwnawn fel yr wyt yn ei orchymyn." Yna gelwais ar yr offeiriaid i wneud iddynt addunedu i gadw eu haddewid; [13] ysgydwais fy mantell a dweud, "Fel hyn bydded i Dduw ysgwyd

o'i dŷ ac o'i lafur bob dyn sy'n gwrthod cadw'r addewid hon; bydded wedi ei ysgwyd yn wag." A dywedodd yr holl gynulleidfa, "Amen", a moliannu'r AR-GLWYDD. Ac fe gadwodd y bobl at yr addewid hon.

Anhunanoldeb Nehemeia

14 Ac yn wir, o'r dydd y penodwyd fi yn llywodraethwr yng ngwlad Jwda, o'r ugeinfed hyd y ddeuddegfed flwyddyn ar hugain i'r Brenin Artaxerxes, sef cyfnod o ddeuddeng mlynedd, ni fwyteais i na'm brodyr ddogn bwyd y llywodraethwr. [15]Bu'r llywodraethwyr blaenorol oedd o'm blaen i yn llawdrwm ar y bobl, ac yn cymryd ganddynt bob dydd fara a gwin gwerth deugain sicl o arian. Yr oedd eu gweision hefyd yn arglwyddiaethu ar y bobl. Ond ni wneuthum i ymddwyn fel hyn am fy mod yn ofni Duw. [16]Atgyweiriais y mur hwn, er nad oeddwn berchen yr un cae, a daeth fy holl weision at ei gilydd yno ar gyfer y gwaith. [17]Yr oedd cant a hanner o'r Iddewon a'r llywodraethwyr, yn ogystal â'r rhai a ddaeth atom oddi wrth y cenhedloedd o'n cwmpas, [18]wrth fy mwrdd, fel bod ych, a chwech o'r defaid gorau, ac adar yn cael eu paratoi ar fy nghyfer bob dydd, a digon o win o bob math bob deg diwrnod; er hynny ni ofynnais am ddogn bwyd y llywod-raethwr am ei bod yn galed ar y bobl. [19]Fy Nuw, cofia er daioni i mi y cwbl a wneuthum i'r bobl yma.

Cynllwynion yn erbyn Nehemeia

6 Pan glywodd Sanbalat a Tobeia a Gesem yr Arabiad a'r gweddill o'n gelynion fy mod wedi ailgodi'r mur ac nad oedd yr un bwlch ar ôl ynddo—er nad oeddwn y pryd hwnnw wedi gosod dorau ar y pyrth—[2]fe anfonodd Sanbalat a Gesem ataf a dweud, "Tyrd i'n cyfarfod yn un o'r pentrefi yn nyffryn Ono." Ond eu bwriad oedd gwneud niwed imi. [3]Anfonais negeswyr atynt gyda'r ateb, "Y mae gennyf waith pwysig ar dro, felly ni allaf ddod i lawr. Pam y dylai'r gwaith gael ei atal tra wyf fi yn ei adael ac yn dod i lawr atoch chwi?" [4]Anfonasant ataf i'r un perwyl bedair gwaith, a phob tro rhoddais yr un ateb. [5]Y pumed tro anfonodd Sanbalat ei was ei hun ataf gyda llythyr agored [6]yn cynnwys y neges hon: "Yn ôl Gasmu y mae si ymysg y cen-hedloedd dy fod ti a'r Iddewon yn

bwriadu gwrthryfela, ac mai dyna pam yr wyt yn ailgodi'r mur. Dywedir hefyd dy fod ti dy hun am fod yn frenin arnynt, [7]a'th fod wedi penodi proffwydi i gyhoeddi yn Jerwsalem a dweud, 'Y mae brenin yn Jwda.' Bydd y brenin yn sicr o glywed am hyn; felly tyrd, a gad i ni ymgynghori â'n gilydd." [8]Anfonais air yn ôl ato a dweud, "Nid yw'r hyn a ddywedi di yn wir; ti dy hun sydd wedi ei ddych-mygu." [9]Yr oeddent oll yn ceisio'n dychryn, gan dybio y byddem yn di-galonni, ac na fyddai'r gwaith yn cael ei orffen; ond fe weithiais i'n galetach.

10 Pan euthum i dŷ Semaia fab Delaia, fab Mehetabeel, oedd wedi ei gaethiwo i'w gartref, dywedodd wrthyf,

"Gad i ni gyfarfod yn nhŷ Dduw,
y tu mewn i'r cysegr,
a chau drysau'r deml,
oherwydd y maent yn dod i'th ladd,
yn dod i'th ladd liw nos."

11 Atebais innau, "A ddylai dyn fel fi ffoi? A yw un fel fi i fynd i mewn i'r deml er mwyn achub ei fywyd? Nid af i mewn." [12]Yna sylweddolais nad Duw oedd wedi ei anfon, ond ei fod wedi proffwydo fel hyn yn ein herbyn am fod Tobeia a Sanbalat wedi ei lwgrwobrwyo. [13]Yr oedd wedi cael ei ddalu i godi ofn arnaf a pheri imi bechu trwy wneud hyn; yna fe gaent esgus i roi enw drwg imi, a'm gwaradwyddo. [14]Fy Nuw, cofia Tobeia a Sanbalat am iddynt wneud hyn, a hefyd Noadeia y broffwydes a'r proffwydi eraill oedd am fy nychryn.

Gorffen Adeiladu'r Mur

15 Gorffennwyd y mur mewn deuddeg diwrnod a deugain, ar y pumed ar hugain o Elul. [16]Pan glywodd ein holl elynion, a phan welodd yr holl genhedloedd o'n hamgylch, yr oedd y peth yn rhyfeddol yn eu golwg, a daethant i ddeall mai trwy gymorth ein Duw y cafodd y gwaith hwn ei wneud. [17]Yn ystod y cyfnod hwn anfonodd pendefigion Jwda nifer o lythyrau at Tobeia, a daeth llythyrau oddi wrth Tobeia atynt hwythau; [18]oherwydd yr oedd llawer yn Jwda mewn cynghrair ag ef am ei fod yn fab-yng-nghyfraith i Sechaneia fab Ara, a'i fab Jehohanan wedi priodi merch Mesulam fab Berach-eia. [19]Byddent yn sôn wrthyf am ei ragoriaethau ac yn ailadrodd fy ngeiriau innau wrtho ef. Ysgrifennodd Tobeia hefyd lythyrau ataf i'm dychryn.

7 Yna, wedi i'r mur gael ai ailgodi, ac imi osod y dorau, ac i'r porthorion a'r cantorion a'r Lefiaid gael eu penodi, ²rhoddais Jerwsalem yng ngofal Hanani fy mrawd a Hananeia arolygwr y palas, oherwydd yr oedd ef yn ddyn gonest ac yn fwy crefyddol na'r mwyafrif. ³A dywedais wrthynt, "Nid yw pyrth Jerwsalem i'w hagor nes bod yr haul yn ei anterth; a chyn iddo fachludᵈᵈ rhaid cau'r dorau a'u cloi. Trefnwch drigolion Jerwsalem yn wylwyr, pob un i wylio yn ei dro, a phob un yn ymyl ei dŷ ei hun." ⁴Yr oedd y ddinas yn fawr ac yn eang, ond ychydig o bobl oedd ynddi, a'r tai heb eu hailgodi.

Rhestr y Rhai a Ddychwelodd o'r Gaethglud.
(Esra 2:1-70)

5 Rhoddodd Duw yn fy meddwl i gasglu ynghyd y pendefigion, y swyddogion a'r bobl i'w cofrestru. Deuthum o hyd i lyfr achau y rhai a ddaeth yn gyntaf o'r gaethglud, a dyma oedd wedi ei ysgrifennu ynddo:

6 Dyma bobl y dalaith a ddychwelodd o gaethiwed, o'r gaethglud a ddygwyd gan Nebuchadnesar brenin Babilon, ac a ddaeth yn ôl i Jerwsalem ac i Jwda, pob un i'w dref ei hun. ⁷Gyda Sorobabel yr oedd Jesua, Nehemeia, Asareia, Raameia, Nahmani, Mordecai, Bilsan, Mispereth, Bigfai, Nehum a Baana.

8 Rhestr teuluoedd pobl Israel: teulu Paros, dwy fil un cant saith deg a dau; ⁹teulu Seffateia, tri chant saith deg a dau; ¹⁰teulu Ara, chwe chant pum deg a dau; ¹¹teulu Pahath-Moab, hynny yw teuluoedd Jesua a Joab, dwy fil wyth gant un deg ac wyth; ¹²teulu Elam, mil dau gant pum deg a phedwar; ¹³teulu Sattu, wyth gant pedwar deg a phump; ¹⁴teulu Saccai, saith gant chwe deg; ¹⁵teulu Binnui, chwe chant pedwar deg ac wyth; ¹⁶teulu Bebai, chwe chant dau ddeg ac wyth; ¹⁷teulu Asgad, dwy fil tri chant dau ddeg a dau; ¹⁸teulu Adonicam, chwe chant chwe deg a saith; ¹⁹teulu Bigfai, dwy fil chwe deg a saith; ²⁰teulu Adin, chwe chant pum deg a phump; ²¹teulu Ater, hynny yw Heseceia, naw deg ac wyth; ²²teulu Hasum, tri chant dau ddeg ac wyth; ²³teulu Besai, tri chant dau ddeg a phedwar; ²⁴teulu Hariff, cant a deuddeg; ²⁵teulu Gibeon, naw deg a phump. ²⁶Gwŷr Bethlehem a Netoffa,

cant wyth deg ac wyth; ²⁷gwŷr Anathoth, cant dau ddeg ac wyth; ²⁸gwŷr Bethasmafeth, pedwar deg a dau; ²⁹gwŷr Ciriath Jearim a Ceffira a Beeroth, saith gant pedwar deg a thri; ³⁰gwŷr Rama a Gaba, chwe chant dau ddeg ac un; ³¹gwŷr Michmas, cant dau ddeg a dau; ³²gwŷr Bethel ac Ai, cant dau ddeg a thri; ³³gwŷr y Nebo arall, pum deg a dau. ³⁴Teulu'r Elam arall, mil dau gant pum deg a phedwar; ³⁵teulu Harim, tri chant dau ddeg; ³⁶teulu Jericho, tri chant pedwar deg a phump; ³⁷teulu Lod a Hadid ac Ono, saith gant dau ddeg ac un; ³⁸teulu Senaa, tair mil naw cant tri deg.

39 Yr offeiriaid: teulu Jedeia, o linach Jesua, naw cant saith deg a thri; ⁴⁰teulu Immer, mil pum deg a dau; ⁴¹teulu Pasur, mil dau gant pedwar deg a saith; ⁴²teulu Harim, mil un deg a saith.

43 Y Lefiaid: teulu Jesua, hynny yw Cadmiel, o linach Hodefa, saith deg a phedwar.

44 Y cantorion: teulu Asaff, cant pedwar deg ac wyth.

45 Y porthorion: teuluoedd Salum, Ater, Talmon, Accub, Hatita a Sobai, cant tri deg ac wyth.

46 Gweision y deml: teuluoedd Siha, Hasuffa, Tabbaoth, ⁴⁷Ceros, Sia, Padon, ⁴⁸Lebana, Hagaba, Salmai, ⁴⁹Hanan, Gidel, Gahar, ⁵⁰Reaia, Resin, Necoda, ⁵¹Gassam, Ussa, Pasea, ⁵²Besai, Meunim, Neffisesim, ⁵³Bacbuc, Hacuffa, Harhur, ⁵⁴Baslith, Mehida, Harsa, ⁵⁵Barcos, Sisera, Tama, ⁵⁶Neseia a Hatiffa.

57 Disgynyddion gweision Solomon: teuluoedd Sotai, Soffereth, Perida, ⁵⁸Jala, Darcon, Gidel, ⁵⁹Seffateia, Hattil, Pochereth o Sebaim, ac Amon. ⁶⁰Cyfanswm gweision y deml a disgynyddion gweision Solomon oedd tri chant naw deg a dau.

61 Daeth y rhai canlynol i fyny o Telmela, Tel-harsa, Cerub, Adon ac Immer, ond ni fedrent brofi mai o Israel yr oedd eu llinach a'u tras: ⁶²teuluoedd Delaia, Tobeia a Necoda, chwe chant pedwar deg a dau. ⁶³Ac o blith yr offeiriaid: teuluoedd Hobaia, Cos a'r Barsilai a briododd un o ferched Barsilai o Gilead a chymryd ei enw. ⁶⁴Chwiliodd y rhain am gofnod o'u hachau, ond methu ei gael; felly cawsant eu hatal o'r offeiriadaeth, ⁶⁵a gwaharddodd y llywodraethwr iddynt fwyta'r pethau mwyaf cysegredig nes y ceid

ᵈᵈTebygol. Hebraeg, *a thra oeddent yn sefyll.*

offeiriad i ymgynghori â'r Wrim a'r Twmim.

66 Nifer y fintai gyfan oedd pedwar deg dwy o filoedd tri chant chwe deg, [67] heblaw eu gweision a'u morynion a oedd yn saith mil tri chant tri deg a saith. Yr oedd ganddynt hefyd ddau gant pedwar deg a phump o gantorion a chantoresau, [68] saith gant tri deg a chwech o geffylau, dau gant pedwar deg a phump o fulod[e], [69] pedwar cant tri deg a phump o gamelod, a chwe mil saith gant dau ddeg o asynnod.

70 Cyfrannodd rhai o'r pennau-teulu- oedd tuag at y gwaith. Rhoddodd y llywodraethwr i'r drysorfa fil o ddrac- monau aur, pum deg o gostrelau a phum cant tri deg o wisgoedd offeiriadol. [71] Rhoddodd rhai o'r pennau-teuluoedd i drysorfa'r gwaith ugain mil o ddracmonau aur a dwy fil dau gant o finâu o arian. [72] A'r hyn a roddodd y gweddill o'r bobl oedd ugain mil o ddracmonau aur, a dwy fil o finâu o arian, a chwe deg a saith o wisgoedd offeiriadol.

73 Cartrefodd yr offeiriaid a'r Lefiaid yn Jerwsalem; yr oedd y porthorion a'r cantorion a rhai o'r bobl a gweision y deml yn byw yn y cyffiniau, a'r Israeliaid eraill yn byw yn eu trefi eu hunain.[f]

Esra'n Darllen y Gyfraith i'r Bobl

8 Pan ddaeth y seithfed mis, a'r Israeliaid erbyn hyn yn eu trefi, ymgasglodd yr holl bobl fel un gŵr yn y sgwâr sydd o flaen Porth y Dŵr. Yna dywedasant wrth Esra yr ysgrifennydd am ddod â llyfr cyfraith Moses, sef yr un a orchmynnodd yr ARGLWYDD i Israel. [2] Ar y dydd cyntaf o'r seithfed mis daeth Esra yr offeiriad â'r gyfraith o flaen y gynulleidfa, yn wŷr a gwragedd, pawb a fedrai ddeall yr hyn a glywai. [3] Darllenodd rannau ohoni, o doriad gwawr hyd hanner dydd, yng ngŵydd y gwŷr a'r gwragedd oedd yn medru deall, gan wynebu'r sgwâr o flaen Porth y Dŵr; a gwrandawodd pawb yn astud ar lyfr y gyfraith. [4] Safodd Esra yr ysgrifennydd ar bulpud pren oedd wedi ei wneud i'r diben. Ar yr ochr dde iddo safodd Matitheia, Sema, Anaia, Ureia, Hilceia a Maaseia, ac ar y chwith Pedaia, Misael, Malcheia, Hasum, Has- badana, Sechareia a Mesulam. [5] Agorodd Esra y llyfr yng ngolwg yr holl bobl,

oherwydd yr oedd ef yn uwch na hwy, a phan agorodd y llyfr, safodd pawb ar eu traed. [6] Bendithiodd Esra yr ARGLWYDD, y Duw mawr, ac atebodd yr holl bobl, "Amen, Amen", gan godi eu dwylo ac ymgrymu ac addoli'r ARGLWYDD â'u hwynebau tua'r ddaear. [7] Yr oedd y Lef- iaid, Jesua, Bani, Serebeia, Jamin, Accub, Sabbethai, Hodeia, Maaseia, Celita, Asareia, Josabad, Hanan, Pelaia, yn egluro'r gyfraith i'r bobl, a hwythau'n aros yn eu lle. [8] Yr oeddent yn darllen yn eglur o lyfr cyfraith Dduw, ac yn esbonio'r ystyr fel bod pawb yn deall y darlleniad.

9 Yna dywedodd Nehemeia y llywod- raethwr ac Esra yr offeiriad a'r ysgrifen- nydd, a'r Lefiaid oedd yn hyfforddi'r bobl, wrth yr holl bobl, "Y mae heddiw yn ddydd sanctaidd i'r ARGLWYDD eich Duw; peidiwch â galaru nac wylo." Oherwydd yr oedd pawb yn wylo wrth wrando ar eiriau'r gyfraith. [10] Yna fe ddywedodd wrthynt, "Ewch, bwytewch ddanteithion ac yfwch win melys a rhan- nwch â'r sawl sydd heb ddim, oherwydd mae heddiw yn ddydd sanctaidd i'n Harglwydd; felly, peidiwch â galaru, oherwydd llawenhau yn yr ARGLWYDD yw eich nerth." [11] A thawelodd y Lefiaid yr holl bobl a dweud, "Byddwch ddistaw; peidiwch â galaru, oherwydd y mae heddiw yn ddydd sanctaidd." [12] Yna aeth pawb i ffwrdd i fwyta ac yfed ac i rannu ag eraill ac i orfoleddu, oherwydd yr oeddent wedi deall yr hyn a ddywedwyd wrthynt.

Gŵyl y Pebyll

13 Ar yr ail ddiwrnod daeth pennau- teuluoedd yr holl bobl, a'r offeiriaid a'r Lefiaid, at Esra yr ysgrifennydd er mwyn astudio geiriau'r gyfraith. [14] Yn y gyfraith a orchmynnodd yr ARGLWYDD trwy Moses, fe gawsant yn ysgrifenedig y dylai'r Israeliaid fyw mewn pebyll yn ystod yr ŵyl yn y seithfed mis, [15] a'u bod i anfon gair a chyhoeddi ym mhob un o'u dinasoedd yn ogystal ag yn Jerwsalem, "Ewch allan i'r mynydd, a dygwch gangau olewydd ac olewydd gwyllt a myrtwydd a phalmwydd a choed deiliog i wneud pebyll, fel yr ysgrifennwyd." [16] Aeth y bobl allan i'w cyrchu, a gwnaethant bebyll iddynt eu hunain, pob

[e] Felly Esra 2:66 a rhai llawysgrifau. TM heb *saith gant...o fulod.*
[f] Cymh. Esra 2:70. Hebraeg heb *yn Jerwsalem* ac *yn y cyffiniau.*

un ar do ei dŷ ac yn eu cynteddoedd ac yng nghynteddoedd tŷ Dduw ac yn y sgwâr o flaen Porth y Dŵr ac yn y sgwâr o flaen Porth Effraim. [17]Gwnaeth yr holl gynulleidfa a ddychwelodd o'r gaethglud bebyll, a byw ynddynt. Nid oedd yr Israeliaid wedi gwneud hyn o amser Josua fab Nun hyd y dydd hwnnw; a bu gorfoledd mawr iawn. [18]Darllenwyd o lyfr cyfraith Dduw yn feunyddiol o'r dydd cyntaf hyd yr olaf. Cadwasant yr ŵyl am saith diwrnod, ac ar yr wythfed dydd bu cymanfa yn ôl y ddefod.

Y Bobl yn Cyffesu eu Pechodau

9 Ar y pedwerydd ar hugain o'r mis hwn ymgasglodd yr Israeliaid i ymprydio, gan wisgo sachliain a rhoi pridd ar eu pennau. [2]Ymneilltuodd y rhai oedd o linach Israel oddi wrth bob dieithryn, a sefyll a chyffesu eu pechodau ac anwireddau eu tadau. [3]Buont yn sefyll yn eu lle am deirawr yn darllen o lyfr cyfraith yr ARGLWYDD eu Duw, ac am deirawr arall yn cyffesu ac yn ymgrymu i'r ARGLWYDD eu Duw. [4]Safodd Jesua, Bani, Cadmiel, Sebaneia, Bunni, Serebeia, Bani a Chenani ar lwyfan y Lefiaid, a galw'n uchel ar yr ARGLWYDD eu Duw. [5]A dywedodd y Lefiaid, hynny yw Jesua, Cadmiel, Bani, Hasabneia, Serebeia, Hodeia, Sebaneia a Pethaheia, "Codwch, bendithiwch yr ARGLWYDD eich Duw o ddragwyddoldeb i dragwyddoldeb:
Bendithier dy enw gogoneddus
  sy'n ddyrchafedig goruwch pob
  bendith a moliant.
[6]Ti yn unig wyt ARGLWYDD.
Ti a wnaeth y nefoedd,
nef y nefoedd a'i holl luoedd,
y ddaear a'r cwbl sydd arni,
y moroedd a'r hyn oll sydd ynddynt;
ti sy'n eu cynnal i gyd,
ac i ti yr ymgryma llu'r nefoedd.
[7]Ti yw yr ARGLWYDD Dduw,
ti a ddewisodd Abram
a'i dywys o Ur y Caldeaid,
a rhoi iddo'r enw Abraham;
[8]fe'i cefaist yn ffyddlon i ti,
a gwnaethost gyfamod ag ef,
i roi i'w ddisgynyddion wlad y
  Canaaneaid,
yr Hethiaid, yr Amoriaid,
y Peresiaid, y Jebusiaid a'r Girgasiaid.
Ac fe gedwaist dy air,
oherwydd cyfiawn wyt ti.

[9]"Fe welaist gystudd ein tadau yn yr
  Aifft,
a gwrandewaist ar eu cri wrth y Môr
  Coch.
[10]Gwnaethost arwyddion a rhyfeddodau
  yn erbyn Pharo
a'i holl weision a holl drigolion ei
  wlad,
am dy fod yn gwybod iddynt ymfalchïo
  yn eu herbyn;
a gwnaethost enw i ti dy hun sy'n
  parhau hyd heddiw.
[11]Holltaist y môr o'u blaen,
ac aethant drwyddo ar dir sych.
Teflaist eu herlidwyr i'r dyfnder,
fel carreg i ddyfroedd geirwon.
[12]Arweiniaist hwy â cholofn gwmwl liw
  dydd,
a liw nos â cholofn dân,
er mwyn goleuo'r ffordd a dramwyent.
[13]Daethost i lawr ar Fynydd Sinai,
siaredaist â hwy o'r nefoedd.
Rhoddaist iddynt farnau cyfiawn
a chyfreithiau gwir
a deddfau a gorchmynion da.
[14]Dywedaist wrthynt am dy Saboth
  sanctaidd,
a thrwy Moses dy was
rhoddaist iddynt orchmynion a
  deddfau a chyfraith.
[15]Yn eu newyn rhoddaist iddynt fara o'r
  nefoedd,
a thynnu dŵr o'r graig iddynt yn eu
  syched.
Dywedaist wrthynt am fynd i
  feddiannu'r wlad
y tyngaist ti i'w rhoi iddynt.

[16]"Ond aethant hwy, ein tadau, yn falch
  ac yn ystyfnig,
a gwrthod gwrando ar dy orchmynion.
[17]Gwrthodasant wrando,
ac nid oeddent yn cofio dy ryfeddodau
a wnaethost iddynt.
Aethant yn ystyfnig a dewis arweinydd
er mwyn dychwelyd i'w caethiwed yn
  yr Aifft [ff].
Ond yr wyt ti'n Dduw sy'n maddau,
yn raslon a thrugarog,
araf i ddigio a llawn ffyddlondeb,
ac ni wrthodaist hwy.
[18]Hefyd, pan wnaethant lo tawdd a
  dweud,
'Dyma dy Dduw a'th ddygodd i fyny
  o'r Aifft',
a chablu'n ddirfawr,

[ff]Felly llawysgrifau. TM, *yn eu gwrthryfel.*

[19] yn dy drugaredd fawr ni chefnaist
arnynt yn yr anialwch.
Ni chiliodd oddi wrthynt y golofn
gwmwl
a'u tywysai ar hyd y ffordd liw dydd,
na'r golofn dân liw nos,
a oleuai'r ffordd a dramwyent.
[20] Rhoddaist dy ysbryd daionus i'w
cyfarwyddo;
nid ateliaist dy fanna rhagddynt;
rhoddaist iddynt ddŵr i dorri eu
syched.
[21] Am ddeugain mlynedd buost yn eu
cynnal yn yr anialwch
heb fod arnynt eisiau dim;
nid oedd eu dillad yn treulio
na'u traed yn chwyddo.

[22] "Rhoddaist iddynt deyrnasoedd a
chenhedloedd,
a rhoi cyfran iddynt ymhob congl.
Cawsant feddiant o wlad Sihon[g]
brenin Hesbon
a gwlad Og brenin Basan.
[23] Gwnaethost eu plant mor niferus â sêr
y nefoedd,
a'u harwain i'r wlad y dywedaist wrth
eu tadau
am fynd iddi i'w meddiannu.
[24] Felly fe aeth eu meibion a
meddiannu'r wlad;
darostyngaist tithau drigolion y wlad,
y Canaaneaid, o'u blaen,
a rhoi yn eu llaw eu brenhinoedd a
phobl y wlad,
iddynt wneud fel y mynnent â hwy.
[25] Enillasant ddinasoedd cedyrn a thir
ffrwythlon,
a meddiannu tai yn llawn o bethau
daionus,
pydewau wedi eu cloddio,
gwinllannoedd ac olewyddlannoedd a
llawer o goed ffrwythau;
bwytasant a chael eu digoni a mynd yn
raenus,
a mwynhau dy ddaioni mawr.
[26] Ond fe aethant yn anufudd
a gwrthryfela yn dy erbyn.
Troesant eu cefnau ar dy gyfraith,
a lladd dy broffwydi
oedd wedi eu rhybuddio i ddychwelyd
atat,
a chablu'n ddirfawr.
[27] Felly rhoddaist hwy yn llaw eu
gorthrymwyr,
a chawsant eu gorthrymu.

[g] Felly llawysgrif. TM, *Sihon a gwlad.*

Yn eu cyfyngder gwaeddasant arnat,
ac fe wrandewaist tithau o'r nefoedd;
yn dy drugaredd fawr rhoddaist
achubwyr iddynt
i'w gwaredu o law eu gorthrymwyr.
[28] Ond pan gawsant lonydd,
dechreusant eto wneud drwg yn dy
olwg.
Gadewaist hwy i'w gelynion,
a chawsant eu mathru.
Unwaith eto galwasant arnat,
a gwrandewaist tithau o'r nefoedd,
a'u hachub lawer gwaith yn dy
drugaredd.
[29] Fe'u rhybuddiaist i ddychwelyd at dy
gyfraith,
ond aethant yn falch
a gwrthod ufuddhau i'th orchmynion;
pechasant yn erbyn dy farnau
sydd yn rhoi bywyd i'r un sy'n eu
cadw.
Troesant eu cefnau'n ystyfnig,
a mynd yn wargaled a gwrthod
ufuddhau.
[30] Buost yn amyneddgar â hwy
am flynyddoedd lawer,
a'u rhybuddio â'th ysbryd
trwy dy broffwydi,
ond ni wrandawsant;
am hynny rhoddaist hwy yn nwylo
pobloedd estron.
[31] Ond yn dy drugaredd fawr
ni ddifethaist hwy yn llwyr na'u
gadael,
oherwydd Duw graslon a thrugarog
wyt ti.

[32] "Yn awr, O ein Duw,
y Duw mawr, cryf ac ofnadwy,
sy'n cadw cyfamod a thrugaredd,
paid â diystyru'r holl drybini a ddaeth
arnom—
ar ein brenhinoedd a'n tywysogion,
ein hoffeiriaid a'n proffwydi a'n tadau,
ac ar dy holl bobl—
o gyfnod brenhinoedd Asyria hyd y
dydd hwn.
[33] Buost ti yn gyfiawn
yn yr hyn oll a ddigwyddodd i ni;
buost ti yn ffyddlon,
ond buom ni yn ddrwg.
[34] Ni chadwodd ein brenhinoedd na'n
tywysogion,
ein hoffeiriaid na'n tadau, dy gyfraith;
ni wrandawsant ar dy orchmynion,
nac ar y rhybuddion a roddaist iddynt.

³⁵Tra oeddent yn llywodraethu ynghanol y daioni mawr a ddangosaist tuag atynt, yn y wlad eang a thoreithiog a roddaist iddynt, gwrthodasant dy wasanaethu a throi oddi wrth eu drwgweithredoedd. ³⁶Dyma ni heddiw yn gaethweision, caethweision yn y wlad a roddaist i'n tadau i fwyta'i ffrwyth a'i braster. ³⁷Y mae ei holl gynnyrch yn mynd i'r brenhinoedd a osodaist arnom am ein pechodau. Y maent yn rheoli ein cyrff, ac yn gwneud fel y mynnant â'n hanifeiliaid; yr ydym ni mewn helbul mawr."

Selio Datganiad Ysgrifenedig

38 Oherwydd hyn oll yr ydym yn gwneud datganiad ysgrifenedig, ac y mae ein tywysogion, ein Lefiaid a'n hoffeiriaid, yn ei selio.

10 Dyma enwau'r rhai sy'n rhoi eu sêl: Nehemeia y llywodraethwr, mab Hachaleia, a Sidcia, ²Seraia, Asareia, Jeremeia, ³Pasur, Amareia, Malcheia, ⁴Hattus, Sebaneia, Maluch, ⁵Harim, Meremoth, Obadeia, ⁶Daniel, Ginnethon, Baruch, ⁷Mesulam, Abeia, Miamin, ⁸Maaseia, Bilgai, Semaia; y rhain yw'r offeiriaid. ⁹Y Lefiaid: Jesua fab Asaneia, Binnui o feibion Henadad, Cadmiel. ¹⁰Eu brodyr: Sebaneia, Hodeia, Celita, Pelaia, Hanan, ¹¹Meica, Rehob, Hasabeia, ¹²Saccur, Serebeia, Sebaneia, ¹³Hodeia, Bani, Beninu. ¹⁴Penaethiaid y bobl: Paros, Pahath-Moab, Elam, Sattu, Bani, ¹⁵Bunni, Asgad, Bebai, ¹⁶Adoneia, Bigfai, Adin, ¹⁷Ater, Hisceia, Assur, ¹⁸Hodeia, Hasum, Besai, ¹⁹Hariff, Anathoth, Nebai, ²⁰Magpias, Mesulam, Hesir, ²¹Mesesabeel, Sadoc, Jadua, ²²Pelatia, Hanan, Anaia, ²³Hosea, Hananeia, Hasub, ²⁴Halohes, Pileha, Sobec, ²⁵Rehum, Hasabna, Maaseia, ²⁶Aheia, Hanan, Anan, ²⁷Maluch, Harim a Baana.

Y Datganiad

28 Ac am weddill y bobl, yr offeiriaid, y Lefiaid, y porthorion, y cantorion, gweision y deml, a phawb sydd wedi ymneilltuo oddi wrth bobloedd estron

er mwyn cadw cyfraith Dduw, gyda'u gwragedd a'u meibion a'u merched, pob un sy'n medru deall, ²⁹y maent yn ymuno â'u brodyr, eu harweinwyr, i gymryd llw a gwneud adduned i fyw yn ôl cyfraith Dduw, a roddwyd trwy Moses gwas Duw, a chadw ac ufuddhau i holl orchmynion, barnau a deddfau yr ARGLWYDD ein Iôr. ³⁰"Ni roddwn ein merched yn wragedd i bobl y wlad na chymryd eu merched hwy yn wragedd i'n meibion. ³¹Ac os daw pobl y wlad â nwyddau neu rawn o unrhyw fath i'w gwerthu ar y dydd Saboth, ni dderbyniwn ddim ganddynt ar y Saboth nac ar ddydd gŵyl. Yn y seithfed flwyddyn fe rown orffwys i'r tir, a dileu pob dyled. ³²Ac yr ydym yn ymrwymo i roi traean o sicl bob blwyddyn at waith tŷ ein Duw, ³³ar gyfer y bara gosod, yr offrwm a'r aberth beunyddiol, y Sabothau, y newydd-loerau, y gwyliau arbennig, y pethau cysegredig a'r pechaberthau i wneud iawn dros Israel, ac at holl waith tŷ ein Duw. ³⁴Ac yr ydym ni, yr offeiriaid, y Lefiaid a'r bobl, wedi bwrw coelbrennau ynglŷn â chario coed yr offrwm i dŷ ein Duw gan bob teulu yn ei dro, ar amseroedd penodol bob blwyddyn, i'w llosgi ar allor yr ARGLWYDD ein Duw, fel y mae'n ysgrifenedig yn y gyfraith. ³⁵Ac yr ydym wedi trefnu i ddod â blaenffrwyth ein tir, a blaenffrwyth pob pren ffrwythau, bob blwyddyn i dŷ'r ARGLWYDD; ³⁶a hefyd i roi'r cyntafanedig o'n meibion a'n hanifeiliaid a'n gwartheg a'n defaid i'r offeiriaid sy'n gwasanaethu yn nhŷ ein Duw, fel y mae'n ysgrifenedig yn y gyfraith. ³⁷Hefyd i roi i'r offeiriaid y cyntaf o'n toes ᵑᵍ, o ffrwyth pob coeden, ac o'r gwin a'r olew newydd, ar gyfer ystordai tŷ ein Duw; ac i roi i'r Lefiaid ddegwm o'n tir am mai hwy sy'n casglu'r degwm yn yr holl bentrefi lle'r ydym yn gweithio. ³⁸Bydd yr offeiriad, mab Aaron, gyda'r Lefiaid pan fyddant yn casglu'r degwm, ac fe ddaw'r Lefiaid â degfed ran y degwm i'r ystordai yn nhrysorfa tŷ ein Duw. ³⁹Oherwydd fe ddaw'r Israeliaid a'r Lefiaid â'r offrwm o ŷd a gwin ac olew newydd i'r ystordai, lle mae llestri'r cysegr ac offer yr offeiriaid sy'n gweini, a'r porthorion a'r cantorion. Ni fyddwn mwyach yn esgeuluso tŷ ein Duw."

ᵑᵍFelly Groeg. Hebraeg yn ychwanegu *a'n hoffrymau.*

Y Rhai Oedd yn Byw yn Jerwsalem

11 Daeth arweinwyr y bobl i fyw yn Jerwsalem, ond bwriodd y gweddill o'r bobl goelbren i ddod ag un o bob deg i fyw yn Jerwsalem y ddinas sanctaidd, a'r naw arall yn y trefi. [2] Diolchodd y bobl i'r rhai a aeth o'u gwirfodd i fyw yn Jerwsalem.

3 Dyma benaethiaid y dalaith, oedd yn byw yn Jerwsalem. Yn nhrefi Jwda yr oedd yr Israeliaid, yr offeiriaid, y Lefiaid, gweision y deml a disgynyddion gweision Solomon yn byw, pob un yn ei diriogaeth ei hun. [4] Dyma'r rhai o lwyth Jwda a'r rhai o lwyth Benjamin oedd yn byw yn Jerwsalem: o lwyth Jwda, Athaia fab Usseia, fab Sechareia, fab Amareia, fab Seffatia, fab Mahalaleel o deulu Peres; [5] a Maaseia fab Baruch, fab Colhose, fab Hasaia, fab Adaia, fab Joiarib, fab Sechareia, fab Siloni. [6] Yr oedd teulu cyfan Peres, oedd yn byw yn Jerwsalem, yn bedwar cant chwe deg ac wyth o ddynion cyfrifol.

7 Y rhain oedd o lwyth Benjamin: Salu fab Mesulam, fab Joed, fab Pedaia, fab Colaia, fab Maaseia, fab Ithiel, fab Eseia, [8] a'i frodyr, gwŷr cyfrifol[h], naw cant dau ddeg ac wyth. [9] Joel fab Sichri oedd yn oruchwyliwr arnynt, a Jwda fab Senua oedd dirprwy arolygwr y ddinas.

10 O'r offeiriaid: Jedaia fab Joiarib (hynny yw, Jachin), [11] Seraia fab Hilceia, fab Mesulam, fab Sadoc, fab Meraioth, fab Ahitub, arolygwr tŷ Dduw, [12] a nifer eu brodyr oedd yn gyfrifol am waith y deml oedd wyth gant dau ddeg a dau; ac Adaia fab Jeroham, fab Pelalia, fab Amsi, fab Sechareia, fab Pasur, fab Malcheia, [13] a'i frodyr, pennau-teuluoedd, dau gant pedwar deg a dau; ac Amasai, fab Asareel, fab Ahasai, fab Mesilemoth, fab Immer, [14] a'i frodyr, dynion cyfrifol, cant dau ddeg ac wyth, a Sabdiel fab Haggedolim oedd yn oruchwyliwr arnynt.

15 Ac o'r Lefiaid: Semaia fab Hasub, fab Asricam, fab Hasabeia, fab Bunni; [16] a Sabbethai a Josabad o benaethiaid y Lefiaid oedd yn arolygu'r gwaith o'r tu allan i dŷ Dduw; [17] a Mataneia fab Meica, fab Sabdi, fab Asaff oedd yn arwain y moliant[i] ac yn talu diolch yn ystod y gweddïau, a Bacbuceia, yr ail ymysg ei frodyr, ac Abda fab Sammua, fab Galal,

fab Jeduthun. [18] Cyfanswm y Lefiaid yn y ddinas sanctaidd oedd dau gant wyth deg a phedwar.

19 Yr oedd y porthorion, sef Accub, Talmon a'u brodyr, oedd yn gwylio'r pyrth yn gant saith deg a dau. [20] Ac yr oedd y gweddill o'r Israeliaid ac o'r offeiriaid a'r Lefiaid yn holl ddinasoedd Jwda, pob un yn ei etifeddiaeth ei hun. [21] Ond yr oedd gweision y deml yn byw ar Offel yng ngofal Siha a Gispa.

22 Goruchwyliwr y Lefiaid yn Jerwsalem, i arolygu gwaith tŷ Dduw, oedd Ussi fab Bani, fab Hasabeia, fab Mataneia, fab Meica, o deulu Asaff y cantorion. [23] Oherwydd yr oedd gorchymyn brenhinol ynglŷn â hwy, fod gan y cantorion ddyletswyddau penodol bob dydd. [24] Ac yr oedd Pethaheia fab Mesesabeel o deulu Sera fab Jwda yn cynghori'r brenin ar unrhyw fater yn ymwneud â'r bobl.

Y Rhai Oedd yn Byw yn y Wlad

25 Ynglŷn â'r pentrefi yn y wlad: aeth rhai o lwyth Jwda i fyw yng Nghaer-Arba a'i phentrefi, yn Dibon a'i phentrefi, yn Jecabseel a'i phentrefi; [26] yn Jesua, yn Molada, yn Beth-pelet, [27] yn Hasar-sual, yn Beerseba a'i phentrefi; [28] yn Siclag, yn Nechona a'i phentrefi, [29] yn En-rimmon, yn Sarea, yn Jarmuth, [30] Sanoa, Adulam a'u pentrefi; yn Lachis a'i meysydd, yn Aseca a'i phentrefi. Yr oeddent yn gwladychu o Beerseba i ddyffryn Hinnom.

31 Rhai o lwyth Benjamin oedd yn byw o Geba ymlaen, yn Michmas, Aia, Bethel a'i phentrefi, [32] Anathoth, Nob, Ananeia, [33] Hasor, Rama, Gittaim, [34] Hadid, Seboim, Nebalat, [35] Lod, ac Ono, dyffryn y crefftwyr. [36] Ac yr oedd rhai o'r Lefiaid yn perthyn i Jwda a rhai i Benjamin.

Offeiriaid a Lefiaid

12 Dyma'r offeiriaid a'r Lefiaid a ddaeth i fyny gyda Sorobabel fab Salathiel, a Jesua: Seraia, Jeremeia, Esra, [2] Amareia, Maluch, Hattus, [3] Sechaneia, Rehum, Meremoth, [4] Ido, Ginnetho, Abeia, [5] Miamin, Maadia, Bilga, [6] Semaia, Joiarib, Jedaia, Salu, Amoc, Hilceia, Jedaia; [7] y rhain oedd penaethiaid yr offeiriaid a'u brodyr yn nyddiau Jesua.

8 A'r Lefiaid: Jesua, Binnui, Cadmiel, Serebeia, Jwda; a Mataneia a'i frodyr,

[h] Tebygol. Cymh. Groeg. Hebraeg, *Eseia, ac ar ei ôl ef Gabai Salai.*
[i] Felly Groeg. Hebraeg, *dechrau.*

oedd yn gyfrifol am y moliant, ⁹a Bac-
buceia ac Unni, eu brodyr, oedd yn
cymryd eu tro gyda hwy yn y gwasan-
aethau.

10 Jesua oedd tad Joiacim, ac yr oedd
Joiacim yn dad i Eliasib, ac Eliasib yn dad
i Joiada, ¹¹a Joiada yn dad i Jonathan, a
Jonathan yn dad i Jadua. ¹²Ac yn nyddiau
Joiacim, dyma'r offeiriaid oedd yn
bennau-teuluoedd: o Seraia, Meraia; o
Jeremeia, Hananei; ¹³o Esra, Mesulam; o
Amareia, Jehohanan; ¹⁴o Melichu,
Jonathan; o Sebaneia, Joseff; ¹⁵o Harim,
Adna; o Meraioth, Helcai; ¹⁶o Ido,
Sechareia; o Ginnethon, Mesulam; ¹⁷o
Abeia, Sichri; o Miniamin, o Moadeia,
Piltai; ¹⁸o Bilga, Sammua; o Semaia,
Jehonathan; ¹⁹o Joiarib, Matenai; o
Jedaia, Ussi; ²⁰o Salai, Calai; o Amoc,
Eber; ²¹o Hilceia, Hasabeia; o Jedaia,
Nethaneel.

22 Yn nyddiau Eliasib yr oedd y Lef-
iaid, sef Joiada, Johanan a Jadua, a'r
offeiriaid wedi eu cofrestru fel pennau
teuluoedd hyd at deyrnasiad Dareius y
Persiad. ²³Yr oedd pennau-teuluoedd y
Lefiaid wedi eu cofrestru yn llyfr y
Cronicl hyd at amser Johanan fab Eliasib.
²⁴Arweinwyr y Lefiaid oedd, Hasabeia,
Serebeia, Jesua fab Cadmiel a'u brodyr,
oedd yn cymryd eu tro i foliannu a thalu
diolch yn ôl gorchymyn Dafydd gŵr
Duw, ac i gadw cylch y gwasanacthau.
²⁵Mataneia, Bacbuceia, Obadeia,
Mesulam, Talmon, ac Accub oedd y
porthorion i wylio'r ystordai wrth y
pyrth. ²⁶Yr oedd y rhain yn nyddiau
Joiacim fab Jesua, fab Josadac, ac yn
nyddiau Nehemeia y llywodraethwr ac
Esra yr offeiriad a'r ysgrifennydd.

Cysegru Mur Jerwsalem

27 Pan ddaeth yr amser i gysegru mur
Jerwsalem aethant i chwilio am y Lefiaid
ymhle bynnag yr oeddent yn byw, a dod â
hwy i Jerwsalem i ddathlu'r cysegru â
llawenydd, mewn diolchgarwch a chân,
gyda symbalau, nablau, a thelynau.
²⁸Ymgasglodd y cantorion o'r ardaloedd
o amgylch Jerwsalem ac o bentrefi'r
Netoffathiaid, ²⁹a hefyd o Beth-gilgal a
rhanbarthau Geba ac Asmafeth; oher-
wydd yr oedd y cantorion wedi codi
pentrefi iddynt eu hunain o amgylch
Jerwsalem. ³⁰Yna purodd yr offeiriaid a'r
Lefiaid eu hunain, y bobl, y pyrth a'r

mur. ³¹A gwneuthum i arweinwyr Jwda
esgyn i ben y mur, a threfnais i ddau gôr
mawr orymdeithio. Aeth un i'r dde ar hyd
y mur at Borth y Dom, ³²ac ar ei ôl aeth
Hosaia a hanner arweinwyr Jwda, ³³ac
Asareia, Esra, Mesulam, ³⁴Jwda, Ben-
jamin, Semaia, a Jeremeia; ³⁵a rhai o'r
offeiriad ag utgyrn, Sechareia fab
Jonathan, fab Semaia, fab Mataneia, fab
Michaia, fab Saccur, fab Asaff, ³⁶a'i
frodyr Semaia, Asarael, Milalai, Gilalai,
Maai, Nethaneel, Jwda, a Hanani, ag
offer cerdd Dafydd gŵr Duw, ac Esra'r
ysgrifennydd o'u blaen. ³⁷Aethant heibio
i Borth y Ffynnon ac i fyny grisiau Dinas
Dafydd, wrth yr esgyniad i'r mur uwch-
ben tŷ Dafydd, ac at Borth y Dŵr sydd yn
y dwyrain.

38 Aeth y côr arall i'r chwith¹ ac
euthum innau gyda hanner y bobl ar ci ôl,
ar hyd y mur o Dŵr y Ffynnon at y Mur
Llydan, ³⁹dros Borth Effraim a'r Hen
Borth a Phorth y Pysgod, a heibio i Dŵr
Hananeel a Thŵr y Cant at Borth y
Defaid, a sefyll ym Mhorth y Wyliad-
wriaeth. ⁴⁰Aeth y ddau gôr i mewn i dŷ
Dduw, ac yna euthum innau, a hanner yr
arweinwyr gyda mi, ⁴¹a'r offeiriaid,
Eliacim, Maascia, Miniamin, Michaia,
Elioenai, Sechareia, Hananeia, gyda'r
utgyrn; ⁴²a Maaseia, Semaia, Eleasar,
Ussi, Jehohanan, Malcheia, Elam ac
Esra. Ac fe ganodd y cantorion o dan
arweiniad Jasraheia. ⁴³A'r diwrnod
hwnnw gwnaethant aberthau mawr a
llawenychu, oherwydd yr oedd Duw wedi
eu llenwi â gorfoledd; ac yr oedd y
merched a'r plant hefyd yn gorfoleddu.
Ac yr oedd llawenydd Jerwsalem i'w
glywed o bell.

Darparu ar gyfer Addoli yn y Deml

44 Y diwrnod hwnnw fe benodwyd
dynion dros yr ystordai lle'r oedd y
trysorau, y cyfraniadau, y blaenffrwyth
a'r degymau, er mwyn casglu'r cyfrannau
oedd yn ddyledus i'r offeiriaid a'r Lefiaid
o'r meysydd o gwmpas y trefi; oherwydd
yr oedd Jwda yn falch o wasanaeth yr
offeiriaid a'r Lefiaid. ⁴⁵Yr oeddent yn
gofalu am wasanaeth eu Duw ac yn cadw
defodau puredigaeth, fel yr oedd y
cantorion a'r porthorion yn ei wneud, yn
ôl gorchymyn Dafydd a Solomon ei fab.
⁴⁶Oherwydd yn yr amser gynt, yn nydd-
iau Dafydd ac Asaff, yr oedd pen-

¹Tebygol. Hebraeg, *ymlaen.*

cantorion a chanu mawl a diolch i Dduw.
⁴⁷Felly yn nyddiau Sorobabel ac yn
nyddiau Nehemeia yr oedd holl Israel yn
rhoi cyfran ddyddiol i'r cantorion a'r
porthorion. Yr oeddent yn neilltuo cyfran
i'r Lefiaid, a'r Lefiaid yn neilltuo cyfran i
feibion Aaron.

Neilltuo Pawb o Waed Cymysg

13 Y diwrnod hwnnw, yn ystod y
darlleniad o lyfr Moses i'r bobl,
cafwyd ei bod yn ysgrifenedig nad oedd
Ammoniaid na Moabiaid byth i ddod i
mewn i gynulleidfa Duw, ²am na ddaeth-
ant i gyfarfod â'r Israeliaid â bwyd a
diod, eithr yn hytrach gyflogi Balaam yn
eu herbyn, i'w melltithio; ond fe drodd
ein Duw y felltith yn fendith. ³A phan
glywsant y gyfraith neilltuasant oddi wrth
Israel bawb o waed cymysg.

Diwygiadau Nehemeia

4 Ond cyn hyn yr oedd Eliasib yr
offeiriad wedi ei wneud yn gyfrifol am
ystafelloedd tŷ ein Duw. ⁵Yr oedd ef yn
perthyn i Tobeia, ac wedi rhoi iddo
ystafell fawr lle gynt y cedwid yr offrwm
a'r thus, y llestri a degwm yr ŷd, y gwin
a'r olew oedd yn ddyledus i'r Lefiaid ac
i'r cantorion a'r porthorion, ac offrwm yr
offeiriaid. ⁶Yr adeg honno nid oeddwn i
yn Jerwsalem, oherwydd yn y ddeuddeg-
fed flwyddyn ar hugain i Artaxerxes
brenin Babilon yr oeddwn wedi mynd at y
brenin. Ychydig yn ddiweddarach gofyn-
nais ei ganiatâd i ddychwelyd. ⁷Pan
gyrhaeddais Jerwsalem gwelais y camwri
a wnaeth Eliasib ynglŷn â Tobeia trwy roi
ystafell iddo yng nghynteddoedd tŷ
Dduw. ⁸Cythruddodd hyn fi'n ddirfawr, a
theflais ddodrefn Tobeia i gyd allan o'r
ystafell; ⁹a gorchmynnais iddynt buro'r
ystafelloedd, a rhoddais lestri tŷ Dduw
a'r offrwm a'r thus yn ôl yno.
10 Darganfûm hefyd nad oedd y Lef-
iaid wedi derbyn eu cyfrannau, a'u bod
hwy a'r cantorion oedd yn gyfrifol am y
gwasanaethau wedi mynd i ffwrdd i'w
ffermydd. ¹¹Yna ceryddais y swyddogion
a dweud, "Pam y cafodd tŷ Dduw ei
esgeuluso?" Ac fe'u cesglais at ei
gilydd, a'u gosod yn ôl wrth eu gwaith.
¹²Yna daeth holl Jwda â degwm yr ŷd a'r
gwin a'r olew i'r trysordai. ¹³Ac etholais
yn drysoryddion Selemeia yr offeiriad,
Sadoc yr ysgrifennydd, a Pedaia y Lefiad,
a Hanan fab Saccur, fab Metaneia i'w

cynorthwyo, oherwydd fe'u cyfrifid yn
rhai dibynadwy, a'u dyletswydd hwy
oedd rhannu i'w brodyr. ¹⁴Cofia fi, fy
Nuw, am hyn, a phaid â dileu'r daioni a
wneuthum i dŷ fy Nuw a'i wasanaethau.
15 Yn y dyddiau hynny gwelais ddyn-
ion yn Jwda yn sathru gwinwryf ar y
Saboth, ac yn pentyrru grawn, ac yn
llwytho asynnod â gwin, grawnwin,
ffigys, a phob math o feichiau, a'u cario i
Jerwsalem ar y dydd Saboth. Rhybudd-
iais hwy am werthu bwyd ar y dydd hwn.
¹⁶Daeth y Tyriaid oedd yn byw yn y
ddinas â physgod a phob math o farsiand-
ïaeth i'w gwerthu ar y Saboth i bobl
Jwda yn Jerwsalem. ¹⁷Felly ceryddais
bendefigion Jwda a dweud wrthynt,
"Beth yw'r drwg hwn yr ydych yn ei
wneud, yn halogi'r dydd Saboth? ¹⁸Onid
dyma a wnaeth eich tadau fel y daeth ein
Duw â'r holl ddrwg hwn arnom ni ac ar y
ddinas hon? Yr ydych yn dod â mwy eto
o lid ar Israel trwy halogi'r Saboth."
19 Yna, cyn dechrau'r Saboth, fel yr
oedd yn nosi dros byrth Jerwsalem,
gorchmynnais gau'r drysau, ac nad oedd
neb i'w hagor cyn diwedd y Saboth. Fe
gosodais rai o'm llanciau wrth y pyrth fel
na châi dim eu gario i mewn ar y dydd
Saboth. ²⁰Unwaith neu ddwy gwer-
syllodd y masnachwyr a gwerthwyr pob
math o nwyddau y tu allan i Jerwsalem,
²¹ond rhybuddiais hwy a dweud, "Pam yr
ydych yn gwersyllu yn ymyl y mur? Os
gwenwch hyn eto fe'ch cosbaf chwi." Ar
y dydd hwnnw ymlaen ni ddaethant ar y
Saboth. ²²A gorchmynnais i'r Lefiaid eu
puro eu hunain a dod i wylio'r pyrth, er
mwyn cadw'r dydd Saboth yn sanctaidd.
Am hyn hefyd cofia fi, fy Nuw, ac arbed fi
yn dy drugaredd fawr.
23 Yn y dyddiau hynny hefyd gwelais
fod rhai Iddewon wedi priodi merched o
Asdod, Ammon a Moab. ²⁴Yr oedd
hanner eu plant yn siarad iaith Asdod,
heb fedru siarad iaith yr Iddewon, a'r
lleill yn siarad tafodiaith gymysg. ²⁵Cer-
yddais hwy a'u melltithio, a tharo rhai
ohonynt a thynnu eu gwallt; gwneuthum
iddynt gymryd llw yn enw Duw i beidio â
rhoi eu merched i feibion yr estron, na
chymryd eu merched hwy i'w meibion
nac iddynt eu hunain. ²⁶"Onid o achos
merched fel hyn," meddwn, "y pechodd
Solomon brenin Israel? Ni fu brenin
tebyg iddo ymysg yr holl genhedloedd, yn
ffefryn gan ei Dduw, ac wedi ei wneud

ganddo yn frenin ar Israel gyfan; eto fe wnaeth merched estron iddo yntau bechu. ²⁷A ddylem ni felly wrando arnoch chwi i wneud y drwg mawr hwn, a throseddu yn erbyn ein Duw trwy briodi merched estron?"

28 Yr oedd un o feibion Joiada, mab Eliasib yr archoffeiriad, yn fab-yng-nghyfraith i Sanbalat yr Horoniad; am hynny gyrrais ef o'm gŵydd. ²⁹Cofia hwy,

O fy Nuw, am iddynt halogi'r offeiriad-aeth a chyfamod yr offeiriaid a'r Lefiaid.

30 Yna glanheais hwy oddi wrth bopeth estron, a threfnais ddyletswyddau i'r offeiriaid a'r Lefiaid, pob un yn ei swydd. ³¹Gwneuthum ddarpariaeth hefyd ar gyfer coed yr offrwm ar wyliau penod-edig, ac ar gyfer y blaenffrwyth. Cofia fi, fy Nuw, er daioni.

LLYFR

ESTHER

Diswyddo'r Frenhines Fasti

1 Digwyddodd y pethau a ganlyn yn amser Ahasferus, yr Ahasferus oedd yn teyrnasu ar gant dau ddeg a saith o daleithiau, o India i Ethiopia. ²Yn ystod y cyfnod hwnnw, yn nhrydedd flwyddyn ei deyrnasiad, ac yntau'n teyrnasu ar ei orsedd yn Susan y brifddinas, ³gwnaeth y Brenin Ahasferus wledd i'w holl dywys-ogion a'i weinidogion. Daeth byddin y Persiaid a'r Mediaid, y penaethiaid a thywysogion y taleithiau o'i flaen, ⁴a threuliodd yntau amser maith, sef cant wyth deg o ddyddiau, yn dangos iddynt gyfoeth ei deyrnas odidog ac ysblander gogoneddus ei fawredd. ⁵Pan ddaeth yr amser hwn i ben, gwnaeth y brenin wledd a barodd am saith diwrnod yn y cwrt yng ngardd ei dŷ i bawb, o'r lleiaf hyd y mwyaf, oedd yn byw yn Susan y brif-ddinas. ⁶Yr oedd yno lenni gwyn a glas wedi eu rhwymo â llinynnau o sidan a phorffor wrth gadwynau arian ar golofnau marmor. Yr oedd yno welyau o aur ac arian ar lawr o risial, marmor, alabaster a charreg las. ⁷Yr oedd cwpanau aur o wahanol fathau i yfed ohonynt, ac yr oedd digonedd o win trwy haelioni'r brenin. ⁸Ynglŷn â'r yfed, nid oedd gorfodaeth ar neb, oherwydd gorchmyn-nodd y brenin i holl swyddogion ei balas wneud fel yr oedd pawb yn dymuno.

⁹Gwnaeth y Frenhines Fasti hefyd wledd i'r gwragedd ym mhalas y Brenin Ahas-ferus.

10 Ar y seithfed dydd, pan oedd y Brenin Ahasferus yn llawen gan win, rhoddodd orchymyn i Mehuman, Bistha, Harbona, Bigtha, Abagtha, Sethar a Carcas, y saith eunuch oedd yn gweini arno, ¹¹i ddod â'r Frenhines Fasti ato yn gwisgo ei choron frenhinol, er mwyn dangos ei phrydferthwch i'r bobl a'r tywysogion, oherwydd yr oedd yn bryd-ferth iawn. ¹²Ond gwrthododd y Fren-hines Fasti ddod ar orchymyn y brenin trwy'r eunuchiaid. Felly gwylltiodd y brenin yn ddirfawr a chyneuodd ei lid.

13 Gan mai arfer y brenin oedd troi at y rhai oedd yn deall cyfraith a barn, fe ymgynghorodd â'r doethion oedd yn deall y gyfraithᵃ. ¹⁴Ei gynghorwyr mwyaf blaenllaw oedd Carsena, Sethar, Admatha, Tarsis, Meres, Marsena a Memuchan, saith dywysog Persia a Media; hwy oedd agosaf at y brenin, a'r dynion mwyaf blaenllaw yn y deyrnas. ¹⁵Gofynnodd iddynt, "Beth, yn ôl y gyfraith, sydd i'w wneud â'r Frenhines Fasti am iddi anufuddhau i orchymyn y Brenin Ahasferus trwy'r eunuchiaid?" ¹⁶Atebodd Memuchan yng ngŵydd y brenin a'r tywysogion, "Nid â'r Brenin Ahasferus yn unig y mae'r Frenhines Fasti wedi gwneud cam, ond â'r holl

ᵃFelly Groeg. Hebraeg, *amserau.*

dywysogion a'r bobl ym mhob un o daleithiau'r brenin. ¹⁷Oherwydd daw pob gwraig i wybod am yr hyn a wnaeth y frenhines, ac o ganlyniad fe ddirmygant eu gwŷr a dweud, 'Gorchmynnodd y Brenin Ahasferus ddod â'r Frenhines Fasti ato, ond ni ddaeth hi.' ¹⁸Heddiw bydd tywysogesau Persia a Media, sydd wedi clywed am weithred y frenhines, yn rhoi yr un ateb i holl dywysogion y brenin, ac yna bydd dirmyg a dicter diddiwedd. ¹⁹Gyda chydsyniad y brenin, gwneler datganiad brenhinol, a'i ysgrifennu yn neddfau'r Persiaid a'r Mediaid fel na chaiff ei newid, nad yw Fasti i ddod mwyach i ŵydd y Brenin Ahasferus; a rhodded y brenin ei swydd frenhinol hi i un arall sy'n rhagori arni. ²⁰Pan glywir trwy'r holl deyrnas, er mor fawr ydyw, y gorchymyn a wnaeth y brenin, bydd pob gwraig, o'r leiaf hyd y fwyaf, yn parchu ei gŵr." ²¹Yr oedd cyngor Memuchan yn dderbyniol gan y brenin a'r tywysogion, a gwnaeth y brenin fel yr awgrymodd. ²²Anfonwyd llythyrau i holl daleithiau'r brenin, i bob talaith yn ei hysgrifen ei hun a phob cenedl yn ei hiaith ei hun, er mwyn sicrhau bod pob dyn yn feistr ar ei dŷ ei hunᵇ.

Esther yn Frenhines

2 Wedi'r pethau hyn, pan liniarodd llid y Brenin Ahasferus, fe gofiodd am Fasti a'r hyn a wnaeth, ac am yr hyn a ddyfarnwyd amdani. ²Dywedodd y llanciau oedd yn gweini ar y brenin, "Chwilier am wyryfon ifainc hardd i'r brenin. ³Bydded i'r brenin ethol swyddogion ym mhob talaith o'i deyrnas i gasglu pob gwyryf ifanc hardd i Susan y brifddinas; yna rhodder hwy yn nhŷ'r gwragedd o dan ofal Hegai, eunuch y brenin sy'n gofalu am y gwragedd, a rhodder iddynt eu hoffer coluro. ⁴Bydded i'r ferch sy'n ennill ffafr y brenin ddod i'r orsedd yn lle Fasti." Yr oedd y syniad yn dderbyniol gan y brenin, ac fe wnaeth felly.

5 Yr oedd Iddew yn byw yn Susan y brifddinas o'r enw Mordecai fab Jair, fab Simei, fab Cis, gŵr o Benjamin. ⁶Yr oedd wedi ei gymryd o Jerwsalem i'r gaethglud gyda Jechoneia brenin Jwda, a gaethgludwyd gan Nebuchadnesar brenin Babilon. ⁷Yr oedd ef wedi mabwysiadu ei gyfnither Hadassa, sef Esther, am ei bod yn amddifad. Yr oedd hi'n ferch deg a

phrydferth; a phan fu farw ei thad a'i mam, mabwysiadodd Mordecai hi'n ferch iddo'i hun. ⁸Pan gyhoeddwyd gair a gorchymyn y brenin a chasglu llawer o ferched i'r palas yn Susan o dan ofal Hegai, daethpwyd ag Esther i dŷ'r brenin a oedd yng ngofal Hegai, ceidwad y gwragedd. ⁹Yr oedd y ferch yn dderbyniol yn ei olwg, a chafodd ffafr ganddo. Trefnodd iddi gael ar unwaith ei hoffer coluro a'i dogn bwyd, a rhoddodd iddi saith o forynion golygus o dŷ'r brenin, a'i symud hi a'i morynion i le gwell yn nhŷ'r gwragedd. ¹⁰Nid oedd Esther wedi sôn am ei chenedl na'i thras, am i Mordecai orchymyn iddi beidio. ¹¹Bob dydd âi Mordecai heibio i gyntedd tŷ'r gwragedd er mwyn gwybod sut yr oedd Esther, a beth oedd yn digwydd iddi.

12 Ar ddiwedd deuddeg mis, sef y cyfnod o baratoi a osodwyd ar gyfer y gwragedd—chwe mis gydag olew a myrr, a chwe mis gyda pheraroglau ac offer coluro'r gwragedd—dôi tro pob merch i fynd at y Brenin Ahasferus. ¹³Pan ddôi'r ferch at y brenin fel hyn, câi fynd â beth bynnag a fynnai gyda hi o dŷ'r gwragedd i balas y brenin. ¹⁴Âi allan gyda'r hwyr, a dychwelyd yn y bore i ail dŷ'r gwragedd o dan ofal Saasgas, eunuch y brenin a ofalai am y gordderchwragedd; ni fyddai'n mynd eilwaith at y brenin onibai iddo ef ei chwennych a galw amdani wrth ei henw.

15 Pan ddaeth tro Esther, y ferch a fabwysiadwyd gan Mordecai am ei bod yn ferch i'w ewythr Abihail, i fynd i mewn at y brenin, ni ofynnodd hi am ddim ond yr hyn a awgrymodd Hegai, eunuch y brenin a cheidwad y gwragedd; ac yr oedd Esther yn cael ffafr yng ngolwg pawb a'i gwelai. ¹⁶Aethpwyd ag Esther i mewn i'r palas at y Brenin Ahasferus yn y degfed mis, sef Tebeth, yn y seithfed flwyddyn o'i deyrnasiad. ¹⁷Carodd y brenin Esther yn fwy na'r holl wragedd, a dangosodd fwy o ffafr a charedigrwydd tuag ati hi na thuag at yr un o'r gwyryfon eraill; rhoddodd goron frenhinol ar ei phen a'i gwneud yn frenhines yn lle Fasti. ¹⁸Yna gwnaeth y brenin wledd fawr i'w holl dywysogion a'i weision er mwyn anrhydeddu Esther; hefyd cyhoeddodd ŵyl ym mhob talaith, a rhannu anrhegion yn hael.

ᵇFelly Groeg. Hebraeg yn ychwanegu *ac yn siarad yn iaith ei bobl.*

Mordecai'n Darganfod Cynllwyn

19 Pan ddaeth y gwyryfon at ei gilydd yr ail waith, yr oedd Mordecai'n eistedd ym mhorth llys y brenin. ²⁰Nid oedd Esther wedi sôn am ei thras na'i chenedl, fel y gorchmynnodd Mordecai iddi; yr oedd hi'n derbyn cynghorion Mordecai, fel y gwnâi pan oedd yn ei magu. ²¹Yr adeg honno, pan oedd Mordecai'n eistedd ym mhorth y brenin, yr oedd Bigthan a Theres, dau eunuch i'r Brenin Ahasferus oedd yn gofalu am y porth, wedi digio ac yn cynllwyn i ymosod ar y brenin. ²²Daeth Mordecai i wybod am hyn, a dywedodd wrth y Frenhines Esther; dywedodd hithau wrth y brenin yn enw Mordecai. ²³Chwiliwyd yr achos a chafwyd ei fod yn wir; felly crogwyd y ddau ar bren. Ysgrifennwyd yr hanes yn llyfr y cronicl yng ngŵydd y brenin.

Haman yn Ceisio Difa'r Iddewon

3 Ar ôl hyn dyrchafodd y Brenin Ahasferus Haman fab Hammedatha yr Agagiad, a rhoi iddo le blaenllaw, gan ei osod yn uwch na'r holl dywysogion oedd gydag ef. ²Ac yr oedd pob un o'r gweision ym mhorth llys y brenin yn ymgrymu ac yn ymostwng iddo, yn ôl gorchymyn y brenin. Ond nid oedd Mordecai ym ymostwng nac yn ymgrymu iddo. ³Dywedodd gweision y brenin a oedd yn y porth wrth Mordecai. "Pam yr wyt yn torri gorchymyn y brenin?" ⁴Ond er eu bod yn gofyn hyn iddo'n feunyddiol, ni wrandawai arnynt. Felly dywedasant wrth Haman, er mwyn gweld a fyddai Mordecai'n dal ei dir, oherwydd yr oedd wedi dweud wrthynt ei fod yn Iddew. ⁵Pan welodd Haman nad oedd Mordecai am ymostwng nac ymgrymu iddo, gwylltiodd yn enbyd. ⁶Wedi clywed i ba genedl yr oedd Mordecai yn perthyn, nid oedd yn fodlon ymosod ar Mordecai yn unig, ond yr oedd yn awyddus i ddifa cenedl Mordecai, sef yr holl Iddewon yn nheyrnas Ahasferus.

7 Yn neuddegfed flwyddyn y Brenin Ahasferus, yn y mis cyntaf, sef Nisan, bwriasant Pwr (hynny yw, coelbren) o flaen Haman i ddewis dydd a mis, ac fe syrthiodd y coelbren ar y trydydd dydd ar ddeg o'rᶜ deuddegfed mis, sef Adar. ⁸Dywedodd Haman wrth y Brenin Ahasferus, "Y mae yna genedl, wedi ei chwalu

ᶜCymh. Groeg. Hebraeg heb *ac fe syrthiodd...o'r*.

a'i gwasgaru ymhlith y bobloedd yn holl daleithiau dy deyrnas, sy'n ei chadw ei hun ar wahân. Y mae eu cyfreithiau'n wahanol i rai pawb arall, ac nid ydynt yn cadw cyfreithiau'r brenin; ni ddylai'r brenin eu goddef. ⁹Os cydsynia'r brenin i orchymyn eu difa, yna fe dalaf fi ddeng mil o dalentau arian i'r trysordy brenhinol ar gyfer y rhai sy'n gwneud hyn." ¹⁰Yna tynnodd y brenin ei fodrwy oddi ar ei law a'i rhoi i Haman fab Hammedatha yr Agagiad, gelyn yr Iddewon, ¹¹a dweud wrtho, "Cadw'r arian, a gwna fel y mynni â'r genedl."

12 Yna ar y trydydd dydd ar ddeg o'r mis cyntaf, galwyd ar ysgrifenyddion y brenin, ac ar orchymyn Haman ysgrifennwyd at bendefigion y brenin, rheolwyr pob talaith a thywysogion pob cenedl, i bob talaith yn ei hysgrifen ei hun a phob cenedl yn ei hiaith ei hun. Yr oedd y wŷs wedi ei hysgrifennu yn enw'r Brenin Ahasferus ac wedi ei selio â'r fodrwy frenhinol. ¹³Yna anfonwyd negeswyr gyda llythyrau i holl daleithiau'r brenin yn gorchymyn dinistrio, lladd a difa pob Iddew, yn llanc a hynafgwr, plant a gwragedd, ac ysbeilio'u heiddo, ar yr un diwrnod, sef y trydydd dydd ar ddeg o'r deuddegfed mis, hynny yw, Adar. ¹⁴Yr oedd copi o'r wŷs i'w hanfon yn gyfraith i bob talaith, a'i ddangos i'r holl bobl er mwyn iddynt fod yn barod erbyn y diwrnod hwnnw. ¹⁵Aeth y negeswyr allan ar frys yn ôl gorchymyn y brenin, a chyhoeddwyd y gorchymyn yn Susan y brifddinas. Yna eisteddodd y brenin a Haman i yfed; ond yr oedd dinas Susan yn drist.

Mordecai'n Ceisio Cymorth Esther

4 Pan glywodd Mordecai am bopeth a ddigwyddodd, rhwygodd ei ddillad a gwisgo sachliain a lludw, a mynd allan i ganol y ddinas a gweiddi'n groch a chwerw. ²Daeth i ymyl porth y brenin, oherwydd ni châi neb yn gwisgo sachliain fynd i mewn i'r porth. ³Ym mhob talaith lle y cyrhaeddodd gair a gorchymyn y brenin, yr oedd galar mawr ymysg yr Iddewon, ac yn oeddent yn ymprydio, yn wylo ac yn llefain; a gorweddodd llawer ohonynt mewn sachliain a lludw.

4 Pan ddaeth morynion ac eunuchiaid y Frenhines Esther a dweud wrthi, yr oedd yn ofidus iawn. Anfonodd ddillad i

Mordecai eu gwisgo yn lle'r sachliain oedd amdano, ond gwrthododd ef hwy. ⁵Yna galwodd Esther ar Hathach, un o eunuchiaid y brenin a ddewiswyd i weini arni, a'i orchymyn i fynd at Mordecai, i gael gwybod beth oedd ystyr hyn a pham y digwyddodd. ⁶Aeth Hathach allan at Mordecai i sgwâr y ddinas o flaen porth y brenin, ⁷a dywedodd Mordecai wrtho am y cwbl a ddigwyddodd iddo, ac am y swm o arian yr addawodd Haman ei dalu i drysorfa'r brenin er mwyn difa'r Iddewon. ⁸Rhoddodd iddo hefyd gopi o'r wŷs a gyhoeddwyd yn Susan, yn gorchymyn eu dinistrio, er mwyn iddo yntau ei ddangos a'i hegluro i Esther, a dweud wrthi am fynd at y brenin i ymbil ag ef ac erfyn arno dros ei phobl. ⁹Aeth Hathach a dweud wrth Esther yr hyn a ddywedodd Mordecai, ¹⁰a rhoddodd hithau iddo'r neges hon i Mordecai, ¹¹"Y mae holl weision y brenin a phobl ei daleithiau yn gwybod nad oes ond un ddedfryd yn aros unrhyw ŵr neu wraig sy'n mynd i'r cyntedd mewnol at y brenin heb wahoddiad, sef marwolaeth; ni chaiff fyw onibai i'r brenin estyn ei deyrnwialen aur iddo. Nid wyf fi wedi fy ngalw at y brenin ers deg diwrnod ar hugain bellach." ¹²Pan glywodd Mordecai neges Esther, ¹³dywedodd wrthynt am ei hateb fel hyn, "Paid â meddwl y cei di yn unig o'r holl Iddewon dy arbed, am dy fod yn byw yn nhŷ'r brenin. ¹⁴Os byddi'n gwrthod siarad yn awr, daw ymwared a chymorth i'r Iddewon o le arall, ond byddi di a thŷ dy dad yn trengi. Pwy a ŵyr nad ar gyfer y fath amser â hwn y daethost i'r frenhiniaeth?" ¹⁵Dywedodd Esther wrthynt am roi'r ateb hwn i Mordecai; ¹⁶"Dos i gasglu ynghyd yr holl Iddewon sy'n byw yn Susan, ac ymprydiwch drosof; peidiwch â bwyta nac yfed, ddydd na nos, am dridiau, ac fe wnaf finnau a'm morynion yr un fath. Yna af at y brenin, er fy mod yn torri'r gyfraith; ac os trengaf, mi drengaf." ¹⁷Aeth Mordecai ymaith a gwneud popeth a orchmynnodd Esther iddo.

Cais Esther i'r Brenin

5 Ar y trydydd dydd, rhoddodd Esther ei gwisg frenhinol amdani a sefyll yng nghyntedd mewnol y palas gyferbyn ag ystafell y brenin. Yr oedd y brenin yn eistedd ar ei orsedd frenhinol yn y palas gyferbyn â'r fynedfa. ²Pan welodd y

brenin y Frenhines Esther yn sefyll yn y cyntedd, yr oedd yn falch o'i gweld, ac estynnodd ati'r deyrnwialen. ³Yna dywedodd y brenin wrthi, "Beth sy'n bod, Frenhines Esther? Beth bynnag a geisi, hyd hanner fy nheyrnas, fe'i cei." ⁴Atebodd Esther, "Os gwêl y brenin yn dda, hoffwn iddo ef a Haman ddod i'r wledd a baratoais iddo heddiw." ⁵Gorchmynnodd y brenin gyrchu Haman ar frys, er mwyn gwneud fel y dymunai Esther; yna fe aeth y brenin a Haman i'r wledd a baratodd Esther. ⁶Wrth iddynt yfed gwin, dywedodd y brenin wrth Esther, "Fe gei di beth bynnag y gofynni amdano. Gwneir beth bynnag a fynni, hyd hanner y deyrnas." ⁷Atebodd Esther "Dyma fy nghais a'm dymuniad: ⁸os cefais ffafr yng ngolwg y brenin, ac os gwêl ef yn dda roi fy neisyfiad a gwneud fy nymuniad, bydded i'r brenin a Haman ddod i'r wledd yr wyf fi am ei pharatoi iddynt; yna yfory gwnaf fel y mae'r brenin yn dweud."

Dicter Haman at Mordecai

9 Y diwrnod hwnnw aeth Haman allan yn llawen a hapus. Ond pan welodd ef Mordecai ym mhorth y brenin, ac yntau'n gwrthod codi na dangos parch tuag ato, gwylltiodd yn enbyd ag ef; ¹⁰ond ymataliodd, ac aeth adref. Yna galwodd ar ei gyfeillion, a'i wraig Seres, ¹¹ac adroddodd wrthynt am ei olud mawr, am nifer ei feibion, ac am y modd y dyrchafodd y brenin ef trwy ei osod uwchlaw'r tywysogion a'r gweision. ¹²Ac ychwanegodd, "Ni wahoddodd y Frenhines Esther neb ond myfi i fynd gyda'r brenin i'r wledd a wnaeth; ac fe'm gwahoddodd i fynd ati yfory eto gyda'r brenin. ¹³Ond nid yw hyn oll yn rhoi unrhyw foddhad i mi tra gwelaf Mordecai yr Iddew yn eistedd ym mhorth y brenin." ¹⁴Dywedodd Seres ei wraig a phob un o'i gyfeillion wrtho, "Gwneler crocbren hanner can cufydd o uchder, ac yn y bore dywed wrth y brenin am grogi Mordecai arno. Yna dos yn llawen i'r wledd gyda'r brenin." Yr oedd hyn wrth fodd Haman, ac fe wnaeth y crocbren.

Y Brenin yn Anrhydeddu Mordecai

6 Y noson honno yr oedd y brenin yn methu cysgu, a gorchmynnodd iddynt ddod â llyfr y cofiadur, sef y cronicl, ac fe'i darllenwyd iddo. ²Ynddo cofnodwyd yr hyn a ddywedodd Mordecai am Bigthana a Theres, dau eunuch y brenin oedd yn gofalu am y porth ac oedd wedi cynllwyn i ymosod ar y brenin. ³Dywedodd y brenin, "Pa glod ac anrhydedd a gafodd Mordecai am hyn?" Atebodd y llanciau oedd yn gweini ar y brenin nad oedd wedi derbyn dim. ⁴Gofynnodd y brenin, "Pwy sydd yn y cyntedd?" Yr oedd Haman newydd ddod i gyntedd allanol tŷ'r brenin i ddweud wrtho am grogi Mordecai ar y crocbren yr oedd wedi ei baratoi ar ei gyfer. ⁵Dywedodd gweision y brenin wrtho, "Haman sy'n sefyll yn y cyntedd", a galwodd y brenin ar Haman i ddod i mewn. ⁶Daeth Haman ymlaen, ac meddai'r brenin wrtho, "Beth ddylid ei wneud i'r dyn y mae'r brenin yn dymuno'i anrhydeddu?" Ac meddai Haman wrtho'i hun, "Pwy fyddai'r brenin yn dymuno'i anrhydeddu yn fwy na mi?" ⁷Dywedodd wrth y brenin, "I'r dyn y mae'r brenin yn dymuno'i anrhydeddu, ⁸dylid dod â gwisg frenhinol a wisgir gan y brenin, a cheffyl y marchoga'r brenin arno, un y mae arfbais y brenin ar ei dalcen. ⁹Rhodder y wisg a'r ceffyl i un o dywysogion pwysicaf y brenin, a gwisged yntau'r dyn y mae'r brenin yn dymuno'i anrhydeddu, a'i arwain trwy sgwâr y ddinas ar gefn y ceffyl, a chyhoeddi o'i flaen fel hyn: Dyma sy'n digwydd i'r dyn y mae'r brenin yn dymuno'i anrhydeddu.'" ¹Yna dywedodd y brenin wrth Haman, "Dos ar frys i gael y wisg a'r ceffyl fel y dywedaist, a gwna hyn i Mordecai yr Iddew, sy'n eistedd ym mhorth y brenin. Gofala wneud popeth a ddywedaist." Felly cymerodd Haman y wisg a'r ceffyl; gwisgodd Mordecai a'i arwain ar gefn y ceffyl trwy sgwâr y ddinas, a chyhoeddi o'i flaen: "Dyma sy'n digwydd i'r dyn y mae'r brenin yn dymuno'i anrhydeddu."

12 Yna dychwelodd Mordecai i borth y brenin, ond brysiodd Haman adref yn drist, â gorchudd am ei ben. ¹³Dywedodd wrth ei wraig Seres a'i holl gyfeillion am y cyfan a ddigwyddodd iddo. Ac meddai ei wŷr doeth a'i wraig Seres wrtho, "Os yw Mordecai, yr wyt yn dechrau cwympo o'i flaen, yn Iddew, ni orchfygi di mohono; ond yr wyt ti'n sicr o gael dy drechu ganddo ef."

14 Tra oeddent yn siarad gydag ef, daeth eunuchiaid y brenin a mynd â Haman ar frys i'r wledd a baratôdd Esther.

Crogi Haman

7 Felly aeth y brenin a Haman i wledda gyda'r Frenhines Esther. ²Ac ar yr ail ddiwrnod, tra oeddent yn yfed gwin, dywedodd y brenin unwaith eto wrth Esther, "Frenhines Esther, beth yw dy ddymuniad? Fe'i cei. Beth bynnag a geisi, hyd hanner fy nheyrnas, fe'i cei." ³Atebodd y Frenhines Esther, "Os cefais ffafr yn dy olwg, ac os gwêl y brenin yn dda, fy nghais a'm dymuniad yw fy mod i a'm pobl yn cael ein harbed. ⁴Oherwydd yr wyf fi a'm pobl wedi ein gwerthu i'n dinistrio a'n lladd a'n difa. Pe baem wedi ein gwerthu'n gaethweision ac yn gaethferched, ni ddywedwn i ddim; oherwydd ni fyddai ein trafferthion ni i'w cymharu â cholled y brenin." ⁵Dywedodd y Brenin Ahasferus wrth y Frenhines Esther, "Pwy yw'r un a feiddiodd wneud y fath beth, a pha le y mae?" ⁶Meddai hithau, "Y gelyn a'r gwrthwynebwr yw'r Haman drwg hwn." Brawychwyd Haman yn ngŵydd y brenin a'r frenhines. ⁷Cododd y brenin yn ei lid, a mynd o'r wledd i ardd y palas; ond arhosodd Haman i ymbil â'r Frenhines Esther am ei einioes, oherwydd gwelodd fod y brenin wedi penderfynu dial arno. ⁸Pan ddychwelodd y brenin o'r ardd i'r lle yr oeddent yn gwledda, yr oedd Haman yn plygu wrth y gwely lle'r oedd Esther. Meddai'r brenin, "A yw hefyd am dreisio'r frenhines, a minnau yn y tŷ?" Cyn gynted ag y dywedodd y brenin hyn, gorchuddiwyd wyneb Haman. ⁹Yna dywedodd Harbona, un o'r eunuchiaid oedd yn gweini ar y brenin, "Y mae'r crocbren hanner can cufydd o uchder, a wnaeth Haman ar gyfer Mordecai, a gŵr a achubodd y brenin â'i neges, yn sefyll ger tŷ Haman." Dywedodd y brenin, "Crogwch ef arno." ¹⁰Felly crogwyd Haman ar y crocbren a baratôdd ar gyfer Mordecai. Yna lliniarodd llid y brenin.

Gwŷs y Brenin ynglŷn â'r Iddewon

8 Y diwrnod hwnnw rhoddodd y Brenin Ahasferus dŷ Haman, gelyn yr Iddewon, i'r Frenhines Esther; a daeth Mordecai i ŵydd y brenin, oherwydd yr oedd Esther wedi dweud wrtho pa berthynas oedd ef iddi. ²Yna tynnodd y brenin ei fodrwy, a gymerodd yn ôl oddi ar Haman, a'i rhoi i Mordecai. Rhoddodd Esther dŷ Haman yng ngofal Mordecai.

3 Unwaith eto apeliodd Esther at y brenin a syrthio wrth ei draed. Wylodd ac erfyn arno rwystro'r drygioni a gynllwynodd Haman yr Agagiad yn erbyn yr Iddewon. ⁴Estynnodd y brenin ei deyrnwialen aur at Esther, a chododd hithau a sefyll o'i flaen a dweud, ⁵"Os gwêl y brenin yn dda, ac os cefais ffafr ganddo, a bod y mater yn dderbyniol ganddo, a minnau yn ei foddhau, anfoned wŷs i alw'n ôl y llythyrau a ysgrifennodd Haman fab Hammedatha yr Agagiad gyda'r bwriad o ddifa'r Iddewon sydd ym mhob un o daleithiau'r brenin. ⁶Sut y gallaf edrych ar y trybini sy'n dod ar fy mhobl? Sut y gallaf oddef gweld dinistr fy nghenedl?" ⁷Yna dywedodd y Brenin Ahasferus wrth y Frenhines Esther a Mordecai'r Iddew, "Yr wyf wedi rhoi tŷ Haman i Esther, a chrogwyd yntau ar grocbren am iddo ymosod ar yr Iddewon. ⁸Yn awr ysgrifennwch chwi fel y mynnoch ynglŷn â'r Iddewon yn fy enw i, a selio'r ddogfen â'r sêl frenhinol, oherwydd ni ellir newid gwŷs a ysgrifennwyd yn enw'r brenin ac a seliwyd â'r sêl frenhinol."

9 Yna, ar y trydydd dydd ar hugain o'r trydydd mis, sef Sifan, galwyd ynghyd ysgrifenyddion y brenin. Ysgrifennwyd, yn union fel y gorchmynnodd Mordecai, at yr Iddewon, at bendefigion, rheolwyr a thywysogion y taleithiau o India i Ethiopia, cant dau ddeg a saith o daleithiau, pob talaith yn ei hysgrifen ei hun a phob cenedl yn ei hiaith ei hun, ac at yr Iddewon yn eu hysgrifen a'u hiaith hwythau. ¹⁰Ysgrifennwyd y wŷs yn enw'r Brenin Ahasferus, a'i selio â'r sêl frenhinol. Anfonwyd llythyrau gyda negeswyr yn marchogaeth ar feirch cyflym wedi eu magu yn stablau'r brenin. ¹¹Ynddynt rhoddodd y brenin hawl i'r Iddewon oedd ym mhob dinas i ymgasglu a'u hamddiffyn eu hunain, ac i ddifa, lladd a dinistrio byddin unrhyw genedl neu dalaith a ymosodai arnynt, a'u plant a'u gwragedd, ac ysbeilio'u heiddo. ¹²Yr oeddent i wneud hyn trwy holl daleithiau'r Brenin Ahasferus ar ddiwrnod penodedig, y trydydd ar ddeg o'r deuddegfed mis sef Adar. ¹³Yr oedd copi o'r wŷs i'w anfon yn gyfraith i bob talaith, a'i ddangos i'r holl bobl, fel y byddai'r

Iddewon yn barod y diwrnod hwnnw i ddial ar eu gelynion. ¹⁴Felly aeth y negeswyr allan yn ddiymdroi, yn marchogaeth ar geffylau'r brenin; yr oeddent yn mynd ar frys ar orchymyn y brenin. Cyhoeddwyd y wŷs hefyd yn Susan y brifddinas.

15 Yna aeth Mordecai allan o ŵydd y brenin mewn gwisg frenhinol o las a gwyn, a chyda choron fawr o aur, a mantell o liain main a phorffor; ac yr oedd dinas Susan yn orfoleddus. ¹⁶Daeth goleuni, llawenydd, hapusrwydd ac anrhydedd i ran yr Iddewon. ¹⁷Ym mhob talaith a dinas lle daeth gair a gorchymyn y brenin, yr oedd yr Iddewon yn gwledda ac yn cadw gŵyl yn llawen a hapus. Ac yr oedd llawer o bobl y wlad yn mynnu mai Iddewon oeddent, am fod arnynt ofn yr Iddewon.

Dialedd yr Iddewon ar eu Gelynion

9 Ar y trydydd dydd ar ddeg o'r deuddegfed mis, sef Adar, daeth yr amser i gyflawni gair a gorchymyn y brenin. Trowyd y diwrnod, y gobeithiai gelynion yr Iddewon eu trechu arno, yn ddiwrnod i'r Iddewon drechu eu caseion. ²Unodd yr Iddewon yn eu dinasoedd ym mhob un o daleithiau'r Brenin Ahasferus i ymosod ar y rhai oedd yn ceisio'u niweidio. Ni wrthwynebodd neb hwy oherwydd yr oedd ar yr holl bobl eu hofn. ³Cawsant eu cynorthwyo gan dywysogion y taleithiau, y pendefigion, y rheolwyr a gweision y brenin, am fod arnynt ofn Mordecai. ⁴Oherwydd yr oedd Mordecai yn flaenllaw yn y palas ac yr adnabyddus drwy'r holl daleithiau, ac yr oedd yn ennill mwy a mwy o rym. ⁵Trawodd yr Iddewon eu holl elynion â'r cleddyf, a'u lladd a'u difa; a gwnaethant fel y mynnent â'u caseion. ⁶Yn Susan y brifddinas yr oeddent wedi llofruddio a lladd pum cant o ddynion, ⁷yn cynnwys Parsandatha, Dalffon, Aspatha, ⁸Poratha, Adaleia, Aridatha, ⁹Parmasta, Arisai, Aridai, Bajesatha, ¹⁰sef deg mab Haman fab Hammedatha, gelyn yr Iddewon. Lladdodd yr Iddewon y rhain, ond heb gyffwrdd â'r ysbail.

11 Y diwrnod hwnnw, pan glywodd brenin faint a laddwyd yn Susan y brifddinas, ¹²dywedodd wrth y Frenhines Esther, "Y mae'r Iddewon wedi lladd pum cant o ddynion a deg mab Haman yn Susan y brifddinas. Beth a wnaethant y

y gweddill o daleithiau'r brenin? Yn awr, beth a fynni? Fe'i cei. Os oes gennyt unrhyw ddymuniad arall, fe'i gwneir." [13] Meddai Esther, "Os gwêl y brenin yn dda, rhodder caniatâd i'r Iddewon sydd yn Susan i weithredu yfory hefyd yn ôl y wŷs a gyhoeddir heddiw, a chroger deg mab Haman ar y crocbren." [14] Gorchmynnodd y brenin i hyn gael ei wneud, a chyhoeddwyd y wŷs yn Susan, a chrogwyd deg mab Haman. [15] Ar y pedwerydd dydd ar ddeg o fis Adar ymunodd yr Iddewon oedd yn Susan i ladd tri chant o ddynion yn Susan, ond heb gyffwrdd â'r ysbail.

16 Yr oedd yr Iddewon yn nhaleithiau'r brenin wedi ymuno i'w hamddiffyn eu hunain, er mwyn cael llonydd gan eu gelynion; yr oeddent wedi lladd saith deg a phump o filoedd o'u caseion, ond heb gyffwrdd â'r ysbail. [17] Digwyddodd hyn ar y trydydd dydd ar ddeg o fis Adar; peidiasant ar y pedwerydd dydd ar ddeg, a gwnaethant hwnnw'n ddydd o wledd a llawenydd. [18] Yr oedd Iddewon Susan wedi ymgasglu ar y trydydd dydd ar ddeg o'r mis, a'r pedwerydd ar ddeg, ac wedi peidio ar y pymthegfed dydd; felly cadwasant hwy hwnnw yn ddydd o wledd a llawenydd. [19] Dyna pam y mae'r Iddewon sy'n byw mewn pentrefi yn y wlad yn cadw'r pedwerydd ar ddeg o fis Adar yn ddydd o wledd a llawenydd a gŵyl, ac yn anfon anrhegion i'w gilydd.

Dathlu'r Pwrim

20 Rhoddodd Mordecai y pethau hyn ar gof a chadw, ac anfonodd lythyrau at yr holl Iddewon ym mhob un o daleithiau'r Brenin Ahasferus, ymhell ac agos, [21] yn galw arnynt i gadw'r pedwerydd ar ddeg a'r pymthegfed o fis Adar bob blwyddyn [22] fel y dyddiau pan gafodd yr Iddewon lonydd gan eu gelynion, a'r mis pan drowyd eu tristwch yn llawenydd a'u galar yn ŵyl. Yr oeddent i'w cadw'n ddyddiau o wledd a llawenydd, a phawb yn anfon anrhegion i'w gilydd ac i'r tlodion.

23 Cytunodd yr Iddewon i wneud fel yr oeddent wedi dechrau, ac yn ôl yr hyn a ysgrifennodd Mordecai atynt. [24] Gwnaethant hyn am fod Haman fab

Hammedatha yr Agagiad, gelyn yr Iddewon, wedi cynllwyn i'w dinistrio, ac wedi bwrw Pwr, hynny yw coelbren, i'w difa a'u dinistrio. [25] Ond pan ddaeth hyn i sylw'r brenin, gorchmynnodd mewn llythyr fod cynllwyn drwg Haman yn erbyn yr Iddewon i ddychwelyd ar ei ben ef ei hun; felly crogwyd ef a'i feibion ar grocbren. [26] Am hynny galwyd y dyddiau hyn yn Pwrim, o'r enw Pwr. Oherwydd yr holl eiriau a ysgrifennwyd yn y llythyr hwn, ac oherwydd yr hyn a welsant ac a glywsant ynglŷn â'r mater, [27] addawodd ac ymrwymodd yr Iddewon, ar eu rhan eu hunain, a'u plant a phawb oedd yn ymuno â hwy, i gadw'r ddau ddiwrnod hyn bob blwyddyn mewn modd arbennig ac ar amser penodedig. [28] Addawsant gofio a chadw'r dyddiau hynny ym mhob cenhedlaeth, teulu, talaith a dinas, fel na fyddai'r Iddewon yn anwybyddu dyddiau Pwrim, na'u plant yn anghofio amdanynt.

29 Yna ysgrifennodd y Frenhines Esther ferch Abihail, a Mordecai'r Iddew, ag awdurdod llawn i gadarnhau'r ail lythyr hwn ynglŷn â Pwrim. [30] Anfonwyd llythyrau i'r holl Iddewon yn y cant dau ddeg a saith o daleithiau teyrnas Ahasferus, yn dymuno iddynt heddwch a diogelwch, [31] ac yn eu cymell i gadw dyddiau Pwrim yn eu hamser priodol, yn ôl gorchymyn Mordecai'r Iddew a'r Frenhines Esther, ac fel yr oeddent hwy wedi ymrwymo ar eu rhan eu hunain a'u plant ynglŷn ag amserau ympryd a galar. [32] Cadarnhaodd gorchymyn Esther y rheolau hyn ar gyfer Pwrim, ac fe'u rhoddwyd ar gof a chadw.

Grym y Brenin a Mordecai

10 Gosododd y Brenin Ahasferus dreth ar yr ymerodraeth ac ar ynysoedd y môr. [2] Ac am weithredoedd nerthol a grymus y brenin, a'r modd yr anrhydeddodd Mordecai, onid yw'r hanes wedi ei ysgrifennu yn llyfr cronicl brenhinoedd Media a Phersia? [3] Oherwydd Mordecai'r Iddew oedd y nesaf at y Brenin Ahasferus; yr oedd yn fawr ymysg yr Iddewon ac yn gymeradwy gan lawer iawn o'i frodyr, am ei fod yn ceisio gwneud lles i'w bobl ac yn hyrwyddo ffyniant ei holl genedl.

LLYFR
JOB

Satan yn Profi Job

1 Yr oedd gŵr yng ngwlad Us o'r enw Job, gŵr cywir ac uniawn, yn ofni Duw ac yn cefnu ar ddrwg. ²Ganwyd iddo saith mab a thair merch, ³ac yr oedd ganddo saith mil o ddefaid, tair mil o gamelod, pum can iau o ychen, pum cant o asennod, a llawer iawn o weision. Y gŵr hwn oedd yr enwocaf o holl bobl y Dwyrain.

4 Arferai ei feibion fynd i gartrefi ei gilydd i gynnal gwledd, pob un yn ei dro, ac anfonent wahoddiad i'w tair chwaer i fwyta ac yfed gyda hwy. ⁵Yna pan ddôi cylch y gwledda i ben, anfonai Job amdanynt i'w puro; codai'n fore i offrymu poethoffrymau, un dros bob un ohonynt, oherwydd meddyliai, "Efallai fod fy meibion wedi pechu a melltithio Duw yn eu calonnau." Fel hyn y gwnâi Job yn gyson.

6 Daeth y dydd i feibion y duwiau ymddangos o flaen yr ARGLWYDD, a daeth Satanª hefyd gyda hwy. ⁷Gofynnodd yr ARGLWYDD i Satan, "O ble y daethost ti?" Atebodd Satan yr ARGLWYDD a dweud, "O fynd yma ac acw hyd y ddaear a thramwyo drosti." ⁸Dywedodd yr ARGLWYDD wrth Satan, "A sylwaist ar fy ngwas Job? Nid oes neb tebyg iddo ar y ddaear, gŵr cywir ac uniawn, yn ofni Duw ac yn cefnu ar ddrwg." ⁹Atebodd Satan yr ARGLWYDD a dweud, "Ai'n ddiachos y mae Job yn ofni Duw? ¹⁰Oni warchodaist drosto ef a'i deulu a'i holl eiddo? Bendithiaist ei waith, a chynyddodd ei dda yn y tir. ¹¹Ond estyn di dy law i gyffwrdd â dim o'i eiddo; yna'n sicr fe'th felltithia yn dy wyneb." ¹²Yna dywedodd yr ARGLWYDD wrth Satan, "Wele'r cyfan sydd ganddo yn dy law di, ond iti beidio â chyffwrdd ag ef ei hun." Ac aeth Satan allan o ŵydd yr ARGLWYDD.

Job yn Colli ei Blant a'i Gyfoeth

13 Un diwrnod, pan oedd ei feibion a'i ferched yn bwyta ac yfed yn nhŷ eu brawd hynaf, ¹⁴daeth cennad at Job a dweud, "Pan oedd yr ychen yn aredig a'r asennod yn pori gerllaw, ¹⁵daeth y Sabeaid ar eu gwarthaf a'u cipio, a tharo'r gweision â chleddyf; a myfi'n unig a ddihangodd i fynegi hyn i ti." ¹⁶Tra oedd hwn yn llefaru, daeth un arall a dweud, "Disgynnodd tân mawr o'r nefoedd ac ysu'r defaid a'r gweision a'u difa'n llwyr, a myfi'n unig a ddihangodd i fynegi hyn i ti." ¹⁷Tra oedd hwn yn llefaru, daeth un arall a dweud, "Daeth y Caldeaid yn dair mintai, ac ymosod ar y camelod a'u cipio, a tharo'r gweision â chleddyf, a myfi'n unig a ddihangodd i fynegi hyn i ti." ¹⁸Tra oedd hwn yn llefaru, daeth un arall a dweud, "Yr oedd dy feibion a'th ferched yn bwyta ac yn yfed gwin yn nhŷ eu brawd hynaf, ¹⁹a daeth gwynt nerthol dros yr anialwch a tharo pedair congl y tŷ, a syrthiodd ar y bobl ifainc, a buont farw; a myfi'n unig a ddihangodd i fynegi hyn i ti."

20 Yna cododd Job a rhwygodd ei fantell, eilliodd ei ben, a syrthiodd ar y ddaear ac ymgrymu ²¹a dweud,

"Yn noeth y deuthum o groth fy mam,
     ac yn noeth y dychwelaf yno.
Yr ARGLWYDD a roddodd, a'r
     ARGLWYDD a ddygodd ymaith.
Bendigedig fyddo enw'r ARGLWYDD."

22 Yn hyn i gyd ni phechodd Job, na gweld bai ar Dduw.

Satan yn Profi Job Eto

2 Unwaith eto daeth y dydd i feibion y duwiau ymddangos o flaen yr ARGLWYDD, a daeth Satan hefyd gyda hwy. ²Gofynnodd yr ARGLWYDD i Satan, "O ble y daethost ti?" Atebodd Satan yr

---

ªH.y., *Y Gwrthwynebwr.*

ARGLWYDD a dweud, "O fynd yma ac acw hyd y ddaear a thramwyo drosti." ³Dywedodd yr ARGLWYDD wrth Satan, "A sylwaist ti ar fy ngwas Job? Nid oes neb tebyg iddo ar y ddaear, gŵr cywir ac uniawn, yn ofni Duw ac yn cefnu ar ddrwg. Y mae'n dal i lynu wrth ei uniondeb, er i ti fy annog i'w ddifetha'n ddiachos". ⁴Atebodd Satan yr AR-GLWYDD a dweud, "Croen am groen! Fe rydd dyn y cyfan sydd ganddo am ei einioes. ⁵Ond estyn di dy law a chyff-wrdd â'i esgyrn a'i gnawd; yna'n sicr fe'th felltithia yn dy wyneb." ⁶Dywedodd yr ARGLWYDD wrth Satan, "Wele ef yn dy law; yn unig arbed ei einioes." ⁷Ac aeth Satan allan o ŵydd yr ARGLWYDD.

Trawyd Job â chornwydydd blin o wadn ei droed i'w gorun, ⁸a chymerodd ddarn o lestr pridd i'w grafu ei hun, ac eisteddodd ar y domen ludw. ⁹Dywedodd ei wraig wrtho, "A wyt am barhau i lynu wrth d'uniondeb? Melltithia Dduw a bydd farw." ¹⁰Ond dywedodd ef wrthi, "Yr wyt yn llefaru fel dynes ffôl; os derbyniwn dda gan Dduw, oni dderbyn-iwn ddrwg hefyd?" Yn hyn i gyd ni phechodd Job â gair o'i enau.

Cyfeillion Job yn Dod i'w Gysuro

11 Yna clywodd tri chyfaill Job am y cystudd trwm a ddaeth arno. Daeth Eli-ffas y Temaniad, Bildad y Suhiad, a Soffar y Naamathiad, pob un o'i le ei hun, a chytuno â'i gilydd i ddod i gydymdeimlo ag ef a'i gysuro. ¹²Pan welsant ef o'r pellter, nid oeddent yn ei adnabod; yna wylasant yn uchel a rhwygo'u dillad a thaflu llwch dros eu pennau i'r awyr. ¹³Eisteddasant ar y llawr gydag ef am saith diwrnod a saith nos. Ni ddywedodd yr un ohonynt air wrtho, am eu bod yn gweld fod ei boen yn fawr.

Cwynfan Job

3 Wedi hyn dechreuodd Job siarad a melltithio dydd ei eni. ²Meddai Job:
³"Difoder y dydd y'm ganwyd,
  a'r nos y dywedwyd, 'Cenhedlwyd
    bachgen'.
⁴Bydded y dydd hwnnw yn dywyllwch;
  na chyfrifer ef gan Dduw oddi uchod,
  ac na lewyrched goleuni arno.
⁵Cuddier ef gan dywyllwch a'r fagddu;
  arhosed cwmwl arno a gorlether ef gan
    ddüwch y dydd.

⁶Cymered y gwyll feddiant o'r nos
    honno;
  na chyfrifer hi ymhlith dyddiau'r
    flwyddyn,
  ac na ddoed i blith nifer y misoedd.
⁷Wele'r nos honno, bydded ddiffrwyth,
  heb sŵn gorfoledd ynddi.
⁸Melltithier hi gan y rhai sy'n
    melltithio'r dyddiau,
  y rhai sy'n medru cyffroi'r lefiathan.
⁹Tywylled sêr ei chyfddydd,
  disgwylied am oleuni heb ei gael,
  ac na weled doriad gwawr,
¹⁰am na chaeodd ddrysau croth fy mam,
  na chuddio gofid o'm golwg.
¹¹Pam na fûm farw yn y groth,
  neu drengi pan ddeuthum allan o'r
    bru?
¹²Pam y derbyniodd gliniau fi,
  ac y rhoddodd bronnau sugn i mi?
¹³Yna, byddwn yn awr yn gorwedd yn
    llonydd,
  yn cysgu'n dawel ac yn cael gorffwys,
¹⁴gyda brenhinoedd a chynghorwyr
    daear,
  a fu'n adfer adfeilion iddynt eu
    hunain,
¹⁵neu gyda thywysogion goludog,
  a lanwodd eu tai ag arian,
¹⁶neu heb fyw, fel erthyl a guddiwyd,
  fel babanod na welsant oleuni.
¹⁷Yno, peidia'r drygionus â therfysgu,
  a chaiff y lluddedig orffwys.
¹⁸Hefyd caiff y carcharorion lonyddwch;
  ni chlywant lais y meistri gwaith.
¹⁹Bychan a mawr sydd yno,
  a'r caethwas yn rhydd oddi wrth ei
    feistr.
²⁰Pam y rhoddir goleuni i'r
    gorthrymedig
  a bywyd i'r chwerw ei ysbryd,
²¹sy'n dyheu am farwolaeth, heb iddi
    ddod,
  sy'n cloddio amdani yn fwy nag am
    drysor cudd,
²²sy'n llawenychu pan gaiff feddrod,
  ac yn gorfoleddu pan gaiff fedd?

²³"Ond am ddyn, cuddiwyd ei ffordd,
  a chaeodd Duw amdano.
²⁴Daw fy ochenaid o flaen fy mwyd,
  a thywelltir fy ngriddfan fel dyfroedd.
²⁵Y peth a ofnaf a ddaw arnaf,
  a'r hyn yr arswydaf rhagddo a ddaw
    imi.
²⁶Nid oes imi dawelwch na llonyddwch;
  ni chaf orffwys, canys daw dychryn."

Y Cylch Areithio Cyntaf
(4:1—14:22)

4 Yna atebodd Eliffas y Temaniad:
² "Os mentra dyn lefaru wrthyt, a
gymeri di dramgwydd?
Eto pwy a all atal geiriau?
³ Wele, buost yn cynghori llawer
ac yn nerthu'r llesg eu dwylo;
⁴ cynhaliodd dy eiriau'r rhai sigledig,
a chadarnhau'r gliniau gwan.
⁵ Ond yn awr daeth adfyd arnat ti, a
chymeraist dramgwydd;
cyffyrddodd â thi, ac yr wyt mewn
helbul.
⁶ Onid yw dy grefydd yn hyder i ti,
ac uniondeb dy fywyd yn obaith?
⁷ Ystyria'n awr, pwy sydd wedi ei
ddifetha ac yntau'n ddieuog,
a phwy o'r uniawn sydd wedi ei dorri i
lawr?
⁸ Fel hyn y gwelais i: y rhai sy'n aredig
helynt
ac yn hau gorthrymder, hwy sy'n ei
fedi.
⁹ Difethir hwy gan anadl Duw,
a darfyddant wrth chwythad ei
ffroenau.
¹⁰ Peidia rhu'r llew a llais y llew cryf;
pydra dannedd y cenawon.
¹¹ Bydd farw'r hen lew o eisiau
ysglyfaeth,
a gwneir yn amddifad genawon y
llewes.

¹² "Daeth gair ataf fi yn ddirgel;
daliodd fy nghlust sibrwd ohono
¹³ yn y cynnwrf a ddaw gyda
gweledigaethau'r nos,
pan ddaw trymgwsg ar ddynion.
¹⁴ Daeth dychryn a chryndod arnaf,
a chynhyrfu fy holl esgyrn.
¹⁵ Llithrodd awel heibio i'm hwyneb,
a gwnaeth i flew fy nghorff sefyll.
¹⁶ Safodd yn llonydd, ond ni allwn
ddirnad beth oedd;
yr oedd ffurf o flaen fy llygaid;
bu distawrwydd, yna clywais lais:
¹⁷ 'A yw dyn yn fwy cyfiawn na Duw,
a dyn yn burach na'i Wneuthurwr?
¹⁸ Os nad yw Duw'n ymddiried yn ei
weision,
ac os yw'n cyhuddo'i genhadau o
gamwedd,
¹⁹ beth, ynteu, am y rhai sy'n trigo mewn
tai o glai,

a'u sylfeini mewn pridd,
y rhai a falurir yn gynt na gwyfyn?
²⁰ Torrir hwy i lawr rhwng bore a hwyr,
llwyr ddifethir hwy, heb neb yn sylwi.
²¹ Pan ddatodir llinyn eu pabell,
oni fyddant farw heb ddoethineb?'

5 "Galw'n awr; a oes rhywun a'th
etyb?
At brun o'r rhai sanctaidd y gelli droi?
² Y mae dicter yn lladd yr ynfyd,
a chenfigen yn dwyn angau i'r ffôl.
³ Gwelais yr ynfyd yn magu gwraidd,
ond ar fyrder melltithiwyd ᵇ ei drigfan;
⁴ ac aeth ei blant y tu hwnt i ymwared,
wedi eu sathru yn y porth, heb neb i'w
hachub.
⁵ Y mae'r newynog yn bwyta'i gynhaeaf
ef,
ac yn ei gymryd hyd yn oed o blith y
drain;
ac y mae'r sychedig yn dyheu am eu
cyfoeth.
⁶ Canys nid o'r pridd y daw gofid,
nac o'r ddaear orthrymder.
⁷ Ond dyn sy'n dwyn gorthrymder
arno'i hun,
cyn sicred ag y tasga'r gwreichion.

⁸ "Ond myfi, ceisio Duw a wnawn i,
a gosod fy achos o'i flaen ef,
⁹ yr un a gyflawna weithredoedd mawr
ac anchwiliadwy,
rhyfeddodau dirifedi.
¹⁰ Ef sy'n tywallt y glaw ar y ddaear,
a'r dyfroedd ar y meysydd.
¹¹ Y mae'n codi'r rhai isel i fyny,
a dyrchefir y galarwyr i ddiogelwch.
¹² Y mae'n diddymu cynllwynion y
cyfrwys;
ni all eu dwylo wneud dim o fudd.
¹³ Y mae ef yn dal y doethion yn eu
cyfrwystra,
a buan y diflanna cynllun y dichellgar.
¹⁴ Brwydrant â thywyllwch hyd yn oed
liw dydd,
ac ymbalfalant ganol dydd fel yn y nos.
¹⁵ Ond gwared ef yr anghenus ᶜ o'u
gafael,
a'r truan o afael y cryf.
¹⁶ Am hynny y mae gobaith i'r tlawd,
ac anghyfiawnder yn cau ei safn.

¹⁷ "Dedwydd y gŵr a gerydda Duw,
ac na wrthyd ddisgyblaeth yr

ᵇ Neu, *melltithiais.*　　ᶜ Neu, *gwared ef rhag y cleddyf.*

Hollalluog.

¹⁸ Ef a ddoluria, ac ef hefyd a rwyma'r
   dolur;
   ef a archolla, ond rhydd ei ddwylo
   feddyginiaeth.
¹⁹ Fe'th wared di rhag chwe chyfyngder;
   ac mewn saith, ni ddaw drwg arnat.
²⁰ Fe'th achub di rhag marw mewn
   newyn,
   a rhag y cleddyf mewn brwydr.
²¹ Cei loches rhag ffrewyll y tafod,
   ac nid ofni'r dinistr pan ddaw.
²² Chwerddi ar ddinistr a newyn,
   ac ni'th ddychrynir gan fwystfil gwyllt.
²³ Byddi mewn cynghrair â cherrig y tir,
   a bydd y bwystfil gwyllt mewn
   heddwch â thi.
²⁴ Yna gweli fod dy babell yn ddiogel,
   a phan rifi dy ddiadell, ni bydd un ar
   goll.
²⁵ Canfyddi hefyd mai niferus yw dy
   dylwyth,
   a'th epil fel gwellt y maes.
²⁶ Ei i'r bedd mewn henaint teg,
   fel y cesglir ysgub yn ei phryd.
²⁷ Chwiliasom hyn yn ddyfal, ac y mae'n
   wir;
   gwrando dithau arno, a deall drosot dy
   hun.''

6 Atebodd Job:
² ''O na ellid pwyso fy nhrallod,
   a gosod fy aflwydd i gyd mewn clorian!
³ Yna byddai'n drymach na thywod y
   môr;
   am hyn y bu fy ngeiriau yn fyrbwyll.
⁴ Y mae saethau'r Hollalluog ᶜʰ ynof;
   yfodd fy ysbryd eu gwenwyn;
   dychryn Duw sy'n gwarchae amdanaf.
⁵ A yw'r asyn gwyllt yn nadu uwchben
   glaswellt?
   A yw'r ych yn brefu uwchben ei
   borthiant?
⁶ A fwyteir yr hyn sydd ddi-flas heb
   halen?
   A oes blas ar sudd y malws? ᵈ
⁷ Y mae fy stumog yn eu gwrthod;
   y maent fel pydredd fy nghnawd.

⁸ ''O na ddôi fy nymuniad i ben,
   ac na chyflawnai Duw fy ngobaith!
⁹ O na ryngai fodd i Dduw fy nharo,
   ac estyn ei law i'm torri i lawr!
¹⁰ Byddai o hyd yn gysur imi,
   a llawenhawn yn yr ing diarbed

(nid wyf yn gwadu geiriau'r Sanct).
¹¹ Pa nerth sydd gennyf i obeithio,
   a beth fydd fy niwedd, fel y byddwn yn
   amyneddgar?
¹² Ai nerth cerrig yw fy nerth?
   Ai pres yw fy nghnawd?
¹³ Wele, nid oes imi gymorth ynof,
   a gyrrwyd llwyddiant oddi wrthyf.
¹⁴ Daw teyrngarwch ei gyfaill i'r claf,
   er iddo gefnu ar ofn yr Hollalluog.
¹⁵ Twyllodd fy mrodyr fi fel ffrwd
   ysbeidiol;
   fel nentydd sy'n gorlifo,
¹⁶ yn dywyll gan rew,
   ac eira yn cuddio ynddynt.
¹⁷ Ond pan ddaw poethder fe beidiant,
   ac yn y gwres diflannant o'u lle.
¹⁸ Troella'r carafannau yn eu ffyrdd,
   crwydrant i'r diffeithle, a chollir hwy.
¹⁹ Y mae carafannau Tema yn edrych
   amdanynt,
   a marsiandïwyr Seba yn disgwyl
   wrthynt.
²⁰ Cywilyddir hwy yn eu hyder;
   dônt atynt, ac fe'u siomir.
²¹ Felly yr ydych chwithau i mi ᵈᵈ;
   gwelwch drychineb, a dychrynwch.
²² A ddywedais o gwbl, 'Rhowch imi,
   ac estynnwch rodd drosof o'ch
   cyfoeth;
²³ achubwch fi o afael y gelyn,
   a rhyddhewch fi o afael gormeswyr'?

²⁴ ''Hyfforddwch fi, a thawaf;
   a dangoswch imi sut y cyfeiliornais.
²⁵ Mor ddiflas yw geiriau uniawn!
   Pa gerydd sydd yng ngherydd un
   ohonoch chwi?
²⁶ A ydych yn credu y gallwch geryddu
   geiriau,
   gan fod ymadroddion y diobaith yn
   wynt?
²⁷ A fwriech goelbren am yr amddifad,
   a tharo bargen am un o'ch cyfeillion?
²⁸ Ond yn awr, bodlonwch i droi ataf;
   ai celwydd a ddywedaf yn eich gŵydd?
²⁹ Trowch; na foed anghyfiawnder.
   Trowch eto; ar hyn y saif fy
   nghyfiawnhad.
³⁰ A oes anghyfiawnder ar fy nhafod?
   Onid yw tafod fy ngenau yn adnabod
   cam flas?

7 ''Onid llafur caled sydd i ddyn ar
   y ddaear,
   a'i ddyddiau fel dyddiau gwas cyflog?

ᶜʰ Hebraeg, *Shadai*.   ᵈ Hebraeg yn ansicr.
ᵈᵈ Felly Groeg a Fersiynau eraill. Hebraeg, *ddim*.

²Fel caethwas yn dyheu am gysgod,
   a gwas yn disgwyl am ei dâl,
³felly y daeth misoedd ofer i'm rhan
   innau,
   a threfnwyd imi nosweithiau gofidus.
⁴Pan orweddaf, dywedaf, 'Pa bryd y caf
   godi?'
   Y mae'r nos yn hir, a byddaf yn blino
   yn troi a throsi hyd doriad gwawr.
⁵Gorchuddiwyd fy nghnawd gan bryfed
   a budreddi;
   crawniodd fy nghroen, ac yna torri
   allan.
⁶Y mae fy nyddiau'n gyflymach na
   gwennol gwehydd;
   darfyddant fel edafedd yn dirwyn i
   ben.

⁷"Cofia mai awel o wynt yw fy hoedl;
   ni wêl fy llygaid ddaioni eto.
⁸Y llygad sy'n edrych arnaf, ni'm gwêl;
   ar amrantiad ni fyddaf ar gael iti.
⁹Fel y cilia'r cwmwl a diflannu,
   felly'r sawl sy'n mynd i'r bedd, ni
   ddychwel oddi yno;
¹⁰ni ddaw eto i'w gartref,
   ac nid edwyn ei le mohono mwy.

¹¹"Ond myfi, nid ataliaf fy ngeiriau;
   llefaraf yng nghyfyngder fy ysbryd,
   cwynaf yn chwerwder fy enaid.
¹²Ai'r môr ydwyf, neu'r ddraig,
   gan dy fod yn gosod gwyliwr arnaf?

¹³"Pan ddywedaf, 'Fy ngwely a rydd
   gysur imi;
   fy ngorweddfa a liniara fy nghwyn',
¹⁴yr wyt yn fy nychryn â breuddwydion,
   ac yn f'arswydo â gweledigaethau.
¹⁵Gwell fyddai gennyf fy nhagu,
   a marw yn hytrach na goddef fy
   mhoen.
¹⁶'Rwy'n ddiobaith; ni ddymunaf fyw
   am amser maith.
   Gad lonydd imi, canys y mae fy
   nyddiau fel niwl.
¹⁷Beth yw dyn i ti ei ystyried,
   ac iti roi cymaint o sylw iddo?
¹⁸Yr wyt yn ymweld ag ef bob bore,
   ac yn ei brofi bob eiliad.
¹⁹Pa bryd y peidi ag edrych arnaf,
   ac y rhoi lonydd imi lyncu fy mhoeri?
²⁰Os pechais, beth a wneuthum i ti, O
   wyliwr dynion?
   Pam y cymeraist fi'n nod,
   nes fy mod yn faich i mi fy hun?

²¹Pam na faddeui fy nhrosedd
   a symud fy mai?
   Yn awr 'rwy'n gorwedd yn y llwch,
   ac er i ti chwilio amdanaf, ni fyddaf ar
   gael."

8 Yna atebodd Bildad y Suhiad:
²"Am ba hyd y lleferi fel hyn,
   a chymaint o ymffrost yn dy eiriau?
³A yw Duw yn gwyrdroi barn?
   A yw'r Hollalluog yn gwyro
   cyfiawnder?
⁴Pan bechodd dy feibion yn ei erbyn,
   fe'u trosglwyddodd i afael eu
   camwedd.
⁵Os ceisi di Dduw yn ddyfal,
   ac ymbil ar yr Hollalluog,
⁶ac os wyt yn bur ac uniawn,
   yna fe wylia ef drosot,
   a'th adfer i'th gyflwr o gyfiawnder.
⁷Pe byddai dy ddechreuad yn fychan,
   byddai dy ddiwedd yn fawr.

⁸"Yn awr gofyn i'r oes a fu,
   ac ystyria'r hyn a ganfu'r tadau.
⁹Canys nid ydym ni ond er doe, ac
   anwybodus ŷm,
   a chysgod yw ein dyddiau ar y ddaear.
¹⁰Oni fyddant hwy'n dy hyfforddi, a
   mynegi wrthyt,
   a rhoi atebion deallus?
¹¹A dyf brwyn lle nad oes cors?
   A ffynna hesg heb ddŵr?
¹²Er eu bod yn ir a heb eu torri,
   eto gwywant yn gynt na'r holl
   blanhigion.
¹³Felly y mae diwedd ᵉ yr holl rai sy'n
   anghofio Duw,
   a derfydd gobaith yr anystyriol.
¹⁴Edau frau yw ei hyder,
   a'i ymffrost fel gwe'r pryf copyn.
¹⁵Pwysa ar ei dŷ, ond ni saif;
   cydia ynddo, ond ni ddeil.
¹⁶Bydd yn ir yn llygad yr haul,
   yn estyn ei frigau dros yr ardd;
¹⁷ymbletha'i wraidd dros y pentwr
   cerrig,
   a daw i'r golwg rhwng y meini.
¹⁸Ond os diwreiddir ef o'i le,
   fe'i gwedir: 'Ni welais di'.
¹⁹Gwywo felly yw ei natur;
   ac yna tyf un arall o'r pridd.

²⁰"Wele, ni wrthyd Duw yr uniawn,
   ac ni chydia yn llaw y drygionus.
²¹Lleinw eto dy enau â chwerthin,

ᵉFelly Groeg. Hebraeg, *llwybrau*.

a'th wefusau â gorfoledd.
²² Gwisgir dy elynion â gwarth,
a diflanna pabell y drygionus.''

9 Atebodd Job:
² "Gwn yn sicr fod hyn yn wir,
na all dyn ei gyfiawnhau ei hun gyda
Duw.
³ Os myn ymryson ag ef,
nid etyb ef unwaith mewn mil.
⁴ Y mae'n ddoeth a chryf;
pwy a ystyfnigodd yn ei erbyn yn
llwyddiannus?
⁵ Y mae'n symud mynyddoedd heb
iddynt wybod,
ac yn eu dymchwel yn ei lid.
⁶ Y mae'n ysgwyd y ddaear o'i lle,
a chryna'i cholofnau.
⁷ Y mae'n gorchymyn i'r haul beidio â
chodi,
ac yn gosod sêl ar y sêr.
⁸ Taenodd y nefoedd ei hunan,
a sathrodd grib y môr.
⁹ Creodd yr Arth ac Orion,
Pleiades a chylch Sêr y De.
¹⁰ Gwna weithredoedd mawr ac
anchwiliadwy,
a rhyfeddodau dirifedi.

¹¹ "Pan â heibio imi, nis gwelaf,
a diflanna heb i mi ddirnad.
¹² Os cipia, pwy a'i rhwystra?
Pwy a ddywed wrtho, 'Beth a wnei?'?
¹³ Ni thry Duw ei lid ymaith;
ymgreinia cynorthwywyr Rahab wrth
ei draed.
¹⁴ Pa faint llai yr atebwn i ef,
a dadlau gair am air ag ef?
¹⁵ Hyd yn oed pe byddwn gyfiawn, ni'm
hatebid[f],
na phed ymbiliwn am drugaredd gan
fy ngwrthwynebwr.
¹⁶ Pe gwysiwn ef ac yntau'n ateb,
ni chredwn y gwrandawai arnaf.
¹⁷ Canys heb reswm y mae'n fy nryllio,
ac yn amlhau f'archollion yn ddiachos.
¹⁸ Nid yw'n rhoi cyfle imi gymryd fy
anadl,
ond y mae'n fy llenwi â chwerwder.

¹⁹ "Os cryfder a geisir, wele ef yn gryf;
os barn, pwy a'i geilw i drefn[ff]?
²⁰ Pe bawn gyfiawn, condemniai fi â'm
geiriau fy hun;
pe bawn ddi-fai, dangosai imi

gyfeiliorni.
²¹ Di-fai wyf, ond nid oes gennyf hyder;
yr wyf yn ffieiddio fy mywyd.
²² Yr un dynged sydd i bawb; am hynny
dywedaf
ei fod ef yn difetha'r di-fai a'r
drygionus.
²³ Os dinistr a ladd yn ddisymwth,
fe chwardd am drallod y diniwed.
²⁴ Os rhoddir gwlad yng ngafael y
drygionus,
fe daena orchudd tros wyneb ei
barnwyr.
Os nad ef, pwy yw?[g]

²⁵ "Y mae fy nyddiau'n gyflymach na
rhedwr;
y maent yn diflannu heb weld daioni.
²⁶ Y maent yn gwibio fel llongau o frwyn,
fel eryr yn disgyn ar gclain.
²⁷ Os dywedaf, 'Anghofiaf fy nghwyn',
newidiaf fy mhryd a byddaf lawen;
²⁸ eto arswydaf rhag fy holl ofidiau;
gwn na'm hystyri'n ddieuog.
²⁹ A bwrw fy mod yn euog,
pam y llafuriaf yn ofer?
³⁰ Os ymolchaf â sebon,
a golchi fy nwylo â soda,
³¹ yna tefli fi i'r ffos,
a gwna fy nillad fi'n ffiaidd.
³² "Nid dyn yw ef fel fi, fel y gallaf ei
ateb,
ac y gallwn ddod ynghyd i ddadlau.
³³ O na fyddai un i dorri'r ddadl
rhyngom,
ac i osod ei law arnom ein dau,
³⁴ fel y symudai ei wialen oddi arnaf,
ac fel na'm dychrynid gan ei arswyd!
³⁵ Yna llefarwn yn eofn.
Ond nid felly y caf fy hun.

10 "Yr wyf wedi alaru ar fy mywyd;
rhoddaf ryddid i'm cwyn,
llefaraf o chwerwedd fy ysbryd.
² Dywedaf wrth Dduw, 'Paid â'm
collfarnu i;
dangos imi pam y dadleui â mi.
³ Ai da yw i ti orthrymu,
a throi heibio lafur dy ddwylo,
a ffafrio cyngor y drygionus?
⁴ Ai llygaid o gnawd sydd gennyt,
neu a weli di fel y gwêl y meidrol?
⁵ A yw dy ddyddiau fel dyddiau dyn,
a'th flynyddoedd fel blynyddoedd
gŵr?

[f] Felly Groeg. Hebraeg, *nid atebwn.*
[g] Y Fersiynau heb *Os...yw?*

[ff] Felly Groeg. Hebraeg, *a'm geilw.*

⁶Oherwydd yr wyt ti'n ceisio fy
   nghamwedd,
ac yn chwilio am fy mhechod,
⁷a thithau'n gwybod nad wyf yn euog,
ac nad oes a'm gwared o'th law.

⁸"'Dy ddwylo a'm lluniodd ac a'm
   creodd,
ond yn awr yr wyt yn troi i'm difetha.
⁹Cofia iti fy llunio fel clai,
ac eto i'r pridd y'm dychweli.
¹⁰Oni thywelltaist fi fel llaeth,
a'm ceulo fel caws?
¹¹Rhoist imi groen a chnawd,
a phlethaist fi o esgyrn a gïau.
¹²Rhoist imi fywyd a daioni,
a diogelodd dy ofal fy einioes.
¹³Ond cuddiaist y rhain yn dy galon;
gwn mai dyna dy fwriad.
¹⁴Os pechaf, byddi'n sylwi arnaf,
ac ni'm rhyddhei o'm trosedd.
¹⁵Os wyf yn euog, gwae fi,
ac os wyf yn ddieuog, ni chaf godi fy
   mhen.
Yr wyf yn llawn o warth a llwythog gan
   flinder.
¹⁶Os ymffrostiaf, yr wyt fel llew yn fy
   hela,
ac yn parhau dy orchestion yn f'erbyn.
¹⁷Yr wyt yn dwyn cyrch ar gyrch arnaf,
ac yn cynyddu dy lid ataf,
ac yn gosod dy luoedd yn f'erbyn.

¹⁸"'Pam y dygaist fi allan o'r groth?
O na fuaswn farw cyn i lygad fy
   ngweld!
¹⁹O na fyddwn fel un heb fod,
yn cael fy nwyn o'r groth i'r bedd!
²⁰Onid prin yw dyddiau fy rhawd? ⁿᵍ
Tro oddi wrthyf, imi gael ychydig
   lawenydd
²¹cyn imi fynd i'r lle na ddychwelaf
   ohono,
i dir tywyllwch a'r fagddu,
²²tir y tywyllwch dudew, y gwyll a'r
   fagddu,
lle di-drefn, a'r goleuni fel y
   tywyllwch.'"

11

Atebodd Soffar y Naamathiad:
²"Oni ddylid ateb y pentyrru hwn
  ar eiriau?
A gyfiawnheir gŵr siaradus?
³A wneir dynion yn fud gan dy
   faldorddi?
A gei di watwar heb neb i'th geryddu?

ⁿᵍFelly Groeg. Hebraeg yn ansicr.

⁴Dywedaist, 'Y mae f'athrawiaeth yn
   bur,
a dilychwin wyf yn d'olwg.'
⁵O na lefarai Duw,
ac agor ei wefusau i siarad â thi,
⁶a hysbysu iti gyfrinachau doethineb,
a bod dwy ochr i ddeall!
Yna gwybydd yr anghofiai Duw beth
   o'th anwiredd.
⁷A elli di ddarganfod dirgelwch Duw,
neu gyrraedd at gyflawnder yr
   Hollalluog?
⁸Y mae'n uwch na'r nefoedd. Beth a
   wnei di?
Y mae'n is na Sheol. Beth a wyddost
   ti?
⁹Y mae ei fesur yn hwy na'r ddaear,
ac yn ehangach na'r môr.

¹⁰"Os daw ef heibio, i gaethiwo neu i
   gynnull,
pwy a'i rhwystra?
¹¹Oherwydd y mae ef yn adnabod
   dynion ofer,
a phan wêl gamwedd, onid yw'n sylwi
   arno?
¹²A ddaw'r dwl yn ddeallus—
asyn gwyllt yn cael ei eni'n ddof?

¹³"Os trefni dy feddwl yn iawn,
fe estynni dy ddwylo tuag ato;
¹⁴ac os oes camwedd ynot, bwrw ef
   ymhell oddi wrthyt,
ac na thriged anghyfiawnder yn dy
   bebyll;
¹⁵yna gelli godi dy olwg heb gywilydd,
a byddi'n gadarn a di-ofn.
¹⁶Fe anghofi orthrymder;
fel dŵr a giliodd y cofi amdano.
¹⁷Bydd gyrfa bywyd yn oleuach na
   chanol dydd,
a'r gwyll fel boreddydd.
¹⁸Byddi'n hyderus am fod gobaith,
ac wedi edrych o'th gwmpas, fe
   orweddi'n ddiogel.
¹⁹Fe orffwysi heb neb i'th ddychryn;
a bydd llawer yn ceisio dy ffafr.
²⁰Palla llygaid y drygionus,
diflanna ymwared oddi wrthynt,
a'u gobaith yw'r anadl olaf."

12

Atebodd Job:
²"Yn wir, chwi yw'r bobl,
a chyda chwi y derfydd doethineb!
³Ond y mae gennyf finnau ddeall fel
   chwithau,

ac nid wyf yn salach na chwi;
yn wir, pwy sydd heb wybod hyn?

4 "Yr wyf yn gyff gwawd i'm cyfeillion,
er imi alw ar Dduw ac iddo yntau ateb;
y cyfiawn a'r perffaith yn gyff gwawd!
5 Dirmygir dinistr gan y rhai sydd mewn
esmwythyd,
a sefydlogrwydd gan y rhai y mae eu
traed yn llithro.
6 Llwyddiant sydd ym mhebyll yr
anrheithwyr,
a diogelwch i'r rhai sy'n blino Duw—
rhai wedi cael Duw dan eu bawd!

7 "Ond yn awr gofyn i'r anifeiliaid dy
ddysgu,
ac i adar y nefoedd fynegi i ti,
8 neu i blanhigion y tir dy hyfforddi,
ac i bysgod y môr dy gyfarwyddo.
9 Pwy na ddealla oddi wrth hyn i gyd
mai llaw'r ARGLWYDD a'u gwnaeth?
10 Yn ei law ef y mae einioes pob peth
byw,
ac anadl pob dyn meidrol.
11 Onid yw'r glust yn profi geiriau,
fel y mae taflod y genau yn blasu
bwyd?

12 "Ai ymhlith yr oedrannus y ceir
doethineb,
a deall gyda'r rhai sydd ymlaen mewn
dyddiau?
13 Gan Dduw[h] y mae doethineb a
chryfder,
a chyngor a deall sydd eiddo iddo.
14 Os dinistria, nid adeiledir:
os carchara ddyn, nid oes rhyddhad.
15 Os atal ef y dyfroedd, yna y mae
sychder;
a phan ollwng hwy, yna gorlifant y
ddaear.
16 Ganddo ef y mae nerth a gwir
ddoethineb;
ef biau'r sawl a dwyllir a'r sawl sy'n
twyllo.
17 Gwna i gynghorwyr gerdded yn
droednoeth,
a gwawdia farnwyr.
18 Y mae'n datod gwregys brenhinoedd,
ac yn rhwymo carpiau am eu llwynau.
19 Gwna i offeiriaid gerdded yn
droednoeth,
a lloria'r rhai sefydledig.
20 Diddyma ymadrodd y rhai y credir
ynddynt,

a chymer graffter yr henuriaid oddi
wrthynt.
21 Fe dywallt ddirmyg ar bendefigion,
a gwanhau nerth y cryfion.
22 Y mae'n datguddio cyfrinachau o'r
tywyllwch,
ac yn troi'r fagddu yn oleuni.
23 Fe amlha genhedloedd, ac yna fe'u
dinistria;
fe ehanga genhedloedd, ac yna fe'u
dwg ymaith.
24 Diddyma farn penaethiaid y ddaear,
a pheri iddynt grwydro mewn
diffeithwch di-ffordd;
25 ymbalfalant yn y tywyllwch heb
oleuni;
fe wna iddynt simsanu fel meddwon.

13 "Gwelodd fy llygad hyn i gyd;
clywodd fy nghlust cf, a'i ddcall.
2 'Rwyf finnau'n deall gystal â chwithau;
nid wyf yn ddim salach na chwi.
3 Eto â'r Hollalluog y dymunaf siarad,
a dadlau fy achos gyda Duw;
4 ond yr ydych chwi'n palu celwydd,
a'r cwbl ohonoch yn plethu anwiredd.
5 O na fyddech yn cadw'n ddistaw!
Hynny a fyddai'n ddoeth i chwi.
6 Gwrandcwch yn awr ar fy achos,
a rhowch ystyriaeth i'm dadl.
7 A ddywedwch anwiredd dros Dduw,
a chelwydd er ei fwyn?
8 A gymerwch chwi ei blaid,
a dadlau dros Dduw?
9 A fydd yn dda arnoch pan chwilia ef
chwi?
A ellwch ei dwyllo ef fel y twyllir dyn?
10 Bydd ef yn sicr o'ch ceryddu
os cymerwch ei blaid yn ddirgel.
11 Onid yw ei fawredd yn eich dychryn?
Oni ddisgyn ei arswyd arnoch?
12 Geiriau lludw yw eich gwirebau,
a chlai yw eich amddiffyniad.

13 "Byddwch ddistaw, a gadewch i mi
lefaru,
a doed a ddelo arnaf.
14 Cymeraf[i] fy nghnawd rhwng fy
nannedd,
a'm heinioes yn fy nwylo.
15 Yn sicr, fe'm lladd; nid oes gobaith
imi;
eto amddiffynnaf fy muchedd o'i flaen.
16 A hyn sy'n rhoi hyder i mi,
na all dyn digrefydd fynd ato.
17 Gwrandewch yn astud ar fy ngeiriau,

h Hebraeg, *Ganddo ef.*   i Hebraeg, *Pam y cymeraf.*

a rhowch glust i'm tystiolaeth.
18 Dyma fi wedi trefnu f'achos;
gwn y caf fy nghyfiawnhau.
19 Pwy sydd i ddadlau â mi,
i wneud imi dewi a rhoi i fyny'r
ysbryd?
20 Gwna ddau beth yn unig imi,
ac nid ymguddiaf oddi wrthyt:
21 symud dy law oddi arnaf,
fel na'm dychryner gan dy arswyd;
22 yna galw arnaf ac atebaf finnau,
neu gad i mi siarad a rho di ateb.
23 Beth yw nifer fy meiau a'm pechodau?
Dangos imi fy nhrosedd a'm pechod.
24 Pam yr wyt yn cuddio dy wyneb,
a'm hystyried yn elyn iti?
25 A ddychryni di ddeilen grin,
ac ymlid soflyn sych?
26 Oherwydd dedfrydaist chwerwedd yn
f'erbyn,
a gwneud imi etifeddu pechodau fy
ieuenctid.
27 Gosodaist fy nhraed mewn cyffion
(yr wyt yn gwylio fy holl ffyrdd),
a rhoist nod ar wadnau fy nhraed.
28 Ond derfydd dyn[1] fel costrel groen[ll],
fel dilledyn wedi ei ysu gan wyfyn.

14 "Y mae dyn a anwyd o wraig
yn fyr ei oes a llawn helbul.
2 Y mae fel blodeuyn yn tyfu ac yna'n
gwywo;
diflanna fel cysgod ac nid erys.
3 A roi di sylw i un fel hyn,
a'i ddwyn ef[m] i farn gyda thi?
4 Pwy a gaiff lendid allan o aflendid?
Neb!
5 Gan fod terfyn i'w ddyddiau,
a chan iti rifo'i fisoedd,
a gosod iddo ffin nas croesir,
6 yna tro oddi wrtho fel y caiff lonydd,
fel gwas cyflog yn mwynhau ei
ddiwrnod gwaith.

7 "Er i goeden gael ei thorri,
y mae gobaith iddi ailflaguro,
ac ni phaid ei changhennau â thyfu.
8 Er i'w gwraidd heneiddio yn y ddaear,
ac i'w boncyff farweiddio yn y pridd,
9 pan synhwyra ddŵr fe adfywia,
ac fe flagura fel planhigyn ifanc.
10 Ond pan fydd dyn farw, dygir ef
ymaith,
a phan rydd ei anadl olaf, nid yw'n bod
mwyach.

11 Derfydd y dŵr o'r llyn;
disbyddir a sychir yr afon;
12 felly dyn, fe orwedd ac ni chyfyd,
ni ddeffry tra pery'r nefoedd,
ac nis cynhyrfir o'i gwsg.
13 O na bait yn fy nghuddio yn Sheol,
ac yn fy nghadw o'r golwg nes i'th lid
gilio,
a phennu amser arbennig imi, a'm
dwyn i gof!
14 (Pan fydd dyn farw, a gaiff ef fyw
drachefn?)
Yna fe obeithiwn holl ddyddiau fy
nhymor,
hyd nes i'm rhyddhad ddod.
15 Gelwit arnaf, ac atebwn innau;
hiraethit am waith dy ddwylo.
16 Yna cedwit gyfrif o'm camre,
heb wylio fy mhechod;
17 selid fy nghamwedd mewn cod,
a chuddid fy nhrosedd.

18 "Ond, fel y diflanna'r mynydd sy'n
llithro,
ac fel y symud y graig o'i lle,
19 ac fel y treulir y cerrig gan ddyfroedd,
ac y golchir ymaith bridd y ddaear gan
lifogydd,
felly y gwnei i obaith dyn ddiflannu.
20 Parhei i'w orthrymu nes iddo ddarfod;
newidi ei wedd, a'i ollwng.
21 Pan anrhydeddir ei blant, ni ŵyr ef;
pan ddarostyngir hwy, ni sylwa.
22 Ei gnawd ei hun yn unig sy'n ei boeni,
a'i fywyd ei hun sy'n ei ofidio."

Yr Ail Gylch Areithio
(15:1—21:34)

15 Yna atebodd Eliffas y Temaniad:
"Ai ateb â gwybodaeth nad yw'n
ddim ond gwynt a wna'r doeth,
a llenwi ei fol â'r dwyreinwynt?
3 A ddadleua ef â gair di-fudd,
ac â geiriau di-les?
4 Ond yr wyt ti'n diddymu crefydd,
ac yn rhwystro defosiwn gerbron Duw.
5 Oherwydd dy gamwedd sy'n dy
hyfforddi,
ac ymadrodd y cyfrwys a ddewisi.
6 Dy enau dy hun sy'n dy gondemnio,
nid myfi,
a'th wefusau di sy'n tystio yn dy erbyn.

7 "Ai ti a anwyd y cyntaf o ddynion?
A ddygwyd di i'r byd cyn y bryniau?
8 A wyt ti'n gwrando ar gyfrinach[n]

---

[1] Hebraeg, *ef.*   [ll] Felly Groeg. Hebraeg, *fel pydredd.*
[m] Hebraeg, *a'm dwyn i.*   [n] Neu, *yng Nghyngor.*

Duw,
ac yn cyfyngu doethineb i ti dy hun?
⁹Beth a wyddost ti na wyddom ni?
Pa grebwyll sydd gennyt nad yw
    gennym ninnau?
¹⁰Y mae yn ein mysg rai penwyn a rhai
    oedrannus,
dynion sy'n hŷn na'th dad.
¹¹Ai dibris yn d'olwg yw diddanwch
    Duw,
a'r gair a ddaw'n ddistaw atat?
¹²Beth a ddaeth dros dy feddwl?
Pam y mae dy lygaid yn fflachio
¹³fel yr wyt yn gosod dy ysbryd yn erbyn
    Duw,
ac yn arllwys y geiriau hyn?
¹⁴Sut y gall dyn fod yn ddieuog,
ac un a anwyd o wraig fod yn gyfiawn?
¹⁵Os nad ymddiried ef yn ei rai
    sanctaidd,
os nad yw'r nefoedd yn lân yn ei olwg,
¹⁶beth ynteu am ddyn, sy'n ffiaidd a
    llwgr,
ac yn yfed anghyfiawnder fel dŵr?

¹⁷"Dangosaf iti; gwrando dithau arnaf.
Mynegaf i ti yr hyn a welais
¹⁸(yr hyn y mae'r doethion wedi ei
    ddweud,
ac nad yw wedi ei guddio oddi wrth eu
    tadau;
¹⁹iddynt hwy yn unig y rhoddwyd y
    ddaear,
ac ni thramwyodd dieithryn yn eu
    plith):
²⁰bydd yr annuwiol mewn helbul holl
    ddyddiau ei oes,
trwy gydol y blynyddoedd a bennwyd
    i'r creulon.
²¹Sŵn dychryniadau sydd yn ei glustiau,
a daw'r dinistriwr arno yn awr ei
    lwyddiant.
²²Nid oes iddo obaith dychwelyd o'r
    tywyllwch;
y mae wedi ei dynghedu i'r cleddyf.
²³Crwydryn yw, ac ysglyfaeth i'r eryr;
gŵyr mai diwrnod tywyll sydd wedi ei
    bennu iddo.
²⁴Brawychir ef gan ofid a chyfyngder;
llethir ef fel brenin parod i ymosod.
²⁵Oherwydd iddo estyn ei law yn erbyn
    Duw,
ac ymffrostio yn erbyn yr Hollalluog,
²⁶a rhuthro arno'n haerllug,
a both ei darian yn drwchus;
²⁷oherwydd i'w wyneb chwyddo gan

fraster,
ac i'w lwynau dewychu â bloneg,
²⁸fe drig mewn dinasoedd diffaith,
mewn tai heb neb yn byw ynddynt,
lleoedd sydd ar fin adfeilio.
²⁹Ni ddaw'n gyfoethog, ac ni phery ei
    gyfoeth,
ac ni chynydda'i oludᵒ yn y tir.
³⁰Ni ddianc rhag y tywyllwch.
Deifir ei frig gan y fflam,
a syrth ei flagurᵖ yn y gwynt.
³¹Peidied ag ymddiried mewn gwagedd
    a'i dwyllo'i hun,
canys gwagedd fydd.
³²Gwywa'i balmwydd cyn pryd,
ac ni lasa'i gangen.
³³Dihidla'i rawnwin anaeddfed fel
    gwinwydden,
a bwrw ei flodau fel olewydden.
³⁴Diffrwyth yw cwmni'r digrefydd,
ac fe ysa'r tân drigfannau breibwyr.
³⁵Beichiogant ar flinder ac ymddwyn
    drwg,
ac ar dwyll yr esgor eu croth."

16 Atebodd Job:
²"Yr wyf wedi clywed llawer o
    bethau fel hyn;
cysurwyr sy'n peri blinder ydych chwi i
    gyd.
³A oes terfyn i eiriau gwyntog?
Neu beth sy'n dy gythruddo i ddadlau?
⁴Gallwn innau siarad fel chwithau,
pe baech chwi yn fy safle i;
gallwn blethu geiriau yn eich erbyn,
ac ysgwyd fy mhen arnoch,
⁵a'ch calonogi â'm geiriau
cyhyd ag y symudai fy ngenau.

⁶"Os llefaraf, ni phaid fy mhoen,
ac os tawaf, ni chilia oddi wrthyf.
⁷Yn fwy na hyn, gosodwyd blinder
    arnaf;
gorthrymodd fy holl gyfeillion fi.
⁸Crychaist fy nghroen, a thystia hyn yn
    f'erbyn;
saif fy nheneuwch i'm cyhuddo.
⁹Yn ei gynddaredd rhwygodd fi mewn
    casineb,
ac ysgyrnygu ei ddannedd arnaf;
llygadrytha fy ngelynion arnaf.
¹⁰Cegant yn wawdlyd arnaf,
trawant fy ngrudd mewn dirmyg,
unant yn dyrfa yn f'erbyn.
¹¹Rhydd Duw fi yng ngafael yr
    annuwiol,

ᵒHebraeg yn ddyrys.   ᵖCymh. Groeg. Hebraeg, *ei enau*.

a'm taflu i ddwylo'r anwir.
¹²Yr oeddwn mewn esmwythyd, ond
drylliodd fi;
cydiodd yn fy ngwar a'm llarpio;
gosododd fi yn nod iddo anelu ato.
¹³Yr oedd ei saethwyr o'm hamgylch;
trywanodd i'm harennau'n
ddidrugaredd,
a thywalltwyd fy mustl ar y llawr.
¹⁴Gwnaeth rwyg ar ôl rhwyg ynof;
rhuthrodd arnaf fel ymladdwr.

¹⁵"Gwnïais sachliain am fy nghroen,
a chuddiais fy nghorun yn y llwch.
¹⁶Cochodd fy wyneb gan ddagrau,
daeth düwch ar fy amrannau,
¹⁷er nad oes camwedd ar fy nwylo,
ac er bod fy ngweddi'n ddilys.

¹⁸"O ddaear, na chuddia fy ngwaed,
ac na fydded gorffwys i'm cri.
¹⁹Oherwydd wele, yn y nefoedd y mae
fy nhyst,
ac yn yr uchelder y mae'r Un a dystia
drosof.
²⁰Er bod fy nghyfeillion yn fy ngwawdio,
difera fy llygad ddagrau gerbron Duw,
²¹fel y bo barn gyfiawn rhwng dyn a
Duw,
fel sydd rhwng dyn a'i gymydog.
²²Ychydig flynyddoedd sydd i ddod
cyn imi fynd ar hyd llwybr na
ddychwelaf arno.

17 "Llesgaodd fy ysbryd, ciliodd fy
nyddiau;
beddrod fydd fy rhan.
²Yn wir y mae gwatwarwyr o'm
cwmpas;
pyla fy llygaid wrth iddynt wawdio.

³"Gosod dy hun yn feichiau drosof;
pwy arall a rydd wystl ar fy rhan?
⁴Oherwydd iti gadw eu calon rhag
deall,
ni fydd i ti eu dyrchafu.
⁵Pan fynega dyn bethau hudolus wrth ei
gyfeillion,
bydd llygaid ei blant yn pylu.

⁶"Gwnaeth fi'n ddihareb i'r bobl;
yr wyf yn gywilydd ger eu bron.
⁷Pylodd fy llygaid o achos gofid;
aeth fy nghorff i gyd fel cysgod.
⁸Synna'r cyfiawn at y fath beth,
a ffyrniga'r uniawn yn erbyn yr

ᵖʰFelly Groeg. Hebraeg, *rhowch faglau.*

annuwiol.
⁹Fe geidw'r cyfiawn at ei ffordd,
a bydd y glân ei ddwylo yn ychwanegu
nerth.
¹⁰Pe baech i gyd yn rhoi ailgynnig,
eto ni chawn neb doeth yn eich plith.

¹¹"Ciliodd fy nyddiau; methodd
f'amcanion
a dyhead fy nghalon.
¹²Gwnant y nos yn ddydd—
y mae'r goleuni yn ddewisach
ganddynt na'r tywyllwch.
¹³Pa obaith sydd gennyf? Sheol fydd fy
nghartref;
cyweiriaf fy ngwely yn y tywyllwch;
¹⁴dywedaf wrth y pwll, 'Ti yw fy nhad',
ac wrth lyngyr, 'Fy mam a'm chwaer'.
¹⁵Ble, felly, y mae fy ngobaith?
A phwy a wêl obaith imi?
¹⁶Oni ddisgyn y rhai hyn i Sheol?
Onid awn i gyd i'r llwch?"

18 Yna atebodd Bildad y Suhiad:
²"Pa bryd y rhowch derfynᵖʰ ar
eiriau?
Ystyriwch yn bwyllog, yna gallwn
siarad.
³Pam yr ystyrir ni fel anifeiliaid,
ac y cyfrifir ni'n hurt yn eich golwg?
⁴Un yn ei rwygo'i hun yn ei lid!
A wneir y ddaear yn ddiffaith er dy
fwyn di?
A symudir y graig o'i lle?

⁵"Fe ddiffydd goleuni'r drygionus,
ac ni chynnau fflam ei dân.
⁶Fe dywylla'r goleuni yn ei babell,
a diffydd ei lamp uwch ei ben.
⁷Byrhau a wna'i gamau cryfion,
a'i gyngor ei hun a wna iddo syrthio.
⁸Fe'i gyrrir ef i'r rhwyd gan ei draed ei
hun;
y mae'n sangu ar y rhwydwaith.
⁹Cydia'r trap yn ei sawdl,
ac fe'i delir yn y groglath.
¹⁰Cuddiwyd cortyn iddo ar y ddaear,
ac y mae magl ar ei lwybr.
¹¹Y mae ofnau o bob tu yn ei ddychryn,
ac yn ymlid ar ei ôl.
¹²Pan ddaw pall ar ei gryfder,
yna y mae dinistr yn barod am ei
gwymp.
¹³Ysir ei groen gan glefyd,
a llyncir ei aelodau gan Gyntafanedig
Angau;

¹⁴yna cipir ef o'r babell yr ymddiriedai ef
ynddi,
a'i ddwyn at Frenin Braw.
¹⁵Bydd estron yn trigo yn ei babell,
a gwasgerir brwmstan ar ei annedd.

¹⁶"Crina'i wraidd oddi tanodd,
a gwywa'i ganghennau uwchben.
¹⁷Derfydd y cof amdano o'r tir,
ac nid erys ei enw yn y wlad.
¹⁸Fe'i gwthir o oleuni i dywyllwch,
ac erlidir ef o'r byd.
¹⁹Ni bydd disgynnydd na hil iddo ymysg
ei bobl,
nac olynydd iddo yn ei drigfan.
²⁰Synnant yn y Gorllewin o achos ei
dynged,
ac arswydant yn y Dwyrain.
²¹Yn wir dyma drigfannau'r
drwgweithredwr;
hwn yw lle'r un nad yw'n adnabod
Duw."

19 Atebodd Job:
²"Am ba hyd y blinwch fi,
a'm dryllio â geiriau?
³Yr ydych wedi fy ngwawdio
ddengwaith,
ac nid oes arnoch gywilydd fy mhoeni.
⁴Os yw'n wir imi gyfeiliorni,
onid arnaf fi fy hun y mae'r bai?
⁵Os ydych yn wir yn eich gwneud eich
hunain yn well na mi,
ac yn fy nghondemnio o achos fy
ngwarth,
⁶ystyriwch yn awr mai Duw sydd wedi
f'arwain ar gyfeiliorn,
ac wedi taflu ei rwyd o'm hamgylch.
⁷Os gwaeddaf, 'Trais', ni chaf ateb;
os ceisiaf help, ni chaf farn deg.
⁸Caeodd fy ffordd fel na allaf ddianc,
a gwnaeth fy llwybr yn dywyll o'm
blaen.
⁹Cipiodd f'anrhydedd oddi arnaf,
a symudodd y goron oddi ar fy mhen.
¹⁰Bwriodd fi i lawr yn llwyr, a darfu
amdanaf;
diwreiddiodd fy ngobaith fel coeden.
¹¹Enynnodd ei lid yn f'erbyn,
ac fe'm cyfrif fel un o'i elynion.
¹²Daeth ei fyddinoedd ynghyd;
gosodasant sarn hyd ataf,
ac yna gwersyllu o amgylch fy
mhabell.

¹³"Cadwodd fy mrodyr draw oddi
wrthyf,
ac aeth fy nghyfeillion yn ddieithr.
¹⁴Gwadwyd fi gan fy nghymdogion a'm
cydnabod,
ac anwybyddwyd fi gan fy ngweision.
¹⁵Fel dieithryn y meddylia fy morynion
amdanaf;
estron wyf yn eu golwg.
¹⁶Galwaf ar fy ngwas, ond nid yw'n fy
ateb,
er i mi erfyn yn daer arno.
¹⁷Aeth fy anadl yn atgas i'm gwraig,
ac yn ddrewdod i'm plant fy hun.
¹⁸Dirmygir fi hyd yn oed gan blantos;
pan godaf ar fy nhraed, y maent yn
troi cefn arnaf ʳ.
¹⁹Ffieiddir fi gan fy nghyfeillion pennaf;
trodd fy ffrindiau agosaf yn f'erbyn.
²⁰Y mae fy nghroen ʳʰ yn glynu wrth fy
esgyrn,
a dihengais â chroen fy nannedd.

²¹"Cymerwch drugaredd arnaf, fy
nghyfeillion,
oherwydd cyffyrddodd llaw Duw â mi.
²²Pam yr erlidiwch fi fel y gwna Duw?
Oni chawsoch ddigon ar ddifa fy
nghnawd?
²³O na fyddai fy ngeiriau wedi eu
hysgrifennu!
O na chofnodid hwy mewn llyfr,
²⁴wedi eu hysgrifennu â phin dur a
phlwm,
a'u naddu ar garreg am byth!
²⁵Oherwydd gwn fod fy amddiffynnwr
yn fyw,
ac y saif yn gefnogwr ˢ ar y ddaear.
²⁶Y cefnogwr a amddiffyn fy nghroen,
ac o'm cnawd caf weld Duw ᵗ.
²⁷Fe'i gwelaf ef o'm plaid;
ie, fy llygaid fy hun a'i gwêl, ac nid
yw'n ddieithr.
Y mae fy nghalon yn dyheu o'm
mewn.

²⁸"Os dywedwch, 'Y fath erlid a fydd
arno!',
gan fod gwreiddyn y mater ynof,
²⁹arswydwch rhag y cleddyf;
oherwydd daw cynddaredd â chosb y
cleddyf,
ac yna y cewch wybod fod barn."

ʳNeu, *y maent yn cega arnaf.*   ʳʰHebraeg yn ychwanegu, *a'm cnawd.*
ˢNeu, *yn y diwedd.*   ᵗHebraeg yn aneglur iawn.

20 Yna atebodd Soffar y
Naamathiad:
² "Yn awr, fe'm cynhyrfir i ateb;
am hynny atebaf ar frys.
³ Clywais gerydd sy'n fy nifrïo;
y mae cynnwrf fy meddwl yn fy
ngorfodi i ateb.
⁴ Onid wyt yn gwybod hyn? O'r
dechrau,
er pan osodwyd dyn ar y ddaear,
⁵ byr yw gorfoledd yr annuwiol,
ac am gyfnod yn unig y pery llawenydd
yr anystyriol.
⁶ Er i'w falchder esgyn i'r uchelder,
ac i'w ben gyffwrdd â'r cymylau,
⁷ eto derfydd am byth fel ei dom ei hun,
a dywed y rhai a'i gwelodd, 'Ple mae
ef?'
⁸ Eheda ymaith fel breuddwyd, ac ni
fydd yn bod;
fe'i hymlidir fel gweledigaeth nos.
⁹ Y llygad a'i gwelodd, ni wêl mohono
mwy,
ac nid edrych arno yn ei le.
¹⁰ Cais ei blant ffafr y tlawd,
a dychwel ei ddwylo ei gyfoeth.
¹¹ Y mae ei esgyrn sy'n llawn egni
yn gorwedd gydag ef yn y llwch.

¹² "Er i ddrygioni droi'n felys yn ei enau,
a'i fod yntau am ei gadw dan ei dafod,
¹³ ac yn anfodlon ei ollwng,
ond yn ei ddal dan daflod ei enau,
¹⁴ eto y mae ei fwyd yn ei gylla
yn troi'n wenwyn asb iddo.
¹⁵ Llynca gyfoeth, ac yna'i chwydu;
bydd Duw'n ei dynnu allan o'i fol.
¹⁶ Sugna wenwyn yr asb,
ac yna fe'i lleddir gan golyn gwiber.
¹⁷ Ni chaiff weld ffrydiau o olew ᵗʰ,
nac afonydd o fêl a llaeth.
¹⁸ Dychwel ffrwyth ei lafur heb iddo elwa
arno;
er cymaint ei enillion, ni chaiff eu
mwynhau.
¹⁹ Oherwydd gorthrymodd y tlawd a'i
adael yn ddiymgeledd;
cipiodd dŷ nas adeiladodd.
²⁰ Ni wyr sut i dawelu ei chwant,
ac ni ddianc dim rhag ei wanc.
²¹ Nid oes gweddill iddo'i fwyta,
ac felly nid oes parhad i'w ffyniant.
²² Wedi digoni ei chwant, â'n gyfyng
arno;
daw holl rym gofid arno.
²³ Pan fydd ar fedr llenwi ei fol,

ᵗʰ Cymh. 29:6. Hebraeg, *afonydd o.*

gyrrir arno angerdd llid,
a'i dywallt i lawr i'w berfedd.

²⁴ "Fe ffy rhag arfau haearn,
ond fe'i trywenir gan y saeth bres.
²⁵ Tynnir hi allan o'i gorff,
y blaen gloyw allan o'i fustl;
daeth ellyllon ato.
²⁶ Tywyllwch llwyr a gadwyd ar gyfer ei
drysorau;
ysir ef gan dân nad oes raid ei
chwythu;
difethir yr hyn a adawyd yn ei babell.
²⁷ Dadlenna'r nefoedd ei gamwedd,
a chyfyd y ddaear yn ei erbyn.
²⁸ Bydd i'r dilyw ddwyn ymaith ei dŷ,
a llifogydd, yn nydd ei lid.
²⁹ Dyma dynged y dyn annuwiol oddi
wrth Dduw,
a'r etifeddiaeth a osododd iddo."

21 Atebodd Job:
² "Gwrandewch eto ar fy ngeiriau;
felly y rhowch gysur imi.
³ Goddefwch i mi lefaru,
ac wedi imi lefaru, cewch watwar.
⁴ Oni chaf ddweud fy nghwyn wrth
ddyn?
A pham na chaf fod yn ddiamynedd?
⁵ Edrychwch arnaf, a synnwch,
a rhowch eich llaw ar eich genau.
⁶ Pan ystyriaf hyn, 'rwy'n arswydo,
a daw cryndod i'm cnawd.

⁷ "Pam y caiff yr annuwiol fyw,
a heneiddio'n gadarnach eu nerth?
⁸ Y mae eu plant yn byw o'u cwmpas,
a'u teulu yn eu hymyl.
⁹ Y mae eu tylwyth yn ddiogel oddi wrth
ddychryn,
ac ni ddaw dyrnod Duw arnynt.
¹⁰ Y mae eu tarw'n cyfloi yn ddi-feth,
a'u buwch yn bwrw lloi heb erthylu.
¹¹ Caiff eu plantos grwydro'n rhydd fel
defaid,
a dawnsia'u plant yn hapus.
¹² Canant gyda'r dympan a'r delyn,
a byddant lawen wrth sŵn y ffliwt.
¹³ Treuliant eu dyddiau mewn
esmwythyd,
a disgynnant i Sheol mewn heddwch.
¹⁴ Dywedant wrth Dduw, 'Cilia oddi
wrthym;
ni fynnwn wybod dy ffyrdd.
¹⁵ Pwy yw'r Hollalluog i ni ei
wasanaethu,

a pha fantais sydd inni os gweddïwn
  arno?'

¹⁶"Ond eto nid yn eu dwylo'u hunain y
    mae eu ffyniant;
  pell yw cyngor yr annuwiol oddi
    wrtho^u.

¹⁷"Pa mor aml y diffoddir lamp yr
    annuwiol,
  ac y daw eu dinistr arnynt hwy,
  ac y tynghedir hwy i boen gan ei lid?
¹⁸A ydynt hwy fel gwelltyn o flaen y
    gwynt,
  neu fel us a ddygir ymaith gan y
    storm?
¹⁹A geidw Duw ddinistr gŵr i'w blant?
  Taled iddo ef ei hun, i'w ddarostwng.
²⁰Bydded i'w lygaid ei hun weld ei
    ddinistr,
  ac yfed o lid yr Hollalluog.
²¹Pa ddiddordeb fydd ganddo yn ei
    deulu ar ei ôl,
  pan fydd nifer ei fisoedd wedi darfod?

²²"A ellir dysgu gwybodaeth i Dduw?
  Onid ef sy'n barnu'r beilchion?

²³"Bydd un farw yn ei lwyddiant,
  mewn llonyddwch a thawelwch,
²⁴ei lwynau yn llawn braster,
  a mêr ei esgyrn yn iraidd.
²⁵Bydd arall farw yn chwerw ei ysbryd,
  heb brofi daioni.
²⁶Ond gorweddant gyda'i gilydd yn y
    pridd,
  a'r pryfed yn amdo drostynt.

²⁷"Yn awr gwn eich meddyliau,
  a'r bwriadau sydd gennych i'm drygu;
²⁸oherwydd dywedwch, 'Ble'r aeth tŷ'r
    pendefig?
  a phle mae trigfannau'r annuwiol?'
²⁹Oni ofynnwch i'r rhai sy'n teithio'r
    ffordd?
  Onid ydych yn adnabod yr arwyddion,
³⁰yr arbedir y drygionus rhag dydd
    dinistr,
  ac y gwaredir ef rhag dydd digofaint?
³¹Pwy a'i cyhudda yn ei wyneb?
  Pwy a dâl yn ôl iddo am yr hyn a
    wnaeth?
³²Pan ddygir ef i'r bedd,
  cedwir gwyliadwriaeth ar ei feddrod.
³³Y mae tywyrch y fynwent yn dyner
    arno;

bydd gorymdaith yn dilyn ar ei ôl,
  a thyrfa niferus yn cerdded o'i flaen.
³⁴Sut, felly, y mae eich gwagedd yn
    gysur i mi?
  Nid oes ond twyll yn eich atebion."

Y Trydydd Cylch Areithio
(22:1—27:23)

22 Yna atebodd Eliffas y Temaniad:
²"A yw dyn o werth i Dduw?
  Onid iddo'i hun y mae'r doeth o
    werth?
³A oes boddhad i'r Hollalluog pan wyt
    yn gyfiawn,
  neu elw iddo pan wyt yn rhodio'n
    gywir?
⁴Ai am dy dduwioldeb y mae'n dy
    geryddu,
  ac yn dy ddwyn i farn?
⁵Onid yw dy ddrygioni'n fawr,
  a'th gamwedd yn ddiderfyn?
⁶Cymeri wystl gan dy frodyr yn
    ddiachos,
  a dygi ymaith ddillad y tlawd.
⁷Ni roddi ddŵr i'r lluddedig i'w yfed,
  a gwrthodi fara i'r newynog.
⁸Y cryf sy'n meddiannu'r tir,
  a'r ffefryn a drig ynddo.
⁹Gyrri'r weddw ymaith yn waglaw,
  ac ysigi freichiau'r amddifad.
¹⁰Am hyn y mae maglau o'th gwmpas,
  a daw ofn disymwth i'th lethu,
¹¹a thywyllwch fel na elli weld,
  a bydd gorlif yn dy orchuddio.

¹²"Onid yw Duw yn uchder y nefoedd
  yn edrych i lawr ar y sêr sy mor uchel?
¹³Felly dywedi, 'Beth a ŵyr Duw?
  A all ef farnu trwy'r tywyllwch?
¹⁴Cymylau na wêl trwyddynt sy'n ei
    guddio,
  ac ar gylch y nefoedd y mae'n rhodio.'
¹⁵A gedwi di at yr hen ffordd
  y rhodiodd yr anwir ynddi?
¹⁶Cipiwyd hwy ymaith yn annhymig,
  pan ysgubwyd ymaith eu sylfaen gan
    lif afon.
¹⁷Dyma'r rhai a ddywedodd wrth Dduw,
  'Cilia oddi wrthym'.
  Beth a wnaeth yr Hollalluog iddynt
    hwy?
¹⁸Er iddo lenwi eu tai â daioni,
  pell oddi wrtho^w oedd cyngor y
    drygionus.
¹⁹Gwêl y cyfiawn hyn, a llawenha;
  a gwatwerir hwy gan y dieuog.

²⁰Yn wir, dinistriwyd eu cynhaeaf,
ac ysodd y tân eu llawnder.

²¹"Cytuna ag ef, a bydd dawel;
trwy hyn y daw daioni i ti.
²²Derbyn gyfarwyddyd o'i enau,
a chadw ei eiriau yn dy galon.
²³Pan ddychweli at yr Hollalluog, fe'th
adferir,
ac fe yrri anghyfiawnder ymhell o'th
babell.
²⁴Yna fe ystyri aur fel pridd,
aur Offir fel cerrig y nentydd,
²⁵a bydd yr Hollalluog yn aur iti,
ac yn arian pur.
²⁶Yna cei ymhyfrydu yn yr Hollalluog,
a dyrchafu dy wyneb at Dduw.
²⁷Cei weddïo arno, ac fe'th wrendy,
a byddi'n cyflawni dy addunedau.
²⁸Pan wnei gynllun, fe lwydda iti,
a llewyrcha goleuni ar dy ffyrdd.
²⁹Fe ddarostyngir y rhai a ystyri'n falch;
yr isel ei fryd a wareda ef.
³⁰Fe wared ef y dieuog^y;
gwaredir ef am fod ei^a ddwylo'n lân."

23 Atebodd Job:
²"Heddiw eto y mae fy nghwyn yn
chwerw^b,
a'i law^c sy'n drwm er gwaethaf
f'ochenaid.
³O na wyddwn ble y cawn ef,
a pha fodd i ddod at ei drigfan!
⁴Yna gosodwn fy achos o'i flaen,
a llenwi fy ngenau â dadleuon.
⁵Mynnwn wybod sut yr atebai fi,
a deall beth a ddywedai wrthyf.
⁶Ai gyda'i holl nerth y dadleuai â mi?
Na, ond fe roddai sylw imi.
⁷Sylwai mai un uniawn a ymresymai ag
ef,
a chawn fy rhyddhau am byth gan fy
marnwr.

⁸"Os af i'r dwyrain, nid yw ef yno;
ac os i'r gorllewin, ni chanfyddaf ef.
⁹Pan weithreda yn y gogledd, ni sylwaf;
os try i'r de, nis gwelaf.
¹⁰Ond y mae ef yn deall fy ffordd;
wedi iddo fy mhrofi, dof allan fel aur.
¹¹Dilyn fy nhroed ei lwybr;
cadwaf ei ffordd heb wyro.
¹²Ni chiliaf oddi wrth orchmynion ei
enau;

cadwaf ei eiriau yn fy mynwes.
¹³Erys ef yr un, a phwy a'i try?
Fe wna beth bynnag a ddymuna.
¹⁴Yn wir fe ddwg fy nedfryd i ben,
fel llawer o rai eraill sydd ganddo.
¹⁵Am hyn yr arswydaf rhagddo;
pan ystyriaf, fe'i hofnaf.
¹⁶Duw sy'n gwanychu fy nghalon;
yr Hollalluog sy'n fy nychryn;
¹⁷nid y tywyllwch sy'n cyfyngu arnaf,
na'r fagddu'n fy nghuddio.

24 "Pam na chedwir yr amseroedd
gan yr Hollalluog?
A pham nad yw'r rhai sy'n ei adnabod
yn gweld ei dymor?
²Y mae'r annuwiol yn symud terfynau,
ac yn lladrata'r praidd a'r bugail. ^{ch}
³Dygant asyn yr amddifad i ffwrdd,
a thywysant ymaith ych y weddw.
⁴Gwthiant y tlawd o'r ffordd,
a chwilia rhai anghenus y wlad am le i
ymguddio.
⁵Ânt i'w gorchwyl fel asynnod gwyllt yn
yr anialwch;
chwiliant am ysglyfaeth yn y
diffeithwch, yn fwyd i'w plant.
⁶Medant faes nad yw'n eiddo iddynt,
a lloffant winllan yr anghyfiawn.
⁷Gorweddant drwy'r nos yn noeth, heb
ddillad,
heb gysgod rhag yr oerni.
⁸Fe'u gwlychir gan law trwm y
mynyddoedd;
am eu bod heb loches, ymwthiant at
graig.

⁹"Tynnant yr amddifad oddi wrth y
fron,
a chymryd plentyn y tlawd i ffwrdd.

¹⁰"Cerddant o gwmpas yn noeth heb
ddillad,
a newynant wrth gasglu ysgubau.
¹¹Gwasgant yr olew rhwng y meini;
sathrant y cafnau gwin, ond y maent
yn sychedig.
¹²O'r ddinas clywir griddfan y rhai sy'n
marw,
ac ochain y rhai clwyfedig yn gweiddi
am gymorth;
ond ni rydd Duw sylw i'w cri.

¹³"Dyma'r rhai sy'n gwrthryfela yn

---

^yFelly Fersiynau. Hebraeg, *un nad yw'n ddieuog.*
^bFelly Groeg. Hebraeg, *yn wrthryfelgar.*
^{ch}Felly Groeg. Hebraeg heb *annuwiol* a *bugail.*
^aFelly Fersiynau. Hebraeg, *dy.*
^cFelly Syrieg, Fwlgat. Hebraeg, *a'm llaw.*

erbyn y goleuni,
y rhai nad ydynt yn adnabod ei ffyrdd,
nac yn aros yn ei lwybrau.
[14] Cyn i'r dydd wawrio daw'r llofrudd
i ladd yr anghenus a'r tlawd.
Yn y nos y gweithia'r lleidr;
y mae'n torri i mewn i dai yn y
tywyllwch. [d]
[15] Y mae'r godinebwr yn gwylio'i gyfle
yn y cyfnos,
gan ddweud, 'Nid oes neb yn fy
ngweld',
ac yn gosod gorchudd ar ei wyneb.
[16] Cuddiant eu hunain yn ystod y dydd—
y rhain na wyddant beth yw goleuni.
[17] Y mae'r bore yr un fath â'r fagddu
iddynt;
eu cynefin yw dychrynfeydd y fagddu.

[18] "Llysnafedd ar wyneb dyfroedd ydynt;
melltithiwyd eu cyfran yn y tir;
ni thry neb i gyfeiriad eu
gwinllannoedd.
[19] Fel y mae sychder a gwres yn cipio'r
dyfroedd ar ôl eira,
felly y gwna Sheol i'r rhai a bechodd.
[20] Anghofir ef gan y groth, fe'i hysir gan
y llyngyryn,
ac ni chofir ef mwyach;
torrir ymaith anghyfiawnder fel
coeden.
[21] Drygant yr un na ddygodd blant,
ac ni wnânt dda i'r weddw.

[22] "Y mae ef yn meddiannu'r cryf trwy ei
nerth,
a phan gyfyd, nid oes gan neb hyder yn
ei einioes.
[23] Gwna iddynt gredu y cynhelir hwy;
eto y mae ei lygaid ar eu ffyrdd.
[24] Dyrchefir hwy dros dro, yna
diflannant;
gwywant a chiliant fel hocys [dd];
gwywant fel brig y dywysen."

25 Yna atebodd Bildad y Suhiad:
[2] "Y mae awdurdod a dychryn
gydag ef
sy'n peri heddwch yn yr uchelder.
[3] A ellir rhifo ei fyddinoedd?
Ac ar bwy ni chyfyd ei oleuni?
[4] Sut y gall dyn fod yn gyfiawn gerbron
Duw?
A pha fodd y gwneir yn lân un a anwyd
o wraig?

[5] Gwêl, nid yw'r lleuad yn rhoi goleuni
pur,
ac nid yw'r sêr yn lân yn ei olwg.
[6] Beth, ynteu, am ddyn, y llyngyryn,
a mab dyn, y pryfyn?"

26 Yna atebodd Job:
[2] "O fel yr wyt ti wedi
cynorthwyo'r di-rym,
a chynnal braich y di-nerth,
[3] a rhoi cyngor i'r diddeall,
a mynegi digonedd o wir ddoethineb!
[4] I bwy yr oeddit yn traethu geiriau,
a pha ysbryd a ddaeth allan ohonot?
[5] Cryna'r cysgodion yn y dyfnder,
a'r dyfroedd hefyd, a'r rhai sy'n trigo
ynddynt.
[6] Y mae Sheol yn noeth ger ei fron,
ac nid oes gorchudd dros Abadon.
[7] Taena'r gogledd ar y gwagle,
a gesyd y ddaear ar ddim.
[8] Rhwyma'r dyfroedd yn ei gymylau,
ac ni rwygir y cwmwl o danynt.
[9] Taena orchudd dros wyneb y lloer,
a thyn ei gwmwl drosto.
[10] Gesyd gylch ar wyneb y dyfroedd,
yn derfyn rhwng goleuni a thywyllwch.
[11] Sigla colofnau'r nefoedd,
a dychrynant pan gerydda.
[12] Tawelodd y môr â'i nerth,
a thrawodd Rahab trwy ei ddoethineb.
[13] Cliriodd y nefoedd â'i wynt;
trywanodd ei law y sarff dorchog.
[14] Eto nid yw hyn ond ymylon ei ffyrdd;
prin sibrwd a glywsom am yr hyn a
wnaeth.
Ond pwy a ddirnad drawiad ei nerth?"

27 Aeth Job ymlaen â'i ddadl, gan
ddweud:
[2] "Myn y Duw byw, a droes o'r neilltu
fy achos,
a'r Hollalluog, a wnaeth fy einioes yn
chwerw,
[3] tra bydd anadl ynof,
ac ysbryd Duw yn fy ffroenau,
[4] ni chaiff fy ngenau lefaru anwiredd,
na'm tafod ddweud celwydd!
[5] Pell y bo imi ddweud eich bod chwi'n
iawn!
Ni chefnaf ar fy nghywirdeb hyd fy
marw.
[6] Daliaf yn ddiysgog at fy nghyfiawnder,
ac nid yw fy nghalon yn fy ngheryddu
am fy muchedd.

[d] Yn yr Hebraeg daw *y mae'n torri...tywyllwch* ar ddechrau adn. 16.
[dd] Felly Groeg. Cymh. 30:4. Hebraeg, *popeth*.

[7]"Bydded fy ngelyn fel y drygionus,
a'm gwrthwynebwr fel yr anwir.
[8]Oherwydd pa obaith sydd i'r annuwiol
pan dorrir ef i lawr,
a phan gymer Duw ei einioes oddi
arno?
[9]A wrendy Duw ar ei gri
pan ddaw gofid iddo?
[10]A yw ef yn ymhyfrydu yn yr
Hollalluog?
A eilw ef ar Dduw yn gyson?
[11]Dysgaf chwi am allu Duw,
ac ni chuddiaf ddim o'r hyn sydd gan
yr Hollalluog.
[12]Yn wir yr ydych chwi i gyd wedi ei
weld eich hunain;
pam, felly, yr ydych mor gwbl ynfyd?

[13]"Dyma dynged y dyn drwg oddi wrth
Dduw,
ac etifeddiaeth y gormeswr gan yr
Hollalluog:
[14]os yw ei blant yn niferus, y cleddyf
fydd eu rhan,
ac ni ddigonir ei hiliogaeth â bwyd.
[15]Y rhai a edy ar ei ôl, fe'u cleddir o bla,
ac ni wyla'u gweddwon amdanynt.
[16]Er iddo bentyrru arian fel llwch
a darparu dillad fel clai,
[17]er iddo ef eu darparu, fe'u gwisgir gan
y cyfiawn,
a'r diniwed a ranna'r arian.
[18]Y mae'n adeiladu ei dŷ fel y pryf
copyn,
ac fel y bwth a wna'r gwyliwr.
[19]Pan â i gysgu, y mae ganddo gyfoeth,
ond ni all ei gadw;
pan yw'n agor ei lygaid, nid oes
ganddo ddim.
[20]Daw ofnau drosto fel llifogydd,
a chipia'r storm ef ymaith yn y nos.
[21]Cipia gwynt y dwyrain ef, a diflanna;
fe'i hysguba o'i le.
[22]Hyrddia arno'n ddidrugaredd,
er iddo ymdrechu i ffoi o'i afael.
[23]Cura'i ddwylo arno,
a'i hysio o'i le."

Molawd i Ddoethineb

28 Y mae gwythïen i arian,
a gwely i'r aur a burir.
[2]Tynnir yr haearn o'r ddaear,
a thoddir y garreg yn gopr.
[3]Rhydd dyn derfyn ar dywyllwch,
a chwilio hyd yr eithaf
am y mwyn yn y tywyllwch dudew.
[4]Agorir pyllau yn y cymoedd ymhell

oddi wrth ddynion;
fe'u hanghofiwyd gan y teithwyr.
Y maent yn hofran ymhell o olwg
dynion,
gan siglo'n ôl ac ymlaen.
[5]Ceir bwyd o'r ddaear,
eto oddi tani y mae wedi ei chynhyrfu
fel gan dân.
[6]Y mae ei cherrig yn ffynhonnell y
saffir,
a llwch aur sydd ynddi.

[7]Y mae llwybr na ŵyr hebog amdano,
ac nas gwelwyd gan lygad barcud.
[8]ac nas troediwyd gan yr anifeiliaid
rheibus,
ac na theithiodd y llew arno.
[9]Estyn dyn ei law am y gallestr,
a thry'r mynyddoedd yn
bendramwnwgl.
[10]Egyr dwnelau yn y creigiau,
a gwêl ei lygaid bopeth gwerthfawr.
[11]Gesyd argae i rwystro lli'r afonydd,
a dwg i oleuni yr hyn a guddiwyd
ynddynt.

[12]Ond pa le y ceir doethineb?
a pha le y mae trigfan deall?
[13]Ni ŵyr dyn ble mae ei chartref,
ac nis ceir yn nhir y byw.
[14]Dywed y dyfnder, "Nid yw gyda mi";
dywed y môr yntau, "Nid yw ynof fi".
[15]Ni ellir rhoi aur yn dâl amdani,
na phwyso'i gwerth mewn arian.
[16]Ni ellir mesur ei gwerth ag aur Offir,
nac ychwaith â'r onyx gwerthfawr na'r
saffir.
[17]Ni ellir cymharu ei gwerth ag aur neu
risial,
na'i chyfnewid am unrhyw lestr aur.
[18]Ni bydd sôn am gwrel a grisial;
y mae meddu doethineb yn well na
gemau.
[19]Ni ellir cymharu ei gwerth â'r topas o
Ethiopia,
ac nid ag aur coeth y prisir hi.

[20]O ble y daw doethineb?
a phle mae trigfan deall?
[21]Cuddiwyd hi oddi wrth lygaid popeth
byw,
a hefyd oddi wrth adar y nefoedd.
[22]Dywedodd Abadon a marwolaeth,
"Clywsom â'n clustiau sôn amdani."

[23]Duw sy'n deall ei ffordd;

y mae ef yn gwybod ei lle.
²⁴Oherwydd gall ef edrych i derfynau'r
ddaear,
a gweld popeth sy dan y nefoedd.
²⁵Pan roddodd ef ei bwysau i'r gwynt,
a rhannu'r dyfroedd â mesur,
²⁶a gosod terfyn i'r glaw,
a ffordd i'r mellt a'r taranau,
²⁷yna fe'i gwelodd hi a'i mynegi,
fe'i sefydlodd hi a'i chwilio allan.
²⁸A dywedodd wrth ddyn,
"Ofn yr ARGLWYDD yw doethineb,
a chilio oddi wrth ddrwg yw deall."

Datganiad Job

29 Aeth Job ymlaen â'i ddadl, gan
ddweud:
²"O na byddwn fel yn yr amser gynt,
yn y dyddiau pan oedd Duw yn fy
ngwarchod,
³pan wnâi i'w lamp oleuo uwch fy
mhen,
a minnau'n rhodio wrth ei goleuni
trwy'r tywyllwch;
⁴pan oeddwn yn nyddiau f'anterth,
a Duw'n cysgodi dros fy nhrigfan;
⁵pan oedd yr Hollalluog yn parhau
gyda mi,
a'm plant o'm cwmpas.
⁶Gallwn olchi fy nghamau mewn llaeth,
ac yr oedd y graig yn tywallt ffrydiau o
olew imi.

⁷"Awn allan i borth y ddinas,
ac eisteddwn yn fy sedd ar y sgwâr;
⁸a phan welai'r llanciau fi, cilient,
a chodai'r hynafgwyr ar eu traed;
⁹peidiai'r arweinwyr â llefaru,
a rhoddent eu llaw ar eu genau;
¹⁰tawai siarad y pendefigion,
a glynai eu tafod wrth daflod eu genau.

¹¹"Pan glywai clust, galwai fi'n
ddedwydd,
a phan welai llygad, canmolai fi;
¹²oherwydd gwaredwn y tlawd a lefai,
a'r amddifad a'r diymgeledd.
¹³Bendith yr un ar ddarfod amdano a
ddôi arnaf,
a gwnawn i galon y weddw lawenhau.
¹⁴Gwisgwn gyfiawnder, a gweddai imi;
yr oedd fy marn fel mantell a thwrban.
¹⁵Yr oeddwn yn llygaid i'r dall,
ac yn draed i'r cloff.
¹⁶Yr oeddwn yn dad i'r tlawd,
a chwiliwn i achos y sawl nad
adwaenwn.

¹⁷Drylliwn gilddannedd yr anghyfiawn,
a pheri iddo ollwng yr ysglyfaeth o'i
enau.
¹⁸Yna dywedais, 'Byddaf farw yn
f'anterth,
a'm dyddiau mor niferus â'r tywod,
¹⁹a'm gwreiddiau yn ymestyn at y
dyfroedd,
a'r gwlith yn aros drwy'r nos ar fy
mrigau,
²⁰a'm hanrhydedd o hyd yn iraidd,
a'm bwa yn adnewyddu yn fy llaw.'

²¹"Gwrandawai dynion arnaf,
a disgwylient yn ddistaw am fy
nghyngor.
²²Wedi imi lefaru, ni ddywedent air;
diferai fy ngeiriau arnynt.
²³Disgwylient wrthyf fel am y glaw,
ac agorent eu genau fel am law y
gwanwyn.
²⁴Pan wenwn arnynt, oni chaent hyder?
A phan lewyrchai fy wyneb, ni fyddent
brudd.
²⁵Dewiswn eu ffordd iddynt, ac eistedd
yn ben arnynt;
eisteddwn fel brenin yng nghanol ei lu,
fel un yn cysuro'r galarus.

30 "Ond yn awr y maent yn
chwerthin am fy mhen,
ie, rhai sy'n iau na mi,
rhai na buaswn yn ystyried eu tadau
i'w gosod gyda'm cŵn defaid.
²Pa werth yw cryfder eu dwylo i mi,
gan fod eu hegni wedi diflannu?
³Yn amser angen a newyn y maent yn
ddifywyd,
yn crafu yn y tir sych a diffaith.
⁴Casglant yr hocys a dail y prysglwyn
a gwraidd y banadl i'w cadw eu hunain
yn gynnes.
⁵Erlidir hwy o blith dynion,
a chodir llais yn eu herbyn fel yn erbyn
lleidr.
⁶Gweneir iddynt drigo yn agennau'r
nentydd,
ac mewn tyllau yn y ddaear a'r
creigiau.
⁷Y maent yn nadu o ganol y perthi;
closiant at ei gilydd o dan y llwyni.
⁸Dynion ynfyd a di-enw ydynt;
fe'u gyrrwyd allan o'r tir.

⁹"Ond yn awr myfi yw testun eu
gwatwargerdd;
yr wyf yn destun gwawd iddynt.

¹⁰Ffieiddiant fi a chadw draw oddi
    wrthyf,
  ac nid yw'n ddim ganddynt boeri yn fy
    wyneb.
¹¹Pan ryddha ef raff a'm cystuddio,
  taflant hwythau'r enfa yn fy ngŵydd.
¹²Cyfyd y dihirod yn f'erbyn ar y dde;
  gorfodant fi i gerdded ymlaen,
  ac yna codant rwystrau imi ar y ffyrdd.
¹³Maluriant fy llwybrau,
  ychwanegant at f'anffawd,
  ac nid oes neb yn eu rhwystroᵉ.
¹⁴Dônt arnaf fel trwy fwlch llydan;
  rhuthrant trwy ganol y dinistr.
¹⁵Daeth dychryniadau arnaf;
  gwasgerir fy urddas fel gan wynt;
  diflannodd fy llwyddiant fel cwmwl.

¹⁶"Yn awr llewygodd fy ysbryd,
  cydiodd dyddiau cystudd ynof.
¹⁷Dirboenir f'esgyrn drwy'r nos,
  ac ni lonydda fy nghnofeydd.
¹⁸Cydiant yn nerthol yn fy nillad,
  a gafael ynof wrth goler fy mantell.
¹⁹Taflwyd fi i'r llaid,
  ac ystyrir fi fel llwch a lludw.
²⁰Gwaeddaf arnat am gymorth, ond nid
    wyt yn f'ateb;
  safaf o'th flaen, ond ni chymeri sylw
    ohonof.
²¹Yr wyt wedi troi'n greulon tuag ataf,
  ac yr wyt yn ymosod arnaf â'th holl
    nerth.
²²Fe'm codi i fyny i farchogaeth y gwynt,
  a'm bwrw yma ac acw i ddannedd y
    storm.
²³Gwn yn sicr mai i farwolaeth y'm dygi,
  i'r lle a dynghedwyd i bob un byw.

²⁴"Onid yw un dan adfeilion yn estyn
    allan ei law
  ac yn gweiddi am ymwared yn ei
    ddinistr?
²⁵Oni wylais dros yr un yr oedd yn galed
    arno,
  a gofidio dros y tlawd?
²⁶Eto pan obeithiais i am ddaioni, daeth
    drwg;
  pan ddisgwyliais am oleuni, dyna
    dywyllwch.
²⁷Y mae cyffro o'm mewn; ni chaf
    lonydd,
  daeth dyddiau gofid arnaf.
²⁸Af o gwmpas yn groenddu, ond nid
    gan wres haul;
  codaf i fyny yn y gynulleidfa i ymbil

ᵉHebraeg, *cynorthwyo.*

    am gymorth.
²⁹Yr wyf yn frawd i'r siacal,
  ac yn gyfaill i'r estrys.
³⁰Duodd fy nghroen,
  a llosgodd f'esgyrn gan wres.
³¹Aeth fy nhelyn i'r cywair lleddf,
  a'm pib i sain galar.

31 "Gwneuthum gytundeb â'm
        llygaid
  i beidio â llygadu merch.
²Ond beth yw'r tâl gan Dduw oddi
    uchod,
  a'r wobr gan yr Hollalluog o'r
    uchelder?
³Oni ddaw dinistr ar yr anwir,
  ac aflwydd i'r drygionus?
⁴Onid yw ef yn sylwi ar fy ffyrdd,
  ac yn cyfrif fy nghamau?

⁶"Pwyser fi mewn cloriannau cywir
  i Dduw gael gweld fy nghywirdeb.
⁵Os euthum ar ôl oferedd,
  a phrysuro fy ngherddediad i dwyllo;
⁷os gwyrodd fy ngham oddi ar y ffordd,
  a'm calon yn dilyn fy llygaid,
  neu os glynodd unrhyw aflendid wrth
    fy nwylo,
⁸yna caiff arall fwyta'r hyn a heuais,
  a diwreiddir yr hyn a blennais.

⁹"Os denwyd fy nghalon gan ddynes,
  ac os llechais wrth ddrws fy
    nghymydog,
¹⁰yna caiff fy ngwraig innau falu blawd i
    arall,
  a chaiff dieithryn orwedd gyda hi.
¹¹Oherwydd byddai hynny'n ysgeler,
  ac yn drosedd i'r barnwyr;
¹²byddai fel tân yn difa'n llwyr,
  ac yn dinistrio fy holl gynnyrch.

¹³"Os diystyrais achos fy ngwas neu fy
    morwyn
  pan oeddent yn ymbil â mi,
¹⁴beth a wnaf pan gyfyd Duw?
  Beth a atebaf pan ddaw i'm cyhuddo?
¹⁵Onid ef a'n gwnaeth ni'n dau yn y
    groth,
  a'n creu yn y bru?

¹⁶"Os rhwystrais y tlawd rhag cael ei
    ddymuniad,
  neu siomi disgwyliad y weddw;
¹⁷os bwyteais fy mwyd ar fy mhen fy
    hun,

a gwrthod ei rannu â'r amddifad—
¹⁸yn wir bûm fel tad yn ei fagu o'i ͫ
    ieuenctid,
  ac yn ei arwain o adeg ei eni—
¹⁹os gwelais grwydryn heb ddillad,
  neu dlotyn heb wisg,
²⁰a'i lwynau heb fy mendithio
  am na chynheswyd ef gan gnu fy ŵyn;
²¹os codais fy llaw yn erbyn yr amddifad
  am fy mod yn gweld cefnogaeth imi yn
    y porth;
²²yna disgynned f'ysgwydd o'i lle,
  a thorrer fy mraich o'i chyswllt.
²³Yn wir y mae ofn dinistr Duw arnaf,
  ac ni allaf wynebu ei fawredd.

²⁴"Os rhoddais fy hyder ar aur,
  a meddwl am ddiogelwch mewn aur
    coeth;
²⁵os llawenychais am fod fy nghyfoeth
    yn fawr,
  a bod cymaint yn fy meddiant;
²⁶os edrychais ar yr haul yn tywynnu,
  a'r lleuad tra parhai'n ddisglair,
²⁷ac os cafodd fy nghalon ei hudo'n
    ddirgel,
  a chusanu fy llaw mewn gwrogaeth;
²⁸byddai hyn hefyd yn drosedd i'm
    barnwr,
  oherwydd imi wadu Duw uchod.

²⁹"A lawenychais am drychineb fy
    ngelyn,
  ac ymffrostio pan ddaeth drwg arno?
³⁰Ni adewais i'm tafod bechu
  trwy osod ei einioes dan felltith.
³¹Oni ddywedodd y dynion yn fy
    mhabell,
  'Pwy sydd na ddigonwyd ganddo â
    bwyd?'?
³²Ni chafodd y dieithryn gysgu allan;
  agorais fy nrws i'r crwydryn.
³³A guddiais fy nhroseddau oddi wrth
    ddynion ͭͭ,
  trwy gadw fy nghamwedd yn fy
    mynwes,
³⁴am fy mod yn ofni'r dyrfa,
  a bod dirmyg cymdeithas yn fy
    nychryn,
  a minnau'n cadw'n dawel heb fynd
    allan?
³⁵O na fyddai rhywun yn gwrando arnaf!
  Deuthum i'r terfyn; caiff yr Hollalluog
    yn awr fy ateb,
  a chaiff fy ngwrthwynebwr
    ysgrifennu'r wŷs.

³⁶Yn wir dygaf hi ar f'ysgwyddau,
  a'i gwisgo fel coron ar fy mhen.
³⁷Rhof gyfrif iddo o'm camau,
  a nesáu ato fel tywysog.
³⁸Os gwaeddodd fy nhir yn f'erbyn,
  a'i gwysi i gyd yn wylo;
³⁹os bwyteais ei gynnyrch heb dalu
    amdano,
  ac ennyn atgasedd ei berchenogion;
⁴⁰yna tyfed mieri yn lle gwenith,
  a chwyn yn lle haidd."
Dyma derfyn geiriau Job.

Araith Elihu
(32:1—37:24)

32 Peidiodd y tri gŵr â dadlau rhagor
â Job, am ei fod yn ei ystyried ei
hun yn gyfiawn. ²Ond yr oedd Elihu fab
Barachel y Busiad, o dylwyth Ram, wedi
ei gythruddo yn erbyn Job. Yr oedd yn
ddig am ei fod yn ei ystyried ei hun yn
gyfiawn gerbron Duw, ³a'r un mor ddig
wrth ei dri chyfaill am eu bod yn methu
ateb Job er iddynt ei gondemnio. ⁴Tra
oeddent hwy'n llefaru wrth Job, yr oedd
Elihu wedi cadw'n dawel am eu bod yn
hŷn nag ef. ⁵Ond digiodd pan welodd nad
oedd gan y tri gŵr ateb i Job. ⁶Yna
dywedodd Elihu fab Barachel y Busiad:
  "Dyn ifanc wyf fi,
    a chwithau'n hen;
  am hyn yr oeddwn yn ymatal,
    ac yn swil i ddweud fy marn wrthych.
⁷Dywedais, 'Caiff profiad maith siarad,
    ac amlder blynyddoedd draethu
    doethineb.'
⁸Ond yr ysbryd oddi mewn i ddyn,
    ac anadl yr Hollalluog, sy'n ei wneud
    yn ddeallus.
⁹Nid yr oedrannus yn unig sydd ddoeth,
    ac nid yr hen wraig yn unig sy'n deall
    beth sydd iawn.
¹⁰Am hyn yr wyf yn dweud, 'Gwrando
    arnaf;
    gad i minnau ddweud fy marn.'

¹¹"Bûm yn disgwyl am eich geiriau,
    ac yn gwrando am eich deallusrwydd;
    tra oeddech yn dewis eich geiriau,
¹²sylwais yn fanwl arnoch,
    ond nid oedd yr un ohonoch yn gallu
    gwrthbrofi Job,
    nac ateb ei ddadleuon.
¹³Peidiwch â dweud, 'Fe gawsom ni
    ddoethineb';
    Duw ac nid dyn a'i trecha.

ͫHebraeg, *o'm*.   ͭͭNeu, *fel y gwna dynion*.

¹⁴Nid yn f'erbyn i y trefnodd ei
     ddadleuon;
ac nid â'ch geiriau chwi yr atebaf fi ef.

¹⁵ "Y maent hwy wedi eu syfrdanu, ac yn
     methu ateb mwyach;
pallodd geiriau ganddynt.
¹⁶A oedaf fi am na lefarant hwy,
ac am eu bod hwy wedi peidio ag ateb?
¹⁷Gwnaf finnau fy rhan trwy ateb,
a dywedaf fy marn.
¹⁸Yr wyf yn llawn o eiriau,
ac ysbryd ynof sy'n fy nghymell.
¹⁹O'm mewn yr wyf fel petai gwin yn
     methu arllwys allan,
a minnau fel costrelau newydd ar fin
     rhwygo.
²⁰Rhaid i mi lefaru er mwyn cael
     gollyngdod,
rhaid i mi agor fy ngenau i ateb.
²¹Ni ddangosaf ffafr at neb,
ac ni wenieithiaf i undyn;
²²oherwydd ni wn i sut i wenieithio;
pe gwnawn hynny, byddai fy
     nghreawdwr ar fyr dro yn fy
     symud.

33 "Ond yn awr, Job, gwrando arnaf,
     a chlustfeinia ar fy ngeiriau i gyd.
²Dyma fi'n agor fy ngwefusau,
a'm tafod yn llefaru yn fy ngenau.
³Y mae fy ngeiriau'n mynegi fy meddwl
     yn onest,
a'm gwefusau wybodaeth yn ddiffuant.
⁴Ysbryd Duw a'm lluniodd,
ac anadl yr Hollalluog a'm ceidw'n
     fyw.
⁵Ateb fi, os medri;
trefna dy achos, a saf o'm blaen.
⁶Ystyria, o flaen Duw yr wyf finnau yr
     un fath â thithau;
o glai y'm lluniwyd innau hefyd.
⁷Ni ddylai arswyd rhagof fi dy barlysu;
ni fyddai yn llawdrwm arnat.

⁸ "Yn wir, dywedaist yn fy nghlyw,
a chlywais innau dy eiriau'n glir:
⁹ ''Rwy'n lân, heb drosedd;
'rwy'n bur heb gamwedd.
¹⁰Ond y mae ef yn codi cwynion yn fy
     erbyn,
ac yn f'ystyried yn elyn iddo,
¹¹yn gosod fy nhraed mewn cyffion,
ac yn gwylio fy holl ffyrdd.'
¹² "Nid wyt yn iawn yn hyn, a dyma
     f'ateb iti:

ᵍFelly Groeg. Hebraeg, *â gwersi.*

Y mae Duw yn fwy na dyn.
¹³Pam yr wyt yn ymgecru ag ef,
oherwydd nid oes ateb i'r un o'i
     eiriau?
¹⁴Unwaith y llefara Duw,
nid yw'n mynd drosto'r eilwaith.
¹⁵Mewn breuddwyd, mewn
     gweledigaeth nos,
pan ddaw trymgwsg ar ddynion,
pan gysgant yn eu gwelyau,
¹⁶yna fe wna iddynt wrando,
a'u harswydo â drychiolaethauᵍ,
¹⁷i droi dyn oddi wrth ei weithred,
a chymryd ymaith ei falchder oddi
     wrtho,
¹⁸a gwaredu ei einioes rhag y pwll,
a'i fywyd rhag croesi afon angau.

¹⁹ "Fe'i disgyblir ar ei orwedd
â chryndod di-baid yn ei esgyrn;
²⁰y mae bwyd yn ffiaidd ganddo,
ac nid oes arno chwant am damaid
     blasus;
²¹nycha'i gnawd o flaen fy llygad,
a daw'r esgyrn, na welid gynt, i'r
     amlwg;
²²y mae ei einioes ar ymyl y pwll,
a'i fywyd ger mangre'r meirw.
²³Os oes angel i sefyll drosto—
un o blith mil i gyfryngu
ac i ddadlau dros ddyn ei hawl,
²⁴a thrugarhau wrtho gan ddweud,
'Achub ef rhag mynd i'r pwll;
y mae pris ei ryddid gennyf fi'—
²⁵yna bydd ei gnawd yn iachach nag
     erioed,
wedi ei adfer fel yr oedd yn nyddiau ei
     ieuenctid.
²⁶Bydd yn gweddïo ar Dduw, yr hwn a'i
     gwrandawodd,
ac yn edrych ar ei wyneb â llawenydd,
gan ddweud wrth ddynion am ei
     gyfiawnhad
²⁷a chanu yng ngŵydd dynion, a dweud,
'Pechais, gan droi oddi wrth uniondeb,
ond ni chyfrifwyd hyn yn f'erbyn;
²⁸gwaredodd f'einioes rhag mynd i'r
     pwll,
ac fe wêl fy mywyd oleuni.'

²⁹ "Gwna Duw hyn i gyd i ddyn
ddwywaith, ie deirgwaith;
³⁰fe adfer ei einioes o'r pwll,
er mwyn iddo gael gweld goleuni
     bywyd.
³¹Ystyria, Job, a gwrando arnaf;

bydd dawel ac mi lefaraf.
³²Os oes gennyt ddadl, ateb fi;
llefara, oherwydd fy nymuniad yw dy
gyfiawnhau.
³³Ond os nad oes gennyt ddim i'w
ddweud, gwrando arnaf;
bydd dawel, a dysgaf ddoethineb i ti."

34 Dywedodd Elihu:
²"Gwrandewch ar fy ngeiriau,
chwi ddoethion;
clustfeiniwch arnaf, chwi rai deallus.
³Oherwydd y glust sydd yn profi
geiriau,
fel y profir bwyd gan daflod y genau.
⁴Gadewch i ni ddewis yr hyn sy'n iawn,
a phenderfynu gyda'n gilydd beth sy'n
dda.
⁵Dywedodd Job, 'Yr wyf yn gyfiawn,
ond trodd Duw farn oddi wrthyf.
⁶Er fy mod yn iawn, fe'm gwneir yn
gelwyddog;
y mae fy archoll yn ffyrnig, a minnau
heb gamwedd.'
⁷Pa ddyn sydd fel Job,
yn drachtio dirmyg fel dŵr,
⁸yn cadw cwmni â drwgweithredwyr,
ac yn gwagsymera gyda'r drygionus?
⁹Oherwydd dywedodd, 'Nid yw o werth
i ddyn
ymhyfrydu yn Nuw.'

¹⁰"Am hyn, chwi ddynion deallus,
gwrandewch arnaf.
Pell y bo oddi wrth Dduw wneud
drygioni,
ac oddi wrth yr Hollalluog weithredu'n
anghyfiawn.
¹¹Oherwydd fe dâl ef i ddyn yn ôl ei
weithred,
a'i wobrwyo yn ôl ei ffordd o fyw.
¹²Yn wir, nid yw Duw byth yn gwneud
drwg,
ac nid yw'r Hollalluog yn gwyrdroi
barn.
¹³Pwy a'i gosododd ef mewn awdurdod
ar y ddaear,
a rhoi'r byd cyfan iddo?
¹⁴Pe byddai ef yn rhoi ei fryd
ar ddwyn ysbryd ac anadl yn ôl ato'i
hun,
¹⁵yna byddai pob cnawd yn marw,
a dyn yn dychwelyd i'r pridd.

¹⁶"Os oes gennyt ti ddeall, gwrando
hyn,
a rho sylw i'm geiriau.
¹⁷A all un sy'n casáu barn lywodraethu?

A gondemni di'r cyfiawn cadarn?
¹⁸Gall ef ddweud wrth frenin, 'Y
dihiryn',
ac wrth lywodraethwyr, 'Y cnafon';
¹⁹nid yw'n dangos ffafr at swyddogion,
nac yn rhoi'r cyfoethog o flaen y tlawd,
oherwydd gwaith ei ddwylo yw pob un
ohonynt.
²⁰Mewn moment byddant farw, yng
nghanol nos;
trenga'r cyfoethog, a diflannu;
symudir ymaith y cryf heb ymdrech.

²¹"Y mae ei lygaid yn gwylio ffyrdd dyn,
a gwêl ei holl gamau.
²²Nid oes tywyllwch na chaddug
lle y gall gweithredwyr anwiredd
guddio.
²³Nid oes amser wedi ei drefnu
i ddyn ddod i farn o flaen Duw;
²⁴y mae ef yn dryllio'r cryfion heb eu
profi,
ac yn gosod eraill yn eu lle.
²⁵Y mae'n adnabod eu gweithredoedd,
ac yn eu dymchwel a'u dryllio mewn
noson.
²⁶Y mae'n eu taro o achos eu drygioni,
a hynny yng ngŵydd dynion;
²⁷dyna pam y maent yn troi oddi wrtho,
ac yn gwrthod ystyried yr un o'i ffyrdd.
²⁸Gwnânt i gri'r tlawd ddod ato,
ac iddo glywed gwaedd yr anghenus.
²⁹Ond y mae ef yn dawel, pwy bynnag a
wna ddrwg;
y mae'n cuddio'i wyneb, pwy bynnag
a'i cais—
boed genedl neu ddyn—
³⁰rhag i ddyn anystyriol lywodraethu,
a maglu pobl.

³¹"Os dywed un wrth Dduw,
'Euthum ar gyfeiliorn, ni wnaf ddrwg
eto;
³²am na allaf fi weld, hyffordda di fi;
os gwneuthum gamwedd, ni
chwanegaf ato'—
³³a wyt ti, sydd wedi ei wrthod, yn tybio
y bydd ef yn fodlon ar hynny?
Ti sydd i ddewis, nid fi;
traetha yr hyn a wyddost.
³⁴Y mae dynion deallus yn siarad â mi,
a gŵyr doeth yn gwrando arnaf.
³⁵Ond y mae Job yn llefaru heb ystyried,
ac nid yw ei eiriau yn ddeallus.
³⁶O na phrofid Job i'r eithaf,
gan fod ei atebion fel rhai'r dynion
drwg!

³⁷ Y mae'n ychwanegu at ei bechod;
y mae'n codi amheuaeth ynghylch ei
drosedd yn ein plith,
ac yn amlhau geiriau yn erbyn Duw."

35 Dywedodd Elihu:
² "A gredi di fod hyn yn iawn?
A wyt ti'n honni bod yn gyfiawn o
flaen Duw,
³ a thithau'n dweud, 'Pa werth ydyw i ti,
neu pa fantais i mi fy hun fod heb
bechu'?
⁴ Fe roddaf fi'r ateb iti,
a hefyd i'th gyfeillion.
⁵ Edrych ar yr awyr, ac ystyria,
a sylwa ar y cymylau sydd uwch dy
ben.
⁶ Os pechaist, pa wahaniaeth yw iddo
ef?
Ac os amlha dy gamweddau, beth a
wna hynny iddo ef?
⁷ Os wyt yn gyfiawn, beth yw'r fantais
iddo ef,
neu beth a dderbyn ef o'th law?
⁸ Â dynion fel ti y mae a wnelo dy
ddrygioni,
ac â meibion dynion y mae a wnelo dy
gyfiawnder.

⁹ "Pan waedda dynion am fod eu
gofidiau'n amlhau,
a llefain am waredigaeth o afael y
mawrion,
¹⁰ ni ddywed neb, 'Ble mae Duw, fy
ngwneuthurwr,
a rydd destun cân yn y nos,
¹¹ ac a'n gwna'n fwy deallus na'r
anifeiliaid gwylltion,
ac yn fwy doeth nag adar yr awyr?'
¹² Felly, er iddynt weiddi, nid etyb ef,
o achos balchder y drygionus.
¹³ Yn wir ni wrendy Duw ar y dyn drwg;
ni wna'r Hollalluog sylw ohono,
¹⁴ nac ychwaith ohonot tithau pan
ddywedi nad wyt yn ei weld,
a bod yr achos o'i flaen, a'th fod yn dal
i ddisgwyl wrtho.
¹⁵ Ond yn awr, am nad yw ef yn cosbi yn
ei ddig,
ac nad yw'n sylwi'n fanwl ar gamwedd,
¹⁶ fe lefarodd Job yn ynfyd,
ac amlhau geiriau heb ddeall."

36 Aeth Elihu ymlaen i ddweud:
² "Aros ychydig, imi gael dangos
iti
fod eto eiriau i'w dweud dros Dduw.
³ Yr wyf yn tynnu fy ngwybodaeth o

bell,
i dystio bod fy ngwneuthurwr yn iawn.
⁴ Yn wir nid yw fy ngeiriau'n gelwydd;
un diogel ei wybodaeth sydd o'th
flaen.
⁵ Edrych yma, Duw yw'r Un Cadarn;
nid yw'n anystyriol, eithr mawr a
chadarn yw mewn deall.
⁶ Nid yw'n gadael i'r drygionus gael
byw,
ond fe gynnal achos y gwan.
⁷ Ni thry ei olwg oddi ar y cyfiawn,
ond gyda brenhinoedd ar orsedd
cânt eistedd am byth, a llwyddo.
⁸ Os rhwymir hwy mewn cadwynau,
a'u dal mewn gefynnau gofid,
⁹ yna fe ddengys iddynt eu gweithred
a'u trosedd, am iddynt fod yn
ffroenuchel.
¹⁰ Rhydd rybudd iddynt am
ddisgyblaeth,
a dywed wrthynt am droi oddi wrth eu
camwedd.
¹¹ Os gwrandawant, a bod yn ufudd,
fe gânt dreulio'u dyddiau mewn
llwyddiant,
a'u blynyddoedd mewn hyfrydwch.
¹² Os gwrthodant wrando, difethir hwy
gan gleddyf,
a darfyddant yn ddiarwybod.

¹³ "Y mae'r rhai anystyriol yn ennyn dig,
ac ni cheisiant gymorth mewn
caethiwed.
¹⁴ Y maent yn marw'n ifanc,
wedi treulio'u bywyd gyda
phuteiniaid.
¹⁵ Fe wareda ef y rhai trallodus trwy eu
gofid,
a'u dysgu trwy orthrymder.

¹⁶ "Er iddo geisio dy ddenu oddi wrth
ofid,
a'th ddwyn o le cyfyng i ehangder,
a hulio dy fwrdd â phob braster,
¹⁷ yr wyt yn llawn o farn ar y drygionus,
wedi dy feddiannu gan farn a
chyfiawnder.
¹⁸ Gwylia rhag cael dy hudo gan
ddigonedd,
a phaid â gadael i faint y rhodd dy
ddenu.
¹⁹ Ni fydd y cynnig hael iti yn dy helpu
mewn cyfyngder,
na holl adnoddau dy gyfoeth.
²⁰ Paid â dyheu am y nos,
pan symudir pobloedd o'u lle.

²¹ Gwylia rhag troi at wagedd,
  oherwydd dewisi hyn yn hytrach na
  gofid.
²² Sylwa mor aruchel yw Duw yn ei
  nerth;
  pwy sydd yn dysgu fel y gwna ef?
²³ Pwy a wylia arno yn ei ffordd?
  a phwy a ddywed, 'Yr wyt yn gwneud
  yn anghyfiawn'?

²⁴ "Cofia di ganmol ei waith,
  y gwaith y canodd dynion amdano.
²⁵ Y mae pob dyn yn edrych arno,
  ac yn ei weld o bell.
²⁶ Cofia fod Duw yn fawr, y tu hwnt i
  ddeall,
  a'i flynyddoedd yn ddirifedi.
²⁷ Y mae'n cronni'r defnynnau dŵr,
  ac yn eu dihidlo'n law mân fel tarth;
²⁸ fe'u tywelltir o'r cymylau,
  i ddisgyn yn gawodydd ar ddynion.
²⁹ A ddeall undyn daeniad y cwmwl,
  a'r tyrfau sydd yn ei babell?
³⁰ Edrych fel y tacna'i darth [ng] o'i
  gwmpas,
  ac y cuddia waelodion y môr.
³¹ Â'r rhain y diwalla ef y bobloedd,
  a rhoi iddynt ddigonedd o fwyd.
³² Deil y mellt yn ei ddwylo,
  a'u hanelu i gyrraedd eu nod.
³³ Dywed ei drwst amdano,
  fod angerdd ei lid yn erbyn drygioni.

37 "Am hyn hefyd y mae fy nghalon
  yn cynhyrfu,
  ac yn llamu o'i lle.
² Gwrandewch ar ddiasbedain ei
  derfysg,
  a'r atsain a ddaw o'i enau.
³ Y mae'n ei yrru ar draws yr wybren,
  ac yn gyrru ei fellt i gilfachau'r byd.
⁴ Ar eu hôl fe rua;
  tarana â'i lais mawr,
  ac nid yw'n eu hatal
  pan glywir ei lais.
⁵ Tarana Duw yn rhyfeddol â'i lais;
  gwna wyrthiau, y tu hwnt i'n deall.
⁶ Fe ddywed wrth yr eira, 'Disgyn ar y
  ddaear',
  ac wrth y glaw a'r cawodydd,
  'Trymhewch'.
⁷ Y mae pob dyn yn cael ei gau i mewn,
  a phawb yn cael ei atal rhag ei waith.
⁸ Â'r anifeiliaid i'w ffeuau,
  ac aros yn eu gwâl.
⁹ Daw'r corwynt allan o'i ystafell,

  ac oerni o'r tymhestloedd.
¹⁰ Daw anadl Duw â'r rhew,
  a rhewa'r llynnoedd yn galed.
¹¹ Lleinw'r cwmwl hefyd â gwlybaniaeth,
  a gwasgara'r cwmwl ei fellt.
¹² Gwibiant yma ac acw ar ei orchymyn,
  i wneud y cyfan a ddywed wrthynt,
  dros wyneb daear gyfan.

¹³ "Gwna hyn naill ai fel cosb,
  neu er mwyn ei dir, neu mewn
  trugaredd.

¹⁴ "Gwrando ar hyn Job;
  aros ac ystyria ryfeddodau Duw.
¹⁵ A wyt ti'n deall sut y mae Duw yn
  trefnu,
  ac yn gwneud i'r mellt fflachio yn ei
  gwmwl?
¹⁶ A wyt ti'n deall symudiadau'r
  cymylau,
  rhyfeddodau un perffaith ei
  wybodaeth?
¹⁷ Ti, sy'n chwysu yn dy ddillad
  pan fydd y ddaear yn swrth dan wynt y
  de,
¹⁸ a fedrit ti, fel ef, daenu'r wybren,
  sy'n galed fel drych o fetel tawdd?
¹⁹ Dywed wrthym beth i'w ddweud
  wrtho;
  ni allwn ni drefnu, o achos y
  tywyllwch.
²⁰ A ellir dweud wrtho, 'Yr wyf fi am
  lefaru',
  neu fynegi iddo, 'Y mae hwn am
  siarad'?

²¹ "Ond yn awr, ni all neb edrych ar y
  goleuni
  pan yw'n ddisglair yn yr awyr,
  a'r gwynt wedi dod a'i chlirio.
²² Disgleiria o'r gogledd fel aur;
  o gwmpas Duw y mae ysblander
  ofnadwy.
²³ Ni allwn ni ganfod yr Hollalluog;
  y mae'n fawr ei nerth,
  eto nid yw'n diystyru barn na dadl
  gyfiawn.
²⁴ Am hyn, y mae dynion yn ei ofni,
  a phob un doeth yn edrych ato [h]."

Yr ARGLWYDD yn Ateb Job

38 Yna atebodd yr ARGLWYDD Job
  o'r corwynt;
² "Pwy yw hwn sy'n tywyllu cyngor
  â geiriau diystyr?

[ng] Felly Aramaeg. Hebraeg, *oleuni*.   [h] Cymh. Groeg. Hebraeg, *nid edrych*.

³Gwna dy hun yn barod i'r ornest;
fe holaf fi di, a chei dithau ateb.

⁴"Ble'r oeddit ti pan osodais i sylfaen
i'r ddaear?
Ateb, os gwyddost.
⁵Pwy a benderfynodd ei mesurau?
Mae'n siŵr dy fod yn gwybod!
Pwy a estynnodd linyn mesur arni?
⁶Ar beth y seiliwyd ei sylfeini,
a phwy a osododd ei chonglfaen?
⁷Ble'r oeddit ti pan oedd sêr y bore i
gyd yn llawenhau,
a holl feibion Duw yn gorfoleddu,
⁸pan gaewyd ar y môr â dorau,
pan lamai allan o'r groth,
⁹pan osodais gwmwl yn wisg amdano,
a'r caddug yn rhwymyn iddo,
¹⁰a phan drefnais derfyn iddo,
a gosod barrau a dorau,
¹¹a dweud, 'Hyd yma yr ei, a dim
pellach,
ac yma y gosodais derfyn i ymchwydd
dy donnau'?

¹²"A wyt ti, yn ystod dy fywyd, wedi
gorchymyn y bore
a dangos ei lle i'r wawr,
¹³er mwyn iddi gydio yng nghonglau'r
ddaear,
i ysgwyd y drygionus ohoni?
¹⁴Y mae'n newid ffurf fel clai dan y sêl,
ac yn sefyll allan fel plyg dilledyn.
¹⁵Atelir eu goleuni oddi wrth y
drygionus,
a thorrir y fraich ddyrchafedig.

¹⁶"A fedri di fynd at ffynhonnell y môr;
neu gerdded yng nghuddfa'r dyfnder?
¹⁷A agorwyd pyrth angau i ti,
neu a welaist ti byrth y tywyllwch
dudew?
¹⁸A fedri di ddirnad maint y ddaear?
Dywed, os wyt ti'n deall hyn i gyd.

¹⁹"Prun yw'r ffordd i drigfan goleuni,
ac i le tywyllwch,
²⁰fel y gelli di ei chymryd i'w therfyn,
a gwybod y llwybr i'w thŷ?
²¹Fe wyddost, am dy fod wedi dy eni yr
adeg honno,
a bod nifer dy ddyddiau yn fawr!

²²"A fuost ti yn ystordai'r eira,
neu'n gweld cistiau'r cesair?
²³Dyma'r pethau a gedwais at gyfnod
trallod,

at ddydd brwydr a rhyfel.
²⁴Prun yw'r ffordd i'r fan lle y rhennir
goleuni,
ac y gwasgerir gwynt y dwyrain ar y
ddaear?

²⁵"Pwy a wnaeth sianel i'r cenllif glaw,
a llwybr i'r daranfollt,
²⁶i lawio ar dir heb neb ynddo,
a diffeithwch heb ddyn yn byw ynddo,
²⁷i ddigoni'r tir diffaith ac anial,
a pheri i laswellt dyfu yno?

²⁸"A oes tad i'r glaw?
Pwy a genhedlodd y defnynnau
gwlith?
²⁹O groth pwy y daw'r rhew?
A phwy a genhedlodd y llwydrew,
³⁰i galedu'r dyfroedd fel carreg,
a rhewi wyneb y dyfnder?
³¹A fedri di gau cadwynau Pleiades,
neu ddatod rhwymau Orion?
³²A fedri di ddwyn Masaroth allan yn ei
bryd,
a thywys yr Arth gyda'i phlant?
³³A wyddost ti reolau'r awyr?
A fedri di gymhwyso i'r ddaear ei
threfn?

³⁴"A fedri di alw ar y cwmwl
i beri i ddyfroedd lifo drosot?
³⁵A fedri di roi gorchymyn i'r mellt,
iddynt ddod atat a dweud, 'Dyma ni'?
³⁶Pwy a rydd ddoethineb i'r cymylau,
a deall i'r niwl?
³⁷Gan bwy y mae digon o ddoethineb i
gyfrif y cymylau?
A phwy a wna i gostrelau'r nefoedd
arllwys,
³⁸nes bod llwch yn mynd yn llaid,
a'r tywyrch yn glynu wrth ei gilydd?

³⁹"Ai ti sydd yn hela ysglyfaeth i'r llew,
a diwallu angen y cenawon,
⁴⁰pan grymant yn eu gwâl,
ac aros dan lwyn am helfa?
⁴¹Pwy sy'n trefnu bwyd i'r frân,
pan waedda'r cywion ar Dduw,
a hedfan o amgylch heb fwyd?

39 "A wyddost ti amser llydnu y geifr
mynydd?
A fuost ti'n gwylio'r ewigod yn esgor,
²yn cyfrif y misoedd a gyflawnant
ac yn gwybod amser eu llydnu?
³Y maent yn crymu i eni eu llydnod,
ac yn bwrw eu brych.

⁴Y mae eu llydnod yn cryfhau a phrifio
    yn y maes,
yn mynd ymaith, ac ni ddônt yn ôl.

⁵"Pwy sy'n rhoi ei ryddid i'r asyn
    gwyllt,
ac yn datod rhwymau'r asyn cyflym
⁶y rhoddais yr anialdir yn gynefin iddo,
a thir diffaith yn lle iddo fyw?
⁷Y mae'n gas ganddo sŵn y dref;
y mae'n fyddar i floeddiadau gyrrwr.
⁸Crwydra'r mynyddoedd am borfa,
a chwilia am bob blewyn glas.

⁹"A yw'r ych gwyllt yn fodlon bod yn
    dy wasanaeth,
a threulio'r nos wrth dy breseb?
¹⁰A wyt yn gallu ei rwymo i gerdded yn y
    rhych,
neu a fydd iddo lyfnu'r dolydd ar dy
    ôl?
¹¹A wyt ti'n dibynnu arno am ei fod yn
    gryf?
A adewi dy lafur iddo?
¹²A ymddiriedi ynddo i ddod â'th rawn
    yn ôl,
a'i gasglu i'th lawr dyrnu?

¹³"Ysgwyd yn brysur a wna adenydd yr
    estrys,
ond heb fedru hedfan fel adenydd y
    garan;
¹⁴y mae'n gadael ei hwyau ar y ddaear,
i ddeor yn y pridd,
¹⁵gan anghofio y gellir eu sathru dan
    draed,
neu y gall anifail gwyllt eu mathru.
¹⁶Y mae'n esgeulus o'i chywion,
ac yn eu trin fel pe na baent yn perthyn
    iddi,
heb ofni y gallai ei llafur fod yn ofer.
¹⁷Oherwydd gadawodd Duw hi heb
    ddoethineb,
ac ni oes ganddi ronyn o ddeall.
¹⁸Ond pan gyfyd a chychwyn,
gall chwerthin am ben march a'i
    farchog.

¹⁹"Ai ti sy'n rhoi nerth i'r march,
ac yn gwisgo'i war â mwng?
²⁰Ai ti sy'n gwneud iddo ruglo fel locust,
a gweryru nes creu dychryn?
²¹Cura'r llawr â'i droed, ac ymffrostia yn
    ei nerth
pan â allan i wynebu'r frwydr.
²²Y mae'n ddi-hid ac yn ddi-fraw;
ni thry'n ôl rhag y cleddyf.

²³O'i gwmpas y mae clep y cawell
    saethau,
fflach y cleddyf a'r waywffon.
²⁴Yn aflonydd a chynhyrfus y mae'n
    difa'r ddaear;
ni all aros yn llonydd pan glyw sain
    utgorn.
²⁵Pan glyw'r utgorn, dywed, 'Aha!'
Fe synhwyra frwydr o bell,
trwst y capteiniaid a'u bloedd.

²⁶"Ai dy ddeall di sy'n gwneud i'r hebog
    hedfan
a lledu ei adenydd tua'r De?
²⁷Ai d'orchymyn di a wna i'r eryr hedfan
a gosod ei nyth yn uchel?
²⁸Fe drig ar y graig, ac aros yno
yng nghilfach y graig a'i diogelwch.
²⁹Oddi yno y chwilia am fwyd,
gan edrych i'r pellter.
³⁰Y mae ei gywion yn llowcio gwaed;
a phle bynnag y ceir ysgerbwd, y mae
    ef yno."

40 Dywedodd yr ARGLWYDD wrth
    Job:
²"A ddylai un sy'n dadlau â'r
    Hollalluog fod yn ystyfnig?
Caiff yr un sy'n ymryson â Duw ateb
    am hynny."

3 Yna atebodd Job:
⁴"Un dibwys wyf fi; beth allaf ei
    ddweud?
Rhof fy llaw ar fy ngheg.
⁵Yr wyf wedi llefaru unwaith, ac nid
    atebaf eto;
do ddwywaith, ac ni chwanegaf."

6 Yna atebodd yr ARGLWYDD Job o'r
    corwynt:
⁷"Gwna dy hun yn barod i'r ornest;
fe holaf fi di, a chei dithau ateb.
⁸A wyt ti'n gwadu fy mod yn iawn,
ac yn fy nghondemnio, i'th gyfiawnhau
    dy hun?
⁹A oes gennyt nerth fel sydd gan
    Dduw?
A fedri daranu â'th lais fel y gwna ef?

¹⁰"Ymwisga â balchder nerth,
ac ymddwyn yn fawreddog a balch.
¹¹Gollwng yn rhydd angerdd dy ddig;
edrych ar bob balch, i'w daflu i'r llawr.
¹²Sylwa ar bob balchder, i'w ddiraddio;
sathra'r rhai drygionus yn eu lle.
¹³Cuddia hwy i gyd yn y llwch;

cuddia'u hwynebau o'r golwg.
¹⁴Yna fe'th ganmolaf
am fod dy law dde'n dy waredu.

¹⁵"Edrych ar Behemoth, a greais yr un
adeg â thi;
y mae'n bwyta glaswellt fel yr ych.
¹⁶Y mae ei nerth yn ei lwynau,
a'i gryfder yng nghyhyrau ei fol.
¹⁷Y mae ei gynffon yn syth fel
cedrwydden,
a gewynnau ei gluniau wedi eu clymu
i'w gilydd.
¹⁸Y mae ei esgyrn fel pibellau pres,
a'i goesau fel barrau haearn.

¹⁹"Ef yw'r cyntaf o'r pethau a wnaeth
Duw;
gwnaed ef yn deyrn dros ei gymrodyr. ⁱ
²⁰Y mae'r mynyddoedd yn darparu
ysglyfaeth iddo,
yr holl anifeiliaid sy'n chwarae yno.
²¹Fe orwedd dan y lotus,
a chuddio yn y brwyn a'r corsydd.
²²Y mae'r lotus yn gysgod drosto,
a helyg yn y nant yn ei guddio.
²³Os cyfyd yr afon drosto, ni chynhyrfa;
byddai'n ddifraw, pe bai'r Iorddonen
yn llifo i'w geg.
²⁴A ellir ei fachu yn ei lygaid,
a gwthio tryfer i'w drwyn?

41 [*] "A fedri di dynnu Lefiathan
allan â bach,
neu ddolennu rhaff am ei dafod?
²A fedri di roi cortyn am ei drwyn,
neu wthio bach i'w ên?
³A wna ef ymbil yn daer arnat,
neu siarad yn addfwyn â thi?
⁴A wna gytundeb â thi,
i'w gymryd yn was iti am byth?
⁵A gei di chwarae ag ef fel ag aderyn,
neu ei rwymo wrth dennyn i'th
ferched?
⁶A fydd masnachwyr yn bargeinio
amdano,
i'w rannu rhwng y gwerthwyr?
⁷A osodi di bigau haearn yn ei groen,
a bachau pysgota yn ei geg?
⁸Os gosodi dy law arno,
fe gofi am yr ysgarmes, ac ni wnei hyn
eto.
⁹* Yn wir twyllodrus yw ei lonyddwch;
onid yw ei olwg yn peri arswyd?
¹⁰Nid oes neb yn ddigon eofn i'w

gynhyrfu;
a phwy a all sefyll o'i flaen?
¹¹Pwy a ddaw ag ef ataf, imi gael rhoi
gwobr iddo
o'r cyfan sydd gennyf dan y nef?
¹²Ni pheidiaf â sôn am ei aelodau,
ei gryfder a'i ffurf gytbwys.
¹³Pwy a all agor ei wisg uchaf,
neu drywanu ei groen dauddyblyg?
¹⁴Pwy a all agor dorau ei geg,
a'r dannedd o'i chwmpas yn codi
arswyd?
¹⁵Y mae ei gefn¹ fel rhesi o dar)annau
wedi eu cau'n dynn â sêl.
¹⁶Y maent yn glos wrth ei gilydd,
heb fwlch o gwbl rhyngddynt.
¹⁷Y mae'r naill yn cydio mor dynn wrth
y llall,
fel na ellir eu gwahanu.
¹⁸Y mae ei disian yn gwasgaru mellt,
a'i lygaid yn pefrio fel y wawr.
¹⁹Daw fflachiadau allan o'i geg,
a thasga gwreichion ohoni.
²⁰Daw mwg o'i ffroenau,
fel o grochan yn berwi ar danllwyth.
²¹Y mae ei anadl yn tanio cynnud,
a daw fflam allan o'i geg.
²²Y mae cryfder yn ei wddf,
ac arswyd yn rhedeg o'i flaen.
²³Y mae plygion ei gnawd yn glynu wrth
ei gilydd,
ac mor galed amdano fel na ellir eu
symud.
²⁴Y mae ei galon yn gadarn fel craig,
mor gadarn â maen melin.
²⁵Pan symuda, fe ofna'r cryfion;
ânt o'u pwyll oherwydd sŵn y rhwygo.
²⁶Os ceisir ei drywanu â'r cleddyf, ni
lwyddir,
nac ychwaith â'r waywffon, na'r
dagr, na'r bicell.
²⁷Y mae'n trafod haearn fel gwellt,
a phres fel pren wedi pydru.
²⁸Ni all saeth wneud iddo ffoi,
ac y mae'n trafod cerrig-tafl fel us.
²⁹Fel sofl yr ystyria'r pastwn,
ac y mae'n chwerthin pan chwibana'r
bicell.
³⁰Oddi tano y mae fel darnau miniog o
lestri,
a gwna rychau fel og ar y llaid.
³¹Gwna i'r dyfnder ferwi fel crochan;
gwna'r môr fel eli wedi ei gymysgu.
³²Gedy lwybr gwyn ar ei ôl,
a gwna i'r dyfnder ymddangos yn

ⁱTebygol. Hebraeg yn ansicr.   *40:25 yn TM.
¹Felly Fersiynau. Hebraeg, *ei falchder.*

*41:1 yn TM.

benwyn.
[33] Nid oes tebyg iddo ar y ddaear,
creadur heb ofn dim arno.
[34] Y mae'n edrych i lawr ar bopeth uchel;
ef yw brenin yr holl anifeiliaid balch."

Job yn Ateb yr ARGLWYDD

42 Dywedodd Job wrth yr
ARGLWYDD:
[2] "Gwn dy fod yn gallu gwneud popeth,
ac nad oes dim yn amhosibl i ti.
[3] Pwy yw hwn sydd wedi cuddio deall
heb wybod?
Yn wir, 'rwyf wedi mynegi pethau nad
oeddwn yn eu deall,
pethau rhyfeddol, tu hwnt i'm dirnad.
[4] Yn awr gwrando, a gad i mi lefaru;
fe holaf fi di, a chei di f'ateb.
[5] Trwy glywed yn unig y gwyddwn
amdanat,
ond yn awr 'rwyf wedi dy weld â'm
llygaid fy hun.
[6] Am hynny 'rwyf yn fy ffieiddio fy
hunan,
ac yn edifarhau mewn llwch a lludw."

Diweddglo

7 Ar ôl i'r ARGLWYDD lefaru'r geiriau
hyn wrth Job, dywedodd yr ARGLWYDD
wrth Eliffas y Temaniad, "Yr wyf yn ddig
iawn wrthyt ti a'th ddau gyfaill am nad
ydych wedi dweud yr hyn sy'n iawn
amdanaf, fel y gwnaeth fy ngwas Job. [8] Yn
awr cymerwch saith ych a saith hwrdd,
ac ewch at fy ngwas Job, i offrymu
poethoffrwm drosoch eich hunain. Fe
weddïa fy ngwas Job drosoch; gwrandawaf
finnau arno, ac ni ddialaf arnoch am eich
ffolineb, am ichwi beidio â llefaru yn iawn
amdanaf, fel y gwnaeth fy ngwas Job."
[9] Yna aeth Eliffas y Temaniad, Bildad y
Suhiad a Soffar y Naamathiad, a gwneud
fel y gorchmynnodd yr ARGLWYDD iddynt;
a gwrandawodd yr ARGLWYDD ar Job.

10 Wedi i Job weddïo dros ei gyfeillion,
adferodd yr ARGLWYDD iddo ei lwyddiant,
a rhoi'n ôl i Job ddwywaith yr hyn oedd
ganddo o'r blaen. [11] Yna aeth ei frodyr a'i
chwiorydd i gyd, a'r holl gyfeillion oedd
ganddo gynt, i fwyta gydag ef yn ei dŷ, ac
i'w gysuro a'i ddiddanu am y drwg a
ddygodd yr ARGLWYDD arno. A rhoddodd
pob un ohonynt ddarn arian a modrwy
aur iddo. [12] Bendithiodd yr ARGLWYDD
ddiwedd oes Job yn fwy na'i dechrau: yr
oedd ganddo bedair mil ar ddeg o ddefaid,
chwe mil o gamelod, mil o fustych a mil o
asennod. [13] Hefyd yr oedd ganddo saith
mab a thair merch. [14] Enwodd yr hynaf
ohonynt yn Jemima, yr ail yn Cesia, a'r
drydedd yn Cerenhapuch. [15] Nid oedd
merched prydferthach na merched Job
drwy'r holl wlad, a rhoes Job etifeddiaeth
iddynt hwy yn ogystal ag i'w brodyr. [16] Bu
Job fyw wedi hyn nes cyrraedd ei gant a
deugain oed, a chafodd weld ei feibion a'i
wyrion hyd at bedair cenhedlaeth. [17] Bu
farw Job yn hen iawn, mewn gwth o
oedran.

LLYFR

Y SALMAU

LLYFR 1

1 Gwyn ei fyd y gŵr nad yw'n dilyn
   cyngor y drygionus
nac yn ymdroi hyd ffordd
   pechaduriaid
nac yn eistedd ar sedd gwatwarwyr,
[2] ond sy'n cael ei hyfrydwch yng
   nghyfraith yr ARGLWYDD
ac yn myfyrio yn ei gyfraith ef ddydd a
   nos.
[3] Y mae fel pren
wedi ei blannu wrth ffrydiau dŵr
ac yn rhoi ffrwyth yn ei dymor,
a'i ddeilen heb fod yn gwywo.
Beth bynnag a wna, fe lwydda.

[4] Nid felly y bydd y drygionus,
ond fel us yn cael ei yrru gan wynt.
[5] Am hynny, ni saif y drygionus yn y
   farn
na phechaduriaid yng nghynulleidfa'r
   cyfiawn.

[6] Y mae'r ARGLWYDD yn gwylio ffordd y
   cyfiawn,
ond y mae ffordd y drygionus yn
   darfod.

2 Pam y mae'r cenhedloedd yn terfysgu
   a'r bobloedd yn cynllwyn yn ofer?
[2] Y mae brenhinoedd y ddaear yn
   barod,
a'r llywodraethwyr yn ymgynghori â'i
   gilydd
yn erbyn yr ARGLWYDD a'i eneiniog:
[3] "Gadewch inni ddryllio eu rhwymau,
a thaflu ymaith eu rheffynnau."
[4] Fe chwardd yr un sy'n eistedd yn y
   nefoedd;
y mae'r Arglwydd yn eu gwatwar.
[5] Yna fe lefara wrthynt yn ei lid
a'u dychryn yn ei ddicter:
[6] "Yr wyf fi wedi gosod fy mrenin
ar Seion, fy mynydd sanctaidd."

[7] Adroddaf am ddatganiad yr
   ARGLWYDD.
Dywedodd wrthyf, "Fy mab wyt ti,
myfi a'th genhedlodd di heddiw;
[8] gofyn, a rhoddaf iti'r cenhedloedd yn
   etifeddiaeth,
ac eithafoedd daear yn eiddo iti;
[9] fe'u drylli â gwialen haearn
a'u malurio fel llestr pridd."

[10] Yn awr, frenhinoedd, byddwch
   ddoeth;
farnwyr y ddaear, cymerwch gyngor;
[11] gwasanaethwch yr ARGLWYDD mewn
   ofn,
mewn cryndod cusanwch ei draed, [a]
[12] rhag iddo ffromi ac i chwi gael eich
   difetha;
oherwydd fe gyneua ei lid mewn dim.

Gwyn eu byd y rhai sy'n llochesu
   ynddo.

Salm. I Ddafydd, pan ffodd rhag ei fab
Absalom.

3 ARGLWYDD, mor lluosog yw fy
   ngwrthwynebwyr!
Y mae llawer yn codi yn f'erbyn,
[2] a llawer yn dweud amdanaf,
"Ni chaiff waredigaeth yn Nuw." *Sela*

[3] Ond yr wyt ti, ARGLWYDD, yn darian i
   mi,
yn ogoniant i mi ac yn fy nyrchafu.
[4] Gwaeddaf yn uchel ar yr ARGLWYDD,
ac etyb fi o'i fynydd sanctaidd.   *Sela*

[5] Yr wyf yn gorwedd ac yn cysgu,
ac yna'n deffro am fod yr ARGLWYDD
   yn fy nghynnal.
[6] Nid ofnwn pe bai myrddiwn o bobl
yn ymosod arnaf o bob tu.

[7] Cyfod, ARGLWYDD; gwared fi, O fy
   Nuw.

[a] Tebygol. Hebraeg, *a llawenhewch mewn cryndod.*   [12] *Cusanwch y mab.*

Byddi'n taro fy holl elynion yn eu
  hwyneb,
a thorri dannedd y drygionus.
[8]I'r ARGLWYDD y perthyn
  gwaredigaeth;
bydded dy fendith ar dy bobl.   *Sela*

I'r Cyfarwyddwr: ag offerynnau llinynnol.
          Salm. I Ddafydd.

4 Ateb fi pan alwaf, O Dduw fy
     nghyfiawnder!
Pan oeddwn mewn cyfyngder,
  gwaredaist fi;
bydd drugarog wrthyf, a gwrando fy
  ngweddi.

[2]Ddynion, am ba hyd y bydd fy
  ngogoniant yn warth,
ac y byddwch yn caru gwagedd ac yn
  ceisio celwydd?   *Sela*
[3]Deallwch fod yr ARGLWYDD yn
  gwneud rhyfeddodau i'r ffyddlon;
y mae'r ARGLWYDD yn gwrando pan
  alwaf arno.
[4]Er i chwi gynddeiriogi, peidiwch â
  phechu;
er i chwi ymson ar eich gwely,
  byddwch ddistaw.   *Sela*
[5]Offrymwch aberthau cywir,
ac ymddiriedwch yn yr ARGLWYDD.
[6]Y mae llawer yn dweud, "Pwy a
  ddengys i ni ddaioni?"
Cyfoded llewyrch dy wyneb arnom,
ARGLWYDD.
[7]Rhoddaist fwy o lawenydd yn fy
  nghalon
na'r eiddo hwy pan oedd llawer o ŷd a
  gwin.
[8]Yn awr gorweddaf mewn heddwch a
  chysgu,
oherwydd ti yn unig, ARGLWYDD, sy'n
  peri imi fyw'n ddiogel.

I'r Cyfarwyddwr: ar ffliwtiau.
          Salm. I Ddafydd.

5 Gwrando ar fy ngeiriau, ARGLWYDD,
     ystyria fy nghwynfan;
[2]clyw fy nghri am gymorth,
fy mrenin a'm Duw.
[3]Arnat ti y gweddïaf, ARGLWYDD;
yn y bore fe glywi fy llais.
Yn y bore paratoaf ar dy gyfer,
ac fe ddisgwyliaf.

[4]Oherwydd nid wyt Dduw sy'n hoffi
  drygioni,
ni chaiff y drwg aros gyda thi,
[5]ni all y trahaus sefyll o'th flaen.
Yr wyt yn casáu'r holl wneuthurwyr
  drygioni
[6]ac yn difetha'r rhai sy'n dweud
  celwydd;
ffieiddia'r ARGLWYDD ŵr gwaedlyd a
  thwyllodrus.

[7]Ond oherwydd dy gariad mawr, dof fi
  i'th dŷ,
plygaf yn dy deml sanctaidd mewn
  parch i ti.
[8]ARGLWYDD, arwain fi yn dy gyfiawnder
  oherwydd fy ngelynion,
gwna dy ffordd yn union o'm blaen.
[9]Oherwydd nid oes coel ar eu geiriau[b],
y mae dinistr o'u mewn;
bedd agored yw eu llwnc,
a'u tafod yn llawn gweniaith.
[10]Dwg gosb arnynt, O Dduw,
bydded iddynt syrthio trwy cu
  cynllwynion;
bwrw hwy ymaith yn eu holl bechodau
am iddynt wrthryfela yn dy erbyn.
[11]Ond bydded i bawb sy'n llochesu ynot
  ti lawenhau,
a chanu mewn llawenydd yn wastad;
bydd yn amddiffyn dros y rhai sy'n
  caru dy enw,
fel y bydd iddynt orfoleddu ynot ti.
[12]Oherwydd yr wyt ti, ARGLWYDD, yn
  bendithio'r cyfiawn,
ac y mae dy ffafr yn ei amddiffyn fel
  tarian.

I'r Cyfarwyddwr: ag offerynnau llinynnol,
          ar Seminith.
          Salm. I Ddafydd.

6 ARGLWYDD, paid â'm ceryddu yn dy
     ddig,
paid â'm cosbi yn dy lid.
[2]Bydd drugarog wrthyf, O ARGLWYDD,
  oherwydd yr wyf yn llesg;
iachâ fi, ARGLWYDD, oherwydd
  brawychwyd fy esgyrn,
[3]y mae fy enaid mewn arswyd mawr.
Tithau, ARGLWYDD, am ba hyd?

[4]Dychwel, ARGLWYDD, gwared fy
  enaid;
achub fi er mwyn dy ffyddlondeb.

Felly'r Fersiynau. Hebraeg, *ei eiriau.*

⁵ Oherwydd nid oes cofio amdanat ti yn
    angau;
pwy sy'n dy foli di yn Sheol?
⁶ Yr wyf wedi diffygio gan fy
    nghwynfan;
bob nos y mae fy ngwely'n foddfa,
trochaf fy ngobennydd â'm dagrau.
⁷ Pylodd fy llygaid gan ofid,
a phallu oherwydd fy holl elynion.

⁸ Ewch ymaith oddi wrthyf, holl
    wneuthurwyr drygioni,
oherwydd clywodd yr ARGLWYDD fi'n
    wylo.
⁹ Gwrandawodd yr ARGLWYDD ar fy
    neisyfiad,
ac y mae'r ARGLWYDD yn derbyn fy
    ngweddi.
¹⁰ Bydded cywilydd a dryswch i'm holl
    elynion;
trônt yn ôl a'u cywilyddio'n sydyn.

Siggaion Dafydd, a ganodd i'r ARGLWYDD
    ynglŷn â Cus o Benjamin.

7 O ARGLWYDD fy Nuw, ynot ti y
    llochesaf;
gwared fi rhag fy holl erlidwyr, ac
    arbed fi,
² rhag iddynt fy llarpio fel llew,
a'm darnio heb neb i'm gwaredu.

³ O ARGLWYDD fy Nuw, os gwneuthum
    hyn—
os oes twyll ar fy nwylo,
⁴ os telais ddrwg am dda i'm cyfaill,
ac ysbeilio fy ngwrthwynebwr heb
    achos—
⁵ bydded i'm gelyn fy erlid a'm dal,
bydded iddo sathru fy einioes i'r
    ddaear,
a gosod f'anrhydedd yn y llwch.   *Sela*

⁶ Saf i fyny, O ARGLWYDD, yn dy ddig;
cyfod yn erbyn llid fy ngelynion;
deffro, fy Nuw, i drefnu barn.
⁷ Bydded i'r bobloedd ymgynnull o'th
    amgylch;
eistedd dithau'n oruchel uwch eu
    pennau.
⁸ O ARGLWYDD, sy'n barnu pobloedd,
barna fi yn ôl fy nghyfiawnder, O
    ARGLWYDD,
ac yn ôl y cywirdeb sydd ynof.
⁹ Bydded diwedd ar ddrygioni'r

᾿ Hebraeg, *y mae ef.*

drygionus,
ond cadarnha di y cyfiawn,
ti sy'n profi meddyliau a chalonnau,
ti Dduw cyfiawn.

¹⁰ Duw yw fy nharian,
ef sy'n gwaredu'r cywir o galon.
¹¹ Duw sydd farnwr cyfiawn,
a Duw sy'n dedfrydu bob amser.

¹² Yn wir, y mae'r drygionus᾿ yn hogi ei
    gleddyf eto,
yn plygu ei fwa a'i wneud yn barod;
¹³ y mae'n darparu ei arfau marwol,
ac yn gwneud ei saethau'n danllyd.
¹⁴ Y mae'n feichiog o ddrygioni,
yn cenhedlu niwed ac yn geni twyll.
¹⁵ Y mae'n cloddio pwll ac yn ei geibio,
ac yn syrthio i'r twll a wnaeth.
¹⁶ Fe ddychwel ei niwed arno ef ei hun,
ac ar ei ben ef y disgyn ei drais.

¹⁷ Diolchaf i'r ARGLWYDD am ei
    gyfiawnder,
a chanaf fawl i enw'r ARGLWYDD
    Goruchaf.

I'r Cyfarwyddwr: ar y Gittith.
    Salm. I Ddafydd.

8 O ARGLWYDD, ein Iôr, mor
    ardderchog yw dy enw ar yr holl
    ddaear!
Gosodaist dy ogoniant uwch y
    nefoedd,
² codaist amddiffyn rhag dy elynion
o enau babanod a phlant sugno,
a thawelu'r gelyn a'r dialydd.
³ Pan edrychaf ar y nefoedd, gwaith dy
    fysedd,
y lloer a'r sêr, a roddaist yn eu lle,
⁴ beth yw dyn, iti ei gofio,
a'r teulu dynol, iti ofalu amdano?
⁵ Eto gwnaethost ef ychydig islaw duw,
a'i goroni â gogoniant ac anrhydedd.
⁶ Rhoist iddo awdurdod ar waith dy
    ddwylo,
a gosod popeth dan ei draed:
⁷ defaid ac ychen i gyd,
yr anifeiliaid gwylltion hefyd,
⁸ adar y nefoedd, a physgod y môr,
a phopeth sy'n tramwyo llwybrau'r
    dyfroedd.
⁹ O ARGLWYDD, ein Iôr, mor
    ardderchog yw dy enw ar yr holl
    ddaear!

I'r Cyfarwyddwr: ar Muth-labben.
Salm. I Ddafydd.

9 Diolchaf i ti, ARGLWYDD, â'm holl
galon,
adroddaf am dy ryfeddodau.
[2] Llawenhaf a gorfoleddaf ynot ti,
canaf fawl i'th enw, y Goruchaf.
[3] Pan dry fy ngelynion yn eu holau,
baglant a threngi o'th flaen.
[4] Gwnaethost yn deg â mi yn fy achos,
ac eistedd ar dy orsedd yn farnwr
cyfiawn.

[5] Ceryddaist y cenhedloedd a difetha'r
drygionus,
a dileaist eu henw am byth.
[6] Darfu am y gelyn mewn adfeilion
bythol;
yr wyt wedi chwalu eu dinasoedd,
a diflannodd y cof amdanynt.
[7] Ond y mae'r ARGLWYDD wedi ei
orseddu am byth,
ac wedi paratoi ei orsedd i farn.
[8] Fe farna'r byd mewn cyfiawnder,
a gwrando achos y bobloedd yn deg.

[9] Bydded yr ARGLWYDD yn amddiffynfa
i'r gorthrymedig,
yn amddiffynfa yn amser cyfyngder,
[10] fel y bydd i'r rhai sy'n cydnabod dy
enw ymddiried ynot;
oherwydd ni adewaist, ARGLWYDD, y
rhai sy'n dy geisio.

[11] Canwch fawl i'r ARGLWYDD sy'n trigo
yn Seion,
cyhoeddwch ei weithredoedd ymysg y
bobloedd.
[12] Fe gofia'r dialydd gwaed amdanynt;
nid yw'n anghofio gwaedd yr
anghenus.

[13] Bydd drugarog wrthyf, O ARGLWYDD,
sy'n fy nyrchafu o byrth angau;
edrych ar fy adfyd oddi ar law y rhai
sy'n fy nghasáu,
[14] imi gael adrodd dy holl fawl
a llawenhau yn dy waredigaeth ym
mhyrth merch Seion.

[15] Suddodd y cenhedloedd i'r pwll a
wnaethant eu hunain,
daliwyd eu traed yn y rhwyd yr
oeddent hwy wedi ei chuddio.
[16] Datguddiodd yr ARGLWYDD ei hun,
gwnaeth farn;
maglwyd y drygionus gan waith ei
ddwylo'i hun. *Higgaion. Sela*

[17] Bydded i'r drygionus ddychwelyd i
Sheol,
a'r holl genhedloedd sy'n anghofio
Duw.
[18] Oherwydd nid anghofir y tlawd am
byth,
ac ni ddryllir gobaith yr anghenus yn
barhaus.

[19] Cyfod, ARGLWYDD; na threched dyn,
ond doed y cenhedloedd i farn o'th
flaen.
[20] Rho arswyd ynddynt, ARGLWYDD,
a bydded i'r cenhedloedd wybod mai
dynion ydynt. *Sela*

10 Pam, ARGLWYDD, y sefi draw,
ac ymguddio yn amser cyfyngder?
[2] Y mae'r drygionus yn ei falchder yn
ymlid yr anghenus;
dalier ef yn y cynlluniau a ddyfeisiodd.
[3] Oherwydd ymffrostia'r drygionus yn ei
chwant ei hun,
ac y mae'r barus yn melltithio ac yn
dirmygu'r ARGLWYDD.
[4] Nid yw'r drygionus ffroenuchel yn ei
geisio,
nid oes lle i Dduw yn ei holl
gynlluniau.
[5] Troellog yw ei ffyrdd bob amser,
y mae dy farnau di y tu hwnt iddo;
ac am ei holl elynion, fe'u dirmyga.
[6] Fe ddywed ynddo'i hun, "Ni'm
symudir;
trwy'r cenedlaethau ni ddaw niwed
ataf."
[7] Y mae ei enau'n llawn melltith, twyll a
thrais;
y mae cynnen a drygioni dan ei dafod.
[8] Y mae'n aros mewn cynllwyn yn y
pentrefi,
a lladd a diniwed yn y dirgel;
gwylia ei lygaid am yr anffodus.
[9] Llecha'n ddirgel fel llew yn ei ffau;
llecha er mwyn llarpio'r truan,
ac fe'i deil trwy ei dynnu i'w rwyd;
[10] caiff ei ysigo a'i ddarostwng ganddo,
ac fe syrthia'r anffodus i'w grafangau.
[11] Dywed yntau ynddo'i hun,
"Anghofiodd Duw,
cuddiodd ei wyneb ac ni wêl ddim."

[12] Cyfod, ARGLWYDD; O Dduw, cod dy
law;
nac anghofia'r anghenus.
[13] Pam y mae'r drygionus yn dy
ddirmygu, O Dduw,

ac yn tybio ynddo'i hun nad wyt yn
malio?
[14] Ond yn wir, yr wyt yn edrych ar helynt
a gofid,
ac yn sylwi er mwyn ei gymryd yn dy
law;
arnat ti y dibynna'r anffodus,
ti sydd wedi cynorthwyo'r amddifad.
[15] Dryllia nerth y drygionus a'r anfad;
chwilia am ei ddrygioni nes ei
ddihysbyddu.

[16] Y mae'r ARGLWYDD yn frenin byth
bythoedd;
difethir y cenhedloedd o'i dir.
[17] Clywaist, O ARGLWYDD, ddyhead yr
anghenus;
yr wyt yn cryfhau eu calon wrth
wrando arnynt
[18] yn gweinyddu barn i'r amddifad a'r
gorthrymedig,
rhag i ddyn daearol beri ofn mwyach.

I'r Cyfarwyddwr: i Ddafydd.

11 Yn yr ARGLWYDD y cefais loches;
sut y gallwch ddweud wrthyf,
"Ffo fel aderyn i'r mynydd[ch],
[2] oherwydd y mae'r drygionus yn
plygu'r bwa
ac yn gosod eu saethau yn y llinyn
i saethu yn y tywyllwch at yr uniawn?
[3] Os dinistrir y sylfeini,
beth a wna'r cyfiawn?"
[4] Y mae'r ARGLWYDD yn ei deml
sanctaidd,
a gorsedd yr ARGLWYDD yn y nefoedd;
y mae ei lygaid yn edrych ar deulu
dyn,
a'i olygon yn eu profi.
[5] Profa'r ARGLWYDD y cyfiawn a'r
drygionus,
a chas ganddo'r sawl sy'n caru trais.
[6] Y mae'n glawio marwor tanllyd a
brwmstan ar y drygionus;
gwynt deifiol fydd eu rhan.
[7] Oherwydd y mae'r ARGLWYDD yn
gyfiawn ac yn caru cyfiawnder,
a'r uniawn sy'n gweld ei wyneb.

I'r Cyfarwyddwr: ar Seminith.
Salm. I Ddafydd.

12 Arbed, O ARGLWYDD; oherwydd
nid oes un teyrngar ar ôl,

a darfu am y ffyddloniaid o blith
dynion.
[2] Y mae pob un yn dweud celwydd wrth
ei gymydog,
y maent yn gwenieithio wrth siarad â'i
gilydd.
[3] Bydded i'r ARGLWYDD dorri ymaith
bob gwefus wenieithus
a'r tafod sy'n siarad yn ymffrostgar,
[4] y rhai sy'n dweud, "Yn ein tafod y
mae ein nerth;
y mae ein gwefusau o'n tu; pwy sy'n
feistr arnom?"

[5] "Oherwydd anrhaith yr anghenus a
chri'r tlawd,
codaf yn awr," meddai'r ARGLWYDD,
"rhoddaf iddo'r diogelwch yr hiraetha
amdano."

[6] Y mae geiriau'r ARGLWYDD yn eiriau
pur:
arian wedi ei goethi mewn ffwrnais,
aur[d] wedi ei buro seithwaith.
[7] Tithau, ARGLWYDD, cadw ni[dd],
gwared ni am byth oddi wrth y
genhedlaeth hon,
[8] am fod y drygionus yn prowla ar bob
llaw,
a llygredd yn uchaf ymysg dynion.

I'r Cyfarwyddwr: Salm. I Ddafydd.

13 Am ba hyd, ARGLWYDD, yr
anghofi fi'n llwyr?
Am ba hyd y cuddi dy wyneb oddi
wrthyf?
[2] Am ba hyd y dygaf loes yn fy enaid,
a gofid yn fy nghalon ddydd ar ôl
dydd?
Am ba hyd y bydd fy ngelyn yn drech
na mi?

[3] Edrych arnaf ac ateb fi, O ARGLWYDD
fy Nuw;
goleua fy llygaid rhag imi gysgu hun
marwolaeth,
[4] rhag i'm gelyn ddweud, "Gorchfygais
ef",
ac i'm gwrthwynebwyr lawenhau pan
gwympaf.

[5] Ond yr wyf fi'n ymddiried yn dy
ffyddlondeb,

[ch] Felly'r Fersiynau. Hebraeg, *Ffo i'ch mynydd, O aderyn.*
[dd] Felly llawysgrifau a Groeg. TM, *hwy.*

[d] Tebygol. Hebraeg, *i'r ddaear.*

a chaiff fy nghalon lawenhau yn dy
waredigaeth;
canaf i'r ARGLWYDD,
am iddo fod mor hael wrthyf.

I'r Cyfarwyddwr: i Ddafydd.

14 Dywed yr ynfyd ynddo'i hun,
"Nid oes Duw."
Gwnânt weithredoedd llygredig a
ffiaidd;
nid oes un a wna ddaioni.
[2] Edrychodd yr ARGLWYDD o'r nefoedd
ar blant dynion,
i weld a oes rhywun yn gwneud yn
ddoeth
ac yn ceisio Duw.
[3] Ond y mae pawb ar gyfeiliorn,
ac mor llygredig â'i gilydd;
nid oes un a wna ddaioni,
nac oes, dim un.

[4] Oni ddarostyngir y gwneuthurwyr
drygioni
sy'n llyncu fy mhobl fel llyncu bwyd,
ac sydd heb alw ar yr ARGLWYDD?
[5] Yno y byddant mewn dychryn mawr,
am fod Duw yng nghanol y rhai
cyfiawn.
[6] Er i chwi watwar cyngor yr anghenus,
yr ARGLWYDD yw ei noddfa.
[7] O na ddôi gwaredigaeth i Israel o
Seion!
Pan adfer yr ARGLWYDD lwyddiant i'w
bobl,
fe lawenha Jacob, fe orfoledda Israel.

Salm. I Ddafydd.

15 ARGLWYDD, pwy a gaiff aros yn dy
babell?
Pwy a gaiff fyw yn dy fynydd
sanctaidd?

[2] Yr un sy'n byw'n gywir, yn gwneud
cyfiawnder,
ac yn dweud gwir yn ei galon;
[3] un nad oes malais ar ei dafod,
nad yw'n gwneud niwed i'w gyfaill,
nac yn goddef enllib am ei gymydog;
[4] un sy'n edrych yn ddirmygus ar yr
ysgymun,
ond yn parchu'r rhai sy'n ofni'r
ARGLWYDD;
un sy'n tyngu i'w niwed ei hun, a heb

[e] Tebygol. Hebraeg, *a'r rhagorolion.*

dynnu'n ôl;
[5] un nad yw'n rhoi ei arian am log,
nac yn derbyn cil-dwrn yn erbyn y
diniwed.
Pwy bynnag a wna hyn, nis symudir
byth.

Michtam. I Ddafydd.

16 Cadw fi, O Dduw, oherwydd
llochesaf ynot ti.
[2] Dywedais wrth yr ARGLWYDD, "Ti yw
f'arglwydd,
nid oes imi ddaioni ond ynot ti."
[3] Ac am y duwiau sanctaidd sydd yn y
wlad,
melltith[e] ar bob un sy'n ymhyfrydu
ynddynt.
[4] Amlhau gofidiau y mae'r un sy'n
blysio duwiau eraill;
ni chynigiaf fi waed iddynt yn offrwm,
na chymryd eu henwau ar fy
ngwefusau.
[5] Ti, ARGLWYDD, yw fy nghyfran a'm
cwpan,
ti sy'n diogelu fy rhan;
[6] syrthiodd y llinynnau i mi mewn
mannau dymunol,
ac y mae gennyf etifeddiaeth ragorol.

[7] Bendithiaf yr ARGLWYDD a roddodd
gyngor i mi;
yn y nos y mae fy meddyliau'n fy
hyfforddi.
[8] Gosodais yr ARGLWYDD o'm blaen yn
wastad;
am ei fod ar fy neheulaw, ni'm
symudir.

[9] Am hynny, llawenha fy nghalon a
gorfoledda f'ysbryd,
a chaiff fy nghnawd fyw'n ddiogel;
[10] oherwydd ni fyddi'n gadael fy enaid i
Sheol,
ac ni chaiff yr un teyrngar i ti weld
distryw.
[11] Dangosi i mi lwybr bywyd;
yn dy bresenoldeb di y mae digonedd
o lawenydd,
ac yn dy ddeheulaw fwyniant bythol.

Gweddi. I Ddafydd.

17 Gwrando, ARGLWYDD, gri am
gyfiawnder;

rho sylw i'm llef
a gwrandawiad i'm gweddi
oddi ar wefusau didwyll.
²Doed fy marn oddi wrthyt ti,
edryched dy lygaid ar yr hyn sy'n iawn.

³Profaist fy nghalon a'm gwylio yn y
nos,
chwiliaist fi ond heb gael drygioni
ynof.
⁴Ni throseddodd ᶠ fy ngenau fel y gwna
dynion,
ond fe gedwais eiriau dy wefusau.
⁵Ar lwybrau'r anufudd byddai fy
nghamau'n pallu,
ond ar dy lwybrau di nid yw fy nhraed
yn methu.
⁶Gwaeddaf arnat ti am dy fod yn f'ateb,
O Dduw;
tro dy glust ataf, gwrando fy ngeiriau.
⁷Dangos dy ffyddlondeb rhyfeddol,
ti, sy'n gwaredu â'th ddeheulaw
y rhai sy'n llochesu ynot rhag eu
gwrthwynebwyr.
⁸Cadw fi fel cannwyll dy lygad,
cuddia fi dan gysgod dy adenydd
⁹rhag y drygionus sy'n fy nistrywio,
y gelynion sydd yn eu gwanc yn
f'amgylchu.
¹⁰Caeodd braster am eu calonnau,
y mae eu genau'n llefaru balchder;
¹¹y maent ar fy sodlau ac ar gau
amdanaf, ᶠᶠ
wedi gosod eu bryd ar fy mwrw i'r
llawr;
¹²y maent fel llew yn barod i larpio,
fel llew ifanc yn llechu yn ei guddfan.

¹³Cyfod, ARGLWYDD, saf yn eu herbyn
a'u bwrw i lawr!
Â'th gleddyf gwared fy mywyd rhag y
drygionus;
¹⁴â'th law, ARGLWYDD, gwna ddiwedd
arnynt,
difa hwy o'u rhan yng nghanol bywyd.
Llanwer eu bol â'r hyn sydd gennyt ar
eu cyfer,
bydded i'w plant gael digon,
a chadw gweddill i'w babanod!

¹⁵Ond byddaf fi yn fy nghyfiawnder yn
gweld dy wyneb;
pan ddeffroaf, digonir fi o weld dy
wedd.

I'r Cyfarwyddwr: Dafydd, gwas yr
ARGLWYDD, *a lefarodd eiriau'r gerdd hon*
wrth yr ARGLWYDD *y diwrnod y*
gwaredodd yr ARGLWYDD *ef o law ei*
elynion ac o law Saul. A dywedodd:

18 Caraf di, O ARGLWYDD, fy
nghryfder.
²Yr ARGLWYDD yw fy nghraig, fy
nghadernid a'm gwaredydd;
fy Nuw yw fy nghraig lle llochesaf,
fy nharian, fy amddiffynfa gadarn a'm
caer.

³Gwaeddaf ar yr ARGLWYDD sy'n
haeddu mawl,
ac fe'm gwaredir rhag fy ngelynion.
⁴Pan oedd clymau angau'n tynhau
amdanaf
a llifeiriant distryw yn fy nal,
⁵pan oedd clymau Sheol yn f'amgylchu
a maglau angau o'm blaen,
⁶gwaeddais ar yr ARGLWYDD yn fy
nghyfyngder,
ac ar fy Nuw iddo fy nghynorthwyo;
clywodd fy llef o'i deml,
a daeth fy ngwaedd i'w glustiau.
⁷Crynodd y ddaear a gwegian,
ysgydwodd sylfeini'r mynyddoedd,
a siglo oherwydd ei ddicter ef.
⁸Cododd mwg o'i ffroenau,
yr oedd tân yn ysu o'i enau,
a marwor yn cynnau o'i gwmpas.
⁹Fe agorodd y ffurfafen a disgyn,
ac yr oedd tywyllwch o dan ei draed.
¹⁰Marchogodd ar gerwb a hedfan,
gwibiodd ar adenydd y gwynt.
¹¹Gosododd o'i amgylch dywyllwch yn
guddfan,
a chymylau duon yn orchudd.
¹²O'r disgleirdeb o'i flaen daeth allan
gymylau,
a chenllysg a cherrig tân.
¹³Taranodd yr ARGLWYDD o'r nefoedd,
a llefarodd llais y Goruchaf. ᵍ
¹⁴Bwriodd allan ei saethau yma ac acw,
saethodd fellt a gwneud iddynt atsain.
¹⁵Daeth gwaelodion y môr i'r golwg,
a dinoethwyd sylfeini'r byd,
oherwydd dy gerydd di, O ARGLWYDD,
a chwythiad anadl dy ffroenau.

¹⁶Ymestynnodd o'r uchelder a'm
cymryd,

ᶠFelly'r Fersiynau. Hebraeg, *heb gael. Fe'm bwriadwyd fel na throseddai.*
ᶠᶠTebygol. Hebraeg, *y maent wedi amgylchu ein camau.*
ᵍCymh. 2 Sam. 22:14. TM yn ychwanegu *a chenllysg a cherrig tân!*

tynnodd fi allan o'r dyfroedd cryfion.
¹⁷ Gwaredodd fi rhag fy ngelyn nerthol,
rhag y rhai sy'n fy nghasáu pan
oeddent yn gryfach na mi.
¹⁸ Daethant i'm herbyn yn nydd fy
argyfwng,
ond bu'r ARGLWYDD yn gynhaliaeth i
mi.
¹⁹ Dygodd fi allan i le agored,
a'm gwaredu am ei fod yn fy hoffi.

²⁰ Gwnaeth yr ARGLWYDD â mi yn ôl fy
nghyfiawnder,
a thalodd i mi yn ôl glendid fy nwylo.
²¹ Oherwydd cedwais ffyrdd yr
ARGLWYDD,
heb droi oddi wrth fy Nuw at
ddrygioni;
²² yr oedd ei holl gyfreithiau o'm blaen,
ac ni fwriais ei ddeddfau o'r neilltu.
²³ Yr oeddwn yn ddi-fai yn ei olwg,
a chedwais fy hun rhag troseddu.
²⁴ Talodd yr ARGLWYDD i mi yn ôl fy
nghyfiawnder,
ac yn ôl glendid fy nwylo yn ei olwg.
²⁵ Yr wyt yn ffyddlon i'r ffyddlon,
yn ddifeius i'r dyn difeius,
²⁶ ac yn bur i'r rhai pur;
ond i'r cyfeiliornus yr wyt yn wyrgam.
²⁷ Oherwydd yr wyt yn gwaredu'r rhai
gostyngedig,
ac yn darostwng y beilchion.
²⁸ Ti sy'n goleuo fy llusern, ARGLWYDD;
fy Nuw sy'n troi fy nhywyllwch yn
ddisglair.
²⁹ Oherwydd trwot ti y gallaf oresgyn llu;
trwy fy Nuw gallaf neidio dros fur.
³⁰ Y Duw hwn, y mae'n berffaith ei
ffordd,
ac y mae gair yr ARGLWYDD wedi ei
brofi'n bur;
y mae ef yn darian i bawb sy'n llochesu
ynddo.

³¹ Pwy sydd Dduw ond yr ARGLWYDD?
a phwy sydd graig ond ein Duw ni,
³² y Duw sy'n fy ngwregysu â nerth,
ac yn gwneud fy ffordd yn ddifeius?
³³ Gwna fy nhraed fel rhai ewig,
a'm gosod yn gadarn ar y
mynyddoedd.
³⁴ Y mae'n dysgu i'm dwylo ryfela,
i'm breichiau dynnu bwa pres.
³⁵ Rhoist imi dy darian i'm gwaredu,
a'm cynnal â'th ddeheulaw,
a'm gwneud yn fawr trwy dy ofal.
³⁶ Rhoist imi le llydan i'm camau,

ac ni lithrodd fy nhraed.
³⁷ Yr wyf yn ymlid fy ngelynion ac yn eu
dal;
ni ddychwelaf nes eu difetha.
³⁸ Yr wyf yn eu trywanu fel na allant
godi,
ac y maent yn syrthio o dan fy nhraed.
³⁹ Yr wyt wedi fy ngwregysu â nerth i'r
frwydr,
a darostwng fy ngelynion o danaf.
⁴⁰ Gosodaist fy nhroed ar eu gwddf,
a gwneud imi ddifetha'r rhai sy'n fy
nghasáu.
⁴¹ Y maent yn gweiddi, ond nid oes
gwaredydd,
yn galw ar yr ARGLWYDD, ond nid yw'n
eu hateb.
⁴² Fe'u maluriaf cyn faned â llwch o flaen
y gwynt,
a'u sathru fel llaid ar y strydoedd.
⁴³ Yr wyt yn fy ngwarcdu rhag ymrafael
pobl,
a'm gwneud yn ben ar y cenhedloedd;
pobl nad oeddwn yn eu hadnabod sy'n
weision i mi.
⁴⁴ Pan glywant amdanaf, maent yn
ufuddhau i mi,
ac estroniaid sy'n ymgreinio o'm
blaen.
⁴⁵ Y mae estroniaid yn gwan-galonni,
ac yn dyfod dan grynu o'u lloches.

⁴⁶ Byw yw'r ARGLWYDD, bendigedig yw
fy nghraig;
dyrchafedig fyddo'r Duw sy'n fy
ngwaredu,
⁴⁷ y Duw sy'n rhoi imi ddialedd,
ac yn darostwng pobloedd o danaf,
⁴⁸ sy'n fy ngwaredu rhag fy ngelynion,
yn fy nyrchafu uwchlaw fy
ngwrthwynebwyr,
ac yn fy arbed rhag y gorthrymwyr.
⁴⁹ Oherwydd hyn, clodforaf di, O
ARGLWYDD, ymysg y
cenhedloedd,
a chanaf fawl i'th enw.
⁵⁰ Y mae'n gwaredu ei frenin yn helaeth,
ac yn cadw'n ffyddlon i'w eneiniog,
i Ddafydd ac i'w had am byth.

I'r Cyfarwyddwr: Salm. I Ddafydd

19 Y mae'r nefoedd yn adrodd
gogoniant Duw,
a'r ffurfafen yn mynegi gwaith ei
ddwylo.
² Y mae dydd yn llefaru wrth ddydd,

a nos yn cyhoeddi gwybodaeth wrth
    nos.
³Nid oes iaith na geiriau ganddynt,
    ni chlywir eu llais;
⁴eto fe â eu sain allan drwy'r holl
    ddaear
a'u lleferydd hyd eithafoedd byd.
    Ynddynt gosododd babell i'r haul,
⁵sy'n dod allan fel priodfab o'i ystafell,
    yn llon fel campwr yn barod i redeg
    gyrfa.
⁶O eithaf y nefoedd y mae'n codi,
    a'i gylch hyd yr eithaf arall;
ac nid oes dim yn cuddio rhag ei wres.

⁷Y mae cyfraith yr Arglwydd yn
    berffaith,
yn adfywio'r enaid;
y mae tystiolaeth yr Arglwydd yn
    sicr,
yn gwneud y syml yn ddoeth;
⁸y mae deddfau'r Arglwydd yn gywir,
yn llawenhau'r galon;
y mae gorchymyn yr Arglwydd yn
    bur,
yn goleuo'r llygaid;
⁹y mae ofn yr Arglwydd yn lân,
yn para am byth;
y mae barnau'r Arglwydd yn wir,
yn gyfiawn bob un.
¹⁰Mwy dymunol ydynt nag aur,
na llawer o aur coeth,
a melysach na mêl,
ac na diferion diliau mêl.
¹¹Trwyddynt hwy hefyd rhybuddir dy
    was,
ac o'u cadw y mae gwobr fawr.

¹²Pwy sy'n dirnad ei gamgymeriadau?
Glanha fi oddi wrth fy meiau cudd.
¹³Cadw dy was oddi wrth bechodau
    beiddgar,
rhag iddynt gael y llaw uchaf arnaf.
Yna byddaf yn ddifeius,
ac yn ddieuog o bechod mawr.
¹⁴Bydded geiriau fy ngenau'n
    dderbyniol gennyt,
a myfyrdod fy nghalon yn gymeradwy i
    ti,
O Arglwydd, fy nghraig a'm prynwr.

I'r Cyfarwyddwr: Salm. I Ddafydd.

20 Bydded i'r Arglwydd dy ateb yn
    nydd cyfyngder,
ac i enw Duw Jacob dy amddiffyn.
²Bydded iddo anfon cymorth i ti o'r

cysegr,
a'th gynnal o Seion.
³Bydded iddo gofio dy holl offrymau,
ac edrych yn ffafriol ar dy
    aberthau.   *Sela*

⁴Bydded iddo roi i ti dy ddymuniad,
a chyflawni dy holl gynlluniau.
⁵Bydded inni orfoleddu yn dy
    waredigaeth,
a chodi banerau yn enw ein Duw.
Bydded i'r Arglwydd roi iti'r cyfan a
    ddeisyfi.

⁶Yn awr fe wn
fod yr Arglwydd yn gwaredu ei
    eneiniog;
y mae'n ei ateb o'i nefoedd sanctaidd
trwy waredu'n nerthol â'i ddeheulaw.
⁷Ymffrostia rhai mewn cerbydau ac
    eraill mewn meirch,
ond fe ymffrostiwn ni yn enw'r
    Arglwydd ein Duw.
⁸Y maent hwy'n crynu ac yn syrthio,
ond yr ydym ni'n codi ac yn sefyll i
    fyny.

⁹O Arglwydd, gwared y brenin;
ateb ni pan fyddwn yn galw.

I'r Cyfarwyddwr: Salm. I Ddafydd.

21 O Arglwydd, fe lawenycha'r
    brenin yn dy nerth;
mor fawr yw ei orfoledd yn dy
    waredigaeth!
²Rhoddaist iddo ddymuniad ei galon,
ac ni wrthodaist iddo ddeisyfiad ei
    wefusau.   *Sela*
³Daethost i'w gyfarfod â bendithion
    daionus,
a rhoi coron o aur coeth ar ei ben.
⁴Am fywyd y gofynnodd iti, ac fe'i
    rhoddaist iddo—
hir ddyddiau byth bythoedd.
⁵Mawr yw ei ogoniant oherwydd dy
    waredigaeth;
yr wyt yn rhoi iddo ysblander ac
    anrhydedd,
⁶yr wyt yn rhoi bendithion iddo dros
    byth
ac yn ei lawenhau â gorfoledd dy
    bresenoldeb.
⁷Y mae'r brenin yn ymddiried yn yr
    Arglwydd,
ac oherwydd ffyddlondeb y Goruchaf
    nis symudir.

⁸Caiff dy law afael ar dy holl elynion,
a'th ddeheulaw ar y rhai sy'n dy gasáu.
⁹Byddi'n eu gwneud fel ffwrnais
danllyd pan ymddangosi;
bydd yr ARGLWYDD yn eu difa yn ei
lid,
a'r tân yn eu hysu.
¹⁰Byddi'n dinistrio'u hepil oddi ar y
ddaear,
a'u plant o blith meibion dynion.
¹¹Yr oeddent yn bwriadu drwg yn
d'erbyn,
ac yn cynllunio niwed heb lwyddo;
¹²oherwydd byddi di'n gwneud iddynt
ffoi,
ac yn anelu at eu hwynebau â'th fwa.
¹³Cyfod, ARGLWYDD, yn dy nerth!
Cawn ganu a phyncio cerdd am dy
gryfder!

I'r Cyfarwyddwr: ar Ewig y Wawr.
Salm. I Ddafydd.

22 Fy Nuw, fy Nuw, pam yr wyt wedi
fy ngadael,
ac yn cadw draw rhag fy ngwaredu ac
oddi wrth eiriau fy ngriddfan?
²O fy Nuw, gwaeddaf arnat liw dydd,
ond nid wyt yn ateb,
a'r nos, ond ni chaf lonyddwch.
³Eto, yr wyt ti, y Sanctaidd, wedi dy
orseddu
yn foliant i Israel.
⁴Ynot ti yr oedd ein tadau'n ymddiried,
yn ymddiried a thithau'n eu gwaredu.
⁵Arnat ti yr oeddent yn gweiddi ac
achubwyd hwy,
ynot ti yr oeddent yn ymddiried ac ni
chywilyddiwyd hwy.
⁶Pryfyn wyf fi ac nid dyn,
gwawd i ddynion a dirmyg i bobl.
⁷Y mae pawb sy'n fy ngweld yn fy
ngwatwar,
yn gwneud ystumiau arnaf ac yn
ysgwyd pen:
⁸"Rhoes ei achos i'r ARGLWYDD,
bydded iddo ef ei achub!
Bydded iddo ef ei waredu, oherwydd y
mae'n ei hoffi!"
⁹Ond ti a'm tynnodd allan o'r groth,
a'm rhoi ar fronnau fy mam;
¹⁰arnat ti y bwriwyd fi ar fy
ngenedigaeth,
ac o groth fy mam ti yw fy Nuw.

¹¹Paid â phellhau oddi wrthyf,
oherwydd y mae fy argyfwng yn agos
ac nid oes neb i'm cynorthwyo.
¹²Y mae gyr o deirw o'm cwmpas,
rhai cryfion o Basan yn cau amdanaf;
¹³y maent yn agor eu safn amdanaf
fel llew yn rheibio a rhuo.
¹⁴Yr wyf wedi fy nihysbyddu fel dŵr,
a'm holl esgyrn yn ymddatod;
y mae fy nghalon fel cŵyr,
ac yn toddi o'm mewn;
¹⁵y mae fy ngheg ⁿᵍ yn sych fel cragen
a'm tafod yn glynu wrth daflod fy
ngenau;
yr wyt wedi fy mwrw i lwch
marwolaeth.
¹⁶Y mae cŵn o'm hamgylch,
haid o ddihirod yn cau amdanaf;
y maent yn trywanuʰ fy nwylo a'm
traed.
¹⁷Gallaf gyfrif pob un o'm hesgyrn,
ac y maent hwythau'n edrych ac yn
rhythu arnaf.
¹⁸Y maent yn rhannu fy nillad yn eu
mysg,
ac yn bwrw coelbren ar fy ngwisg.
¹⁹Ond ti, ARGLWYDD, paid â sefyll draw;
O fy nerth, brysia i'm cynorthwyo.
²⁰Gwared fi rhag y cleddyf,
a'm hunig fywyd o afael y cŵn.
²¹Achub fi o safn y llew,
a'm bywyd tlawdⁱ rhag cyrn y teirw.

²²Fe gyhoeddaf dy enw i'm brodyr,
a'th foli yng nghanol y gynulleidfa:
²³"Molwch ef, chwi sy'n ofni'r
ARGLWYDD;
rhowch anrhydedd iddo, holl feibion
Jacob;
ofnwch ef, holl feibion Israel.
²⁴Oherwydd ni ddirmygodd na diystyru
gorthrwm y gorthrymedig;
ni chuddiodd ei wyneb oddi wrtho,
ond gwrando arno pan lefodd."
²⁵Oddi wrthyt ti y daw fy mawl yn y
gynulleidfa fawr,
a thalaf fy addunedau yng ngŵydd y
rhai sy'n ei ofni.
²⁶Bydd yr anghenus yn bwyta, ac yn cael
digon,
a'r rhai sy'n ceisio'r ARGLWYDD yn ei
foli.
Bydded i'wⁱ calonnau fyw byth!
²⁷Bydd holl gyrrau'r ddaear yn cofio

ⁿᵍTebygol. Hebraeg, *fy nerth.*   ʰFelly'r Fersiynau. Hebraeg, *fel llew.*
ⁱFelly'r Fersiynau. Hebraeg, *ac atebaist fi.*   ⁱFelly Groeg. Hebraeg, *i'ch.*

ac yn dychwelyd at yr ARGLWYDD,
a holl dylwythau'r cenhedloedd
yn ymgrymu o'i flaen.
[28] Oherwydd i'r ARGLWYDD y perthyn
brenhiniaeth,
ac ef sy'n llywodraethu dros y
cenhedloedd.
[29] Sut y gall y rhai sy'n cysgu yn y ddaear
blygu[ll] iddo ef,
a'r rhai sy'n disgyn i'r llwch ymgrymu
o'i flaen?
Ond byddaf fi fyw iddo ef,[m]
[30] a bydd fy mhlant yn ei wasanaethu;
dywedir am yr ARGLWYDD wrth
genedlaethau i ddod,
[31] a chyhoeddi ei gyfiawnder wrth bobl
heb eu geni,
mai ef a fu'n gweithredu.

Salm. I Ddafydd.

23 Yr ARGLWYDD yw fy mugail, ni
bydd eisiau arnaf.
[2] Gwna imi orwedd mewn porfeydd
breision,
a thywys fi gerllaw dyfroedd tawel,
[3] ac y mae ef yn fy adfywio.
Fe'm harwain ar hyd llwybrau
cyfiawnder
er mwyn ei enw.
[4] Er imi gerdded trwy ddyffryn tywyll
du,
nid ofnaf unrhyw niwed,
oherwydd yr wyt ti gyda mi,
a'th wialen a'th ffon
yn fy nghysuro.

[5] Yr wyt yn arlwyo bwrdd o'm blaen
yng ngŵydd fy ngelynion;
yr wyt yn eneinio fy mhen ag olew;
y mae fy nghwpan yn llawn.
[6] Yn sicr, bydd daioni a thrugaredd yn
fy nilyn
bob dydd o'm bywyd,
a byddaf yn byw yn nhŷ'r ARGLWYDD
weddill fy nyddiau.

Salm. I Ddafydd.

24 Eiddo'r ARGLWYDD yw'r ddaear
a'i llawnder,
y byd a'r rhai sy'n byw ynddo;
[2] oherwydd ef a'i sylfaenodd ar y

moroedd
a'i sefydlu ar yr afonydd.
[3] Pwy a esgyn i fynydd yr ARGLWYDD
a phwy a saif yn ei le sanctaidd?
[4] Y glân ei ddwylo a'r pur o galon,
yr un sydd heb osod ei feddwl ar dwyll
a heb dyngu'n gelwyddog.
[5] Fe dderbyn fendith gan yr ARGLWYDD
a chyfiawnder gan Dduw ei
iachawdwriaeth.
[6] Dyma'r genhedlaeth sy'n ei geisio,
sy'n ceisio wyneb Duw[n] Jacob.   *Sela*

[7] Codwch eich pennau, O byrth!
Ymddyrchefwch, O ddrysau
tragwyddol!
i frenin y gogoniant ddod i mewn.
[8] Pwy yw'r brenin gogoniant hwn?
Yr ARGLWYDD, cryf a chadarn,
yr ARGLWYDD, cadarn mewn rhyfel.
[9] Codwch eich pennau, O byrth!
Ymddyrchefwch, O ddrysau
tragwyddol!
i frenin y gogoniant ddod i mewn.
[10] Pwy yw'r brenin gogoniant hwn?
ARGLWYDD y Lluoedd,
ef yw brenin y gogoniant.   *Sela*

I Ddafydd.

25 Atat ti, ARGLWYDD, y dyrchafaf fy
enaid;
[2] O fy Nuw, ynot ti yr wyf yn ymddiried;
paid â dwyn cywilydd arnaf,
paid â gadael i'm gelynion orfoleddu
o'm hachos.
[3] Ni ddaw cywilydd i'r rhai sy'n
gobeithio ynot ti,
ond fe ddaw i'r rhai sy'n llawn brad
heb achos.
[4] Gwna imi wybod dy ffyrdd, O
ARGLWYDD,
hyffordda fi yn dy lwybrau.
[5] Arwain fi yn dy wirionedd a dysg fi,
oherwydd ti yw Duw fy
iachawdwriaeth;
wrthyt ti y bûm yn disgwyl trwy'r
dydd.
[6] O ARGLWYDD, cofia dy drugaredd a'th
ffyddlondeb,
oherwydd y maent erioed.
[7] Paid â chofio pechodau fy ieuenctid
na'm gwrthryfel,

[ll] Tebygol. Hebraeg, *Bwytaodd a phlygodd holl rai breision y ddaear.*
[m] Tebygol. Hebraeg, *A'i einioes ni cheidw'n fyw.*
[n] Felly rhai llawysgrifau a'r Fersiynau. TM, *ceisio dy wyneb.*

ond yn dy gariad cofia fi,
er mwyn dy ddaioni, O Arglwydd.

⁸Y mae'r Arglwydd yn dda ac uniawn,
   am hynny fe ddysg y ffordd i
      bechaduriaid.
⁹Fe arwain y gostyngedig yn yr hyn sy'n
      iawn,
   a dysgu ei ffordd i'r gostyngedig.
¹⁰Y mae holl lwybrau'r Arglwydd yn
      llawn cariad a gwirionedd
   i'r rhai sy'n cadw ei gyfamod a'i
      gyngor.
¹¹Er mwyn dy enw, Arglwydd,
   maddau fy nghamwedd, oherwydd y
      mae'n fawr.
¹²Pa ddyn bynnag sy'n ofni'r
      Arglwydd,
   fe'i dysg pa ffordd i'w dewis;
¹³fe gaiff ef fyw'n ffyniannus,
   a bydd ei blant yn etifeddu'r tir.
¹⁴Caiff y rhai sy'n ei ofni gyfeillach yr
      Arglwydd
   a hefyd ei gyfamod i'w dysgu.

¹⁵Y mae fy llygaid yn wastad ar yr
      Arglwydd ,
   oherwydd y mae'n rhyddhau fy nhraed
      o'r rhwyd.
¹⁶Tro ataf, a bydd drugarog wrthyf,
   oherwydd unig ac anghenus wyf fi.
¹⁷Esmwythâ gyfyngder fy nghalon,
   a dwg fi allan o'm hadfyd.
¹⁸Edrych ar fy nhrueni a'm gofid,
   a maddau fy holl bechodau.
¹⁹Gwêl mor niferus yw fy ngelynion
   ac fel y maent yn fy nghasáu â chas
      perffaith.
²⁰Cadw fi a gwared fi,
   na ddoed cywilydd arnaf,
   oherwydd ynot ti yr wyf yn llochesu.
²¹Bydd cywirdeb ac uniondeb yn fy
      niogelu,
   oherwydd gobeithiais ynot ti.

²²O Dduw, gwared Israel
   o'i holl gyfyngderau.

I Ddafydd.

26 Barna fi, O Arglwydd, oherwydd
         rhodiais yn gywir
   ac ymddiried yn yr Arglwydd heb
      ballu.
²Chwilia fi, Arglwydd, a phrofa fi,
   rho brawf ar fy nghalon a'm meddwl.
³Oherwydd y mae dy ffyddlondeb o

flaen fy llygaid,
   ac yr wyf yn rhodio yn dy wirionedd.

⁴Ni fûm yn eistedd gyda dynion
      diwerth,
   nac yn cyfeillachu gyda rhagrithwyr.
⁵Yr wyf yn casáu cwmni'r rhai drwg,
   ac nid wyf yn eistedd gyda'r drygionus.
⁶Golchaf fy nwylo am fy mod yn
      ddieuog,
   ac amgylchaf dy allor, O Arglwydd,
⁷a chanu'n uchel mewn diolchgarwch
   ac adrodd dy holl ryfeddodau.

⁸O Arglwydd, yr wyf yn caru'r tŷ lle'r
      wyt yn trigo,
   y man lle mae dy ogoniant yn aros.
⁹Paid â'm rhoi gyda phechaduriaid,
   na'm bywyd gyda gwŷr gwaedlyd,
¹⁰rhai sydd â chamwri ar eu dwylo
   a'u deheulaw'n llawn o lwgr-
      wobrwyon.
¹¹Ond amdanaf fi, yr wyf yn rhodio'n
      gywir;
   gwared fi a bydd drugarog wrthyf.
¹²Y mae fy nhraed yn gadarn mewn
      uniondeb;
   bendithiaf yr Arglwydd yn y
      gynulleidfa.

I Ddafydd.

27 Yr Arglwydd yw fy ngoleuni a'm
         gwaredigaeth,
   rhag pwy yr ofnaf?
   Yr Arglwydd yw cadernid fy mywyd,
      rhag pwy y dychrynaf?
²Pan fydd rhai drwg yn cau amdanaf
   i'm hysu i'r byw,
   hwy, fy ngwrthwynebwyr a'm
      gelynion,
   fydd yn baglu ac yn syrthio.
³Pe bai byddin yn gwersyllu i'm herbyn,
   nid ofnai fy nghalon;
   pe dôi rhyfel ar fy ngwarthaf,
   eto, fe fyddwn yn hyderus.
⁴Un peth a ofynnais gan yr Arglwydd,
   dyma'r wyf yn ei geisio:
   cael byw yn nhŷ'r Arglwydd
   holl ddyddiau fy mywyd,
   i edrych ar hawddgarwch yr
      Arglwydd
   ac i ymofyn yn ei deml.
⁵Oherwydd fe'm ceidw yn ei gysgod yn
      nydd adfyd,
   a'm cuddio i mewn yn ei babell, a'm
      codi ar graig.

⁶Ac yn awr, fe gyfyd fy mhen
goruwch fy ngelynion o'm hamgylch;
ac offrymaf finnau yn ei deml
aberthau llawn gorfoledd;
canaf, canmolaf yr Arglwydd.

⁷Gwrando arnaf, Arglwydd, pan lefaf;
bydd drugarog wrthyf, ac ateb fi.
⁸Dywedodd fy nghalon amdanat,
"Ceisia ei wynebᵒ";
am hynny ceisiaf dy wyneb, O
Arglwydd.
⁹Paid â chuddio dy wyneb oddi wrthyf,
na throi ymaith dy was mewn dicter,
oherwydd buost yn gymorth i mi;
paid â'm gwrthod na'm gadael,
O Dduw, fy ngwaredwr.
¹⁰Pe bai fy nhad a'm mam yn cefnu
arnaf,
byddai'r Arglwydd yn fy nerbyn.
¹¹Dysg i mi dy ffordd, O Arglwydd,
arwain fi ar hyd llwybr union,
oherwydd fy ngwrthwynebwyr.
¹²Paid â'm gadael i fympwy fy
ngelynion,
oherwydd cododd yn f'erbyn dystion
celwyddog
sy'n bygwth trais.
¹³Yr wyf yn sicrᵖ y caf weld daioni'r
Arglwydd
yn nhir y rhai byw.

¹⁴Disgwyl wrth yr Arglwydd,
bydd gryf a gwrol dy galon
a disgwyl wrth yr Arglwydd.

I Ddafydd.

28 Arnat ti, Arglwydd, y gwaeddaf;
fy nghraig, paid â thewi tuag
ataf—
rhag, os byddi'n ddistaw,
imi fod fel y rhai sy'n disgyn i'r pwll.
²Gwrando ar lef fy ngweddi
pan waeddaf arnat am gymorth,
pan godaf fy nwylo
tua'th gysegr sanctaidd.
³Paid â'm cipio ymaith gyda'r
drygionus
a chyda gwneuthurwyr drygioni,
rhai sy'n siarad yn deg â'u
cymdogion
ond sydd â chynnen yn eu calon.

⁴Tâl iddynt am eu gweithredoedd
ac am ddrygioni eu gwaith;
tâl iddynt am yr hyn a wnaeth eu
dwylo,
rho eu haeddiant iddynt.
⁵Am nad ydynt yn ystyried
gweithredoedd yr Arglwydd
na gwaith ei ddwylo ef,
bydded iddo'u dinistrio a pheidio â'u
hailadeiladu.

⁶Bendigedig fyddo'r Arglwydd
am iddo wrando ar lef fy ngweddi.
⁷Yr Arglwydd yw fy nerth a'm tarian;
ynddo yr ymddiried fy nghalon;
yn sicr caf gymorth, a llawenycha fy
nghalon,
a rhof foliant iddo ar gân.
⁸Y mae'r Arglwydd yn nerth i'w
boblᵖʰ
ac yn gaer gwaredigaeth i'w eneiniog.

⁹Gwared dy bobl, a bendithia dy eiddo;
bugeilia hwy a'u cario am byth.

Salm. I Ddafydd.

29 Rhowch i'r Arglwydd, feibion y
duwiau,
rhowch i'r Arglwydd ogoniant a
nerth.
²Rhowch i'r Arglwydd ogoniant ei
enw;
ymgrymwch i'r Arglwydd pan
ymddengys mewn
sancteiddrwydd.

³Y mae llais yr Arglwydd uwch y
dyfroedd;
Duw'r gogoniant sy'n taranu,
yr Arglwydd uwch dyfroedd cryfion!
⁴Y mae llais yr Arglwydd yn nerthol,
y mae llais yr Arglwydd yn
ogoneddus.
⁵Y mae llais yr Arglwydd yn dryllio
cedrwydd;
dryllia'r Arglwydd gedrwydd
Lebanon.
⁶Gwna i Lebanon lamu fel llo,
a Sirion fel bustach ifanc.
⁷Y mae llais yr Arglwydd yn fflachio'n
fflamau tân.
⁸Y mae llais yr Arglwydd yn gwneud

ᵒCymh. Syrieg. Hebraeg, *Ceisiwch fy wyneb.*
ᵖFelly Groeg a rhai llawysgrifau. TM, *Pe na chredaswn.*
ᵖʰFelly rhai llawysgrifau a Fersiynau. Hebraeg, *iddynt.*

i'r anialwch grynu;
gwna'r ARGLWYDD i anialwch Cades
grynu.
[9] Y mae llais yr ARGLWYDD yn gwneud
i'r ewigod lydnu,
ac yn prysuro geni'r llwdn;
yn ei deml dywed pawb, "Gogoniant."

[10] Y mae'r ARGLWYDD wedi ei orseddu
uwch y llifeiriant,
y mae'r ARGLWYDD wedi ei orseddu'n
frenin byth.
[11] Rhodded yr ARGLWYDD nerth i'w
bobl!
Bendithied yr ARGLWYDD ei bobl â
heddwch!

Salm. Cân i gysegru'r Deml. I Ddafydd.

30 Dyrchafaf di, O ARGLWYDD, am
iti fy ngwaredu,
a pheidio â gadael i'm gelynion
orfoleddu o'm hachos.
[2] O ARGLWYDD fy Nuw, gwaeddais
arnat, a bu iti fy iacháu.
[3] O ARGLWYDD, dygaist fi i fyny o Sheol,
a'm hadfywio o blith y rhai sy'n disgyn
i'r pwll.

[4] Canwch fawl i'r ARGLWYDD, ei
ffyddloniaid,
a rhowch ddiolch i'w enw sanctaidd.
[5] Am ennyd y mae ei ddig, ond ei ffafr
am oes;
os erys dagrau gyda'r hwyr, daw
llawenydd yn y bore.

[6] Yn fy hawddfyd fe ddywedwn,
"Ni'm symudir byth."
[7] Yn dy ffafr, ARGLWYDD, gosodaist fi ar
fynydd cadarn,
ond pan guddiaist dy wyneb,
brawychwyd fi.
[8] Gelwais arnat ti, ARGLWYDD,
ac ymbiliais ar fy Arglwydd am
drugaredd:
[9] "Pa les a geir o'm marw os disgynnaf
i'r pwll?
A fydd y llwch yn dy foli ac yn
cyhoeddi dy wirionedd?
[10] Gwrando, ARGLWYDD, a bydd
drugarog wrthyf;
ARGLWYDD, bydd yn gynorthwywr i
mi."

[11] Yr wyt wedi troi fy ngalar yn ddawns,
wedi datod fy sachliain a'm gwisgo â
llawenydd,
[12] er mwyn imi dy foliannu'n ddi-baid.
O ARGLWYDD fy Nuw, diolchaf i ti hyd
byth!

I'r Cyfarwyddwr: Salm. I Ddafydd.

31 Ynot ti, ARGLWYDD, y ceisiais
loches,
na fydded cywilydd arnaf byth;
achub fi yn dy gyfiawnder,
[2] tro dy glust ataf,
a brysia i'm gwaredu;
bydd i mi'n graig noddfa,
yn amddiffynfa i'm cadw.
[3] Yr wyt ti'n graig ac yn amddiffynfa i
mi;
er mwyn dy enw, arwain a thywys fi.
[4] Tyn fi o'r rhwyd a guddiwyd ar fy
nghyfer,
oherwydd ti yw fy noddfa.
[5] Cyflwynaf fy ysbryd i'th law di;
gwaredaist fi, ARGLWYDD, y Duw
ffyddlon.
[6] Yr wyt[r] yn casáu'r rhai sy'n glynu wrth
wag-oferedd;
ond ymddiriedaf fi yn yr ARGLWYDD.
[7] Llawenychaf a gorfoleddaf yn dy
ffyddlondeb,
oherwydd iti edrych ar fy adfyd
a rhoi sylw imi yn fy nghyfyngder.
[8] Ni roddaist fi yn llaw fy ngelyn,
ond gosodaist fy nhraed mewn lle
agored.

[9] Bydd drugarog wrthyf, ARGLWYDD,
oherwydd y mae'n gyfyng arnaf;
y mae fy llygaid yn pylu gan ofid,
fy enaid a'm corff hefyd;
[10] y mae fy mywyd yn darfod gan
dristwch
a'm blynyddoedd gan gwynfan;
fe sigir fy nerth gan drallod[rh],
ac y mae fy esgyrn yn darfod.
[11] I'm holl elynion yr wyf yn ddirmyg,
i'm cymdogion yn watwar[s],
ac i'm cyfeillion yn arswyd;
y mae'r rhai sy'n fy ngweld ar y stryd
yn ffoi oddi wrthyf.
[12] Anghofiwyd fi, fel un marw wedi mynd
dros gof;
yr wyf fel llestr wedi torri.
[13] Oherwydd clywaf lawer yn sibrwd,

---

[r] Felly un llawysgrif a'r Fersiynau. TM, *wyf.*
[s] Tebygol. Hebraeg, *yn ddirfawr.*

[rh] Felly Groeg. Hebraeg, *gan fy nghamwedd.*

y mae dychryn o bob tu;
pan ddônt at ei gilydd yn f'erbyn
y maent yn cynllwyn i gymryd fy
mywyd.
[14] Ond yr wyf yn ymddiried ynot ti,
ARGLWYDD,
ac yn dweud, "Ti yw fy Nuw."
[15] Y mae fy amserau yn dy law di;
gwared fi rhag fy ngelynion a'm
herlidwyr.
[16] Bydded llewyrch dy wyneb ar dy was;
achub fi yn dy ffyddlondeb.
[17] ARGLWYDD, na fydded cywilydd arnaf
pan alwaf arnat;
doed cywilydd ar y drygionus,
rhodder taw arnynt yn Sheol.
[18] Trawer yn fud y gwefusau celwyddog,
sy'n siarad yn drahaus yn erbyn y
cyfiawn
mewn balchder a sarhad.

[19] Mor helaeth yw dy ddaioni
sydd ynghadw gennyt i'r rhai sy'n dy
ofni,
ac wedi ei amlygu i'r rhai sy'n cysgodi
ynot,
a hynny yng ngŵydd dynion!
[20] Fe'u cuddi dan orchudd dy
bresenoldeb
rhag cynllwynion dynion;
fe'u cedwi dan dy gysgod
rhag ymryson tafodau.
[21] Bendigedig yw'r ARGLWYDD
a ddangosodd ei ffyddlondeb
rhyfeddol ataf
yn nydd cyfyngder. [t]
[22] Yn fy nychryn fe ddywedais,
"Torrwyd fi allan o'th olwg."
Ond clywaist lef fy ngweddi
pan waeddais arnat am gymorth.
[23] Carwch yr ARGLWYDD, ei holl
fyddloniaid.
Y mae'r ARGLWYDD yn cadw'r rhai
ffyddlon,
ond yn talu'n llawn i'r rhai balch.
[24] Byddwch gryf a gwrol eich calon,
yr holl rai sy'n disgwyl wrth yr
ARGLWYDD.

I Ddafydd. Mascîl.

32 Gwyn ei fyd y dyn y maddeuwyd
ei fai,
ac y cuddiwyd ei bechod.

[2] Gwyn ei fyd y dyn nad yw'r
ARGLWYDD
yn cyfrif trosedd yn ei erbyn,
ac nad oes dichell yn ei ysbryd.

[3] Tra oeddwn yn ymatal, yr oedd fy
esgyrn yn darfod,
a minnau'n cwyno ar hyd y dydd.
[4] Yr oedd dy law yn drwm arnaf ddydd a
nos;
sychwyd fy nerth fel gan wres haf. *Sela*

[5] Yna, bu imi gydnabod fy mhechod
wrthyt,
a pheidio â chuddio fy nrygioni;
dywedais, "Yr wyf yn cyffesu fy
mhechodau i'r ARGLWYDD";
a bu i tithau faddau euogrwydd fy
mhechod. *Sela*

[6] Am hynny fe weddïa pob un ffyddlon
arnat ti
yn nydd cyfyngder [th],
a phan ddaw llifeiriant o ddyfroedd
mawr,
ni fyddant yn cyrraedd ato ef.
[7] Yr wyt ti'n gysgod i mi; cedwi fi rhag
cyfyngder;
amgylchi fi â chaneuon gwaredigaeth.
Sela
[8] Hyfforddaf di a'th ddysgu yn y ffordd
a gymeri;
fe gadwaf fy ngolwg arnat.
[9] Paid [u] â bod fel march neu ful direswm
y mae'n rhaid wrth ffrwyn a genfa i'w
dofi
cyn y dônt atat.

[10] Daw poenau lawer i'r drygionus;
ond am y sawl sy'n ymddiried yn yr
ARGLWYDD,
bydd ffyddlondeb yn ei amgylchu.
[11] Llawenhewch yn yr ARGLWYDD, a
gorfoleddwch, rai cyfiawn;
canwch yn uchel, pob un o galon
gywir.

33 Llawenhewch yn yr ARGLWYDD,
chwi rai cyfiawn;
i'r rhai uniawn gweddus yw moliant.
[2] Molwch yr ARGLWYDD â'r delyn,
canwch salmau iddo â'r offeryn
dectant;

---

[t] Tebygol. Hebraeg, *mewn dinas warchaeëdig.*
[u] Felly rhai llawysgrifau. TM, *Peidiwch.*

[th] Tebygol. Hebraeg yn aneglur.

³canwch iddo gân newydd,
   trawch y tannau'n dda, rhowch floedd.

⁴Oherwydd gwir yw gair yr ARGLWYDD,
   ac y mae ffyddlondeb yn ei holl
      weithredoedd.
⁵Y mae'n caru cyfiawnder a barn;
   y mae'r ddaear yn llawn o ffyddlondeb
      yr ARGLWYDD.
⁶Trwy air yr ARGLWYDD y gwnaed y
      nefoedd,
   a'i holl lu trwy anadl ei enau.
⁷Casglodd y môr fel dŵr mewn potel,
   a rhoi'r dyfnderoedd mewn ystordai.
⁸Bydded i'r holl ddaear ofni'r
      ARGLWYDD,
   ac i holl drigolion y byd arswydo
      rhagddo.
⁹Oherwydd llefarodd ef, ac felly y bu;
   gorchmynnodd ef, a dyna a safodd.
¹⁰Gwna'r ARGLWYDD gyngor y
      cenhedloedd yn ddim,
   a difetha gynlluniau pobloedd.
¹¹Ond saif cyngor yr ARGLWYDD am
      byth,
   a'i gynlluniau dros yr holl
      genedlaethau.
¹²Gwyn ei byd y genedl y mae'r
      ARGLWYDD yn Dduw iddi,
   y bobl a ddewisodd yn eiddo iddo'i
      hun.
¹³Y mae'r ARGLWYDD yn edrych i lawr
      o'r nefoedd,
   ac yn gweld holl deulu dyn;
¹⁴o'r lle y triga y mae'n gwylio
   holl drigolion y ddaear.
¹⁵Ef sy'n llunio meddwl pob un
      ohonynt,
   y mae'n deall popeth a wnânt.
¹⁶Nid gan fyddin gref y gwaredir brenin,
   ac nid â nerth mawr yr achubir
      rhyfelwr.
¹⁷Ofer ymddiried mewn march am
      waredigaeth;
   er ei holl gryfder ni all roi ymwared.
¹⁸Y mae llygaid yr ARGLWYDD ar y rhai
      a'i hofna,
   ar y rhai sy'n disgwyl am ei
      ffyddlondeb,
¹⁹i'w gwaredu rhag marwolaeth
   a'u cadw'n fyw yng nghanol newyn.

²⁰Yr ydym yn disgwyl am yr ARGLWYDD;
   ef yw ein cymorth a'n tarian.
²¹Y mae ein calon yn llawenychu ynddo

am inni ymddiried yn ei enw
      sanctaidd.
²²O ARGLWYDD, dangos dy ffyddlondeb
      tuag atom,
   fel yr ydym wedi gobeithio ynot.

*I Ddafydd, pan newidiodd ei wedd o flaen
Abimelech, a chael ei yrru ymaith a mynd.*

34 Bendithiaf yr ARGLWYDD bob
         amser;
   bydd ei foliant yn wastad yn fy
      ngenau.
²Yn yr ARGLWYDD yr ymhyfrydaf;
   bydded i'r gostyngedig glywed a
      llawenychu.
³Mawrygwch yr ARGLWYDD gyda mi,
   a dyrchafwn ei enw gyda'n gilydd.

⁴Ceisiais yr ARGLWYDD, ac atebodd fi
   a'm gwaredu o'm holl ofnau.
⁵Y mae'r rhai sy'n edrych arno'n
      gloywi,
   ac ni ddaw cywilydd i'w hwynebau. ʷ
⁶Dyma un isel a waeddodd, a'r
      ARGLWYDD yn ei glywed
   ac yn ei waredu o'i holl gyfyngderau.
⁷Gwersylla angel yr ARGLWYDD o
      amgylch y rhai sy'n ei ofni,
   ac y mae'n eu gwaredu.
⁸Profwch, a gwelwch mai da yw'r
      ARGLWYDD.
   Gwyn ei fyd y gŵr sy'n llochesu
      ynddo.
⁹Ofnwch yr ARGLWYDD, ei saint ef,
   oherwydd nid oes eisiau ar y rhai a'i
      hofna.
¹⁰Y mae'r anffyddwyr yn dioddef angen
      ac yn newynu,
   ond nid yw'r rhai sy'n ceisio'r
      ARGLWYDD yn brin o ddim da.

¹¹Dewch, blant, gwrandewch arnaf,
   dysgaf ichwi ofn yr ARGLWYDD.
¹²Pa ddyn ohonoch sy'n dymuno bywyd
   ac a garai fyw'n hir i fwynhau daioni?
¹³Cadw dy dafod rhag drygioni
   a'th wefusau rhag llefaru celwydd.
¹⁴Tro oddi wrth ddrygioni a gwna dda,
   cais heddwch a'i ddilyn.
¹⁵Y mae llygaid yr ARGLWYDD ar y
      cyfiawn,
   a'i glustiau'n agored i'w cri.
¹⁶Y mae wyneb yr ARGLWYDD yn erbyn
   y rhai sy'n gwneud drwg,

Cymh. Fersiynau. Hebraeg, *Edrychwch tuag ato a gloywi, peidiwch â chywilyddio.*

i ddileu eu coffa o'r ddaear.
¹⁷Pan waedda dynion am gymorth, fe
glyw'r ARGLWYDD
a'u gwaredu o'u holl gyfyngderau.
¹⁸Y mae'r ARGLWYDD yn agos at y
drylliedig o galon
ac yn gwaredu'r briwedig o ysbryd.
¹⁹Llawer o adfyd a gaiff y cyfiawn,
ond gwareda'r ARGLWYDD ef o'r cyfan.
²⁰Ceidw ei holl esgyrn,
ac ni thorrir yr un ohonynt.
²¹Y mae adfyd yn lladd y drygionus,
a chosbir y rhai sy'n casáu'r cyfiawn.
²²Y mae'r ARGLWYDD yn gwaredu ei
weision,
ac ni chosbir y rhai sy'n llochesu
ynddo.

I Ddafydd

35 Ymryson, O ARGLWYDD, yn erbyn
y rhai sy'n ymryson â mi,
ymladd yn erbyn y rhai sy'n ymladd â
mi.
²Cydia mewn tarian a bwcled,
a chyfod i'm cynorthwyo.
³Tyn allan y waywffon a'r bicell
yn erbyn y rhai sy'n fy erlid;
dywed wrthyf, "Myfi yw dy
waredigaeth."
⁴Doed cywilydd a gwarth
ar y rhai sy'n ceisio fy mywyd;
bydded i'r rhai sy'n darparu drwg i mi
droi yn eu holau mewn arswyd.
⁵Byddant fel us o flaen gwynt,
ac angel yr ARGLWYDD ar eu holau.
⁶Bydded eu ffordd yn dywyll a llithrig,
ac angel yr ARGLWYDD yn eu hymlid.
⁷Oherwydd heb achos y maent wedi
gosod rhwyd i mi,
ac wedi cloddio pwll ar fy nghyfer.
⁸Doed distryw yn ddiarwybod arnynt ʸ,
dalier hwy yn y rhwyd a osodwyd
ganddynt,
a bydded iddynt hwy eu hunain syrthio
i'w distryw.
⁹Ond llawenhaf fi yn yr ARGLWYDD,
a gorfoleddu yn ei waredigaeth.
¹⁰Bydd fy holl esgyrn yn gweiddi,
"Pwy, ARGLWYDD, sydd fel tydi,
yn gwaredu'r tlawd rhag un cryfach
nag ef,
y tlawd a'r anghenus rhag un sy'n ei
ysbeilio?"

¹¹Fe gyfyd tystion maleisus
i'm holi am bethau nas gwn.
¹²Talant imi ddrwg am dda,
a gwneud ymgais am ᵃ fy mywyd.
¹³A minnau, pan oeddent hwy yn glaf,
oeddwn yn gwisgo sachliain,
yn ymddarostwng mewn ympryd,
yn plygu pen mewn gweddi,
¹⁴fel pe dros gyfaill neu frawd imi;
yn mynd o amgylch fel un yn galaru
am ei fam,
wedi fy narostwng ac mewn galar.
¹⁵Ond pan gwympais i, yr oeddent hwy
yn llawen
ac yn tyrru at ei gilydd i'm herbyn—
poenydwyr nad oeddwn yn eu
hadnabod
yn fy enllibio heb arbed.
¹⁶Pan gloffais i, yr oeddent yn fy
ngwatwar,
ac yn ysgyrnygu eu dannedd arnaf.
¹⁷O Arglwydd, am ba hyd yr wyt am
edrych?
Gwared fi rhag eu dinistr,
a'm hunig fywyd rhag anffyddwyr.
¹⁸Yna, diolchaf i ti gerbron y gynulleidfa
fawr,
a'th foliannu gerbron tyrfa gref.

¹⁹Na fydded i'm gelynion twyllodrus
lawenychu o'm hachos,
nac i'r rhai sy'n fy nghasáu heb achos
wincio â'u llygaid.
²⁰Oherwydd nid ydynt yn sôn am
heddwch;
ond yn erbyn rhai tawel y wlad
y maent yn cynllwyn dichellion.
²¹Y maent yn agor eu cegau yn f'erbyn
ac yn dweud, "Aha, aha,
yr ydym wedi gweld â'n llygaid!"
²²Gwelaist tithau, ARGLWYDD; paid â
thewi;
fy Arglwydd, paid â phellhau oddi
wrthyf.
²³Ymysgwyd a deffro i wneud barn â mi,
i roi dedfryd ar fy achos, fy Nuw a'm
Harglwydd.
²⁴Barna fi yn ôl dy gyfiawnder, O
ARGLWYDD, fy Nuw,
ac na fydded iddynt lawenhau o'm
hachos.
²⁵Na fydded iddynt ddweud ynddynt eu
hunain,
"Aha, cawsom ein dymuniad!"

ʸFelly Groeg a Syrieg. Hebraeg, *arno,* a gweddill yr adnod yn yr unigol i gyfateb.
ᵃTebygol. Hebraeg, *i amddifadu.*

Na fydded iddynt ddweud, "Yr ydym
    wedi ei lyncu."
²⁶Doed cywilydd, a gwaradwydd hefyd,
    ar y rhai sy'n llawenhau yn fy adfyd;
    bydded gwarth ac amarch yn
        gorchuddio
    y rhai sy'n ymddyrchafu yn f'erbyn.
²⁷Bydded i'r rhai sy'n dymuno gweld fy
        nghyfiawnhau
    orfoleddu a llawenhau;
    bydded iddynt ddweud yn wastad,
    "Mawr yw yr ARGLWYDD sy'n dymuno
        llwyddiant ei was."
²⁸Yna, bydd fy nhafod yn cyhoeddi dy
        gyfiawnder
    a'th foliant ar hyd y dydd.

I'r Cyfarwyddwr: i Ddafydd, gwas yr
    ARGLWYDD.

36 Llefara pechod wrth y drygionus
        yn nyfnder ei galon^b;
    nid oes ofn Duw ar ei gyfyl.
²Llwydda i'w dwyllo ei hun
    na ellir canfod ei ddrygioni i'w gasáu.
³Niwed a thwyll yw ei holl eiriau;
    peidiodd ag ymddwyn yn ddoeth ac yn
        dda.
⁴Cynllunia ddrygioni yn ei wely;
    y mae wedi ymsefydlu yn y ffordd
        anghywir,
    ac nid yw'n gwrthod y drwg.

⁵Ymestyn dy gariad, ARGLWYDD, hyd y
        nefoedd,
    a'th ffyddlondeb hyd y cymylau;
⁶y mae dy gyfiawnder fel y
        mynyddoedd uchel
    a'th farnau fel y dyfnder mawr;
    cedwi ddyn ac anifail, O ARGLWYDD.
⁷Mor werthfawr yw dy gariad, O
        Dduw!
    Llochesa dynion dan gysgod dy
        adenydd.
⁸Fe'u digonir â llawnder dy dŷ,
    a diodi hwy o afon dy gysuron;
⁹oherwydd gyda thi y mae ffynnon
        bywyd,
    ac yn d'oleuni di y gwelwn oleuni.

¹⁰Parha dy gariad at y rhai sy'n
        d'adnabod
    a'th gyfiawnder at y rhai uniawn o
        galon.
¹¹Na fydded i'r troed balch fy sathru,

nac i'r llaw ddrygionus fy nhroi allan.
¹²Dyna'r gwneuthurwyr drygioni wedi
        cwympo,
    wedi eu bwrw i'r llawr a heb allu codi!

I Ddafydd.

37 Na fydd yn ddig wrth y rhai
        drygionus,
    na chenfigennu wrth y rhai sy'n
        gwneud drwg.
²Oherwydd fe wywant yn sydyn fel
        glaswellt,
    a chrino fel glesni gwanwyn.

³Ymddiried yn yr ARGLWYDD a gwna
        ddaioni,
    iti gael byw yn y wlad mewn
        cymdeithas ddiogel.
⁴Ymhyfryda yn yr ARGLWYDD,
    a rhydd iti ddeisyfiad dy galon.

⁵Bwrw dy dynged ar yr ARGLWYDD;
    ymddiried ynddo, ac fe weithreda.
⁶Fe wna i'th gywirdeb ddisgleirio fel
        goleuni
    a'th uniondeb fel haul canol-dydd.

⁷Disgwyl yn dawel am yr ARGLWYDD,
    aros yn amyneddgar amdano;
    paid â bod yn ddig wrth yr un sy'n
        llwyddo,
    y gŵr sy'n gwneud cynllwynion.

⁸Paid â digio; rho'r gorau i lid;
    paid â bod yn ddig, ni ddaw ond drwg
        o hynny.
⁹Oherwydd dinistrir y rhai drwg,
    ond bydd y rhai sy'n gobeithio yn yr
    ARGLWYDD yn etifeddu'r tir.

¹⁰Ymhen ychydig eto, ni fydd y
        drygionus;
    er iti edrych yn ddyfal am ei le, ni fydd
        ar gael.
¹¹Ond bydd y gostyngedig yn
        meddiannu'r tir
    ac yn mwynhau heddwch llawn.

¹²Y mae'r drygionus yn cynllwyn yn
        erbyn y cyfiawn,
    ac yn ysgyrnygu ei ddannedd arno;
¹³ond y mae'r Arglwydd yn chwerthin
        am ei ben,
    oherwydd gŵyr fod ei amser yn dyfod.

ᵇFelly rhai llawysgrifau a Fersiynau. TM, *fy nghalon.*

¹⁴Y mae'r drygionus yn chwifio cleddyf
  ac yn plygu eu bwa,
  i ddarostwng y tlawd a'r anghenus,
  ac i ladd yr union ei gerddediad;
¹⁵ond fe drywana eu cleddyf i'w calon eu
    hunain,
  a thorrir eu bwâu.

¹⁶Gwell yw'r ychydig sydd gan y cyfiawn
  na chyfoeth mawr y drygionus;
¹⁷oherwydd torrir nerth y drygionus,
  ond bydd yr ARGLWYDD yn cynnal y
    cyfiawn.

¹⁸Y mae'r ARGLWYDD yn gwylio dros
    ddyddiau'r difeius,
  ac fe bery eu hetifeddiaeth am byth.
¹⁹Ni ddaw cywilydd arnynt mewn cyfnod
    drwg,
  a bydd ganddynt ddigon mewn
    dyddiau o newyn.
²⁰Oherwydd fe dderfydd am y
    drygionus;
  bydd gelynion yr ARGLWYDD fel
    cynnud mewn tân ᶜ,
  pob un ohonynt yn diflannu mewn
    mwg. ᶜʰ

²¹Y mae'r drygionus yn benthyca heb
    dalu'n ôl,
  ond y cyfiawn yn rhoddwr trugarog.
²²Bydd y rhai a fendithiwyd gan yr
    ARGLWYDD yn etifeddu'r tir,
  ond fe dorrir ymaith y rhai a
    felltithiwyd ganddo.

²³Yr ARGLWYDD sy'n cyfeirio camau
    gŵr,
  y mae'n ymddiddori yn ei holl ᵈ
    gerddediad;
²⁴er iddo syrthio, nis bwrir i'r llawr,
  oherwydd y mae'r ARGLWYDD yn ei
    gynnal â'i law.

²⁵Bûm ifanc, ac yn awr yr wyf yn hen,
  ond ni welais y cyfiawn wedi ei adael,
  na'i blant yn cardota am fara;
²⁶y mae bob amser yn drugarog ac yn
    rhoi benthyg,
  a'i blant yn fendith.
²⁷Tro oddi wrth ddrwg a gwna dda,
  a chei gartref diogel am byth,
²⁸oherwydd y mae'r ARGLWYDD yn caru
    barn,

ac nid yw'n gadael ei ffyddloniaid;
  ond difethir yr anghyfiawn ᵈᵈ am byth,
  a thorrir ymaith blant y drygionus.
²⁹Y mae'r cyfiawn yn etifeddu'r tir,
  ac yn cartrefu ynddo am byth.

³⁰Y mae genau'r cyfiawn yn llefaru
    doethineb,
  a'i dafod yn mynegi barn;
³¹y mae cyfraith ei Dduw yn ei galon,
  ac nid yw ei gamau'n methu.
³²Y mae'r drygionus yn gwylio'r cyfiawn
  ac yn ceisio cyfle i'w ladd;
³³ond nid yw'r ARGLWYDD yn ei adael yn
    ei law,
  nac yn caniatáu ei gondemnio pan
    fernir ef.

³⁴Disgwyl wrth yr ARGLWYDD a glŷn
    wrth ei ffordd,
  ac fe'th ddyrchafa i etifeddu'r tir,
  a chei weld y drygionus yn cael eu torri
    ymaith.

³⁵Gwelais y drygionus yn ddidostur,
  yn taflu fel blaguryn iraidd;
³⁶ond pan euthum ᵉ heibio, nid oedd dim
    ohono,
  er imi chwilio amdano, nid oedd i'w
    gael.

³⁷Sylwa ar y difeius, ac edrych ar yr
    uniawn;
  oherwydd y mae disgynyddion gan yr
    heddychlon.
³⁸Difethir y gwrthryfelwyr i gyd,
  a dinistrir disgynyddion y drygionus.

³⁹Ond daw gwaredigaeth y cyfiawn oddi
    wrth yr ARGLWYDD;
  ef yw eu hamddiffyn yn amser adfyd.
⁴⁰Bydd yr ARGLWYDD yn eu cynorthwyo
  ac yn eu harbed;
  bydd yn eu harbed rhag y drygionus ac
  yn eu hachub,
  am iddynt lochesu ynddo.

Salm. I Ddafydd, er coffadwriaeth.

38

ARGLWYDD, na cherydda fi yn dy
    lid,
  ac na chosba fi yn dy ddig.
²Suddodd dy saethau i mi,

ᶜTebygol. Hebraeg, *fel y gorau o'r hyrddod.*
ᶜʰFelly Sgrôl. TM, *diflannant mewn mwg diflannant.*
ᵈᵈFelly Groeg a Syrieg. Hebraeg heb *yr anghyfiawn.*

ᵈFelly Sgrôl. TM heb *holl.*
ᵉFelly'r Fersiynau. Hebraeg, *aeth.*

y mae dy law yn drwm arnaf.
³ Nid oes rhan o'm cnawd yn gyfan gan
dy ddicllonedd,
nid oes iechyd yn fy esgyrn oherwydd
fy mhechod.
⁴ Aeth fy nghamweddau dros fy mhen,
y maent yn faich rhy drwm imi ei
gynnal.
⁵ Aeth fy mriwiau'n ffiaidd a chrawni
oherwydd fy ffolineb.
⁶ Yr wyf wedi fy mhlygu a'm darostwng
yn llwyr,
ac yn mynd o amgylch yn galaru
drwy'r dydd.
⁷ Y mae fy llwynau'n llosgi gan
dwymyn,
ac nid oes iechyd yn fy nghnawd.
⁸ Yr wyf wedi fy mharlysu a'm llethu'n
llwyr,
ac yn gweiddi oherwydd griddfan fy
nghalon.
⁹ O Arglwydd, y mae fy nyhead yn
amlwg i ti,
ac nid yw fy ochenaid yn guddiedig
oddi wrthyt.
¹⁰ Y mae fy nghalon yn curo'n gyflym, fy
nerth yn pallu,
a'r golau yn fy llygaid hefyd wedi
mynd.
¹¹ Cilia fy nghyfeillion a'm cymdogion
rhag fy mhla,
ac y mae fy mherthnasau'n cadw draw.
¹² Y mae'r rhai sydd am fy einioes wedi
gosod maglau,
a'r rhai sydd am fy nrygu yn sôn am
ddinistr
ac yn myfyrio am ddichellion drwy'r
dydd.
¹³ Ond yr wyf fi fel un byddar, heb fod yn
clywed,
ac fel mudan, heb fod yn agor ei enau.
¹⁴ Bûm fel dyn heb fod yn clywed,
a heb ddadl o'i enau.
¹⁵ Ond amdanat ti, O ARGLWYDD, y
disgwyliais;
ti sydd i ateb, O Arglwydd, fy Nuw.
¹⁶ Oherwydd dywedais, "Na fydded
llawenydd o'm plegid
i'r rhai sy'n ymffrostio pan lithra fy
nhroed."
¹⁷ Yn wir, yr wyf ar fedr syrthio,
ac y mae fy mhoen gyda mi bob amser.
¹⁸ Yr wyf yn cyffesu fy nghamwedd,
ac yn pryderu am fy mhechod.

¹⁹ Cryf yw'r rhai sy'n elynion imi heb
achos ᶠ,
a llawer yw'r rhai sy'n fy nghasáu ar
gam,
²⁰ yn talu imi ddrwg am dda
ac yn fy ngwrthwynebu am fy mod yn
dilyn daioni.

²¹ Paid â'm gadael, O ARGLWYDD;
paid â mynd yn bell oddi wrthyf, O fy
Nuw.
²² Brysia i'm cynorthwyo,
O Arglwydd, fy iachawdwriaeth.

I'r Cyfarwyddwr: i Jeduthun.
Salm. I Ddafydd.

39 Dywedais, "Gwyliaf fy ffyrdd,
rhag imi bechu â'm tafod;
rhof ffrwyn ar fy ngenau,
pan fo'r drygionus yn f'ymyl."
² Bûm yn fud a distaw,
cedwais yn dawel, ond i ddim diben;
gwaethygodd fy mhoen,
³ llosgodd fy nghalon o'm mewn;
wrth imi fyfyrio, cyneuodd tân
a thorrais allan i ddweud,
⁴ "ARGLWYDD, pâr imi wybod fy
niwedd,
a beth yw nifer fy nyddiau;
dangos imi mor feidrol ydwyf.
⁵ Wele, yr wyt wedi gwneud fy nyddiau
fel dyrnfedd,
ac y mae fy oes fel dim yn dy olwg;
yn wir, chwa o wynt yw pob dyn
byw,   *Sela*
⁶ ac y mae'n mynd a dod fel cysgod;
yn wir, ofer yw'r holl gyfoeth a
bentyrra ᶠᶠ,
ac ni ŵyr pwy fydd yn ei gasglu.

⁷ "Ac yn awr, Arglwydd, am beth y
disgwyliaf?
Y mae fy ngobaith ynot ti.
⁸ Gwared fi o'm holl droseddau,
paid â'm gwneud yn wawd i'r ynfyd.
⁹ Bûm yn fud, ac nid agoraf fy ngheg,
oherwydd ti sydd wedi gwneud hyn.
¹⁰ Tro ymaith dy bla oddi wrthyf;
yr wyf yn darfod gan drawiad dy law.
¹¹ Pan gosbi ddyn â cherydd am bechod,
yr wyt yn dinistrio'i ogoniant fel
gwyfyn;
yn wir, chwa o wynt yw pob dyn. *Sela*
¹² Gwrando fy ngweddi, O ARGLWYDD,

ᶠ Tebygol. Hebraeg, *yw fy ngelynion byw.*   ᶠᶠ Tebygol. Hebraeg, *ofer y cynhyrfa ac y pentyrra.*

a rho glust i'm cri;
paid â diystyru fy nagrau.
Oherwydd ymdeithydd gyda thi
ydwyf,
a phererin fel fy holl dadau.
¹³Tro draw oddi wrthyf, rho imi
lawenydd
cyn imi fynd ymaith a darfod yn
llwyr."

I'r Cyfarwyddwr: i Ddafydd. Salm.

40 Bûm yn disgwyl a disgwyl wrth yr
ARGLWYDD,
ac yna plygodd ataf a gwrando fy
nghri.
²Cododd fi i fyny o'r pwll lleidiog,
allan o'r mwd a'r baw;
gosododd fy nhraed ar graig,
a gwneud fy nghamau'n ddiogel.
³Rhoddodd yn fy ngwefusau gân
newydd,
cân o foliant i'n Duw;
bydd llawer, pan welant hyn, yn ofni
ac yn ymddiried yn yr ARGLWYDD.
⁴Gwyn ei fyd y dyn
sy'n rhoi ei ymddiriedaeth yn yr
ARGLWYDD,
ac nad yw'n troi at y beilchion,
nac at y rhai sy'n dilyn twyll.
⁵Mor niferus, O ARGLWYDD, fy Nuw,
yw'r rhyfeddodau a wnaethost,
a'th fwriadau ar ein cyfer;
nid oes tebyg i ti!
Dymunwn eu cyhoeddi a'u hadrodd,
ond maent yn rhy niferus i'w rhifo.
⁶Nid wyt yn hoffi aberth ac offrwm—
rhoddaist imi glustiau agored—
ac nid wyt yn gofyn poethoffrwm ac
aberth dros bechod.
⁷Felly dywedais, "Dyma fi'n dod;
y mae wedi ei ysgrifennu mewn rhol
llyfr amdanaf
⁸fy mod yn hoffi gwneud ewyllys fy
Nuw,
a bod dy gyfraith yn fy nghalon."
⁹Bûm yn cyhoeddi cyfiawnder yn y
gynulleidfa fawr;
nid wyf wedi atal fy ngwefusau,
fel y gwyddost, O ARGLWYDD.
¹⁰Ni chuddiais dy gyfiawnder yn fy
nghalon,
ond dywedais am dy gadernid a'th
waredigaeth;
ni chelais dy ffyddlondeb a'th
wirionedd
rhag y gynulleidfa fawr.

¹¹Paid tithau, ARGLWYDD, ag atal
dy dosturi oddi wrthyf;
bydded dy ffyddlondeb a'th wirionedd
yn fy nghadw bob amser.
¹²Oherwydd y mae drygau dirifedi
wedi cau amdanaf;
y mae fy nghamweddau wedi fy nal
fel na allaf weld;
y maent yn fwy niferus na gwallt fy
mhen,
ac y mae fy nghalon yn suddo.
¹³Bydd fodlon i'm gwaredu, ARGLWYDD;
O ARGLWYDD, brysia i'm cynorthwyo.
¹⁴Doed cywilydd, ac arswyd hefyd,
ar y rhai sy'n ceisio difa fy mywyd;
bydded i'r rhai sy'n cael pleser o
wneud drwg imi
gael eu troi'n eu holau mewn dryswch.
¹⁵Bydded i'r rhai sy'n gweiddi, "Aha!
Aha!" arnaf
gael eu syfrdanu gan eu gwaradwydd.
¹⁶Ond bydded i bawb sy'n dy geisio di
lawenhau a gorfoleddu ynot;
bydded i'r rhai sy'n caru dy
iachawdwriaeth
ddweud yn wastad, "Mawr yw'r
ARGLWYDD."
¹⁷Un tlawd ac anghenus wyf fi,
ond y mae'r Arglwydd yn meddwl
amdanaf.
Ti yw fy nghymorth a'm gwaredydd;
fy Nuw, paid ag oedi!

I'r Cyfarwyddwr: Salm. I Ddafydd.

41 Gwyn ei fyd y dyn sy'n ystyried
y tlawd.
Bydd yr ARGLWYDD yn ei waredu yn
nydd adfyd;
²bydd yr ARGLWYDD yn ei warchod ac
yn ei gadw'n fyw;
bydd yn rhoi iddo ddedwyddwch yn y
tir,
ac ni rydd mohono i fympwy ei
elynion.
³Bydd yr ARGLWYDD yn ei gynnal ar ei
wely cystudd,
ac yn cyweirio'i wely pan fo'n glaf.

⁴Dywedais innau, "O ARGLWYDD, bydd
drugarog wrthyf;
iachâ fi, oherwydd pechais yn
d'erbyn."
⁵Fe ddywed fy ngelynion yn faleisus
amdanaf,
"Pa bryd y bydd farw ac y derfydd ei
enw?"

⁶Pan ddaw un i'm gweld, y mae'n siarad
    yn rhagrithiol,
ond yn ei galon yn casglu newydd drwg
    amdanaf,
ac yn mynd allan i'w daenu ar led.
⁷Y mae'r holl rai sy'n fy nghasáu yn
    sisial â'i gilydd,
yn meddwl y gwaethaf amdanaf,
⁸ac yn dweud, "Y mae rhywbeth
    marwol wedi cydio ynddo;
y mae'n orweiddiog, ac ni chyfyd eto."
⁹Y mae hyd yn oed fy nghyfaill agos, y
    bûm yn ymddiried ynddo,
ac a fu'n bwyta wrth fy mwrdd,
    yn codi ei sawdl yn f'erbyn.
¹⁰O ARGLWYDD, bydd drugarog wrthyf
    ac adfer fi,
imi gael talu'n ôl iddynt.

¹¹Wrth hyn y gwn dy fod yn fy hoffi:
na fydd fy ngelyn yn cael gorfoledd
    o'm plegid.
¹²Ond byddi di'n fy nghynnal oherwydd
    fy nghywirdeb,
ac yn fy nghadw yn dy bresenoldeb
    byth.

¹³Bendigedig fyddo'r ARGLWYDD, Duw
    Israel,
o dragwyddoldeb hyd dragwyddoldeb.

Amen ac Amen.

LLYFR 2

I'r Cyfarwyddwr: Mascîl. I feibion Cora.

42 Fel y dyhea ewig am ddyfroedd
        rhedegog,
felly y dyhea fy enaid amdanat ti, O
    Dduw.
²Y mae fy enaid yn sychedu am Dduw,
    am y Duw byw;
pa bryd y dof ac ymddangos ger ei
    fron?
³Bu fy nagrau'n fwyd imi ddydd a nos,
pan ofynnent imi drwy'r dydd, "Ple
    mae dy Dduw?"
⁴Tywalltaf fy enaid mewn gofid wrth
    gofio hyn—
fel yr awn gyda thyrfa'r mawrion ᵍ i dŷ
    Dduw
yng nghanol banllefau a moliant, torf

yn cadw gŵyl.
⁵Mor ddarostyngedig wyt, fy enaid,
ac mor gythryblus o'm mewn!
Disgwyliaf wrth Dduw; oherwydd eto
    moliannaf ef,
fy ngwaredydd a'm Duw ⁿᵍ.

⁶Y mae fy enaid yn ddarostyngedig
    ynof,
am hynny, meddyliaf amdanat ti
o dir yr Iorddonen a Hermon
    ac o Fynydd Misar.
⁷Geilw dyfnder ar ddyfnder
    yn sŵn dy raeadrau;
y mae dy fôr a'th donnau
    wedi llifo trosof.
⁸Liw dydd y mae'r ARGLWYDD yn
    gorchymyn ei ffyddlondeb,
a liw nos y mae ei gân gyda mi,
    gweddi ar Dduw fy mywyd.
⁹Dywedaf wrth Dduw, fy nghraig,
    "Pam yr anghofiaist fi?
Pam y rhodiaf mewn galar,
    wedi fy ngorthrymu gan y gelyn?"
¹⁰Fel pe'n dryllio fy esgyrn,
y mae fy ngelynion yn fy ngwawdio,
ac yn dweud wrthyf trwy'r dydd,
    "Ple mae dy Dduw?"
¹¹Mor ddarostyngedig wyt, fy enaid,
ac mor gythryblus o'm mewn!
Disgwyl wrth Dduw; oherwydd eto
    moliannaf ef,
fy ngwaredydd a'm Duw.

43 Cymer fy mhlaid, O Dduw,
        ac amddiffyn fy achos
rhag pobl annheyrngar;
gwared fi rhag dynion twyllodrus ac
    anghyfiawn,
²oherwydd ti, O Dduw, yw fy
    amddiffyn.
Pam y gwrthodaist fi?
Pam y rhodiaf mewn galar,
    wedi fy ngorthrymu gan y gelyn?
³Anfon dy oleuni a'th wirionedd,
    bydded iddynt fy arwain,
bydded iddynt fy nwyn i'th fynydd
    sanctaidd
ac i'th drigfan.
⁴Yna dof at allor Duw,
    at Dduw fy llawenydd;
llawenychaf ʰ a'th foliannu â'r delyn,

ᵍFelly rhai llawysgrifau. TM, *gyda'r dyrfa a'u harwain.*
ⁿᵍY mae *a'm Duw* ar ddechrau adn. 6 yn yr Hebraeg.
ʰTebygol. Hebraeg, *at Dduw, hyfrydwch fy llawenydd.*

O Dduw, fy Nuw.
⁵Mor ddarostyngedig wyt, fy enaid,
ac mor gythryblus o'm mewn!
Disgwyl wrth Dduw; oherwydd eto
moliannaf ef,
fy ngwaredydd a'm Duw.

I'r Cyfarwyddwr: i feibion Cora. Mascîl.

44 O Dduw, clywsom â'n clustiau,
dywedodd ein tadau wrthym
am y gwaith a wnaethost yn eu
dyddiau hwy,
yn y dyddiau gynt â'th law dy hunⁱ.
²Gyrraist genhedloedd allan—
ond eu plannu hwy;
difethaist bobloedd—
ond eu llwyddo hwy;
³oherwydd nid â'u cleddyf y cawsant y
tir,
ac nid â'u braich y cawsant
fuddugoliaeth,
ond trwy dy ddeheulaw a'th fraich di,
a llewyrch dy bresenoldeb, am dy fod
yn eu hoffi.
⁴Ti yw fy mrenin a'm Duw,
ti sy'n rhoi buddugoliaeth i Jacob.
⁵Trwot ti y darostyngwn ein gelynion,
trwy dy enw y sathrwn ein
gwrthwynebwyr.
⁶Oherwydd nid yn fy mwa yr
ymddiriedaf,
ac nid fy nghleddyf a'm gwareda.
⁷Ond ti a'n gwaredodd rhag ein
gelynion
a chywilyddio'r rhai sy'n ein casáu.
⁸Yn Nuw yr ydym erioed wedi
ymffrostio,
a chlodforwn dy enw am byth.   *Sela*

⁹Ond yr wyt wedi'n gwrthod a'n
darostwng,
ac nid ei allan mwyach gyda'n
byddinoedd.
¹⁰Gwnei inni gilio o flaen y gelyn,
a chymerodd y rhai sy'n ein casáu yr
ysbail.
¹¹Gwnaethost ni fel defaid i'w lladd,
a'n gwasgaru ymysg y cenhedloedd.
¹²Gwerthaist dy bobl am y nesaf peth i
ddim,
ac ni chefaist elw o'r gwerthiant.
¹³Gwnaethost ni'n warth i'n cymdogion,
yn destun gwawd a dirmyg i'r rhai o'n
hamgylch.

¹⁴Gwnaethost ni'n ddihareb ymysg y
cenhedloedd,
ac y mae'r bobloedd yn ysgwyd eu
pennau o'n plegid.
¹⁵Y mae fy ngwarth yn fy wynebu
beunydd,
ac yr wyf wedi fy ngorchuddio â
chywilydd
¹⁶o achos llais y rhai sy'n fy ngwawdio
a'm difrïo,
ac oherwydd y gelyn a'r dialydd.
¹⁷Daeth hyn i gyd arnom, a ninnau heb
dy anghofio
na bod yn anffyddlon i'th gyfamod.
¹⁸Ni throdd ein calon oddi wrthyt,
ac ni chamodd ein traed o'th lwybrau,
¹⁹i beri iti ein hysigo yn nhrigfa'r ddraig
a'n gorchuddio â thywyllwch dudew.
²⁰Pe baem wedi anghofio enw ein Duw
ac estyn ein dwylo at dduw estron,
²¹oni fyddai Duw wedi canfod hyn?
Oherwydd gŵyr ef gyfrinachau'r
galon.
²²Ond er dy fwyn di fe'n lleddir drwy'r
dydd,
a'n trin fel defaid i'w lladd.
²³Ymysgwyd! pam y cysgi, O Arglwydd?
Deffro! paid â'n gwrthod am byth.
²⁴Pam yr wyt yn cuddio dy wyneb
ac yn anghofio'n hadfyd a'n
gorthrwm?
²⁵Y mae ein henaid yn ymostwng i'r
llwch,
a'n cyrff yn wastad â'r ddaear.
²⁶Cyfod i'n cynorthwyo.
Gwared ni er mwyn dy ffyddlondeb.

I'r Cyfarwyddwr: ar Lilïau.
I feibion Cora. Mascîl.
Cân Serch.

45 Symbylwyd fy nghalon gan neges
dda;
adroddaf fy nghân am y brenin;
y mae fy nhafod fel pin ysgrifennydd
buan.

²Yr wyt yn decach na phob dyn;
tywalltwyd gras ar dy wefusau
am i Dduw dy fendithio am byth.
³Gwisg dy gleddyf ar dy glun, O
ryfelwr;
â mawredd a gogoniant addurna dy
forddwyd.
⁴Marchoga¹ o blaid gwirionedd, ac o

ⁱY mae *â'th law dy hun* ar ddechrau adn. 2 yn yr Hebraeg.
¹Tebygol. Hebraeg, *O ryfelwr, â mawredd a gogoniant. Mewn gogoniant marchoga'n fuddugoliaethus.*

achos cyfiawnder,
a bydded i'th ddeheulaw ddysgu iti
bethau ofnadwy.
⁵Y mae dy saethau'n llym yng nghalon
gelynion y brenin;
syrth pobloedd o danat.
⁶Y mae dy orsedd fel gorsedd Duw, yn
dragwyddol,
a'th deyrnwialen yn wialen
cyfiawnder.
⁷Ceraist gyfiawnder a chasáu drygioni;
am hynny bu i'r ARGLWYDD¹¹ dy Dduw
dy eneinio
ag olew llawenydd uwchlaw dy
gyfoedion.
⁸Y mae dy ddillad i gyd yn fyrr, aloes a
chasia,
a thelynau o balasau ifori yn dy
ddifyrru.
⁹Y mae tywysogesau ymhlith merched
dy lys;
saif y frenhines ar dy ddeheulaw,
mewn aur Offir.

¹⁰Gwrando di, ferch, rho sylw a
gogwydda dy glust:
anghofia dy bobl dy hun a thŷ dy dad;
¹¹yna bydd y brenin yn chwenychu dy
brydferthwch,
oherwydd ef yw dy arglwydd.
¹²Ymostwng iddoᵐ ag anrhegion, O
ferch Tyrus,
a bydd cyfoethogion y bobl yn ceisio
dy ffafr.
¹³Cwbl ogoneddus yw merch y brenin,
cwrel wediⁿ ei osod mewn aur sydd ar
ei gwisg,
¹⁴ac mewn brodwaith yr arweinir hi at y
brenin;
Ar ei hôl daw ei chyfeillesau, y
morynion;
¹⁵dônt atat yn llawen a hapus,
dônt i mewn i balas y brenin.

¹⁶Yn lle dy dadau daw dy feibion,
a gwnei hwy'n dywysogion dros yr holl
ddaear.
¹⁷Mynegaf dy glod dros y cenedlaethau,
nes bod pobl yn dy ganmol hyd byth.

I'r Cyfarwyddwr: i feibion Cora,
ar Alamoth. Cân.

46 Y mae Duw yn noddfa ac yn nerth
i ni,

yn gymorth parod mewn cyfyngder.
²Felly, nid ofnwn er i'r ddaear symud
ac i'r mynyddoedd ddisgyn i ganol y
môr,
³er i'r dyfroedd ruo a therfysgu
ac i'r mynyddoedd ysgwyd gan ei
ymchwydd.   *Sela*

⁴Y mae afon a'i ffrydiau'n llawenhau
dinas Duw,
preswylfa sanctaidd y Goruchaf.
⁵Y mae Duw yn ei chanol, nid ysgogir
hi;
cynorthwya Duw hi ar doriad dydd.
⁶Y mae'r cenhedloedd yn terfysgu a'r
teyrnasoedd yn gwegian;
pan gwyd ef ei lais, todda'r ddaear.
⁷Y mae ARGLWYDD y Lluoedd gyda ni,
Duw Jacob yn gaer i ni.   *Sela*

⁸Dewch i weld gweithredoedd yr
ARGLWYDD,
fel y dygodd ddifrod ar y ddaear;
⁹gwna i ryfeloedd beidio trwy'r holl
ddaear,
dryllia'r bwa, tyr y waywffon,
llysg y darian â thân.
¹⁰Ymlonyddwch, a dysgwch mai myfi
sydd Dduw,
yn ddyrchafedig ymysg y cenhedloedd,
yn ddyrchafedig ar y ddaear.
¹¹Y mae ARGLWYDD y Lluoedd gyda ni,
Duw Jacob yn gaer i ni.   *Sela*

I'r Cyfarwyddwr: i feibion Cora. Salm.

47 Curwch ddwylo, yr holl bobloedd;
rhowch wrogaeth i Dduw â
chaneuon gorfoledd.
²Oherwydd y mae'r ARGLWYDD, y
Goruchaf, yn ofnadwy,
yn frenin mawr dros yr holl ddaear.
³Fe ddarostwng bobloedd o danom,
a chenhedloedd o dan ein traed.
⁴Dewisodd ein hetifeddiaeth i ni,
balchder Jacob, yr hwn a garodd *Sela*
⁵Esgynnodd Duw gyda bloedd,
yr ARGLWYDD gyda sain utgorn.
⁶Canwch fawl i Dduw, canwch fawl;
canwch fawl i'n brenin, canwch fawl.
⁷Y mae Duw yn frenin ar yr holl
ddaear;
canwch fawl yn gelfydd.
⁸Y mae Duw yn frenin ar y
cenhedloedd,

---

¹¹Felly Targwm. Hebraeg, *bu i Dduw.*   ᵐY mae *Ymostwng iddo* yn adn. 11 yn yr Hebraeg.
ⁿTebygol. Hebraeg, *merch y brenin oddi mewn, wedi.*

y mae'n eistedd ar ei orsedd sanctaidd.
⁹Y mae tywysogion y bobl wedi
    ymgynnull
gyda phobl Duw Abraham;
oherwydd eiddo Duw yw mawrion y
    ddaear—
fe'i dyrchafwyd yn uchel iawn.

Cân. Salm. I feibion Cora.

48 Mawr yw'r ARGLWYDD a theilwng
    iawn o fawl
yn ninas ein Duw, ei fynydd sanctaidd.
²Teg o uchder, llawenydd yr holl
    ddaear,
yw Mynydd Seion, ar lechweddau'r
    Gogledd,
dinas y brenin mawr.
³Oddi mewn i'w cheyrydd y mae Duw
wedi ei ddangos ei hun yn
    amddiffynfa.

⁴Wele'r brenhinoedd wedi ymgynnull
ac wedi dyfod at ei gilydd;
⁵ond pan welsant, fe'u synnwyd,
fe'u brawychwyd nes peri iddynt ffoi;
⁶daeth dychryn arnynt yno,
a gwewyr, fel gwraig yn esgor,
⁷fel pan fo gwynt y dwyrain
yn dryllio llongau Tarsis.
⁸Fel y clywsom, felly hefyd y gwelsom
yn ninas ARGLWYDD y Lluoedd,
yn ninas ein Duw ni
a gynhelir gan Dduw am byth.   Sela
⁹O Dduw, yr ydym wedi portreadu dy
    ffyddlondeb
yng nghanol dy deml.
¹⁰Fel y mae dy enw, O Dduw, felly y
    mae dy fawl
yn ymestyn hyd derfynau'r ddaear.
Y mae dy ddeheulaw'n llawn o
    gyfiawnder,
¹¹bydded i Fynydd Seion lawenhau;
bydded i ddinasoedd Jwda orfoleddu
oherwydd dy farnedigaethau.

¹²Ymdeithiwch o gwmpas Jerwsalem,
    ewch o'i hamgylch,
rhifwch ei thyrau,
¹³sylwch ar ei magwyrydd,
ewch trwy ei chaerau,
fel y galloch ddweud wrth yr oes sy'n
    codi,
¹⁴"Dyma Dduw!

Y mae ein Duw ni am byth bythoedd,
fe'n harwain yn dragywydd."

I'r Cyfarwyddwr: i feibion Cora. Salm.

49 Clywch hyn, yr holl bobloedd,
    gwrandewch, holl drigolion byd,
²yn wreng a bonedd,
yn gyfoethog a thlawd.
³Llefara fy ngenau ddoethineb,
a bydd myfyrdod fy nghalon yn
    ddeallus.
⁴Gogwyddaf fy nghlust at ddihareb,
a datgelaf fy nychymyg â'r delyn.

⁵Pam yr ofnaf yn nyddiau adfyd,
pan yw drygioni fy nisodlwyr o'm
    cwmpas,
⁶rhai sy'n ymddiried yn eu golud
ac yn ymffrostio yn nigonedd eu
    cyfoeth?
⁷Yn wir, ni all dyn ei waredu ei hun°
na thalu iawn i Dduw—
⁸oherwydd rhy uchel yw pris ei fywyd,
ac ni all byth ei gyrraedd—
⁹iddo gael byw am byth
a pheidio â gweld y pwll.
¹⁰Ond gwêl fod y doethion yn marw,
fod yr ynfyd a'r dwl yn trengi,
ac yn gadael eu cyfoeth i eraill.
¹¹Eu bedd yw eu cartref bythol,
eu trigfan dros y cenedlaethau,
er iddynt gael tiroedd i'w henwau.
¹²Ni all dyn aros mewn rhwysg;
y mae fel yr anifeiliaid sy'n darfod.

¹³Dyma yw tynged yr ynfyd,
a diwedd y rhai sy'n cymeradwyo eu
    geiriau.   Sela
¹⁴Fel defaid y tynghedir hwy i Sheol;
angau fydd yn eu bugeilio;
disgynnant yn syth i'r bedd,
a bydd eu ffurf yn darfod;
Sheol fydd eu cartref. ᵖ
¹⁵Ond bydd Duw'n gwaredu fy mywyd
ac yn fy nghymryd o afael Sheol. Sela
¹⁶Paid ag ofni pan ddaw dyn yn
    gyfoethog
a phan gynydda golud ei dŷ,
¹⁷oherwydd ni chymer ddim pan fo'n
    marw,
ac nid â ei gyfoeth i lawr i'w ganlyn.
¹⁸Er iddo yn ei fywyd ei ystyried ei hun
yn ddedwydd,

°Felly rhai llawysgrifau. TM, waredu ei frawd.
ᵖTebygol. Hebraeg, bugeilio. Bydd yr uniawn yn llywodraethu drostynt yn y bore, a bydd eu cyrff i Sheol er difrodi o'r gogoniant a fu iddynt.

a bod dynion yn ei ganmol am iddo
wneud yn dda,
¹⁹fe â at genhedlaeth ei dadau,
ac ni wêl oleuni byth mwy.
²⁰Ni all dyn aros ᵖʰ mewn rhwysg;
y mae fel yr anifeiliaid sy'n darfod.

Salm. I Asaff.

50 Duw y duwiau, yr ARGLWYDD, a
lefarodd;
galwodd y ddaear
o godiad haul hyd ei fachlud.
²O Seion, perffaith ei phrydferthwch,
y llewyrcha Duw.
³Fe ddaw ein Duw, ac ni fydd ddistaw;
bydd tân yn ysu o'i flaen,
a thymestl fawr o'i gwmpas.
⁴Y mae'n galw ar y nefoedd uchod,
ac ar y ddaear, er mwyn barnu ei bobl:

⁵"Casglwch ataf fy ffyddloniaid,
a wnaeth gyfamod â mi trwy aberth."
⁶Bydd y nefoedd yn cyhoeddi ei
gyfiawnder,
oherwydd Duw ei hun sydd farnwr.
Sela
⁷"Gwrandewch fy mhobl, a llefaraf;
dygaf dystiolaeth yn dy erbyn, O
Israel;
myfi yw Duw, dy Dduw di.
⁸Ni cheryddaf di am dy aberthau,
oherwydd y mae dy offrymau'n wastad
ger fy mron.
⁹Ni chymeraf fustach o'th dŷ,
na bychod geifr o'th gorlannau;
¹⁰oherwydd eiddof fi holl fwystfilod y
goedwig,
a'r gwartheg ar fil o fryniau.
¹¹Yr wyf yn adnabod holl adar yr awyrʳ,
ac eiddof fi holl ymlusgiaid y maes.
¹²Pe bawn yn newynu, ni ddywedwn
wrthyt ti,
oherwydd eiddof fi'r byd a'r hyn sydd
ynddo.
¹³A fwytâf fi gig eich teirw,
neu yfed gwaed eich bychod?
¹⁴Rhowch i Dduw offrymau diolch,
a thalwch eich addunedau i'r
Goruchaf.
¹⁵Os gelwi arnaf yn nydd cyfyngder
fe'th waredaf, a byddi'n fy
anrhydeddu."

¹⁶Ond wrth y drygionus fe ddywed Duw,
"Pa hawl sydd gennyt i adrodd fy

neddfau,
ac i gymryd fy nghyfamod ar dy
wefusau?
¹⁷Yr wyt yn casáu disgyblaeth
ac yn bwrw fy ngeiriau o'th ôl.
¹⁸Os gweli leidr, fe ei i'w ganlyn
a bwrw dy goel gyda godinebwyr.
¹⁹Y mae dy enau'n ymollwng i
ddrygioni,
a'th dafod yn nyddu twyll.
²⁰Yr ̍wyt yn parhau i dystio yn erbyn dy
frawd,
ac yn enllibio mab dy fam.
²¹Gwnaethost y pethau hyn, bûm innau
ddistaw;
tybiaist dithau fy mod fel ti dy hun,
ond cyhuddaf di, a dwyn achos yn dy
erbyn.

²²"Ystyriwch hyn, chwi sy'n anghofio
Duw,
rhag imi eich darnio heb neb i arbed.
²³Y sawl sy'n cyflwyno aberth diolch
sy'n fy anrhydeddu,
ac i'r sawl sy'n dilyn fy ffordd y
dangosaf iachawdwriaeth Duw."

*I'r Cyfarwyddwr: Salm. I Ddafydd, pan
ddaeth y proffwyd Nathan ato wedi iddo
fynd at Bathseba.*

51 Bydd drugarog wrthyf, O Dduw,
yn ôl dy ffyddlondeb;
yn ôl dy fawr dosturi dilea fy meiau;
²golch fi'n lân o'm heuogrwydd,
a glanha fi o'm pechod.

³Oherwydd gwn am fy meiau,
ac y mae fy mhechod yn wastad gyda
mi.
⁴Yn dy erbyn di, ti yn unig, y pechais
a gwneud yr hyn a ystyri'n ddrwg,
fel dy fod yn gyfiawn yn dy ddedfryd,
ac yn gywir yn dy farn.
⁵Wele, mewn drygioni y'm ganwyd,
ac mewn pechod y beichiogodd fy
mam.

⁶Wele, yr wyt yn dymuno gwirionedd
oddi mewn;
felly dysg imi ddoethineb yn y galon.
⁷Pura fi ag isop fel y byddwyf lân;
golch fi fel y byddwyf wynnach nag
eira.
⁸Pâr imi glywed gorfoledd a llawenydd,

ᵖʰTM, *ddeall.* ʳFelly Fersiynau. Hebraeg, *y mynyddoedd.*

fel y bo i'r esgyrn a ddrylliaist
  lawenhau.
⁹Cuddia dy wyneb oddi wrth fy
  mhechodau,
a dilea fy holl feiau.
¹⁰Crea galon lân ynof, O Dduw,
  rho ysbryd newydd cadarn ynof.
¹¹Paid â'm bwrw ymaith oddi wrthyt,
  na chymryd dy ysbryd sanctaidd oddi
  arnaf.
¹²Dyro imi eto orfoledd dy
  iachawdwriaeth,
a chynysgaedda fi ag ysbryd ufudd.

¹³Dysgaf dy ffyrdd i droseddwyr,
  fel y dychwelo'r pechaduriaid atat.
¹⁴Gwared fi rhag gwaed, O Dduw,
  Duw fy iachawdwriaeth,
  ac fe gân fy nhafod am dy gyfiawnder.
¹⁵Arglwydd, agor fy ngwefusau,
  a bydd fy ngenau yn mynegi dy foliant.

¹⁶Oherwydd nid wyt yn ymhyfrydu
  mewn aberth;
  pe dygwn boethoffrymau, ni fyddit
  fodlon.
¹⁷Aberthau Duw yw ysbryd drylliedig;
  calon ddrylliedig ac edifeiriol
  ni ddirmygi, O Dduw.

¹⁸Gwna ddaioni i Seion yn dy ras;
  adeilada furiau Jerwsalem.
¹⁹Yna fe ymhyfrydi mewn aberthau
  cywir—
  poethoffrwm ac aberth llosg—
  yna fe aberthir bustych ar dy allor.

*I'r Cyfarwyddwr: Mascîl. I Ddafydd, pan
ddaeth Doeg yr Edomiad a dweud wrth
Saul fod Dafydd wedi dod i dŷ Ahimelech.*

52 O ŵr grymus, pam yr ymffrosti yn
       dy ddrygioni
  yn erbyn y duwiol ʳʰ yr holl amser?
²Yr wyt yn cynllwyn distryw;
  y mae dy dafod fel ellyn miniog,
  ti weithredwr brad.
³Yr wyt yn caru drygioni'n fwy na
  daioni,
  a chelwydd yn fwy na dweud y gwir.
                                    Sela
⁴Yr wyt yn caru pob gair difaol
  ac iaith dwyllodrus.
⁵Bydd Duw'n dy dynnu i lawr am byth,

bydd yn dy gipio ac yn dy dynnu o'th
  babell,
ac yn dy ddadwreiddio o dir y byw.
                                    Sela
⁶Bydd y cyfiawn yn gweld ac yn ofni,
  ac yn chwerthin am ei ben a dweud,
⁷"Dyma'r dyn na wnaeth Dduw yn
  noddfa,
  ond a ymddiriedodd yn nigonedd ei
  drysorau,
  a cheisio noddfa yn ei gyfoeth ˢ ei
  hun."
⁸Ond yr wyf fi fel olewydden iraidd yn
  nhŷ Dduw;
  ymddiriedaf yn ffyddlondeb Duw byth
  bythoedd.
⁹Diolchaf iti hyd byth am yr hyn a
  wnaethost;
  cyhoeddaf ᵗ dy enw—oherwydd da
  yw—ymysg dy ffyddloniaid.

*I'r Cyfarwyddwr: ar Mahalath. Mascîl. I
Ddafydd.*

53 Dywed yr ynfyd ynddo'i hun,
       "Nid oes Duw."
  Gwnânt weithredoedd llygredig a
  ffiaidd;
  nid oes un a wna ddaioni.
²Edrychodd yr ARGLWYDD o'r nefoedd
  ar blant dynion,
  i weld a oes rhywun yn gwneud yn
  ddoeth
  ac yn ceisio Duw.
³Ond y mae pawb ar gyfeiliorn,
  ac mor llygredig â'i gilydd;
  nid oes un a wna ddaioni,
  nac oes, dim un.
⁴Oni ddarostyngir y gwneuthurwyr
  drygioni,
  sy'n llyncu fy mhobl fel llyncu bwyd,
  ac sydd heb alw ar yr ARGLWYDD?
⁵Yno y byddant mewn dychryn mawr,
  dychryn na fu ei debyg.
  Y mae Duw yn gwasgaru esgyrn yr
  annuwiol ᵗʰ;
  daw cywilydd arnynt am i Dduw eu
  gwrthod.

⁶O na ddôi gwaredigaeth i Israel o
  Seion!
Pan adfer yr ARGLWYDD lwyddiant i'w

ʳʰTebygol. Hebraeg, *ddrygioni? Y mae trugaredd Duw.*
ˢFelly Syrieg a Targwm. Hebraeg, *ei drachwant.*   ᵗTebygol. Hebraeg, *disgwyliaf.*
ᵗʰTebygol. Cymh. Groeg. Hebraeg, *esgyrn dy wersyllwr.*

bobl,
fe lawenha Jacob, fe orfoledda Israel.

*I'r Cyfarwyddwr: gydag offerynnau
llinynnol. Mascîl. I Ddafydd, pan ddaeth y
Siffiaid at Saul a dweud, "Y mae Dafydd
yn cuddio yn ein mysg."*

54 O Dduw, gwared fi trwy dy enw,
a thrwy dy nerth cyfiawnha fi.
² O Dduw, gwrando fy ngweddi,
rho glust i eiriau fy ngenau.
³ Oherwydd cododd gwŷr trahaus ᵘ yn fy
erbyn,
ac y mae gwŷr di-dostur yn ceisio fy
mywyd;
nid ydynt yn meddwl am Dduw.   *Sela*

⁴ Wele, Duw yw fy nghynorthwywr,
fy Arglwydd yw cynhaliwr fy mywyd.
⁵ Bydded i ddrygioni ddychwelyd ar fy
ngelynion!
Trwy dy wirionedd distawa hwy.

⁶ Aberthaf yn ewyllysgar i ti;
clodforaf dy enw, O ARGLWYDD,
oherwydd da yw;
⁷ oherwydd gwaredodd fi o bob
cyfyngder,
a gwneud imi orfoleddu dros fy
ngelynion.

*I'r Cyfarwyddwr: gydag offerynnau
llinynnol. Mascîl. I Ddafydd.*

55 Gwrando, O Dduw, ar fy
ngweddi;
paid ag ymguddio rhag fy ncisyfiad.
² Gwrando arnaf ac ateb fi;
yr wyf wedi fy llethu gan fy nghŵyn.
³ Yr wyf bron â drysu ʷ gan sŵn y gelyn,
gan grochlefain y drygionus;
oherwydd pentyrrant ddrygioni arnaf,
ac ymosod arnaf yn eu llid.
⁴ Y mae fy nghalon mewn gwewyr,
a daeth ofn angau ar fy ngwarthaf.
⁵ Daeth arnaf ofn ac arswyd,
ac fe'm meddiannwyd gan ddychryn.
⁶ A dywedais, "O na fyddai gennyf
adenydd colomen,
imi gael ehedeg ymaith a gorffwyso;
⁷ yna byddwn yn crwydro ymhell
ac yn aros yn yr anialwch;   *Sela*

⁸ brysiwn i gael cysgod
rhag y gwynt stormus a'r dymestl."
⁹ O Dduw, cymysga a rhanna'u hiaith,
oherwydd gwelais drais a chynnen yn y
ddinas;
¹⁰ ddydd a nos y maent yn ei hamgylchu
ar y muriau,
ac y mae drygioni a thrybini o'i mewn,
¹¹ dinistr yn ei chanol;
ac nid yw twyll a gorthrwm
yn ymadael o'i marchnadfa.

¹² Ond nid gelyn a'm gwawdiodd—
gallwn oddef hynny;
nid un o'm caseion a'm bychanodd—
gallwn guddio rhag hwnnw;
¹³ ond ti, fy nghydradd,
fy nghydymaith, fy nghydnabod—
¹⁴ buom mewn cyfeillach felys â'n gilydd,
a chawsom gymdeithas yn nhŷ Dduw.

¹⁵ Doed marwolaeth arnynt;
bydded iddynt fynd yn fyw i Sheol,
am fod drygioni yn eu mysg. ˣ
¹⁶ Ond gwaeddaf fi ar Dduw,
a bydd yr ARGLWYDD yn fy achub.
¹⁷ Hwyr a bore a chanol dydd
fe gwynaf a griddfan,
a chlyw ef fy llais.
¹⁸ Gwareda fy mywyd yn ddiogel
o'r rhyfel yr wyf ynddo,
oherwydd y mae llawer i'm herbyn.
¹⁹ Gwrendy Duw a'u darostwng—
y mae ef wedi ei orseddu erioed—*Sela*
am na fynnant newid nac ofni Duw.

²⁰ Estynnodd fy nghydymaith ei law yn
erbyn ei gyfeillion,
torrodd ei gyfamod.
²¹ Yr oedd ei leferydd yn esmwythach na
menyn,
ond yr oedd rhyfel yn ei galon;
yr oedd ei eiriau'n llyfnach nag olew,
ond yr oeddent yn gleddyfau noeth.

²² Bwrw dy faich ar yr ARGLWYDD,
ac fe'th gynnal di;
ni ad i'r cyfiawn gael ei ysgwyd byth.
²³ Ti, O Dduw, a'u bwria i'r pwll isaf—
gwŷr gwaedlyd a thwyllodrus—
ni chânt fyw hanner eu dyddiau.
Ond ymddiriedaf fi ynot ti.

ᵘ Felly rhai llawysgrifau a Targwm. TM, *cododd estroniaid.*
ʷ Yn yr Hebraeg, y mae *Yr wyf bron â drysu* yn yr adnod flaenorol.
ˣ Cymh. Syrieg. Hebraeg yn ychwanegu *yn eu preswylfa.*

I'r Cyfarwyddwr: ar Golomen y Derw Pell. Michtam. I Ddafydd, pan ddaliodd y Philistiaid ef yn Gath.

56 Bydd drugarog wrthyf, O Dduw,
oherwydd y mae dynion yn
gwasgu arnaf,
ac ymosodwyr yn fy ngorthrymu
drwy'r dydd;
[2] y mae fy ngelynion yn gwasgu arnaf
drwy'r dydd,
a llawer yw'r rhai sy'n ymladd yn
f'erbyn.
[3] Cod fi i fyny[y] yn nydd fy ofn;
yr wyf yn ymddiried ynot ti.
[4] Yn Nuw, yr un y molaf ei air,
yn Nuw yr wyf yn ymddiried heb ofni;
beth a all dynion ei wneud imi?
[5] Trwy'r dydd y maent yn ystumio fy
ngeiriau,
ac y mae eu holl fwriadau i'm drygu.
[6] Ymgasglant[a] at ei gilydd a llechu,
ac y maent yn gwylio fy nghamre.
[7] Fel y disgwyliant am fy mywyd,
tâl iddynt[b] am eu trosedd;
yn dy ddig, O Dduw, darostwng
bobloedd.

[8] Yr wyt ti wedi cofnodi fy ocheneidiau,
ac wedi costrelu fy nagrau—
onid ydynt yn dy lyfr?
[9] Yna troir fy ngelynion yn eu hôl
yn y dydd y galwaf arnat.
Hyn a wn: fod Duw o'm tu.
[10] Yn Nuw, yr un y molaf ei air,
yn yr ARGLWYDD, y molaf ei air,
[11] yn Nuw yr wyf yn ymddiried heb ofni;
beth a all dynion ei wneud imi?

[12] Gwneuthum addunedau i ti, O Dduw;
fe'u talaf i ti ag ebyrth diolch.
[13] Oherwydd gwaredaist fy mywyd rhag
angau
a'm camau, yn wir, rhag llithro,
er mwyn imi rodio gerbron Duw
yng ngoleuni'r bywyd.

I'r Cyfarwyddwr: ar Na Ddinistria. Michtam. I Ddafydd, pan ddihangodd rhag Saul yn yr ogof.

57 Bydd drugarog wrthyf, O Dduw,
bydd drugarog wrthyf,
oherwydd ynot ti yr wyf yn llochesu;

yng nghysgod dy adenydd y mae fy
lloches
nes i'r stormydd fynd heibio.
[2] Galwaf ar y Duw Goruchaf,
ar y Duw sy'n gweithredu drosof.
[3] Bydd yn anfon o'r nefoedd i'm
gwaredu;
bydd yn cywilyddio'r rhai sy'n gwasgu
arnaf; *Sela*
bydd Duw yn anfon ei gariad a'i
wirionedd.
[4] Yr wyf yn byw yng nghanol llewod,
rhai sy'n traflyncu dynion,
a'u dannedd yn bicellau a saethau,
a'u tafod yn gleddyf miniog.
[5] Dyrchafa'n uwch na'r nefoedd, O
Dduw,
a bydded dy ogoniant dros yr holl
ddaear.
[6] Y maent wedi gosod rhwyd i'm traed,
ac wedi darostwng[c] fy mywyd;
y maent wedi cloddio pwll ar fy
nghyfer,
ond hwy eu hunain fydd yn syrthio
iddo. *Sela*

[7] Y mae fy nghalon yn gadarn, O Dduw,
y mae fy nghalon yn gadarn;
fe ganaf a rhoi mawl.
[8] Deffro, fy enaid,
deffro di, offeryn dectant a thelyn.
Fe ddeffroaf ar doriad gwawr.
[9] Rhof ddiolch i ti, O Arglwydd, ymysg
y bobloedd,
a chanmolaf di ymysg y cenhedloedd,
[10] oherwydd y mae dy gariad yn ymestyn
hyd y nefoedd,
a'th wirionedd hyd y cymylau.
[11] Dyrchafa'n uwch na'r nefoedd, O
Dduw,
a bydded dy ogoniant dros yr holl
ddaear.

I'r Cyfarwyddwr: ar Na Ddinistria. I Ddafydd. Michtam.

58 Chwi dduwiau, a ydych mewn
difri'n dedfrydu'n gyfiawn?
a ydych yn barnu dynion yn deg?
[2] Na! Yr ydych â'ch calonnau'n dyfeisio
drygioni,
ac â'ch dwylo'n gwasgaru trais dros y
ddaear.

---

[y] Tebygol. Hebraeg yn darllen *O Uchder* ar ddiwedd yr adnod flaenorol.
[a] Felly Fersiynau. Hebraeg, *Codant derfysg.*
[b] Tebygol. Hebraeg, *gwareda hwy.*
[c] Felly Fersiynau. Hebraeg, *a darostyngodd.*

³Y mae'r drygionus yn wrthryfelgar o'r
groth,
a'r rhai sy'n llefaru celwydd yn
cyfeiliorni o'r bru.
⁴Y mae eu gwenwyn fel gwenwyn sarff,
fel neidr fyddar sy'n cau ei chlustiau,
⁵a heb wrando ar sain y swynwr
sy'n taenu ei hudoliaeth ryfedd.
⁶O Dduw, dryllia'r dannedd yn eu
genau,
diwreiddia gilddannedd y llewod, O
ARGLWYDD.
⁷Bydded iddynt ddiflannu fel dŵr a
mynd ymaith,
a chrino fel gwellt a sethrir; ᶜʰ
⁸byddant fel erthyl sy'n diflannu,
ac fel marw-anedig na wêl olau dydd.
⁹Cyn iddynt wybod bydd yn eu
diwreiddio;
yn ei ddig bydd yn eu sgubo ymaith fel
chwyn.

¹⁰Bydd y cyfiawn yn llawenhau am iddo
weld dialedd,
ac yn golchi ei draed yng ngwaed y
drygionus.
¹¹A dywed dynion, "Yn ddi-os y mae
gwobr i'r cyfiawn;
oes, y mae Duw sy'n gwneud barn ar y
ddaear."

I'r Cyfarwyddwr: ar Na Ddinistria.
Michtam. I Ddafydd, pan anfonodd Saul
rai i wylio ei gartref er mwyn ei ladd.

59 Gwared fi oddi wrth fy ngelynion,
O fy Nuw;
amddiffyn fi rhag fy ngwrthwynebwyr.
²Gwared fi oddi wrth wneuthurwyr
drygioni,
ac achub fi rhag gwŷr gwaedlyd.
³Oherwydd wele, gosodant gynllwyn
am fy einioes;
y mae gwŷr cryfion yn ymosod arnaf.
Heb fod bai na phechod ynof fi,
ARGLWYDD,
⁴heb fod drygioni ynof fi, rhedant i
baratoi i'm herbyn.
Cyfod, tyrd ataf ac edrych.
⁵Ti, ARGLWYDD Dduw y lluoedd, yw
Duw Israel;
deffro a chosba'r holl genhedloedd;
paid â thrugarhau wrth y drygionus
dichellgar. *Sela*

⁶Dychwelant gyda'r nos, yn cyfarth fel
cŵn
ac yn prowla trwy'r ddinas.
⁷Wele, y mae eu genau'n glafoerio,
a chleddyf rhwng eu gweflau;
"Pwy," meddant, "sy'n clywed?"
⁸Ond yr wyt ti, ARGLWYDD, yn
chwerthin am eu pennau
ac yn gwawdio'r holl genhedloedd.
⁹O fy Nerth ᵈ, disgwyliaf wrthyt,
oherwydd Duw yw f'amddiffynfa.
¹⁰Bydd fy Nuw trugarog yn sefyll o'm
plaid;
O Dduw, rho imi orfoleddu dros fy
ngelynion.

¹¹Paid â'u lladd rhag i'm pobl anghofio;
gwasgar hwy â'th nerth a darostwng
hwy,
O Arglwydd, ein tarian.
¹²Am bechod eu genau a gair eu
gwefusau,
dalier hwy gan eu balchder eu hunain.
Am y melltithion a'r celwyddau a
lefarant,
¹³difa hwy yn dy lid, difa hwy'n llwyr,
fel y bydd yn wybyddus hyd derfynau'r
ddaear
mai Duw sy'n llywodraethu yn Jacob.
Sela

¹⁴Dychwelant gyda'r nos, yn cyfarth fel
cŵn
ac yn prowla trwy'r ddinas.
¹⁵Crwydrant yn chwilio am fwyd,
a grwgnach ᵈᵈ onis digonir.
¹⁶Ond canaf fi am dy nerth,
a gorfoleddu yn y bore am dy
ffyddlondeb;
oherwydd buost yn amddiffynfa i mi
ac yn noddfa yn nydd fy nghyfyngder.
¹⁷O fy Nerth, canaf fawl i ti,
oherwydd Duw yw f'amddiffynfa,
fy Nuw trugarog.

I'r Cyfarwyddwr: ar Susan Eduth.
Michtam, i hyfforddi. I Ddafydd, pan
oedd yn ymladd yn erbyn Aram-naharaim
ac Aram-soba, a Joab yn dychwelyd ac yn
lladd deuddeng mil o Edom yn Nyffryn yr
Halen.

60 O Dduw, gwrthodaist ni a'n
bylchu;

ᶜʰTebygol. Hebraeg yn aneglur.
ᵈFelly llawysgrifau a Fersiynau. Felly hefyd yn adn. 17. TM, *Ei nerth.*
ᵈᵈFelly Fersiynau. Hebraeg, *ac aros.*

buost yn ddicllon a'n bwrw'n ôl.
²Gwnaethost i'r ddaear grynu ac fe'i
holltaist;
trwsia ei rhwygiadau, oherwydd y
mae'n gwegian.
³Gwnaethost i'th bobl yfed ᵉ peth
chwerw,
a rhoist inni win a'n gwna'n simsan.
⁴Rhoist faner i'r rhai sy'n dy ofni,
iddynt ffoi ati rhag y bwa.   *Sela*

⁵Er mwyn gwaredu dy anwyliaid,
achub â'th ddeheulaw, ac ateb ni.
⁶Llefarodd Duw yn ei gysegr,
"Af i fyny'n ᶠ awr i rannu Sichem
⁷a mesur dyffryn Succoth yn rhannau;
eiddof fi yw Gilead a Manasse,
Effraim yw fy helm,
a Jwda yw fy nheyrnwialen;
⁸Moab yw fy nysgl ymolchi,
ac at Edom y taflaf fy esgid;
ac yn erbyn Philistia y gorfoleddaf."

⁹Pwy a'm dwg i'r ddinas gaerog?
Pwy a'm harwain ᶠᶠ i Edom?
¹⁰Onid ti, O Dduw, er iti'n gwrthod,
a pheidio â mynd allan gyda'n
byddinoedd?
¹¹Rho inni gymorth rhag y gelyn,
oherwydd ofer yw ymwared dyn.
¹²Gyda Duw fe wnawn wrhydri;
ef fydd yn sathru ein gelynion.

I'r Cyfarwyddwr: ar offerynnau llinynnol.
I Ddafydd.

61 Clyw fy nghri, O Dduw,
a gwrando ar fy ngweddi;
²o eithaf y ddaear yr wyf yn galw arnat,
pan yw fy nghalon ar suddo.
Arwain fi at graig sy'n uwch na mi;
³oherwydd buost ti'n gysgod imi,
yn dŵr cadarn rhag y gelyn.
⁴Gad imi aros yn dy babell am byth,
a llochesu dan gysgod dy adenydd. *Sela*
⁵Oherwydd clywaist ti, O Dduw, fy
addunedau,
a gwnaethost ddymuniad ᵍ y rhai sy'n
ofni dy enw.

⁶Estyn ddyddiau lawer at oes y brenin,
a bydded ei flynyddoedd fel
cenedlaethau;

⁷bydded wedi ei orseddu gerbron Duw
am byth;
bydded cariad a gwirionedd yn
gwylio ⁿᵍ drosto.

⁸Felly y canmolaf dy enw byth,
a thalu fy addunedau ddydd ar ôl
dydd.

I'r Cyfarwyddwr: ar Jeduthun. Salm.
I Ddafydd.

62 Yn wir, yn Nuw yr ymdawela fy
enaid;
oddi wrtho ef y daw fy ngwaredigaeth.
²Ef yn wir yw fy nghraig a'm
gwaredigaeth,
fy amddiffynfa, fel na'm symudir.
³Am ba hyd yr ymosodwch ar ddyn,
bob un ohonoch, a'i falurio,
fel mur wedi gogwyddo
a chlawdd ar syrthio?
⁴Yn wir, cynlluniant i'w dynnu i lawr o'i
safle,
ac y maent yn ymhyfrydu mewn twyll;
y maent yn bendithio â'u genau,
ond ynddynt eu hunain yn
melltithio.   *Sela*
⁵Yn wir, yn Nuw yr ymdawela fy enaid;
oddi wrtho ef y daw fy ngobaith.
⁶Ef yn wir yw fy nghraig a'm
gwaredigaeth,
fy amddiffynfa, fel na'm symudir.
⁷Ar Dduw y dibynna fy ngwaredigaeth
a'm hanrhydedd;
fy nghraig gadarn, fy noddfa yw Duw.

⁸Ymddiriedwch ynddo bob amser, O
bobl,
tywalltwch allan eich calon iddo;
Duw yw ein noddfa.   *Sela*
⁹Yn wir, nid yw dyn meidrol ond anadl,
nid yw teulu dyn ond rhith;
pan roddir hwy mewn clorian,
codant—
y maent i gyd yn ysgafnach nag anadl.
¹⁰Peidiwch ag ymddiried mewn gormes,
na gobeithio'n ofer mewn lladrad;
er i gyfoeth amlhau,
peidiwch â gosod eich bryd arno.

¹¹Unwaith y llefarodd Duw,
dwywaith y clywais hyn:

ᵉTebygol. Hebraeg, *weld.*   ᶠTebygol. Hebraeg, *Gorfoleddaf yn.*
ᶠᶠFelly Fersiynau. Hebraeg, *harweiniodd.*   ᵍTebygol. Hebraeg, *etifeddiaeth.*
ⁿᵍFelly llawysgrifau a Fersiynau. TM, *paratoa gariad a gwirionedd iddynt wylio.*

I Dduw y perthyn nerth,
[12]i ti, O Arglwydd, y perthyn
ffyddlondeb;
yr wyt yn talu i ddyn yn ôl ei
weithredoedd.

*Salm. I Ddafydd, pan oedd yn anialwch
Jwda.*

63 O Dduw, ti yw fy Nuw, fe'th
geisiaf di;
y mae fy enaid yn sychedu amdanat,
a'm cnawd yn dihoeni o'th eisiau,
fel tir sych a diffaith heb ddŵr.
[2]Fel hyn y syllais arnat yn y cysegr,
a gweld dy rym a'th ogoniant.

[3]Y mae dy ffyddlondeb yn well na
bywyd;
am hynny bydd fy ngwefusau'n dy
foliannu.
[4]Fel hyn y byddaf yn dy fendithio trwy
fy oes,
ac yn codi fy nwylo mewn gweddi yn
dy enw.
[5]Caf fy nigoni, fel pe ar fêr a braster,
a moliannaf di â gwefusau llawen.
[6]Pan gofiaf di ar fy ngwely,
a myfyrio amdanat yng
ngwyliadwriaethau'r nos—
[7]fel y buost yn gymorth imi,
ac fel yr arhosais [h] yng nghysgod dy
adenydd—
[8]bydd fy enaid yn glynu wrthyt;
a bydd dy ddeheulaw yn fy nghynnal.

[9]Ond am y rhai sy'n ceisio difetha fy
mywyd,
byddant hwy'n suddo i ddyfnderau'r
ddaear;
[10]fe'u tynghedir i fin y cleddyf,
a byddant yn ysglyfaeth i lwynogod.
[11]Ond bydd y brenin yn llawenhau yn
Nuw,
a bydd pawb sy'n tyngu iddo ef yn
gorfoleddu,
oherwydd caeir safnau'r rhai
celwyddog.

I'r Cyfarwyddwr: Salm. I Ddafydd.

64 Clyw fy llais, O Dduw, wrth imi
gwyno;

achub fy mywyd rhag arswyd y gelyn,
[2]cuddia fi rhag cynllwyn rhai drygionus
a rhag dichell gwneuthurwyr
drygioni—
[3]rhai sy'n hogi eu tafod fel cleddyf,
ac yn anelu eu geiriau chwerw fel
saethau,
[4]i saethu'r dieuog o'r dirgel,
i saethu'n sydyn ac yn anweledig.
[5]Y maent yn glynu wrth eu bwriad
drwg,
ac yn sôn am osod maglau o'r golwg,
a dweud, "Pwy all ein [i] gweld?"
[6]Y maent yn dyfeisio, ac yn cuddio'u
dyfeisiadau;
y mae calon a meddwl dyn yn ddwfn!

[7]Ond bydd Duw'n eu saethu â'i saeth;
yn sydyn y daw eu cwymp.
[8]Bydd yn eu dymchwel [l] oherwydd eu
tafod,
a bydd pawb sy'n eu gweld yn ysgwyd
eu pennau.
[9]Daw ofn ar bob dyn,
a byddant yn adrodd am waith Duw,
ac yn deall yr hyn a wnaeth.

[10]Bydded i'r cyfiawn lawenhau yn yr
ARGLWYDD,
a llochesu ynddo,
a bydded i'r holl rai uniawn orfoleddu.

I'r Cyfarwyddwr: Salm. I Ddafydd. Cân.

65 Mawl sy'n ddyledus i ti, O Dduw,
yn Seion;
[2]ac i ti, sy'n gwrando gweddi, [ll] y telir
adduned.
[3]Atat ti y daw pob dyn â'i gyffes o
bechod:
"Y mae ein troseddau'n drech na ni,
ond yr wyt ti'n eu maddau."
[4]Gwyn ei fyd y sawl a ddewisi ac a
ddygi'n agos,
iddo gael preswylio yn dy gynteddau;
digoner ninnau â daioni dy dŷ,
dy deml sanctaidd.

[5]Mewn gweithredoedd ofnadwy yr
atebi ni â buddugoliaeth,
O Dduw ein hiachawdwriaeth,
ynot yr ymddiried holl gyrion y ddaear

[h]Tebygol. Hebraeg, *y gorfoleddais.*   [i]Felly Syrieg. Hebraeg, *eu.*
[l]Tebygol. Hebraeg, *A gwnaethant hwy iddo ddymchwel.*
[ll]Yn yr Hebraeg y mae *sy'n gwrando gweddi* yn yr adnod ddilynol.

a phellafoedd y môr;
[6]gosodi'r mynyddoedd yn eu lle â'th[m]
  nerth,
yr wyt wedi dy wregysu â chryfder;
[7]yr wyt yn tawelu rhu'r moroedd,
  rhu eu tonnau,
  a therfysg pobloedd.
[8]Y mae trigolion cyrion y byd
  yn ofni dy arwyddion;
gwnei i diroedd bore a hwyr lawenhau.

[9]Ymwelaist â'r ddaear a'i dyfrhau,
  gwnaethost hi'n doreithiog iawn;
y mae afon Duw'n llawn o ddŵr;
  darperaist iddynt ŷd.
Fel hyn yr wyt yn trefnu ar ei chyfer:
[10]dyfrhau ei rhychau, gwastatáu ei
  chefnau,
  ei mwydo â chawodydd a bendithio'i
  chnwd.
[11]Yr wyt yn coroni'r flwyddyn â'th
  ddaioni,
  ac y mae dy lwybrau'n diferu gan
  fraster.
[12]Y mae porfeydd yr anialdir yn diferu,
  a'r bryniau wedi eu gwregysu â
  llawenydd;
[13]y mae'r dolydd wedi eu gwisgo â
  defaid,
  a'r dyffrynnoedd wedi eu gorchuddio
  ag ŷd.
Y maent yn bloeddio ac yn
  gorfoleddu.

I'r Cyfarwyddwr: Cân. Salm.

66 Rhowch wrogaeth i Dduw, yr holl
       ddaear;
[2]canwch i ogoniant ei enw;
  rhowch iddo foliant gogoneddus.
[3]Dywedwch wrth Dduw, "Mor
    ofnadwy yw dy weithredoedd!
Gan faint dy nerth ymgreinia dy
  elynion o'th flaen;
[4]y mae'r holl ddaear yn ymgrymu o'th
  flaen,
  ac yn canu mawl i ti,
  yn canu mawl i'th enw."   *Sela*
[5]Dewch i weld yr hyn a wnaeth Duw—
  y mae'n ofnadwy yn ei weithredoedd
  tuag at ddynion—
[6]trodd y môr yn sychdir,
  aethant ar droed trwy'r afon;
  yno y llawenychwn ynddo.

[7]Y mae ef yn llywodraethu â'i nerth am
  byth,
  a'i lygaid yn gwylio dros y
  cenhedloedd;
na fydded i'r gwrthryfelwyr godi yn ei
  erbyn!   *Sela*

[8]Bendithiwch ein Duw, O bobloedd,
  a seiniwch ei fawl yn glywadwy.
[9]Ef a roes le i ni ymysg y byw,
  ac ni adawodd i'n troed lithro.
[10]Oherwydd buost yn ein profi, O
  Dduw,
  ac yn ein coethi fel arian.
[11]Dygaist ni i'r rhwyd,
  rhoist rwymau amdanom,
[12]gadewaist i ddynion farchogaeth dros
  ein pennau,
  aethom trwy dân a dyfroedd;
  ond dygaist ni allan i ryddid[n].

[13]Dof i'th deml â phoethoffrymau,
  talaf i ti fy addunedau,
[14]a wneuthum â'm gwefusau
  ac a lefarodd fy ngenau pan oedd yn
  gyfyng arnaf.
[15]Aberthaf i ti basgedigion yn
  boethoffrymau,
  a hefyd hyrddod yn arogldarth;
  darparaf ychen a buchod.   *Sela*
[16]Dewch i wrando, chwi oll sy'n ofni
  Duw,
  ac adroddaf yr hyn a wnaeth Duw i mi.
[17]Gwaeddais â'm genau arno,
  ac yr oedd moliant ar fy nhafod.
[18]Pe byddai drygioni yn fy nghalon,
  ni fuasai'r Arglwydd wedi gwrando;
[19]ond yn wir, gwrandawodd Duw,
  a rhoes sylw i lef fy ngweddi.
[20]Bendigedig fyddo Duw
  am na throdd fy ngweddi oddi wrtho,
  na'i ffyddlondeb oddi wrthyf.

*I'r Cyfarwyddwr: ag offerynnau llinynnol.
            Salm. Cân.*

67 Bydded Duw yn drugarog wrthym
       a'n bendithio,
  bydded llewyrch ei wyneb arnom, *Sela*
[2]er mwyn i'w[o] ffyrdd fod yn wybyddus
  ar y ddaear,
  a'i[p] waredigaeth ymysg yr holl
  genhedloedd.
[3]Bydded i'r bobloedd dy foli, O Dduw,

---

[m]Felly Fersiynau. Hebraeg, *â'i.*   [n]Felly Fersiynau. Hebraeg, *i ddigonedd.*
[o]Felly llawysgrifau a Syrieg. TM, *i'th.*   [p]Felly Syrieg. Hebraeg, *a'th.*

bydded i'r holl bobloedd dy foli di.
⁴Bydded i'r cenhedloedd lawenhau a
  gorfoleddu,
oherwydd yr wyt ti'n barnu pobloedd
  yn gywir,
ac yn arwain cenhedloedd ar y
  ddaear.   *Sela*
⁵Bydded i'r bobloedd dy foli, O Dduw,
bydded i'r holl bobloedd dy foli di.
⁶Rhoes y ddaear ei chnwd;
Duw, ein Duw ni, a'n bendithiodd.
⁷Bendithiodd Duw ni;
bydded holl gyrrau'r ddaear yn ei ofni.

I'r Cyfarwyddwr: i Ddafydd. Salm. Cân.

68 Bydded i Dduw godi, ac i'w
      elynion wasgaru,
ac i'r rhai sy'n ei gasáu ffoi o'i flaen.
²Fel y chwelir mwg, chwâl hwy;
fel cŵyr yn toddi o flaen tân,
bydded i'r drygionus ddarfod o flaen
  Duw.
³Ond y mae'r cyfiawn yn llawenhau;
y maent yn gorfoleddu gerbron Duw
ac yn ymhyfrydu mewn llawenydd.

⁴Canwch i Dduw, molwch ei enw,
codwch lef i'r un sy'n marchogaeth
  trwy'r anialdir;
yr ARGLWYDD yw ei enw,
  gorfoleddwch o'i flaen.
⁵Tad yr amddifaid ac amddiffynnydd y
  gweddwon
yw Duw yn ei drigfan sanctaidd.
⁶Mae Duw yn gosod yr unig mewn
  cartref,
ac yn arwain allan garcharorion mewn
  llawenydd;
ond y mae'r gwrthryfelwyr yn byw
  mewn diffeithwch.

⁷O Dduw, pan aethost ti allan o flaen
  dy bobl,
a gorymdeithio ar draws yr
  anialwch,   *Sela*
⁸crynodd y ddaear a glawiodd y
  nefoedd
o flaen Duw, Duw Sinai,
o flaen Duw, Duw Israel.
⁹Tywelltaist ddigonedd o law, O Dduw,
ac adfer dy etifeddiaeth pan oedd ar
  ddiffygio;
¹⁰cafodd dy braidd le i fyw ynddi,

ac yn dy ddaioni darperaist i'r
  anghenus, O Dduw.

¹¹Y mae'r Arglwydd yn datgan y gair,
ac y mae llu mawr yn cyhoeddi'r
  newydd
¹²fod brenhinoedd y byddinoedd ar ffo;
y mae'r merched gartref yn rhannu
  ysbail
¹³er iddynt aros ymysg y corlannau—
adenydd colomen wedi eu gorchuddio
  ag arian,
a'i hesgyll yn aur melyn.
¹⁴Pan wasgarodd yr Hollalluog
  frenhinoedd yno,
yr oedd yn eira ar Fynydd Salmon.

¹⁵Mynydd cadarn yw Mynydd Basan,
mynydd o gopaon yw Mynydd Basan.
¹⁶O fynydd y copaon, pam yr edrychi'n
  eiddigeddus
ar y mynydd lle dewisodd Duw drigo,
lle bydd yr ARGLWYDD yn trigo am
  byth?
¹⁷Yr oedd cerbydau Duw yn ugain mil,
yn filoedd ar filoedd,
pan ddaeth yr Arglwydd o Sinai ᵖʰ
  mewn sancteiddrwydd.
¹⁸Aethost i fyny i'r uchelder gyda
  chaethion ar dy ôl,
a derbyniaist anrhegion gan ddynion,
hyd yn oed gwrthryfelwyr,
er mwyn i'r ARGLWYDD Dduw drigo
  yno.

¹⁹Bendigedig yw'r Arglwydd,
sy'n ein cario ddydd ar ôl dydd;
Duw yw ein hiachawdwriaeth.   *Sela*
²⁰Duw sy'n gwaredu yw ein Duw ni;
gan yr ARGLWYDD Dduw y mae
  dihangfa rhag marwolaeth.
²¹Yn wir, bydd Duw'n dryllio pennau ei
  elynion,
pob copa gwalltog, pob un sy'n rhodio
  mewn euogrwydd.
²²Dywedodd yr Arglwydd, "Dof â
  hwy'n ôl o Basan,
dof â hwy'n ôl o waelodion y môr,
²³er mwyn iti drochiʳ dy droed mewn
  gwaed,
ac i dafodau dy gŵn gael eu cyfran o'r
  gelynion."

²⁴Gwelir dy orymdeithiau, O Dduw,
gorymdeithiau fy Nuw, fy mrenin, i'r

Tebygol. Hebraeg, *filoedd. Yr* ARGLWYDD *yn eu mysg, Sinai.*
ᶠelly Fersiynau. Hebraeg, *iti daro.*

cysegr—
²⁵ y cantorion ar y blaen a'r offerynwyr
yn dilyn,
a rhyngddynt forynion yn canu
tympanau.
²⁶ Yn y gynulleidfa y maent yn bendithio
Duw,
a'r ARGLWYDD yng nghynulliad ʳʰ
Israel.
²⁷ Yno y mae Benjamin fychan yn eu
harwain,
a thywysogion Jwda yn eu gwisgoedd ˢ,
tywysogion Sabulon a thywysogion
Nafftali.

²⁸ O Dduw, dangos dy rym,
y grym, O Dduw, y buost yn ei
weithredu drosom.
²⁹ O achos dy deml yn Jerwsalem
daw brenhinoedd ag anrhegion i ti.
³⁰ Cerydda anifeiliaid gwyllt y corsydd,
y gyr o deirw gyda'u lloi o bobl;
sathra i lawr y rhai sy'n dyheu am
arian,
gwasgara'r bobl sy'n ymhyfrydu mewn
rhyfel.
³¹ Bydded iddynt ddod â phres o'r Aifft;
brysied Ethiopia i estyn ei dwylo at
Dduw.

³² Canwch i Dduw, deyrnasoedd y
ddaear;
rhowch foliant i'r Arglwydd,   *Sela*
³³ i'r un sy'n marchogaeth yn y nefoedd,
y nefoedd a fu erioed.
Clywch! Y mae'n llefaru â'i lais
nerthol.
³⁴ Cydnabyddwch nerth Duw;
y mae ei ogoniant uwchben Israel
a'i rym yn y ffurfafen.
³⁵ Y mae Duw yn ofnadwy yn ei ᵗ gysegr;
y mae Duw Israel yn rhoi ynni a nerth
i'w bobl.
Bendigedig fyddo Duw.

I'r Cyfarwyddwr: ar Lilïau. I Ddafydd.

69 Gwared fi, O Dduw,
oherwydd cododd y dyfroedd at fy
ngwddf.
² Yr wyf yn suddo mewn llaid dwfn,
a heb le i sefyll arno;
yr wyf wedi mynd i ddyfroedd dyfnion,

ac y mae'r llifogydd yn fy sgubo
ymaith.
³ Yr wyf wedi diffygio'n gweiddi, a'm
gwddw'n sych;
y mae fy llygaid yn pylu wrth ddisgwyl
am fy Nuw.
⁴ Mwy niferus na gwallt fy mhen
yw'r rhai sy'n fy nghasáu heb achos;
lluosocach na'm hesgyrn ᵗʰ
yw fy ngelynion ffals.
Sut y dychwelaf yr hyn nas cymerais?
⁵ O Dduw, gwyddost ti fy ffolineb,
ac nid yw fy nhroseddau'n guddiedig
oddi wrthyt.
⁶ Na fydded i'r rhai sy'n gobeithio ynot
gael eu cywilyddio o'm plegid,
O Arglwydd DDUW y Lluoedd,
nac i'r rhai sy'n dy geisio gael eu
gwaradwyddo o'm hachos,
O Dduw Israel.
⁷ Oherwydd er dy fwyn di y dygais
warth,
ac y mae fy wyneb wedi ei orchuddio â
chywilydd.
⁸ Euthum yn ddieithryn i'm brodyr,
ac yn estron i blant fy mam.
⁹ Y mae sêl dy dŷ di wedi fy ysu,
a daeth gwaradwydd y rhai sy'n dy
waradwyddo di arnaf finnau.
¹⁰ Pan ddarostyngaf ᵘ fy hunan mewn
ympryd,
fe'i hystyrir yn waradwydd i mi;
¹¹ pan wisgaf sachliain amdanaf,
fe'm gwneir yn ddihareb iddynt.
¹² Y mae'r rhai sy'n eistedd wrth y porth
yn siarad amdanaf,
ac yr wyf yn destun i ganeuon y
meddwon.

¹³ Ond daw fy ngweddi i atat, O
ARGLWYDD,
ar yr amser priodol, O Dduw.
Yn dy gariad mawr ateb fi,
ac yn dy waredigaeth sicr.
¹⁴ Gwared fi o'r llaid rhag imi suddo,
achuber fi o'r mwd ʷ ac o'r dyfroedd
dyfnion.
¹⁵ Na fydded i'r llifogydd fy sgubo
ymaith,
na'r dyfnder fy llyncu,
na'r pwll gau ei safn amdanaf.
¹⁶ Ateb fi, ARGLWYDD, oherwydd da yw
dy gariad;

ʳʰTebygol. Hebraeg, *yn ffynhonnell.*   ˢFelly un llawysgrif a Jerôm. TM, *yn eu tyrfa.*
ᵗFelly Jerôm. Hebraeg, *o'th.*   ᵗʰFelly Syrieg. Hebraeg, *cryf yw'r rhai sy'n fy nistrywio.*
ᵘFelly Fersiynau. Hebraeg, *Pan wylaf.*   ʷTebygol. Hebraeg, *fi rhag y rhai sy'n fy nghasáu.*

yn dy drugaredd mawr, tro ataf.
[17]Paid â chuddio dy wyneb oddi wrth dy
    was;
  y mae'n gyfyng arnaf, brysia i'm
    hateb.
[18]Tyrd yn nes ataf i'm gwaredu;
  rhyddha fi o achos fy ngelynion.
[19]Fe wyddost ti fy ngwaradwydd,
  fy ngwarth a'm cywilydd;
  yr wyt yn gyfarwydd â'm holl elynion.
[20]Y mae gwarth wedi torri fy nghalon,
  ac yr wyf mewn anobaith;
  disgwyliais am dosturi, ond heb ei
    gael,
  ac am rai i'm cysuro, ond nis cefais.
[21]Rhoesant wenwyn yn fy mwyd,
  a gwneud imi yfed finegr at fy syched.
[22]Bydded eu bwrdd eu hunain yn rhwyd
    iddynt,
  a'u gwyliau aberthu yn fagl iddynt.
[23]Tywyller eu llygaid rhag iddynt weld,
  a gwna i'w cluniau grynu'n barhaus.
[24]Tywallt dy ddicter arnynt,
  a doed dy lid mawr ar eu gwarthaf.
[25]Bydded eu gwersyll yn anghyfannedd,
  heb neb yn byw yn eu pebyll,
[26]oherwydd erlidiant yr un a drewaist ti,
  ac ychwanegant at[y] friwiau'r un[a] a
    archollaist.
[27]Rho iddynt gosb ar ben cosb;
  na chyfiawnhaer hwy gennyt ti.
[28]Dilëer hwy o lyfr y rhai byw,
  ac na restrer hwy gyda'r cyfiawn.

[29]Yr wyf fi mewn gofid a phoen;
  trwy dy waredigaeth, O Dduw, cod fi i
    fyny.

[30]Moliannaf enw Duw ar gân,
  mawrygaf ef â diolchgarwch.
[31]Bydd hyn yn well gan yr ARGLWYDD
    nag ych,
  neu fustach ifanc gyda chyrn a
    charnau.
[32]Bydded i'r darostyngedig weld hyn a
    llawenhau;
  chwi sy'n ceisio Duw, bydded i'ch
    calonnau adfywio;
[33]oherwydd y mae'r ARGLWYDD yn
    gwrando'r anghenus,
  ac nid yw'n diystyru ei eiddo sy'n
    gaethion.
[34]Bydded i'r nefoedd a'r ddaear ei

foliannu,
  y môr hefyd a phopeth byw sydd
    ynddo.
[35]Oherwydd bydd Duw yn gwaredu
    Seion,
  ac yn ailadeiladu dinasoedd Jwda;
  byddant yn byw yno ac yn ei
    meddiannu,
[36]bydd plant ei weision yn ei hetifeddu,
  a'r rhai sy'n caru ei enw'n byw yno.

*I'r Cyfarwyddwr: i Ddafydd, er
coffadwriaeth.*

70 Bydd fodlon[b] i'm gwaredu, O
    Dduw;
  O ARGLWYDD, brysia i'm cynorthwyo.
[2]Doed cywilydd, ac arswyd hefyd
  ar y rhai sy'n ceisio fy mywyd;
  bydded i'r rhai sy'n cael pleser o
    wneud drwg imi
  gael eu troi'n eu holau mewn dryswch.
[3]Bydded i'r rhai sy'n gweiddi, "Aha!
    Aha!" arnaf[c]
  droi'n eu holau o achos eu
    gwaradwydd.

[4]Ond bydded i bawb sy'n dy geisio di
  lawenhau a gorfoleddu ynot;
  bydded i'r rhai sy'n caru dy
    iachawdwriaeth
  ddweud yn wastad, "Mawr yw Duw."
[5]Un tlawd ac anghenus wyf fi;
  O Dduw, brysia ataf.
  Ti yw fy nghymorth a'm gwaredydd;
  O ARGLWYDD, paid ag oedi.

71 Ynot ti, ARGLWYDD, y ceisiais
    loches;
  na fydded cywilydd arnaf byth.
[2]Yn dy gyfiawnder gwared ac achub fi,
  tro dy glust ataf ac arbed fi.
[3]Bydd yn graig noddfa[ch] i mi,
  yn amddiffynfa[d] i'm cadw,
  oherwydd ti yw fy nghraig a'm
    hamddiffynfa.
[4]O fy Nuw, gwared fi o law'r drygionus,
  o afael yr anghyfiawn a'r creulon.
[5]Oherwydd ti, Arglwydd, yw fy
    ngobaith,

---

[y]Felly Fersiynau. Hebraeg, *a chyfrifant.*
[b]Hebraeg heb *Bydd fodlon.* Cymh. 40:13.
[ch]Felly rhai llawysgrifau a Fersiynau. Cymh. 31:2. TM, *yn drigfa.*
[d]Felly Groeg. Cymh. 31:2. Hebraeg, *i mi; i ddod yn wastad gorchmynnaist.*
[a]Felly un llawysgrif. TM, *rhai.*
[c]Hebraeg heb *arnaf.* Cymh. 40.15.

fy ymddiriedaeth o'm hieuenctid, O
ARGLWYDD.
⁶Arnat ti y bûm yn pwyso o'm
genedigaeth;
ti a'm tynnodd allan o groth fy mam.
Amdanat ti y bydd fy mawl yn wastad.
⁷Bûm fel pe'n rhybudd i lawer;
ond ti yw fy noddfa gadarn.
⁸Y mae fy ngenau'n llawn o'th foliant
ac o'th ogoniant bob amser.

⁹Paid â'm bwrw ymaith yn amser
henaint;
paid â'm gadael pan fydd fy nerth yn
pallu.
¹⁰Oherwydd y mae fy ngelynion yn
siarad amdanaf,
a'r rhai sy'n gwylio am fy einioes yn
trafod gyda'i gilydd,
¹¹ac yn dweud, "Y mae Duw wedi ei
adael;
ewch ar ei ôl a'i ddal, oherwydd nid
oes gwaredydd."
¹²O Dduw, paid â phellhau oddi wrthyf;
O fy Nuw, brysia i'm cynorthwyo.
¹³Doed cywilydd a gwarth ar fy
ngwrthwynebwyr,ᵈᵈ
a gwaradwyddᵉ yn orchudd dros y rhai
sy'n ceisio fy nrygu.
¹⁴Ond byddaf fi'n disgwyl yn wastad,
ac yn dy foli'n fwy ac yn fwy.
¹⁵Bydd fy ngenau'n mynegi dy
gyfiawnder
a'th weithredoedd achubol trwy'r
amser,
oherwydd ni wn eu nifer.
¹⁶Dechreuaf gyda'r gweithredoedd
grymus, O Arglwydd DDUW;
soniaf am dy gyfiawnder di yn unig.

¹⁷O Dduw, dysgaist fi o'm hieuenctid,
ac yr wyf yn dal i gyhoeddi dy
ryfeddodau;
¹⁸a hyd yn oed pan wyf yn hen a
phenwyn,
O Dduw, paid â'm gadael,
nes imi fynegi dy rym
i'r cenedlaethau sy'n codi.
¹⁹Y mae dy gryfderᶠ a'th gyfiawnder, O
Dduw,
yn cyrraedd i'r uchelder,

oherwydd iti wneud pethau mawr.
O Dduw, pwy sydd fel tydi?
²⁰Ti, a wnaeth imi weld cyfyngderau
mawr a chwerw,
fydd yn fy adfywio drachefn;
ac o ddyfnderau'r ddaear
fe'm dygi i fyny unwaith eto.
²¹Byddi'n ychwanegu at fy anrhydedd,
ac yn troi i'm cysuro.
²²Byddaf finnau'n dy foliannu â'r delyn
am dy ffyddlondeb, O fy Nuw;
byddaf yn canu i ti â'r tannau,
O Sanct Israel.
²³Bydd fy ngwefusau'n gweiddi'n
llawen—
oherwydd canaf i ti—
a hefyd yr enaid a waredaist.
²⁴Bydd fy nhafod beunydd
yn sôn am dy gyfiawnder;
oherwydd daeth gwarth a gwaradwydd
ar y rhai a fu'n ceisio fy nrygu.

I Solomon.

72 O Dduw, rho dy farnedigaeth i'r
brenin,
a'th gyfiawnder i fab y brenin,
²Bydded iddo farnu dy bobl yn gyfiawn,
a'th rai anghenus yn gywir.
³Doed y mynyddoedd â heddwch i'r
bobl,
a'r bryniau â chyfiawnder.
⁴Bydded iddo amddiffyn achos tlodion
y bobl,
a gwaredu'r rhai anghenus,
a dryllio'r gorthrymwr.
⁵Bydded iddo fywᶠᶠ tra bo haul
a chyhyd â'r lleuad, o genhedlaeth i
genhedlaeth.
⁶Bydded fel glaw yn disgyn ar gnwd,
ac fel cawodydd yn dyfrhau'rᵍ ddaear.
⁷Bydded cyfiawnderⁿᵍ yn llwyddo yn ei
ddyddiau,
a heddwch yn ffynnu tra bo lleuad.

⁸Bydded iddo lywodraethu o fôr i fôr,
ac o'r Afon hyd derfynau'r ddaear.
⁹Bydded i'w wrthwynebwyrʰ blygu o'i
flaen,
ac i'w elynion lyfu'r llwch.
¹⁰Bydded i frenhinoedd Tarsis a'r

ᵈᵈFelly llawysgrifau a Syrieg. TM, *cywilydd ar fy ngwrthwynebwyr, diflannant.*
ᵉFelly Syrieg. Hebraeg, *gwaradwydd a gwarth.*
ᶠY mae *dy gryfder* yn yr adn. flaenorol yn yr Hebraeg.   ᶠᶠFelly Fersiynau. Hebraeg, *Ofnant di.*
ᵍFelly Fersiynau. Hebraeg, *yn ddiferyn.*
ⁿᵍFelly rhai llawysgrifau a Fersiynau. TM, *Bydded y cyfiawn.*
ʰTebygol. Hebraeg, *Bydded i drigolion yr anialwch.*

ynysoedd
ddod ag anrhegion iddo,
ac i frenhinoedd Sheba a Seba
gyflwyno eu teyrnged.
[11] Bydded i'r holl frenhinoedd ymostwng
o'i flaen,
ac i'r holl genhedloedd ei wasanaethu.

[12] Oherwydd y mae'n gwaredu'r
anghenus pan lefa,
a'r tlawd pan yw heb gynorthwywr.
[13] Y mae'n tosturio wrth y gwan a'r
anghenus,
ac yn gwaredu bywyd y tlodion.
[14] Y mae'n achub eu bywyd rhag trais a
gorthrwm,
ac y mae eu gwaed yn werthfawr yn ei
olwg.

[15] Hir oes fo iddo,
a rhodder iddo aur o Seba;
aed gweddi i fyny ar ei ran yn wastad,
a chaffed ei fendithio bob amser.
[16] Bydded digonedd o ŷd yn y wlad,
yn tyfu hyd at bennau'r mynyddoedd;
a bydded ei gnwd yn cynyddu fel
Lebanon,
a'i rawn[i] fel gwellt y maes.
[17] Bydded ei enw'n aros hyd byth,
ac yn para cyhyd â'r haul;
a'r holl genhedloedd yn cael bendith
ynddo
ac yn ei alw'n fendigedig.
[18] Bendigedig fyddo'r ARGLWYDD[l], Duw
Israel;
ef yn unig sy'n gwneud rhyfeddodau.
[19] Bendigedig fyddo'i enw gogoneddus
hyd byth,
a bydded yr holl ddaear yn llawn o'i
ogoniant.
Amen ac Amen.

[20] Diwedd gweddïau Dafydd fab Jesse.

LLYFR 3

Salm. I Asaff.

73

Yn sicr, da yw Duw i'r uniawn[ll],
a'r Arglwydd i'r rhai pur o galon.
[2] Yr oedd fy nhraed bron â baglu,
a bu ond y dim i'm gwadnau lithro,

[3] am fy mod yn cenfigennu wrth y
trahaus
ac yn eiddigeddus o lwyddiant y
drygionus.
[4] Oherwydd nid oes ganddynt hwy
ofidiau;
y mae eu cyrff yn iach a graenus.[m]
[5] Nid ydynt hwy mewn helynt fel dynion
eraill,
ac nid ydynt hwy'n cael eu poenydio
fel eraill.
[6] Am hynny, y mae balchder yn gadwyn
am eu gyddfau,
a thrais yn wisg amdanynt.
[7] Y mae eu llygaid yn disgleirio o
fraster,
a'u calonnau'n gorlifo o ffolineb.
[8] Y maent yn gwawdio ac yn siarad yn
ddichellgar,
yn sôn yn ffroenuchel am ormes.
[9] Gosodant eu genau yn erbyn y
nefoedd,
ac y mae eu tafod yn tramwyo'r
ddaear.
[10] Am hynny, y mae'r bobl yn troi
atynt[n],
ac ni chânt unrhyw fai ynddynt. [o]
[11] Dywedant, "Sut y mae Duw'n
gwybod?
A oes gwybodaeth gan y Goruchaf?"
[12] Edrych, dyma hwy y rhai drygionus—
bob amser mewn esmwythyd ac yn
casglu cyfoeth.

[13] Yn gwbl ofer y cedwais fy nghalon yn
lân,
a golchi fy nwylo mewn
diniweidrwydd;
[14] ar hyd y dydd yr wyf wedi fy
mhoenydio,
ac fe'm cosbir bob bore.
[15] Pe buaswn wedi dweud, "Fel hyn y
siaradaf",
buaswn wedi bradychu cenhedlaeth dy
blant.
[16] Ond pan geisiais ddeall hyn,
yr oedd yn rhy anodd i mi,
[17] nes imi fynd i gysegr Duw;
yno y gwelais eu diwedd.
[18] Yn sicr, yr wyt yn eu gosod ar fannau
llithrig,
ac yn gwneud iddynt syrthio i

---

[i] Tebygol. Hebraeg, o ddinas. [l] Felly llawysgrifau a Fersiynau. TM, ARGLWYDD Dduw.
[ll] Tebygol. Hebraeg, da yw i Israel.
[m] Tebygol. Hebraeg, ofidiau i'w marwolaeth; y mae eu cyrff yn raenus.
[n] Tebygol. Hebraeg, yn dychwelyd yma.
[o] Tebygol. Hebraeg, a sychir digon o ddyfroedd ganddynt.

ddistryw.
¹⁹ Fe ânt i ddinistr ar amrantiad,
fe'u cipir yn llwyr gan ddychrynfeydd.
²⁰ Fel breuddwyd ar ôl deffro, y maent
wedi mynd ᵖ;
wrth ddeffro ᵖʰ fe'u diystyrir fel
hunllef.

²¹ Pan oedd fy nghalon yn chwerw
a'm coluddion wedi eu trywanu,
²² yr oeddwn yn ddwl a diddeall,
ac yn ymddwyn fel anifail tuag atat.
²³ Er hynny, yr wyf gyda thi bob amser;
yr wyt yn cydio yn fy neheulaw.
²⁴ Yr wyt yn fy arwain â'th gyngor,
ac yna'n fy nerbyn mewn gogoniant.
²⁵ Pwy sydd gennyf yn y nefoedd ond ti?
Ac nid wyf yn dymuno ond tydi ar y
ddaear.
²⁶ Er i'm calon a'm cnawd ballu,
eto y mae Duw yn gryfder i'm calon ac
yn rhan imi am byth.
²⁷ Yn wir, fe ddifethir y rhai sy'n bell
oddi wrthyt,
a daw diwedd ar y rhai sy'n anffyddlon
i ti.
²⁸ Ond da i mi yw bod yn agos at Dduw;
yr wyf wedi gwneud yr Arglwydd
Dᴜᴡ yn gysgod i mi,
er mwyn imi fynegi dy ryfeddodau.

Mascîl. I Asaff.

74 Pam, Dduw, y bwriaist ni ymaith
am byth?
Pam y myga dy ddigofaint yn erbyn
defaid dy borfa?
² Cofia dy gynulleidfa a brynaist gynt,
y llwyth a waredaist yn etifeddiaeth iti,
a Mynydd Seion lle'r oeddit yn trigo.
³ Cyfeiria dy draed at yr adfeilion
bythol;
dinistriodd y gelyn bopeth yn y deml.
⁴ Rhuodd dy elynion yng nghanol dy
gysegr,
a gosod eu harwyddion eu hunain yn
arwyddion yno.
⁵ Y maent wedi malurio ʳ, fel
coedwigwyr
yn chwifio'u bwyeill mewn llwyn o
goed.
⁶ Tynasant allan yr holl waith cerfiedig

a'i falu â bwyeill a morthwylion.
⁷ Rhoesant dy gysegr ar dân,
a halogi'n llwyr breswylfod dy enw.
⁸ Dywedasant ynddynt eu hunain,
"Difodwn hwy i gyd";
llosgasant holl demlau Duw trwy'r tir.
⁹ Ni welwn arwyddion i ni, nid oes
proffwyd;
ac nid oes yn ein plith un a ŵyr am ba
hyd.
¹⁰ Am ba hyd, O Dduw, y gwawdia'r
gwrthwynebwr?
a yw'r gelyn i ddifrïo dy enw am byth?
¹¹ Pam yr wyt yn atal dy law,
ac yn cuddio dy ddeheulaw yn dy
fynwes?

¹² Ond ti, O Dduw, yw fy mrenin erioed,
yn gweithio iachawdwriaeth ar y
ddaear.
¹³ Ti, â'th nerth, a rannodd y môr,
torraist bennau'r dreigiau yn y
dyfroedd.
¹⁴ Ti a ddrylliodd bennau Lefiathan,
a'i roi'n fwyd i fwystfilod y môr ʳʰ.
¹⁵ Ti a agorodd ffynhonnau ac afonydd, a
sychu'r dyfroedd di-baid.
¹⁶ Eiddot ti yw dydd a nos,
ti a sefydlodd oleuni a haul.
¹⁷ Ti a osododd holl derfynau daear,
ti a drefnodd haf a gaeaf.

¹⁸ Cofia, O Aʀɢʟᴡʏᴅᴅ, fel y mae'r gelyn
yn gwawdio,
a phobl ynfyd yn difrïo dy enw.
¹⁹ Paid â rhoi dy golomen i'r bwystfilod,
nac anghofio bywyd dy drueiniaid am
byth.
²⁰ Rho sylw i'th gyfamod,
oherwydd y mae cuddfannau'r ddaear
yn llawn
ac yn gartref i drais.
²¹ Paid â gadael i'r gorthrymedig droi
ymaith yn ddryslyd;
bydded i'r tlawd a'r anghenus glodfori
dy enw.
²² Cyfod, O Dduw, i ddadlau dy achos;
cofia fel y mae'r ynfyd yn dy wawdio'n
wastad.
²³ Paid ag anghofio crechwen dy elynion,
a chrochlefain cynyddol dy
wrthwynebwyr.

ᵖ Tebygol. Hebraeg, *deffro, fy arglwydd.*
ʳ Tebygol. Hebraeg, *wedi ymddangos.*

ᵖʰ Tebygol. Hebraeg, *yn y ddinas.*
ʳʰ Tebygol. Hebraeg, *i bobl yn yr anialwch.*

I'r Cyfarwyddwr: ar Na Ddinistria.
Salm. I Asaff. Cân.

75 Diolchwn i ti, O Dduw, diolchwn
i ti;
y mae'r rhai sy'n galw ar dy enw[s] yn
adrodd am dy ryfeddodau.

[2] Manteisiaf ar yr amser penodedig,
ac yna barnaf yn gywir.
[3] Pan fo'r ddaear yn gwegian, a'i holl
drigolion,
myfi sy'n cynnal ei cholofnau.   *Sela*

[4] Dywedaf wrth yr ymffrostgar,
"Peidiwch ag ymffrostio",
ac wrth y drygionus, "Peidiwch â
chodi'ch corn;
[5] peidiwch â chodi'ch corn yn uchel
na siarad yn haerllug wrth eich
Craig[t]."
[6] Nid o'r dwyrain na'r gorllewin
nac o'r anialwch y bydd dyrchafu,
[7] ond Duw fydd yn barnu—
yn darostwng y naill a chodi'r llall,
[8] Oherwydd y mae cwpan yn llaw'r
ARGLWYDD,
a'r gwin yn ewynnu ac wedi ei
gymysgu;
fe dywallt ddiod ohono,
a bydd holl rai drygionus y ddaear
yn ei yfed i'r gwaelod.
[9] Ond clodforaf fi am byth,
a chanaf fawl i Dduw Jacob,
[10] am ei fod yn torri ymaith holl gyrn y
drygionus,
a chyrn y cyfiawn yn cael eu dyrchafu.

I'r Cyfarwyddwr: ar offerynnau llinynnol.
Salm. I Asaff. Cân.

76 Y mae Duw'n adnabyddus yn
Jwda,
a'i enw'n fawr yn Israel;
[2] y mae ei babell wedi ei gosod yn
Salem,
a'i gartref yn Seion.
[3] Yno fe faluriodd y saethau tanllyd,
y darian, y cleddyf a'r arfau
rhyfel.   *Sela*

[4] Ofnadwy[th] wyt ti, a chryfach

na'r mynyddoedd tragwyddol[u].
[5] Ysbeiliwyd y rhai cryf o galon,
y maent wedi suddo i gwsg,
a phallodd nerth yr holl ryfelwyr.
[6] Gan dy gerydd di, O Dduw Jacob,
syfrdanwyd y marchog a'r march.

[7] Ofnadwy wyt ti. Pwy a all sefyll o'th
flaen
oherwydd grym dy ddig?
[8] Yr wyt wedi cyhoeddi dedfryd o'r
nefoedd;
ofnodd y ddaear a distewi
[9] pan gododd Duw i farnu,
ac i waredu holl drueiniaid y
ddaear.   *Sela*

[10] Bydd Edom, er ei ddig, yn dy
foliannu,
a gweddill Hamath yn cadw gŵyl i ti[w].
[11] Gwnewch eich addunedau i'r
ARGLWYDD eich Duw, a'u talu;
bydded i bawb o'i amgylch ddod â
rhoddion i'r un ofnadwy,
[12] oherwydd y mae'n dryllio ysbryd
tywysogion,
ac yn ofnadwy i frenhinoedd y ddaear.

I'r Cyfarwyddwr: ar Jeduthun.
I Asaff. Salm.

77 Gwaeddais yn uchel ar Dduw,
yn uchel ar Dduw, a chlywodd fi.
[2] Yn nydd fy nghyfyngder ceisiais yr
Arglwydd,
ac yn y nos estyn fy nwylo'n ddiflino;
nid oedd cysuro ar fy enaid.
[3] Pan feddyliaf am Dduw, yr wyf yn
cwyno;
pan fyfyriaf, fe balla f'ysbryd.   *Sela*
[4] Cedwaist fy llygaid rhag cau;
fe'm syfrdanwyd, ac ni allaf siarad.
[5] Af yn ôl i'r dyddiau gynt
a chofio[y] am y blynyddoedd a fu;
[6] meddyliaf[a] ynof fy hun yn y nos,
myfyriaf, a'm holi fy hunan[b],
[7] "A wrthyd yr Arglwydd am byth,
a pheidio â gwneud ffafr mwyach?
[8] A yw ei ffyddlondeb wedi darfod yn
llwyr,
a'i addewid wedi ei hatal am
genedlaethau?

---

[s] Cymh. Fersiynau. Hebraeg, *y mae dy enw'n agos.*   [t] Felly Fersiynau. Hebraeg, *gyda gwddf.*
[th] Felly Fersiynau. Hebraeg, *Gogoneddus.*   [u] Felly Fersiynau. Hebraeg, *mynyddoedd ysbail.*
[w] Felly Fersiynau. Hebraeg, *yn gwisgo.*
[y] Felly Fersiynau. Hebraeg yn darllen *a chofio* yn yr adnod nesaf.
[a] Felly Fersiynau. Hebraeg, *fy nghân.*   [b] Felly Fersiynau. Hebraeg, *a chwiliodd ef fy ysbryd.*

⁹A yw Duw wedi anghofio trugarhau?
A yw yn ei lid wedi cloi ei
dosturi?'' *Sela*
¹⁰Yna dywedais, "Hyn yw fy ngofid,
bod deheulaw'r Goruchaf wedi pallu.''

¹¹Galwaf i gof weithredoedd yr
ARGLWYDD,
a chofio am dy ryfeddodau gynt.
¹²Meddyliaf am dy holl waith,
a myfyriaf am dy weithredoedd.
¹³O Dduw, sanctaidd yw dy ffordd;
pa dduw sydd fawr fel ein Duw ni?
¹⁴Ti yw'r Duw sy'n gwneud pethau
rhyfedd;
dangosaist dy rym ymhlith y bobloedd.
¹⁵Â'th fraich gwaredaist dy bobl,
meibion Jacob a Joseff. *Sela*
¹⁶Gwelodd y dyfroedd di, O Dduw,
gwelodd y dyfroedd di ac arswydo;
yn wir, yr oedd y dyfnder yn crynu.
¹⁷Tywalltodd y cymylau ddŵr,
ac yr oedd y ffurfafen yn taranu;
fflachiodd dy saethau ar bob llaw.
¹⁸Yr oedd sŵn dy daranau yn y corwynt,
goleuodd dy fellt y byd;
ysgydwodd y ddaear a chrynu.
¹⁹Aeth dy ffordd drwy'r môr,
a'th lwybr trwy ddyfroedd nerthol;
ond ni welwyd ôl dy gamau.
²⁰Arweiniast dy bobl fel praidd,
trwy law Moses ac Aaron.

Mascîl. I Asaff.

78 Gwrandewch fy nysgeidiaeth, fy mhobl,
gogwyddwch eich clust at eiriau fy
ngenau.
²Agoraf fy ngenau mewn dihareb,
a llefaraf ddamhegion o'r dyddiau
gynt,
³pethau a glywsom ac a wyddom,
ac a adroddodd ein tadau wrthym.
⁴Ni chuddiwn hwy oddi wrth eu
disgynyddion,
ond adroddwn wrth y genhedlaeth sy'n
dod
weithredoedd gogoneddus yr
ARGLWYDD, a'i rym,
a'r pethau rhyfeddol a wnaeth.
⁵Fe roes ddyletswydd ar Jacob,
a gosod cyfraith yn Israel,
a rhoi gorchymyn i'n tadau,
i'w dysgu i'w plant;
⁶er mwyn i'r to sy'n codi wybod,
ac i'r plant sydd heb eu geni eto

ddod ac adrodd wrth eu plant;
⁷er mwyn iddynt roi eu ffydd yn Nuw,
a pheidio ag anghofio gweithredoedd
Duw,
ond cadw ei orchmynion;
⁸rhag iddynt fod fel eu tadau
yn genhedlaeth gyndyn a
gwrthryfelgar,
yn genhedlaeth â'i chalon heb fod yn
gadarn
a'i hysbryd heb fod yn ffyddlon i
Dduw.

⁹Bu i feibion Effraim, gwŷr arfog a
saethwyr bwa,
droi'n eu holau yn nydd brwydr,
¹⁰am iddynt beidio â chadw cyfamod
Duw,
a gwrthod rhodio yn ei gyfraith;
¹¹am iddynt anghofio ei weithredoedd
a'r rhyfeddodau a ddangosodd iddynt.

¹²Gwnaeth bethau rhyfedd yng ngŵydd
eu tadau
yng ngwlad yr Aifft, yn nhir Soan;
¹³rhannodd y môr a'u dwyn trwyddo,
a gwneud i'r dŵr sefyll fel argae.
¹⁴Arweiniodd hwy â chwmwl y dydd,
a thrwy'r nos â thân disglair.
¹⁵Holltodd greigiau yn yr anialwch,
a gwneud iddynt yfed o'r dyfroedd
di-baid;
¹⁶dygodd ffrydiau allan o graig,
a pheri i ddŵr lifo fel afonydd.
¹⁷Ond yr oeddent yn dal i bechu yn ei
erbyn,
ac i herio'r Goruchaf yn yr anialwch,
¹⁸a rhoi prawf ar Dduw yn eu calonnau
trwy ofyn bwyd yn ôl eu blys.
¹⁹Bu iddynt lefaru yn erbyn Duw a
dweud,
"A all Duw arlwyo bwrdd yn yr
anialwch?
²⁰Y mae'n wir iddo daro'r graig ac i
ddŵr ddod allan,
ac i afonydd lifo,
ond a yw'n medru rhoi bara hefyd,
ac yn medru paratoi cig i'w bobl?''
²¹Felly, pan glywodd yr ARGLWYDD hyn,
digiodd;
cyneuwyd tân yn erbyn Jacob,
a chododd llid yn erbyn Israel,
²²am nad oeddent yn credu yn Nuw,
nac yn ymddiried yn ei waredigaeth.
²³Yna, rhoes orchymyn i'r ffurfafen
uchod,
ac agorodd ddrysau'r nefoedd;

²⁴glawiodd arnynt fanna i'w fwyta,
   a rhoi iddynt ŷd y nefoedd;
²⁵yr oedd dynion yn bwyta bara
      angylion,
   a rhoes iddynt fwyd mewn llawnder.
²⁶Gwnaeth i ddwyreinwynt chwythu yn
      y nefoedd,
   ac â'i nerth dygodd allan ddeheuwynt;
²⁷glawiodd arnynt gig fel llwch,
   ac adar hedegog fel tywod ar lan y
      môr;
²⁸parodd iddynt ddisgyn yng nghanol eu
      gwersyll,
   o gwmpas eu pebyll ym mhobman.
²⁹Bwytasant hwythau a chawsant
      ddigon,
   oherwydd rhoes iddynt eu dymuniad.
³⁰Ond cyn iddynt ddiwallu eu chwant,
   a'r bwyd yn dal yn eu genau,
³¹cododd dig Duw yn eu herbyn,
   a lladdodd y rhai mwyaf graenus
      ohonynt,
   a darostwng rhai dewisol Israel.

³²Er hyn, yr oeddent yn dal i bechu,
   ac nid oeddent yn credu yn ei
      ryfeddodau.
³³Felly gwnaeth i'w hoes ddarfod ar
      amrantiad,
   a'u blynyddoedd mewn dychryn.
³⁴Pan oedd yn eu taro, yr oeddent yn ei
      geisio;
   yr oeddent yn edifarhau ac yn chwilio
      am Dduw.
³⁵Yr oeddent yn cofio mai Duw oedd eu
      craig,
   ac mai'r Duw Goruchaf oedd eu
      gwaredydd.
³⁶Ond yr oeddent yn rhagrithio â'u
      genau,
   ac yn ei dwyllo â'u tafodau;
³⁷nid oedd eu calon yn glynu wrtho,
   ac nid oeddent yn ffyddlon i'w
      gyfamod.
³⁸Eto, bu ef yn drugarog, maddeuodd
      eu trosedd,
   ac ni ddistrywiodd hwy;
   dro ar ôl tro ataliodd ei ddig,
   a chadw ei lid rhag codi.
³⁹Cofiodd mai cnawd oeddent,
   gwynt sy'n mynd heibio heb
      ddychwelyd.
⁴⁰Mor aml y bu iddynt wrthryfela yn ei
      erbyn yn yr anialwch,
   a pheri gofid iddo yn y diffeithwch!
⁴¹Dro ar ôl tro rhoesant brawf ar Dduw,

   a blino Sanct Israel.
⁴²Nid oeddent yn cofio ei rym
   y dydd y gwaredodd hwy rhag y gelyn,
⁴³pan roes ei arwyddion yn yr Aifft
   a'i ryfeddodau ym meysydd Soan.
⁴⁴Fe drodd eu hafonydd yn waed,
   ac ni allent yfed o'u ffrydiau.
⁴⁵Anfonodd bryfetach arnynt a'r
      rheini'n eu hysu,
   a llyffaint a oedd yn eu difa.
⁴⁶Rhoes eu cnwd i'r lindys,
   a ffrwyth eu llafur i'r locust.
⁴⁷Dinistriodd eu gwinwydd â chenllysg,
   a'u sycamorwydd â glawogydd.
⁴⁸Rhoes eu gwartheg i'r hainṫᶜ,
   a'u diadell i'r plâu.
⁴⁹Anfonodd ei lid mawr arnynt,
   a hefyd ddicter, cynddaredd a gofid—
   cwmni o negeswyr gwae—
⁵⁰a rhoes ryddid i'w lidiowgrwydd.
   Nid arbedodd hwy rhag marwolaeth
   ond rhoi eu bywyd i'r haint.
⁵¹Trawodd holl rai cyntafanedig yr
      Aifft,
   blaenffrwyth eu nerth ym mhebyll
      Ham.
⁵²Yna dygodd allan ei bobl fel defaid,
   a'u harwain fel praidd trwy'r anialwch;
⁵³arweiniodd hwy'n ddiogel heb fod
      arnynt ofn,
   ond cuddiodd y môr eu gelynion.
⁵⁴Dygodd hwy i'w dir sanctaidd,
   i'r mynydd a goncrodd â'i ddeheulaw.
⁵⁵Gyrrodd allan genhedloedd o'u
      blaenau;
   rhannodd eu tir yn etifeddiaeth,
   a gwneud i lwythau Israel fyw yn eu
      pebyll.

⁵⁶Eto, profasant Dduw a gwrthryfela yn
      ei erbyn,
   ac nid oeddent yn cadw gofynion y
      Goruchaf.
⁵⁷Troesant a mynd yn fradwrus fel eu
      tadau;
   yr oeddent mor dwyllodrus â bwa llac.
⁵⁸Dygasant ofid iddo trwy eu
      huchelfeydd,
   a'i wneud yn eiddigeddus â'u
      heilunod.
⁵⁹Pan glywodd Duw, fe ddigiodd,
   a gwrthod Israel yn llwyr;
⁶⁰gadawodd ei drigfan yn Seilo,
   lle'r oedd yn byw ymysg dynion;
⁶¹gadawodd i'w gadernid fynd i
      gaethglud,

ᶜFelly rhai llawysgrifau. TM, *i'r cenllysg.*

a'i ogoniant i ddwylo gelynion;
⁶²rhoes ei bobl i'r cleddyf,
a thywallt ei lid ar ei etifeddiaeth.
⁶³Ysodd tân eu gwŷr ifainc,
ac ni allai eu morynion ofidio;
⁶⁴syrthiodd eu hoffeiriaid trwy'r cleddyf,
ac ni allai eu gweddwon alaru.
⁶⁵Yna, cododd yr Arglwydd, fel o gwsg,
fel rhyfelwr yn cael ei symbylu gan
win.
⁶⁶Trawodd ei elynion yn eu holau,
a'u rhoi mewn gwarth tragwyddol.

⁶⁷Gwrthododd babell Joseff,
ac ni ddewisodd lwyth Effraim;
⁶⁸ond dewisodd lwyth Jwda,
a Mynydd Seion y mae'n ei garu.
⁶⁹Cododd ei gysegr cyn uched â'r
nefoedd,
a'i sylfeini, fel y ddaear, am byth.
⁷⁰Dewisodd Ddafydd yn was iddo,
a'i gymryd o'r corlannau defaid;
⁷¹o fod yn gofalu am y mamogiaid
daeth ag ef i fugeilio'i bobl Jacob,
ac Israel ei etifeddiaeth.
⁷²Bugeiliodd hwy â chalon gywir,
a'u harwain â llaw ddeheuig.

Salm. I Asaff.

79 O Dduw, daeth y cenhedloedd i'th
etifeddiaeth,
a halogi dy deml sanctaidd,
a gwneud Jerwsalem yn adfeilion.
²Rhoesant gyrff dy weision
yn fwyd i adar yr awyr,
a chnawd dy ffyddloniaid i'r
bwystfilod.
³Y maent wedi tywallt gwaed fel dŵr
o amgylch Jerwsalem,
ac nid oes neb i'w claddu.
⁴Aethom yn watwar i'n cymdogion,
yn wawd a dirmyg i'r rhai o'n cwmpas.

⁵Am ba hyd, Arglwydd? A fyddi'n
ddig am byth?
A yw dy eiddigedd i losgi fel tân?
⁶Tywallt dy lid ar y cenhedloedd
nad ydynt yn dy adnabod,
ac ar y teyrnasoedd
nad ydynt yn galw ar dy enw,
⁷am iddynt ysu Jacob
a difetha ei drigfan.
⁸Paid â dal yn ein herbyn ni ddrygioni
ein hynafiaid,

ond doed dy dosturi atom ar frys,
oherwydd fe'n darostyngwyd yn llwyr.
⁹Cymorth ni, O Dduw ein
hiachawdwriaeth,
oherwydd anrhydedd dy enw;
gwared ni, a maddau ein pechodau
er mwyn dy enw.
¹⁰Pam y caiff y cenhedloedd ddweud,
"Ple mae eu Duw?"
Dysger y cenhedloedd yn ein gŵydd
beth yw dy ddialedd am waed
tywalltedig dy weision.
¹¹Doed ochneidio'r carcharorion hyd
atat,
ac yn dy nerth mawr rhyddha'r rhai
oedd i farw.
¹²Taro'n ôl seithwaith i'n cymdogion, a
hynny i'r byw,
y gwatwar a wnânt wrth dy ddifrïo, O
Arglwydd.

¹³Yna, byddwn ni, dy bobl a phraidd dy
borfa,
yn dy foliannu am byth,
ac yn adrodd dy foliant dros y
cenedlaethau.

I'r Cyfarwyddwr: ar Lilïau. Tystiolaeth. I Asaff. Salm.

80 Gwrando, O fugail Israel,
sy'n arwain Joseff fel diadell.
²Ti sydd wedi dy orseddu ar y
cerwbiaid,
disgleiria i Effraim, Benjamin a
Manasse.
Gwna i'th nerth gyffroi,
a thyrd i'n gwaredu.
³Adfer ni, O Dduw;
bydded llewyrch dy wyneb arnom, a
gwareder ni.

⁴O Arglwydd Dduw y Lluoedd,
am ba hyd y gwrthodi weddïau dy
bobl?
⁵Yr wyt wedi eu bwydo â bara dagrau,
a'u diodi â mesur llawn o ddagrau.
⁶Gwnaethost ni'n warth ᶜʰ i'n
cymdogion,
ac y mae ein gelynion yn ein gwawdio.
⁷O Dduw'r Lluoedd, adfer ni;
bydded llewyrch dy wyneb arnom, a
gwareder ni.

⁸Daethost â gwinwydden o'r Aifft;

ᶜʰTebygol. Hebraeg, *ymryson.*

gyrraist allan genhedloedd er mwyn ei
    phlannu;
⁹cliriaist y tir iddi;
    magodd hithau wreiddiau a llenwi'r
        tir.
¹⁰Yr oedd ei chysgod yn gorchuddio'r
    mynyddoedd,
    a'i changau fel y cedrwydd cryfion;
¹¹estynnodd ei brigau at y môr,
    a'i blaenion at yr afon.
¹²Pam felly y bylchaist ei chloddiau,
    fel bod y rhai sy'n mynd heibio yn
        tynnu ei ffrwyth?
¹³Y mae baedd y goedwig yn ei thyrchu,
    ac anifeiliaid gwyllt yn ei phori.

¹⁴O Dduw'r Lluoedd, tro eto,
    edrych i lawr o'r nefoedd a gwêl,
    gofala am y winwydden hon,
¹⁵y planhigyn a blennaist â'th
        ddeheulaw\.
¹⁶Bydded i'r rhai sy'n ei llosgi â thân ac
    yn ei thorri i lawr
    gael eu difetha gan gerydd dy
        wynepryd.
¹⁷Ond bydded dy law ar ŵr dy
        ddeheulaw,
    ar y dyn yr wyt ti'n ei gyfnerthu.
¹⁸Ni thrown oddi wrthyt mwyach;
    adfywia ni, ac fe alwn ar dy enw.
¹⁹ARGLWYDD Dduw y Lluoedd, adfer ni;
    bydded llewyrch dy wyneb arnom, a
        gwareder ni.

I'r Cyfarwyddwr: ar y Gittith. I Asaff.

81

Canwch fawl i Dduw, ein nerth,
    rhowch wrogaeth i Dduw Jacob.
²Rhowch gân a chanu'r tympan,
    y delyn fwyn a'r dectant.
³Canwch utgorn ar y lleuad newydd,
    ar y lleuad lawn, ar ddydd ein gŵyl.
⁴Oherwydd y mae hyn yn ddeddf yn
    Israel,
    yn rheol gan Dduw Jacob,
⁵wedi ei roi'n orchymyn i Joseff
    pan ddaeth allan o wlad\^{dd} yr Aifft.

Clywaf iaith nad wyf yn ei hadnabod,
⁶Ysgafnheais i y baich ar dy ysgwydd,
    a rhyddhau dy\ᵉ ddwylo oddi wrth y
        basgedi.
⁷Pan waeddaist mewn cyfyngder,

gwaredais di,
    ac atebais di yn ddirgel yn y taranau;
    profais di wrth ddyfroedd
        Meriba.   *Sela*
⁸Gwrando, fy mhobl, a dygaf
    dystiolaeth yn dy erbyn.
    O na fyddit yn gwrando arnaf fi,
        Israel!
⁹Na fydded gennyt dduw estron,
    a phaid ag ymostwng i dduw dieithr.
¹⁰Myfi yw'r ARGLWYDD dy Dduw,
    a'th ddygodd i fyny o'r Aifft;
    agor dy geg, ac fe'i llanwaf.
¹¹Ond ni wrandawodd fy mhobl ar fy
    llais,
    ac nid oedd Israel yn fodlon arnaf;
¹²felly anfonais hwy ymaith yn eu
        cyndynrwydd
    i wneud fel yr oeddent yn dymuno.

¹³"O na fyddai fy mhobl yn gwrando
    arnaf,
    ac na fyddai Israel yn rhodio yn fy
        ffyrdd!
¹⁴Byddwn ar fyrder yn darostwng eu
    gelynion,
    ac yn troi fy llaw yn erbyn eu
        gwrthwynebwyr."
¹⁵Byddai'r rhai sy'n casáu'r ARGLWYDD
    yn ymgreinio o'i flaen,
    a dyna eu tynged am byth.
¹⁶Byddwn yn dy\ᶠ fwydo â'r ŷd gorau,
    ac yn dy ddigoni â mêl o'r graig.

Salm. I Asaff.

82

Y mae Duw yn ei le yn y cyngor
    dwyfol;
    yng nghanol y duwiau y mae'n barnu.

²"Am ba hyd y barnwch yn wyrgam,
    ac y dangoswch ffafr at y
        drygionus?   *Sela*
³Rhowch ddedfryd o blaid y gwan a'r
    amddifad,
    gwnewch gyfiawnder â'r truenus a'r
        diymgeledd.
⁴Gwaredwch y gwan a'r anghenus,
    achubwch hwy o law'r drygionus.

⁵"Nid ydynt yn gwybod nac yn deall,
    ond y maent yn cerdded mewn
        tywyllwch,

\^dHebraeg yn ychwanegu yma *ar y dyn yr wyt ti'n ei gyfnerthu.* Gw. adn. 17.
\^{dd}Felly Fersiynau. Hebraeg, *yn erbyn gwlad.*   \^eTebygol. Hebraeg, *ei ysgwydd...ei.*
\^fTebygol. Hebraeg, *Byddai yn ei.*

a holl sylfeini'r ddaear yn ysgwyd.
⁶Fe ddywedais i, 'Duwiau ydych,
a meibion i'r Goruchaf bob un
ohonoch.'
⁷Eto, byddwch farw fel meidrolion,
a syrthio fel unrhyw dywysog."
⁸Cyfod, O Dduw, i farnu'r ddaear,
oherwydd ti sy'n didol yr holl
genhedloedd.

Cân. Salm. I Asaff.

83 O Dduw, paid â bod yn
ddistaw;
paid â thewi nac ymdawelu, O Dduw.
²Edrych fel y mae dy elynion yn
terfysgu,
a'r rhai sy'n dy gasáu yn codi eu
pennau.
³Gwnant gynlluniau cyfrwys yn erbyn
dy bobl,
a gosod cynllwyn yn erbyn y rhai a
amddiffynni,
⁴a dweud, "Dewch, inni eu difetha fel
cenedl,
fel na chofir enw Israel mwyach."
⁵Cytunasant yn unfryd â'i gilydd,
a gwneud cynghrair i'th erbyn—
⁶pebyll Edom a'r Ismaeliaid,
Moab a'r Hagariaid,
⁷Gebal, Ammon ac Amalec,
Philistia a thrigolion Tyrus;
⁸Asyria hefyd a unodd gyda hwy,
a chynnal breichiau meibion Lot. *Sela*

⁹Gwna iddynt fel y gwnaethost i Sisera,
ac i Jabin wrth afon Cison,
¹⁰ac i Midian ᶠᶠ, a ddinistriwyd wrth
ffynnon Harod ᵍ
a mynd yn dom ar y ddaear.
¹¹Gwna eu mawrion fel Oreb a Seeb
a'u holl dywysogion fel Seba a
Salmuna,
¹²y rhai a ddywedodd, "Meddiannwn i
ni ein hunain
holl borfeydd Duw."
¹³O fy Nuw, gwna hwy fel hadau
hedegog,
fel us o flaen gwynt.
¹⁴Fel tân yn difa coedwig,
fel fflamau'n llosgi mynydd,
¹⁵felly yr ymlidi hwy â'th storm,
a'u brawychu â'th gorwynt.
¹⁶Gwna eu hwynebau'n llawn cywilydd,

er mwyn iddynt geisio dy enw, O
ARGLWYDD.
¹⁷Bydded iddynt aros mewn gwarth a
chywilydd am byth,
ac mewn gwaradwydd difether hwy.
¹⁸Bydded iddynt wybod mai ti'n unig,
a'th enw'n ARGLWYDD,
yw'r Goruchaf dros yr holl ddaear.

*I'r Cyfarwyddwr: ar y Gittith. I feibion
Cora. Salm.*

84 Mor brydferth yw dy breswylfod,
O ARGLWYDD y Lluoedd.
²Yr wyf yn hiraethu, yn dyheu hyd at
lewyg
am gynteddau'r ARGLWYDD;
y mae'r cyfan ohonof yn gweiddi'n
llawen
ar y Duw byw.
³Cafodd hyd yn oed aderyn y to gartref,
a'r wennol nyth iddi ei hun,
lle mae'n magu ei chywion, wrth dy
allorau di,
O ARGLWYDD y Lluoedd, fy mrenin
a'm Duw.
⁴Gwyn eu byd y rhai sy'n trigo yn dy
dŷ,
yn canu mawl i ti'n wastadol.
⁵Gwyn eu byd y gwŷr yr wyt ti'n noddfa
iddynt,
a ffordd y pererinion ᶰᵍ yn eu calon.
⁶Wrth iddynt fynd trwy ddyffryn Baca
fe'i cânt yn ffynnon;
bydd y glaw cynnar yn ei orchuddio â
bendith.
⁷Ânt o nerth i nerth,
a bydd Duw y duwiau yn ymddangos
yn Seion.
⁸O ARGLWYDD Dduw'r Lluoedd, clyw
fy ngweddi;
gwrando arnaf, O Dduw Jacob. *Sela*
⁹Edrych ar ein tarian, O Dduw;
rho ffafr i'th eneiniog.

¹⁰Gwell yw diwrnod yn dy gynteddau di
na mil gartref ʰ;
gwell sefyll wrth y drws yn nhŷ fy Nuw
na thrigo ym mhebyll drygioni.
¹¹Oherwydd haul a tharian yw'r
ARGLWYDD Dduw;
rhydd ras ac anrhydedd.
Nid atal yr ARGLWYDD unrhyw ddaioni
oddi wrth y rhai sy'n rhodio'n gywir.

ᶠᶠY mae *ac i Midian* yn yr adnod flaenorol yn yr Hebraeg.　　ᵍ*Endor* yn yr Hebraeg.
ᶰᵍCymh. Syrieg. Hebraeg, *a phriffyrdd.*　　ʰTebygol. Hebraeg, *dewiswn.*

¹²O ARGLWYDD y Lluoedd,
gwyn ei fyd y dyn sy'n ymddiried ynot.

I'r Cyfarwyddwr: i feibion Cora. Salm.

85 O Arglwydd, buost drugarog wrth
dy dir;
adferaist lwyddiant i Jacob.
²Maddeuaist gamwedd dy bobl,
a dileu eu holl bechod.   Sela
³Tynnaist dy ddigofaint yn ôl,
a throi oddi wrth dy lid mawr.

⁴Adfer ni eto, O Dduw ein
hiachawdwriaeth,
a rho heibio dy ddicter tuag atom.
⁵A fyddi'n digio wrthym am byth,
ac yn dal dig atom am genedlaethau?
⁶Oni fyddi'n ein hadfywio eto,
er mwyn i'th bobl lawenhau ynot?
⁷Dangos i ni dy ffyddlondeb, O
ARGLWYDD,
a rho dy waredigaeth inni.
⁸Bydded imi glywed yr hyn a lefara'i
Arglwydd DDUW,
oherwydd bydd yn cyhoeddi heddwch
i'w bobl ac i'w ffyddloniaid,
ac i'r rhai uniawn o galon.   Sela ⁱ
⁹Yn wir, y mae ei waredigaeth yn agos
at y rhai sy'n ei ofni,
fel bod gogoniant yn aros yn ein tir.

¹⁰Bydd teyrngarwch a ffyddlondeb yn
cyfarfod,
a chyfiawnder a heddwch yn cusanu ei
gilydd.
¹¹Bydd ffyddlondeb yn tarddu o'r
ddaear,
a chyfiawnder yn edrych i lawr o'r
nefoedd.
¹²Bydd yr ARGLWYDD yn rhoi daioni,
a'n tir yn rhoi ei gnwd.
¹³Bydd cyfiawnder yn mynd o'i flaen,
a heddwch yn dilyn yn ôl ei droed. ᶦ

Gweddi. I Ddafydd.

86 Tro dy glust ataf, ARGLWYDD,
ac ateb fi,
oherwydd tlawd ac anghenus ydwyf.
²Arbed fy mywyd, oherwydd teyrngar
wyf fi;
gwared dy was sy'n ymddiried ynot.

³Ti yw fy Nuw; ᴵᴵ bydd drugarog wrthyf,
O Arglwydd,
oherwydd arnat ti y gwaeddaf trwy'r
dydd.
⁴Llawenha enaid dy was,
oherwydd atat ti, Arglwydd, y
dyrchafaf fy enaid.
⁵Yr wyt ti, Arglwydd, yn dda a
maddeugar,
ac yn llawn trugaredd i bawb sy'n galw
arnat.
⁶Clyw, O ARGLWYDD, fy ngweddi,
a gwrando ar fy ymbil.
⁷Yn nydd fy nghyfyngder galwaf arnat,
oherwydd yr wyt ti yn fy ateb.
⁸Nid oes neb fel ti ymhlith y duwiau, O
Arglwydd,
ac nid oes gweithredoedd fel dy rai di.
⁹Bydd yr holl genhedloedd a wnaethost
yn dod
ac yn ymgrymu o'th flaen, O
Arglwydd,
ac yn anrhydeddu dy enw.
¹⁰Oherwydd yr wyt ti yn fawr ac yn
gwneud rhyfeddodau;
ti yn unig sydd Dduw.
¹¹O ARGLWYDD, dysg i mi dy ffordd,
imi rodio yn dy wirionedd;
rho imi galon gywir i ofni dy enw.
¹²Clodforaf di â'm holl galon, O
Arglwydd fy Nuw,
ac anrhydeddaf dy enw hyd byth.
¹³Oherwydd mawr yw dy ffyddlondeb
tuag ataf,
a gwaredaist fy mywyd o Sheol isod.

¹⁴O Dduw, cododd gwŷr trahaus yn
f'erbyn,
ac y mae criw didostur yn ceisio fy
mywyd,
ac nid ydynt yn meddwl amdanat ti.
¹⁵Ond yr wyt ti, O Arglwydd, yn Dduw
trugarog a graslon,
araf i ddigio, a llawn ffyddlondeb a
gwirionedd.
¹⁶Tro ataf, a bydd drugarog,
rho dy nerth i'th was,
a gwared un o hil dy weision.
¹⁷Rho imi arwydd o'th ddaioni,
a bydded i'r rhai sy'n fy nghasáu weld
a chywilyddio,
am i ti, ARGLWYDD, fy nghynorthwyo
a'm cysuro.

ⁱCymh. Fersiynau. Hebraeg, *ffyddloniaid, rhag iddynt droi drachefn at ffolineb.*
ᶦTebygol. Hebraeg, *ac yn gosod ei gamau i'r ffordd.*
ᴵᴵY mae *Ti yw fy Nuw* yn yr adnod flaenorol yn yr Hebraeg.

I feibion Cora. Salm. Cân.

87 Ar fynyddoedd sanctaidd y
sylfaenodd hi;
[2] y mae'r ARGLWYDD yn caru pyrth
Seion
yn fwy na holl drigfannau Jacob.
[3] Dywedir pethau gogoneddus amdanat
ti,
O ddinas Duw. *Sela*
[4] "'Yr wyf yn enwi Rahab a Babilon
ymysg y rhai sy'n fy nghydnabod;
am Philistia, Tyrus ac Ethiopia
fe ddywedir, 'Ganwyd hwn yno'."
[5] Ac fe ddywedir am Seion,
"Ganwyd hwn-a-hwn ynddi;
y Goruchaf ei hun sy'n ei sefydlu hi."
[6] Bydd yr ARGLWYDD, wrth restru'r
bobl, yn ysgrifennu,
"Ganwyd hwn yno." *Sela*

[7] Bydd cantorion a dawnswyr yn dweud,
"Y mae fy holl darddiadau ynot ti."

*Cân. Salm. I feibion Cora. I'r
Cyfarwyddwr: ar Mahalath Leannoth.
Mascîl. I Heman yr Esrahead.*

88 O ARGLWYDD fy Nuw, llefaraf
am gymorth yn y dydd,
a gwaeddaf o'th flaen yn y nos.
[2] Doed fy ngweddi hyd atat,
tro dy glust at fy llef.

[3] Yr wyf yn llawn helbulon,
ac y mae fy mywyd yn ymyl Sheol.
[4] Ystyriwyd fi gyda'r rhai sy'n disgyn i'r
pwll,
ac euthum fel dyn heb nerth,
[5] fel un wedi ei adael gyda'r meirw,
fel y lladdedigion sy'n gorffwys mewn
bedd—
rhai nad wyt yn eu cofio bellach
am eu bod wedi eu torri ymaith o'th
afael.
[6] Gosodaist fi yn y pwll isod,
yn y mannau tywyll a'r dyfnderau.
[7] Daeth dy ddigofaint yn drwm arnaf,
a llethaist fi â'th holl donnau. *Sela*
[8] Gwnaethost i'm cydnabod bellhau
oddi wrthyf,
a'm gwneud yn ffiaidd iddynt.
Yr wyf wedi fy nghaethiwo ac ni allaf
ddianc;

[9] y mae fy llygaid yn pylu gan gystudd.
Galwaf arnat ti bob dydd, O
ARGLWYDD,
ac y mae fy nwylo'n ymestyn atat.
[10] A wnei di ryfeddodau i'r meirw?
A yw'r cysgodion yn codi i'th
foliannu? *Sela*
[11] A fynegir dy ffyddlondeb yn y bedd,
a'th wirionedd yn nhir Abadon?
[12] A yw dy ryfeddodau'n wybyddus yn y
tywyllwch,
a'th fuddugoliaethau yn nhir angof?

[13] Ond yr wyf fi yn llefain arnat ti am
gymorth, O ARGLWYDD,
ac yn y bore daw fy ngweddi atat.
[14] O ARGLWYDD, pam yr wyt yn fy
ngwrthod,
ac yn cuddio dy wyneb oddi wrthyf?
[15] Anghenus wyf, ac ar drengi o'm
hieuenctid;
dioddefais dy ddychrynfeydd, ac yr
wyf yn ddiffrwyth.
[16] Aeth dy ddigofaint drosof,
ac y mae dy ymosodiadau yn fy
nifetha.
[17] Y maent yn f'amgylchu fel llif trwy'r
dydd,
ac yn cau'n gyfan gwbl amdanaf.
[18] Gwnaethost i gâr a chyfaill bellhau
oddi wrthyf,
a'm gwahanu oddi wrth [m] fy
nghydnabod.

Mascîl. I Ethan yr Esrahead.

89 Canaf byth am dy gariad,
O ARGLWYDD, [n]
ac â'm genau mynegaf dy ffyddlondeb
dros y cenedlaethau;
[2] oherwydd y mae dy gariad wedi ei
sefydlu dros byth,
a'th ffyddlondeb mor sicr â'r nefoedd.
[3] Dywedaist [o], "Gwneuthum gyfamod
â'm hetholedig,
a thyngu wrth Ddafydd fy ngwas,
[4] 'Gwnaf dy had yn sefydlog am byth,
a sicrhau dy orsedd dros y
cenedlaethau.'" *Sela*
[5] Bydded i'r nefoedd foliannu dy
ryfeddodau, O ARGLWYDD,
a'th ffyddlondeb yng nghynulliad y
rhai sanctaidd.

[m] Cymh. Syrieg a Jerôm. Hebraeg, *a'm tywyllwch.*
[n] Felly Fersiynau. Hebraeg, *am gariad yr* ARGLWYDD.
[o] Felly Fersiynau. Hebraeg, *dywedais* yn yr adnod flaenorol.

⁶Oherwydd pwy yn y nefoedd a
gymherir â'r ARGLWYDD?
Pwy ymysg y duwiau sy'n debyg i'r
ARGLWYDD,
⁷yn Dduw a ofnir yng nghyngor y rhai
sanctaidd,
yn fawr ac ofnadwy goruwch pawb o'i
amgylch?
⁸O ARGLWYDD Dduw y lluoedd,
pwy sydd nerthol fel tydi, O
ARGLWYDD,
gyda'th ffyddlondeb o'th amgylch?
⁹Ti sy'n llywodraethu ymchwydd y
môr;
pan gyfyd ei donnau, yr wyt ti'n eu
gostegu.
¹⁰Ti a ddrylliodd Rahab yn gelain;
gwasgeraist dy elynion â nerth dy
fraich.
¹¹Eiddot ti yw'r nefoedd, a'r ddaear
hefyd;
ti a seiliodd y byd a'r cyfan sydd
ynddo.
¹²Ti a greodd ogledd a de;
y mae Tabor a Hermon yn moliannu
dy enw.
¹³Y mae gennyt ti fraich nerthol;
y mae dy law yn gref, dy ddeheulaw
wedi ei chodi.
¹⁴Cyfiawnder a barn yw sylfaen dy
orsedd;
y mae cariad a gwirionedd yn mynd
o'th flaen.
¹⁵Gwyn eu byd y bobl sy'n medru dy
gyfarch,
sy'n rhodio, ARGLWYDD, yng ngoleuni
dy wyneb,
¹⁶sy'n gorfoleddu bob amser yn dy enw,
ac yn llawenhau yn dy gyfiawnder.
¹⁷Oherwydd ti yw gogoniant eu nerth,
a thrwy dy ffafr di y dyrchefir ein corn.
¹⁸Oherwydd y mae ein tarian yn eiddo
i'r ARGLWYDD,
a'n brenin i Sanct Israel.

¹⁹Gynt lleferaist mewn gweledigaeth
wrth dy ffyddloniaid a dweud,
"Gosodais goronᴾ ar un grymus,
a dyrchafu un a ddewiswyd o blith y
bobl.
²⁰Cefais Ddafydd, fy ngwas,
a'i eneinio â'm holew sanctaidd;
²¹bydd fy llaw yn gadarn gydag ef,
a'm braich yn ei gryfhau.
²²Ni fydd gelyn yn drech nag ef,

na'r drygionus yn ei ddarostwng.
²³Drylliaf ei elynion o'i flaen,
a thrawaf y rhai sy'n ei gasáu.
²⁴Bydd fy ffyddlondeb a'm cariad gydag
ef,
ac yn fy enw i y dyrchefir ei gorn.
²⁵Gosodaf ei law ar y môr,
a'i ddeheulaw ar yr afonydd.
²⁶Bydd yntau'n galw arnaf, 'Fy nhad wyt
ti,
fy Nuw a chraig fy iachawdwriaeth.'
²⁷A gwnaf finnau ef yn gyntafanedig,
yn uchaf o frenhinoedd y ddaear.
²⁸Cadwaf fy ffyddlondeb iddo hyd byth,
a bydd fy nghyfamod ag ef yn
sefydlog.
²⁹Rhof iddo linach am byth,
a'i orsedd fel dyddiau'r nefoedd.
³⁰Os bydd ei feibion yn gadael fy
nghyfraith,
a heb rodio yn fy marnau,
³¹os byddant yn torri fy ordeiniadau,
a heb gadw fy ngorchmynion,
³²fe gosbaf eu pechodau â gwialen,
a'u troseddau â fflangellau;
³³ond ni throf fy nghariad oddi wrtho,
na phallu yn fy ffyddlondeb.
³⁴Ni thorraf fy nghyfamod,
na newid gair a aeth o'm genau.
³⁵Unwaith am byth y tyngais i'm
sancteiddrwydd,
ac ni fyddaf yn twyllo Dafydd.
³⁶Fe barha ei linach am byth,
a'i orsedd cyhyd â'r haul o'm blaen.
³⁷Bydd wedi ei sefydlu am byth fel y
lleuad,
ac yn sicr cyhyd â bod
ffurfafen. ᵖʰ" *Sela*

³⁸Ond eto yr wyt wedi gwrthod, a throi
heibio,
a chythruddo yn erbyn dy eneiniog.
³⁹Yr wyt wedi dileu'r cyfamod â'th was,
wedi halogi ei goron a'i thaflu i'r llawr.
⁴⁰Yr wyt wedi dryllio ei holl furiau,
a gwneud ei geyrydd yn adfeilion.
⁴¹Y mae pawb sy'n mynd heibio yn ei
ysbeilio;
aeth yn warth i'w gymdogion.
⁴²Dyrchefaist ddeheulaw ei
wrthwynebwyr,
a gwneud i'w holl elynion lawenhau.
⁴³Yn wir, troist yn ôl fin ei gleddyf,
a pheidio â'i gynnal yn y frwydr.

⁴⁴Drylliaist ei deyrnwialen o'i law,ʳ
a bwrw ei orsedd i'r llawr.
⁴⁵Yr wyt wedi byrhau dyddiau ei
ieuenctid,
ac wedi ei orchuddio â chywilydd. *Sela*

⁴⁶Am ba hyd, Arglwydd? A fyddi'n
ymguddio am byth,
a'th eiddigedd yn llosgi fel tân?
⁴⁷Cofia mor feidrol ydwyfʳʰ;
ai yn ofer y creaist holl blant dynion?
⁴⁸Pa ddyn fydd byw heb weld
marwolaeth?
Pwy a arbed ei fywyd o afael
Sheol? *Sela*

⁴⁹O Arglwydd, ple mae dy gariad gynt,
a dyngaist yn dy ffyddlondeb i
Ddafydd?
⁵⁰Cofia, O Arglwydd, ddirmyg dy wasˢ,
fel yr wyf yn cario yn fy mynwes
sarhadᵗ y bobloedd,
⁵¹fel y bu i'th elynion, Arglwydd,
ddirmygu
a gwawdio camre dy eneiniog.

⁵²Bendigedig fyddo'r Arglwydd am
byth!
Amen ac Amen.

LLYFR 4

Gweddi. I Moses, gŵr Duw.

90 Arglwydd, buost yn gadernidᵗʰ
i ni
ymhob cenhedlaeth.
²Cyn geni'r mynyddoedd,
a chyn esgor ar y ddaear a'r byd,
o dragwyddoldeb hyd dragwyddoldeb,
ti sydd Dduw.

³Yr wyt yn troi dyn yn ôl i'r llwch,
a dweud, "Trowch yn ôl, feibion
dynion."
⁴Oherwydd y mae mil o flynyddoedd yn
dy olwg
fel doe sydd wedi mynd heibio,
ac fel gwyliadwriaeth yn y nos.
⁵Yr wyt yn eu sgubo ymaith fel
breuddwyd;
y maent fel gwellt yn adfywio yn y
bore—

⁶yn tyfu ac yn adfywio yn y bore,
ond erbyn yr hwyr yn gwywo ac yn
crino.
⁷Oherwydd yr ydym ni yn darfod gan
dy ddig,
ac wedi'n brawychu gan dy
gynddaredd.
⁸Gosodaist ein beiau o'th flaen,
ein pechodau dirgel yng ngoleuni dy
wyneb.
⁹Y mae ein holl ddyddiau'n mynd
heibio dan dy ddig,
a'n blynyddoedd yn darfod fel
ochenaid.
¹⁰Deng mlynedd a thrigain yw
blynyddoedd ein heinioes,
neu efallai bedwar ugain trwy gryfder,
ond y mae eu hydᵘ yn faich a blinder;
ânt heibio yn fuan, ac ehedwn ymaith.
¹¹Pwy sy'n gwybod grym dy ddicter,
a'th ddigofaint, fel y rhai sy'n dy ofni?
¹²Felly dysg ni i gyfrif ein dyddiau,
inni gael calon ddoeth.

¹³Dychwel, O Arglwydd. Am ba hyd?
Trugarha wrth dy weision.
¹⁴Digona ni yn y bore â'th gariad,
inni gael gorfoleddu a llawenhau ein
holl ddyddiau.
¹⁵Rho inni lawenydd gynifer o ddyddiau
ag y blinaist ni,
gynifer o flynyddoedd ag y gwelsom
ddrygfyd.
¹⁶Bydded dy weithredoedd yn amlwg
i'th weision,
a'th ogoniant i'w plant.
¹⁷Bydded trugaredd yr Arglwydd ein
Duw arnom;
llwydda waith ein dwylo inni,
llwydda waith ein dwylo.

91 Y mae'r sawl sy'n byw yn lloches
y Goruchaf,
ac yn aros yng nghysgod yr Hollalluog,
²yn dweud wrth yr Arglwydd, "Fy
noddfa a'm caer,
fy Nuw, yr un yr ymddiriedaf ynddo."
³Oherwydd bydd ef yn dy waredu o fagl
heliwr,
ac oddi wrth bla difaol;
⁴bydd yn cysgodi drosot â'i esgyll,
a chei nodded dan ei adenydd;

ʳTebygol. Hebraeg, *Rhoddaist derfyn ar ei ddisgleirdeb.*
ʳʰTebygol. Hebraeg, *Cofia fi, pa amser.*
ᵗFelly Fersiynau. Hebraeg, *holl fawrion.*
ᵘFelly Fersiynau. Hebraeg, *eu balchder.*

ˢFelly rhai llawysgrifau a Groeg. TM, *weision.*
ᵗʰFelly llawysgrifau a Fersiynau. TM, *yn breswylfa.*

bydd ei wirionedd yn darian a bwcled.
⁵Ni fyddi'n ofni rhag dychryn y nos,
na rhag saeth yn hedfan yn y dydd,
⁶rhag pla sy'n tramwyo yn y tywyllwch,
na rhag dinistr sy'n difetha ganol
    dydd.
⁷Er i fil syrthio wrth dy ochr,
a deng mil ar dy ddeheulaw,
eto ni chyffyrddir â thi.
⁸Ni fyddi ond yn edrych â'th lygaid
ac yn gweld tâl y drygionus.
⁹Ond i ti, bydd yr ARGLWYDD yn
    noddfa;
gwnaethost y Goruchaf yn
    amddiffynfa ʷ;
¹⁰ni ddigwydd niwed i ti,
ac ni ddaw pla yn agos i'th babell.
¹¹Oherwydd rhydd orchymyn i'w
    angylion
i'th gadw yn dy holl ffyrdd;
¹²byddant yn dy godi ar eu dwylo
rhag iti daro dy droed yn erbyn carreg.
¹³Byddi'n troedio ar y llew a'r neidr,
ac yn sathru'r cenau llew a'r sarff.

¹⁴"Am iddo lynu wrthyf, fe'i gwaredaf;
fe'i diogelaf am ei fod yn adnabod fy
    enw.
¹⁵Pan fydd yn galw arnaf, fe'i hatebaf;
byddaf fi gydag ef mewn cyfyngder,
gwaredaf ef a'i anrhydeddu.
¹⁶Digonaf ef â hir ddyddiau,
a gwnaf iddo fwynhau fy
    iachawdwriaeth."

Salm. Cân. Ar gyfer y Saboth.

92 Da yw moliannu'r ARGLWYDD,
a chanu mawl i'th enw di, y
    Goruchaf,
²a chyhoeddi dy gariad yn y bore
a'th ffyddlondeb bob nos,
³gyda'r dectant a'r delyn
a chyda chordiau'r tannau.

⁴Oherwydd yr wyt ti, O ARGLWYDD,
wedi fy llawenychu â'th waith;
yr wyf yn gorfoleddu yng
    ngweithgarwch dy ddwylo.
⁵Mor fawr yw dy weithredoedd, O
    ARGLWYDD,
a dwfn iawn dy feddyliau!
⁶Dyn dwl yw'r un sydd heb wybod,

a ffŵl yw'r un sydd heb ddeall hyn:
⁷er i'r annuwiol dyfu fel glaswellt
ac i'r holl wneuthurwyr drygioni
    lwyddo,
eu bod i'w dinistrio am byth,
⁸ond dy fod ti, ARGLWYDD, yn
    dragwyddol ddyrchafedig.
⁹Oherwydd wele, dy elynion,
ARGLWYDD,
wele, dy elynion a ddifethir,
a'r holl wneuthurwyr drygioni a
    wasgerir.
¹⁰Codaist i fyny fy nghorn fel corn ych,
ac eneiniaist fi ʸ ag olew croyw.
¹¹Ymhyfrydodd fy llygaid yng nghwymp
fy ngelynion ᵃ,
a'm clustiau wrth glywed am y rhai
drygionus a gododd yn f'erbyn.
¹²Y mae'r cyfiawn yn blodeuo fel
    palmwydd,
ac yn tyfu fel cedrwydd Lebanon.
¹³Y maent wedi eu plannu yn nhŷ'r
ARGLWYDD,
ac yn blodeuo yng nghynteddau ein
    Duw.
¹⁴Rhônt ffrwyth hyd yn oed mewn
    henaint,
a dal yn wyrdd ac iraidd,
¹⁵i gyhoeddi fod yr ARGLWYDD yn
    uniawn,
ac am fy nghraig, nad oes
    anghyfiawnder ynddo.

93 Y mae'r ARGLWYDD yn frenin; y
mae wedi ei wisgo â mawredd,
y mae'r ARGLWYDD wedi ei wisgo, a
    nerth yn wregys iddo.
Yn wir, y mae'r byd yn sicr, ac nis
    symudir;
²y mae dy orsedd wedi ei sefydlu
    erioed;
yr wyt ti er tragwyddoldeb.

³Cododd y dyfroedd, O ARGLWYDD,
cododd y dyfroedd eu llais,
cododd y dyfroedd eu rhu.
⁴Cryfach na sŵn dyfroedd mawrion,
cryfach na thonnau'r môr,
yw'r ARGLWYDD yn yr uchelder.

⁵Y mae dy dystiolaethau'n sicr iawn;
sancteiddrwydd sy'n gweddu i'th dŷ,
O ARGLWYDD, hyd byth.

ʷFelly Fersiynau. Hebraeg, *yn breswylfa.*
ᵃFelly Fersiynau. Hebraeg, *fy ngwylwyr.*

ʸFelly Fersiynau. Hebraeg, *eneiniwyd fi.*

94

ARGLWYDD, Dduw dial,
Dduw dial, ymddangos.
[2] Cyfod, O farnwr y ddaear,
rho eu haeddiant i'r balch.
[3] Am ba hyd y bydd y drygionus,
ARGLWYDD,
y bydd y drygionus yn gorfoleddu?
[4] Y maent yn tywallt eu parabl trahaus;
y mae'r holl wneuthurwyr drygioni'n
ymfalchïo.
[5] Y maent yn sigo dy bobl, O
ARGLWYDD,
ac yn poenydio dy etifeddiaeth.
[6] Lladdant y weddw a'r estron,
a llofruddio'r amddifad,
[7] a dweud, "Nid yw'r ARGLWYDD yn
gweld,
ac nid yw Duw Jacob yn sylwi."
[8] Deallwch hyn, chwi'r dylaf o ddynion!
Ffyliaid, pa bryd y byddwch ddoeth?
[9] Onid yw'r un a blannodd glust yn
clywed,
a'r un a luniodd lygad yn gweld?
[10] Onid oes gan yr un sy'n disgyblu
cenhedloedd gerydd,
a'r un sy'n dysgu dynion wybodaeth?
[11] Y mae'r ARGLWYDD yn gwybod
meddyliau dyn,
mai gwynt ydynt.

[12] Gwyn ei fyd y dyn a ddisgybli, O
ARGLWYDD,
ac a ddysgi allan o'th gyfraith,
[13] i roi iddo lonyddwch rhag dyddiau
adfyd,
nes agor pwll i'r drygionus.
[14] Oherwydd nid yw'r ARGLWYDD yn
gwrthod ei bobl,
nac yn gadael ei etifeddiaeth;
[15] oherwydd dychwel barn at y rhai
cyfiawn,
a bydd yr holl rai uniawn yn ei dilyn.

[16] Pwy a saif drosof yn erbyn y
drygionus,
a sefyll o'm plaid yn erbyn
gwneuthurwyr drygioni?
[17] Onibai i'r ARGLWYDD fy
nghynorthwyo
byddwn fy fuan wedi mynd i dir
distawrwydd.
[18] Pan oeddwn yn meddwl bod fy nhroed
yn llithro,
yr oedd dy ffyddlondeb di, O
ARGLWYDD, yn fy nghynnal.

[19] Er bod pryderon fy nghalon yn
niferus,
y mae dy gysuron di'n fy llawenhau.
[20] A fydd cynghrair rhyngot ti a
llywodraeth distryw,
sy'n cynllunio niwed trwy gyfraith?
[21] Cytunant â'i gilydd am fywyd y
cyfiawn,
a chondemnio'r dieuog i farw.
[22] Ond y mae'r ARGLWYDD yn amddiffyn
i mi,
a'm Duw yn graig i'm llochesu.
[23] Daw â'u hanwiredd eu hunain yn ôl
arnynt,
ac fe'u diddyma am eu drygioni.
Bydd yr ARGLWYDD ein Duw yn eu
diddymu.

95

Dewch, canwn yn llawen i'r
ARGLWYDD,
rhown wrogaeth i graig ein
hiachawdwriaeth.
[2] Down i'w bresenoldeb â diolch,
rhown wrogaeth iddo â chaneuon
mawl.
[3] Oherwydd Duw mawr yw'r
ARGLWYDD,
a brenin mawr goruwch yr holl
dduwiau.
[4] Yn ei law ef y mae dyfnderau'r
ddaear,
ac eiddo ef yw uchelderau'r
mynyddoedd.
[5] Eiddo ef yw'r môr, ac ef a'i gwnaeth;
ei ddwylo ef a greodd y sychdir.

[6] Dewch, addolwn ac ymgrymwn,
plygwn ein gliniau gerbron yr
ARGLWYDD a'n gwnaeth.
[7] Oherwydd ef yw ein Duw,
a ninnau'n bobl iddo a defaid ei
borfa[b];
heddiw cewch wybod ei rym[c],
os gwrandewch ar ei lais.

[8] Peidiwch â chaledu'ch calonnau, fel yn
Meriba,
fel ar ddiwrnod Massa yn yr anialwch,
[9] pan fu i'ch tadau fy herio
a'm profi, er iddynt weld fy ngwaith.
[10] Am ddeugain mlynedd y ffieiddiais y
genhedlaeth honno,
a dweud, "Pobl â'u calonnau'n
cyfeiliorni ydynt,

---

[b] Felly un llawysgrif a Fersiynau. TM, *bobl ei borfa, a defaid.*
[c] Tebygol. Yn lle *ei rym,* y mae'r Hebraeg yn darllen *ei law* gyda'r llinell flaenorol.

ac nid ydynt yn gwybod fy ffyrdd.''
¹¹Felly tyngais yn fy nig
na chaent ddyfod i'm gorffwysfa.

96 Canwch i'r ARGLWYDD gân
newydd,
canwch i'r ARGLWYDD yr holl ddaear.
²Canwch i'r ARGLWYDD, bendithiwch ei
enw,
cyhoeddwch ei iachawdwriaeth o
ddydd i ddydd.
³Dywedwch am ei ogoniant ymysg y
bobloedd,
ac am ei ryfeddodau ymysg yr holl
genhedloedd.

⁴Oherwydd mawr yw'r ARGLWYDD, a
theilwng iawn o fawl,
y mae i'w ofni'n fwy na'r holl dduwiau.
⁵Eilunod yw holl dduwiau'r bobloedd,
ond yr ARGLWYDD a wnaeth y
nefoedd.
⁶Y mae anrhydedd a mawredd o'i flaen,
nerth a gogoniant yn ei gysegr.

⁷Rhowch i'r ARGLWYDD, dylwythau'r
cenhedloedd,
rhowch i'r ARGLWYDD anrhydedd a
nerth;
⁸rhowch i'r ARGLWYDD anrhydedd ei
enw,
dygwch offrwm a dewch i'w
gynteddoedd.
⁹Ymgrymwch i'r ARGLWYDD yn
ysblander ei sancteiddrwydd;
crynwch o'i flaen, yr holl ddaear.

¹⁰Dywedwch ymhlith y cenhedloedd,
"Y mae'r ARGLWYDD yn frenin";
yn awr y mae'r byd yn sicr ac nis
symudir;
bydd ef yn barnu'r bobloedd yn
uniawn.
¹¹Bydded y nefoedd yn llawen a
gorfoledded y ddaear;
rhued y môr a'r cyfan sydd ynddo,
¹²llawenyched y maes a phopeth sydd
ynddo.
Yna bydd holl brennau'r goedwig yn
canu'n llawen
¹³o flaen yr ARGLWYDD, oherwydd y
mae'n dod,
oherwydd y mae'n dod i farnu'r
ddaear.

ᶜʰFelly un llawysgrif a Fersiynau. TM, *Heuwyd goleuni.*

Bydd yn barnu'r byd â chyfiawnder,
a'r bobloedd â'i wirionedd.

97 Y mae'r ARGLWYDD yn frenin;
gorfoledded y ddaear,
bydded ynysoedd lawer yn llawen.
²Y mae cymylau a thywyllwch o'i
amgylch,
cyfiawnder a barn yn sylfaen i'w
orsedd.
³Y mae tân yn mynd o'i flaen,
ac yn llosgi ei elynion oddi amgylch.
⁴Y mae ei fellt yn goleuo'r byd,
a'r ddaear yn gweld ac yn crynu.
⁵Y mae'r mynyddoedd yn toddi fel
cŵyr o flaen yr ARGLWYDD,
o flaen Arglwydd yr holl ddaear.

⁶Y mae'r nefoedd yn cyhoeddi ei
gyfiawnder,
a'r holl bobloedd yn gweld ei
ogoniant.
⁷Bydded cywilydd ar yr holl addolwyr
delwau
sy'n ymffrostio mewn eilunod;
ymgrymwch iddo ef, yr holl dduwiau.
⁸Clywodd Seion a llawenhau,
ac yr oedd dinasoedd Jwda yn
gorfoleddu
o achos dy farnedigaethau, O
ARGLWYDD.
⁹Oherwydd yr wyt ti, ARGLWYDD, yn
oruchaf dros yr holl ddaear;
yr wyt wedi dy ddyrchafu'n uwch o
lawer na'r holl dduwiau.

¹⁰Y mae'r ARGLWYDD yn caru'r rhai sy'n
casáu drygioni,
y mae'n cadw bywydau ei
ffyddloniaid,
ac yn eu gwaredu o ddwylo'r
drygionus.
¹¹Y mae goleuni yn llewyrchuᶜʰ ar y
cyfiawn,
a llawenydd ar yr uniawn o galon.
¹²Llawenhewch yn yr ARGLWYDD, rai
cyfiawn,
a moliannwch ei enw sanctaidd.

Salm.

98 Canwch i'r ARGLWYDD gân
newydd,
oherwydd gwnaeth ryfeddodau.

Cafodd fuddugoliaeth â'i ddeheulaw
ac â'i fraich sanctaidd.
²Gwnaeth yr ARGLWYDD ei
fuddugoliaeth yn hysbys,
datguddiodd ei gyfiawnder o flaen y
cenhedloedd.
³Cofiodd ei gariad a'i ffyddlondeb
tuag at dŷ Israel;
gwelodd holl gyrrau'r ddaear
fuddugoliaeth ein Duw.

⁴Rhowch wrogaeth i'r ARGLWYDD, yr
holl ddaear,
canwch mewn llawenydd a rhowch
fawl.
⁵Canwch fawl i'r ARGLWYDD â'r delyn,
â'r delyn ac â'r tannau.
⁶Â thrympedau ac â sain utgorn
rhowch wrogaeth o flaen y brenin, yr
ARGLWYDD.
⁷Rhued y môr a'r cyfan sydd ynddo,
y byd a phawb sy'n byw ynddo.
⁸Bydded i'r dyfroedd guro dwylo;
bydded i'r mynyddoedd ganu'n llawen
gyda'i gilydd
⁹o flaen yr ARGLWYDD, oherwydd y
mae'n dyfod i farnu'r ddaear;
bydd yn barnu'r byd â chyfiawnder,
a'r bobloedd ag uniondeb.

99 Y mae'r ARGLWYDD yn frenin,
cryna'r bobloedd;
y mae wedi ei orseddu uwch y
cerwbiaid, ysgydwa'r ddaear.
²Y mae'r ARGLWYDD yn fawr yn Seion,
y mae'n ddyrchafedig uwch yr holl
bobloedd.
³Bydded iddynt foli dy enw mawr ac
ofnadwy—
sanctaidd yw ef.

⁴Un cryf sydd frenin; y mae'n caru
cyfiawnder.
Ti sydd wedi sefydlu uniondeb;
gwnaethost farn a chyfiawnder yn
Jacob.
⁵Dyrchafwch yr ARGLWYDD ein Duw;
ymgrymwch o flaen ei droedfainc—
sanctaidd yw ef.

⁶Yr oedd Moses ac Aaron yn offeiriaid
iddo,
a Samuel ymhlith y rhai a alwodd ar ei
enw;
galwasant ar yr ARGLWYDD, ac
atebodd hwy.

⁷Llefarodd wrthynt mewn colofn
gwmwl;
cadwasant ei dystiolaethau a'r ddeddf
a roddodd iddynt.
⁸O ARGLWYDD, ein Duw, atebaist hwy;
Duw yn maddau fuost iddynt,
ond yn dial eu camweddau.
⁹Dyrchafwch yr ARGLWYDD ein Duw,
ymgrymwch yn ei fynydd sanctaidd—
sanctaidd yw'r ARGLWYDD ein Duw.

Salm. I ddiolch.

100 Rhowch wrogaeth i'r
ARGLWYDD, yr holl ddaear.
²Addolwch yr ARGLWYDD mewn
llawenydd,
dewch o'i flaen â chân.

³Gwybyddwch mai'r ARGLWYDD sydd
Dduw;
ef a'n gwnaeth, a'i eiddo ef ydym,
ei bobl a defaid ei borfa.
⁴Dewch i mewn i'w byrth â diolch,
ac i'w gynteddau â mawl.
Diolchwch iddo, bendithiwch ei enw.
⁵Oherwydd da yw'r ARGLWYDD;
y mae ei gariad hyd byth,
a'i ffyddlondeb hyd genhedlaeth a
chenhedlaeth.

I Ddafydd. Salm.

101 Canaf am ffyddlondeb a
chyfiawnder;
i ti, ARGLWYDD, y pynciaf gerdd.
²Rhof sylw i'r ffordd berffaith;
pa bryd y deui ataf?
Rhodiaf â chalon gywir
ymysg fy nhylwyth;
³ni osodaf fy llygaid
ar ddim iselwael.
Cas gennyf yr un sy'n twyllo;
nid oes a wnelwyf ddim ag ef.
⁴Bydd y gwyrgam o galon yn troi oddi
wrthyf,
ac ni wnaf gymdeithasu â'r drwg.

⁵Pwy bynnag sy'n enllibio'i gymydog yn
ddirgel—
rhof daw arno;
y ffroenuchel a'r balch—
ni allaf ei oddef.
⁶Ond y mae fy llygaid ar ffyddloniaid y
tir,
iddynt gael trigo gyda mi;
y sawl a rodia yn y ffordd berffaith

a fydd yn fy ngwasanaethu.
⁷Ni chaiff unrhyw un sy'n twyllo
drigo yn fy nhŷ,
nac unrhyw un sy'n dweud celwydd
aros yn fy ngŵydd.
⁸Fore ar ôl bore rhof daw
ar holl rai drygionus y wlad,
a thorraf ymaith o ddinas yr
ARGLWYDD
yr holl wneuthurwyr drygioni.

Gweddi'r gostyngedig, pan yw'n wan ac yn
bwrw ei gŵyn o flaen yr ARGLWYDD.

102 ARGLWYDD, clyw fy ngweddi,
a doed fy nghri atat.
²Paid â chuddio dy wyneb oddi wrthyf
yn nydd fy nghyfyngder;
tro dy glust ataf,
brysia i'm hateb yn y dydd y galwaf.
³Oherwydd y mae fy nyddiau'n darfod
fel mwg,
a'm hesgyrn yn llosgi fel ffwrn.
⁴Yr wyf wedi fy nharo, ac yn gwywo fel
glaswellt;
yr wyf yn darfod o beidio â bwyta.
⁵Oherwydd sŵn fy ochneidio
y mae fy esgyrn yn glynu wrth fy
nghnawd.
⁶Yr wyf fel brân mewn anialwch,
ac fel tylluan mewn adfeilion.
⁷Yr wyf yn cadw'n effro,
ac fel aderyn unig ar do.
⁸Y mae fy ngelynion yn fy ngwawdio
trwy'r amser,
a'm gwatwarwyr yn defnyddio fy enw
fel melltith.
⁹Yr wyf yn bwyta lludw fel bara,
ac yn cymysgu fy niod â dagrau,
¹⁰o achos dy lid a'th ddigofaint,
oherwydd cydiaist ynof a'm bwrw o'r
neilltu.
¹¹Y mae fy mywyd fel cysgod
hwyrddydd;
yr wyf yn gwywo fel glaswelltyn.

¹²Ond yr wyt ti, ARGLWYDD, wedi dy
orseddu am byth,
a phery dy enw dros y cenedlaethau.
¹³Byddi'n codi ac yn trugarhau wrth
Seion;
y mae'n adeg i dosturio wrthi,
oherwydd fe ddaeth yr amser.
¹⁴Y mae dy weision yn hoffi ei meini,
ac yn tosturio wrth ei llwch.
¹⁵Bydd y cenhedloedd yn ofni enw'r
ARGLWYDD,

a holl frenhinoedd y ddaear dy
ogoniant.
¹⁶Oherwydd bydd yr ARGLWYDD yn
adeiladu Seion,
bydd yn ymddangos yn ei ogoniant;
¹⁷bydd yn gwrando ar weddi'r
gorthrymedig,
ac ni fydd yn diystyru eu herfyniad.
¹⁸Bydded hyn yn ysgrifenedig i'r
genhedlaeth i ddod,
fel bod pobl sydd eto heb eu geni yn
moli'r ARGLWYDD:
¹⁹ddarfod iddo edrych i lawr o'i uchelder
sanctaidd,
i'r ARGLWYDD edrych o'r nefoedd ar y
ddaear,
²⁰i wrando ocheneidiau carcharorion
a rhyddhau'r rhai oedd i farw,
²¹fel bod cyhoeddi enw'r ARGLWYDD yn
Seion,
a'i foliant yn Jerwsalem,
²²pan fo pobloedd a theyrnasoedd
yn ymgynnull ynghyd i addoli'r
ARGLWYDD.

²³Y mae wedi sigo fy nerth ar y daith,
ac wedi byrhau fy nyddiau.
²⁴Dywedaf, "O fy Nuw, paid â'm
cymryd yng nghanol fy nyddiau,
oherwydd y mae dy flynyddoedd di
dros yr holl genedlaethau.

²⁵"Gynt fe osodaist sylfeini'r ddaear,
a gwaith dy ddwylo yw'r nefoedd.
²⁶Y maent hwy yn darfod, ond ti yn
aros;
y maent i gyd yn treulio fel dilledyn.
Yr wyt yn eu newid fel gwisg,
ac y maent yn diflannu;
²⁷ond yr wyt ti yr un,
a'th flynyddoedd heb ddiwedd.
²⁸Bydd plant dy weision yn byw'n
ddiogel,
a'u disgynyddion yn sicr o'th flaen."

I Ddafydd.

103 Fy enaid, bendithia'r
ARGLWYDD,
a'r cyfan sydd ynof ei enw sanctaidd.
²Fy enaid, bendithia'r ARGLWYDD,
a phaid ag anghofio'i holl ddoniau:
³ef sy'n maddau fy holl droseddau,
yn iacháu fy holl afiechyd;
⁴ef sy'n gwaredu fy mywyd o'r pwll,
ac yn fy nghoroni â chariad a
thrugaredd;

⁵ef sy'n fy nigoni â daioni dros fy holl
ddyddiau
i adnewyddu fy ieuenctid fel eryr.

⁶Y mae'r ARGLWYDD yn gweithredu
cyfiawnder
a barn i'r holl rai gorthrymedig.
⁷Dysgodd ei ffyrdd i Moses,
a'i weithredoedd i blant Israel.
⁸Trugarog a graslon yw'r ARGLWYDD,
araf i ddigio a llawn ffyddlondeb.
⁹Nid yw'n ceryddu'n ddiddiwedd,
nac yn meithrin ei ddicter am byth.
¹⁰Ni wnaeth â ni yn ôl ein pechodau,
ac ni thalodd i ni yn ôl ein troseddau.
¹¹Oherwydd fel y mae'r nefoedd
uwchben y ddaear,
y mae ei gariad ef dros y rhai sy'n ei
ofni;
¹²cyn belled ag y mae'r dwyrain o'r
gorllewin
y pellhaodd ein pechodau oddi
wrthym.
¹³Fel y mae tad yn tosturio wrth ei blant,
felly y tosturia'r ARGLWYDD wrth y
rhai sy'n ei ofni.
¹⁴Oherwydd y mae ef yn gwybod ein
deunydd,
yn cofio mai llwch ydym.
¹⁵Y mae dyddiau dyn fel glaswelltyn;
y mae'n blodeuo fel blodeuyn y
maes—
¹⁶pan â'r gwynt drosto fe ddiflanna,
ac nid yw ei le'n ei adnabod mwyach.
¹⁷Ond y mae ffyddlondeb yr ARGLWYDD
o dragwyddoldeb i
dragwyddoldeb
ar y rhai sy'n ei ofni,
a'i gyfiawnder i blant eu plant,
¹⁸i'r rhai sy'n cadw ei gyfamod,
yn cofio'i orchmynion ac yn ufuddhau.

¹⁹Gosododd yr ARGLWYDD ei orsedd yn
y nefoedd,
ac y mae ei frenhiniaeth ef yn rheoli
pob peth.
²⁰Bendithiwch yr ARGLWYDD, ei
angylion,
y rhai cedyrn sy'n gwneud ei air,
ac yn ufuddhau i'w eiriau.
²¹Bendithiwch yr ARGLWYDD, ei holl
luoedd,
ei weision sy'n gwneud ei ewyllys.
²²Bendithiwch yr ARGLWYDD, ei holl
weithredoedd

ym mhob man o dan ei lywodraeth.
Fy enaid, bendithia'r ARGLWYDD.

104 Fy enaid, bendithia'r
ARGLWYDD.
O ARGLWYDD fy Nuw, mawr iawn wyt
ti;
yr wyt wedi dy wisgo ag ysblander ac
anrhydedd,
²a'th orchuddio â goleuni fel mantell.
Yr wyt yn taenu'r nefoedd fel pabell,
³yn gosod tulathau dy balas ar y
dyfroedd,
yn cymryd y cymylau'n gerbyd,
yn marchogaeth ar adenydd y gwynt,
⁴yn gwneud y gwyntoedd yn negeswyr,
a'r fflamau tân yn weision.

⁵Gosodaist y ddaear ar ei sylfeini,
fel na fydd yn symud byth bythoedd;
⁶gwnaethost i'r dyfnder ei gorchuddio
fel dilledyn,
ac y mae dyfroedd yn sefyll goruwch y
mynyddoedd.

⁷Gan dy gerydd di fe ffoesant,
gan sŵn dy daranau ciliasant draw,
⁸a chodi dros fynyddoedd a disgyn i'r
dyffrynnoedd,
i'r lle a bennaist ti iddynt;
⁹rhoist iddynt derfyn nad ydynt i'w
groesi,
rhag iddynt ddychwelyd a
gorchuddio'r ddaear.
¹⁰Yr wyt yn gwneud i ffynhonnau
darddu mewn hafnau,
yn gwneud iddynt lifo rhwng y
mynyddoedd;
¹¹rhônt ddiod i holl fwystfilod y maes,
a chaiff asynnod gwyllt eu disychedu;
¹²y mae adar y nefoedd yn nythu yn eu
hymyl,
ac yn trydar ymysg y canghennau.

¹³Yr wyt yn dyfrhau'r mynyddoedd o'th
balas;
digonir y ddaear trwy dy ddarpariaeth.
¹⁴Yr wyt yn gwneud i'r gwellt dyfu i'r
gwartheg,
a phlanhigion at wasanaeth dyn,
i ddwyn allan fara o'r ddaear,
¹⁵a gwin i lonni calon dyn,
olew i ddisgleirio'i wyneb,
a bara i gynnal calon dyn.
¹⁶Digonir y coedydd cryfion ᵈ,

ᵈNeu, coedydd yr ARGLWYDD.

y cedrwydd Lebanon a blannwyd,
¹⁷lle mae'r adar yn nythu,
a'r ciconia yn cartrefu yn eu brigau.
¹⁸Y mae'r mynyddoedd uchel ar gyfer
geifr,
ac y mae'r clogwyni yn lloches i'r
brochod.

¹⁹Yr wyt yn gwneud i'r lleuad nodi'r
tymhorau,
ac i'r haul wybod ymhle i fachlud.
²⁰Trefnaist dywyllwch, fel bod nos,
a holl anifeiliaid y goedwig yn ymlusgo
allan,
²¹gyda'r llewod ifanc yn rhuo am
ysglyfaeth,
ac yn ceisio eu bwyd oddi wrth Dduw.
²²Ond pan gyfyd yr haul, y maent yn
mynd ymaith,
ac yn gorffwyso yn eu ffeuau.
²³A daw dyn allan i weithio,
ac at ei lafur hyd yr hwyrnos.

²⁴Mor niferus yw dy weithredoedd, O
ARGLWYDD!
Gwnaethost y cyfan mewn doethineb;
y mae'r ddaear yn llawn o'th
greaduriaid.
²⁵Dyma'r môr mawr a llydan,
gydag ymlusgiaid dirifedi
a chreaduriaid bach a mawr.
²⁶Arno y mae'r llongau yn tramwyo,
a Lefiathan, a greaist er difyrrwch.
²⁷Y mae'r cyfan ohonynt yn dibynnu
arnat ti
i roi iddynt eu bwyd yn ei bryd.
²⁸Pan roddi iddynt, y maent yn ei gasglu
ynghyd;
pan agori dy law, cânt eu diwallu'n
llwyr.
²⁹Ond pan guddi dy wyneb, fe'u drysir;
pan gymeri eu hanadl, fe ddarfyddant,
a dychwelyd i'r llwch.
³⁰Pan anfoni dy anadl, cânt eu
hadfywio,
ac yr wyt yn adnewyddu wyneb y
ddaear.

³¹Bydded gogoniant yr ARGLWYDD dros
byth,
a bydded iddo lawenhau yn ei
weithredoedd.
³²Pan yw'n edrych ar y ddaear, y mae'n
crynu;
pan yw'n cyffwrdd â'r mynyddoedd, y
maent yn mygu.

³³Canaf i'r ARGLWYDD tra byddaf byw,
rhof foliant i Dduw tra byddaf.
³⁴Bydded fy myfyrdod yn gymeradwy
ganddo—
yr wyf yn llawenhau yn yr ARGLWYDD.
³⁵Bydded i'r pechaduriaid ddarfod o'r
tir,
ac na fydded y drygionus mwyach.
Fy enaid, bendithia'r ARGLWYDD.
Molwch yr ARGLWYDD.

105

Diolchwch i'r ARGLWYDD.
Galwch ar ei enw,
gwnewch yn hysbys ei weithredoedd
ymysg y bobloedd.
²Canwch iddo, moliannwch ef,
dywedwch am ei holl ryfeddodau.
³Gorfoleddwch yn ei enw sanctaidd;
llawenhaed calon y rhai sy'n ceisio'r
ARGLWYDD.
⁴Ceisiwch yr ARGLWYDD a'i nerth,
ceisiwch ei wyneb bob amser.
⁵Cofiwch y rhyfeddodau a wnaeth,
ei wyrthiau a'r barnedigaethau a
gyhoeddodd,
⁶chwi feibion Abraham, ei was,
chwi feibion Jacob, ei etholedig.

⁷Ef yw'r ARGLWYDD ein Duw,
ac y mae ei farnedigaethau dros yr holl
ddaear.
⁸Y mae'n cofio ei gyfamod dros byth,
gair ei orchymyn hyd fil o
genedlaethau,
⁹sef y cyfamod a wnaeth ag Abraham,
a'i lw i Isaac—
¹⁰yr hyn a osododd yn ddeddf i Jacob,
ac yn gyfamod tragwyddol i Israel,
¹¹a dweud, "I chwi y rhoddaf wlad
Canaan
yn gyfran eich etifeddiaeth."
¹²Pan oeddent yn fychan o rif,
yn ychydig, ac yn grwydriaid yn y
wlad,
¹³yn crwydro o genedl i genedl,
ac o un deyrnas at bobl eraill,
¹⁴ni adawodd i neb eu darostwng,
ond ceryddodd frenhinoedd o'u
hachos,
¹⁵a dweud, "Peidiwch â chyffwrdd â'm
heneiniog,
na gwneud niwed i'm proffwydi."
¹⁶Pan alwodd am newyn dros y wlad,
a thorri ymaith eu cynhaliaeth o fara,
¹⁷yr oedd wedi anfon gŵr o'u blaenau,

Joseff, a werthwyd yn gaethwas.
¹⁸ Doluriwyd ei draed yn y cyffion,
a rhoesant haearn am ei wddf,
¹⁹ nes i'r hyn a ddywedodd ef ddod yn
wir,
ac i air yr ARGLWYDD ei brofi'n gywir.
²⁰ Anfonodd y brenin i'w ryddhau—
brenin y cenhedloedd yn ei wneud yn
rhydd;
²¹ gwnaeth ef yn feistr ar ei dŷ,
ac yn llywodraethwr ar ei holl eiddo,
²² i hyfforddi ei dywysogion yn ôl ei
ddymuniad,
ac i ddysgu doethineb i'w henuriaid.

²³ Yna daeth Israel hefyd i'r Aifft,
a Jacob i grwydro yn nhir Ham.
²⁴ A gwnaeth yr Arglwydd ei bobl yn
ffrwythlon iawn,
ac aethant yn gryfach na'u gelynion.
²⁵ Trodd yntau eu calon i gasáu ei bobl,
ac i ymddwyn yn ddichellgar at ei
weision.
²⁶ Yna anfonodd ei was Moses
ac Aaron, yr un yr oedd wedi ei
ddewis,
²⁷ a thrwy eu geiriau hwy gwnaeth ᵈᵈ
arwyddion
a gwyrthiau yn nhir Ham.
²⁸ Anfonodd dywyllwch, ac aeth yn
dywyll,
eto yr ᵉ oeddent yn gwrthryfela yn
erbyn ei eiriau.
²⁹ Trodd eu dyfroedd yn waed,
a lladdodd eu pysgod.
³⁰ Llanwyd eu tir â llyffaint,
hyd yn oed ystafelloedd eu
brenhinoedd.
³¹ Pan lefarodd ef, daeth haid o wybed
a chynrhon trwy'r holl wlad.
³² Rhoes iddynt genllysg yn lle glaw,
a mellt yn fflachio trwy eu gwlad.
³³ Trawodd y gwinwydd a'r ffigyswydd,
a malurio'r coed trwy'r wlad.
³⁴ Pan lefarodd ef, daeth locustiaid
a lindys heb rifedi,
³⁵ nes iddynt fwyta'r holl laswellt trwy'r
wlad,
a difa holl gynnyrch y ddaear.
³⁶ A thrawodd bob cyntafanedig yn y
wlad,
blaenffrwyth eu holl nerth.

³⁷ Yna dygodd hwy allan gydag arian ac
aur,
ac nid oedd un yn baglu ymysg y
llwythau.
³⁸ Llawenhaodd yr Eifftiaid pan aethant
allan,
oherwydd bod arnynt eu hofn hwy.
³⁹ Lledaenodd gwmwl i'w gorchuddio,
a thân i oleuo iddynt yn y nos.
⁴⁰ Pan fu iddynt ofyn, anfonodd soflieir
iddynt,
a digonodd hwy â bara'r nefoedd.
⁴¹ Holltodd graig nes bod dŵr yn tarddu,
ac yn llifo fel afon trwy'r diffeithwch.
⁴² Oherwydd yr oedd yn cofio ei addewid
sanctaidd
i Abraham ei was.

⁴³ Dygodd allan ei bobl mewn
llawenydd,
ei rai etholedig mewn gorfoledd.
⁴⁴ Rhoes iddynt diroedd y cenhedloedd,
a chymerasant feddiant o ffrwyth
llafur pobloedd,
⁴⁵ er mwyn iddynt gadw ei ddeddfau,
· ac ufuddhau i'w gyfreithiau.
Molwch yr ARGLWYDD.

106 Molwch yr ARGLWYDD.
Diolchwch i'r ARGLWYDD,
oherwydd da yw,
ac y mae ei gariad hyd byth.
² Pwy all draethu gweithredoedd
nerthol yr ARGLWYDD,
neu gyhoeddi ei holl foliant?
³ Gwyn eu byd y rhai sy'n cadw barn,
ac yn gwneud cyfiawnder bob amser.

⁴ Cofia fi, ARGLWYDD, pan wnei ffafr
â'th bobl;
ymwêl â mi, pan fyddi'n gwaredu,
⁵ imi gael gweld llwyddiant y rhai a
ddewisi,
a llawenhau yn llawenydd dy genedl,
a gorfoleddu gyda'th etifeddiaeth di.

⁶ Yr ydym ni, fel ein tadau, wedi pechu;
yr ydym wedi troseddu a gwneud
drygioni.
⁷ Pan oedd ein tadau yn yr Aifft
ni wnaethant sylw o'th ryfeddodau,
na chofio maint dy ffyddlondeb,
ond gwrthryfela yn erbyn y Goruchaf ᶠ
ger y Môr Coch.
⁸ Ond gwaredodd ef hwy er mwyn ei
enw,

ᵈᵈ Felly Fersiynau. Hebraeg, *rhoddasant arnynt hwy eiriau.*
ᵉ Felly Fersiynau. Hebraeg, *nid.*   ᶠ Tebygol. Hebraeg, *wrth y môr.*

er mwyn dangos ei rym.
⁹Ceryddodd y Môr Coch ac fe sychodd,
ac arweiniodd hwy trwy'r dyfnder fel
pe trwy'r anialwch.
¹⁰Gwaredodd hwy o law'r rhai oedd yn
eu casáu,
a'u harbed o law'r gelyn.
¹¹Caeodd y dyfroedd am eu
gwrthwynebwyr,
ac nid arbedwyd yr un ohonynt.
¹²Yna credasant ei eiriau,
a chanu mawl iddo.

¹³Ond yn fuan yr oeddent wedi anghofio
ei weithredoedd,
ac nid oeddent yn aros am ei gyngor.
¹⁴Daeth eu blys drostynt yn yr anialwch,
ac yr oeddent yn profi Duw yn y
diffeithwch.
¹⁵Rhoes yntau iddynt yr hyn yr oeddent
yn ei ofyn,
ond anfonodd nychdod i'w mysg.

¹⁶Yr oeddent yn cenfigennu yn y
gwersyll wrth Moses,
a hefyd wrth Aaron, un sanctaidd yr
ARGLWYDD.
¹⁷Yna agorodd y ddaear a llyncu
Dathan,
a gorchuddio cwmni Abiram.
¹⁸Torrodd tân allan ymhlith y cwmni,
a llosgwyd y drygionus yn y fflamau.
¹⁹Gwnaethant lo yn Horeb,
ac ymgrymu i'r ddelw,
²⁰gan newid yr un oedd yn ogoniant
iddynt
am ddelw o ych yn pori gwellt.
²¹Yr oeddent wedi anghofio Duw, eu
Gwaredydd,
a ocdd wedi gwneud pethau mawrion
yn yr Aifft,
²²pethau rhyfeddol yng ngwlad Ham,
a phethau ofnadwy ger y Môr Coch.
²³Felly dywedodd ef y byddai'n eu
dinistrio,
oni bai i Moses, yr un a ddewisodd,
sefyll yn y bwlch o'i flaen,
i droi'n ôl ei ddigofaint rhag eu
dinistrio.
²⁴Yna bu iddynt ddilorni'r wlad hyfryd,
ac nid oeddent yn credu ei air;
²⁵yr oeddent yn grwgnach yn eu pebyll,
a heb wrando ar lais yr ARGLWYDD.
²⁶Cododd yntau ei law a thyngu
y byddai'n peri iddynt syrthio yn yr
anialwch,

²⁷ac yn gwasgaru ᶠᶠ eu disgynyddion i
blith y cenhedloedd,
a'u chwalu trwy'r gwledydd.

²⁸Yna aethant dan iau Baal Peor,
a bwyta ebyrth y meirw;
²⁹yr oeddent wedi cythruddo'r
ARGLWYDD â'u gweithredoedd,
a thorrodd pla allan yn eu mysg.
³⁰Ond cododd Phinees a'u barnu,
ac ataliwyd y pla.
³¹A chyfrifwyd hyn yn gyfiawnder iddo
dros y cenedlaethau am byth.

³²Bu iddynt gythruddo'r Arglwydd
hefyd wrth ddyfroedd Meriba,
a bu'n ddrwg ar Moses o'u plegid,
³³oherwydd gwnaethant ei ysbryd yn
chwerw,
ac fe lefarodd yntau yn fyrbwyll.

³⁴Ni fu iddynt ddinistrio'r bobloedd
y dywedodd yr ARGLWYDD amdanynt,
³⁵ond cymysgu gyda'r cenhedloedd,
a dysgu gwneud fel hwythau.
³⁶Yr oeddent yn addoli eu delwau,
a bu hynny'n fagl iddynt.
³⁷Yr oeddent yn aberthu eu meibion
a'u merched i'r demoniaid.
³⁸Yr oeddent yn tywallt gwaed dieuog,
gwaed eu meibion a'u merched
yr oeddent yn eu haberthu i ddelwau
Canaan;
a halogwyd y ddaear â'u gwaed.
³⁹Felly aethant yn aflan trwy'r hyn a
wnaent,
ac yn buteiniaid trwy eu
gweithredoedd.
⁴⁰Yna cythruddodd dicter yr ARGLWYDD
yn erbyn ei bobl,
a ffieiddiodd ei etifeddiaeth;
⁴¹rhoddodd hwy yn llaw'r cenhedloedd,
a llywodraethwyd hwy gan y rhai oedd
yn eu casáu;
⁴²fe'u gorthrymwyd gan eu gelynion,
a'u darostwng dan eu hawdurdod.
⁴³Llawer gwaith y gwaredodd hwy,
ond yr oeddent hwy yn wrthryfelgar eu
bwriad,
ac yn cael eu darostwng oherwydd eu
pechod.
⁴⁴Er hynny, cymerodd sylw o'u
cyfyngder
pan glywodd eu cri am gymorth;
⁴⁵cofiodd ei gyfamod â hwy,
ac edifarhau oherwydd ei gariad

ᶠᶠFelly Fersiynau. Hebraeg, *yn peri syrthio.*

mawr;
⁴⁶parodd iddynt gael trugaredd
gan bawb oedd yn eu caethiwo.

⁴⁷Gwared ni, O ARGLWYDD ein Duw,
a chynnull ni o blith y cenhedloedd,
inni gael rhoi diolch i'th enw
sanctaidd,
ac ymhyfrydu yn dy fawl.

⁴⁸Bendigedig fyddo'r ARGLWYDD, Duw
Israel,
o dragwyddoldeb hyd dragwyddoldeb;
dyweded yr holl bobl, "Amen."
Molwch yr ARGLWYDD.

LLYFR 5

107 Diolchwch i'r ARGLWYDD,
oherwydd da yw,
ac y mae ei ffyddlondeb dros byth.
²Fel yna dyweded y rhai a waredwyd
gan yr ARGLWYDD,
y rhai a waredodd ef o law'r gelyn,
³a'u cynnull ynghyd o'r gwledydd,
o'r dwyrain a'r gorllewin,
o'r gogledd a'r de.
⁴Aeth rhai ar goll mewn anialdir a
diffeithwch,
heb gael ffordd at ddinas i fyw ynddi;
⁵yr oeddent yn newynog ac yn
sychedig,
ac yr oedd eu nerth yn pallu.
⁶Yna gwaeddasant ar yr ARGLWYDD yn
eu cyfyngder,
a gwaredodd hwy o'u hadfyd;
⁷arweiniodd hwy ar hyd ffordd union
i fynd i ddinas i fyw ynddi.
⁸Bydded iddynt ddiolch i'r ARGLWYDD
am ei ffyddlondeb,
ac am ei ryfeddodau i blant dynion.
⁹Oherwydd rhoes eu digon i'r sychedig,

a llenwi'r newynog â phethau daionus.

¹⁰Yr oedd rhai yn eistedd mewn
tywyllwch dudew,
yn gaethion mewn gofid a haearn,
¹¹am iddynt wrthryfela yn erbyn geiriau
Duw,
a dirmygu cyngor y Goruchaf.
¹²Llethwyd eu calon gan flinder;
syrthiasant heb neb i'w hachub.
¹³Yna gwaeddasant ar yr ARGLWYDD yn
eu cyfyngder,
a gwaredodd ef hwy o'u hadfyd;

¹⁴daeth â hwy allan o'r tywyllwch
dudew,
a drylliodd eu gefynnau.
¹⁵Bydded iddynt ddiolch i'r ARGLWYDD
am ei ffyddlondeb,
ac am ei ryfeddodau i blant dynion.
¹⁶Oherwydd torrodd byrth pres,
a drylliodd farrau heyrn.

¹⁷Yr oedd rhai yn ynfyd; oherwydd eu
ffyrdd pechadurus
a'u camwedd fe'u cystuddiwyd;
¹⁸aethant i gasáu pob math o fwyd,
a daethant yn agos at byrth angau.
¹⁹Yna gwaeddasant ar yr ARGLWYDD yn
eu cyfyngder,
a gwaredodd ef hwy o'u hadfyd;
²⁰anfonodd ei air ac iachaodd hwy,
a gwaredodd hwy o ddistryw.
²¹Bydded iddynt ddiolch i'r ARGLWYDD
am ei ffyddlondeb,
ac am ei ryfeddodau i blant dynion.
²²Bydded iddynt offrymu ebyrth
moliant,
a dweud am ei weithredoedd mewn
gorfoledd.

²³Aeth rhai i'r môr mewn llongau,
a gwneud eu gorchwylion ar
ddyfroedd mawr;
²⁴gwelsant hwy weithredoedd yr
ARGLWYDD,
a'i ryfeddodau yn y dyfnder.

²⁵Pan lefarai ef, deuai gwynt stormus,
a pheri i'r tonnau godi'n uchel;
²⁶Cawsant eu codi i'r nefoedd a'u bwrw
i'r dyfnder,
a phallodd eu dewrder yn y trybini;
²⁷yr oeddent yn troi yn simsan fel
meddwyn,
ac wedi colli eu holl fedr.
²⁸Yna gwaeddasant ar yr ARGLWYDD yn
eu cyfyngder,
a gwaredodd ef hwy o'u hadfyd;
²⁹gwnaeth i'r storm dawelu,
ac aeth y tonnau'n ddistaw;
³⁰yr oeddent yn llawen am iddi lonyddu,
ac arweiniodd hwy i'r hafan a
ddymunent.
³¹Bydded iddynt ddiolch i'r ARGLWYDD
am ei ffyddlondeb,
ac am ei ryfeddodau i blant dynion.
³²Bydded iddynt ei ddyrchafu yng
nghynulleidfa'r bobl,
a'i foliannu yng nghyngor yr
henuriaid.

[33] Y mae ef yn troi afonydd yn
    ddiffeithwch,
  a ffynhonnau dyfroedd yn sychdir;
[34] y mae ef yn troi tir ffrwythlon yn
    grastir,
  oherwydd drygioni'r rhai sy'n byw
    yno.
[35] Y mae ef yn troi diffeithwch yn
    llynnau dŵr,
  a thir sych yn ffynhonnau.
[36] Gwna i'r newynog fyw yno,
  a sefydlant ddinas i fyw ynddi;
[37] heuant feysydd a phlannu gwinwydd,
  a chânt gnydau toreithiog.
[38] Bydd ef yn eu bendithio ac yn eu
    hamlhau,
  ac ni fydd yn gadael i'w gwartheg
    leihau.

[39] Pan fyddant yn lleihau ac wedi eu
    darostwng
  trwy orthrwm, helbul a gofid,
[40] bydd ef yn tywallt gwarth ar
    dywysogion,
  ac yn peri iddynt grwydro trwy'r
    anialwch diarffordd.
[41] Ond bydd yn codi'r tlawd o'i ofid,
  ac yn gwneud ei dculu fel praidd.
[42] Bydd yr uniawn yn gweld ac yn
    llawenhau,
  ond pob un drygionus yn atal ei dafod.
[43] Pwy bynnag sydd ddoeth, rhoed sylw
    i'r pethau hyn;
  bydded iddynt ystyried ffyddlondeb yr
    ARGLWYDD.

Cân. Salm. I Ddafydd.

108 Y mae fy nghalon yn gadarn,
    O Dduw;
  fe ganaf, a rhoi mawl.
  Deffro, fy enaid. [g]
[2] Deffro di, offeryn a dectant a thelyn.
  Fe ddeffroaf ar doriad gwawr.
[3] Rhof ddiolch i ti, O ARGLWYDD,
    ymysg y bobloedd,
  a chanmolaf di ymysg y cenhedloedd,
[4] oherwydd y mae dy gariad yn ymestyn
    hyd y nefoedd,
  a'th wirionedd hyd y cymylau.

[5] Dyrchafa'n uwch na'r nefoedd, O
    Dduw,
  a bydded dy ogoniant dros yr holl
    ddaear.
[6] Er mwyn gwaredu dy anwyliaid,
  achub â'th ddeheulaw, ac ateb ni.

[7] Llefarodd Duw yn ei gysegr,
  "Af i fyny'n [ng] awr i rannu Sichem,
  a mesur dyffryn Succoth yn rhannau;
[8] eiddof fi yw Gilead a Manasse;
  Effraim yw fy helm,
  a Jwda yw fy nheyrnwialen;
[9] Moab yw fy nysgl ymolchi,
  ac at Edom y taflaf fy esgid;
  ac yn erbyn Philistia y gorfoleddaf."

[10] Pwy a'm dwg i'r ddinas gaerog?
  Pwy a'm harwain i Edom?
[11] Onid ti, O Dduw, er iti'n gwrthod,
  a pheidio â mynd allan gyda'n
    byddinoedd?
[12] Rho inni gymorth rhag y gelyn,
  oherwydd ofer yw ymwared dyn.
[13] Gyda Duw fe wnawn wrhydri;
  ef fydd yn sathru ein gelynion.

I'r Cyfarwyddwr: i Ddafydd. Salm.

109 O Dduw fy moliant, paid â
    thewi.
[2] Oherwydd agorasant eu genau
    drygionus a thwyllodrus yn fy
    erbyn,
  a llefaru wrthyf â thafod celwyddog,
[3] a'm hamgylchu â geiriau casineb,
  ac ymosod arnaf heb achos.
[4] Am fy ngharedigrwydd y'm
    cyhuddant,
  a minnau'n gweddïo drostynt.
[5] Talasant imi ddrwg am dda,
  a chasineb am gariad.

[6] Apwyntier un drwg yn ei erbyn,
  a chyhuddwr i sefyll ar ei dde.
[7] Pan fernir ef, caffer ef yn euog,
  ac ystyrier ei weddi'n bechod.
[8] Bydded ei ddyddiau'n ychydig,
  a chymered arall ei swydd;
[9] bydded ei blant yn amddifad
  a'i wraig yn weddw.
[10] Crwydred ei blant i gardota—
  wedi eu troi allan [h] o'u hadfeilion.
[11] Cymered y benthyciwr bopeth sydd
    ganddo,
  a dyged estroniaid ei enillion.
[12] Na fydded i neb drugarhau wrtho,

---

[g] Tebygol. Hebraeg, *mawl, hyd yn oed fy anrhydedd.*
[ng] Felly rhai llawysgrifau. TM, *Gorfoleddaf yn.*

[h] Felly Groeg. Hebraeg, *a cheisiant.*

na gwneud ffafr â'i blant amddifad.
¹³Torrer ymaith ei linach,
a'i henw wedi ei ddileu o fewn
cenhedlaeth.
¹⁴Dyger i gof ddrygioni ei dadau
gerbron yr Arglwydd,
ac na ddilëer pechodau ei fam.
¹⁵Bydded hyn mewn cof gan yr
Arglwydd yn wastad,
a bydded iddo dorri ymaith eu coffa
o'r tir.
¹⁶Oherwydd ni chofiodd hwn fod yn
ffyddlon,
ond erlidiodd y gorthrymedig a'r
tlawd,
a'r drylliedig o galon hyd angau.
¹⁷Carodd felltithio: doed melltith arno
yntau.
Ni hoffai fendithio; pell y bo bendith
oddi wrtho yntau.
¹⁸Gwisgodd felltith amdano fel dilledyn;
suddodd i'w gnawd fel dŵr,
ac fel olew i'w esgyrn.
¹⁹Bydded fel y dillad a wisga,
ac fel y gwregys sydd amdano bob
amser.

²⁰Hyn fyddo tâl yr Arglwydd i'm
cyhuddwyr,
sy'n llefaru drygioni yn fy erbyn.
²¹Ond tydi, fy Arglwydd Dduw,
gweithreda drosof er mwyn dy enw;
yn ôl cywirdeb dy ffyddlondeb,
gwared fi.
²²Yr wyf yn druan a thlawd,
a'm calon mewn gwewyr ynof.
²³Yr wyf yn darfod fel cysgod
hwyrddydd;
fe'm gyrrir ymaith fel locust.
²⁴Y mae fy ngliniau'n wan gan ympryd,
a'm corff yn denau o ddiffyg braster.
²⁵Deuthum yn gyff gwawd iddynt;
pan welant fi, ysgydwant eu pennau.
²⁶Cynorthwya, fi, O Arglwydd fy Nuw,
achub fi yn ôl dy drugaredd,
²⁷a gad iddynt wybod mai dy law di
ydyw,
mai ti, Arglwydd, a'i gwnaeth.
²⁸Pan fônt hwy'n melltithio, bendithia
di;
cywilyddier fy ngwrthwynebwyr, a
bydded dy was yn llawen.
²⁹Gwisger fy nghyhuddwyr â gwarth;
bydded eu cywilydd fel mantell
amdanynt.

³⁰Clodforaf fi yr Arglwydd â'm genau,

a moliannaf ef yng ngŵydd
cynulleidfa.
³¹Oherwydd saif ef ar ddeheulaw'r
tlawd,
i'w achub rhag ei gyhuddwyr.

I Ddafydd. Salm.

110

Oracl yr Arglwydd i'm
harglwydd:
"Eistedd ar fy neheulaw,
nes imi wneud dy elynion yn
droedfainc i ti."

²Y mae'r Arglwydd yn estyn i ti o
Seion deyrnwialen awdurdod;
llywodraetha dithau yng nghanol dy
elynion.
³Y mae dy bobl yn deyrngar iti ar
ddydd dy eni
mewn gogoniant sanctaidd o groth y
wawr;
fel gwlith y'th genhedlais di.

⁴Tyngodd yr Arglwydd, ac ni newidia,
"Yr wyt yn offeiriad am byth
yn ôl urdd Melchisedec."
⁵Y mae'r Arglwydd ar dy ddeheulaw
yn dinistrio brenhinoedd yn nydd ei
ddicter.
⁶Fe weinydda farn ymysg y
cenhedloedd,
a'u llenwi â chelanedd;
dinistria benaethiaid
dros ddaear lydan.
⁷Fe yf o'r nant ar y ffordd,
ac am hynny y cwyd ei ben.

111

Molwch yr Arglwydd.
Diolchaf i'r Arglwydd â'm
holl galon
yng nghwmni'r uniawn, yn y
gynulleidfa.
²Mawr yw gweithredoedd yr
Arglwydd,
fe'u harchwilir gan bawb sy'n
ymhyfrydu ynddynt.
³Llawn anrhydedd a mawredd yw ei
waith,
a saif ei gyfiawnder am byth.
⁴Gwnaeth inni gofio ei ryfeddodau;
graslon a thrugarog yw'r Arglwydd.
⁵Mae'n rhoi cynhaliaeth i'r rhai sy'n ei
ofni,

ac yn cofio ei gyfamod am byth.
⁶Dangosodd i'w bobl rym ei
   weithredoedd
trwy roi iddynt etifeddiaeth y
   cenhedloedd.
⁷Y mae gwaith ei ddwylo yn gywir a
   chyfiawn,
a'i holl ofynion ar sylfaen gadarn;
⁸y maent wedi eu sefydlu hyd byth,
ac wedi eu llunio o wirionedd ac
   uniondeb.
⁹Rhoes waredigaeth i'w bobl,
a gorchymyn ei gyfamod dros byth.
Sanctaidd ac ofnadwy yw ei enw.
¹⁰Dechrau doethineb yw ofn yr
   ARGLWYDD;
y mae deall da gan bawb sy'n ufudd.
Y mae ei foliant yn para byth.

112 Molwch yr ARGLWYDD.
Gwyn ei fyd y gŵr sy'n ofni'r
   ARGLWYDD,
ac yn ymhyfrydu'n llwyr yn ei
   orchmynion.
²Bydd ei ddisgynyddion yn gedyrn ar y
   ddaear,
a bendithir teulu'r rhai uniawn.
³Bydd golud a chyfoeth yn ei dŷ,
a bydd ei gyfiawnder yn para am byth.

⁴Fe lewyrcha goleuni mewn tywyllwch
   i'r uniawn;
y mae'r cyfiawn yn raslon a thrugarog. ⁱ
⁵Da yw i ddyn drugarhau a rhoi
   benthyg,
a threfnu ei orchwylion yn onest;
⁶oherwydd ni symudir ef o gwbl,
a chofir y cyfiawn dros byth.

⁷Nid yw'n ofni newyddion drwg;
y mae ei galon yn ddi-gryn, yn
   ymddiried yn yr ARGLWYDD.
⁸Y mae ei galon yn ddi-sigl, ac nid ofna
nes iddo weld diwedd ar ei elynion.
⁹Y mae wedi rhoi'n hael i'r tlodion;
y mae ei gyfiawnder yn para am byth,
a'i gorn wedi ei ddyrchafu mewn
   anrhydedd.

¹⁰Gwêl y drygionus hyn ac y mae'n ddig;
ysgyrnyga'i ddannedd a chynhyrfa;
ond derfydd am obaith y drygionus.

113 Molwch yr ARGLWYDD.
Molwch, chwi weision yr
   ARGLWYDD,
molwch enw'r ARGLWYDD.

²Bendigedig fyddo enw'r ARGLWYDD
o hyn allan a hyd byth.
³O godiad haul hyd ei fachlud
bydded enw'r ARGLWYDD yn
   foliannus.
⁴Uchel yw'r ARGLWYDD goruwch yr
   holl genhedloedd,
a'i ogoniant goruwch y nefoedd.

⁵Pwy sydd fel yr ARGLWYDD ein Duw
yn y nefoedd neu ar y ddaear,
⁶yn gosod ei orseddfainc yn uchel
a hefyd yn ymostwng i edrych yn isel?
⁷Y mae ef yn codi'r isel o'r llwch
ac yn dyrchafu'r tlawd o'r domen,
⁸i'w gosod gyda thywysogion,
gyda thywysogion ei bobl.
⁹Rhydd deulu i'r wraig ddi-blant;
daw'n fam lawen i feibion.
Molwch yr ARGLWYDD.

114 Pan ddaeth Israel allan o'r
Aifft,
tŷ Jacob o blith pobl estron eu hiaith,
²daeth Jwda yn gysegr iddo,
ac Israel yn arglwyddiaeth iddo.

³Edrychodd y môr a chilio,
a throdd yr Iorddonen yn ci hôl.
⁴Neidiodd y mynyddoedd fel hyrddod,
a'r bryniau fcl ŵyn.
⁵Beth sydd arnat, fôr, dy fod yn cilio,
a'r Iorddonen, dy fod yn troi'n ôl?
⁶Pam, fynyddoedd, yr ydych yn neidio
fel hyrddod?
a chwithau'r bryniau, fel ŵyn?

⁷Cryna, O ddaear, ym mhresenoldeb yr
   Arglwydd,
ym mhresenoldeb Duw Jacob,
⁸sy'n troi'r graig yn llyn dŵr
a'r callestr yn ffynhonnau.

115 Nid i ni, O ARGLWYDD,
   nid i ni,
ond i'th enw dy hun, rho ogoniant,
er mwyn dy gariad a'th ffyddlondeb.

ⁱFelly rhai llawysgrifau. TM, *graslon a thrugarog a chyfiawn.*

²Pam y mae'r cenhedloedd yn dweud,
"Ple mae eu Duw?"
³Y mae ein Duw ni yn y nefoedd;
fe wna beth bynnag a ddymuna.
⁴Arian ac aur yw eu delwau hwy,
ac wedi eu gwneud â dwylo dyn.
⁵Y mae ganddynt enau nad ydynt yn
siarad,
a llygaid nad ydynt yn gweld;
⁶y mae ganddynt glustiau nad ydynt yn
clywed,
a ffroenau nad ydynt yn arogli;
⁷y mae ganddynt ddwylo nad ydynt yn
teimlo,
a thraed nad ydynt yn cerdded;
ac ni ddaw sŵn o'u gyddfau.
⁸Y mae eu gwneuthurwyr yn mynd yn
debyg iddynt,
ac felly hefyd bob un sy'n ymddiried
ynddynt.

⁹O Israel, ymddirieda yn yr
ARGLWYDD.
Ef yw eu cymorth a'u tarian.
¹⁰O dŷ Aaron, ymddiriedwch yn yr
ARGLWYDD.
Ef yw eu cymorth a'u tarian.

¹¹Chwi sy'n ofni'r ARGLWYDD,
ymddiriedwch yn yr ARGLWYDD.
Ef yw eu cymorth a'u tarian.
¹²Y mae'r ARGLWYDD yn ein cofio ac yn
ein bendithio;
fe fendithia dŷ Israel,
fe fendithia dŷ Aaron,
¹³fe fendithia'r rhai sy'n ofni'r
ARGLWYDD,
y bychan a'r mawr fel ei gilydd.

¹⁴Bydded yr ARGLWYDD yn eich amlhau,
chwi a'ch meibion hefyd.
¹⁵Bydded ichwi gael bendith gan yr
ARGLWYDD
a wnaeth nefoedd a daear.

¹⁶Y nefoedd, eiddo'r ARGLWYDD yw,
ond fe roes y ddaear i blant dynion.
¹⁷Nid yw'r meirw yn moliannu'r
ARGLWYDD,
na'r holl rai sy'n mynd i lawr i
dawelwch.
¹⁸Ond yr ydym ni'n bendithio'r
ARGLWYDD
yn awr a hyd byth.
Molwch yr ARGLWYDD.

116 Yr wyf yn caru'r ARGLWYDD,
am iddo wrando
ar lef fy ngweddi,
²am iddo droi ei glust ataf
y dydd y gwaeddais arno.

³Yr oedd clymau angau wedi tynhau
amdanaf,
a gefynnau Sheol wedi fy nal,
a minnau'n dioddef adfyd ac ing.
⁴Yna gelwais ar enw'r ARGLWYDD:
"Yr wyf yn erfyn, ARGLWYDD, gwared
fi."
⁵Graslon yw'r ARGLWYDD, a chyfiawn,
ac y mae ein Duw ni'n tosturio.
⁶Ceidw'r ARGLWYDD y rhai syml;
pan ddarostyngwyd fi, fe'm
gwaredodd.
⁷Gorffwysa unwaith eto, fy enaid,
oherwydd bu'r ARGLWYDD yn hael
wrthyt;
⁸oherwydd gwaredodd fy enaid rhag
angau,
fy llygaid rhag dagrau,
fy nhraed rhag baglu.
⁹Rhodiaf gerbron yr ARGLWYDD
yn nhir¹ y rhai byw.
¹⁰Yr oeddwn yn credu y byddwn wedi fy
narostwng;
cefais fy nghystuddio'n drwm;
¹¹yn fy nghyni dywedais,
"Y mae pob dyn yn dwyllodrus."

¹²Sut y gallaf dalu i'r ARGLWYDD
am ei holl haelioni tuag ataf?
¹³Dyrchafaf gwpan iachawdwriaeth,
a galw ar enw'r ARGLWYDD.
¹⁴Talaf fy addunedau i'r ARGLWYDD
ym mhresenoldeb ei holl bobl.
¹⁵Pwysig yng ngolwg yr ARGLWYDD
yw marwolaeth ei ffyddloniaid.
¹⁶O ARGLWYDD, dy was yn wir wyf fi,
gwas o hil gweision;
yr wyt wedi datod fy rhwymau.
¹⁷Rhof i ti aberth diolch,
a galw ar enw'r ARGLWYDD.
¹⁸Talaf fy addunedau i'r ARGLWYDD
ym mhresenoldeb ei holl bobl,
¹⁹yng nghynteddau tŷ'r ARGLWYDD
yn dy ganol di, O Jerwsalem.
Molwch yr ARGLWYDD.

117 Molwch yr ARGLWYDD,
yr holl genhedloedd;

---

¹Felly Fersiynau. Hebraeg, *yn nhiroedd*.

clodforwch ef, yr holl bobloedd.
² Oherwydd mae ei gariad yn gryf tuag
    atom,
ac y mae ffyddlondeb yr ARGLWYDD
    dros byth.
Molwch yr ARGLWYDD.

118

Diolchwch i'r ARGLWYDD,
    oherwydd da yw,
ac y mae ei ffyddlondeb yn para byth.
² Dyweded Israel yn awr,
"Y mae ei ffyddlondeb yn para byth."
³ Dyweded tŷ Aaron yn awr,
"Y mae ei ffyddlondeb yn para byth."
⁴ Dyweded y rhai sy'n ofni'r
    ARGLWYDD,
"Y mae ei ffyddlondeb yn para byth."

⁵ O'm cyfyngder gwaeddais ar yr
    ARGLWYDD;
atebodd yntau fi a'm rhyddhau.
⁶ Y mae'r ARGLWYDD o'm tu, nid ofnaf;
beth a wna dyn i mi?
⁷ Y mae'r ARGLWYDD o'm tu i'm
    cynorthwyo,
a gwelaf ddiwedd ar y rhai sy'n fy
    nghasáu.
⁸ Gwell yw llochesu yn yr ARGLWYDD
nag ymddiried mewn dyn.
⁹ Gwell yw llochesu yn yr ARGLWYDD
nag ymddiried mewn tywysogion.
¹⁰ Daeth yr holl genhedloedd i'm
    hamgylchu;
yn enw'r ARGLWYDD fe'u gyrraf
    ymaith.
¹¹ Daethant i'm hamgylchu ar bob tu;
yn enw'r ARGLWYDD fe'u gyrraf
    ymaith.
¹² Daethant i'm hamgylchu fel gwenyn,
a llosgiⁿ fel tân mewn drain;
yn enw'r ARGLWYDD fe'u gyrraf
    ymaith.
¹³ Gwthiwyd fi'n galed nes fy mod ar
    syrthio,
ond cynorthwyodd yr ARGLWYDD fi.
¹⁴ Yr ARGLWYDD yw fy nerth a'm cân,
a daeth yn waredigaeth i mi.
¹⁵ Clywch gân gwaredigaeth
ym mhebyll y rhai cyfiawn:
"Y mae deheulaw'r ARGLWYDD yn
    gweithredu'n rymus;
¹⁶ y mae deheulaw'r ARGLWYDD wedi ei
    chodi;
y mae deheulaw'r ARGLWYDD yn

gweithredu'n rymus."
¹⁷ Nid marw ond byw fyddaf,
ac adroddaf am weithredoedd yr
    ARGLWYDD.
¹⁸ Disgyblodd yr ARGLWYDD fi'n llym,
ond ni roddodd fi yn nwylo
    marwolaeth.
¹⁹ Agorwch byrth cyfiawnder i mi;
dof finnau i mewn a diolch i'r
    ARGLWYDD.
²⁰ Dyma borth yr ARGLWYDD;
y cyfiawn a ddaw i mewn drwyddo.
²¹ Diolchaf i ti am fy ngwrando
a dod yn waredigaeth i mi.

²² Y maen a wrthododd yr adeiladwyr
a ddaeth yn brif gonglfaen.
²³ Gwaith yr ARGLWYDD yw hyn,
ac y mae'n rhyfeddod yn ein golwg.
²⁴ Dyma'r dydd y gweithredodd yr
    ARGLWYDD;
gorfoleddwn a llawenhawn ynddo.

²⁵ Yr ydym yn erfyn, ARGLWYDD, achub
    ni;
yr ydym yn erfyn, ARGLWYDD, rho
    lwyddiant.
²⁶ Bendigedig yw'r un sy'n dod yn enw'r
    ARGLWYDD.
Bendithiwn chwi o dŷ'r ARGLWYDD.
²⁷ Yr ARGLWYDD sydd Dduw, rhoes
    oleuni i mi.
Â changau ymunwch yn yr orymdaith
hyd at gyrn yr allor.

²⁸ Ti yw fy Nuw, a rhoddaf ddiolch i ti;
fy Nuw, fe'th ddyrchafaf di.

²⁹ Diolchwch i'r ARGLWYDD, oherwydd
    da yw,
ac y mae ei ffyddlondeb yn para byth.

119

Gwyn eu byd y rhai perffaith
    eu ffordd,
y rhai sy'n rhodio yng nghyfraith yr
    ARGLWYDD.
² Gwyn eu byd y rhai sy'n cadw ei
    farnedigaethau,
ac yn ei geisio ef â'u holl galon,
³ y rhai nad ydynt wedi gwneud unrhyw
    ddrwg,
ond sy'n rhodio yn ei ffyrdd ef.
⁴ Yr wyt ti wedi gwneud dy ofynion yn
    ddeddfau

ⁿ Felly Fersiynau. Hebraeg, *diffodd.*

i'w cadw'n ddyfal.
⁵O na allwn gerdded yn unionsyth
a chadw dy ddeddfau!
⁶Ni'm cywilyddir os cadwaf fy llygaid
ar dy holl orchmynion.
⁷Fe'th glodforaf di â chalon gywir
wrth imi ddysgu am dy farnau cyfiawn.
⁸Fe gadwaf dy ddeddfau;
paid â'm gadael yn llwyr.

⁹Sut y ceidw llanc ei lwybr yn lân?
Trwy gadw dy air di.
¹⁰Fe'th geisiais di â'm holl galon;
paid â gadael imi wyro oddi wrth dy
orchmynion.
¹¹Trysorais dy eiriau yn fy nghalon
rhag imi bechu yn dy erbyn.
¹²Bendigedig wyt ti, O ARGLWYDD;
dysg i mi dy ddeddfau.
¹³Bûm yn ailadrodd â'm gwefusau
holl farnau dy enau.
¹⁴Ar hyd ffordd dy farnedigaethau cefais
lawenydd
sydd uwchlaw pob cyfoeth.
¹⁵Byddaf yn myfyrio ar dy ofynion di,
ac yn cadw dy lwybrau o flaen fy
llygaid.
¹⁶Byddaf yn ymhyfrydu yn dy ddeddfau,
ac nid anghofiaf dy air.

¹⁷Bydd dda wrth dy was; gad imi fyw,
ac fe gadwaf dy air.
¹⁸Agor fy llygaid imi gael edrych
ar ryfeddodau dy gyfraith.
¹⁹Ymdeithydd wyf fi ar y ddaear;
paid â chuddio dy orchmynion oddi
wrthyf.
²⁰Y mae fy nghalon yn dihoeni o hiraeth
am dy farnau di bob amser.
²¹Fe geryddaist y trahaus, y rhai
melltigedig
sy'n gwyro oddi wrth dy orchmynion.
²²Tyn ymaith oddi wrthyf eu
gwaradwydd a'u sarhad,
oherwydd bûm ufudd i'th
farnedigaethau.
²³Er i dywysogion eistedd mewn
cynllwyn yn f'erbyn,
bydd dy was yn myfyrio ar dy
ddeddfau;
²⁴y mae dy farnedigaethau'n hyfrydwch i
mi,
a hefyd yn gynghorwyr imi.

²⁵Y mae fy enaid yn glynu wrth y llwch;

adfywia fi yn ôl dy air.
²⁶Adroddais am fy hynt ac atebaist fi;
dysg i mi dy ddeddfau.
²⁷Gwna imi ddeall ffordd dy ofynion,
ac fe fyfyriaf ar dy ryfeddodau.
²⁸Y mae fy enaid yn anniddig gan ofid,
cryfha fi yn ôl dy air.
²⁹Gosod ffordd twyll ymhell oddi
wrthyf,
a rho imi ras dy gyfraith.
³⁰Dewisais ffordd ffyddlondeb,
a gosod dy farnau o'm blaen.
³¹Glynais wrth dy farnedigaethau.
O ARGLWYDD, paid â'm cywilyddio.
³²Dilynaf ffordd dy orchmynion,
oherwydd ehangaist fy neall.

³³O ARGLWYDD, dysg fi yn ffordd dy
ddeddfau,
ac o'i chadw fe gaf wobr.
³⁴Rho imi ddeall, er mwyn imi ufuddhau
i'th gyfraith
a'i chadw â'm holl galon;
³⁵gwna imi gerdded yn llwybr dy
orchmynion,
oherwydd yr wyf yn ymhyfrydu ynddo.
³⁶Tro fy nghalon at dy farnedigaethau
yn hytrach nag at elw;
³⁷tro ymaith fy llygaid rhag gweled
gwagedd;
adfywia fi â'th air ᵐ.
³⁸Cyflawna i'th was yr addewid
a roddaist i'r rhai sy'n dy ofni.
³⁹Tro ymaith y gwaradwydd yr wyf yn ei
ofni,
oherwydd y mae dy farnau'n dda.
⁴⁰Yr wyf yn dyheu am dy ofynion;
adfywia fi â'th gyfiawnder.

⁴¹Pâr i'th gariad ddod ataf, O
ARGLWYDD,
a'th iachawdwriaeth yn ôl dy addewid;
⁴²yna rhoddaf ateb i'r rhai sy'n fy
ngwatwar,
oherwydd ymddiriedais yn dy air.
⁴³Paid â chymryd gair y gwirionedd o'm
genau,
oherwydd fe obeithiais yn dy farnau.
⁴⁴Cadwaf dy gyfraith bob amser,
hyd byth bythoedd.
⁴⁵Rhodiaf oddi amgylch yn rhydd,
oherwydd ceisiais dy ofynion.
⁴⁶Siaradaf am dy farnedigaethau
gerbron brenhinoedd,
ac ni fydd arnaf gywilydd;

ᵐFelly llawysgrifau a Targwm. TM, *â'th ffyrdd.*

⁴⁷ymhyfrydaf yn dy orchmynion
 am fy mod yn eu caru.
⁴⁸Parchaf dy orchmynion
 am fy mod yn eu caru,
 a myfyriaf ar dy ddeddfau.

⁴⁹Cofia dy air i'th was,
 y gair y gwnaethost imi ymddiried
 ynddo.
⁵⁰Hyn fu fy nghysur mewn adfyd,
 fod dy addewid di yn fy adfywio.
⁵¹Y mae'r trahaus yn fy ngwawdio o
 hyd,
 ond ni throis oddi wrth dy gyfraith.
⁵²Yr wyf yn cofio dy farnau erioed,
 ac yn cael cysur ynddynt, O
 ARGLWYDD.
⁵³Cydia digofaint ynof oherwydd y rhai
 drygionus
 sy'n gwrthod dy gyfraith.
⁵⁴Daeth dy ddeddfau'n gân i mi
 ymhle bynnag y bûm yn byw.
⁵⁵Yr wyf yn cofio dy enw yn y nos, O
 ARGLWYDD,
 ac fe gadwaf dy gyfraith.
⁵⁶Hyn sydd wir amdanaf,
 imi ufuddhau i'th ofynion.

⁵⁷Ti yw fy rhan, O ARGLWYDD;
 addewais gadw dy air.
⁵⁸Yr wyf yn erfyn arnat â'm holl galon,
 bydd drugarog wrthyf yn ôl dy
 addewid.
⁵⁹Pan feddyliaf am dy ffyrdd,
 trof fy nghamre'n ôl at dy
 farnedigaethau;
⁶⁰brysiaf, heb oedi,
 i gadw dy orchmynion.
⁶¹Er i glymau'r drygionus dynhau
 amdanaf,
 eto nid anghofiais dy gyfraith.
⁶²Codaf ganol nos i'th foliannu di
 am dy farnau cyfiawn.
⁶³Yr wyt yn gymrawd i bawb sy'n dy
 ofni,
 i'r rhai sy'n ufuddhau i'th ofynion.
⁶⁴Y mae'r ddaear, O ARGLWYDD, yn
 llawn o'th ffyddlondeb;
 dysg i mi dy ddeddfau.

⁶⁵Gwnaethost ddaioni i'th was,
 yn unol â'th air, O ARGLWYDD.
⁶⁶Dysg imi farnu'n dda a gwybod,
 oherwydd yr wyf yn ymddiried yn dy
 orchmynion.
⁶⁷Cyn imi gael fy nghosbi euthum ar
 gyfeiliorn,

ond yn awr yr wyf yn cadw dy air.
⁶⁸Yr wyt ti yn dda, ac yn gwneud daioni;
 dysg i mi dy ddeddfau.
⁶⁹Y mae'r trahaus yn fy mhardduo â
 chelwydd,
 ond yr wyf fi'n ufuddhau i'th ofynion
 â'm holl galon;
⁷⁰y mae eu calon hwy'n drwm gan
 fraster,
 ond yr wyf fi'n ymhyfrydu yn dy
 gyfraith.
⁷¹Mor dda yw imi gael fy nghosbi,
 er mwyn imi gael dysgu dy ddeddfau!
⁷²Y mae cyfraith dy enau yn well i mi
 na miloedd o aur ac arian.

⁷³Dy ddwylo di a'm gwnaeth ac a'm
 lluniodd;
 rho imi ddeall i ddysgu dy
 orchmynion.
⁷⁴Pan fydd y rhai sy'n dy ofni yn fy
 ngweld, fe lawenychant
 am fy mod yn gobeithio yn dy air.
⁷⁵Gwn, O ARGLWYDD, fod dy farnau'n
 gyfiawn,
 ac mai mewn ffyddlondeb yr wyt wedi
 fy nghosbi.
⁷⁶Bydded dy gariad yn gysur i mi,
 yn unol â'th addewid i'th was.
⁷⁷Pâr i'th drugaredd ddod ataf, fel y
 byddaf fyw,
 oherwydd y mae dy gyfraith yn
 hyfrydwch i mi.
⁷⁸Cywilyddier y trahaus oherwydd i'w
 celwydd fy niweidio,
 ond byddaf fi'n myfyrio ar dy ofynion.
⁷⁹Bydded i'r rhai sy'n dy ofni droi ataf fi,
 iddynt gael gwybod dy
 farnedigaethau.
⁸⁰Bydded fy nghalon bob amser yn dy
 ddeddfau,
 rhag imi gael fy nghywilyddio.

⁸¹Y mae fy enaid yn dyheu am dy
 iachawdwriaeth,
 ac yn gobeithio yn dy air;
⁸²y mae fy llygaid yn pylu wrth ddisgwyl
 am dy addewid;
 dywedaf, "Pa bryd y byddi'n fy
 nghysuro?"
⁸³Er imi grebachu fel costrel groen
 mewn mwg,
 eto nid anghofiaf dy ddeddfau.
⁸⁴Am ba hyd y disgwyl dy was
 cyn iti roi barn ar fy erlidwyr?
⁸⁵Y mae gwŷr trahaus, rhai sy'n
 anwybyddu dy gyfraith,

wedi cloddio pwll ar fy nghyfer.
⁸⁶ Y mae dy holl orchmynion yn sicr;
pan fyddant yn fy erlid â chelwydd,
cynorthwya fi.
⁸⁷ Bu ond y dim iddynt fy nifetha oddi ar
y ddaear,
ond eto ni throis fy nghefn ar dy
ofynion.
⁸⁸ Yn ôl dy gariad adfywia fi,
ac fe gadwaf farnedigaethau dy enau.

⁸⁹ Y mae dy air, O ARGLWYDD, yn
dragwyddol,
wedi ei osod yn sefydlog yn y nefoedd.
⁹⁰ Y mae dy ffyddlondeb hyd
genhedlaeth a chenhedlaeth;
seiliaist y ddaear, ac y mae'n sefyll.
⁹¹ Yn ôl dy ordeiniadau y maent yn sefyll
hyd heddiw,
oherwydd gweision i ti yw'r cyfan.
⁹² Onibai i'th gyfraith fod yn hyfrydwch i
mi,
byddai wedi darfod amdanaf yn fy
adfyd;
⁹³ nid anghofiaf dy ofynion hyd byth,
oherwydd trwyddynt hwy adfywiaist fi.
⁹⁴ Eiddot ti ydwyf; gwared fi,
oherwydd ceisiais dy ofynion.
⁹⁵ Y mae'r drygionus yn gwylio amdanaf
i'm dinistrio,
ond fe ystyriaf fi dy farnedigaethau.
⁹⁶ Gwelaf fod popeth yn dod i ben,
ond nid oes terfyn i'th orchymyn di.

⁹⁷ O fel yr wyf yn caru dy gyfraith!
Hi yw fy myfyrdod drwy'r dydd.
⁹⁸ Y mae dy orchymyn yn fy ngwneud yn
ddoethach na'm gelynion,
oherwydd y mae gyda mi bob amser.
⁹⁹ Yr wyf yn fwy deallus na'm holl
athrawon,
oherwydd bod dy farnedigaethau'n
fyfyrdod i mi.
¹⁰⁰ Yr wyf yn deall yn well na'r hynafgwyr,
oherwydd imi ufuddhau i'th ofynion.
¹⁰¹ Cedwais fy nhraed rhag pob llwybr
drwg,
er mwyn imi gadw dy air.
¹⁰² Nid wyf wedi troi oddi wrth dy farnau,
oherwydd ti fu'n fy nghyfarwyddo.
¹⁰³ Mor felys yw dy addewid i'm genau,
melysach na mêl i'm gwefusau.
¹⁰⁴ O'th ofynion di y caf ddeall;
dyna pam yr wyf yn casáu llwybrau
twyll.

¹⁰⁵ Y mae dy air yn llusern i'm troed,

ac yn oleuni i'm llwybr.
¹⁰⁶ Tyngais lw, a gwneud adduned
i gadw dy farnau cyfiawn.
¹⁰⁷ Yr wyf mewn gofid mawr;
O ARGLWYDD, adfywia fi yn ôl dy air.
¹⁰⁸ Derbyn deyrnged fy ngenau, O
ARGLWYDD,
a dysg i mi dy farnedigaethau.
¹⁰⁹ Bob dydd y mae fy mywyd yn fy nwylo,
ond nid wyf yn anghofio dy gyfraith.
¹¹⁰ Gosododd y drygionus rwyd i mi,
ond nid wyf wedi gwyro oddi wrth dy
ofynion.
¹¹¹ Y mae dy farnedigaethau yn
etifeddiaeth imi am byth,
oherwydd y maent yn llonder i'm
calon.
¹¹² Yr wyf wedi gosod fy mryd ar
ufuddhau i'th ddeddfau;
y mae eu gwobr yn dragwyddol.

¹¹³ Yr wyf yn casáu rhai anwadal,
ond yn caru dy gyfraith.
¹¹⁴ Ti yw fy lloches a'm tarian;
yr wyf yn gobeithio yn dy air.
¹¹⁵ Trowch ymaith oddi wrthyf, chwi rai
drwg,
er mwyn imi gadw gorchmynion fy
Nuw.
¹¹⁶ Cynnal fi yn ôl dy addewid, fel y
byddaf fyw,
ac na chywilyddier fi yn fy hyder.
¹¹⁷ Dal fi i fyny, fel y caf waredigaeth,
imi barchu dy ddeddfau yn wastad.
¹¹⁸ Yr wyt yn gwrthod pawb sy'n gwyro
oddi wrth dy ddeddfau,
oherwydd twyll yw eu meddyliau.
¹¹⁹ Yn sothach yr ystyri holl rai drygionus
y ddaear;
am hynny yr wyf yn caru dy
farnedigaethau.
¹²⁰ Y mae fy nghnawd yn crynu gan dy
arswyd,
ac yr wyf yn ofni dy farnau.

¹²¹ Gwneuthum farn a chyfiawnder;
paid â'm gadael i'm gorthrymwyr.
¹²² Bydd yn feichiau er lles dy was;
paid â gadael i'r trahaus fy
ngorthrymu.
¹²³ Y mae fy llygaid yn pylu wrth ddisgwyl
am dy iachawdwriaeth,
ac am dy addewid o gyfiawnder.
¹²⁴ Gwna â'th was yn ôl dy gariad,
a dysg i mi dy ddeddfau.
¹²⁵ Dy was wyf fi; rho imi ddeall
i wybod dy farnedigaethau.

¹²⁶ Y mae'n amser i'r ARGLWYDD
weithredu,
oherwydd torrwyd dy gyfraith.
¹²⁷ Er hynny yr wyf yn caru dy
orchmynion
yn fwy nag aur, nag aur coeth.
¹²⁸ Am hyn cerddaf yn union yn ôl dy holl
ofynion,
a chasâf lwybrau twyll.

¹²⁹ Y mae dy farnedigaethau'n rhyfeddol;
am hynny yr wyf yn eu cadw.
¹³⁰ Pan ddatguddir dy air, bydd yn goleuo
ac yn rhoi deall i'r syml.
¹³¹ Yr wyf yn agor fy ngheg mewn blys,
oherwydd yr wyf yn dyheu am dy
orchmynion.
¹³² Tro ataf a bydd drugarog,
yn ôl dy arfer i'r rhai sy'n dy garu.
¹³³ Cadw fy ngham yn sicr fel yr
addewaist,
a phaid â gadael i ddrygioni fy
meistroli.
¹³⁴ Rhyddha fi oddi wrth ormes dynion,
er mwyn imi ufuddhau i'th ofynion di.
¹³⁵ Bydded llewyrch dy wyneb ar dy was,
a dysg i mi dy ddeddfau.
¹³⁶ Y mae fy llygaid yn ffrydio dagrau
am nad yw dynion yn cadw dy
gyfraith.

¹³⁷ Cyfiawn wyt ti, O ARGLWYDD,
a chywir yw dy farnau.
¹³⁸ Y mae'r barnedigaethau a roddi yn
gyfiawn
ac yn gwbl ffyddlon.
¹³⁹ Y mae fy nghynddaredd yn fy ysu
am fod fy ngelynion yn anghofio dy
eiriau.
¹⁴⁰ Y mae dy addewid wedi ei phrofi'n
llwyr,
ac y mae dy was yn ei charu.
¹⁴¹ Er fy mod i yn fychan ac yn ddinod,
nid wyf yn anghofio dy ofynion.
¹⁴² Y mae dy gyfiawnder di yn gyfiawnder
tragwyddol,
ac y mae dy gyfraith yn wirionedd.
¹⁴³ Daeth cyfyngder a gofid ar fy
ngwarthaf,
ond yr wyf yn ymhyfrydu yn dy
orchmynion.
¹⁴⁴ Y mae dy farnedigaethau di'n gyfiawn
byth;
rhônt imi ddeall, fel y byddaf fyw.

¹⁴⁵ Gwaeddaf â'm holl galon; ateb fi,
ARGLWYDD,

ac fe fyddaf ufudd i'th ddeddfau.
¹⁴⁶ Gwaeddaf arnat ti; gwared fi,
ac fe gadwaf dy farnedigaethau.
¹⁴⁷ Codaf cyn y wawr a gofyn am gymorth,
a gobeithiaf yn dy eiriau.
¹⁴⁸ Y mae fy llygaid yn effro yng
ngwyliadwriaethau'r nos,
i fyfyrio ar dy addewid.
¹⁴⁹ Gwrando fy llef yn ôl dy gariad;
O ARGLWYDD, yn ôl dy farnau adfywia
fi.
¹⁵⁰ Y mae fy erlidwyr dichellgar yn
agosáu,
ond y maent yn bell oddi wrth dy
gyfraith.
¹⁵¹ Yr wyt ti yn agos, O ARGLWYDD,
ac y mae dy holl orchmynion yn
wirionedd.
¹⁵² Gwn erioed am dy farnedigaethau,
i ti eu sefydlu am byth.

¹⁵³ Edrych ar fy adfyd a gwared fi,
oherwydd nid anghofiais dy gyfraith.
¹⁵⁴ Amddiffyn fy achos ac achub fi;
adfywia fi yn ôl dy addewid.
¹⁵⁵ Y mae iachawdwriaeth ymhell oddi
wrth y drygionus,
oherwydd nid ydynt yn ceisio dy
ddeddfau.
¹⁵⁶ Mawr yw dy drugaredd, O ARGLWYDD;
adfywia fi yn ôl dy farn.
¹⁵⁷ Y mae fy erlidwyr a'm gelynion yn
niferus,
ond eto ni wyrais oddi wrth dy
farnedigaethau.
¹⁵⁸ Gwelais y rhai twyllodrus, a ffieiddiais
am nad ydynt yn cadw dy air.
¹⁵⁹ Gwêl fel yr wyf yn caru dy ofynion;
O ARGLWYDD, adfywia fi yn ôl dy
gariad.
¹⁶⁰ Hanfod dy air yw gwirionedd,
ac y mae dy holl farnau cyfiawn yn
dragwyddol.

¹⁶¹ Y mae tywysogion yn fy erlid yn
ddiachos,
ond dy air di yw arswyd fy nghalon.
¹⁶² Yr wyf yn llawenhau o achos dy
addewid,
fel un sy'n cael ysbail mawr.
¹⁶³ Yr wyf yn casáu ac yn ffieiddio twyll,
ond yn caru dy gyfraith di.
¹⁶⁴ Seithwaith y dydd yr wyf yn dy foli
oherwydd dy farnau cyfiawn.
¹⁶⁵ Caiff y rhai sy'n caru dy gyfraith wir
heddwch,
ac nid oes dim yn peri iddynt faglu.

¹⁶⁶ Yr wyf yn disgwyl am dy
      iachawdwriaeth, O Arglwydd,
   ac yn ufuddhau i'th orchmynion.
¹⁶⁷ Yr wyf yn cadw dy farnedigaethau
   ac yn eu caru'n fawr.
¹⁶⁸ Yr wyf yn ufudd i'th ofynion a'th
      farnedigaethau,
   oherwydd y mae dy holl ffyrdd o'm
      blaen.

¹⁶⁹ Doed fy llef atat, O Arglwydd;
   rho imi ddeall yn ôl dy air.
¹⁷⁰ Doed fy neisyfiad atat;
   gwared fi yn ôl dy addewid.
¹⁷¹ Bydd fy ngwefusau'n diferu moliant
   am iti ddysgu i mi dy ddeddfau.
¹⁷² Bydd fy nhafod yn canu am dy
      addewid,
   oherwydd y mae dy holl orchmynion
      yn gyfiawn.
¹⁷³ Bydded dy law yn barod i'm
      cynorthwyo,
   oherwydd yr wyf wedi dewis dy
      ofynion.
¹⁷⁴ Yr wyf yn dyheu am dy
      iachawdwriaeth, O Arglwydd,
   ac yn ymhyfrydu yn dy gyfraith.
¹⁷⁵ Gad imi fyw i'th foliannu di,
   a bydded i'th farnau fy nghynorthwyo.
¹⁷⁶ Euthum ar gyfeiliorn fel dafad ar goll;
   chwilia am dy was,
   oherwydd nid anghofiais dy
      orchmynion.

Cân Esgyniad.

120 Gwaeddais ar yr Arglwydd
      yn fy nghyfyngder,
   ac atebodd fi,
² "O Arglwydd, gwared fi rhag genau
      twyllodrus,
   a rhag tafod enllibus."

³ Beth a roddir i ti,
   a beth yn ychwaneg a wneir, O dafod
      enllibus?
⁴ Saethau llymion rhyfelwr,
   a marwor eirias!
⁵ Gwae fi fy mod yn ymdeithio yn
      Mesech,
   ac yn byw ymysg pebyll Cedar.
⁶ Yn rhy hir y bûm yn byw
   gyda'r rhai sy'n casáu heddwch.
⁷ Yr wyf fi am heddwch,
   ond pan soniaf am hynny,
   y maent hwy am ryfel.

Cân Esgyniad.

121 Codaf fy llygaid tua'r
      mynyddoedd;
   o ble y daw cymorth i mi?

² Daw fy nghymorth oddi wrth yr
      Arglwydd,
   creawdwr nefoedd a daear.
³ Nid yw'n gadael i'th droed lithro,
   ac nid yw dy geidwad yn cysgu.
⁴ Nid yw ceidwad Israel
   yn cysgu nac yn huno.
⁵ Yr Arglwydd yw dy geidwad,
   yr Arglwydd yw dy gysgod ar dy
      ddeheulaw;
⁶ ni fydd yr haul yn dy daro yn y dydd,
   na'r lleuad yn y nos.
⁷ Bydd yr Arglwydd yn dy gadw rhag
      pob drwg,
   bydd yn cadw dy einioes.
⁸ Bydd yr Arglwydd yn gwylio dy fynd
      a'th ddod
   yn awr a hyd byth.

Cân Esgyniad. I Ddafydd.

122 Yr oeddwn yn llawen pan
      ddywedasant wrthyf,
   "Gadewch inni fynd i dŷ'r
      Arglwydd."
² Y mae ein traed bellach yn sefyll
   o fewn dy byrth, O Jerwsalem.
³ Adeiladwyd Jerwsalem yn ddinas
   lle'r unir y bobl â'i gilydd.
⁴ Yno yr esgyn y llwythau,
   llwythau'r Arglwydd,
   fel y gorchmynnwyd i Israel,
   i roi diolch i enw'r Arglwydd.
⁵ Yno y gosodwyd gorseddfeinciau
      barn,
   gorseddfeinciau tŷ Dafydd.
⁶ Gweddïwch am heddwch i Jerwsalem,
   "Bydded llwyddiant i'r rhai sy'n dy
      garu;
⁷ bydded heddwch o fewn dy furiau,
   a diogelwch o fewn dy geyrydd."
⁸ Er mwyn fy mrodyr a'm cyfeillion,
   dywedaf, "Bydded heddwch i ti."
⁹ Er mwyn tŷ yr Arglwydd ein Duw,
   ceisiaf ddaioni i ti.

Cân Esgyniad.

123 Yr wyf yn codi fy llygaid
      atat ti
   sy'n eistedd yn y nefoedd.

²Fel y mae llygaid gweision yn gwylio
   llaw eu meistr,
a llygaid caethferch yn gwylio llaw ei
   meistres,
felly y mae ein llygaid ninnau yn
   gwylio'r ARGLWYDD ein Duw
nes iddo drugarhau wrthym.

³Bydd drugarog wrthym, O
   ARGLWYDD, bydd drugarog
   wrthym,
oherwydd fe gawsom ddigon o sarhad.
⁴Yn rhy hir y cawsom ddigon ar wawd y
   trahaus
ac ar sarhad y beilchion.

Cân Esgyniad. I Ddafydd.

124 Onibai i'r ARGLWYDD fod
         o'n tu—
dyweded Israel hynny—
²onibai i'r ARGLWYDD fod o'n tu
pan gododd dynion yn ein herbyn,
³byddent wedi'n llyncu'n fyw
wrth i'w llid losgi tuag atom;
⁴byddai'r dyfroedd wedi'n cario ymaith
a'r llif wedi mynd dros ein pennau;
⁵ie, drosom yr âi
dygyfor y tonnau.

⁶Bendigedig fyddo'r ARGLWYDD
am iddo beidio â'n rhoi
yn ysglyfaeth i'w dannedd.
⁷Yr ydym wedi dianc fel aderyn
o fagl yr heliwr;
torrodd y fagl,
yr ydym ninnau'n rhydd.

⁸Ein cymorth sydd yn enw'r
   ARGLWYDD,
creawdwr nefoedd a daear.

Cân Esgyniad.

125 Y mae'r rhai sy'n ymddiried yn
         yr ARGLWYDD fel Mynydd
         Seion,
na ellir ei symud, ond sy'n aros hyd
   byth.
²Fel y mae'r mynyddoedd o amgylch
   Jerwsalem,
felly y mae'r ARGLWYDD o amgylch ei
   bobl hyd byth.
³Ni chaiff teyrnwialen y drygionus
   orffwys
ar y tir sy'n rhan i'r rhai cyfiawn,

rhag i'r cyfiawn estyn eu llaw at
   anghyfiawnder.
⁴Gwna ddaioni, O ARGLWYDD, i'r rhai
   da
ac i'r rhai uniawn o galon.
⁵Ond am y rhai sy'n gwyro i'w ffyrdd
   troellog,
bydded i'r ARGLWYDD eu dinistrio
   gyda'r gwneuthurwyr drygioni.
Bydded heddwch ar Israel!

Cân Esgyniad.

126 Pan adferodd yr ARGLWYDD
         lwyddiant Seion,
yr oeddem fel rhai wedi cael iachâd;
²yr oedd ein genau yn llawn chwerthin
a'n tafodau yn bloeddio canu.
Yna fe ddywedid ymysg y
   cenhedloedd,
"Gwnaeth yr ARGLWYDD bethau mawr
   iddynt hwy."
³Yn wir, gwnaeth yr ARGLWYDD bethau
   mawr i ni,
a bu i ninnau lawenhau.

⁴O ARGLWYDD, adfer ein llwyddiant
fel ffrydiau yn yr anialwch;
⁵bydded i'r rhai sy'n hau mewn dagrau
fedi mewn gorfoledd.
⁶Bydd yr un sy'n mynd allan dan wylo,
ac yn cario ei sach o hadyd,
yn dychwelyd drachefn mewn
   gorfoledd,
ac yn cario ei ysgubau.

Cân Esgyniad. I Solomon.

127 Os nad yw'r ARGLWYDD yn
         adeiladu'r tŷ,
y mae ei adeiladwyr yn gweithio'n
   ofer.
Os nad yw'r ARGLWYDD yn gwylio'r
   ddinas,
y mae'r gwylwyr yn effro'n ofer.
²Yn ofer y codwch yn fore,
a mynd yn hwyr i orffwyso,
a llafurio am y bwyd a fwytewch;
oherwydd mae ef yn rhoi i'w anwylyd
   pan yw'n cysgu.
³Wele, etifeddiaeth oddi wrth yr
   ARGLWYDD yw meibion,
a gwobr yw ffrwyth y groth.
⁴Fel saethau yn llaw rhyfelwr
yw meibion ieuenctid dyn.
⁵Gwyn ei fyd y gŵr

sydd â chawell llawn ohonynt;
ni chywilyddir ef
pan ddadleua â'i elynion yn y porth.

Cân Esgyniad.

128 Gwyn ei fyd pob un sy'n ofni'r
ARGLWYDD
ac yn rhodio yn ei ffyrdd.
²Cei fwyta o ffrwyth dy lafur;
byddi'n hapus ac yn wyn dy fyd.
³Bydd dy wraig yng nghanol dy dŷ
fel gwinwydden ffrwythlon,
a'th blant o amgylch dy fwrdd
fel blagur olewydden.
⁴Wele, fel hyn y bendithir y gŵr
sy'n ofni'r ARGLWYDD.
⁵Bydded i'r ARGLWYDD dy fendithio o
Seion,
iti gael gweld llwyddiant Jerwsalem
holl ddyddiau dy fywyd,
⁶ac iti gael gweld plant dy blant.
Bydded heddwch ar Israel!

Cân Esgyniad.

129 Llawer gwaith o'm hieuenctid
buont yn ymosod arnaf—
dyweded Israel yn awr—
²llawer gwaith o'm hieuenctid buont yn
ymosod arnaf,
ond heb erioed fod yn drech na mi.
³Y mae'r arddwyr wedi aredig fy
nghefn
gan dynnu cwysau hirion.
⁴Ond y mae'r ARGLWYDD yn gyfiawn;
torrodd raffau'r rhai drygionus.

⁵Bydded i'r holl rai sy'n casáu Seion
gywilyddio a chilio'n ôl;
⁶byddant fel glaswellt pen to,
sy'n crino cyn iddo flaguro—
⁷ni leinw byth law'r medelwr,
na gwneud coflaid i'r rhwymwr,
⁸ac ni ddywed neb wrth fynd heibio,
"Bendith yr ARGLWYDD arnoch!
Bendithiwn chwi yn enw'r
ARGLWYDD."

Cân Esgyniad.

130 O'r dyfnderau y gwaeddais
arnat, O ARGLWYDD.
²Arglwydd, clyw fy llef;
bydded dy glustiau'n agored
i lef fy ngweddi.

³Os wyt ti, ARGLWYDD, yn sylwi ar
bechodau,
pwy, O Arglwydd, a all sefyll?
⁴Ond y mae gyda thi faddeuant,
fel y cei dy ofni.

⁵Disgwyliaf wrth yr ARGLWYDD; y mae
fy enaid yn disgwyl,
a gobeithiaf yn ei air;
⁶y mae fy enaid yn disgwyl wrth yr
Arglwydd
yn fwy nag y mae'r gwylwyr am y bore,
yn fwy nag y mae'r gwylwyr am y bore.

⁷O Israel, gobeithia yn yr ARGLWYDD,
oherwydd gyda'r ARGLWYDD y mae
ffyddlondeb,
a chydag ef y mae gwaredigaeth
helaeth.
⁸Ef sydd yn gwaredu Israel
oddi wrth ei holl bechodau.

Cân Esgyniad. I Ddafydd.

131 O ARGLWYDD, nid yw fy
nghalon yn ddyrchafedig,
na'm llygaid yn falch;
nid wyf yn ymboeni am bethau rhy
fawr,
nac am bethau rhy ryfeddol i mi.
²Ond yr wyf wedi tawelu a distewi fy
enaid,
fel plentyn ar fron ei fam;
fel plentyn y mae fy enaid.

³O Israel, gobeithia yn yr ARGLWYDD
yn awr a hyd byth.

Cân Esgyniad.

132 O ARGLWYDD, cofia am
Ddafydd
yn ei holl dreialon,
²fel y bu iddo dyngu i'r ARGLWYDD
ac addunedu i Rymus Un Jacob,
³"Nid af i mewn i'r babell y trigaf
ynddi,
nac esgyn i'r gwely y gorffwysaf arno;
⁴ni roddaf gwsg i'm llygaid
na hun i'm hamrannau,
⁵nes imi gael lle i'r ARGLWYDD
a thrigfan i Rymus Un Jacob."
⁶Wele, clywsom amdani yn Effratha,
a chawsom hi ym meysydd y coed.
⁷"Awn i mewn i'w drigfan
a phlygwn wrth ei droedfainc.

⁸Cyfod, ARGLWYDD, a thyrd i'th
orffwysfa,
ti ac arch dy nerth.
⁹Bydded dy offeiriaid wedi eu gwisgo
ag iachawdwriaeth,
a bydded i'th ffyddloniaid orfoleddu."
¹⁰Er mwyn Dafydd dy was,
paid â throi oddi wrth wyneb dy
eneiniog.
¹¹Tyngodd yr ARGLWYDD i Ddafydd
adduned sicr na thry oddi wrthi:
"O ffrwyth dy gorff
y gosodaf un ar dy orsedd.
¹²Os ceidw dy feibion fy nghyfamod,
a'r tystiolaethau a ddysgaf iddynt,
bydd eu meibion hwythau hyd byth
yn eistedd ar dy orsedd."
¹³Oherwydd dewisodd yr ARGLWYDD
Seion,
a'i chwennych yn drigfan iddo:
¹⁴"Dyma fy ngorffwysfa am byth;
yma y trigaf am imi ei dewis.
¹⁵Bendithiaf hi â digonedd o ymborth,
a digonaf ei thlodion â bara.
¹⁶Gwisgaf ei hoffeiriaid ag
iachawdwriaeth,
a bydd ei ffyddloniaid yn gorfoleddu.
¹⁷Yno y gwnaf i gorn dyfu i Ddafydd;
darperais lamp i'm heneiniog.
¹⁸Gwisgaf ei elynion â chywilydd,
ond ar ei ben ef y bydd coron
ddisglair."

Cân Esgyniad. I Ddafydd.

133 Mor dda ac mor ddymunol yw
i frodyr fyw'n gytûn.
²Y mae fel olew gwerthfawr ar y pen,
yn llifo i lawr dros y farf,
dros farf Aaron,
yn llifo i lawr dros goler ei wisgoedd.
³Y mae fel gwlith Hermon
yn disgyn i lawr ar fryniau Seion.
Oherwydd yno y gorchmynnodd yr
ARGLWYDD ei fendith,
bywyd hyd byth.

Cân Esgyniad.

134 Dewch, bendithiwch yr
ARGLWYDD,
holl weision yr ARGLWYDD,
sy'n sefyll liw nos yn nhŷ'r ARGLWYDD.
²Codwch eich dwylo yn y cysegr,
a bendithiwch yr ARGLWYDD.
³Bydded i'r ARGLWYDD eich bendithio

o Seion—
creawdwr nefoedd a daear!

135 Molwch yr ARGLWYDD.
Molwch enw'r ARGLWYDD,
molwch ef, chwi weision yr
ARGLWYDD,
²sy'n sefyll yn nhŷ'r ARGLWYDD,
yng nghynteddoedd ein Duw.
³Molwch yr ARGLWYDD, oherwydd da
yw ef;
canwch i'w enw, oherwydd y mae'n
ddymunol.
⁴Dewisodd yr ARGLWYDD Jacob iddo'i
hunan,
ac Israel yn drysor arbennig iddo.

⁵Oherwydd fe wn i fod yr ARGLWYDD
yn fawr,
a bod ein Harglwydd ni yn rhagori ar
yr holl dduwiau.
⁶Fe wna'r ARGLWYDD beth bynnag a
ddymuna,
yn y nefoedd ac ar y ddaear,
yn y moroedd a'r holl ddyfnderau.
⁷Pâr i gymylau godi o derfynau'r
ddaear;
fe wna fellt ar gyfer y glaw,
a daw gwynt allan o'i ystordai.
⁸Fe drawodd rai cyntafanedig yr Aifft,
yn ddyn ac anifail;
⁹anfonodd arwyddion a rhybuddion
trwy ganol yr Aifft,
yn erbyn Pharo a'i holl ddeiliaid.
¹⁰Fe drawodd genhedloedd mawrion,
a lladd brenhinoedd cryfion—
¹¹Sihon brenin yr Amoriaid,
Og brenin Basan,
a holl dywysogion Canaan;
¹²rhoddodd eu tir yn etifeddiaeth,
yn etifeddiaeth i'w bobl Israel.

¹³Y mae dy enw, O ARGLWYDD, am
byth,
a'th enwogrwydd o genhedlaeth i
genhedlaeth.
¹⁴Oherwydd fe rydd yr ARGLWYDD
gyfiawnder i'w bobl,
a bydd yn trugarhau wrth ei weision.

¹⁵Arian ac aur yw delwau'r
cenhedloedd,
ac wedi eu gwneud â dwylo dyn.
¹⁶Y mae ganddynt enau nad ydynt yn
siarad,
a llygaid nad ydynt yn gweld;

¹⁷y mae ganddynt glustiau nad ydynt yn
   clywed,
   ac nid oes anadl yn eu ffroenau.
¹⁸Yn union fel hwy y bydd eu
   gwneuthurwyr,
   a phob un sy'n ymddiried ynddynt.

¹⁹Dylwyth Israel, bendithiwch yr
   ARGLWYDD;
   Dylwyth Aaron, bendithiwch yr
   ARGLWYDD.
²⁰Dylwyth Lefi, bendithiwch yr
   ARGLWYDD;
   pob un sy'n ofni'r ARGLWYDD,
   bendithiwch yr ARGLWYDD.
²¹Bendigedig yn Seion fyddo'r
   ARGLWYDD
   sydd yn trigo yn Jerwsalem.
   Molwch yr ARGLWYDD.

136 Diolchwch i'r ARGLWYDD am
         mai da yw,
   oherwydd mae ei gariad hyd byth.
²Diolchwch i Dduw y duwiau,
   oherwydd mae ei gariad hyd byth.
³Diolchwch i Arglwydd yr arglwyddi,
   oherwydd mae ei gariad hyd byth.

⁴Y mae'n gwneud rhyfeddodau
   mawrion ei hunan,
   oherwydd mae ei gariad hyd byth;
⁵gwnaeth y nefoedd mewn doethineb,
   oherwydd mae ei gariad hyd byth;
⁶taenodd y ddaear dros y dyfroedd,
   oherwydd mae ei gariad hyd byth;
⁷gwnaeth oleuadau mawrion,
   oherwydd mae ei gariad hyd byth;
⁸yr haul i reoli'r dydd,
   oherwydd mae ei gariad hyd byth,
⁹y lleuad a'r sêr i reoli'r nos,
   oherwydd mae ei gariad hyd byth.

¹⁰Trawodd rai cyntafanedig yr Aifft,
   oherwydd mae ei gariad hyd byth,
¹¹a daeth ag Israel allan o'u canol,
   oherwydd mae ei gariad hyd byth;
¹²â llaw gref ac â braich estynedig,
   oherwydd mae ei gariad hyd byth.
¹³Holltodd y Môr Coch yn ddau,
   oherwydd mae ei gariad hyd byth,
¹⁴a dygodd Israel trwy ei ganol,
   oherwydd mae ei gariad hyd byth,
¹⁵ond taflodd Pharo a'i lu i'r môr,
   oherwydd mae ei gariad hyd byth.

¹⁶Arweiniodd ei bobl trwy'r anialwch,

oherwydd mae ei gariad hyd byth,
¹⁷a tharo brenhinoedd mawrion,
   oherwydd mae ei gariad hyd byth.
¹⁸Lladdodd frenhinoedd cryfion,
   oherwydd mae ei gariad hyd byth;
¹⁹Sihon brenin yr Amoriaid,
   oherwydd mae ei gariad hyd byth,
²⁰Og brenin Basan,
   oherwydd mae ei gariad hyd byth;
²¹rhoddodd eu tir yn etifeddiaeth,
   oherwydd mae ei gariad hyd byth,
²²yn etifeddiaeth i'w was Israel,
   oherwydd mae ei gariad hyd byth.
²³Pan oeddem wedi'n darostwng,
   fe'n cofiodd,
   oherwydd mae ei gariad hyd byth,
²⁴a'n gwaredu oddi wrth ein gelynion,
   oherwydd mae ei gariad hyd byth.

²⁵Ef sy'n rhoi bwyd i bawb,
   oherwydd mae ei gariad hyd byth.
²⁶Diolchwch i Dduw y nefoedd,
   oherwydd mae ei gariad hyd byth.

137 Ger afonydd Babilon yr
         oeddem yn eistedd ac yn
         wylo
   wrth inni gofio am Seion.
²Ar yr helyg yno
   bu inni grogi ein telynau,
³oherwydd yno gofynnodd y rhai a'n
   caethiwai am gân,
   a'r rhai a'n hanrheithiai am
   ddifyrrwch.
   "Canwch inni," meddent, "rai o
   ganeuon Seion."

⁴Sut y medrwn ganu cân yr ARGLWYDD
   mewn tir estron?
⁵Os anghofiaf di, Jerwsalem,
   bydded fy neheulaw'n ddiffrwyth;
⁶bydded i'm tafod lynu wrth daflod fy
   ngenau
   os na chofiaf di,
   os na osodaf Jerwsalem
   yn uwch na'm llawenydd pennaf.

⁷O ARGLWYDD, dal yn erbyn pobl
   Edom
   ddydd gofid Jerwsalem,
   am iddynt ddweud, "I lawr â hi, i lawr
   â hi
   hyd at ei sylfeini."
⁸O ferch Babilon, sy'n distrywio,
   gwyn ei fyd y sawl sy'n talu'n ôl i ti
   am y cyfan a wnaethost i ni.

⁹Gwyn ei fyd y sawl sy'n cipio dy blant
    ac yn eu dryllio yn erbyn y graig.

I Ddafydd.

138 Clodforaf di â'm holl galon,
    canaf fawl i ti yng ngŵydd
    duwiau.
²Ymgrymaf tuag at dy deml sanctaidd,
    a chlodforaf dy enw am dy gariad a'th
    ffyddlondeb,
    oherwydd dyrchefaist dy enw a'th air
    uwchlaw popeth.
³Pan elwais arnat, atebaist fi,
    a chynyddaist fyⁿ nerth ynof.

⁴Bydded i holl frenhinoedd y ddaear dy
    glodfori, O ARGLWYDD,
    am iddynt glywed geiriau dy enau;
⁵bydded iddynt ganu am ffyrdd yr
    ARGLWYDD,
    oherwydd mawr yw gogoniant yr
    ARGLWYDD.
⁶Er bod yr ARGLWYDD yn uchel, fe
    gymer sylw o'r isel,
    ac fe ddarostwng y balch o bell.

⁷Er imi fynd trwy ganol cyfyngder,
    adfywiaist fi;
    estynnaist dy law yn erbyn llid fy
    ngelynion,
    a gwaredaist fi â'th ddeheulaw.
⁸Bydd yr ARGLWYDD yn gweithredu ar
    fy rhan.
    O ARGLWYDD, y mae dy gariad hyd
    byth;
    paid â gadael gwaith dy ddwylo.

I'r Cyfarwyddwr: i Ddafydd. Salm.

139 ARGLWYDD, yr wyt wedi fy
    chwilio a'm hadnabod.
²Gwyddost ti pa bryd y byddaf yn
    eistedd ac yn codi;
    yr wyt wedi deall fy meddwl o bell;
³yr wyt wedi mesur fy ngherdded a'm
    gorffwys,
    ac yr wyt yn gyfarwydd â'm holl
    ffyrdd.
⁴Oherwydd nid oes air ar fy nhafod
    heb i ti, ARGLWYDD, ei wybod i gyd.
⁵Yr wyt wedi cau amdanaf yn ôl ac
    ymlaen,
    ac wedi gosod dy law drosof.

⁶Y mae'r wybodaeth hon yn rhy ryfedd
    i mi;
    y mae'n rhy uchel i mi ei chyrraedd.

⁷I ble yr af oddi wrth dy ysbryd?
    I ble y ffoaf o'th bresenoldeb?
⁸Os dringaf i'r nefoedd, yr wyt yno;
    os cyweiriaf wely yn Sheol, yr wyt yno
    hefyd.
⁹Os cymeraf adenydd y wawr
    a thrigo ym mhellafoedd y môr,
¹⁰yno hefyd fe fydd dy law yn fy arwain,
    a'th ddeheulaw yn fy nghynnal.
¹¹Os dywedaf, "Yn sicr bydd y
    tywyllwch yn fy nghuddio°,
    a'r nos yn cauᵖ amdanaf",
¹²eto nid yw tywyllwch yn dywyllwch i ti;
    y mae'r nos yn goleuo fel dydd,
    a'r un yw tywyllwch a goleuni.

¹³Ti a greodd fy ymysgaroedd,
    a'm llunio yng nghroth fy mam.
¹⁴Clodforaf di, oherwydd yr wyt yn
    ofnadwy a rhyfeddol,
    ac y mae dy weithredoedd yn
    rhyfeddol.
    Yr wyt yn fy adnabod mor dda;
¹⁵ni chuddiwyd fy ngwneuthuriad oddi
    wrthyt
    pan oeddwn yn cael fy ngwneud yn y
    dirgel,
    ac yn cael fy llunio yn nyfnderoedd y
    ddaear.
¹⁶Gwelodd dy lygaid fy nefnydd di-lun;
    y mae'r cyfan wedi ei ysgrifennu yn dy
    lyfr;
    cafodd fy nyddiau eu ffurfio
    pan nad oedd yr un ohonynt.
¹⁷Mor ddwfn i mi yw dy feddyliau, O
    Dduw,
    ac mor lluosog eu nifer!
¹⁸Os cyfrifaf hwy, y maent yn amlach
    na'r tywod,
    a phe gorffennwn hynny, byddit ti'n
    parhau gyda mi.
¹⁹Fy Nuw, O na fyddit ti'n lladd y
    drygionus,
    fel y byddai gwŷr gwaedlyd yn troi
    oddi wrthyf—
²⁰y rhai sy'n dy herio di yn ddichellgar,
    ac yn gwrthryfela'n ofer yn dy erbyn.
²¹Onid wyf yn casáu, O ARGLWYDD, y
    rhai sy'n dy gasáu di,
    ac yn ffieiddio'r rhai sy'n codi yn dy
    erbyn?

ⁿFelly Fersiynau. Hebraeg, *a gwnaethost fi'n eofn â.*
ᵖFelly Sgrôl. TM, *yn oleuni.*

°Felly Fersiynau. Hebraeg, *fy nhrechu.*

²² Yr wyf yn eu casáu â chas perffaith,
ac y maent fel gelynion i mi.

²³ Chwilia fi, O Dduw, iti adnabod fy
nghalon;
profa fi, iti ddeall fy meddyliau.
²⁴ Edrych a wyf ar ffordd a fydd yn loes i
mi,
ac arwain fi yn y ffordd dragwyddol.

I'r Cyfarwyddwr: Salm. I Ddafydd.

140 O ARGLWYDD, gwared fi rhag
dynion drwg;
cadw fi rhag gwŷr sy'n gorthrymu,
² rhai sy'n cynllunio drygioni yn eu
calon,
a phob amser yn codi cythrwfl.
³ Y mae eu tafod yn finiog fel sarff,
ac y mae gwenwyn gwiber dan eu
gwefusau.   *Sela*
⁴ O ARGLWYDD, arbed fi rhag dwylo'r
drygionus;
cadw fi rhag gwŷr sy'n gorthrymu,
rhai sy'n cynllunio i faglu fy nhraed.
⁵ Bu gwŷr trahaus yn cuddio magl i mi,
a rhai dinistriol yn taenu rhwyd,
ac yn gosod maglau ar ymyl y
ffordd.   *Sela*

⁶ Dywedais wrth yr ARGLWYDD, "Fy
Nuw wyt ti";
gwrando, O ARGLWYDD, ar lef fy
ngweddi.
⁷ O ARGLWYDD Dduw, fy
iachawdwriaeth gadarn,
cuddiaist fy mhen yn nydd brwydr.
⁸ O ARGLWYDD, paid â rhoi eu
dymuniad i'r drygionus,
paid â llwyddo eu bwriad.   *Sela*
⁹ Y mae rhai o'm hamgylch yn codi ᵖʰ eu
pen,
ond bydded i ddrygioni eu gwefusau
eu llethu.
¹⁰ Bydded i farwor tanllyd syrthio
arnynt;
bwrier hwy i ffosydd dyfnion heb allu
codi.
¹¹ Na fydded lle i'r enllibus yn y wlad;
bydded i ddrygioni ymlid y
gorthrymwr yn ddiarbed.

¹² Gwn y gwna'r ARGLWYDD gyfiawnder
â'r truan,
ac y rhydd farn i'r anghenus.
¹³ Yn sicr bydd y cyfiawn yn clodfori dy
enw;
bydd yr uniawn yn byw yn dy
bresenoldeb.

Salm. I Ddafydd.

141 O ARGLWYDD, gwaeddaf arnat,
brysia ataf;
gwrando ar fy llef pan alwaf arnat.
² Bydded fy ngweddi fel arogldarth o'th
flaen,
ac estyniad fy nwylo fel offrwm
hwyrol.

³ O ARGLWYDD, gosod warchod ar fy
ngenau,
gwylia dros ddrws fy ngwefusau.
⁴ Paid â throi fy nghalon at bethau
drwg,
i fod yn brysur wrth weithredoedd
drygionus
gyda gwŷr sy'n wneuthurwyr drygioni;
paid â gadael imi fwyta o'u
danteithion.

⁵ Bydded i'r cyfiawn fy nharo mewn
cariad a'm ceryddu,
ond na fydded i olew'r drygionus ʳ
eneinio fy mhen,
oherwydd y mae fy ngweddi yn wastad
yn erbyn eu drygioni.
⁶ Pan fwrir eu barnwyr yn erbyn craig,
byddant yn gwybod mor ddymunol
oedd fy ngeiriau.
⁷ Fel darnau o bren neu o graig ar y
llawr,
bydd eu ʳʰ hesgyrn wedi eu gwasgaru
yng ngenau Sheol.
⁸ Y mae fy llygaid arnat ti, O
ARGLWYDD Dduw;
ynot ti y llochesaf; paid â'm gadael heb
amddiffyn.
⁹ Cadw fi o'r rhwyd a osodwyd imi,
ac o fagl y gwneuthurwyr drygioni.
¹⁰ Bydded i'r drygionus syrthio i'w
rhwydau eu hunain,
a myfi fy hun yn mynd heibio.

ᵖʰ Hebraeg yn darllen *y maent yn codi* ar ddiwedd adn.8.   ʳ Felly Groeg. Hebraeg, *olew'r pen*
ʳʰ Felly Fersiynau. Hebraeg, *ein.*

*Mascîl. I Ddafydd, pan oedd yn yr ogof.
Gweddi.*

142 Gwaeddaf yn uchel ar yr
Arglwydd,
ymbiliaf yn uchel ar yr Arglwydd.
² Arllwysaf fy nghŵyn o'i flaen,
a mynegaf fy nghyfyngder yn ei
bresenoldeb.
³ Pan yw fy ysbryd yn pallu,
yr wyt ti'n gwybod fy llwybr.

Ar y llwybr a gerddaf
y maent wedi cuddio magl.
⁴ Edrychaf i'r dde, a gweld
nad oes neb yn gyfaill imi;
nid oes dihangfa i mi,
na neb yn malio amdanaf.

⁵ Gwaeddais arnat ti, O Arglwydd;
dywedais, "Ti yw fy noddfa,
a'm rhan yn nhir y rhai byw."
⁶ Gwrando ar fy nghri,
oherwydd fe'm darostyngwyd yn isel;
gwared fi oddi wrth fy erlidwyr,
oherwydd y maent yn gryfach na mi.
⁷ Dwg fi allan o'm caethiwed,
er mwyn imi glodfori dy enw.
Bydd y rhai cyfiawn yn tyrru ataf
pan fyddi di yn dda wrthyf.

Salm. I Ddafydd.

143 Arglwydd, clyw fy ngweddi,
gwrando ar fy neisyfiad.
Ateb fi yn dy ffyddlondeb—
yn dy gyfiawnder.
² Paid â mynd i farn â'th was,
oherwydd nid oes neb byw yn gyfiawn
o'th flaen di.

³ Y mae'r gelyn wedi fy ymlid,
ac wedi sathru fy mywyd i'r llawr;
gwnaeth imi eistedd mewn tywyllwch,
fel rhai wedi hen farw.
⁴ Y mae fy ysbryd yn pallu ynof,
a'm calon wedi ei dal gan arswyd.
⁵ Yr wyf yn cofio am y dyddiau gynt,
yn myfyrio ar y cyfan a wnaethost,
ac yn meddwl am waith dy ddwylo.
⁶ Yr wyf yn estyn fy nwylo atat ti,
ac yn sychedu amdanat fel tir
sych.　　　　　　*Sela*

⁷ Brysia i'm hateb, O Arglwydd,
y mae fy ysbryd yn pallu;

⁵Felly llawysgrifau a Fersiynau. TM, *fy mhobl.*

paid â chuddio dy wyneb oddi wrthyf,
neu byddaf fel y rhai sy'n disgyn i'r
pwll.
⁸ Pâr imi glywed yn y bore am dy gariad,
oherwydd yr wyf wedi ymddiried ynot
ti;
gwna imi wybod pa ffordd i'w
cherdded,
oherwydd yr wyf wedi dyrchafu fy
enaid atat ti.
⁹ O Arglwydd, gwared fi oddi wrth fy
ngelynion,
oherwydd atat ti yr wyf wedi ffoi am
gysgod.
¹⁰ Dysg imi wneud dy ewyllys,
oherwydd ti yw fy Nuw;
bydded i'th ysbryd daionus fy arwain
ar hyd tir gwastad.
¹¹ Er mwyn dy enw, O Arglwydd, cadw
fy einioes;
yn dy gyfiawnder dwg fi o'm
cyfyngder,
¹² ac yn dy gariad distawa fy ngelynion;
dinistria'r holl rai sydd yn fy
ngorthrymu,
oherwydd dy was wyf fi.

I Ddafydd.

144 Bendigedig yw yr Arglwydd,
fy nghraig;
ef sy'n dysgu i'm dwylo ymladd,
ac i'm bysedd ryfela;
² fy nghâr a'm cadernid,
fy nghaer a'm gwaredydd,
fy nharian a'm lloches,
sy'n darostwng pobloedd⁵ o danat.

³ O Arglwydd, beth yw dyn, i ti ofalu
amdano,
a'r teulu dynol, i ti ei ystyried?
⁴ Y mae dyn yn union fel anadl,
a'i ddyddiau fel cysgod yn mynd
heibio.

⁵ Arglwydd, agor y nefoedd a thyrd i
lawr,
cyffwrdd â'r mynyddoedd nes eu bod
yn mygu;
⁶ saetha allan fellt nes eu gwasgaru,
anfon dy saethau nes peri iddynt
arswydo.
⁷ Estyn allan dy law o'r uchelder,
i'm hachub ac i'm gwaredu
o ddyfroedd lawer, ac o law estroniaid

⁸sy'n dweud celwydd â'u genau,
a'u deheulaw'n llawn ffalster.

⁹Canaf gân newydd i ti, O Dduw,
canaf gyda'r offeryn dectant i ti,
¹⁰sy'n rhoi gwaredigaeth i frenhinoedd,
ac yn achub Dafydd ei was.
¹¹Achub fi oddi wrth y cleddyf creulon¹;
gwared fi o law estroniaid,
sy'n dweud celwydd â'u genau,
a'u deheulaw'n llawn ffalster.
¹²Bydded ein meibion fel planhigion
yn tyfu'n gryf yn eu hieuenctid,
a'n merched fel pileri cerfiedig
mewn adeiladwaith palas.
¹³Bydded ein hysguboriau yn llawn
o luniaeth o bob math;
bydded ein defaid yn filoedd
ac yn fyrddiynau yn ein meysydd;
¹⁴bydded ein gwartheg yn drymion,
heb anap nac erthyliad;
ac na fydded gwaedd ar ein strydoedd.
¹⁵Gwyn eu byd y bobl sydd fel hyn.
Gwyn eu byd y bobl y mae'r
ARGLWYDD yn Dduw iddynt.

Emyn Mawl. I Ddafydd.

145 Dyrchafaf di, fy Nuw,
O Frenin,
a bendithiaf dy enw byth bythoedd.
²Bob dydd bendithiaf di,
a moliannu dy enw byth bythoedd.
³Mawr yw'r ARGLWYDD, a theilwng
iawn o fawl,
ac y mae ei fawredd yn anchwiliadwy.

⁴Molianna'r naill genhedlaeth dy waith
wrth y llall,
a mynegi dy weithredoedd nerthol.
⁵Am ysblander gogoneddus dy fawredd
y dywedant,
a rhoi ᵗʰ sylw i'th ryfeddodau.
⁶Cyhoeddant rym dy weithredoedd
ofnadwy,
ac adrodd am dy fawredd.
⁷Dygant i gof dy ddaioni helaeth,
a chanu am dy gyfiawnder.

⁸Graslon a thrugarog yw'r ARGLWYDD,
araf i ddigio, a llawn ffyddlondeb.
⁹Y mae'r ARGLWYDD yn dda wrth
bawb,

ac y mae ei drugaredd tuag at ei holl
waith.

¹⁰Y mae dy holl waith yn dy foli,
ARGLWYDD,
a'th saint yn dy fendithio.
¹¹Dywedant am ogoniant dy deyrnas,
a sôn am dy nerth,
¹²er mwyn dangos i ddynion dy
weithredoedd nerthol
ac ysblander gogoneddus dy deyrnas.
¹³Teyrnas dragwyddol yw dy deyrnas,
a saif dy lywodraeth byth bythoedd.
Y mae'r ARGLWYDD yn ffyddlon yn ei
holl eiriau,
ac yn drugarog yn ei holl
weithredoedd. ᵘ
¹⁴Fe gynnal yr ARGLWYDD bawb sy'n
syrthio,
ac uniona'r holl rai gwargam.
¹⁵Try llygaid pawb mewn gobaith atat ti,
ac fe roi iddynt eu bwyd yn ei bryd;
¹⁶y mae dy law yn agored,
ac yr wyt yn diwallu popeth byw yn ôl
d'ewyllys.
¹⁷Y mae'r ARGLWYDD yn gyfiawn yn ei
holl ffyrdd
ac yn ffyddlon yn ei holl
weithredoedd.
¹⁸Y mae'r ARGLWYDD yn agos at bawb
sy'n galw arno,
at bawb sy'n galw arno mewn
gwirionedd.
¹⁹Gwna ddymuniad y rhai sy'n ei ofni;
gwrendy ar eu cri, a gwareda hwy.
²⁰Gofala'r ARGLWYDD am bawb sy'n ei
garu,
ond y mae'n distrywio'r holl rai
drygionus.
²¹Llefara fy ngenau foliant yr
ARGLWYDD,
a bydd pob creadur yn bendithio'i enw
sanctaidd
byth bythoedd.

146 Molwch yr ARGLWYDD.
Fy enaid, mola'r ARGLWYDD.
²Molaf yr ARGLWYDD tra byddaf byw,
canaf fawl i'm Duw tra byddaf.
³Peidiwch ag ymddiried mewn
tywysogion,
mewn unrhyw ddyn na all waredu;

ᵗYn Hebraeg, y mae *oddi wrth...creulon* yn yr adnod flaenorol.
ᵗʰFelly Fersiynau. Hebraeg, *rhof.*
ᵘFelly un llawysgrif, Fersiynau a Sgrôl. TM heb *Y mae'r...weithredoedd.*

⁴bydd ei anadl yn darfod ac yntau'n
  dychwelyd i'r ddaear,
  a'r diwrnod hwnnw derfydd am ei
  gynlluniau.

⁵Gwyn ei fyd y dyn y mae Duw Jacob
  yn ei gynorthwyo,
  ac y mae ei obaith yn yr ARGLWYDD ei
  Dduw,
⁶creawdwr nefoedd a daear a'r môr,
  a'r cyfan sydd ynddynt.
  Y mae ef yn cadw'n ffyddlon hyd byth,
⁷ac yn gwneud barn â'r gorthrymedig;
  y mae'n rhoi bara i'r newynog.
  Y mae'r ARGLWYDD yn rhyddhau
    carcharorion;
⁸y mae'r ARGLWYDD yn rhoi golwg i'r
    deillion,
  ac yn unioni'r rhai gwargam;
  y mae'r ARGLWYDD yn caru'r rhai
    cyfiawn.
⁹Y mae'r ARGLWYDD yn gwylio dros y
    dieithriaid,
  ac yn cynnal y weddw a'r amddifad;
  y mae'n difetha ffordd y drygionus.

¹⁰Bydd yr ARGLWYDD yn teyrnasu hyd
    byth,
  a'th Dduw di, O Seion, dros y
    cenedlaethau.
  Molwch yr ARGLWYDD.

147 Molwch yr ARGLWYDD.
       Da yw canu mawl i'n Duw ni,
  oherwydd y mae'n drugarog, a
    gweddus yw mawl.
²Y mae'r ARGLWYDD yn adeiladu
    Jerwsalem,
  y mae'n casglu rhai gwasgaredig
    Israel.
³Y mae'n iacháu'r rhai drylliedig o
    galon,
  ac yn rhwymo eu doluriau.
⁴Y mae'n pennu nifer y sêr,
  ac yn rhoi enwau arnynt i gyd.
⁵Mawr yw ein Harglwydd ni, a chryf o
    nerth;
  y mae ei ddoethineb yn ddifesur.
⁶Y mae'r ARGLWYDD yn codi'r rhai
    gostyngedig,
  ond yn bwrw'r drygionus i'r llawr.
⁷Canwch i'r ARGLWYDD mewn diolch,
  canwch fawl i'n Duw â'r delyn.
⁸Y mae ef yn gorchuddio'r nefoedd â

chymylau,
  ac yn darparu glaw i'r ddaear;
  y mae'n gwisgo'r mynyddoedd â
    glaswellt,
  a phlanhigion at wasanaeth dyn ʷ.
⁹Y mae'n rhoi eu porthiant i'r
    anifeiliaid,
  a'r hyn a ofynnant i gywion y gigfran.
¹⁰Nid yw'n ymhyfrydu yn nerth march,
  nac yn cael pleser yng nghyhyrau gŵr;
¹¹ond pleser yr ARGLWYDD yw'r rhai sy'n
    ei ofni,
  y rhai sy'n gobeithio yn ei gariad.

¹²Molianna yr ARGLWYDD, O
    Jerwsalem;
  mola dy Dduw, O Seion,
¹³oherwydd cryfhaodd farrau dy byrth,
  a bendithiodd dy feibion o'th fewn.
¹⁴Y mae'n rhoi heddwch i'th derfynau,
  ac yn dy ddigoni â'r ŷd gorau.
¹⁵Y mae'n anfon ei orchymyn i'r ddaear,
  ac y mae ei air yn rhedeg yn gyflym.
¹⁶Y mae'n rhoi eira fel gwlân,
  yn taenu barrug fel lludw,
¹⁷ac yn gwasgaru ei rew fel briwsion;
  pwy a all ddal ei oerni ef?
¹⁸Y mae'n anfon ei air, ac yn eu toddi;
  gwna i'w wynt chwythu, ac te lita'r
    dyfroedd.

¹⁹Y mae'n mynegi ei air i Jacob,
  ei ddeddfau a'i farnau i Israel;
²⁰ni wnaeth fel hyn ag unrhyw genedl,
  na dysgu iddynt ei farnau.
  Molwch yr ARGLWYDD.

148 Molwch yr ARGLWYDD.
       Molwch yr ARGLWYDD o'r
    nefoedd,
  molwch ef yn yr uchelderau.
²Molwch ef, ei holl angylion;
  molwch ef, ei holl luoedd.
³Molwch ef, haul a lleuad;
  molwch ef, yr holl sêr disglair.
⁴Molwch ef, nef y nefoedd,
  a'r dyfroedd sydd uwch y nefoedd.
⁵Bydded iddynt foli enw'r ARGLWYDD,
  oherwydd ef a orchmynnodd, a
    chrewyd hwy;
⁶fe'u gwnaeth yn sicr fyth bythoedd;
  rhoes iddynt ddeddf nas torrir.

⁷Molwch yr ARGLWYDD o'r ddaear,

chwi ddreigiau a'r holl ddyfnderau,
⁸tân a chenllysg, eira a mwg,
y gwynt stormus sy'n ufudd i'w air;
⁹y mynyddoedd a'r holl fryniau,
y coed ffrwythau a'r holl gedrwydd;
¹⁰y bwystfilod a'r holl anifeiliaid,
ymlusgiaid ac adar hedegog;
¹¹brenhinoedd y ddaear a'r holl
    bobloedd,
tywysogion a holl farnwyr y ddaear;
¹²gwŷr ifainc a gwyryfon,
hynafgwyr a llanciau hefyd.
¹³Bydded iddynt foli enw'r ARGLWYDD,
oherwydd ei enw ef yn unig sydd
    ddyrchafedig,
ac y mae ei ogoniant ef uwchlaw daear
    a nefoedd.
¹⁴Y mae wedi dyrchafu corn ei bobl,
ac ef yw moliant ei holl ffyddloniaid,
pobl Israel, sy'n agos ato.
Molwch yr ARGLWYDD.

149 Molwch yr ARGLWYDD.
Canwch i'r ARGLWYDD gân
    newydd,
ei foliant yng nghynulleidfa'r
    ffyddloniaid.
²Bydded i Israel lawenhau yn ei
    chreawdwr,
ac i blant Seion orfoleddu yn eu
    brenin.
³Molwch ei enw â dawns,
canwch fawl iddo â thympan a thelyn.
⁴Oherwydd y mae'r ARGLWYDD yn

ymhyfrydu yn ei bobl;
y mae'n rhoi gwaredigaeth yn goron i'r
    gostyngedig.
⁵Bydded i'r ffyddloniaid orfoleddu
    mewn gogoniant,
a llawenhau ar eu clustogau.
⁶Bydded uchel-foliant Duw yn eu
    genau,
a chleddyf daufiniog yn eu llaw
⁷i weithredu dial ar y cenhedloedd
a cherydd ar y bobloedd;
⁸i rwymo eu brenhinoedd mewn
    cadwynau,
a'u pendefigion â gefynnau haearn;
⁹i weithredu'r farn a nodwyd ar eu
    cyfer.
Ef yw gogoniant ei holl ffyddloniaid.
Molwch yr ARGLWYDD.

150 Molwch yr ARGLWYDD.
Molwch Dduw yn ei gysegr,
molwch ef yn ei ffurfafen gadarn.
²Molwch ef am ei weithredoedd
    nerthol,
molwch ef am ei holl fawredd.
³Molwch ef â sain utgorn,
molwch ef â thannau a thelyn.
⁴Molwch ef â thympan a dawns,
molwch ef â llinynnau a ffliwt.
⁵Molwch ef â sŵn symbalau.
molwch ef â symbalau uchel.
⁶Bydded i bopeth byw foliannu'r
    ARGLWYDD.
Molwch yr ARGLWYDD.

DIARHEBION

Gwerth Diarhebion

1 Diarhebion Solomon fab Dafydd,
brenin Israel—
[2] i gael doethineb ac addysg,
i ddeall geiriau deallus,
[3] i dderbyn addysg fuddiol,
cyfiawnder, barn, ac uniondeb,
[4] i roi craffter i'r gwirion,
a gwybodaeth a synnwyr i'r ifanc.
[5] Y mae'r doeth yn gwrando ac yn
cynyddu mewn dysg,
a'r deallus yn ennill medrusrwydd,
[6] i ddeall dameg a'i dchongliad,
dywediadau'r doeth a'u posau.

Cyngor i Ddyn Ifanc

[7] Ofn yr ARGLWYDD yw dechrau
gwybodaeth,
ond y mae ffyliaid yn diystyru
doethineb ac addysg.

[8] Fy mab, gwrando ar addysg dy dad,
paid â gwrthod cyfarwyddyd dy fam;
[9] bydd yn goron gras ar dy ben,
ac yn gadwyn am dy wddf.
[10] Fy mab, os hudir di gan bechaduriaid,
paid â chytuno â hwy.
[11] Fe ddywedant, "Tyrd gyda ni,
inni gynllwynio i dywallt gwaed,
a llechu'n ddiachos yn erbyn y
diniwed;
[12] fel Sheol, llyncwn hwy'n fyw
ac yn gyfan, fel rhai'n disgyn i'r pwll;
[13] fe gymerwn bob math ar gyfoeth,
a llenwi ein tai ag ysbail;
[14] bwrw dy goelbren gyda ni,
a bydd un pwrs rhyngom i gyd."
[15] Fy mab, paid â mynd yr un ffordd â
hwy;
cadw dy droed oddi ar eu llwybr.
[16] Oherwydd y mae eu traed yn rhuthro
at ddrwg,
ac yn prysuro i dywallt gwaed.
[17] Yn sicr, ofer yw gosod rhwyd
yng ngolwg unrhyw aderyn hedegog.
[18] Am eu gwaed eu hunain y maent yn
cynllwynio,
ac yn llechu yn eu herbyn eu hunain.
[19] Dyma dynged pob un awchus am elw;
y mae'n cymryd einioes dyn ei hun.

Doethineb yn Galw

[20] Y mae doethineb yn galw'n uchel yn y
stryd,
yn codi ei llais yn y sgwâr,
[21] yn gweiddi ar ben y muriau,
yn traethu ei geiriau ym mynedfa
pyrth y ddinas.
[22] Chwi'r rhai gwirion, pa hyd y
bodlonwch ar fod yn wirion,
ac yr ymhyfryda'r gwatwarwyr mewn
gwatwar,
ac y casâ ffyliaid wybodaeth?
[23] Os newidiwch eich ffyrdd dan fy
ngherydd,
tywalltaf fy ysbryd arnoch,
a gwneud i chwi ddeall fy ngeiriau.
[24] Ond am i mi alw, a chwithau heb
ymateb,
ac imi estyn fy llaw, heb neb yn
gwrando;
[25] am i chwi ddiystyru fy holl gyngor,
a gwrthod fy ngherydd—
[26] am hynny, chwarddaf ar eich dinistr,
a gwawdio pan ddaw gofid arnoch,
[27] pan ddaw gofid arnoch fel corwynt,
a dinistr yn taro fel storm,
pan ddaw adfyd a gwasgfa arnoch.
[28] Yna galwant arnaf, ond nid atebaf;
fe'm ceisiant yn ddyfal, ond heb fy
nghael.
[29] Oherwydd iddynt gasáu gwybodaeth,
a throi oddi wrth ofn yr ARGLWYDD,
[30] a gwrthod fy nghyngor,
ac anwybyddu fy holl gerydd,
[31] cânt fwyta o ffrwyth eu ffyrdd,
a syrffedu ar eu cynlluniau.
[32] Oherwydd bydd anufudd-dod y
gwirion yn eu lladd,
a difrawder y ffyliaid yn eu difa.
[33] Ond bydd yr un a wrendy arnaf yn
byw'n ddiogel,
yn dawel heb ofni drwg.

Gwobr Doethineb

2 Fy mab, os derbynni fy ngeiriau,
a thrysori fy ngorchmynion,
[2] a gwrando'n astud ar ddoethineb,
a rhoi dy feddwl ar ddeall;
[3] os gelwi am ddeall,
a chodi dy lais am wybodaeth,
[4] a chwilio amdani fel am arian,
a chloddio amdani fel am drysor—
[5] yna cei ddeall ofn yr ARGLWYDD,
a chael gwybodaeth o Dduw.
[6] Oherwydd yr ARGLWYDD sy'n rhoi
doethineb,
ac o'i enau ef y daw gwybodaeth a
deall.
[7] Y mae'n trysori crafter i'r uniawn;
y mae'n darian i'r rhai a rodia'n gywir.
[8] Y mae'n diogelu llwybrau cyfiawnder,
ac yn gwarchod ffordd teyrngarwch.
[9] Yna byddi'n deall cyfiawnder a barn,
ac uniondeb a phob ffordd dda;
[10] oherwydd bydd doethineb yn dod i'th
feddwl,
a deall yn rhoi pleser iti.
[11] Bydd pwyll yn dy amddiffyn,
a deall yn dy warchod,
[12] ac yn dy gadw rhag ffordd drygioni,
a rhag y rhai sy'n siarad yn
dwyllodrus—
[13] y rhai sy'n gadael y ffordd iawn
i rodio yn llwybrau tywyllwch,
[14] sy'n cael pleser mewn gwneud drwg
a mwynhad mewn twyll,
[15] y rhai y mae eu ffordd yn gam
a'u llwybrau'n droellog.

[16] Fe'th geidw oddi wrth y butain,
a rhag y ddynes estron a'i geiriau
dengar,
[17] sydd wedi gadael hyfforddiant ei
hieuenctid,
ac wedi anghofio cyfamod ei Duw.
[18] Oherwydd y mae ei thŷ yn gwyro at
angau,
a'i llwybrau at y cysgodion.
[19] Ni ddaw neb sy'n mynd ati yn ei ôl,
ac ni chaiff ailafael ar lwybrau bywyd.

[20] Gofala di rodio yn ffyrdd y da,
a chadw at lwybrau'r cyfiawn,
[21] Oherwydd y rhai cyfiawn a drig yn y
tir,
a'r rhai cywir a gaiff aros ynddo;
[22] ond torrir y dynion drwg o'r tir,
a diwreiddir y twyllwyr ohono.

Cyngor i Ddyn Ifanc

3 Fy mab, paid ag anghofio fy
nghyfarwyddyd;
cadw fy ngorchmynion yn dy gof.
[2] Oherwydd ychwanegant at nifer dy
ddyddiau
a rhoi blynyddoedd o fywyd a
llwyddiant.
[3] Paid â gollwng gafael ar deyrngarwch
a ffyddlondeb;
rhwym hwy am dy wddf,
ysgrifenna hwy ar lech dy galon.
[4] Sicrha ffafr ac enw da
yng ngolwg Duw a dynion.

[5] Ymddiried yn llwyr yn yr ARGLWYDD,
a phaid â dibynnu ar dy ddeall dy hun.
[6] Cydnabydda ef yn dy holl ffyrdd,
bydd ef yn sicr o gadw dy lwybrau'n
union.
[7] Paid â bod yn ddoeth yn dy olwg dy
hun;
ofna'r ARGLWYDD, a chilia oddi wrth
ddrwg.
[8] Bydd hyn yn foddion i'th gadw mewn
iechyd,
ac yn feddyginiaeth i'th gorff.

[9] Anrhydedda'r ARGLWYDD â'th
gyfoeth,
ac â'r gorau o'th holl gynnyrch.
[10] Yna bydd dy ysguboriau'n orlawn,
a'th gafnau'n gorlifo gan win.

[11] Fy mab, paid â diystyru disgyblaeth yr
ARGLWYDD,
a phaid â digio wrth ei gerydd;
[12] oherwydd ceryddu'r un a gâr y mae'r
ARGLWYDD,
fel tad sy'n hoff o'i blentyn.
[13] Gwyn ei fyd y dyn a gafodd
ddoethineb,
a'r un sy'n berchen deall.
[14] Y mae mwy o elw ynddi nag mewn
arian,
a'i chynnyrch yn well nag aur.
[15] Y mae'n fwy gwerthfawr na gemau,
ac nid yw dim a ddymuni yn debyg
iddi.
[16] Yn ei llaw dde y mae hir oes,
a chyfoeth ac anrhydedd yn ei llaw
chwith.
[17] Ffyrdd hyfryd yw ei ffyrdd,
a heddwch sydd ar ei holl lwybrau.
[18] Y mae'n bren bywyd i'r neb a gydia
ynddi,
a dedwydd yw'r rhai sy'n glynu wrthi.

[19]Trwy ddoethineb y sylfaenodd yr
ARGLWYDD y ddaear,
ac â deall y sicrhaodd y nefoedd;
[20]trwy ei ddeall y ffrydiodd y dyfnderau,
ac y defnynna'r cymylau wlith.

[21]Fy mab, dal d'afael ar graffter a
phwyll;
paid â'u gollwng o'th olwg;
[22]byddant yn iechyd i'th enaid,
ac yn addurn am dy wddf.
[23]Yna cei gerdded ymlaen heb bryder,
ac ni thripia dy droed.
[24]Pan eisteddi[a], ni fyddi'n ofni,
a phan orweddi, bydd dy gwsg yn
felys.
[25]Paid ag ofni rhag unrhyw ddychryn
disymwth,
na dinistr y drygionus pan ddaw;
[26]oherwydd bydd yr ARGLWYDD yn
hyder iti,
ac yn cadw dy droed rhag y fagl.
[27]Paid â gwrthod cymwynas i'r un sydd â
hawl iddi,
os yw yn dy allu i'w gwneud.
[28]Paid â dweud wrth dy gymydog, "Tyrd
yn d'ôl eto,
ac fe'i rhoddaf iti yfory",
cr ci fod gennyt yn awr.
[29]Paid â chynllunio drwg yn erbyn dy
gymydog,
ac yntau'n ymddiried ynot.
[30]Paid â chweryla'n ddiachos ag unrhyw
ddyn,
ac yntau heb wneud cam â thi.
[31]Paid â chenfigennu wrth ormeswr,
na dewis yr un o'i ffyrdd.
[32]Oherwydd y mae'r ARGLWYDD yn
ffieiddio'r cyfeiliornus,
ond yn rhannu ei gyfrinach â'r uniawn.
[33]Y mae melltith yr ARGLWYDD ar dŷ'r
drygionus,
ond y mae'n bendithio trigfa'r cyfiawn.
[34]Er iddo ddirmygu'r dirmygwyr,
eto fe rydd ffafr i'r gostyngedig.
[35]Etifedda'r doeth anrhydedd,
ond y ffyliaid bentwr o warth.

Doniau Doethineb

4 Gwrandewch, blant, ar gyfarwyddyd
tad,
ac ystyriwch i chwi ddysgu deall.
[2]Oherwydd yr wyf yn rhoi i chwi
hyfforddiant da;
peidiwch â gwrthod fy nysgeidiaeth.

[3]Bûm innau hefyd yn fab i'm tad,
yn annwyl, ac yn ffefryn yng ngolwg fy
mam.
[4]Dysgodd yntau fi, a dweud wrthyf,
"Gosod dy feddwl ar fy ngeiriau;
cadw fy ngorchmynion iti gael byw.
[5]Paid ag anghofio na chilio oddi wrth fy
ngeiriau.
Cais ddoethineb, cais ddeall;
[6]paid â'i gadael, a bydd hithau'n dy
gadw;
câr hi, a bydd yn d'amddiffyn.
[7]Doethineb yw'r pennaf peth; cais
ddoethineb;
gyda'r cyfan sydd gennyt, cais ddeall.
[8]Meddwl yn uchel ohoni, ac fe'th
ddyrchefir ganddi;
fe'th anrhydedda, os cofleidi hi.
[9]Gesyd dorch brydferth ar dy ben,
a rhoi coron anrhydedd iti."

[10]Fy mab, gwrando, a dal ar fy ngeiriau,
ac fe ychwanegir blynyddoedd at dy
fywyd.
[11]Hyfforddais di yn ffordd doethineb;
dysgais iti gerdded llwybrau union.
[12]Pan gerddi, ni rwystrir dy gam,
a phan redi, ni fyddi'n baglu.
[13]Glŷn wrth addysg, a hynny'n ddi-
ollwng;
dal d'afael ynddi, oherwydd hi yw dy
fywyd.
[14]Paid â dilyn llwybr y drygionus,
na cherdded ffordd dynion drwg;
[15]gochel hi, paid â'i throedio,
tro oddi wrthi a dos yn dy flaen.
[16]Oherwydd ni allant hwy gysgu os na
fyddant wedi gwneud drwg;
collant gwsg os na fyddant wedi baglu
rhywun.
[17]Y maent yn bwyta bara a gafwyd trwy
dwyll,
ac yn yfed gwin gormes.
[18]Y mae llwybr y cyfiawn fel golau'r
wawr,
sy'n cynyddu yn ei lewyrch hyd ganol
dydd.
[19]Ond y mae ffordd y drygionus fel
tywyllwch dudew;
ni wyddant beth sy'n eu baglu.

[20]Fy mab, rho sylw i'm geiriau,
a gwrando ar fy ymadrodd.
[21]Paid â'u gollwng o'th olwg;
cadw hwy yn dy feddwl;

[a]Felly Groeg. Hebraeg, *orweddi.*

²² oherwydd y maent yn fywyd i'r un sy'n
    eu derbyn,
    ac yn iechyd i'w holl gorff.
²³ Yn fwy na dim, edrych ar ôl dy feddwl,
    oherwydd oddi yno y tardd bywyd.
²⁴ Gofala osgoi geiriau llygredig,
    a chadw draw oddi wrth siarad
    dichellgar.
²⁵ Cadw dy lygaid yn unionsyth,
    ac edrych yn syth o'th flaen.
²⁶ Rho sylw i lwybr dy droed,
    i'th holl ffyrdd fod yn ddiogel.
²⁷ Paid â throi i'r dde nac i'r chwith,
    a chadw dy droed rhag y drwg.

Rhybudd rhag Godineb

5 Fy mab, rho sylw i'm doethineb,
    a gwrando ar fy neall,
² er mwyn iti ddal ar synnwyr
    ac i'th wefusau ddiogelu deall.
³ Y mae gwefusau'r wraig estron yn
    diferu mêl,
    a'i geiriau yn llyfnach nag olew,
⁴ ond yn y diwedd y mae'n chwerwach
    na wermod,
    yn llymach na chleddyf daufiniog.
⁵ Prysura ei thraed at farwolaeth,
    ac arwain ei chamre i Sheol.
⁶ Nid yw hi'n ystyried llwybr bywyd;
    y mae ei ffyrdd yn anwadal, a hithau'n
    ddi-hid.

⁷ Ond yn awr, blant, gwrandewch arnaf,
    a pheidiwch â throi oddi wrth fy
    ymadroddion.
⁸ Cadw draw oddi wrth ei ffordd;
    paid â mynd yn agos at ddrws ei thŷ;
⁹ rhag iti roi dy enw da i eraill
    a'th urddas i estroniaid,
¹⁰ a rhag i ddieithriaid ymborthi ar dy
    gyfoeth
    ac i'th lafur fynd i dŷ estron;
¹¹ rhag iti gael gofid pan ddaw dy
    ddiwedd,
    pan fydd dy gorff a'th gnawd yn
    darfod,
¹² a dweud, "Pam y bu imi gasáu
    cyfarwyddyd,
    ac anwybyddu cerydd?
¹³ Nid oeddwn yn gwrando ar lais fy
    athrawon,
    nac yn rhoi sylw i'r rhai a'm dysgai.
¹⁴ Yr oeddwn ar fin bod yn gwbl ddrwg
    yng ngolwg y gynulleidfa gyfan."

¹⁵ Yf ddŵr o'th bydew dy hun,

dŵr sy'n tarddu o'th ffynnon di.
¹⁶ Paid â gadael i'th ffynhonnau orlifo ᵇ
    i'r ffordd,
    na'th ffrydiau dŵr i'r stryd.
¹⁷ Byddant i ti dy hun yn unig,
    ac nid i'r dieithriaid o'th gwmpas.
¹⁸ Bydded bendith ar dy ffynnon,
    a llawenha yng ngwraig dy ieuenctid,
¹⁹ ewig hoffus, iyrches ddymunol;
    bydded i'w bronnau dy foddhau bob
    amser,
    a chymer bleser o'i chariad yn gyson.
²⁰ Fy mab, pam y ceisi bleser gyda gwraig
    ddieithr,
    a chofleidio estrones?
²¹ Oherwydd y mae'r ARGLWYDD yn
    gwylio ffyrdd dyn,
    ac yn chwilio ei holl lwybrau.
²² Delir y drygionus gan ei gamwedd ei
    hun,
    ac fe'i caethiwir yng nghadwynau ei
    bechod;
²³ bydd farw o ddiffyg disgyblaeth,
    ar goll oherwydd ei ffolineb mawr.

Rhybuddion Pellach

6 Fy mab, os rhoddaist wystl i'th
    gymydog,
    neu fynd yn feichiau i ddieithryn,
² a chael dy rwymo gan dy eiriau dy
    hun,
    a'th ddal gan eiriau dy enau,
³ yna gweithreda fel hyn, fy mab, ac
    achub dy hun:
    gan dy fod yn llaw dy gymydog,
    dos ar frys ac ymbil â'th gymydog;
⁴ paid â rhoi cwsg i'th lygaid
    na gorffwys i'th amrantau;
⁵ achub dy hun fel ewig o afael yr
    heliwr ᶜ,
    neu aderyn o law yr adarwr.

⁶ Ti ddiogyn, dos at y morgrugyn,
    a sylwa ar ei ffyrdd a bydd ddoeth.
⁷ Er nad oes ganddo arweinydd
    na rheolwr na llywodraethwr,
⁸ y mae'n darparu ei gynhaliaeth yn yr
    haf,
    yn casglu ei fwyd amser cynhaeaf.
⁹ O ddiogyn, am ba hyd y byddi'n
    gorweddian?
    Pa bryd y codi o'th gwsg?
¹⁰ Ychydig gwsg, ychydig hepian,
    ychydig blethu dwylo i orffwys,
¹¹ ac fe ei'n dlawd fel crwydryn;
    byddi mewn angen fel cardotyn.

ᵇ Cymh. Groeg. Hebraeg, *A orlifa dy ffynhonnau.*
           ᶜ Cymh. Groeg. Hebraeg heb *yr heliwr.*

¹²Dyn dieflig, dyn drwg,
    sy'n taenu geiriau dichellgar,
¹³yn wincio â'i lygad, yn pwnio â'i
    droed,
    ac yn gwneud arwyddion â'i fysedd.
¹⁴Ei fwriad yw gwyrdroi, cynllunio drwg
    yn wastad,
    a chreu cynnen.
¹⁵Am hynny daw dinistr arno yn
    ddisymwth;
    fe'i dryllir ar amrantiad heb neb i'w
    arbed.

¹⁶Chwe pheth sy'n gas gan yr
    ARGLWYDD,
    saith peth sy'n ffiaidd ganddo:
¹⁷llygaid balch, tafod ffals,
    dwylo'n tywallt gwaed dieuog,
¹⁸calon yn cynllunio anfadwaith,
    traed yn prysuro i wneud drwg,
¹⁹gau-dyst yn dweud celwydd,
    ac un sy'n codi cynnen rhwng brodyr.

Rhybudd rhag Godineb

²⁰Fy mab, cadw orchymyn dy dad;
    paid ag anwybyddu cyfarwyddyd dy
    fam;
²¹cadw hwy'n wastad yn dy galon,
    rhwym hwy am dy wddf.
²²Fe'th arweiniant ple bynnag yr ei,
    a gwylio drosot pan orffwysi,
    ac ymddiddan â thi pan gyfodi.
²³Oherwydd y mae gorchymyn yn
    llusern, a chyfarwyddyd yn
    oleuni,
    a cherydd disgyblaeth yn arwain i
    fywyd,
²⁴ac yn dy gadw rhag gwraig cymydog
    a rhag gweniaith y ddynes estron.
²⁵Paid â chwennych ei phrydferthwch,
    a phaid â gadael i'w chil-edrychiad dy
    ddal;
²⁶oherwydd gellir cael putain am bris
    torth,
    ond y mae gwraig briod yn chwilio am
    fywyd brasach.
²⁷A all dyn gofleidio tân yn ei fynwes
    heb losgi ei ddillad?
²⁸A all dyn gerdded ar farwor
    heb losgi ei draed?
²⁹Felly y bydd yr un sy'n mynd at wraig
    ei gymydog;
    ni all unrhyw un gyffwrdd â hi heb
    gosb.
³⁰Oni ddirmygir lleidr pan fo'n dwyn
    i foddhau ei chwant, er ei fod yn
    newynog?

³¹Pan ddelir ef, rhaid iddo dalu'n ôl
    seithwaith,
    a rhoi'r cyfan sydd ganddo.
³²Felly, y mae'r godinebwr yn un
    disynnwyr,
    ac yn ei ddifetha'i hun wrth wneud
    hynny;
³³caiff niwed ac amarch,
    ac ni ddileir ei warth.
³⁴Oherwydd y mae eiddigedd yn
    cynddeiriogi gŵr priod,
    ac nid yw'n arbed pan ddaw cyfle i
    ddial; •
³⁵ni fyn dderbyn iawndal,
    ac nis bodlonir, er cymaint a roddi.

7 Fy mab, cadw fy ngeiriau,
    a thrysora fy ngorchmynion.
²Cadw fy ngorchmynion, iti gael byw,
    a boed fy nghyfarwyddyd fel cannwyll
    dy lygad.
³Rhwym hwy am dy fysedd,
    ysgrifenna hwy ar lech dy galon.
⁴Dywed wrth ddoethineb, "Fy chwaer
    wyt ti",
    a chyfarch ddeall fel câr,
⁵i'th gadw dy hun rhag y wraig ddieithr,
    a rhag yr estrones a'i geiriau
    gwenieithus.

Y Wraig Anfoesol

⁶Yr oeddwn yn ffenestr fy nhŷ,
    yn edrych allan trwy'r dellt
⁷ac yn gwylio'r rhai ifainc gwirion;
    a gwelais yn eu plith un disynnwyr
⁸yn mynd heibio i gornel y stryd,
    ac yn troi i gyfeiriad ei thŷ
⁹yn y cyfnos, yn hwyr y dydd,
    pan oedd yn dechrau nosi a thywyllu.
¹⁰Daeth dynes i'w gyfarfod,
    wedi ei gwisgo fel putain, ac yn llawn
    ystryw—
¹¹un benchwiban a gwamal,
    nad yw byth yn aros gartref,
¹²weithiau ar y stryd, weithiau yn y
    sgwâr,
    yn llercian ym mhob cornel—
¹³y mae'n cydio ynddo ac yn ei gusanu,
    ac yn ddigon wynebgaled i ddweud
    wrtho,
¹⁴"'Roedd yn rhaid imi offrymu
    aberthau hedd,
    ac 'rwyf newydd gyflawni f'addewid;
¹⁵am hynny y deuthum allan i'th
    gyfarfod
    ac i chwilio amdanat, a dyma fi wedi
    dy gael.

¹⁶Taenais ar fy ngwely gwrlid
o frethyn lliwgar yr Aifft;
¹⁷ac 'rwyf wedi persawru fy ngwely
â myrr, aloes a sinamon.
¹⁸Tyrd, gad inni ymgolli mewn cariad
tan y bore,
a chael mwynhad wrth garu.
¹⁹Oherwydd nid yw'r gŵr gartref;
fe aeth ar daith bell.
²⁰Cymerodd becyn o arian gydag ef,
ac ni fydd yn ôl nes y bydd y lleuad yn
llawn."
²¹Y mae'n ei ddenu â'i pherswâd,
ac yn ei hudo â'i geiriau gwenieithus.
²²Y mae yntau'n ei dilyn heb oedi,
fel ych yn mynd i'r lladd-dy,
fel carw yn neidio i'r rhwyd
²³cyn i'r saeth ei drywanu i'r byw,
fel aderyn yn hedeg yn syth i'r fagl
heb wybod fod ei einioes mewn
perygl.

²⁴Yn awr, blant, gwrandewch arnaf,
a rhowch sylw i'm geiriau.
²⁵Paid â gadael i'th galon dy ddenu i'w
ffyrdd,
a phaid â chrwydro i'w llwybrau;
²⁶oherwydd y mae wedi taro llawer yn
gelain,
a lladdwyd nifer mawr ganddi.
²⁷Ffordd i Sheol yw ei thŷ,
yn arwain i lawr i neuaddau
marwolaeth.

Mawl i Ddoethineb

8 Onid yw doethineb yn galw,
a deall yn codi ei lais?
²Y mae'n sefyll ar y mannau uchel ar fin
y ffordd,
ac yn ymyl y croesffyrdd;
³Y mae'n galw gerllaw'r pyrth sy'n
arwain i'r dref,
wrth y fynedfa at y pyrth:
⁴"Arnoch chwi, ddynion, yr wyf yn
galw,
ac atoch chwi, blant dynion, y daw fy
llais.
⁵Chwi, y rhai gwirion, dysgwch
graffter,
a chwithau, ffyliaid, ystyriwch.
⁶Gwrandewch, oherwydd traethaf
bethau gwerthfawr,
a daw geiriau gonest o'm genau.
⁷Traetha fy nhafod y gwir,
ac y mae anwiredd yn ffiaidd gan fy
ngenau.
⁸Y mae fy holl eiriau yn gywir;

nid yw'r un ohonynt yn ŵyr na thraws.
⁹Y mae'r cyfan yn eglur i'r deallus,
ac yn uniawn i'r un sy'n ceisio
gwybodaeth.
¹⁰Derbyniwch fy nghyfarwyddyd yn
hytrach nag arian,
oherwydd gwell yw nag aur.
¹¹Yn wir, y mae doethineb yn well na
gemau,
ac ni all yr holl bethau dymunol
gystadlu â hi.
¹²Yr wyf fi, doethineb, yn gymydog i
graffter,
i'm cael gyda deall a phwyll.
¹³Ofn yr ARGLWYDD yw casáu drygioni;
yr wyf yn ffieiddio balchder ac
uchelgais,
ffordd drygioni a geiriau traws.
¹⁴Fy eiddo i yw cyngor a chraffter,
a chennyf fi y mae deall a gallu.
¹⁵Trwof fi y teyrnasa brenhinoedd,
ac y llunia llywodraethwyr ddeddfau
cyfiawn.
¹⁶Trwof fi y caiff tywysogion awdurdod,
ac y barna penaethiaid yn gyfiawn.
¹⁷Yr wyf yn caru pob un sy'n fy ngharu i,
ac y mae'r rhai sy'n fy ngheisio yn fy
nghael.
¹⁸Gennyf fi y mae cyfoeth ac anrhydedd,
digonedd o olud a chyfiawnder.
¹⁹Y mae fy ffrwythau'n well nag aur, aur
coeth,
a'm cynnyrch yn well nag arian pur.
²⁰Rhodiaf ar hyd y ffordd uniawn,
ar ganol llwybrau barn,
²¹a rhoddaf gyfoeth i'r rhai a'm câr,
a llenwi eu trysordai.

²²"Lluniodd yr ARGLWYDD fi ar
ddechrau ei waith,
yn gyntaf o'i weithredoedd gynt.
²³Fe'm sefydlwyd yn y gorffennol pell,
yn y dechrau, cyn bod daear.
²⁴Ganwyd fi cyn bod dyfnderau,
cyn bod ffynhonnau yn llawn dŵr.
²⁵Cyn gosod sylfeini'r mynyddoedd,
cyn bod y bryniau, y ganwyd fi,
²⁶cyn iddo greu tir a meysydd,
ac o flaen pridd y ddaear.
²⁷Yr oeddwn i yno pan oedd yn gosod y
nefoedd yn ei lle
ac yn rhoi cylch dros y dyfnder,
²⁸pan oedd yn cadarnhau'r cymylau
uwchben
ac yn sicrhau ffynhonnau'r dyfnder,
²⁹pan oedd yn gosod terfyn i'r môr,
rhag i'r dyfroedd anufuddhau i'w air,

a phan oedd yn cynllunio sylfeini'r
ddaear.
[30] Yr oeddwn i wrth ei ochr yn gyson,
yn hyfrydwch iddo beunydd,
yn ddifyrrwch o'i flaen yn wastad,
[31] yn ymddifyrru yn y byd a greodd,
ac yn ymhyfrydu ym meibion dynion.

[32] "Yn awr, blant, gwrandewch arnaf;
gwyn eu byd y rhai sy'n cadw fy ffyrdd.
[33] Gwrandewch ar gyfarwyddyd, a
byddwch ddoeth;
peidiwch â'i anwybyddu.
[34] Gwyn ei fyd y dyn sy'n gwrando arnaf,
sy'n disgwyl yn wastad wrth fy nrws,
ac yn gwylio wrth fynedfa fy nhŷ.
[35] Yn wir, y mae'r un sy'n fy nghael i yn
cael bywyd,
ac yn ennill ffafr yr ARGLWYDD;
[36] ond y mae'r un sy'n fy ngholli yn ei
ddinistrio'i hun,
a phawb sy'n fy nghasáu yn caru
marwolaeth."

Doethineb a Ffolineb

9 Y mae doethineb wedi adeiladu ei
thŷ,
ac yn naddu ci saith colofn;
[2] y mae wedi paratoi ei chig a chymysgu
ei gwin
a hulio ei bwrdd.
[3] Anfonodd allan ei llancesau,
ac ar uchelfannau'r ddinas y mae'n
galw,
[4] "Dewch yma, bob un sy'n wirion."
Y mae'n dweud wrth y rhai disynnwyr,
[5] "Dewch, bwytewch gyda mi,
ac yfwch y gwin a gymysgais.
[6] Gadewch eich gwiriondeb, ichwi gael
byw;
rhodiwch yn ffordd deall."

[7] Dirmyg a gaiff yr un sy'n disgyblu,
a'i feio a gaiff yr un sy'n ceryddu'r
drygionus.
[8] Paid â cheryddu gwawdiwr, rhag iddo
dy gasáu;
cerydda'r doeth, ac fe'th gâr di.
[9] Rho gyngor i'r doeth, ac fe â'n
ddoethach;
dysga'r cyfiawn, ac fe gynydda mewn
dysg.
[10] Ofn yr ARGLWYDD yw dechrau
doethineb,
ac adnabod y Sanctaidd yw deall.
[11] Oherwydd trwof fi y cynydda dy

ddyddiau,
ac yr ychwanegir blynyddoedd at dy
fywyd.
[12] Os wyt yn ddoeth, byddi ar dy elw;
ond os wyt yn gwawdio, byddi'n
dioddef.

[13] Y mae gwraig ffôl yn benchwiban,
yn ddiddeall, heb wybod dim.
[14] Y mae'n eistedd wrth ddrws ei thŷ,
ar fainc ym mannau uchel y dref,
[15] yn galw ar y rhai sy'n mynd heibio
ac yn dilyn eu gorchwylion eu hunain:
[16] "Dewch yma, bob un sy'n wirion."
Y mae'n dweud wrth y rhai disynnwyr,
[17] "Y mae dŵr lladrad yn felys,
a bara wedi ei ddwyn yn flasus."
[18] Ond ni ŵyr ef mai meirwon yw'r rhai
sydd yno,
ac mai yn nyfnder Sheol y mae ei
gwahoddedigion.

Diarhebion Solomon

10 Dyma ddiarhebion Solomon:
Y mae mab doeth yn gwneud ei
dad yn llawen,
ond mab ffôl yn dwyn gofid i'w fam.
[2] Nid oes elw o drysorau a gaed mewn
drygioni,
ond y mae cyfiawnder yn amddiffyn
rhag marwolaeth.
[3] Nid yw'r ARGLWYDD yn gadael i'r
cyfiawn newynu,
ond y mae'n siomi chwant y rhai drwg.
[4] Y mae llaw segur yn dwyn tlodi,
ond llaw ddiwyd yn peri cyfoeth.
[5] Y mae mab sy'n cywain yn yr haf yn
ddeallus,
ond un sy'n cysgu trwy'r cynhaeaf yn
dod â chywilydd.
[6] Bendithion sy'n disgyn ar y cyfiawn,
ond y mae genau'r drwg yn cuddio
trais.
[7] Y mae cofio'r cyfiawn yn dwyn
bendith,
ond y mae enw'r drwg yn diflannu.
[8] Y mae'r doeth yn derbyn gorchymyn,
ond y ffôl ei siarad yn cael ei ddifetha.
[9] Y mae'r un sy'n byw'n uniawn yn
cerdded yn ddiogel,
ond darostyngir yr un sy'n gwyrdroi ei
ffyrdd.
[10] Y mae wincio â'r llygad yn achosi
helbul,
ond cerydd agored yn peri heddwch. [ch]
[11] Ffynnon bywyd yw geiriau'r cyfiawn,

[ch] Felly Groeg. Hebraeg, *ond y mae'r ffôl ei siarad yn cael ei ddifetha*. Cymh. adn. 8b.

ond y mae genau'r drwg yn cuddio
trais.
¹²Y mae casineb yn achosi cynnen,
ond y mae cariad yn cuddio pob
trosedd.
¹³Ar wefusau'r deallus ceir doethineb,
ond gwialen ar gefn y disynnwyr.
¹⁴Y mae'r doeth yn trysori deall,
ond dwyn dinistr yn agos a wna siarad
ffôl.
¹⁵Golud y cyfoethog yw ei ddinas
gadarn,
ond dinistr y tlawd yw ei dlodi.
¹⁶Cyflog y cyfiawn yw bywyd,
ond cynnyrch y drwg yw pechod.
¹⁷Y mae derbyn disgyblaeth yn arwain i
fywyd,
ond gwrthod cerydd yn arwain ar
ddisberod.
¹⁸Y mae gwefusau twyllodrus yn anwesu
casineb,
a dyn ffôl yw'r un sy'n enllibio.
¹⁹Pan amlheir geiriau nid oes ball ar
gamwedd,
ond y mae'r deallus yn atal ei eiriau.
²⁰Y mae tafod y cyfiawn fel arian dethol,
ond diwerth yw calon y dyn drwg.
²¹Y mae geiriau'r cyfiawn yn cynnal
llawer,
ond y mae ffyliaid yn marw o ddiffyg
synnwyr.
²²Bendith yr ARGLWYDD sy'n rhoi
cyfoeth,
ac nid yw'n ychwanegu gofid gyda hi.
²³Gwneud drygioni sy'n ddifyrrwch i'r
ffôl,
ond doethineb i'r dyn deallus.
²⁴Yr hyn a ofna a ddaw ar y drygionus,
ond caiff y cyfiawn ei ddymuniad.
²⁵Ar ôl y storm, ni bydd sôn am y
drygionus,
ond y mae sylfaen y cyfiawn yn
dragwyddol.
²⁶Fel finegr i'r dannedd, neu fwg i'r
llygaid,
felly y mae'r diogyn i'w feistr.
²⁷Y mae ofn yr ARGLWYDD yn estyn
dyddiau,
ond byr yw blynyddoedd y rhai
drygionus.
²⁸Y mae gobaith y cyfiawn yn troi'n
llawenydd,
ond derfydd gobaith y drygionus.
²⁹Y mae'r ARGLWYDD yn noddfa i'r
uniawn ei ffordd,
ond yn ddinistr i'r rhai a wna ddrwg.
³⁰Ni symudir y cyfiawn byth,

ond nid erys y drygionus ar y ddaear.
³¹Y mae genau'r cyfiawn yn llefaru
doethineb,
ond torrir ymaith y tafod twyllodrus.
³²Gŵyr gwefusau'r cyfiawn beth sy'n
gymeradwy,
ond twyllodrus yw genau'r drygionus.

11 Y mae cloriannau twyllodrus yn
ffiaidd gan yr ARGLWYDD,
ond pwysau cywir wrth ei fodd.
²Yn dilyn balchder fe ddaw amarch,
ond gyda'r rhai gwylaidd y mae
doethineb.
³Y mae eu gonestrwydd yn arwain yr
uniawn,
ond eu gwyrni eu hunain yn difa'r
twyllwyr.
⁴Nid oes gwerth mewn cyfoeth yn nydd
dicter,
ond y mae cyfiawnder yn amddiffyn
rhag angau.
⁵Y mae cyfiawnder y cywir yn ei gadw
ar y ffordd union,
ond cwympa'r drygionus trwy ei
ddrygioni.
⁶Y mae eu cyfiawnder yn gwaredu'r
uniawn,
ond eu trachwant yn fagl i'r twyllwyr.
⁷Pan fydd farw'r drygionus, derfydd
gobaith,
a daw terfyn ar hyder mewn cyfoeth.
⁸Gwaredir y cyfiawn rhag adfyd,
ond fe â'r drygionus dros ei ben iddo.
⁹Y mae'r anffyddiwr yn dinistrio'i
gymydog â'i eiriau,
ond gwaredir y cyfiawn trwy ddeall.
¹⁰Ymhyfryda dinas yn llwyddiant y
cyfiawn,
a cheir gorfoledd pan ddinistrir y
drygionus.
¹¹Dyrchefir dinas gan fendith yr uniawn,
ond dinistrir hi trwy eiriau'r
drygionus.
¹²Y mae'r disynnwyr yn dilorni ei
gymydog,
ond cadw'n dawel a wna'r dyn deallus.
¹³Y mae'r straegar yn bradychu
cyfrinach,
ond y mae'r teyrngar yn ei chadw.
¹⁴Heb ei chyfarwyddo, methu a wna
cenedl,
ond y mae diogelwch mewn llawer o
gynghorwyr.
¹⁵Daw helbul o fynd yn feichiau dros
ddieithryn,
ond y mae'r un sy'n casáu mechnïaeth

yn ddiogel.
¹⁶Y mae gwraig raslon yn cael clod,
ond dynion didostur sy'n ennill
cyfoeth.
¹⁷Dwyn elw iddo'i hun y mae'r dyn
trugarog,
ond ei niweidio'i hun y mae'r creulon.
¹⁸Gwneud elw twyllodrus y mae'r
drygionus,
ond caiff yr un sy'n hau cyfiawnder
gyflog teg.
¹⁹I'r un sy'n glynu wrth gyfiawnder daw
bywyd,
ond i'r sawl sy'n dilyn drygioni
marwolaeth.
²⁰Y mae'r rhai gwrthnysig yn ffiaidd gan
yr ARGLWYDD,
ond y mae'r rhai cywir wrth ei fodd.
²¹Y mae'n sicr na chaiff dyn drwg osgoi
cosb,
ond gwaredir plant y cyfiawn.
²²Fel modrwy aur yn nhrwyn hwch,
felly y mae gwraig brydferth heb
synnwyr.
²³Dymuno'r hyn sydd dda a wna'r
cyfiawn,
ond diflanna gobaith y drygionus.
²⁴Y mae un yn hael, ac eto'n ennill
cyfoeth,
ond arall yn grintach, a phob amser
mewn angen.
²⁵Llwydda'r un a wasgar fendithion,
a diwellir yr un a ddiwalla eraill.
²⁶Y mae pobl yn melltithio'r un sy'n
cronni ŷd,
ond yn bendithio'r sawl sy'n ei werthu.
²⁷Y mae'r un sy'n ceisio daioni yn ennill
ffafr,
ond syrth drygioni ar y sawl sy'n ei
ddilyn.
²⁸Cwympa'r un sy'n ymddiried yn ei
gyfoeth,
ond ffynna'r cyfiawn fel deilen werdd.
²⁹Y mae'r un sy'n peri helbul i'w deulu'n
etifeddu'r gwynt,
a bydd y ffôl yn was i'r doeth.
³⁰Ffrwyth cyfiawnder yw pren y bywyd,
ond y mae trais ᵈ yn difa bywydau.
³¹Os caiff y cyfiawn ei dalu ar y ddaear,
pa faint mwy y dyn drwg a'r pechadur?

12 A gâr ddisgyblaeth a gâr
wybodaeth,
ond hurtyn sy'n casáu cerydd.

²Y mae'r dyn da yn ennill ffafr yr
ARGLWYDD,
ond condemnir y dichellgar.
³Ni ddiogelir dyn trwy ddrygioni,
ac ni ddiwreiddir y cyfiawn.
⁴Y mae gwraig fedrus yn goron i'w gŵr,
ond un ddigywilydd fel pydredd yn ei
esgyrn.
⁵Y mae bwriadau'r cyfiawn yn gywir,
ond cynlluniau'r drygionus yn
dwyllodrus.
⁶Cynllwyn i dywallt gwaed yw geiriau'r
drygionus,
ond y mae ymadroddion y cyfiawn yn
eu gwaredu.
⁷Dymchwelir y drygionus, a derfydd
amdanynt,
ond saif tŷ'r cyfiawn yn gadarn.
⁸Canmolir dyn ar sail ei ddeall,
ond gwawdir y meddwl gwrthnysig.
⁹Gwell bod yn ddiymhongar a
gweithio,
nag yn ymffrostgar a heb gynhaliaeth.
¹⁰Y mae'r cyfiawn yn ystyriol o'i anifail,
ond y mae'r drygionus yn ddidostur.
¹¹Y mae'r un sy'n llafurio'i dir yn cael
digon o fwyd,
ond y mae'r un sy'n dilyn ofercdd yn
ddisynnwyr.
¹²Blysia'r dyn drwg am ysbail drygioni,
ond y mae gwreiddyn y cyfiawn yn
sicr. ᵈᵈ
¹³Meglir y drwg gan gamwedd ei eiriau,
ond dianc y cyfiawn rhag adfyd.
¹⁴Trwy ffrwyth ei eiriau y digonir dyn â
daioni,
a thelir iddo yn ôl yr hyn a wnaeth.
¹⁵Y mae ffordd y ffôl yn iawn yn ei olwg,
ond gwrendy'r doeth ar gyngor.
¹⁶Buan y dengys y ffôl ei fod wedi ei
gythruddo,
ond y mae'r call yn anwybyddu
sarhad.
¹⁷Y mae tyst gonest yn dweud y gwir,
ond celwydd a draetha'r gau-dyst.
¹⁸Y mae geiriau'r straegar fel brath
cleddyf,
ond y mae tafod y doeth yn iacháu.
¹⁹Erys geiriau gwir am byth,
ond ymadrodd celwyddog am eiliad.
²⁰Dichell sydd ym meddwl y rhai sy'n
cynllwynio drwg,
ond daw llawenydd i'r rhai sy'n
cynllunio heddwch.
²¹Ni ddaw unrhyw anffawd i'r cyfiawn,

ᵈCymh. Groeg. Hebraeg, *y mae'r doeth.*   ᵈᵈY mae Hebraeg yr adnod hon yn ansicr.

ond bydd y drygionus yn llawn helbul.
[22] Y mae geiriau twyllodrus yn ffiaidd
    gan yr ARGLWYDD,
  ond y mae'r rhai sy'n gweithredu'n
    gywir wrth ei fodd.
[23] Y mae'r call yn cuddio'i wybodaeth,
  ond ffyliaid yn cyhoeddi eu ffolineb.
[24] Yn llaw y rhai diwyd y mae'r
    awdurdod,
  ond y mae diogi yn arwain i
    gaethiwed.
[25] Y mae pryder meddwl yn llethu dyn,
  ond llawenheir ef gan air caredig.
[26] Y mae'r cyfiawn yn cilio oddi wrth
    ddrwg[e],
  ond y mae ffordd y drygionus yn eu
    camarwain.
[27] Ni fydd y diogyn yn rhostio'i helfa,
  ond gan y diwyd bydd golud mawr.
[28] Ar ffordd cyfiawnder y mae bywyd,
  ac nid oes marwolaeth yn ei llwybrau.

13 Y mae mab doeth yn derbyn
    disgyblaeth tad,
  ond ni wrendy gwatwarwr ar gerydd.
[2] Trwy ffrwyth ei enau y digonir dyn â
    daioni,
  ond awchu am drais y mae twyllwyr.
[3] Y mae'r un sy'n gwylio'i eiriau yn
    diogelu ei fywyd,
  ond ei ddinistrio'i hun y mae'r un sy'n
    siarad gormod.
[4] Y mae'r diogyn yn awchu, ac eto heb
    gael dim,
  ond y mae'r diwyd yn ffynnu.
[5] Y mae'r cyfiawn yn casáu twyll,
  ond y mae'r drygionus yn
    gweithredu'n ffiaidd a gwarthus.
[6] Y mae cyfiawnder yn amddiffyn ffordd
    y cywir,
  ond drygioni yn dymchwel y pechadur.
[7] Rhydd ambell un yr argraff ei fod yn
    gyfoethog, a heb ddim ganddo;
  ymddengys arall yn dlawd, ac yntau'n
    gyfoethog iawn.
[8] Y pridwerth am fywyd dyn yw ei
    gyfoeth,
  ond ni chlyw'r tlawd fygythion.
[9] Disgleiria goleuni'r cyfiawn,
  ond diffydd lamp y drygionus.
[10] Y mae'r disynnwyr yn codi cynnen
    trwy ymffrostio,
  ond y mae doethineb gan y rhai sy'n
    derbyn cyngor.
[11] Derfydd cyfoeth a gafwyd yn

ddiymdrech,
  ond o'i gasglu bob yn dipyn fe
    gynydda.
[12] Y mae'r gobaith a oedir yn clafychu'r
    galon,
  ond y dymuniad a gyflawnir yn bren
    bywiol.
[13] Ei niweidio'i hun y mae'r un sy'n
    diystyru cyngor,
  ond gwobrwyir yr un sy'n parchu
    gorchymyn.
[14] Y mae cyfarwyddyd y doeth yn
    ffynnon fywiol
  i arbed rhag maglau marwolaeth.
[15] Y mae deall da yn ennill ffafr,
  ond garw yw ffordd y twyllwyr.
[16] Y mae pawb call yn gweithredu'n
    ddeallus,
  ond y mae'r ffôl yn amlygu ffolineb.
[17] Y mae negesydd drwg yn achosi
    dinistr,
  ond cennad cywir yn dwyn lles.
[18] Tlodi a gwarth sydd i'r un sy'n
    anwybyddu disgyblaeth,
  ond anrhydeddir y sawl sy'n derbyn
    cerydd.
[19] Y mae dymuniad a gyflawnir yn felys
    ei flas,
  ond cas gan ffyliaid droi oddi wrth
    ddrwg.
[20] Trwy rodio gyda'r doeth ceir
    doethineb,
  ond daw niwed o aros yng nghwmni
    ffyliaid.
[21] Y mae dinistr yn dilyn pechaduriaid,
  ond daioni yw gwobr y cyfiawn.
[22] Gedy dyn da etifeddiaeth i'w blant,
  ond rhoddir cyfoeth pechadur i'r
    cyfiawn.
[23] Ceir digon o fwyd ym mraenar y
    tlodion,
  ond heb gyfiawnder fe ddiflanna.
[24] Casáu ei fab a wna'r un sy'n arbed y
    wialen,
  ond ei garu y mae'r sawl a rydd gerydd
    cyson.
[25] Y mae'r cyfiawn yn bwyta hyd ddigon,
  ond gwag fydd bol y drygionus.

14 Y mae doethineb[f] yn adeiladu ei
    thŷ,
  ond ffolineb yn ei dynnu i lawr â'i
    dwylo'i hun.
[2] Y mae'r un sy'n rhodio'n gywir yn
    ofni'r ARGLWYDD,

---

[e] Neu, *oddi wrth ei gymydog.*   [f] Hebraeg, *doethineb gwragedd.*

ond y cyfeiliornus ei ffyrdd yn ei
ddirmygu.
³Yng ngeiriau'r ffôl y mae gwialen i'w
gefn,
ond y mae ymadroddion dynion doeth
yn eu hamddiffyn.
⁴Heb ychen y mae'r preseb yn wag,
ond trwy nerth ych ceir cynnyrch
llawn.
⁵Nid yw tyst gonest yn dweud celwydd,
ond y mae gau-dyst yn pentyrru
anwireddau.
⁶Chwilia'r gwatwarwr am ddoethineb
heb ei chael,
ond daw gwybodaeth yn rhwydd i'r
deallus.
⁷Cilia oddi wrth y dyn ffôl,
oherwydd ni chei eiriau deallus
ganddo.
⁸Y mae doethineb y call yn peri iddo
ddeall ei ffordd,
ond ffolineb y ffyliaid yn camarwain.
⁹Y mae ffyliaid yn gwawdio
euogrwydd,
ond yr uniawn yn deall beth sy'n
dderbyniol.
¹⁰Gŵyr y galon am ei chwerwder ei hun,
ac ni all dieithryn gyfranogi o'i
llawenydd.
¹¹Dinistrir tŷ'r drygionus,
ond ffynna pabell yr uniawn.
¹²Y mae ffordd sy'n ymddangos i ddyn
yn union,
ond sy'n arwain i farwolaeth yn ei
diwedd.
¹³Hyd in oed wrth chwerthin gall fod y
galon yn ofidus,
a llawenydd yn troi'n dristwch yn y
diwedd.
¹⁴Digonir y gwrthnysig gan ei ffyrdd ei
hun,
a'r dyn da gan ei weithredoedd yntau.
¹⁵Y mae'r gwirion yn credu pob gair,
ond y mae'r call yn ystyried pob cam.
¹⁶Y mae'r doeth yn ofalus ac yn cilio
oddi wrth ddrwg,
ond y mae'r ffôl yn ddiofal a
gorhyderus.
¹⁷Y mae'r dyn diamynedd yn
gweithredu'n ffôl,
a chaseir y dyn dichellgar.
¹⁸Ffolineb yw rhan y rhai gwirion,
ond gwybodaeth yw coron y rhai call.
¹⁹Ymgryma'r rhai drwg o flaen dynion
da,

a'r drygionus wrth byrth y cyfiawn.
²⁰Caseir y tlawd hyd yn oed gan ei
gydnabod,
ond y mae digon o gyfeillion gan y
cyfoethog.
²¹Y mae'r un a ddirmyga'i gymydog yn
pechu,
ond dedwydd yw'r un sy'n garedig
wrth yr anghenus.
²²Onid yw'r rhai sy'n cynllwynio drwg
yn cyfeiliorni,
ond y rhai sy'n cynllunio da yn
deyrngar a ffyddlon?
²³Ym mhob llafur y mae elw,
ond y mae gwag-siarad yn arwain i
angen.
²⁴Eu craffter ᶠᶠ yw coron y doeth,
ond ffolineb yw addurn ᵍ y ffyliaid.
²⁵Y mae tyst geirwir yn achub bywydau,
ond y mae'r twyllwr yn pentyrru
celwyddau.
²⁶Yn ofn yr ARGLWYDD y mae sicrwydd
y cadarn,
a bydd yn noddfa i'w blant.
²⁷Y mae ofn yr ARGLWYDD yn ffynnon
fywiol
i arbed rhag maglau marwolaeth.
²⁸Yn amlder pobl y mae anrhydedd
brenin;
ond heb bobl, dinistrir llywodraethwr.
²⁹Y mae digon o ddeall gan yr
amyneddgar,
ond dyrchafu ffolineb a wna'r byr ei
dymer.
³⁰Meddwl iach yw iechyd y corff,
ond cancr i'r esgyrn yw cenfigen.
³¹Y mae'r un sy'n gorthrymu'r tlawd yn
amharchu ei greawdwr,
ond y sawl sy'n trugarhau wrth yr
anghenus yn ei anrhydeddu.
³²Dymchwelir y drygionus gan ei
ddrygioni ei hun,
ond caiff y cyfiawn loches yn ei
gywirdeb ⁿᵍ.
³³Trig doethineb ym meddwl y deallus,
ond dirmygir hi ymysg ffyliaid.
³⁴Y mae cyfiawnder yn dyrchafu cenedl,
ond pechod yn warth ar bobloedd.
³⁵Rhydd brenin ffafr i was deallus,
ond digia wrth yr un a'i sarha.

15 Y mae ateb llednais yn dofi dig,
ond gair garw yn cynnau llid.
²Y mae tafod y doeth yn clodfori deall,

ᶠᶠCymh. Groec. Hebraeg, *Eu cyfoeth*.   ᵍTebygol. Hebraeg, *ffolineb*.
ⁿᵍCymh. Groeg. Hebraeg, *ei farwolaeth*.

ond genau ffyliaid yn parablu ffolineb.
³Y mae llygaid yr ARGLWYDD ym mhob
   man,
   yn gwylio'r drwg a'r da.
⁴Y mae tafod tyner yn bren bywiol,
   ond tafod garw yn dryllio'r ysbryd.
⁵Diystyra'r ffôl ddisgyblaeth ei dad,
   ond deallus yw'r un a rydd sylw i
   gerydd.
⁶Y mae llawer o gyfoeth yn nhŷ'r
   cyfiawn,
   ond trallod sydd yn enillion y
   drygionus.
⁷Gwasgaru gwybodaeth y mae genau'r
   doeth,
   ond nid felly feddwl y ffyliaid.
⁸Ffiaidd gan yr ARGLWYDD yw aberth y
   drygionus,
   ond y mae gweddi'r uniawn wrth ei
   fodd.
⁹Ffiaidd gan yr ARGLWYDD yw ffordd y
   drygionus,
   ond y mae'n caru'r rhai sy'n dilyn
   cyfiawnder.
¹⁰Bydd disgyblaeth lem ar yr un sy'n
   gadael y ffordd,
   a bydd y sawl sy'n casáu cerydd yn
   trengi.
¹¹Y mae Sheol ac Abadon dan lygad yr
   ARGLWYDD;
   pa faint mwy feddyliau dynion?
¹²Nid yw'r gwatwarwr yn hoffi cerydd;
   nid yw'n cyfeillachu gyda'r doethion.
¹³Y mae calon lawen yn sirioli'r wyneb,
   ond dryllir yr ysbryd gan boen
   meddwl.
¹⁴Y mae calon ddeallus yn ceisio
   gwybodaeth,
   ond y mae genau'r ffyliaid yn ymborthi
   ar ffolineb.
¹⁵I'r cystuddiol, y mae pob diwrnod yn
   flinderus,
   ond y mae calon hapus yn wledd
   wastadol.
¹⁶Gwell ychydig gydag ofn yr
   ARGLWYDD
   na chyfoeth mawr a thrallod gydag ef.
¹⁷Gwell yw pryd o lysiau lle mae cariad,
   nag ych pasgedig a chenfigen gydag ef.
¹⁸Y mae dyn cas yn codi cynnen,
   ond y mae'r amyneddgar yn tawelu
   cweryl.
¹⁹Y mae ffordd y diog fel llwyn mieri,
   ond llwybr yr uniawn fel priffordd
   wastad.
²⁰Rhydd mab doeth lawenydd i'w dad,
   ond y mae'r ffôl yn dilorni ei fam.

²¹Y mae ffolineb yn ddifyrrwch i'r
   disynnwyr,
   ond y mae'r deallus yn cadw ffordd
   union.
²²Drysir cynlluniau pan nad oes
   ymgynghori,
   ond daw llwyddiant pan geir llawer o
   gynghorwyr.
²³Caiff dyn foddhad pan fydd ganddo
   ateb,
   a beth sy'n well na gair yn ei bryd?
²⁴Y mae ffordd y bywyd yn dyrchafu'r
   deallus,
   i'w droi oddi wrth Sheol isod.
²⁵Y mae'r ARGLWYDD yn dymchwel tŷ'r
   balch,
   ond yn diogelu terfynau'r weddw.
²⁶Ffiaidd gan yr ARGLWYDD yw
   bwriadau drwg,
   ond y mae geiriau pur yn hyfrydwch
   iddo.
²⁷Y mae'r un sy'n awchu am elw yn creu
   anghydfod yn ei dŷ,
   ond y sawl sy'n casáu gwobrwyon yn
   cael bywyd.
²⁸Y mae'r cyfiawn yn ystyried cyn rhoi
   ateb,
   ond y mae genau'r drygionus yn
   parablu drwg.
²⁹Pell yw'r ARGLWYDD oddi wrth y
   drygionus,
   ond gwrendy ar weddi'r cyfiawn.
³⁰Y mae llygaid byw yn llawenhau'r
   galon,
   a newydd da yn adfywio'r corff.
³¹Y mae'r glust sy'n gwrando ar wersi
   bywyd
   yn aros yng nghwmni'r doeth.
³²Y mae'r un sy'n gwrthod cyngor yn ei
   gasáu ei hun,
   ond y sawl sy'n gwrando ar gerydd yn
   berchen deall.
³³Y mae ofn yr ARGLWYDD yn
   ddisgyblaeth mewn doethineb,
   a gostyngeiddrwydd yn arwain i
   anrhydedd.

16 Dyn biau trefnu ei feddyliau,
   ond oddi wrth yr ARGLWYDD y
   daw ateb.
²Y mae holl ffyrdd dyn yn bur yn ei
   olwg ei hun,
   ond y mae'r ARGLWYDD yn pwyso'r
   cymhellion.
³Amlyga dy weithredoedd i'r
   ARGLWYDD,
   a chyflawnir dy gynlluniau.

⁴Gnaeth yr ARGLWYDD bob peth i bwrpas,
hyd yn oed y drygionus ar gyfer dydd adfyd.
⁵Ffiaidd gan yr ARGLWYDD yw pob un balch;
y mae'n sicr na chaiff osgoi cosb.
⁶Trwy deyrngarwch a ffyddlondeb y maddeuir camwedd,
a thrwy ofn yr ARGLWYDD y troir oddi wrth ddrwg.
⁷Pan yw'r ARGLWYDD yn hoffi ffyrdd dyn
gwna hyd yn oed i'w elynion fyw mewn heddwch ag ef.
⁸Gwell ychydig gyda chyfiawnder nag enillion mawr heb farn.
⁹Y mae meddwl dyn yn cynllunio'i ffordd,
ond yr ARGLWYDD sy'n trefnu ei gamre.
¹⁰Ceir dyfarniad oddi ar wefusau'r brenin;
nid yw ei enau yn gwyro mewn barn.
¹¹Mater i'r ARGLWYDD yw mantol a chloriannau cyfiawn;
a'i waith ef yw'r holl bwysau yn y god.
¹²Ffiaidd gan frenhinoedd yw gwneud drwg,
oherwydd trwy gyfiawnder y sicrheir gorsedd.
¹³Hyfrydwch brenin ʰ yw genau cyfiawn,
a hoffa ddyn sy'n llefaru'n uniawn.
¹⁴Y mae llid brenin yn gennad angau,
ond fe'i dofir gan y dyn doeth.
¹⁵Yn llewyrch wyneb brenin y ceir bywyd,
ac y mae ei ffafr fel cwmwl glaw yn y gwanwyn.
¹⁶Gwell nag aur yw ennill doethineb,
a gwell dewis deall nag arian.
¹⁷Y mae priffordd yr uniawn yn troi oddi wrth ddrygioni,
a chadw ei fywyd y mae'r un sy'n gwylio'i ffordd.
¹⁸Daw balchder o flaen dinistr,
ac uchelgais o flaen cwymp.
¹⁹Gwell bod yn ddistadl gyda'r anghenus
na rhannu ysbail gyda'r balch.
²⁰Y mae'r medrus yn ei fater yn llwyddo,
a'r un sy'n ymddiried yn yr ARGLWYDD yn ddedwydd.
²¹Y doeth o galon a ystyrir yn ddeallus,
a geiriau deniadol sy'n ychwanegu dysg.

²²Y mae deall yn ffynnon bywyd i'w berchennog,
ond ffolineb yn ddisgyblaeth i ffyliaid.
²³Y mae meddwl y doeth yn gwneud ei eiriau'n ddeallus,
ac yn ychwanegu dysg at ei ymadroddion.
²⁴Y mae geiriau teg fel diliau mêl,
yn felys i'r blas ac yn iechyd i'r corff.
²⁵Y mae ffordd sy'n ymddangos yn uniawn i ddyn
yn ffordd marwolaeth yn ei diwedd.
²⁶Angen llafurwr sy'n gwneud iddo lafurio,
a'i enau sy'n ei annog ymlaen.
²⁷Y mae dihiryn yn cynllunio drwg;
y mae fel tân poeth ar ei wefusau.
²⁸Y mae dyn croes yn creu cynnen,
a'r straegar yn gwahanu cyfeillion.
²⁹Y mae dyn traws yn denu ei gyfaill,
ac yn ei arwain ar ffordd wael.
³⁰Y mae'r un sy'n wincio llygad yn cynllunio trawster,
a'r sawl sy'n crychu ei wefusau yn gwneud drygioni.
³¹Y mae henaint yn goron anrhydedd;
fe'i ceir wrth rodio'n gyfiawn.
³²Gwell bod yn amyneddgar nag yn rhyfelwr,
a rheoli tymer na chipio dinas.
³³Er bwrw'r coelbren i'r arffed,
oddi wrth yr ARGLWYDD y daw pob dyfarniad.

17 Gwell yw tamaid sych, a llonyddwch gydag ef,
na thŷ yn llawn o wleddoedd ynghyd â chynnen.
²Y mae gwas deallus yn feistr ar fab gwarthus,
ac yn rhannu'r etifeddiaeth gyda'r brodyr.
³Y mae tawddlestr i arian a ffwrn i aur,
ond yr ARGLWYDD sy'n profi calonnau.
⁴Y mae'r drwgweithredwr yn gwrando ar eiriau anwir,
a'r celwyddog yn rhoi sylw i dafod maleisus.
⁵Y mae'r un sy'n gwatwar y tlawd yn amharchu ei greawdwr,
ac ni chaiff y sawl sy'n ymhyfrydu mewn trychineb osgoi cosb.
⁶Coron hynafgwyr yw wyrion,
a balchder plant yw eu tadau.
⁷Nid yw geiriau gwych yn gwneud i

ynfytyn,
nac ychwaith eiriau celwyddog i
bendefig.
[8] Carreg hud yw llwgrwobr i'r sawl a'i
defnyddia;
fe lwydda ple bynnag y try.
[9] Y mae'r un sy'n cuddio camwedd yn
ceisio cyfeillgarwch,
ond y mae'r sawl sy'n ailadrodd stori
yn gwahanu cyfeillion.
[10] Y mae cerydd yn peri mwy o loes i
ddyn deallus
na chan cernod i ynfytyn.
[11] Ar wrthryfela y mae bryd y drygionus,
ond fe anfonir cennad creulon yn ei
erbyn.
[12] Gwell i ddyn gyfarfod ag arthes wedi
colli ei chenawon
na chyfarfod ag ynfytyn yn ei ffolineb.
[13] Os bydd i ddyn dalu drwg am dda,
nid ymedy dinistr â'i dŷ.
[14] Y mae dechrau cweryl fel diferiad
dŵr;
ymatal di cyn i'r gynnen lifo allan.
[15] Cyfiawnhau'r drygionus a
chondemnio'r cyfiawn—
y mae'r ddau fel ei gilydd yn ffiaidd
gan yr ARGLWYDD.
[16] Pa werth sydd i arian yn llaw ynfytyn?
Ai i brynu doethineb, ac yntau heb
ddeall?
[17] Y mae cyfaill yn gyfaill bob amser;
ar gyfer adfyd y genir brawd.
[18] Dyn disynnwyr sy'n rhoi ernes,
a mynd yn feichiau dros ei gyfaill.
[19] Y mae'r un sy'n hoffi camwedd yn
hoffi cynnen,
a'r sawl sy'n ehangu ei borth yn gofyn
am ddinistr.
[20] Nid yw'r meddwl cyfeiliornus yn cael
daioni,
a disgyn i ddinistr a wna'r troellog ei
dafod.
[21] Y mae'r un sy'n cenhedlu ffŵl yn dwyn
niwed arno'i hun,
ac nid oes llawenydd i dad ynfytyn.
[22] Y mae calon lawen yn rhoi iechyd,
ond ysbryd isel yn sychu'r esgyrn.
[23] Cymer y drygionus wobr o'i fynwes
i wyrdroi llwybrau barn.
[24] Ceidw'r deallus ei olwg ar ddoethineb,
ond ar gyrrau'r ddaear y mae llygaid
ynfytyn.
[25] Y mae mab ynfyd yn flinder i'w dad,
ac yn achos chwerwder i'w fam.
[26] Yn wir nid da cosbi'r cyfiawn,
ac nid iawn curo'r bonheddig.

[27] Y mae'r prin ei eiriau yn meddu
gwybodaeth,
a thawel ei ysbryd yw dyn deallus.
[28] Tra tawa'r ffŵl, fe'i hystyrir yn
ddoeth,
a'r un sy'n cau ei geg yn ddeallus.

18 Y mae'r un sy'n cadw ar wahân yn
ceisio cweryl,
ac yn ymosod ar bob cynllun.
[2] Nid yw'r ynfyd yn ymhyfrydu mewn
deall,
dim ond mewn mynegi ei feddwl ei
hun.
[3] Yn dilyn drygioni fe ddaw dirmyg,
a gwarth ar ôl amarch.
[4] Y mae geiriau dyn yn ddyfroedd
dyfnion,
yn ffrwd yn byrlymu, yn ffynnon
doethineb.
[5] Nid da yw dangos ffafr tuag at y
drygionus,
i amddifadu'r cyfiawn o farn.
[6] Y mae genau'r ynfyd yn arwain i
gynnen,
a'i eiriau yn gofyn am gurfa.
[7] Genau'r ynfyd yw ei ddinistr,
ac y mae ei eiriau yn fagl iddo'i hun.
[8] Y mae geiriau'r straegar fel
danteithion
sy'n mynd i lawr i'r cylla.
[9] Y mae'r diog yn ei waith
yn frawd i'r un sy'n dwyn dinistr.
[10] Y mae enw'r ARGLWYDD yn dŵr
cadarn;
rhed y cyfiawn ato ac y mae'n ddiogel.
[11] Cyfoeth cyfoethog yw ei ddinas
gadarn,
ac y mae fel mur cryf yn ei dyb ei hun.
[12] Cyn dyfod dinistr, y mae calon dyn yn
falch,
ond daw gostyngeiddrwydd o flaen
anrhydedd.
[13] Y mae'r un sy'n ateb cyn gwrando
yn dangos ffolineb ac amarch.
[14] Gall ysbryd dyn ei gynnal yn ei
afiechyd,
ond os yw'r ysbryd yn isel, pwy a'i
cwyd?
[15] Y mae meddwl deallus yn ennill
gwybodaeth,
a chlust y doeth yn chwilio am ddeall.
[16] Y mae rhodd dyn yn agor drysau iddo,
ac yn ei arwain at y mawrion.
[17] Y mae'r cyntaf i ddadlau ei achos yn
ymddangos yn gyfiawn,
nes y daw ei wrthwynebwr a'i

groesholi.
¹⁸ Rhydd y coelbren derfyn ar gwerylon,
   ac y mae'n dyfarnu rhwng y cedyrn.
¹⁹ Y mae brawd a dramgwyddwyd fel
   caer¹ gadarn,
   a chwerylon fel bollt castell.
²⁰ O ffrwyth ei enau y digonir cylla dyn,
   a chynnyrch ei wefusau sy'n ei
   ddiwallu.
²¹ Y mae'r tafod yn gallu rhoi
   marwolaeth neu fywyd,
   ac y mae'r rhai sy'n ei hoffi yn bwyta'i
   ffrwyth.
²² A gaiff wraig, y mae'n cael daioni
   ac yn ennill ffafr gan yr Arglwydd.
²³ Y mae'r tlawd yn siarad yn ymbilgar,
   ond y cyfoethog yn ateb yn arw.
²⁴ Honni eu bod yn gyfeillion a wna rhai;
   ond ceir hefyd gyfaill sy'n glynu'n well
   na brawd.

19 Gwell yw'r tlawd sy'n byw'n onest
   na'r un twyllodrus ei eiriau, ac
   yntau'n ynfyd.
² Nid oes gwerth mewn brwdfrydedd
   heb ddeall;
   y mae'r chwim ei droed yn colli'r
   ffordd.
³ Ffolineb dyn sy'n difetha'i ffordd,
   ond yn erbyn yr Arglwydd y mae'n
   dal dig.
⁴ Y mae cyfoeth yn amlhau cyfeillion,
   ond colli ei gyfaill y mae'r tlawd.
⁵ Ni chaiff tyst celwyddog osgoi cosb,
   ac ni ddianc yr un sy'n dweud celwydd.
⁶ Y mae llawer yn ceisio ffafr pendefig,
   a phawb yn gyfaill i ŵr y rhoddion.
⁷ Y mae holl frodyr y tlawd yn ei gasáu;
   gymaint mwy y pellha'i gyfeillion oddi
   wrtho!
   Y mae'n eu dilyn â geiriau, ond nid
   ydynt yno.
⁸ Y mae'r dyn synhwyrol yn caru ei
   fywyd,
   a'r un sy'n diogelu gwybodaeth yn cael
   daioni.
⁹ Ni chaiff tyst celwyddog osgoi cosb,
   a difethir yr un sy'n dweud celwydd.
¹⁰ Nid yw moethusrwydd yn gweddu i'r
   ynfyd,
   na rheoli tywysogion i gaethwas.
¹¹ Y mae deall yn gwneud dyn yn
   amyneddgar,
   a'i anrhydedd yw maddau camwedd.
¹² Y mae llid brenin fel rhuad llew ifanc,
   ond ei ffafr fel gwlith ar laswellt.

¹³ Y mae mab ynfyd yn ddinistr i'w dad,
   a checru gwraig fel defni parhaus.
¹⁴ Oddi wrth rieni yr etifeddir tŷ a
   chyfoeth,
   ond gan yr Arglwydd y ceir gwraig
   ddeallus.
¹⁵ Y mae segurdod yn dwyn trwmgwsg,
   ac i'r diogyn daw newyn.
¹⁶ Y mae'r un sy'n cadw gorchymyn yn ei
   ddiogelu ei hun,
   ond bydd y sawl sy'n diystyru ei ffyrdd
   yn marw.
¹⁷ Y mae'r un sy'n trugarhau wrth y
   tlawd yn rhoi benthyg i'r
   Arglwydd,
   ac fe ddâl ef yn ôl iddo am ei weithred.
¹⁸ Cerydda dy fab tra bo gobaith iddo,
   ond gofala beidio â'i ladd.
¹⁹ Daw cosb ar ddyn gwyllt ei dymer;
   er iti ei helpu, rhaid gwneud hynny
   eto.
²⁰ Gwrando ar gyngor, a derbyn
   ddisgyblaeth,
   er mwyn iti fod yn ddoeth yn y
   diwedd.
²¹ Niferus yw bwriadau meddwl dyn,
   ond cyngor yr Arglwydd sy'n sefyll.
²² Peth dymunol mewn dyn yw ei
   deyrngarwch,
   a gwell yw dyn tlawd nag un
   celwyddog.
²³ Y mae ofn yr Arglwydd yn arwain i
   fywyd,
   a'r sawl a'i medd yn gorffwyso heb
   berygl niwed.
²⁴ Er i'r diogyn wthio'i law i'r ddysgl,
   eto nid yw'n ei chodi at ei enau.
²⁵ Os curi'r gwatwarwr, bydd y gwirion
   yn dysgu gwers;
   os ceryddi'r deallus, ef ei hun sy'n
   ennill gwybodaeth.
²⁶ Y mae'r sawl sy'n cam-drin ei dad ac
   yn diarddel ei fam
   yn fab gwaradwyddus ac amharchus.
²⁷ Fy mab, os gwrthodi wrando ar
   gerydd,
   byddi'n troi oddi wrth eiriau
   gwybodaeth.
²⁸ Y mae tyst anonest yn gwatwar barn,
   a genau'r drygionus yn parablu¹
   camwedd.
²⁹ Trefnwyd cosb ar gyfer gwatwarwyr,
   a chernodiau i gefn ynfydion.

20 Gwatwarwr yw gwin, a therfysgwr
   yw diod gadarn;

---

¹ Felly Groeg. Hebraeg, *o gaer*.   ¹ Tebygol. Cymh. 15:28. Hebraeg, *llyncu*.

nid doeth mo'r sawl sydd dan eu
    dylanwad.
² Y mae bygythiad brenin fel rhuad llew
    ifanc;
    y mae'r sawl a'i cynhyrfa'n peryglu ei
    fywyd.
³ Clod i ddyn yw gwrthod cweryla,
    ond rhuthro i ymryson a wna pob
    ynfytyn.
⁴ Nid yw'r diog yn aredig yn yr hydref;
    eto y mae'n disgwyl yn amser
    cynhaeaf, heb ddim i'w gael.
⁵ Y mae cyngor ym meddwl dyn fel
    dyfroedd dyfnion,
    ond gall dyn deallus ei dynnu allan.
⁶ Y mae llawer dyn yn honni bod yn
    deyrngar,
    ond pwy a all gael dyn ffyddlon?
⁷ Y mae'r cyfiawn yn rhodio'n gywir;
    gwyn eu byd ei blant ar ei ôl!
⁸ Y mae brenin sy'n eistedd ar orsedd
    barn
    yn gallu nithio pob drwg â'i lygaid.
⁹ Pwy a all ddweud, "Yr wyf wedi puro
    fy meddwl;
    yr wyf yn lân o'm pechod?"
¹⁰ Pan geir amrywiaeth mewn pwysau
    neu fesurau,
    y mae'r naill a'r llall yn ffiaidd gan yr
    ARGLWYDD.
¹¹ Trwy ei weithredoedd y dengys dyn
    ifanc
    a yw ei waith yn bur ac yn uniawn.
¹² Y glust sy'n clywed a'r llygad sy'n
    gweld,
    yr ARGLWYDD a'u gwnaeth ill dau.
¹³ Paid â bod yn hoff o gysgu, rhag iti
    fynd yn dlawd;
    cadw dy lygad yn agored, a chei
    ddigon o fwyd.
¹⁴ "Gwael iawn," meddai'r prynwr;
    ond wrth fynd ymaith, y mae'n canmol
    ei fargen.
¹⁵ Y mae digonedd o aur ac o emau,
    ond geiriau deallus yw'r trysor
    gwerthfawrocaf.
¹⁶ Cymer wisg y dyn sy'n mechnïo dros
    estron,
    a chadw hi'n ernes o'i addewid ar ran
    dieithryn.
¹⁷ Melys i ddyn yw bara a gafwyd trwy
    dwyll,
    ond yn y diwedd llenwir ei geg â
    graean.
¹⁸ Sicrheir cynlluniau trwy gyngor;
    rhaid trefnu'n ofalus ar gyfer rhyfel.

¹⁹ Y mae'r straegar yn bradychu
    cyfrinach;
    paid â chyfeillachu â'r llac ei dafod.
²⁰ Os bydd dyn yn melltithio ei dad a'i
    fam,
    diffoddir ei oleuni yn y tywyllwch
    eithaf.
²¹ Os ceir etifeddiaeth sydyn yn y
    dechrau,
    ni bydd bendith ar ei diwedd.
²² Paid â dweud, "Talaf y pwyth yn ôl";
    disgwyl wrth yr ARGLWYDD i achub dy
    gam.
²³ Ffiaidd gan yr ARGLWYDD yw
    amrywiaeth mewn pwysau,
    ac nid da ganddo gloriannau
    twyllodrus.
²⁴ Yr ARGLWYDD sy'n rheoli camre dyn;
    sut y gall dyn ddeall ei ffordd?
²⁵ Gall dyn fynd i fagl wrth gysegru'n
    fyrbwyll,
    ac yna dechrau ystyried ar ôl gwneud
    addunedau.
²⁶ Y mae brenin doeth yn nithio'r
    drygionus,
    ac yn troi'r rhod yn eu herbyn.
²⁷ Llewyrcha'r ARGLWYDD ar ysbryd dyn,
    i chwilio i ddyfnderau ei fod.
²⁸ Y mae teyrngarwch a chywirdeb yn
    gwarchod y brenin,
    a diogelir ei orsedd gan deyrngarwch.
²⁹ Gogoniant yr ifainc yw eu nerth,
    ac addurn i'r hen yw penwynni.
³⁰ Y mae taro i'r byw yn gwella drwg,
    a dyrnodiau yn iacháu dyn drwyddo.

21   Y mae calon brenin yn llaw'r
      ARGLWYDD fel ffrwd o ddŵr;
    fe'i try i ble bynnag y dymuna.
² Y mae ffyrdd dyn i gyd yn uniawn yn
    ei olwg ei hun,
    ond y mae'r ARGLWYDD yn cloriannu'r
    galon.
³ Y mae gwneud cyfiawnder a barn
    yn fwy derbyniol gan yr ARGLWYDD
    nag aberth.
⁴ Llygaid balch a chalon ymffrostgar,
    dyma nodau'r drygionus, ac y maent
    yn bechod.
⁵ Y mae cynlluniau'r diwyd yn sicr o
    arwain i ddigonedd,
    ond daw angen ar bob un sydd mewn
    brys.
⁶ Y mae trysorau wedi eu hennill trwy
    gelwydd
    fel tarth yn diflannu neu fagl¹¹

ᵘ Felly llawysgrifau a Fersiynau. TM, *neu geiswyr.*

marwolaeth.

⁷Rhwydir y rhai drygionus gan eu trais,
 am iddynt wrthod gwneud yr hyn sydd
 uniawn.

⁸Troellog yw ffordd y troseddwr,
 ond uniawn yw gweithred y didwyll.

⁹Gwell yw byw mewn congl ar ben tŷ
 na rhannu cartref gyda gwraig gecrus.

¹⁰Y mae'r drygionus yn awchu am
 wneud drwg;
 nid yw'n edrych yn drugarog ar ei
 gymydog.

¹¹Pan gosbir gwatwarwr, daw'r gwirion
 yn ddoeth;
 ond pan ddysgir gwers i'r doeth, daw
 ef ei hun i ddeall.

¹²Y mae'r cyfiawn yn sylwi ar dŷ'r
 drygionus;
 y mae'n bwrw'r rhai drwg i ddinistr.

¹³Os bydd dyn yn fyddar i gri'r tlawd,
 ni chaiff ei ateb pan fydd yntau'n galw.

¹⁴Y mae rhodd ddirgel yn lliniaru dig,
 a chil-dwrn dan glogyn yn tawelu llid
 mawr.

¹⁵Caiff y cyfiawn lawenydd wrth wneud
 cyfiawnder,
 ond daw dinistr ar y rhai sy'n gwneud
 drwg.

¹⁶Bydd dyn sy'n troi oddi ar ffordd deall
 yn gorffwys yng nghwmni'r meirw.

¹⁷Dyn mewn angen fydd yr un sy'n caru
 llawenydd,
 ac ni ddaw'r sawl sy'n hoffi gwin ac
 olew yn gyfoethog.

¹⁸Y mae'r drygionus yn bridwerth dros y
 cyfiawn,
 a'r twyllwr dros y rhai uniawn.

¹⁹Gwell byw mewn anialwch
 na chyda gwraig gecrus a dicllon.

²⁰Yn nhŷ'r doeth y mae trysor dymunol
 ac olew,
 ond y mae'r dyn ffôl yn eu difa.

²¹Y mae'r sawl sy'n dilyn cyfiawnder a
 theyrngarwch
 yn cael bywyd llwyddiannus ac
 anrhydedd.

²²Y mae'r doeth yn gallu mynd i ddinas
 gadarn
 a bwrw i lawr y gaer yr ymddiriedir
 ynddi.

²³Y sawl sy'n gwylio ei enau a'i dafod,
 fe'i ceidw ei hun rhag gofidiau.

²⁴Y mae'r balch yn ffroenuchel;
 gwatwarwr yw ei enw,
 gweithreda â dicllonedd balch.

²⁵Y mae blys y diog yn ei ladd,

am fod ei ddwylo'n gwrthod gweithio.

²⁶Trachwantu y mae'r annuwiol bob
 amserᵐ,
 ond y mae'r cyfiawn yn rhoi heb
 arbed.

²⁷Ffiaidd yw aberth y drygionus,
 yn enwedig pan offrymir ef mewn
 dichell.

²⁸Difethir y tyst celwyddog,
 ond y mae'r tyst cywir yn cael llefaru.

²⁹Y mae'r drygionus yn caledu ei wyneb,
 ond yr uniawn yn trefnu ei ffyrdd.

³⁰Nid yw doethineb na deall na chyngor
 yn ddim o flaen yr ARGLWYDD.

³¹Er paratoi march ar gyfer dydd
 brwydr,
 eto eiddo'r ARGLWYDD yw'r
 fuddugoliaeth.

22 Mwy dymunol yw enw da na
 chyfoeth lawer,
 a gwell yw parch nag arian ac aur.

²Y mae un peth yn gyffredin i
 gyfoethog a thlawd:
 yr ARGLWYDD a'u creodd ill dau.

³Y mae'r craff yn gweld perygl ac yn ei
 osgoi,
 ond y gwirion yn mynd rhagddo ac yn
 talu am hynny.

⁴Gwobr gostyngeiddrwydd ac ofn yr
 ARGLWYDD
 yw cyfoeth, anrhydedd a bywyd.

⁵Y mae drain a maglau ar ffordd y dyn
 gwrthnysig,
 ond y mae'r un gwyliadwrus yn cadw
 draw oddi wrthynt.

⁶Hyffordda blentyn ar ddechrau ei
 daith,
 ac ni thry oddi wrthi pan heneiddia.

⁷Y mae'r cyfoethog yn rheoli'r tlawd,
 ac y mae'r benthyciwr yn was i'r
 echwynnwr.

⁸Y mae'r un sy'n hau anghyfiawnder yn
 medi gofid,
 a rhydd y wialen ddiwedd ar ei
 ymffrost.

⁹Bendithir y dyn hael
 am ei fod yn rhannu ei fara i'r tlawd.

¹⁰Bwrw allan y gwatwarwr, a cheir
 terfyn ar ymryson,
 a diwedd ar ddadlau a gwawd.

¹¹Yr un sy'n hoffi purdeb meddwl
 a geiriau grasol, y mae ef yn gyfaill i
 frenin.

¹²Y mae llygaid yr ARGLWYDD yn
 gwarchod deall,

ᵐFelly Groeg. Hebraeg, *Y mae bob amser yn trachwantu'n drachwantus.*

ond y mae ef yn dymchwel geiriau twyllwr.

¹³Dywed y diog, "Y mae llew y tu allan; fe'm lleddir yn y stryd."

¹⁴Y mae genau'r wraig ddieithr fel pwll dwfn;
y mae'r un a ddigiodd yr ARGLWYDD yn syrthio iddo.

¹⁵Y mae ffolineb ynghlwm wrth feddwl plentyn,
ond y mae gwialen disgyblaeth yn ei yrru oddi wrtho.

¹⁶Y sawl sy'n gorthrymu'r tlawd i geisio elw iddo'i hun,
ac yn rhoi i'r cyfoethog, bydd hwnnw'n diweddu mewn angen.

Geiriau'r Doethion

¹⁷Rho sylw, a gwrando ar eiriau'r doethion,
a gosod dy feddwl ar fy neall;
¹⁸oherwydd y mae'n werth iti eu cadw yn dy galon,
ac iddynt oll gael eu sicrhau ar dy wefusau.
¹⁹Er mwyn i ti roi dy hyder yn yr ARGLWYDD
yr wyf yn eu dysgu iti heddiw.

²⁰Onid wyf wedi ysgrifennu iti ddeg ar hugain o ddywediadau,
yn llawn cyngor a deall,
²¹i ddysgu iti wirionedd geiriau cywir,
fel y gelli roi ateb cywir i'r rhai a'th anfonodd?

²²Paid ag ysbeilio'r tlawd am ei fod yn dlawd,
a phaid â sathru'r anghenus yn y porth;
²³oherwydd bydd yr ARGLWYDD yn dadlau eu hachos,
ac yn difetha'r rhai sy'n eu difetha hwy.
²⁴Paid â chyfeillachu â dyn a chanddo dymer ddrwg,
nac aros yng nghwmni'r dicllon,
²⁵rhag iti ddysgu ei ffordd,
a'th gael dy hun mewn magl.
²⁶Paid â gwneud cytundeb
i fynd yn feichiau am ddyledion;
²⁷os na fydd gennyt ddim i dalu,
oni chymerir dy wely oddi arnat?
²⁸Paid â symud yr hen derfynau
a osodwyd gan dy dadau.
²⁹Gwelaist ddyn medrus yn ei waith;
bydd ef yn gwasanaethu brenhinoedd,

ond ni fydd yn gwasanaethu dynion dibwys.

23

Pan eisteddi i fwyta gyda llywodraethwr,
rho sylw manwl i'r hyn sydd o'th flaen,
²a gosod gyllell at dy wddf
os wyt yn ddyn blysig.
³Paid â chwennych ei ddanteithion,
oherwydd bwyd sy'n twyllo ydyw.
⁴Paid â'th flino dy hun i ennill cyfoeth;
bydd yn ddigon synhwyrol i ymatal.
⁵Os tynni dy lygaid oddi arno, y mae'n diflannu,
oherwydd y mae'n magu adenydd,
fel eryr yn hedfan i'r awyr.
⁶Paid â bwyta gyda'r dyn cybyddlyd,
na chwennych ei ddanteithion,
⁷oherwydd bydd hynny fel diflastod yn ei lwnc;
bydd yn dweud wrthyt, "Bwyta ac yf",
ond ni fydd yn meddwl hynny.
⁸Byddi'n chwydu'r tameidiau a fwyteaist,
ac yn gwastraffu dy ganmoliaeth.
⁹Paid â llefaru yng nghlyw'r ffŵl,
oherwydd bydd yn dirmygu synnwyr dy eiriau.
¹⁰Paid â symud yr hen derfynau,
na chymryd meddiant o diroedd yr amddifaid;
¹¹oherwydd y mae eu gwaredwr yn gryf,
a bydd yn amddiffyn eu hachos yn dy erbyn.
¹²Gosod dy feddwl ar gyfarwyddyd,
a'th glust ar eiriau deall.
¹³Paid ag atal disgyblaeth oddi wrth blentyn;
os byddi'n ei guro â gwialen, ni fydd yn marw.
¹⁴Os byddi'n ei guro â gwialen,
byddi'n achub ei fywyd o Sheol.

¹⁵Fy mab, os bydd dy galon yn ddoeth,
bydd fy nghalon innau yn llawen.
¹⁶Byddaf yn llawenhau drwof i gyd
pan fydd dy enau yn llefaru'n uniawn.
¹⁷Paid â chenfigennu wrth bechaduriaid,
ond wrth y rhai sy'n ofni'r ARGLWYDD bob amser;
¹⁸os felly, bydd dyfodol iti,
ac ni thorrir ymaith dy obaith.

¹⁹Fy mab, gwrando a bydd ddoeth,
a gosod dy feddwl ar y ffordd iawn.
²⁰Paid â chyfathrachu â'r rhai sy'n yfed gwin,

nac ychwaith â'r dynion glwth;
²¹oherwydd bydd y diotwr a'r glwth yn
    mynd yn dlawd,
    a bydd syrthni'n eu gwisgo mewn
    carpiau.

²²Gwrando ar dy dad, a'th genhedlodd,
    a phaid â diystyru dy fam pan fydd yn
    hen.
²³Pryn wirionedd, a phaid â'i werthu;
    pryn ddoethineb, cyfarwyddyd a deall.
²⁴Bydd tad y cyfiawn yn llawen iawn,
    a'r un a genhedlodd y doeth yn cael
    difyrrwch ynddo.
²⁵Bydded i'th dad a'th fam gael
    llawenydd,
    ac i'r un a esgorodd arnat gael
    difyrrwch.

²⁶Fy mab, dal sylw arnaf,
    a bydded i'th lygaid ymhyfrydu yn fy
    ffyrdd.
²⁷Y mae'r butain fel pwll dwfn,
    a'r ddynes estron fel pydew cul;
²⁸y mae'n llercian fel lleidr,
    ac yn amlhau'r godinebwyr ymysg
    dynion.

²⁹Pwy sy'n cael gwae? Pwy sy'n cael
    gofid?
    Pwy sy'n cael ymryson a chŵyn?
    Pwy sy'n cael poen yn ddiachos,
    a chochni llygaid?
³⁰Y rhai sy'n oedi uwchben gwin,
    ac yn dod i brofi gwin wedi ei
    gymysgu.
³¹Paid ag edrych ar win pan yw'n goch,
    pan yw'n pefrio yn y cwpan,
    ac yn mynd i lawr yn esmwyth.
³²Yn y diwedd bydd yn brathu fel sarff,
    ac yn pigo fel gwiber.
³³Bydd dy lygaid yn gweld pethau
    rhyfedd,
    a'th feddwl yn mynegi pethau cymysg.
³⁴Byddi fel dyn yn mynd i'w wely yng
    nghanol y môr,
    fel un yn gorwedd ar ben yr hwylbren.
³⁵Byddi'n dweudⁿ, "Y maent yn fy
    nharo, ond nid wyf yn teimlo
    briw;
    y maent yn fy nghernodio, ond ni wn
    hynny.
    Pa bryd y deffroaf, imi geisio cael diod
    eto?"

ⁿFelly Fersiynau. Hebraeg heb *Byddi'n dweud.*

24 Paid â chenfigennu wrth ddynion
    drwg,
    na dymuno bod yn eu cwmni;
²oherwydd y maent hwy'n meddwl am
    drais,
    a'u genau'n sôn am drybini.

³Fe adeiledir tŷ trwy ddoethineb,
    a'i sicrhau trwy wybodaeth.
⁴Trwy ddeall y llenwir ystafelloedd
    â phob eiddo gwerthfawr a dymunol.
⁵Y mae'r doeth yn fwy grymus na'r dyn
    cryf,
    a'r gŵr deallus na'r un nerthol;
⁶oherwydd gelli drefnu dy frwydr â
    medrusrwydd,
    a chael buddugoliaeth â llawer o
    gynghorwyr.
⁷Y mae doethineb allan o gyrraedd y
    ffŵl;
    nid yw'n agor ei geg yn y porth.

⁸Bydd yr un sy'n cynllunio i wneud
    drwg
    yn cael ei alw'n ddichellgar.
⁹Y mae dichell y ffŵl yn bechod,
    ac y mae dynion yn ffieiddio'r
    gwatwarwr.

¹⁰Os torri dy galon yn nydd cyfyngder,
    yna y mae dy nerth yn wan.
¹¹Achub y rhai a ddygir i farwolaeth;
    rho gymorth i'r rhai a lusgir i'w lladd.
¹²Os dywedi, "Ni wyddem ni am hyn",
    onid yw'r un sy'n pwyso meddyliau yn
    deall?
    Y mae'r un sy'n dy wylio yn gwybod,
    ac yn talu i ddyn yn ôl ei waith.

¹³Fy mab, bwyta fêl, oherwydd y mae'n
    dda,
    ac y mae diliau mêl yn felys i'th enau.
¹⁴Felly y mae deall a doethineb i'th
    fywyd;
    os cei hwy, yna y mae iti ddyfodol,
    ac ni thorrir ymaith dy obaith.

¹⁵Paid â llechu fel drwgweithredwr wrth
    drigfan y cyfiawn,
    a phaid ag ymosod ar ei gartref.
¹⁶Er i'r cyfiawn syrthio seithwaith, eto fe
    gyfyd;
    ond fe feglir y drygionus gan adfyd.

¹⁷Paid â llawenhau pan syrth dy elyn,
    nac ymfalchïo pan feglir ef,

18 rhag i'r ARGLWYDD weld, a bod yn anfodlon,
a throi ei ddig oddi wrtho.

19 Paid â theimlo'n ddig tuag at y rhai sy'n gwneud drwg,
na chenfigennu wrth y drygionus,
20 oherwydd nid oes dyfodol i'r dyn drwg,
a diffoddir goleuni'r drygionus.

21 Fy mab, ofna'r ARGLWYDD a'r brenin;
paid â bod yn anufudd iddynt,°
22 oherwydd fe ddaw dinistr sydyn oddi wrthynt,
a phwy a ŵyr y distryw a achosant ill dau?

Rhagor o Eiriau'r Doethion

23 Dyma hefyd eiriau'r doethion:
Nid yw'n iawn dangos ffafr mewn barn.
24 Pwy bynnag a ddywed wrth yr euog,
"Yr wyt yn ddieuog",
fe'i melltithir gan bobloedd a'i ddirmygu gan genhedloedd.
25 Ond caiff y rhai sy'n eu ceryddu foddhad,
a daw gwir fendith arnynt.
26 Y mae rhoi ateb gonest fel rhoi cusan ar wefusau.

27 Rho drefn ar dy waith y tu allan,
a threfna'r hyn sydd yn dy gae,
ac yna adeilada dy dŷ.

28 Paid â thystio yn erbyn dy gymydog yn ddiachos,
na thwyllo â'th eiriau.
29 Paid â dweud, "Gwnaf iddo fel y gwnaeth ef i mi;
talaf i'r dyn yn ôl ei weithred."

30 Euthum heibio i faes un diog,
ac i winllan un disynnwyr,
31 a sylwais eu bod yn llawn drain,
a danadl drostynt i gyd,
a'u mur o gerrig wedi ei chwalu.
32 Edrychais arnynt ac ystyried;
sylwais a dysgu gwers:
33 ychydig gwsg, ychydig hepian,
ychydig blethu dwylo i orffwys,
34 ac fe fyddi'n dlawd fel crwydryn,
ac mewn angen fel cardotyn.

Rhagor o Ddiarhebion Solomon

25 Dyma hefyd ddiarhebion Solomon, a gofnodwyd gan wŷr Heseceia brenin Jwda:
2 Gogoniant Duw yw cadw pethau'n guddiedig,
a gogoniant brenhinoedd yw eu chwilio allan.
3 Fel y mae'r nefoedd yn uchel a'r ddaear yn ddwfn,
felly ni ellir chwilio calonnau brenhinoedd.
4 Symud yr amhuredd o'r arian,
a daw'n llestr yn llaw'r gof.
5 Symud y drygionus o ŵydd y brenin,
a sefydlir ei orsedd mewn cyfiawnder.
6 Paid ag ymddyrchafu yng ngŵydd y brenin,
na mynd i le'r mawrion,
7 oherwydd gwell yw cael dweud wrthyt am symud i fyny,
na'th symud i lawr i wneud lle i bendefig.

8 Paid â brysio i wneud achos o'r hyn a welaist ᵖ,
rhag, wedi iti orffen gwneud hynny,
i'th gymydog ddwyn gwarth arnat.
9 Dadlau dy achos â'th gymydog,
ond paid â dadlennu cyfrinach rhywun arall,
10 rhag iddo dy geryddu pan glyw,
a thithau'n methu galw dy enllib yn ôl.
11 Fel afalau aur ar addurniadau o arian,
felly y mae gair a leferir yn ei bryd.
12 Fel modrwy aur neu addurn o aur gwerthfawr,
felly y mae cerydd y doeth i glust sy'n gwrando.
13 Fel oerni eira yn amser cynhaeaf,
felly y mae negesydd ffyddlon i'r rhai sy'n ei anfon;
y mae'n adfywio ei feistri.
14 Fel cymylau a gwynt, na roddant law,
felly y mae'r un sy'n brolio rhodd heb ei rhoi.

15 Ag amynedd gellir darbwyllo llywodraethwr,
a gall tafod tyner dorri asgwrn.
16 Os cei fêl, bwyta'r hyn y mae ei angen arnat,
rhag iti gymryd gormod, a'i daflu i fyny.

° Felly Groeg. Hebraeg, *paid ag ymgyfeillachu â rhai sy'n newid.*
ᵖ Yn Hebraeg y mae *yr hyn a welaist* yn yr adnod flaenorol.

¹⁷Paid â mynd yn rhy aml i dŷ dy
gymydog,
rhag iddo gael digon arnat, a'th gasáu.
¹⁸Fel pastwn, neu gleddyf, neu saeth
loyw,
felly y mae tyst yn dweud celwydd yn
erbyn ei gymydog.
¹⁹Fel dant drwg, neu droed yn llithro,
felly y mae ymddiried mewn twyllwr
yn amser adfyd.
²⁰Fel diosg gwisg ar ddiwrnod oer,
neu roi finegr ar friw,
felly y mae canu caneuon i galon drist.
²¹Os yw dy elyn yn newynu, rho iddo
fara i'w fwyta,
ac os yw'n sychedig, rho iddo ddŵr i'w
yfed;
²²byddi felly'n pentyrru marwor ar ei
ben,
ac fe dâl yr ARGLWYDD iti.
²³Y mae gwynt y gogledd yn dod â glaw,
a thafod enllibus yn dod â chilwg.
²⁴Y mae'n well byw mewn congl ar ben
tŷ
na rhannu cartref gyda gwraig gecrus.
²⁵Fel dŵr oer i lwnc sychedig,
felly y mae newydd da o wlad bell.
²⁶Fel ffynnon wedi ei difwyno, neu
bydew wedi ei lygru,
felly y mae dyn cyfiawn yn gwegian o
flaen y drygionus.
²⁷Nid yw'n dda bwyta gormod o fêl,
a rhaid wrth ofal gyda chanmoliaeth. ^{ph}
²⁸Fel dinas wedi ei bylchu a heb fur,
felly y mae dyn sy'n methu rheoli ei
dymer.

26 Fel eira yn yr haf, neu law yn
ystod y cynhaeaf,
felly nid yw anrhydedd yn gweddu i'r
ffôl.
²Fel aderyn y to yn hedfan, neu wennol
yn gwibio,
felly ni chyflawnir melltith ddiachos.
³Chwip i geffyl, ffrwyn i asyn,
a gwialen i gefn ffyliaid!
⁴Paid ag ateb y ffŵl yn ôl ei ffolineb,
rhag i ti fynd yn debyg iddo.
⁵Ateb y ffŵl yn ôl ei ffolineb,
rhag iddo fynd yn ddoeth yn ei olwg ei
hun.
⁶Y mae'r sawl sy'n anfon neges yn llaw
ffŵl
yn torri ymaith ei draed ei hun ac yn
profi trais.

⁷Fel coesau'r cloff yn honcian,
felly y mae dihareb yng ngenau
ffyliaid.
⁸Fel gosod carreg mewn ffon dafl,
felly y mae rhoi anrhydedd i ffŵl.
⁹Fel draenen yn mynd i law meddwyn,
felly y mae dihareb yng ngenau
ffyliaid.
¹⁰Fel saethwr yn clwyfo pawb sy'n mynd
heibio,
felly y mae'r un sy'n cyflogi ffŵl neu
feddwyn.
¹¹Fel ci yn troi'n ôl at ei gyfog,
felly y mae'r ffŵl sy'n ailadrodd ei
ffolineb.

¹²Fe welaist ddyn sy'n ddoeth yn ei olwg
ei hun;
y mae mwy o obaith i ffŵl nag iddo ef.
¹³Dywed y diog, "Y mae llew ar y
ffordd,
llew yn rhydd yn y strydoedd!"
¹⁴Fel y mae drws yn troi ar ei golyn,
felly y mae'r diog yn ei wely.
¹⁵Y mae'r diog yn gwthio'i law i'r
ddysgl,
ond yn rhy ddiog i'w chodi i'w geg.
¹⁶Y mae'r diog yn ddoethach yn ei olwg
ei hun
na saith o ddynion yn ateb yn
synhwyrol.
¹⁷Fel cydio yng nghlustiau ci sy'n mynd
heibio,
felly y mae ymyrryd yng nghweryl
rhywun arall.
¹⁸Fel dyn gwallgof yn saethu
pentewynion â saethau marwol,
¹⁹felly y mae'r un sy'n twyllo'i gymydog,
ac yn dweud, "Dim ond cellwair yr
oeddwn."
²⁰Heb goed fe ddiffydd tân,
a heb y straegar fe dderfydd am
gynnen.
²¹Fel megin i lo, a choed i dân,
felly y mae dyn cwerylgar yn creu
cynnen.
²²Y mae geiriau'r straegar fel tameidiau
blasus
yn mynd i lawr i gelloedd y bol.
²³Fel golchiad arian ar lestr pridd,
felly y mae geiriau esmwyth a chalon
ddrygionus.
²⁴Y mae gelyn yn rhagrithio â'i eiriau,
ac yn cynllunio twyll yn ei galon;
²⁵pan yw'n llefaru'n deg, paid ag

^{ph}Cymh. Fersiynau. Hebraeg, *a chwilio eu hanrhydedd yw anrhydedd.*

ymddiried ynddo,
oherwydd y mae saith peth ffiaidd yn
ei feddwl;
[26] er iddo guddio'i gasineb â rhagrith,
datguddir ei ddrygioni yn y
gynulleidfa.
[27] Y mae'r un sy'n cloddio pwll yn
syrthio iddo,
a daw carreg yn ôl ar yr un sy'n ei
threiglo.
[28] Y mae tafod celwyddog yn casáu
purdeb,
a genau gwenieithus yn dwyn dinistr.

27 Paid ag ymffrostio ynglŷn ag
yfory,
oherwydd ni wyddost beth a ddigwydd
mewn diwrnod.
[2] Gad i ddieithryn dy ganmol, ac nid dy
enau dy hun;
un sy'n estron, ac nid dy wefusau dy
hun.
[3] Y mae pwysau mewn carreg, a thywod
yn drwm,
ond y mae casineb y ffŵl yn drymach
na'r ddau.
[4] Y mae dicter yn greulon, a digofaint
fel llifeiriant,
ond pwy a all sefyll o flaen cenfigen?
[5] Y mae cerydd agored
yn well na chariad a guddir.
[6] Y mae dyrnodau cyfaill yn ddidwyll,
ond cusanau gelyn yn dwyllodrus.
[7] Y mae dyn wedi ei ddigoni yn gwrthod
mêl,
ond i'r newynog melys yw popeth
chwerw.
[8] Fel aderyn yn crwydro o'i nyth,
felly y mae dyn sy'n crwydro o'i
gynefin.
[9] Y mae olew a phersawr yn llawenhau'r
galon,
a mwynder cyfaill yn cyfarwyddo'r
enaid.
[10] Paid â chefnu ar dy gyfaill a chyfaill dy
dad,
a phaid â mynd i dŷ dy frawd yn nydd
dy adfyd.
Y mae cyfaill agos yn well na brawd
ymhell.
[11] Fy mab, bydd ddoeth, a llawenha fy
nghalon;
yna gallaf roi ateb i'r rhai sy'n fy
amharchu.
[12] Y mae'r craff yn gweld perygl ac yn ei

osgoi,
ond y mae'r gwirion yn mynd rhagddo
ac yn talu am hynny.
[13] Cymer wisg dyn pan â'n feichiau dros
ddieithryn,
a chadw hi yn ernes dros estroniaid.
[14] Y mae'r un sy'n bendithio'i gyfaill â
llef uchel,
ac yn codi'n fore i wneud hynny,
yn cael ei ystyried yn un sy'n ei
felltithio.
[15] Diferion parhaus ar ddiwrnod glawog,
tebyg i hynny yw gwraig yn cecru;
[16] y mae ei hatal fel ceisio atal y gwynt,
neu fel un yn ceisio dal olew yn ei law.
[17] Y mae haearn yn hogi haearn,
ac y mae dyn yn hogi meddwl[r] ei
gyfaill.
[18] Yr un sy'n gofalu am ffigysbren sy'n
bwyta'i ffrwyth,
a'r sawl sy'n gwylio tros ei feistr sy'n
cael anrhydedd.
[19] Fel yr adlewyrchir wyneb mewn dŵr,
felly y mae'r galon yn ddrych o'r dyn.
[20] Ni ddigonir Sheol nac Abadon,
ac ni ddiwellir llygaid dyn ychwaith.
[21] Y mae tawddlestr i'r arian, a ffwrnais
i'r aur,
ac y mae dyn yn profi geiriau ei
ganmolwyr.
[22] Er iti bwyo'r ffôl â phestl mewn
mortar
yn gymysg â'r grawn mân,
eto ni elli yrru ei ffolineb allan ohono.

[23] Gofala'n gyson am dy braidd,
a rho sylw manwl i'r ddiadell;
[24] oherwydd nid yw cyfoeth yn para am
byth,
na choron o genhedlaeth i
genhedlaeth.
[25] Ar ôl cario'r gwair, ac i'r adladd
ymddangos,
a chasglu gwair y mynydd,
[26] yna cei ddillad o'r ŵyn,
a phris y tir o'r bychod geifr,
[27] a bydd digon o laeth geifr yn ymborth i
ti a'th deulu,
ac yn gynhaliaeth i'th lancesau.

28 Y mae'r drygionus yn ffoi heb i
neb ei erlid,
ond fe saif y cyfiawn yn gadarn fel
llew.
[2] Pan fydd gwlad mewn gwrthryfel bydd

[r] Neu, *wyneb.*

nifer o arweinwyr,
ond trwy ddyn synhwyrol a deallus y
    sefydlir trefn.
³Y mae dyn tlawd yn gorthrymu
    tlodion,
fel glaw yn curo cnwd heb adael
    cynnyrch.
⁴Y mae'r rhai sy'n cefnu ar y gyfraith yn
    canmol y drygionus,
ond y mae'r rhai sy'n cadw'r gyfraith
    yn ymladd yn eu herbyn.
⁵Nid yw dynion drwg yn deall beth yw
    cyfiawnder,
ond y mae'r rhai sy'n ceisio'r
    ARGLWYDD yn deall y cyfan.
⁶Y mae'n well i ddyn fod yn dlawd, a
    rhodio'n gywir,
na bod yn gyfoethog ac yn wyrgam ei
    ffyrdd.
⁷Y mae mab deallus yn cadw'r gyfraith,
ond y mae'r un sy'n cyfeillachu â'r
    glwth yn dwyn anfri ar ei dad.
⁸Y mae'r un sy'n cynyddu ei gyfoeth
    trwy log ac usuriaeth
yn ei gasglu i'r un sy'n garedig wrth y
    tlawd.
⁹Pwy bynnag sy'n gwrthod gwrando ar
    y gyfraith,
bydd ei weddi ef yn ffieidd-dra.
¹⁰Bydd yr un sy'n camarwain yr uniawn i
    ffordd ddrwg
yn syrthio ei hun i'r pwll a wnaeth;
ond caiff y cywir etifeddiaeth dda.
¹¹Y mae'r cyfoethog yn ddoeth yn ei
    olwg ei hun,
ond y mae'r tlawd deallus yn gweld
    trwyddo.
¹²Pan yw'r cyfiawn yn llywodraethu, ceir
    urddas mawr;
ond pan ddaw'r drygionus i awdurdod,
    bydd dynion yn ymguddio.
¹³Ni lwydda'r un sy'n cuddio'i
    gamweddau,
ond y mae'r un sy'n eu cyffesu ac yn
    cefnu arnynt yn cael trugaredd.
¹⁴Gwyn ei fyd y dyn sy'n ofni'r
    ARGLWYDD yn wastad;
ond y mae'r un sy'n caledu ei galon yn
    disgyn i ddinistr.
¹⁵Fel llew yn rhuo, neu arth yn rhuthro,
felly y mae dyn drygionus yn
    llywodraethu pobl dlawd.
¹⁶Y mae llywodraethwr heb ddeall yn
    pentyrru trawster,
ond y mae'r un sy'n casáu llwgrwobr
    yn estyn ei ddyddiau.

¹⁷Y mae dyn sy'n euog o dywallt gwaed
yn ffoi i gyfeiriad y pwll;
peidied neb â'i atal.
¹⁸Y mae'r un sy'n rhodio'n gywir yn
    ddiogel,
ond y mae'r sawl sy'n droellog ei
    ffyrdd yn syrthio i'r pwll ʳʰ.
¹⁹Y mae'r un sy'n trin ei dir yn cael
    digon o fwyd,
ond y mae'r sawl sy'n dilyn oferedd yn
    llawn tlodi.
²⁰Caiff y dyn ffyddlon lawer o
    fendithion,
ond ni fydd yr un sydd ar frys i
    ymgyfoethogi heb ei gosb.
²¹Nid yw'n iawn dangos ffafr,
ac eto fe drosedda dyn am damaid o
    fara.
²²Y mae dyn cybyddlyd yn rhuthro am
    gyfoeth;
nid yw'n ystyried y daw arno angen.
²³Caiff y dyn sy'n ceryddu fwy o barch
    yn y diwedd
na'r un sy'n gwenieithio.
²⁴Y mae'r un sy'n lladrata oddi ar ei dad
    neu ei fam,
ac yn dweud nad yw'n drosedd,
yn gymar i'r un sy'n dinistrio.
²⁵Y mae'r trachwantus yn creu cynnen,
ond y mae'r un sy'n ymddiried yn yr
    ARGLWYDD yn cael llawnder.
²⁶Y mae'r un sy'n ymddiried ynddo'i
    hun yn ynfyd,
ond fe waredir y sawl sy'n dilyn
    doethineb.
²⁷Ni ddaw angen ar yr un sy'n rhoi i'r
    tlawd,
ond daw llawer o felltithion ar yr un
    sy'n cau ei lygaid.
²⁸Pan ddaw'r drygionus i awdurdod,
    bydd dynion yn ymguddio,
ond ar ôl eu difa, bydd y cyfiawn yn
    amlhau.

29 Bydd dyn sy'n ystyfnigo trwy ei
    geryddu'n fynych
yn cael ei ddryllio'n sydyn heb fodd i'w
    adfer.
²Pan fydd y cyfiawn yn llywodraethu,
    llawenha'r bobl,
ond pan fydd y drygionus yn rheoli,
    bydd y bobl yn griddfan.
³Y mae'r un sy'n caru doethineb yn
    rhoi llawenydd i'w dad,
ond y mae'r un sy'n cyfeillachu â

ʳʰ Felly Syrieg. Hebraeg, *i un.*

phuteiniaid yn gwastraffu ei
eiddo.
⁴Y mae brenin yn rhoi cadernid i wlad
trwy gyfiawnder,
ond y mae'r un sy'n codi trethi yn ei
difa.
⁵Y mae'r dyn sy'n gwenieithio wrth ei
gyfaill
yn taenu rhwyd i'w draed.
⁶Rhwydir y dyn drwg gan gamwedd,
ond y mae'r cyfiawn yn canu'n llawen.
⁷Y mae'r cyfiawn yn gwybod hawliau'r
tlodion,
ond nid yw'r drygionus yn ystyried
deall.
⁸Y mae'r gwatwarwyr yn creu cyffro
mewn dinas,
ond y mae'r doethion yn tawelu dicter.
⁹Os â dyn doeth i gyfraith â ffŵl,
bydd y ffŵl yn cythruddo ac yn
gwawdio,
ac ni cheir llonyddwch.
¹⁰Y mae dynion gwaedlyd yn casáu'r un
cywir,
ond y mae'r rhai cyfiawn yn diogelu ei
fywyd.
¹¹Y mae'r ffŵl yn arllwys ei holl ddig,
ond y mae'r doeth yn ei gadw dan
reolaeth.
¹²Os yw llywodraethwr yn gwrando ar
gelwydd,
bydd ei holl weision yn ddrygionus.
¹³Y mae hyn yn gyffredin i'r tlawd a'r
gormeswr:
yr ARGLWYDD sy'n goleuo llygaid y
ddau.
¹⁴Os yw brenin yn barnu'r tlodion yn
gywir,
yna fe sefydlir ei orsedd am byth.
¹⁵Y mae gwialen a cherydd yn rhoi
doethineb,
ond y mae plentyn afreolus yn dwyn
gwarth ar ei fam.
¹⁶Pan amlha'r drygionus, bydd
camwedd yn cynyddu,
ond bydd y cyfiawn yn edrych ar eu
cwymp.
¹⁷Disgybla dy fab, a daw â chysur iti,
a rhydd lawenydd iti yn dy fywyd.
¹⁸Lle na cheir gweledigaeth, bydd y bobl
ar chwâl;
ond gwyn ei fyd y sawl sy'n cadw'r
gyfraith.
¹⁹Nid â geiriau'n unig y disgyblir gwas;
er iddo ddeall, nid yw'n ymateb.
²⁰Fe welaist ddyn sy'n eiddgar i siarad;
y mae mwy o obaith i'r ffŵl nag iddo

ef.
²¹Wrth faldodi gwas o'i lencyndod,
bydd yn troi'n anniolchgar yn y
diwedd.

²²Codi cynnen y mae dyn cas,
a dyn dicllon yn ychwanegu camwedd.
²³Y mae balchder dyn yn ei ddarostwng,
ond y mae'r gostyngedig yn cael
anrhydedd.
²⁴Gelyn iddo'i hun yw'r sawl sy'n
rhannu â lleidr;
y mae'n clywed y felltith, ond heb
ddweud dim.
²⁵Magl yw ofni dyn,
ond diogel yw'r un sy'n ymddiried yn
yr ARGLWYDD.
²⁶Y mae llawer yn ceisio ffafr
llywodraethwr,
ond oddi wrth yr ARGLWYDD y daw
cyfiawnder.
²⁷Y mae'r cyfiawn yn ffieiddio'r dyn
anghyfiawn,
a'r drygionus yn ffieiddio'r uniawn ei
ffordd.

Geiriau Agur

30 Geiriau Agur fab Jaceh a Mossa.
Dyma oracl y dyn i Ithiel, i Ithiel
ac Ucal:
²Yr wyf yn fwy anwar nag unrhyw
ddyn;
nid oes deall dynol gennyf.
³Ni ddysgais ddoethineb,
ac nid wyf yn dirnad deall yr Un
Sanctaidd.
⁴Pwy a esgynnodd i'r nefoedd, ac yna
disgyn?
Pwy a gasglodd y gwynt yn ei ddwrn?
Pwy a rwymodd y dyfroedd mewn
gwisg?
Pwy a sefydlodd holl derfynau'r
ddaear?
Beth yw ei enw, neu enw ei fab, os wyt
yn gwybod?

⁵Y mae pob un o eiriau Duw wedi ei
brofi;
y mae ef yn darian i'r rhai sy'n
ymddiried ynddo.
⁶Paid ag ychwanegu dim at ei eiriau,
rhag iddo dy geryddu, a'th gael yn
gelwyddog.

⁷Gofynnaf am ddau beth gennyt;
paid â'u gwrthod cyn imi farw:
⁸symud wagedd a chelwydd ymhell

oddi wrthyf;
paid â rhoi imi dlodi na chyfoeth;
portha fi â'm dogn o fwyd,
⁹rhag imi deimlo ar ben fy nigon, a'th
   wadu,
a dweud, "Pwy yw'r ARGLWYDD?"
Neu rhag imi fynd yn dlawd, a throi'n
   lleidr,
a gwneud drwg i enw fy Nuw.

Rhagor o Ddiarhebion
¹⁰Paid â difrïo gwas wrth ei feistr,
rhag iddo dy felltithio, a'th gael yn
   euog.
¹¹Y mae rhai yn melltithio'u tad,
ac eraill yn amharchu eu mam.
¹²Y mae rhai yn bur yn eu golwg eu
   hunain,
ond heb eu glanhau o'u haflendid.
¹³Y mae rhai yn ymddwyn yn falch,
a'u golygon yn uchel.
¹⁴Y mae rhai â'u dannedd fel cleddyfau,
a'u genau fel cyllyll,
yn difa'r tlawd o'r tir,
a'r anghenus o blith dynion.

¹⁵Y mae gan y gele ddwy ferch
sy'n dweud, "Dyro, dyro."
Y mae tri pheth na ellir eu digoni,
ie, pedwar nad ydynt byth yn dweud,
   "Digon":
¹⁶Sheol, a'r groth amhlantadwy,
a'r tir sydd heb ddigon o ddŵr,
a'r tân nad yw byth yn dweud,
   "Digon".

¹⁷Y llygad sy'n gwatwar tad,
ac yn dirmygu mam yn ei henaint,
fe'i tynnir allan gan gigfrain y dyffryn,
ac fe'i bwyteir gan y fwltur.

¹⁸Y mae tri pheth yn rhyfeddol imi,
pedwar na allaf eu deall:
¹⁹ffordd yr eryr yn yr awyr,
ffordd neidr ar graig,
ffordd llong ar y cefnfor,
a ffordd dyn gyda merch.

²⁰Dyma ymddygiad y wraig odinebus:
y mae'n bwyta, yn sychu ei cheg,
ac yn dweud, "Nid wyf wedi gwneud
   drwg."

²¹Y mae tri pheth sy'n cynhyrfu'r
   ddaear,
pedwar na all hi eu dioddef:

²²gwas pan ddaw'n frenin,
ffŵl pan gaiff ormod o fwyd,
²³dynes atgas yn cael gŵr,
a morwyn yn disodli ei meistres.

²⁴Y mae pedwar peth ar y ddaear sy'n
   fach,
ond yn eithriadol ddoeth:
²⁵y morgrug, pobl sydd heb gryfder,
ond sy'n casglu eu bwyd yn yr haf;
²⁶y cwningod, pobl sydd heb nerth,
ond sy'n codi eu tai yn y creigiau;
²⁷y locustiaid, nad oes ganddynt frenin,
ond sydd i gyd yn mynd allan yn
   rhengoedd;
²⁸y madfall, y gelli ei ddal yn dy law,
ond sydd i'w gael ym mhalas
   brenhinoedd.
²⁹Y mae tri pheth sy'n hardd eu
   cerddediad,
pedwar sy'n rhodio'n urddasol:
³⁰llew, gwron ymhlith yr anifeiliaid,
nad yw'n cilio oddi wrth yr un
   ohonynt;
³¹ceiliog yn torsythu; bwch gafr;
a brenin yn arwain ei bobl.

³²Os bu iti ymddwyn yn ffôl trwy
   ymffrostio,
neu gynllwynio drwg, rho dy law ar dy
   enau.
³³Oherwydd o gorddi llaeth ceir
   ymenyn,
o wasgu'r trwyn ceir gwaed,
ac o fygu llid ceir cynnen.

Cyngor i Frenin

31 Geiriau Lemuel brenin Massa, y
   rhai a ddysgodd ei fam iddo:
²Beth yw hyn, fy mab, mab fy nghroth?
Beth yw hyn, mab fy addunedau?
³Paid â threulio dy nerth gyda
   merched,
na'th fywyd gyda'r rhai sy'n dinistrio
   brenhinoedd.
⁴Nid gweddus i frenhinoedd, O
   Lemuel,
nid gweddus i frenhinoedd yfed gwin,
ac nid gweddus i reolwyr flysio diod
   gadarn,
⁵rhag iddynt yfed, ac anghofio'r hyn a
   ddeddfwyd,
a gwyrdroi achos y rhai gorthrymedig i
   gyd.
⁶Rhowch ddiod gadarn i'r un sydd ar
   ddarfod,
a gwin i'r chwerw ei ysbryd;

⁷cânt hwy yfed ac anghofio'u tlodi,
a pheidio â chofio'u gofid byth mwy.
⁸Dadlau o blaid y mud,
a thros achos yr holl rai diobaith.
⁹Siarad yn eglur, a rho farn gyfiawn;
cefnoga achos yr anghenus a'r tlawd.

Y Wraig Fedrus

¹⁰Pwy a all ddod o hyd i wraig fedrus?
Y mae hi'n fwy gwerthfawr na gemau.
¹¹Y mae calon ei gŵr yn ymddiried
ynddi,
ac ni fydd pall ar ei henillion.
¹²Y mae'n gwneud daioni iddo yn
hytrach na cholled,
a hynny ar hyd ei hoes.
¹³Y mae'n ceisio gwlân a llin,
ac yn cael pleser o weithio â'i dwylo.
¹⁴Y mae, fel llongau masnachwr,
yn dwyn ei hymborth o bell.
¹⁵Y mae'n codi cyn iddi ddyddio,
yn darparu bwyd i'w thylwyth,
ac yn trefnu gorchwylion ei morynion.
¹⁶Ar ôl ystyried yn fanwl, y mae'n prynu
maes,
ac yn plannu gwinllan â'i henillion.
¹⁷Y mae'n gwregysu ei llwynau â nerth,
ac yn dangos mor gryf yw ei breichiau.
¹⁸Y mae'n gofalu bod ei busnes yn
broffidiol,
ac ni fydd ei lamp yn diffodd trwy'r
nos.
¹⁹Y mae'n gosod ei llaw ar y cogail,
a'i dwylo'n gafael yn y werthyd.
²⁰Y mae'n estyn ei llaw i'r anghenus.
a'i dwylo i'r tlawd.
²¹Nid yw'n pryderu am ei thylwyth pan

ddaw eira,
oherwydd byddant i gyd wedi eu
dilladu'n glyd.
²²Y mae'n gwneud cwrlidau iddi ei hun,
ac y mae ei gwisg o liain main a
phorffor.
²³Y mae ei gŵr yn adnabyddus yn y
pyrth,
pan yw'n eistedd gyda henuriaid yr
ardal.
²⁴Y mae'n gwneud gwisgoedd o liain ac
yn eu gwerthu,
ac yn darparu gwregysau i'r
masnachwr.
²⁵Y mae wedi ei gwisgo â nerth ac
anrhydedd,
ac yn wynebu'r dyfodol dan
chwerthin.
²⁶Y mae'n siarad yn ddoeth,
a cheir cyfarwyddyd caredig ar ei
thafod.
²⁷Y mae'n sylwi'n fanwl ar yr hyn sy'n
digwydd i'w theulu,
ac nid yw'n bwyta bara segurdod.
²⁸Y mae ei phlant yn tyfu ac yn ei
bendithio;
a bydd ei gŵr yn ei chanmol.
²⁹Y mae llawer o ferched wedi
gweithio'n fedrus,
ond yr wyt ti'n rhagori arnynt i gyd.
³⁰Y mae tegwch yn twyllo, a
phrydferthwch yn darfod,
ond y wraig sy'n ofni'r ARGLWYDD, y
mae hon i'w chanmol.
³¹Rhowch iddi o ffrwyth ei dwylo,
a bydded i'w gwaith ei chanmol yn y
pyrth.

LLYFR

Y PREGETHWR

Oferedd Bywyd

1 Geiriau'r Pregethwr, mab Dafydd, brenin yn Jerwsalem:
² "Gwagedd llwyr," meddai'r Pregethwr,
"gwagedd llwyr yw'r cyfan."
³ Pa elw sydd i ddyn yn ei holl lafur,
wrth iddo ymlafnio dan yr haul?
⁴ Y mae cenhedlaeth yn mynd, ac un
arall yn dod,
ond y mae'r ddaear yn aros am byth.
⁵ Y mae'r haul yn codi ac yn machlud,
ac yn brysio'n ôl i'r lle y cododd.
⁶ Y mae'r gwynt yn chwythu o'r de,
ac yna'n troi i'r gogledd;
y mae'r gwynt yn troelli'n barhaus,
ac yn dod yn ôl i'w gwrs.
⁷ Y mae'r holl nentydd yn rhedeg i'r
môr,
ond nid yw'r môr byth yn llenwi;
y mae'r nentydd yn mynd yn ôl i'w
tarddle,
ac yna'n llifo allan eto.
⁸ Y mae pob peth mor flinderus
fel na all dyn ei fynegi;
ni ddigonir y llygad trwy edrych,
na'r glust trwy glywed.
⁹ Yr hyn a fu a fydd,
a'r hyn a wnaed a wneir;
nid oes dim newydd dan yr haul.
¹⁰ A oes unrhyw beth y gellir dweud
amdano,
"Edrych, dyma beth newydd"?
Y mae'r cyfan yn bod ers amser,
y mae'n bod o'n blaenau ni.
¹¹ Ni chofir am y rhai a fu,
nac ychwaith am y rhai a ddaw ar eu
hôl;
ni chofir amdanynt gan y rhai a fydd yn
eu dilyn.

Profiad y Pregethwr

12 Yr oeddwn i, y Pregethwr, yn frenin ar Israel yn Jerwsalem. ¹³ Rhoddais fy mryd ar astudio a chwilio, trwy ddoethineb, y cyfan sy'n digwydd dan y nef. Gorchwyl diflas yw'r un a roddodd Duw i ddynion ymboeni yn ei gylch. ¹⁴ Gwelais yr holl bethau a ddigwyddodd dan yr haul, ac yn wir nid yw'r cyfan ond gwagedd ac ymlid gwynt.
¹⁵ Ni ellir unioni yr hyn sydd gam,
na chyfrif yr hyn sydd ar goll.
¹⁶ Dywedais wrthyf fy hun, "Llwyddais i ennill mwy o ddoethineb nag unrhyw frenin o'm blaen yn Jerwsalem; cefais brofi llawer o ddoethineb a gwybodaeth." ¹⁷ Rhoddais fy mryd ar ddeall doethineb a gwybodaeth, ynfydrwydd a ffolineb, a chanfûm nad oedd hyn ond ymlid gwynt.
¹⁸ Oherwydd y mae cynyddu doethineb
yn cynyddu gofid,
ac ychwanegu gwybodaeth yn
ychwanegu poen.

2 Dywedais wrthyf fy hun, "Tyrd yn awr, gad imi brofi llawenydd, a'm mwynhau fy hun;" ²ond yr oedd hyn hefyd yn wagedd. Dywedais fod chwerthin yn ynfydrwydd, ac nad oedd llawenydd yn dda i ddim. ³ Ceisiais godi fy nghalon â gwin, gan ofalu fy mod yn ymddwyn yn ddoeth ac yn ffrwyno ffolineb, nes imi weld beth oedd yn dda i ddynion ei wneud dan y nef yn ystod cyfnod byr eu hoes. ⁴ Gwneuthum bethau mawr: adeiledais dai i mi fy hun, a phlannu gwinllannoedd; ⁵ gwneuthum erddi a pherllannau, a phlannu pob math ar goed ffrwythau ynddynt; ⁶ gwneuthum hefyd lynnoedd i ddyfrhau ohonynt y llwyni coed oedd yn tyfu; ⁷ prynais gaethion, yn ddynion a merched, ac yr oedd gennyf weision wedi eu geni yn fy nhŷ; yr oedd gennyf fwy o wartheg a defaid nag unrhyw un a fu o'm blaen yn Jerwsalem; ⁸ cesglais arian ac aur, trysorau brenhinoedd a thaleithiau; yr oedd gennyf hefyd gantorion a chantoresau, a digonedd o ferched gordderch[a] i

---

[a] Tebygol. Hebraeg yn aneglur.

ddifyrru dynion. [9]Deuthum yn enwog, ac yn fwy llwyddiannus nag unrhyw un a fu o'm blaen yn Jerwsalem; ac eto glynais wrth ddoethineb. [10]Nid oeddwn yn cadw draw oddi wrth unrhyw beth a chwenychai fy llygaid, nac yn troi ymaith oddi wrth unrhyw bleser. Yn wir yr oeddwn yn cael llawenydd yn fy holl lafur, a hyn oedd fy nhâl am fy holl waith. [11]Yna, pan drois i edrych ar y cyfan a wnaeth fy nwylo a'r llafur yr ymdrechais i'w gyflawni, gwelwn nad oedd y cyfan ond gwagedd ac ymlid gwynt, heb unrhyw elw dan yr haul.

12 Yna trois i edrych ar ddoethineb, ac ar ynfydrwydd a ffolineb. Beth rhagor y gall y dyn a ddaw ar ôl y brenin ei wneud nag sydd eisoes wedi ei wneud? [13]Yna gwelais fod doethineb yn werthfawrocach nag ynfydrwydd, fel y mae goleuni yn werthfawrocach na thywyllwch. [14]Y mae'r doeth â'i lygaid yn ei ben, ond y mae'r ffôl yn rhodio yn y tywyllwch; eto canfûm mai'r un peth yw tynged y ddau. [15]Yna dywedais wrthyf fy hun, "Yr un peth a ddigwydd i mi ac i'r ffôl. Pa elw a gaf o fod yn ddoeth?" Yna dywedais, "Y mae hyn hefyd yn wagedd." [16]Oherwydd ni chofir am byth am y doeth mwy na'r ffôl, ond fe anghofir am y naill a'r llall fel yr â'r dyddiau heibio; yn wir, marw y mae'r doeth fel y ffôl. [17]Yna deuthum i gasáu bywyd, gan fod y cyfan sy'n digwydd dan yr haul yn achosi blinder imi; yn wir y mae'r cyfan yn wagedd ac yn ymlid gwynt.

18 Yr oeddwn yn casáu'r holl lafur a gyflawnais dan yr haul, gan y bydd yn rhaid imi ei adael i'r un a ddaw ar fy ôl; [19]a phwy sy'n gwybod ai doeth ynteu ffôl fydd hwnnw? Ac eto, ef fydd yn rheoli'r holl lafur a gyflawnais mewn doethineb dan yr haul. Y mae hyn hefyd yn wagedd. [20]Yna euthum i anobeithio'n llwyr am yr holl lafur a gyflawnais dan yr haul. [21]Oherwydd y mae'r dyn a lafuriodd yn ddoeth a deallus a chyda medr yn gadael ei eiddo i un na lafuriodd amdano. Y mae hyn hefyd yn wagedd ac yn flinder mawr. [22]Beth a gaiff dyn am yr holl lafur a'r ymdrech a gyflawnodd dan yr haul? [23]Oherwydd y mae ei holl ddyddiau yn ofidus, a'i orchwyl yn boenus; a hyd yn oed yn y nos nid oes gorffwys i'w feddwl. Y mae hyn hefyd yn wagedd.

24 Nid oes dim yn well i ddyn na bwyta ac yfed a chael mwynhad o'i lafur. Yn wir gwelais fod hyn yn dod oddi wrth Dduw; [25]oherwydd pwy all fwyta a chael mwynhad hebddo ef[b]? [26]Yn wir, y mae Duw yn rhoi doethineb, deall a llawenydd i'r dyn sy'n dda yn ei olwg, ond i'r un sy'n pechu fe roddir y dasg o gasglu a chronni ar gyfer yr un sy'n dda yng ngolwg Duw. Y mae hyn hefyd yn wagedd ac yn ymlid gwynt.

Tymor i Bob Peth

3 Y mae tymor i bob peth, ac amser i bob gorchwyl dan y nef:
[2]amser i eni, ac amser i farw,
amser i blannu, ac amser i
ddiwreiddio'r hyn a blannwyd;
[3]amser i ladd, ac amser i iacháu,
amser i dynnu i lawr, ac amser i
adeiladu;
[4]amser i wylo, ac amser i chwerthin,
amser i alaru, ac amser i ddawnsio;
[5]amser i daflu cerrig, ac amser i'w
casglu,
amser i gofleidio, ac amser i ymatal;
[6]amser i geisio, ac amser i golli,
amser i gadw, ac amser i daflu ymaith;
[7]amser i rwygo, ac amser i drwsio,
amser i dewi, ac amser i siarad;
[8]amser i garu, ac amser i gasáu,
amser i ryfel, ac amser i heddwch.

9 Pa elw a gaiff y gweithiwr wrth lafurio? [10]Gwelais y dasg a roddodd Duw i ddynion i'w chyflawni. [11]Gwnaeth bopeth yn hyfryd yn ei amser, a hefyd rhoddodd dragwyddoldeb yng nghalonnau dynion; eto ni all dyn ddirnad yr hyn a wnaeth Duw o'r dechrau i'r diwedd. [12]Yr wyf yn gwybod nad oes dim yn well i ddynion mewn bywyd na bod yn llawen a gwneud da, [13]a gwn mai rhodd Duw yw fod pob dyn yn bwyta ac yn yfed ac yn cael mwynhad o'i holl lafur. [14]Yr wyf yn gwybod hefyd fod y cyfan a wna Duw yn aros byth; ni ellir ychwanegu ato na thynnu oddi wrtho. Gweithreda Duw fel hyn er mwyn i ddynion ei barchu. [15]Y mae'r hyn sy'n bod wedi bod eisoes, a'r hyn sydd i ddod hefyd wedi bod eisoes, ac y mae Duw yn chwilio am yr hyn a ddiflannodd.

Anghyfiawnder

16 Hefyd gwelais dan yr haul fod drygioni wedi cymryd lle barn a chyf-

[b]Felly Fersiynau. Hebraeg, *hebof fi*.

iawnder. [17]Ond dywedais wrthyf fy hun,
"Bydd Duw yn barnu'r cyfiawn a'r
drygionus, oherwydd y mae wedi trefnu
amser i bob gorchwyl a gwaith."
[18]Dywedais wrthyf fy hun, "Y mae Duw
yn profi dynion er mwyn iddynt weld eu
bod fel yr anifeiliaid." [19]Oherwydd yr un
peth a ddigwydd i ddynion ac anifeiliaid,
yr un yw eu tynged; y mae'r naill fel y llall
yn marw. Yr un anadl sydd ynddynt i
gyd; nid oes gan ddyn fantais dros anifail.
Y mae hyn i gyd yn wagedd. [20]Y maent i
gyd yn mynd i'r un lle; daethant i gyd o'r
llwch, ac i'r llwch y maent yn dychwelyd.
[21]Pwy sy'n gwybod a yw ysbryd dyn yn
mynd i fyny ac ysbryd anifail yn mynd i
lawr i'r ddaear? [22]Yna gwelais nad oes
dim yn well i ddyn na'i fwynhau ei hun yn
ei waith, oherwydd dyna yw ei dynged.
Pwy all wneud iddo weld beth fydd ar ei
ôl?

4 Unwaith eto ystyriais yr holl orth-
rymderau sy'n digwydd dan yr haul.
Gwelais ddagrau y rhai a orthrymwyd, ac
nid oedd neb i'w cysuro; yr oedd nerth o
blaid eu gorthrymwyr, ac nid oedd neb
i'w cysuro. [2]Yna deuthum i'r casgliad ei
bod yn well ar y rhai sydd eisoes wedi
marw na'r rhai sy'n dal yn fyw. [3]Ond
gwell na'r ddau yw'r rhai sydd eto heb eu
geni, ac sydd heb weld y drwg a wneir
dan yr haul.

4 Hefyd sylwais ar yr holl lafur a medr
mewn gwaith, ei fod yn codi o genfigen
rhwng dyn a'i gymydog. Y mae hyn hefyd
yn wagedd ac yn ymlid gwynt.

5 Y mae'r ffôl yn plethu ei ddwylo, ac
yn ei ddifa'i hun.

6 Gwell yw llond un llaw mewn llon-
yddwch na llond dwy law mewn gofid ac
ymlid gwynt.

7 Unwaith eto gwelais y gwagedd sydd
dan yr haul: [8]dyn unig heb fod ganddo na
chyfaill, na mab na brawd; nid oes
diwedd ar ei holl lafur, eto nid yw cyfoeth
yn rhoi boddhad iddo. Nid yw'n gofyn, "I
bwy yr wyf yn llafurio, ac yn fy am-
ddifadu fy hun o bleser?" Y mae hyn
hefyd yn wagedd ac yn orchwyl diflas.

9 Y mae dau yn well nag un, oherwydd
y maent yn cael tâl da am eu llafur; [10]os
bydd y naill yn syrthio, y mae'r llall yn
gallu ei godi, ond gwae'r un sydd ar ei ben
ei hun; pan yw ef yn syrthio, nid oes

ganddo gyfaill i'w godi. [11]Hefyd os bydd
dau yn gorwedd gyda'i gilydd, y mae'r
naill yn cadw'r llall yn gynnes; ond sut y
gall un gadw'n gynnes ar ei ben ei hun?
[12]Er y gellir trechu un, y mae dau yn gallu
gwrthsefyll. Ni ellir torri rhaff deirgainc
ar frys.

13 Y mae bachgen tlawd, ond doeth,
yn well na brenin hen a ffôl, nad yw
bellach yn gwybod sut i dderbyn cyngor.
[14]Yn wir, gall un ddod allan o garchar i
fod yn frenin, er iddo gael ei eni'n dlawd
yn ei deyrnas. [15]Gwelais bawb oedd yn
byw ac yn rhodio dan yr haul yn dilyn y
bachgen oedd yn lle'r brenin. [16]Nid oedd
terfyn ar yr holl bobl, ac yr oedd ef yn ben
arnynt i gyd; ond nid oedd y rhai a ddaeth
ar ei ôl yn ymhyfrydu ynddo. Yn wir, y
mae hyn hefyd yn wagedd ac yn ymlid
gwynt.

Rhybudd rhag Llefaru'n Fyrbwyll

5[*] Gwylia dy droed pan fyddi'n mynd
i dŷ Dduw. Y mae'n well nesáu i
wrando nag offrymu aberth ffyliaid,
oherwydd nid ydynt hwy'n gwybod eu
bod yn gwneud drwg. [2]Paid â bod yn
fyrbwyll â'th enau na bod ar frys o flaen
Duw. Y mae Duw yn y nefoedd, ac yr wyt
ti ar y ddaear, felly bydd yn fyr dy eiriau.
[3]Yn wir, fe ddaw breuddwyd pan yw
gorchwylion yn cynyddu, a siarad ffôl
pan bentyrrir geiriau. [4]Pan wnei adduned
i Dduw, paid ag oedi ei chyflawni, oher-
wydd nid yw ef yn ymhyfrydu mewn
ffyliaid. Cyflawna di'r hyn yr wyt wedi ei
addunedu. [5]Y mae'n well iti beidio ag
addunedu na pheidio â chyflawni'r hyn yr
wyt wedi ei addunedu. [6]Paid â gadael i'th
enau dy arwain i bechu, a phaid â dweud
o flaen y cennad, "Camgymeriad oedd
hyn." Pam y dylai Duw gasáu dy ym-
adrodd, a difa gwaith dy ddwylo? [7]Y
mae llawer o freuddwydion ac amlder
geiriau yn wagedd; ond ofna di Dduw.

Oferedd Bywyd

8 Os gweli'r tlawd yn cael ei orthrymu,
a bod rhai yn atal barn a chyfiawnder
mewn talaith, paid â synnu at yr hyn sy'n
digwydd; oherwydd y mae un uwch yn
gwylio pob swyddog, a rhai uwch eto
drostynt ill dau. [9]Y mae cynnyrch y tir i
bawb; y mae'r brenin yn cael y tir sydd
wedi ei drin. [10]Ni ddigonir yr ariangar ag

---

* 4:17 yn yr Hebraeg.

arian, na'r un sy'n caru cyfoeth ag elw. Y mae hyn hefyd yn wagedd. [11]Pan yw cyfoeth yn cynyddu, y mae'r rhai sy'n byw arno yn amlhau; a pha fudd sydd i'w berchennog ond edrych arno? [12]Y mae cwsg y gweithiwr yn felys, boed wedi bwyta ychydig neu lawer; ond y mae digonedd y cyfoethog yn ei rwystro rhag cysgu'n dawel.

13 Gwelais ddrwg poenus dan yr haul: cyfoeth wedi ei gadw yn peri niwed i'w berchennog, [14]a'r cyfoeth yn diflannu trwy anffawd flin, ac yntau, pan gaiff fab, heb ddim i'w roi iddo. [15]Fel y daeth allan o groth ei fam, bydd yn dychwelyd yno yn noeth, yn union fel y daeth; ac ni chaiff ddim am ei lafur i'w gymryd gydag ef. [16]Y mae hyn hefyd yn ddrwg poenus: yn union fel y daeth yr â dyn ymaith; a pha elw sydd iddo, ac yntau wedi llafurio am wynt? [17]Y mae wedi treulio'i ddyddiau mewn tywyllwch a gofid[c], mewn dicter mawr a gwaeledd a llid.

18 Dyma'r hyn a welais: y mae'n dda a gweddus i ddyn fwyta ac yfed, a chael mwynhad o'r holl lafur a gyflawna dan yr haul yn ystod dyddiau ei fywyd, a roddwyd iddo gan Dduw; dyna yw ei dynged. [19]Yn wir y mae pob dyn, y rhoddodd Duw iddo gyfoeth a meddiannau a'r gallu i'w mwynhau, i dderbyn ei dynged, a bod yn llawen yn ei lafur; rhodd Duw yw hyn. [20]Yn wir ni fydd yn meddwl yn ormodol am ddyddiau ei fywyd, gan fod Duw yn ei gadw'n brysur â llawenydd yn ei galon.

6 Dyma ddrwg a welais dan yr haul, ac y mae'n flinder ar ddynion: [2]dyn wedi cael cyfoeth, meddiannau ac anrhydedd gan Dduw, heb fod yn brin o ddim a ddymunai, ac eto heb gael gan Dduw y gallu i'w mwynhau, ond dieithryn yn hytrach yn cael mwynhad ohonynt. Y mae hyn yn wagedd ac yn gystudd blin. [3]Pe byddai dyn yn dad i gant o blant, yn byw am flynyddoedd lawer ac yn cael oes hir, ond heb allu mwynhau daioni bywyd na chael ei gladdu, yna dywedaf ei bod yn well ar yr erthyl nag arno ef. [4]Oherwydd y mae'r erthyl yn dod mewn gwagedd ac yn mynd ymaith mewn tywyllwch, lle cuddir ei enw; [5]eto caiff hwn, er na welodd yr haul na gwybod am ddim, fwy o lonyddwch na'r llall, [6]hyd yn oed pe byddai hwnnw'n

byw am fil o flynyddoedd ddwywaith drosodd, ond heb weld daioni. Onid ydynt i gyd yn mynd i'r un lle?

7 Y mae holl lafur dyn ar gyfer ei enau, ond eto ni ddiwellir ei chwant. [8]Pa fantais sydd gan y doeth ar y ffôl, neu gan y tlawd a ŵyr sut i ymddwyn yng ngŵydd dynion? [9]Gwell gweld â'r llygaid na blys anniwall. Y mae hyn hefyd yn wagedd ac yn ymlid gwynt.

10 Y mae'r hyn sydd eisoes yn bod yn hysbys, ac fe wyddys beth yw dyn; ni all ddadlau ag un cryfach nag ef. [11]Y mae amlhau geiriau yn amlhau gwagedd; a pha fantais sydd i ddyn? [12]Pwy a ŵyr beth sydd dda i ddyn yng nghyfnod byr ei fywyd gwag, a dreulia fel cysgod? Pwy all ddweud wrth ddyn beth dan yr haul a ddaw ar ei ôl?

Myfyrdodau

7 Y mae enw da yn well nag ennaint gwerthfawr,
a dydd marw yn well na dydd geni.
[2]Y mae'n well mynd i dŷ galar
na mynd i dŷ gwledd;
oherwydd marw yw tynged pob dyn,
a dylai'r byw ystyried hyn.
[3]Y mae tristwch yn well na chwerthin;
er i'r wyneb fod yn drist, gall y galon fod yn llawen.
[4]Y mae calon y doethion yn nhŷ galar,
ond calon y ffyliaid yn nhŷ pleser.
[5]Y mae'n well gwrando ar gerydd y doeth
na gwrando ar gân ffyliaid.
[6]Oherwydd y mae chwerthin y ffŵl
fel clindarddach drain o dan grochan.
Y mae hyn hefyd yn wagedd.

[7]Yn wir, y mae gormes yn gwneud y doeth yn ynfyd,
ac y mae cil-dwrn yn llygru'r meddwl.
[8]Y mae diwedd peth yn well na'i ddechrau,
ac amynedd yn well nag ymffrost.
[9]Paid â rhuthro i ddangos dig,
oherwydd yng nghalon ffyliaid y mae dig yn aros.
[10]Paid â dweud, "Pam y mae'r dyddiau a fu yn well na'r rhai hyn?"
Oherwydd ni ddangosir doethineb wrth ofyn hyn.
[11]Y mae cael doethineb gydag etifeddiaeth yn dda,

[c]Felly Groeg. Hebraeg, *a bydd yn bwyta*.

ac yn fantais i'r rhai sy'n gweld yr haul.
[12] Y mae doethineb yn gystal amddiffyn
ag arian;
mantais deall yw bod doethineb yn
rhoi bywyd i'w pherchennog.
[13] Ystyria'r hyn a wnaeth Duw;
pwy all unioni'r hyn a wyrodd ef?
[14] Bydd lawen pan yw'n dda arnat,
ond yn amser adfyd ystyria hyn:
Duw a wnaeth y naill beth a'r llall,
fel na all dyn ganfod beth a fydd yn
dilyn.

15 Yn ystod fy oes o wagedd gwelais y
cyfan: dyn cyfiawn yn darfod yn ei
gyfiawnder, a dyn drygionus yn cael oes
faith yn ei ddrygioni. [16] Paid â bod yn rhy
gyfiawn, a phaid â bod yn or-ddoeth;
pam y difethi dy hun? [17] Paid â bod yn
rhy ddrwg, a phaid â bod yn ffŵl; pam y
byddi farw cyn dy amser? [18] Y mae'n
werth iti ddal dy afael ar y naill beth, a
pheidio â gollwng y llall o'th law. Yn wir,
y mae'r un sy'n ofni Duw yn eu dilyn ill
dau.
19 Y mae doethineb yn rhoi mwy o
gryfder i'r doeth nag sydd gan ddeg
llywodraethwr mewn dinas.
20 Yn wir, nid oes un dyn cyfiawn ar y
ddaear sydd bob amser yn gwneud
daioni, heb bechu.
21 Paid â gwrando ar bob gair a
ddywedir, rhag ofn iti glywed dy was yn
dy felltithio; [22] yn wir fe wyddost dy fod
ti dy hun wedi melltithio eraill lawer
gwaith.
23 Yr wyf wedi rhoi prawf ar hyn i gyd
trwy ddoethineb. Dywedais, "Yr wyf am
fod yn ddoeth"; ond yr oeddwn yn bell o
fod felly. [24] Y mae'r hyn sy'n digwydd yn
bell ac yn ddwfn iawn; pwy a all ei
ganfod? [25] Fe euthum ati i ddeall â'm
meddwl, i chwilio a cheisio doethineb a
rheswm, a deall drygioni ffolineb, a ffol-
ineb ynfydrwydd. [26] A chanfûm rywbeth
chwerwach na marwolaeth: gwraig sydd
â'i chalon yn faglau a rhwydau, a'i
dwylo'n rhwymau. Y mae'r un sy'n dda
yng ngolwg Duw yn dianc oddi wrthi, ond
fe ddelir y pechadur ganddi. [27] "Edrych,
dyma'r peth a ganfûm," medd y Preg-
ethwr, "trwy osod y naill beth wrth y llall
i chwilio am ystyr, [28] oherwydd yr
oeddwn yn chwilio amdano'n ddyfal ond
yn methu ei gael; canfûm un dyn ymhlith
mil, ond ni chefais yr un wraig ymhlith y

cyfan ohonynt. [29] Edrych, hyn yn unig a
ganfûm: bod Duw wedi creu dyn yn
uniawn; ond y mae dynion wedi ceisio
llawer o gynlluniau."

8 Pwy sydd fel y doeth?
Pwy sy'n deall ystyr pethau?
Y mae doethineb yn gwneud i wyneb
dyn ddisgleirio,
ac yn newid caledwch ei drem.

Ufuddhau i'r Brenin

2 Cadw orchymyn y brenin[ch], o achos y
llw i Dduw. [3] Paid â rhuthro o'i
ŵydd, na dyfalbarhau gyda'r hyn sydd
ddrwg, oherwydd y mae ef yn gwneud yr
hyn a ddymuna. [4] Y mae awdurdod yng
ngair y brenin, a phwy all ofyn iddo,
"Beth wyt yn ei wneud?" [5] Ni ddaw
niwed i'r un sy'n cadw gorchymyn, a
gŵyr y doeth yr amser a'r ffordd i
weithredu. [6] Yn wir, y mae amser a ffordd
i bob gorchwyl, er bod trueni dyn yn
drwm arno. [7] Nid oes neb sy'n gwybod
beth a fydd; a phwy a all fynegi beth
a ddigwydd? [8] Ni all yr un dyn reoli'r
gwynt, ac nid oes ganddo awdurdod dros
ddydd marwolaeth. Nid oes bwrw arfau
mewn rhyfel, ac ni all drygioni waredu ei
feistr. [9] Gwelais hyn i gyd wrth imi sylwi
ar yr hyn a ddigwydd dan yr haul, pan
fydd dyn yn arglwyddiaethu ar ei gyd-
ddyn i beri niwed iddo.

Drygioni a Chyfiawnder

10 Yna gwelais ddynion drygionus yn
cael eu claddu. Arferent fynd a dod o'r lle
sanctaidd, a chael eu canmol yn y ddinas
lle'r oeddent wedi gwneud y pethau hyn.
Y mae hyn hefyd yn wagedd. [11] Gan na
roddir dedfryd fuan ar weithred ddrwg, y
mae calon dynion yn ymroi'n llwyr i
ddrygioni. [12] Gall pechadur wneud drwg
ganwaith a byw'n hir; eto gwn y bydd
daioni i'r rhai sy'n ofni Duw ac yn ei
barchu. [13] Ni fydd daioni i'r drygionus, ac
nid estynnir ei ddyddiau fel cysgod, am
nad yw'n ofni Duw.
14 Dyma'r gwagedd a wneir ar y
ddaear: dynion cyfiawn yn derbyn fel pe
byddent wedi gweithredu'n anghyfiawn, a
dynion drwg yn derbyn fel pe byddent
wedi gweithredu'n gyfiawn. Dywedais
fod hyn hefyd yn wagedd. [15] Yr wyf yn
canmol llawenydd, gan mai'r unig beth da
i ddyn dan yr haul yw bwyta ac yfed a bod

[ch] Hebraeg yn ychwanegu *myfi.*

yn llawen; oherwydd fe erys hyn gydag ef pan yw'n llafurio yn ystod y dyddiau a rydd Duw iddo dan yr haul.

16 Pan roddais fy mryd ar ddeall doethineb a sylwi ar yr hyn a ddigwydd ar y ddaear, a gweld dyn heb gael cwsg i'w lygaid na dydd na nos, [17]yna gwelais y cyfan a wnaeth Duw. Eto nid yw dyn yn gallu dirnad yr hyn a wneir dan yr haul. Er iddo ymdrechu i chwilio, nid yw'n dirnad; ac er i'r doeth feddwl ei fod yn deall, nid yw yntau'n dirnad.

9 Ystyriais hyn i gyd, a chanfod bod y rhai cyfiawn a doeth â'u gweithredoedd yn llaw Duw, ac na ŵyr yr un dyn prun ai cariad ai casineb sy'n ei aros. [2]Yr un peth sy'n digwydd i bawb—i'r cyfiawn a'r drygionus, i'r da a'r drwg[d], i'r glân a'r aflan, i'r un sy'n aberthu a'r un nad yw'n aberthu. Y mae'r dyn da a'r pechadur fel ei gilydd, a'r un sy'n tyngu llw fel yr un sy'n ofni gwneud hynny. [3]Dyma sy'n ddrwg yn y cyfan a ddigwydd dan yr haul: mai'r un peth yw tynged pawb. Y mae calon dynion yn llawn drygioni, a ffolineb yn eu calonnau ar hyd eu bywyd, ac yna y maent yn marw. [4]Y mae gobaith i'r un a gyfrifir ymysg y byw; oherwydd y mae ci byw yn well na llew marw. [5]Y mae'r byw yn gwybod y byddant farw, ond nid yw'r meirw yn gwybod dim; nid oes bellach wobr iddynt, oherwydd fe ddiflanna'r cof amdanynt. [6]Yn wir y mae eu cariad a'u casineb eisoes wedi darfod, a bellach nid oes iddynt ran yn yr holl bethau a ddigwydd dan yr haul. 7 Dos, bwyta dy fwyd mewn llawenydd, ac yf dy win â chalon lawen, oherwydd y mae Duw eisoes yn fodlon ar dy weithredoedd. 8 Gofala fod gennyt ddillad gwyn bob amser, a chofia roi olew ar dy ben. [9]Mwynha fywyd gyda'r wraig yr wyt yn ei charu, a hynny yn ystod holl ddyddiau dy fywyd gwag a roddodd ef iti dan yr haul, oherwydd dyma yw dy dynged mewn bywyd, ac yn y llafur a gyflawni dan yr haul. [10]Beth bynnag yr wyt yn ei wneud, gwna â'th holl egni; oherwydd yn Sheol, lle'r wyt yn mynd, nid oes gwaith na gorchwyl, deall na doethineb. 11 Unwaith eto, dyma a sylwais dan yr haul: nid y cyflym sy'n ennill y ras, ac nid y cryf sy'n ennill rhyfel; nid y doethion

[d]Felly Fersiynau. Hebraeg heb *a'r drwg*.

sy'n cael bwyd, nid y deallus sy'n cael cyfoeth, ac nid y rhai gwybodus sy'n cael ffafr. Hap a damwain sy'n digwydd iddynt i gyd. [12]Ni ŵyr dyn pa bryd y daw ei amser; fel y delir pysgod mewn rhwyd ac adar mewn magl, felly y delir dynion gan amser adfyd sy'n dod arnynt yn ddisymwth.

Doethineb a Ffolineb

13 Dyma hefyd y ddoethineb a welais dan yr haul, ac yr oedd yn hynod yn fy ngolwg: [14]yr oedd dinas fechan, ac ychydig o ddynion ynddi; ymosododd brenin nerthol arni a'i hamgylchynu ac adeiladu gwarchae cryf yn ei herbyn. [15]Yr oedd ynddi ddyn tlawd a doeth, ac fe waredodd ef y ddinas trwy ei ddoethineb; eto ni chofiodd neb am y dyn tlawd hwnnw. [16]Ond yr wyf yn dweud bod doethineb yn well na chryfder, er i ddoethineb y dyn tlawd gael ei dirmygu, ac i'w weithredoedd fod yn ddi-sôn-amdanynt.

17 Y mae geiriau tawel y doethion yn well na bloedd llywodraethwr ymysg ffyliaid. [18]Y mae doethineb yn well nag arfau rhyfel, ond y mae un pechadur yn difetha llawer o ddaioni.

10 Fel y mae pryfed meirw yn gwneud i ennaint y persaroglydd ddrewi,
felly y mae ychydig ffolineb yn tynnu oddi wrth ddoethineb ac anrhydedd.
[2]Y mae calon y doeth yn ei arwain i'r dde,
ond calon y ffôl yn ei droi i'r chwith.
[3]Pan yw'r ffôl yn cerdded ar y ffordd,
nid oes synnwyr ganddo,
ac y mae'n dweud wrth bawb ei fod yn ynfyd.
[4]Os enynnir llid y llywodraethwr yn dy erbyn,
paid ag ymddiswyddo;
y mae pwyll yn tymheru troseddau mawr.
5 Gwelais beth drwg dan yr haul, sef camgymeriad yn deillio oddi wrth y llywodraethwr: [6]ffŵl wedi ei osod mewn safle uchel, a'r mawrion a'r cyfoethog wedi eu gosod yn israddol. [7]Gwelais weision ar geffylau, a thywysogion yn cerdded fel gweision.

[8] Y mae'r un sy'n cloddio pwll yn
syrthio iddo,
a'r sawl sy'n chwalu clawdd yn cael ei
frathu gan neidr.
[9] Y mae'r un sy'n symud cerrig yn cael
niwed ganddynt,
a'r sawl sy'n hollti coed yn cael dolur
ganddynt.
[10] Os yw bwyell yn ddi-fin, a heb ei hogi,
yna rhaid defnyddio mwy o nerth;
ond y mae medr yn dod â llwyddiant.
[11] Os na swynir neidr cyn iddi frathu,
nid oes mantais o gael swynwr.

[12] Y mae geiriau'r doeth yn ennill ffafr,
ond geiriau'r ffôl yn ei ddinistrio.
[13] Y mae ei eiriau'n dechrau yn ffôl,
ac yn diweddu mewn ynfydrwydd
llwyr,
[14] a'r ffŵl yn amlhau geiriau.
Nid yw dyn yn gwybod beth a ddaw,
a phwy all ddweud wrtho beth fydd ar
ei ôl?
[15] Y mae llafur y ffôl yn ei wneud yn
lluddedig,
ac ni ŵyr sut i fynd i'r ddinas.

[16] Gwae di, wlad, pan fydd gwas yn
frenin arnat,
a'th dywysogion yn gwledda yn y bore!
[17] Gwyn dy fyd, wlad, pan fydd dy frenin
yn fab pendefig,
a'th dywysogion yn gwledda ar yr
amser priodol,
a hynny i gryfhau ac nid i feddwi!
[18] Y mae'r trawstiau'n dadfeilio o
ganlyniad i ddiogi,
a'r tŷ'n gollwng o achos llaesu dwylo.
[19] I gael llawenydd y paratoir gwledd,
ac y mae gwin yn llonni bywyd,
ac arian yn ateb i bopeth.
[20] Paid â melltithio'r brenin yn dy
feddwl,
na'r cyfoethog yn dy ystafell wely,
oherwydd gall adar yr awyr gario dy
lais,
a pherchen adain fynegi'r hyn a
ddywedi.

11 Bwrw dy fara ar wyneb y
dyfroedd,
ac fe'i cei'n ôl ymhen dyddiau lawer.
[2] Rhanna dy gyfran rhwng saith neu
wyth,
oherwydd ni wyddost pa drychineb a
ddaw ar y ddaear.
[3] Os yw'r cymylau yn llawn glaw,

y maent yn ei arllwys ar y ddaear;
os syrth coeden i'r de neu i'r gogledd,
y mae'n aros lle y disgyn.
[4] Ni fydd yr un sy'n dal sylw ar y gwynt
yn hau,
na'r un sy'n gwylio'r cymylau yn medi.

5 Megis nad wyt yn gwybod sut y daw
bywyd i'r esgyrn yng nghroth y feichiog,
felly nid wyt yn deall gwaith Duw, yr Un
sy'n gwneud popeth. [6] Hau dy had yn y
bore, a phaid â gorffwys cyn yr hwyr,
oherwydd ni wyddost pa un a fydd yn
llwyddo, neu a fydd y cyfan yn dda. [7] Y
mae goleuni'n ddymunol, a phleser i'r
llygaid yw gweld yr haul. [8] Os bydd dyn
fyw am flynyddoedd maith, bydded iddo
fwynhau'r cyfan ohonynt; ond fe ddylai
gofio y bydd dyddiau tywyllwch yn nif-
erus. Y mae'r cyfan sy'n digwydd yn
wagedd.

Cyngor i'r Ifanc

9 Ŵr ifanc, bydd lawen yn dy ieu-
enctid, a bydded iti fwynhad yn nyddiau
dy lencyndod; rhodia yn ôl dymuniad dy
galon a'r hyn a wêl dy lygaid, ond cofia y
bydd Duw yn dy alw i farn am hyn i gyd.
[10] Symud ddicter o'th galon, a thro flinder
oddi wrthyt; y mae mebyd ac ieuenctid yn
wagedd.

12 Cofia dy greawdwr yn nyddiau dy
ieuenctid, cyn i'r dyddiau blin
ddod, ac i'r blynyddoedd nesáu pan
fyddi'n dweud, "Ni chaf bleser yn-
ddynt." [2] Cofia amdano cyn tywyllu'r
haul a'r goleuni, y lloer a'r sêr, a chyn
i'r cymylau ddychwelyd ar ôl y glaw.
[3] Dyma'r dydd pan fydd ceidwaid y tŷ yn
crynu, a dynion cryf yn gwargrymu; pan
fydd y merched sy'n malu yn peidio â
gweithio am eu bod yn ychydig, a phan
fydd golwg y rhai sy'n edrych trwy'r
ffenestri wedi pylu; [4] pan fydd y drysau i'r
stryd wedi cau, a sŵn y felin yn distewi;
pan fydd dyn yn cael ei ddychryn gan gân
aderyn, am fod yr holl adar a ganai wedi
distewi; [5] pan fydd dynion yn ofni llecyn
uchel a pheryglon ar y ffordd; pan fydd y
pren almon yn gwynnu, a cheiliog y
rhedyn yn ymlusgo'n feichus, a'i chwant
heb ei gyffroi; pan fydd dyn ar fynd i'w
gartref bythol, a'r galarwyr yn crynhoi yn
y stryd. [6] Cofia amdano cyn torri'r llinyn
arian a darnio'r llestr aur, cyn malurio'r
piser wrth y ffynnon a thorri'r olwyn wrth

y pydew, [7]cyn i'r llwch fynd yn ôl i'r ddaear lle bu ar y cychwyn, a chyn i'r ysbryd ddychwelyd at y Duw a'i rhoes. [8]"Gwagedd llwyr," meddai'r Pregethwr, "gwagedd yw'r cyfan."

Crynodeb

9 Yn ogystal â'i fod ef ei hun yn ddoeth, yr oedd y Pregethwr yn dysgu deall i'r bobl, yn pwyso a chwilio, ac yn gosod mewn trefn lawer o ddiarhebion. [10]Ceisiodd y Pregethwr gael geiriau dymunol ac ysgrifennu geiriau cywir mewn trefn.

11 Y mae geiriau'r doethion fel symbylau, a'r casgliad o'u geiriau fel hoelion wedi eu gosod yn eu lle; y maent wedi eu rhoi gan un bugail. [12]Cymer rybudd, fy mab, rhag ychwanegu atynt. Y mae cyfansoddi llyfrau yn waith diddiwedd, ac y mae astudio dyfal yn flinder i'r corff. 13 Wedi clywed y cyfan, dyma swm y mater: ofna Dduw a chadw ei orchmynion, oherwydd dyma ddyletswydd pob dyn. [14]Yn wir, y mae Duw yn barnu pob gweithred, hyd yn oed yr un guddiedig, boed dda neu ddrwg.

CANIAD SOLOMON

Y Caniad Cyntaf

1 Cân y caniadau, eiddo Solomon.
[2]Cusana fi â chusanau dy[a] wefusau,
oherwydd y mae dy gariad yn well na gwin,
[3]ac arogl dy bersawr yn hyfryd,
a'th enw fel persawr wedi ei wasgaru;
dyna pam y mae merched yn dy garu.
[4]Tyn fi ar dy ôl, gad inni redeg gyda'n gilydd;
cymer fi i'th ystafell, O frenin[b].

Gad inni lawenhau ac ymhyfrydu ynot,
a chanmol dy gariad yn fwy na gwin;
mor briodol yw iddynt dy garu!

[5]O ferched Jerwsalem,
er fy mod yn dywyll fy lliw
fel pebyll Cedar neu lenni pebyll Solomon,
yr wyf yn brydferth.
[6]Peidiwch â rhythu arnaf am fy mod yn dywyll fy lliw,
oherwydd i'r haul fy llosgi.
Bu meibion fy mam yn gas wrthyf,
a gwneud imi wylio'r gwinllannoedd;
ond ni wyliais fy ngwinllan fy hun.

[7]Fy nghariad, dywed wrthyf
ymhle'r wyt yn bugeilio'r praidd,
ac yn gwneud iddynt orffwys ganol dydd.
Pam y byddaf fel un yn crwydro[c]
wrth ymyl praidd dy gyfeillion?

[8]O ti, y decaf o ferched,
os nad wyt yn gwybod,
yna dilyn lwybrau'r defaid,
a bugeilia dy fynnod
gerllaw pebyll y bugeiliaid.
[9]F'anwylyd, yr wyf yn dy gyffelybu
i feirch cerbydau Pharo.
[10]Mor brydferth yw dy ruddiau rhwng y plethi,
a'th wddf gan emau.

[11]Fe wnawn iti gadwynau aur
gydag addurniadau arian.

[12]Pan yw'r brenin ar ei wely,
y mae fy nard yn gwasgaru arogl.
[13]Y mae fy nghariad fel clwstwr o fyrr
yn gorffwys rhwng fy mronnau.
[14]Y mae fy nghariad fel tusw o flodau henna
o winllannoedd Engedi.

[a]Tebygol. Hebraeg, *Y mae'n fy nghusanu â chusanau ei.*
[b]Felly Syrieg. Hebraeg, *cymerodd y brenin fi i'w ystafell.*
[c]Felly Fersiynau. Hebraeg yn aneglur.

[15] Mor brydferth wyt, f'anwylyd,
O mor brydferth,
a'th lygaid fel llygaid colomen!

[16] Mor brydferth wyt, fy nghariad,
O mor ddymunol!
Y mae ein gwely wedi ei orchuddio â
dail;
[17] Y cedrwydd yw trawstiau ein tŷ
a'r ffynidwydd yw ei ddistiau.

2 Yr wyf fel rhosyn Saron,
fel lili'r dyffrynnoedd.

[2] Ie, lili ymhlith drain
yw f'anwylyd ymysg merched.

[3] Fel pren afalau ymhlith prennau'r
goedwig
yw fy nghariad ymysg y bechgyn.
Yr oeddwn wrth fy modd yn eistedd yn
ei gysgod,
ac yr oedd ei ffrwyth yn felys i'm
genau.
[4] Cymerodd fi i'r gwindy,
ac edrych arnaf yn gariadus.
[5] Rhoddodd imi resin i'w bwyta,
a'm hadfywio ag afalau,
oherwydd yr oeddwn yn glaf o gariad.
[6] Yr oedd ei fraich chwith dan fy mhen,
a'i fraich dde yn fy nghofleidio.

[7] Ferched Jerwsalem, yr wyf yn ymbil
arnoch
yn enw iyrchod ac ewigod y maes.
Peidiwch â deffro na tharfu f'anwylyd
nes y bydd hi'n dymuno.

Yr Ail Ganiad

[8] Ust! dyma fy nghariad,
dyma ef yn dod;
y mae'n neidio ar y mynyddoedd,
ac yn llamu ar y bryniau.
[9] Y mae fy nghariad fel gafrewig,
neu hydd ifanc;
dyna ef yn sefyll y tu allan i'r mur,
yn edrych trwy'r ffenestri,
ac yn syllu rhwng y dellt.
[10] Y mae fy nghariad yn galw arnaf ac yn
dweud wrthyf,
"Cod yn awr, f'anwylyd,
a thyrd, fy mhrydferth;
[11] oherwydd, edrych, aeth y gaeaf
heibio,
ciliodd y glaw a darfu;
[12] y mae'r blodau'n ymddangos yn y
meysydd,

daeth yn amser i'r adar ganu,
ac fe glywir cân y durtur yn ein gwlad;
[13] y mae'r ffigysbren yn llawn ffigys ir,
a blodau'r gwinwydd yn gwasgaru
aroglau peraidd.
Cod yn awr, f'anwylyd,
a thyrd, fy mhrydferth."

[14] Fy ngholomen, sydd yn encilion y
graig,
yng nghysgod y clogwyni,
gad imi weld dy wyneb,
a chlywed dy lais,
oherwydd y mae dy lais yn swynol,
a'th wyneb yn brydferth.

[15] Daliwch inni'r llwynogod,
y llwynogod bychain,
sy'n difetha'r gwinllannoedd
pan yw'r blodau ar y gwinwydd.

[16] Y mae fy nghariad yn eiddo i mi,
a minnau'n eiddo iddo ef;
y mae'n bugcilio'i braidd ymysg y
lïlïau.
[17] Cyn i awel y dydd godi,
ac i'r cysgodion ddiflannu,
tro ataf, fy nghariad,
a bydd yn debyg i afrewig
neu hydd ifanc ar y mynyddoedd
ysgythrog.

3 Bob nos ar fy ngwely
ceisiais fy nghariad;
fe'i ceisiais, ond heb ei gael.
[2] Mi godais, a mynd o amgylch y dref,
trwy'r heolydd a'r strydoedd;
chwiliais am fy nghariad;
chwilio, ond heb ei gael.
[3] Daeth y gwylwyr i'm cyfarfod,
wrth iddynt fynd o amgylch y dref,
a gofynnais, "A welsoch chwi fy
nghariad?"
[4] Ymhen ychydig wedi imi eu gadael,
fe gefais fy nghariad;
gafaelais ynddo, a gwrthod ei ollwng
nes ei ddwyn i dŷ fy mam,
i ystafell yr un a esgorodd arnaf.

[5] Ferched Jerwsalem, yr wyf yn ymbil
arnoch
yn enw iyrchod ac ewigod y maes,
Peidiwch â deffro na tharfu f'anwylyd
nes y bydd hi'n dymuno.

Y Trydydd Caniad

[6] Beth yw hyn sy'n dod o'r anialwch,

fel colofn o fwg
yn llawn arogl o fyrr a thus,
ac o bowdrau marsiandïwr?
[7] Dyma gerbyd Solomon;
o'i gylch y mae trigain o ddynion
cryfion,
y rhai cryfaf yn Israel,
[8] pob un yn cario cleddyf
ac wedi ei hyfforddi i ryfela,
pob un â'i gleddyf ar ei glun,
yn barod ar gyfer dychryn yn y nos.

[9] Gwnaeth y Brenin Solomon iddo'i hun
gadair gludo o goed Lebanon,
[10] gyda'i pholion o arian,
ei chefn o aur, ei sedd o borffor,
a'r tu mewn iddi yn lledr
o waith merched Jerwsalem.
[11] Dewch allan, ferched Seion,
edrychwch ar y Brenin Solomon
yn gwisgo'r goron a roddodd ei fam
iddo
ar ddydd ei briodas,
y dydd pan oedd yn llawen.

4 Mor brydferth wyt, f'anwylyd,
mor brydferth wyt!
Y tu ôl i'th orchudd y mae dy lygaid fel
llygaid colomen,
a'th wallt fel diadell o eifr
yn dod i lawr o Fynydd Gilead.
[2] Y mae dy ddannedd fel diadell o
ddefaid wedi eu cneifio
yn dod i fyny o'r olchfa,
y cwbl ohonynt yn efeilliaid,
heb un yn amddifad.
[3] Y mae dy wefusau fel edau ysgarlad,
a'th enau yn hyfryd;
y tu ôl i'th orchudd y mae dy arlais
fel darn o bomgranad.
[4] Y mae dy wddf fel tŵr Dafydd,
wedi ei adeiladu, rhes ar res,
a mil o estylch yn crogi arno,
y cwbl ohonynt yn darianau rhyfelwyr.

[5] Y mae dy ddwy fron fel dwy elain,
gefeilliaid ewig yn pori ymysg y lilïau.
[6] Cyn i awel y dydd godi,
ac i'r cysgodion ddiflannu,
fe af i'r mynydd myrr,
ac i fryn y thus.
[7] Yr wyt i gyd yn brydferth, f'anwylyd;
nid oes yr un brycheuyn arnat.
[8] O briodferch, tyrd gyda mi o
Lebanon,

tyrd gyda mi o Lebanon;
tyrd i lawr o gopa Amana,
ac o ben Senir a Hermon,
o ffeuau'r llewod
a mynyddoedd y llewpardiaid.

[9] Fy chwaer a'm priodferch, yr wyt wedi
ennill fy nghalon,
ennill fy nghalon ag un edrychiad,
ag un gem o'r gadwyn am dy wddf.
[10] Mor hyfryd yw dy gariad, fy chwaer
a'm priodferch!
Y mae dy gariad yn well na gwin,
ac arogl dy bersawr yn hyfrytach na'r
holl berlysiau.
[11] O briodferch, y mae dy wefusau'n
diferu diliau mêl,
y mae mêl a llaeth dan dy dafod,
ac y mae arogl dy ddillad fel arogl
Lebanon.
[12] Gardd wedi ei chau i mewn yw fy
chwaer a'm priodferch,
gardd [ch] wedi ei chau i mewn, ffynnon
wedi ei selio.
[13] Y mae dy blanhigion yn berllan o
bomgranadau,
yn llawn o'r ffrwythau gorau,
henna a nard,
[14] nard a saffrwn, calamis a sinamon,
hefyd yr holl goed thus,
myrr ac aloes a'r holl berlysiau gorau.
[15] Y mae'r ffynnon yn yr ardd yn ffynnon
o ddyfroedd byw
yn ffrydio o Lebanon.

[16] Deffro, O wynt y gogledd,
a thyrd, O wynt y de;
chwyth ar fy ngardd
i wasgaru ei phersawr.
Doed fy nghariad i'w ardd,
a bwyta ei ffrwyth gorau.

5 Yr wyf wedi dod i'm gardd, fy chwaer
a'm priodferch;
cesglais fy myrr a'm perlysiau,
a bwyta fy niliau a'm mêl,
ac yfed fy ngwin a'm llaeth.

Gyfeillion, bwytewch ac yfwch,
nes meddwi ar gariad.

Y Pedwerydd Caniad

[2] Yr oeddwn yn cysgu, ond â'm calon yn
effro.
Ust! Y mae fy nghariad yn curo:

[ch] Felly llawysgrifau a Fersiynau. TM, *pentwr*.

"Agor imi, fy chwaer, f'anwylyd,
fy ngholomen, yr un berffaith yn fy
　　ngolwg,
oherwydd y mae fy ngwallt yn diferu o
　　wlith,
a'm barf o ddefnynnau'r nos."
³Ond yr wyf wedi diosg fy mantell;
a oes raid imi ei gwisgo eto?
Yr wyf wedi golchi fy nhraed;
a oes raid imi eu maeddu eto?
⁴Pan roes fy nghariad ei law ar y
　　gliced,
yr oeddwn wedi fy nghynhyrfu trwof.
⁵Codais i agor i'm cariad,
ac yr oedd fy nwylo'n diferu o fyrr,
a'r myrr o'm bysedd yn llifo ar
　　ddolennau'r clo.
⁶Pan agorais i'm cariad,
yr oedd wedi cilio a mynd ymaith,
ac yr oeddwn yn drist am ei fod wedi
　　mynd;
chwiliais amdano, ond heb ei gael;
gelwais arno, ond nid oedd yn ateb.
⁷Daeth y gwylwyr i'm cyfarfod,
wrth iddynt fynd o amgylch y dref,
a rhoesant gurfa imi a'm niweidio;
bu i'r rhai oedd yn gwylio'r mur
ddwyn fy mantell oddi arnaf.
⁸Ferched Jerwsalem, yr wyf yn ymbil
　　arnoch,
Os dewch o hyd i'm cariad,
dywedwch wrtho fy mod yn glaf o
　　gariad.

⁹A yw dy gariad di yn well nag eraill,
O ti, y decaf o ferched?
A yw dy gariad di yn well nag eraill,
i beri iti ymbil fel hyn arnom?

¹⁰Y mae fy nghariad yn deg a gwridog,
yn sefyll allan ymysg deng mil.
¹¹Y mae ei ben fel aur coeth,
a'i wallt yn grych,
yn ddu fel y frân.
¹²Y mae ei lygaid fel llygaid colomen
wrth ffrydiau dŵr,
wedi eu golchi â llaeth,
a'u gosod yn briodol yn eu lle.
¹³Y mae ei ruddiau fel gwely perlysiau
yn gwasgaru persawr;
y mae ei wefusau fel lilïau
yn diferu o fyrr rhedegog.
¹⁴Y mae ei ddwylo fel dysglau aur
yn llawn gemau;
y mae ei gorff fel gwaith ifori
wedi ei orchuddio â saffir.
¹⁵Y mae ei goesau fel colofnau o farmor,

wedi eu gosod ar sylfaen o aur,
a'i ymddangosiad fel Lebanon,
mor urddasol â'r cedrwydd.
¹⁶Y mae ei gusan yn felys;
y mae popeth ynddo'n ddymunol.
Un fel hyn yw fy nghariad,
un fel hyn yw fy nghyfaill,
O ferched Jerwsalem.

6 O ti, y decaf o ferched,
ple'r aeth dy gariad?
Pa ffordd yr aeth dy gariad,
inni chwilio amdano gyda thi?

²Fe aeth fy nghariad i lawr i'w ardd,
i'r gwelyau perlysiau,
i ofalu am y gerddi,
ac i gasglu'r lilïau.

³Yr wyf fi'n eiddo fy nghariad,
ac yntau'n eiddof finnau;
y mae'n bugeilio ymysg y lilïau.

Y Pumed Caniad

⁴Yr wyt yn brydferth fel Tirsa,
f'anwylyd,
yn hardd fel Jerwsalem,
mor urddasol â llu banerog.
⁵Tro dy lygaid oddi wrthyf,
y maent yn fy nghyffroi;
y mae dy wallt fel diadell o eifr
yn dod i lawr o Fynydd Gilead.
⁶Y mae dy ddannedd fel diadell o
　　ddefaid
yn dod i fyny o'r olchfa,
y cwbl ohonynt yn efeilliaid,
heb un yn amddifad.
⁷Y tu ôl i'th orchudd y mae dy arlais
fel darn o bomgranad.
⁸Er bod trigain o freninesau
a phedwar ugain o ordderchwragedd,
a llancesau na ellir eu rhifo,
⁹y mae fy ngholomen, yr un berffaith,
ar ei phen ei hun,
unig blentyn ei mam,
y lanaf yng ngolwg yr un a esgorodd
　　arni.
Gwelodd y merched hi a'i galw'n
　　ddedwydd,
ac y mae breninesau a
　　gordderchwragedd yn ei
　　chlodfori.

¹⁰Pwy yw hon sy'n ymddangos fel y
　　wawr,
yn brydferth fel y lloer, yn ddisglair fel
　　yr haul,
yn urddasol fel llu banerog?

¹¹Euthum i lawr i'w ardd gnau
i edrych ar y blodau wrth yr afon,
a gweld a oedd y winwydden yn
blaguro,
a blodau ar y pomgranadau.
¹²Heb yn wybod imi,
gosododd fy chwant fi'n dywysog ar
gerbydau fy mhobl.

¹³*Tyrd yn ôl, tyrd yn ôl, Sulames!
Tyrd yn ôl, tyrd yn ôl, gad inni dy
weld.

O fel yr hoffwch edrych ar y Sulames
yn dawnsio rhwng y rhengoedd!

7 Mor brydferth yw dy draed mewn
sandalau, O ferch y tywysog!
Y mae dy gluniau lluniaidd fel gemau
o waith crefftwr medrus.
²Y mae dy fogail fel ffiol gron
nad yw byth yn brin o win cymysg;
y mae dy fol fel pentwr o wenith
wedi ei amgylchynu gan lilïau.
³Y mae dy ddwy fron fel dwy elain,
gefeilliaid ewig.
⁴Y mae dy wddf fel tŵr ifori,
a'th lygaid fel y llynnoedd yn Hesbon,
ger mynedfa Bath-rabbim;
y mae dy drwyn fel tŵr Lebanon,
sy'n edrych i gyfeiriad Damascus.
⁵Y mae dy ben yn ymddangos fel
Carmel
a gwallt dy ben fel porffor,
a brenin wedi ei garcharu yn y plethi.
⁶Mor brydferth, mor hardd wyt,
yr anwylaf ymhlith merched dymunol!
⁷Y mae dy gorff fel palmwydden,
a'th fronnau fel clwstwr o'i ffrwythau.
⁸Dywedais, "Dringaf y balmwydden,
a gafael yn ei brigau."
Bydded dy fronnau fel clwstwr o
rawnwin,
ac arogl dy anadl fel afalau,
⁹a'th wefusau fel y gwin gorau
yn llifo'n esmwyth mewn cariad,
ac yn llithro rhwng gwefusau a
dannedd ᵈ.

¹⁰Yr wyf fi'n eiddo i'm cariad,
ac yntau'n fy chwennych.
¹¹Tyrd, fy nghariad, gad inni fynd allan
i'r maes,
a threulio'r nos ymysg y llwyni henna.
¹²Gad inni fynd yn fore i'r

gwinllannoedd,
i edrych a yw'r winwydden yn blaguro,
a'i blodau yn agor,
a'r pomgranadau yn blodeuo;
yno fe ddangosaf fy nghariad tuag
atat.
¹³Y mae'r mandragorau yn gwasgar eu
harogl;
o gwmpas ein drws ceir yr holl
ffrwythau gorau,
ffrwythau newydd a hen
a gedwais i ti, fy nghariad.

8 O na fyddit yn frawd i mi,
wedi dy fagu ar fronnau fy mam!
Yna pan welwn di yn y stryd byddwn
yn dy gusanu,
ac ni fyddai neb yn fy nirmygu.
²Byddwn yn dy arwain
a'th ddwyn i dŷ fy mam a'm
hyfforddodd,
a rhoi gwin llysiau yn ddiod iti,
sudd fy mhomgranadau.
³Yna byddai ei fraich chwith o dan fy
mhen,
a'i fraich dde yn fy nghofleidio.
⁴Ferched Jerwsalem, yr wyf yn ymbil
arnoch.
Peidiwch â deffro na tharfu f'anwylyd
nes y bydd hi'n dymuno.

Y Chweched Caniad

⁵Pwy yw hon sy'n dod i fyny o'r
anialwch,
yn pwyso ar ei chariad?

Deffrois di dan y pren afalau,
lle bu dy fam mewn gwewyr gyda thi,
lle bu'r un a esgorodd arnat mewn
gwewyr.
⁶Gosod fi fel sêl ar dy galon,
fel sêl ar dy fraich;
oherwydd y mae cariad mor gryf â
marwolaeth,
a nwyd mor greulon â'r bedd;
y mae'n llosgi fel ffaglau tanllyd,
fel fflam angerddol.
⁷Ni all dyfroedd lawer ddiffodd cariad,
ac ni all afonydd ei foddi.
Pe byddai dyn yn cynnig holl gyfoeth
ei dŷ am gariad,
byddai hynny yn cael ei ddirmygu'n
llwyr.

---

*Hebraeg, 7:1.   ᵈFelly Fersiynau. Hebraeg, *gwefusau cysgwyr.*

⁸Y mae gennym chwaer fach
sydd heb fagu bronnau.
Beth a wnawn i'n chwaer
pan ofynnir amdani?
⁹Os mur yw hi,
byddwn yn adeiladu caer arian arno;
os drws,
byddwn yn ei gau ag astell gedrwydd.

¹⁰Mur wyf fi,
a'm bronnau fel tyrrau;
yn ei olwg ef yr wyf
fel un yn rhoi boddhad.
¹¹Yr oedd gan Solomon winllan yn
Baal-hamon;
pan osododd ei winllan yng ngofal
gwylwyr,

yr oedd pob un i roi mil o ddarnau
arian am ei ffrwyth.
¹²Ond y mae fy ngwinllan i yn eiddo i mi
fy hun;
fe gei di, Solomon, y mil o ddarnau
arian,
a chaiff y rhai sy'n gwylio'i ffrwyth
ddau gant.

¹³Ti sy'n eistedd yn yr ardd,
a chyfeillion yn gwrando ar dy lais,
gad i mi dy glywed.

¹⁴Brysia allan, fy nghariad,
a bydd yn debyg i afrewig,
neu'r hydd ifanc
ar fynyddoedd y perlysiau.

LLYFR

ESEIA

Y Proffwyd

1 Dyma'r weledigaeth a ddaeth i Eseia
fab Amos am Jwda a Jerwsalem yn
ystod teyrnasiad Usseia, Jotham, Ahas a
Heseceia, brenhinoedd Jwda.

Pobl Wrthryfelgar

²Clyw, nefoedd! Gwrando, ddaear!
Oherwydd llefarodd yr ARGLWYDD:
"Megais feibion a'u meithrin,
ond codasant mewn gwrthryfel yn
f'erbyn.
³Y mae'r ych yn adnabod y sawl a'i
piau,
a'r asyn breseb ei berchennog;
ond nid yw Israel yn adnabod,
ac nid yw fy mhobl yn deall."

⁴O genhedlaeth bechadurus,
pobl lwythog o anwiredd,
epil drwgweithredwyr,
plant anrheithwyr!
Y maent wedi gadael yr ARGLWYDD,
wedi dirmygu Sanct Israel, a throi
cefn.

⁵I ba ddiben y trewir chwi mwyach,
gan eich bod yn parhau i wrthgilio?
Y mae eich pen yn ddoluriau i gyd,
a'ch calon yn ysig;
⁶o'r corun i'r sawdl nid oes un man yn
iach,
dim ond archoll a chlais a dolur
crawnllyd
heb eu gwasgu na'u rhwymo na'u
hesmwytho ag olew.

⁷Y mae eich gwlad yn anrhaith, eich
dinasoedd yn ulw,
a dieithriaid yn ysu eich tir yn eich
gŵydd;
y mae'n ddiffaith fel Sodomᵃ ar ôl ei
ddinistrio.
⁸Gadawyd Seion
fel caban mewn gwinllan,
fel cwt mewn gardd cucumerau,
fel dinas dan warchae.
⁹Oni bai i ARGLWYDD y Lluoedd adael i
ni weddill,
o fewn ychydig byddem fel Sodom, a'r
un ffunud â Gomorra.

ᵃTebygol. Hebraeg, *dieithriaid.*

¹⁰Clywch air yr ARGLWYDD, chwi
reolwyr Sodom,
gwrandewch ar gyfraith ein Duw, chwi
bobl Gomorra.
¹¹"Beth i mi yw eich aml aberthau?"
medd yr ARGLWYDD.
"Cefais syrffed ar boethoffrwm o
hyrddod a braster anifeiliaid;
ni chaf bleser o waed bustych nac o
ŵyn na bychod.
¹²Pan ddewch i ymddangos o'm blaen,
pwy sy'n gofyn hyn gennych, sef
mathru fy nghynteddau?
¹³Peidiwch ag aberthu rhagor o
aberthau ofer;
y mae arogldarth yn ffiaidd i mi.
Gŵyl y newydd-loer, Sabothau a galw
cymanfa—
ni allaf oddef anwiredd a chynulliad
sanctaidd.
¹⁴Y mae'n gas gan f'enaid eich newydd-
loerau a'ch gwyliau sefydlog;
aethant yn faich arnaf, a blinais eu
dwyn.
¹⁵Pan ledwch eich dwylo mewn gweddi,
trof fy llygaid ymaith;
er i chwi amlhau eich ymbil,
ni fynnaf wrando arnoch.
Y mae eich dwylo'n llawn gwaed;
¹⁶ymolchwch, ymlanhewch.
Ewch â'ch gweithredoedd drwg o'm
golwg;
¹⁷peidiwch â gwneud drwg, dysgwch
wneud daioni.
Ceisiwch farn, achubwch gam y
gorthrymedig,
gofalwch dros yr amddifad, a
chymerwch blaid y weddw.

¹⁸"Yn awr, ynteu, ymresymwn â'n
gilydd," medd yr ARGLWYDD.
"Pe bai eich pechodau fel ysgarlad,
fe fyddant cyn wynned â'r eira;
pe baent cyn goched â phorffor,
fe ânt fel gwlân.
¹⁹Os bodlonwch i ufuddhau,
cewch fwyta o ddaioni'r tir;
²⁰ond os gwrthodwch, a gwrthryfela,
fe'ch ysir â chleddyf."
Genau'r ARGLWYDD a'i llefarodd.

Y Ddinas Bechadurus

²¹O fel yr aeth y ddinas ffyddlon yn
butain!
Bu'n llawn o farn, a thrigai cyfiawnder
ynddi,

ond bellach llofruddion.
²²Aeth dy arian yn sorod,
a'th win yn gymysg â dŵr.
²³Y mae dy arweinwyr yn wrthryfelwyr
ac yn bartneriaid lladron;
y maent i gyd yn caru cil-dwrn
ac yn chwilio am wobr;
nid ydynt yn gofalu dros yr amddifad,
ac ni roddant sylw i gŵyn y weddw.

²⁴Am hynny, medd yr ARGLWYDD,
ARGLWYDD y Lluoedd, Cadernid
Israel,
"Aha! Caf fwrw fy llid ar y rhai sy'n fy
mlino,
a dialaf ar fy ngelynion.
²⁵Trof fy llaw yn dy erbyn,
puraf dy sorod â thrwyth,
a symudaf dy holl amhuredd.
²⁶Trof dy farnwyr i fod fel cynt,
a'th gynghorwyr fel yn y dechrau.
Ac wedi hynny fe'th elwir
yn ddinas gyfiawn, yn dref ffyddlon."

²⁷Daw gollyngdod i Seion trwy farn,
ac i'w rhai edifeiriol trwy gyfiawnder.
²⁸Ond daw dinistr i'r gwrthryfelwyr a'r
anghyfiawn ynghyd,
a diddymir y rhai a gefna ar Dduw.

²⁹Bydd arnoch gywilydd o'r^b deri a oedd
yn hoff gennych,
a gwridwch dros eich gerddi dethol;
³⁰byddwch fel coeden dderw a'i dail
wedi gwywo,
ac fel gardd heb ddŵr ynddi.
³¹Bydd y cadarn fel cynnud,
a'i orchest fel gwreichionen;
fe losgant ill dau ynghyd,
ac ni all neb eu diffodd.

Heddwch i'r Cenhedloedd
(Micha 4:1-3)

2 Y gair a welodd Eseia fab Amos am
Jwda a Jerwsalem:
²Yn y dyddiau diwethaf bydd mynydd
tŷ'r ARGLWYDD
wedi ei osod yn ben ar y mynyddoedd
ac yn uwch na'r bryniau.
Dylifa'r holl genhedloedd ato,
³a daw pobloedd lawer, a dweud,
"Dewch, esgynnwn i fynydd yr
ARGLWYDD,
i deml Duw Jacob;
bydd yn dysgu i ni ei ffyrdd,
a byddwn ninnau'n rhodio yn ei

^bFelly llawysgrifau a Targwm. TM, *Fe'u cywilyddir gan y.*

lwybrau."
Oherwydd o Seion y daw'r gyfraith,
a gair yr ARGLWYDD o Jerwsalem.
⁴Barna ef rhwng cenhedloedd,
a thorri'r ddadl i bobloedd lawer;
curant eu cleddyfau'n geibiau,
a'u gwaywffyn yn grymanau.
Ni chyfyd cenedl gleddyf yn erbyn
   cenedl,
ac ni ddysgant ryfel mwyach.

⁵Tŷ Jacob, dewch, rhodiwn yng
   ngoleuni'r ARGLWYDD.

Darostwng Balchder

⁶Gwrthodaist dŷ Jacob, dy bobl,
oherwydd y maent yn llawn dewiniaid ᶜ
   o'r dwyrain,
a swynwyr fel y Philistiaid,
ac y maent yn gwneud cyfeillion o
   estroniaid.
⁷Y mae eu gwlad yn llawn o arian ac
   aur,
ac nid oes terfyn ar eu trysorau;
y mae eu gwlad yn llawn o feirch,
ac nid oes terfyn ar eu cerbydau;
⁸y mae eu gwlad yn llawn o eilunod;
ymgrymant i waith eu dwylo,
i'r hyn a wnaeth eu bysedd.
⁹Am hynny y gostyngir y ddynoliaeth,
ac y syrth dyn—
paid â maddau iddynt.
¹⁰Ewch i'r graig, ymguddiwch yn y llwch
rhag ofn yr ARGLWYDD, a rhag
   ysblander ei fawrhydi ef.
¹¹Fe syrth uchel drem y ddynoliaeth,
a gostyngir balchder natur dyn;
yr ARGLWYDD yn unig a ddyrchefir
   yn y dydd hwnnw.

¹²Canys y mae gan ARGLWYDD y
   Lluoedd ddydd
yn erbyn pob un balch ac uchel,
yn erbyn pob un dyrchafedig ac
   uchel ᶜʰ,
¹³yn erbyn holl gedrwydd Lebanon,
sy'n uchel a dyrchafedig;
yn erbyn holl dderi Basan,
¹⁴yn erbyn yr holl fynyddoedd uchel
ac yn erbyn pob bryn dyrchafedig;
¹⁵yn erbyn pob tŵr uchel
ac yn erbyn pob magwyr gadarn;
¹⁶yn erbyn holl longau Tarsis
ac yn erbyn yr holl gychod pleser.
¹⁷Yna fe ddarostyngir uchel drem y
   ddynoliaeth,

ᶜCymh. Targwm. Hebraeg heb *dewiniaid*.

ac fe syrth balchder dyn.
Yr ARGLWYDD yn unig a ddyrchefir
   yn y dydd hwnnw.
¹⁸Â'r eilunod heibio i gyd.
¹⁹Â dynion i holltau yn y creigiau
ac i dyllau yn y ddaear,
rhag ofn yr ARGLWYDD, a rhag
   ysblander ei fawrhydi ef,
pan gyfyd i ysgwyd y ddaear.

²⁰Yn y dydd hwnnw bydd dynion
yn taflu eu heilunod arian
a'r eilunod aur a wnaethant i'w
   haddoli,
yn eu taflu i'r tyrchod daear a'r
   ystlumod;
²¹ac yn mynd i ogofeydd yn y creigiau
ac i holltau yn y clogwyni,
rhag ofn yr ARGLWYDD, a rhag
   ysblander ei fawrhydi ef,
pan gyfyd i ysgwyd y ddaear.
²²Peidiwch â gwneud dim â dyn
sydd ag anadl yn ei ffroenau,
canys pa werth sydd iddo?

Barn ar Jerwsalem a Jwda

3 Wele, y mae'r Arglwydd, ARGLWYDD
   y Lluoedd,
yn symud ymaith o Jerwsalem a Jwda
y gynhaliaeth a'r ffon—
yr holl gynhaliaeth o fara ac o ddŵr—
²y gŵr cadarn, y rhyfelwr,
y barnwr a'r proffwyd,
y dewinwr a'r henadur,
³y capten a'r swyddog,
y cynghorwr a'r swynwr celfydd,
a'r sawl sy'n deall hudoliaeth.
⁴Gosodaf fechgyn yn swyddogion
   arnynt
a phlantos i'w rheoli;
⁵a bydd y bobl yn gorthrymu ei gilydd,
a phob un ei gymydog;
bydd y llanc yn drahaus yn erbyn yr
   henwr,
a'r di-nod yn erbyn y parchus.
⁶Pan gaiff dyn afael ar ei frawd
yn nhŷ ei dad, fe ddywed,
"Y mae gennyt ti glogyn;
bydd di'n bennaeth arnom;
bydded y pentwr hwn o garnedd
dan dy awdurdod di."
⁷Ond yn y dydd hwnnw fe etyb,
"Na, ni fynnaf fod yn arweinydd
   arnoch.
Nid oes bara yn fy nhŷ,
na chlogyn ychwaith;

ᶜʰFelly Groeg. Hebraeg, *isel*.

ni chewch fy ngosod i yn bennaeth y
tylwyth.''
⁸Cwympodd Jerwsalem, syrthiodd
Jwda;
y mae eu geiriau a'u gweithredoedd yn
erbyn yr ARGLWYDD,
yn herio ei fawrhydi.
⁹Y mae eu rhagrith yn tystio yn eu
herbyn,
a'u pechod, fel Sodom, yn eu
cyhuddo, heb guddio dim.
Gwae hwy! Y maent yn dwyn drwg
arnynt eu hunain.
¹⁰Dywedwch y bydd yn dda ar y cyfiawn,
canys cânt fwyta ffrwyth eu
gweithredoedd.
¹¹Gwae'r anwir! Bydd yn ddrwg arno,
canys fe gaiff yr hyn a haedda.
¹²Plant sy'n gorthrymu fy mhobl,
a gwragedd sy'n eu rheoli.
O fy mhobl, y mae dy arweinwyr yn dy
gamarwain,
ac yn drysu trywydd dy lwybrau.

Duw yn Barnu

¹³Y mae'r ARGLWYDD yn sefyll i ddadlau
ei achos,
ac yn barod i farnu ei bobl ᵈ.
¹⁴Y mae'r ARGLWYDD yn dod i farn
yn erbyn henuriaid y bobl a'u
swyddogion:
"Yr ydych wedi lloffa'r winllan yn
llwyr;
y mae cyfran y tlawd yn eich tai.
¹⁵Beth yw eich meddwl, yn ysigo fy
mhobl
ac yn mathru wyneb y tlawd?''
medd yr Arglwydd, ARGLWYDD y
Lluoedd.

Rhybuddio Merched Jerwsalem

¹⁶Dywedodd yr ARGLWYDD,
"Oherwydd i ferched Seion dorsythu,
a cherdded o amgylch â'u gyddfau'n
ymestyn allan,
a'u llygaid yn cilwenu, a'u camau'n
fursennaidd,
a rhodio â fferledau am eu traed,
¹⁷bydd yr ARGLWYDD yn rhoi clafr ar
gorun merched Seion,
bydd yr ARGLWYDD yn dinoethi eu
gwarthle hwy.''

18 Yn y dydd hwnnw bydd yr
ARGLWYDD yn symud ymaith bob
addurn—y fferledau, y coronigau, y

ᵈFelly Fersiynau. Hebraeg, y bobloedd.

cilgantiau, ¹⁹y clustlysau, y breichledau, y
gorchuddion, ²⁰y penwisgoedd, y cadwyni,
y gwregys, y blychau perarogl, y mân
swyndlysau; ²¹y fodrwy-sêl, y fodrwy
trwyn; ²²y gwisgoedd hardd, y fantell, y
glog a'r pyrsau; ²³y gwisgoedd sidan a'r
gwisgoedd lliain, y twrban a'r gorchudd
wyneb.

²⁴Yn lle perarogl bydd drewdod,
yn lle gwregys bydd gefyn;
yn lle tresi o wallt bydd moelni,
yn lle mantell bydd sachliain,
yn lle prydferthwch bydd marc llosg.
²⁵Syrth dy wŷr gan gleddyf,
a'th wŷr nerthol mewn rhyfel;
²⁶bydd pyrth y ddinas yn gofidio a
galaru,
a hithau wedi ei gadael yn unig, yn
eistedd ar y llawr.

4 Yn y dydd hwnnw,
bydd saith o fenywod yn ymaflyd
mewn un gŵr,
a dweud,
"Bwytawn ein bara ein hunain,
a gwisgo ein dillad ein hunain;
yn unig galwer ni wrth dy enw di,
a symud ymaith ein gwaradwydd.''

Blaguryn yr ARGLWYDD

²Yn y dydd hwnnw,
bydd blaguryn yr ARGLWYDD
yn brydferthwch ac yn ogoniant;
a bydd ffrwyth y tir yn falchder ac yn
brydferthwch
i'r rhai dihangol yn Israel.

3 Yna gelwir yn sanctaidd bob un sydd
ar ôl yn Seion ac wedi ei adael yn
Jerwsalem, pob un y cofnodir ei fod yn
fyw yn Jerwsalem. ⁴Pan fydd yr AR-
GLWYDD wedi golchi ymaith fudreddi
merched Seion, a charthu gwaed Jerw-
salem o'i chanol trwy ysbryd barn ac
ysbryd tanllyd, ⁵yna fe grea'r ARGLWYDD
gwmwl yn y dydd, a llewyrch tân fflamllyd
yn y nos, uwchben pob adeilad ar Fynydd
Seion a phob man ymgynnull. Canys bydd
y gogoniant yn ortho dros bopeth, ⁶ac yn
bafiliwn i gysgodi yn y dydd rhag gwres, ac
yn noddfa a lloches rhag tymestl a glaw.

Cân y Winllan

5 Mi ganaf i'm hanwylyd
ganig serch am ei winllan.
Yr oedd gan f'anwylyd winllan

ar fryncyn tra ffrwythlon;
² fe'i cloddiodd, a'i digaregu;
fe'i plannodd â'r gwinwydd gorau;
cododd dŵr yn ei chanol,
a naddu gwinwryf ynddi.
Disgwyliodd iddi ddwyn grawnwin,
ond fe ddygodd rawn drwg.
³ Yn awr, breswylwyr Jerwsalem,
a chwi, bobl Jwda,
barnwch rhyngof fi a'm gwinllan.
⁴ Beth oedd i'w wneud i'm gwinllan,
yn fwy nag a wneuthum?
Pam, ynteu, pan ddisgwyliwn iddi
ddwyn grawnwin,
y dygodd rawn drwg?
⁵ Yn awr, mi ddywedaf wrthych
beth a wnaf i'm gwinllan.
Tynnaf ymaith ei chlawdd,
ac fc'i difethir;
chwalaf ei mur,
ac fe'i sethrir dan draed;
⁶ gadawaf hi wedi ei difrodi;
ni chaiff ei thocio na'i hofio;
fe dyf ynddi fieri a drain,
a gorchmynnaf i'r cymylau
beidio â glawio arni.
⁷ Yn wir, gwinllan ARGLWYDD y
Lluocdd yw tŷ Israel,
a phobl Jwda yw ei blanhigyn dethol;
disgwyliodd gael barn, ond cafodd
drais;
yn lle cyfiawnder fe gafodd gri.

Barn ar Bechodau'r Dydd

⁸ Gwae'r rhai sy'n cydio tŷ wrth dŷ,
sy'n chwanegu cae at gae
nes llyncu pob man,
a'ch gadael chwi'n unig yng nghanol y
tir.
⁹ Tyngodd ᵈᵈ ARGLWYDD y Lluoedd yn fy
nghlyw,
"Bydd plastai yn anghyfannedd,
a thai helaeth a theg heb drigiannydd.
¹⁰ Bydd deg cyfair o winllan yn dwyn un
bath,
a homer o had heb gynhyrchu dim ond
un effa.''

¹¹ Gwae'r rhai sy'n codi'n fore
i ddilyn diod gadarn,
ac sy'n oedi hyd yr hwyr
nes i'r gwin eu cynhyrfu.
¹² Yn eu gwleddoedd fe geir y delyn a'r
nabl,
y tabwrdd a'r bibell a'r gwin;

ond nid ystyriant waith yr ARGLWYDD
nac edrych ar yr hyn a wnaeth.

¹³ Am hynny, caethgludir fy mhobl
o ddiffyg gwybodaeth;
bydd eu bonedd yn trengi o newyn
a'u gwerin yn gwywo gan syched.
¹⁴ Am hynny, lledodd Sheol ei llwnc,
ac agor ei cheg yn ddiderfyn;
fe lyncir y bonedd a'r werin,
ei thyrfa a'r sawl a ymffrostia ynddi.
¹⁵ Darostyngir gwreng a bonedd,
a syrth llygad y balch;
¹⁶ ond dyrchefir ARGLWYDD y Lluoedd
mewn barn,
a sancteiddir y Duw sanctaidd mewn
cyfiawnder.
¹⁷ Yna bydd ŵyn yn pori fel yn eu
cynefin,
a'r mynnod geifrᵉ yn bwyta ymysg yr
adfeilion.

¹⁸ Gwae'r rhai sy'n tynnu anwiredd â
rheffynnau oferedd,
a phechod megis â rhaffau men,
¹⁹ y rhai sy'n dweud, "Brysied,
prysured gyda'i orchwyl, inni gael
gweld;
doed pwrpas Sanct Israel i'r golwg,
inni wybod beth yw.''
²⁰ Gwae'r rhai sy'n galw drwg yn dda, a
da yn ddrwg,
sy'n gwneud tywyllwch yn oleuni, a
goleuni yn dywyllwch,
sy'n gwneud chwerw yn felys a melys
yn chwerw.
²¹ Gwae'r rhai sy'n ddoeth yn eu golwg
eu hunain,
ac yn gall yn eu tyb eu hunain.
²² Gwae'r rhai sy'n llanciau wrth yfed
gwin,
ac yn gryfion wrth gymysgu diod
gadarn,
²³ y rhai sy'n cyfiawnhau'r anwir er
gwobr,
ac yn gwrthod cyfiawnder i'r cyfiawn.

²⁴ Am hynny, fel yr ysir y sofl gan dafod
o dân
ac y diflanna'r mân us yn y fflam,
felly y pydra eu gwreiddyn
ac y diflanna eu blagur fel llwch;
am iddynt wrthod cyfraith ARGLWYDD
y Lluoedd,
a dirmygu gair Sanct Israel.

ᵈ Cymh. Groeg. Hebraeg heb *Tyngodd.*
Felly Groeg. Hebraeg, *a'r dieithriaid.*

²⁵Am hynny enynnodd llid yr
ARGLWYDD yn erbyn ei bobl,
ac estynnodd ei law yn eu herbyn, a'u
taro;
fe grynodd y mynyddoedd,
a gorweddai'r celanedd fel ysgarthion
ar y strydoedd.
Er hyn ni throdd ei lid ef,
ac y mae'n dal i estyn allan ei law.

²⁶Fe gyfyd faner i genhedloedd pell,
a chwibana arnynt o eithaf y ddaear,
ac wele, fe ddônt yn fuan a chwim.
²⁷Nid oes neb yn blino nac yn baglu,
nid oes neb yn huno na chysgu,
nid oes neb a'i wregys wedi ei ddatod,
nac a charrai ei esgidiau wedi ei thorri.
²⁸Y mae eu saethau'n llym
a'u bwâu i gyd yn dynn;
y mae carnau eu meirch fel callestr,
ac olwynion eu cerbydau fel corwynt.
²⁹Y mae eu rhuad fel llew;
rhuant fel cenawon llew,
sy'n chwyrnu wrth afael yn yr
ysglyfaeth
a'i ddwyn ymaith, heb neb yn ei arbed.
³⁰Rhuant arno yn y dydd hwnnw,
fel rhuad y môr;
ac os edrychir tua'r tir, wele
dywyllwch a chyfyngdra,
a'r goleuni yn tywyllu gan ei gymylau.

Galwad Eseia

6 Yn y flwyddyn y bu farw'r Brenin
Usseia, gwelais yr ARGLWYDD. Yr
oedd yn eistedd ar orsedd uchel, ddyr-
chafedig, a godre'i wisg yn llenwi'r deml.
²Uwchlaw yr oedd seraffiaid i weini arno,
pob un â chwech adain, dwy i guddio'r
wyneb, dwy i guddio'r traed, a dwy i
ehedeg. ³Yr oedd y naill yn datgan wrth y
llall,
"Sanct, Sanct, Sanct yw ARGLWYDD y
Lluoedd;
y mae'r holl ddaear yn llawn o'i
ogoniant."
⁴Ac fel yr oeddent yn galw, yr oedd
sylfeini'r rhiniogau'n ysgwyd, a llanwyd y
tŷ gan fwg. ⁵Yna dywedais, "Gwae fi! Y
mae wedi darfod amdanaf! Dyn a'i wef-
usau'n aflan ydwyf, ac ymysg pobl a'u
gwefusau'n aflan yr wyf yn byw; ac eto, yr
wyf â'm llygaid fy hun wedi edrych ar y
brenin, ARGLWYDD y Lluoedd." ⁶Ond
ehedodd un o'r seraffiaid ataf, a dwyn yn
ei law farworyn a gymerodd mewn gefel

oddi ar yr allor; ⁷ac fe'i rhoes i gyffwrdd
â'm genau, a dweud, "Wele, y mae hwn
wedi cyffwrdd â'th enau; aeth dy anwiredd
ymaith, a maddeuwyd dy bechod." ⁸Yna
clywais yr ARGLWYDD yn dweud,
"Pwy a anfonaf? Pwy a â drosom ni?"
Atebais innau, "Dyma fi, anfon fi." ⁹Dyw-
edodd,
"Dos, dywed wrth y bobl hyn,
'Clywch yn wir, ond peidiwch â deall;
edrychwch yn wir, ond peidiwch â
dirnad.'
¹⁰Brasâ galon y bobl,
trymha eu clustiau,
cau eu llygaid;
rhag iddynt weld â'u llygaid,
clywed â'u clustiau,
deall â'u calon,
a dychwelyd i'w hiacháu."
¹¹Gofynnais innau, "Pa hyd, ARGLWYDD?"
Atebodd,
"Nes y bydd dinasoedd wedi eu
hanrheithio
heb drigiannydd,
a'r tai heb ddynion,
a'r wlad yn anrhaith anghyfannedd;
¹²nes y bydd yr ARGLWYDD wedi gyrru
dynion ymhell,
a difrod mawr yng nghanol y wlad.
¹³Ac os erys y ddegfed ran ar ôl ynddi,
fe'i llosgir drachefn;
fel derwen neu dwrpant fe'i teflir
ymaith,
fel boncyff o'r uchelfa. ᶠ
Had sanctaidd yw ei boncyff." ᶠᶠ

Neges i Ahas

7 Yn ystod dyddiau Ahas fab Jotham,
fab Usseia, brenin Jwda, daeth Resin
brenin Syria, a Pheca fab Remaleia, bren-
in Israel, i ryfela yn erbyn Jerwsalem, ond
methu ei gorchfygu. ²Yr oedd tŷ Dafydd
wedi ei rybuddio bod Syria mewn cytun-
deb ag Effraim; ac yr oedd ei galon ef a'i
bobl wedi cynhyrfu fel prennau coedwig
yn ysgwyd o flaen y gwynt.
³Yna dywedodd yr ARGLWYDD wrth
Eseia, "Dos allan, a'th fab Sear-jasubᶠ
gyda thi, i gyfarfod Ahas wrth derfyn
pistyll y Llyn Uchaf ar ffordd Maes y
Pannwr, ⁴a dywed wrtho, 'Bydd ofalus
cadw'n dawel a phaid ag ofni; paid â
digalonni o achos y ddau stwmp hyn o
bentewynion myglyd, am fod Resin a'i
Syriaid a mab Remaleia yn llosgi gan lid
⁵Oherwydd i Syria ac Effraim a mal

ᶠFelly Sgrôl A. TM yn aneglur.   ᶠᶠH.y., *Bydd gweddill yn dychwelyd.*

Remaleia wneud cynllwyn drwg yn d'er-byn, a dweud, [6]"Gadewch inni ymosod ar Jwda, a'i dychryn, a'i throi o'n plaid, a gosod brenin arni, sef mab Tabeal," [7]dyma y mae'r ARGLWYDD Dduw yn ei ddweud:
Ni saif hyn, ac ni ddigwydd.
[8]Pen Syria yw Damascus,
a phen Damascus yw Resin.
Cyn diwedd pum mlynedd a thrigain
bydd Effraim wedi peidio â bod
yn bobl.
[9]Pen Effraim yw Samaria,
a phen Samaria yw mab Remaleia.
Oni fyddwch yn sefydlog, ni'ch
sefydlogir.'"

Arwydd i Ahas

10 Llefarodd yr ARGLWYDD eto wrth Ahas, a dweud, [11]"Gofyn am arwydd gan yr ARGLWYDD dy Dduw, arwydd o ddyfn-der Sheol neu o uchder nefoedd." [12]Ond atebodd Ahas, "Ni ofynnaf, ac nid wyf am osod yr ARGLWYDD ar brawf." [13]Dywedodd yntau, "Gwrandewch yn awr, tŷ Dafydd. Ai peth bach yn eich golwg yw trethu amynedd dynion, a'ch bod am drethu amynedd fy Nuw hefyd? [14]Am hynny, y mae'r ARGLWYDD ei hun yn rhoi arwydd i chwi: Wele ferch ifanc yn feichiog, a phan esgor ar fab, fe'i geilw'n Immanuel[g]. [15]Bydd yn bwyta menyn a mêl pan ddaw i wybod sut i wrthod y drwg a dewis y da. [16]Cyn i'r plentyn wybod sut i wrthod y drwg a dewis y da, fe ddifrodir tir y ddau frenin yr wyt yn eu hofni. [17]Bydd yr ARGLWYDD yn dwyn arnat ti ac ar dy bobl ac ar dŷ dy dad ddyddiau na fu eu tebyg er pan dorrodd Effraim oddi wrth Jwda—brenin Asyria."

[18]Yn y dydd hwnnw
chwibana'r ARGLWYDD am y
gwybedyn o afonydd pell yr Aifft,
ac am y wenynen o wlad Asyria;
[19]fe ddônt ac ymsefydlu i gyd yn yr
hafnau serth
ac yn agennau'r creigiau,
ar yr holl goed drain
ac ar yr holl borfeydd.

[20]Yn y dydd hwnnw
bydd yr ARGLWYDD, ag ellyn a logwyd
y tu hwnt i'r Afon,
brenin Asyria,

yn eillio'r holl ben a blew'r traed,
a thorri ymaith y farf hefyd.

[21]Yn y dydd hwnnw
bydd dyn yn cadw'n fyw anner a dwy
ddafad;
[22]a chaiff ganddynt ddigon o laeth
i fedru bwyta menyn;
canys bwyteir menyn a mêl
gan bob un a adewir yn y wlad.

[23]Yn y dydd hwnnw
bydd pob man lle bu mil o winwydd,
gwerth mil o ddarnau o arian,
yn fieri ac yn ddrain.
[24]Daw dynion yno â saethau a bwâu,
canys bydd mieri a drain ym
mhobman.
[25]Ni ddaw neb i'r llechweddau
lle bu'r gaib unwaith yn trin,
rhag ofn y mieri a'r drain;
byddant yn lle i ollwng gwartheg iddo,
ac yn gynefin defaid.

Arwydd i'r Bobl

8 Dywedodd yr ARGLWYDD wrthyf, "Cymer dabl mawr ac ysgrifenna arno mewn llythrennau eglur, 'I Maher-shalal-has-bas'[ng]; [2]a galw[h] yn dystion cywir i mi Ureia yr offeiriad a Sechareia fab Jeberecheia." [3]Yna euthum at y broff-wydes; beichiogodd hithau ac esgor ar fab, a dywedodd yr ARGLWYDD wrthyf, "Galw ei enw Maher-shalal-has-bas, [4]oherwydd cyn i'r bachgen fedru galw, 'Fy Nhad' neu 'Fy Mam', bydd golud Damascus ac ysbail Samaria yn cael eu dwyn ymaith o flaen brenin Asyria."

Dinistr Brenin Asyria

5 Llefarodd yr ARGLWYDD wrthyf drachefn,
[6]"Oherwydd i'r bobl hyn wrthod
dyfroedd Siloa, sy'n llifo'n dawel,
a chrynu gan ofn[i] o flaen Resin a mab
Remaleia,
[7]am hynny, bydd yr ARGLWYDD yn
dwyn arnynt
ddyfroedd Afon Ewffrates, yn gryf ac
yn fawr,
brenin Asyria a'i holl ogoniant.
Fe lifa dros ei holl sianelau,
a thorri dros ei holl gamlesydd;
[8]fe ysguba trwy Jwda fel dilyw,
a gorlifo nes cyrraedd at y gwddf.

---

[g]H.y., *Y mae Duw gyda ni.*   [ng]H.y., *Brysia'r ysbail, prysura'r ysglyfaeth.*
[h]Felly Groeg. Hebraeg, *a gelwais.*   [i]Tebygol. Hebraeg, *yn ymhyfrydu yn.*

Bydd cysgod ei adenydd yn llenwi holl
led dy dir,
O Immanuel[1]."

[9]Ystyriwch[ll], bobloedd, dryllier eich
calon;
gwrandewch, chwi bellafion byd;
ymwregyswch, ac fe'ch dryllir;
ymwregyswch, ac fe'ch dryllir.
[10]Lluniwch gyngor, ac fe'i diddymir;
dywedwch air, ac ni saif,
O Immanuel.

Ofni Duw

11 Fel hyn y dywedodd yr ARGLWYDD
wrthyf, pan oedd yn gafael yn dynn ynof
ac yn fy rhybuddio rhag rhodio yn llwyb-
rau'r bobl hyn:
[12]"Peidiwch â dweud 'Cynllwyn!'
am bob peth a elwir yn gynllwyn gan y
bobl hyn;
a pheidiwch ag ofni'r hyn y maent hwy
yn ei ofni,
nac arswydo rhagddo.
[13]Ond ystyriwch yn sanctaidd
ARGLWYDD y Lluoedd;
ofnwch ef, ac arswydwch rhagddo ef.
[14]Bydd ef yn fagl[m],
ac i ddau dŷ Israel bydd yn faen
tramgwydd ac yn graig rhwystr;
bydd yn rhwyd ac yn fagl i drigolion
Jerwsalem.
[15]A bydd llawer yn baglu drostynt;
syrthiant, ac fe'u dryllir;
cânt eu baglu a'u dal."

[16]Rhwyma'r dystiolaeth,
selia'r gyfraith ymhlith fy nisgyblion.
[17]Disgwyliaf finnau am yr ARGLWYDD,
sy'n cuddio'i wyneb rhag tŷ Jacob;
arhosaf amdano.
[18]Wele fi a'r meibion a roes yr ARGLWYDD i
mi yn arwyddion ac yn argoelion yn Israel
oddi wrth ARGLWYDD y Lluoedd, sy'n
trigo ym Mynydd Seion.
19 A phan fydd y bobl yn dweud
wrthych, "Ewch i ymofyn â'r swynwyr a'r
dewiniaid sy'n sisial a sibrwd", onid yw'r
bobl yn ymhêl â'r ysbrydion, ac yn ymofyn
â'r meirw dros y byw [20]am gyfraith a
thystiolaeth? Dyma'r gair a ddywedant, ac
nid oes oleuni ynddo. [21]Bydd yn tramwy
trwy'r wlad[n] mewn caledi a newyn; a phan
newyna bydd yn chwerwi, ac yn melltithio

ei frenin a'i Dduw. [22]A phan fydd yn troi
ei olwg tuag i fyny neu'n edrych tua'r
ddaear, wele drallod a thywyllwch, cadd-
ug cyfyngder; bydd wedi ei fwrw i
dywyllwch du.

Geni Bachgen

9[°]Ond ni fydd tywyllwch eto i'r sawl a
fu mewn cyfyngder. Yn yr amser gynt
bu cam-drin ar wlad Sabulon a gwlad
Nafftali, ond ar ôl hyn bydd yn
anrhydeddu Galilea'r cenhedloedd, ar
ffordd y môr, dros yr Iorddonen.

[2]Y bobl oedd yn rhodio mewn
tywyllwch
a welodd oleuni mawr;
y rhai a fu'n byw mewn gwlad o
gaddug dudew
a gafodd lewyrch golau.
[3]Amlheaist orfoledd[p] iddynt,
chwanegaist lawenydd;
llawenhânt o'th flaen fel yn adeg y
cynhaeaf,
ac fel y byddant yn gorfoleddu wrth
rannu'r ysbail.
[4]Oherwydd drylliaist yr iau oedd yn
faich iddynt,
a'r croesfar oedd ar eu hysgwydd,
a'r ffon oedd gan eu gyrrwr,
fel yn nydd Midian.
[5]Pob esgid ar droed rhyfelwr mewn
ysgarmes,
a phob dilledyn wedi ei drybaeddu
mewn gwaed,
fe'u llosgir fel tanwydd.
[6]Canys bachgen a aned i ni,
mab a roed i ni,
a bydd yr awdurdod ar ei ysgwydd.
Fe'i gelwir, "Cynghorwr rhyfeddol,
Cawr o ryfelwr,
Tad bythol, Tywysog heddychlon".
[7]Ni bydd diwedd ar gynnydd ei
lywodraeth,
nac ar ei heddwch
i orsedd Dafydd a'i frenhiniaeth,
i'w sefydlu'n gadarn â barn a
chyfiawnder,
o hyn a hyd byth.
Bydd sêl ARGLWYDD y Lluoedd yn
gwneud hyn.

Digofaint Duw yn Erbyn Israel

[8]Anfonodd yr ARGLWYDD air yn erbyn

---

[1]H.y., *Duw gyda ni.* Felly hefyd yn adn. 10.
[m]Felly Targwm. Hebraeg, *cysegr.*
[o]Hebraeg, 8:23.
[ll]Felly Groeg. Hebraeg, *Torrer chwi.*
[n]Hebraeg, *tramwy trwyddi.*
[p]Tebygol. Hebraeg, *y genedl ni.*

Jacob,
ac fe ddisgyn ar Israel.
⁹Gostyngir ᵖʰ yr holl bobl—
Effraim a thrigolion Samaria—
sy'n dweud mewn balchder a thraha,
¹⁰"Syrthiodd y priddfeini,
ond fe adeiladwn ni â cherrig nadd;
torrwyd y prennau sycamor,
ond fe rown ni gedrwydd yn eu lle."
¹¹Y mae'r ARGLWYDD yn codi
gwrthwynebwyr ʳ yn eu herbyn;
y mae'n cyffroi eu gelynion.
¹²Y mae Syriaid o'r dwyrain a Philistiaid
o'r gorllewin
yn ysu Israel a'u safnau'n agored.
Er hynny ni throdd ei lid ef,
ac y mae'n dal i estyn allan ei law.

¹³Ond ni throdd y bobl at yr un a'u
trawodd,
na cheisio ARGLWYDD y Lluoedd;
¹⁴am hynny tyr yr ARGLWYDD ymaith o
Israel y pen a'r gynffon,
y gangen balmwydd a'r frwynen mewn
un dydd;
¹⁵yr hynafgwr a'r anrhydeddus yw'r pen,
y proffwyd sy'n dysgu celwydd yw'r
gynffon.
¹⁶Y rhai sy'n arwain y bobl hyn
sy'n peri iddynt gyfeiliorni;
a'r rhai a arweiniwyd sy'n cael eu
drysu.
¹⁷Am hynny nid arbed ʳʰ yr ARGLWYDD
eu gwŷr ifainc,
ac ni thosturia wrth eu hamddifaid
na'u gweddwon.
Y mae pob un ohonynt yn annuwiol a
drygionus,
a phob genau yn traethu ynfydrwydd.
Er hynny ni throdd ei lid ef,
ac y mae'n dal i estyn allan ei law.
¹⁸Oherwydd y mae anwiredd yn llosgi
fel tân,
yn ysu'r mieri a'r drain,
yn cynnau yn nrysni'r coed,
ac yn codi'n golofnau o fwg.
¹⁹Gan ddigofaint ARGLWYDD y Lluoedd
y mae'r wlad ar dân;
y mae'r bobl fel tanwydd,
ac nid arbed neb ei frawd.
²⁰Cipia un o'r dde, ond fe newyna;
bwyta'r llall o'r chwith, ond nis
digonir.
Bydd dyn yn bwyta cnawd ei blant—
²¹Manasse Effraim, ac Effraim

Manasse,
ac ill dau yn erbyn Jwda.
Er hynny ni throdd ei lid ef,
ac y mae'n dal i estyn allan ei law.

10 Gwae'r rhai a wnânt ddeddfau
anghyfiawn
a deddfu gormes yn ddi-baid;
²i droi'r tlodion oddi wrth farn,
ac amddifadu'r anghenus o blith fy
mhobl o'u hawliau;
i wneud gweddwon yn ysbail iddynt
a'r rhai amddifad yn anrhaith.
³Beth a wnewch yn nydd y dial,
yn y dinistr a ddaw o bell?
At bwy y ffowch am help?
Ple y gadewch eich cyfoeth,
⁴i osgoi crymu ymhlith y carcharorion
a syrthio ymhlith y lladdedigion?
Er hynny, ni throdd ei lid ef,
ac y mae'n dal i estyn allan ei law.

Asyria yn Llaw Duw

⁵"Gwae Asyria, gwialen fy llid;
ef yw ffon fy nigofaint ˢ.
⁶Anfonaf ef yn erbyn cenedl annuwiol,
a rhof orchymyn iddo yn erbyn pobl fy
nicter,
i gymryd ysbail ac i anrheithio,
a'u mathru dan draed fel baw'r
heolydd.
⁷Ond nid yw ef yn amcanu fel hyn,
ac nid yw'n bwriadu felly;
canys y mae ei fryd ar ddifetha
a thorri ymaith genhedloedd lawer.
⁸Fe ddywed,
'Onid yw fy swyddogion i gyd yn
frenhinoedd?
⁹Onid yw Calno fel Carchemis,
a Hamath fel Arpad,
a Samaria fel Damascus?'
¹⁰Fel yr estynnais fy llaw hyd at
deyrnasoedd eilunod,
a oedd â'u delwau'n amlach na rhai
Jerwsalem a Samaria,
¹¹ac fel y gwneuthum i Samaria ac i'w
delwau hi,
oni wnaf felly hefyd i Jerwsalem a'i
heilunod?"

12 Pan orffen yr ARGLWYDD ei holl
waith ar Fynydd Seion a Jerwsalem, fe
gosba ymffrost trahaus brenin Asyria a
hunanhyder ei ysbryd am iddo ddweud,

ᵖʰNeu, Gŵyr.   ʳTebygol. Hebraeg, gwrthwynebwyr Resin.
ʳʰFelly Sgrôl A. TM, ni lawenycha.   ˢHebraeg yn ychwanegu yn eu llaw.

¹³"Yn fy nerth fy hun y gwneuthum hyn,
a thrwy fy noethineb, pan oeddwn yn
cynllunio.
Symudais derfynau pobloedd,
ysbeiliais eu trysorau;
fel tarw bwriais i lawr y trigolion.
¹⁴Cefais hyd i gyfoeth y bobl fel nyth;
ac fel y bydd dyn yn casglu wyau wedi
eu gadael,
felly y cesglais innau bob gwlad
ynghyd;
nid oedd adain yn symud
na phig yn agor i glochdar."

¹⁵A ymffrostia'r fwyell yn erbyn y
cymynwr?
A ymfawryga'r llif yn erbyn yr hwn a'i
tyn?
Fel pe bai gwialen yn ysgwyd yr un
sy'n ei chwifio,
neu ffon yn trin un nad yw'n bren!

¹⁶Am hynny bydd yr Arglwydd,
Arglwydd y Lluoedd,
yn anfon clefyd i nychu ei ryfelwyr
praff,
a than ei ogoniant fe gyfyd twymyn
fel llosgiad tân.
¹⁷Bydd Goleuni Israel yn dân
a'i Un Sanctaidd yn fflam;
fe lysg ac fe ysa
ei ddrain a'i fieri mewn un dydd.
¹⁸Fe ddifoda ogoniant ei goedwig a'i
ddoldir,
fel claf yn nychu, yn enaid a chorff.
¹⁹A bydd gweddill prennau ei goedwig
mor brin
nes y bydd plentyn yn gallu eu cyfrif.

Gweddill Israel

20 Yn y dydd hwnnw ni fydd gweddill
Israel, a'r rhai a ddihangodd yn nhŷ
Jacob, yn pwyso bellach ar yr un a'u
trawodd; ond pwysant yn llwyr ar yr
Arglwydd, Sanct Israel.

²¹Bydd gweddill yn dychwel, gweddill
Jacob,
at Dduw sydd yn gadarn.
²²Canys, er i'th bobl Israel fod fel tywod
y môr,
gweddill yn unig fydd yn dychwel.
Cyhoeddwyd dinistr, yn gorlifo mewn
cyfiawnder.
²³Canys bydd yr Arglwydd, Arglwydd
y Lluoedd,

yn gwneud dinistr terfynol
yng nghanol yr holl ddaear.

Darostwng Asyria

24 Am hynny, fel hyn y dywed yr
Arglwydd, Arglwydd y Lluoedd: "Fy
mhobl, sy'n preswylio yn Seion, paid ag
ofni rhag yr Asyriaid, er iddynt dy guro â
gwialen, a chodi eu ffon yn dy erbyn fel y
gwnaeth yr Eifftiaid. ²⁵Canys ymhen ychy-
dig bach fe dderfydd fy llid, a bydd fy
nigofaint yn troi i'w difetha hwy. ²⁶A bydd
Arglwydd y Lluoedd yn ysgwyd chwip yn
eu herbyn, fel y gwnaeth yn lladdfa
Midian wrth garreg Oreb, ac yn codi ei
wialen dros y môr fel y cododd hi dros yr
Aifft."

²⁷Yn y dydd hwnnw
symudir ei faich oddi ar dy ysgwydd,
a dryllio'i iau oddi ar dy war.
Esgynnodd o Rimon¹,
²⁸daeth at Aiath,
tramwyodd drwy Migron,
rhoddodd ei gelfi i'w cadw yn
Michmas;
²⁹aethant dros Maabara
ac aros dros nos yn Geba.
Dychrynodd Rama, arswydodd Gibea
Saul.
³⁰Bloeddia'n groch, Bath Galim;
gwrando arni, Lais; ateb hi, Anathoth.
³¹Y mae Madmena ar ffo,
a phobl Gebim yn chwilio am nodded.
³²Heddiw y mae'n sefyll yn Nob,
ac yn cau ei ddwrn yn erbyn mynydd
merch Seion,
bryn Jerwsalem.

³³Wele yr Arglwydd, Arglwydd y
Lluoedd,
yn cymynu'r prennau yn frawychus;
torrir ymaith y rhai talgryf,
a chwympir y rhai uchel.
³⁴Tyr â bwyell lwyni'r goedwig,
a syrth Lebanon a'i choed cadarn ᵗʰ.

Cangen o Jesse

11 O'r cyff a adewir i Jesse fe
ddaw blaguryn,
ac fe dyf cangen o'i wraidd ef;
²bydd ysbryd yr Arglwydd yn gorffwys
arno,
yn ysbryd doethineb a deall,
yn ysbryd cyngor a grym,
yn ysbryd gwybodaeth ac ofn yr

---

¹Tebygol. Hebraeg yn aneglur.   ᵗʰFelly Groeg. Hebraeg, *trwy un cadarn.*

ARGLWYDD;
³ymhyfryda yn ofn yr ARGLWYDD.
  Nid wrth yr hyn a wêl y barna,
  ac nid wrth yr hyn a glyw y dyfarna,
⁴ond fe farna'r tlawd yn gyfiawn
  a dyfarnu'n uniawn i dlodion y ddaear.
  Fe dery'r ddaear â gwialen ei enau,
  ac â gwynt ei wefusau fe ladd y rhai
    anwir.
⁵Cyfiawnder fydd gwregys ei lwynau
  a ffyddlondeb yn rhwymyn am ei
    ganol.

⁶Fe drig y blaidd gyda'r oen,
  fe orwedd y llewpard gyda'r myn;
  bydd y llo a'r llew yn cydbori ᵘ,
  a bachgen bychan yn eu harwain.
⁷Bydd y fuwch a'r arth yn gyfeillion,
  a'u llydnod yn cydorwedd;
  bydd y llew yn bwyta gwair fel ych.
⁸Bydd plentyn sugno yn chwarae wrth
    dwll yr asb,
  a baban yn estyn ei law dros ffau'r
    wiber.
⁹Ni wnânt ddrwg na difrod
  yn fy holl fynydd sanctaidd,
  canys fel y lleinw'r dyfroedd y môr i'w
    ymylon,
  felly y llenwir y ddaear â gwybodaeth
    yr ARGLWYDD.
¹⁰Ac yn y dydd hwnnw
  bydd gwreiddyn Jesse yn sefyll fel
    baner i'r bobloedd;
  bydd y cenhedloedd yn ymofyn ag ef,
  a bydd ei drigfan yn ogoneddus.
¹¹Ac yn y dydd hwnnw
  fe estyn yr ARGLWYDD ei law drachefn
  i adennill gweddill ei bobl
  a adewir, o Asyria a'r Aifft,
  o Pathros ac Ethiopia ac Elam,
  o Sinar a Hamath ac o ynysoedd y
    môr.
¹²Fe gyfyd faner i'r cenhedloedd,
  a chasglu alltudion Israel;
  fe gynnull rai gwasgar Jwda
  o bedwar ban y byd.
¹³Diflanna cenfigen Effraim,
  a thorrir ymaith elynion Jwda.
  Ni chenfigenna Effraim wrth Jwda,
  na Jwda wrth Effraim.
¹⁴Ond disgynnant ar lethrau'r Philistiaid
    yn y gorllewin,
  ac ynghyd fe ysbeiliant y dwyreinwyr;
  bydd Edom a Moab o fewn eu gafael,

a phlant Ammon yn ufudd iddynt.
¹⁵Gwna'r ARGLWYDD yn sychdir ʷ
  dafod môr yr Aifft;
  chwifia'i law dros yr Afon,
  ac â'i wynt deifiol
  fe'i hollta yn saith o ffrydiau,
  i'w throedio yn droetsych.
¹⁶A bydd priffordd i weddill ei bobl,
  i'r gweddill a adewir o Asyria,
  megis y bu i Israel
  pan ddaeth i fyny o wlad yr Aifft.

Caneuon Moliant

12 Yn y dydd hwnnw fe ddywedi,
  "Molaf di, O ARGLWYDD;
  er iti ddigio wrthyf,
  trodd dy lid, a rhoist gysur imi.
²Wele, Duw yw fy iachawdwriaeth;
  'rwy'n hyderus, ac nid ofnaf;
  canys yr ARGLWYDD Dduw yw fy nerth
    a'm cân,
  ac ef yw fy iachawdwr."
³Mewn llawenydd fe dynnwch ddŵr
  o ffynhonnau iachawdwriaeth.

⁴Yn y dydd hwnnw fe ddywedi,
  "Molwch yr ARGLWYDD,
  galwch ar ei enw;
  hysbyswch ei weithredoedd ymhlith y
    cenhedloedd,
  cyhoeddwch fod ei enw'n oruchaf.
⁵Canwch salmau i'r ARGLWYDD,
  canys enillodd fuddugoliaeth;
  hysbyser hyn yn yr holl dir.
⁶Bloeddia, llefa'n llawen, ti sy'n
  preswylio yn Seion;
  canys y mae Sanct Israel yn fawr yn
    eich plith."

Yn Erbyn Babilon

13 Yr oracl am Fabilon; yr hyn a
  welodd Eseia fab Amos.
²Dyrchafwch faner ar fynydd moel,
  codwch lef tuag atynt;
  amneidiwch â'ch dwylo iddynt ddod.
  "Dewch i mewn, bendefigion ʸ."
³Gorchmynnais i'r rhai a gysegrais;
  ie, gelwais ar fy ngwŷr cedyrn yn fy
    nicter,
  y rhai sy'n falch o'm gorchest.
⁴Clywch, swn tyrfa ar y mynyddoedd,
  fel pobloedd heb rifedi!
  Clywch, dwndwr teyrnasoedd,
  fel cenhedloedd wedi eu crynhoi.

ᵘFelly Sgrôl A a'r Groeg. Hebraeg, *a'r anifail bras ynghyd.*
ʷFelly Groeg. Hebraeg, *Llwyr ddifoda'r ARGLWYDD.*
ʸFelly Groeg. Hebraeg, *iddynt ddod i mewn i byrth pendefigion.*

Arglwydd y Lluoedd sydd yn cynnull
y llu ar gyfer brwydr.
⁵ Dônt o wlad bell,
o eithaf y nefoedd—
offer llid yr Arglwydd—
i ddifa'r holl dir.
⁶ Udwch, y mae dydd yr Arglwydd
gerllaw!
Daw fel anrhaith oddi wrth yr
Anrheithiwr.

⁷ Am hynny fe laesa'r holl ddwylo,
a bydd pob calon yn toddi gan fraw.
⁸ Bydd poen ac artaith yn cydio
ynddynt;
byddant mewn gwewyr fel gwraig wrth
esgor.
Edrychant yn syn ar ei gilydd,
a'u hwynebau'n gwrido fel fflam.
⁹ Wele, daw dydd yr Arglwydd,
yn greulon gan ddigofaint a llid,
i wneud y ddaear yn ddiffaith
a dileu ei phechaduriaid ohoni.
¹⁰ Bydd sêr y nefoedd a'u planedau
yn atal eu goleuni;
tywylla'r haul ar ei godiad,
ac ni oleua'r lloer â'i llewyrch.
¹¹ Cosbaf y byd am ei bechod,
a'r drygionus am eu camwedd;
gwnaf i falchder y beiddgar beidio,
gostyngaf ymffrost y trahaus.
¹² Gwnaf ddynion yn brinnach nag aur
coeth,
a'r ddynoliaeth nag aur Offir.
¹³ Am hynny fe gryna'r ᵃ nefoedd
ac ysgydwir y ddaear o'i lle,
oherwydd digofaint Arglwydd y
Lluoedd
yn nydd angerdd ei lid.
¹⁴ Fel ewig wedi ei tharfu,
fel praidd heb neb i'w corlannu,
bydd pawb yn troi at ei dylwyth,
a phob un yn ffoi i'w gynefin.
¹⁵ Trywenir pob un a ddelir,
a lleddir â'r cleddyf bob un a ddelir.
¹⁶ Dryllir eu plant o flaen eu llygaid,
rheibir eu morynion ᵇ, treisir eu
gwragedd.

¹⁷ Wele, yr wyf yn cyffroi yn eu herbyn y
Mediaid,
rhai nad yw arian yn cyfrif ganddynt,
ac na roddant bris ar aur.
¹⁸ Dryllia'u bwa y bechgyn;
ni thosturiant wrth ffrwyth y bru,

nid arbed eu llygaid y rhai bach.
¹⁹ A bydd Babilon, yr odidocaf o'r
teyrnasoedd,
a gogoniant ysblennydd y Caldeaid,
fel Sodom a Gomorra
wedi i Dduw eu dinistrio.
²⁰ Ni chyfanheddir hi o gwbl,
na phreswylio ynddi dros
genedlaethau;
ni phabella'r Arab o'i mewn,
ac ni chorlanna'r bugail ynddi.
²¹ Ond bydd anifeiliaid gwyllt yn
gorwedd yno;
llenwir hi gan ffeuau i greaduriaid
swnllyd;
bydd yr estrys yn trigo yno, a bychod
yn llamu yno;
²² bydd y siacal yn cyfarth yn ei thyrau,
a'r udflaidd yn ei phlastai hyfryd.
Y mae ei hamser wrth law,
ac nid estynnir ei dyddiau.

Adfer Israel

14 Tosturia'r Arglwydd wrth Jacob,
ac fe ddewis Israel drachefn iddo'i
hun. Fe'u gesyd yn eu tir eu hunain, a daw
estroniaid i ymgysylltu â hwy ac i lynu
wrth deulu Jacob. ² Bydd pobloedd yn eu
hebrwng i'w lle, a defnyddia teulu Jacob
hwy yn weision a morynion yn nhir yr
Arglwydd; byddant yn caethiwo'r rhai
a'u gwnaeth hwy'n gaeth, ac yn llywod-
raethu ar y rhai a'u gorthrymodd hwy.

Yn Erbyn Brenin Babilon

3 Yn y dydd y bydd yr Arglwydd yn
rhoi llonydd i ti oddi wrth dy boen a'th
lafur a'r gaethwasiaeth greulon y buost
ynddi, ⁴ fe gei ddatgan y dychan hwn yn
erbyn brenin Babilon:
O fel y darfu'r gorthrymwr
ac y peidiodd ei orffwylltra! ᶜ
⁵ Drylliodd yr Arglwydd ffon yr
annuwiol
a gwialen y llywiawdwyr,
⁶ a fu'n taro'r bobloedd mewn dig,
heb atal eu hergyd,
ac yn sathru'r bobloedd mewn llid
a'u herlid yn ddi-baid.
⁷ Daeth llonyddwch i'r holl ddaear, a
thawelwch;
ac y maent yn gorfoleddu ar gân.
⁸ Y mae hyd yn oed y ffynidwydd yn
ymffrostio yn dy erbyn,
a chedrwydd Lebanon hefyd, gan

ᵃ Felly Groeg. Hebraeg, *paraf grynu'r*.   ᵇ Tebygol. Hebraeg, *tai*.
ᶜ Felly Sgrôl A a'r Fersiynau. Hebraeg, *ei dinas aur*.

ddweud,
"Er pan fwriwyd di ar dy orwedd
ni chododd neb i'n torri ni i lawr."

⁹Bydd Sheol isod yn cynhyrfu drwyddi
i'th dderbyn pan gyrhaeddi;
bydd yn cyffroi'r ysbrydion i'th
gyfarfod,
pob un a fu'n arweinydd ar y ddaear;
gwneir i bob un godi oddi ar ei orsedd,
sef pob un a fu'n frenin ar y
cenhedloedd.
¹⁰Bydd pob un ohonynt yn ymateb,
ac yn dy gyfarch fel hyn:
"Aethost tithau'n wan fel ninnau;
yr wyt yr un ffunud â ni."
¹¹Dygwyd dy falchder i lawr yn Sheol,
yn sŵn miwsig dy nablau;
oddi tanat fe daenir y llyngyr,
a throsot y mae'r pryfed yn gwrlid.
¹²O fel y syrthiaist o'r nefoedd,
ti, seren ddydd, fab y wawr!
Fe'th dorrwyd i'r llawr,
ti, a fu'n llorio'r cenhedloedd.
¹³Dywedaist ynot dy hun, "Dringaf fry
i'r nefoedd,
dyrchafaf fy ngorsedd yn uwch na'r sêr
uchaf;
eisteddaf ar y mynydd cynnull
ym mhellterau'r Gogledd.
¹⁴Dringaf yn uwch na'r cymylau;
fe'm gwnaf fy hun fel y Goruchaf."
¹⁵Ond i lawr i Sheol y'th ddygwyd,
i lawr i ddyfnderau'r pwll.

¹⁶Bydd y rhai a'th wêl yn synnu
a phendroni drosot, a dweud,
"Ai dyma'r un a wnaeth i'r ddaear
grynu,
ac a ysgytiodd deyrnasoedd?
¹⁷Ai hwn a droes y byd yn anialwch,
a dinistrio'i ddinasoedd
heb ryddhau ei garcharorion i fynd
adref?"
¹⁸Gorwedd holl frenhinoedd y
cenhedloedd mewn anrhydedd,
pob un yn ei le ei hun;
¹⁹ond fe'th fwriwyd di allan heb fedd,
fel erthyl ᶜʰ a ffieiddir;
fe'th orchuddiwyd â chelanedd
wedi eu trywanu â chleddyf,
ac yn disgyn i waelodion ᵈ y pwll,
fel cyrff wedi eu sathru dan draed.
²⁰Ni chei dy gladdu mewn bedd fel hwy,

oherwydd difethaist dy dir a lleddaist
dy bobl.
Nac enwer byth mwy hil yr annuwiol;
²¹darparwch laddfa i'w feibion,
oherwydd anwiredd eu tadau,
rhag iddynt godi ac etifeddu'r tir
a gorchuddio'r byd â dinasoedd.

Dinistrio Babilon

²²"Codaf yn eu herbyn,"
medd Arglwydd y Lluocdd,
"a dinistrio enw Babilon a'r gweddill
sydd ynddi,
yn fab ac yn ŵyr,"
medd yr Arglwydd.
²³"A gwnaf hi'n gynefin i aderyn y bwn,
yn gors ddiffaith,
ac ysgubaf hi ag ysgubell distryw,"
medd Arglwydd y Lluoedd.

Dinistrio Asyria

²⁴Tyngodd Arglwydd y Lluoedd,
"Fel y cynlluniais y bydd,
ac fel y bwriedais y digwydd;
²⁵drylliaf Asyria yn fy nhir,
mathraf ef ar fy mynyddoedd;
symudir ei iau oddi arnat ᵈᵈ
a'i bwn oddi ar dy ᵉ gefn.
²⁶Hwn yw'r cynllun a drefnwyd i'r holl
ddaear,
a hon yw'r llaw a estynnwyd dros yr
holl genhedloedd.
²⁷Oherwydd Arglwydd y Lluoedd a
gynlluniodd;
pwy a'i diddyma?
Ei law ef a estynnwyd;
pwy a'i try'n ôl?"

Yn Erbyn Philistia

28 Yn y flwyddyn y bu farw'r Brenin
Ahas daeth yr oracl hon:
²⁹Paid â llawenychu, Philistia gyfan,
am dorri'r wialen a'th drawodd;
oherwydd o wreiddyn y sarff fe gyfyd
gwiber,
a bydd ei hepil yn sarff danllyd wibiog.
³⁰Caiff y tlawd bori yn fy nolydd ᶠ
a'r anghenus orwedd yn dawel;
ond lladdaf dy wreiddyn â newyn,
a dinistriaf ᶠᶠ y rhai sy'n weddill
ohonot!
³¹Uda, borth! Gwaedda, ddinas!
Y mae Philistia gyfan yn crynu.
Y mae mwg yn dod o'r gogledd,

ᶜʰCymh. Groeg. Hebraeg, *fel cangen*.   ᵈFelly Fwlgat. Hebraeg, *i gerrig*.
ᵈᵈFelly Sgrôl. TM, *oddi arnynt*.   ᵉFelly Sgrôl. TM, *ei gefn*.
ᶠFelly llawysgrifau. TM, *fy mlaenffrwyth*.   ᶠᶠFelly Sgrôl. TM, *dinistria*.

ac nid oes neb yn ei rengoedd yn
llusgo.
[32] Beth yw'r ateb i gennad y bobl?
"Gwnaeth yr ARGLWYDD Seion yn
ddiogel,
ac ynddi y caiff trueiniaid ei bobl
loches."

Yn Erbyn Moab

15 Yr oracl am Moab:
Y noson y dinistrir Ar, fe
dderfydd am Moab;
y noson y dinistrir Cir, fe dderfydd am
Moab.
[2] Dringa merch[g] Dibon i'r uchelfa i
wylo;
dros Nebo a thros Medeba fe uda
Moab.
Bydd moelni ar bob pen, a phob barf
wedi ei heillio;
[3] gwisgir sachliain yn yr heolydd;
ar bennau'r tai, ac yn sgwâr y dref,
bydd pawb yn udo ac yn beichio wylo.
[4] Bydd Hesbon ac Eleale yn llefain,
a chlywir eu cri hyd Jahas;
am hynny bydd lwynau Moab yn
crynu,
ac yntau yn ysgwyd drwyddo.
[5] Y mae fy nghalon yn llefain dros
Moab.
Bydd ei ffoaduriaid yn mynd mor bell
â Soar,
hyd Eglath Salisia;
dringant riw Luhith dan wylo,
a thorri calon ar ffordd Horonaim.
[6] Bydd dyfroedd Nimrim yn sychdir;
gwywa'r llysiau, metha'r egin,
diflanna'r glesni.

[7] Am hynny cludant dros afon Arabim
yr eiddo a'r enillion a gasglwyd
ganddynt.
[8] Aeth y gri o amgylch terfynau Moab,
nes bod udo yn Eglaim, ac udo yn
Beer-Elim.
[9] Y mae dyfroedd Dimon yn llawn o
waed,
ond dygaf waeth eto ar Dimon—
llew ar warthaf ffoaduriaid Moab,
ac ar warthaf y gweddill yn y tir.

16 Anfonodd llywodraethwr y wlad
ŵyn
o Sela yn yr anialwch i fynydd merch
Seion.
[2] Y mae merched Moab wrth rydau
Arnon
fel adar aflonydd wedi eu troi o'u
nythod.
[3] "Dwg gyngor, gwna dy fwriad yn glir;
bydded dy gysgod fel nos drosom,
hyd yn oed ar ganol dydd;
cuddia'r ffoaduriaid,
paid â bradychu'r crwydriaid.
[4] Bydded i ffoaduriaid[ng] Moab aros gyda
thi;
bydd di yn lloches iddynt rhag y
dinistrydd."
Pan ddaw diwedd ar drais,
a pheidio o'r ysbeilio,
a darfod o'r mathrwyr o'r tir,
[5] yna sefydlir gorsedd trwy
deyrngarwch,
ac arni fe eistedd un ffyddlon
ym mhabell Dafydd,
barnwr yn ceisio barn deg
ac yn barod i fod yn gyfiawn.

[6] Clywsom am falchder Moab—
mor falch ydoedd—
ac am ei thraha, ei malais a'i
haerllugrwydd,
heb sail i'w hymffrost.
[7] Am hynny fe uda Moab;
uded Moab i gyd.
Fe[h] riddfana mewn dryswch llwyr
am deisennau rhesin Cir-hareseth.
[8] Oherwydd pallodd erwau Hesbon a
gwinwydd Sibma;
drylliodd arglwyddi'r cenhedloedd ei
brigau cochion;
buont yn cyrraedd hyd at Jaser,
ac yn ymestyn trwy'r anialwch.
Yr oedd ei blagur yn gwthio allan,
ac yn cyrraedd ar draws y môr.
[9] Am hynny wylaf dros winwydd Sibma
fel yr wylais dros Jaser;
dyfrhaf di â'm dagrau, Hesbon ac
Eleale;
canys ar dy ffrwythau haf ac ar dy
gynhaeaf daeth gwaedd.
[10] Ysgubwyd ymaith y llawenydd a'r
gorfoledd o'r dolydd;
mwyach ni chenir ac ni floeddir yn y
gwinllannoedd,
ni sathra'r sathrwr win yn y cafnau,
a rhoddais daw ar weiddi'r
cynaeafwyr.
[11] Am hynny fe alara f'ymysgaroedd fel

---

[g] Tebygol. Hebraeg, *y tŷ a.*   [ng] Felly Groeg. Hebraeg, *fy ffoaduriaid.*
[h] Felly Fersiynau. Hebraeg, *Cewch.*

tannau telyn
dros Moab, a'm perfedd dros Cir-
hareseth.
¹²Pan ddaw Moab i addoli,
ni wna ond ei flino'i hun yn yr uchelfa;
pan ddaw i'r cysegr i weddïo,
ni thycia ddim.
¹³Dyna'r gair a lefarodd yr ARGLWYDD
wrth Moab gynt. ¹⁴Yn awr fe ddywed yr
ARGLWYDD, "Ymhen tair blynedd, yn ôl
tymor gwas cyflog, bydd gogoniant Moab
yn ddirmyg er cymaint ei rhifedi; bydd y
rhai sy'n weddill yn ychydig ac yn
ddibwys."

Yn Erbyn Damascus

17 Yr oracl am Ddamascus:
"Wele fe beidia Damascus â bod
yn ddinas;
bydd yn bentwr o adfeilion.
²Gwrthodir ei dinasoedd am byth¹,
a byddant yn lle i ddiadelloedd
orwedd ynddo heb neb i'w cyffroi.
³Derfydd am y gaer yn Effraim,
ac am y frenhiniaeth yn Namascus;
bydd gweddill Syria fel gogoniant
Israel,"
medd ARGLWYDD y Lluoedd.

⁴"Ac yn y dydd hwnnw,
bydd gogoniant Jacob yn fychan
a braster ei gig yn denau.
⁵Pan fydd medelwr yn casglu'r cnwd
ŷd,
ac yn medi'r tywysennau â'i fraich,
bydd fel lloffa tywysennau yn nyffryn
Reffaim.
⁶Ac ni chaiff ond gweddillion wrth
guro'r olewydd,
dim ond dau ffrwyth neu dri ar flaen y
brigau,
pedwar neu bump o ffrwythau ar
ganghennau'r coed,"
medd yr ARGLWYDD, Duw Israel.

7 Yn y dydd hwnnw fe edrych dyn at ei
Wneuthurwr, a throi ei olwg at Sanct
Israel. ⁸Nid edrychant at yr allorau,
gwaith eu dwylo, nac ychwaith at yr hyn a
wnaeth eu bysedd—y llwyni sanctaidd ac
allorau'r arogldarth. ⁹Yn y dydd hwnnw y
gadewir eu dinasoedd cadarn fel adfeilion
dinasoedd yr Hefiaid a'r Amoriaid¹, a
adawyd o achos yr Israeliaid; a byddant yn
ddiffaith.

¹⁰Oherwydd anghofiaist y Duw a'th
achubodd;
ni chofiaist graig dy gadernid;
am hynny, er i ti blannu planhigion
hyfryd
a gosod impyn estron,
¹¹a'u cael i dyfu ar y dydd y plennaist
hwy
ac i flodeuo yn y bore yr heuaist hwy,
bydd y cnwd wedi crino mewn dydd o
ofid
a gwendid nychlyd.

¹²Och! Twrf pobloedd lawer
yn taranu fel tonnau'r môr;
y mae rhuad y bobloedd fel rhuad
dyfroedd cryfion.
¹³Er bod y bobloedd yn rhuo fel rhuad
dyfroedd mawrion,
pan geryddir hwy, fe ffoant ymhell;
erlidir hwy fel peiswyn ar fynydd o
flaen y gwynt,
fel plu ysgall o flaen corwynt.
¹⁴Tua'r hwyrddydd wele drallod;
cyn y bore aeth y cyfan.
Dyma dynged ein hysbeilwyr,
dyma ran ein rheibwyr.

Yn Erbyn Ethiopia

18 Gwae wlad yr adenydd chwim,
sydd tu draw i afonydd Ethiopia,
²ac yn anfon cenhadau dros y môr
mewn cychod o bapurfrwyn ar wyneb
y dyfroedd.
Ewch, chwi negeswyr cyflym,
at genedl sy'n dal ac yn llyfn,
at bobl a ofnir ymhell ac agos,
cenedl gref sy'n mathru eraill,
a'i thir wedi ei rannu gan afonydd.
³Chwi, holl drigolion byd a phobl y
ddaear,
edrychwch pan godir baner ar y
mynyddoedd,
gwrandewch pan gân yr utgorn.

⁴Fel hyn y dywedodd yr ARGLWYDD
wrthyf:
"Gwyliaf yn llonydd o'm trigfan,
yr un fath â thes yr haul
a chwmwl gwlith yng ngwres y
cynhaeaf."
⁵Canys cyn y cynhaeaf, pan dderfydd y
blodau,
a'r tusw blodau yn troi'n rawnwin
aeddfed,

¹Felly Groeg. Hebraeg, *Bydd dinasoedd Aroer wedi eu gwrthod.*
¹Cymh. Groeg. Hebraeg, *fel tir coediog a rhosydd.*

torrir ymaith y brigau â chyllell finiog,
a thynnir i ffwrdd y cangau sydd ar led.
⁶Fe'u gadewir i gyd i adar rheibus y
mynydd
ac i anifeiliaid gwylltion.
Yno bydd yr adar rheibus yn treulio'r
haf,
a'r anifeiliaid gwylltion yn gaeafu.

7 Yn yr amser hwnnw dygir rhoddion i
ARGLWYDD y Lluoedd gan bobl dal a llyfn,
pobl a ofnir ymhell ac agos, cenedl gref
sy'n mathru eraill, a'i thir wedi ei rannu
gan afonydd, i'r lle sy'n dwyn enw AR-
GLWYDD y Lluoedd, Mynydd Seion.

Yn Erbyn yr Aifft

19 Yr oracl am yr Aifft:
Wele'r ARGLWYDD yn
marchogaeth ar gwmwl buan,
ac yn dod i'r Aifft;
bydd eilunod yr Aifft yn crynu o'i
flaen,
a chalon yr Eifftiaid yn toddi o'u
mewn.
²"Gyrraf Eifftiwr yn erbyn Eifftiwr;
ymladd brawd yn erbyn brawd,
a dyn yn erbyn ei gymydog,
dinas yn erbyn dinas,
a theyrnas yn erbyn teyrnas.
³Palla ysbryd yr Eifftiaid o'u mewn,
a drysaf eu cynlluniau;
ânt i ymofyn â'u heilunod a'u
swynwyr,
â'u dewiniaid a'u dynion hysbys.
⁴Trosglwyddaf yr Aifft i feistr caled,
a theyrnasa brenin creulon arnynt,"
medd yr Arglwydd, ARGLWYDD y
Lluoedd.

⁵Sychir dyfroedd Afon Neil,
bydd yr afon yn hesb a sych,
⁶y ffosydd yn drewi,
ffrydiau Afon Neil yn edwino gan
sychder,
a'r brwyn a'r helyg yn gwywo;
⁷bydd lleiniau o dir moel wrth Afon
Neil,
a bydd popeth a heuir gyda glan yr
afon
yn crino ac yn diflannu'n llwyr.
⁸Bydd y pysgotwyr yn tristáu ac yn
cwynfan,
pob un sy'n taflu bach yn Afon Neil;
bydd y rhai sy'n bwrw rhwydi ar y
dyfroedd yn dihoeni.

⁹Bydd gweithwyr llin mewn trallod,
a'r cribwragedd a'r gwehyddion yn
gwelwi.
¹⁰Bydd y rhai sy'n nyddu yn benisel
a phob crefftwr yn torri ei galon.

¹¹O'r fath ffyliaid, chwi dywysogion
Soan,
y doethion sy'n cynghori Pharo â
chyngor hurt!
Sut y gallwch ddweud wrth Pharo,
"Mab y doethion wyf fi,
o hil yr hen frenhinoedd"?
¹²Ble mae dy ddoethion?
Bydded iddynt lefaru'n awr, a'th
ddysgu
beth a fwriadodd ARGLWYDD y
Lluoedd ynglŷn â'r Aifft.
¹³Gwnaed tywysogion Soan yn ffyliaid,
a thwyllwyd tywysogion Noff;
aeth penaethiaid ei llwythau â'r Aifft
ar gyfeiliorn.
¹⁴Cynhyrfodd yr ARGLWYDD ysbryd
dryswch o'i mewn,
a gwneud i'r Aifft gyfeiliorni ym
mhopeth a wna,
fel y bydd meddwyn yn ymdroi yn ei
gyfog.
¹⁵Ni bydd dim y gellir ei wneud i'r Aifft
gan neb,
na phen na chynffon, na changen na
brwynen.

16 Yn y dydd hwnnw bydd yr Eifftiaid
fel gwragedd yn crynu gan ofn o flaen y
llaw y bydd ARGLWYDD y Lluoedd yn ei
hysgwyd yn eu herbyn. ¹⁷Bydd tir Jwda yn
arswyd i'r Aifft, a phob sôn amdano yn
codi ofn arni, oherwydd y cynllun a
fwriadodd ARGLWYDD y Lluoedd yn ei
herbyn.
18 Yn y dydd hwnnw bydd pump o
ddinasoedd yr Aifft yn siarad iaith Ca-
naan, ac yn tyngu llw o ffyddlondeb i
ARGLWYDD y Lluoedd. Enw un ohonynt
fydd Dinas yr Haul".
19 Yn y dydd hwnnw bydd allor i'r
ARGLWYDD yng nghanol yr Aifft, a chol-
ofn i'r ARGLWYDD ar ei goror. ²⁰Bydd yn
arwydd ac yn dystiolaeth i ARGLWYDD y
Lluoedd yng ngwlad yr Aifft; pan lefant ar
yr ARGLWYDD oherwydd eu gorthrymwyr,
bydd yntau yn anfon gwaredydd iddynt i'w
hamddiffyn a'u hachub. ²¹Bydd yr AR-
GLWYDD yn ei wneud ei hun yn adnaby-
ddus i'r Eifftiaid, a byddant hwythau'n

ⁱ¹Neu, *Dinas Distryw.*

ESEIA 19-21

581

cydnabod yr ARGLWYDD yn y dydd hwnnw, ac yn ei addoli ag aberth a phoethoffrwm, ac yn addunedu i'r ARGLWYDD ac yn talu eu haddunedau iddo. ²²Bydd yr ARGLWYDD yn taro'r Aifft, yn ei tharo ac yn ei gwella; pan ddychwelant at yr ARGLWYDD bydd yntau'n gwrando arnynt ac yn eu hiacháu. ²³Yn y dydd hwnnw bydd priffordd o'r Aifft i Asyria; fe â'r Asyriaid i'r Aifft a'r Eifftiaid i Asyria, a bydd yr Eifftiaid yn addoli gyda'r ᵐ Asyriaid.

24 Yn y dydd hwnnw bydd Israel yn un o dri, gyda'r Aifft ac Asyria, ac yn gyfrwng bendith yng nghanol y byd. ²⁵Bendith ARGLWYDD y Lluoedd fydd, "Bendith ar yr Aifft, fy mhobl, ac ar Asyria, gwaith fy nwylo, ac ar Israel, f'etifeddiaeth."

Neges y Proffwyd Noeth

20 Yn y flwyddyn pan ddaeth y cadfridogⁿ, a anfonwyd gan Sargon brenin Asyria, i Asdod ac ymladd yn ei herbyn a'i hennill, ²dyna'r pryd y dywedodd yr ARGLWYDD wrthº Eseia fab Amos, "Dos, datod y sachliain oddi am dy lwynau, a thyn dy sandalau oddi am dy draed." Fe wnaeth hynny, a cherddodd o amgylch heb ddillad ac yn droednoeth. ³Dywedodd yr ARGLWYDD, "Fel y mae fy ngwas Eseia wedi bod yn cerdded heb ddillad ac yn droednoeth am dair blynedd, yn arwydd a rhybudd yn erbyn yr Aifft ac Ethiopia, ⁴felly y bydd brenin Asyria yn arwain yr Eifftiaid yn gaeth ac Ethiopia i gaethglud, yn ifanc a hen, heb ddillad, yn droednoeth ac yn dinnoeth, yn gywilydd i'r Aifft. ⁵Bydd pawb mewn arswyd a dryswch o achos Ethiopia, eu gobaith, a'r Aifft, eu balchder. ⁶Bydd pawb sy'n trigo ar y traethau hyn yn y dydd hwnnw yn dweud, 'Dyma sydd wedi digwydd i'r rhai yr oeddem ni'n gobeithio ynddynt ac yn dibynnu arnyntᵖ am help a gwaredigaeth o afael brenin Asyria. Sut felly y dihangwn?'"

Yn Erbyn Babilon

21 Yr oracl am anialwch y môr: Fel corwynt yn chwyrlïo dros y Negeb, felly y daw dinistr o'r anialwch, o wlad ofnadwy. ²Mynegwyd gweledigaeth greulon i mi: bradwr yn bradychu, anrheithiwr yn anrheithio. Cod, Elam! I'r gwarchae, Fediaid! Rhof daw ar bob griddfan a achoswyd. ³Am hynny llanwyd fy lwynau â gofid, cydiwyd ynof gan wewyr, fel gwraig wrth esgor; cythryblwyd fi wrth ei glywed, brawychais wrth ei weld. ⁴Y mae fy meddwl yn drysu, a braw yn fy nirdynnu; trodd yr hwyrddydd a ddymunais yn ddychryn imi. ⁵Huliant fwrdd, taenant y lliain, y maent yn bwyta ac yfed. Codwch, chwi dywysogion, gloywch eich tarian. ⁶Oherwydd fel hyn y dywed yr Arglwydd wrthyf: "Dos, gosod wyliwr i fynegi'r hyn a wêl. ⁷Bydd yn gweld cerbyd gyda phâr o feirch, marchog ar asyn neu farchog ar gamel, a bydd yn sylwi'n ddyfal, ddyfal." ⁸Yna fe lefodd y gwyliwrᵖʰ, "'Rwyf wedi sefyll ar y tŵr ar hyd y dydd, O Arglwydd, ac 'rwyf wedi cadw gwyliadwriaeth am nosau cyfan; ⁹a dyma a ddaeth—gŵr mewn cerbyd gyda phâr o feirch, yn dweud, 'Y mae wedi syrthio! Y mae Babilon wedi syrthio, a holl ddelwau ei duwiau wedi eu dryllio i'r llawr.'" ¹⁰Chwi, fy eiddo a fu dan y dyrnwr ac a nithiwyd, mynegais i chwi yr hyn a glywais gan ARGLWYDD y Lluoedd, Duw Israel.

Yn Erbyn Edom

11 Yr oracl am Duma: Geilw un arnaf o Seir, "O wyliwr, beth am y nos? O wyliwr, beth am y nos?" ¹²Atebodd y gwyliwr, "Daw bore, a nos hefyd. Os ydych am ofyn, gofynnwch; a dewch yn ôl eto."

Yn Erbyn Arabia

13 Yr oracl am Arabia: Yn llwyni Arabia y lletywch, chwi garafanau Dedanim;

ᵐNeu, *yn weision i'r.* ⁿNeu, *pan ddaeth Tartan.* ºFelly Groeg. Hebraeg, *trwy.*
ᵖFelly Sgrôl A. Hebraeg, *yn ffoi atynt.* ᵖʰFelly Sgrôl ac un fersiwn. TM. *llew.*

¹⁴dewch â diod i gyfarfod y rhai
sychedig.
Chwi drigolion Tema,
ewch i gyfarfod y fföedigion â bara;
¹⁵oherwydd ffoesant rhag y cleddyf,
rhag y cleddyf noeth
a'r bwa anelog, a rhag pwys y fïwydr.

16 Oherwydd fel hyn y dywed yr
Arglwydd wrthyf: "O fewn blwyddyn, yn
ôl tymor gwas cyflog, daw diwedd ar holl
ogoniant Cedar; ¹⁷ychydig o saethwyr bwa
o blith gwŷr cedyrn Cedar a fydd yn
weddill." Llefarodd yr ARGLWYDD, Duw
Israel.

Yn Erbyn Jerwsalem

22 Yr oracl am ddyffryn y weledi-
gaeth:
Beth sy'n bod? Pam y mae pawb
ohonoch
wedi dringo i bennau'r tai?
²Dinas yn llawn cynnwrf, un mewn
terfysg, tref mewn berw!
Ni laddwyd dy laddedigion â'r cleddyf,
na'th feirwon mewn brwydr.
³Ffodd dy arweinwyr i gyd gyda'i
gilydd,
fe'u daliwyd heb blygu bwa;
daliwyd dy filwyr praffaf' i gyd gyda'i
gilydd,
er iddynt ffoi ymhell i ffwrdd.
⁴Am hynny dywedais, "Trowch eich
golwg oddi wrthyf,
gadewch i mi wylo'n chwerw;
peidiwch â cheisio fy niddanu
am ddinistr merch fy mhobl."

⁵Oherwydd y mae gan yr Arglwydd,
ARGLWYDD y Lluoedd,
ddiwrnod o derfysg, o fathru ac o
ddryswch
yn nyffryn y weledigaeth,
diwrnod o falurio ceyrydd
ac o weiddi yn y mynyddoedd.
⁶Cododd Elam ei gawell saethau,
bachwyd meirch wrth gerbydau
Aram ʳʰ,
dinoethodd Cir ei tharian.
⁷Aeth eich dyffrynnoedd dethol yn
llawn cerbydau,
a'r gwŷr meirch yn gwarchae ar y
pyrth;
⁸dinoethwyd amddiffynfa Jwda.
Yn y dydd hwnnw buoch yn
archwilio'r

arfogaeth yn Nhŷ'r Goedwig,
⁹yn edrych y bylchau yn Ninas Dafydd
am eu bod yn niferus,
ac yn cronni dyfroedd y Llyn Isaf.
¹⁰Buoch hefyd yn rhifo tai Jerwsalem
a thynnu rhai i lawr i ddiogelu'r mur;
¹¹gwnaethoch gronfa rhwng y ddau fur
i ddal y dyfroedd o'r Hen Lyn.
Ond ni roesoch sylw i'r un a'i gwnaeth,
nac ystyried yr hwn a'i lluniodd
erstalwm.

¹²Yn y dydd hwnnw, fe alwodd yr
Arglwydd,
ARGLWYDD y Lluoedd, am wylofain a
galaru,
am eillio pen a gwregysu â sachliain;
¹³ond dyma lawenydd a gorfoledd,
lladd gwartheg a lladd defaid,
bwyta cig ac yfed gwin, a dweud,
"Gadewch inni fwyta ac yfed,
oherwydd yfory byddwn farw."

14 Datguddiodd ARGLWYDD y Lluoedd
hyn yn fy nghlyw, a dweud,
"Yn wir, ni lanheir yr anwiredd hwn
nes i chwi farw."
Dyna a ddywedodd yr Arglwydd,
ARGLWYDD y Lluoedd.

¹⁵Dyma'r hyn a ddywed yr Arglwydd,
ARGLWYDD y Lluoedd:
"Dos, a gofyn i'r swyddog hwn,
Sebna, arolygydd y tŷ,
¹⁶'Beth a wnei di yma, pwy sydd gennyt
yma,
dy fod wedi torri bedd yma i ti dy hun,
gan dorri dy fedd ar le uchel
a naddu claddfa i ti dy hun mewn
craig?
¹⁷Wele, bydd yr ARGLWYDD yn gafael yn
dynn ynot
ac yn dy hyrddio i lawr, ŵr cryf;
¹⁸bydd yn dy chwyrlïo amgylch ogylch,
ac yn dy luchio fel pêl ar faes agored,
llydan.
Yno y byddi farw, ac yno yr erys dy
gerbydau mawreddog,
yn warth i dŷ dy feistr.
¹⁹Fe'th yrraf o'th swydd, ac fe'th fwrir
o'th safle.'"

20 "Yn y dydd hwnnw byddaf yn galw
am fy ngwas Eliacim fab Hilceia, ²¹ac yn ei
wisgo â'th fantell di, ac yn rhwymo dy
wregys amdano, ac yn rhoi d'awdurdod di

ʳFelly Groeg. Hebraeg, *dy filwyr a gafwyd ynot.*

ʳʰTebygol. Hebraeg, *dyn.*

yn ei law. Bydd ef yn dad i drigolion Jerwsalem ac i bobl Jwda. ²²Gosodaf allwedd tŷ Dafydd ar ei ysgwydd; beth bynnag y bydd yn ei agor, ni fydd neb yn gallu ei gau, a beth bynnag y bydd yn ei gau, ni fydd neb yn gallu ei agor. ²³Byddaf yn ei osod yn sicr, fel hoel yn ei lle; bydd yn orsedd ogoneddus yn nhŷ ei dad. ²⁴Ef fydd yn cynnal holl bwys y teulu, yr hil a'r epil, sef yr holl lestri mân, yn gwpanau ac yn gawgiau. ²⁵Yn y dydd hwnnw," medd ARGLWYDD y Lluoedd, "fe symudir yr hoel a osodwyd yn sicr yn ei lle; fe'i torrir ac fe syrthia; dryllir hefyd y llwyth a oedd arni." Llefarodd yr ARGLWYDD.

Yn Erbyn Tyrus

23 Yr oracl am Tyrus:
Udwch, longau Tarsis, oherwydd anrheithiwyd y porthladd; wrth groesi o dir Chittim fe welir hynny.
²Wylwch, drigolion y glannau, masnachwyr Sidon, sy'n tramwyo'r môr,
³a'th weision ar y dyfroedd mawrion ˢ; cnwd Sihor, cynhaeaf Afon Neil, oedd dy gyllid, a masnachwr y cenhedloedd oeddit ti.
⁴Cywilydd arnat, Sidon, canys llefarodd y môr, caer y môr, a dweud,
"Nid wyf mewn gwewyr nac yn esgor, nac yn magu llanciau nac yn meithrin morynion."
⁵Pan ddaw'r newydd i'r Aifft, gwingant wrth glywed am Tyrus.
⁶Ewch drosodd i Tarsis; udwch, drigolion y glannau.
⁷Ai hon yw eich dinas brysur, sydd â'i hanes mor hen, a'i theithio wedi mynd â hi i ymsefydlu mor bell?
⁸Pwy a gynlluniodd hyn yn erbyn Tyrus goronog, oedd â'i masnachwyr yn dywysogion a'i marchnatwyr yn fawrion y ddaear?
⁹ARGLWYDD y Lluoedd a'i cynlluniodd, i ddifwyno pob gogoniant balch, i ddiraddio holl fawrion y ddaear.
¹⁰Bodda dy dir, fel y gwna Afon Neil, ferch Tarsis; nid oes argae mwyach.
¹¹Estynnodd yr ARGLWYDD ei law dros y môr, ysgydwodd deyrnasoedd;

rhoes orchymyn ynghylch Canaan, i ddinistrio ei cheyrydd.
¹²A dywedodd, "Ni chei ymffrostio ddim mwy, ti forwyn a orthrymwyd, ferch Sidon; cod, dos drosodd i Chittim, ond ni chei orffwys yno chwaith."

13 Edrych ar wlad y Caldeaid. Y rhain—nid yr Asyriaid—yw'r bobl a bennodd Tyrus i'r anifeiliaid gwylltion. Hwy a gododd warchae, a dryllio'i phalasau, a'i thynnu i lawr yn adfeilion.

¹⁴Udwch, chwi longau Tarsis, oherwydd anrheithiwyd eich amddiffynfa.
¹⁵Yn yr amser hwnnw fe anghofir Tyrus am ddeng mlynedd a thrigain, sef hyd einioes un brenin; ac ymhen deng mlynedd a thrigain bydd cyflwr Tyrus fel y butain yn y gân:
¹⁶"Cymer dy delyn, rhodianna trwy'r ddinas, di butain a anghofiwyd; tyn yn dyner ar y tannau, cân dy ganeuon yn aml, fel y cofir di drachefn."
¹⁷Ar ddiwedd y deng mlynedd a thrigain, bydd yr ARGLWYDD yn ymweld eto â Tyrus; fe â hithau'n ôl at ei masnach a'i llogi ei hun i bob teyrnas ar y ddaear.
¹⁸Ond bydd ei helw a'i henillion wedi eu neilltuo i'r ARGLWYDD; ni chronnir hwy na'u cuddio, ond bydd ei masnach yn darparu llawnder o fwyd a gwisgoedd hardd i'r rhai sy'n byw yng ngŵydd yr ARGLWYDD.

Dinistr ar y Ddaear

24 Wele, y mae'r ARGLWYDD yn gwacáu'r ddaear, yn ei difrodi, yn ei throi â'i hwyneb i waered, ac yn gyrru ei thrigolion ar wasgar.
²Bydd yr un ffunud i bobl ac i offeiriad, i was ac i feistr, i lawforwyn ac i feistres, i brynwr ac i werthwr, i echwynnwr ac i fenthyciwr, i'r un sy'n derbyn llog ac i'r un sy'n ei dalu.
³Gweneir y ddaear yn gwbl wag, a'i hysbeilio'n llwyr. Oherwydd yr ARGLWYDD a lefarodd y gair hwn.

ˢCymh. Fersiynau a Sgrôl. TM, *cyflawnodd di. Ar y dyfroedd mawrion...*

⁴Gwywodd y ddaear a chrino,
dihoenodd y byd ac edwino,
dihoenodd uchelfeydd y ddaear¹.
⁵Halogwyd y ddaear gan ei
phreswylwyr,
am iddynt dorri'r cyfreithiau, newid y
deddfau
a diddymu'r cyfamod tragwyddol.
⁶Am hynny fe ysir y wlad gan felltith,
ac anrheithir ei thrigolion;
am hynny hefyd fe â'r trigolion yn llai
a llai,
ac ychydig fydd yn weddill.
⁷Fe â'r gwin newydd yn wan,
dihoena'r winwydden,
a thry'r gorfoleddwyr i riddfan.
⁸Bydd sŵn llawen y tympanau yn
peidio,
a thrwst y gyfeddach yn distewi,
a'r delyn hyfryd yn dawel.
⁹Ni fydd yfed gwin yn sŵn canu;
bydd y ddiod yn chwerw i'r yfwr.
¹⁰Bydd dinas anhrefn wedi ei dryllio,
a phob tŷ ar glo rhag i neb fynd iddo.
¹¹Er galw am win yn yr heolydd,
bydd diwedd ar bob cyfeddach,
a diflanna llawenydd o'r wlad.
¹²Anghyfanhedd-dra yn unig a adewir
yn y ddinas,
a bydd ei phyrth wedi eu dryllio'n
gandryll.
¹³Felly y bydd dros y byd i gyd ymhlith y
bobloedd,
fel ar adeg ysgwyd yr olewydd
a lloffa'r gwinwydd ar ôl y cynhaeaf.

¹⁴Byddant yn codi llef a llawenhau,
datganant glod yr ARGLWYDD o'r
gorllewin.
¹⁵Am hynny taler parch i'r ARGLWYDD
yn y dwyrain,
i enw'r ARGLWYDD, Duw Israel, yn
ynysoedd y gorllewin.
¹⁶O eithafoedd y ddaear fe glywn
orfoledd:
"Gogoniant i'r un cyfiawn."
Ond fe ddywedaf fi, "Na'n wir, na'n
wir,
gwae'rᵗʰ twyllwyr a dwyllodd, y
twyllwyr a dwyllodd â'u twyll."
¹⁷Dychryn, pwll, magl
sydd ar dy gyfer, breswylydd y tir;
¹⁸y sawl a ffy o drwst y dychryn
a syrth i'r pwll,

a'r sawl a gyfyd o ganol y pwll
a ddelir yn y fagl.
Oherwydd agorir ffenestri'r uchelder,
ac fe gryna seiliau'r ddaear;
¹⁹dryllir y ddaear yn deilchion,
ei rhwygo drwyddi a'i hysgwyd yn
ffyrnig;
²⁰bydd y ddaear yn gwegian yn ôl a
blaen fel meddwyn,
yn siglo fel caban gwyliwr;
bydd pwysau ei chamwedd mor drwm
arni,
fel y bydd yn syrthio heb godi byth
mwy.

²¹Yn y dydd hwnnw fe gosba'r
ARGLWYDD lu'r nef yn y nef,
a brenhinoedd y ddaear ar y ddaear.
²²Fe'u cesglir ynghyd, yn glòs fel
carcharorion mewn cell;
caeir arnynt yng ngharchar, a'u cosbi
ymhen amser hir.
²³Gwaradwyddir y lloer,
a chywilyddia'r haul,
oherwydd teyrnasa ARGLWYDD y
Lluoedd
ar Fynydd Seion ac yn Jerwsalem,
a'i ogoniant yn amlwg gerbron ei
henuriaid.

Moliant i Dduw

25 O ARGLWYDD, fy Nuw ydwyt ti;
mawrygaf di a chlodforaf dy enw
am iti gyflawni bwriad rhyfeddol,
sy'n sicr a chadarn ers oesoedd.
²Gwnaethost ddinas yn bentwr,
a thref gaerog yn garnedd;
ysgubwyd ymaith y plasty o'r ddinas,
ac nis adeiledir byth eto.
³Am hynny y mae pobl nerthol yn dy
ogoneddu,
a dinasoedd cenhedloedd trahaus yn
dy barchu.
⁴Canys buost yn noddfa i'r tlawd,
yn noddfa i'r anghenus yn ei
gyfyngder,
yn lloches rhag y storm ac yn gysgod
rhag y gwres.
Oherwydd y mae anadl y rhai trahaus
fel gwynt oer,
⁵neu fel gwres ar dir sych.
'Rwyt yn tawelu twrf yr annuwiolᵘ;
fel y bydd gwres yn oeri dan gwmwl,
felly y bydd cân y trahaus yn distewi.

---

¹Felly Groeg. Hebraeg, *uchelfeydd pobl y ddaear.*
ᵗʰFelly Groeg a Targwm. Hebraeg, *gwae fi.*
ᵘFelly Groeg. Hebraeg, *twrf dieithriaid.*

Gwledd ar Fynydd Seion

⁶ Ar y mynydd hwn bydd ARGLWYDD y
  Lluoedd
yn paratoi gwledd o basgedigion i'r
  bobl i gyd,
gwledd o win wedi aeddfedu,
o basgedigion breision a hen win wedi
  ei hidlo'n lân.
⁷ Ac ar y mynydd hwn fe ddifa'r
  gorchudd
a daenwyd dros yr holl bobloedd,
llen galar sy'n cuddio pob cenedl;
⁸ llyncir angau am byth,
a bydd yr ARGLWYDD Dduw yn sychu
  ymaith ddagrau oddi ar bob
  wyneb,
ac yn symud ymaith warth ei bobl o'r
  holl ddaear.
Yr ARGLWYDD a lefarodd hyn.
⁹ Yn y dydd hwnnw fe ddywedir,
"Wele, dyma ein Duw ni.
Buom yn disgwyl amdano i'n gwaredu;
dyma'r ARGLWYDD y buom yn disgwyl
  amdano,
gorfoleddwn a llawenychwn yn ei
  iachawdwriaeth."
¹⁰ Oherwydd bydd llaw yr ARGLWYDD yn
  gorffwys dros y mynydd hwn,
ond fe sethrir Moab dan ei dracd
  fel sathru gwellt mewn tomen;
¹¹ bydd Moab yn estyn ei dwylo allan yn
  ei chanol,
fel nofiwr yn eu hestyn i nofio,
ond fe suddir ei balchder gyda phob
  symudiad dwylo.
¹² Bydd yr ARGLWYDD yn bwrw'r
  amddiffynfa i lawr,
ac yn gwneud eich muriau yn
  gydwastad â'r pridd,
a'u taflu i lawr i'r llwch.

Cân o Foliant

26 Yn y dydd hwnnw cenir y gân
hon yng ngwlad Jwda:
Y mae gennym ddinas gadarn;
gosodwyd muriau a chaerau yn
  ddiogelwch iddi.
² Agorwch y pyrth i'r genedl gyfiawn
  ddod i mewn,
y genedl sy'n cadw'r ffydd.
³ Yr wyt yn cadw mewn heddwch
  perffaith
y sawl sydd â'i feddylfryd arnat,
am ei fod yn ymddiried ynot.
⁴ Ymddiriedwch yn yr ARGLWYDD o
  hyd,
canys craig dragwyddol yw'r
ARGLWYDD Dduw.
⁵ Y mae'n tynnu i lawr breswylwyr yr
  uchelder
a'r ddinas ddyrchafedig;
fe'i gwna'n wastad, yn gydwastad â'r
  llawr,
a'i bwrw i'r llwch;
⁶ fe'i sethrir dan draed, traed y rhai
  truenus,
a than sang y rhai tlawd.
⁷ Y mae'r llwybr yn wastad i'r rhai
  cyfiawn;
a gwnaed ffordd union i'r cyfiawn.
⁸ edrychwn ninnau atat ti, O
ARGLWYDD,
am lwybr dy farnedigaethau;
d'enw di a'th goffa di yw ein dyhead
  dwfn.
⁹ Deisyfaf di â'm holl galon drwy'r nos,
a cheisiaf di'n dacr gyda'r wawr;
oherwydd pan fydd dy farnedigaethau
  yn y wlad,
bydd trigolion byd yn dysgu
  cyfiawnder.
¹⁰ Er gwneud cymwynas â'r annuwiol, ni
  ddysg gyfiawnder;
fe wna gam hyd yn oed mewn gwlad
  gyfiawn,
ac ni wêl fawredd yr ARGLWYDD.
¹¹ O ARGLWYDD, dyrchafwyd dy law,
  ond nis gwelant;
gad iddynt weld dy sêl dros dy bobl, ac
  arswydo;
a bydded i dân d'elyniaeth eu hysu.
¹² ARGLWYDD, ti sy'n trefnu heddwch i
  ni,
oherwydd ti a wnaeth ein holl
  weithredoedd trosom.
¹³ O ARGLWYDD ein Duw, er i arglwyddi
  eraill reoli trosom,
dy enw di yn unig a gydnabyddwn.
¹⁴ Y maent yn feirw, heb fedru byw,
yn ysbrydion, heb fedru codi mwyach.
I hynny y cosbaist hwy a'u difetha,
a diddymu pob atgof amdanynt.
¹⁵ Ond cynyddaist y genedl, O
ARGLWYDD,
cynyddaist y genedl, a'th ogoneddu dy
  hun;
estynnaist holl derfynau'r wlad.
¹⁶ Mewn adfyd, O ARGLWYDD, fe'th
  geisiant,
mewn trybini oherwydd dy gerydd
  arnynt.
¹⁷ Fel y bydd gwraig ar fin esgor
yn gwingo a gweiddi gan boen,

felly y'n ceir ni yn dy ŵydd, O
ARGLWYDD;
¹⁸yr oeddem yn feichiog, ac fel pe baem
ar fin esgor,
a heb eni dim ond gwynt.
Ni chawsom waredigaeth i'r wlad,
nac epilio ar rai i drigiannu'r byd.
¹⁹Ond bydd dy feirw di yn byw,
a'u cyrff marw yn codi.
Chwi sy'n trigo yn y llwch, deffrowch a
chanwch;
oherwydd y mae dy wlith fel gwlith
goleuni,
a thithau'n peri iddo ddisgyn ar fro'r
cysgodion.

²⁰Dewch, fy mhobl, ewch i'ch ystafell,
caewch y drws, ac ymguddiwch am
ennyd,
nes i'r llid gilio.
²¹Canys wele, y mae'r ARGLWYDD yn
dod allan o'i fangre
i gosbi trigolion y ddaear am eu
drygioni;
yna fe ddatgela'r ddaear y gwaed a
dywalltwyd,
ac ni chuddia ei lladdedigion byth
mwy.

Gwaredigaeth i Israel

27 Yn y dydd hwnnw bydd yr AR-
GLWYDD â'i gleddyf creulon, mawr
a nerthol yn cosbi Lefiathan, y sarff
wibiog, Lefiathan, y sarff gordeddog, ac
yn lladd y ddraig sydd yn y môr. ²Yn y
dydd hwnnw y canwch gân y winllan
ddymunol:
³"Myfi, yr ARGLWYDD, fydd yn ei
chadw,
ei dyfrhau bob munud,
a'i gwylio nos a dydd,
rhag i neb ei cham-drin.
⁴Nid oes gennyf lid yn ei herbyn;
os drain a mieri a rydd imi,
rhyfelaf yn ei herbyn, a'u llosgi i gyd;
⁵ond os yw am afael ynof am sicrwydd,
gwnaed heddwch â mi,
gwnaed heddwch â mi."

⁶Fe ddaw'r adeg i Jacob fwrw gwraidd,
ac i Israel flodeuo a blaguro,
a llenwi'r ddaear i gyd â chnwd.

⁷A drawodd Duw ef fel y trawodd ef yr
un a'i trawodd?

A laddwyd ef fel y lladdodd ef yr un a'i
lladdodd?
⁸Trwy symud ymaith a bwrw allan, yr
wyt yn ei barnu,
ac yn ei hymlid â gwynt creulon pan
gyfyd o'r dwyrain.
⁹Am hynny, fel hyn y mae glanhau
pechod Jacob,
a hyn^w fydd yn symud ymaith ei
anwiredd—
gwneud holl feini'r allor
fel cerrig calch wedi eu malu,
heb lwyn nac allor yn sefyll.
¹⁰Oherwydd y mae'r ddinas gadarn yn
unig,
yn fangre wedi ei gadael a'i gwrthod,
fel diffeithdir,
lle y mae'r llo yn pori a gorwedd,
ac yn cnoi pob blaguryn sy'n tyfu.
¹¹Pan wywa'i changau, fe'u torrir,
a daw'r gwragedd a chynnau tân â
hwy.
Am mai pobl heb ddeall ydynt,
ni fydd eu gwneuthurwr yn dangos dim
trugaredd,
na'u creawdwr yn gwneud dim ffafr â
hwy.

¹²Yn y dydd hwnnw bydd yr ARGLWYDD
yn dyrnu ŷd
o Afon Ewffrates hyd Afon yr Aifft,
ac fe gewch chwi, blant Israel, eich
lloffa bob yn un ac un.
¹³Yn y dydd hwnnw fe genir ag utgorn
mawr;
ac fe ddaw'r rhai oedd ar goll yng
ngwlad Asyria,
a'r rhai oedd ar chwâl yn yr Aifft,
ac addoli'r ARGLWYDD yn y mynydd
sanctaidd,
yn Jerwsalem.

Gwae ar Effraim

28 Gwae goronau balch meddwon
Effraim,
blodau gwyw eu haddurn gogoneddus
ar ben y beilchion^y bras a orchfygwyd
gan win.
²Wele, y mae gan yr ARGLWYDD un
nerthol a chryf;
fel storm o genllysg, fel tymestl
ddinistriol,
fel cenllif o ddyfroedd yn gorlifo'n
ddilyw,
fe ymesyd yn ddidostur ar y ddaear.

---

^wHebraeg yn ychwanegu *yr holl ffrwyth.*
^yTebygol. Hebraeg, *y dyffryn.* Felly hefyd yn adn. 4.

³Bydd coronau balch meddwon
   Effraim
wedi eu mathru dan draed;
⁴a bydd blodau gwyw eu haddurn
   gogoneddus
ar ben y beilchion bras
fel ffigysen gynnar cyn yr haf;
pan wêl dyn hi fe'i llynca gyda'i bod yn
   ei law.

⁵Yn y dydd hwnnw bydd ARGLWYDD y
   Lluoedd
yn goron odidog, yn dorch brydferth i
   weddill ei bobl,
⁶yn ysbryd tegwch i'r sawl sy'n eistedd
   mewn barn,
ac yn gadernid i'r sawl sy'n troi'r rhyfel
   draw o'r porth.

⁷Ond y mae eraill sy'n simsan gan win,
ac yn gwegian yn eu diod;
y mae'r offeiriad a'r proffwyd yn
   simsan yn eu diod,
ac wedi drysu gan win;
y maent yn gwegian mewn diod,
yn simsan yn eu gweledigaeth,
ac yn baglu yn eu dyfarniad.
⁸Y mae pob bwrdd yn un chwydfa;
nid oes unman heb fudreddi.

⁹"Pwy y mae'n ceisio'i ddysgu,
ac i bwy y mae am roi gwers?
Ai rhai newydd eu diddyfnu
a'u tynnu oddi wrth y fron?
¹⁰Y mae fel dysgu sillafu:
'o s' am 'os', 'o s' am 'os'; 'a c' am
   'ac', 'a c' am 'ac'—
gair bach yma, gair bach draw."
¹¹Yn wir, trwy iaith estron a thafod
   dieithr
y lleferir wrth y bobl hyn,
¹²y rhai y dywedodd wrthynt,
"Dyma'r orffwysfa, rhowch orffwys i'r
   lluddedig,
dyma'r esmwythfa"—ond ni fynnent
   wrando.
¹³Ond dyma air yr ARGLWYDD iddynt:
"Mater o ddysgu sillafu yw hi:
'o s' am 'os', 'o s' am 'os'; 'a c' am
   'ac', 'a c' am 'ac'—
gair bach yma, gair bach draw."
Felly, wrth fynd ymlaen, fe syrthiant
   yn ôl,
a'u clwyfo, a'u baglu a'u dal.

¹⁴Am hynny, gwrandewch air yr
   ARGLWYDD, chwi wŷr gwatwarus,

penaethiaid y bobl hyn sydd yn
   Jerwsalem.
¹⁵Yr ydych chwi'n dweud, "Gwnaethom
   gyfamod ag angau
a chynghrair â Sheol:
pan fydd y ffrewyll lethol yn mynd
   heibio, ni fydd yn cyffwrdd â ni,
am inni wneud celwydd yn noddfa inni
a cheisio lloches mewn twyll."
¹⁶Am hynny, fel hyn y dywed yr
   ARGLWYDD Dduw:
"Wele fi'n gosod carreg sylfaen yn
   Seion,
maen a brofwyd, conglfaen
   gwerthfawr, sylfaen safadwy;
ni frysia'r sawl sy'n credu.
¹⁷Gwnaf farn yn llinyn mesur,
a chyfiawnder yn blymen;
bydd y cenllysg yn ysgubo ymaith eich
   noddfa cclwydd,
a'r dyfroedd yn boddi eich lloches;
¹⁸diddymir eich cyfamod ag angau,
ac ni saif eich cynghrair â Sheol.
Pan â'r ffrewyll lethol heibio
cewch eich mathru dani.
¹⁹Bob tro y daw heibio, fe'ch tery;
y naill fore ar ôl y llall fe ddaw,
liw dydd a liw nos."
Ni fydd namyn dychryn i'r sawl a
   ddeall y wers.
²⁰Y mae'r gwely'n rhy fyr i ddyn
   ymestyn ynddo,
a'r cwrlid yn rhy gul i'w blygu amdano.
²¹Bydd yr ARGLWYDD yn codi fel ar
   Fynydd Perasim,
ac yn bwrw ei ddicter fel yn nyffryn
   Gibeon,
i orffen ei waith, ei ddieithr waith,
ac i gyflawni ei orchwyl, ei estron
   orchwyl.
²²Yn awr, peidiwch â'ch gwatwar,
rhag i'r rhwymau dynhau amdanoch,
canys clywais gyhoeddi diwedd a
   therfyn ar yr holl wlad
gan Arglwydd DDUW y Lluoedd.

²³Clywch, gwrandewch arnaf,
rhowch sylw, a gwrandewch ar fy
   ngeiriau.
²⁴A fydd yr arddwr yn aredig trwy'r
   dydd ar gyfer hau,
trwy'r dydd yn torri'r tir ac yn ei lyfnu?
²⁵Oni fydd, ar ôl lefelu'r wyneb,
yn taenu ffenigl ac yn gwasgaru
   cwmin,
yn hau gwenith a haidd ᵃ,

ᵃFelly Fersiynau. Hebraeg yn ychwanegu dau air amwys.

a cheirch ar y dalar?
²⁶Y mae ei Dduw yn ei hyfforddi
ac yn ei ddysgu'n iawn.
²⁷Nid â llusgen y dyrnir ffenigl,
ac ni throir olwyn men ar gwmin;
ond dyrnir ffenigl â ffon,
a'r cwmin â gwialen.
²⁸Fe felir ŷd i gael bara,
ac nid yw'r dyrnwr yn ei falu'n llwyr;
er gyrru olwyn men drosto,
ni chaiff y meirch ei fathru.
²⁹Daw hyn hefyd oddi wrth ARGLWYDD
y Lluoedd;
y mae ei gyngor yn rhyfeddol
a'i allu'n fawr.

Gwae ar Ddinas Dafydd

29 Gwae Ariel, Ariel,
y ddinas lle gwersyllodd Dafydd.
Gadewch i'r blynyddoedd fynd heibio,
aed y gwyliau yn eu cylch;
²yna dygaf gyfyngder ar Ariel,
a bydd galar a chwynfan;
bydd yn Arielᵇ mewn gwirionedd i mi.
³Gwersyllaf o'th gwmpas fel cylch,
gwarchaeaf o'th amgylch â thyrau,
codaf offer gwarchae yn dy erbyn.
⁴Fe'th ddarostyngir, a byddi'n llefaru
o'r pridd,
ac yn sisial dy eiriau o'r llwch;
daw dy lais fel llais ysbryd o'r pridd,
daw sibrwd dy eiriau o'r llwch.

⁵Ond bydd tyrfa dy elynion fel llwch
mân,
a thyrfa dy gaseion fel us yn mynd
heibio;
yna'n sydyn, ar amrantiad,
⁶fe'th gosbir gan ARGLWYDD y Lluoedd
â tharan a daeargryn a sŵn mawr,
â storm a thymestl a fflam dân ysol.
⁷Bydd holl dyrfa'r cenhedloedd sy'n
rhyfela yn erbyn Ariel,
yn erbyn ei holl amddiffynfa a'i
chadernid, ac yn ei gormesu,
fel breuddwyd, fel gweledigaeth nos—
⁸fel y bydd dyn newynog yn
breuddwydio ei fod yn bwyta,
ac yn deffro a'i gael ei hun yn wag,
fel y bydd dyn sychedig yn
breuddwydio ei fod yn yfed,
ac yn deffro a'i gael ei hun yn wan a
sychedig.
Felly y bydd gyda thyrfa'r holl
genhedloedd
sy'n fyddin yn erbyn Mynydd Seion.

ᵇH.y., *allor danllyd.*

⁹Safwch yn syn a syfrdan, yn ddall a
hurt;
ewch yn feddw, ond nid ar win,
yn chwil, ond nid ar ddiod gadarn.
¹⁰Canys tywalltodd yr ARGLWYDD
arnoch ysbryd trwmgwsg;
caeodd eich llygaid, sef y proffwydi,
a gorchuddiodd eich pennau, sef y
gweledyddion.
¹¹Aeth y broffwydoliaeth i gyd fel geiriau
llyfr dan sêl. Os rhoddir ef i un a all
ddarllen, a dweud, "Darllen hwn i mi", fe
etyb, "Ni allaf, oherwydd y mae wedi ei
selio." ¹²Ac os rhoddir ef i un na all
ddarllen, a dweud, "Darllen hwn i mi", fe
etyb, "Ni fedraf air ar lyfr."

13 Yna fe ddywedodd yr ARGLWYDD,
"Oherwydd bod y bobl hyn yn nesáu
ataf
a thalu gwrogaeth i mi â geiriau yn
unig,
ond eu calon ymhell oddi wrthyf,
a'u parch i mi yn ddim ond cyfraith
dynion wedi ei dysgu ar gof,
¹⁴am hynny wele fi'n gwneud rhyfeddod
eto,
ac yn syfrdanu'r bobl hyn;
difethir doethineb eu doethion
a chuddir deall y rhai deallus."

¹⁵Gwae y rhai sy'n cloddio'n ddwfn
i gadw eu cynllwyn ynghudd rhag
yr ARGLWYDD;
am fod eu gwaith yn y tywyllwch,
dywedant, "Pwy sy'n ein gweld? Pwy
sy'n gwybod?"
¹⁶Troi popeth o chwith yr ydych.
A yw'r crochenydd i'w ystyried fel
clai?
A ddywed y peth a wnaethpwyd am ei
wneuthurwr,
"Nid ef a'm gwnaeth"?
A ddywed y llestr am ei luniwr, "Nid
yw'n deall"?

¹⁷Onid ychydig bach fydd eto
nes troi Lebanon yn ddoldir,
a chyfrif y doldir yn brysgwydd?
¹⁸Yn y dydd hwnnw bydd y rhai byddar
yn clywed geiriau o lyfr,
a llygaid y deillion yn gweld allan o'r
tywyllwch dudew.
¹⁹Caiff y rhai llariaidd eto lawenychu yn
yr ARGLWYDD,
a'r tlotaf o ddynion ymffrostio yn

Sanct Israel.
²⁰ Darfu am y rhai creulon, peidiodd y
  rhai trahaus,
torrir ymaith bob un sy'n barod i
  wneud anwiredd,
²¹ a phawb sy'n cyhuddo dyn o
  gamwedd,
yn gosod magl i'r un sy'n erlyn yn y
  porth,
ac yn atal barn trwy dwyllo'r cyfiawn.

22 Am hynny, fel hyn y dywed yr
ARGLWYDD wrth dŷ Jacob, y Duw a
waredodd Abraham:
"Nid yw'n amser i Jacob gywilyddio,
  nac yn awr i'w wyneb welwi;
²³ pan wêl ef ei blant, gwaith fy nwylo o'i
  fewn,
fe sanctciddiant fy enw,
sancteiddiant Sanct Jacob,
ac ofnant Dduw Israel;
²⁴ a bydd y rhai cyfeiliornus o ysbryd yn
  dysgu deall,
a'r rhai gwrthnysig yn derbyn gwers."

Gwae ar y Genedl Wrthryfelgar

30 "Gwae chwi, blant
         gwrthryfelgar,"
medd yr ARGLWYDD,
"sy'n gweithio cynllun na ddaeth oddi
  wrthyf fi,
ac yn dyfeisio planiau nad
  ysbrydolwyd gennyf fi,
ac yn pentyrru pechod ar bechod.
² Ânt i lawr i'r Aifft, heb ofyn fy marn,
i geisio help gan Pharo, a lloches yng
  nghysgod yr Aifft.
³ Ond bydd help Pharo yn dwyn gwarth
  arnoch,
a lloches yng nghysgod yr Aifft yn
  waradwydd.
⁴ Canys, er bod ei swyddogion yn Soan
a'i genhadau mor bell â Hanes,
⁵ fe ddaw pob un i gywilydd oherwydd
  pobl ddi-fudd,
nad ydynt yn help na llesâd, ond yn
  warth a gwaradwydd."

6 Oracl am anifeiliaid y Negeb:
Trwy wlad caledi a loes,
gwlad y llewes a'r llew,
y wiber a'r sarff hedegog wenwynig,
fe gludant eu cyfoeth ar gefn asynnod
a'u trysorau ar grwmp camelod,
at bobl ddi-fudd.
⁷ Canys y mae help yr Aifft yn ofer a
  gwag;

am hynny galwaf hi, Rahab segur.

⁸ Yn awr dos ac ysgrifenna ar lech,
a nodi hyn mewn llyfr,
iddo fod mewn dyddiau a ddaw
yn dystiolaeth barhaol.
⁹ Pobl wrthryfelgar yw'r rhain,
meibion celwyddog,
meibion na fynnant wrando cyfraith yr
  ARGLWYDD,
¹⁰ ond sy'n dweud wrth y gweledyddion,
"Peidiwch ag edrych",
ac wrth y proffwydi, "Peidiwch â
  phroffwydo i ni bethau uniawn,
ond llefarwch weniaith a
  gweledigaethau hudolus.
¹¹ Trowch o'r ffordd, gadewch y llwybr
  uniawn,
parwch i Sanct Israel adael llonydd i
  ni."

¹² Am hynny, fe ddywed Sanct Israel fel
  hyn:
"Am i chwi wrthod y gair hwn
ac ymddiried mewn twyll a cham, a
  phwyso arnynt,
¹³ bydd yr anwiredd hwn yn eich golwg
fel mur uchel a hollt yn rhedeg i lawr
  ar ei hyd,
ac yn sydyn, mewn eiliad, yn chwalu;
¹⁴ bydd yn torri fel llestr crochenydd,
yn chwilfriw ulw mân;
ni cheir ymysg ei ddarnau
gragen i godi tân oddi ar aelwyd,
neu i godi dŵr o ffos."

¹⁵ Canys fel hyn y dywed yr Arglwydd
DDUW, Sanct Israel:
"Wrth ddychwelyd a bod yn dawel y
  byddwch gadwedig,
wrth lonyddu a bod yn hyderus y
  byddwch gadarn.
Ni fynnwch chwi hyn, ond dweud,
¹⁶ 'Nid felly, fe ffown ni ar feirch.'
Felly bydd yn rhaid i chwi ffoi.
'Fe farchogwn ni feirch cyflym,'
  meddwch.
Felly bydd eich erlidwyr yn gyflym.
¹⁷ Bydd mil yn ffoi ar fygythiad un;
ar fygythiad pump, fe ffowch nes eich
  gadael
fel lluman ar ben mynydd,
ac fel baner ar fryn."
¹⁸ Er hynny, y mae'r ARGLWYDD yn
  disgwyl
i gael trugarhau wrthych,
ac yn barod i ddangos tosturi.

Canys Duw cyfiawnder yw'r
ARGLWYDD;
gwyn ei fyd pob un sy'n disgwyl wrtho.

19 Chwi bobl Seion, trigolion Jerwsalem, peidiwch ag wylo mwyach. Bydd ef yn rasol wrth sŵn dy gri; pan glyw di, fe'th etyb. ²⁰ Er i'r Arglwydd roi iti fara adfyd a dŵr cystudd, ni chuddir dy athrawon mwyach, ond caiff dy lygaid eu gweld. ²¹ Pan fyddwch am droi i'r dde neu i'r chwith, fe glywch â'ch clustiau lais o'ch ôl yn dweud, "Dyma'r ffordd, rhodiwch ynddi." ²² Fe ffieiddiwch eich delwau arian cerfiedig a'ch eilunod euraid. Gwrthodi hwy fel budreddi; dywedi wrthynt, "Bawiach." ²³ Ac fe rydd ef iti law i'r had a heui yn y pridd, a bydd cynnyrch y ddaear yn rawn bras a llawn; bydd dy anifeiliaid yn pori mewn porfa eang yn y dydd hwnnw, ²⁴ a chaiff yr ychen a'r asynnod sy'n llafurio'r tir eu bwydo â phorthiant blasus, wedi ei nithio â fforch a rhaw. ²⁵ Ar bob mynydd uchel a bryn dyrchafedig bydd afonydd a ffrydiau o ddŵr, yn nydd y lladdfa fawr, pan syrth y tyrau. ²⁶ A bydd llewyrch y lleuad fel llewyrch yr haul, a llewyrch yr haul yn seithwaith mwy, fel llewyrch saith diwrnod, ar y dydd pan fydd yr ARGLWYDD yn rhwymo briw ei bobl, ac yn iacháu'r archoll ar ôl eu taro.

Dinistr Asyria

²⁷ Wele, daw enw'r ARGLWYDD o bell;
bydd ei ddigofaint yn llosgi a'i
gynddaredd yn llym,
ei wefusau'n llawn o ddicter
a'i dafod fel tân ysol,
²⁸ ei anadl fel llifeiriant yn rhuthro
ac yn cyrraedd at y gwddf;
bydd yn hidlo'r cenhedloedd â gogr
dinistriol,
ac yn gosod ffrwyn ym mhennau'r
bobloedd i'w hudo.
²⁹ Ond i chwi fe fydd cân, fel ar noson o
ŵyl sanctaidd;
a bydd eich calon yn llawen, fel
llawenydd rhai'n dawnsio i sŵn
ffliwt
wrth fynd i fynydd yr ARGLWYDD, at
Graig Israel.
³⁰ Bydd yr ARGLWYDD yn peri clywed ei
lais mawreddog,
ac yn dangos ei fraich yn taro
mewn dicter llidiog a fflamau tân ysol,
mewn torgwmwl a thymestl a
chenllysg.

³¹ Bydd Asyria yn brawychu rhag sŵn yr
ARGLWYDD,
pan fydd ef yn taro â'i wialen.
³² Wrth iddo'i gosbi, bydd pob curiad o'i
wialen,
pan fydd yr ARGLWYDD yn ei gosod
arno,
yn cadw'r amser i dympanau a
thelynau,
yn y rhyfeloedd pan gyfyd ei fraich i
ymladd yn eu herbyn.
³³ Oherwydd darparwyd Toffet
erstalwm,
a'i baratoi i'r brenin,
a'i wneud yn ddwfn ac yn eang,
a'i bwll tân yn llawn o goed,
ac anadl yr ARGLWYDD fel ffrwd o
frwmstan
yn cynnau'r tân.

Ni Ddaw Cymorth o'r Aifft

31 Gwae'r rhai sy'n mynd i lawr i'r
Aifft am gymorth,
ac yn ymddiried mewn meirch,
a'u hyder mewn rhifedi cerbydau a
chryfder gwŷr meirch,
ond sydd heb edrych at Sanct Israel,
na cheisio'r ARGLWYDD.
² Ond y mae ef yn fedrus i ddwyn
dinistr,
ac nid yw'n galw ei air yn ôl;
fe gyfyd yn erbyn tŷ'r rhai drygionus
ac yn erbyn swcwr y drwgweithredwyr.
³ Dynion yw'r Eifftiaid, nid Duw;
a chnawd yw eu meirch, nid ysbryd;
pan fydd yr ARGLWYDD yn estyn ei
law,
fe fagla'r cynorthwywr ac fe syrthia'r
sawl a gynorthwyir,
a darfyddant oll gyda'i gilydd.
⁴ Fel hyn y dywedodd yr ARGLWYDD
wrthyf:
"Fel y rhua llew neu lew ifanc
uwchben ei ysglyfaeth—
ac er galw lliaws o fugeiliaid yn ei
erbyn
nid yw'n dychryn rhag eu gwaedd, nac
yn ofni rhag eu twrf—
felly y daw ARGLWYDD y Lluoedd i
lawr
i frwydro dros Fynydd Seion a'i bryn.
⁵ Fel yr adar yn hofran uwchben,
felly y bydd ARGLWYDD y Lluoedd yn
amddiffyn Jerwsalem;
bydd yn amddiffyn a gwaredu, yn
arbed ac achub."

6 Dychwelwch at yr un a adawsoch yn llwyr, feibion Israel. [7]Oherwydd yn y dydd hwnnw bydd pob un ohonoch yn dirmygu'r eilun arian a'r eilun aur a wnaeth eich dwylo mewn pechod.

[8]"Syrth Asyria drwy gleddyf, ond nid un dynol,
a chleddyf nad yw'n eiddo dyn fydd yn ei ddifa;
os gallant ffoi rhag y cleddyf,
bydd y gwŷr ifainc yn gwneud llafur gorfod;
[9]bydd ei gadernid yn pallu gan fraw,
a'i swyddogion yn rhy ofnus i ffoi,"
medd yr Arglwydd, sydd â'i dân yn llosgi yn Seion
a'i ffwrn yn Jerwsalem.

Teyrnas Cyfiawnder

32 Wele, bydd brenin yn teyrnasu mewn cyfiawnder,
a'i dywysogion yn llywodraethu mewn barn,
[2]pob un yn gysgod rhag y gwynt
ac yn lloches rhag y dymestl,
fel afonydd dyfroedd mewn sychdir,
fel cysgod craig fawr mewn tir blinedig.
[3]Ni chaeir llygaid y rhai sy'n gweld,
ac fe glyw clustiau'r rhai sy'n gwrando;
[4]bydd calon y difeddwl yn synied ac yn deall,
a thafod y bloesg yn siarad yn llithrig a chlir.
[5]Ni elwir mwyach y coegddyn yn fonheddig,
ac ni ddywedir bod y cnaf yn llednais.
[6]Oherwydd y mae'r coeg yn traethu coegni,
a'i galon yn meddwl anwiredd,
i weithio annuwioldeb,
i draethu celwydd am yr Arglwydd;
y mae'n atal bwyd rhag y newynog,
ac yn gwrthod diod i'r sychedig.
[7]Y mae cynllwyn y cnaf yn faleisus;
y mae'n dyfeisio camwri
i ddifetha'r tlawd trwy dwyll,
a gwadu cyfiawnder i'r anghenus.
[8]Ond y mae'r anrhydeddus yn gweithredu anrhydedd,
ac yn ei anrhydedd y saif.
[9]Safwch, chwi wragedd moethus, a chlywch;
gwrandewch fy ymadroddion, chwi ferched segur.

[10]Ymhen ychydig dros flwyddyn cewch eich ysgwyd o'ch difrawder,
oherwydd derfydd y cynhaeaf gwin, a chwithau heb gasglu ffrwyth.
[11]Chwi sy'n ddiofal, pryderwch,
ymysgydwch o'ch difrawder.
Tynnwch eich dillad ac ymnoethi;
rhowch sachliain am eich lwynau.
[12]Curwch eich bronnau
am y meysydd braf a'r gwinwydd ffrwythlon,
[13]am dir fy mhobl, sy'n tyfu drain a mieri,
ac am yr holl dai diddan yn y ddinas lon.
[14]Canys cefnwyd ar y palas,
a gwacawyd y ddinas boblog.
Aeth y gaer a'r tŵr yn ogofeydd am byth,
yn hyfrydwch i'r asynnod gwyllt
ac yn borfa i'r preiddiau.
[15]Pan dywelltir arnom ysbryd oddi fry,
a'r anialwch yn mynd yn ddoldir,
a'r doldir yn cael ei ystyried yn goetir,
[16]yna caiff barn drigo yn yr anialwch
a chyfiawnder gartrefu yn y doldir;
[17]bydd cyfiawnder yn creu heddwch,
a'i effeithiau yn llonyddwch a diogelwch hyd byth.
[18]Yna bydd fy mhobl yn trigo mewn bro heddychlon,
mewn anheddau diogel, a chartrefi tawel,
[19]a'r goedwig wedi ci thorri i lawr,
a'r ddinas yn gydwastad â'r pridd.
[20]Gwyn eich byd chwi sy'n hau wrth lan pob afon,
ac yn gollwng yr ych a'r asyn yn rhydd.

Cymorth mewn Argyfwng

33 Gwae di, anrheithiwr na chefaist dy anrheithio,
ti dwyllwr na chefaist dy dwyllo;
pan beidi â thwyllo, fe'th dwyllir di.
[2]O Arglwydd, trugarha wrthym, yr ydym yn gobeithio ynot;
bydd yn nerth i ni[c] bob bore,
ac yn iachawdwriaeth i ni ar awr gyfyng.
[3]Gan sŵn terfysg fe ffy pobloedd,
gan dy daranu[ch] di fe wasgerir cenhedloedd.
[4]Cesglir eich ysbail fel petai lindys yn ei gasglu;
fel haid o locustiaid fe heidir o'i gylch.

[c]Felly rhai llawysgrifau a Fersiynau. TM, iddynt.

[ch]Felly Sgrôl A. TM, dy ddyrchafiad.

⁵Dyrchafwyd yr ARGLWYDD, fe drig yn
   yr ucheldir;
fe leinw Seion â barn a chyfiawnder,
⁶ac ef fydd sicrwydd dy amserau.
Doethineb a gwybodaeth fydd cyfoeth
   dy iachawdwriaeth,
ac ofn yr ARGLWYDD fydd dy drysor.

⁷Clyw! Y mae'r glewion yn galw o'r tu
   allan,
a chenhadau heddwch yn wylo'n
   chwerw.
⁸Y mae'r priffyrdd yn ddiffaith,
heb neb yn troedio'r ffordd;
diddymwyd cyfamodau, diystyrwyd
   cytundebau ᵈ,
nid yw dyn yn cyfrif dim.
⁹Y mae'r wlad mewn galar a gofid,
Lebanon wedi drysu a gwywo;
aeth Saron yn anialwch,
a Basan a Charmel heb ddail.
¹⁰"Ond yn awr mi godaf," medd yr
   ARGLWYDD,
"yn awr mi ymddyrchafaf, yn awr
   byddaf yn uchel.
¹¹Yr ydych yn feichiog o us ac yn esgor
   ar sofl;
tân yn eich ysu fydd eich anadl;
¹²bydd y bobl fel llwch calch,
fel drain wedi eu torri a'u llosgi yn y
   tân."

¹³Chwi rai pell, gwrandewch beth a
   wneuthum,
ac ystyriwch fy nerth, chwi rai agos.
¹⁴Mae'r pechaduriaid yn Seion yn ofni,
a'r annuwiol yn crynu gan ddychryn:
"Pwy ohonom a all fyw gyda thân ysol,
a phwy a breswylia mewn llosgfa
   dragwyddol?"
¹⁵Y sawl sy'n rhodio'n gyfiawn ac yn
   dweud y gwir,
sy'n gwrthod elw trawster,
sy'n cau ei ddwrn rhag derbyn
   llwgrwobr,
sy'n cau ei glustiau rhag clywed am
   lofruddio,
sy'n cau ei lygaid rhag edrych ar
   anfadwaith.
¹⁶Y mae ef yn trigo yn yr uchelder,
a'i loches yn amddiffynfeydd y
   creigiau,
a'i fara'n dod iddo, a'i ddŵr yn sicr.

¹⁷Fe wêl dy lygaid frenin yn ei degwch,

a syllant ar dir pell;
¹⁸geilw dy feddwl i gof yr ofnau:
"Ble mae'r un sy'n mesur a phwyso?
Ble mae'r un sy'n cyfri'r trysorau?"
¹⁹Ni chei weld pobl farbaraidd,
pobl a'u hiaith yn rhy ddieithr i'w
   dirnad,
a'u tafod yn rhy floesg i'w ddeall.
²⁰Edrych ar Seion, dinas ein
   huchelwyliau;
bydded dy lygaid yn gweld Jerwsalem,
bro diddanwch, pabell na symudir;
ni thynnir un o'i phegiau byth,
ac ni thorrir un o'i rhaffau.
²¹Yno, yn wir, y mae gennym fawrhydi'r
   ARGLWYDD,
a mangre afonydd a ffrydiau llydain;
ni fydd llong rwyfau'n tramwy yno,
na llong fawr yn hwylio heibio.
²²Yr ARGLWYDD yw ein barnwr,
yr ARGLWYDD yw ein deddfwr;
yr ARGLWYDD yw ein brenin,
ac ef fydd yn ein gwaredu.

²³Y mae dy raffau'n llac,
heb ddal yr hwylbren yn gadarn yn ei
   le,
ac nid yw'r hwyliau wedi eu lledu.

Yna fe rennir ysbail ac anrhaith mawr,
a bydd y cloff yn rheibio ysglyfaeth.
²⁴Ni ddywed neb o'r preswylwyr,
   "'Rwy'n glaf",
a maddeuir i'r trigolion eu pechodau.

Barn ar y Cenhedloedd

34 Nesewch i wrando, chwi
   genhedloedd;
clywch, chwi bobloedd.
Gwrandawed y ddaear a'i llawnder,
y byd a'i holl gynnyrch.
²Canys y mae dicter yr ARGLWYDD yn
   erbyn yr holl bobl;
a'i lid ar eu holl luoedd;
difroda hwy a'u rhoi i'w lladd.
³Bwrir allan eu lladdedigion,
cyfyd drewdod o'u celanedd,
a throchir y mynyddoedd â'u gwaed.
⁴Malurir holl lu'r nefoedd,
plygir yr wybren fel sgrôl,
a chwymp ei holl lu,
fel cwympo dail oddi ar winwydden
a ffrwyth aeddfed oddi ar ffigysbren.
⁵Canys ymddengys ᵈᵈ cleddyf yr
   ARGLWYDD ᵉ yn y nef;

ᵈFelly Sgrôl A. Hebraeg, *dinasoedd*.   ᵈᵈFelly Sgrôl A. Hebraeg, *mwydo*.
ᵉTebygol. Hebraeg, *fy nghleddyf*.

wele, fe ddisgyn ar Edom,
ar y bobl a ddedfryda^f i farn.
⁶ Y mae gan yr ARGLWYDD gleddyf
wedi ei drochi mewn gwaed a'i besgi ar
fraster,
ar waed ŵyn a bychod a braster
arennau hyrddod.
Y mae gan yr ARGLWYDD aberth yn
Bosra,
a lladdfa fawr yn nhir Edom.
⁷ Daw ychen gwyllt i lawr gyda hwy,
a bustych gyda theirw;
mwydir eu tir gan waed,
a bydd eu pridd yn doreithiog gan y
braster.
⁸ Canys y mae gan yr ARGLWYDD ddydd
dial,
a chan ryswr Seion flwyddyn talu'r
pwyth.
⁹ Troir afonydd Edom yn byg, a'i phridd
yn frwmstan;
bydd ei gwlad yn byg yn llosgi;
¹⁰ nis diffoddir na nos na dydd,
a bydd ei mwg yn esgyn am byth.
O genhedlaeth i genhedlaeth bydd yn
ddiffaith,
ac ni fydd neb yn ei thramwyo byth
eto.
¹¹ Fe'i meddiennir gan y dylluan ac
aderyn y bwn,
a bydd y dylluan wen a'r gigfran yn
trigo yno;
bydd ef yn estyn drosti linyn anhrefn,
a phlymen tryblith dros ei dewrion.
¹² Fe'i gelwir yn lle heb deyrn,
a bydd ei holl dywysogion yn ddiddim.
¹³ Bydd drain yn tyfu yn ei phalasau,
danadl ac ysgall o fewn ei cheyrydd;
bydd yn drigfan i fleiddiaid,
yn gyrchfan i adar yr anial.
¹⁴ Bydd yr anifeiliaid gwyllt a'r siacal yn
cydgrynhoi,
a'r bwch-gafr yn galw ar ei gymar;
yno hefyd y clwyda'r ŵyll
ac y daw o hyd i'w gorffwysfa.
¹⁵ Yno y nytha'r dylluan,
a dodwy ei hwyau a'u deor,
a chasglu ei chywion dan ei hadain;
yno hefyd y bydd y barcutiaid yn
ymgasglu,
pob un gyda'i gymar.
¹⁶ Chwiliwch yn llyfr yr ARGLWYDD,
darllenwch ef;
ni chollir dim un o'r rhain,
ni fydd un ohonynt heb ei gymar;

canys genau'r ARGLWYDD a
orchmynnodd,
a'i ysbryd ef a'u casglodd ynghyd.
¹⁷ Ef hefyd a drefnodd eu cyfran,
a'i law a rannodd iddynt â llinyn
mesur;
cânt ei meddiannu hyd byth,
a phreswylio ynddi o genhedlaeth i
genhedlaeth.

Llawenydd wrth Ddychwelyd

35 Llawenyched yr anial a'r sychdir,
gorfoledded y diffeithwch, a
blodeuo.
² Blodeued fel maes o saffrwn,
a gorfoleddu â llawenydd a chân.
Rhodder gogoniant Lebanon iddo,
mawrhydi Carmel a Saron;
cânt weld gogoniant yr ARGLWYDD,
a mawrhydi ein Duw ni.
³ Cadarnhewch y dwylo llesg,
cryfhewch y gliniau gwan;
⁴ dywedwch wrth y pryderus,
"Ymgryfhewch, nac ofnwch.
Wele, daw eich Duw chwi â dial;
â thâl ofnadwy^{ff} fe ddaw i'ch
gwaredu."
⁵ Yna te agorir llygaid y deillion
a chlustiau'r byddariaid;
⁶ fe lama'r cloff fel hydd,
fe gân tafod y mudan;
tyr dyfroedd allan yn yr anialwch,
ac afonydd yn y diffeithwch;
⁷ bydd y crastir yn llyn,
a'r tir sych yn ffynhonnau byw;
yn y tir garw, lle cyrcha'r siacal,
bydd gweirglodd o gorsennau a brwyn.
⁸ Yno bydd priffordd a ffordd,
a gelwir hi yn ffordd sanctaidd;
ni bydd yr halogedig yn mynd ar
hyd-ddi;
bydd yn ffordd i'r pererin,
ac nid i'r cyfeiliorn, i grwydro ar
hyd-ddi.
⁹ Ni ddaw llew yno,
ni ddring bwystfil rheibus iddi—
ni cheir y rheini yno.
Ond y rhai a arbedwyd fydd yn rhodio
arni,
¹⁰ a gwaredigion yr ARGLWYDD fydd yn
dychwelyd.
Dônt i Seion dan ganu,
â llawenydd tragwyddol ar bob un;
hebryngir hwy gan lawenydd a
gorfoledd,
a bydd gofid a griddfan yn ffoi ymaith.

Tebygol. Hebraeg, *a ddedfrydaf.*   ^{ff}Neu, *â thâl Duw.*

Asyria yn Erbyn Jerwsalem
(2 Bren. 18:13-27; 2 Cron. 32:1-19)

36 Yn y bedwaredd flwyddyn ar ddeg o deyrnasiad Heseceia, ymosododd Senacherib brenin Asyria ar holl ddinasoedd caerog Jwda a'u goresgyn. ²Ac anfonodd brenin Asyria y prif swyddog⁸ â byddin gref o Lachis i Jerwsalem at y Brenin Heseceia; ac fe safodd wrth bistyll y Llyn Uchaf, sydd gerllaw priffordd Maes y Pannwr. ³Daeth Eliacim fab Hilceia, arolygwr y palas, ato i'r fan honno, a chydag ef Sebna yr ysgrifennydd a Joa fab Asaff, y cofiadur. ⁴Dywedodd y prif swyddog wrthynt, "Dywedwch wrth Heseceia mai dyma neges yr ymerawdwr, brenin Asyria: 'Beth yw sail yr hyder hwn sydd gennyt? ⁵A wyt ti'n meddwl bod geiriau yn gwneud y tro ar gyfer rhyfel, yn lle cynllun a nerth? Ar bwy, ynteu, yr wyt yn dibynnu wrth godi gwrthryfel yn f'erbyn? ⁶Ai'r Aifft—ffon o gorsen wedi ei hysigo, sy'n rhwygo ac anafu llaw dyn os pwysa arni? Un felly yw Pharo brenin yr Aifft i bwy bynnag sy'n dibynnu arno. ⁷Neu os dywedi wrthyf, "Yr ydym yn dibynnu ar yr ARGLWYDD ein Duw", onid ef yw'r un y tynnodd Heseceia ei uchelfeydd a'i allorau, a dweud wrth Jwda a Jerwsalem, "O flaen yr allor hon yr addolwch"? ⁸Yn awr, beth am daro bargen gyda'm meistr, brenin Asyria: rhof ddwy fil o feirch iti, os gelli di gael marchogion iddynt. ⁹Neu sut y gelli wrthod un capten o blith gweision lleiaf fy meistr, a dibynnu ar yr Aifft am gerbydau a marchogion? ¹⁰Heblaw hyn, ai heb yr ARGLWYDD y deuthum i fyny yn erbyn y wlad hon i'w dinistrio? Yr ARGLWYDD a ddywedodd wrthyf, "Dos i fyny yn erbyn y wlad hon, a dinistria hi".'"

11 Dywedodd Eliacim a Sebna a Joa wrth y prif swyddog, "Gwell gennym iti siarad â ni yn Aramaeg, oherwydd yr ydym yn ei deall, a pheidio â siarad yn Hebraeg yng nghlyw'r bobl sydd ar y mur." ¹²Ond atebodd y prif swyddog, "Ai at dy feistr a thithau yr anfonodd fy meistr fi i ddweud fy neges, yn hytrach nag at y bobl sydd ar y mur, a fydd, fel chwithau, yn bwyta eu tom ac yn yfed eu dŵr eu hunain?" ¹³Yna fe safodd y prif swyddog a gweiddi'n uchel mewn Hebraeg, "Clywch eiriau'r ymerawdwr,

brenin Asyria; ¹⁴dyma y mae'n ei ddweud: 'Peidiwch â gadael i Heseceia eich twyllo; ni all ef eich gwaredu. ¹⁵Peidiwch â chymryd eich perswadio ganddo i ddibynnu ar yr ARGLWYDD pan yw'n dweud, "Bydd yr ARGLWYDD yn siŵr o'n gwaredu, ac ni roddir y ddinas hon i afael brenin Asyria." ¹⁶Peidiwch â gwrando ar Heseceia.' Dyma eiriau brenin Asyria: 'Gwnewch ddelerau heddwch â mi; dewch allan ataf; ac yna caiff pob un fwyta o'i winwydden ac o'i ffigysbren, ac yfed dŵr o'i ffynnon ei hun, ¹⁷nes i mi ddod i'ch dwyn i wlad debyg i'ch gwlad eich hun, gwlad ŷd a gwin, gwlad bara a gwinllannoedd. ¹⁸Cymerwch ofal rhag i Heseceia eich hudo chwi trwy ddweud, "Bydd yr ARGLWYDD yn ein gwaredu." A yw duw unrhyw un o'r cenhedloedd wedi gwaredu ei wlad o afael brenin Asyria? ¹⁹Ple mae duwiau Hamath ac Arpad? Ple mae duwiau Seffarfaim? A wnaethant hwy waredu Samaria o'm gafael? ²⁰Prun o holl dduwiau'r gwledydd hyn sydd wedi gwaredu ei wlad o'm gafael? Sut, ynteu, y mae'r ARGLWYDD yn mynd i waredu Jerwsalem o'm gafael?'" ²¹Cadw'n ddistaw a wnaeth y bobl, heb ateb gair, oherwydd yr oedd y brenin wedi rhoi gorchymyn nad oeddent i'w ateb. ²²Yna daeth Eliacim fab Hilceia, arolygwr y palas, a Sebna yr ysgrifennydd a Joa fab Asaff, y cofiadur, at Heseceia, a'u dillad wedi eu rhwygo, ac adrodd wrtho yr hyn yr oedd y prif swyddog wedi ei ddweud.

Addo Gwaredigaeth i Jerwsalem
(2 Bren. 19:1-19)

37 Pan glywodd y Brenin Heseceia yr hanes, rhwygodd yntau ei ddillad a rhoi sachliain amdano a mynd i dŷ'r ARGLWYDD, ²ac anfon Eliacim arolygwr y palas, a Sebna yr ysgrifennydd, a'r rhai hynaf o'r offeiriaid, i gyd mewn sachliain, at y proffwyd Eseia fab Amos, ³i ddweud wrtho, "Fel hyn y dywed Heseceia: 'Y mae heddiw'n ddydd o gyfyngder a cherydd a gwarth; y mae fel pe bai plant ar fin cael eu geni, a'r fam heb nerth i esgor arnynt. ⁴O na fyddai'r ARGLWYDD dy Dduw yn gwrando ar eiriau'r prif swyddog a anfonwyd gan ei feistr, brenin Asyria, i gablu'r Duw byw, a hefyd yn ei geryddu am y geiriau a glywodd yr ARGLWYDD dy Dduw! Dos i weddi dros y gweddill sydd

⁸Neu, *Rabsace.*

ar ôl.' " ⁵Pan ddaeth gweision y Brenin Heseceia at Eseia, ⁶dywedodd Eseia wrthynt, "Dywedwch wrth eich meistr, 'Fel hyn y dywed yr ARGLWYDD: Paid ag ofni'r pethau a glywaist pan oedd llanciau brenin Asyria yn fy nghablu. ⁷Edrych, 'rwy'n rhoi ysbryd ynddo, ac fe glyw si fydd yn peri iddo ddychwelyd i'w wlad; hefyd, gwnaf iddo syrthio gan y cleddyf yn y wlad honno.' "

8 Pan ddychwelodd y prif swyddog, cafodd ar ddeall fod brenin Asyria wedi gadael Lachis, a'i fod yn rhyfela yn erbyn Libna. ⁹Ond pan ddeallodd fod Tirhaca brenin Ethiopia ar ei ffordd i ryfela yn ei erbyn, fe anfonodd genhadau eilwaith ⁿᵍ at Heseceia a dweud, ¹⁰"Dywedwch wrth Heseceia brenin Jwda, 'Paid â chymryd dy dwyllo gan dy Dduw, yr wyt yn ymddiried ynddo, ac sy'n dweud na roddir Jerwsalem i afael brenin Asyria. ¹¹Y mae'n siŵr dy fod wedi clywed am yr hyn a wnaeth brenhinoedd Asyria i'r holl wledydd, a'u bod wedi eu difrodi; a gei di dy arbed? ¹²A waredodd duwiau'r cenhedloedd hwy—y cenhedloedd a ddinistriodd fy nhadau, fel Gosan a Haran a Reseff, a meibion Eden a drigai yn Telassar? ¹³Ple mae brenhinoedd Hamath, Arpad, Lahir ʰ, Seffarfaim, Hena ac Ifa?' "

Gweddi Heseceia

14 Cymerodd Heseceia'r neges gan y cenhadau a'i darllen. Yna aeth i fyny i dŷ'r ARGLWYDD, a'i hagor yng ngŵydd yr ARGLWYDD, ¹⁵a gweddïo fel hyn: ¹⁶"O ARGLWYDD y Lluoedd, Duw Israel, sydd wedi ei orseddu ar y cerwbiaid, ti yn unig sydd Dduw dros holl deyrnasoedd y byd; tydi a wnaeth y nefoedd a'r ddaear. ¹⁷O ARGLWYDD, gogwydda dy glust a chlyw; O ARGLWYDD, agor dy lygaid a gwêl; gwrando'r neges a anfonodd Senacherib i watwar y Duw byw. ¹⁸Y mae'n wir, O ARGLWYDD, fod brenhinoedd Asyria wedi difa'r holl genhedloedd a'r gwledydd, ¹⁹a thaflu eu duwiau i'r tân; cawsant eu dinistrio am nad duwiau mohonynt, eithr gwaith dwylo dyn, o goed a charreg. ²⁰Yn awr, O ARGLWYDD ein Duw, gwared ni o'i afael ef, ac yna caiff holl deyrnasoedd y ddaear wybod mai ti yw'r ARGLWYDD, tydi yn unig."

Neges Eseia
(2 Bren. 19:20-37)

21 Anfonodd Eseia fab Amos at Heseceia a dweud, "Fel hyn y dywed yr ARGLWYDD, Duw Israel: Oherwydd i ti weddïo arnaf ynghylch Senacherib brenin Asyria, ²²dyma'r gair a lefarodd yr ARGLWYDD yn ei erbyn ef:

'Y mae'r forwyn, merch Seion, yn dy ddirmygu,
yn chwerthin am dy ben;
y mae merch Jerwsalem yn ysgwyd ei phen ar dy ôl.
²³Pwy wyt ti yn ei ddifenwi ac yn ei gablu?
Yn erbyn pwy yr wyt yn codi dy lais?
Yr wyt yn gwneud ystum dirmygus
yn erbyn Sanct Israel.
²⁴Trwy dy weision fe geblaist yr ARGLWYDD, a dweud,
"Gyda lliaws fy ngherbydau dringais yn uchel i gopa'r mynyddoedd,
i bellterau Lebanon;
torrais y praffaf o'i gedrwydd, a'r dewisaf o'i ffynidwydd;
euthum i'w gwr uchaf, ei lechweddau coediog;
²⁵cloddiais ffynhonnau ac yfed eu dyfroedd;
â gwadn fy nhroed sychais holl ffrydiau Afon Neil."

²⁶" 'Oni chlywaist i mi wneud hyn erstalwm,
ac i mi lunio hyn yn y dyddiau gynt?
Bellach 'rwy'n ei ddwyn i ben;
bydd dinasoedd caerog yn syrthio yn garneddau wedi eu dinistrio;
²⁷bydd y trigolion, a'u nerth yn pallu,
yn ddigalon ac mewn gwarth,
fel gwellt y maes, llysiau gwyrdd a glaswellt pen to
wedi eu deifio gan wynt y dwyrain ⁱ.
²⁸Rwy'n gwybod pryd yr wyt yn codi ac ⁱ yn eistedd,
yn mynd allan ac yn dod i mewn,
a'r modd yr wyt yn cynddeiriogi yn f'erbyn.
²⁹Oherwydd dy fod yn cynddeiriog yn f'erbyn,
a bod sŵn dy draha yn fy nghlustiau,
fe osodaf fy mach yn dy ffroen
a'm ffrwyn yn dy weflau,

ⁿᵍFelly 2 Bren. 19:9. Hebraeg, *a chlywodd.*
ⁱFelly Sgrôl A. TM, *deifio cyn iddo dyfu.*

ʰNeu, *dinas.*
ⁱFelly Sgrôl A. Hebraeg heb *yn codi ac.*

a'th yrru'n ôl ar hyd y ffordd y
daethost.'

30 "Bydd hyn yn arwydd i ti, Heseceia.
Eleni bwyteir yr hyn sy'n tyfu ohono'i
hun, a'r flwyddyn nesaf yr hyn sydd wedi
ei hau ohono'i hun; ac yn y drydedd
flwyddyn cewch hau a medi, a phlannu
gwinllannoedd hefyd a bwyta'u ffrwyth.
³¹Bydd y dihangol a adewir yn nhŷ Jwda
yn gwreiddio at i lawr ac yn ffrwytho at i
fyny; ³²oherwydd allan o Jerwsalem fe
ddaw gweddill, a rhai dihangol allan o
Fynydd Seion. Sêl ARGLWYDD y Lluoedd a
wna hyn.

33 "Am hynny, fel hyn y dywed yr
ARGLWYDD am frenin Asyria:
'Ni ddaw ef i mewn i'r ddinas hon,
nac anfon saeth i mewn iddi;
nid ymosoda arni â tharian,
na chodi clawdd yn ei herbyn.
³⁴Ar hyd y ffordd y daeth fe ddychwel,
ac ni ddaw i mewn i'r ddinas hon,'
medd yr ARGLWYDD.
³⁵'Byddaf yn darian i'r ddinas hon i'w
gwaredu,
er fy mwyn fy hun ac er mwyn fy
ngwas Dafydd.' ''

36 Yna aeth angel yr ARGLWYDD i
wersyll yr Asyriaid a tharo i lawr gant
wyth deg a phump o filoedd; pan ddaeth y
bore, cafwyd hwy i gyd yn gelanedd
meirwon. ³⁷Yna aeth Senacherib brenin
Asyria i ffwrdd a dychwelyd i Ninefe ac
aros yno. ³⁸Pan oedd yn addoli yn nheml ei
dduw Nisroch, daeth ei feibion Adram-
melech a Sareser a'i ladd â'r cleddyf, ac
yna dianc i wlad Ararat. Daeth ei fab
Esarhadon i'r orsedd yn ei le.

Gwaeledd Heseceia
(2 Bren. 20:1-11; 2 Cron. 32:24-26)

38 Yn y dyddiau hynny aeth
Heseceia'n glaf hyd farw, a daeth
y proffwyd Eseia fab Amos ato a dweud,
"Fel hyn y dywed yr ARGLWYDD: 'Trefna
dy dŷ, oherwydd 'rwyt ar fin marw; ni
fyddi fyw.' '' ²Troes Heseceia ei wyneb at
y pared a gweddïo ar yr ARGLWYDD, ³a
dweud, "O ARGLWYDD, cofia fel yr
oeddwn yn rhodio ger dy fron di â
chywirdeb a chalon berffaith, ac yn
gwneud yr hyn oedd dda yn dy olwg." Ac
fe wylodd Heseceia'n chwerw. ⁴Yna daeth
gair yr ARGLWYDD at Eseia a dweud,

ᴵᴵFelly rhai llawysgrifau. TM, *darfyddiad.*

⁵"Dos, dywed wrth Heseceia, 'Fel hyn y
dywed yr ARGLWYDD, Duw dy dad
Dafydd: Clywais dy weddi a gwelais dy
ddagrau; yn awr 'rwyf am ychwanegu
pymtheng mlynedd at dy ddyddiau. ⁶A
gwaredaf di a'r ddinas hon o afael brenin
Asyria, a byddaf yn gysgod dros y ddinas
hon. ⁷Dyma arwydd i ti oddi wrth yr
ARGLWYDD, y bydd yr ARGLWYDD yn
gwneud yr hyn a ddywedodd. ⁸Edrych, yr
wyf yn peri i'r cysgod a deflir ar risiau
Ahas gan yr haul fynd yn ei ôl ddeg o
risiau.' '' Ac aeth yr haul yn ei ôl ddeg o'r
grisiau yr oedd eisoes wedi mynd i lawr
drostynt.

9 Cerdd Heseceia brenin Jwda, pan
fu'n glaf ac yna gwella o'i glefyd:
¹⁰Dywedais, "Yn anterth fy nyddiau
rhaid i mi fynd,
a chael fy symud i byrth y bedd weddill
fy mlynyddoedd";
¹¹dywedais, "Ni chaf weld yr ARGLWYDD
yn nhir y rhai byw,
ac ni chaf edrych eto ar neb o drigolion
y byd ᴵᴵ.
¹²Dygwyd fy nhrigfan oddi arnaf
a'i symud i ffwrdd fel pabell bugail;
fel gwehydd 'rwy'n dirwyn fy nyddiau i
ben,
i'w torri ymaith o'r gwŷdd.
O fore hyd nos 'rwyt yn fy narostwng.
¹³O fel 'rwy'n dyheu am y bore!
Maluriwyd fy esgyrn fel gan lew;
o fore hyd nos 'rwyt yn fy narostwng.
¹⁴'Rwy'n trydar fel gwennol neu
fronfraith,
'rwy'n cwynfan fel colomen.
Blinodd fy llygaid ar edrych i fyny;
O ARGLWYDD, pledia ar fy rhan a
gwna iawn drosof."
¹⁵Beth allaf fi ei ddweud?
Llefarodd ef wrthyf ac fe'i gwnaeth.
Ciliodd fy nghwsg i gyd,
am ei bod mor chwerw arnaf.

¹⁶ARGLWYDD, trwy'r pethau hyn y bydd
dyn fyw,
ac yn yr holl bethau hyn y mae hoen fy
ysbryd.
Adfer fi, gwna i mi fyw.

¹⁷Wele, er lles y bu'r holl chwerwder
hwn i mi;
dygaist fi'n ôl o bwll difodiant,
a thaflu fy holl bechodau y tu ôl i'th
gefn.

¹⁸Canys ni fydd y bedd yn diolch i ti,
nac angau yn dy glodfori;
ni all y rhai sydd wedi disgyn i'r pwll
obeithio am dy ffyddlondeb.
¹⁹Ond y byw, y byw yn unig fydd yn
diolch i ti,
fel y gwnaf finnau heddiw;
gwna tad i'w blant wybod am dy
ffyddlondeb.
²⁰Yr ARGLWYDD a'm gwared i;
am hynny canwn â'n hoffer cerdd
holl ddyddiau ein bywyd
yn nhŷ'r ARGLWYDD.

21 Yr oedd Eseia wedi dweud,
"Gadewch iddynt gymryd swp o ffigys, a'i
osod ar y cornwyd, ac fe fydd byw." ²²A
dywedodd Heseceia, "Beth yw'r prawf y
caf fynd i fyny i dŷ'r ARGLWYDD?"

Negeswyr o Fabilon
(2 Bren. 20:12-19)

39 Yr adeg honno anfonodd Mero-
dach Baladan, mab Baladan bren-
in Babilon, genhadau gydag anrheg i
Heseceia, oherwydd clywsai fod Heseceia
wedi bod yn wael ac wedi gwella. ²Croes-
awodd Heseceia hwy, a dangos iddynt ei
drysordy, yr arian a'r aur a'r perlysiau a'r
olew persawrus, a hefyd yr holl gelfi a
phob peth oedd yn ei drysorfa; nid oedd
dim yn ei dŷ nac yn ei holl deyrnas nas
dangosodd Heseceia iddynt. ³Yna daeth y
proffwyd Eseia at y Brenin Heseceia a
gofyn, "Beth a ddywedodd y dynion hyn,
ac o ble y daethant?" Atebodd Heseceia,
"Daethant ataf o wlad bell, o Fabilon."
⁴Yna holodd, "Beth a welsant yn dy dŷ?"
Dywedodd Heseceia, "Gwelsant y cwbl
sydd yn fy nhŷ; nid oes dim yn fy
nhrysordy nad wyf wedi ei ddangos
iddynt." ⁵Yna dywedodd Eseia wrth
Heseceia, "Gwrando air ARGLWYDD y
Lluoedd: ⁶'Wele'r dyddiau'n dyfod pan
ddygir pob peth sydd yn dy dŷ di, a phob
peth a grynhôdd dy dadau hyd y dydd
hwn, i Fabilon, ac ni adewir dim,' medd yr
ARGLWYDD. ⁷'Dygir oddi arnat rai o'r
meibion a genhedli, a byddant yn weision
ystafell yn llys brenin Babilon.' " ⁸Yna
dywedodd Heseceia wrth Eseia, "O'r
gorau; gair yr ARGLWYDD yr wyt yn ei
lefaru." Meddyliai, "Bydd heddwch a
sicrwydd dros fy nghyfnod i o leiaf."

Neges o Gysur

40 Cysurwch, cysurwch fy mhobl—
dyna orchymyn eich Duw.
²Siaradwch yn dyner wrth Jerwsalem,
a dywedwch wrthi
ei bod wedi cwblhau ei thymor
gwasanaeth
ac wedi gorffen ei phenyd,
ei bod wedi derbyn yn ddwbl oddi ar
law'r ARGLWYDD
am ei holl bechod.
³Llais un yn galw,
"Paratowch yn yr anialwch ffordd yr
ARGLWYDD,
unionwch yn y diffeithwch briffordd
i'n Duw ni.
⁴Caiff pob pant ei godi,
pob mynydd a bryn ei ostwng;
gwneir y tir ysgythrog yn llyfn,
a'r tir anwastad yn wastadedd.
⁵Datguddir gogoniant yr ARGLWYDD,
a holl blant dynion ynghyd yn ei weld.
Genau'r ARGLWYDD a lefarodd."

⁶Llais un yn dweud, "Galw";
a daw'r ateb, "Beth a alwaf?
Y mae pob dyn meidrol fel glaswellt,
a'i holl nerth fel blodeuyn y maes.
⁷Y mae'r glaswellt yn crino, a'r
blodeuyn yn gwywo
pan chwyth anadl yr ARGLWYDD arno.
Yn wir, glaswellt yw'r bobl.
⁸Y mae'r glaswellt yn crino, a'r
blodeuyn yn gwywo;
ond y mae gair ein Duw ni yn sefyll
hyd byth."

⁹Dring i fynydd uchel,
ti, Seion, sy'n cyhoeddi neges,
cod dy lais yn gryf;
ti, Jerwsalem, sy'n cyhoeddi neges,
gwaedda, paid ag ofni.
Dywed wrth ddinasoedd Jwda,
"Dyma eich Duw chwi."
¹⁰Wele'r Arglwydd DDUW
yn dod mewn nerth,
yn rheoli â'i fraich.
Wele, y mae ei wobr ganddo,
a'i dâl gydag ef.
¹¹Y mae'n porthi ei braidd fel bugail,
ac â'i fraich yn eu casglu ynghyd;
y mae'n cludo'r ŵyn yn ei gôl,
ac yn coleddu'r mamogiaid.

¹²Pwy a fesurodd y dyfroedd yng
nghledr ei law,
a gosod terfyn y nefoedd â'i rychwant?

Pwy a roes holl bridd y ddaear mewn
mantol,
a phwyso'r mynyddoedd mewn tafol,
a'r bryniau mewn clorian?
¹³Pwy a esyd derfyn i ysbryd yr
ARGLWYDD,
a bod yn gyfarwyddwr i'w ddysgu?
¹⁴Â phwy yr ymgynghora ef i ennill deall,
a phwy a ddysg iddo lwybrau barn?
Pwy a ddysg iddo wybodaeth,
a'i gyfarwyddo yn llwybrau deall?
¹⁵Y mae'r cenhedloedd fel defnyn allan
o gelwrn,
i'w hystyried fel mân lwch y
cloriannau;
y mae'r ynysoedd mor ddibwys â'r
llwch ar y llawr.
¹⁶Nid oes yn Lebanon ddigon o goed i
roi tanwydd,
na digon o anifeiliaid i wneud offrwm.
¹⁷Nid yw'r holl genhedloedd yn ddim
ger ei fron ef;
y maent yn llai na dim, ac i'w hystyried
yn ddiddim.

¹⁸I bwy, ynteu, y cyffelybwch Dduw?
Pa lun a dynnwch ohono?
¹⁹Ai delw? Crefftwr sy'n llunio honno,
ac eurych yn ei goreuro
ac yn gwneud cadwyni arian iddi.
²⁰Y mae un sy'n rhy dlawd i wneud
hynny
yn dewis darn o bren na phydra,
ac yn ceisio crefftwr cywrain
i'w osod i fyny'n ddelw na ellir ei
syflyd.

²¹Oni wyddoch? Oni chlywsoch?
Oni fynegwyd i chwi o'r dechreuad?
Onid ydych wedi amgyffred er
sylfaenu'r ddaear?
²²Y mae ef yn eistedd ar gromen y
ddaear,
a'i thrigolion yn ymddangos fel
locustiaid.
Y mae'n taenu'r nefoedd fel llen,
ac yn ei lledu fel pabell i drigo ynddi.
²³Y mae'n gwneud y mawrion yn
ddiddim,
a rheolwyr y ddaear yn dryblith.
²⁴Prin eu bod wedi eu plannu na'u hau,
prin bod eu gwraidd wedi cydio yn y
pridd,
nag y bydd ef yn chwythu arnynt, a
hwythau'n gwywo,
a chorwynt yn eu dwyn ymaith fel us.

²⁵"I bwy, ynteu, y cyffelybwch fi?
Tebyg i bwy?" meddai'r Sanct.
²⁶Codwch eich llygaid i fyny;
edrychwch, pwy a fu'n creu'r pethau
hyn?
Pwy a fu'n galw allan eu llu fesul un
ac yn rhoi enw i bob un ohonynt?
Gan faint ei nerth, a'i fod mor
eithriadol gryf,
nid oes yr un ar ôl.

²⁷Pam y dywedi, O Jacob,
ac y lleferi, O Israel,
"Cuddiwyd fy nghyflwr oddi wrth yr
ARGLWYDD,
ac aeth fy hawliau o olwg fy Nuw."
²⁸Oni wyddost, oni chlywaist?
Duw tragwyddol yw'r ARGLWYDD
a greodd gyrrau'r ddaear;
ni ddiffygia ac ni flina,
ac y mae ei ddeall yn anchwiliadwy.
²⁹Y mae'n rhoi nerth i'r diffygiol,
ac yn ychwanegu cryfder i'r dirym.
³⁰Y mae'r ifainc yn diffygio ac yn blino,
a'r cryfion yn syrthio'n llipa;
³¹ond y mae'r rhai sy'n disgwyl wrth yr
ARGLWYDD
yn adennill eu nerth;
y maent yn magu adenydd fel eryr,
yn rhedeg heb flino,
ac yn rhodio heb ddiffygio.

Cymorth i Israel

41 "Rhowch sylw astud i mi,
chwi ynysoedd,
bydded i'r bobl nesáuᵐ;
bydded iddynt nesáu a llefaru;
down ynghyd i farn.

²"Pwy sy'n codi un o'r dwyrain,
a buddugoliaeth yn ei gyfarfod bob
cam?
Y mae'n bwrw cenhedloedd i lawr o'i
flaen,
ac yn darostwng brenhinoedd.
Y mae'n eu gwneud fel llwch â'i
gleddyf,
fel us yn chwyrlïo â'i fwa.
³Y mae'n eu hymlid, ac yn tramwyo'n
ddiogel
ar hyd llwybrau na fu neb yn eu
troedio.
⁴Pwy a wnaeth ac a gyflawnodd hyn,
a galw'r cenedlaethau o'r dechreuad?
Myfi, yr ARGLWYDD, yw'r dechrau,
a myfi sydd yno yn y diwedd hefyd."

ᵐTebygol. Hebraeg, *bydded i'r bobl adennill eu nerth.* Cymh. 40:31.

⁵Gwelodd yr ynysoedd, ac ofni;
daeth crynod ar eithafion byd;
daethant, a nesáu.

⁶Y mae pawb yn helpu ei gilydd,
a'r naill yn dweud wrth y llall,
"Ymgryfha."

⁷Y mae'r gof yn helpu'r eurych,
a'r un sy'n curo â'r morthwyl
yr helpu'r un sy'n taro ar yr eingion;
y mae'n dyfarnu bod y sodro'n iawn,
ac yn sicrhau'r ddelw â hoelion rhag
iddi symud.

⁸"Ti, Israel, yw fy ngwas;
ti, Jacob, a ddewisais,
had Abraham, f'anwylyd.

⁹Dygais di o bellteroedd byd,
a'th alw o'i eithafion,
a dweud wrthyt, 'Fy ngwas wyt ti;
'rwyf wedi dy ddewis ac nid dy
wrthod.'

¹⁰Paid ag ofni, yr wyf fi gyda thi;
paid â dychryn, myfi yw dy Dduw.
Cryfhaf di a'th nerthu,
cynhaliaf di â'm llaw orchfygol.

¹¹Yn awr cywilyddir a gwaradwyddir
pob un sy'n digio wrthyt;
bydd pob un sy'n ymrafael â thi
yn mynd yn ddim ac yn diflannu.

¹²Byddi'n chwilio am y rhai sy'n ymosod
arnat,
ond heb eu cael;
bydd pob un sy'n rhyfela yn dy erbyn
yn mynd yn ddim, ac yn llai na dim.

¹³Canys myfi, yr ARGLWYDD dy Dduw,
sy'n ymaflyd yn dy law,
ac yn dweud wrthyt, 'Paid ag ofni,
yr wyf fi'n dy gynorthwyo.'

¹⁴"Paid ag ofni, ti'r pryfyn Jacob,
na thithau'r lleuenⁿ Israel;
byddaf fi'n dy gynorthwyo," medd yr
ARGLWYDD.
"Sant Israel yw dy waredwr.

¹⁵Yn awr, fe'th wnaf yn fen-ddyrnu—
un newydd, ddanheddog a miniog;
byddi'n dyrnu'r mynyddoedd a'u
malu,
ac yn gwneud y bryniau fel us.

¹⁶Byddi'n eu nithio, a'r gwynt yn eu
chwythu i ffwrdd,
a'r dymestl yn eu gwasgaru.
Ond byddi di'n llawenychu yn yr
ARGLWYDD
ac yn ymhyfrydu yn Sant Israel.

¹⁷"Pan fydd y tlawd a'r anghenus yn
chwilio am ddŵr, heb ei gael,
a'u tafodau'n gras gan syched,
byddaf fi, yr ARGLWYDD, yn eu hateb;
ni fyddaf fi, Duw Israel, yn eu gadael.

¹⁸Agoraf afonydd ar ben y moelydd,
a ffynhonnau yng nghanol y
dyffrynnoedd;
gwnaf y diffeithwch yn llynnoedd,
a'r crastir yn ffrydiau dyfroedd.

¹⁹Plannaf yn yr anialwch gedrwydd,
acasia, myrtwydd ac olewydd;
gosodaf ynghyd yn y diffeithwch
ffynidwydd, ffawydd a phren bocs.

²⁰Felly cânt weld a gwybod,
ystyried ac amgyffred
mai llaw'r ARGLWYDD a wnaeth hyn,
ac mai Sant Israel a'i creodd."

Duw yn Herio'r Eilunod

²¹"Gosodwch eich achos gerbron,"
medd yr ARGLWYDD.
"Cyflwynwch eich dadleuon," medd
brenin Jacob.

²²"Bydded iddynt ddod a hysbysu i ni
beth sydd i ddigwydd.
Beth oedd y pethau cyntaf?
Dywedwch,
er mwyn inni eu hystyried,
a gwybod eu canlyniadau;
neu dywedwch wrthym y pethau sydd i
ddod.

²³Mynegwch y pethau a ddaw ar ôl hyn,
inni gael gwybod mai duwiau ydych;
gwnewch rywbeth, da neu ddrwg,
er mwyn i ni gael braw ac ofni trwom.

²⁴Yn wir, nid ydych chwi'n ddim,
ac nid yw'ch gwaith ond diddim.
Ffieiddbeth yw'r un sy'n eich dewis.

²⁵"Codais un o'r gogledd, ac fe ddaeth,
un o'r dwyrain, ac fe eilw ar f'enw;
y mae'n sathru rhaglawiaid fel pridd,
ac fel crochenydd yn sathru clai.

²⁶Pwy a fynegodd hyn o'r dechreuad,
inni gael gwybod,
neu ei ddweud ymlaen llaw, inni gael
ei ategu?
Nid oes neb wedi dweud na mynegi
dim,
ac ni chlywodd neb eich ymadrodd.

²⁷Gosodaf un i lefaru'nᵒ gyntaf wrth
Seion,
ac i gyhoeddi daioni i Jerwsalem.

²⁸Pan edrychaf, nid oes neb yno;
nid oes cynghorwr yn eu plith

ⁿNeu, *Jacob, gwŷr.*   ᵒFelly Sgrôl. TM yn aneglur.

a all ateb pan ofynnaf.
²⁹Yn wir, nid ydynt i gyd ond dim;
llai na dim yw eu gwaith,
gwynt a gwagedd yw eu delwau."

Gwas yr ARGLWYDD

42 "Dyma fy ngwas, yr wyf yn ei
gynnal,
f'etholedig, yr wyf yn ymhyfrydu
ynddo.
Rhoddais fy ysbryd ynddo,
i gyhoeddi barn i'r cenhedloedd.
²Ni fydd yn gweiddi nac yn codi ei lais,
na pheri ei glywed yn yr heol.
³Ni fydd yn dryllio corsen ysig,
nac yn diffodd llin yn mygu;
bydd yn cyhoeddi barn gywir.
⁴Ni fydd yn diffodd, ac ni chaiff ei
ddryllio,
nes iddo osod barn ar y ddaear;
y mae'r ynysoedd yn disgwyl am ei
gyfraith."

⁵Fel hyn y dywed Duw, yr ARGLWYDD,
a greodd y nefoedd a'i thaenu allan,
a luniodd y ddaear a'i chynnyrch,
a roddodd anadl i'r bobl sydd arni,
ac ysbryd i'r rhai sy'n rhodio ynddi:
⁶"Myfi yw'r ARGLWYDD;
gelwais di mewn cyfiawnder,
a gafael yn dy law;
lluniais di a'th roi yn gyfamod pobl,
yn oleuni cenhedloedd;
⁷i agor llygaid y deillion,
i arwain caethion allan o'r carchar,
a'r rhai sy'n byw mewn tywyllwch o'u
cell.
⁸Myfi yw'r ARGLWYDD, dyna fy enw;
ni roddaf fy ngogoniant i neb arall,
na'm clod i ddelwau cerfiedig.
⁹Wele, y mae'r pethau cyntaf wedi
digwydd,
a mynegaf yn awr bethau newydd;
cyn iddynt darddu 'rwy'n eu hysbysu
ichwi."

Moliant i'r ARGLWYDD

¹⁰Canwch i'r ARGLWYDD gân newydd,
canwch ei glod o eithaf y ddaear;
bydded i'r môr a'i gyflawnder ei
ganmolᵖ,
yr ynysoedd a'r rhai sy'n trigo
ynddynt.
¹¹Bydded i'r diffeithwch a'i ddinasoedd
godi llef,
y pentrefi lle mae Cedar yn trigo;

bydded i drigolion Sela ganu
a bloeddio o ben y mynyddoedd.
¹²Bydded iddynt roi clod i'r ARGLWYDD,
a mynegi ei fawl yn yr ynysoedd.
¹³Y mae'r ARGLWYDD yn mynd allan fel
arwr,
fel rhyfelwr yn cyffroi mewn llid;
y mae'n bloeddio, yn codi ei lais,
ac yn trechu ei elynion.

¹⁴"Bûm dawel dros amser hir,
yn ddistaw, ac yn ymatal;
yn awr llefaf fel gwraig yn esgor,
a gwingo a griddfan.
¹⁵Gwnaf fynyddoedd a bryniau yn
ddiffaith,
a pheri i'w holl lysiau gleision wywo;
gwnaf afonydd yn ynysoedd,
a llynnau yn sychdir.
¹⁶Yna arweiniaf y deillion ar hyd ffordd
ddieithr,
a'u tywys mewn llwybrau nad
adnabuant;
paraf i'r tywyllwch fod yn oleuni o'u
blaen,
ac unionaf ffyrdd troellog.
Dyma a wnaf iddynt, ac ni adawaf
hwy.
¹⁷Ond cilio mewn cywilydd
a wna'r rhai sy'n ymddiried mewn
eilunod
ac yn dweud wrth ddelwau tawdd,
'Chwi yw ein duwiau ni.'

Israel yn Fyddar a Dall

¹⁸"Chwi sy'n fyddar, clywch;
chwi sy'n ddall, edrychwch a gwelwch.
¹⁹Does neb mor ddall â'm gwas,
nac mor fyddar â'r negesydd a
anfonaf;
'does neb mor ddall â'r un
ymroddedig,
mor ddall â gwas yr ARGLWYDD.
²⁰Er iddo weld llawer, nid yw'nᵖʰ eu
hystyried;
er bod ei glustiau'n agored, nid yw'n
gwrando."
²¹Dymunodd yr ARGLWYDD, er mwyn ei
gyfiawnder,
fawrhau'r gyfraith, a'i gwneud yn
anrhydeddus;
²²ond ysbeiliwyd ac anrheithiwyd y bobl
hyn;
cawsant bawb eu dal mewn tyllau,
a'u cuddio mewn celloedd,
yn ysbail heb waredydd,

yn anrhaith heb neb i ddweud, "Rho'n
ôl."
²³ Pwy ohonoch a all wrando ar hyn,
ac ystyried a gwrando i'r diwedd?
²⁴ Pwy a wnaeth Jacob yn anrhaith,
a rhoi Israel i'r ysbeilwyr?
Onid yr ARGLWYDD, y pechasom yn ei
erbyn?
Nid oeddent am rodio yn ei ffyrdd
na gwrando ar ei gyfraith;
²⁵ felly tywalltodd ei lid a'i ddicter
arnynt,
a chynddaredd y frwydr.
Caeodd y fflam amdano,
ond ni ddysgodd ei wers;
llosgodd, ond nid ystyriodd.

Gwir Waredydd Israel

43 Yn awr, dyma'r hyn a ddywed yr
ARGLWYDD
a'th greodd, Jacob, ac a'th luniodd,
Israel:
"Paid ag ofni, oherwydd gwaredaf di;
galwaf ar dy enw, eiddof fi ydwyt.
² Pan fyddi'n mynd trwy'r dyfroedd,
byddaf gyda thi;
a thrwy'r afonydd, ni ruthrant drosot.
Pan fyddi'n rhodio trwy'r tân, ni'th
ddeifir,
a thrwy'r fflamau, ni losgant di.
³ Oherwydd myfi, yr ARGLWYDD dy
Dduw,
Sanct Israel, yw dy waredydd;
rhof yr Aifft yn iawn trosot,
Ethiopia a Seba yn gyfnewid
amdanat.
⁴ Am dy fod yn werthfawr yn fy ngolwg,
yn ogoneddus, a minnau'n dy garu,
rhof ddynion yn gyfnewid amdanat,
a phobloedd am einioes.
⁵ Paid ag ofni; yr wyf fi gyda thi.
Dygaf dy had o'r dwyrain,
casglaf di o'r gorllewin;
⁶ gorchmynnaf i'r gogledd, 'Rho',
ac i'r de, 'Paid â dal yn ôl;
tyrd â'm meibion o bell,
a'm merched o eithafoedd byd—
⁷ pob un sydd â'm henw arno,
ac a greais i'm gogoniant,
ac a luniais, ac a wneuthum.'"

Tystion i Dduw

⁸ Dygwch allan y bobl sy'n ddall, er bod
llygaid ganddynt,
y rhai sy'n fyddar, er bod clustiau
ganddynt.
⁹ Y mae'r holl bobl wedi eu casglu

ynghyd,
a'r bobloedd wedi eu cynnull.
Pwy yn eu plith a fynega hyn,
a chyhoeddi i ni y pethau gynt?
Gadewch iddynt alw tystion i brofi'r
achos,
a gwrando, a dyfarnu ei fod yn wir.
¹⁰ "Chwi yw fy nhystion," medd yr
ARGLWYDD,
"fy ngwas, a etholais
er mwyn ichwi gael gwybod, a chredu
ynof,
a deall mai myfi yw Duw.
Nid oedd duw wedi ei greu o'm blaen,
ac ni fydd yr un ar fy ôl.
¹¹ Myfi, myfi yw'r ARGLWYDD;
nid oes waredydd ond myfi.
¹² Myfi a fu'n mynegi, yn achub ac yn
cyhoeddi,
pan nad ocdd duw dieithr yn eich
plith;
ac yr ydych chwi'n dystion i mi," medd
yr ARGLWYDD,
"mai myfi yw Duw.
¹³ O'r dydd hwn, myfi yw Duw;
ni all neb waredu o'm llaw.
Beth bynnag a wnaf, ni all neb ei
ddadwneud."

¹⁴ Dyma'r hyn a ddywed yr ARGLWYDD,
eich gwaredydd, Sanct Israel:
"Er eich mwyn chwi byddaf yn anfon i
Fabilon,
ac yn dryllio'r barrau i gyd,
a throi cân y Caldeaid yn wylofain.
¹⁵ Myfi, yr ARGLWYDD, yw eich Sanct;
creawdwr Israel yw eich brenin."

¹⁶ Dyma'r hyn a ddywed yr ARGLWYDD,
a agorodd ffordd yn y môr
a llwybr yn y dyfroedd enbyd;
¹⁷ a ddug allan gerbyd a march,
byddin a dewrion,
a hwythau'n gorwedd heb neb i'w
codi,
yn darfod ac yn diffodd fel llin:
¹⁸ "Peidiwch â meddwl am y pethau
gynt,
peidiwch ag aros gyda'r hen hanes.
¹⁹ Edrychwch, 'rwyf yn gwneud peth
newydd;
y mae'n tarddu yn awr; oni allwch ei
adnabod?
Yn wir, 'rwy'n gwneud ffordd yn yr
anialwch,
ac afonydd yn y diffeithwch.
²⁰ Bydd anifeiliaid gwylltion yn fy

mawrygu,
y bleiddiaid a'r estrys,
am imi roi dŵr yn yr anialwch
ac afonydd yn y diffeithwch,
er mwyn rhoi dŵr i'm pobl,
f'etholedig,
²¹ sef y bobl a luniais i mi fy hun,
iddynt fynegi fy nghlod.

²² "Jacob, ni elwaist arnaf fi,
ond blinaist arnaf, Israel.
²³ Ni ddygaist i mi ddafad yn offrwm,
na'm hanrhydeddu â'th ebyrth;
ni roddais faich offrymu arnat,
na'th flino am arogldarth.
²⁴ Ni phrynaist i mi galamus ag arian,
na'm llenwi â'th ebyrth breision;
ond rhoddaist dy bechodau yn faich
arnaf,
blinaist fi â'th anwireddau.

²⁵ "Myfi, myfi yw Duw,
sy'n dileu dy anwireddau er fy mwyn
fy hun,
heb alw i gof dy bechodau.
²⁶ Cyhudda fi, dadleuwn â'n gilydd;
gosod dy achos gerbron, iti gael
dyfarniad.
²⁷ Dy dad gynt a bechodd,
a chododd d'arweinwyr yn f'erbyn,
²⁸ a halogodd dy dywysogion fy
nghysegr ʳ;
felly rhoddais Jacob i'w ddinistrio,
ac Israel yn waradwydd."

Israel Etholedig

44 "Yn awr, gwrando, fy ngwas
Jacob,
Israel, yr hwn a ddewisais;
² dyma'r hyn a ddywed yr ARGLWYDD
a'th wnaeth,
a'th luniodd o'r groth ac a'th
gynorthwya:
Paid ag ofni, fy ngwas Jacob,
Jesurun, yr hwn a ddewisais.
³ Tywalltaf ddyfroedd ar y tir sychedig
a ffrydiau ar y sychdir;
tywalltaf fy ysbryd ar dy had
a'm bendith ar dy hiliogaeth.
⁴ Tarddant allan fel glaswellt,
fel helyg wrth ffrydiau dyfroedd.
⁵ Dywed un, "Rwyf fi'n perthyn i'r
ARGLWYDD';

bydd un arall yn cymryd enw Jacob,
ac un arall drachefn yn ei arwyddo'i
hun, 'Eiddo'r ARGLWYDD',
ac yn ei gyfenwi ei hun, 'Israel'."

⁶ Dyma a ddywed yr ARGLWYDD, brenin
Israel,
ARGLWYDD y Lluoedd, ei waredydd:
"Myfi yw'r cyntaf, a myfi yw'r olaf;
nid oes duw ond myfi.
⁷ Pwy sy'n debyg i mi? Bydded iddo
ddatgan,
a mynegi a gosod ei achos ger fy mron.
Pwy a gyhoeddodd erstalwm y pethau
sydd i ddod? ʳʰ
Dyweded wrthym ˢ beth sydd i
ddigwydd.
⁸ Peidiwch ag ofni na dychryn;
oni ddywedais wrthych erstalwm?
Fe fynegais, a chwi yw fy nhystion.
A oes duw ond myfi?
Nid oes craig. Ni wn i am un."

⁹ Y mae pawb sy'n gwneud eilunod yn
ddiddim,
ac nid oes lles yng ngwrthrych eu
serch;
y mae eu tystion heb weld a heb
wybod,
ac o'r herwydd fe'u cywilyddir.
¹⁰ Pwy sy'n gwneud duw neu'n bwrw
delw
os nad yw'n elw iddo?
¹¹ Gwelwch, cywilyddir pawb sy'n
gweithio arno,
ac nid yw'r crefftwyr yn ddim ond
dynion.
Pan gasglant ynghyd a dod at ei gilydd,
daw ofn a chywilydd arnynt i gyd.

¹² Y mae'r gof yn hogi ᵗ cŷn
ac yn gweithio'r haearn yn y tân;
y mae'n ei ffurfio â morthwylion,
ac yn gweithio arno â nerth ei fraich.
Yna bydd arno angen bwyd, a'i nerth
yn pallu,
ac eisiau diod arno, ac yntau'n
diffygio.
¹³ Y mae'r saer coed yn estyn llinyn,
ac yn marcio â phensil;
yna y mae'n llyfnhau'r pren â'r plaen,
ac yn ei fesur â chwmpas,
ac yn ei gerfio ar ffurf dyn meidrol,
ar lun dyn i fyw mewn tŷ.

ʳ Cymh. Groeg. Hebraeg, *Halogais dywysogion sanctaidd.*
ʳʰ Tebygol. Hebraeg, *er pan osodais bobl hynafol a phethau sydd i ddigwydd?*
ˢ Hebraeg, *wrthynt.* ᵗ Felly Groeg. Hebraeg heb *yn hogi.*

¹⁴Y mae dyn yn torri iddo'i hun
gedrwydden,
neu'n dewis cypreswydden neu
dderwen
wedi tyfu'n gryf yng nghanol y
goedwig—
cedrwydden wedi ei phlannu, a'r glaw
wedi ei chryfhau.
¹⁵Bydd peth ohoni'n danwydd i ddyn i
ymdwymo wrtho;
bydd hefyd yn cynnau tân i grasu bara;
a hefyd yn gwneud duw i'w addoli;
fe'i gwna'n ddelw gerfiedig ac
ymgrymu iddi.
¹⁶Ie, y mae'n llosgi'r hanner yn dân,
ac yn rhostio cig arno,
ac yn bwyta'i wala;
y mae hefyd yn ymdwymo a dweud,
"Y mae blas ar dân;
peth braf yw gweld y fflam."
¹⁷O'r gweddill y mae'n gwneud delw i
fod yn dduw,
ac yn ymgrymu iddo a'i addoli;
y mae'n gweddïo arno a dweud,
"Gwared fi; fy nuw ydwyt."

¹⁸Nid yw'r bobl yn gwybod nac yn deall;
aeth eu llygaid yn ddall rhag gweld,
a'u deall rhag amgyffred.
¹⁹Nid yw neb wedi troi'r peth yn ei
feddwl,
nac yn gwybod nac yn deall, i ddweud,
"Llosgais hanner yn dân, a chrasu
bara yn y marwor;
rhostiais gig a'i fwyta;
ac o'r gweddill 'rwy'n gwneud
ffieiddbeth,
ac yn ymgrymu i ddarn o bren."
²⁰Yn wir y mae'n ymborthi ar ludw,
a'i feddwl crwydredig wedi ei yrru ar
gyfeiliorn;
ni all ei waredu ei hun a dweud,
"Onid twyll yw'r hyn sydd yn fy llaw?"

²¹"Ystyria hyn, Jacob,
oherwydd fy ngwas wyt ti, Israel.
Lluniais di, gwas i mi wyt ti;
O Israel, paid â'm hanghofio ᵗʰ.
²²Dileais dy gamweddau fel cwmwl,
a'th bechodau fel niwl;
dychwel ataf, canys yr wyf wedi dy
waredu."

²³Canwch, nefoedd, oherwydd yr
ARGLWYDD a wnaeth hyn;
gwaeddwch, ddyfnderoedd daear;

ᵗʰNeu, *ni fyddi'n angof gennyf.*

bloeddiwch, O fynyddoedd,
a'r goedwig a phob peth o'i mewn;
y mae'r ARGLWYDD wedi gwaredu
Jacob,
a gwneud Israel yn ogoniant iddo.

Adfer Jerwsalem

²⁴Dyma a ddywed yr ARGLWYDD, dy
waredydd,
a'r hwn a'th luniodd o'r groth:
"Myfi, yr ARGLWYDD, a wnaeth y
cyfan—
estyn y nefoedd fy hunan,
a lledu'r ddaear heb neb gyda mi;
²⁵diddymu arwyddion celwyddog,
gwneud ffyliaid o'r rhai sy'n dewino;
troi doethion yn eu hôl,
a gwneud eu gwybodaeth yn
ynfydrwydd;
²⁶cadarnhau gair ei was,
a chyflawni cyngor ei genhadon;
dweud wrth Jerwsalem, 'Fe'th
breswylir',
ac wrth ddinasoedd Jwda, 'Fe'th
adeiledir',
cyfodaf drachefn eu hadfeilion';
²⁷dweud wrth y dyfnder, 'Bydd sych,
'rwy'n sychu hcfyd d'afonydd';
²⁸dweud wrth Cyrus, 'Fy Mugail',
ac fe gyflawna fy holl fwriad;
dweud wrth Jerwsalem, 'Fe'th
adeiledir',
ac wrth y deml, 'Fe'th sylfaenir'."

Galw Cyrus

45 Dyma a ddywed yr ARGLWYDD
wrth Cyrus ei eneiniog,
yr un y gafaelais yn ei law
i ddarostwng cenhedloedd o'i flaen,
i ddiarfogi brenhinoedd,
i agor dorau o'i flaen,
ac ni chaeir pyrth rhagddo:
²"Mi af o'th flaen di
i lefelu'r amddiffynfeydd;
torraf y dorau pres,
a dryllio'r barrau haearn.
³Rhof iti drysorau o leoedd tywyll,
wedi eu cronni mewn mannau dirgel,
er mwyn iti wybod mai myfi yw'r
ARGLWYDD,
Duw Israel, sy'n dy gyfarch wrth dy
enw.
⁴Er mwyn fy ngwas Jacob,
a'm hetholedig Israel,
gelwais di wrth dy enw,
a'th gyfenwi, er na'm hadwaenit.

⁵Myfi yw'r ARGLWYDD, ac nid oes arall;
ar wahân i mi nid oes Duw.
Gwregysais di, er na'm hadwaenit,
⁶er mwyn iddynt wybod,
o godiad haul hyd ei fachlud,
nad oes neb ond myfi.
Myfi yw'r ARGLWYDD, ac nid oes arall,
⁷yn llunio goleuni
ac yn creu tywyllwch,
yn peri llwyddiant ac yn achosi
methiant;
myfi, yr ARGLWYDD, sy'n gwneud y
cyfan.

⁸"Defnynnwch oddi fry, O nefoedd;
tywallted yr wybren gyfiawnder.
Agored y ddaear, er mwyn i
iachawdwriaeth eginoᵘ
ac i gyfiawnder flaguro.
Myfi, yr ARGLWYDD, a'i gwnaeth.

⁹"Gwae'r hwn sy'n ymryson â'i luniwr,
darn o lestr yn erbyn y crochenydd.
A ddywed y clai wrth ei luniwr, 'Beth
wnei di?'
neu, 'Nid oes graen ar dy waith'?
¹⁰Gwae'r hwn sy'n dweud wrth dad,
'Beth genhedli di?'
neu wrth y wraig, 'Ar beth yr
esgori?'"

¹¹Fel hyn y dywed yr ARGLWYDD,
Sanct Israel a'i luniwr:
"A ydych yn fy holi i am fy mhlant,
ac yn gorchymyn imi am waith fy
nwylo?
¹²Myfi a wnaeth y ddaear,
a chreu dyn arni;
fy llaw i a estynnodd y nefoedd,
a threfnu ei holl lu.
¹³Myfi a gododd Cyrus i fuddugoliaeth,
ac unioni ei holl lwybrau.
Ef fydd yn codi fy ninas,
ac yn gollwng fy nghaethion yn rhydd,
ond nid am bris nac am wobr,"
medd ARGLWYDD y Lluoedd.

¹⁴Dyma a ddywed yr ARGLWYDD:
"Bydd llafurwyr yr Aifft, masnachwyr
Ethiopia a'r Sabeaid tal
yn croesi atat ac yn eiddo i ti;
dônt ar dy ôl mewn cadwyni,
ymgrymant i ti a chyffesu,
'Yn sicr y mae Duw yn eich plith,
ac nid oes neb ond ef yn Dduw.'"

¹⁵Yn wir, Duw cuddiedig wyt ti,
Dduw Israel, y gwaredydd.
¹⁶Cywilyddir a gwaradwyddir hwy i gyd;
â'r seiri delwau oll yn waradwydd,
¹⁷ond gwaredir Israel gan yr ARGLWYDD
â gwaredigaeth dragwyddol;
ni'ch cywilyddir ac ni'ch gwaradwyddir
byth bythoedd.

¹⁸Dyma a ddywed yr ARGLWYDD,
creawdwr y nefoedd, yr un sy'n Dduw,
lluniwr y ddaear a'i gwneuthurwr, yr
un a'i sefydlodd,
yr un a'i creodd, nid i fod yn
afluniaidd,
ond a'i ffurfiodd i'w phreswylio:
"Myfi yw'r ARGLWYDD, ac nid oes
arall;
¹⁹nid mewn dirgelwch y lleferais,
nid mewn man tywyll o'r ddaear;
ni ddywedais wrth feibion Jacob,
'Ceisiwch fi mewn anhrefn.'
Myfi, yr ARGLWYDD, yw'r un sy'n
llefaru cyfiawnder,
ac yn mynegi uniondeb.

²⁰"Ymgasglwch, dewch yma,
nesewch gyda'ch gilydd,
rai dihangol y cenhedloedd.
Nid oes gwybodaeth gan gludwyr
delwau pren
a'r rhai sy'n gweddïo ar dduw na all eu
hachub.
²¹Dewch ymlaen, cyflwynwch eich
achos;
boed iddynt gymryd cyngor ynghyd.
Pwy a fynegodd hyn o'r blaen?
Pwy a'i dywedodd o'r dechrau?
Onid myfi, yr ARGLWYDD?
Nid oes Duw ond myfi, Duw cyfiawn,
a gwaredydd.
Nid oes neb ond myfi.
²²Chwi, holl gyrrau'r ddaear, edrychwch
ataf i'ch gwaredu,
canys myfi wyf Dduw, ac nid oes arall.
²³Ar fy llw y tyngais;
gwir a ddaeth allan o'm genau,
gair na ddychwel:
i mi bydd pob glin yn plygu
a phob tafod yn tyngu.
²⁴Fe ddywedir amdanaf,
'Yn ddiau, yn yr ARGLWYDD y mae
cyfiawnder a nerth'."
Bydd pob un a ddigiodd wrtho
yn dod ato ef mewn cywilydd.
²⁵Cyfiawnheir holl deulu Israel,
ac ymhyfrydant yn yr ARGLWYDD.

ᵘFelly Sgrôl A. TM, *ffrwytho.*

Duwiau Babilon

46 Crymodd Bel, plygodd Nebo;
ar gefn anifail ac ych y mae eu
delwau,
ac aeth y rhain, a fu'n ddyrchafedig,
yn faich ar anifeiliaid blinedig.
² Plygant a chrymant gyda'i gilydd,
ni allant arbed y llwyth,
ond ânt eu hunain i gaethglud.

³ "Gwrandewch arnaf fi, dŷ Jacob,
a phawb sy'n weddill o dŷ Israel;
buoch yn faich i mi o'r groth,
ac yn llwyth i mi o'r bru;
⁴ hyd eich henaint, myfi yw Duw,
hyd eich penwynni, mi a'ch cariaf.
Myfi sy'n gwneud, myfi sy'n cludo,
myfi sy'n cario, a myfi sy'n arbed.
⁵ I bwy y'm cyffelybwch? Â phwy y
gwnewch fi'n gyfartal?
I bwy y'm cymharwch? Pwy sy'n debyg
i mi?
⁶ Y mae'r rhai sy'n gwastraffu aur o'r
pwrs
ac yn arllwys eu harian i glorian,
yn llogi eurych ac yn gwneud duw
i'w addoli ac ymgrymu iddo.
⁷ Codant ef ar eu hysgwydd a'i gario,
gosodant ef yn ei le, ac yno y saif heb
symud;
os llefa neb arno, nid yw'n ei ateb,
nac yn ei achub o'i gyfyngder.

⁸ "Cofiwch hyn, ac ystyriwch;
galwch i gof, chwi wrthryfelwyr.
⁹ Cofiwch y pethau gynt, ymhell yn ôl;
oherwydd myfi sydd Dduw, ac nid
arall,
yn Dduw heb neb yn debyg i mi.
¹⁰ 'Rwyf o'r dechreuad yn mynegi'r
diwedd,
ac o'r cychwyn yr hyn oedd heb ei
· wneud.
Dywedaf, 'Fe saif fy nghyngor,
a chyflawnaf fy holl fwriad.'
¹¹ Galwaf ar aderyn ysglyfaeth o'r
dwyrain,
a gŵr a wna fy nghyngor o wlad bell.
Yn wir, lleferais ac fe'i dygaf i ben,
fe'i lluniais ac fe'i gwnaf.
¹² Gwrandewch arnaf fi, chwi bobl
ystyfnig,
chwi sy'n bell oddi wrth gyfiawnder.
¹³ Paraf i'm cyfiawnder nesáu;
nid yw'n bell, ac nid oeda fy
iachawdwriaeth.
Rhof iachawdwriaeth yn Seion,
a'm gogoniant i Israel.

Cwymp Babilon

47 "Disgyn, ac eistedd yn y lludw,
ti, ferch wyry Babilon.
Eistedd ar y llawr yn ddi-orsedd,
ti, ferch y Caldeaid;
ni'th elwir byth eto yn dyner a
moethus.
² Cymer y meini melin i falu blawd,
tyn dy orchudd,
rhwyga dy sgert, dangos dy gluniau,
rhodia trwy ddyfroedd.
³ Dangoser dy noethni,
a gweler dy warth.
Dygaf ddial, ac nid arbedaf undyn."
⁴ Ein gwaredydd yw Sanct Israel;
ARGLWYDD y Lluoedd yw ei enw.

⁵ "Eistedd yn fud, dos i'r tywyllwch,
ti, ferch y Caldeaid;
ni'th elwir byth eto yn arglwyddes y
teyrnasoedd.
⁶ Digiais wrth fy mhobl,
halogais fy etifeddiaeth,
rhoddais hwy yn dy law;
ond ni chymeraist drugaredd arnynt,
gwnaethost yr iau yn drwm ar yr
oedrannus.
⁷ Dywedaist, 'Byddaf yn arglwyddes
hyd byth',
ond nid oeddit yn ystyried hyn,
nac yn cofio sut y gallai ddiweddu.
⁸ Yn awr, ynteu, gwrando ar hyn,
y foethus, sy'n eistedd mor
gyfforddus,
sy'n dweud wrthi ei hun, 'Myfi, 'does
neb ond myfi.
Ni fyddaf fi'n eistedd yn weddw,
nac yn gwybod beth yw colli plant.'
⁹ Fe ddaw'r ddau beth hyn arnat
ar unwaith, yr un diwrnod—
colli plant a gweddwdod,
a'r ddau'n dod arnat yn llawn,
er bod dy hudoliaeth yn aml
a'th swynion yn nerthol.

¹⁰ "Pan oeddit yn ymddiried yn dy
ddrygioni,
dywedaist, ''Does neb yn fy ngweld.'
'Roedd dy ddoethineb a'th wybodaeth
yn dy gamarwain,
a dywedaist, 'Myfi, 'does neb ond
myfi.'
¹¹ Ond fe ddaw arnat ti ddinistr
na wyddost sut i'w swyno;
fe ddisgyn arnat ddistryw
na elli mo'i ochelyd.
Daw trychineb arnat yn sydyn,
heb yn wybod iti.

¹²"Glŷn wrth dy swynion a'th
    hudoliaethau aml
y buost yn ymflino â hwy o'th
    ieuenctid—
efallai y cei help ganddynt;
efallai y medri godi arswyd
    drwyddynt.
¹³'Rwyt wedi dy lethu gan nifer dy
    gynghorwyr;
bydded iddynt sefyll yn awr a'th
    achub—
dewiniaid y nefoedd a gwylwyr y sêr,
sy'n proffwydo bob mis yr hyn a
    ddigwydd iti.
¹⁴Edrych, y maent fel us, a'r tân yn eu
    hysu;
ni fedrant eu harbed eu hunain rhag y
    fflam.
Nid glo i dwymo wrtho yw hwn,
nid tân i eistedd o'i flaen.
¹⁵Fel hyn y bydd y rhai y buost yn
    ymflino â hwy
ac yn ymhél â hwy o'th ieuenctid;
trônt ymaith bob un i'w ffordd ei hun,
heb allu dy waredu."

Israel Ystyfnig

48 "Gwrandewch hyn, dŷ Jacob,
    y rhai a elwir ar enw Israel,
sy'n tarddu o had ᵂ Jwda,
sy'n tyngu yn enw'r ARGLWYDD
ac yn galw ar Dduw Israel,
heb fod yn onest na didwyll.
²Galwant eu hunain yn bobl y ddinas
    sanctaidd,
a phwyso ar Dduw Israel;
ARGLWYDD y Lluoedd yw ei enw.

³"Mynegais y pethau cyntaf erstalwm,
eu cyhoeddi â'm genau fy hun a'u
    gwneud yn hysbys;
ar drawiad gweithredais, a pheri
    iddynt ddigwydd.
⁴Gwyddwn dy fod yn ystyfnig,
a'th war fel gewyn haearn,
a'th dalcen fel pres;
⁵am hynny rhois wybod i ti erstalwm,
a'th hysbysu cyn iddynt ddigwydd,
rhag i ti ddweud, 'Fy nelw a'u
    gwnaeth,
fy eilun a'm cerfddelw a'u trefnodd.'
⁶Clywaist a gwelaist hyn i gyd;
onid ydych am ei gydnabod?
Ac yn awr 'rwyf am fynegi i chwi
    bethau newydd,

pethau cudd na wyddoch ddim
    amdanynt.
⁷Yn awr y crewyd hwy, ac nid
    erstalwm,
ac ni chlywaist ddim amdanynt cyn
    heddiw,
rhag i ti ddweud, ''Roeddwn i'n
    gwybod.'
⁸Nid oeddit wedi clywed na gwybod;
erstalwm 'roedd dy glust heb agor;
oherwydd gwyddwn dy fod yn
    dwyllodrus i'r eithaf,
ac iti o'r bru gael yr enw o fod yn
    droseddwr.

⁹"Er mwyn fy enw ateliais fy llid,
ymateliais ʸ rhag imi dy ddifa.
¹⁰Purais di, ond nid fel arian;
profais di ym mhair cystudd.
¹¹Er fy mwyn fy hun y gwneuthum hyn;
a gânt halogi fy enw? ᵃ
Ni roddaf fy anrhydedd i arall.

Rhyddhau Israel

¹²"Clyw fi, Jacob,
ac Israel, yr un a elwais:
Myfi yw;
myfi yw'r cyntaf, a'r olaf hefyd.
¹³Fy llaw a sylfaenodd y ddaear,
a'm deheulaw a daenodd y nefoedd;
pan alwaf arnynt, ufuddhânt ar
    unwaith.

¹⁴"Dewch bawb at eich gilydd a
    gwrando;
pwy ohonynt a fynegodd hyn?
Yr un y mae'r ARGLWYDD yn ei hoffi
fydd yn cyflawni ei fwriad ar Fabilon
ac ar had ᵇ y Caldeaid.
¹⁵Myfi fy hun a lefarodd, myfi a'i
    galwodd;
dygais ef allan, a llwyddo ei ffordd.
¹⁶Dewch ataf, clywch hyn:
O'r dechrau ni leferais yn ddirgel;
o'r amser y digwyddodd, yr oeddwn i
    yno.''
Ac yn awr ysbryd yr Arglwydd DDUW
a'm hanfonodd i.

¹⁷Fel hyn y dywed yr ARGLWYDD,
dy waredydd, Sanct Israel:
"Myfi yw'r ARGLWYDD dy Dduw,
sy'n dy ddysgu er dy les,
ac yn dy arwain yn y ffordd y dylit ei
    cherdded.

ᵂFelly Targwm. Hebraeg, *o ddyfroedd.*
ᵃFelly Groeg. Hebraeg heb *fy enw.*
ʸHebraeg yn ychwanegu *fy mawl.*
ᵇFelly Groeg. Hebraeg, *ar ei fraich.*

¹⁸Pe bait wedi gwrando ar fy
    ngorchymyn,
byddai dy heddwch fel yr afon,
a'th gyfiawnder fel tonnau'r môr;
¹⁹a byddai dy had fel y tywod,
a'th epil fel ei raean,
a'u henw heb ei dorri ymaith na'i
    ddileu o'm gŵydd."
²⁰Ewch allan o Fabilon, ffowch oddi
    wrth y Caldeaid;
mynegwch hyn gyda bloedd gorfoledd,
cyhoeddwch ef, a'i hysbysu hyd
    gyrrau'r ddaear;
dywedwch, "Yr ARGLWYDD a
    waredodd ei was Jacob."
²¹Nid oedd arnynt syched
pan arweiniodd hwy yn y lleoedd
    anial;
gwnaeth i ddŵr lifo iddynt o'r graig;
holltodd y graig a phistyllodd y dŵr.
²²"Nid oes llwyddiant i'r annuwiol,"
    medd yr ARGLWYDD.

Gwas yr ARGLWYDD

49 Gwrandewch arnaf, chwi
    ynysoedd,
rhowch sylw, chwi bobl o bell.
Galwodd yr ARGLWYDD fi o'r groth;
o fru fy mam fe'm henwodd.
²Gwnaeth fy ngenau fel cleddyf llym,
a'm cadw yng nghysgod ei law;
gwnaeth fi yn saeth loyw,
a'm cuddio yng nghawell ei saethau.
³Dywedodd wrthyf, "Fy ngwas wyt ti;
ynot ti, Israel, y caf ogoniant."
⁴Dywedais innau, "Llafuriais yn ofer,
a threuliais fy nerth i ddim;
er hynny y mae fy achos gyda'r
    ARGLWYDD
a'm gwobr gyda'm Duw."

⁵Ac yn awr, llefarodd yr ARGLWYDD,
a'm lluniodd o'r groth yn was iddo,
i adfer Jacob iddo a chasglu Israel ato,
i'm gogoneddu yng ngŵydd yr
    ARGLWYDD,
am fod fy Nuw yn gadernid i mi.
⁶Dywedodd, "Peth bychan yw i ti fod
    yn was i mi,
i godi llwythau Jacob ar eu traed,
ac adfer rhai cadwedig Israel;
fe'th wnaf di yn oleuni i'r
    cenhedloedd,
i'm hiachawdwriaeth gyrraedd hyd
    eithaf y ddaear."

⁷Fel hyn y dywed yr ARGLWYDD,

gwaredydd Israel, a'i Sanct,
wrth yr un a ddirmygir ac a ffieiddir
    gan bobloedd,
wrth gaethwas y trahaus:
"Bydd brenhinoedd yn sefyll pan
    welant,
a'r tywysogion yn ymgrymu,
o achos yr ARGLWYDD, sy'n ffyddlon,
a Sanct Israel, a'th ddewisodd di."

Adfer Jerwsalem

⁸Fel hyn y dywed yr ARGLWYDD:
"Atebaf di yn adeg ffafr,
a'th gynorthwyo ar ddydd
    iachawdwriaeth;
cadwaf di, a'th osod yn gyfamod i'r
    bobl;
sicrhaf y ddaear, a rhannu'r tiroedd
    anrhaith yn etifeddiaeth;
⁹a dywedaf wrth y carcharorion, 'Ewch
    allan',
ac wrth y rhai mewn tywyllwch,
    'Dewch i'r golau'.
Cânt bori ar fin y ffyrdd
a chael porfa ar y llethrau.
¹⁰Ni newynant ac ni sychedant,
ni fydd gwres na haul yn eu taro,
oherwydd un gofalus ohonynt sy'n eu
    harwain,
ac yn eu tywys at ffynhonnau o ddŵr.
¹¹Gwnaf bob mynydd yn ffordd,
a llenwi o dan fy llwybrau.
¹²Y mae rhai yn dod o bell,
a rhai o'r gogledd a'r gorllewin,
ac eraill o wlad Sinim."
¹³Canwch, nefoedd; gorfoledda,
    ddaear;
bloeddiwch ganu, fynyddoedd.
Canys y mae'r ARGLWYDD yn cysuro ei
    bobl,
ac yn tosturio wrth ei druelniaid.

¹⁴Dywedodd Seion, "Gwrthododd yr
    ARGLWYDD fi,
ac anghofiodd fy Arglwydd fi."
¹⁵"A anghofia gwraig ei phlentyn sugno,
neu fam blentyn ei chroth?
Fe allant hwy anghofio,
ond nid anghofiaf fi di.
¹⁶Edrych, 'rwyf wedi dy gerfio ar gledr
    fy nwylo;
y mae dy furiau bob amser o flaen fy
    llygaid;
¹⁷y mae dy adeiladwyr yn gyflymach na'r
    rhai sy'n dy ddinistrio,
ac y mae dy anrheithwyr wedi mynd
    ymaith.

¹⁸Edrych o'th amgylch, a gwêl;
   y mae pawb yn ymgasglu ac yn dod
      atat.
   Cyn wired â'm bod yn fyw," medd yr
      ARGLWYDD,
   "byddi'n eu gwisgo i gyd fel addurn,
   ac yn eu rhwymo amdanat fel y gwna
      priodasferch.
¹⁹Bydd dy ddiffeithwch a'th anialwch
      a'th dir anrhaith
   yn rhy gyfyng bellach i'th breswylwyr,
   gan fod dy ddifodwyr ymhell i ffwrdd.
²⁰Bydd y plant a anwyd yn nydd dy alar
   yn dweud eto'n hyglyw,
   'Nid oes digon o le i mi;
   symud draw, i mi gael lle i fyw.'
²¹"Yna y dywedi ynot dy hun,
   'Pwy a genhedlodd y rhain i mi,
   a minnau'n weddw ac yn ddi-blant?
   Yr oeddwn i mewn caethglud ac yn
      ddigartref;
   pwy a'u magodd hwy?
   Yn wir, 'roeddwn i wedi fy ngadael ar
      fy mhen fy hun;
   o ble, ynteu, y daeth y rhain?' "
²²Fel hyn y dywed yr Arglwydd DDUW:
   "Rhof arwydd â'm llaw i'r
      cenhedloedd,
   a chodaf fy maner i'r bobloedd,
   a dygant dy feibion yn eu mynwes,
   a chludo dy ferched ar eu hysgwydd.
²³Bydd brenhinoedd yn dadau maeth iti,
   a'u tywysogesau yn famau maeth iti;
   plygant i'r llawr o'th flaen
   a llyfu llwch dy draed;
   yna y cei wybod mai myfi yw'r
      ARGLWYDD,
   ac na siomir neb sy'n disgwyl wrthyf."
²⁴A ddygir ysbail oddi ar y cadarn?
   A ryddheir carcharor o law'r
      gormeswr?ᶜ
²⁵Fel hyn y dywed yr ARGLWYDD:
   "Fe ddygir carcharor o law'r cadarn,
   ac fe ryddheir ysbail o law'r gormeswr;
   myfi fydd yn dadlau â'th gyhuddwr,
   ac yn gwaredu dy blant.
²⁶Gwnaf i'th orthrymwyr fwyta'u cnawd
      eu hunain,
   a meddwaf hwy â'u gwaed eu hunain
      fel â gwin;
   yna caiff pob dyn wybod
   mai myfi, yr ARGLWYDD, yw dy
      waredydd,
   ac mai Cadarn Jacob yw dy
      achubydd."

ᶜFelly Sgrôl a Fersiynau ac adn.25. TM, cyfiawn.

Pechod Israel ac Ufudd-dod y Gwas

50 Fel hyn y dywed yr ARGLWYDD:
   "Ple, felly, mae llythyr ysgar eich
      mam,
   a roddais i'w gyrru ymaith?
   Neu, i ba echwynnwr y gwerthais
      chwi?
   O achos eich anwiredd y gwerthwyd
      chwi,
   ac oherwydd eich camweddau y
      gyrrwyd eich mam ymaith.
²Pam nad oedd neb yma pan
      ddeuthum,
   na neb yn ateb pan elwais?
   A yw fy llaw yn rhy lipa i achub,
   neu a wyf yn rhy wan i waredu?
   Gwelwch, 'rwy'n sychu'r môr â'm
      dicter,
   ac yn troi afonydd yn ddiffeithwch;
   y mae eu pysgod yn drewi o ddiffyg
      dŵr,
   ac yn trengi o sychder.
³Rwy'n gwisgo'r nefoedd â galarwisg,
   ac yn rhoi sachliain yn amdo iddynt."

⁴Rhoes yr ARGLWYDD Dduw i mi dafod
      un yn dysgu,
   i wybod sut i gynnal y diffygiol â gair;
   bob bore y mae'n agor fy nghlust
   i wrando fel un yn dysgu.
⁵Agorodd yr ARGLWYDD Dduw fy
      nghlust,
   ac ni wrthwynebais innau, na chilio'n
      ôl.
⁶Rhoddais fy nghefn i'r curwyr,
   a'm cernau i'r rhai a dynnai'r farf;
   ni chuddiais fy wyneb rhag
      gwaradwydd na phoer.
⁷Y mae'r Arglwydd DDUW yn fy
      nghynnal,
   am hynny ni chaf fy sarhau;
   felly gosodaf fy wyneb fel callestr,
   a gwn na'm cywilyddir.
⁸Y mae'r hwn sy'n fy nghyfiawnhau
      wrth law.
   Pwy a ddadlau i'm herbyn? Gadewch i
      ni wynebu'n gilydd;
   pwy a'm gwrthwyneba? gadewch iddo
      nesáu ataf.
⁹Y mae'r Arglwydd DDUW yn fy
      nghynnal:
   pwy a'm condemnia?
   Byddant i gyd yn treulio fel dilledyn
   a ysir gan wyfyn.

¹⁰Pwy bynnag ohonoch sy'n ofni'r
ARGLWYDD,
gwrandawed ar lais ei was.
Yr un sy'n rhodio mewn tywyllwch
heb olau ganddo,
ymddirieded yn enw'r ARGLWYDD,
a phwyso ar ei Dduw.
¹¹Ond chwi i gyd, sy'n cynnau tân
ac yn goleuo tewynion,
rhodiwch wrth lewyrch eich tân,
a'r tewynion a oleuwyd gennych.
Dyma'r hyn a ddaw i chwi o'm llaw:
byddwch yn gorwedd mewn
dioddefaint.

Gwaredigaeth i Seion

51 "Gwrandewch arnaf, chwi sy'n
dilyn cyfiawnder,
sy'n ceisio'r ARGLWYDD.
Edrychwch ar y graig y'ch naddwyd
ohoni,
ac ar y chwarel lle'ch cloddiwyd;
²edrychwch at Abraham eich tad,
ac at Sara, a'ch dygodd i'r byd;
un ydoedd pan elwais ef,
ond fe'i bendithiais a'i amlhau.
³Bydd yr ARGLWYDD yn cysuro Seion,
yn cysuro ei holl fannau
anghyfannedd;
bydd yn gwneud ei hanialwch yn
Eden,
a'i diffeithwch yn ardd yr ARGLWYDD;
ceir o'i mewn lawenydd a gorfoledd,
emyn diolch a sain cân.

⁴"Gwrandewch arnaf, fy mhobl;
clywch fi, fy nghenedl;
oherwydd daw cyfraith allan oddi
wrthyf,
a bydd fy marn yn goleuo pobloedd.
⁵Y mae fy muddugoliaeth gerllaw,
a'm hiachawdwriaeth ar ddod;
bydd fy mraich yn rheoli'r bobloedd;
bydd yr ynysoedd yn disgwyl wrthyf,
ac yn ymddiried yn fy mraich.
⁶Codwch eich golwg i'r nefoedd,
edrychwch ar y ddaear islaw;
y mae'r nefoedd yn diflannu fel mwg,
a'r ddaear yn treulio fel dilledyn,
a'i thrigolion yn marw fel gwybed ᶜʰ;
ond bydd fy iachawdwriaeth yn parhau
byth,
ac ni phalla fy muddugoliaeth.

⁷"Gwrandewch arnaf, chwi sy'n
adnabod cyfiawnder,

pobl sydd â'm cyfraith yn eu calon:
Peidiwch ag ofni gwaradwydd dynion,
nac arswydo rhag eu gwatwar;
⁸oherwydd bydd y pryf yn eu hysu fel
dilledyn,
a'r gwyfyn yn eu bwyta fel gwlân;
ond bydd fy muddugoliaeth yn parhau
byth,
a'm hiachawdwriaeth i bob
cenhedlaeth."

⁹Deffro, deffro, gwisg dy nerth,
O fraich yr ARGLWYDD;
deffro, fel yn y dyddiau gynt,
a'r oesoedd o'r blaen.
Onid ti a ddrylliodd Rahab,
a thrywanu'r ddraig?
¹⁰Onid ti a sychodd y môr,
dyfroedd y dyfnder mawr?
Onid ti a wnaeth ddyfnderau'r môr yn
ffordd
i'r gwaredigion groesi?
¹¹Fe ddychwel gwaredigion yr
ARGLWYDD;
dônt i Seion dan ganu,
a llawenydd tragwyddol ar eu pennau.
Hebryngir hwy gan lawenydd a
gorfoledd,
a bydd gofid a griddfan yn ffoi ymaith.

¹²"Myfi, myfi sy'n eich diddanu;
pam, ynteu, yr ofnwch neb meidrol,
neu ddyn sydd fel glaswelltyn?
¹³Pam yr ydych yn anghofio'r
ARGLWYDD, eich creawdr,
yr un a ledodd y nefoedd,
ac a sylfaenodd y ddaear?
Pam yr ofnwch o hyd, drwy'r dydd,
rhag llid gorthrymwr sy'n barod i
ddistrywio?
Ond ple mae llid y gorthrymwr?
¹⁴Caiff y caeth ei ryddhau yn y man;
ni fydd yn marw yn y gell,
ac ni fydd pall ar ei fara.
¹⁵Myfi yw'r ARGLWYDD, dy Dduw,
sy'n cynhyrfu'r môr nes i'r tonnau ruo;
ARGLWYDD y Lluoedd yw fy enw.
¹⁶Gosodais fy ngeiriau yn dy enau,
cysgodais di yng nghledr fy llaw;
taenais y nefoedd a sylfaenais y
ddaear,
a dweud wrth Seion, 'Fy mhobl wyt
ti.'"

Cwpan Digofaint Duw

¹⁷Deffro, deffro, cod, Jerwsalem;

ᶜʰFelly Sgrôl. TM, *marw yr un modd.*

yfaist o law yr ARGLWYDD gwpan ei
lid,
yfaist bob dafn o waddod y cwpan
meddwol.
¹⁸ O blith yr holl feibion yr esgorodd
arnynt,
nid oes un a all ei thywys;
o'r holl feibion a fagodd,
nid oes un a afael yn ei llaw.
¹⁹ Daeth dau drychineb i'th gyfarfod—
pwy a'th ddiddana?
Dinistr a distryw, newyn a chleddyf—
pwy a'th gysura?ᵈ
²⁰ Gorwedd dy feibion yn llesg ym mhen
pob heol,
fel ewig mewn magl;
y maent yn llawn o lid yr ARGLWYDD,
a cherydd dy Dduw.

²¹ Am hynny, gwrando'n awr, y druan,
sy'n feddw, er nad trwy win.
²² Fel hyn y dywed yr ARGLWYDD, dy
Arglwydd a'th Dduw di,
yr un sy'n dadlau achos ei bobl:
"Cymerais o'th law y cwpan meddwol,
ac nid yfi mwyach waddod cwpan fy
llid;
²³ ond rhof hi yn llaw dy ormeswyr,
a ddywedodd wrthyt, 'Plyga i lawr
i ni gerdded trosot.'
Ac fe roist dy gefn fel llawr,
ac fel heol iddynt gerdded trosti."

Gwaredigaeth Seion Gerllaw

52 Deffro, deffro, gwisg dy nerth,
Seion;
ymwisga yn dy ddillad godidog,
O Jerwsalem, y ddinas sanctaidd;
oherwydd ni ddaw i mewn iti mwyach
neb dienwaededig nac aflan.
² Cod, ymysgwyd o'r llwch, ti
Jerwsalem gaeth;
tyn y rhwymau oddi ar dy war, ti
gaethferch Seion.

³ Fel hyn y dywed yr ARGLWYDD:
"Gwerthwyd chwi am ddim,
ac fe'ch gwaredir heb arian."
⁴ Canys fel hyn y dywed yr Arglwydd
Dduw:
"Yn y dechrau, i'r Aifft yr aeth fy
mhobl i ymdeithio,
ac yna bu Asyria'n eu gormesu'n
ddiachos.
⁵ Ond yn awr, beth a gaf yma?" medd yr
ARGLWYDD.

"Y mae fy mhobl wedi eu dwyn
ymaith am ddim,
eu gorthrymwyr yn llawn ymffrost,"
medd yr ARGLWYDD,
"a'm henw'n cael ei ddilorni o hyd,
drwy'r dydd.
⁶ Am hynny, fe gaiff fy mhobl adnabod
fy enw;
y dydd hwnnw cânt wybod
mai myfi yw Duw, sy'n dweud, 'Dyma
fi.'"

⁷ Mor weddaidd ar y mynyddoedd yw
traed y negesydd
sy'n cyhoeddi heddwch, yn datgan
daioni, yn cyhoeddi
iachawdwriaeth;
sy'n dweud wrth Seion, "Dy Dduw
sy'n teyrnasu."
⁸ Clyw, y mae dy wylwyr yn codi eu llais
ac yn bloeddio'n llawen gyda'i gilydd;
â'u llygaid eu hunain y gwelant
yr ARGLWYDD yn dychwelyd i Seion.
⁹ Bloeddiwch, cydganwch, chwi
adfeilion Jerwsalem,
oherwydd tosturiodd yr ARGLWYDD
wrth ei bobl,
a gwaredodd Jerwsalem.
¹⁰ Dinoethodd yr ARGLWYDD ei fraich
sanctaidd
yng ngŵydd yr holl genhedloedd,
ac fe wêl holl gyrrau'r ddaear
iachawdwriaeth ein Duw ni.

¹¹ Allan! Allan! Ymaith â chwi!
Peidiwch â chyffwrdd â dim aflan.
Ewch allan o'i chanol, glanhewch eich
hunain,
chwi sy'n cludo llestri'r ARGLWYDD.
¹² Nid ar ffrwst yr ewch allan,
ac nid fel ffoaduriaid y byddwch yn
ymadael,
oherwydd bydd yr ARGLWYDD ar y
blaen,
a Duw Israel y tu cefn i chwi.

Y Gwas Dioddefus

¹³ Yn awr, bydd fy ngwas yn llwyddo;
fe'i codir, a'i ddyrchafu, a bydd yn
uchel iawn.
¹⁴ Ar y pryd 'roedd llawer yn synnu
atoᵈᵈ—
'roedd ei wedd yn rhy hagr i ddyn,
a'i bryd yn hyllach na neb dynol,
¹⁵ a phobloedd lawer yn troi i ffwrdd
rhag ei weld,

ᵈ Felly Sgrôl a Fersiynau. TM, *trwy hwy y'th gysuraf?*

ᵈᵈ Felly rhai llawysgrifau. TM, *atat.*

a brenhinoedd yn fud o'i blegid.
Ond byddant yn gweld peth nas
  eglurwyd iddynt,
ac yn deall yr hyn na chlywsant
  amdano.

53 Pwy a gredai'r hyn a
      glywsom?
I bwy y datguddiwyd braich yr
  ARGLWYDD?
[2] Fe dyfodd o'i flaen fel blaguryn,
ac fel gwreiddyn mewn tir sych;
nid oedd na phryd na thegwch iddo,
na harddwch i'w hoffi wrth inni ei
  weld.
[3] 'Roedd wedi ei ddirmygu a'i wrthod
  gan ddynion,
yn ŵr clwyfedig, cyfarwydd â dolur;
yr oeddem fel pe'n cuddio'n hwynebau
  oddi wrtho,
yn ei ddirmygu ac yn ei anwybyddu.
[4] Eto, ein dolur ni a gymerodd,
a'n gwaeledd ni a ddygodd—
a ninnau'n ei gyfrif wedi ei glwyfo
a'i daro gan Dduw, a'i ddarostwng.
[5] Ond fe'i harchollwyd am ein
  troseddau ni,
a'i glwyfo am ein hanwireddau ni;
'roedd pris ein heddwch ni arno ef,
a thrwy ei gleisiau ef y cawsom ni
  iachâd.
[6] 'Rydym ni i gyd wedi crwydro fel
  defaid,
pob un yn troi i'w ffordd ei hun;
a rhoes yr ARGLWYDD arno ef
ein beiau ni i gyd.
[7] Fe'i gorthrymwyd a'i ddarostwng,
ond nid agorai ei enau;
arweiniwyd ef fel oen i'r lladdfa,
ac fel y bydd dafad yn ddistaw yn
  llaw'r cneifiwr,
felly nid agorai yntau ei enau.
[8] Cymerwyd ef ymaith heb ei roi ar
  brawf na'i farnu—
pwy oedd yn malio am ei dynged?
Fe'i torrwyd o dir y rhai byw,
a'i daro am gamwedd fy mhobl.
[9] Rhoddwyd iddo fedd gyda'r rhai
  anwir,
a beddrod[e] gyda'r rhai drygionus[f],
er na wnaethai gam â neb
ac nad oedd twyll yn ei enau.

[10] Yr ARGLWYDD a fynnai ei ddryllio
a gwneud iddo ddioddef.

Pan rydd ei fywyd yn aberth dros
  bechod,
fe wêl ei had, fe estyn ei ddyddiau,
ac fe lwydda ewyllys yr ARGLWYDD yn
  ei law ef.
[11] Wedi helbulon ei fywyd fe wêl
  oleuni[ff],
a chael ei fodloni yn ei wybodaeth;
bydd fy ngwas[g] yn cyfiawnhau llawer,
ac yn dwyn eu hanwireddau.
[12] Am hynny rhof iddo ran gyda'r
  mawrion
ac fe ranna'r ysbail gyda'r cedyrn,
oherwydd iddo dywallt ei fywyd i
  farwolaeth,
a chael ei gyfrif gyda throseddwyr,
a dwyn pechodau llaweroedd,
ac eiriol dros y troseddwyr.

Gogoniant Seion

54 "Cân di, y wraig ddi-blant na
      chafodd esgor;
dyro gân, bloeddia ganu, ti na
  phrofaist wewyr esgor;
oherwydd y mae plant y wraig a
  adawyd yn lluosocach na phlant y
  wraig briod,"
medd yr ARGLWYDD.
[2] "Helaetha faint dy babell,
estyn allan lenni dy drigfannau;
gollwng y rhaffau allan i'r pen,
a sicrha'r hoelion.
[3] Oherwydd byddi'n ymestyn i'r dde ac
  i'r chwith;
bydd dy had yn disodli'r cenhedloedd,
ac yn cyfanheddu dinasoedd
  anrheithiedig.
[4] Paid ag ofni, oherwydd ni chywilyddir
  di,
ni ddaw gwaradwydd na gwarth arnat;
oherwydd fe anghofi gywilydd dy
  ieuenctid,
ac ni chofi bellach am warth dy
  weddwdod.
[5] Oherwydd yr un a'th greodd yw dy
  ŵr—
ARGLWYDD y Lluoedd yw ei enw;
Sanct Israel yw dy waredydd,
a Duw yr holl ddaear y gelwir ef.
[6] Fel gwraig wedi ei gadael, a'i hysbryd
  yn gystuddiol,
y galwodd yr ARGLWYDD di—
gwraig ifanc wedi ei gwrthod,"
medd dy Dduw.

[e] Felly Sgrôl. TM, *ac yn ei farwolaeth.*
[ff] Felly Sgrôl a Groeg. TM heb *oleuni.*

[f] Tebygol. Hebraeg, *cyfoethog.*
[g] Felly rhai llawysgrifau. TM yn ychwanegu *cyfiawn.*

⁷ "Am ennyd fechan y'th adewais,
ond fe'th ddygaf yn ôl â thosturi mawr.
⁸ Am ychydig, mewn dicter moment,
cuddiais fy wyneb rhagot;
ond â chariad di-baid y tosturiaf
wrthyt,"
medd yr ARGLWYDD, dy waredydd.

⁹ "Y mae hyn i mi fel dyddiau Noa,
pan dyngais nad âi dyfroedd Noa
byth mwyach dros y ddaear;
felly tyngaf na ddigiaf wrthyt ti byth
mwy,
na'th geryddu ychwaith.
¹⁰ Er i'r mynyddoedd symud,
ac i'r bryniau siglo,
ni symuda fy ffyddlondeb oddi wrthyt,
a bydd fy nghyfamod heddwch yn
ddi-sigl,"
medd yr ARGLWYDD, sy'n tosturio
wrthyt.

¹¹ "Y druan helbulus, ddigysur!
'Rwyf am osod dy feini mewn morter,
a'th sylfeini mewn saffir.
¹² Gwnaf dy dyrrau o ruddem,
a'th byrth o risial;
bydd dy fur i gyd yn feini dethol,
¹³ a'th adeiladwyr ⁿᵍ oll wedi eu dysgu gan
yr ARGLWYDD.
Daw llwyddiant mawr i'th blant,
¹⁴ a byddi wedi dy sylfaenu ar
gyfiawnder;
byddi'n bell oddi wrth orthrymder,
heb ofn arnat
ac oddi wrth ddychryn, na ddaw'n
agos atat.
¹⁵ Os bydd rhai yn ymosod arnat,
nid oddi wrthyf fi y daw hyn;
bydd pwy bynnag sy'n ymosod arnat
yn cwympo o'th achos.
¹⁶ Edrych, myfi a greodd y gof,
sy'n chwythu'r marwor yn dân,
ac yn llunio arf at ei waith;
myfi hefyd a greodd y dinistrydd i
ddistrywio.
¹⁷ Ond ni lwydda unrhyw arf a luniwyd
yn dy erbyn;
gwrthbrofir pob tafod a'th gyhudda
mewn barn.
Dyma etifeddiaeth gweision yr
ARGLWYDD,
ac oddi wrthyf fi y daw eu llwyddiant,"
medd yr ARGLWYDD.

Gwahoddiad i'r Sychedig

55 "Dewch i'r dyfroedd, bob un y
mae syched arno;
dewch, er eich bod heb arian;
prynwch a bwytewch.
Dewch, prynwch win a llaeth,
heb arian a heb dâl.
² Pam y gwariwch arian am yr hyn nad
yw'n fara,
a llafurio am yr hyn nad yw'n digoni?
Gwrandewch arnaf yn astud,
a chewch fwyta'n dda,
a mwynhau danteithion.
³ Gwrandewch arnaf, dewch ataf;
clywch, a byddwch fyw.
Gwnaf â chwi gyfamod tragwyddol,
fy ffyddlondeb sicr i Ddafydd.
⁴ Edrych, rhois ef yn dyst i'r bobl,
yn arweinydd a chyfarwyddwr i'r bobl.
⁵ Edrych, byddi'n galw ar genedl nid
adweini,
a bydd cenedl nad yw'n dy adnabod yn
rhedeg atat;
oherwydd yr ARGLWYDD dy Dduw,
o achos Sanct Israel, am iddo dy
ogoneddu."

⁶ Ceisiwch yr ARGLWYDD tra gellir ei
gael,
galwch arno tra bydd yn agos.
⁷ Gadawed y drygionus ei ffordd,
a'r dyn anwir ei fwriadau,
a dychwelyd at yr ARGLWYDD, iddo
drugarhau wrtho,
ac at ein Duw ni, oherwydd fe
faddau'n helaeth.
⁸ "Oherwydd nid fy meddyliau i yw eich
meddyliau chwi,
ac nid eich ffyrdd chwi yw fy ffyrdd i,"
medd yr ARGLWYDD.
⁹ "Fel y mae'r nefoedd yn uwch na'r
ddaear,
y mae fy ffyrdd i yn uwch na'ch ffyrdd
chwi,
a'm meddyliau i na'ch meddyliau
chwi.
¹⁰ Fel y mae'r glaw a'r eira yn disgyn o'r
nefoedd,
a heb ddychwelyd yno yn dyfrhau'r
ddaear,
a gwneud iddi darddu a ffrwythloni,
a rhoi had i'w hau a bara i'w fwyta,
¹¹ felly y mae fy ngair sy'n dod o'm
genau;
ni ddychwel ataf yn ofer,

ⁿᵍ Felly Sgrôl. TM, *a'th feibion.*

ond fe wna'r hyn a ddymunaf,
a llwyddo â'm neges.

¹²"Mewn llawenydd yr ewch allan,
ac mewn heddwch y'ch arweinir;
bydd y mynyddoedd a'r bryniau'n
bloeddio canu o'ch blaen,
a holl goed y maes yn curo dwylo.
¹³Bydd ffynidwydd yn tyfu yn lle drain,
a myrtwydd yn lle mieri;
bydd hyn yn glod i'r ARGLWYDD,
yn arwydd tragwyddol na ddileir
mohono."

Duw a'r Cenhedloedd

56 Fel hyn y dywed yr ARGLWYDD:
"Cadwch farn, gwnewch
gyfiawnder;
oherwydd y mae fy iachawdwriaeth ar
ddod,
a'm goruchafiaeth ar gael ei
datguddio.
²Gwyn ei fyd y gŵr sy'n gwneud felly,
a'r dyn sy'n glynu wrth hyn,
yn cadw'r Saboth heb ei halogi,
ac yn ymgadw rhag gwneud unrhyw
ddrwg."

³Na ddyweded y dieithryn a lynodd
wrth yr ARGLWYDD,
"Yn wir y mae'r ARGLWYDD yn fy
ngwahanu oddi wrth ei bobl."
Na ddyweded yr eunuch, "Pren crin
wyf fi."
⁴Fel hyn y dywed yr ARGLWYDD:
"I'r eunuchiaid sy'n cadw fy Sabothau
ac yn dewis y pethau a hoffaf
ac yn glynu wrth fy nghyfamod,
⁵y rhof yn fy nhŷ ac oddi mewn i'm
muriau
gofgolofn ac enw a fydd yn well na
meibion a merched;
rhof iddynt enw parhaol nas torrir
ymaith.
⁶A'r dieithriaid sy'n glynu wrth yr
ARGLWYDD,
yn ei wasanaethu ac yn caru ei enw,
sy'n dod yn weision iddo ef,
yn cadw'r Saboth heb ei halogi
ac yn glynu wrth fy nghyfamod—
⁷dygaf y rhain i'm mynydd sanctaidd,
a rhof iddynt lawenydd yn fy nhŷ
gweddi,
a derbyn eu hoffrwm a'u haberth ar fy
allor;
oherwydd gelwir fy nhŷ yn dŷ gweddi
i'r holl bobloedd,"

⁸medd yr Arglwydd DDUW,
sy'n casglu alltudion Israel.
"Casglaf ragor eto at y rhai sydd wedi
eu casglu."

Cyhuddo'r Drygionus

⁹Dewch i ddifa, chwi fwystfilod gwyllt,
holl anifeiliaid y coed.
¹⁰Y mae'r gwylwyr i gyd yn ddall a heb
ddeall;
y maent i gyd yn gŵn mud heb fedru
cyfarth,
yn breuddwydio, yn gorweddian, yn
hoffi hepian,
¹¹yn gŵn barus na wyddant beth yw
digon.
Y maent hefyd yn fugeiliaid heb fedru
deall,
pob un yn troi i'w ffordd ei hun,
a phob un yn edrych am elw iddo'i
hun,
¹²ac yn dweud, "Dewch, af i gyrchu
gwin;
gadewch i ni feddwi ar ddiod gadarn;
bydd yfory'n union fel heddiw,
ond yn llawer gwell."

Eilunaddoliaeth Israel

57 Y mae'r cyfiawn yn darfod
amdano
heb neb yn malio;
symudir ymaith bobl gywir heb neb yn
hidio.
Ond cyn dyfod drygfyd symudir y
cyfiawn,
²ac fe â i dangnefedd;
a gorffwyso yn ei wely
y bydd y gŵr sy'n rhodio'n gywir.

³"Dewch yma, chwi feibion hudoles,
epil y godinebwr a'r butain.
⁴Pwy yr ydych yn ei wawdio?
Ar bwy yr ydych yn gwneud ystumiau
ac yn tynnu tafod?
Onid plant pechod ydych, ac epil
twyll,
⁵chwi sy'n llosgi gan nwyd dan bob pren
derw,
dan bob pren gwyrddlas,
ac yn aberthu plant yn y glynnoedd,
yn holltau'r clogwyni?
⁶Ymhlith cerrig llyfn y dyffryn y mae dy
ddewis;
yno y mae dy ran.
Iddynt hwy y tywelltaist ddiodoffrwm,
ac y dygaist fwydoffrwm.
A gaf fi fy modloni gan hyn?

⁷Gwnaethost dy wely ar fryn uchel a
   dyrchafedig,
a mynd yno i offrymu aberth.
⁸Gosodaist dy arwydd ar gefn y drws a'r
   pyst,
a'm gadael i a'th ddinoethi dy hun;
aethost i fyny yno i daenu dy wely
ac i daro bargen â hwy.
'Rwyt wrth dy fodd yn gorwedd gyda
   hwy,
a gweld eu noethni.
⁹Ymwelaist â Molech gydag olew,
ac amlhau dy beraroglau;
anfonaist dy negeswyr i bob cyfeiriad,
a'u gyrru hyd yn oed i Sheol.
¹⁰Blinaist gan amlder dy deithio,
ond ni ddywedaist, 'Dyna ddigon.'
Enillaist dy gynhaliaeth,
ac am hynny ni ddiffygiaist.

¹¹"Pwy a wnaeth iti arswydo ac ofni,
a gwneud iti fod yn dwyllodrus,
a'm hanghofio, a pheidio â meddwl
   amdanaf?
Oni fûm ddistaw, a hynny'n hir?
Nid myfi yr oeddit yn ei ofni.
¹²Cyhoeddaf dy gyfiawnder a'th
   weithredoedd.
Ni fydd dy eilunod o unrhyw les iti;
¹³pan weiddi, ni fyddant yn dy waredu.
Bydd y gwynt yn eu dwyn ymaith i
   gyd,
ac awel yn eu chwythu i ffwrdd.
Ond bydd y sawl a ymddiried ynof fi
yn meddiannu'r ddaear,
ac yn etifeddu fy mynydd sanctaidd."

Cysur i'r Edifeiriol

¹⁴Fe ddywedir,
"Gosodwch sylfaen, paratowch
   ffordd;
symudwch bob rhwystr oddi ar ffordd
   fy mhobl."
¹⁵Oherwydd fel hyn y dywed yr uchel a
   dyrchafedig,
sydd â'i drigfan yn nhragwyddoldeb,
a'i enw'n Sanctaidd:
"Er fy mod yn trigo mewn uchelder
   sanctaidd,
'rwyf gyda'r cystuddiol ac isel ei
   ysbryd,
i adfywio'r rhai isel eu hysbryd,
a bywhau calon y rhai cystuddiol.
¹⁶Ni fyddaf yn ymryson am byth
nac yn dal dig yn dragywydd,
rhag i'w hysbryd ballu o'm blaen;
oherwydd myfi a greodd eu hanadl.

¹⁷Digiais wrtho am ei wanc pechadurus,
a'i daro, a throi mewn dicter oddi
   wrtho;
aeth yntau rhagddo'n gyndyn yn ei
   ffordd ei hun,
¹⁸ond gwelais y ffordd yr aeth.
Iachâf ef, a rhoi gorffwys iddo;
¹⁹cysuraf ef, a rhoi geiriau cysur i'w
   alarwyr.
Heddwch i'r pell ac i'r agos,"
medd yr Arglwydd, "a mi a'i hiachâf
   ef."
²⁰Ond y mae'r drygionus fel môr tonnog
na fedr ymdawelu,
a'i ddyfroedd yn corddi llaid a baw.
²¹"Nid oes heddwch i'r drygionus,"
medd fy Nuw.

Gwir Ympryd

58 "Gwaedda'n uchel, paid ag arbed,
   cod dy lais fel utgorn;
mynega eu camwedd i'm pobl,
a'u pechod i dŷ Jacob.
²Y maent yn fy ngheisio'n feunyddiol,
ac yn deisyfu gwybod fy ffordd;
ac fel cenedl sy'n gweithredu
   cyfiawnder,
heb droi cefn ar farn eu Duw,
dônt i ofyn barn gyfiawn gennyf,
ac y maent yn deisyfu nesáu at Dduw.

³" 'Pam y gwnawn ympryd, a thithau
   heb edrych?
Pam y'n cystuddiwn ein hunain, a
   thithau heb sylwi?' meddant.
Yn wir, wrth ymprydio, ceisio'ch lles
eich hunain yr ydych,
a gyrru ar eich gweision yn galetach.
⁴Y mae eich ympryd yn arwain i gynnen
   a chweryl,
a tharo â dyrnod maleisus;
nid yw'r fath ddiwrnod o ympryd
yn dwyn eich llais i fyny uchod.
⁵Ai dyma'r math o ympryd a
   ddewisais—
diwrnod i ddyn ei gystuddio'i hun?
A yw i grymu ei ben fel brwynen,
a gwneud ei wely mewn sachliain a
   lludw?
Ai hyn a elwi yn ympryd,
yn ddiwrnod i ryngu bodd i'r
Arglwydd?
⁶"Onid dyma'r dydd ympryd a
   ddewisais:
tynnu ymaith rwymau anghyfiawn,
a llacio clymau'r iau,
gollwng yn rhydd y rhai a orthrymwyd,

a dryllio pob iau?
⁷Onid rhannu dy fara gyda'r newynog,
a derbyn y tlawd digartref i'th dŷ,
dilladu'r noeth pan weli ef,
a pheidio ag ymguddio rhag dy deulu
　dy hun?
⁸Yna fe ddisgleiria d'oleuni fel y wawr,
a byddi'n ffynnu mewn iechyd yn fuan;
bydd dy gyfiawnder yn mynd o'th
　flaen,
a gogoniant yr ARGLWYDD yn dy
　ddilyn.
⁹Pan elwi, bydd yr ARGLWYDD yn ateb,
a phan waeddi, fe ddywed, 'Dyma fi.'

"Os symudi'r gorthrwm ymaith,
os peidi â chodi bys i gyhuddo ar gam,
¹⁰os rhoddi o'th fodd i'r anghenus,
a diwallu angen y cystuddiol,
yna bydd y caddug fel canol dydd.
¹¹Bydd yr ARGLWYDD yn dy arwain bob
　amser,
yn diwallu dy angen mewn cyfnod
　sych,
ac yn cryfhau dy esgyrn;
yna byddi fel gardd ddyfradwy,
ac fel ffynnon ddŵr
a'i dyfrocdd heb ballu.
¹²Byddi'n ailadeiladu'r hen furddunod
ac yn codi ar yr hen sylfeini;
fe'th elwir yn gaewr bylchau,
ac yn adferwr tai adfeiliedig. ʰ

¹³"Os peidi â sathru'r Saboth dan draed,
a pheidio â cheisio dy les dy hun ar fy
　nydd sanctaidd,
ond galw'r Saboth yn hyfrydwch,
a dydd sanctaidd yr ARGLWYDD yn
　ogoneddus;
os anrhydeddi ef, trwy beidio â
　theithio,
na cheisio dy les na thrafod dy faterion
　dy hun;
¹⁴yna cei foddhad yn yr ARGLWYDD.
Cei farchogaeth ar uchelfannau'r
　ddaear,
a phorthaf di ag etifeddiaeth dy dad
　Jacob."
Y mae genau'r ARGLWYDD wedi
　llefaru.

Pechod, Cyffes ac Adferiad y Bobl

59 Nid aeth llaw'r ARGLWYDD yn
　　rhy wan i achub,
na'i glust yn rhy drwm i glywed;
²ond eich camwedd chwi a ysgarodd

rhyngoch a'ch Duw,
a'ch anwiredd chwi a barodd iddo
　guddio'i wyneb
rhag gwrando arnoch.
³Y mae'ch dwylo'n halogedig gan
　waed,
a'ch bysedd gan gamwedd;
y mae'ch gwefusau'n dweud celwydd,
a'ch tafod yn sibrwd twyll.
⁴Nid oes erlynydd teg
na diffynnydd gonest,
ond y maent yn ymddiried mewn
　gwegi ac yn llefaru oferedd,
yn beichiogi ar niwed ac yn esgor ar
　drueni.
⁵Y maent yn deor wyau seirff,
ac yn nyddu gwe pry copyn;
os bwyti o'r wyau, byddi farw;
os torri un, daw neidr allan.
⁶Nid yw gwe pry copyn yn gwneud
　dillad;
nid oes neb yn gwneud gwisg ohoni;
gwegi yw eu gweithredoedd i gyd,
a'u dwylo'n llunio trais.
⁷Y mae eu traed yn rhuthro at
　gamwedd,
ac yn brysio i dywallt gwaed diniwed;
bwriadau maleisus yw eu bwriadau,
distryw a dinistr sydd ar eu ffyrdd;
⁸ni wyddant am ffordd heddwch,
nid oes cyfiawnder ar eu llwybrau;
y mae eu ffyrdd i gyd yn gam,
ac nid oes heddwch i neb sy'n eu
　cerdded.

⁹Am hynny, ciliodd barn oddi wrthym,
ac nid yw cyfiawnder yn cyrraedd
　atom;
edrychwn am oleuni, ond tywyllwch a
　gawn,
am ddisgleirdeb, ond mewn caddug y
　cerddwn;
¹⁰'rydym yn ymbalfalu ar y pared fel
　deillion,
yn ymbalfalu fel rhai heb lygaid;
'rydym yn baglu ganol dydd fel pe
　bai'n gyfnos,
fel y meirw yn y cysgodion.
¹¹'Rydym i gyd yn chwyrnu fel eirth,
yn cwyno ac yn cwyno fel
　colomennod;
'rydym yn disgwyl am gyfiawnder, ond
　nis cawn,
am iachawdwriaeth, ond ciliodd oddi
　wrthym.

ʰTebygol. Hebraeg, *llwybrau i'w preswylio.*

¹²Y mae ein pechodau yn niferus ger dy
  fron,
a'n hanwiredd yn tystio yn ein herbyn;
y mae'n pechodau'n amlwg inni,
ac yr ydym yn cydnabod ein
  camweddau:
¹³gwrthryfela a gwadu'r ARGLWYDD,
troi ymaith oddi wrth ein Duw,
llefaru trawster a gwrthgilio,
myfyrio a dychmygu geiriau
  celwyddog.
¹⁴Gwthir barn o'r neilltu,
ac y mae cyfiawnder yn cadw draw,
oherwydd cwympodd gwirionedd ar
  faes y dref,
ac ni all uniondeb ddod i mewn.
¹⁵Y mae gwirionedd yn eisiau,
ac ysbeilir yr un sy'n ymwrthod â
  drygioni.

Gwelodd yr ARGLWYDD hyn,
ac yr oedd yn ddrwg yn ei olwg
nad oedd barn i'w chael.
¹⁶Gwelodd nad oedd neb yn malio,
rhyfeddodd nad oedd neb yn ymyrryd;
yna daeth ei fraich ei hun â
  buddugoliaeth iddo,
a chynhaliodd ei gyfiawnder ef.
¹⁷Gwisgodd gyfiawnder fel llurig,
a helm iachawdwriaeth am ei ben;
gwisgodd ddillad dialedd,
a rhoi eiddigedd fel mantell amdano.
¹⁸Bydd yn talu i bawb yn ôl ei
  haeddiant—
llid i'w wrthwynebwyr, cosb i'w
  elynion;
bydd yn rhoi eu haeddiant i'r
  ynysoedd.
¹⁹Felly, ofnant enw'r ARGLWYDD yn y
  gorllewin,
a'i ogoniant yn y dwyrain;
oherwydd fe ddaw fel afon mewn llif
yn cael ei gyrru gan ysbryd yr
  ARGLWYDD.
²⁰"Fe ddaw gwaredydd i Seion,
at y rhai yn Jacob sy'n troi oddi wrth
  anwiredd,"
medd yr ARGLWYDD.

²¹"Dyma," medd yr ARGLWYDD, "fy nghyf-
amod â hwy. Bydd fy ysbryd i arnat, a
gosodaf fy ngeiriau yn dy enau; nid
ymadawant oddi wrthyt nac oddi wrth dy
blant, na phlant dy blant, o'r pryd hwn
hyd byth," medd yr ARGLWYDD.

Gogoniant Seion

60 "Cod, llewyrcha,
  oherwydd daeth dy oleuni;
llewyrchodd gogoniant yr ARGLWYDD
  arnat.
²Er bod tywyllwch yn gorchuddio'r
  ddaear,
a'r fagddu dros y bobloedd,
bydd yr ARGLWYDD yn llewyrchu arnat
  ti,
a gwelir ei ogoniant arnat.
³Fe ddaw'r cenhedloedd at dy oleuni,
a brenhinoedd at ddisgleirdeb dy
  wawr.

⁴"Cod dy lygaid ac edrych o'th
  gwmpas;
y maent i gyd yn ymgasglu i ddod atat,
yn dwyn dy feibion a'th ferched o bell,
ac yn eu cludo ar eu hystlys;
⁵pan weli, bydd dy wyneb yn gloywi,
bydd dy galon yn llawn cyffro a
  llawenydd;
troir atat gyflawnder y môr,
a daw golud y cenhedloedd yn eiddo
  iti.
⁶Bydd gyrroedd o gamelod yn dy
  orchuddio,
daw camelod masnach o Midian, Effa
  a Seba;
byddant i gyd yn cludo aur a thus,
ac yn mynegi moliant yr ARGLWYDD.
⁷Cesglir holl ddefaid Cedar atat,
a bydd hyrddod Nebaioth at dy
  wasanaeth;
offrymir hwy'n aberthau derbyniol ar
  fy allor,
ac ychwanegaf at ogoniant fy nhŷ
  gogoneddus.

⁸"Pwy yw'r rhain sy'n ehedeg fel
  cwmwl,
ac fel colomennod i'w nythle?
⁹Y mae cychod yr ynysoedd yn
  ymgasglu,
a llongau Tarsis ar y blaen,
i ddod â'th feibion o bell,
a'u harian a'u haur gyda hwy,
er anrhydedd i'r ARGLWYDD dy Dduw,
  Sanct Israel;
oherwydd y mae wedi dy ogoneddu.

¹⁰"Dieithriaid fydd yn codi dy furiau,
a'u brenhinoedd yn dy wasanaethu,
oherwydd, er i mi yn fy nig dy daro,
penderfynais dosturio wrthyt.
¹¹Bydd dy byrth yn agored bob amser,

heb eu cau ddydd na nos,
er mwyn dwyn golud y cenhedloedd
	atat,
gyda'u brenhinoedd yn osgordd.
¹²Oherwydd difethir y genedl a'r
	deyrnas sy'n gwrthod dy
	wasanaethu;
dinistrir y cenhedloedd hynny'n llwyr.
¹³Daw gogoniant Lebanon atat—
y ffynidwydd, y ffawydd a'r pren
	bocs—
i harddu man fy nghysegr,
ac anrhydeddu'r lle y gosodaf fy
	nhraed.
¹⁴Daw meibion dy ormeswyr atat yn
	ostyngedig;
bydd pob un a'th ddiystyrodd yn
	ymostwng wrth dy draed;
galwant di yn Ddinas yr ARGLWYDD,
Seion Sanct Israel.

¹⁵"Yn lle dy fod yn wrthodedig ac yn
	atgas,
heb neb yn tramwyo trwot,
fe'th wnaf yn ogoniant tragwyddol,
ac yn llawenydd o oes i oes.
¹⁶Cei sugno llaeth cenhedloedd,
a'th fagu ar fronnau brenhinoedd,
a chei wybod mai myfi, yr ARGLWYDD,
	yw dy achubydd,
ac mai Duw cadarn Jacob yw dy
	waredydd.

¹⁷"Yn lle pres dygaf aur,
yn lle haearn dygaf arian,
ac yn lle coed, bres,
yn lle cerrig, haearn;
gwnaf dy lywodraethwyr yn wŷr
	heddychol
a'th feistradoedd yn gyfiawn.
¹⁸Ni chlywir mwyach am drais yn dy
	wlad,
nac am ddistryw na dinistr o fewn dy
	derfynau,
ond gelwi dy fagwyrydd yn
	Iachawdwriaeth,
a'th byrth yn Foliant.
¹⁹"Nid yr haul fydd mwyach yn goleuo i
	ti yn y dydd,
ac nid y lleuad fydd yn llewyrchu i ti yn
	y nos;
ond yr ARGLWYDD fydd yn oleuni
	di-baid i ti,
a'th Dduw fydd yn ddisgleirdeb i ti.
²⁰Ni fachluda dy haul mwyach,
ac ni phalla dy leuad;

oherwydd yr ARGLWYDD fydd yn
	oleuni di-baid i ti,
a daw diwedd ar ddyddiau dy alar.
²¹Bydd dy bobl i gyd yn gyfiawn,
yn gwreiddio yn y tir am byth,
yn flaguryn a blennais—
fy ngwaith fy hun i'm gogoneddu.
²²Daw'r lleiaf yn llwyth,
a'r ychydig yn genedl gref.
Myfi yw'r ARGLWYDD;
brysiaf i wneud hyn yn ei amser."

Blwyddyn Ffafr Duw

61 Y mae ysbryd yr Arglwydd
	DDUW arnaf,
oherwydd i'r ARGLWYDD fy eneinio
i ddwyn newydd da i'r darostyngedig,
a chysuro'r toredig o galon;
i gyhoeddi rhyddid i'r caethion,
a rhoi gollyngdod i'r carcharorion;
²i gyhoeddi blwyddyn ffafr yr
	ARGLWYDD
a dydd dial ein Duw ni;
i ddiddanu pawb sy'n galaru,
³a gofalu am alarwyr Seion;
a rhoi iddynt goron yn lle lludw,
olew llawenydd yn lle galar,
mantell ysblennydd yn lle digalondid.
Gelwir hwy yn brennau teg
wedi eu plannu gan yr ARGLWYDD i'w
	ogoniant.
⁴Ailadeiladant hen adfeilion,
cyfodant fannau a fu'n anghyfannedd;
atgyweiriant ddinasoedd diffaith
ac anghyfanhedd-dra llawer oes.

⁵Bydd dieithriaid yn gweini fel
	bugeiliaid i'ch praidd,
ac estroniaid fydd eich garddwyr a'ch
	gwinllanwyr.
⁶Gelwir chwi'n offeiriaid yr
	ARGLWYDD,
a'ch enwi'n weinidogion ein Duw ni;
cewch fwyta o olud y cenhedloedd
a phesgi ar eu cyfoeth.
⁷Yn lle'r rhan ddwbl o gywilydd,
yn lle'r gwarth a'r cwynfan a ddaeth
	i'w rhan,
fe etifeddant ran ddwbl yn eu gwlad,
a chael llawenydd di-baid.

⁸"Oherwydd 'rwyf fi, yr ARGLWYDD, yn
	hoffi cyfiawnder,
ac yn casáu trais a chamwri;
rhof iddynt eu gwobr yn ddi-feth,
a gwnaf gyfamod parhaol â hwy.
⁹Bydd eu plant yn adnabyddus ymysg y
	cenhedloedd,

a'u hil ymhlith y bobloedd;
bydd pawb fydd yn eu gweld yn eu
cydnabod
yn genedl a fendithiodd yr
ARGLWYDD.''

¹⁰Llawenychaf yn fawr yn yr
ARGLWYDD,
gorfoleddaf yn fy Nuw;
canys gwisgodd amdanaf wisgoedd
iachawdwriaeth,
taenodd fantell cyfiawnder drosof,
fel y bydd priodfab yn gwisgo'i goron,
a phriodferch yn ei haddurno'i hun â'i
thlysau.
¹¹Fel y gwna'r ddaear i'r blagur dyfu,
a'r ardd i'r hadau egino,
felly y gwna'r ARGLWYDD Dduw i
gyfiawnder a moliant
darddu gerbron yr holl genhedloedd.

Enw Newydd i Seion

62 Er mwyn Seion ni thawaf,
er mwyn Jerwsalem ni fyddaf
ddistaw,
hyd oni ddisgleiria'i chyfiawnder yn
llachar,
a'i hiachawdwriaeth fel ffagl yn llosgi.
²Bydd y cenhedloedd yn gweld dy
gyfiawnder,
a'r holl frenhinoedd dy ogoniant;
gelwir arnat enw newydd,
a roddir i ti o enau'r ARGLWYDD.
³Byddi'n goron odidog yn llaw'r
ARGLWYDD,
ac yn dorch frenhinol yn llaw dy
Dduw.
⁴Ni'th enwir mwyach, Gwrthodedig,
ac ni ddywedir drachefn am dy wlad,
Anghyfannedd;
eithr enwir di, Heffsiba¹,
a'th wlad, Beula¹,
oherwydd ymhyfryda'r ARGLWYDD
ynot,
a phriodir dy wlad.
⁵Fel y bydd llanc yn priodi merch ifanc,
bydd dy adeiladydd yn dy briodi di;
fel y bydd priodfab yn llawen yn ei
briod,
felly y bydd dy Dduw yn llawen ynot
ti.

⁶Ar dy furiau di, O Jerwsalem,
gosodais wylwyr
nad ydynt yn tewi ddydd na nos;
chwi sy'n galw ar yr ARGLWYDD,

peidiwch â distewi,
⁷na rhoi llonydd iddo,
nes iddo sefydlu Jerwsalem,
a'i gwneud yn destun moliant trwy'r
byd.
⁸Tyngodd yr ARGLWYDD i'w ddeheulaw
ac i'w fraich nerthol,
''Ni roddaf dy ŷd byth eto'n ymborth
i'th elyn,
ac ni chaiff dieithriaid yfed y gwin y
llafuriaist amdano;
⁹ond y rhai a'i casgla fydd yn bwyta,
ac yn diolch i'r ARGLWYDD amdano;
y rhai a'i cynnull fydd yn yfed
oddi mewn i gynteddau fy nghysegr.''

¹⁰Ewch i mewn, ewch i mewn drwy'r
pyrth,
paratowch ffordd i'r bobloedd;
codwch brifffordd a symudwch y cerrig,
dyrchafwch arwydd i'r bobloedd.
¹¹Clywch, cyhoeddodd yr ARGLWYDD
i bellafoedd y ddaear,
''Dywedwch wrth ferch Seion,
'Y mae dy achubydd yn dyfod;
y mae ei wobr yn ei law,
ac y mae ei dâl ganddo.''
¹²Fe'u gelwir hwy yn Bobl Sanctaidd,
Gwaredigion yr ARGLWYDD,
ac fe'th elwir di, Yr un a geisiwyd,
Dinas nas gwrthodwyd.

Dydd Dial a Gwaredigaeth

63 Pwy yw hwn sy'n dod o Edom,
yn dod o Bosra, a'i ddillad yn
goch;
y mae ei wisg yn hardd,
a'i gerddediad yn llawn o nerth?
''Myfi yw, yn cyhoeddi cyfiawnder,
ac yn abl i waredu.''
²Pam y mae dy wisg yn goch,
a'th ddillad fel un yn sathru mewn
gwinwryf?
³''Bûm yn sathru'r grawnwin fy hunan,
ac nid oedd neb o'r bobl gyda mi;
sethrais hwy yn fy llid,
a'u mathru yn fy nicter.
Ymdaenodd eu gwaed dros fy nillad
nes cochi fy ngwisgoedd i gyd;
⁴oherwydd 'roedd fy mryd ar ddydd
dial,
a daeth fy mlwyddyn i waredu.
⁵Edrychais, ond nid oedd neb i'm
helpu,
a synnais nad oedd neb i'm cynnal;
fy mraich fy hun a'm gwaredodd,

¹H.y., *Fy hyfrydwch sydd ynddi.*   ¹H.y., *Fy mhriod.*

a chynhaliwyd fi gan fy nicter.
⁶Sethrais y bobl yn fy llid,
a'u meddwi yn fy nicter,
a thywallt eu gwaed ar lawr."

Mawl a Gweddi

⁷Mynegaf ffyddlondeb yr ARGLWYDD,
a chanu ei glodydd
am y cyfan a roddodd yr ARGLWYDD i
ni,
a'i ddaioni mawr i dŷ Israel,
am y cyfan a roddodd iddynt o'i
drugaredd,
ac o lawnder ei gariad di-sigl.
⁸Fe ddywedodd, "Yn awr, fy mhobl i
ydynt,
meibion nad ydynt yn twyllo",
a daeth yn waredwr iddynt yn eu holl
gystuddiau.
⁹Nid cennad nac angel, ond ef ei hun
a'u hachubodd;
yn ei gariad ac yn ei dosturi y
gwaredodd hwy,
a'u codi a'u cario drwy'r dyddiau gynt.
¹⁰Ond buont yn wrthryfelgar, a gofidio'i
ysbryd sanctaidd;
troes yntau'n elyn iddynt,
ac ymladd yn eu herbyn.
¹¹Yna fe gofiwyd am y dyddiau gynt,
am Moses a'i bobl.
Ple mae'r un a ddygodd allan o'r môr
fugail ei braidd?
Ple mae'r un a roes yn eu canol hwy
ei ysbryd sanctaidd,
¹²a pheri i'w fraich ogoneddus
arwain deheulaw Moses,
a hollti'r dyfroedd o'u blaen,
i wneud iddo'i hun enw tragwyddol?
¹³Arweiniodd hwy trwy'r dyfnderoedd,
fel arwain march yn yr anialwch;
¹⁴mor sicr eu troed ag ych yn mynd i
lawr i'r dyffryn
y tywysodd ysbryd yr ARGLWYDD hwy.
Felly yr arweiniaist dy bobl,
a gwneud iti enw ardderchog.

¹⁵Edrych i lawr o'r nefoedd,
o'th annedd sanctaidd, ardderchog, a
gwêl.
Ple mae dy angerdd a'th nerth,
tynerwch dy galon a'th dosturi?
Paid ag ymatal rhagom,
¹⁶oherwydd ti yw ein tad.
Er nad yw Abraham yn ein hadnabod,
nac Israel yn ein cydnabod,

tydi, yr ARGLWYDD, yw ein tad,
Ein Gwaredydd yw dy enw erioed.
¹⁷Pam, ARGLWYDD, y gadewaist i ni
grwydro oddi ar dy ffyrdd,
a chaledu ein calonnau rhag dy ofni?
Dychwel, er mwyn dy weision,
llwythau dy etifeddiaeth.
¹⁸Pam y sathrodd annuwiolion dy
gysegr,‖
ac y sarnodd ein gelynion dy le
sanctaidd?
¹⁹Eiddot ti ydym ni erioed;
ond ni fuost yn rheoli drostynt hwy,
ac ni alwyd dy enw arnynt.

64 * O na rwygit y nefoedd, a dod
i lawr,
a'r mynyddoedd yn toddi o'th flaen,
²fel tân yn llosgi prysgwydd,
fel dŵr yn berwi ar dân,
er mwyn i'th enw ddod yn hysbys i'th
gascion,
ac i'r cenhedloedd grynu yn dy ŵydd.
³Pan wnaethost bethau ofnadwy heb i
ni eu disgwyl,
daethost i lawr, a thoddodd y
mynyddoedd o'th flaen.
⁴Ni chlywodd neb erioed,
ni ddaliodd clust, ni chanfu llygad
unrhyw Dduw ond tydi,
a wnâi ddim dros y rhai sy'n disgwyl
wrtho.
⁵'Rwyt yn cyfarfod â'r rhai sy'n hoffi
gwneud cyfiawnder,
y rhai sy'n cofio am dy ffyrdd.
Er dy fod yn digio pan oeddem ni'n
pechu,
eto 'roeddem yn dal i droseddu yn dy
erbyn.ᵐ
⁶Aethom i gyd fel peth aflan,
a'n holl gyfiawnderau fel clytiau
budron;
yr ydym i gyd wedi crino fel deilen,
a'n camweddau yn ein chwythu i
ffwrdd fel y gwynt.
⁷Ac nid oes neb yn galw ar dy enw,
nac yn trafferthu i afael ynot;
cuddiaist dy wyneb oddi wrthym,
a'n traddodi i afaelⁿ ein camweddau.

⁸Ond tydi, O ARGLWYDD, yw ein tad;
ni yw'r clai a thi yw'r crochenydd;
gwaith dy ddwylo ydym i gyd.
⁹Paid â digio'n llwyr, ARGLWYDD,
na chofio camwedd am byth.

‖Tebygol. Hebraeg, *O'r braidd yr etifeddodd pobl dy gysegr.*　　*63:19 yn yr Hebraeg.
ᵐFelly Groeg. Hebraeg yn aneglur.　　ⁿFelly Groeg. Hebraeg, *a'n toddi oherwydd.*

Edrych, yn awr, dy bobl ydym ni i gyd.
10 Aeth dy ddinasoedd sanctaidd yn
anialwch;
y mae Seion yn anialwch a Jerwsalem
yn anghyfannedd.
11 Y mae ein tŷ sanctaidd a hardd,
lle y byddai'n tadau yn dy foliannu,
wedi mynd yn lludw,
a phob peth annwyl gennym yn
anrhaith.
12 A ymateli di, ARGLWYDD, oherwydd y
pethau hyn?
A dewi di, a'n cystuddio'n llwyr?

Barn ac Iachawdwriaeth

65 "Yr oeddwn ar gael i rai nad
oeddent yn holi amdanaf,
i'm gweld gan rai na chwilient
amdanaf.
Dywedais, 'Edrychwch, dyma fi',
wrth genedl na alwai ar fy enw.
2 Estynnais fy nwylo'n feunyddiol at
bobl wrthryfelgar,
rhai oedd yn rhodio ffordd drygioni,
ac yn dilyn eu mympwy eu hunain,
3 rhai oedd yn fy mhryfocio'n ddi-baid
yn fy wyneb,
yn aberthu mewn gerddi ac
arogldarthu ar briddfeini,
4 yn eistedd ymhlith y beddau,
ac yn treulio'r nos mewn mynwentydd,
yn bwyta cig moch, a'u llestri'n llawn o
gawl aflan.
5 Dywedant, 'Cadw draw,
paid â'm cyffwrdd, rhag iti fod yn
ysgymun.'
Y mae'r bobl hyn yn fwg yn fy
ffroenau,
yn dân sy'n mygu drwy'r dydd.
6 Ond y mae'r cyfan wedi ei ysgrifennu
o'm blaen;
ni thawaf, ond fe dalaf yn ôl;
at y byw y talaf yn ôl
7 eich anwiredd chwi a'ch tadau,"
medd yr ARGLWYDD.
"Am iddynt arogldarthu ar y
mynyddoedd,
a'm cablu ar y bryniau,
mesuraf eu tâl iddynt° at y byw."

8 Fel hyn y dywed yr ARGLWYDD:
"Fel pan geir gwin newydd mewn swp
o rawn,
ac y dywedir, 'Paid â'i ddinistrio,
oherwydd y mae bendith ynddo',
felly y gwnaf finnau er mwyn fy

° Tebygol. Hebraeg, *eu tâl cyntaf.*

ngweision;
ni ddinistriaf yr un ohonynt.
9 Ond paraf i epil ddod o Jacob,
a rhai i etifeddu fy mynyddoedd o
Jwda;
bydd y rhai a ddewisaf yn eu
hetifeddu,
a'm gweision yn trigo yno.
10 Bydd Saron yn borfa defaid,
a Dyffryn Achor yn orweddfa
gwartheg,
ar gyfer fy mhobl sy'n fy ngheisio.

11 "Ond chwi sy'n gwrthod yr
ARGLWYDD,
sy'n diystyru fy mynydd sanctaidd,
sy'n gosod bwrdd i'r duw Ffawd
ac yn llenwi cwpanau o win cymysg i
Hap,
12 dedfrydaf chwi i'r cleddyf,
a'ch darostwng i gyd i'ch lladd;
canys gelwais, ond ni roesoch ateb,
lleferais, ond ni wrandawsoch.
Gwnaethoch bethau sy'n atgas gennyf,
a dewis yr hyn nad yw wrth fy modd."
13 Am hynny, fel hyn y dywed yr
Arglwydd DDUW:
"Edrychwch, bydd fy ngweision yn
bwyta a chwithau'n newynu;
bydd fy ngweision yn llawenhau a
chwithau'n cywilyddio;
14 bydd fy ngweision yn canu o lawenydd
a chwithau'n griddfan mewn gofid
calon,
ac yn galaru mewn ing.
15 Erys eich enw yn felltith gan
f'etholedigion;
bydd yr Arglwydd DDUW yn dy ddifa,
ond fe rydd enw gwahanol ar ei
weision.
16 Bydd pawb ar y ddaear sy'n ceisio
bendith
yn ceisio'i fendith yn enw Duw
gwirionedd,
a phawb ar y ddaear sy'n tyngu llw
yn tyngu ei lw yn enw Duw
gwirionedd."

Nefoedd Newydd a Daear Newydd

"Anghofir y treialon gynt,
ac fe'u cuddir o'm golwg.
17 Yr wyf fi'n creu nefoedd newydd a
daear newydd;
ni chofir y pethau gynt na meddwl
amdanynt.
18 Byddwch lawen, gorfoleddwch yn ddi-

baid
am fy mod i yn creu,
ie, yn creu Jerwsalem yn orfoledd,
a'i phobl yn llawenydd.
¹⁹Gorfoleddaf yn Jerwsalem,
llawenychaf yn fy mhobl;
ni chlywir ynddi mwyach na sŵn
wylofain na chri helbul.
²⁰Ni bydd yno byth eto blentyn yn
dihoeni,
na henwr heb gyflawni nifer ei
flynyddoedd;
llanc fydd yr un sy'n marw'n
ganmlwydd,
a dilornir y sawl nad yw'n cyrraedd ei
gant.
²¹Byddant yn adeiladu tai ac yn byw
ynddynt,
yn plannu gwinllannoedd ac yn
bwyta'u ffrwyth;
²²ni fydd neb yn adeiladu i arall
gyfanheddu,
nac yn plannu ac arall yn bwyta.
Bydd fy mhobl yn byw cyhyd ä
choeden,
a'm hetholedig yn llwyr fwynhau
gwaith eu dwylo.
²³Ni fyddant yn llafurio'n ofer,
nac yn magu plant i drallod;
cenhedlaeth a fendithiwyd gan yr
ARGLWYDD ydynt,
hwy a'u hepil hefyd.
²⁴Byddaf yn eu hateb cyn iddynt alw,
ac yn eu gwrando wrth iddynt lefaru.
²⁵Bydd y blaidd a'r oen yn cydbori,
a'r llew yn bwyta gwair fel ych;
a llwch fydd bwyd y sarff.
Ni wnânt ddrwg na difrod
yn fy holl fynydd sanctaidd," medd yr
ARGLWYDD.

Gobaith yn Nuw

66 Fel hyn y dywed yr ARGLWYDD:
"Y nefoedd yw fy ngorsedd, a'r
ddaear fy nhroedfainc;
ple, felly, y codwch dŷ i mi,
a phle y caf fan i orffwys?
²Fy llaw i a wnaeth y pethau hyn i gyd,
a'r eiddof fi yw^p pob peth," medd yr
ARGLWYDD.
"Ond fe edrychaf ar y truan,
yr un o ysbryd gostyngedig,
ac sy'n parchu fy ngair.

³"Prun ai lladd ych ai lladd dyn,
ai aberthu oen ai tagu ci,

^pFelly Groeg. Hebraeg, *ac y mae.*

ai offrymu bwydoffrwm ai aberthu
gwaed moch,
ai arogldarthu thus ai bendithio eilun,
dewis eu ffordd eu hunain y maent.
⁴Ond dewisaf fi ofid iddynt,
a dwyn arnynt yr hyn a ofnant;
oherwydd pan elwais, ni chefais ateb,
pan leferais, ni wrandawsant;
gwnaethant bethau sydd yn atgas
gennyf,
a dewis yr hyn nad yw wrth fy modd."

⁵Clywch air yr ARGLWYDD,
chwi sy'n parchu ei air:
"Dywedodd eich brodyr sy'n eich
casáu,
ac sy'n eich gwrthod oherwydd fy enw,
'Bydded i'r ARGLWYDD gael ei
ogoneddu,
er mwyn i ni weld eich llawenydd.'
Ond cywilyddir hwy.
⁶Clywch! Gwaedd o'r ddinas, llef o'r
deml,
sŵn yr ARGLWYDD yn talu'r pwyth i'w
elynion.

⁷"A fydd gwraig yn esgor cyn dechrau
ei phoenau?
A yw'n geni plentyn cyn i'w gwewyr
ddod arni?
⁸A glywodd rhywun am y fath beth?
A welodd rhywun rywbeth tebyg?
A ddaw gwlad i fod mewn un dydd?
A enir cenedl ar unwaith?
Ond gyda bod Seion yn clafychu,
bydd yn esgor ar ei meibion.
⁹A ddygaf fi at y geni heb beri esgor?"
medd yr ARGLWYDD.
"A baraf fi esgor ac yna'i rwystro?"
medd dy Dduw.

¹⁰"Llawenhewch gyda Jerwsalem, a
byddwch yn falch o'i herwydd,
bawb sy'n ei charu;
llawenhewch gyda hi â'ch holl galon,
bawb a fu'n galaru o'i phlegid,
¹¹er mwyn ichwi fedru sugno a chael
eich diwallu
o'i bronnau diddanus,
er mwyn ichwi fedru tynnu arni a chael
eich diddanu
gan ddigonedd ei gogoniant."

¹²Fel hyn y dywed yr ARGLWYDD:
"Edrychwch, 'rwy'n estyn iddi
lawnder fel afon,

a golud y cenhedloedd fel ffrwd
lifeiriol.
Cewch sugno, cewch eich cludo ar ei
hystlys,
a'ch siglo ar ei gliniau.
[13]Fel y cysurir plentyn gan ei fam
byddaf fi'n eich cysuro chwi;
ac yn Jerwsalem y'ch cysurir.
[14]Cewch weld hyn, a bydd yn llawenydd
i'ch calon,
bydd eich holl gorff yn ffynnu fel
llysieuyn;
dangosir bod llaw yr ARGLWYDD gyda'i
weision,
a'i lid yn erbyn ei elynion.
[15]Edrychwch, y mae'r ARGLWYDD yn
dod â thân,
a'i gerbydau fel corwynt,
i dalu'r pwyth mewn llid dicllon,
ac i geryddu â fflamau tân.
[16]Oherwydd trwy dân y bydd yr
ARGLWYDD yn barnu,
a thrwy gleddyf yn erbyn pob cnawd;
a lleddir llawer gan yr ARGLWYDD.

17 "Pawb sy'n ymgysegru ac yn eu puro
eu hunain ar gyfer y gerddi, ac yn gorym-
deithio trwyddynt, ac yn bwyta cig moch,
ymlusgiaid[ph], a llygod—daw diwedd ar eu
gwaith a'u bwriad[r]," medd yr ARGLWYDD.
18 "'Rwyf fi'n dod i gasglu ynghyd bob
cenedl ac iaith; a dônt i weld fy ngogo-
niant. [19]Gosodaf arwydd yn eu mysg, ac
anfonaf rai o'u gwaredigion at y cenhed-
loedd, i Tarsis, Put, Lud, Mesech[rh], Tubal
a Jafan, ac ynysoedd pell, na chlywsant
sôn amdanaf na gweld fy ngogoniant; a
chyhoeddant hwy fy ngogoniant i'r
cenhedloedd. [20]Dygant eich brodyr i gyd o
blith yr holl genhedloedd yn offrwm i'r
ARGLWYDD; ar feirch, mewn cerbydau a
gwageni, ar fulod a chamelod y dônt i'm
mynydd sanctaidd, Jerwsalem," medd yr
ARGLWYDD, "yn union fel y bydd plant
Israel yn dwyn yr offrwm mewn llestr glân
i dŷ'r ARGLWYDD. [21]A byddaf yn dewis
rhai ohonynt yn offeiriaid ac yn Lefiaid,"
medd yr ARGLWYDD.

[22]"Fel y bydd y nefoedd newydd a'r
ddaear newydd,
yr wyf fi yn eu creu, yn parhau ger fy
mron," medd yr ARGLWYDD,
"felly y parha eich had a'ch enw chwi.
[23]O fis i fis, o Saboth i Saboth,
daw pob cnawd i ymgrymu o'm
blaen," medd yr ARGLWYDD.
[24]"Ac ânt allan a gweld
celanedd y rhai a wnaeth gamwedd yn
f'erbyn;
ni bydd eu pryf yn marw,
na'u tân yn diffodd;
a byddant yn ffiaidd gan bawb."

[ph]Hebraeg, *ffieidd-dra*.   [r]Y mae'r Hebraeg yn gosod *eu gwaith a'u bwriad* yn adn.18.
[rh]Felly Groeg, Hebraeg, *y rhai sy'n tynnu bwa*.

LLYFR

JEREMEIA

Jeremeia

1 Geiriau Jeremeia fab Hilceia, un o'r offeiriaid oedd yn Anathoth, yn nhiriogaeth Benjamin. [2]Ato ef y daeth gair yr ARGLWYDD yn nyddiau Joseia fab Amon, brenin Jwda, yn y drydedd flwyddyn ar ddeg o'i deyrnasiad. [3]Daeth hefyd yn ystod dyddiau Jehoiacim, mab Joseia brenin Jwda, a hyd ddiwedd yr un mlynedd ar ddeg o deyrnasiad Sedeceia, mab Joseia brenin Jwda, sef hyd at gaethgludiad Jerwsalem yn y pumed mis.

Galw Jeremeia

4 Daeth gair yr ARGLWYDD ataf a dweud,
[5]"Cyn i mi dy lunio yn y groth, fe'th
   adnabûm;
 a chyn dy eni, fe'th gysegrais;
 rhoddais di'n broffwyd i'r
   cenhedloedd."

6 Dywedais innau, "O Arglwydd DDUW, ni wn pa fodd i lefaru, oherwydd bachgen wyf fi." [7]Ond dywedodd yr ARGLWYDD wrthyf,
"Paid â dweud, 'Bachgen wyf fi';
 oherwydd fe ei at bawb yr anfonaf di
   atynt,
 a llefaru pob peth a orchmynnaf i ti.
[8]Paid ag ofni o'u hachos.
 oherwydd yr wyf fi gyda thi i'th
   waredu," medd yr ARGLWYDD.

9 Yna estynnodd yr ARGLWYDD ei law a chyffwrdd â'm genau; a dywedodd yr ARGLWYDD wrthyf,
"Wele, rhoddais fy ngeiriau yn dy
   enau.
[10]Edrych, fe'th osodais di heddiw dros y
   cenhedloedd
 a thros y teyrnasoedd,
 i ddiwreiddio ac i dynnu i lawr,
 i ddifetha ac i ddymchwelyd,
 i adeiladu ac i blannu."

Dwy Weledigaeth

11 Daeth gair yr ARGLWYDD ataf a dweud, "Jeremeia, beth a weli di?" Dywedais innau, "Yr wyf yn gweld gwialen almon[a]." [12]Atebodd yr ARGLWYDD, "Gwelaist yn gywir, oherwydd yr wyf fi'n gwylio[b] fy ngair i'w gyflawni." [13]A daeth gair yr ARGLWYDD ataf yr eildro a dweud, "Beth a weli di?" Dywedais innau, "Yr wyf yn gweld crochan yn berwi, a'i ogwydd o'r gogledd." [14]A dywedodd yr ARGLWYDD wrthyf, "O'r gogledd yr ymarllwys dinistr dros holl drigolion y tir. [15]Oherwydd dyma fi'n galw holl deuluoedd teyrnas y gogledd," medd yr ARGLWYDD, "a dônt a gosod bob un ei orsedd ar drothwy pyrth Jerwsalem, yn erbyn ei holl furiau o'u hamgylch, ac yn erbyn holl ddinasoedd Jwda; [16]a thraethaf fy marnedigaeth arnynt am eu holl gamwedd yn cefnu arnaf fi, gan arogldarthu i dduwiau eraill, ac addoli gwaith eu dwylo eu hunain.

17 "Torcha dithau dy wisg; cod a llefara wrthynt bob peth a orchmynnaf i ti. Paid ag arswydo o'u hachos, rhag i mi dy ddistrywio di o'u blaen. [18]A rhof finnau di heddiw yn ddinas gaerog, yn golofn haearn ac yn fur pres, yn erbyn yr holl dir, yn erbyn brenhinoedd Jwda a'i thywysogion, ei hoffeiriaid a phobl y wlad. [19]Ymladdant yn dy erbyn, ond ni'th orchfygant oherwydd yr wyf fi gyda thi i'th waredu," medd yr ARGLWYDD.

Gofal Duw dros Israel

2 Daeth gair yr ARGLWYDD ataf a dweud, [2]"Dos, a chyhoedda yng nghlyw Jerwsalem, a dywed:
'Fel hyn y dywed yr ARGLWYDD:
Cofiaf di am dy deyrngarwch yn dy
   ieuenctid,
ac am dy serch yn ddyweddi,
ac am iti fy nghanlyn yn y diffeithwch,
mewn tir heb ei hau.

---

[a] Hebraeg, *saqed*.   [b] Hebraeg, *soqed*.

³Yr oedd Israel yn gysegredig i'r
ARGLWYDD,
ac yn flaenffrwyth ei gnwd.
Euog oedd pwy bynnag a'i bwytaodd;
daeth dinistr arno,'" medd yr
ARGLWYDD.

Pechodau'r Tadau

4 Clywch air yr ARGLWYDD, O dŷ
Jacob, a holl deuluoedd tŷ Israel. ⁵Fel
hyn y dywed yr ARGLWYDD:
"Pa fai a gafodd eich tadau ynof,
i ymbellhau oddi wrthyf,
i rodio ar ôl oferedd, a mynd yn ofer?
⁶Ni ddywedasant, 'Ple mae'r
ARGLWYDD a'n dygodd i fyny o'r
Aifft,
a'n harwain yn y diffeithwch,
mewn tir anial, llawn o dyllau,
tir sychder a thywyllwch dudew,
tir nas troediwyd erioed, ac na
thrigodd dyn ynddo?'
⁷Dygais chwi i wlad gnydfawr,
i fwyta ei ffrwyth a'i daioni;
ond daethoch i mewn a halogi fy nhir,
a gwneud fy etifeddiaeth yn ffieidd-
dra.
⁸Ni ddywedodd yr offeiriaid, 'Ple mae'r
ARGLWYDD?'
Ni fu i'r rhai oedd yn trin y gyfraith
f'adnabod,
a throseddodd y bugeiliaid yn f'erbyn;
proffwydodd y proffwydi trwy Baal,
gan ddilyn pethau di-lesâd.

Yr ARGLWYDD yn Cyhuddo ei Bobl

⁹"Am hyn, fe'ch cyhuddaf drachefn,"
medd yr ARGLWYDD,
"gan gyhuddo hefyd blant eich plant.
¹⁰Tramwywch drwy ynysoedd Chittim
ac edrychwch;
anfonwch i Cedar, ystyriwch a
gwelwch a fu'r fath beth.
¹¹A fu i unrhyw genedl newid ei duwiau,
a hwythau heb fod yn dduwiau?
Ond rhoddodd fy mhobl eu gogoniant
yn gyfnewid am bethau di-lesâd.
¹²O nefoedd, rhyfeddwch at hyn;
arswydwch, ac ewch yn gwbl
ddiffaith," medd yr ARGLWYDD.
¹³"Yn wir, gwnaeth fy mhobl ddau
ddrwg:
fe'm gadawsant i, ffynnon y dyfroedd
byw,
a chloddio iddynt eu hunain bydewau,
pydewau toredig, na allant ddal dŵr.

Canlyniadau Anffyddlondeb Israel

¹⁴"Ai caethwas yw Israel? Neu a anwyd
ef yn gaeth?
Pam, ynteu, yr aeth yn ysbail?
¹⁵Rhuodd y llewod a chodi eu llais
drosto.
Gwnaethant ei dir yn ddiffaith,
a'i ddinasoedd yn anghyfannedd heb
drigiannydd.
¹⁶Hefyd, torrodd meibion Noph a
Tahpanhes dy gorun.
¹⁷Oni ddygaist hyn arnat dy hun,
trwy adael yr ARGLWYDD dy Dduw
pan oedd yn d'arwain yn y ffordd?
¹⁸Yn awr, beth a wnei di yn mynd i'r
Aifft,
i yfed dyfroedd Afon Neil,
neu'n mynd i Asyria, i yfed dyfroedd
Afon Ewffrates?
¹⁹Fe'th gosbir gan dy ddrygioni dy hun,
a'th geryddu gan dy wrthgiliad.
Ystyria a gwêl mai drwg a chwerw
yw i ti adael yr ARGLWYDD dy Dduw,
a pheidio â'm hofni," medd yr
Arglwydd, DUW y Lluoedd.

Israel yn Gwrthod Addoli'r ARGLWYDD

²⁰"Erstalwm yr wyt wedi torri c dy iau a
dryllio dy rwymau,
a dweud, 'Ni wasanaethaf'.
Canys ar bob bryn uchel a than bob
pren gwyrddlas
plygaist i buteinio.
²¹Plennais di yn winwydden bêr, o had
glân pur;
sut ynteu y'th drowyd yn blanhigyn
afrywiog i mi,
yn winwydden estron?
²²Pe bait yn ymolchi â neitr, a chymryd
llawer o sebon,
byddai ôl dy anwiredd yn aros ger fy
mron," medd yr ARGLWYDD.
²³"Sut y gelli ddweud, 'Nid wyf wedi fy
halogi, na mynd ar ôl Baalim?'
Gwêl dy ffordd yn y glyn; ystyria beth
a wnaethost.
Camel chwim ydwyt, yn gwibio'n ddi-
drefn yn ei llwybrau;
²⁴asen wyllt, a'i chynefin yn yr anialwch
yn ei blys yn ffroeni'r gwynt.
Pwy a atal ei nwyd?
Ni flina'r un sy'n ei chwennych;
fe'i cânt yn ei hamser.
²⁵Cadw dy droed rhag noethni, a'th lwr
rhag syched.

Ond dywedaist, 'Nid oes gobaith.
Mi gerais estroniaid ac ar eu hôl hwy
yr af.'

Israel yn Haeddu ei Chosbi

26 "Fel cywilydd lleidr wedi ei ddal y
cywilyddia tŷ Israel—
hwy, eu brenhinoedd, a'u pendefigion,
eu hoffeiriaid a'u proffwydi.
27 Dywedant wrth bren, 'Ti yw fy nhad',
ac wrth garreg, 'Ti a'm cenhedlodd'.
Troesant ataf wegil, ac nid wyneb;
ond yn awr eu hadfyd dywedant, 'Cod,
achub ni'.
28 Ple mae dy dduwiau, a wnaethost iti?
Boed iddynt hwy godi os gallant dy
achub yn awr dy adfyd.
Oherwydd y mae dy dduwiau mor
niferus â'th ddinasoedd, O Jwda.
29 Pam yr ydych yn dadlau â mi?
Gwnaethoch gamwedd yn f'erbyn,
bawb ohonoch," medd yr
ARGLWYDD.

30 "Yn ofer y trewais eich plant; ni
dderbyniant gerydd.
Y mae eich cleddyf wedi difa'ch
proffwydi, fel llew yn rheibio.
31 Chwi genhedlaeth, ystyriwch air yr
ARGLWYDD.
Ai anialwch a fûm i Israel, neu wlad
tywyllwch?
Pam y dywed fy mhobl, 'Yr ydym ni'n
rhydd;
ni ddown mwyach atat ti'?
32 A anghofia geneth ei thlysau, neu
briodasferch ei rhubanau?
Eto y mae fy mhobl wedi fy anghofio i,
ddyddiau di-rif.

33 "Mor dda yr wyt yn dewis dy ffordd i
geisio cariadon,
gan ddysgu dy ffyrdd hyd yn oed i
ferched drwg.
34 Cafwyd ym mhlygion dy wisg waed
einioes tlodion diniwed—
ac nid yn torri i mewn y deliaist hwy—
35 ond er hyn i gyd, yr wyt yn dweud,
"Rwy'n ddieuog; fe dry ei lid oddi
wrthyf.'
Ond wele, fe'th ddygaf i farn am[ch] iti
ddweud, 'Ni phechais.'
36 Mor ddi-hid wyt yn newid dy ffordd;
fe'th gywilyddir gan yr Aifft, fel y
cywilyddiwyd di gan Asyria.
37 Doi allan oddi yno hefyd, a'th ddwylo

ar dy ben,
oherwydd gwrthoda'r ARGLWYDD dy
hyder ynddynt, ac ni lwyddi.

Israel Anffyddlon

3 "Os bydd gŵr yn ysgaru ei wraig, a
hithau'n ei adael
a mynd yn eiddo i arall, a ddychwel ef
ati?
Oni halogid y tir yn ddirfawr trwy
hyn?
Yr wyt wedi puteinio gyda chariadon
lawer,
ond a fyddi'n dychwelyd ataf?" medd
yr ARGLWYDD.
2 "Cod dy olwg i'r moelydd,
ac edrych am fan na phuteiniaist
ynddo;
disgwyliaist amdanynt ger y ffyrdd, fel
Arab yn yr anialwch;
halogaist y tir â'th buteindra, ac â'th
ddrygioni.
3 Ataliwyd y glawogydd, ac ni ddaeth y
cawodydd diweddar;
ond talcen putain oedd gennyt, a
gwrthodaist gywilyddio.
4 Ac onid wyt yn awr yn galw arnaf,
'Fy nhad, cyfaill fy ieuenctid wyt ti—
5 a fydd ef yn ddig hyd byth?
a geidw ef lid bob amser?'
Fel hyn y lleferaist,
ond gwnaethost ddrygioni hyd y
gellaist."

Rhaid i Israel a Jwda Edifarhau

6 Dywedodd yr ARGLWYDD wrthyf yn
nyddiau'r Brenin Joseia, "A welaist ti'r
hyn a wnaeth Israel wrthnysig? Bu'n
rhodianna ar bob bryn uchel a than bob
pren gwyrddlas, a phuteinio yno.
7 Dywedais, 'Wedi iddi wneud hyn i gyd,
fe ddychwel ataf.' Ond ni ddychwelodd,
a gwelodd ei chwaer dwyllodrus Jwda
hynny. 8 Gwelodd[d] mai'n unig oherwydd i
Israel wrthnysig odinebu y gollyngais hi, a
rhoi iddi ei llythyr ysgar; er hynny nid
ofnodd Jwda, ei chwaer dwyllodrus, ond
aeth hithau hefyd a phuteinio. 9 Halogodd
y tir trwy buteinio mor rhwydd, gan
odinebu gyda maen a chyda phren. 10 Ac er
hyn oll ni ddychwelodd ei chwaer dwyll-
odrus Jwda ataf fi â'i holl galon, ond
mewn rhagrith," medd yr ARGLWYDD.
11 Dywedodd yr ARGLWYDD wrthyf, "Fe'i
cyfiawnhaodd Israel wrthnysig, ei hun
rhagor Jwda dwyllodrus. 12 Dos a

_____
[a]Neu, er.   [d]Hebraeg, A gwelais.

chyhoedda'r geiriau hyn tua'r gogledd, a dywed:
'Dychwel, Israel wrthnysig,' medd yr ARGLWYDD.
'Ni fwriaf fy llid arnoch,
canys ffyddlon wyf fi,' medd yr ARGLWYDD.
'Ni fyddaf ddig hyd byth.
[13] Yn unig cydnebydd dy gamwedd,
iti wrthryfela yn erbyn yr ARGLWYDD dy Dduw,
ac afradu dy ffafrau i ddieithriaid dan bob pren gwyrddlas,
heb wrando ar fy llais,' medd yr ARGLWYDD.

[14] "Dychwelwch, feibion gwrthnysig," medd yr ARGLWYDD, "oherwydd myfi a'ch piau chwi, ac fe'ch cymeraf bob yn un o ddinas a bob yn ddau o lwyth, a'ch dwyn i Seion. [15] Yno y rhof i chwi fugeiliaid wrth fodd fy nghalon, a phorthant chwi â gwybodaeth a deall. [16] Wedi i chwi amlhau a chynyddu yn y wlad, fe ddaw amser," medd yr ARGLWYDD, "pan na ddywedir mwyach, 'Arch cyfamod yr ARGLWYDD', ac ni ddaw i feddwl neb gofio amdani nac ymweld â hi, ac nis gweir mwyach. [17] Yr adeg honno galwant Jerwsalem yn orsedd yr ARGLWYDD, ac ymgasgla ati'r holl genhedloedd yno at enw'r ARGLWYDD yn Jerwsalem; ac ni rodiant mwyach yn ôl cyndynrwydd eu calon ddrygionus. [18] Yn y dyddiau hynny fe â tŷ Jwda at dŷ Israel, a dônt ynghyd o dir y gogledd i'r tir y perais i'ch tadau ei etifeddu.

Eilunaddoliaeth Pobl Dduw

[19] "Dywedais, 'Sut y gosodaf di ymhlith y plant,
i roi i ti dir dymunol,
ac etifeddiaeth orau'r cenhedloedd?'
A dywedais, 'Fe'm gelwi, "Fy nhad",
ac ni throi ymaith oddi ar fy ôl.'
[20] Yn ddiau, fel y bydd gwraig yn anffyddlon i'w chymar,
felly, dŷ Israel, y buoch yn anffyddlon i mi," medd yr ARGLWYDD.

[21] Clyw! Ar y moelydd clywir wylofain ac ymbil tŷ Israel,
am iddynt wyro eu ffordd ac anghofio'r ARGLWYDD eu Duw.
[22] "Dychwelwch, feibion gwrthnysig;
iachâf eich ysbryd gwrthnysig."
"Wele, fe ddown atat, oherwydd ti

dd Felly Groeg. Hebraeg, *Codwch faner*.

yw'r ARGLWYDD ein Duw.
[23] Diau y daw oferedd o gyfeddach y bryniau a'r mynyddoedd,
ond yn yr ARGLWYDD ein Duw y mae iachawdwriaeth Israel.
[24] Y mae'r gwarth wedi ysu llafur ein tadau o'n hieuenctid:
eu defaid a'u gwartheg, eu meibion a'u merched.
[25] Gorweddwn yn ein gwarth, a'n cywilydd wedi ein hamdoi.
Yr ydym wedi pechu yn erbyn yr ARGLWYDD ein Duw,
nyni a'n tadau, o'n hieuenctid hyd y dydd heddiw,
ac ni wrandawsom ar lais yr ARGLWYDD ein Duw."

Galwad i Edifeirwch

4 "Os dychweli, Israel," medd yr AR-GLWYDD, "os dychweli ataf fi,
a rhoi heibio dy ffieidd-dra o'm gŵydd, a pheidio â symud,
[2] ac os tyngi mewn gwirionedd, mewn barn a chyfiawnder, 'Byw yw'r ARGLWYDD',
yna fe ymfendithia'r cenhedloedd ynddo, ac ymglodfori ynddo."
[3] Oherwydd fel hyn y dywed yr ARGLWYDD wrth wŷr Jwda a Jerwsalem:
"Braenarwch i chwi fraenar, a pheidiwch â hau mewn drain.
[4] Ymenwaedwch i'r ARGLWYDD, symudwch flaengroen eich calon,
wŷr Jwda a thrigolion Jerwsalem,
rhag i'm digofaint ddod allan fel tân a llosgi heb neb i'w ddiffodd,
oherwydd drygioni eich gweithredoedd.

Gelyn o'r Gogledd

[5] "Mynegwch yn Jwda, cyhoeddwch yn Jerwsalem, a dywedwch,
'Canwch utgorn yn y tir, bloeddiwch yn uchel.'
A dywedwch, 'Ymgynullwch, ac awn i'r dinasoedd caerog.'
[6] Codwch, ffowch [dd] tua Seion, ffowch heb sefyllian;
oherwydd dygaf ddrygioni o'r gogledd, a dinistr mawr.
[7] Daeth llew i fyny o'i loches,
cychwynnodd difethwr y cenhedloedd,
a daeth allan o'i drigle i wneud dy dir

yn anrhaith,
ac fe ddinistrir dy ddinasoedd heb
breswyliwr.
[8] Am hyn ymwregyswch â sachliain,
galarwch ac udwch;
oherwydd nid yw angerdd llid yr
ARGLWYDD wedi troi oddi
wrthym.
[9] Ac yn y dydd hwnnw," medd yr
ARGLWYDD,
"fe balla bwriad y brenin a bwriad y
tywysogion;
fe synna'r offeiriaid, ac fe ryfedda'r
proffwydi."
[10] Yna dywedais, "O ARGLWYDD Dduw,
yr wyt wedi llwyr dwyllo'r bobl hyn a
Jerwsalem,
gan ddweud, 'Bydd heddwch i chwi';
ond trywanodd y cleddyf i'r byw."
[11] Yn yr amser hwnnw fe ddywedir wrth
y bobl hyn ac wrth Jerwsalem,
"Bydd craswynt o'r moelydd uchel yn
y diffeithwch
yn troi i gyfeiriad merch fy mhobl,
[12] nid i nithio nac i buro. Daw gwynt cryf
ataf fi[e];
yn awr myfi, ie myfi, a draethaf farn yn
eu herbyn hwy."
[13] Wele, bydd yn esgyn fel cymylau, a'i
gerbydau fel corwynt,
ei feirch yn gyflymach nag eryrod.
Gwae ni! Anrheithiwyd ni.
[14] Golch dy galon oddi wrth ddrygioni,
Jerwsalem, iti gael dy achub.
Pa hyd y lletya d'amcanion drygionus
o'th fewn?
[15] Clyw! Cennad o wlad Dan, ac un yn
cyhoeddi gofid o Fynydd Effraim,
[16] "Rhybuddiwch y cenhedloedd: 'Dyma
ef!'
Cyhoeddwch i Jerwsalem: 'Daw gwŷr
i'ch gwarchae o wlad bell,
a chodi eu llais yn erbyn dinasoedd
Jwda.
[17] Fel gwylwyr maes fe'i hamgylchynant,
am iddi wrthryfela yn fy erbyn i,'"
medd yr ARGLWYDD.

Gofid Jeremeia dros ei Bobl

[18] "Dy ffordd a'th weithredoedd sydd
wedi dod â hyn arnat.
Dyma dy gosb, ac un chwerw yw; fe'th
drawodd hyd at dy galon."
[19] Fy ymysgaroedd! Fy ymysgaroedd!
'Rwy'n gwingo mewn poen.
O, barwydydd fy nghalon!

[e] Felly Groeg. Hebraeg yn ychwanegu *ohonynt*.

Y mae fy nghalon yn derfysg ynof; ni
allaf dewi.
Canys clywaf[f] sain utgorn, twrf rhyfel.
[20] Daw[ff] dinistr ar ddinistr, anrheithir yr
holl dir.
Yn ddisymwth anrheithir fy mhebyll,
a'm cortynnau mewn eiliad.
[21] Pa hyd yr edrychaf ar faner, ac y
gwrandawaf ar sain utgorn?

[22] Y mae fy mhobl yn ynfyd, nid ydynt yn
fy adnabod i;
meibion angall ydynt, nid rhai deallus
mohonynt.
Y maent yn fedrus i wneud drygioni,
ond ni wyddant sut i wneud
daioni.
[23] Edrychais tua'r ddaear—afluniaidd a
gwag ydoedd;
tua'r nefoedd—ond nid oedd yno
oleuni.
[24] Edrychais tua'r mynyddoedd,
ac wele hwy'n crynu,
a'r holl fryniau yn gwegian.
[25] Edrychais, ac wele, nid oedd dyn;
ac yr oedd holl adar y nefoedd wedi
cilio.
[26] Edrychais, ac wele'r dolydd yn
ddiffeithwch,
a'r holl ddinasoedd yn ddinistr,
o achos yr ARGLWYDD, o achos
angerdd ei lid.
[27] Oherwydd fel hyn y dywed yr
ARGLWYDD:
"Bydd yr holl wlad yn anrhaith,
ond ni wnaf ddiwedd arni.
[28] Am hyn fe alara'r ddaear, ac fe
dywylla'r nefoedd fry,
oherwydd imi fynegi fy mwriad;
ac ni fydd yn edifar gennyf, ac ni throf
yn ôl oddi wrtho."
[29] Rhag trwst marchogion a phlygwyr
bwa y mae'r holl ddinas yn ffoi,
yn mynd i'r drysni ac yn dringo i'r
ogofeydd.
Gadewir yr holl ddinasoedd heb yr un
dyn i drigo ynddynt.
[30] A thithau'n anrheithiedig,
beth wyt ti'n ei wneud wedi dy wisgo
ag ysgarlad,
ac wedi ymdrwsio â thlysau aur, a
lliwio dy lygaid?
Yn ofer yr wyt yn dy wneud dy hun yn
deg.
Bydd dy gariadon yn dy ddirmygu,
ac yn ceisio dy einioes.

[f] Neu, *clywi*. [ff] Neu, *Cyhoeddir*.

³¹ Ie, clywaf gri fel gwraig yn esgor,
llef⁸ fel un yn esgor ar ei
    chyntafanedig—
cri merch Seion yn ochain, ac yn
    gwasgu ar ei dwylo:
"Gwae fi! 'Rwy'n diffygio, a'r
    lleiddiaid am fy einioes."

Pechod Jerwsalem

5 "Rhedwch yma a thraw trwy heolydd
Jerwsalem, edrychwch a sylwch;
chwiliwch yn ei lleoedd llydain a oes
    gŵr i'w gael
sy'n gwneud barn ac yn ceisio
    dilysrwydd,
er mwyn i mi ei harbed hi.
² Er iddynt ddweud, 'Byw yw'r
    ARGLWYDD',
eto tyngu'n gelwyddog y maent."
³ O ARGLWYDD, onid ar ddilysrwydd y
    mae dy lygaid di?
Trewaist hwy, ond ni fu'n ofid iddynt;
difethaist hwy, ond gwrthodasant
    dderbyn cerydd.
Gwnaethant eu hwynebau'n galetach
    na charreg,
a gwrthod dychwelyd.
⁴ Yna dywedais, "Nid yw'r rhai hyn ond
    tlodion; ynfydion ydynt,
a heb wybod ffordd yr ARGLWYDD na
    barn eu Duw.
⁵ Mi af yn hytrach at y mawrion, i
    ymddiddan â hwy;
fe wyddant hwy ffordd yr ARGLWYDD a
    barn eu Duw.
Ond y maent hwythau'n ogystal wedi
    malurio'r iau,
a dryllio'r tresi.
⁶ Am hyn, bydd llew o'r coed yn eu taro
    i lawr,
a blaidd o'r anialwch yn eu distrywio;
bydd llewpart yn gwylio'u dinasoedd
a llarpio pob un a ddaw allan ohonynt;
oherwydd amlhaodd eu troseddau a
    chynyddodd eu gwrthgiliad.

⁷ "Sut y maddeuaf iti am hyn?
Y mae dy blant wedi fy ngadael,
ac wedi tyngu i'r rhai nad ydynt
    dduwiau.
Diwellais hwy, eto gwnaethant odineb
    a heidio i dŷ'r butain.
⁸ Yr oeddent fel meirch nwydus a
    phorthiannus,
pob un yn gweryru am gaseg ei
    gymydog.

⁹ Onid ymwelaf â chwi am hyn?" medd
    yr ARGLWYDD.
"Oni ddialaf ar y fath genedl â hon?

¹⁰ "Tramwywch trwy ei rhesi gwinwydd,
    a dinistriwch hwy,
ond peidiwch â gwneud diwedd llwyr.
Torrwch ymaith ei brigau, canys nid
    eiddo'r ARGLWYDD mohonynt.
¹¹ Oherwydd bradychodd tŷ Israel a thŷ
    Jwda fi'n llwyr," medd yr
    ARGLWYDD.

¹² Buont yn gelwyddog am yr ARGLWYDD
    a dweud, "Ni wna ef ddim.
Ni ddaw drwg arnom, ni welwn
    gleddyf na newyn;
¹³ nid yw'r proffwydi ond gwynt, nid yw'r
    gair yn eu plith.
Fel hyn y gwneir iddynt."
¹⁴ Am hynny, dyma air yr ARGLWYDD,
    Duw y Lluoedd:
"Am i chwi siarad fel hyn,
dyma fi'n rhoi fy ngeiriau yn dy enau
    fel tân,
a'r bobl hyn yn gynnud, ac fe'u difa.
¹⁵ Wele, fe ddygaf yn eich erbyn, dŷ
    Israel, genedl o bell—
hen genedl, cenedl o'r oesoedd gynt,"
    medd yr ARGLWYDD,
"cenedl nad wyt yn gwybod ei hiaith,
    nac yn deall yr hyn y mae'n ei
    ddweud.
¹⁶ Y mae ei chawell saethau fel bedd
    agored;
gwŷr cedyrn ydynt oll.
¹⁷ Fe ysa dy gynhaeaf a'th fara;
ysa dy feibion a'th ferched;
ysa dy braidd a'th wartheg;
ysa dy winwydd a'th ffigyswydd;
distrywia â chleddyf dy ddinasoedd
    caerog,
y dinasoedd yr wyt yn ymddiried
    ynddynt.

18 "Ac eto yn y dyddiau hynny," medd
yr ARGLWYDD, "ni ddygaf ddiwedd llwyr
arnoch. ¹⁹ Pan ddywedwch, 'Pam y
gwnaeth yr ARGLWYDD ein Duw yr holl
bethau hyn i ni?', fe ddywedi wrthynt, 'Fel
y bu i chwi fy ngwrthod i, a gwasanaethu
duwiau estron yn eich tir, felly y gwasan-
aethwch bobl ddieithr mewn gwlad nad
yw'n eiddo i chwi.'

²⁰ "Mynegwch hyn yn nhŷ Jacob,

⁸ Felly Groeg. Hebraeg, artaith.

cyhoeddwch hyn yn Jwda a dweud,
²¹'Clywch hyn yn awr, bobl ynfyd, di-ddeall:
y mae ganddynt lygaid, ond ni welant; clustiau, ond ni chlywant.
²²Onid oes arnoch fy ofn i?' medd yr ARGLWYDD. 'Oni chrynwch o'm blaen?

Mi osodais y tywod yn derfyn i'r môr, yn derfyn sicr na all ei groesi; pan ymgasgla'r tonnau ni thyciant, pan rua'r dyfroedd nid ânt drosto.
²³Ond calon wrthnysig a gwrthryfelgar sydd gan y bobl hyn; y maent yn parhau i wrthgilio.
²⁴Ac ni ddywedant yn eu calon, "Bydded inni ofni'r ARGLWYDD ein Duw,
sy'n rhoi'r glaw, a chawodydd y gwanwyn a'r hydref yn eu pryd, a sicrhau i ni wythnosau penodedig y cynhaeaf."
²⁵Ond y mae eich anwireddau wedi rhwystro hyn,
a'ch celwyddau wedi atal daioni rhagoch.
²⁶Oherwydd cafwyd dynion drwg ymhlith fy mhobl; y maent yn gwylio fel un yn gosod magl,
ac yn gosod offer dinistr i ddal dynion.
²⁷Fel y mae cawell yn llawn o adar, felly y mae eu tai yn llawn o dwyll.
²⁸Trwy hynny aethant yn fawr a chyfoethog, yn dew a bras.

Aethant hefyd y tu hwnt i weithredoedd drwg;
ni roddant ddedfryd deg i'r amddifad, i beri iddo lwyddo,
ac nid ydynt yn iawn farnu achos y tlawd.
²⁹Onid ymwelaf â chwi am hyn?' medd yr ARGLWYDD.
'Oni ddialaf ar y fath genedl â hon?
³⁰Peth aruthr ac erchyll a ddaeth i'r wlad.
³¹Y mae'r proffwydi yn proffwydo celwydd,
a'r offeiriaid yn cyfarwyddo'n unol â hynny,
a'm pobl yn hoffi'r peth.
Ond beth a wnewch yn y diwedd?' "

Gwarchae ar Jerwsalem

6 "Ffowch, blant Benjamin, o ganol Jerwsalem.
Canwch utgorn yn Tecoa, a chodwch ffagl ar Beth-hacerem,
oherwydd y mae drwg yn crynhoi o'r gogledd, a dinistr mawr.
²Yr wyf am ddinistrio merch Seion, y ferch deg, foethus.
³Fe ddaw bugeiliaid â'u praidd hyd ati, gosodant bebyll o'i chylch, a phorant bob un yn ei lain ei hun.
⁴"Cyhoeddwch ryfel sanctaidd yn ei herbyn;
codwch, awn i fyny ganol dydd.
Gwae ni! Ciliodd y dydd ac y mae cysgodau'r hwyr yn ymestyn.
⁵Codwch, awn i fyny liw nos a distrywiwn ei phalasau.' "

6 Canys fel hyn y dywed ARGLWYDD y Lluoedd:
"Torrwch goed, a chodwch glawdd yn erbyn Jerwsalem;
hon yw'r ddinas i'w chosbi, nid oes dim ond gorthrymder o'i mewn.
⁷Fel y mae dyfroedd yn tarddu mewn ffynnon,
felly y mae ei drygioni ynddi hi.
Am drais ac ysbail y clywir ynddi; gwaeledd a chleisiau sydd yn wastad ger fy mron.
⁸Cymer wers, O Jerwsalem, rhag i mi dy adael yn llwyr,
rhag i mi dy wneud yn anrhaith, yn dir anghyfannedd."

Israel Wrthryfelgar

9 Fel hyn y dywed ARGLWYDD y Lluoedd:
"Lloffa weddill Israel yn lân, fel lloffa gwinwydd;
fel casglwr grawn tyn dy law eilwaith dros y brigau."

¹⁰Â phwy y llefaraf i'w rhybuddio, a pheri iddynt glywed?
Wele, y mae eu clust yn gaeëdig [ng], ac ni allant ddal sylw.
Wele, y mae gair yr ARGLWYDD yn ddirmyg iddynt; nid ydynt yn ei ddymuno.
¹¹Yr wyf finnau'n llawn o lid yr ARGLWYDD; yr wyf wedi blino ar ymatal.

[ng] Hebraeg, *yn ddienwaededig.*

"Tywelltir ef ar y plant yn yr heol,
ac ar gynulliadau'r gwŷr ifainc hefyd;
delir y gŵr a'r wraig fel ei gilydd,
yr hynafgwr a'r aeddfed mewn
    dyddiau.
¹²Trosglwyddir eu tai i eraill,
a'u meysydd a'u gwragedd ynghyd;
canys estynnaf fy llaw ar drigolion y
    wlad," medd yr ARGLWYDD.
¹³"O'r lleiaf hyd y mwyaf ohonynt, y
    mae pob un yn ymroi i hunan-les;
y proffwyd a'r offeiriad, y maent bob
    un yn gweithio'n ffals.
¹⁴Dim ond yn arwynebol y maent wedi
    iacháu briw fy mhobl,
gan ddweud, 'Heddwch! Heddwch!'—
    ac nid oes heddwch.
¹⁵A oes arnynt gywilydd pan wnânt
    ffieidd-dra?
Dim cywilydd o gwbl, ac ni allant
    wrido.
Am hynny fe syrthiant gyda'r
    syrthiedig;
yn nydd eu cosbi fe gwympant," medd
    yr ARGLWYDD.

Israel yn Gwrthod Ffordd Duw

16 Fel hyn y dywed yr ARGLWYDD:
"Safwch ar y ffyrdd; edrychwch, ac
ymofyn am yr hen lwybrau. Ple bynnag y
cewch ffordd dda, rhodiwch ynddi, ac fe
gewch le i orffwys." Ond dywedasant, "Ni
rodiwn ni ddim ynddi." ¹⁷"Gosodaf
wylwyr drosoch," meddai, "gwrandewch
ar sain yr utgorn." Ond dywedasant, "Ni
wrandawn ni ddim." ¹⁸"Am hynny clywch,
genhedloedd, a gwybydd, gynulliad, beth
a ddigwydd iddynt. ¹⁹Clyw, wlad, 'rwyf am
ddwyn drwg ar y bobl hyn, ffrwyth eu
bwriadau hwy eu hunain. Ni wrandawsant
ar fy ngeiriau, a gwrthodasant fy nghyf-
raith. ²⁰Pam y cludir i mi thus o wlad
Ethiopia, a chorsen bêr o wlad bell? Nid
oes pleser i mi yn eich poethoffrwm, na
boddhad yn eich aberth."
21 Am hynny fe ddywed yr ARGLWYDD,
    "'Rwyf am osod i'r bobl hyn feini
        tramgwydd a'u dwg i lawr;
    tadau a phlant ynghyd, cymydog a
        chyfaill, fe'u difethir."

22 Fel hyn y dywed yr ARGLWYDD:
    "Wele, y mae pobl yn dod o dir y
        gogledd;
    cenedl gref yn ymysgwyd o bellafoedd
        y ddaear.
²³Ymaflant mewn bwa a gwaywffon, y

maent yn greulon a didrugaredd;
y mae eu twrf fel y môr yn rhuo,
    marchogant feirch;
fel gwŷr yn mynd i ryfel, ffurfiant
rengoedd yn dy erbyn di, ferch
    Seion."
²⁴Clywsom y newydd amdanynt, a
    llaesodd ein dwylo;
daliwyd ni gan ddychryn, gwewyr fel
    gwraig yn esgor.
²⁵Paid â mynd allan i'r maes, na rhodio
    ar y ffordd,
oherwydd y mae gan y gelyn gleddyf,
    ac y mae dychryn ar bob tu.
²⁶Merch fy mhobl, gwisga sachliain,
    ymdreigla yn y lludw;
gwna alarnad fel am unig blentyn,
    galarnad chwerw;
oherwydd yn ddisymwth y daw'r
    distrywiwr arnom.
²⁷"Gosodais di yn safonwr ac yn brofwr
    ymhlith fy mhobl,
i wybod ac i brofi eu ffyrdd.
²⁸Y maent i gyd yn gyndyn ac ystyfnig,
    yn byw yn enllibus.
Pres a haearn ydynt; y maent i gyd yn
    peri distryw.
²⁹Y mae'r fegin yn chwythu'n gryf, a'r
    plwm wedi darfod gan y tân;
yn ofer y toddodd y toddydd,
    oherwydd ni symudwyd y
    drygioni.
³⁰Arian gwrthodedig y gelwir hwy,
    oherwydd gwrthododd yr
    ARGLWYDD hwy."

Jeremeia yn Pregethu yn y Deml

7 Dyma'r gair a ddaeth at Jeremeia
oddi wrth yr ARGLWYDD. ²"Saf ym
mhorth tŷ'r ARGLWYDD, a chyhoedda
yno y gair hwn: 'Clywch air yr AR-
GLWYDD, chwi holl Jwda sy'n dod i'r
pyrth hyn i addoli'r ARGLWYDD. ³Fel hyn
y dywed ARGLWYDD y Lluoedd, Duw
Israel: Gwellhewch eich ffyrdd a'ch
gweithredoedd, a gwnaf i chwi drigo yn y
fan hon. ⁴Peidiwch ag ymddiried mewn
geiriau celwyddog, a dweud, "Teml yr
ARGLWYDD, Teml yr ARGLWYDD, Teml
yr ARGLWYDD yw hon." ⁵Os gwir well-
hewch eich ffyrdd a'ch gweithredoedd, os
gwnewch farn yn gyson rhwng dynion a'i
gilydd, ⁶a pheidio â gorthrymu'r dieithr,
yr amddifad a'r weddw, na thywallt
gwaed dieuog yn y fan hon, na rhodio ar
ôl duwiau eraill i'ch niwed eich hun, ⁷yna
mi wnaf i chwi drigo yn y lle hwn, yn y

wlad a roddais i'ch tadau am byth.
8 "'Yr ydych yn ymddiried mewn geiriau celwyddog, heb fod ynddynt elw. ⁹Onid ydych yn lladrata, yn lladd, yn godinebu, yn tyngu llw celwyddog, yn arogldarthu i Baal, yn dilyn duwiau eraill nad ydych yn eu hadnabod? ¹⁰Eto yr ydych yn dod a sefyll o'm blaen yn y tŷ hwn, y galwyd fy enw i arno, a dweud, "Fe'n gwaredwyd er mwyn cyflawni'r holl ffieidd-dra hyn." ¹¹Ai lloches lladron yn eich golwg yw'r tŷ hwn, y gelwir fy enw i arno? Ond yr wyf finnau hefyd wedi gweld hyn, medd yr ARGLWYDD.

12 "'Ewch yn awr i'm cysegr yn Seilo, lle y gwneuthum i'm henw drigo ar y dechrau, ac edrychwch ar yr hyn a wneuthum yno oherwydd drygioni fy mhobl Israel. ¹³Yn awr, gan i chwi wneud yr holl bethau hyn, medd yr ARGLWYDD, mi lefaraf finnau wrthych; mi lefaraf yn daer, ond ni chlywch; mi alwaf arnoch, ond nid atebwch. ¹⁴Fel y gwneuthum i Seilo, felly y gwnaf i'r tŷ hwn y galwyd fy enw i arno ac yr ymddiriedwch chwithau ynddo; ie, y lle a roddais i chwi ac i'ch tadau. ¹⁵Taflaf chwi o'm gŵydd fel y teflais cich holl frodyr, holl ddisgynyddion Effraim.'

16 "Paid tithau â gweddïo dros y bobl hyn, na chodi na llais na gweddi drostynt, a phaid ag eiriol arnaf, oherwydd ni wrandawaf arnat. ¹⁷Oni weli'r hyn a wnânt yn ninasoedd Jwda, ac yn heolydd Jerwsalem? ¹⁸Y mae'r plant yn casglu cynnud, y tadau yn cynnau tân, a'r gwragedd yn tylino toes i wneud teisennau i frenhines y nef; y maent yn tywallt diodoffrwm i dduwiau eraill, er mwyn fy nigio i. ¹⁹Ai myfi y maent yn ei ddigio?" medd yr ARGLWYDD. "Onid hwy eu hunain, i'w cywilydd eu hunain?" ²⁰Am hyn fe ddywed yr ARGLWYDD Dduw, "Wele, tywelltir fy llid a'm dicter ar y lle hwn, ar ddyn ac ar anifail, ar bren y ddôl, ac ar ffrwyth y ddaear; bydd yn llosgi heb ddiffodd." ²¹Fel hyn y dywed ARGLWYDD y Lluoedd, Duw Israel: "Chwanegwch eich poethoffrwm at eich aberthau; nid ydynt ond cig i'w fwyta. ²²Oherwydd ni ddywedais wrth eich tadau, yn y dydd y dygais hwy o wlad yr Aifft, na'u gorchymyn, ynghylch materion poethoffrwm ac aberth. ²³Ond dyma'r gair a orchmynnais iddynt: 'Gwrandewch ar fy llais, a byddaf yn Dduw i chwi, a byddwch chwithau'n bobl i mi; a rhod-iwch yn yr holl ffyrdd a orchmynnaf i chwi, iddi fod yn dda arnoch.' ²⁴Ond ni wrandawsant nac estyn clust, ond rhodio yn ôl eu barn eu hunain, ac yng nghil-dynrwydd eu calon ddrwg. Aethant yn ôl ac nid ymlaen. ²⁵O'r dydd y daeth eich tadau o wlad yr Aifft hyd y dydd hwn, mi anfonais atoch bob dydd fy ngweision y proffwydi; anfonais hwy yn gyson. ²⁶Ond ni wrandawsant arnaf nac estyn clust, ond caledu gwar a gwneud yn waeth na'u tadau. ²⁷Lleferi wrthynt yr holl bethau hyn, ond ni wrandawant arnat; gelwi arnynt, ac ni'th atebant. ²⁸A dywedi wrthynt, 'Hon yw'r genedl a wrthododd wrando ar yr ARGLWYDD ei Duw, ac ni dderbyniodd gerydd. Darfu am wirion-edd; fe'i torrwyd ymaith o'u genau.' ²⁹Cneifia dy wallt, bwrw ef ymaith. Cyfod gwynfan ar yr uchel-leoedd; gwrthododd yr ARGLWYDD y genhedlaeth y digiodd wrthi, a bwriodd hi ymaith. ³⁰Canys gwnaeth meibion Jwda ddrwg yn fy ngolwg," medd yr ARGLWYDD, "trwy osod eu ffieidd-dra yn y tŷ y gelwir fy enw i arno, a'i halogi. ³¹Adeiladasant uchel-feydd i Toffet, sydd yn nyffryn Ben-hinnom, i losgi eu meibion a'u merched yn y tân. Ni orchmynnais hynny, ac ni ddaeth i'm meddwl. ³²Am hynny fe ddaw y dyddiau," medd yr ARGLWYDD, "nas gelwir mwyach yn Toffet nac yn ddyffryn Ben-hinnom, ond yn ddyffryn y lladdfa; a chleddir yn Toffet, o ddiffyg lle. ³³Bydd celanedd y bobl hyn yn fwyd i adar y nefoedd ac i anifeiliaid y ddaear, ac ni bydd neb i'w gyrru i ffwrdd. ³⁴A pharaf i bob llais ddistewi yn ninasoedd Jwda a heolydd Jerwsalem, llais llawen a llon, llais priodfab a phriodferch. Bydd y wlad yn ddiffeithwch.

8 "Yn yr amser hwnnw," medd yr ARGLWYDD, "fe godir o'u beddau esgyrn brenhinoedd Jwda, esgyrn y tywysogion, esgyrn yr offeiriaid, esgyrn y proffwydi ac esgyrn trigolion Jerwsalem, ²a'u taenu yn wyneb yr haul a'r lleuad a holl lu'r nefoedd y buont yn eu caru ac yn eu gwasanaethu, gan rodio ar eu hôl ac ymofyn ganddynt a'u haddoli. Byddant heb eu casglu a heb eu claddu; byddant yn dom ar wyneb y ddaear. ³Bydd angau yn well nag einioes gan yr holl weddill a adewir o'r teulu drwg hwn ym mhob man y gyrrais hwy iddo," medd ARGLWYDD y Lluoedd.

Pechod a Chosb

4 "Dywedi wrthynt, 'Fel hyn y dywed
yr ARGLWYDD:
Os cwympant, oni chyfodant? Os try
un ymaith, oni ddychwel?
⁵Pam, ynteu, y trodd y bobl hyn
ymaith,
ac y parhaodd Jerwsalem i encilio?
Glynasant wrth dwyll, gan wrthod
dychwelyd.
⁶Cymerais sylw a gwrandewais, ond ni
lefarodd neb yn uniawn;
nid edifarhaodd neb am ei anwiredd a
dweud, "Beth a wneuthum?"
Y mae pob un yn troi yn ei redfa, fel
march cyn rhuthro i'r frwydr.
⁷Y mae'r crëyr yn yr awyr yn adnabod
ei dymor;
y durtur a'r wennol a'r fronfraith yn
cadw amser eu dyfod;
ond nid yw fy mhobl yn gwybod trefn
yr ARGLWYDD.
⁸Sut y dywedwch, "Yr ydym yn ddoeth,
y mae cyfraith yr ARGLWYDD gyda
ni?"
Yn sicr, gwnaeth ysgrifbin celwyddog
yr ysgrifennydd gelwydd ohoni.
⁹Cywilyddiwyd y doeth, fe'u
dychrynwyd ac fe'u daliwyd.
Dyma hwy wedi gwrthod gair yr
ARGLWYDD;
pa ddoethineb sydd ganddynt felly?

¹⁰ " 'Am hynny, rhof eu gwragedd i
eraill,
a'u meysydd i'w concwerwyr.
Oherwydd o'r lleiaf hyd y mwyaf y
mae pawb yn ymroi i raib;
o'r proffwyd i'r offeiriad y mae pawb
yn twyllo.
¹¹Dim ond yn arwynebol y maent wedi
iacháu briw merch fy mhobl,
gan ddweud, "Heddwch!
Heddwch!"—ac nid oes heddwch.
¹²A oes cywilydd arnynt pan wnânt
ffieidd-dra?
Dim cywilydd o gwbl! Ni allant wrido.
Am hynny fe syrthiant gyda'r
syrthiedig;
yn nydd eu cosbi fe gwympant,' medd
yr ARGLWYDD.

¹³ " 'Pan gasglwn hwy,' medd yr
ARGLWYDD,
'nid oedd grawnwin ar y gwinwydd, na

ffigys ar y ffigysbren;
gwywodd y ddeilen, aeth heibio yr hyn
a roddais iddynt.' "
¹⁴Pam yr oedwn? Ymgasglwch ynghyd,
inni fynd i'r dinasoedd caerog, a chael
ein difetha yno.
Canys yr ARGLWYDD ein Duw a
barodd ein difetha;
rhoes i ni ddŵr gwenwynig i'w yfed,
oherwydd pechasom yn erbyn yr
ARGLWYDD.
¹⁵Disgwyl yr oeddem am heddwch, ond
ni ddaeth daioni;
am awr gwellhad, ond dychryn a
ddaeth.
¹⁶Clywir ei feirch yn ffroeni o wlad Dan;
crynodd yr holl ddaear gan drwst ei
stalwyni'n gweryru.
Daethant gan ysu'r tir a'i lawnder,
y ddinas a'r rhai oedd yn trigo ynddi.
¹⁷"Dyma fi'n anfon seirff i'ch mysg,
nadroedd na ellir eu swyno,
ac fe'ch brathant," medd yr
ARGLWYDD.

Gofid Jeremeia dros ei Bobl

¹⁸Y mae fy ngofid y tu hwnt i wellhad,ʰ
a'm calon wedi clafychu.
¹⁹Clyw! Cri merch fy mhobl o wlad
bellennig:
"Onid yw'r ARGLWYDD yn Seion?
Onid yw ei brenin ynddi?"
"Pam y maent yn fy nigio â'u delwau,
â'u heilunod estron?"
²⁰"Aeth y cynhaeaf heibio, darfu'r haf,
a ninnau heb ein hachub."
²¹Oherwydd briw merch fy mhobl yr wyf
finnau wedi fy mriwio,
wedi galaru, ac wedi fy nal gan
syndod.
²²Onid oes balm yn Gilead? Onid oes
yno ffisigwr?
Pam, ynteu, nad yw iechyd merch fy
mhobl yn gwella?

9 ⁱO na bai fy mhen yn ddyfroedd, a'm
llygaid yn ffynnon o ddagrau!
Wylwn ddydd a nos am laddedigion
merch fy mhobl.
²O na bai gennyf yn yr anialwch lety
fforddolion!
Gadawn fy mhobl, a mynd i ffwrdd
oddi wrthynt.
Canys y maent oll yn odinebwyr, ac yn
gwmni o dwyllwyr.
³"Plygasant eu tafod, fel bwa, i

ʰTebygol. Cymh. llawysgrifau a Fersiynau. Y frawddeg yn aneglur yn TM.   ⁱ8:23 yn Hebraeg.

gelwydd;
ac nid ar bwys gwirionedd yr aethant
yn gryf yn y wlad.
Aethant o un drwg i'r llall, ac nid
ydynt yn fy adnabod i," medd yr
ARGLWYDD.

⁴"Gocheled pob dyn ei gymydog, ac na
rodded neb goel ar ei frawd;
canys yn sicr disodlwr yw pob brawd, a
phob cymydog yn enllibiwr.
⁵Y mae pob dyn yn twyllo'i gymydog,
heb ddweud y gwir;
dysgodd i'w dafod ddweud celwydd,
troseddodd, ac ymflino nes methu
edifarhau¹.
⁶Pentyrrant ormes ar ormes, twyll ar
dwyll;
gwrthodant fy adnabod i," medd yr
ARGLWYDD.
⁷Am hynny, fel hyn y dywed
ARGLWYDD y Lluoedd:
"'Rwyf am eu toddi a'u puro hwy.
Beth arall a wnaf o achos merch fy
mhobl?
⁸Saeth yn lladd yw eu tafod; y mae'n
llefaru'n dwyllodrus.
Y mae'n traethu heddwch wrth ei
gymydog, ond yn ei galon yn
gosod cynllwyn iddo.
⁹Onid ymwelaf â hwy am y pethau
hyn?" medd yr ARGLWYDD.
"Oni ddialaf ar y fath genedl â hon?
¹⁰Codaf wylofain a chwynfan am y
mynyddoedd, a galarnad am
lanerchau'r anialwch;
canys y maent wedi eu dinistrio fel nad
â neb heibio, ac ni chlywant fref y
gwartheg;
y mae adar y nef a'r anifeiliaid hefyd
wedi ffoi ymaith.
¹¹Gwnaf Jerwsalem yn garneddau ac yn
drigfan bleiddiaid;
a gwnaf ddinasoedd Jwda yn
ddiffeithwch heb breswylydd."

12 Pa ŵr sy'n ddigon doeth i ddeall
hyn? Wrth bwy y traethodd genau yr
ARGLWYDD, er mwyn iddo fynegi? Pam
y dinistriwyd y tir, a'i ddifa fel anialwch
heb neb yn ei dramwyo?
13 Dywedodd yr ARGLWYDD, "Am
iddynt wrthod fy nghyfraith a roddais o'u
blaen hwy, heb ei dilyn a heb wrando ar
fy llais, ¹⁴ond rhodio yn ôl ystyfnigrwydd
eu calon, a dilyn Baalim, fel y dysgodd eu

tadau iddynt, ¹⁵am hynny fel hyn y dywed
ARGLWYDD y Lluoedd, Duw Israel:
Wele, bwydaf y bobl hyn â wermod, a'u
diodi â dŵr gwenwynig. ¹⁶Gwasgaraf hwy
ymysg cenhedloedd nad ydynt hwy na'u
tadau wedi eu hadnabod, ac anfonaf
gleddyf ar eu hôl nes gorffen eu difetha."

Cwynfan yn Jerwsalem

17 Fel hyn y dywed ARGLWYDD y
Lluoedd:
"Ystyriwch! Galwch ar y galar-
wragedd i ddod;
anfonwch am y gwragedd cyfarwydd,
iddynt hwythau ddod.
¹⁸Bydded iddynt frysio, a chodi cwynfan
amdanom,
er mwyn i'n llygaid ollwng dagrau,
a'n hamrantau ddiferu dŵr.
¹⁹Canys clywyd sŵn cwynfan o Seion,
'Pa fodd yr aethom yn anrhaith,
a'n gwaradwyddo yn llwyr?
Gadawsom ein gwlad, bwriwyd i lawr
ein trigfannau.'"

²⁰Clywch, wragedd, air yr ARGLWYDD,
a derbyniedd eich clust air ei enau ef.
Dysgwch gwynfan i'ch merched,
a galargan bawb i'w gilydd.
²¹Y mae angau wedi dringo trwy ein
ffenestri,
a dod i'n palasau,
i ysgubo'r plant o'r heolydd
a'r gwŷr ifainc o'r lleoedd agored.
²²Llefara, "Fel hyn y dywed yr AR-
GLWYDD:
'Bydd celanedd dynion yn disgyn fel
tom ar wyneb maes,
fel ysgubau ar ôl y medelwr heb neb
i'w cynnull.'"

23 Fel hyn y dywed yr ARGLWYDD:
"Nac ymffrostied y doeth yn ei
ddoethineb,
na'r cryf yn ei gryfder, na'r cyfoethog
yn ei gyfoeth.
²⁴Ond y sawl sy'n ymffrostio,
ymffrostied yn hyn: ei fod yn fy neall ac
yn fy adnabod i, mai myfi yw'r
ARGLWYDD, sy'n gweithredu'n ffyddlon,
yn gwneud barn a chyfiawnder ar y
ddaear, ac yn ymhyfrydu yn y pethau
hyn," medd yr ARGLWYDD. ²⁵"Wele'r
dyddiau yn dod," medd yr ARGLWYDD,
"pan gosbaf bob cenedl enwaededig,
²⁶sef yr Aifft, Jwda ac Edom, plant

---

¹ Felly Groeg. Hebraeg yn ansicr.

Ammon a Moab, a phawb o drigolion yr
anialwch sydd â'u talcennau'n foel.
Oherwydd y mae'r holl genhedloedd yn
ddienwaededig, a holl dŷ Israel heb
enwaedu arnynt yn eu calon."

Duw a'r Eilunod

10 Clywch y gair a lefarodd yr
ARGLWYDD wrthych, dŷ Israel.
²Fel hyn y dywed yr ARGLWYDD:
"Peidiwch â dysgu ffordd y
cenhedloedd,
na chael eich dychryn gan arwyddion y
nefoedd,
fel y dychrynir y cenhedloedd
ganddynt.
³Y mae arferion y bobloedd fel eilun—
pren wedi ei gymynu o'r goedwig,
gwaith dwylo saer â bwyell;
⁴ac wedi iddynt ei harddu ag arian ac
aur,
y maent yn ei sicrhau â morthwyl a
hoelion, rhag iddo symud.
⁵Fel bwgan brain mewn gardd
cucumerau, ni all eilunod lefaru;
rhaid eu cludo am na allant gerdded.
Peidiwch â'u hofni; ni allant wneud
niwed,
na gwneud da chwaith."

⁶Nid oes neb fel tydi, ARGLWYDD;
mawr wyt,
mawr yw dy enw mewn nerth.
⁷Pwy ni'th ofna, Frenin y cenhedloedd?
Hyn sy'n gweddu i ti.
Canys ymhlith holl ddoethion y
cenhedloedd,
ac ymysg eu holl deyrnasoedd, nid oes
neb fel tydi.
⁸Y maent bob un yn ddwl ac ynfyd,
wedi eu dysgu gan eilunod o bren!
⁹Dygir arian gyr o Tarsis, ac aur o
Uffas,
gwaith y saer a dwylo'r eurych;
a'u gwisg o ddeunydd fioled a
phorffor—
gwaith crefftwyr ydyw i gyd.
¹⁰Ond yr ARGLWYDD yw'r gwir Dduw;
ef yw'r Duw byw a'r brenin
tragwyddol;
y mae'r ddaear yn crynu rhag ei lid,
ac ni all y cenhedloedd ddioddef ei
ddicter.
¹¹Fel hyn y dywedwch wrthynt: "Y
duwiau na wnaethant y nefoedd a'r
ddaear, fe gânt eu difa o'r ddaear ac oddi
tan y nefoedd."

Emyn Mawl i Dduw

¹²Gwnaeth ef y ddaear trwy ei nerth,
sicrhaodd y byd trwy ei ddoethineb,
estynnodd y nefoedd trwy ei ddeall.
¹³Pan rydd ei lais, daw twrf dyfroedd yn
y nefoedd,
fe bair godi tarth o eithafoedd y
ddaear.
Gwna fellt gyda'r glaw, a dwg allan
wyntoedd o'i ystordai.
¹⁴Ynfyd yw pob dyn, a heb wybodaeth.
Cywilyddir pob eurych trwy ei eilun,
canys celwydd yw ei ddelwau tawdd,
ac nid oes anadl ynddynt.
¹⁵Oferedd ŷnt, a gwaith i'w wawdio;
yn amser eu cosbi fe'u difethir.
¹⁶Nid yw Duw Jacob fel y rhain,
oherwydd ef yw lluniwr pob peth,
ac Israel yw ei lwyth dewisol.
ARGLWYDD y Lluoedd yw ei enw.

Y Gaethglud sy'n Dod

¹⁷Casgla dy bwn a dos allan o'r wlad,
ti, yr hon sy'n trigo dan warchae.
¹⁸Canys fel hyn y dywed yr ARGLWYDD:
"Dyma fi'n taflu allan drigolion y wlad
y tro hwn;
dygaf arnynt gyfyngder, ac fe deimlant
hynny."
¹⁹Gwae fi am fy mriw! Y mae fy archoll
yn ddwfn,
ond dywedais, "Dyma ofid yn wir, a
rhaid i mi ei oddef."
²⁰Drylliwyd fy mhabell, torrwyd fy
rhaffau i gyd;
aeth fy meibion oddi wrthyf, nid oes
neb ohonynt mwy;
nid oes neb a estyn fy mhabell eto, na
chodi fy llenni.
²¹Aeth y bugeiliaid yn ynfyd;
nid ydynt yn ceisio'r ARGLWYDD;
am hynny nid ydynt yn llwyddo, ac y
mae eu holl braidd ar wasgar.

²²Clyw! Neges! Wele, y mae'n dod!
Cynnwrf mawr o dir y gogledd,
i wneud dinasoedd Jwda yn
ddiffeithwch
ac yn drigfa bleiddiaid.

²³Gwn, O ARGLWYDD, nad eiddo dyn ei
ffordd;
ni pherthyn i'r teithiwr drefnu ei
gamre.
²⁴Cosba fi, ARGLWYDD, ond mewn barn
nid yn ôl dy lid, rhag iti fy niddymu.

²⁵Tywallt dy lid ar y cenhedloedd nad
ydynt yn dy adnabod,
ac ar y teuluoedd nad ydynt yn galw ar
dy enw.
Canys y maent wedi bwyta Jacob a'i
lyncu,
ei ddifa, ac anrheithio ei gyfannedd.

Jeremeia a'r Cyfamod

11 Dyma'r gair a ddaeth at Jeremeia oddi wrth yr ARGLWYDD: ²"Clywch eiriau'r cyfamod hwn, a llefarwch wrth wŷr Jwda a thrigolion Jerwsalem, ³a dweud wrthynt, 'Fel hyn y dywed ARGLWYDD Dduw Israel: Melltith ar y gŵr na wrendy ar eiriau'r cyfamod hwn, ⁴a orchmynnais i'ch tadau y dydd y dygais hwy allan o'r Aifft, o'r ffwrn haearn, a dweud, "Gwrandewch arnaf, a gwnewch yn unol â'r hyn a orchmynnaf i chwi; a byddwch yn bobl i mi, a byddaf finnau'n Dduw i chwi." ⁵Fel hyn y gwireddir y llw a dyngais i'ch tadau, i roi iddynt wlad yn llifeirio o laeth a mêl, fel y mae heddiw.'" Atebais innau, "Amen, ARGLWYDD."

6 Yna dywedodd yr ARGLWYDD wrthyf, "Cyhoedda'r holl eiriau hyn yn ninasoedd Jwda ac yn heolydd Jerwsalem, a dywed, 'Clywch eiriau'r cyfamod hwn, a'u gwneud. ⁷Oherwydd rhybuddiais eich tadau o'r dydd y dygais hwy o'r Aifft hyd y dydd hwn; rhybuddiais hwy yn ddifrifol, a dweud, "Gwrandewch arnaf." ⁸Ond ni wrandawsant, nac estyn clust i glywed, ond rhodiodd pob un yn ôl ystyfnigrwydd ei galon ddrygionus. Felly dygais arnynt holl eiriau'r cyfamod hwn y gorchmynnais iddynt ei wneud ond na wnaethant.'"

9 Dywedodd yr ARGLWYDD wrthyf, "Cafwyd cynllwyn ymhlith gwŷr Jwda a thrigolion Jerwsalem. ¹⁰Troesant yn ôl at anwiredd eu tadau gynt pan wrthodent wrando fy ngeiriau. Aethant ar ôl duwiau eraill i'w gwasanaethu, a thorrodd tŷ Israel a thŷ Jwda fy nghyfamod, a wneuthum â'u tadau. ¹¹Am hynny fel hyn y dywed yr ARGLWYDD: 'Rwyf am ddwyn drwg arnynt na allant ei osgoi; a gwaeddant arnaf, ond ni wrandawaf. ¹²Yna fe â dinasoedd Jwda a thrigolion Jerwsalem i weiddi ar y duwiau yr arferent arogldarthu iddynt, ond yn sicr ni allant hwy eu gwaredu yn amser eu drygfyd. ¹³Yn wir, y mae dy dduwiau mor

aml â'th ddinasoedd, O Jwda, ac wrth nifer heolydd Jerwsalem codasoch allorau er cywilydd, allorau i arogldarthu i Baal.

14 "Ond amdanat ti, paid â gweddïo dros y bobl hyn, na chodi cri na gweddi, oherwydd ni fynnaf wrando pan alwant arnaf yn ystod eu drygfyd.

¹⁵"Beth sydd a wnelo f'anwylyd â'm tŷ,
a hithau'n cyflawni ysgelerder?
A all llwdnᶫᶫ, neu gig sanctaidd, droi dy
ddinistr heibio,
fel y gelli lawenychu?
¹⁶Olewydden ddeiliog deg a ffrwythlon y
galwodd yr ARGLWYDD di;
ond â thrwst cynnwrf mawr fe gyneua
dân ynddi,
ac ysir ei changau.
¹⁷ARGLWYDD y Lluoedd, yr un a'th blannodd, a draetha ddrwg yn dy erbyn, oherwydd y drygioni a wnaeth tŷ Israel a thŷ Jwda, gan fy nigio ac arogldarthu i Baal."

18 Yr ARGLWYDD a'm hysbysodd, a mi a'i gwn; dangosodd i mi eu gweithredoedd. ¹⁹Yr oeddwn innau fel oen tyner, parod i'w ladd, ac ni wyddwn mai ar fy nghyfer i y gosodent gynllwynion, gan ddweud, "Distrywiwn y pren a'i ffrwyth; torrwn ef ymaith o dir y rhai byw, fel na chofir ei enw mwy."
²⁰O ARGLWYDD y Lluoedd, barnwr
cyfiawn,
chwiliwr y teimlad a'r deall,
rho i mi weld dy ddialedd arnynt,
canys i ti y datguddiaf fy nghŵyn.

21 Am hynny, fel hyn y dywed yr ARGLWYDD am wŷr Anathoth, sydd yn ceisio fyᵐ einioes ac yn dweud, "Paid â phroffwydo mwyach yn enw yr AR-GLWYDD, ac ni fyddi farw trwy ein dwylo ni." ²²Am hynny, fel hyn y dywed AR-GLWYDD y Lluoedd: "'Rwyf am ddial arnynt; bydd eu gwŷr ifainc farw trwy'r cleddyf, a'u meibion a'u merched o newyn; ²³ac ni bydd gweddill ohonynt. Dygaf ddrygfyd ar wŷr Anathoth ym mlwyddyn eu cosbi."

Jeremeia'n Holi'r ARGLWYDD

12 Cyfiawn wyt, ARGLWYDD, pan ddadleuaf â thi; er hynny, gosodaf fy achos o'th flaen: Pam y llwydda ffordd y drygionus, ac y

---

ᶫᶫGroeg. Hebraeg, *A all llawer.*   ᵐFelly Groeg. Hebraeg, *dy.*

ffynna pob twyllwr?
²Plennaist hwy, a gwreiddiasant;
tyfant a dwyn ffrwyth.
Yr wyt ar flaen eu tafod, ond ymhell
o'u calon.
³Ond yr wyt yn f'adnabod i,
ARGLWYDD, yn fy ngweld,
ac yn profi fy meddyliau tuag atat.
Didola hwy fel defaid i'r lladdfa,
a'u corlannu erbyn diwrnod lladd.

4 Pa hyd y galara'r tir, ac y gwywa'r
glaswellt ym mhob maes? O achos dryg-
ioni y rhai sy'n trigo yno, ysgubwyd
ymaith anifail ac aderyn, er i'r bobl
ddweud, "Ni wêl ef ein diwedd ni."

Ateb Duw

⁵"Os wyt wedi rhedeg gyda'r gwŷr
traed, a hwythau'n dy flino,
pa fodd y cystedli â meirch?
Ac os wyt yn baglu mewn gwlad
rwydd,
pa fodd y llwyddi yng ngwlad wyllt yr
Iorddonen?
⁶Oherwydd y mae hyd yn oed dy frodyr
a thŷ dy dad wedi dy dwyllo;
buont yn galw'n daer ar dy ôl;
paid â'u coelio, er iddynt ddweud
geiriau teg wrthyt.
⁷Gadewais fy nhŷ, rhois heibio fy
nhreftadaeth,
rhois fy einioes ddrud yn llaw'r
gelynion.
⁸Aeth fy nhreftadaeth yn fy ngolwg fel
llew yn y coed;
y mae'n codi ei llais yn f'erbyn; am
hynny yr wyf yn ei chasáu.
⁹Onid yw fy nhreftadaeth i mi fel
aderyn brith,
a'r adar yn ymgasglu yn ei erbyn?
Casglwch holl fwystfilod y maes, a'u
dwyn i fwyta.
¹⁰Y mae bugeiliaid lawer wedi distrywio
fy ngwinllan,
a sathru ar fy rhandir;
gwnaethant fy rhandir dirion yn anial
diffaith.
¹¹Gwnaethant hi'n anrhaith, ac fe
alara'r anrheithiedig wrthyf;
anrheithiwyd yr holl wlad, ac nid oes
neb yn malio.
¹²Daw dinistrwyr ar holl foelydd yr
anialwch;
y mae cleddyf yr ARGLWYDD yn difa'r
wlad o'r naill ben i'r llall;

ⁿHebraeg, *eich.*

nid oes heddwch i un cnawd.
¹³Y maent yn hau gwenith a medi drain,
yn ymlâdd heb elwa dim;
yn cael eu siomi yn euⁿ cynhaeaf,
oherwydd angerdd llid yr
ARGLWYDD."

14 Fel hyn y dywed yr ARGLWYDD am
fy holl gymdogion drwg, sy'n ymyrryd â'r
etifeddiaeth a roddais i'm pobl Israel i'w
meddiannu: "'Rwyf am eu diwreiddio o'u
tir, a thynnu tŷ Jwda o'u plith. ¹⁵Ac yna,
wedi i mi eu diwreiddio, fe drugarhaf
wrthynt drachefn, a'u hadfer bob un i'w
etifeddiaeth a'i dir. ¹⁶Os dysgant yn
drwyadl ffyrdd fy mhobl, a thyngu i'm
henw, 'Byw yw'r ARGLWYDD', fel y
dysgasant fy mhobl i dyngu i Baal, yna
sefydlir hwy yng nghanol fy mhobl. ¹⁷Ond
os na wrandawant, yna'n sicr fe ddi-
wreiddiaf a llwyr ddinistrio'r genedl
honno," medd yr ARGLWYDD.

Y Gwregys Lliain

13 Fel hyn y dywedodd yr AR-
GLWYDD wrthyf: "Dos a phryn
wregys lliain, a'i roi am dy lwynau; paid
â'i ddodi mewn dŵr." ²Prynais wregys ar
air yr ARGLWYDD, a'i roi am fy llwynau.
³Daeth gair yr ARGLWYDD ataf eilwaith,
a dweud, ⁴"Cymer y gwregys a brynaist,
ac sydd am dy lwynau, a dos i ymyl Afon
Ewffrates a'i guddio yno mewn hollt yn y
graig." ⁵Felly euthum a'i guddio wrth
ymyl Afon Ewffrates, yn ôl gorchymyn yr
ARGLWYDD i mi. ⁶Ar ôl dyddiau lawer
dywedodd yr ARGLWYDD wrthyf, "Dos i
ymyl Afon Ewffrates, a chymer oddi yno
y gwregys y gorchmynnais iti ei guddio
yno." ⁷Euthum innau yno, a chloddio a
chymryd y gwregys o'r lle y cuddiais ef;
ac wele, yr oedd y gwregys wedi ei
ddifetha, ac nid oedd yn dda i ddim. ⁸Yna
daeth gair yr ARGLWYDD ataf a dweud,
⁹"Fel hyn y dywed yr ARGLWYDD: Felly
y difethaf finnau falchder Jwda a balchder
mawr Jerwsalem. ¹⁰Fel y gwregys yma,
nad yw'n dda i ddim, y bydd y bobl
ddrygionus hyn, sy'n gwrthod gwrando
ar fy ngeiriau, ond yn rhodio yng nghyn-
dynrwydd eu calon, a dilyn duwiau eraill
i'w gwasanaethu a'u haddoli. ¹¹Oher-
wydd fel y gafael gwregys am lwynau
gŵr, felly y perais i holl dŷ Israel a holl dŷ
Jwda afael ynof fi," medd yr ARGLWYDD,
"i fod yn bobl i mi, ac yn enw, ac yn

foliant ac yn ogoniant; ond ni wrandaw-
sant.

Y Gostrel Win

12 "Dywed wrthynt y gair yma: 'Fel
hyn y dywed Arglwydd Dduw Israel:
Llenwir pob costrel â gwin.' A dywedant
wrthyt, 'Oni wyddom ni'n iawn y llenwir
pob costrel â gwin?' ¹³Yna dywedi
wrthynt, 'Fel hyn y dywed yr Ar-
glwydd: Dyma fi'n llenwi'n feddw holl
drigolion y tir hwn, yn frenhinoedd sy'n
eistedd ar orseddfainc Dafydd, yn offeir-
iaid ac yn broffwydi, a holl drigolion
Jerwsalem. ¹⁴Drylliaf hwy y naill yn
erbyn y llall, tadau a meibion ynghyd,
medd yr Arglwydd; nid arbedaf ac ni
thosturiaf ac ni thrugarhaf, eithr difethaf
hwy.'"

Bygwth Caethglud

¹⁵Clywch a gwrandewch; peidiwch ag
    ymfalchïo,
canys llefarodd yr Arglwydd.
¹⁶Rhowch ogoniant i'r Arglwydd eich
    Duw
cyn iddo beri tywyllwch,
a chyn i'ch traed faglu yn y gwyll ar y
    mynyddoedd;
a thra byddwch yn disgwyl am olau,
bydd yntau'n ei droi yn dywyllwch
    dudew,
ac yn ei wneud yn nos ddu.
¹⁷Ac os na wrandewch ar hyn,
mi wylaf yn y dirgel am eich balchder;
fe ffrydia fy llygaid ddagrau chwerw,
oherwydd dwyn diadell yr Arglwydd
    i gaethiwed.

¹⁸"Dywed wrth y brenin a'i foneddiges,
'Eisteddwch yn ostyngedig,
oherwydd syrthiodd eich° coron
    anrhydeddus oddi ar eich pen.'
¹⁹Caeir dinasoedd y Negeb, heb neb i'w
    hagor;
caethgludir Jwda gyfan, caethgludir hi
    yn llwyr."

²⁰Dyrchafwch eich llygaid, a gwelwch
y rhai a ddaw o'r gogledd.
Ple mae'r praidd a roddwyd i ti, dy
    ddiadell braf?
²¹Beth a ddywedi pan roddir y rhai a
    ddysgaist yn feistri arnat,
a'r rhai a fegaist yn ben arnat?
Oni chydia ynot ofidiau, fel gwraig

°Felly Groeg. Hebraeg yn aneglur.

wrth esgor?
²²A phan feddyli, "Pam y digwyddodd
    hyn i mi?",
yn ôl amlder dy anwiredd y noethwyd
    dy odre,
ac y dinoethwyd dy gorff.
²³A newidia'r Ethiopiad ei groen,
neu'r llewpard ei frychni?
A allwch chwithau wneud daioni,
chwi a fagwyd mewn drygioni?

²⁴"Fe'u chwalaf hwy fel us
a chwythir gan wynt y diffeithwch.
²⁵Hyn fydd dy ran, yr hyn a fesurais i
    ti," medd yr Arglwydd,
"am i ti fy anghofio, ac ymddiried
    mewn celwydd.
²⁶Mi godaf dy odre dros dy wyneb,
ac amlygir dy warth.
²⁷Gwelais dy ffieidd-dra, dy odineb, dy
    weryriad nwydus,
a budreddi dy buteindra ar fryn a
    maes.
Gwae di, Jerwsalem! Ni fyddi'n lân!
Pa hyd, eto, y pery hyn?"

Y Sychder Mawr

14 Dyma air yr Arglwydd at Jere-
    meia ynghylch y sychder:
²"Y mae Jwda'n galaru, a'i phyrth yn
    llesg;
y maent yn cwynfan hyd lawr, a chri
Jerwsalem yn esgyn fry.
³Y mae'r pendefigion yn anfon y
    gweision i gyrchu dŵr;
dônt at y ffosydd a'u cael yn sych,
dychwelant a'u llestri'n wag;
mewn cywilydd a dryswch fe guddiant
    eu hwynebau.
⁴Oherwydd craciodd y pridd am na
    ddaeth glaw i'r wlad;
mewn cywilydd cuddiodd yr
    amaethwyr eu hwynebau.
⁵Y mae'r ewig yn bwrw llwdn yn y
    maes, a'i adael am nad oes porfa;
⁶y mae'r asynnod gwyllt yn sefyll ar y
    moelydd uchel, ac yn yfed gwynt
    fel bleiddiaid;
pylodd eu llygaid am nad oes gwellt."

⁷"Yn ddiau, er i'n hanwiredd dystio yn
    ein herbyn,
O Arglwydd, gweithreda er mwyn dy
    enw.
Y mae ein gwrthgilio'n aml, pechasom
    yn dy erbyn.

⁸Gobaith Israel, a'i geidwad yn awr ei
    adfyd,
  pam y byddi fel dieithryn yn y tir,
  fel ymdeithydd yn lledu pabell i aros
    noson?
⁹Pam y byddi fel gŵr mewn syndod,
  fel un cryf yn methu achub?
  Ond eto yr wyt yn ein mysg ni,
    ARGLWYDD;
  dy enw di a roddwyd arnom; paid â'n
    gadael."

10 Fel hyn y dywed yr ARGLWYDD wrth
y bobl hyn:
  "Mor hoff ganddynt yw crwydro heb
    atal eu traed;
  am hynny, ni fyn yr ARGLWYDD
    mohonynt,
  fe gofia eu hanwiredd yn awr, a'u cosbi
    am eu pechodau."

11 Dywedodd yr ARGLWYDD wrthyf,
"Paid â gweddïo dros les y bobl hyn.
¹²Pan ymprydiant, ni wrandawaf ar eu
cri; pan aberthant boethoffrwm a bwyd-
offrwm, ni fynnaf hwy; ond difethaf hwy
â'r cleddyf a newyn a haint." ¹³Dywed-
ais innau, "O fy Arglwydd DDUW,
wele'r proffwydi yn dweud wrthynt, 'Ni
welwch gleddyf, ni ddaw newyn arnoch,
ond fe rof i chwi wir heddwch yn y lle
hwn.'" ¹⁴A dywedodd yr ARGLWYDD
wrthyf, "Proffwydo celwyddau yn fy enw
i y mae'r proffwydi; nid anfonais hwy, na
gorchymyn iddynt, na llefaru wrthynt.
Proffwydant i chwi weledigaethau gau, a
dewiniaeth ffôl, a thwyll eu dychymyg eu
hunain. ¹⁵Am hynny, fel hyn y dywed yr
ARGLWYDD am y proffwydi sy'n proff-
wydo yn fy enw er nad anfonais hwy,
sy'n dweud na bydd cleddyf na newyn yn
y wlad hon: 'Trwy'r cleddyf a newyn y
difethir y proffwydi hynny. ¹⁶Oherwydd
y newyn a'r cleddyf, teflir allan i heolydd
Jerwsalem y bobl y proffwydir iddynt,
heb neb i'w gladdu hwy eu hunain na'u
gwragedd na'u meibion na'u merched.
Tywalltaf eu drygioni arnynt.'

17 "A dywedi wrthynt y gair hwn:
'Difered fy llygaid ddagrau, nos a
    dydd heb beidio.
  Daeth briw enbyd i'r wyryf, merch fy
    mhobl;
  ergyd drom iawn.
¹⁸Os af i'r maes, yno y mae'r cyrff a
    laddwyd â'r cleddyf.

Os af i'r ddinas, yno y mae'r rhai a
  nychwyd gan y newyn.
Y mae'r proffwyd hefyd a'r offeiriad
  yn crwydro'r wlad,
a heb ddeall.'"

Y Bobl yn Ymbil ar yr ARGLWYDD

¹⁹A wrthodaist ti Jwda yn llwyr? A
  ffieiddiaist ti Seion?
Pam y trewaist ni heb fod inni iachâd?
Yr oeddem yn disgwyl am heddwch,
  ond ni ddaeth daioni;
am amser iachâd, ond wele adfyd.
²⁰Cydnabyddwn, ARGLWYDD, ein
  camwedd,
ac anwiredd ein tadau;
yn wir, yr ydym wedi pechu yn dy
  erbyn.
²¹Ond oherwydd dy enw, paid â'n
  ffieiddio ni,
na dirmygu dy orsedd ogoneddus;
cofia dy gyfamod â ni, paid â'i dorri.
²²A oes neb ymhlith gau-dduwiau'r
  cenhedloedd a rydd lawogydd?
A rydd y nefoedd ei hun gawodydd?
Na, ond ti, yr ARGLWYDD ein Duw,
ynot ti yr hyderwn, ti yn unig a wnei'r
  pethau hyn oll.

Tynged Pobl Jwda

15 Dywedodd yr ARGLWYDD wrth-
yf, "Pe safai Moses a Samuel o'm
blaen, eto ni byddai gennyf serch at y
bobl hyn. Bwrw hwy allan o'm golwg, a
bydded iddynt fynd ymaith. ²Ac os
dywedant wrthyt, 'I ble'r awn?', dywed
wrthynt, 'Fel hyn y dywed yr AR-
GLWYDD:
  Y sawl sydd i angau, i angau;
  y sawl sydd i gleddyf, i gleddyf;
  y sawl sydd i gaethiwed, i gaethiwed.'
³A chosbaf hwy mewn pedair ffordd,
medd yr ARGLWYDD: cleddyf i ladd, y
cŵn i larpio, adar y nefoedd a bwystfilod
gwyllt i ysu ac i ddifa. ⁴Gwnaf hwy yn
arswyd i holl deyrnasoedd y byd, oher-
wydd yr hyn a wnaeth Manasse fab
Heseceia, brenin Jwda, yn Jerwsalem.

⁵Pwy a drugarha wrthyt, O Jerwsalem?
  Pwy a gydymdeimla â thi?
Pwy a ddaw heibio i ymofyn amdanat?
⁶Gadewaist fi, medd yr ARGLWYDD,
  a throi dy gefn arnaf;
ac estynnaf finnau fy llaw yn dy erbyn
  i'th ddifa;
'rwy'n blino ar drugarhau.

⁷Gwyntyllaf hwy â gwyntyll ym mhyrth
    y wlad;
di-blantaf, difethaf fy mhobl,
am na ddychwelant o'u ffyrdd.
⁸Gwnaf eu gweddwon yn amlach na
    thywod y môr;
dygaf anrheithiwr ganol dydd yn erbyn
    mam y gŵr ifanc,
paraf i ddychryn a braw ddod arni yn
    ddisymwth.
⁹Llesgâ'r un a blantodd saith o fcibion;
syrth mewn llesmair,
machluda ei haul, a hi eto'n ddydd;
fe'i dygir i gywilydd a gwaradwydd.
Rhoddaf i'r cleddyf y rhai sy'n weddill,
yng ngŵydd eu gelynion, medd yr
    ARGLWYDD."

Cŵyn Jeremeia

¹⁰Gwae fi, fy mam, iti fy nwyn i'r byd
yn ŵr ymrafael, yn ŵr cynnen i'r holl
    wlad.
Ni bûm nac echwynnwr na dyledwr,
eto y mae pob dyn yn fy melltithio.

¹¹Dywedodd yr ARGLWYDD,
"Yn ddiau gwaredaf di er daioni;
gwnaf i'th elyn ymbil â thi
yn amser adfyd ac yn amser gofid."

¹²"A ellir torri haearn, haearn o'r
    gogledd, neu bres?
¹³Rhof dy gyfoeth a'th drysorau yn
    ysbail,
nid am bris ond oherwydd dy holl
    bechod yn dy holl derfynau.
¹⁴Gwnaf i ti wasanaethuᵖ d'elynion
    mewn gwlad nad adwaenost,
canys yn fy nicter cyneuwyd tân, a lysg
    hyd bythᵖʰ."

¹⁵Fe wyddost ti, O ARGLWYDD;
cofia fi, ymwêl â mi, dial drosof ar
    f'erlidwyr.
Yn dy amynedd, paid â'm dwyn
    ymaith;
gwybydd i mi ddwyn gwaradwydd o'th
    achos di.
¹⁶Cafwyd geiriau gennyt, ac aethant yn
    ymborth i mi;
daeth dy air yn llawenydd i mi, ac yn
    hyfrydwch fy nghalon;
canys galwyd dy enw arnaf, O
    ARGLWYDD Dduw y Lluoedd.
¹⁷Nid eisteddais yng nghwmni'r gwamal,

ac ni chefais hwyl gyda hwy;
ond eisteddwn fy hunan, oherwydd dy
    afael di arnaf;
llenwaist fi â llid.
¹⁸Pam y mae fy mhoen yn ddi-baid,
a'm clwy yn ffyrnig, ac yn gwrthod
    iachâd?
A fyddi di i mi fel nant dwyllodrus,
neu fel dyfroedd yn pallu?

19 Am hynny, fel hyn y dywed yr
ARGLWYDD:
"Os dychweli, fe'th adferaf ac fe sefi
    o'm blaen;
os tynni allan y gwerthfawr oddi wrth y
    diwerth,
byddi fel genau i mi;
try'r bobl atat ti, ond ni throi di atynt
    hwy.
²⁰Fe'th wnaf i'r bobl hyn yn fagwyr o
    bres;
ymladdant yn dy erbyn ond ni'th
    orchfygant,
canys yr wyf gyda thi i'th achub ac i'th
    wared," medd yr ARGLWYDD.
²¹"Gwaredaf di o afael y rhai drygionus,
rhyddhaf di o law'r rhai creulon."

Dydd Cosb

16 Daeth gair yr ARGLWYDD ataf:
²"Paid â chymryd iti wraig; na
fydded i ti feibion na merched yn y lle
hwn. ³Canys fel hyn y dywed yr AR-
GLWYDD am y bechgyn a'r genethod a
enir yn y lle hwn, ac am y mamau a'u dwg
hwy a'r tadau a'u cenhedla yn y wlad
hon: ⁴'Byddant farw o angau nychlyd. Ni
fydd galaru ar eu hôl ac ni chleddir hwy;
byddant fel tail ar wyneb y tir. Fe'u
lleddir gan gleddyf a newyn, a bydd eu
celanedd yn ymborth i adar y nefoedd a
bwystfilod gwyllt.' ⁵Fel hyn y dywed yr
ARGLWYDD: 'Paid â mynd i dŷ galar, na
mynd i alaru na gofidio amdanynt, oher-
wydd cymerais ymaith fy heddwch oddi
wrth y bobl hyn,' medd yr ARGLWYDD, 'a
hefyd fy nhrugaredd a'm tosturi. ⁶Bydd-
ant farw, yn fawr a bach, yn y wlad hon;
ni chleddir mohonynt ac ni alerir am-
danynt; ni fyddant yn anafu eu cyrff nac
yn eillio'u pennau o'u plegid. ⁷Ni rennir
baraʳ galar i roi cysur iddynt am y marw,
ac nid estynnir cwpan cysur am na thad
na mam. ⁸Ac nid ei di i dŷ gwledd, i
eisteddan gyda hwy i fwyta ac yfed.'

Felly llawysgrifau a Jer. 17:4. TM, *Gwnaf i ti fynd drosodd.*
ᵖCymh. 17:4. Hebraeg, *a lysg arnoch.*   ʳFelly Groeg. Hebraeg, *iddynt.*

9 "Fel hyn y dywed ARGLWYDD y
Lluoedd, Duw Israel:
'Yn y lle hwn, o flaen eich llygaid ac yn
eich dyddiau,
'rwyf yn rhoi taw ar seiniau llawenydd
a hapusrwydd,
ar lais priodfab a phriodferch.'

10 "Pan fynegi'r holl eiriau hyn i'r
bobl, dywedant wrthyt, 'Pam y llefarodd
yr ARGLWYDD yr holl ddrwg mawr hwn
yn ein herbyn? Beth yw ein trosedd?
Pa bechod a wnaethom yn erbyn yr AR-
GLWYDD ein Duw?' [11] Dywed dithau
wrthynt, 'Oherwydd i'ch tadau fy ngadael
i,' medd yr ARGLWYDD, 'a rhodio ar
ôl duwiau eraill, a'u gwasanaethu a'u
haddoli, a'm gwrthod i, heb gadw fy
nghyfraith. [12] A gwnaethoch chwi yn
waeth na'ch tadau, gan rodio bob un yn ôl
ei fympwy ystyfnig ei hun, heb wrando
arnaf fi. [13] Am hynny, fe'ch hyrddiaf chwi
allan o'r wlad hon i wlad nad adwaenoch
chwi na'ch tadau; yno gwasanaethwch
dduwiau eraill, ddydd a nos, oherwydd ni
wnaf unrhyw ffafr â chwi.'

Dychwelyd o'r Gaethglud

14 "Am hynny, y mae'r dyddiau ar
ddod," medd yr ARGLWYDD, "pryd na
ddywedir mwyach, 'Byw fyddo'r AR-
GLWYDD a ddygodd feibion Israel i fyny o
wlad yr Aifft', [15] ond, 'Byw fyddo'r AR-
GLWYDD a ddygodd feibion Israel i fyny o
dir y gogledd, o'r holl wledydd lle gyr-
rodd hwy.' Ac fe'u dychwelaf i'w gwlad,
y wlad a roddais i'w tadau.

Dal y Bobl am eu Pechod

16 "Yr wyf yn anfon am bysgotwyr
lawer," medd yr ARGLWYDD, "ac fe'u
daliant. Wedi hynny anfonaf am helwyr
lawer, ac fe'u heliant oddi ar bob mynydd
a phob bryn, ac o holltau'r creigiau.
[17] Oherwydd y mae fy llygaid ar eu holl
ffyrdd hwy; ni chuddiwyd hwy o'm
gŵydd, ac nid yw eu hanwiredd wedi ei
gelu o'm golwg. [18] Yn gyntaf, mi dalaf yn
ddwbl am eu hanwiredd a'u pechod, am
iddynt halogi fy nhir â chelanedd eu
duwiau ffiaidd; llanwodd eu ffieidd-dra
fy etifeddiaeth."

Hyder Jeremeia yn yr ARGLWYDD

[19] O ARGLWYDD, fy nerth a'm cadernid,

fy noddfa mewn dydd o flinder,
atat ti y daw'r cenhedloedd, o gyrion
pellaf byd, a dweud,
"Diau i'n tadau etifeddu celwydd,
oferedd, a phethau di-les.
[20] A wna dyn dduw iddo'i hun?
Nid yw'r rhain yn dduwiau."
[21] "Am hynny, wele, paraf iddynt
wybod;
y waith hon mi ddangosaf iddynt fy
nerth a'm grym.
A deallant mai'r ARGLWYDD yw fy
enw.

Pechod a Chosb Jwda

17 "Y mae pechod Jwda wedi ei
ysgrifennu â phin haearn,
a'i gerfio â blaen adamant ar lech eu
calon,
[2] ac ar gyrn eu[rh] hallorau i atgoffa eu
meibion.
Y mae eu hallorau a'u colofnau wrth
ymyl prennau gwyrddlas ar
fryniau uchel,
[3] yn y mynydd-dir a'r meysydd.
Gwnaf dy olud a'th drysorau yn
anrhaith,
yn bris[s] am dy bechod trwy dy holl
derfynau.
[4] Gollyngi o'th afael yr etifeddiaeth a
roddais i ti,
a gwnaf i ti wasanaethu dy elynion
mewn gwlad nad adwaenost,
canys yn fy nicter cyneuwyd[t] tân a lysg
hyd byth."

5 Fel hyn y dywed yr ARGLWYDD:
"Melltigedig fo'r gŵr sydd â'i hyder
mewn dyn,
ac yn gwneud cnawd yn fraich iddo,
ac yn gwyro oddi wrth yr ARGLWYDD.
[6] Bydd fel prysgwydd yn y diffeithwch;
ni fydd yn gweld daioni pan ddaw.
Fe gyfanhedda fannau moelion yr
anialwch,
mewn tir hallt heb neb yn trigo ynddo.
[7] Bendigedig yw'r gŵr sy'n hyderu yn yr
ARGLWYDD,
a'r ARGLWYDD yn hyder iddo.
[8] Y mae fel pren a blannwyd ar lan
dyfroedd,
yn gwthio'i wreiddiau i'r afon,
heb ofni gwres pan ddaw, a'i ddail yn
ir;
ar dymor sych ni phrydera, ac ni phaid
â ffrwytho.

[rh] Felly llawysgrifau a Fersiynau. TM, *eich.*
[t] Cymh. llawysgrifau a Fersiynau. TM, *cyneuasoch.*
[s] Felly 15:13. Hebraeg, *yn uchelfeydd.*

⁹"'Y mae'r galon yn fwy ei thwyll na dim,
a thu hwnt i iachâd; pwy sy'n ei deall hi?
¹⁰Ond yr wyf fi, yr ARGLWYDD, yn chwilio'r galon
ac yn profi cymhellion,
i roi i ddyn yn ôl ei ffyrdd
ac yn ôl ffrwyth ei weithredoedd."

¹¹Fel petrisen yn crynhoi cywion nas deorodd,
y mae'r sawl sy'n casglu cyfoeth yn anghyfiawn;
yng nghanol ei ddyddiau bydd yn ei adael ef,
a bydd ei ddiwedd yn ei ddangos yn ynfyd.

¹²Gorsedd ogoneddus, ddyrchafedig o'r dechreuad,
dyna fan ein cysegr ni.
¹³O ARGLWYDD, gobaith Israel,
gwaradwyddir pawb a'th adawa;
torrir ymaith[th] oddi ar y ddaear y rhai sy'n troi oddi wrthyt[u],
am iddynt adael yr ARGLWYDD,
ffynnon y dyfroedd byw.

Ceisio Gwaredigaeth

¹⁴Iachâ fi, O ARGLWYDD, ac fe'm hiacheir;
achub fi, ac fe'm hachubir;
canys ti yw fy moliant.
¹⁵Ie, dywedant wrthyf,
"Ple mae gair yr ARGLWYDD? Deued bellach!"
¹⁶Ond myfi, ni phwysais arnat i'w drygu[w],
ac ni ddymunais iddynt y dydd blin.
Gwyddost fod yr hyn a ddaeth o'm genau yn uniawn ger dy fron.
¹⁷Paid â bod yn ddychryn i mi;
fy nghysgod wyt ti yn nydd drygfyd.
¹⁸Gwaradwydder f'erlidwyr, ac na'm gwaradwydder i;
brawycher hwy, ac na'm brawycher i;
dwg arnynt hwy ddydd drygfyd,
dinistria hwy â dinistr deublyg.

Cadw'r Saboth

19 Fel hyn y dywedodd yr ARGLWYDD wrthyf: "Dos, a saf ym mhorth Benja-nin[y], yr un y mae brenhinoedd Jwda yn mynd i mewn ac allan trwyddo, ac yn holl

byrth Jerwsalem, ²⁰a dywed wrthynt, 'Clywch air yr ARGLWYDD, O frenhin-oedd Jwda, a holl Jwda, a holl drigolion Jerwsalem sy'n dod trwy'r pyrth hyn. ²¹Fel hyn y dywed yr ARGLWYDD: Gwyl-iwch am eich einioes na ddygwch faich ar y dydd Saboth, na'i gludo trwy byrth Jerwsalem; ²²ac na ddygwch faich allan o'ch tai ar y dydd Saboth, na gwneud dim gwaith; ond sancteiddiwch y dydd Saboth, fel y gorchmynnais i'ch tadau. ²³Ond ni wrandawsant hwy, na gogwyddo clust, ond ystyfnigo rhag gwrando, a rhag derbyn disgyblaeth. ²⁴Er hynny, os gwrandewch yn ddyfal arnaf, medd yr ARGLWYDD, a pheidio â dwyn baich trwy byrth y ddinas hon ar y dydd Saboth, ond sancteiddio'r dydd Saboth trwy beidio â gwneud dim gwaith arno, ²⁵yna fe ddaw trwy byrth y ddinas hon frenhinoedd a thywysogion i eistedd ar orsedd Dafydd, ac i deithio mewn cerbydau a marchog-aeth ar feirch—hwy a'u tywysogion, gwŷr Jwda a phreswylwyr Jerwsalem—a chyfanheddir y ddinas hon hyd byth. ²⁶A daw pobloedd o ddinasoedd Jwda a chwmpasoedd Jerwsalem, a thiriogaeth Benjamin, o'r gwastadedd a'r mynydd-dir, a'r deheudir, gan ddwyn poeth-offrymau ac aberthau, offrwm grawn a thus, ac aberth moliant i dŷ'r AR-GLWYDD. ²⁷Ac os na wrandewch arnaf a sancteiddio'r dydd Saboth, a pheidio â chludo baich wrth ddod i mewn i byrth Jerwsalem ar y dydd Saboth, yna mi gyneuaf dân yn y pyrth hynny, tân a lysg balasau Jerwsalem, heb neb i'w ddiffodd.'"

Jeremeia yn Nhŷ'r Crochenydd

18 Dyma'r gair a ddaeth at Jeremeia oddi wrth yr ARGLWYDD: ²"Cod a dos i lawr i dŷ'r crochenydd; yno y paraf i ti glywed fy ngeiriau." ³Euthum i lawr i dŷ'r crochenydd, a'i gael yn gweithio ar y droell. ⁴A difwynwyd yn llaw'r crochenydd y llestr pridd yr oedd yn ei lunio, a gwnaeth ef yr eildro yn llestr gwahanol, fel y gwelai'n dda.

5 Yna daeth gair yr ARGLWYDD ataf, ⁶"Oni allaf fi eich trafod chwi, tŷ Israel, fel y mae'r crochenydd hwn yn gwneud â'r clai?" medd yr ARGLWYDD. "Fel clai yn llaw'r crochenydd, felly yr ydych chwi yn fy llaw i, tŷ Israel. ⁷Ar unrhyw

---

Felly rhai Fersiynau. Hebraeg, *ysgrifennir*.
Cymh. Fersiynau. Hebraeg, *rhag bugeilio*.

[u]Tebygol. Hebraeg, *wrthyf*.
[y]Hebraeg, *Meibion y bobl*.

funud gallaf benderfynu diwreiddio a
thynnu i lawr, a difetha cenedl neu deyr-
nas. [8]Ac os bydd y genedl honno y
lleferais yn ei herbyn yn troi oddi wrth ei
drygioni, gallaf ailfeddwl am y drwg a
fwriedais iddi. [9]Ar unrhyw funud gallaf
benderfynu adeiladu a phlannu cenedl
neu deyrnas, [10]ond os gwna'r genedl
honno ddrygioni yn fy ngolwg, a gwrthod
gwrando arnaf, gallaf ailfeddwl am y da a
addewais iddi. [11]Yn awr dywed wrth wŷr
Jwda ac wrth breswylwyr Jerwsalem,
'Fel hyn y dywed yr ARGLWYDD: Wele
fi'n llunio drwg yn eich erbyn, ac yn
cynllunio yn eich erbyn. Dychwelwch, yn
wir, bob un o'i ffordd ddrwg, a gwella'ch
ffyrdd a'ch gweithredoedd.' [12]Ond
dywedant hwy, 'Y mae pethau wedi
mynd yn rhy bell. Dilynwn ein bwriadau
ein hunain, a gweithredwn bob un yn ôl ei
amcan drygionus ei hun.' "

13 Am hynny, fel hyn y dywed yr
ARGLWYDD:
"Ymofynnwch ymhlith y
    cenhedloedd,
pwy a glywodd ddim tebyg i hyn.
Gwnaeth y forwyn Israel beth erchyll
    iawn.
[14]A gilia eira Lebanon oddi ar greigiau'r
    llethrau?
A sychir dyfroedd yr ucheldir[a],
    sy'n ffrydiau oerion?
[15]Ond mae fy mhobl wedi f'anghofio,
    ac arogldarthu i dduwiau gau
a barodd iddynt dramgwyddo yn eu
    ffyrdd, yr hen rodfeydd,
a cherdded llwybrau mewn ffyrdd heb
    eu trin.
[16]Gwnaethant eu tir yn anghyfannedd,
    i ddynion chwibanu drosto hyd byth;
bydd pob un sy'n mynd heibio iddo yn
    synnu,
    ac yn ysgwyd ei ben.
[17]Fel gwynt y dwyrain y chwalaf hwy o
    flaen y gelyn;
yn nydd eu trychineb dangosaf iddynt
    fy ngwegil, nid fy wyneb."

Cynllwyn yn erbyn Jeremeia

18 A dywedodd y bobl, "Dewch,
gwnawn gynllwyn yn erbyn Jeremeia; ni
chiliodd cyfarwyddyd oddi wrth yr offeir-
iad, na chyngor oddi wrth y doeth, na gair
oddi wrth y proffwyd; dewch, gadewch
inni ei faeddu â'r tafod, a pheidio ag
ystyried yr un o'i eiriau."

[a]Tebygol. Hebraeg, *A ddiwreiddir dyfroedd dieithr.*

[19]Ystyria fi, O ARGLWYDD,
    a chlyw beth y mae f'achwynwyr yn ei
    ddweud.
[20]A ad-delir drwg am dda?
Cloddiasant bwll ar fy nghyfer.
Cofia imi sefyll o'th flaen,
    i lefaru'n dda amdanynt
ac i droi ymaith dy ddig oddi wrthynt.
[21]Am hynny rho'u plant i'r newyn,
    lladder hwy trwy rym y cleddyf;
bydded eu gwragedd yn weddwon
    di-blant,
a'u gwŷr yn farw gelain,
a'u gwŷr ifainc wedi eu taro â'r cleddyf
    mewn rhyfel.
[22]Bydded i waedd godi o'u tai,
    am i'r ysbeiliwr ddod yn ddisymwth ar
    eu gwarthaf;
canys cloddiasant bwll i'm dal,
a chuddio maglau i'm traed.
[23]Ond yr wyt ti, O ARGLWYDD, yn
    gwybod
am eu holl gynllwyn yn f'erbyn, i'm
    lladd.
Paid â maddau iddynt eu hanwiredd,
    na dileu eu pechod o'th ŵydd.
Bydded iddynt gloffi o'th flaen;
    delia â hwy yn awr dy ddigofaint.

Dryllio'r Ystên

19 Fel hyn y dywed yr ARGLWYDD:
    "Dos a phryn ystên bridd o waith
crochenydd, a chymer rai o blith henur-
iaid y bobl a'r offeiriaid, [2]a dos allan i
ddyffryn Ben-hinnom wrth fynedfa Porth
Harsith[b], a chyhoedda yno y geiriau a
fynegaf wrthyt, [3]a dweud, 'Clywch air yr
ARGLWYDD, frenhinoedd Jwda a phres-
wylwyr Jerwsalem. Fel hyn y dywed
ARGLWYDD y Lluoedd, Duw Israel:
Byddaf yn dwyn y fath ddrwg ar y lle hwn
nes bod clustiau pwy bynnag a glyw
amdano yn merwino.
4 "'Am iddynt fy ngwrthod, a cham-
ddefnyddio'r lle hwn ac arogldarthu
ynddo i dduwiau eraill nad oeddent yn eu
hadnabod, hwy na'u tadau na brenhin-
oedd Jwda, a llenwi'r lle â gwaed y rhai
dieuog, [5]ac adeiladu uchelfeydd i Baal, i
losgi eu meibion yn y tân fel offrwm-llosg
i Baal, peth na orchmynnais, na'i lefaru
ac na ddaeth i'm meddwl—[6]am hynny
wele'r dyddiau'n dod, medd yr AR-
GLWYDD, pryd na elwir y lle hwn
mwyach yn Toffet nac yn ddyffryn Ben-
hinnom, ond yn ddyffryn y lladdfa.

[b]Sef, *Porth y darnau o lestri pridd.*

7 "'Gwnaf gyngor Jwda a Jerwsalem yn ofer yn y lle hwn, a pharaf i'r bobl syrthio trwy'r cleddyf o flaen eu gelynion, a mynd i afael y rhai sy'n ceisio'u bywyd; rhof eu celanedd yn fwyd i adar y nefoedd a bwystfilod gwyllt. ⁸Gwnaf y ddinas hon yn arswyd ac yn syndod, a bydd pawb sy'n mynd heibio yn arswydo a synnu at ei holl glwyfau. ⁹Gwnaf iddynt fwyta cnawd eu meibion a chnawd eu merched; bwytânt gnawd ei gilydd yn y gwarchae ac yn y cyfyngder a ddygir arnynt gan eu gelynion a'r rhai sy'n ceisio'u bywyd.'

10 "Yna fe ddrylli'r ystên yng ngŵydd y gwŷr a aeth gyda thi, ¹¹a dweud wrthynt, 'Fel hyn y dywed ARGLWYDD y Lluoedd: Drylliaf y bobl hyn a'r ddinas hon, fel y dryllir llestr y crochenydd, ac ni ellir ei gyfannu mwyach. Fe gleddir cyrff yn Toffet o ddiffyg lle arall i'w claddu. ¹²Felly y gwnaf i'r lle hwn a'i breswylwyr, medd yr ARGLWYDD, i beri i'r ddinas hon fod fel Toffet. ¹³A bydd tai Jerwsalem a thai brenhinoedd Jwda fel mangre Toffet, yn halogedig—yr holl dai lle bu arogldarthu ar y to i holl lu'r nefoedd, a lle bu tywallt diodoffrwm i dduwiau craill.'"

14 Daeth Jeremeia o Toffet, lle'r oedd yr ARGLWYDD wedi ei anfon i broffwydo, a safodd yng nghyntedd tŷ'r ARGLWYDD, a llefarodd wrth yr holl bobl, ¹⁵"Fel hyn y dywed ARGLWYDD y Lluoedd, Duw Israel: 'Dyma fi'n dwyn ar y ddinas hon, ac ar ei holl drefi, yr holl ddrwg a leferais yn eu herbyn, am iddynt ystyfnigo a gwrthod gwrando ar fy ngeiriau.'"

Jeremeia a Pasur yr Offeiriad

20 Yr oedd Pasur fab Imer, yr offeiriad, yn brif swyddog yn nhŷ'r ARGLWYDD, a phan glywodd fod Jeremeia yn proffwydo'r geiriau hyn, ²trawodd Pasur y proffwyd Jeremeia, a'i roi yn y cyffion ym mhorth uchaf Benjamin yn nhŷ'r ARGLWYDD. ³Trannoeth, pan ollyngodd Pasur ef o'r cyffion, dywedodd Jeremeia wrtho, "Nid Pasur y galwodd yr ARGLWYDD di ond Dychryn-ar-bob-llaw[c]. ⁴Canys fel hyn y dywed yr ARGLWYDD: 'Wele fi'n dy wneud yn ddychryn i ti dy hun ac i bawb o'th geraint. Syrthiant wrth gleddyf eu gelynion, a thithau'n gweld. Rhof hefyd holl Jwda yng ngafael brenin Babilon, i'w caethgludo i Fabilon a'u taro â'r cleddyf.

[c]Hebraeg, *Magor missabib.*

⁵Rhof hefyd olud y ddinas hon, a'i holl gynnyrch, a phob dim gwerthfawr sydd ganddi, a holl drysorau brenhinoedd Jwda, yng ngafael eu gelynion, i'w hanrheithio a'u meddiannu a'u cludo i Fabilon. ⁶A byddi di, Pasur, a holl breswylwyr dy dŷ, yn mynd i gaethiwed; i Fabilon yr ei, ac yno y byddi farw, a'th gladdu—ti a'th holl gyfeillion y proffwydaist gelwydd iddynt.'"

Cwynfan Jeremeia

⁷Twyllaist fi, O ARGLWYDD, ac fe'm twyllwyd.
  Cryfach oeddit na mi, a gorchfygaist fi.
Cyff gwawd wyf ar hyd y dydd,
  a phawb yn fy ngwatwar.
⁸Bob tro y llefaraf ac y gwaeddaf,
  "Trais! Anrhaith!" yw fy llef.
Canys y mae gair yr ARGLWYDD i mi
  yn waradwydd ac yn ddirmyg ar hyd y dydd.
⁹Os dywedaf, "Ni soniaf amdano,
  ac ni lefaraf mwyach yn ei enw",
y mae yn fy nghalon yn llosgi fel tân
  wedi ei gau o fewn fy esgyrn.
Blinaf yn ymatal; yn wir, ni allaf.
¹⁰Clywais sibrwd gan lawer—dychryn-ar-bob-llaw:
  "Cyhuddwch ef! Fe'i cyhuddwn ni ef!"
Y mae pawb a fu'n heddychlon â mi
  yn gwylio am gam gwag gennyf, a dweud,
"Efallai yr hudir ef, ac fe'i gorchfygwn, a dial arno."
¹¹Ond y mae'r ARGLWYDD gyda mi,
  fel rhyfelwr cadarn;
am hynny fe dramgwydda'r rhai sy'n fy erlid,
  ac ni orchfygant;
gwaradwyddir hwy'n fawr, canys ni lwyddant,
  ac nid anghofir fyth eu gwarth.
¹²O ARGLWYDD y Lluoedd, yr wyt yn profi'r cyfiawn,
  ac yn gweld i ddyfnder y galon;
rho imi weld dy ddialedd arnynt,
  canys dadlennais i ti fy nghŵyn.

¹³Canwch i'r ARGLWYDD. Moliannwch yr ARGLWYDD.
  Achubodd einioes y tlawd o afael y rhai drygionus.

¹⁴Melltith ar y dydd y'm ganwyd;
  na fendiger y dydd yr esgorodd fy

mam arnaf.
¹⁵Melltith ar y gŵr a fynegodd i'm tad,
"Ganwyd mab i ti",
a rhoi llawenydd mawr iddo.
¹⁶Bydded y gŵr hwnnw fel y dinasoedd
a ddymchwelodd yr Arglwydd yn
ddi-arbed.
Bydded iddo glywed gwaedd yn y
bore,
a bloedd am hanner dydd,
¹⁷oherwydd na laddwyd mohonof yn y
groth,
ac na fu fy mam yn fedd i mi,
a'i chroth yn feichiog arnaf byth.
¹⁸Pam y deuthum allan o'r groth,
i weld trafferth a gofid,
a threulio fy nyddiau mewn gwarth?

Duw yn Gwrthod Sedeceia

21 Dyma'r gair a ddaeth at Jeremeia
oddi wrth yr Arglwydd pan
anfonodd y Brenin Sedeceia ato ef Pasur
fab Malcheia a'r offeiriad Seffaneia fab
Maaseia, a dweud, ²"Ymofyn â'r Ar-
glwydd drosom ni, oherwydd y mae
Nebuchadnesar brenin Babilon yn rhyfela
yn ein herbyn. Tybed a wna yr Ar-
glwydd â ni yn ôl ei holl ryfeddodau, a
pheri iddo gilio ymaith oddi wrthym?"
3 Dywedodd Jeremeia wrthynt,
"Dyma'r hyn a ddywedwch wrth Sede-
ceia: ⁴'Fel hyn y dywed yr Arglwydd,
Duw Israel: Wele fi'n troi arnoch chwi yr
arfau rhyfel sydd yn eich dwylo i ymladd
yn erbyn brenin Babilon a'r Caldeaid,
sy'n gwarchae arnoch o'r tu allan i'r gaer;
fe'u casglaf hwy i ganol y ddinas hon.
⁵Byddaf fi fy hun yn rhyfela yn eich
erbyn, a'm llaw wedi ei hestyn allan, a'm
braich yn gref, mewn soriant a llid a
digofaint mawr. ⁶Trawaf drigolion y
ddinas hon, yn ddyn ac yn anifail; bydd-
ant farw o haint mawr. ⁷Ac wedi hynny,
medd yr Arglwydd, rhof Sedeceia
brenin Jwda a'i weision, a'r bobl a wedd-
illir yn y ddinas hon wedi'r haint a'r
cleddyf a'r newyn, yng ngafael Nebuch-
adnesar brenin Babilon, ac yng ngafael eu
gelynion a'r rhai a geisiai eu heinioes.
Bydd ef yn eu taro â min y cleddyf, heb
dosturio wrthynt nac arbed nac estyn
trugaredd.'
8 "Wrth y bobl hyn hefyd dywed, 'Fel
hyn y dywed yr Arglwydd: Wele fi'n
gosod o'ch blaen ffordd einioes a ffordd
angau. ⁹Bydd y sawl sy'n aros yn y
ddinas hon yn marw drwy gleddyf neu

newyn neu haint, a'r sawl sy'n mynd
allan ac yn ildio i'r Caldeaid sy'n gwar-
chae arnoch yn byw; bydd yn arbed ei
fywyd. ¹⁰Gosodais fy wyneb yn erbyn y
ddinas hon, er drwg ac nid er da, medd yr
Arglwydd; fe'i rhoddir yng ngafael
brenin Babilon, a bydd ef yn ei llosgi â
thân.'

Barn ar Dŷ Brenin Jwda

¹¹"Wrth dŷ brenin Jwda dywed,
'Clyw air yr Arglwydd.
¹²Tŷ Dafydd, fel hyn y dywed yr
Arglwydd:
Barnwch yn uniawn bob amser,
achubwch yr ysbeiliedig o afael y
gormeswr,
rhag i'm llid fynd allan yn dân,
a llosgi heb neb i'w ddiffodd,
oherwydd eich gweithredoedd drwg.'

¹³"Wele fi yn dy erbyn, ti breswylydd y
dyffryn
wrth graig y gwastadedd," medd yr
Arglwydd.
"Fe ddywedwch chwi, 'Pwy ddaw i
waered yn ein herbyn?
Pwy ddaw i mewn i'n gwâl?'
¹⁴Talaf i chwi yn ôl ffrwyth eich
gweithredoedd," medd yr
Arglwydd.
"Cyneuaf dân yn ei choedwig,
ac ysa bob peth o'i hamgylch."

Neges Jeremeia i Dŷ Brenin Jwda

22 Fel hyn y dywed yr Arglwydd:
"Dos i waered i dŷ brenin Jwda, a
llefara yno y gair hwn: ²'Clyw air yr
Arglwydd, frenin Jwda, sy'n eistedd ar
orsedd Dafydd, tydi a'th weision a'th
bobl sy'n tramwy trwy'r pyrth hyn. ³Fel
hyn y dywed yr Arglwydd: Gwnewch
farn a chyfiawnder; achubwch yr ysbeil-
iedig o afael y gormeswr. Peidiwch â
gwneud cam na niwed i'r dieithr, na'r
amddifad na'r weddw, na thywallt gwaed
dieuog yn y lle hwn. ⁴Os yn wir y
cyflawnwch y gair hwn, daw trwy byrth y
tŷ hwn frenhinoedd yn eistedd ar orsedd
Dafydd, yn teithio mewn cerbydau a
marchogaeth ar feirch, pob un â'i weision
a'i bobl. ⁵Ond os na wrandewch ar y
geiriau hyn, af ar fy llw, medd yr Ar-
glwydd, y bydd y tŷ hwn yn anghyfan-
nedd. ⁶Oherwydd fel hyn y dywed yr
Arglwydd wrth dŷ brenin Jwda:

'Rwyt i mi fel Gilead, a chopa
  Lebanon;
ond fe'th wnaf yn ddiffeithwch
  ac yn ddinas anghyfannedd.
[7] Neilltuaf ddinistrwyr yn dy erbyn,
  pob un â'i arfau;
fe dorrant dy gedrwydd gorau,
  a'u bwrw i'r tân.
[8] Bydd cenhedloedd lawer yn mynd
heibio i'r ddinas hon, a phob un
yn dweud wrth ei gilydd, "Pam y
gwnaeth yr ARGLWYDD fel hyn â'r ddinas
fawr hon?" [9] Ac atebant, "Oherwydd
iddynt gefnu ar gyfamod yr ARGLWYDD
eu Duw, ac addoli duwiau eraill, a'u
gwasanaethu." ' "

Neges Jeremeia ynglŷn â Salum

[10] Peidiwch ag wylo dros y marw, na
  gofidio amdano;
wylwch yn wir dros yr un sy'n mynd
  ymaith,
oherwydd ni ddychwel mwyach,
  na gweld gwlad ei enedigaeth.
[11] Oherwydd fel hyn y dywed yr AR-
GLWYDD am Salum, mab Joseia brenin
Jwda, a deyrnasodd yn lle Joseia ei dad:
"Aeth allan o'r lle hwn, ac ni ddychwel
yma eto; [12] bydd farw yn y lle y caeth-
gludwyd ef iddo, ac ni wêl y wlad hon
eto."

Neges Jeremeia ynglŷn â Jehoiacim

[13] Gwae'r dyn a adeilada'i dŷ heb
  gyfiawnder,
a'i lofftydd heb farn,
gan fynnu gwasanaeth ei gymydog yn
  rhad,
heb roi iddo ddim am ei waith.
[14] Gwae'r dyn a ddywed, "Adeiladaf i mi
  fy hun dŷ eang
ac iddo lofftydd helaeth."
Gwna iddo ffenestri, a phaneli o
  gedrwydd,
a'i liwio â fermiliwn.
[15] A wyt yn d'ystyried dy hun yn frenin
oherwydd i ti gystadlu mewn
  cedrwydd?
Oni fwytaodd dy dad, ac yfed,
gan wneud cyfiawnder a barn,
  ac yna bu'n dda arno?
[16] Barnodd ef achos y tlawd a'r
  anghenus,
  ac yna bu'n dda arno.
"Onid hyn yw f'adnabod i?" medd yr
  ARGLWYDD.
[17] Nid yw dy lygad na'th galon ond ar dy

enillion anghyfiawn,
i dywallt gwaed dieuog ac i dreisio a
  gwneud cam.

18 Am hynny, fel hyn y dywed yr
ARGLWYDD am Jehoiacim fab Joseia,
brenin Jwda:
"Ni alarant amdano, a dweud, 'O fy
  mrawd! O fy nghâr!'
Ni alarant amdano, a dweud, 'O
  Arglwydd! O Fawrhydi!'
[19] Fel claddu asyn y cleddir ef—
ei lusgo a'i daflu y tu hwnt i byrth
  Jerwsalem."

Neges Jeremeia am Dynged Jerwsalem

[20] Dring i Lebanon, a gwaedda;
  yn Basan cod dy lef;
bloeddia o Abarim,
  "Dinistriwyd pawb sy'n dy garu."
[21] Lleferais wrthyt yn dy wynfyd;
dywedaist, "Ni wrandawaf."
Dyma dy ffordd o'th ieuenctid,
  ac ni wrandewaist arnaf.
[22] Bugeilia'r gwynt dy holl fugeiliaid,
ac i gaethiwed yr â dy geraint;
yna fe'th gywilyddir a'th waradwyddo
  am dy holl ddrygioni.
[23] Ti, sy'n trigo yn Lebanon,
ac a fagwyd rhwng y cedrwydd,
O fel y llefi pan ddaw arnat wewyr,
  pangfeydd fel gwraig yn esgor!

Barn Duw ar Coneia

24 "Cyn wired â'm bod yn fyw,"
medd yr ARGLWYDD, "pe byddai
Coneia, mab Jehoiacim brenin Jwda, yn
fodrwy ar fy llaw dde, fe'th dynnwn di
oddi yno, [25] a'th roi yng ngafael y rhai
sy'n ceisio dy einioes, ac yng ngafael y
rhai yr wyt yn ofni rhagddynt, sef yng
ngafael Nebuchadnesar brenin Babilon,
ac yn llaw y Caldeaid. [26] Fe'th fwriaf di,
a'th fam a'th esgorodd, i wlad ddieithr lle
ni'ch ganwyd, ac yno byddwch farw. [27] Ni
ddychwelant i'r wlad yr hiraethant am
ddychwelyd iddi."

[28] Ai llestr dirmygus, drylliedig yw'r dyn
  hwn, Coneia,
teclyn heb ddim hoffus ynddo?
Pam y bwriwyd hwy ymaith, ef a'i had,
  a'u taflu i wlad nad adwaenant?
[29] Wlad! Wlad! Wlad!
Clyw air yr ARGLWYDD.
[30] Fel hyn y dywed yr ARGLWYDD:
"Cofrestrwch y gŵr hwn yn ddi-blant,

gŵr na lwydda ar hyd ei oes;
canys ni lwydda neb o'i had ef
i eistedd ar orsedd Dafydd,
na llywodraethu eto yn Jwda."

Gobaith i'r Dyfodol

23 "Gwae chwi fugeiliaid, sydd yn gwasgaru defaid fy mhorfa ac yn eu harwain ar grwydr," medd yr ARGLWYDD. ²Am hynny fel hyn y dywed yr ARGLWYDD, Duw Israel, am y bugeiliaid sy'n bugeilio fy mhobl: "Gwasgarasoch fy mhraidd, a'u hymlid ymaith, heb wylio drostynt; ond yr wyf fi am ymweld â chwi am eich gwaith drygionus," medd yr ARGLWYDD. ³"Yr wyf fi am gasglu ynghyd weddill fy mhraidd o'r holl wledydd lle y gyrrais hwy, a'u dwyn drachefn i'w corlan; ac fe amlhânt yn ffrwythlon. ⁴Gosodaf arnynt fugeiliaid a'u bugeilia, ac nid ofnant mwyach, na chael braw; ac ni chosbir hwy," medd yr ARGLWYDD.

⁵"Wele'r dyddiau yn dod," medd yr ARGLWYDD,
"y cyfodaf i Ddafydd Flaguryn cyfiawn,
brenin a fydd yn llywodraethu'n ddoeth,
yn gwneud barn a chyfiawnder yn y tir.
⁶Yn ei ddyddiau ef fe achubir Jwda
ac fe drig Israel mewn diogelwch;
dyma'r enw a roddir iddo:
'Yr ARGLWYDD ein Cyfiawnder.'

7 "Am hynny, wele'r dyddiau'n dod," medd yr ARGLWYDD, "pryd na ddywed neb mwyach, 'Byw fyddo'r ARGLWYDD a ddygodd feibion Israel o wlad yr Aifft', ⁸ond, 'Byw fyddo'r ARGLWYDD a ddygodd dylwyth Israel o dir y gogledd, a'u tywys o'r holl wledydd lle y gyrrais hwy, i drigo eto yn eu gwlad eu hunain.'"

Neges Jeremeia am y Proffwydi

9 Am y proffwydi:
Torrodd fy nghalon, y mae fy esgyrn i gyd yn crynu;
yr wyf fel dyn mewn diod, gŵr wedi ei orchfygu gan win,
oherwydd yr ARGLWYDD ac oherwydd ei eiriau sanctaidd.
¹⁰Y mae'r tir yn llawn o odinebwyr;
oherwydd llwon y mae'r wlad wedi ei deifio,

y mae porfeydd yr anialwch wedi crino;
y mae eu hynt yn ddrwg a'u cadernid wedi troi'n wantan.
¹¹"Aeth proffwyd ac offeiriad yn annuwiol;
o fewn fy nhŷ y cefais eu drygioni," medd yr ARGLWYDD.
¹²"Am hynny bydd eu ffyrdd fel mannau llithrig;
gyrrir hwy i'r tywyllwch, a byddant yn syrthio yno.
Canys dygaf ddrygioni arnynt ym mlwyddyn eu cosbi," medd yr ARGLWYDD.

¹³"Ymhlith proffwydi Samaria gwelais beth anweddus:
y maent yn proffwydo yn enw Baal, a hudo fy mhobl Israel ar gyfeiliorn.
¹⁴Ymhlith proffwydi Jerwsalem gwelais beth erchyll:
godinebu a rhodio mewn anwiredd;
y maent yn cynnal breichiau'r rhai drygionus,
fel na thry neb oddi wrth ei ddrygioni.
I mi aethant oll fel Sodom, a'u trigolion fel Gomorra."

15 Am hynny fel hyn y dywed yr ARGLWYDD, Duw y Lluoedd, am y proffwydi:
"Wele, rhof wermod yn fwyd iddynt, a dwfr bustl yn ddiod,
canys o blith proffwydi Jerwsalem aeth peth ysgeler allan trwy'r holl dir."

16 Fel hyn y dywed ARGLWYDD y Lluoedd: "Peidiwch â gwrando ar eiriau'r proffwydi sy'n proffwydo i chwi, gan addo i chwi bethau ffals; y maent yn llefaru gweledigaeth o'u dychymyg eu hunain, ac nid o enau yr ARGLWYDD. ¹⁷Parhânt i ddweud wrth y rhai sy'n dirmygu gair yr ARGLWYDD ᶜʰ, 'Heddwch fo i chwi'; ac wrth bob un sy'n rhodio yn ôl mympwy ei galon dywedant, 'Ni ddaw arnoch niwed.'

¹⁸"Pwy a safodd yng nghyngor yr ARGLWYDD,
a gweld a chlywed ei air?
Pwy a ddaliodd ar ei air, a'i wrando?
¹⁹Dyma dymestl yr ARGLWYDD!
Y mae ei lid yn mynd allan gan chwyrlïo fel tymestl,

ᶜʰFelly Groeg. Hebraeg, *wrth fy nirmygwyr; dywedodd yr ARGLWYDD.*

ac yn torri uwchben yr annuwiol.
²⁰Ni phaid digofaint yr Arglwydd
nes iddo gwblhau a chyflawni ei
fwriadau.
Yn y dyddiau diwethaf y deallwch hyn
yn eglur.
²¹Nid anfonais y proffwydi, ond eto fe
redant;
ni leferais wrthynt, ond eto fe
broffwydant.
²²Pe baent wedi sefyll yn fy nghyngor,
byddent wedi peri i'm pobl
wrando ar fy ngeiriau,
a'u troi o'u ffyrdd drygionus ac o'u
gweithredoedd drwg.

²³"Onid Duw agos wyf fi," medd yr
Arglwydd, "ac nid Duw pell?
²⁴A all gŵr lechu yn y dirgel fel na welaf
mohono?" medd yr Arglwydd.
"Onid wyf yn llenwi'r nefoedd a'r
ddaear?" medd yr Arglwydd.

25 "Clywais yr hyn a ddywedodd y
proffwydi sy'n proffwydo celwydd yn fy
enw a dweud, 'Breuddwydiais, breudd-
wydiais!' ²⁶Pa hyd yr erys ym mwriad
y proffwydi broffwydo celwydd—
proffwydi hudoliaeth eu calon eu hun-
ain? ²⁷Bwriadant beri i'm pobl anghofio
fy enw trwy adrodd eu breuddwydion y
naill wrth y llall, fel y bu i'w tadau
anghofio fy enw o achos Baal. ²⁸Y proff-
wyd sydd â breuddwyd ganddo, myneged
ei freuddwyd, a'r hwn sydd â'm gair i
ganddo, llefared fy ngair yn ffyddlon.
Beth sydd a wnelo'r us â'r gwenith?"
medd yr Arglwydd.
29 "Onid yw fy ngair fel tân," medd yr
Arglwydd, "ac fel gordd sy'n dryllio'r
graig? ³⁰Am hynny, wele fi yn erbyn y
proffwydi sy'n lladrata fy ngeiriau oddi
ar ei gilydd," medd yr Arglwydd.
³¹"Wele fi yn erbyn y proffwydi sy'n
llunio geiriau a'u cyhoeddi fel oracl,"
medd yr Arglwydd. ³²"Wele fi yn erbyn
y rhai sy'n proffwydo breuddwydion gau,
a'u hadrodd, a hudo fy mhobl â'u han-
wiredd a'u gwagedd," medd yr Ar-
glwydd. "Nid anfonais i mohonynt, na
rhoi gorchymyn iddynt; ni wnânt ddim
lles i'r bobl hyn," medd yr Arglwydd.

Baich yr Arglwydd

33 "Pan ofynnir iti gan y bobl hyn, neu

gan broffwyd neu offeiriad, 'Beth yw
baich yr Arglwydd?' dywedi wrthynt,
'Chwi yw'r baich ᵈ; ac fe'ch bwriaf
ymaith, medd yr Arglwydd.' ³⁴Os
dywed proffwyd neu offeiriad neu'r bobl,
'Baich yr Arglwydd', mi gosbaf y gŵr
hwnnw, a'i dŷ. ³⁵Fel hyn y bydd pob un
ohonoch yn dweud wrth ei gymydog ac
wrth ei frawd: 'Beth a etyb yr Ar-
glwydd?' neu, 'Beth a lefara'r Ar-
glwydd?' ³⁶Ond ni fyddwch yn sôn eto
am 'faich yr Arglwydd', oherwydd
daeth 'baich' i olygu gair dyn ei hun; yr
ydych wedi gwyrdroi geiriau'r Duw byw,
Arglwydd y Lluoedd, ein Duw ni. ³⁷Fel
hyn y dywedi wrth y proffwyd hwnnw:
'Pa ateb a roes yr Arglwydd iti?', neu,
'Beth a lefarodd wrthyt?' ³⁸Ac os
dywedwch, 'Baich yr Arglwydd', yna,
fel hyn y dywed yr Arglwydd: Am i
chwi ddefnyddio'r gair hwn, 'Baich yr
Arglwydd', er i mi anfon atoch a
dweud, 'Peidiwch â defnyddio "Baich yr
Arglwydd",' ³⁹fe'ch codaf ᵈᵈ chwi fel
baich a'ch taflu o'm gŵydd, chwi a'r
ddinas a roddais i chwi ac i'ch tadau.
⁴⁰Rhof arnoch warth tragwyddol a gwar-
adwydd tragwyddol nas anghofir."

Dau Gawell o Ffigys

24 Gwnaeth yr Arglwydd imi
edrych, ac yno yr oedd dau
gawell o ffigys wedi eu gosod o flaen teml
yr Arglwydd. Yr oedd hyn ar ôl i
Nebuchadnesar brenin Babilon gaeth-
gludo Jechoneia, mab Jehoiacim brenin
Jwda, a thywysogion Jwda, a'r crefftwyr
a'r gofaint o Jerwsalem, a'u dwyn i
Fabilon. ²Yn un cawell yr oedd ffigys da
iawn, fel ffigys blaenffrwyth, ac yn yr ail
gawell ffigys drwg iawn, na ellid eu bwyta
gan mor ddrwg oeddent. ³Dywedodd yr
Arglwydd wrthyf, "Beth a weli di,
Jeremeia?" A dywedais, "Ffigys; y
ffigys da yn dda iawn, a'r rhai drwg yn
ddrwg iawn, na ellid eu bwyta gan mor
ddrwg oeddent."
4 Daeth gair yr Arglwydd ataf: ⁵"Fel
hyn y dywed yr Arglwydd, Duw Israel:
'Fel y ffigys da hyn yr ystyriaf y rhai a
gaethgludwyd o Jwda, ac a yrrais o'r lle
hwn er eu lles i wlad y Caldeaid. ⁶Cadwaf
fy ngolwg arnynt er daioni, a dygaf hwy'n
ôl i'r wlad hon, a'u hadeiladu, ac nid eu
tynnu i lawr; eu plannu ac nid eu di-

ᵈFelly Groeg. Hebraeg, *Beth yw'r baich?*
ᵈᵈFelly rhai llawysgrifau a'r Groeg. TM, *mi a'ch llwyr anghofiaf.*

wreiddio. ⁷Rhof iddynt galon i'm hadnabod, mai myfi yw'r ARGLWYDD; a byddant yn bobl i mi, a minnau'n Dduw iddynt hwy. Byddant yn troi ataf fi â'u holl galon.'

⁸ "Fel hyn y dywed yr ARGLWYDD: 'Fel y ffigys drwg, na ellid eu bwyta gan mor ddrwg oeddent, yr ystyriaf Sedeceia brenin Jwda, a'i benaethiaid, a gweddill Jerwsalem a adewir yn y wlad hon, a'r rhai sy'n trigo yng ngwlad yr Aifft. ⁹Gwnaf hwy'n destun braw, yn gywilydd i holl deyrnasoedd y ddaear, ac yn ddihareb a gwatwar a melltith, ym mhob man lle'r alltudiaf hwy. ¹⁰Gyrraf arnynt gleddyf a newyn a haint, nes eu difodi o'r tir a rois iddynt ac i'w tadau.'"

Y Gelyn o'r Gogledd

25 Dyma'r gair a ddaeth at Jeremeia am holl bobl Jwda ym mhedwaredd flwyddyn Jehoiacim fab Joseia, brenin Jwda, a blwyddyn gyntaf Nebuchadnesar brenin Babilon. ²Llefarodd Jeremeia y proffwyd wrth holl bobl Jwda a holl breswylwyr Jerwsalem, a dweud, ³ "O'r drydedd flwyddyn ar ddeg o deyrnasiad Joseia fab Amon, brenin Jwda, hyd heddiw, hynny yw, tair blynedd ar hugain, daeth gair yr ARGLWYDD ataf a lleferais wrthych yn gyson, ond ni wrandawsoch. ⁴Anfonodd yr ARGLWYDD ei holl weision y proffwydi atoch yn gyson; ond ni wrandawsoch, na gogwyddo clust i wrando, ⁵pan ddywedwyd, 'Dychwelwch, yn awr, bob un o'i ffordd annuwiol, ac o'ch gweithredoedd drwg, a thrigwch yn y tir a roes yr ARGLWYDD i chwi ac i'ch tadau byth ac yn dragywydd. ⁶Peidiwch â mynd ar ôl duwiau eraill, i'w gwasanaethu a'u haddoli, a pheidiwch â'm digio â gwaith eich dwylo; yna ni wnaf niwed i chwi.' ⁷Ond ni wrandawsoch arnaf," medd yr ARGLWYDD, "ond fy nigio â gwaith eich dwylo, er niwed i chwi.

⁸ "Am hynny, fel hyn y dywed ARGLWYDD y Lluoedd: 'Oherwydd na wrandawsoch ar fy ngeiriau, ⁹yr wyf yn anfon am holl lwythau'r gogledd,' medd yr ARGLWYDD, 'ac am Nebuchadnesar brenin Babilon, fy ngwas, a'u dwyn yn erbyn y wlad hon a'i phreswylwyr, ac yn erbyn yr holl genhedloedd hyn oddi amgylch; a difrodaf hwy a'u gosod yn ddychryn ac yn syndod ac yn ang-

ᵉH.y., *Babilon.*

hyfanedd-dra hyd byth. ¹⁰Ataliaf o'u plith bob sain hyfryd a llawen, sain priodfab a phriodferch, sain meini melin yn malu, a golau llusern. ¹¹Bydd yr holl wlad hon yn ddiffaith ac yn ddychryn, a bydd y cenhedloedd hyn yn gwasanaethu brenin Babilon am ddeng mlynedd a thrigain. ¹²Ar ddiwedd y deng mlynedd a thrigain hyn cosbaf frenin Babilon a'r genedl honno am eu camwedd,' medd yr ARGLWYDD, 'a chosbaf wlad y Caldeaid, a gwnaf hi yn anghyfannedd hyd byth. ¹³Dygaf ar y wlad honno yr holl eiriau a leferais yn ei herbyn, a phob peth sydd wedi ei ysgrifennu yn y llyfr hwn, pob peth a broffwydodd Jeremeia yn erbyn yr holl genhedloedd. ¹⁴Canys fe'u caethiwir hwythau gan genhedloedd cryfion a brenhinoedd mawrion, ac felly y talaf iddynt yn ôl eu gweithredoedd a gwaith eu dwylo.'"

Barn Duw ar y Cenhedloedd

15 Fel hyn y dywed yr ARGLWYDD, Duw Israel, wrthyf: "Cymer y cwpan hwn o win llidiog o'm llaw, a rho ef i'w yfed i'r holl genhedloedd yr anfonaf di atynt. ¹⁶Byddant yn ei yfed, ac yn gwegian, ac yn gwallgofi oherwydd y cleddyf a anfonaf i'w plith." ¹⁷Cymerais y cwpan o law yr ARGLWYDD, a diodais yr holl genhedloedd yr anfonodd yr ARGLWYDD fi atynt: ¹⁸Jerwsalem a dinasoedd Jwda, ei brenhinoedd a'i phendefigion, i'w gwneud yn ddiffeithwch, yn ddychryn, yn syndod, ac yn felltith, fel y maent heddiw; ¹⁹hefyd Pharo brenin yr Aifft, a'i weision a'i bendefigion a'i holl bobl, ²⁰a'u holl estroniaid; holl frenhinoedd gwlad Us, a holl frenhinoedd gwlad y Philistiaid, ac Ascalon a Gasa ac Ecron a gweddill Asdod; ²¹Edom a Moab a meibion Ammon; ²²holl frenhinoedd Tyrus a holl frenhinoedd Sidon, a brenhinoedd yr ynysoedd dros y môr; ²³Dedan a Thema a Bus; pawb sy'n torri gwallt eu harlais; ²⁴holl frenhinoedd Arabia, a holl frenhinoedd y llwythau cymysg sy'n trigo yn yr anialwch; ²⁵holl frenhinoedd Simri, a holl frenhinoedd Elam, a holl frenhinoedd Media; ²⁶holl frenhinoedd y gogledd, yn agos ac ymhell, y naill ar ôl y llall, a holl deyrnasoedd byd ar wyneb y ddaear; brenin Sesachᵉ a gaiff yfed ar eu hôl hwy.

27 "Dywedi wrthynt, 'Fel hyn y

dywed Arglwydd y Lluoedd, Duw
Israel: Yfwch, a meddwi a chyfogi, a
syrthio heb godi, oherwydd y cleddyf a
anfonaf i'ch plith.' ²⁸Os gwrthodant gym-
ryd y cwpan o'th law i'w yfed, yna
dywedi wrthynt, 'Fel hyn y dywed Ar-
glwydd y Lluoedd: Y mae'n rhaid ei
yfed. ²⁹Canys wele, yr wyf yn dechrau
niweidio'r ddinas y galwyd fy enw arni;
a ddihangwch chwi? Ni ddihangwch;
canys yr wyf yn galw am gleddyf yn
erbyn holl breswylwyr y wlad, medd
Arglwydd y Lluoedd.' ³⁰Proffwydi
dithau yn eu herbyn yr holl eiriau hyn a
dweud,
'Y mae'r Arglwydd yn rhuo o'r
    uchelder;
o'i drigfan sanctaidd fe gyfyd ei lef;
rhua'n chwyrn yn erbyn ei drigle;
gwaedda, fel gwaedd rhai yn sathru
    grawnwin,
yn erbyn holl breswylwyr y tir.
³¹Atseinia'r twrf hyd eithafoedd byd,
canys bydd Duw'n dwyn achos yn
    erbyn y cenhedloedd,
ac yn mynd i farn yn erbyn pob cnawd,
ac yn rhoi'r drygionus i'r cleddyf,
    medd yr Arglwydd.' "

32 Fel hyn y dywed Arglwydd y
Lluoedd:
"Y mae dinistr ar gerdded allan o'r
    naill genedl i'r llall;
cyfyd tymestl fawr o eithafoedd byd.
³³Y dydd hwnnw, bydd lladdedigion yr
Arglwydd yn ymestyn o'r naill gwr i'r
ddaear hyd y llall; ni fydd galaru am-
danynt, ac nis cesglir na'u claddu; bydd-
ant yn dom ar wyneb y ddaear."

³⁴Udwch, fugeiliaid, gwaeddwch;
ymdreiglwch yn y lludw, chwi
    bendefigion y praidd;
canys cyflawnwyd y dyddiau i'ch lladd
    a'ch gwasgaru,
ac fe gwympwch fel llydnod' dethol.
³⁵Collir lloches gan y bugeiliaid,
a dihangfa gan bendefigion y praidd.
³⁶Clyw gri'r bugeiliaid,
a nâd pendefigion y praidd!
Oherwydd y mae'r Arglwydd yn
    difa'u porfa;
³⁷dryllir corlannau heddychlon gan lid
    digofaint yr Arglwydd.
³⁸Fel llew, gadawodd ei loches;

aeth eu tir yn anghyfannedd gan lid
    gorthrymwr,
a llid digofaint yr Arglwydd.

Gosod Jeremeia ar Brawf

26 Yn nechrau teyrnasiad Jehoiacim
fab Joseia, brenin Jwda, daeth y
gair hwn oddi wrth yr Arglwydd: ²"Fel
hyn y dywed yr Arglwydd: Saf yng
nghyntedd tŷ'r Arglwydd a phan ddaw
holl ddinasoedd Jwda i addoli yn nhŷ'r
Arglwydd, llefara wrthynt yr holl eiriau
a orchmynnaf, heb atal gair. ³Efallai y
gwrandawant, a dychwelyd, pob un o'i
ffordd ddrwg, ac y lliniaraf finnau'r drwg
a fwriadais iddynt oherwydd eu gweith-
redoedd drygionus. ⁴Dywed wrthynt,
'Fel hyn y dywed yr Arglwydd: Os na
wrandewch arnaf, a rhodio yn ôl fy
nghyfraith a rois o'ch blaen, ⁵a gwrando
ar eiriau fy ngweision y proffwydi a
anfonaf atoch—fel y gwnaed yn gyson, a
chwithau heb wrando—⁶yna gwnaf y tŷ
hwn fel Seilo, a'r ddinas hon yn felltith i
holl genhedloedd y ddaear.' "

7 Clywodd yr offeiriaid a'r proffwydi
a'r holl bobl Jeremeia yn llefaru'r geiriau
hyn yn nhŷ'r Arglwydd. ⁸Pan orffen-
nodd fynegi'r cyfan a orchmynnodd yr
Arglwydd wrth yr holl bobl, daliodd yr
offeiriaid a'r proffwydi a'r holl bobl ef, a
dweud, "Rhaid iti farw; ⁹pam y proff-
wydaist yn enw'r Arglwydd a dweud,
'Bydd y tŷ hwn fel Seilo, a gwneir y
ddinas hon yn anghyfannedd, heb bres-
wylydd?' " Yna ymgasglodd yr holl bobl
o gwmpas Jeremeia yn nhŷ'r Ar-
glwydd.

10 Pan glywodd pendefigion Jwda am
hyn, daethant i fyny o dŷ'r brenin i dŷ'r
Arglwydd, ac eistedd yn nrws porth
newydd tŷ'r Arglwydd⁽⁾. ¹¹Dywedodd
yr offeiriaid a'r proffwydi wrth y pen-
defigion ac wrth yr holl bobl, "Y mae'r
gŵr hwn yn haeddu cosb marwolaeth,
oherwydd proffwydodd yn erbyn y
ddinas hon, fel y clywsoch chwi eich
hunain."

12 Yna llefarodd Jeremeia wrth yr holl
bendefigion a'r holl bobl, a dweud, "Yr
Arglwydd a'm hanfonodd i broffwydo
yn erbyn y tŷ hwn a'r ddinas hon yr holl
eiriau a glywsoch. ¹³Yn awr, gwellhewch
eich ffyrdd a'ch gweithredoedd, a
gwrandewch ar lais yr Arglwydd eich

ᶠFelly Groeg. Hebraeg, *fel llestri.*
ᶠᶠFelly'r Fersiynau. Hebraeg, *porth newydd yr Arglwydd.*

Duw, ac fe liniara'r ARGLWYDD y drwg a lefarodd yn eich erbyn. [14]Amdanaf fi, dyma fi yn eich dwylo; gwnewch i mi fel y gwelwch yn dda ac uniawn. [15]Ond gwybyddwch yn sicr, os lladdwch fi, y byddwch yn dwyn arnoch eich hunain, ac ar y ddinas hon a'i thrigolion, waed dyn dieuog. Yn wir, yr ARGLWYDD sydd wedi fy anfon atoch i lefaru'r holl eiriau hyn yn eich clyw."

16 Dywedodd y pendefigion a'r holl bobl wrth yr offeiriaid a'r proffwydi, "Nid yw'r gŵr hwn yn haeddu cosb marwolaeth, oherwydd yn enw'r AR-GLWYDD ein Duw y llefarodd wrthym." [17]Yna cododd rhai o blith henuriaid y wlad a dweud wrth holl gynulleidfa'r bobl, [18]"Bu Meica'r Morasthiad yn proffwydo yn nyddiau Heseceia brenin Jwda, a dywedodd wrth holl bobl Jwda, 'Fel hyn y dywed ARGLWYDD y Lluoedd:

Bydd Seion yn faes wedi ei aredig,
a bydd Jerwsalem yn garneddi,
a mynydd y deml yn uchelfeydd
coediog.'

[19]A laddwyd ef gan Heseceia brenin Jwda a holl Jwda? Onid ofnodd ef yr AR-GLWYDD a cheisio ffafr yr ARGLWYDD, ac oni liniarodd yr ARGLWYDD y drwg a lefarodd yn eu herbyn? Ond dyma ni am wneud drwg mawr i ni ein hunain." [20]A bu gŵr arall hefyd yn proffwydo yn enw'r ARGLWYDD, Ureia fab Semaia o Ciriath Jearim. Proffwydodd yn union yr un peth â Jeremeia yn erbyn y ddinas hon a'r wlad hon. [21]Clywodd y brenin Jehoiacim a'i holl osgordd a'i bendefigion ei eiriau, a cheisiodd y brenin ei ladd. Pan glywodd Ureia, fe ofnodd a ffoi i'r Aifft. [22]Yna anfonodd Jehoiacim wŷr i'r Aifft, sef Elnathan fab Achbor a gwŷr eraill; [23]a daethant i'r Aifft, a chyrchu Ureia oddi yno a'i ddwyn at y brenin Jehoiacim; lladdodd yntau ef â'r cleddyf, a thaflu ei gorff i fynwent y bobl gyffredin. 24 Yr oedd Ahicam fab Saffan o blaid Jeremeia, fel na roddwyd ef yng ngafael y bobl i'w ladd.

Jeremeia'n Gwisgo Iau

27 Yn nechrau teyrnasiad Sedeceia[g] fab Joseia, brenin Jwda, daeth y gair hwn at Jeremeia oddi wrth yr AR-GLWYDD. [2]Fel hyn y dywedodd yr AR-GLWYDD: "Gwna i ti rwymau a barrau

iau, a'u gosod ar dy war; [3]ac anfon[ng] at frenin Edom a brenin Moab, a brenin meibion Ammon, a brenin Tyrus, a brenin Sidon, trwy law'r cenhadau a ddaw i Jerwsalem at Sedeceia brenin Jwda. [4]Gorchmynna iddynt ddweud hyn wrth eu meistriaid, 'Fel hyn y dywed ARGLWYDD y Lluoedd, Duw Israel: Fel hyn y dywedwch wrth eich meistriaid: [5]"Â'm gallu mawr ac â'm braich estynedig gwneuthum y ddaear, a dyn a'r anifeiliaid sydd ar wyneb y ddaear, a'u rhoi i'r sawl y gwelaf yn dda. [6]Yn awr, rhof y gwledydd hyn oll yn llaw fy ngwas Nebuchadnesar brenin Babilon, a rhof hyd yn oed yr holl anifeiliaid gwyllt iddo ef i'w wasanaethu. [7]Bydd yr holl genhedloedd yn ei wasanaethu ef a'i fab a mab ei fab, nes dod awr ei wlad yntau, a'i feistroli gan genhedloedd niferus a brenhinoedd mawrion. [8]Os bydd cenedl neu deyrnas heb wasanaethu Nebuchadnesar brenin Babilon, a heb roi ei gwar dan iau brenin Babilon, mi gosbaf y genedl honno â'r cleddyf a newyn a haint," medd yr ARGLWYDD, "nes imi ei dinistrio'n llwyr trwy ei law ef. [9]Peidiwch â gwrando ar eich proffwydi na'ch dewiniaid na'ch breuddwydwyr na'ch hudolion na'ch swynwyr, sy'n llefaru wrthych a dweud, 'Ni fyddwch yn gwasanaethu brenin Babilon.' [10]Oherwydd proffwydant gelwydd i chwi, er mwyn eich gyrru ymhell o'ch tir, ac i mi eich alltudio ac i chwi drengi. [11]Ond y genedl a rydd ei gwar dan iau brenin Babilon, a'i wasanaethu, gadawaf honno yn ei thir," medd yr ARGLWYDD; "caiff ei drin a thrigo ynddo.""'"

12 Lleferais wrth Sedeceia brenin Jwda hefyd yn unol â'r holl eiriau hyn, a dweud, "Rhowch eich gwar dan iau brenin Babilon, a'i wasanaethu ef a'i bobl, er mwyn ichwi gael byw. [13]Pam y byddwch farw, ti a'th bobl, trwy'r cleddyf a newyn a haint, yn ôl yr hyn a ddywedodd yr ARGLWYDD am y genedl na fydd yn gwasanaethu brenin Babilon? [14]Peidiwch â gwrando ar eiriau'r proffwydi sy'n dweud wrthych, 'Ni fyddwch yn gwasanaethu brenin Babilon.' Oherwydd y maent yn proffwydo celwydd i chwi. [15]Yn wir, nid myfi a'u hanfonodd," medd yr ARGLWYDD, "ond proffwydo'n gelwyddog y maent yn fy enw i, er mwyn

---

[g]Felly rhai llawysgrifau. Cymh. adn. 3, etc. TM, *Jehoiacim*.
[ng]Felly Groeg. Hebraeg, *a'u hanfon*.

i mi eich alltudio chwi ac i chwi drengi, chwi a'r proffwydi sy'n proffwydo i chwi."

16 Yna lleferais wrth yr offeiriaid a'r holl bobl hyn, a dweud, "Fel hyn y dywed yr ARGLWYDD: 'Peidiwch â gwrando ar eiriau eich proffwydi sy'n proffwydo i chwi fod llestri tŷ'r ARGLWYDD i'w dwyn yn ôl o Fabilon yn awr ar fyrder. Y maent yn proffwydo celwydd i chwi; [17]peidiwch â gwrando arnynt, ond gwasanaethwch frenin Babilon, er mwyn ichwi gael byw. Pam y bydd y ddinas hon yn anghyfannedd? [18]Os proffwydi ydynt, ac os yw gair yr ARGLWYDD ganddynt, boed iddynt ymbil yn awr ar ARGLWYDD y Lluoedd rhag i'r llestri a adawyd yn nhŷ'r ARGLWYDD, ac yn nhŷ brenin Jwda ac yn Jerwsalem, fynd i Fabilon.'

19 "Fel hyn y dywed ARGLWYDD y Lluoedd ynghylch y colofnau, y môr a'r troliau, ac ynghylch gweddill y llestri a adawyd yn y ddinas hon, [20]heb eu cymryd ymaith gan Nebuchadnesar brenin Babilon pan gaethgludodd Jechoneia fab Jehoiacim, brenin Jwda, o Jerwsalem i Fabilon, ynghyd â holl bendefigion Jwda a Jerwsalem. [21]Fel hyn y dywed ARGLWYDD y Lluoedd, Duw Israel, ynghylch y llestri a adawyd yn nhŷ'r ARGLWYDD a thŷ brenin Jwda a Jerwsalem: [22]'I Fabilon y dygir hwy, ac yno y byddant hyd y dydd y ceisiaf fi hwy,' medd yr ARGLWYDD; 'yna fe'u cyrchaf a'u hadfer i'r lle hwn.'"

Jeremeia a'r Proffwyd Hananeia

28 Yn yr un flwyddyn, yn nechrau teyrnasiad Sedeceia brenin Jwda, sef y bedwaredd flwyddyn a'r pumed mis, llefarodd Hananeia fab Assur, y proffwyd o Gibeon, wrthyf yn nhŷ'r ARGLWYDD, yng ngŵydd yr offeiriaid a'r holl bobl, a dweud, [2]"Fel hyn y dywed ARGLWYDD y Lluoedd, Duw Israel: 'Torraf iau brenin Babilon. [3]O fewn dwy flynedd adferaf i'r lle hwn holl lestri tŷ'r ARGLWYDD, a gymerodd Nebuchadnesar brenin Babilon o'r lle hwn a'u dwyn i Fabilon. [4]Adferaf hefyd i'r lle hwn Jechoneia fab Jehoiacim, brenin Jwda, a holl gaethglud Jwda a aeth i Fabilon,' medd yr ARGLWYDD, 'canys torraf iau brenin Babilon.'" [5]Yna llefarodd y proffwyd Jeremeia wrth Hananeia y proffwyd, yng ngŵydd yr offeiriaid

a'r holl bobl a safai yn nhŷ'r ARGLWYDD, [6]a dweud, "Amen, gwnaed yr ARGLWYDD felly; cadarnhaed yr ARGLWYDD y geiriau a broffwydaist, ac adfer o Fabilon i'r lle hwn lestri tŷ'r ARGLWYDD, a'r holl gaethglud. [7]Ond gwrando yn awr ar y gair hwn a lefaraf yn dy glyw, ac yng nghlyw'r holl bobl: [8]bu'r proffwydi a fu o'm blaen i ac o'th flaen di, o'r amser gynt, yn proffwydo rhyfeloedd a newyn a haint yn erbyn gwledydd lawer a theyrnasoedd mawrion. [9]Am y sawl sy'n proffwydo heddwch, gwyddys am y proffwyd hwnnw, mai'r ARGLWYDD yn wir a'i hanfonodd, os daw ei air i ben."

[10]Yna cymerodd Hananeia y barrau oddi ar war y proffwyd Jeremeia, a'u torri. [11]Dywedodd Hananeia yng ngŵydd yr holl bobl, "Fel hyn y dywed yr ARGLWYDD: 'Felly, o fewn dwy flynedd, torraf iau Nebuchadnesar brenin Babilon oddi ar war yr holl genhedloedd.'" Yna aeth y proffwyd Jeremeia ymaith.

12 Wedi i Hananeia y proffwyd dorri'r iau oddi ar war y proffwyd Jeremeia, daeth gair yr ARGLWYDD at Jeremeia, [13]"Dos, a dywed wrth Hananeia, 'Fel hyn y dywed yr ARGLWYDD: Fe dorraist farrau pren; mi wnaf[h] yn eu lle farrau haearn. [14]Oherwydd fel hyn y dywed ARGLWYDD y Lluoedd, Duw Israel: Rhof iau haearn ar war yr holl genhedloedd hyn, i wasanaethu Nebuchadnesar brenin Babilon, ac fe'i gwasanaethant; a rhof iddo hyd yn oed yr anifeiliaid gwyllt.'" [15]Dywedodd y proffwyd Jeremeia wrth Hananeia y proffwyd, "Clyw yn awr, Hananeia! Nid anfonodd yr ARGLWYDD di; ond peraist i'r bobl hyn ymddiried mewn celwydd. [16]Am hynny, fel hyn y dywed yr ARGLWYDD: 'Yr wyf yn dy yrru di oddi ar wyneb y ddaear; o fewn blwyddyn byddi farw, oherwydd dysgaist wrthryfel yn erbyn yr ARGLWYDD.'" [17]Bu farw Hananeia y proffwyd y flwyddyn honno, yn y seithfed mis.

Llythyr Jeremeia at yr Iddewon ym Mabilon

29 Dyma eiriau'r llythyr a anfonodd y proffwyd Jeremeia o Jerwsalem at weddill yr henuriaid yn y gaethglud, a'r offeiriaid a'r proffwydi, ac at yr holl bobl a gaethgludodd Nebuchadnesar o Jerwsalem i Fabilon. [2]Bu hyn wedi i'r Brenin Jechoneia, a'r fam-frenhines a'r eunuch-

[h]Felly Groeg. Hebraeg, *fe wnei.*

iaid, swyddogion Jwda a Jerwsalem, a'r seiri a'r gofaint, adael Jerwsalem. ³Anfonodd y llythyr trwy law Elasa fab Saffan a Gemareia fab Hilceia, a anfon-wyd gan Sedeceia brenin Jwda i Fabilon at Nebuchadnesar brenin Babilon. ⁴Dyma ei eiriau: "Fel hyn y dywed ARGLWYDD y Lluoedd, Duw Israel: 'At yr holl gaethglud a gaethgludais o Jerw-salem i Fabilon. ⁵Codwch dai a thrigwch ynddynt; plannwch erddi a bwyta o'u ffrwyth; ⁶priodwch wragedd, a magu meibion a merched; cymerwch wragedd i'ch meibion a rhoi gwŷr i'ch merched, i fagu meibion a merched; amlhewch yno, ac nid lleihau. ⁷Ceisiwch heddwch y ddinas y caethgludais chwi iddi, a gweddïwch drosti ar yr ARGLWYDD, oherwydd yn ei heddwch hi y bydd heddwch i chwi.'

8 "Fel hyn y dywed ARGLWYDD y Lluoedd, Duw Israel: 'Peidiwch â chym-ryd eich twyllo gan eich proffwydi sydd yn eich mysg, na'ch dewiniaid, a pheid-iwch â gwrando ar yⁱ breuddwydion a freuddwydiant¹. ⁹Proffwydant i chwi gelwydd yn f'enw i; nid anfonais hwy,' medd yr ARGLWYDD.

10 "Fel hyn y dywed yr ARGLWYDD: 'Pan gyflawnir deng mlynedd a thrigain i Fabilon, ymwelaf â chwi a chyflawni fy mwriad daionus tuag atoch, i'ch adfer i'r lle hwn. ¹¹Oherwydd myfi sy'n gwybod fy mwriadau a drefnaf ar eich cyfer,' medd yr ARGLWYDD, 'bwriadau o heddwch, nid niwed, i roi ichwi ddyfodol gobeithiol. ¹²Yna galwch arnaf, a dewch i weddïo arnaf, a gwrandawaf arnoch. ¹³Fe'm ceis-iwch a'm cael; pan chwiliwch â'ch holl galon ¹⁴fe'm cewch,' medd yr AR-GLWYDD, 'ac adferaf ichwi lwyddiant, a'ch casglu o blith yr holl genhedloedd, ac o'r holl leoedd y gyrrais chwi iddynt,' medd yr ARGLWYDD; 'ac fe'ch dychwelaf i'r lle y caethgludwyd chwi ohono.'

15 "Yr ydych yn dweud, 'Cododd yr ARGLWYDD broffwydi i ni draw ym Mabilon.' ¹⁶Ond dywed yr ARGLWYDD fel hyn am y brenin sy'n eistedd ar orsedd Dafydd, ac am yr holl bobl sy'n trigo yn y ddinas hon, a'ch brodyr nad aethant gyda chwi i'r gaethglud; ¹⁷ie, fel hyn y dywed ARGLWYDD y Lluoedd: 'Dyma fi'n anfon arnynt y cleddyf a newyn a haint; a gwnaf hwy fel ffigys drwg, na ellir eu bwyta gan mor ddrwg ydynt. ¹⁸Ymlidiaf hwy â'r cleddyf a newyn a haint, a gwnaf hwy'n fraw i holl deyrnasoedd y ddaear, yn felltith ac arswyd a syndod a chywilydd ymhlith yr holl genhedloedd y gyrraf hwy atynt. ¹⁹Megis na wrandawsant ar fy ngeiriau, a anfonais atynt yn gyson trwy fy ngweision y proffwydi,' medd yr ARGLWYDD, 'felly ni wrandawsoch chwithau,' medd yr ARGLWYDD. ²⁰'Ond yn awr gwrandewch air yr ARGLWYDD, chwi yr holl gaethglud a yrrais o Jerw-salem i Fabilon.'

21 "Fel hyn y dywed ARGLWYDD y Lluoedd, Duw Israel, am Ahab fab Colaia, ac am Sedeceia fab Maaseia, sy'n proffwydo i chwi gelwydd yn fy enw i: 'Dyma fi'n eu rhoi yn llaw Nebuchad-nesar brenin Babilon, a bydd ef yn eu lladd yn eich gŵydd chwi. ²²Ac o'u hachos hwy fe gyfyd ymhlith holl gaeth-glud Jwda ym Mabilon y ffurf hon o felltith: "Boed i'r ARGLWYDD dy drin di fel Sedeceia ac fel Ahab, y rhai a rostiodd brenin Babilon yn y tân." ²³Oherwydd gwnaethant yn ysgeler yn Israel, gan odinebu â gwragedd eu cymdogion, a dweud yn f'enw i gelwydd nas gorch-mynnais iddynt. Myfi sy'n gwybod, ac yn tystio,' medd yr ARGLWYDD."

Llythyr Semaia

24 "Wrth Semaia y Nehelamiad fe ddywedi, ²⁵'Fel hyn y dywed ARGLWYDD y Lluoedd, Duw Israel: Anfonaist lythyr-au yn d'enw dy hun at holl bobl Jerw-salem, ac at yr offeiriad Seffaneia fab Maaseia ac at yr holl offeiriaid, a dweud: ²⁶Gosododd yr ARGLWYDD di yn offeir-iad yn lle Jehoiada'r offeiriad, i arolygu yn nhŷ'r ARGLWYDD ar bob gŵr gorff-wyll sy'n proffwydo, a'i osod mewn cyffion a rhigod. ²⁷Yn awr pam na cher-yddaist Jeremeia o Anathoth, sy'n proffwydo i chwi? ²⁸Oherwydd anfon-odd ef atom i Fabilon a dweud: Bydd y gaethglud hon yn hir; codwch dai a thrigwch ynddynt, a phlannwch erddi a bwyta'u ffrwyth.'" ²⁹Ac yr oedd yr offeiriad Seffaneia wedi darllen y llythyr hwn yng nghlyw y proffwyd Jeremeia. ³⁰A daeth gair yr ARGLWYDD at Jeremeia a dweud, ³¹"Anfon at yr holl gaethglud a dweud, 'Fel hyn y dywed yr ARGLWYDD wrth Semaia y Nehelamiad: Oherwydd i Semaia broffwydo i chwi, a minnau heb ei anfon, a pheri ichwi ymddiried mewn

ⁱFelly Groeg. Hebraeg, eich.   ¹Felly Groeg. Hebraeg, a freuddwydiwch.

celwydd—³²am hynny, fel hyn y dywed yr ARGLWYDD: Dyma fi'n ymweld â Semaia y Nehelamiad, ac â'i hil. Ni adewir yr un o'i eiddo ymhlith y bobl hyn, ac ni wêl y daioni yr wyf fi am ei roi i'm pobl, medd yr ARGLWYDD, oherwydd dysgodd wrthryfel yn erbyn yr AR-GLWYDD.'"

Addewidion yr ARGLWYDD i'w Bobl

30 Dyma'r gair a ddaeth at Jeremeia oddi wrth yr ARGLWYDD: ²"Fel hyn y dywed yr ARGLWYDD, Duw Israel: 'Ysgrifenna'r holl eiriau a leferais wrthyt mewn llyfr, ³oherwydd y mae'r dyddiau yn dod,' medd yr ARGLWYDD, 'yr adferaf lwyddiant i'm pobl Israel a Jwda,' medd yr ARGLWYDD, 'a'u dychwelyd i'r wlad a roddais i'w tadau; ac etifeddant hi.'"

4 Dyma'r geiriau a lefarodd yr AR-GLWYDD am Israel ac am Jwda: ⁵"Fel hyn y dywed yr ARGLWYDD:
'Sŵn dychryn a glywsom; braw, ac nid heddwch.
⁶Gofynnwch yn awr, ac ystyriwch. A all gwryw esgor?
Pam, ynteu, y gwelaf bob gŵr a'i ddwylo am ei lwynau fel gwraig wrth esgor,
a phob un yn newid gwedd a gwelwi?
⁷Canys dydd mawr yw hwnnw, heb ei debyg;
dydd blin yw hwn i Jacob, ond gwaredir ef ohono.
⁸Yn y dydd hwnnw,' medd ARGLWYDD y Lluoedd, 'torraf ei iau ef oddi ar eu gwar, a drylliaf eu rhwymau ⁼; ac ni chaiff dieithriaid wneud gwas ohonynt mwy.
⁹Ond gwasanaethant yr ARGLWYDD eu Duw, a Dafydd eu brenin, y byddaf yn ei sefydlu iddynt.

¹⁰" 'A thithau, Jacob fy ngwas, paid ag ofni,' medd yr ARGLWYDD,
'na brawychu, Israel,
canys achubaf di o le pell, a'th hil o wlad eu caethiwed.
Fe ddychwel Jacob a gorffwys; caiff lonydd heb neb i'w ddychryn.
¹¹Oherwydd yr wyf gyda thi i'th achub,' medd yr ARGLWYDD;
'gwnaf ddiwedd ar yr holl genhedloedd y gwasgerais di yn eu plith,
ond ni wnaf ddiwedd arnat ti.
Ond ceryddaf di yn ôl dy haeddiant; ni'th adawaf yn gwbl ddi-gosb.'"

¹²Fel hyn y dywed yr ARGLWYDD:
"Y mae dy glwy'n anwelladwy a'th archoll yn ddwfn;
¹³nid oes neb i ddadlau dy achos;
nid oes na moddion nac iachâd i'th ddolur.
¹⁴Y mae dy holl gariadon wedi dy anghofio; nid ydynt yn dy geisio;
trewais di â dyrnod gelyn, â chosb greulon,
oherwydd maint dy ddrygioni ac amlder dy bechodau.
¹⁵Pam yr wyt yn llefain am dy glwy? Y mae dy ddolur yn anwelladwy.
Oherwydd maint dy ddrygioni ac amlder dy bechodau
yr wyf wedi gwneud hyn i ti.

¹⁶"Am hynny ysir pawb sy'n dy ysu di;
ac fe â pawb sy'n dy ormesu i gyd i gaethiwed.
Bydd dy anrheithwyr yn anrhaith, a gwnaf dy holl ysbeilwyr yn ysbail.
¹⁷Oherwydd adferaf iechyd i ti, ac iachâf di o'th friwiau," medd yr ARGLWYDD,
"am iddynt dy alw yn ysgymun,
Seion, yr un nad yw neb yn ymofyn amdani."

18 Fel hyn y dywed yr ARGLWYDD:
"Dyma fi'n adfer llwyddiant i bebyll Jacob,
yn tosturio wrth ei anheddau.
Cyfodir y ddinas ar ei charnedd,
a saif y llys yn ei le.
¹⁹Daw allan ohonynt foliant a sain pobl yn gorfoleddu,
amlhaf hwy, ac ni leihânt;
anrhydeddaf hwy, ac nis bychenir.
²⁰Bydd eu meibion fel y buont gynt, a sefydlir eu cynulliad yn fy ngŵydd;
cosbaf bob un a'u gorthryma.
²¹Bydd eu pendefig yn un o'u plith, a daw eu rheolwr allan o'u mysg;
paraf iddo nesáu, ac fe ddaw ataf;
canys pwy, o'i ewyllys ei hun, a faidd ddod ataf?" medd yr ARGLWYDD.
²²"A byddwch chwi'n bobl i mi, a minnau'n Dduw i chwi."

²³Wele gorwynt yr ARGLWYDD yn mynd allan yn ffyrnig,
corwynt yn chwyrlïo, yn troi uwch bennau'r drygionus.

⁼Felly Groeg. Hebraeg, *oddi ar dy war, a drylliaf dy rwymau.*

²⁴Ni phaid digofaint llidiog yr
ARGLWYDD, nes cwblhau ei
gynlluniau a'u cyflawni;
yn y dyddiau diwethaf y deallwch hyn.

Israel yn Dychwelyd Adref

31 "Yr adeg honno," medd yr AR-
GLWYDD, "byddaf fi'n Dduw i
holl deuluoedd Israel, a byddant hwy'n
bobl i mi."

2 Fel hyn y dywed yr ARGLWYDD:
"Cafodd y bobl a osgôdd y cleddyf
ffafr yn yr anialwch;
tramwyodd Israel i gael llonydd iddo'i
hun.
³Erstalwm ymddangosodd yr
ARGLWYDD iddo ᵐ.
Cerais di â chariad diderfyn;
am hynny parheais yn ffyddlon iti.
⁴Adeiladaf di drachefn, y wyryf Israel,
a chei dy adeiladu;
cei ymdrwsio eto â'th dympanau, a
mynd allan yn llawen i'r ddawns.
⁵Cei blannu eto winllannoedd ar
fryniau Samaria,
a'r rhai sy'n plannu fydd yn cymryd y
ffrwyth.
⁶Oherwydd daw dydd pan fydd
gwylwyr ym Mynydd Effraim yn
galw,
'Codwch, dringwn i Seion at yr
ARGLWYDD ein Duw.'"

7 Fel hyn y dywed yr ARGLWYDD:
"Canwch orfoledd i Jacob, a chodwch
gân i'r bennaf o'r cenhedloedd;
cyhoeddwch, molwch a dywedwch,
'Gwaredodd yr ARGLWYDD dy bobl,
sef gweddill Israel.'

⁸"Ie, dygaf hwy o dir y gogledd, casglaf
hwy o bellafoedd byd;
gyda hwy daw'r dall a'r cloff, y
feichiog ynghyd â'r hon sy'n
esgor;
yn gynulliad mawr fe ddychwelant
yma.
⁹Dônt dan wylo, ond arweiniaf fi hwy â
thosturi ⁿ,
tywysaf hwy wrth ffrydiau dyfroedd
ar ffordd union na faglant ynddi.
Yr wyf yn dad i Israel, ac Effraim yw
fy nghyntafanedig.

¹⁰"Clywch air yr ARGLWYDD,

genhedloedd;
cyhoeddwch yn yr ynysoedd pell, a
dweud,
'Yr un a wasgarodd Israel fydd yn ei
gasglu;
bydd yn gwylio drosto fel bugail dros
ei braidd.'
¹¹Canys yr ARGLWYDD a waredodd
Jacob;
achubodd ef o afael un trech nag ef.
¹²Dônt a chanu yn uchelder Seion;
ymddisgleiriant gan ddaioni'r
ARGLWYDD,
oherwydd yr ŷd a'r gwin a'r olew,
ac oherwydd epil y defaid a'r
gwartheg.
A bydd eu bywyd fel gardd
ddyfradwy, heb ddim nychdod
mwyach.
¹³Yna fe lawenha'r ferch mewn dawns,
a'r gwŷr ifainc a'r hen hefyd ynghyd;
trof eu galar yn orfoledd a diddanaf
hwy;
gwnaf eu llawenydd yn fwy na'u gofid.
¹⁴Diwallaf yr offeiriaid â braster,
a digonir fy mhobl â'm daioni," medd
yr ARGLWYDD.

15 Fel hyn y dywed yr ARGLWYDD:
"Clywir llef yn Rama,
galarnad ac wylofain,
Rachel yn wylo am ei phlant,
yn gwrthod ei chysuro am ei phlant,
oherwydd nad ydynt mwy."

16 Fel hyn y dywed yr ARGLWYDD:
"Paid ag wylo, ymatal rhag dagrau,
oherwydd y mae elw i'th lafur," medd
yr ARGLWYDD;
"dychwelant o wlad y gelyn.
¹⁷Y mae gobaith iti yn y diwedd," medd
yr ARGLWYDD;
"fe ddychwel dy blant i'w bro eu
hunain.
¹⁸Gwrandewais yn astud ar Effraim yn
cwyno,
'Disgyblaist fi fel llo heb ei ddofi, a
chymerais fy nisgyblu;
adfer fi, imi ddychwelyd,
oherwydd ti yw'r ARGLWYDD fy Nuw.
¹⁹Wedi imi droi, bu edifar gennyf;
wedi i mi ddysgu, trewais fy
morddwyd;
cefais fy nghywilyddio a'm
gwaradwyddo,
gan ddwyn gwarth fy ieuenctid.'

ᵐFelly Groeg. Hebraeg, *i mi*.   ⁿFelly Groeg. Hebraeg, *deisyfiadau*.

²⁰"A yw Effraim yn fab annwyl, ac yn
blentyn hyfryd i mi?
Bob tro y llefaraf yn ei erbyn, parhaf
i'w gofio o hyd.
Y mae fy enaid yn dyheu amdano, ni
allaf beidio â thrugarhau wrtho,"
medd yr ARGLWYDD.

²¹"Cyfod iti arwyddion, gosod iti
fynegbyst,
astudia'r ffordd yn fanwl, y briffordd a
dramwyaist;
dychwel, wyryf Israel, dychwel i'th
ddinasoedd hyn.
²²Pa hyd y byddi'n ymdroi, ferch
anwadal?
Y mae'r ARGLWYDD wedi creu peth
newydd ar y ddaear,
benyw yn amddiffyn gŵr."

Dyfodol Ffyniannus Pobl Dduw

23 Fel hyn y dywed ARGLWYDD y
Lluoedd, Duw Israel: "Dywedir eto y
gair hwn yn nhir Jwda a'i dinasoedd, pan
adferaf ei llwyddiant:
'Bendithied yr ARGLWYDD di,
gartref cyfiawnder, fynydd sanctaidd.'
²⁴Yno bydd Jwda a'i dinasoedd yn
preswylio ynghyd,
yr amaethwyr a bugeiliaid y praidd;
²⁵paraf wlychu llwnc y sychedig,
a digoni pob un sydd yn nychu."
²⁶Ar hyn deffroais a sylwi, a melys oedd
fy nghwsg imi.
27 "Y mae'r dyddiau'n dod," medd yr
ARGLWYDD, "yr heuaf dŷ Israel a thŷ
Jwda â had dyn ac â had anifail. ²⁸Ac fel y
gwyliais drostynt i ddiwreiddio a thynnu i
lawr, i ddymchwel a dinistrio a pheri
drwg, felly y gwyliaf drostynt i adeiladu a
phlannu," medd yr ARGLWYDD. ²⁹"Yn y
dyddiau hynny, ni ddywedir mwyach,
'Bwytaodd y tadau rawnwin surion,
ac ar ddannedd y plant y mae dincod.'
³⁰Oherwydd bydd pob un yn marw am ei
bechod ei hun; y sawl fydd yn bwyta
grawnwin surion, ar ei ddannedd ef y
bydd dincod.
31 "Y mae'r dyddiau'n dod," medd yr
ARGLWYDD, "y gwnaf gyfamod newydd
â thŷ Israel ac â thŷ Jwda. ³²Ni fydd yn
debyg i'r cyfamod a wneuthum â'u tadau,
y dydd y gafaelais yn eu llaw i'w harwain
allan o wlad yr Aifft. Torasant y cyfamod
hwnnw, er mai myfi oedd yn arglwydd
arnynt," medd yr ARGLWYDD. ³³"Ond
dyma'r cyfamod a wnaf â thŷ Israel ar ôl

y dyddiau hynny," medd yr ARGLWYDD;
"rhof fy nghyfraith o'u mewn, ysgrifen-
naf hi ar eu calon, a byddaf fi'n Dduw
iddynt a hwythau'n bobl i mi. ³⁴Ac ni
fyddant mwyach yn dysgu bob un ei
gymydog a phob un ei frawd, gan
ddweud, 'Adnebydd yr ARGLWYDD';
oblegid byddant i gyd yn f'adnabod, o'r
lleiaf hyd y mwyaf ohonynt," medd yr
ARGLWYDD, "oherwydd maddeuaf
iddynt eu hanwiredd, ac ni chofiaf eu
pechodau byth mwy."

³⁵Fel hyn y dywed yr ARGLWYDD,
sy'n rhoi'r haul yn oleuni'r dydd,
a threfn y lleuad a'r sêr yn oleuni'r
nos,
sy'n cynhyrfu'r môr nes bod ei
donnau'n rhuo
(ARGLWYDD y Lluoedd yw ei enw):
³⁶"Os cilia'r drefn hon o'm gŵydd,"
medd yr ARGLWYDD,
"yna bydd had Israel yn peidio hyd
byth â bod yn genedl ger fy
mron."

37 Fel hyn y dywed yr ARGLWYDD:
"Pe gellid mesur y nefoedd fry,
a chwilio sylfeini'r ddaear isod,
gwrthodwn innau hefyd holl had Israel
am yr holl bethau a wnaethant," medd
yr ARGLWYDD.

38 "Y mae'r dyddiau'n dod," medd yr
ARGLWYDD, "yr ailadeiledir y ddinas i'r
ARGLWYDD, o dŵr Hananel hyd Borth y
Gongl, ³⁹a gosodir y llinyn mesur eto
gyferbyn ag ef, dros fryn Gareb, a throi
tua Goath. ⁴⁰A bydd holl ddyffryn y
celanedd a'r lludw, a'r holl feysydd hyd
Afon Cidron, hyd gongl Porth y Meirch
yn y dwyrain, yn sanctaidd i'r ARGLWYDD.
Ni ddiwreiddir mo'r ddinas, ac ni ddym-
chwelir mohoni mwyach hyd byth."

Jeremeia'n Prynu Maes

32 Dyma'r gair a ddaeth at Jeremeia
oddi wrth yr ARGLWYDD yn neg-
fed flwyddyn Sedeceia brenin Jwda, a
deunawfed flwyddyn Nebuchadnesar. ²Y
pryd hwnnw yr oedd llu brenin Babilon
yn gwarchae ar Jerwsalem, a'r proffwyd
Jeremeia wedi ei garcharu yng nghyntedd
y gwarchodlu yn llys brenin Jwda.
³Oherwydd yr oedd Sedeceia brenin
Jwda wedi ei garcharu, a dweud, "Pam yr
wyt yn proffwydo, 'Fel hyn y dywed yr

ARGLWYDD: Dyma fi'n rhoi'r ddinas hon yng ngafael brenin Babilon, a bydd ef yn ei chymryd; ⁴ac ni ddihanga Sedeceia brenin Jwda o afael y Caldeaid, ond fe'i rhoir yn gyfan gwbl yng ngafael brenin Babilon; a bydd yn ymddiddan ag ef wyneb yn wyneb, ac yn edrych arno lygad yn llygad. ⁵Bydd yntau'n mynd â Sedeceia i Fabilon, ac yno yr erys nes imi ymweld ag ef,' medd yr ARGLWYDD. 'Er ichwi ymladd yn erbyn y Caldeaid, ni chewch lwyddiant'?"

6 Yna dywedodd Jeremeia, "Daeth gair yr ARGLWYDD ataf a dweud, ⁷'Fe ddaw Hanamel, mab dy ewythr Salum, atat a dweud, "Pryn fy maes yn Anathoth, oherwydd gennyt ti fel un o'r teulu y mae'r hawl i brynu."' ⁸A daeth Hanamel, fy nghefnder, ataf i gyntedd y gwarchodlu, yn ôl gair yr ARGLWYDD, a dweud wrthyf, 'Pryn, yn awr, fy maes yn Anathoth, yn nhir Benjamin, oherwydd gennyt ti y mae'r hawl i etifeddu a'r hawl i brynu; pryn ef iti.' Gwyddwn wrth hyn mai gair yr ARGLWYDD ydoedd. ⁹Yna prynais y maes yn Anathoth gan fy nghefnder Hanamel, a phwysais iddo yr arian, dau sicl ar bymtheg. ¹⁰Arwyddais y gweithredoedd, a'u selio a chymryd tystion, a phwyso'r arian mewn cloriannau. ¹¹Yna cymerais weithredoedd y pryniant, yr un a seliwyd yn ôl deddf a defod, a'r copi agored, ¹²a rhois weithredoedd y pryniant i Baruch fab Nereia, fab Maaseia, yng ngŵydd Hanamel fy nghefnder, ac yng ngŵydd y tystion a arwyddodd weithredoedd y pryniant, ac yng ngŵydd yr holl Iddewon oedd yn eistedd yng nghyntedd y gwarchodlu. ¹³Gorchmynnais i Baruch yn eu gŵydd hwy, ¹⁴'Fel hyn y dywed ARGLWYDD y Lluoedd, Duw Israel: Cymer y gweithredoedd hyn, gweithredoedd y pryniant hwn, yr un a seliwyd a'r un agored, a'u dodi mewn llestr pridd, iddynt barhau dros gyfnod hir.' ¹⁵Oherwydd fel hyn y dywed ARGLWYDD y Lluoedd, Duw Israel, 'Prynir eto dai a meysydd a gwinllannoedd yn y tir hwn.'

Gweddi Jeremeia

16 "Wedi imi roi gweithredoedd y pryniant i Baruch fab Nereia, gweddïais ar yr ARGLWYDD fel hyn: ¹⁷'O ARGLWYDD Dduw, gwnaethost y nefoedd a'r ddaear â'th fawr allu a'th fraich estynedig; nid oes dim yn rhy ryfeddol i

ti. ¹⁸Yr wyt yn ffyddlon i filoedd, yn ad-dalu anwiredd y tadau i'w meibion ar eu hôl; Duw mawr, yr Un cadarn, ARGLWYDD y Lluoedd yw dy enw, ¹⁹mawr yn dy gyngor, nerthol yn dy weithred. Y mae dy lygaid ar holl ffyrdd meibion dynion, i dalu i bob un yn ôl ei ffyrdd, ac yn ôl ffrwyth ei weithredoedd. ²⁰Gwnaethost arwyddion a rhyfeddodau yng ngwlad yr Aifft, a hyd y dydd hwn yn Israel ac ymhlith dynion; gwnaethost i ti'r enw sydd gennyt heddiw. ²¹Daethost â'th bobl Israel allan o dir yr Aifft ag arwyddion a rhyfeddodau, ac â llaw gref a braich estynedig, a dychryn mawr; ²²rhoist iddynt y wlad hon, y tyngaist wrth eu tadau i'w rhoi iddynt, yn wlad yn llifeirio o laeth a mêl. ²³Daethant hwy a'i meddiannu, ond ni fuont yn ufudd i'th lais, na rhodio yn dy gyfraith. Ni wnaethant ddim oll o'r hyn a orchmynnaist iddynt, a pheraist tithau i'r holl niwed hwn ddigwydd iddynt. ²⁴Y mae'r cloddiau gwarchae wedi cyrraedd at y ddinas i'w goresgyn; trwy'r cleddyf a newyn a haint rhoir y ddinas yng ngafael y Caldeaid sy'n ymladd yn ei herbyn. Y mae'r hyn a ddywedaist wedi digwydd, fel y gweli. ²⁵Ac yr wyt ti, O ARGLWYDD Dduw, wedi dweud wrthyf, "Pryn y maes ag arian a chymer dystion", er bod y ddinas i'w rhoi yng ngafael y Caldeaid.'"

26 Daeth gair yr ARGLWYDD at Jeremeia a dweud, ²⁷"Myfi yw'r ARGLWYDD, Duw pob cnawd. A oes dim yn rhy ryfeddol i mi? ²⁸Am hynny, fel hyn y dywed yr ARGLWYDD: 'Yr wyf yn rhoi'r ddinas hon yng ngafael y Caldeaid ac yn llaw Nebuchadnesar brenin Babilon, a bydd ef yn ei chymryd. ²⁹A daw'r Caldeaid i ymladd yn erbyn y ddinas hon, a'i rhoi ar dân, a'i llosgi ynghyd â'r tai y buont ar eu toeau yn aroglddarthu i Baal, ac yn tywallt diodoffrwm i dduwiau eraill, i'm digio i. ³⁰Oblegid o'u mebyd ni wnaeth meibion Israel a Jwda ddim ond yr hyn oedd ddrwg yn fy ngolwg; ni wnaeth meibion Israel ddim ond fy ffyrnigo â gwaith eu dwylo,' medd yr ARGLWYDD. ³¹'Oherwydd enynnodd y ddinas hon fy nigofaint a'm llid o'r dydd yr adeiladwyd hi hyd heddiw; symudaf hi o'm gŵydd, ³²o achos yr holl ddrygioni a wnaeth meibion Israel a meibion Jwda i'm digio—hwy, eu brenhinoedd, eu tywysogion, eu hoffeiriaid, eu proffwydi, gwŷr Jwda a phreswylwyr Jerwsalem.

³³Troesant wegil tuag ataf, ac nid wyneb; dysgais hwy yn gyson a thaer, ond ni fynnent wrando na derbyn gwers. ³⁴Rhoesant eu ffieidd-dra yn y tŷ a alwyd ar fy enw, a'i halogi. ³⁵Codasant uchelfeydd i Baal yn nyffryn Ben-hinnom, i aberthu eu meibion a'u merched i Moloch; ni orchmynnais hyn iddynt, ac ni ddaeth i'm meddwl iddynt wneud y fath ffieidd-dra, i beri i Jwda bechu.'

Addo Gobaith

36 "Yn awr, gan hynny, fel hyn y dywed yr ARGLWYDD, Duw Israel, wrth y ddinas hon, y dywedwch y rhoir hi yng ngafael brenin Babilon trwy'r cleddyf a newyn a haint: ³⁷'Casglaf hwy o'r holl wledydd y gyrrais hwy iddynt yn fy nig a'm llid a'm soriant mawr, a dychwelaf hwy i'r lle hwn, a gwnaf iddynt breswylio'n ddiogel. ³⁸Byddant yn bobl i mi, a minnau'n Dduw iddynt hwy. ³⁹A rhof iddynt un meddwl ac un ffordd, i'm hofni bob amser, er lles iddynt ac i'w meibion ar eu hôl. ⁴⁰Gwnaf â hwy gyfamod tragwyddol, ac ni throf ef ymaith oddi wrthynt, ond gwneud yn dda iddynt; rhof fy ofn yn eu calon, rhag iddynt gilio oddi wrthyf. ⁴¹Fy llawenydd fydd gwneud yn dda iddynt; yn wir â'm holl galon ac â'm holl enaid fe'u plannaf yn y tir hwn.'

42 "Oherwydd fel hyn y dywed yr ARGLWYDD: 'Megis y dygais ar y bobl hyn yr holl ddrwg mawr hwn, felly y dygaf arnynt yr holl ddaioni a addawaf iddynt. ⁴³Fe brynir meysydd yn y wlad hon y dywedwch amdani, "Anghyfannedd yw, heb ddyn nac anifail, ac wedi ei rhoi yng ngafael y Caldeaid." ⁴⁴Prynant feysydd am arian, ac arwyddo'r gweithredoedd, a'u selio a chael tystion, yn nhiriogaeth Benjamin, o amgylch Jerwsalem, yn ninasoedd Jwda, yn ninasoedd y mynydd-dir, yn ninasoedd y Seffela ac yn ninasoedd y Negeb. Mi a adferaf eu llwyddiant,' medd yr ARGLWYDD."

Addo Gobaith Eto

33 Daeth gair yr ARGLWYDD yr ail waith at Jeremeia tra oedd yn dal wedi ei gaethiwo yng nghyntedd y gwarchodlu, a dweud, ²"Fel hyn y dywed yr ARGLWYDD, a wnaeth y ddaearᵒ, a'i llunio i'w sefydlu (yr ARGLWYDD yw ei enw): ³'Galw arnaf, ac atebaf di; mynegaf i ti bethau mawr a dirgel na wyddost

ᵒFelly Groeg. Hebraeg, *yr un a'i gwnaeth hi.*

amdanynt.' ⁴Oblegid fel hyn y dywed yr ARGLWYDD, Duw Israel, am dai'r ddinas hon, ac am dai brenhinoedd Jwda, y tai a dynnir i lawr oherwydd y cloddiau gwarchae, ac oherwydd y cleddyf: ⁵'Daw'r Caldeaid i ymladd, a'u llenwi â chelanedd y dynion a drawaf yn fy llid a'm digofaint; cuddiais fy wyneb oddi wrth y ddinas hon oherwydd eu holl ddrygioni. ⁶Dygaf iddi yn awr wellhad a meddyginiaeth; iachâf hwy, a dangos iddynt dymor o heddwch a diogelwch. ⁷Adferaf lwyddiant Jwda a llwyddiant Israel; adeiladaf hwy fel yn y dechreuad. ⁸Glanhaf hwy o'r holl anwiredd a wnaethant yn f'erbyn, a maddeuaf yr holl gamweddau a wnaethant yn f'erbyn. ⁹Bydd y ddinas imi'n enw llawen, yn glod a gogoniant i holl genhedloedd y ddaear pan glywant am yr holl ddaioni a wnaf iddi; ac ofnant a chrynant oherwydd yr holl ddaioni a'r holl heddwch a wnaf iddi.'

10 "Fel hyn y dywed yr ARGLWYDD am y lle hwn, y dywedwch amdano ei fod wedi ei ddifodi, heb ddyn nac anifail; ac am ddinasoedd Jwda a heolydd Jerwsalem, sy'n ddiffeithle, heb ddyn a heb breswylydd a heb anifail: ¹¹'Clywir eto ynddynt sŵn gorfoledd a llawenydd, sain priodfab a sain priodferch, llais rhai'n dweud,

"Molwch ARGLWYDD y Lluoedd,
oherwydd da yw'r ARGLWYDD,
canys hyd byth y pery ei ffyddlondeb."

A dygant offrwm moliant i dŷ'r AR-GLWYDD; oherwydd adferaf eu llwyddiant y wlad fel yn y dechreuad,' medd yr ARGLWYDD.

12 "Fel hyn y dywed ARGLWYDD y Lluoedd: 'Bydd eto yn y lle hwn sydd wedi ei ddifrodi, heb ddyn nac anifail, ac yn ei holl ddinasoedd, fannau gorffwys i'r bugeiliaid a chorlannau i'r praidd. ¹³Yn ninasoedd y mynydd-dir a dinasoedd y Seffela a dinasoedd y Negeb, yn nhiriogaeth Benjamin ac o amgylch Jerwsalem ac yn ninasoedd Jwda, bydd eto braidd yn symud trwy ddwylo'r sawl fydd yn rhifo,' medd yr ARGLWYDD.

14 "Y mae'r dyddiau'n dod," medd yr ARGLWYDD, "y cyflawnaf y gair daionus a addewais i dŷ Israel ac i dŷ Jwda. ¹⁵Yn y dyddiau hynny, yn yr adeg honno, paraf i flaguryn cyfiawnder flaguro i Ddafydd, ac fe wna ef farn a chyfiawnder yn y wlad.

¹⁶Yn y dyddiau hynny achubir Jwda, a bydd Jerwsalem yn ddiogel, a dyma'r enw a roddir iddi: 'Yr ARGLWYDD yw ein cyfiawnder.'

17 "Fel hyn y dywed yr ARGLWYDD: 'Ni fydd Dafydd byth heb ŵr yn eistedd ar orsedd tŷ Israel; ¹⁸ac ni fydd yr offeiriaid o Lefiaid byth heb ŵr yn fy ngŵydd yn offrymu poethoffrwm, ac yn offrymu bwydoffrwm, ac yn aberthu.'"

19 Daeth gair yr ARGLWYDD at Jeremeia a dweud, ²⁰"Fel hyn y dywed yr ARGLWYDD: 'Os gallwch ddiddymu fy nghyfamod â'r dydd, a'm cyfamod â'r nos, fel na bydd dydd na nos yn eu pryd, ²¹yna gellir diddymu fy nghyfamod â'm gwas Dafydd, fel na bydd iddo fab yn teyrnasu ar ei orsedd, a hefyd fy nghyfamod â'r offeiriaid o Lefiaid sy'n gweinyddu i mi. ²²Fel na ellir cyfrif llu'r nefoedd na mesur tywod y môr, felly yr amlhaf epil fy ngwas Dafydd, a'r Lefiaid sy'n gweinyddu i mi.'"

23 Daeth gair yr ARGLWYDD at Jeremeia a dweud, ²⁴"Oni sylwaist beth y mae'r bobl hyn yn ei lefaru, a dweud, 'Y mae'r ARGLWYDD wedi gwrthod y ddau dylwyth a ddewisodd.' Felly y dirmygant fy mhobl, ac nid ydynt mwyach yn genedl yn eu gŵydd. ²⁵Fel hyn y dywed yr ARGLWYDD: 'Pan fydd fy nghyfamod â'r dydd a'r nos yn peidio â sefyll, a threfn y nefoedd a'r ddaear, ²⁶yna gwrthodaf gymryd rhai o had Jacob, a'm gwas Dafydd, i lywodraethu ar had Abraham ac Isaac a Jacob. Adferaf hwy, a byddaf drugarog wrthynt.'"

Neges i Sedeceia

34 Dyma'r gair a ddaeth at Jeremeia oddi wrth yr ARGLWYDD pan oedd Nebuchadnesar brenin Babilon yn rhyfela yn erbyn Jerwsalem a'i holl faestrefi, gyda'i holl lu a holl deyrnasoedd y byd oedd dan ei lywodraeth, a'r holl bobloedd. ²Fel hyn y dywed yr ARGLWYDD, Duw Israel: "Dos a llefara wrth Sedeceia brenin Jwda, a dweud wrtho, 'Fel hyn y dywed yr ARGLWYDD: Yr wyf yn rhoi'r ddinas hon yng ngafael brenin Babilon, a bydd ef yn ei llosgi â thân. ³Ac ni ddihengi dithau o'i afael, ond yr wyt yn sicr o gael dy ddal, a'th roi yn ei afael; byddi'n edrych arno lygad yn llygad, ac yntau'n ymddiddan â thi wyneb yn wyneb, a byddi'n mynd i Fabilon. ⁴Ond clyw air yr ARGLWYDD, Sedeceia

brenin Jwda. Fel hyn y dywed yr ARGLWYDD amdanat: Ni fyddi farw drwy'r cleddyf. ⁵Mewn hedd y byddi farw, ac fel y llosgwyd peraroglau i'th dadau, y brenhinoedd gynt a fu o'th flaen, felly y llosgir hwy i ti; a bydd galar amdanat fel eu harglwydd. Dyma'r gair a leferais i,'" medd yr ARGLWYDD.

6 Llefarodd y proffwyd Jeremeia yr holl eiriau hyn yn Jerwsalem wrth Sedeceia brenin Jwda, ⁷pan oedd llu brenin Babilon yn rhyfela yn erbyn Jerwsalem ac yn erbyn holl ddinasoedd Jwda oedd yn weddill, sef Lachis ac Aseca; oherwydd hwy oedd yr unig ddinasoedd caerog a adawyd o blith dinasoedd Jwda.

Rhyddid i Gaethweision

8 Daeth gair at Jeremeia oddi wrth yr ARGLWYDD, wedi i'r Brenin Sedeceia wneud cyfamod â'r holl bobl yn Jerwsalem i gyhoeddi rhyddhad, ⁹sef bod pob gŵr i ollwng ei gaethion o Hebreaid yn rhydd, boed wryw neu fenyw, rhag bod neb yn cadw ei gyd-Israeliaid yn gaeth. ¹⁰Cytunodd pob un o'r pendefigion, a'r bobl a dderbyniodd y cyfamod, i ryddhau ei gaethwas a'i gaethferch, rhag iddynt fod yn gaeth mwyach; ac ar ôl cytuno, gollyngasant hwy yn rhydd. ¹¹Ond wedi hynny bu edifar ganddynt, a dygasant yn ôl y gweision a'r morynion a ollyngwyd yn rhydd, a'u caethiwo eilwaith. ¹²A dyma'r gair a ddaeth at Jeremeia oddi wrth yr ARGLWYDD: ¹³"Fel hyn y dywed yr ARGLWYDD, Duw Israel: 'Gwneuthum gyfamod â'ch tadau, y dydd y dygais hwy o wlad yr Aifft, o dŷ caethiwed, a dweud, ¹⁴"Cyn pen saith mlynedd yr ydych i ollwng yn rhydd bob un ei frawd o Hebrëwr a werthwyd iddo ac a'i gwasanaethodd am chwe blynedd, a'i ollwng yn rhydd oddi wrtho." Ond ni wrandawodd eich tadau arnaf, na rhoi clust. ¹⁵A heddiw bu edifar gennych chwi, a gwnaethoch y peth sydd uniawn yn fy ngolwg trwy gyhoeddi bod dyn i ryddhau ei gymydog, a gwneud cyfamod ger fy mron yn y tŷ a galwyd fy enw arno. ¹⁶Ond wedyn bu edifar gennych am hyn, a halogasoch fy enw trwy i bob un ddwyn yn ôl ei was a'i forwyn y dymunai eu gollwng yn rhydd, a'u caethiwo eilwaith. ¹⁷Am hynny, fel hyn y dywed yr ARGLWYDD: Ni wrandawsoch arnaf fi i gyhoeddi diwrnod rhyddhad i'ch gilydd, yn frodyr a chymdogion; yn awr dyma

fi'n cyhoeddi diwrnod rhyddhad i'r cleddyf a haint a newyn!' medd yr AR-GLWYDD. 'Fe'ch gwnaf yn arswyd i holl deyrnasoedd y ddaear. [18]A'r gwŷr a dorrodd fy nghyfamod, heb gyflawni'r amodau a wnaethant yn fy ngŵydd, gwnaf hwy fel y llo a holltwyd yn ddau er mwyn iddynt gerdded rhwng y ddwy ran.

[19]Am dywysogion Jwda a thywysogion Jerwsalem, y gweinyddwyr a'r offeiriaid a holl bobl y wlad a gerddodd rhwng dwy ran y llo a holltwyd, [20]fe'u rhof yn llaw eu gelynion ac yn llaw y rhai sy'n ceisio'u heinioes; bydd eu celanedd yn fwyd i adar y nefoedd ac i anifeiliaid gwyllt. [21]Rhof Sedeceia brenin Jwda, a'i holl dywysogion, yn llaw eu gelynion a'r rhai sy'n ceisio'u heinioes, ac yn llaw llu brenin Babilon sydd yn awr yn cilio oddi wrthych. [22]Dyma fi'n gorchymyn,' medd yr ARGLWYDD, 'iddynt droi'n ôl at y ddinas hon ac ymladd yn ei herbyn; byddant yn ei goresgyn a'i llosgi â thân; ie, gwnaf ddinasoedd Jwda yn anghyfannedd, heb breswylydd ynddynt.'"

Jeremeia a'r Rechabiaid

35 Dyma'r gair a ddaeth at Jeremeia oddi wrth yr ARGLWYDD yn nyddiau Jehoiacim fab Joseia, brenin Jwda, a dweud, [2]"Dos i dŷ'r Rechabiaid, a siarad gyda hwy; pâr iddynt ddod i dŷ'r ARGLWYDD, i un o'r ystafelloedd yno, ac yfed gwin." [3]Yna cymerais Jaasaneia, mab Jeremeia fab Habasineia, a'i frodyr, a'i holl feibion, a holl deulu'r Rechabiaid. [4]Deuthum â hwy i dŷ'r ARGLWYDD, ystafell meibion Hanan fab Igdaleia, gŵr Duw, sef yr ystafell sydd yn ymyl ystafell y tywysogion, ac uwch ben ystafell Maaseia fab Salum, ceidwad y drws. [5]Rhois gerbron teulu'r Rechabiaid ffiolau lawn o win a chwpanau, a dywedais wrthynt, "Yfwch win." [6]Ond dywedasant, "Nid yfwn ni win, oherwydd gorchmynnodd Jonadab, mab Rechab ein tad, i ni, 'Peidiwch ag yfed gwin, chwi na'ch meibion, byth; [7]peidiwch ag adeiladu tŷ, na hau had, na phlannu gwinllan, na meddiannu dim; ond lle bynnag y byddwch yn aros, trigwch mewn pebyll bob amser, er mwyn ichwi fyw am ddyddiau lawer ar wyneb y ddaear.' [8]A buom yn ufudd i lais Jonadab, mab Rechab ein tad, ym mhob peth a orchmynnodd i ni; nid ydym ni na'n gwragedd na'n meibion na'n merched erioed wedi yfed gwin, [9]nac adeiladu tai i fyw ynddynt, nac wedi cael na gwinllan na maes na had. [10]Yr ydym yn byw mewn pebyll, ac yn gwneud popeth fel y gorchmynnodd Jonadab ein tad inni. [11]Ond pan ododd Nebuchadnesar brenin Babilon yn erbyn y wlad, dywedasom, 'Dewch, awn i Jerwsalem i osgoi llu'r Caldeaid a llu Syria'; a dyna pam yr ydym yn byw yn Jerwsalem."

12 Yna daeth gair yr ARGLWYDD at Jeremeia a dweud, [13]"Fel hyn y dywed ARGLWYDD y Lluoedd, Duw Israel: 'Dos a llefara wrth wŷr Jwda a phreswylwyr Jerwsalem. Oni chymerwch eich disgyblu i wrando fy ngeiriau?' medd yr AR-GLWYDD. [14]'Fe gadwyd geiriau Jonadab fab Rechab pan orchmynnodd i'w feibion nad yfent win, oherwydd nid ydynt yn ei yfed hyd heddiw, ond y maent yn ufudd-hau i orchymyn eu tad. Ond er i mi lefaru'n daer wrthych, nid ydych chwi'n ufuddhau i mi. [15]Anfonais atoch fy holl weision, y proffwydi, a'u hanfon yn gyson a dweud: Trowch yn wir bob un o'i ffordd ddrygionus, a gwella'ch gweithredoedd; peidiwch â mynd ar ôl duwiau eraill i'w gwasanaethu. Yna cewch fyw yn y tir a roddais i chwi ac i'ch tadau." Ond ni wrandawsoch arnaf fi nac ufuddhau. [16]Cadwodd meibion Jonadab fab Rechab orchymyn eu tad, ond nid ufuddhaodd y bobl hyn i mi.'

17 "Am hynny, fel hyn y dywed AR-GLWYDD Dduw y Lluoedd, Duw Israel: 'Yr wyf am ddwyn ar Jwda a holl drigolion Jerwsalem yr holl ddrwg a leferais yn eu herbyn, oherwydd lleferais wrthynt ac ni wrandawsant, gelwais arnynt ac nid atebasant.'" [18]Ac wrth deulu'r Rechabiaid dywedodd Jeremeia, "Fel hyn y dywed ARGLWYDD y Lluoedd, Duw Israel: 'Oherwydd i chwi ufuddhau i orchymyn Jonadab eich tad, a chadw ei holl ddeddfau a gwneud pob peth a orchmynnodd i chwi, [19]am hynny, fel hyn y dywed ARGLWYDD y Lluoedd, Duw Israel: Ni fydd Jonadab fab Rechab byth heb ŵr i sefyll yn fy ngŵydd.'"

Baruch yn Darllen y Sgrôl yn y Deml

36 Yn y bedwaredd flwyddyn i Jehoiacim fab Joseia, brenin Jwda, daeth y gair hwn at Jeremeia oddi wrth yr ARGLWYDD: [2]"Cymer sgrôl, ac ysgrifenna arni yr holl eiriau a leferais wrthyt yn erbyn Israel a Jwda a'r holl genhedloedd, o'r dydd y dechreuais lefaru wrthyt, o ddyddiau Joseia hyd heddiw. ³Efallai y bydd tŷ Jwda, pan glywant am yr holl ddinistr y bwriadaf ei ddwyn arnynt, yn troi, pob un o'i ffordd annuwiol, a minnau'n maddau iddynt eu hanwiredd a'u pechod."

4 Yna galwodd Jeremeia ar Baruch fab Nereia, ac wrth i Jeremeia lefaru ysgrifennodd Baruch yn y sgrôl yr holl eiriau a lefarodd yr Arglwydd wrth Jeremeia. ⁵Yna rhoes y gorchymyn hwn i Baruch: "Fe'm rhwystrwyd i rhag mynd i dŷ'r Arglwydd, ⁶ond dos di, ac ar ddydd ympryd darllen o'r sgrôl, yng nghlyw'r bobl yn nhŷ'r Arglwydd, holl eiriau'r Arglwydd fel y lleferais hwy. Darllen hwy hefyd yng nghlyw holl bobl Jwda a ddaw o'u dinasoedd. ⁷Efallai y derbynnir eu gweddi gan yr Arglwydd, ac y bydd pob un yn troi o'i ffordd ddrygionus, oherwydd y mae'r llid a'r digofaint a fynegodd yr Arglwydd yn erbyn y bobl hyn yn fawr." ⁸Gwnaeth Baruch fab Nereia bob peth a orchmynnodd y proffwyd Jeremeia iddo, a darllenodd yn nhŷ'r Arglwydd eiriau'r Arglwydd o'r llyfr.

9 Yn y bumed flwyddyn i Jehoiacim fab Joseia, brenin Jwda, yn y nawfed mis, cyhoeddwyd ympryd gerbron yr Arglwydd i drigolion Jerwsalem ac i'r holl bobl a ddaeth o ddinasoedd Jwda i Jerwsalem. ¹⁰Yna darllenodd Baruch holl eiriau Jeremeia o'r sgrôl yng nghlyw'r holl bobl yn nhŷ'r Arglwydd, yn ystafell Gemareia fab Saffan, yr ysgrifennydd, yn y cyntedd uchaf wrth y fynedfa i'r Porth Newydd yn nhŷ'r Arglwydd. ¹¹Pan glywodd Michaia fab Gemareia, fab Saffan, holl eiriau'r Arglwydd o'r llyfr, ¹²aeth i lawr i dŷ'r brenin, i ystafell yr ysgrifennydd, ac yno yr oedd yr holl swyddogion yn eistedd: Elisama yr ysgrifennydd, a Delaia fab Semaia, ac Elnathan fab Achbor, a Gemareia fab Saffan, a Sedeceia fab Hananeia, a'r holl swyddogion. ¹³Mynegodd Michaia iddynt bob peth a glywodd pan ddarllenodd Baruch o'r sgrôl yng nghlyw'r bobl. ¹⁴Yna anfonodd yr holl swyddogion Jehudi fab Nethaneia, fab Selemeia, fab Cusi, at Baruch a dweud, "Cymer yn dy law y sgrôl a ddarllenaist yng nghlyw'r bobl, a thyrd." Cymerodd Baruch fab Nereia y sgrôl yn ei law, ac aeth atynt. ¹⁵Dywedasant hwythau wrtho, "Eistedd yma, a darllen hi inni." Darllenodd

Baruch, ¹⁶a phan glywsant y geiriau, troesant at ei gilydd mewn braw, a dweud wrth Baruch, "Rhaid inni fynegi hyn i gyd i'r brenin." ¹⁷Gofynasant i Baruch, "Eglura inni yn awr sut y bu iti ysgrifennu'r holl eiriau hyn o'i enau." ¹⁸Atebodd Baruch, "Ef ei hun oedd yn llefaru wrthyf yr holl eiriau hyn, a minnau'n eu hysgrifennu ag inc ar y sgrôl." ¹⁹Yna dywedodd y swyddogion wrth Baruch, "Dos ac ymguddia, ti a Jeremeia, a pheidiwch â gadael i neb wybod lle'r ydych." ²⁰Yna aethant at y brenin i'r llys, ar ôl iddynt gadw'r sgrôl yn ystafell Elisama yr ysgrifennydd, a mynegwyd y cwbl yng nghlyw'r brenin.

Y Brenin yn Llosgi'r Sgrôl

21 Yna anfonwyd Jehudi gan y brenin i gyrchu'r sgrôl, a daeth yntau â hi o ystafell Elisama yr ysgrifennydd; a darllenodd Jehudi hi yng nghlyw'r brenin a'r holl swyddogion oedd yn sefyll yn ymyl y brenin. ²²Y nawfed mis oedd hi, ac yr oedd y brenin yn eistedd yn y gaeafdy, a'r rhwyll dân wedi ei chynnau o'i flaen. ²³Pan fyddai Jehudi wedi darllen tair neu bedair colofn, torrai'r brenin hwy â chyllell yr ysgrifennydd, a'u taflu i'w llosgi yn y rhwyll dân, nes difa'r sgrôl gyfan yn y tân. ²⁴Ond nid oedd y brenin na'i weision yn arswydo nac yn rhwygo'u dillad, wrth wrando ar yr holl eiriau hyn. ²⁵Pan ymbiliodd Elnathan a Delaia a Gemareia ar y brenin i beidio â llosgi'r sgrôl, ni wrandawai arnynt. ²⁶Yna gorchmynnodd y brenin i Jerahmel fab y brenin a Seraia fab Asriel a Selemeia fab Abdiel ddal Baruch yr ysgrifennydd a Jeremeia y proffwyd; ond cuddiodd yr Arglwydd hwy.

Jeremeia'n Ysgrifennu Sgrôl Arall

27 Wedi i'r brenin losgi'r sgrôl a'r holl eiriau a ysgrifennodd Baruch o enau Jeremeia, daeth gair yr Arglwydd a Jeremeia a dweud, ²⁸"Cymer sgrôl arall ac ysgrifenna arni'r holl eiriau oedd yn y sgrôl gyntaf, yr un a losgodd Jehoiacim brenin Jwda. ²⁹A dywed wrth Jehoiacim brenin Jwda, 'Fel hyn y dywed yr Arglwydd: Fe losgaist ti'r sgrôl hon, dweud, "Pam yr ysgrifennaist arni fo brenin Babilon yn sicr o ddod ac an rheithio'r wlad hon, nes darfod dyn a anifail oddi arni?" ³⁰Am hynny, fel hy y dywed yr Arglwydd am Jehoiaci

brenin Jwda: Ni bydd iddo neb i eistedd ar orsedd Dafydd; teflir allan ei gelain i wres y dydd a rhew'r nos. ³¹Ymwelaf ag ef ac â'i had a'i weision am eu hanwiredd, a dwyn arnynt hwy a thrigolion Jerwsalem a gwŷr Jwda yr holl ddinistr a leferais yn eu herbyn, a hwythau heb wrando.'" ³²Yna cymerodd Jeremeia sgrôl arall, a'i rhoi i Baruch fab Nereia, yr ysgrifennydd, ac ysgrifennodd ef ynddi o enau Jeremeia holl eiriau'r llyfr a losgodd Jehoiacim brenin Jwda. Ychwanegodd atynt hefyd lawer o eiriau tebyg.

Cais Sedeceia i Jeremeia

37 Gosodwyd Sedeceia fab Joseia yn frenin ar yr orsedd yng ngwlad Jwda gan Nebuchadnesar yn lle Coneia fab Jehoiacim; ²ond ni wrandawodd ef, na'i weision na phobl y wlad, ar eiriau'r ARGLWYDD a lefarwyd trwy'r proffwyd Jeremeia.

3 Anfonodd y Brenin Sedeceia Jehucal fab Selemeia a Seffaneia fab Maaseia yr offeiriad at y proffwyd Jeremeia, a dweud, "Gweddïa yn awr drosom ar yr ARGLWYDD ein Duw." ⁴Yr oedd Jeremeia'n rhodio'n rhydd ymhlith y bobl, oherwydd nid oedd eto wedi ei roi yng ngharchar. ⁵Ac yr oedd llu Pharo wedi dod i fyny o'r Aifft, a phan glywodd y Caldeaid oedd yn gwarchae ar Jerwsalem am hyn, ciliasant oddi wrth Jerwsalem.

6 Yna daeth gair yr ARGLWYDD at y proffwyd Jeremeia a dweud, ⁷"Dyma'r hyn a ddywed yr ARGLWYDD, Duw Israel: 'Dywedwch fel hyn wrth frenin Jwda, sydd wedi eich anfon i ymofyn â mi: Bydd llu Pharo, a ddaeth atoch yn gymorth, yn dychwelyd i'w wlad ei hun, i'r Aifft. ⁸Yna bydd y Caldeaid yn dychwelyd a rhyfela yn erbyn y ddinas hon, a'i hennill a'i llosgi â thân. ⁹Fel hyn y dywed yr ARGLWYDD: Peidiwch â'ch twyllo'ch hunain, gan ddweud, "Y mae'r Caldeaid yn siŵr o gilio oddi wrthym", oherwydd ni chiliant. ¹⁰Oherwydd pe baech yn trechu holl lu'r Caldeaid sydd yn rhyfela yn eich erbyn, heb adael neb ond y rhai archolledig, eto byddent yn codi bob un o'i babell ac yn llosgi'r ddinas hon â thân.'"

Dal Jeremeia a'i Garcharu

11 Pan giliodd llu'r Caldeaid oddi wrth Jerwsalem o achos llu Pharo, ¹²yr oedd Jeremeia'n gadael Jerwsalem i fynd i dir Benjamin i gymryd meddiant o'i dreftadaeth yno ymysg y bobl; ¹³a phan gyrhaeddodd borth Benjamin, yr oedd swyddog y gwarchodlu yno, dyn o'r enw Ireia fab Selemeia, fab Hananeia; daliodd ef y proffwyd Jeremeia a dweud, "Troi at y Caldeaid yr wyt ti." ¹⁴Atebodd Jeremeia ef, "Celwydd yw hynny; nid wyf yn troi at y Caldeaid." Ond ni wrandawai Ireia arno, ond fe'i daliodd a mynd ag ef at y swyddogion. ¹⁵Ffyrnigodd y swyddogion at Jeremeia, a'i guro a'i garcharu yn nhŷ Jonathan yr ysgrifennydd, y tŷ a wnaethpwyd yn garchardy.

16 Felly yr aeth Jeremeia i'r ddaeargell ac aros yno dros amryw o ddyddiau. ¹⁷Yna anfonodd y Brenin Sedeceia, a'i dderbyn i'w ŵydd a'i holi'n gyfrinachol yn ei dŷ, a dweud, "A oes gair oddi wrth yr ARGLWYDD?" Atebodd Jeremeia, "Oes; fe'th roddir yn llaw brenin Babilon." ¹⁸A dywedodd Jeremeia wrth y Brenin Sedeceia, "Pa ddrwg a wneuthum i ti neu i'th weision neu i'r bobl hyn, i beri i chwi fy rhoi yng ngharchar? ¹⁹Ple mae eich proffwydi a broffwydodd i chwi a dweud na ddôi brenin Babilon yn eich erbyn, nac yn erbyn y wlad hon? ²⁰Yn awr, gwrando, f'arglwydd frenin, a doed fy nghais o'th flaen. Paid â'm hanfon yn ôl i dŷ Jonathan yr ysgrifennydd, rhag i mi farw yno." ²¹Yna rhoes y Brenin Sedeceia orchymyn, a rhoddwyd Jeremeia yng ngofal llys y gwylwyr, a rhoddwyd iddo ddogn dyddiol o un dorth o fara o Stryd y Pobyddion, nes darfod yr holl fara yn y ddinas. Ac arhosodd Jeremeia yng nghyntedd y gwylwyr.

Jeremeia mewn Pydew

38 Clywodd Seffateia fab Mattan, Gedaleia fab Pasur, Jucal fab Selemeia, a Pasur fab Malceia y geiriau yr oedd Jeremeia'n eu llefaru wrth yr holl bobl, gan ddweud, ²"Fel hyn y dywed yr ARGLWYDD: 'Pwy bynnag fydd yn aros yn y ddinas hon, fe fydd farw trwy gleddyf, newyn a haint; ond pwy bynnag fydd yn mynd allan at y Caldeaid, bydd hwnnw fyw; bydd yn arbed ei fywyd ac yn byw.' ³Fel hyn y dywed yr ARGLWYDD: 'Yn ddiau rhoir y ddinas hon yng ngafael llu brenin Babilon, a bydd ef yn ei hennill.'" ⁴Yna dywedodd y swyddogion wrth y brenin, "Atolwg, rhodder y dyn hwn i farwolaeth; oblegid y mae'n gwanhau dwylo gweddill y milwyr sydd yn y ddinas hon, a phawb o'r bobl, trwy lefaru fel hyn wrthynt. Nid yw'r dyn yn meddwl am les y bobl hyn, ond am eu niwed." ⁵Atebodd y Brenin Sedeceia, "Y mae yn eich dwylo chwi; ni ddichon y brenin wneud dim drosoch yn y mater." ⁶A chymerasant Jeremeia, a'i fwrw i bydew Malcheia, mab y brenin, yng nghyntedd y gwylwyr; gollyngasant Jeremeia i lawr wrth raffau. Nid oedd dŵr yn y pydew, dim ond llaid, a suddodd Jeremeia yn y llaid.

7 Clywodd Ebedmelech yr Ethiopiad, eunuch ym mhlasty'r brenin, eu bod wedi rhoi Jeremeia yn y pydew. Yr oedd y brenin yn eistedd ym mhorth Benjamin, ⁸ac aeth Ebedmelech allan o'r plasty at y brenin a dweud, ⁹"F'arglwydd frenin, gwnaeth y gwŷr hyn ddrwg gwaeth na phopeth a wnaethant i'r proffwyd Jeremeia, trwy ei fwrw i'r pydew; bydd farw yn y lle gan y newyn, am nad oes bara mwyach yn y ddinas." ¹⁰Yna gorchmynnodd y brenin i Ebedmelech yr Ethiopiad, "Cymer gyda thi driᴾ o wŷr, a chodi'r proffwyd Jeremeia o'r pydew cyn iddo farw." ¹¹Cymerodd Ebedmelech y gwŷr ac aeth i'r ystafell wisgoᵖʰ yn y plasty, a chymryd oddi yno hen garpiau a hen fratiau, a'u gollwng i lawr wrth raffau at Jeremeia yn y pydew. ¹²A dywedodd Ebedmelech yr Ethiopiad wrth Jeremeia, "Gosod yr hen garpiau a'r bratiau dan dy geseiliau o dan y rhaffau." Gwnaeth Jeremeia felly. ¹³A thynasant Jeremeia i fyny wrth y rhaffau, a'i godi o'r pydew. Wedi hyn arhosodd Jeremeia yng nghyntedd y gwylwyr.

Sedeceia'n Ceisio Cyngor Jeremeia

14 Anfonodd y Brenin Sedeceia i gyrchu'r proffwyd Jeremeia ato yn y trydydd cyntedd i dŷ'r ARGLWYDD, a dywedodd wrth Jeremeia, "Yr wyf am ofyn rhywbeth i ti; paid â chelu dim oddi wrthyf." ¹⁵Dywedodd Jeremeia wrth Sedeceia, "Os mynegaf i ti, oni roi fi i farwolaeth? Os rhof gyngor i ti, ni wrandewi arnaf." ¹⁶Ond tyngodd y Brenin Sedeceia wrth Jeremeia yn gyfrinachol, "Cyn wired â bod yr ARGLWYDD, a roes einioes inni, yn fyw, ni'th rof i farwolaeth, na'th roi yng ngafael y gwŷr hyn sy'n ceisio dy einioes." ¹⁷Yna dywedodd Jeremeia wrth Sedeceia, "Fel hyn y dywed yr ARGLWYDD, Duw'r Lluoedd,

Duw Israel: 'Os ei allan ac ymostwng i swyddogion brenin Babilon, yna byddi fyw, ac ni losgir y ddinas hon â thân; byddi fyw, ti a'th dylwyth. ¹⁸Os nad ei allan at swyddogion brenin Babilon, rhoir y ddinas hon yng ngafael y Caldeaid, ac fe'i llosgant hi â thân, ac ni fyddi dithau'n dianc o'u gafael.' " ¹⁹A dywedodd y Brenin Sedeceia wrth Jeremeia, "Y mae arnaf ofn yr Iddewon a drodd at y Caldeaid, rhag iddynt fy rhoi yn eu gafael ac iddynt fy ngham-drin." ²⁰Dywedodd Jeremeia, "Ni'th roddir yn eu gafael. Gwrando yn awr ar lais yr ARGLWYDD yn yr hyn yr wyf yn ei lefaru wrthyt, a bydd yn dda iti, a chedwir dy einioes. ²¹Os gwrthodi fynd allan, dyma'r gair a ddatguddiodd yr ARGLWYDD i mi: ²²'Wele, caiff yr holl wragedd a adawyd yn nhŷ brenin Jwda eu dwyn allan at swyddogion brenin Babilon, ac fe ddywedant,

"Hudodd dy gyfeillion di, a buont yn drech na thi;

yn awr, a'th draed wedi glynu yn y llaid, troesant draw oddi wrthyt." '

²³Dygir allan dy holl wragedd a'th blant at y Caldeaid, ac ni ddihengi dithau o'u gafael, ond fe'th ddelir yng ngafael brenin Babilon, a llosgir y ddinas hon â thân."

24 Yna dywedodd Sedeceia wrth Jeremeia, "Paid â gadael i neb wybod am y geiriau hyn, ac ni'th roddir i farwolaeth. ²⁵Ond os clyw'r swyddogion i mi ymddiddan â thi, a dod atat a dweud wrthyt, 'Mynega i ni beth a draethodd y brenin wrthyt ti, a beth a ddywedaist wrth y brenin; paid â chelu dim oddi wrthym, ac ni'th roddwn i farwolaeth', ²⁶yna dywedi wrthynt, 'Yr oeddwn yn gwneud cais yn ostyngedig i'r brenin, ar iddo beidio â'm gyrru'n ôl i dŷ Jonathan i farw yno.' " ²⁷Pan ddaeth yr holl swyddogion at Jeremeia, a'i holi, mynegodd ef iddynt bob peth yn ôl gorchymyn y brenin. A pheidiasant â'i holi ragor, ac ni chlywyd am y neges. ²⁸Ac arhosodd Jeremeia yng nghyntedd y gwylwyr hyd y dydd y syrthiodd Jerwsalem, ac yr oedd yno pan syrthiodd Jerwsalem.

Cwymp Jerwsalem

39 Yn y nawfed flwyddyn i Sedeceia brenin Jwda, yn y degfed mis, daeth Nebuchadnesar brenin Babilon a'i

---

ᴾFelly un llawysgrif. TM, *ddeg ar hugain.*   ᵖʰTebygol. Hebraeg, *i'r ystafell dan y trysordy.*

holl lu yn erbyn Jerwsalem a gwarchae arni; ²ac yn yr unfed flwyddyn ar ddeg i Sedeceia, yn y pedwerydd mis, ar y nawfed dydd torrwyd bwlch ym mur y ddinas. ³Daeth holl swyddogion brenin Babilon i mewn a sefyll yn y Porth Canol, sef Nergal-sareser, Samgar-nebo, Sarsechim, Rabsaris, Nergel-sareser, Rabmag, a holl swyddogion eraill brenin Babilon. ⁴Pan welodd Sedeceia brenin Jwda a'i holl filwyr hwy, ffoesant a gadael y ddinas liw nos, gan ddilyn ffordd gardd y brenin i'r porth rhwng y ddau fur, ac allan i ffordd Arabah. ⁵Ond canlynodd llu'r Caldeaid hwy, a goddiweddyd Sedeceia yn rhosydd Jericho a'i ddal, a'i ddwyn at Nebuchadnesar brenin Babilon yn Ribla yng ngwlad Hamath; yno y dyfarnwyd arno. ⁶A lladdodd brenin Babilon feibion Sedeceia o flaen ei lygaid yn Ribla; a lladdodd brenin Babilon hefyd holl bendefigion Jwda. ⁷Yna fe dynnodd lygaid Sedeceia, a'i rwymo mewn cadwynau pres i'w ddwyn i Fabilon. ⁸Llosgodd y Caldeaid â thân blasty'r brenin a thai'r bobl, a dryllio muriau Jerwsalem. ⁹Yna caethgludodd Nebusaradan, pennaeth y milwyr, weddill y bobl i Fabilon, sef y rhai oedd wedi eu gadael yn y ddinas, a'r rhai oedd wedi troi ato efʳ; ¹⁰a gadawodd yng ngwlad Jwda rai pobl dlawd nad oedd ganddynt ddim, a rhoi iddynt yr adeg honno winllannoedd a meysydd.

Rhyddhau Jeremeia

11 Rhoddodd Nebuchadnesar brenin Babilon orchymyn ynghylch Jeremeia trwy law Nebusaradan, pennaeth y milwyr, a dweud, ¹²"Cymer ef a gofala amdano; paid â gwneud dim niwed iddo, ond gwneud fel y dywed wrthyt." ¹³Yna anfonodd Nebusaradan, pennaeth y milwyr, a Nebusasban, Rabsaris, Nergalsareser, Rabmag a holl benaethiaid brenin Babilon, ¹⁴a chymryd Jeremeia o gyntedd y gwylwyr, a'i roi i Gedaleia fab Ahicam, fab Saffan, i'w gyrchu adref; a thrigodd ymhlith y bobl.

15 Daeth gair yr ARGLWYDD at Jeremeia pan oedd yn garcharor yng nghyntedd y gwylwyr, a dweud, ¹⁶"Dos a dywed wrth Ebedmelech yr Ethiopiad, 'Fel hyn y dywed ARGLWYDD y Lluoedd, Duw Israel: Yr wyf yn dwyn fy ngeiriau yn erbyn y ddinas hon er drwg ac nid er

ʳTebygol. Hebraeg, *a'r gweddill a adawyd.*

lles, a chyflawnir hwy yn dy ŵydd y dydd hwnnw. ¹⁷Ond gwaredaf di y dydd hwnnw,' medd yr ARGLWYDD, 'ac ni'th roddir yng ngafael y dynion y mae arnat eu hofn. ¹⁸Oherwydd 'rwy'n sicr o'th waredu, ac ni syrthi trwy'r cleddyf; byddi'n arbed dy fywyd am dy fod wedi ymddiried ynof fi,'medd yr ARGLWYDD."

Jeremeia'n Aros gyda Gedaleia

40 Dyma'r gair oddi wrth yr AR-GLWYDD a ddaeth at Jeremeia wedi i Nebusaradan, pennaeth y milwyr, ei ollwng yn rhydd o Rama. Yr oedd wedi ei ddwyn yno mewn rhwymau yng nghanol yr holl garcharorion o Jerwsalem a Jwda oedd yn cael eu caethgludo i Fabilon. ²Cymerodd pennaeth y milwyr Jeremeia a dweud wrtho, "Rhagfynegodd yr ARGLWYDD dy Dduw y drwg hwn yn erbyn y lle hwn, ³a chyflawnodd ei eiriau, oherwydd pechasoch yn erbyn yr AR-GLWYDD; ni wrandawsoch arno, a dacth yr aflwydd hwn arnoch. ⁴Edrych yn awr, yr wyf yn dy ryddhau di heddiw o'r cadwynau sydd arnat. Os wyt yn dewis dod gyda mi i Fabilon, tyrd, a gofalaf amdanat; os nad wyt yn dewis dod gyda mi, paid; edrych, y mae'r holl wlad o'th flaen, dos i'r fan sydd orau gennyt. ⁵Os yw'n well gennyt arosʳʰ, dychwel at Gedaleia fab Ahicam, fab Saffan, a osododd brenin Babilon yn arolygydd dros ddinasoedd Jwda, ac aros gydag ef ymhlith y bobl; neu dos i'r lle a fynni." Rhoddodd pennaeth y milwyr iddo ddogn o fwyd, a rhodd, a'i ollwng ymaith. ⁶Aeth Jeremeia i Mispa at Gedaleia fab Ahicam, ac aros gydag ef ymhlith y bobl oedd wedi eu gadael yn y wlad.

Gedaleia yn Llywodraethwr Jwda

7 Pan glywodd holl swyddogion y lluoedd, a'r milwyr oedd ar hyd y wlad, fod brenin Babilon wedi gosod Gedaleia fab Ahicam i arolygu'r wlad, ac i fwrw golwg dros y rhai tlawd, yn wŷr, gwragedd a phlant, oedd heb eu caethgludo i Fabilon, ⁸fe ddaethant at Gedaleia i Mispa. Daeth Ismael fab Nethaneia, Johanan a Jonathan, meibion Carea, a Seraia fab Tanhumeth, a meibion Effai o Netoffa, a Jesaneia mab y Maachathiad, y rhain i gyd a'u milwyr; ⁹a thyngodd Gedaleia fab Ahicam, fab Saffan wrthynt ac wrth eu

ʳʰTebygol. Hebraeg yn ddyrys.

milwyr, a dweud, "Peidiwch ag ofni gwasanaethu'r Caldeaid; cartrefwch yn y wlad, a gwasanaethu brenin Babilon, a bydd yn dda arnoch. [10]Byddaf fi'n byw yn Mispa, i wasanaethu'r Caldeaid a fydd yn dod atom; cewch chwi gasglu'r gwin a'r ffrwythau haf a'r olew, a'u rhoi yn eich llestri, a thrigo yn y dinasoedd a feddiannwch." [11]Yna clywodd yr holl Iddewon oedd yn Moab, ac ymhlith Ammon ac yn Edom ac yn yr holl wledydd, fod brenin Babilon wedi gadael gweddill yn Jwda, a gosod Gedaleia fab Ahicam, fab Saffan yn arolygydd arnynt; [12]a dychwelodd yr holl Iddewon o'r mannau lle gwasgarwyd hwy i Jwda, at Gedaleia yn Mispa, a chasglu stôr helaeth o win a ffrwythau haf.

Llofruddio Gedaleia

13 Daeth Johanan fab Carea, a holl swyddogion y lluoedd oedd ar hyd y wlad, at Gedaleia yn Mispa, [14]a dweud wrtho, "A wyddost ti fod Baalis brenin yr Ammoniaid wedi anfon Ismael fab Nethaneia i'th ladd di?" Ond ni chredai Gedaleia fab Ahicam hwy. [15]A dywedodd Johanan fab Carea yn gyfrinachol wrth Gedaleia yn Mispa, "Da ti, gad imi fynd, heb yn wybod i neb, a lladd Ismael fab Nethaneia. Pam y caiff ef dy ladd di, a gwasgaru'r holl Iddewon a ymgasglodd atat, a pheri i'r gweddill yn Jwda ddarfod?" [16]Ond dywedodd Gedaleia fab Ahicam wrth Johanan fab Carea, "Paid â gwneud hynny, oherwydd yr wyt yn dweud celwydd am Ismael."

41 Yn y seithfed mis daeth Ismael fab Nethaneia, fab Elisama, o deulu'r brenin, a chydag ef bendefigion y brenin, deg ohonynt, i Mispa at Gedaleia fab Ahicam; a thra oeddent yn bwyta pryd gyda'i gilydd yn Mispa, [2]cododd Ismael fab Nethaneia a'r dengwr, a tharo Gedaleia fab Ahicam, fab Saffan â'r cleddyf, a lladd yr un oedd wedi ei osod gan frenin Babilon yn arolygydd dros y wlad. [3]Hefyd lladdodd Ismael yr holl Iddewon oedd gyda Gedaleia yn Mispa, a milwyr y Caldeaid a oedd yn digwydd bod yno.

4 Trannoeth wedi lladd Gedaleia, cyn bod neb yn gwybod, [5]daeth gwŷr o Sichem a Seilo a Samaria, pedwar ugain ohonynt, wedi eillio'u barfau a rhwygo'u dillad ac archolli eu cyrff, ag offrymau a thus yn eu dwylo i'w dwyn i deml yr ARGLWYDD. [6]Yna daeth Ismael fab Nethaneia allan o Mispa i gyfarfod â hwy, gan wylo wrth ddod. Pan gyfarfu â hwy dywedodd, "Dewch at Gedaleia fab Ahicam." [7]Wedi iddynt gyrraedd canol y ddinas, lladdwyd hwy gan Ismael fab Nethaneia a'r gwŷr oedd gydag ef, a'u bwrw i bydew. [8]Ond dywedodd deg o ddynion o'u plith wrth Ismael, "Paid â'n lladd ni, oherwydd y mae gennym yn y maes gronfa gudd o wenith a haidd ac olew a mêl." Felly ni laddwyd y rhain gyda'u cymdeithion. [9]Y pydew yr oedd y Brenin Asa wedi ei gloddio pan fygythiwyd ef gan Baasa brenin Israel oedd yr un y bwriodd Ismael iddo holl gelaneddau'r gwŷr yr oedd wedi eu lladd trwy eu twyllo ag enw Gedaleia. Llanwodd Ismael fab Nethaneia y pydew â'r lladdedigion. [10]Yna daliodd Ismael holl weddill y bobl oedd yn Mispa, sef merched y brenin a'r holl bobl oedd wedi eu gadael yn Mispa pan ososodd Nebusaradan, pennaeth y gwylwyr, Gedaleia fab Ahicam yn arolygydd drostynt. Daliodd Ismael fab Nethaneia hwy, a chychwynnodd fynd drosodd at yr Ammoniaid.

11 Pan glywodd Johanan fab Carea, a holl swyddogion y lluoedd arfog oedd gydag ef, am yr holl ddrwg yr oedd Ismael fab Nethaneia wedi ei wneud, [12]cymerasant gyda hwy eu holl wŷr i ymladd yn erbyn Ismael fab Nethaneia, a daethant o hyd iddo wrth y pwll mawr yn Gibeon. [13]Llawenychodd yr holl bobl oedd gydag Ismael pan welsant Johanan fab Carea a holl swyddogion ei luoedd, [14]a dyna'r holl bobl yr oedd Ismael wedi eu dwyn yn gaeth o Mispa yn troi a mynd drosodd at Johanan fab Carea. [15]Ond dihangodd Ismael fab Nethaneia, ac wyth o ddynion gydag ef, oddi wrth Johanan, a mynd drosodd at yr Ammoniaid. [16]Yna cymerodd Johanan fab Carea a swyddogion ei luoedd bawb oedd ar ôl o'r bobl yr oedd Ismael fab Nethaneia wedi eu dwyn o Mispa, ar ôl iddo ladd Gedaleia fab Ahicam. Dygodd ef yn ôl o Gibeon ddynion a gwŷr rhyfel, gwragedd a phlant ac eunuchod. [17]Aethant oddi yno ac aros yn llety Chimham, yn ymyl Bethlehem, ar eu ffordd wrth ffoi i'r Aifft [18]rhag y Caldeaid; oblegid yr oeddent yn eu hofni hwy am fod Ismael fab Nethaneia wedi lladd Gedaleia fab Ahicam, y gŵr a ososdodd brenin Babilon yn arolygydd dros y wlad.

Gweddi Jeremeia ac Ateb Duw

42 Nesaodd swyddogion y lluoedd, a Johanan fab Carea a Jesaneia fab Hosaia, a'r holl bobl yn fach a mawr, ²a dweud wrth y proffwyd Jeremeia, "Os gweli'n dda, ystyria'n cais, a gweddïa drosom ni ar yr ARGLWYDD dy Dduw, a thros yr holl weddill hyn, oherwydd gadawyd ni'n ychydig allan o nifer mawr, fel y gweli. ³Dyweded yr ARGLWYDD dy Dduw wrthym y ffordd y dylem rodio a'r hyn y dylem ei wneud." ⁴Atebodd y proffwyd Jeremeia hwy, "Gwnaf, mi weddïaf drosoch ar yr ARGLWYDD eich Duw yn ôl eich cais, a beth bynnag fydd ateb yr ARGLWYDD, fe'i mynegaf heb atal dim oddi wrthych." ⁵Dywedasant hwythau wrth Jeremeia, "Bydded yr AR-GLWYDD yn dyst cywir a ffyddlon yn ein herbyn os na wnawn yn ôl pob gair y bydd yr ARGLWYDD dy Dduw yn ei orchymyn inni. Yn sicr, fe'i gwnawn. ⁶Boed dda neu ddrwg, fe wrandawn ni ar yr ARGLWYDD ein Duw, yr anfonwn di ato, fel y byddo'n dda inni; gwrandawn ar yr ARGLWYDD ein Duw."

7 Ymhen deg diwrnod daeth gair yr ARGLWYDD at Jeremeia, ⁸a galwodd ato Johanan fab Carea a swyddogion y llu-oedd oedd gydag ef, a'r holl bobl yn fach a mawr, ⁹a dweud wrthynt, "Fel hyn y dywed yr ARGLWYDD, Duw Israel, yr anfonasoch fi ato i gyflwyno eich cais iddo: ¹⁰'Os arhoswch yn y wlad hon, fe'ch adeiladaf, ac nid eich tynnu i lawr; fe'ch plannaf, ac nid eich diwreiddio, oherwydd 'rwy'n gofidio am y drwg a wneuthum i chwi. ¹¹Peidiwch ag ofni rhag brenin Babilon, yr un y mae arnoch ei ofn; peidiwch â'i ofni ef,' medd yr AR-GLWYDD, 'canys byddaf gyda chwi i'ch achub a'ch gwaredu o'i afael. ¹²Gwnaf drugaredd â chwi, a bydd ef yn trugarhau wrthych ac yn eich adfer i'ch gwlad eich hun. ¹³Ond os dywedwch, "Nid arhoswn yn y wlad hon", gan wrthod gwrando ar lais yr ARGLWYDD eich Duw, ¹⁴a dweud, 'Nage, ond fe awn i'r Aifft; ni welwn ryfel yno na chlywed sain utgorn na bod newn newyn am fara, ac yno y trigwn", ⁵yna, clywch air yr ARGLWYDD, chwi weddill Jwda. Fel hyn y dywed AR-GLWYDD y Lluoedd, Duw Israel: Os nynnwch droi eich wyneb tua'r Aifft, a nynd yno i drigo, ¹⁶yna bydd y cleddyf a ofnwch yma yn eich goddiweddyd yno ng ngwlad yr Aifft, a'r newyn sy'n peri

pryder ichwi yn eich dilyn i'r Aifft. Ac yno y byddwch farw. ¹⁷Trwy gleddyf a newyn a haint bydd farw pob dyn a dry ei wyneb tua'r Aifft i drigo yno; ni bydd un yn weddill nac yn ddihangol, oherwydd y dialedd a ddygaf arnynt.'

18 "Fel hyn y dywed ARGLWYDD y Lluoedd, Duw Israel: 'Fel y tywalltwyd fy llid a'm digofaint ar drigolion Jer-usalem, felly y tywelltir fy nigofaint arnoch chwithau pan ewch i'r Aifft. Byddwch yn destun melltith ac arswyd, gwawd a gwarth; ac ni chewch weld y lle hwn byth eto.' ¹⁹Dywedodd yr ARGLWYDD wrth-ych, 'Chwi weddill Jwda, peidiwch â mynd i'r Aifft.' Bydded hysbys i chwi i mi eich rhybuddio heddiw. ²⁰Twyllo'ch hunain yr oeddech wrth fy anfon i at yr ARGLWYDD eich Duw, a dweud, 'Gweddïa drosom ar yr ARGLWYDD ein Duw, a mynega i ni bob peth a ddywed yr ARGLWYDD ein Duw; ac fe'i gwnawn.' ²¹Mynegais ef i chwi heddiw, ond ni wrandawsoch ar lais yr ARGLWYDD eich Duw mewn dim yr anfonodd fi atoch i'w ddweud. ²²Yn awr, bydded hysbys y byddwch farw trwy gleddyf a newyn a haint yn y lle yr ydych yn dewis mynd iddo i fyw."

Cymryd Jeremeia i'r Aifft

43 Pan orffennodd Jeremeia lefaru wrth y bobl yr holl eiriau a anfon-odd yr ARGLWYDD eu Duw atynt drwyddo ef, ²atebodd Asareia fab Hosaia a'r holl wŷr sarhaus, a dweud wrth Jeremeia, "Dweud celwydd yr wyt; ni orchmynnodd yr ARGLWYDD ein Duw iti ddweud, 'Peidiwch â mynd i fyw i'r Aifft.' ³Baruch fab Nereia sydd wedi dy annog di yn ein herbyn, er mwyn ein rhoi yng ngafael y Caldeaid, iddynt hwy ein lladd neu ein caethgludo i Fabilon." ⁴Ac ni wrandawodd Johanan fab Carea, a swyddogion y llu a'r bobl, ar lais yr ARGLWYDD, i aros yn nhir Jwda. ⁵Ond cymerodd Johanan fab Carea a swyddog-ion y llu holl weddill Jwda, a oedd wedi dychwelyd i drigo yng ngwlad Jwda o blith yr holl genhedloedd y gwasgarwyd hwy yn eu plith—⁶y gwŷr, y gwragedd a'r plant, merched y brenin a phawb yr oedd Nebusaradan, pennaeth y gwylwyr, wedi eu gadael gyda Gedaleia fab Ahicam, fab Saffan; a hefyd y proffwyd Jeremeia a Baruch fab Nereia. ⁷Ac aethant i wlad yr Aifft, heb wrando ar lais yr ARGLWYDD, a chyrraedd Tahpanhes.

8 Daeth gair yr ARGLWYDD at Jeremeia yn Tahpanhes: ⁹"Cymer gerrig mawr, ac yng ngŵydd gwŷr Jwda gosod hwy mewn morter yn y palmant wrth ddrws tŷ Pharo yn Tahpanhes, ¹⁰a dywed wrthynt, 'Fel hyn y dywed ARGLWYDD y Lluoedd, Duw Israel: Dyma fi'n anfon i gyrchu fy ngwas, Nebuchadnesar brenin Babilon, a chodaf ei orsedd ar y cerrig hyn a osodais, ac fe daena ef ei ortho drostynt. ¹¹Yna fe ddaw a tharo gwlad yr Aifft, gan ladd y rhai sydd i'w lladd, a chaethiwo'r rhai sydd i fynd i gaethiwed, a rhoi i'r cleddyf y rhai sydd i'w rhoi i'r cleddyf. ¹²Bydd⁵ yn cynnau tân yn nhemlau'r Aifft ac yn eu llosgi, a chario'r duwiau ymaith. A bydd yn glanhau gwlad yr Aifft fel y bydd bugail yn glanhau ei wisg o'r llau; ac yna'n mynd ymaith mewn heddwch. ¹³Bydd yn malu'r colofnau yn Nheml yr Haul yng ngwlad yr Aifft, ac yn llosgi temlau duwiau'r Aifft â thân.'"

Neges yr ARGLWYDD i'r Iddewon yn yr Aifft

44 Dyma'r gair a ddaeth at Jeremeia am yr holl Iddewon oedd yn byw yng ngwlad yr Aifft, sef yn Migdol, Tahpanhes a Noff, ac ym mro Pathros: ²"Fel hyn y dywed ARGLWYDD y Lluoedd, Duw Israel: 'Gwelsoch yr holl ddinistr a ddygais ar Jerwsalem ac ar holl ddinasoedd Jwda; y maent heddiw yn anghyfannedd, heb neb yn byw ynddynt, ³o achos y drygioni a wnaethant i'm digio, gan losgi arogldarth ac addoli duwiau eraill nad oeddent hwy na chwithau na'ch tadau yn eu hadnabod. ⁴Anfonais atoch fy holl weision y proffwydi, a'u hanfon yn gyson i ddweud, "Yn wir, peidiwch â chyflawni'r ffieidd-beth hwn sydd yn gas gennyf." ⁵Ond ni wrandawsant, nac estyn clust i droi oddi wrth eu drygioni ac i beidio ag arogldarthu i dduwiau eraill. ⁶Felly tywalltwyd fy llid a'm digofaint, a llosgi yn ninasoedd Jwda ac yn heolydd Jerwsalem, a'u gwneud yn anghyfannedd a diffaith, fel y maent heddiw.' ⁷Yn awr, fel hyn y dywed ARGLWYDD Dduw y Lluoedd, Duw Israel: 'Pam yr ydych yn gwneud y drwg mawr hwn yn eich erbyn eich hunain, a thorri ymaith o Jwda ŵr a gwraig, plentyn a baban, fel nad oes gennych weddill yn

aros? ⁸Pam yr ydych yn fy nigio i â gwaith eich dwylo, ac yn arogldarthu i dduwiau eraill yng ngwlad yr Aifft, lle y daethoch i fyw, gan eich difetha eich hunain, a bod yn felltith ac yn warth ymysg holl genhedloedd y ddaear? ⁹A ydych wedi anghofio drygioni eich tadau a drygioni brenhinoedd Jwda a drygioni eu gwragedd¹, a'ch drygioni chwi eich hunain a'ch gwragedd, a wnaed yn nhir Jwda ac yn heolydd Jerwsalem? ¹⁰Hyd heddiw nid ydych wedi ymostwng, nac ofni, na rhodio yn fy nghyfraith a'm deddfau, a roddais o'ch blaen ac o flaen eich tadau.'

11 "Am hynny, fel hyn y dywed ARGLWYDD y Lluoedd, Duw Israel: 'Yr wyf yn gosod fy wyneb yn eich erbyn er niwed, i ddifetha holl Jwda. ¹²Cymeraf weddill Jwda, a ddewisodd fynd i wlad yr Aifft i aros yno, a difethir hwy oll. Yng ngwlad yr Aifft y syrthiant; trwy gleddyf a newyn y difethir hwy; yn fach a mawr, byddant farw trwy gleddyf a newyn, a byddant yn destun melltith ac arswyd, gwawd a gwarth. ¹³Cosbaf y rhai sy'n byw yng ngwlad yr Aifft, fel y cosbais Jerwsalem drwy gleddyf a newyn a haint. ¹⁴Ymysg gweddill Jwda, a ddaeth i aros yng ngwlad yr Aifft, ni fydd un yn dianc nac wedi ei adael i ddychwelyd i wlad Jwda, er iddynt gredu y caent ddychwelyd i drigo ynddi. Ni ddychwelant yno, ar wahân i ffoaduriaid.'"

15 Yna atebwyd Jeremeia gan y gwŷr a wyddai fod eu gwragedd yn arogldarthu i dduwiau eraill, a chan yr holl wragedd oedd yn sefyll gerllaw yn gynulleidfa fawr, a'r holl bobl oedd yn trigo yn Pathros yn yr Aifft. ¹⁶"Nid ydym am wrando arnat," meddent, "yn y mater y lleferaist amdano wrthym yn enw'r ARGLWYDD. ¹⁷Yn hytrach, yr ydym am fynnu gwneud yn ôl pob addewid a wnaethom i ni ein hunain; yr ydym am arogldarthu i frenhines y nefoedd, a thywallt iddi ddiodoffrwm, fel y gwnaethom o'r blaen o ninasoedd Jwda ac yn heolydd Jerwsalem, ni a'n tadau, ein brenhinoedd a'n tywysogion. Yr oeddem yn cael digon o fara, a bu'n dda arnom, ac ni welsom ddrwg. ¹⁸Byth er yr adeg y peidiasom ag arogldarthu i frenhines y nefoedd a thywallt diodoffrwm iddi, bu arnom eisiau pob dim, ac fe'n dinistriwyd â'r cleddyf ac â newyn. ¹⁹Pan oeddem yr

arogldarthu i frenhines y nefoedd ac yn tywallt diodoffrwm iddi, ai heb i'n gwŷr hefyd gymeradwyo y gwnaethom iddi deisennau ar ei llun, neu dywallt diodoffrwm iddi?" ²⁰A dywedodd Jeremeia wrth yr holl bobl, yn wŷr ac yn wragedd, a oedd wedi rhoi iddo yr ateb hwn, ²¹"Onid yr arogldarthu a wnaethoch chwi a'ch tadau, eich brenhinoedd a'ch tywysogion, a phobl y wlad yn ninasoedd Jwda a heolydd Jerwsalem yw'r peth a gofiodd yr ARGLWYDD? Oni ddaeth hyn i'w feddwl? ²²Ni allai'r ARGLWYDD oddef yn hwy eich gweithredoedd drwg, a'r ffieiddbeth a wnaethoch; a gwnaeth eich gwlad yn anghyfannedd, ac yn syndod ac yn felltith, heb breswylydd, fel y mae heddiw. ²³Oherwydd ichwi arogldarthu, a phechu felly yn erbyn yr ARGLWYDD, ac am na wrandawsoch ar lais yr ARGLWYDD, na rhodio yn ei gyfraith ef, na'i ddeddfau na'i dystiolaethau, oherwydd hynny y digwyddodd yr aflwydd hwn i chwi, fel y gwelir heddiw."

24 Dywedodd Jeremeia wrth yr holl bobl a'r holl wragedd, "Clywch air yr ARGLWYDD, chwi holl bobl Jwda sydd yng ngwlad yr Aifft. ²⁵Fel hyn y dywed ARGLWYDD y Lluoedd, Duw Israel: 'Gwnaethoch chwi a'ch gwragedd addewid â'ch genau, a'i chyflawni â'ch dwylo, gan ddweud, "Yr ydym am gywiro'r addunedau a addunedwyd gennym i arogldarthu i frenhines y nef a thywallt diodoffrwm iddi." Cyflawnwch, ynteu, eich addunedau, a thalwch hwy.' ²⁶Ond gwrandewch air yr ARGLWYDD, chwi holl bobl Jwda sy'n byw yng ngwlad yr Aifft. 'Tyngais innau i'm henw mawr,' medd yr ARGLWYDD, 'na fydd f'enw mwyach ar wefus neb o wŷr Jwda yn holl wlad yr Aifft, i ddweud, "Byw fyddo'r Arglwydd DDUW". ²⁷Dyma fi'n effro i ddwyn drygioni arnynt, ac nid daioni; difethir â'r cleddyf a newyn holl wŷr Jwda sydd yng ngwlad yr Aifft, nes y bydd diwedd arnynt. ²⁸A'r rhai a ddihanga rhag y cleddyf, dychwelant o wlad yr Aifft i dir Jwda yn ychydig o nifer; a chaiff holl weddill Jwda, a ddaeth i wlad yr Aifft i aros yno, ystyried gair pwy a saif, fy ngair i ynteu eu gair hwy.'

29 "'Dyma'r arwydd i chwi,' medd yr ARGLWYDD: 'Cosbaf chwi yn y lle hwn er mwyn i chwi wybod fod fy ngeiriau'n sefyll yn gadarn yn eich erbyn er drwg.' ³⁰Fel hyn y dywed yr ARGLWYDD: 'Yr

wyf fi'n rhoi Pharo Hoffra brenin yr Aifft yn llaw ei elynion, a'r rhai sy'n ceisio'i einioes, fel y rhoddais Sedeceia brenin Jwda yn llaw Nebuchadnesar brenin Babilon, ei elyn a oedd yn ceisio ei einioes.'"

Addewid Duw i Baruch

45 Dyma'r gair a lefarodd y proffwyd Jeremeia wrth Baruch fab Nereia, pan ysgrifennodd ef y geiriau hyn mewn llyfr, yn ôl cyfarwyddyd Jeremeia, yn y bedwaredd flwyddyn i Jehoiacim fab Joseia, brenin Jwda: ²"Fel hyn y dywed ARGLWYDD Dduw Israel wrthyt ti, Baruch: ³'Dywedaist, "Gwae fi, oherwydd ychwanegodd yr ARGLWYDD dristwch at fy ngofid; diffygiais gan fy ngriddfan, ac ni chefais orffwys."' ⁴Fel hyn y dywedi wrth Baruch: 'Dyma air yr ARGLWYDD: Wele, fe dynnaf i lawr yr hyn a adeiledais, a diwreiddio'r hyn a blennais. Digwydd hyn i'r holl wlad. ⁵A thithau, a geisi i ti dy hun bethau mawrion? Paid â'u ceisio, oherwydd dyma fi'n dod â drwg ar bob cnawd,' medd yr ARGLWYDD; 'ond gadawaf i ti arbed dy fywyd, ple bynnag yr ei.'"

Trechu'r Aifft yn Carchemis

46 Dyma air yr ARGLWYDD, a ddaeth at y proffwyd Jeremeia ynglŷn â'r cenhedloedd, ²am yr Aifft, ynglŷn â lluoedd Pharo Necho brenin yr Aifft pan oeddent yn Carchemis yn ymyl Afon Ewffrates, wedi i Nebuchadnesar brenin Babilon eu gorchfygu yn y bedwaredd flwyddyn i Jehoiacim fab Joseia, brenin Jwda:

³"Cymerwch darian ac astalch,
ewch yn eich blaen i'r frwydr.
⁴Cenglwch y ceffylau,
marchogwch y meirch,
safwch yn barod, pawb â'i helm,
gloywch eich gwaywffyn,
gwisgwch eich llurigau.
⁵Beth a welaf? Y maent mewn braw,
ciliant yn ôl, lloriwyd eu cedyrn;
ffoesant ar ffrwst, heb edrych yn ôl;
dychryn ar bob llaw!" medd yr
ARGLWYDD.
⁶"Ni all y buan ffoi,
na'r cadarn ddianc;
tua'r gogledd ar lan Afon Ewffrates
y baglant ac y syrthiant.

⁷"Pwy yw hwn sy'n codi fel Afon Neil,

fel afonydd a'u dyfroedd yn dygyfor?
[8]Yr Aifft sy'n codi fel Afon Neil,
fel afonydd a'u dyfroedd yn dygyfor.
[9]Ymlaen, chwi feirch;
rhuthrwch, chwi gerbydau rhyfel.
Allan, chwi wŷr cedyrn—
Ethiopiaid a gwŷr Put, sy'n dwyn
tarian;
gwŷr o Lydia, sy'n arfer tynnu bwa.
[10]Hwn yw dydd ARGLWYDD Dduw'r
Lluoedd,
dydd dialedd i ddial ar ei elynion.
Y sa'r cleddyf nes syrffedu;
meddwa ar eu gwaed.
Canys bydd ARGLWYDD Dduw'r
Lluoedd yn cynnal aberth
yng ngwlad y gogledd, wrth Afon
Ewffrates.
[11]Dos i fyny i Gilead, a chymer falm,
O wyryf, ferch yr Aifft;
yn ofer y cymeraist gyffuriau lawer,
canys ni fydd gwellhad i ti.
[12]Fe glyw'r cenhedloedd am dy
waradwydd,
ac y mae dy waedd yn llenwi'r ddaear;
cadarn yn syrthio yn erbyn cadarn,
a'r ddau'n cwympo gyda'i gilydd."

Dyfodiad Nebuchadnesar

13 Dyma'r gair a lefarodd yr AR-
GLWYDD wrth y proffwyd Jeremeia pan
oedd Nebuchadnesar brenin Babilon ar
ddod i daro gwlad yr Aifft:
[14]"Mynegwch yn yr Aifft, cyhoeddwch
yn Migdol,
hysbyswch yn Noff ac yn Tahpanhes;
dywedwch, 'Saf, a bydd barod,
canys y mae cleddyf yn ysu o'th
amgylch.'
[15]Pam yr ysgubwyd Apis[th] ymaith,
a pham na ddaliodd dy darw ei dir?
Yr ARGLWYDD a'i bwriodd i lawr.
[16]Parodd i luoedd faglu a syrthio
y naill yn erbyn y llall.
Dywedasant, 'Cyfodwch,
dychwelwn ar ein pobl,
i wlad ein genedigaeth,
rhag cleddyf y gorthrymwr.'
[17]Rhowch yn enw ar Pharo brenin yr
Aifft,
'Y Brochwr a gollodd ei gyfle'.
[18]Cyn wired â'm bod yn fyw," medd y
Brenin—
ARGLWYDD y Lluoedd yw ei enw—
"fe ddaw, fel Tabor ymhlith y
mynyddoedd,

a Charmel uchlaw'r môr.
[19]Casgla iti becyn ar gyfer caethglud,
ti, drigiannydd yr Aifft;
canys bydd Noff yn anghyfannedd;
fe'i difethir, a bydd heb breswylydd.

[20]"Anner gyda'r brydferthaf yw'r Aifft,
ond daeth cleren o'r gogledd arni.
[21]Yr oedd ei milwyr cyflog yn ei chanol
fel lloi pasgedig;
a throesant hwythau hefyd ymaith,
a ffoi ynghyd, heb oedi;
canys daeth dydd eu gofid arnynt,
ac awr eu cosbi.
[22]Ei sŵn sydd fel sarff yn chwythu[u],
canys daeth y gelyn yn llu,
daeth yn ei herbyn â bwyeill;
fel rhai yn cymynu coed,
[23]torrant i lawr ei choedydd," medd yr
ARGLWYDD.
"Canys ni ellir eu rhifo;
y maent yn amlach eu rhif na
locustiaid,
heb rifedi arnynt.
[24]Cywilyddir merch yr Aifft,
a'i rhoi yng ngafael pobl y gogledd."

Yr ARGLWYDD yn Gwaredu ei Bobl

25 Dywedodd ARGLWYDD y Lluoedd,
Duw Israel, "Byddaf yn cosbi No-Amon,
a Pharo a'r Aifft, a'i duwiau a'i bren-
hinoedd, Pharo a'r rhai sy'n ymddiried
ynddo. [26]Rhof hwy yng ngafael y rhai
sy'n ceisio'u heinioes, yng ngafael
Nebuchadnesar brenin Babilon, ac yng
ngafael ei weision; ac wedi hynny cyfan-
heddir hi fel o'r blaen," medd yr AR-
GLWYDD.

[27]"Ond tydi, fy ngwas Jacob, paid ag
ofni;
paid ag arswydo, Israel;
canys dyma fi'n dy achub o bell,
a'th had o wlad eu caethiwed.
Bydd Jacob yn dychwelyd a chael
llonydd;
bydd yn esmwyth arno, ac ni fydd neb
i'w ddychryn.
[28]Tydi, fy ngwas Jacob, paid ag ofni,"
medd yr ARGLWYDD,
"canys yr wyf fi gyda thi;
gwnaf ddiwedd ar yr holl genhedloedd
y gyrrais di atynt;
ond ni wnaf ddiwedd arnat ti.
Disgyblaf di mewn barn,
ni'th adawaf yn ddi-gosb."

[th]Felly Groeg. Hebraeg heb *Apis*.   [u]Felly Groeg. Hebraeg, *yn mynd ymaith*.

Neges yr ARGLWYDD ynghylch Philistia

47 Dyma air yr ARGLWYDD a ddaeth at y proffwyd Jeremeia ynghylch y Philistiaid, cyn i Pharo daro Gasa.
[2] "Fel hyn y dywed yr ARGLWYDD:
'Wele, y mae dyfroedd yn tarddu o'r gogledd,
ac yn llifeirio'n ffrwd gref;
llifant dros y wlad a'i chynnwys,
ei dinasoedd a'u preswylwyr.
Y mae'r gwŷr yn gweiddi
a holl breswylwyr y wlad yn udo,
[3] oherwydd sŵn carnau ei feirch yn curo,
ac oherwydd trwst ei gerbydau
a thwrf yr olwynion.
Ni thry'r tadau'n ôl i edrych am y plant;
gwanychodd eu dwylo gymaint.
[4] Daeth y dydd i ddinistrio yr holl Philistiaid,
i dorri allan o Tyrus ac o Sidon
bob un sy'n aros i'w cynorthwyo.
Dinistria'r ARGLWYDD y Philistiaid,
gweddill ynystir Cafftor.
[5] Daeth moelni ar Gasa,
a dinistriwyd Ascalon.
Ti, weddill yr Anacim[w],
pa hyd yr archolli dy hun?
[6] O gleddyf yr ARGLWYDD,
pa hyd y byddi heb ymlonyddu?
Dychwel i'th wain;
gorffwys, a bydd dawel.
[7] Pa fodd yr ymlonydda,
gan i'r ARGLWYDD ei orchymyn?
Yn erbyn Ascalon, ac yn erbyn glan y môr
y gosododd ef.'"

Dinistr Moab

48 Am Moab, fel hyn y dywed ARGLWYDD y Lluoedd, Duw Israel:
"Gwae Nebo, canys fe'i hanrheithiwyd!
Cywilyddiwyd a daliwyd Ciriathaim;
cywilyddiwyd Misgab, a'i difetha.
[2] Ni bydd ymffrost mwyach yn Moab;
yn Hesbon cynlluniwyd drwg yn eu herbyn:
'Dewch, dinistriwn hi fel na bydd yn genedl!'
Distewir dithau, Madmen,
erlidia'r cleddyf di.
[3] Clyw waedd o Horonaim,

'Anrhaith a dinistr mawr!'
[4] Dinistriwyd Moab;
clywir ei gwaedd hyd yn Soar[y].
[5] Canys ar riw Luhith
cyfyd wylo ar wylo;
ac ar lechwedd Horonaim
clywir y gri ofidus, 'Dinistr!'
[6] Ffowch, dihangwch am eich einioes,
fel y gwna'r asyn gwyllt[a] yn yr anialwch.

[7] "Am i ti ymddiried yn dy weithredoedd
a'th drysorau dy hun,
cei dithau hefyd dy ddal;
â Cemos i ffwrdd i gaethglud,
ynghyd â'i offeiriaid a'i benaethiaid.
[8] Daw'r anrheithiwr i bob dinas,
ni ddihanga un ohonynt;
derfydd am y dyffryn, difwynir y gwastadedd,
fel y dywed yr ARGLWYDD.
[9] Rhowch garreg fedd[b] ar Moab,
canys difodwyd hi'n llwyr;
gwnaed ei dinasoedd yn anghyfannedd,
heb breswylydd ynddynt.
[10] Melltith ar y sawl sy'n gwneud gwaith yr ARGLWYDD yn ddi-sut,
melltith ar yr hwn sy'n atal ei gleddyf rhag gwaed.

[11] "Bu'n esmwyth ar Moab erioed;
gorffwysodd fel gwin ar ei waddod;
nis tywalltwyd o lestr i lestr;
nid aeth hi i gaethiwed.
Felly y cadwodd ei blas,
ac ni newidiodd ei sawr.

12 "Am hynny, wele'r dyddiau yn dod," medd yr ARGLWYDD, "yr anfonaf rai i'w hysgwyd; ac ysgydwant hi, a gwacáu ei llestri a dryllio'r costrelau. [13] A chywilyddir Moab o achos Cemos, fel y cywilyddiwyd Israel o achos Bethel, eu hyder hwy.

[14] "Pa fodd y dywedwch, 'Cedyrn ŷm ni,
a gwŷr nerthol i ryfel?'
[15] Daeth anrheithiwr Moab a'i dinasoedd i fyny,
a disgynnodd y gorau o'i hieuenctid i'r lladdfa,"
medd y Brenin—ARGLWYDD y Lluoedd yw ei enw.

---

[w] Felly Groeg. Hebraeg, weddill eu dyffryn.
[a] Felly Groeg. Hebraeg, fel Aroer.
[y] Felly Groeg. Hebraeg, yn ei rhai bychain.
[b] Felly Groeg. Hebraeg yn aneglur.

¹⁶"Daeth dinistr Moab yn agos,
ac y mae ei thrychineb yn prysuro'n
gyflym.
¹⁷Galarwch drosti, bawb sydd o'i
hamgylch,
bawb sy'n adnabod ei henw.
Gofynnwch, 'Pa fodd y torrwyd y ffon
gref
a'r wialen hardd?'
¹⁸Disgyn o'th ogoniant,
ac eistedd ar dir sychedig,
ti, breswylferch Dibon;
canys daeth anrheithiwr Moab yn dy
erbyn,
a dinistrio d'amddiffynfeydd.
¹⁹Saf ar ymyl y ffordd, a gwêl,
ti, breswylferch Aroer;
gofyn i'r sawl sy'n ffoi ac yn dianc,
a dywed, 'Beth a ddigwyddodd?'
²⁰Cywilyddiwyd Moab, a'i dinistrio;
udwch, a llefwch.
Mynegwch yn Arnon fod Moab yn
anrhaith.

21 "Daeth barn ar y gwastadedd, ar
Holon a Jahasa a Meffaath, ²²ar Dibon a
Nebo a Beth-diblathaim; ²³ar Ciriathaim a
Beth-gamul a Beth-meon; ²⁴ar Cerioth a
Bosra, a holl ddinasoedd gwlad Moab,
ymhell ac yn agos. ²⁵Tynnwyd ymaith
gorn Moab, a thorrwyd ei braich," medd
yr ARGLWYDD.

²⁶"Gwnewch hi'n feddw,
canys ymfawrygodd yn erbyn yr
ARGLWYDD;
ymdrybaeddodd Moab yn ei chwydfa,
a bydded felly'n gyff gwawd.
²⁷Oni bu Israel yn gyff gwawd i ti,
er nad oedd ymysg lladron,
fel yr ysgydwit dy ben wrth sôn
amdani?

²⁸"Cefnwch ar y dinasoedd, a thrigwch
yn y creigiau,
chwi breswylwyr Moab;
byddwch fel colomen yn nythu
yn ystlysau'r graig uwch yr hafn.
²⁹Clywsom am falchder Moab,
ac un falch iawn yw hi—
balch, hy, ffroenuchel ac uchelgeisiol.
³⁰Mi wn," medd yr ARGLWYDD, "ei bod
yn haerllug;
y mae ei hymffrost yn gelwydd,
a'i gweithredoedd yn ffals.
³¹Am hynny fe udaf dros Moab;

llefaf dros Moab i gyd,
griddfanaf dros wŷr Cir-heres.
³²Wylaf drosot yn fwy nag yr wylir dros
Jaser,
ti, winwydden Sibma;
estynnodd dy gangau hyd y môr,
yn cyrraedd hydᶜ Jaser;
ond rhuthrodd yr anrheithiwr ar dy
ffrwythau
ac ar dy gynhaeaf gwin.
³³Bydd diwedd ar lawenydd a gorfoledd
yn y doldir ac yng ngwlad Moab;
gwelaf i'r gwin ddarfod o'r cafnau,
ac ni fydd neb yn sathru â bloddest—
bloddest nad yw'n floddest.

34 "Daw cri o Hesbon acᶜʰ Eleale;
codant eu llef hyd Jahas, o Soar hyd
Horonaim ac Eglath-shalisheia, oher-
wydd aeth dyfroedd Nimrim yn ddiffaith.
³⁵Gwnaf ddiwedd yn Moab," medd yr
ARGLWYDD, "ar y sawl sy'n offrymu
mewn uchelfa, ac yn arogldarthu i'w
dduwiau. ³⁶Am hynny bydd fy nghalon yn
dolefain dros Moab fel pibell, ac yn
dolefain dros wŷr Cir-heres fel pibell,
oblegid darfu'r golud a gasglasant. ³⁷Eillir
pob pen a thorrir pob barf, archollir pob
llaw, a bydd sachliain am y llwynau. ³⁸Ar
ben pob tŷ yn Moab, ac ym mhob heol,
bydd galar, oherwydd drylliaf Moab fel
llestr nad oes neb yn ei hoffi," medd yr
ARGLWYDD. ³⁹"Pa fodd y malwyd hi?
Udwch! Pa fodd y troes Moab ei gwegil o
gywilydd? Felly y bydd Moab yn gyff
gwawd ac yn achos arswyd i bawb o'i
hamgylch."

40 Fel hyn y dywed yr ARGLWYDD:
"Wele, bydd un fel eryr yn ehedeg,
ac yn lledu ei adenydd dros Moab;
⁴¹gorchfygir y dinasoedd,
ac enillir yr amddiffynfeydd,
a bydd calon dewrion Moab, y
diwrnod hwnnw,
fel calon gwraig wrth esgor.
⁴²Difethir Moab o fod yn bobl,
canys ymfawrygodd yn erbyn yr
ARGLWYDD.
⁴³Dychryn, ffos, a magl
sydd yn dy erbyn, ti breswylydd
Moab,"
medd yr ARGLWYDD.
⁴⁴"Y sawl a ffy rhag y dychryn,
fe syrth i'r ffos;
a'r sawl a gyfyd o'r ffos,

ᶜCymh. Eseia 16:8. Hebraeg, hyd fôr.   ᶜʰFelly Eseia 15:4. Hebraeg, O gri Hesbon hyd.

fe'i delir yn y fagl.
Dygaf yr holl bethau hyn arni, ar
  Moab, ym mlwyddyn ei chosb,"
  medd yr ARGLWYDD.

[45] "Gerllaw Hesbon y safant,
  yn ffoaduriaid heb nerth;
canys aeth tân allan o Hesbon,
  a fflam o blas[d] Sihon,
ac yswyd talcen Moab
  a chorun plant y cythrwfl.
[46] Gwae di, Moab! Darfu am bobl
  Cemos;
cymerwyd dy feibion ymaith i
  gaethglud,
a'th ferched i gaethiwed.
[47] Eto byddaf yn adfer Moab yn y dyddiau
diwethaf," medd yr ARGLWYDD. Dyna
ddiwedd barnedigaeth Moab.

Barn yr ARGLWYDD ar Ammon

49 Am feibion Ammon, fel hyn y
dywed yr ARGLWYDD:
"Onid oes meibion gan Israel?
Onid oes etifedd iddo?
Pam, ynteu, yr etifeddodd Milcom
  diriogaeth Gad,
a pham y mae ei bobl yn preswylio yn
  ninasoedd Israel?
[2] Am hynny, y mae'r dyddiau yn dod,"
  medd yr ARGLWYDD,
"y paraf glywed utgorn rhyfel yn erbyn
  Rabbath Ammon,
a bydd yn garnedd anghyfannedd,
a llosgir ei phentrefi â thân;
yna difreinia Israel y rhai a'i
  difreiniodd hi,"
medd yr ARGLWYDD.
[3] "Uda, Hesbon, oherwydd
  anrheithiwyd Ai;
gwaeddwch, ferched Rabba,
gwisgwch wregys o sachliain,
galarwch, rhedwch gan rwygo eich
  cyrff[dd];
canys â Milcom i gaethglud
ynghyd â'i offeiriaid a'i benaethiaid.
[4] Pam yr ymffrosti yn dy
  ddyffrynnoedd?[e]
O ferch wrthnysig, sy'n ymddiried yn
  ei thrysorau cudd,
ac yn dweud, 'Pwy a ddaw hyd ataf?'
[5] Yr wyf yn dwyn arswyd arnat,"
  medd ARGLWYDD Dduw y Lluoedd,
"rhag pawb sydd o'th amgylch;

fe'ch gyrrir allan, bob un ar ei gyfer,
ac ni bydd neb i gynnull y ffoaduriaid.
[6] Ac wedi hynny adferaf yr
  Ammoniaid," medd yr
  ARGLWYDD.

Barn yr ARGLWYDD ar Edom

7 Am Edom, fel hyn y dywed AR-
GLWYDD y Lluoedd:
"Onid oes doethineb mwyach yn
  Teman?
A ddifethwyd cyngor o blith y deallus,
  ac a fethodd eu doethineb hwy?
[8] Ffowch, trowch eich cefn, trigwch
  mewn cilfachau,
chwi breswylwyr Dedan;
canys dygaf drychineb Esau arno
pan gosbaf ef.
[9] Pe dôi cynaeafwyr gwin atat,
yn ddiau gadawent loffion grawn;
pe dôi lladron liw nos,
nid ysbeilient ond yr hyn a'u digonai.
[10] Ond yr wyf fi wedi llwyr ddinoethi
  Esau;
datguddiais ei fannau cudd,
ac nid oes ganddo unman i ymguddio.
Difethwyd ei epil a'i frodyr a'i
  gymdogion,
ac nid ydynt mwyach.
[11] Gad dy rai amddifaid; fe'u cadwaf yn
  fyw;
bydded i'th weddwon ymddiried ynof
  fi."

12 Oherwydd fel hyn y dywed yr AR-
GLWYDD; "Wele, y rhai ni ddyfarnwyd
iddynt yfed o'r cwpan, bu raid iddynt
yfed. A ddihengi di yn ddigerydd? Na
wnei, ond bydd raid i tithau yfed. [13] Canys
tyngais i mi fy hun," medd yr AR-
GLWYDD, "y bydd Bosra yn anghyfan-
nedd, yn warth, yn anialwch ac yn
felltith, a'i holl ddinasoedd yn ddiffeith-
wch oesol."

[14] Clywais genadwri gan yr ARGLWYDD;
anfonwyd cennad i blith y
  cenhedloedd:
"Ymgasglwch, dewch yn ei herbyn,
codwch i'r frwydr.
[15] Canys wele, gwnaf di'n fach ymysg y
  cenhedloedd,
yn ddirmygedig ymhlith dynion.
[16] Y mae'r arswyd a beraist wedi dy

---

[d] Felly rhai llawysgrifau. TM, *fflam rhwng*.
[dd] Felly Aramaeg; cymh. 48:37. Hebraeg, *eich cloddiau*.
[e] Tebygol. Hebraeg, *yn y dyffrynnoedd? Dy ddyffryn a lifa*.

dwyllo;
gwnaeth dy galon yn falch.
Tydi sy'n trigo yn holltau'r graig
ac yn glynu wrth grib y bryniau,
er i ti osod dy nyth cyn uched â'r eryr,
fe'th hyrddiaf i lawr oddi yno," medd
yr ARGLWYDD.

17 "Bydd Edom yn anghyfannedd, a
phawb sy'n mynd heibio yn arswydo, gan
synnu oherwydd ei holl glwyfau. ¹⁸Fel
pan ddinistriwyd Sodom a Gomorra a'u
preswylwyr," medd yr ARGLWYDD, "ni
fydd neb yn aros nac yn ymweld â hi.
¹⁹Fel llew yn dod i fyny o wlad wyllt yr
Iorddonen i'r borfa barhaol, ymlidiaf hwy
ymaith yn ddisymwth oddi wrthi; a phwy
a ddewisaf i'w osod drosti? Canys pwy
sydd fel myfi? Pwy a'm geilw i i gyfrif?
Pwy yw'r bugail a saif o'm blaen i? ²⁰Am
hynny, clywch yr hyn a fwriadodd yr
ARGLWYDD yn erbyn Edom, a'i gynllun-
iau yn erbyn preswylwyr Teman: yn
ddiau, fe lusgir ymaith hyd yn oed y lleiaf
o'r praidd; yn ddiau, bydd eu porfeydd yn
arswydo o'u plegid. ²¹Fe gryn y ddaear
gan sŵn eu cwymp; clywir eu cri wrth y
Môr Coch. ²²Ie, bydd un yn codi, ac yn
ehedeg fel eryr, a lledu ei adenydd yn
erbyn Bosra; a bydd calon cedyrn Edom
y dydd hwnnw fel calon gwraig wrth
esgor."

Barn yr ARGLWYDD ar Ddamascus
23 Am Ddamascus.
"Gwaradwyddwyd Hamath ac Arpad,
canys clywsant newydd drwg;
cynhyrfir hwy gan bryder,
fel y môr na ellir ei dawelu.
²⁴Llesgaodd Damascus, a throdd i ffoi,
goddiweddodd dychryn hi,
a gafaelodd cryndod a gwasgfa ynddi
fel mewn gwraig wrth esgor.
²⁵Mor wrthodedigᶠ yw dinas moliant,
caer llawenyddᶠᶠ!
²⁶Am hynny fe syrth ei gŵyr ifainc yn ei
heolydd, a difethir ei holl filwyr y dydd
hwnnw," medd ARGLWYDD y lluoedd.
²⁷"Mi gyneuaf dân ym mur Damascus,
ac fe ddifa lysoedd Benhadad."

Barn ar Dylwyth Cedar a Dinas Hasor
28 Am Cedar, a theyrnasoedd Hasor, y
rhai a drawyd gan Nebuchadnesar brenin
Babilon, fel hyn y dywed yr ARGLWYDD:
"Codwch, esgynnwch yn erbyn Cedar;

anrheithiwch bobl y dwyrain.
²⁹Cymerir ymaith eu pebyll a'u
diadellau,
llenni eu pebyll, a'u celfi i gyd;
dygir eu camelod oddi arnynt,
a bloeddir wrthynt, 'Dychryn ar bob
llaw!'
³⁰Ffowch, rhedwch ymhell; trigwch
mewn cilfachau,
chwi breswylwyr Hasor," medd yr
ARGLWYDD;
"oherwydd gwnaeth Nebuchadnesar
brenin Babilon gynllwyn,
a lluniodd gynllun yn eich erbyn.
³¹Codwch, esgynnwch yn erbyn y genedl
ddiofal,
sy'n byw'n ddiogel," medd yr
ARGLWYDD,
"heb ddorau na barrau iddi,
a'i phobl yn byw iddynt eu hunain.
³²Bydd eu camelod yn anrhaith,
a'u minteioedd anifeiliaid yn ysbail;
gwasgaraf tua phob gwynt
y rhai sy'n torri gwallt eu harlais;
o bob cyfeiriad dygaf arnynt eu
dinistr," medd yr ARGLWYDD.
³³"Bydd Hasor yn gynefin siacalod,
ac yn anghyfannedd byth;
ni fydd neb yn byw ynddi,
nac unrhyw ddyn yn aros yno."

Barn yr ARGLWYDD ar Elam
34 Dyma air yr ARGLWYDD, a ddaeth
at y proffwyd Jeremeia am Elam, yn
nechrau teyrnasiad Sedeceia brenin
Jwda: ³⁵"Fel hyn y dywed ARGLWYDD y
Lluoedd:
'Yr wyf am dorri bwa Elam,
eu cadernid pennaf hwy.
³⁶Dygaf ar Elam bedwar gwynt, o
bedwar cwr y nefoedd;
gwasgaraf hwy tua'r holl wyntoedd
hyn;
ni bydd cenedl na ddaw ffoaduriaid
Elam ati.
³⁷Canys gyrraf ar Elam ofn o flaen eu
gelynion
ac o flaen y rhai sy'n ceisio'u heinioes;
dygaf arnynt ddinistr, sef angerdd fy
nigofaint,' medd yr ARGLWYDD.
'Gyrraf y cleddyf ar eu hôl,
nes i mi eu llwyr ddifetha.
³⁸A gosodaf fy ngorseddfainc yn Elam,
a difa oddi yno y brenin a'r
swyddogion,' medd yr
ARGLWYDD.

ᶠFelly Fwlgat. Hebraeg, anwrthodedig.   ᶠᶠFelly Groeg. Hebraeg, fy llawenydd.

³⁹ "Ond yn y dyddiau diwethaf mi
adferaf gaethiwed Elam," medd
yr ARGLWYDD.

Goresgyn Babilon

50 Dyma'r gair a lefarodd yr AR-
GLWYDD am Fabilon, gwlad y
Caldeaid, trwy'r proffwyd Jeremeia:
² "Mynegwch ymysg y cenhedloedd, a
chyhoeddwch;
codwch faner a chyhoeddwch;
peidiwch â chelu ond dywedwch,
'Goresgynnwyd Babilon,
gwaradwyddwyd Bel,
brawychwyd Merodach.
Daeth cywilydd dros ei heilunod a
drylliwyd ei delwau.'
³ Canys daeth cenedl yn ei herbyn o'r
gogledd;
gwna ei gwlad yn anghyfannedd,
ac ni thrig ynddi na dyn nac anifail.
Ffoesant ac aethant ymaith."

4 "Yn y dyddiau hynny a'r amser
hwnnw," medd yr ARGLWYDD, "daw
meibion Israel a meibion Jwda ynghyd
gan wylo, i ymofyn am yr ARGLWYDD eu
Duw. ⁵ Holant am Sïon, i droi eu hwyneb
tuag yno, a dweud, 'Dewch, glynwn wrth
yr ARGLWYDD mewn cyfamod tra-
gwyddol nas anghofir.'
6 "Praidd ar ddisberod oedd fy mhobl;
gyrrodd eu bugeiliaid hwy ar gyfeiliorn,
a'u troi ymaith ar y mynyddoedd;
crwydrasant o fynydd i fryn, gan ang-
hofio'u corlan. ⁷ Yr oedd pob un a ddôi o
hyd iddynt yn eu difa, a'u gelynion yn
dweud, 'Nid oes dim bai arnom ni,
oherwydd y maent wedi pechu yn erbyn
yr ARGLWYDD, eu gwir gynefin—yr
ARGLWYDD, gobaith eu tadau.'

⁸ "Ffowch o ganol Babilon, ewch allan o
wlad y Caldeaid,
a safwch fel y bychod o flaen y praidd;
⁹ canys wele fi'n cynhyrfu ac yn arwain
yn erbyn Babilon
dyrfa o genhedloedd mawrion o dir y
gogledd;
safant yn rhengoedd yn ei herbyn;
ac oddi yno y goresgynnir hi.
Y mae eu saethau fel rhai milwr
cyfarwydd na ddychwel yn
waglaw.
¹⁰ Ysbail fydd Caldea, a chaiff ei holl
ysbeilwyr eu gwala," medd yr
ARGLWYDD.

¹¹ "Chwi, y rhai sy'n mathru
f'etifeddiaeth,
er ichwi lawenhau, er ichwi orfoleddu,
er ichwi brancio fel llo mewn porfa,
er ichwi weryru fel meirch,
¹² caiff eich mam ei chywilyddio'n
ddirfawr,
a gwaradwyddir yr un a roes
enedigaeth ichwi.
Ie, bydd yn wehilion y cenhedloedd,
yn anialwch, yn grastir ac yn
ddiffeithwch.
¹³ Oherwydd digofaint yr ARGLWYDD, ni
phreswylir hi,
ond bydd yn anghyfannedd i gyd;
bydd pawb sy'n mynd heibio i Fabilon
yn arswydo
ac yn synnu at ei holl glwyfau.

¹⁴ "Trefnwch eich rhengoedd yn gylch yn
erbyn Babilon,
bawb sy'n tynnu bwa;
ergydiwch ati, heb arbed saethau,
canys yn erbyn yr ARGLWYDD y
pechodd.
¹⁵ Bloeddiwch yn ei herbyn mewn
goruchafiaeth, o bob cyfeiriad:
'Gwnaeth arwydd o ymostyngiad,
cwympodd ei hamddiffynfeydd,
bwriwyd ei muriau i lawr.'
Gan mai dial yr ARGLWYDD yw hyn,
dialwch arni;
megis y gwnaeth hi, gwnewch iddi
hithau.
¹⁶ Torrwch ymaith o Fabilon yr heuwr,
a'r sawl sy'n trin cryman ar adeg medi.
Rhag cleddyf y gorthrymwr
bydd pob un yn troi at ei bobl ei hun,
a phob un yn ffoi i'w wlad.

¹⁷ "Praidd ar wasgar yw Israel,
a'r llewod yn eu hymlid.
Brenin Asyria a'u hysodd gyntaf, yna
Nebuchadnesar brenin Babilon yn olaf oll
a gnodd eu hesgyrn. ¹⁸ Am hynny, fel hyn
y dywed ARGLWYDD y Lluoedd, Duw
Israel: 'Yr wyf am gosbi brenin Babilon,
a'i wlad, fel y cosbais frenin Asyria. ¹⁹ Ac
adferaf Israel i'w borfa, ac fe bora ar
Garmel ac yn Basan; digonir ei chwant
ar fynydd-dir Effraim a Gilead. ²⁰ Yn y
dyddiau hynny a'r amser hwnnw,' medd
yr ARGLWYDD, 'yn ofer y ceisir anwiredd
Israel, ac ni cheir pechod Jwda; oher-
wydd maddeuaf i'r rhai a adawaf yn
weddill.'

²¹ "Dos i fyny yn erbyn gwlad
Merathaim,
ac yn erbyn trigolion Pecod;
anrheithia hi, difetha hi'n llwyr,"
medd yr ARGLWYDD.
"Gwna yn ôl yr hyn oll a orchmynnaf i
ti.
²² Clyw! Rhyfel yn y wlad!
Dinistr mawr!
²³ Gwêl fel y drylliwyd gordd yr holl
ddaear,
ac y torrwyd hi'n dipiau.
Gwêl fel yr aeth Babilon yn syndod
ymhlith y cenhedloedd.
²⁴ Gosodais fagl i ti, Babilon,
a daliwyd di heb yn wybod iti;
fe'th gafwyd ac fe'th ddaliwyd
am iti ymryson yn erbyn yr
ARGLWYDD.
²⁵ Agorodd yr ARGLWYDD ei ystordy,
a dwyn allan arfau ei ddigofaint;
oherwydd gwaith ARGLWYDD Dduw y
Lluoedd yw hyn
yng ngwlad y Caldeaid.
²⁶ Dewch yn ei herbyn o'r cwr eithaf,
ac agorwch ei hysguboriau hi;
gwnewch bentwr ohoni fel pentwr ŷd,
a'i difetha'n llwyr, heb weddill iddi.
²⁷ Lladdwch ei holl fustych hi,
a gadael iddynt ddisgyn i'r lladdfa.
Gwae hwy! Daeth eu dydd,
ac amser eu cosbi.
²⁸ Clyw! Y maent yn ffoi ac yn dianc o
wlad Babilon,
i gyhoeddi yn Seion ddial yr
ARGLWYDD ein Duw,
ei ddial am ei deml.

²⁹ "Galwch y saethwyr yn erbyn Babilon,
pob un sy'n tynnu bwa;
gwersyllwch yn ei herbyn o amgylch,
rhag i neb ddianc ohoni.
Talwch iddi yn ôl ei gweithred,
ac yn ôl y cwbl a wnaeth gwnewch iddi
hithau;
canys bu'n drahaus yn erbyn yr
ARGLWYDD, yn erbyn Sanct
Israel.
³⁰ Am hynny fe syrth ei gwŷr ifainc yn ei
heolydd,
a dinistrir ei holl filwyr y dydd
hwnnw," medd yr ARGLWYDD.

³¹ "Dyma fi yn dy erbyn di, yr un balch,"
medd yr ARGLWYDD, Duw'r Lluoedd,
"Canys daeth dy ddydd, a'r awr i mi
ᵍCymh. Fersiynau. Hebraeg, Sychder.

dy gosbi.
³² Tramgwydda'r balch a syrth heb neb
i'w godi;
cyneuaf yn ei ddinasoedd dân fydd yn
difa'i holl amgylchedd."

33 Fel hyn y dywed ARGLWYDD y
Lluoedd: "Gorthrymwyd meibion Israel,
a meibion Jwda gyda hwy; daliwyd
hwy'n dynn gan bawb a'u caethiwodd, a
gwrthod eu gollwng. ³⁴ Ond y mae eu
gwaredwr yn gryf; ARGLWYDD y Lluoedd
yw ei enw. Bydd ef yn dadlau eu hachos
yn gadarn, ac yn dwyn llonydd i'w wlad,
ond aflonyddwch i breswylwyr Babilon.

³⁵ "Cleddyf ar y Caldeaid," medd yr
ARGLWYDD,
"ar breswylwyr Babilon,
ar ei swyddogion a'i gwŷr doeth!
³⁶ Cleddyf ar ei dewiniaid,
iddynt fynd yn ynfydion!
Cleddyf ar ei gwŷr cedyrn,
iddynt gael eu difetha!
³⁷ Cleddyf ar ei meirch a'i cherbydau,
ac ar y milwyr cyflog yn ei chanol,
iddynt fod fel merched!
Cleddyf ar ei holl drysorau,
iddynt gael eu hysbeilio!
³⁸ Cleddyfᵍ ar ei dyfroedd,
iddynt sychu!
Oherwydd gwlad delwau yw hi,
wedi ynfydu ar eilunod.

39 "Am hynny bydd anifeiliaid yr
anialdir a'r udflaidd yn trigo yno, a'r
estrys yn cael cartref yno; ni fydd neb yn
preswylio yno mwyach, ac nis cyfan-
heddir o genhedlaeth i genhedlaeth. ⁴⁰ Fel
y dymchwelodd Duw Sodom a Gomorra
a'u cymdogaeth," medd yr ARGLWYDD,
"felly ni fydd neb yn byw yno, na'r un
mab dyn yn tramwyo ynddi.

⁴¹ "Gwêl, daw pobl o'r gogledd—
cenedl fawr a brenhinoedd lawer
yn ymgodi o bellteroedd byd.
⁴² Gafaelant yn y bwa a'r waywffon;
y maent yn greulon a didostur;
y mae eu twrf fel rhu'r môr;
marchogant ar feirch,
a dod yn rhengoedd fel gwŷr i
ryfelgyrch
yn dy erbyn di, ferch Babilon.
⁴³ Clywodd brenin Babilon sôn
amdanynt,

ac aeth ei ddwylo'n llesg;
daliwyd ef gan wasgfa,
a gwewyr fel eiddo gwraig wrth esgor.

44 "Wele, fel llew'n dod i fyny o wlad
wyllt yr Iorddonen i'r borfa barhaol, fe'u
hymlidiaf ymaith yn ddisymwth oddi
wrthi. Pwy a ddewisaf i'w osod drosti?
Oherwydd pwy sydd fel myfi? Pwy a'm
geilw i i gyfrif? Pwy yw'r bugail a saif
o'm blaen i? ⁴⁵Am hynny, clywch yr hyn
a fwriadodd yr Arglwydd yn erbyn
Babilon, a'i gynlluniau yn erbyn gwlad y
Caldeaid. Yn ddiau fe lusgir ymaith hyd
yn oed y lleiaf o'r praidd; yn wir bydd eu
porfeydd yn arswydo o'u plegid. ⁴⁶Bydd
y ddaear yn crynu gan sŵn dal Babilon;
clywir ei chri ymhlith y cenhedloedd."

Barn Bellach ar Fabilon

51 Fel hyn y dywed yr Arglwydd:
"Wele, mi godaf wynt dinistriol
yn erbyn Babilon a phreswylwyr
Caldea ⁿᵍ.
² Anfonaf nithwyr i Fabilon;
fe'i nithiant, a gwacáu ei thir;
canys dônt yn ei herbyn o bob tu yn
nydd ei blinder.
³ Na thynned y saethwr ʰ ei fwa,
na gwisgo'i lurig.
Peidiwch ag arbed ei gwŷr ifainc,
difethwch yn llwyr ei holl lu.
⁴ Syrthiant yn farw yn nhir y Caldeaid,
wedi eu trywanu yn ei heolydd hi.
⁵ Canys ni adewir Israel na Jwda yn
weddw
gan eu Duw, gan Arglwydd y
Lluoedd;
ond y mae gwlad y Caldeaid yn llawn
euogrwydd
yn erbyn Sanct Israel.
⁶ Ffowch o ganol Babilon,
achubed pob dyn ef ei hun.
Peidiwch â chymryd eich difetha gan ei
phechod hi,
canys amser dial yw hwn i'r
Arglwydd;
y mae ef yn talu'r pwyth iddi hi.
⁷ Cwpan aur oedd Babilon yn llaw'r
Arglwydd,
yn meddwi'r holl ddaear;
byddai'r cenhedloedd yn yfed o'i gwin,
a'r cenhedloedd felly'n mynd yn
ynfyd.
⁸ Yn ddisymwth syrthiodd Babilon, a

drylliwyd hi;
udwch drosti!
Cymerwch falm i'w dolur,
i edrych a gaiff hi ei hiacháu.
⁹ Ceisiem iacháu Babilon, ond ni
chafodd ei hiacháu;
gadewch hi, ac awn bawb i'w wlad.
Canys cyrhaeddodd ei barnedigaeth i'r
nefoedd,
a dyrchafwyd hi hyd yr wybren.
¹⁰ Bu i'r Arglwydd ein cyfiawnhau.
Dewch, traethwn yn Seion
waith yr Arglwydd ein Duw.

¹¹ "Hogwch y saethau. Llanwch y cewyll.
Cynhyrfodd yr Arglwydd ysbryd
brenhinoedd Media;
canys y mae ei fwriad yn erbyn
Babilon, i'w dinistrio.
Dial yr Arglwydd yw hyn, dial am ei
deml.
¹² Codwch faner yn erbyn muriau
Babilon;
cryfhewch y wyliadwriaeth,
a darparu gwylwyr a gosod
cynllwynwyr;
oherwydd bwriadodd a chwblhaodd yr
Arglwydd
yr hyn a lefarodd am drigolion
Babilon.
¹³ Ti, ddinas aml dy drysorau,
sy'n trigo gerllaw dyfroedd lawer,
daeth diwedd arnat ac ar dy
gribddeilio.
¹⁴ Tyngodd Arglwydd y Lluoedd iddo'i
hun,
'Diau imi dy lenwi â dynion
mor niferus â'r locustiaid;
ond cenir cân floddest yn dy erbyn.'"

Emyn o Fawl i Dduw

¹⁵ Gwnaeth ef y ddaear trwy ei nerth,
sicrhaodd y byd trwy ei ddoethineb,
a thrwy ei ddeall estynnodd y nefoedd.
¹⁶ Pan rydd ei lais, daw twrf dyfroedd yn
y nefoedd,
bydd yn peri i darth godi o eithafoedd
y ddaear,
yn gwneud mellt â'r glaw, ac yn dwyn
allan wyntoedd o'i ystordai.
¹⁷ Ynfyd yw pob dyn, a heb wybodaeth.
Cywilyddir pob eurych gan ei eilun,
canys celwydd yw ei ddelwau tawdd,
ac nid oes anadl ynddynt.
¹⁸ Oferedd ŷnt, a gwaith i'w wawdio;

ᵍ Hebraeg, *calon fy ngwrthwynebwyr*. Mwysair am Caldea.
¹ Cymh. Fersiynau. Hebraeg, *Tuag at y saethwr a dyn*.

yn amser eu cosbi fe'u difethir.
[19] Nid yw Duw Jacob fel y rhain,
canys ef yw lluniwr pob peth,
ac Israel yw ei lwyth dewisol.
ARGLWYDD y Lluoedd yw ei enw.

Bwyell yr ARGLWYDD

[20] "Bwyell cad wyt ti i mi, ac erfyn
rhyfel.
Â thi y drylliaf y cenhedloedd,
ac y dinistriaf deyrnasoedd;
[21] â thi y drylliaf y march a'i farchog,
â thi y drylliaf y cerbyd a'r cerbydwr;
[22] â thi y drylliaf ŵr a gwraig,
â thi y drylliaf henwr a llanc,
â thi y drylliaf ŵr ifanc a morwyn;
[23] â thi y drylliaf y bugail a'i braidd,
â thi y drylliaf yr amaethwr a'i wedd,
â thi y drylliaf lywodraethwyr a'u
swyddogion.

Cosb Babilon

24 "Talaf yn ôl i Fabilon ac i holl
breswylwyr Caldea yn eich golwg chwi
am yr holl ddrwg a wnaethant i Seion,"
medd yr ARGLWYDD.

[25] "Dyma fi yn dy erbyn di, fynydd
dinistr," medd yr ARGLWYDD,
"dinistrydd yr holl ddaear.
Estynnaf fy llaw yn dy erbyn,
a'th dreiglo i lawr o'r creigiau,
a'th wneud yn fynydd llosgedig.
[26] Ni cheir ohonot faen congl na charreg
sylfaen,
ond byddi'n anialwch parhaol," medd
yr ARGLWYDD.

[27] "Codwch faner yn y tir,
canwch utgorn ymysg y cenhedloedd,
neilltuwch genhedloedd i ryfela yn ei
herbyn;
galwch yn ei herbyn y teyrnasoedd,
Ararat, Minni ac Aschenas.
Gosodwch gadlywydd yn ei herbyn,
dygwch ymlaen feirch, mor niferus â'r
locustiaid heidiog.
[28] Neilltuwch genhedloedd yn ei herbyn,
teyrnas[i] Media a'i llywodraethwyr a'i
swyddogion,
a holl wledydd eu hymerodraeth.
[29] Bydd y ddaear yn crynu ac yn gwingo
mewn poen,
oherwydd fe saif bwriadau'r
ARGLWYDD yn erbyn Babilon,
i wneud gwlad Babilon yn anialdir,

[i] Cymh. Fersiynau. Hebraeg, brenhinoedd.

heb neb yn trigo ynddo.
[30] Peidiodd cedyrn Babilon ag ymladd;
llechant yn eu hamddiffynfeydd;
pallodd eu nerth, aethant yn
wrageddos;
llosgwyd eu tai, a thorrwyd barrau'r
pyrth.
[31] Rhed negesydd i gyfarfod negesydd,
a chennad i gyfarfod cennad,
i fynegi i frenin Babilon
fod ei ddinas wedi ei goresgyn o'i
chwr.
[32] Enillwyd y rhydau,
llosgwyd y gwrthgloddiau â thân,
a daeth braw ar wŷr y gwarchodlu.
[33] Canys fel hyn y dywed ARGLWYDD y
Lluoedd, Duw Israel:
'Y mae merch Babilon fel llawr-dyrnu
adeg ei fathru;
ar fyrder daw amser ei chynhaeaf.' "

Yr ARGLWYDD yn Cynorthwyo Israel

[34] "Fe'm hyswyd ac fe'm hysigwyd
gan Nebuchadnesar brenin Babilon;
bwriodd fi heibio fel llestr gwag;
fel draig fe'm llyncodd;
llanwodd ei fol â'm rhannau
danteithiol,
a'm chwydu allan."
[35] Dyweded preswylydd Seion,
"Bydded ar Fabilon y trais a wnaed
arnaf fi ac ar fy nghnawd!"
Dyweded Jerwsalem,
"Bydded fy ngwaed ar drigolion
Caldea!"
[36] Am hynny, fel hyn y dywed yr
ARGLWYDD:
"Dyma fi'n dadlau dy achos, ac yn dial
drosot;
disbyddaf ei môr hi, a sychaf ei
ffynhonnau.
[37] Bydd Babilon yn garneddau, yn drigfa
i ddreigiau;
yn arswyd ac yn synod, heb neb i
breswylio ynddi.
[38] "Rhuant ynghyd fel llewod,
a chwyrnu fel cenawon llew.
[39] Paraf i'w llymeitian ddarfod mewn
twymyn,
meddwaf hwy nes y byddant yn chwil,
ac yn syrthio i drwmgwsg aiderfyn
di-ddeffro," medd yr ARGLWYDD.
[40] "Dygaf hwy i waered, fel ŵyn i'r
lladdfa,
fel hyrddod neu fychod geifr.

41 "O fel y goresgynnwyd Babilon¹
ac yr enillwyd balchder yr holl ddaear!
O fel yr aeth Babilon yn syndod i'r
cenhedloedd!
42 Ymchwyddodd y môr yn erbyn
Babilon,
a'i gorchuddio â'i donnau terfysglyd.
43 Aeth ei dinasoedd yn ddiffaith,
yn grastir ac anialdir,
heb neb yn trigo ynddynt
na'r un dyn yn ymdaith trwyddynt.
44 Cosbaf Bel ym Mabilon,
a thynnaf o'i safn yr hyn a lyncodd;
ni ddylifa'r cenhedloedd ato ef
mwyach,
canys syrthiodd muriau Babilon.
45 Ewch allan ohoni, fy mhobl;
achubed pob un ef ei hun rhag
angerdd llid yr ARGLWYDD.

46 "Gochelwch rhag i'ch calon lwfr-
hau, a pheidiwch ag ofni rhag chwedlau
a daenir drwy'r wlad. Clywir si un
flwyddyn, a si drachefn y flwyddyn wedyn;
ceir trais yn y wlad a rheolwr ar ôl
rheolwr. 47 Oherwydd y mae'r dyddiau'n
dod y cosbaf ddelwau Babilon; bydd yr
holl wlad yn waradwydd, a'i lladdedigion
i gyd yn syrthio yn ei chanol. 48 Yna fe
orfoledda'r nefoedd a'r ddaear, a phob
peth sydd ynddynt, yn erbyn Babilon,
oherwydd daw anrheithwyr o'r gogledd
yn ei herbyn," medd yr ARGLWYDD.
49 "Rhaid i Fabilon syrthio oherwydd
lladdedigion Israel, fel y syrthiodd
lladdedigion yr holl ddaear oherwydd
Babilon. 50 Ewch heb oedi, chwi y rhai a
ddihangodd rhag y cleddyf; cofiwch yr
ARGLWYDD yn y pellteroedd, galwch
Jerwsalem i gof. 51 'Gwaradwyddwyd ni,'
meddwch, 'pan glywsom gerydd, gor-
chuddiwyd ein hwyneb â gwarth, canys
daeth estroniaid i gynteddoedd sanctaidd
tŷ'r ARGLWYDD.'
52 "Am hynny, dyma'r dyddiau'n
dod," medd yr ARGLWYDD, "y cosbaf ei
delwau ac y griddfanna'r rhai clwyfedig
trwy'r holl wlad. 53 Er i Fabilon ddyrchafu
i'r nefoedd, a diogelu ei hamddiffynfa
uchel, daw ati anrheithwyr oddi wrthyf
fi," medd yr ARGLWYDD. 54 "Clyw! Daw
gwaedd o Fabilon, dinistr mawr o wlad y
Caldeaid. 55 Oherwydd anrheithia'r AR-
GLWYDD Fabilon, a distewi ei sŵn mawr.
Bydd ei thonnau'n rhuo fel dyfroedd yn
dygyfor, a'i thwrf yn codi. 56 Oblegid

daw anrheithiwr yn ei herbyn, yn erbyn
Babilon; delir ei chedyrn, dryllir eu
bwa, oherwydd bydd yr ARGLWYDD,
Duw dial, yn talu iddynt yn llawn.
57 Meddwaf ei thywysogion a'i doethion,
ei llywodraethwyr a'i swyddogion, a'i
gwŷr cedyrn; cysgant hun ddiderfyn, ddi-
ddeffro," medd y Brenin—ARGLWYDD y
Lluoedd yw ei enw.
58 Fel hyn y dywed ARGLWYDD y
Lluoedd:
"Dryllir i'r llawr furiau llydan
Babilon;
llosgir ei phyrth uchel â thân;
yn ofer y llafuriodd y bobl,
a bydd ymdrech y cenhedloedd yn
gorffen mewn tân."

Anfon Neges Jeremeia i Fabilon

59 Dyma hanes gorchymyn y proff-
wyd Jeremeia i Scraia fab Nereia, fab
Maaseia, pan aeth i Fabilon gyda Sed-
eceia brenin Jwda, yn y bedwaredd
flwyddyn o'i deyrnasiad. Swyddog y llety
oedd Seraia. 60 Ysgrifennodd Jeremeia
mewn llyfr yr holl aflwydd oedd i ddod ar
Fabilon, yr holl eiriau hyn a ysgrifennwyd
yn crbyn Babilon. 61 A dywedodd Jere-
meia wrth Scraia, "Pan ddoi i Fabilon,
edrych ar hwn, a darllen yr holl eiriau
hyn, 62 ac yna dywed, 'O ARGLWYDD,
lleferaist yn erbyn y lle hwn i'w ddin-
istrio, fel na byddai ynddo na dyn nac
anifail yn byw, ond iddo fod yn anghyf-
annedd tragwyddol.' 63 Pan orffenni
ddarllen y llyfr, rhwyma garreg wrtho a'i
fwrw i ganol Afon Ewffrates, 64 a dywed,
'Fel hyn y suddir Babilon; ni fydd yn codi
mwyach wedi'r dinistr a ddygaf arni; a
diffygiant.'" Hyd yma y mae geiriau
Jeremeia.

Cwymp Jerwsalem
(2 Bren. 24:18—25:7)

52 Un ar hugain oedd oed Sedeceia
pan ddechreuodd deyrnasu, a
theyrnasodd yn Jerwsalem am un mlyn-
edd ar ddeg; enw ei fam oedd Hamutal
merch Jeremeia o Libna. ²Gwnaeth yn
ddrygionus yng ngolwg yr ARGLWYDD,
yn union fel yr oedd Jehoiacim wedi
gwneud; ³ac oherwydd digofaint yr Ar-
GLWYDD cafodd Jerwsalem a Jwda eu
bwrw allan o'i ŵydd.
Gwrthryfelodd Sedeceia yn erbyn
brenin Babilon, ⁴ac yn nawfed flwyddyn

Hebraeg, *Sesach*. Mwysair am Fabilon.

ei deyrnasiad, yn y degfed mis, ar y degfed dydd o'r mis, daeth Nebuchadnesar brenin Babilon, a'i holl lu, yn erbyn Jerwsalem, a chodi gwarchae yn ei herbyn ac adeiladu tyrau gwarchae o'i hamgylch; [5] a pharhaodd y gwarchae hyd yr unfed flwyddyn ar ddeg o deyrnasiad Sedeceia. [6] Yn y pedwerydd mis, ar y nawfed dydd o'r mis, yr oedd y newyn yn drwm yn y ddinas, ac nid oedd bwyd i'r werin. [7] Yna bylchwyd y muriau, a ffodd yr holl ryfelwyr allan o'r ddinas yn y nos drwy'r porth rhwng y ddau fur, gerllaw gardd y brenin, er bod y Caldeaid o amgylch y ddinas. Aethant i gyfeiriad yr Araba. [8] Aeth llu'r Caldeaid i ymlid y brenin, a goddiweddyd Sedeceia yn rhosydd Jericho, a'i holl lu ar wasgar oddi wrtho. [9] Daliwyd y brenin, a'i ddwyn o flaen brenin Babilon yn Ribla, yng ngwlad Hamath; a barnwyd ei achos ef. [10] Lladdodd brenin Babilon feibion Sedeceia o flaen ei lygaid; lladdodd hefyd holl benaethiaid Jwda yn Ribla. [11] Yna fe dynnodd lygaid Sedeceia, a'i rwymo â chadwyni, a dygodd brenin Babilon ef i Fabilon, a'i roi mewn carchar hyd ddydd ei farw.

Dinistrio'r Deml
(2 Bren. 25:8-17)

12 Yn y pumed mis, ar y degfed dydd o'r mis, yn y bedwaredd flwyddyn ar bymtheg i'r Brenin Nebuchadnesar, brenin Babilon, daeth Nebusaradan, pennaeth y gosgorddlu oedd yn gwasanaethu'r brenin, i Jerwsalem, [13] a llosgi â thân dŷ'r ARGLWYDD, a thŷ'r brenin, a'r holl dai yn Jerwsalem, sef holl dai y bobl fawr. [14] Drylliodd llu y Caldeaid, a oedd gyda phennaeth y gosgorddlu, yr holl furiau oedd yn amgylchu Jerwsalem, [15] a chludodd Nebusaradan, pennaeth y gosgorddlu, y bobl dlawd a adawyd ar ôl yn y ddinas ymaith yn gaethion, a hefyd y rhai a giliodd at frenin Babilon, ynghyd â gweddill y crefftwyr. [16] Ond gadawodd Nebusaradan, pennaeth y gosgorddlu, rai o dlodion y wlad i fod yn winllanwyr ac amaethwyr.

17 Drylliodd y Caldeaid y colofnau pres oedd yn nhŷ'r ARGLWYDD, a'r trolïau a'r môr pres yn nhŷ'r ARGLWYDD, a chymryd y pres i Fabilon; [18] cymerasant hefyd y crochanau, y rhawiau, y sisyrnau, y cawgiau, y thuserau, a'r holl lestri pres a oedd yng ngwasanaeth y deml. [19] Cymerodd pennaeth y gosgorddlu y celfi o fetel gwerthfawr, yn aur ac yn arian—ffiolau, pedyll tân, cawgiau, crochanau, canwyllbrennau, thuserau, a chwpanau diodoffrwm. [20] Nid oedd terfyn ar bwysau'r pres yn yr holl lestri hyn, sef y ddwy golofn, y môr a'r deuddeg ych pres oddi tano, a'r trolïau yr oedd Solomon wedi eu gwneud i dŷ'r ARGLWYDD. [21] Ynglŷn â'r colofnau: yr oedd y naill yn ddeunaw cufydd o uchder, a'i hamgylchedd yn ddeuddeg cufydd; yr oedd yn wag o'i mewn, a thrwch y metel yn bedair modfedd. [22] Ar ei phen yr oedd cnap pres, a'i uchder yn bum cufydd, a rhwydwaith a phomgranadau o amgylch y cnap, y cwbl o bres. Ac yr oedd y golofn arall, gyda'i phomgranadau, yr un fath. [23] Yr oedd naw deg a chwech o'r pomgranadau yn y golwg, a chant o bomgranadau i gyd, ar y rhwydwaith o amgylch.

Cymryd Pobl Jwda i Fabilon
(2 Bren. 25:18-21, 27-30)

24 Cymerodd pennaeth y gosgorddlu Seraia y prif offeiriad, a Seffaneia yr ail offeiriad, a thri cheidwad y drws; [25] a chymerodd o'r ddinas y swyddog oedd yn gofalu am y gwŷr rhyfel, a saith o ddynion o blith cynghorwyr y brenin oedd yn parhau yn y ddinas, ac ysgrifennydd pennaeth y fyddin, a fyddai'n galw'r bobl i'r fyddin, a thrigain o'r werin a gafwyd yn y ddinas. [26] Cymerodd Nebusaradan, pennaeth y gosgorddlu, y rhai hyn, a mynd at frenin Babilon yn Ribla. [27] Fflangellodd brenin Babilon hwy i farwolaeth yn Ribla, yng ngwlad Hamath. Felly y caethgludwyd Jwda o'i gwlad ei hun.

28 Dyma'r bobl a gaethgludwyd gan Nebuchadnesar: yn y seithfed flwyddyn, tair mil a thri ar hugain o Iddewon; [29] yn y ddeunawfed flwyddyn i Nebuchadnesar caethgludwyd o Jerwsalem wyth gant tri deg a dau o ddynion; [30] yn y drydedd flwyddyn ar hugain i Nebuchadnesar, caethgludodd Nebusaradan, pennaeth y gosgorddlu, saith gant pedwar deg a phump o Iddewon. Yr oedd y cyfanswm yn bedair mil chwe chant.

31 Yn yr ail flwyddyn ar bymtheg ar hugain o gaethgludiad Jehoiachin brenin Jwda, yn y deuddegfed mis, ar y pumed dydd ar hugain o'r mis, gwnaeth Efilmerodach brenin Babilon, ym mlwyddyn gyntaf ei deyrnasiad, ffafr â Jehoiachin brenin Jwda, a'i ddwyn allan o'r carchar.

³²a dweud yn deg wrtho, a pheri iddo eistedd ar sedd uwch na seddau'r brenhinoedd eraill oedd gydag ef ym Mabilon. ³³Felly diosgodd ei ddillad carchar, a bu'n westai i'r brenin weddill ei ddyddiau. ³⁴Ei gynhaliaeth oedd y dogn dyddiol a roddid iddo gan frenin Babilon, yn ôl gofyn pob dydd, holl ddyddiau ei einioes hyd ddydd ei farw.

LLYFR

GALARNAD

Galar Jerwsalem

1 O mor unig yw'r ddinas a fu'n llawn o bobl!
Y mae'r un a fu'n fawr ymysg y cenhedloedd yn awr fel gweddw,
a'r un a fu'n dywysoges y taleithiau dan lafur gorfod.
²Y mae'n wylo'n chwerw yn y nos,
a dagrau ar ei gruddiau;
nid oes ganddi neb i'w chysuro
o blith ei holl gariadon;
y mae ei chyfeillion i gyd wedi ei bradychu,
ac wedi troi'n elynion iddi.
³Aeth Jwda i gaethglud mewn trallod
ac mewn gorthrwm mawr;
y mae'n byw ymysg y cenhedloedd,
ond heb gael lle i orffwys;
y mae ei holl erlidwyr wedi ei goddiweddyd
yng nghanol ei gofidiau.
⁴Y mae ffyrdd Seion mewn galar
am nad oes neb yn dod i'r gwyliau;
y mae ei holl byrth yn anghyfannedd,
a'i hoffeiriaid yn griddfan;
y mae ei merched ifainc yn drallodus,
a hithau mewn blinder.
⁵Daeth ei gwrthwynebwyr yn feistri arni,
a llwyddodd ei gelynion,
oherwydd y mae'r ARGLWYDD wedi dwyn trallod arni
o achos amlder ei chamweddau;
y mae ei phlant wedi mynd ymaith
yn gaethion o flaen y gelyn.
⁶Diflannodd y cyfan o'i hanrhydedd
oddi wrth ferch Seion;
y mae ei thywysogion fel ewigod

sy'n methu cael porfa;
y maent wedi ffoi, heb nerth,
o flaen yr erlidwyr.
⁷Yn nydd ei thrallod a'i chyni
y mae Jerwsalem yn cofio'r holl drysorau
oedd ganddi yn y dyddiau gynt.
Pan syrthiodd ei phobl i ddwylo'r gwrthwynebwyr,
heb neb i'w chynorthwyo,
edrychodd ei gwrthwynebwyr arni
a chwerthin o achos ei dinistr.
⁸Pechodd Jerwsalem yn erchyll;
am hynny fe aeth yn ffieidd-dra.
Y mae pawb oedd yn ei pharchu yn ei dirmygu
am iddynt weld ei noethni;
y mae hithau'n griddfan
ac yn troi draw.
⁹Yr oedd ei haflendid yng ngodre'i dillad;
nid ystyriodd ei thynged.
Yr oedd ei chwymp yn arswydus,
ac nid oedd neb i'w chysuro.
Edrych, O ARGLWYDD, ar fy nhrallod,
oherwydd y mae'r gelyn wedi gorchfygu.
¹⁰Estynnodd y gelyn ei law
i gymryd ei holl drysorau;
yn wir, gwelodd hi y cenhedloedd
yn dod i'w chysegr—
rhai yr oeddit ti wedi eu gwahardd
yn dod i mewn i'th gynulliad!
¹¹Yr oedd ei phobl i gyd yn griddfan
wrth iddynt chwilio am fara;
yr oeddent yn cyfnewid eu trysorau am fwyd
i'w cynnal eu hunain.
Edrych, O ARGLWYDD, a gwêl,

oherwydd euthum yn ddirmyg.
[12] Onid yw hyn o bwys i chwi sy'n mynd
heibio?
Edrychwch a gwelwch;
a oes gofid fel y gofid
a osodwyd yn drwm arnaf,
ac a ddygodd yr ARGLWYDD arnaf
yn nydd ei lid angerddol?
[13] Anfonodd dân o'r uchelder,
a threiddiodd i'm hesgyrn;
gosododd rwyd i'm traed,
a'm troi'n ôl;
gwnaeth fi yn ddiffaith
ac yn gystuddiol trwy'r dydd.
[14] Clymwyd fy nghamweddau amdanaf[a];
plethwyd hwy â'i law ei hun;
gosododd ei iau[b] ar fy ngwddf,
ac ysigodd fy nerth;
rhoddodd yr Arglwydd fi yng ngafael
rhai
na allaf godi yn eu herbyn.
[15] Diystyrodd yr Arglwydd
yr holl ryfelwyr oedd ynof;
galwodd ar fyddin i ddod yn f'erbyn,
i ddifetha fy ngwŷr ifainc;
fel y sethrir grawnwin y sathrodd yr
Arglwydd
y forwyn, merch Jwda.
[16] O achos hyn yr wyf yn wylo,
ac y mae fy llygad yn llifo gan ddagrau,
oherwydd pellhaodd yr un sy'n fy
nghysuro
ac yn fy nghynnal;
y mae fy mhlant wedi eu hanrheithio
am fod y gelyn wedi gorchfygu.

[17] Estynnodd Seion ei dwylo,
ond nid oedd neb i'w chysuro;
gorchmynnodd yr ARGLWYDD i'r
gelynion
amgylchynu Jacob o bob cyfeiriad;
yr oedd Jerwsalem wedi mynd
yn ffieidd-dra yn eu mysg.

[18] Y mae'r ARGLWYDD yn gyfiawn,
ond gwrthryfelais yn erbyn ei air.
Gwrandewch yn awr, yr holl
bobloedd,
ac edrychwch ar fy nolur:
aeth fy merched a'm dynion ifainc i
gaethglud.
[19] Gelwais ar fy nghariadon,
ond y maent hwy wedi fy mradychu;
trengodd f'offeiriaid a'm henuriaid yn
y ddinas,

wrth chwilio am fwyd i'w cynnal eu
hunain.
[20] Edrych, O ARGLWYDD, oherwydd y
mae'n gyfyng arnaf;
y mae f'ymysgaroedd mewn poen,
a'r cyfan ohonof wedi cyffroi,
oherwydd yr wyf wedi gwrthryfela i'r
eithaf.
O'r tu allan, y mae'r cleddyf wedi
gwneud rhai'n amddifad;
yn y tŷ, nid oes dim ond marwolaeth.
[21] Gwrandewch pan wyf yn griddfan,
heb neb i'm cysuro.
Clywodd fy holl elynion am fy
nhrychineb,
a llawenhau am iti wneud hyn;
ond byddi di'n dwyn arnynt y dydd a
benodaist,
a byddant hwythau fel finnau.
[22] Gad i'w holl ddrygioni ddod i'th sylw,
a dwg gosb arnynt,
fel y cosbaist fi am fy holl gamweddau;
oherwydd y mae fy ngriddfannau'n
aml,
a'm calon yn gystuddiol.

Cosb Jerwsalem

2 O'r fath dywyllwch a ddygodd
yr Arglwydd
ar ferch Seion yn ei ddig!
Bwriodd ogoniant Israel
o'r nefoedd i'r llawr,
ac ni chofiodd am ei droedfainc
yn nydd ei ddicter.
[2] Difethodd yr Arglwydd yn ddiarbed
holl drigfannau Jacob;
yn ei ddigofaint dinistriodd
amddiffynfeydd merch Jwda;
taflodd i lawr a difwynodd
y deyrnas a'i phenaethiaid.
[3] Yn angerdd ei ddig torrodd
gyrn Israel i gyd;
tynnodd yn ôl ei ddeheulaw
wrth i'r gelyn ymosod;
llosgodd yn Jacob fel fflam dân
yn difa popeth o'i hamgylch.
[4] Fel gelyn paratôdd ei fwa,
safodd â'i ddeheulaw'n barod,
ac fel gwrthwynebwr fe laddodd
y cyfan oedd yn ddymunol i'r llygad;
tywalltodd ei lid fel tân
ar babell merch Seion.
[5] Y mae'r Arglwydd wedi troi'n elyn
a difetha Israel;
difethodd ei holl balasau,

a dinistrio'i hamddiffynfeydd;
gwnaeth i alar a gofid
gynyddu i ferch Jwda.
⁶Chwalodd ei babell fel chwalu gardd,
a dinistrio'r man cyfarfod;
gwnaeth yr ARGLWYDD i Seion
anghofio
ei gŵyl a'i Saboth;
yn angerdd ei lid dirmygodd
frenin ac offeiriad.
⁷Gwrthododd yr Arglwydd ei allor,
a ffieiddio'i gysegr;
rhoddodd furiau ei phalasau
yn llaw'r gelyn;
gwaeddasant hwythau yn nhŷ'r
ARGLWYDD
fel ar ddydd gŵyl.
⁸Yr oedd yr ARGLWYDD yn benderfynol
o ddinistrio mur merch Seion;
gosododd linyn mesur arni,
ac ni thynnodd yn ôl ei law rhag
difetha.
Gwnaeth i wrthglawdd a mur alaru;
aethant i gyd yn wan.
⁹Suddodd ei phyrth i'r ddaear;
torrodd a maluriodd ef ei barrau.
Y mae ei brenin a'i phenaethiaid
ymysg y cenhedloedd,
ac nid oes cyfraith mwyach;
ni chaiff ei phroffwydi
weledigaeth gan yr ARGLWYDD.
¹⁰Y mae henuriaid merch Seion
yn eistedd yn fud ar y ddaear,
wedi taflu llwch ar eu pennau
a gwisgo sachliain;
y mae merched ifainc Jerwsalem
wedi crymu eu pennau i'r llawr.
¹¹Dallwyd fy llygaid gan ddagrau;
y mae f'ymysgaroedd mewn poen.
Yr wyf yn tywallt fy nghalon allan
o achos dinistr merch fy mhobl,
ac am fod plant a babanod yn llewygu
yn strydoedd y ddinas.
¹²Yr oeddent yn gweiddi ar eu mamau,
"Ple cawn ni rawn a gwin?"—
wrth iddynt lewygu fel rhai clwyfedig
yn strydoedd y ddinas,
ac wrth iddynt ymladd am eu bywyd
ym mynwes eu mamau.

¹³Beth allaf ei ddweud o'th blaid,
a beth a ddychmygaf amdanat, ferch
Jerwsalem?
I bwy y gallaf dy gyffelybu er mwyn dy
gysur,
y forwyn, ferch Seion?

ᶜTebygol. Hebraeg, *Gwaeddodd eu calon.*

Y mae dy ddolur mor ddwfn â'r môr,
pwy a all dy iacháu?
¹⁴Yr oedd gweledigaethau dy broffwydi
yn gelwyddog a thwyllodrus;
ni fu iddynt ddatgelu dy gamwedd
er mwyn adfer dy lwyddiant;
yr oedd yr oraclau a roddasant iti
yn gelwyddog a chamarweiniol.
¹⁵Y mae pob un sy'n mynd heibio
yn curo'i ddwylo o'th achos;
y maent yn chwibanu ac yn ysgwyd eu
pennau
ar ferch Jerwsalem:
"Ai hon yw'r ddinas a gyfrifid yn
goron prydferthwch,
ac yn llawenydd yr holl ddaear?"
¹⁶Y mae dy holl elynion
yn gweiddi'n groch yn dy erbyn,
yn chwibanu ac yn ysgyrnygu
dannedd;
dywedant, "Yr ydym wedi ei difetha;
dyma'r dydd yr oeddem yn disgwyl
amdano;
yr ydym wedi cael ei weld!"

¹⁷Gwnaeth yr ARGLWYDD yr hyn a
gynlluniodd;
cyflawnodd ei fwriad,
a drefnodd ers amscr maith,
a dinistriodd yn ddiarbed;
gwnaeth i'r gelyn lawenhau o'th achos,
a dyrchafu corn dy wrthwynebwyr.
¹⁸Gwaedda ᶜ ar yr Arglwydd,
O fur merch Seion.
Tywallt ddagrau'n genllif ddydd a nos;
paid ag ymatal na rhoi gorffwys i'th
lygaid.
¹⁹Cod, a gwaedda liw nos,
ar gychwyn pob gwyliadwriaeth;
tywallt dy galon fcl dŵr
o flaen yr Arglwydd;
estyn dy ddwylo tuag ato
am fywyd dy blant,
sy'n llewygu gan newyn
ym mhen pob stryd.
²⁰Edrych, ARGLWYDD, a gwêl.
I bwy y gwnaethost hyn?
A yw'r gwragedd i fwyta'u hepil,
y plant y maent yn eu hanwesu?
A leddir offeiriad a phroffwyd
yng nghysegr yr Arglwydd?
²¹Gorwedd yr ifanc a'r hen
yn y llwch ar y strydoedd;
y mae fy merched a'm dynion ifainc
wedi syrthio trwy'r cleddyf;
lleddaist hwy yn nydd dy ddicter,

a'u difa'n ddiarbed.
22 Gelwaist ar fy ymosodwyr o bob
cyfeiriad,
fel ar ddydd gŵyl;
nid oedd un yn dianc nac yn cael ei
arbed
yn nydd dicter yr Arglwydd;
lladdodd fy ngelyn
bob un a anwesais ac a fegais.

Edifeirwch y Gobaith

3 Myfi yw'r gŵr a welodd ofid
dan wialen ei ddicter.
2 Gyrrodd fi allan a gwneud imi gerdded
trwy dywyllwch lle nad oedd goleuni.
3 Daliodd i droi ei law yn f'erbyn,
a hynny ddydd ar ôl dydd.

4 Drylliodd fy nghnawd a'm croen,
a maluriodd f'esgyrn.
5 Gwnaeth warchae o'm cwmpas,
a'm hamgylchynu â chwerwder a
blinder.
6 Bwriodd fi i dywyllwch,
fel un wedi marw ers amser.

7 Caeodd arnaf fel na allwn ddianc,
a gosododd rwymau trwm amdanaf.
8 Pan elwais, a gweiddi am gymorth,
fe wrthododd fy ngweddi.
9 Caeodd fy ffyrdd â meini mawrion,
a gwneud fy llwybrau'n gam.

10 Y mae'n gwylio amdanaf fel arth,
fel llew yn ei guddfa.
11 Tynnodd fi oddi ar y ffordd a'm
dryllio,
ac yna fy ngadael yn ddiymgeledd.
12 Paratôdd ei fwa, a'm gosod
yn nod i'w saeth.

13 Anelodd saethau ei gawell
a'u trywanu i'm harennau.
14 Yr oeddwn yn gyff gwawd i'r holl
bobloedd,
yn destun dirmyg drwy'r dydd.
15 Llanwodd fi â chwerwder,
a'm meddwi â'r wermod.

16 Torrodd fy nannedd â cherrig,
a gwneud imi grymu yn y lludw.
17 Yr wyf wedi f'amddifadu o heddwch;
anghofiais beth yw daioni.
18 Yna dywedais, "Diflannodd fy nerth,
a hefyd fy ngobaith oddi wrth yr
Arglwydd."

19 Cofia fy nhrallod a'm cyni,
y wermod a'r bustl.
20 Yr wyf fi yn ei gofio'n wastad,
ac wedi fy narostwng.
21 Meddyliaf yn wastad am hyn,
ac felly disgwyliaf yn eiddgar.

22 Nid oes terfyn^{ch} ar drugaredd yr
Arglwydd,
ac yn sicr ni phalla ei dosturiaethau.
23 Y maent yn newydd bob bore,
a mawr yw dy ffyddlondeb.
24 Dywedais, "Yr Arglwydd yw fy rhan,
am hynny disgwyliaf wrtho."

25 Da yw'r Arglwydd i'r rhai sy'n
gobeithio ynddo,
i'r rhai sy'n ei geisio.
26 Y mae'n dda disgwyl yn dawel
am iachawdwriaeth yr Arglwydd.
27 Da yw bod dyn yn cymryd yr iau arno
yng nghyfnod ei ieuenctid.

28 Boed iddo eistedd ar ei ben ei hun,
a bod yn dawel pan roddir hi arno;
29 boed iddo osod ei enau yn y llwch;
hwyrach fod gobaith iddo.
30 Boed iddo droi ei rudd i'r un sy'n ei
daro,
a bod yn fodlon i dderbyn dirmyg.

31 Oherwydd nid yw'r Arglwydd
yn ei anwybyddu am byth;
32 er iddo gystuddio,
bydd yn trugarhau yn ôl ei dosturi
mawr,
33 gan nad o'i fodd y mae'n poenydio
ac yn cystuddio dynion.

34 Sathru dan draed
holl garcharorion y ddaear,
35 a thaflu o'r neilltu hawl dyn
gerbron y Goruchaf,
36 a gwyrdroi achos dyn—
nid yw'r Arglwydd yn hoffi hyn.

37 Pwy a all orchymyn i unrhyw beth
ddigwydd
heb i'r Arglwydd ei drefnu?
38 Onid o enau'r Goruchaf
y daw drwg a da?
39 Sut y gall unrhyw ddyn byw rwgnach,
ie, unrhyw ddyn meidrol, yn erbyn ei
gosb?

ch Felly llawysgrifau a rhai Fersiynau. TM yn aneglur.

⁴⁰Bydded inni chwilio a phrofi ein
      ffyrdd,
   a dychwelyd at yr ARGLWYDD,
⁴¹a dyrchafu'n calonnau a'n dwylo
   at Dduw yn y nefoedd.
⁴²Yr ydym ni wedi troseddu a
      gwrthryfela,
   ac nid wyt ti wedi maddau.

⁴³Yr wyt yn llawn dig ac yn ein herlid,
   yn lladd yn ddiarbed.
⁴⁴Ymguddiaist mewn cwmwl
   rhag i'n gweddi ddod atat.
⁴⁵Gwnaethost ni'n ysbwriel ac yn
      garthion
   ymysg y bobloedd.

⁴⁶Y mae'n holl elynion
   yn gweiddi'n groch yn ein herbyn.
⁴⁷Fe'n cawsom cin hunain mewn
      dychryn a magl,
   hefyd mewn difrod a dinistr.
⁴⁸Y mae fy llygad yn ffrydiau o ddŵr
   o achos dinistr merch fy mhobl;

⁴⁹y mae'n diferu'n ddi-baid,
   heb gael gorffwys,
⁵⁰a'r ARGLWYDD yn gwylio
   ac yn edrych o'r nefoedd.
⁵¹Y mae fy llygad yn flinder imi
   o achos dinistr holl ferched fy ninas.

⁵²Y mae'r rhai sy'n elynion imi heb
      achos
   yn fy erlid yn wastad fel aderyn.
⁵³Y maent yn fy mwrw'n fyw i'r pydew,
   ac yn taflu cerrig arnaf.
⁵⁴Llifodd y dyfroedd trosof,
   a dywedais, "Y mae ar ben arnaf."

⁵⁵Gelwais ar d'enw, O ARGLWYDD,
   o waelod y pydew.
⁵⁶Clywaist fy llef: "Paid â throi'n
      glustfyddar
   i'm cri am gymorth."
⁵⁷Daethost yn agos ataf y dydd y gelwais
      arnat;
   dywedaist, "Paid ag ofni."

⁵⁸Yr oeddit ti, O Arglwydd, yn dadlau
      f'achos.
   ac yn gwaredu fy mywyd.
⁵⁹Gwelaist, O ARGLWYDD, fy ninistr,
   ac achubaist fy nghâm.
⁶⁰Gwelaist eu holl ddial,
   a'u holl gynllwynio yn f'erbyn.

⁶¹Clywaist, O ARGLWYDD, eu dirmyg,
   a'u holl gynllwynio yn f'erbyn—
⁶²geiriau a sibrydion fy
      ngwrthwynebwyr
   yn f'erbyn bob dydd.
⁶³Edrych arnynt—yn eistedd neu'n
      sefyll,
   fi yw testun eu gwawd.

⁶⁴O ARGLWYDD, tâl iddynt
   yn ôl gweithredoedd eu dwylo.
⁶⁵Rho iddynt ofid calon,
   a bydded dy felltith arnynt.
⁶⁶O ARGLWYDD, erlid hwy yn dy lid,
   a dinistria hwy oddi tan y nefoedd.

Jerwsalem ar ôl ei Chwymp

4 O fel y pylodd yr aur,
      ac y newidiodd yr aur coeth!
   Gwasgarwyd meini'r cysegr
   ym mhen pob stryd.
²Meibion gwerthfawr Seion,
   a oedd yn werth eu pwysau mewn aur,
   yn awr yn cael eu hystyried fel llestri
      pridd,
   gwaith dwylo crochenydd!
³Y mae hyd yn oed siacalau yn
      dinoethi'r fron
   i roi sugn i'w hepil,
   ond y mae merch fy mhobl wedi mynd
      yn greulon,
   fel estrys yn yr anialwch.
⁴Y mae tafod y plentyn sugno
   yn glynu wrth ei daflod o syched;
   y mae'r plant yn cardota bara,
   heb neb yn ei roi iddynt.
⁵Y mae'r rhai a arferai fwyta
      danteithion
   yn ddiymgeledd yn y strydoedd,
   a'r rhai a fagwyd mewn ysgarlad
   yn ymgreinio ar domennydd ysbwriel.
⁶Y mae trosedd merch fy mhobl
   yn fwy na phechod Sodom,
   a ddymchwelwyd yn ddisymwth
   heb i neb godi llaw yn ei herbyn.
⁷Yr oedd ei thywysogion yn lanach nag
      eira,
   yn wynnach na llaeth;
   yr oedd eu cyrff yn gochach na chwrel,
   a'u pryd fel saffir.
⁸Ond aeth eu hwynepryd yn dduach na
      pharddu,
   ac nid oes neb yn eu hadnabod yn y
      strydoedd;
   crebachodd eu croen am eu hesgyrn,
   a sychodd fel pren.
⁹Yr oedd y rhai a laddwyd â'r cleddyf

yn fwy ffodus
na'r rhai oedd yn marw o newyn,
oherwydd yr oeddent hwy yn dihoeni,
wedi eu hamddifadu o gynnyrch y
meysydd.
[10] Yr oedd gwragedd tyner-galon â'u
dwylo eu hunain
yn berwi eu plant,
i'w gwneud yn fwyd iddynt eu hunain,
pan ddinistriwyd merch fy mhobl.
[11] Bwriodd yr ARGLWYDD ei holl lid,
a thywalltodd angerdd ei ddig;
cyneuodd dân yn Seion,
ac fe ysodd ei sylfeini.
[12] Ni chredai brenhinoedd y ddaear,
na'r un o drigolion y byd,
y gallai ymosodwr neu elyn
fynd i mewn trwy byrth Jerwsalem.
[13] Ond fe ddigwyddodd hyn oherwydd
pechodau ei phroffwydi
a chamweddau ei hoffeiriaid,
a dywalltodd waed y cyfiawn yn ei
chanol hi.
[14] Yr oeddent yn crwydro fel deillion yn
y strydoedd,
wedi eu trybaeddu mewn gwaed,
fel na feiddiai neb gyffwrdd â'u dillad.
[15] "Trowch draw, maent yn aflan,"—
dyna a waeddai dynion—
"trowch draw, trowch draw, peidiwch
â'u cyffwrdd!"
Yn wir fe ffoesant a mynd ar grwydr,
a dywedyd ymysg y cenhedloedd,
"Ni chânt aros yn ein plith mwyach."
[16] Yr ARGLWYDD ei hun a'u gwasgarodd,
heb edrych arnynt mwyach;
ni roddwyd anrhydedd i'r offeiriaid,
na ffafr i'r henuriaid.

[17] Yr oedd ein llygaid yn pallu
wrth edrych yn ofer am gymorth;
yr oeddem yn dal i ddisgwyl
wrth genedl na allai achub.
[18] Yr oeddent yn gwylio pob cam a
gymerem,
fel na allem fynd allan i'n strydoedd.
Yr oedd ein diwedd yn agos, a'n
dyddiau'n dod i ben;
yn wir fe ddaeth ein diwedd.
[19] Yr oedd ein herlidwyr yn gyflymach
na fwlturiaid yr awyr;
yr oeddent yn ein herlid ar y
mynyddoedd,
ac yn gwylio amdanom yn y
diffeithwch.
[20] Anadl ein bywyd, eneiniog yr
ARGLWYDD,

a ddaliwyd yn eu maglau,
a ninnau wedi meddwl mai yn ei
gysgod ef
y byddem yn byw'n ddiogel ymysg y
cenhedloedd.
[21] Gorfoledda a bydd lawen, ferch
Edom,
sy'n preswylio yng ngwlad Us!
Ond fe ddaw'r cwpan i tithau hefyd;
byddi'n feddw ac yn dy ddinoethi dy
hun.
[22] Daeth terfyn ar dy gosb, ferch Seion;
ni fydd ef yn dy gaethgludo eto.
Ond fe ddaw dy gosb arnat ti, ferch
Edom;
fe ddatgelir dy bechod.

Gweddïo am Drugaredd

5 Cofia, O ARGLWYDD, beth
ddigwyddodd inni;
edrych a gwêl ein gwarth.
[2] Rhoddwyd ein hetifeddiaeth i
estroniaid,
a'n tai i ddieithriaid.
[3] Yr ydym fel rhai amddifad, heb
dadau,
a'n mamau fel gweddwon.
[4] Y mae'n rhaid inni dalu am y dŵr a
yfwn,
a phrynu'r coed a gawn.
[5] Y mae iau ar ein gwarrau, ac fe'n
gorthrymir;
yr ydym wedi blino, ac ni chawn
orffwys.
[6] Gwnaethom gytundeb â'r Aifft,
ac yna ag Asyria, i gael digon o fwyd.
[7] Pechodd ein tadau, ond nid ydynt
mwyach;
ni sy'n dwyn y baich am eu
camweddau.
[8] Caethweision sy'n llywodraethu
arnom,
ac nid oes neb i'n hachub o'u gafael.
[9] Yr ydym yn peryglu'n heinioes wrth
gyrchu bwyd,
oherwydd y cleddyf yn yr anialwch.
[10] Y mae ein croen wedi duo fel ffwrn
oherwydd y dwymyn a achosir gan
newyn.
[11] Treisir gwragedd yn Seion,
a merched ifainc yn ninasoedd Jwda.
[12] Crogir llywodraethwyr gerfydd eu
dwylo,
ac ni pherchir yr henuriaid.
[13] Y mae'r dynion ifainc yn llafurio â'r
maen melin,

a'r llanciau'n baglu dan bwysau'r
coed.
[14] Gadawodd yr henuriaid y porth,
a'r gwŷr ifainc eu cerddoriaeth.
[15] Diflannodd llawenydd o'n calonnau,
a throdd ein dawnsio yn alar.
[16] Syrthiodd y goron oddi ar ein pen;
gwae ni, oherwydd pechasom.
[17] Dyma pam y mae ein calon yn
gystuddiol,
ac oherwydd hyn y pylodd ein llygaid:
[18] am fod Mynydd Seion wedi mynd yn
ddiffeithwch,
a'r siacalau'n chwilio yno am
ysglyfaeth.

[19] Yr wyt ti, O ARGLWYDD, wedi dy
orseddu am byth,
ac y mae dy orsedd o genhedlaeth i
genhedlaeth.
[20] Pam yr wyt yn ein hanghofio o hyd,
ac wedi'n gwrthod am amser mor
faith?

[21] ARGLWYDD, tyn ni'n ôl atat, ac fe
ddychwelwn;
adnewydda ein dyddiau fel yn yr
amser a fu,
[22] os nad wyt wedi'n gwrthod yn llwyr,
ac yn ddig iawn wrthym.

LLYFR

ESECIEL

Gweledigaeth y Creaduriaid a Gorsedd Duw

1 Ar y pumed dydd o'r pedwerydd mis yn y ddegfed flwyddyn ar hugain, a minnau ymysg y caethgludion wrth Afon Chebar, agorwyd y nefoedd a chefais weledigaethau o Dduw. [2] Ar y pumed dydd o'r mis ym mhumed flwyddyn caethgludiad y Brenin Jehoiachin, [3] daeth gair yr ARGLWYDD at yr offeiriad Eseciel fab Busi yng Nghaldea, wrth Afon Chebar; ac yno daeth llaw yr ARGLWYDD arno.

4 Wrth imi edrych, gwelais wynt tymhestlog yn dod o'r gogledd, a chwmwl mawr a thân yn tasgu a disgleirdeb o'i amgylch, ac o ganol y tân rywbeth tebyg i belydrau pres. [5] Ac o'i ganol daeth ffurf pedwar creadur, a'u hymddangosiad fel hyn: yr oeddent ar ddull dyn, [6] gyda phedwar wyneb a phedair adain i bob un ohonynt; [7] yr oedd eu coesau yn syth, a gwadnau eu traed fel gwadnau llo, ac yr oeddent yn disgleirio fel efydd gloyw. [8] Yr oedd ganddynt ddwylo dyn o dan bob un o'u pedair adain; yr oedd gan y pedwar

wynebau ac adenydd, [9] ac yr oedd eu hadenydd yn cyffwrdd â'i gilydd. Nid oeddent yn troi o'u llwybr wrth gerdded, ond fe âi pob un yn syth yn ei flaen. [10] Yr oedd ffurf eu hwynebau fel hyn: yr oedd gan y pedwar ohonynt wyneb dyn ac wyneb llew ar yr ochr dde, ac wyneb ych ac wyneb eryr ar yr ochr chwith. [11] Yr oedd eu hadenydd[a] wedi eu lledu uwchben, gyda dwy i bob creadur yn cyffwrdd â rhai'r agosaf ato, a dwy yn cuddio ei gorff. [12] Yr oedd pob un yn cerdded yn syth yn ei flaen i ble bynnag yr oedd yr ysbryd yn mynd; nid oeddent yn troi o'u llwybr wrth gerdded. [13] Ac ymhlith[b] y creaduriaid yr oedd rhywbeth a edrychai fel marwor tân yn llosgi, neu fel ffaglau yn symud ymysg y creaduriaid; yr oedd y tân yn ddisglair, a mellt yn dod allan o'i ganol. [14] Yr oedd y creaduriaid yn symud yn ôl ac ymlaen, yn debyg i fflachiad mellten.

15 Fel yr oeddwn yn edrych ar y creaduriaid, gwelais olwynion ar y llawr yn ymyl y creaduriaid, un ar gyfer pob wyneb. [16] Yr oedd ymddangosiad a gwneuthuriad yr olwynion fel hyn: yr

---

[a] Felly Fersiynau. Hebraeg yn ychwanegu *a'u hwynebau.*
[b] Felly Groeg. Hebraeg, *A thebygrwydd.*

oeddent yn debyg i belydrau o eurfaen, gyda'r un dull i bob un o'r pedwar; o ran gwneuthuriad yr oeddent yn edrych fel pe bai olwyn oddi mewn i olwyn, ¹⁷a phan oeddent yn symud ymlaen i un o'r pedwar cyfeiriad, nid oeddent yn troi o'u llwybr wrth fynd. ¹⁸Yr oedd ganddynt gylchau, ac fel yr edrychwnᶜ arnynt yr oedd eu cylchau—y pedwar ohonynt—yn llawn o lygaid oddi amgylch. ¹⁹Pan gerddai'r creaduriaid, symudai'r olwynion oedd wrth eu hochr; a phan godai'r creaduriaid oddi ar y ddaear, fe godai'r olwynion hefyd. ²⁰Ple bynnag yr oedd yr ysbryd yn mynd, yno yr aent hwythau hefyd; ac fe godai'r olwynion i'w canlyn, oherwydd yr oedd ysbryd y creaduriaid yn yr olwynion. ²¹Pan symudai'r naill, fe symudai'r llall; pan safai'r naill, fe safai'r llall; pan godai'r creaduriaid oddi ar y ddaear, fe godai'r olwynion i'w canlyn, oherwydd bod ysbryd y creaduriaid yn yr olwynion.

22 Uwchben y creaduriaid yr oedd math ar ffurfafen, yn debyg i belydrau grisial ac yn ofnadwy; yr oedd wedi ei lledaenu dros eu pennau oddi uchod. ²³O dan y ffurfafen yr oedd adenydd pob un wedi eu lledu nes cyffwrdd â rhai'r agosaf ato, ac yr oedd gan bob un ohonynt ddwy i guddio'i gorff. ᶜʰ ²⁴Ac yr oeddwn yn clywed sŵn eu hadenydd wrth iddynt symud, ac yr oedd fel sŵn llawer o ddyfroedd, fel sŵn yr Hollalluog, fel sŵn storm, fel sŵn byddin; pan oeddent yn aros, yr oeddent yn gostwng eu hadenydd. ²⁵Yr oedd sŵn uwchben y ffurfafen oedd dros eu pennau; pan oeddent yn aros, yr oeddent yn gostwng eu hadenydd. ²⁶Uwchben y ffurfafen oedd dros eu pennau yr oedd rhywbeth tebyg i faen saffir ar ffurf gorsedd, ac yn uchel i fyny ar yr orsedd ffurf oedd yn debyg i ddyn. ²⁷O'r hyn a edrychai fel ei lwynau i fyny, gwelwn ef yn debyg i belydrau o bres, yn debyg i dân wedi ei gau mewn ffwrnais; ac o'r hyn a edrychai fel ei lwynau i lawr, gwelwn ef yn debyg i dân gyda disgleirdeb o'i amgylch. ²⁸Yr oedd y disgleirdeb o'i amgylch yn debyg i fwa mewn cwmwl ar ddiwrnod glawog; yr oedd yn edrych fel ffurf ar ogoniant yr Arglwydd.

Galw Eseciel

Wedi imi weld, syrthiais ar fy wyneb, a

2 chlywais lais yn siarad, ¹ac yn dweud wrthyf, "Fab dyn, saf ar dy draed, ac fe siaradaf â thi." ²Ac fel yr oedd yn siarad â mi, daeth yr ysbryd arnaf a'm codi ar fy nhraed, a gwrandewais arno'n siarad â mi. ³Dywedodd wrthyf, "Fab dyn, yr wyf yn dy anfon at blant Israel, at y genedl o wrthryfelwyr sydd wedi gwrthryfela yn fy erbyn; y maent hwy a'u tadau wedi troseddu yn fy erbyn hyd y dydd heddiw. ⁴At blant wynebgaled ac ystyfnig yr wyf yn dy anfon, ac fe ddywedi wrthynt, 'Fel hyn y dywed yr Arglwydd Dduw.' ⁵Prun bynnag a wrandawant ai peidio—oherwydd tylwyth gwrthryfelgar ydynt—fe fyddant yn gwybod fod proffwyd yn eu mysg. ⁶A thithau, fab dyn, paid â'u hofni hwy nac ofni eu geiriau, er eu bod yn gwrthryfela yn dy erbyn ac yn gwrthgilioᵈ, a thithau yn eistedd ar sgorpionau; paid ag ofni eu geiriau nac arswydo rhag eu hwynebau, oherwydd tylwyth gwrthryfelgar ydynt. ⁷Ond llefara di fy ngeiriau wrthynt, prun bynnag a wrandawant ai peidio, oherwydd gwrthryfelwyr ydynt.

8 "Yn awr, fab dyn, gwrando ar yr hyn a ddywedaf wrthyt, a phaid â gwrthryfela fel y tylwyth gwrthryfelgar hwn; agor dy geg a bwyta'r hyn yr wyf yn ei roi iti." ⁹Ac fel yr oeddwn yn edrych, gwelais law wedi ei hestyn tuag ataf gyda sgrôl ynddi. ¹⁰Datododd y sgrôl o'm blaen, ac yr oedd ysgrifen ar ei hwyneb a'i chefn; yn ysgrifenedig arni yr oedd galarnadau, cwynfan a gwae.

3 Yna dywedodd wrthyf, "Fab dyn, bwyta'r hyn sydd o'th flaen; bwyta'r sgrôl hon, a dos a llefara wrth dŷ Israel." ²Agorais fy ngheg, a rhoddodd imi'r sgrôl i'w bwyta, ³a dweud wrthyf, "Fab dyn, bwyda dy hun a llanw dy fol â'r sgrôl hon yr wyf yn ei rhoi iti." Bwyteais, ac yr oedd cyn felysed â mêl yn fy ngenau.

4 Dywedodd wrthyf, "Fab dyn, dos yn awr at dŷ Israel a llefara fy ngeiriau wrthynt. ⁵Nid at bobl ddieithr eu hiaith ac anodd eu lleferydd y'th anfonir, ond at dŷ Israel. ⁶Na, nid at lawer o bobl ddieithr eu hiaith ac anodd eu lleferydd, a thithau heb ddeall eu geiriau; yn wir, pe bawn wedi dy anfon atynt hwy, byddent yn gwrando arnat. ⁷Ond nid yw tŷ Israel yn fodlon gwrando arnat, am nad ydynt yn fodlon gwrando arnaf fi, oherwydd y

---

ᶜTebygol. Hebraeg yn aneglur.   ᶜʰHebraeg yn ailadrodd *ac yr oedd...gorff.*
ᵈTebygol. Hebraeg, *ddrain.*

mae tŷ Israel i gyd yn wynebgaled ac yn ystyfnig. ⁸Yn awr, fe'th wnaf mor wynebgaled ac ystyfnig â hwythau. ⁹Gwnaf dy dalcen fel diemwnt, yn galetach na challestr; paid â'u hofni nac arswydo rhag eu hwynebau, oherwydd tylwyth gwrthryfelgar ydynt."

10 Yna dywedodd wrthyf, "Fab dyn, gwrando ar yr holl eiriau yr wyf yn eu llefaru wrthyt, a derbyn hwy i'th galon. ¹¹Dos yn awr at dy bobl sydd yn y gaethglud, a llefara wrthynt a dweud, 'Fel hyn y dywed yr Arglwydd DDUW', prun bynnag a wrandawant ai peidio." ¹²Cododd yr ysbryd fi, a chlywais o'r tu ôl imi sain tymestl fawr: "Bendigedig yw gogoniant yr ARGLWYDD yn ei le." ¹³Clywais sŵn adenydd y creaduriaid yn cyffwrdd â'i gilydd, a sŵn yr olwynion wrth eu hochr, a sain tymestl fawr. ¹⁴Cododd yr ysbryd fi a'm cario ymaith; ac yr oeddwn yn mynd yn gynhyrfus ᵈᵈ fy ysbryd, a llaw yr ARGLWYDD yn drwm arnaf. ¹⁵Deuthum i Tel-abib at y caethgludion oedd wedi ymsefydlu wrth Afon Chebar, ac aros lle'r oeddent hwy'n byw; arhosais yno yn eu mysg wedi fy syfrdanu am saith diwrnod.

Gosod Eseciel yn Wyliwr
(Esec. 33:1-9)

16 Ar ddiwedd y saith diwrnod daeth gair yr ARGLWYDD ataf a dweud: ¹⁷"Fab dyn, gosodais di yn wyliwr i dŷ Israel; byddi'n clywed gair o'm genau ac yn rhoi rhybudd iddynt oddi wrthyf. ¹⁸Pan ddywedaf wrth y drygionus, 'Byddi'n sicr o farw', a thithau heb ei rybuddio a heb lefaru wrtho i'w droi o'i ffordd ddrygionus er mwyn iddo fyw, bydd y dyn drwg hwnnw farw am ei bechod, a byddaf yn ceisio iawn gennyt ti am ei waed. ¹⁹Ond os byddi wedi rhybuddio'r drygionus, ac yntau heb droi oddi wrth ei ddrygioni ac o'i ffordd ddrygionus, bydd ef yn marw am ei bechod, ond byddi di wedi dy arbed dy hunan. ²⁰Os bydd dyn cyfiawn yn troi oddi wrth gyfiawnder ac yn gwneud drwg, a minnau wedi rhoi rhwystr o'i flaen, bydd hwnnw farw; am na rybuddiaist ef, bydd farw am ei bechod, ac ni chofir y pethau cyfiawn a wnaeth; ond byddaf yn ceisio iawn gennyt ti am ei waed. ²¹Ond os byddi wedi rhybuddio'r cyfiawn rhag pechu, ac yntau'n peidio â phechu, yn sicr fe gaiff

fyw am iddo gymryd ei rybuddio, a byddi dithau wedi dy arbed dy hunan."

Caethiwo Eseciel

22 Daeth llaw yr ARGLWYDD arnaf yno, a dywedodd wrthyf, "Cod a dos i'r gwastadedd, ac fe lefaraf wrthyt yno." ²³Codais a mynd i'r gwastadedd, ac yr oedd gogoniant yr ARGLWYDD yn sefyll yno, yn union fel y gogoniant a welais wrth Afon Chebar, a syrthiais ar fy wyneb. ²⁴Yna daeth yr ysbryd arnaf a'm codi ar fy nhraed, a llefarodd wrthyf a dweud, "Dos a chau arnat dy hun yn dy dŷ. ²⁵Fe roddir rhwymau amdanat ti, fab dyn, a'th glymu â hwy fel na elli fynd allan ymysg dy bobl. ²⁶Gwnaf i'th dafod lynu wrth daflod dy enau, a byddi'n fud, fel na elli eu ceryddu, oherwydd tylwyth gwrthryfelgar ydynt. ²⁷Ond pan lefaraf fi wrthyt, fe agoraf dy enau, ac fe ddywedi wrthynt, 'Fel hyn y dywed yr Arglwydd DDUW.' Bydded i'r sawl sy'n gwrando arnat wrando, ac i'r sawl sy'n gwrthod wrthod; oherwydd tylwyth gwrthryfelgar ydynt.

Darlunio'r Gwarchae ar Jerwsalem

4 "Tithau, fab dyn, cymer briddlech a'i gosod o'th flaen, a darlunia arni ddinas Jerwsalem. ²Gosod warchae arni, adeilada warchglawdd o'i hamgylch, cod esgynfa tuag ati, rho wersylloedd yn ei herbyn a gosod beiriannau hyrddio o'i chwmpas. ³Yna cymer badell haearn a'i rhoi fel mur o haearn rhyngot ti a'r ddinas, a thro dy wyneb tuag ati; a bydd dan warchae, a thithau'n ymosod arni. Arwydd fydd hyn i dŷ Israel.

4 "Yna gorwedd ar dy ochr chwith, a gosodaf bechod tŷ Israel arnatᵉ; byddi'n cario eu pechod am nifer y dyddiau y byddi'n gorwedd ar dy ochr. ⁵Yr wyf wedi pennu ar dy gyfer yr un nifer o ddyddiau ag o flynyddoedd eu pechod, sef tri chant naw deg o ddyddiau, iti gario pechod tŷ Israel. ⁶Wedi iti orffen hyn, gorwedd ar dy ochr dde, a charia bechod tŷ Jwda; yr wyf wedi pennu ar dy gyfer ddeugain o ddyddiau, sef diwrnod am bob blwyddyn. ⁷Tro dy wyneb tuag at warchae Jerwsalem, ac â'th fraich yn noeth proffwyda yn ei herbyn. ⁸Rhoddaf rwymau amdanat fel na elli droi o'r naill ochr i'r llall nes iti orffen dyddiau dy warchae.

ᵈᵈFelly Fersiynau. Hebraeg yn ychwanegu *chwerw*.　　ᵉTebygol. Hebraeg, *gosodi...arni*.

9 "Cymer iti wenith a haidd, ffa a phys, miled a cheirch, a'u rhoi mewn un llestr, a gwna fara ohonynt; byddi'n ei fwyta yn ystod y tri chant naw deg o ddyddiau y byddi'n gorwedd ar dy ochr. ¹⁰Byddi'n bwyta dy fwyd wrth bwysau, ugain sicl y dydd, ac yn ei fwyta o bryd i'w gilydd. ¹¹A byddi'n yfed dŵr wrth fesur, chweched ran o hin, ac yn ei yfed o bryd i'w gilydd. ¹²Byddi'n ei fwyta yn deisen haidd wedi ei chrasu yng ngŵydd y bobl ar gynnud o garthion dyn." ¹³A dywedodd yr ARGLWYDD, "Fel hyn y bydd plant Israel yn bwyta bara halogedig ymysg y cenhedloedd y gyrraf hwy atynt." ¹⁴Atebais, "O Arglwydd DDUW, nid wyf erioed wedi fy halogi fy hun; o'm hieuenctid hyd yn awr nid wyf wedi bwyta dim a fu farw nac a ysglyfaethwyd, ac ni ddaeth cig aflan i'm genau." ¹⁵Yna dywedodd wrthyf, "Edrych, fe ganiatâf iti ddefnyddio tail gwartheg yn lle carthion dyn i grasu dy fara." ¹⁶Dywedodd hefyd, "Fab dyn, yr wyf yn torri ymaith y cynhaliaeth o fara o Jerwsalem; mewn pryder y byddant yn bwyta bara wrth bwysau, ac mewn braw yn yfed dŵr wrth fesur. ¹⁷Bydd y fath brinder o fara a dŵr fel y byddant yn brawychu o weld ei gilydd; byddant yn darfod oherwydd eu pechod.

Rhannu Gwallt y Proffwyd

5 "Tithau, fab dyn, cymer iti gleddyf llym a'i ddefnyddio fel ellyn barbwr i eillio dy ben a'th farf, ac yna cymer gloriannau a rhannu'r gwallt. ²Llosga draean ohono mewn tân yng nghanol y ddinas pan ddaw dyddiau'r gwarchae i ben; cymer draean a'i daro â'r cleddyf o amgylch y ddinas; gwasgara draean i'r gwynt, ac fe'i dilynaf â chleddyf. ³Cymer hefyd ychydig bach ohono a'i glymu yng ngodre dy wisg. ⁴Cymer ychydig ohono eto a'i daflu i ganol tân a'i losgi; bydd tân yn lledu ohono i holl dŷ Israel.

5 "Fel hyn y dywed yr Arglwydd DDUW: Dyma Jerwsalem; fe'i gosodais yng nghanol y cenhedloedd, gyda gwledydd o'i hamgylch, ⁶ac y mae wedi gwrthryfela'n waeth yn erbyn fy marnau a'm deddfau na'r cenhedloedd a'r gwledydd o'i hamgylch, oherwydd y mae'r bobl wedi gwrthod fy marnau, ac nid ydynt yn dilyn fy neddfau.

7 "Fel hyn y dywed yr Arglwydd DDUW: Am i chwi fod yn fwy terfysglyd na'r cenhedloedd o'ch amgylch, a pheidio â dilyn fy neddfau nac ufuddhau i'm barnau, na hyd yn oed farnau'r cenhedloedd o'ch amgylch, ⁸felly, fel hyn y dywed yr Arglwydd DDUW: Edrych, yr wyf fi fy hun yn dy erbyn. Gwnaf farn â thi yng ngŵydd y cenhedloedd; ⁹oherwydd dy holl ffieidd-dra gwnaf i ti yr hyn nas gwneuthum erioed ac nis gwnaf eto. ¹⁰Am hynny, yn dy ganol di bydd tadau yn bwyta eu plant a phlant yn bwyta eu tadau; gwnaf farn â thi, a gwasgaraf i'r pedwar gwynt y rhai a weddillir ohonot. ¹¹Felly, cyn wired â'm bod yn fyw, medd yr Arglwydd DDUW, am i ti halogi fy nghysegr gyda'th holl bethau atgas a ffiaidd, byddaf finnau yn eillio, ac ni fyddaf yn tosturio; ni fyddaf fi yn trugarhau. ¹²Bydd traean yn syrthio trwy'r cleddyf o'th amgylch; a byddaf yn gwasgaru traean i'r pedwar gwynt ac yn eu dilyn â'r cleddyf. ¹³Yna fe dderfydd fy nig, ac fe dawela fy llid yn eu herbyn, a byddaf fodlon; pan fydd fy llid yn eu herbyn wedi darfod, byddant yn gwybod mai myfi'r ARGLWYDD sydd wedi llefaru yn fy eiddigedd. ¹⁴Rhoddaf di'n anrhaith ac yn warth ymysg y cenhedloedd o'th amgylch, yng ngŵydd pawb sy'n mynd heibio. ¹⁵Byddi'n warth ac yn watwar, yn wers ac yn fraw i'r cenhedloedd o'th amgylch, pan wnaf farn â thi mewn dig ac mewn llid ac â cherydd miniog. Myfi, yr ARGLWYDD, a lefarodd. ¹⁶Pan fyddaf yn saethu atat â'm saethau marwol a dinistriol o newyn, byddaf yn saethu i'th ddinistrio; dygaf ragor o newyn arnat a thorraf ymaith dy gynhaliaeth o fara. ¹⁷Anfonaf arnat newyn a bwystfilod rheibus, ac fe'th wnânt yn ddi-blant; bydd haint a thywallt gwaed yn ysgubo drosot, a gwnaf i gleddyf ddod arnat. Myfi, yr ARGLWYDD, a lefarodd."

Proffwydo yn erbyn Mynyddoedd Israel

6 Daeth gair yr ARGLWYDD ataf a dweud, ²"Fab dyn, tro dy wyneb at fynyddoedd Israel, a phroffwyda wrthynt, ³a dweud, 'Fynyddoedd Israel, gwrandewch air yr Arglwydd DDUW. Fel hyn y dywed yr Arglwydd DDUW wrth y mynyddoedd a'r bryniau, wrth y nentydd a'r dyffrynnoedd: Yr wyf fi'n dod yn eich erbyn â'r cleddyf, a dinistriaf eich uchelfeydd. ⁴Anrheithir eich allorau a dryllir allorau eich arogldarth, a thaflaf eich clwyfedigion o flaen eich eilunod. ⁵Bwriaf

gyrff meibion Israel o flaen eu heilunod, a gwasgaraf eich esgyrn o amgylch eich allorau. ⁶Lle bynnag y byddwch yn byw, fe anrheithir y dinasoedd ac fe fwrir i lawr yr uchelfeydd, fel bod eich allorau wedi eu hanrheithio a'u dinistrio, eich eilunod wedi eu dryllio a'u malurio, allorau eich arogldarth wedi eu chwalu a'ch gwaith wedi ei ddileu. ⁷Bydd clwyfedigion yn syrthio yn eich mysg, a chewch wybod mai myfi yw'r ARGLWYDD.

8 "'Ond gadawaf weddill; oherwydd bydd rhai ohonoch yn dianc rhag y cleddyf ymysg y cenhedloedd, pan wasgerir chwi trwy'r gwledydd. ⁹Ymysg y cenhedloedd lle caethgludwyd hwy, bydd y rhai a ddihangodd yn fy nghofio—fel y drylliwyd fi gan eu calonnau godinebus pan oeddent yn troi oddi wrthyf, a chan eu llygaid pan oeddent yn godinebu gydag eilunod; yna bydd arnynt gywilydd wyneb am y drygioni a wnaethant ac am eu holl ffieidd-dra. ¹⁰A chânt wybod mai myfi yw'r ARGLWYDD; nid yn ofer y dywedais y byddwn yn gwneud y drwg hwn iddynt.

11 "'Fel hyn y dywed yr Arglwydd DDUW: Cura dy ddwylo a chura â'th draed, a dywed "Och!" o achos holl ffieidd-dra drygionus tŷ Israel, oherwydd fe syrthiant trwy gleddyf a newyn a haint. ¹²Bydd yr un sydd ymhell yn marw o haint, yr un agos yn syrthio trwy'r cleddyf, a'r un a adawyd ac a arbedwyd yn marw o newyn; ac yna fe gyflawnaf fy llid yn eu herbyn. ¹³A chewch wybod mai myfi yw'r ARGLWYDD, pan fydd eu clwyfedigion ymysg eu heilunod o amgylch eu hallorau ar bob bryn uchel, ar holl bennau'r mynyddoedd, dan bob pren gwyrddlas a than bob derwen ddeiliog lle buont yn offrymu arogl peraidd i'w holl eilunod. ¹⁴Byddaf yn estyn fy llaw yn eu herbyn, a gwnaf y tir yn anrhaith diffaith o'r anialwch hyd Diblaᶠ, lle bynnag y maent yn byw; a chânt wybod mai myfi yw'r ARGLWYDD.'"

Daeth y Diwedd

7 Daeth gair yr ARGLWYDD ataf a dweud, ²"Tithau, fab dyn, dywedᶠᶠ, 'Fel hyn y dywed yr Arglwydd DDUW wrth dir Israel: Diwedd! Daeth y diwedd ar bedwar cwr y wlad. ³Daeth y diwedd yn awr arnat ti, ac anfonaf fy nig arnat;

barnaf di yn ôl dy ffyrdd, a thalaf iti am dy holl ffieidd-dra. ⁴Ni fyddaf yn tosturio wrthyt, ac ni fyddaf yn trugarhau, ond talaf iti am dy ffyrdd ac am y ffieidd-dra sydd yn dy ganol. Yna cewch wybod mai myfi yw'r ARGLWYDD.

5 "'Fel hyn y dywed yr Arglwydd DDUW: Trychineb ar benᵍ trychineb! Y mae'n dod! ⁶Daeth diwedd! Daeth y diwedd! Y mae wedi cychwyn yn dy erbyn! Fe ddaeth! ⁷Fe ddaeth y farn arnat ti sy'n byw yn y wlad; daeth yr amser, agos yw'r dydd; y mae terfysg, ac nid llawenydd, ar y mynyddoeddⁿᵍ. ⁸Yn awr, ar fyrder, tywalltaf fy llid arnat a chyflawni fy nig tuag atat; barnaf di yn ôl dy ffyrdd, a thalu iti am dy holl ffieidd-dra. ⁹Ni fyddaf yn tosturio wrthyt, nac yn trugarhau; talaf iti am dy ffyrdd ac am y ffieidd-dra sydd yn dy ganol. Yna cewch wybod mai myfi'r ARGLWYDD sy'n taro.

10 "'Dyma'r dydd! Fe ddaeth! Aeth y farn allan. Blagurodd anghyfiawnder, blodeuodd traha, ¹¹tyfodd trais yn anghyfiawnder dybryd; ni adewir neb ohonynt, neb o'r dyrfa, na dim o'u cyfoeth na dim o werth. ¹²Daeth yr amser, cyrhaeddodd y dydd. Na fydded i'r prynwr lawenhau nac i'r gwerthwr ofidio, oherwydd daeth dicter ar y dyrfa i gyd. ¹³Ni ddychwel y gwerthwr at yr hyn a werthodd, cyhyd ag y byddant ill dau'n fyw; oherwydd ni throir yn ôl y weledigaeth ynglŷn â'r dyrfa. O achos pechod ni fydd yr un ohonynt yn dal gafael yn ei einioes. ¹⁴Er iddynt chwythu utgorn a gwneud popeth yn barod, nid â yr un allan i ryfel, oherwydd y mae fy nicter ar y dyrfa i gyd.

15 "'Oddi allan y mae cleddyf, ac oddi mewn haint a newyn; bydd y rhai sydd allan yn y maes yn marw trwy'r cleddyf, a'r rhai sydd yn y ddinas yn cael eu hysu gan newyn a haint. ¹⁶Bydd yr holl rai a ddihangodd i'r mynyddoedd, fel colomennod y dyffryn, pob un ohonynt yn griddfan am ei bechod. ¹⁷Bydd pob llaw yn llipa a phob glin fel glastwr; ¹⁸byddant yn gwisgo sachliain, ac wedi eu gorchuddio â braw; bydd cywilydd ar bob wyneb a moelni ar bob pen. ¹⁹Taflant eu harian i'r strydoedd, a bydd eu haur fel peth aflan; ni fedr eu harian na'u haur eu gwaredu yn nydd digofaint yr AR-GLWYDD; ac ni fedrant ddigoni eu heisiau

ᶠYn ôl rhai llawysgrifau, *Ribla*.   ᵍFelly Syrieg. Hebraeg, *un*.   ᶠᶠFelly Fersiynau. Hebraeg heb *dywed*.   ⁿᵍTebygol. Hebraeg yn aneglur.

na llenwi eu stumogau; ond eu camwedd fydd eu cwymp. ²⁰Yr oeddent yn llawenhau â balchder yn eu tlysau hardd, ac yn eu gwneud yn ddelwau ffiaidd ac atgas; am hynny yr wyf yn eu hystyried yn aflan. ²¹Fe'u rhoddaf yn ysbail yn nwylo estroniaid, ac yn anrhaith i rai drygionus y ddaear, a halogir hwy. ²²Trof fy wyneb oddi wrthynt, a halogir fy nhrysor; daw ysbeilwyr i mewn yno a'i halogi a gwneud anrhaith. ʰ

23 "'Am fod y wlad yn llawn o dywallt gwaedⁱ, a'r ddinas yn llawn o drais, ²⁴dof â'r rhai gwaethaf o'r cenhedloedd yno, a byddant yn meddiannu eu tai; rhoddaf derfyn ar falchder y rhai cedyrn, ac fe halogir eu cysegrleoedd. ²⁵Y mae dychryn ar ddyfod, a byddant yn ceisio heddwch, ond heb ei gael. ²⁶Daw trallod ar ben trallod, a sibrydion ar ben sibrydion; ceisiant weledigaeth gan y proffwyd, a bydd y gyfraith yn pallu gan yr offeiriad, a chyngor gan yr henuriaid. ²⁷Bydd y brenin mewn galar, a'r tywysog wedi ei wisgo ag arswyd, a bydd dwylo pobl y wlad yn crynu. Gwnaf â hwy yn ôl eu ffyrdd, a barnaf hwy yn ôl eu barnau eu hunain; a chânt wybod mai myfi yw'r ARGLWYDD.'"

Ffieidd-dra Tŷ Israel

8 Ar y pumed dydd o'r chweched mis yn y chweched flwyddyn, a minnau'n eistedd yn fy nhŷ, a henuriaid Jwda yn eistedd o'm blaen, daeth llaw yr Arglwydd DDUW arnaf yno. ²Ac wrth imi edrych, gwelais ffurf debyg o ran ymddangosiad i ddyn. O'r hyn a edrychai fel ei lwynau i lawr, yr oedd yn dân, ac o'i lwynau i fyny yr oedd yn debyg i efydd gloyw a disglair. ³Estynnodd allan yr hyn a edrychai fel llaw, a'm cymryd gerfydd gwallt fy mhen. Cododd yr ysbryd fi rhwng daear a nefoedd, a mynd â mi mewn gweledigaethau Duw i Jerwsalem, at ddrws porth y gogledd i'r cyntedd mewnol, lle safai delw eiddigedd, sy'n achosi eiddigedd. ⁴Ac yno yr oedd gogoniant Duw Israel, fel yn y weledigaeth a gefais yn y gwastadedd. ⁵Yna dywedodd wrthyf, "Fab dyn, cod dy olygon i gyfeiriad y gogledd." Codais fy ngolygon i gyfeiriad y gogledd, a gwelais yno, i'r gogledd o borth yr allor, yn

y fynedfa, y ddelw hon o eiddigedd. ⁶Dywedodd wrthyf, "Fab dyn, a weli di beth y maent yn ei wneud, y pethau cwbl ffiaidd y mae tŷ Israel yn eu gwneud yma, i'm pelláu oddi wrth fy nghysegr? Ond fe gei weld eto bethau mwy ffiaidd."

7 Yna aeth â mi at ddrws y cyntedd, ac wrth imi edrych gwelais dwll yn y mur. ⁸Dywedodd wrthyf, "Fab dyn, cloddia i'r mur." Cloddiais i'r mur, a gwelais ddrws yno. ⁹Dywedodd wrthyf, "Dos i mewn, ac edrych ar y ffieidd-dra drygionus y maent yn ei wneud yno." ¹⁰Euthum i mewn, ac wrth imi edrych gwelais bob math o ymlusgiaid, anifeiliaid atgas, a holl eilunod tŷ Israel, wedi eu cerfio ymhobman ar y mur. ¹¹Yr oedd deg a thrigain o henuriaid tŷ Israel yn sefyll o'u blaenau, a Jaasaneia fab Saffan yn sefyll yn eu canol; yr oedd thuser yn llaw pob un ohonynt, a chwmwl persawrus o arogldarth yn codi. ¹²A dywedodd wrthyf, "A welaist ti, fab dyn, beth y mae henuriaid tŷ Israel yn ei wneud yn y tywyllwch, bob un ohonynt yn ystafell ei gerf-ddelw? Fe ddywedant, 'Nid yw'r ARGLWYDD yn ein gweld; gadawodd yr ARGLWYDD y ddaear.'" ¹³Dywedodd hefyd, "Fe gei weld eto bethau mwy ffiaidd y maent yn eù gwneud."

14 Yna aeth â mi at ddrws porth y gogledd i dŷ'r ARGLWYDD, a gwelais yno wragedd yn eistedd i wylo am Tammus. ¹⁵A dywedodd wrthyf, "A welaist ti hyn, fab dyn? Fe gei weld eto bethau mwy ffiaidd na'r rhain."

16 Yna aeth â mi i gyntedd mewnol tŷ'r ARGLWYDD, ac yno wrth ddrws teml yr ARGLWYDD, rhwng y cyntedd a'r allor, yr oedd tua phump ar hugain o ddynion; yr oedd eu cefnau at deml yr ARGLWYDD, a'u hwynebau tua'r dwyrain, ac yr oeddent yn ymgrymu i'r haul yn y dwyrain. ¹⁷Dywedodd wrthyf, "A welaist ti hyn, fab dyn? Ai bychan o beth yw bod tŷ Jwda yn gwneud y pethau ffiaidd a wnânt yma? Ond y maent hefyd yn llenwi'r ddaear â thrais ac yn cythruddo rhagor arnaf; edrych arnynt yn gosod y brigyn wrth eu trwynau. ¹⁸Byddaf fi'n gweithredu mewn llid tuag atynt; ni fyddaf yn tosturio nac yn trugarhau. Er iddynt weiddi'n uchel yn fy nghlustiau, ni wrandawaf arnynt."

ʰCymh. Groeg. Yn lle *gwneud anrhaith*, y mae'r Hebraeg yn darllen *Gwna'r gadwyn* yn yr adnod ddilynol.
ⁱFelly Groeg. Hebraeg, *o farn gwaed*.

Cosbi Jerwsalem

9 Yna clywais lais uchel yn dweud, "Dewch â'r rhai sydd i gosbi'r ddinas, pob un ag arf distryw yn ei law." ²Gwelais chwech o ddynion yn dod o gyfeiriad y porth uchaf, sy'n wynebu'r gogledd, pob un ag arf marwol yn ei law; gyda hwy yr oedd dyn wedi ei wisgo â lliain, ac offer ysgrifennu wrth ei wasg. Daethant i mewn a sefyll gyferbyn â'r allor bres. ³Yna cododd gogoniant Duw Israel i fyny oddi ar y cerwbiaid, lle bu'n aros, a mynd at riniog y deml. Galwodd yr ARGLWYDD ar y dyn oedd wedi ei wisgo â lliain, ac offer ysgrifennu wrth ei wasg, ⁴a dweud wrtho, "Dos trwy ganol y ddinas, trwy ganol Jerwsalem, a rho nod ar dalcen pob un sy'n gofidio ac yn galaru am yr holl bethau ffiaidd a wneir ynddi." ⁵A dywedodd yn fy nghlyw wrth y lleill, "Ewch trwy'r ddinas ar ei ôl ef, a lladdwch; peidiwch â thosturio na thrugarhau. ⁶Lladdwch hynafgwyr, gwŷr ifainc a llancesi, gwragedd a phlant; ond peidiwch â chyffwrdd ag unrhyw un sydd â nod arno. Dechreuwch yn fy nghysegr." A dechreuodd y dynion gyda'r henuriaid oedd o flaen y deml. ⁷Yna dywedodd wrthynt, "Halogwch y deml, a llanwch y cyntedddoedd â'r rhai a laddwyd; ewch allan." Aethant allan a lladd trwy'r ddinas. ⁸Tra oeddent yn lladd, a minnau wedi fy ngadael fy hunan, syrthiais ar fy wyneb, a gwaeddais a dweud, "O Arglwydd DDUW, a ddistrywi di holl weddill Israel wrth dywallt dy lid ar Jerwsalem?" ⁹Atebodd fi, "Y mae pechod tŷ Israel a Jwda yn hynod fawr; y mae'r wlad yn llawn o dywallt gwaed, a'r ddinas yn llawn anghyfiawnder, am eu bod yn dweud, 'Gadawodd yr AR-GLWYDD y ddaear; nid yw'r ARGLWYDD yn gweld.' ¹⁰Nid wyf fi am dosturio na thrugarhau; talaf iddynt am eu ffyrdd." ¹¹A dyna'r dyn oedd wedi ei wisgo â lliain, ac offer ysgrifennu wrth ei wasg, yn dod â gair yn ôl a dweud, "Yr wyf wedi gwneud fel y gorchmynnaist."

Gogoniant Duw yn Ymadael â'r Deml

10 Wrth imi edrych, gwelais yn y ffurfafen uwchben y cerwbiaid rywbeth tebyg i orsedd o faen saffir, yn ymddangos uwchlaw iddynt. ²A dywedodd yr ARGLWYDD wrth y dyn oedd wedi ei wisgo â lliain, "Dos i mewn rhwng yr olwynion o dan y cerwbiaid, a llanw dy ddwylo â'r marwor tanllyd sydd rhwng y cerwbiaid, a'i wasgar dros y ddinas." Gwnaeth hynny yn fy ngolwg. ³Yr oedd y cerwbiaid yn sefyll ar ochr dde y deml pan aeth y dyn i mewn, ac yr oedd cwmwl yn llenwi'r cyntedd mewnol. ⁴Yr oedd gogoniant yr ARGLWYDD wedi codi oddi ar y cerwbiaid a mynd at riniog y deml. Yr oedd y cwmwl yn llenwi'r adeilad, a'r cyntedd yn llawn o ddisgleirdeb gogoniant yr ARGLWYDD. ⁵Yr oedd sŵn adenydd y cerwbiaid i'w glywed cyn belled â'r cyntedd nesaf allan, fel llais y Duw Hollalluog pan fydd yn llefaru.

⁶Pan orchmynnodd i'r dyn oedd wedi ei wisgo â lliain, a dweud, "Cymer dân oddi rhwng yr olwynion, oddi rhwng y cerwbiaid", fe aeth yntau i mewn a sefyll yn ymyl yr olwyn. ⁷Yna estynnodd un o blith y cerwbiaid ei law at y tân ocdd rhwng y cerwbiaid; cododd beth ohono a'i roi yn nwylo'r dyn oedd wedi ei wisgo â lliain; cymerodd yntau ef a mynd allan. ⁸O dan adenydd y cerwbiaid fe welid rhywbeth tebyg i law dyn.

⁹Wrth imi edrych, gwelais hefyd bedair olwyn yn ymyl y cerwbiaid, un olwyn yn ymyl pob cerwb; yr oedd ymddangosiad yr olwynion yn debyg i eurfaen disglair. ¹⁰O ran ymddangosiad yr oedd y pedair olwyn yn debyg i'w gilydd, fel pe bai olwyn oddi mewn i olwyn. ¹¹Pan symudent, fe aent i un o'r pedwar cyfeiriad, ond nid oeddent yn troi o'u llwybr wrth fynd. Fe âi'r cerwbiaid i ble bynnag yr oedd y pen yn wynebu, ond nid oeddent yn troi o'u llwybr wrth fynd. ¹²Yr oedd eu holl gorff—eu cefnau, eu dwylo a'u hadenydd—a'r olwynion hefyd, y pedair ohonynt, yn llawn o lygaid. ¹³Ac am yr olwynion, fe'u galwyd yn fy nghlyw yn chwyrnellwyr. ¹⁴Yr oedd gan bob un o'r cerwbiaid bedwar wyneb: y cyntaf yn wyneb cerwb; yr ail yn wyneb dyn; y trydydd yn wyneb llew; y pedwerydd yn wyneb eryr. ¹⁵Yna fe gododd y cerwbiaid i fyny; dyma'r creaduriaid a welais wrth Afon Chebar. ¹⁶Pan symudai'r cerwbiaid, fe symudai'r olwynion wrth eu hochr; pan estynnai'r cerwbiaid eu hadenydd i godi oddi ar y ddaear, nid oedd yr olwynion yn ymadael â hwy. ¹⁷Pan safent, fe safent hwythau, a phan godent, fe godent hwythau, oherwydd yr oedd ysbryd y creaduriaid yn yr olwynion.

¹⁸Yna symudodd gogoniant yr AR-GLWYDD o fod uwchben rhiniog y deml,

ac arhosodd uwchben y cerwbiaid.
[19]Estynnodd y cerwbiaid eu hadenydd a chodi oddi ar y ddaear yn fy ngŵydd, ac fel yr oeddent yn mynd yr oedd yr olwynion yn mynd gyda hwy. Ond bu iddynt aros wrth ddrws porth y dwyrain i dŷ'r ARGLWYDD, ac yr oedd gogoniant Duw Israel yno uwch eu pennau.
20 Dyma'r creaduriaid a welais dan Dduw Israel wrth Afon Chebar, a sylweddolais mai cerwbiaid oeddent. [21]Yr oedd gan bob un bedwar wyneb, a chan bob un bedair adain, gyda rhywbeth tebyg i law dyn dan eu hadenydd. [22]Yr oedd eu hwynebau yn debyg o ran ymddangosiad i'r wynebau a welais wrth Afon Chebar; yr oedd pob un ohonynt yn symud yn syth yn ei flaen.

Barn ar Arweinwyr Israel

11 Yna cododd yr ysbryd fi a mynd â mi at borth y dwyrain i dŷ'r ARGLWYDD, sef yr un sy'n wynebu tua'r dwyrain. Ac yno wrth ddrws y porth yr oedd pump ar hugain o ddynion, a gwelais yn eu mysg Jaasaneia fab Assur a Pelateia fab Benaia, arweinwyr y bobl. [2]Dywedodd yr ARGLWYDD wrthyf, "Fab dyn, dyma'r dynion sy'n cynllwyn drygioni ac yn rhoi cyngor drwg yn y ddinas hon, [3]ac yn dweud, 'Nid yw'n amser eto i adeiladu tai; y ddinas yw'r crochan, a ninnau yw'r cig.' [4]Felly, proffwyda yn eu herbyn; proffwyda, fab dyn."
5 Daeth ysbryd yr ARGLWYDD arnaf a dweud wrthyf, "Dywed, 'Fel hyn y dywed yr ARGLWYDD: Dyma fel y llefarwch, dŷ Israel; fe wn i beth sy'n dod i'ch meddyliau. [6]Yr ydych wedi lladd llawer yn y ddinas hon, ac wedi llenwi ei strydoedd â meirwon. [7]Felly, fel hyn y dywed yr Arglwydd DDUW: Y cyrff a roesoch yn ei chanol yw'r cig, a'r ddinas yw'r crochan, ond fe'ch gyrraf allan ohoni. [8]Yr ydych yn ofni cleddyf, ond cleddyf a ddygaf arnoch, medd yr Arglwydd DDUW. [9]Fe'ch gyrraf allan ohoni a'ch rhoi yn nwylo estroniaid, a gwnaf farn â chwi. [10]Fe syrthiwch drwy'r cleddyf, ac fe'ch barnaf ar derfynau Israel; yna cewch wybod mai myfi yw'r ARGLWYDD. [11]Nid y ddinas hon fydd y crochan i chwi, ac nid chwi fydd y cig o'i fewn; ond ar derfynau Israel y barnaf chwi. [12]Cewch wybod mai myfi yw'r ARGLWYDD; ni fuoch yn dilyn fy neddfau

[1]Hebraeg yn ychwanegu *calon*.

nac yn ufuddhau i'm barnau, ond yn gwneud yn ôl barnau'r cenhedloedd sydd o'ch amgylch.' "
13 Ac fel yr oeddwn yn proffwydo, bu farw Pelateia fab Benaia. Syrthiais ar fy wyneb a gweiddi â llais uchel a dweud, "Och! Fy Arglwydd DDUW, a wyt am wneud diwedd llwyr ar weddill Israel?"

Addewid Duw i Israel

14 Daeth gair yr ARGLWYDD ataf a dweud, [15]"Fab dyn, am dy frodyr— brodyr o'r un gwaed â thi, a holl dŷ Israel—y mae trigolion Jerwsalem yn dweud, 'Y maent hwy yn bell oddi wrth yr ARGLWYDD; i ni y rhoddwyd y tir yn etifeddiaeth.' [16]Felly dywed, 'Fel hyn y dywed yr Arglwydd DDUW: Er imi eu hanfon ymhell i blith y cenhedloedd, a'u gwasgaru trwy'r gwledydd, eto am ychydig bûm yn gysegr iddynt yn y gwledydd lle maent.' [17]Felly dywed, 'Fel hyn y dywed yr Arglwydd DDUW: Fe'ch casglaf o blith y bobloedd, a'ch dwyn ynghyd o'r gwledydd lle gwasgarwyd chwi, a rhoddaf ichwi dir Israel.' [18]Pan ddônt yno, fe fwriant allan ohoni ei holl bethau atgas a ffiaidd. [19]Rhoddaf iddynt galon unplyg ac ysbryd newydd ynddynt; tynnaf ohonynt y galon garreg, a rhoi iddynt galon gig. [20]Yna byddant yn dilyn fy neddfau ac yn gofalu cadw fy marnau; byddant yn bobl i mi, a byddaf finnau yn Dduw iddynt hwy. [21]Ond am y rhai sydd â'u calon yn dilyn[1] pethau atgas a ffiaidd, rhoddaf dâl iddynt am hynny, medd yr Arglwydd DDUW."

Y Gogoniant yn Ymadael

22 Yna cododd y cerwbiaid eu hadenydd, gyda'r olwynion wrth eu hochrau; ac yr oedd gogoniant Duw Israel uwch eu pennau. [23]Cododd gogoniant yr AR-GLWYDD o fod dros ganol y ddinas, ac arhosodd dros y mynydd sydd i'r dwyrain ohoni. [24]Cododd yr ysbryd fi a mynd â mi at y gaethglud ym Mabilon mewn gweledigaeth trwy ysbryd Duw. Yna aeth y weledigaeth a gefais oddi wrthyf, [25]a dywedais wrth y caethgludion y cyfan a ddangosodd yr ARGLWYDD imi.

Y Proffwyd a'r Gaethglud

12 Daeth gair yr ARGLWYDD ataf a dweud, [2]"Fab dyn, yr wyt yn byw yng nghanol tylwyth gwrthryfelgar;

y mae ganddynt lygaid i weld, ond ni welant, a chlustiau i glywed, ond ni chlywant, am eu bod yn dylwyth gwrthryfelgar. ³Felly, fab dyn, gwna'n barod dy baciau ar gyfer caethglud, ac ymfuda liw dydd yn eu gŵydd; a phan ymfudi o'th gartref yn eu gŵydd i le arall, efallai y deallant eu bod yn dylwyth gwrthryfelgar. ⁴Dos â'th baciau allan, fel paciau caethglud, liw dydd yn eu gŵydd, a dos dithau allan yn eu gŵydd gyda'r nos, yn union fel y rhai sy'n mynd i gaethglud. ⁵Yn eu gŵydd cloddia drwy'r mur, a dos" allan drwyddo. ⁶Yn eu gŵydd cod dy baciau ar dy ysgwydd a mynd â hwy allan yn y gwyll; gorchuddia dy wyneb rhag iti weld y tir, oherwydd gosodais di'n arwydd i dŷ Israel." ⁷Gwneuthum fel y gorchmynnwyd imi. Liw dydd euthum â'm paciau allan, fel paciau caethglud, a liw nos cloddiais trwy'r mur â'm dwylo, a mynd â hwy allan yn y gwyll a'u cario ar fy ysgwydd yn eu gŵydd.

8 Daeth gair yr ARGLWYDD ataf yn y bore a dweud, ⁹"Fab dyn, oni ofynnodd Israel, y tylwyth gwrthryfelgar, iti, 'Beth wyt ti'n ei wneud?' ¹⁰Dywed wrthynt, 'Fel hyn y dywed yr Arglwydd DDUW: Y mae a wnelo'r baich hwn â'r tywysog yn Jerwsalem, ac y mae holl dylwyth Israel yn ei chanol.' ¹¹Dywed, 'Yr wyf fi'n arwydd i chwi; fel y gwneuthum i, felly y gwneir iddynt hwy; ânt i gaethiwed i'r gaethglud.' ¹²Bydd y tywysog sydd yn eu plith yn codi ei baciau ar ei ysgwydd yn y gwyll ac yn mynd allan; cloddir trwy'r mur, iddo fyndᵐ allan trwyddo, a bydd yn gorchuddio ei wyneb rhag iddo weld y tir â'i lygaid. ¹³Taenaf fy rhwyd drosto, ac fe'i delir yn fy magl; af ag ef i Fabilon, gwlad y Caldeaid, ond ni fydd yn ei gweld, ac yno y bydd farw. ¹⁴A byddaf yn gwasgaru i'r pedwar gwynt yr holl rai sydd o'i amgylch, ei gynorthwywyr a'i luoedd, ac yn mynd ar eu holau â chleddyf noeth. ¹⁵Byddant yn gwybod mai myfi yw'r ARGLWYDD pan fyddaf yn eu gwasgaru ymysg y cenhedloedd ac yn eu chwalu trwy'r gwledydd. ¹⁶Ond byddaf yn arbed ychydig ohonynt rhag y cleddyf, a rhag newyn a haint, er mwyn iddynt gydnabod eu ffieidd-dra ymysg y cenhedloedd lle'r ânt; a byddant yn gwybod mai myfi yw'r ARGLWYDD."

17 Daeth gair yr ARGLWYDD ataf a dweud, ¹⁸"Fab dyn, bwyta dy fwyd gan grynu, ac yfed dy ddiod mewn dychryn a phryder. ¹⁹Yna dywed wrth bobl y wlad, 'Fel hyn y dywed yr Arglwydd DDUW am y rhai sy'n byw yn Jerwsalem ac yng ngwlad Israel: Byddant yn bwyta'u bwyd mewn pryder ac yn yfed eu diod mewn anobaith, oherwydd fe ddinoethir eu gwlad o bopeth sydd ynddi o achos trais yr holl rai sy'n byw ynddi. ²⁰Difethir y dinasoedd sydd wedi eu cyfanheddu, a bydd y wlad yn anrhaith. Yna byddwch yn gwybod mai myfi yw'r ARGLWYDD.'"

Neges trwy Ddihareb

21 Daeth gair yr ARGLWYDD ataf a dweud, ²²"Fab dyn, beth yw'r ddihareb hon sydd gennych am wlad Israel, 'Y mae'r dyddiau'n mynd heibio, a phob gweledigaeth yn pallu'? ²³Am hynny, dywed wrthynt, 'Fel hyn y dywed yr Arglwydd DDUW: Rhoddaf ddiwedd ar y ddihareb hon, ac ni ddefnyddiant hi mwyach yn Israel.' Dywed wrthynt, 'Y mae'r dyddiau'n agosáu pan gyflawnirⁿ pob gweledigaeth.' ²⁴Oherwydd ni fydd eto weledigaeth dwyllodrus na dewiniaeth wenieithus ymysg tylwyth Israel. ²⁵Ond byddaf fi, yr ARGLWYDD, yn llefaru yr hyn a ddymunaf, ac fe'i cyflawnir heb ragor o oedi. Yn eich dyddiau chwi, dylwyth gwrthryfelgar, byddaf yn cyflawni'r hyn a lefaraf," medd yr Arglwydd DDUW.

26 Daeth gair yr ARGLWYDD ataf a dweud, ²⁷"Fab dyn, y mae tylwyth Israel yn dweud, 'Ar gyfer y dyfodol pell y mae'r weledigaeth a gafodd, ac am amseroedd i ddod y mae'n proffwydo.' ²⁸Felly dywed wrthynt, 'Fel hyn y dywed yr Arglwydd DDUW: Nid oedir fy ngeiriau rhagor; cyflawnir yr hyn a lefaraf,' medd yr Arglwydd DDUW."

Proffwydo yn erbyn Proffwydi

13 Daeth gair yr ARGLWYDD ataf a dweud, ²"Fab dyn, proffwyda yn erbyn proffwydi Israel; proffwydaᵒ, a dywed wrth y rhai sy'n proffwydo o'u meddyliau eu hunain, 'Gwrandewch air yr ARGLWYDD.' ³Fel hyn y dywed yr Arglwydd DDUW: Gwae'r proffwydi ynfyd sy'n dilyn eu hysbryd eu hunain ac sydd heb weld dim! ⁴Bu dy broffwydi, O Israel, fel llwynogod mewn adfeilion.

ⁱⁱFelly Fersiynau. Hebraeg, *dwg.*
ⁿCymh. Syrieg. Hebraeg, *gair.*
ᵐFelly Fersiynau. Hebraeg, *ddwyn.*
ᵒFelly Groeg. Hebraeg, *Israel, sy'n proffwydo.*

⁵Nid aethoch i fyny i'r bylchau, ac adeiladu'r mur i dŷ Israel, er mwyn iddo sefyll yn y frwydr ar ddydd yr ARGLWYDD. ⁶Y mae eu gweledigaethauᴾ yn dwyllodrus a'u dewiniaeth yn gelwydd; er nad yw'r ARGLWYDD wedi eu hanfon, y maent yn dweud, 'Medd yr ARGLWYDD', ac yn disgwyl iddo gyflawni eu gair. ⁷Onid gweld gweledigaeth dwyllodrus a llefaru dewiniaeth gelwyddog yr oeddech wrth ddweud, 'Medd yr ARGLWYDD', a minnau heb lefaru?

8 "Felly, fel hyn y dywed yr Arglwydd DDUW: Am ichwi lefaru'n dwyllodrus a chael gweledigaethau celwyddog, yr wyf fi yn eich erbyn, medd yr Arglwydd DDUW. ⁹Bydd fy llaw yn erbyn y proffwydi sy'n cael gweledigaethau twyllodrus ac yn llefaru dewiniaeth gelwyddog; ni fyddant yn perthyn i gyngor fy mhobl nac wedi eu rhestru ar gofrestr tŷ Israel, ac ni fyddant yn dod i dir Israel. Yna byddwch yn gwybod mai myfi yw'r Arglwydd DDUW.

10 "Am iddynt arwain fy mhobl ar gyfeiliorn a dweud, 'Heddwch', er nad oedd heddwch, y maent yn codi wal simsan ac yn ei dwbio â gwyngalch. ¹¹Dywed wrth y rhai sy'n ei gwyngalchu y bydd yn cwympo; daw glaw yn llifeiriant, paraf i'r cenllysg ddisgyn, a bydd gwyntoedd stormus yn rhwygo. ¹²Pan fydd y mur yn cwympo, oni ofynnir i chwi, 'Ymhle mae'r gwyngalch a roesoch?'? ¹³Felly, fel hyn y dywed yr Arglwydd DDUW: Yn fy nig gwnaf i wynt stormus rwygo, yn fy llid daw glaw yn llifeiriant, ac yn fy nig daw cenllysg i'w dinistrio. ¹⁴Chwalaf y mur a wyngalchwyd, a'i wneud yn wastad â'r llawr a dinoethi ei sylfaen. A phan syrth o'ch cwmpas, fe'ch dinistrir; yna byddwch yn gwybod mai myfi yw'r ARGLWYDD. ¹⁵Byddaf yn gweithredu fy nig yn erbyn y mur ac yn erbyn y rhai a fu'n ei wyngalchu, a dywedaf wrthych, 'Darfu am y mur ac am y rhai a fu'n ei wyngalchu, ¹⁶sef proffwydi Israel, a broffwydodd wrth Jerwsalem a chael gweledigaethau o heddwch, er nad oedd heddwch, medd yr Arglwydd DDUW.'

17 "A thithau, fab dyn, gosod dy wyneb yn erbyn merched dy bobl, sy'n proffwydo o'u meddyliau eu hunain. Proffwyda yn eu herbyn ¹⁸a dywed, 'Fel

hyn y dywed yr Arglwydd DDUW: Gwae'r gwragedd sy'n gwau breichledau hud ar bob garddwrn, ac yn gwneud gorchudd o bob maint ar y pen, er mwyn rhwydo bywydau pobl. A fyddwch yn rhwydo bywydau fy mhobl, ond yn cadw eich bywydau eich hunain yn ddiogel? ¹⁹Yr ydych wedi fy halogi i yₙ. ⁄sg fy mhobl er mwyn dyrneidiau o haidd a thameidiau o fara. Yr ydych wedi lladd y rhai na ddylent farw, ac wedi arbed bywyd y rhai na ddylent fyw, trwy eich celwyddau wrth fy mhobl, sy'n gwrando ar gelwydd. ²⁰Felly, fel hyn y dywed yr Arglwydd DDUW: Yr wyf yn erbyn eich breichledau hud, yr ydych â hwy yn rhwydo bywydau fel adar, a thorraf hwy oddi ar eich breichiau; gollyngaf yn rhydd y bywydau yr ydych yn eu rhwydo fel adar. ²¹Torraf ymaith eich gorchuddion, a gwaredaf fy mhobl o'ch dwylo, ac ni fyddant eto yn ysglyfaeth yn eich dwylo; yna byddwch yn gwybod mai myfi yw'r ARGLWYDD. ²²Am ichwi ddigalonni'r cyfiawn â'ch twyll, er nad oeddwn i'n ei niweidio, ac am ichwi gefnogi'r drygionus, rhag iddo droi o'i ffordd ddrwg ac arbed ei fywyd, ²³felly ni fyddwch yn cael gweledigaethau twyllodrus eto nac yn ymarfer dewiniaeth. Byddaf yn gwaredu fy mhobl o'ch dwylo, a byddwch yn gwybod mai myfi yw'r ARGLWYDD.'"

Gair yn erbyn Eilunod

14 Daeth rhai o henuriaid Israel ataf ac eistedd i lawr o'm blaen. ²A daeth gair yr ARGLWYDD ataf a dweud, ³"Fab dyn, y mae'r dynion hyn wedi codi eu heilunod yn eu calonnau ac wedi gosod eu tramgwydd pechadurus o'u blaenau. A adawaf iddynt ymofyn â mi o gwbl? ⁴Felly, llefara wrthynt a dywed, 'Fel hyn y dywed yr Arglwydd DDUW: Pan fydd unrhyw un o dŷ Israel sydd wedi codi ei eilunod yn ei galon ac wedi gosod ei dramgwydd pechadurus o'i flaen yn dod at broffwyd, byddaf fi, yr ARGLWYDD, yn ei ateb fy hunanᴾʰ, yn ôl ei holl eilunod. ⁵Gwnaf hyn er mwyn cydio yng nghalonnau tŷ Israel, gan eu bod i gyd wedi ymddieithrio oddi wrthyf trwy eu heilunod.' ⁶Felly dywed wrth dŷ Israel, 'Fel hyn y dywed yr Arglwydd DDUW: Edifarhewch, a throwch oddi wrth eich eilunod ac oddi wrth eich holl ffieidd-dra.

ᴾFelly Groeg. Hebraeg, *Gwelsant*.
ᴾʰ*fy hunan*. Felly Targwm. Cymh. adn. 7. Hebraeg yn aneglur.

⁷Pan fydd unrhyw un o dŷ Israel, neu unrhyw estron sy'n byw yn Israel, yn ymddieithrio oddi wrthyf, yn codi ei eilunod yn ei galon, ac yn gosod ei dramgwydd pechadurus o'i flaen, ac yna'n dod at broffwyd i ymofyn â mi, byddaf fi, yr Arglwydd, yn ei ateb fy hunan.
⁸Byddaf yn gosod fy wyneb yn erbyn y dyn hwnnw, ac yn ei wneud yn esiampl ac yn ddihareb, ac yn ei dorri ymaith o blith fy mhobl; yna byddwch yn gwybod mai myfi yw'r Arglwydd. ⁹Os denir y proffwyd i lefaru neges, myfi, yr Arglwydd, a ddenodd y proffwyd hwnnw, a byddaf yn estyn fy llaw yn ei erbyn ac yn ei ddinistrio o blith fy mhobl Israel. ¹⁰Byddant yn dwyn eu cosb—yr un fydd cosb y proffwyd â chosb y sawl sy'n ymofyn ag ef—¹¹rhag i dŷ Israel byth eto fynd ar gyfeiliorn oddi wrthyf na'u halogi eu hunain rhagor â'u holl bechodau; ond byddant yn bobl i mi, a minnau'n Dduw iddynt hwy, medd yr Arglwydd Dduw.'"

Noa, Daniel a Job

12 Daeth gair yr Arglwydd ataf a dwcud, ¹³"Fab dyn, os hyddl gwlad yn pechu yn f'erbyn trwy fod yn anffyddlon, a minnau'n estyn fy llaw yn ei herbyn, yn torri ei chynhaliaeth o fara, yn anfon newyn arni, ac yn torri ymaith ohoni ddyn ac anifail; ¹⁴hyd yn oed pe byddai Noa, Daniel a Job, y tri ohonynt, yn ei chanol, ni fyddent yn arbed ond eu hywydau eu hunain trwy eu cyfiawnder," medd yr Arglwydd Dduw. ¹⁵"Neu pe bawn yn anfon bwystfilod gwylltion i'r wlad, a hwythau'n ei diboblogi, a'i gwneud yn ddiffeithwch, heb neb yn mynd trwyddi o achos y bwystfilod, ¹⁶cyn wired â'm bod yn fyw," medd yr Arglwydd Dduw, "pe byddai'r tri dyn hyn ynddi, ni fyddent yn arbed eu meibion na'u merched; hwy eu hunain yn unig a arbedid, ond byddai'r wlad yn ddiffeithwch. ¹⁷Neu, pe bawn yn dwyn cleddyf ar y wlad honno ac yn dweud, 'Aed cleddyf trwy'r wlad', a phe bawn yn torri ymaith ohoni ddyn ac anifail, ¹⁸cyn wired â'm bod yn fyw," medd yr Arglwydd Dduw, "pe byddai'r tri dyn hyn ynddi, ni fyddent yn arbed eu meibion na'u merched; hwy eu hunain yn unig a arbedid. ¹⁹Neu, pe bawn yn anfon pla i'r wlad honno, ac yn tywallt fy nig arni trwy dywallt gwaed, ac yn torri ymaith ohoni ddyn ac anifail,

²⁰cyn wired â'm bod yn fyw," medd yr Arglwydd Dduw, "pe byddai Noa, Daniel a Job ynddi, ni fyddent yn arbed na mab na merch. Eu bywydau eu hunain yn unig a arbedent trwy eu cyfiawnder. 21 "Fel hyn y dywed yr Arglwydd Dduw: Pa faint gwaeth y bydd pan anfonaf ar Jerwsalem fy mhedair cosb erchyll, sef cleddyf, newyn, bwystfilod gwyllt a phla, i dorri ymaith ohoni ddyn ac anifail. ²²Eto, fe arbedir gweddill ynddi, sef meibion a merched a ddygir allan; dônt allan atat, a phan weli eu hymddygiad a'u gweithredoedd, fe'th gysurir am y drwg a ddygais ar Jerwsalem; yn wir, am bob drwg a ddygais arni. ²³Fe'th gysurir pan weli eu hymddygiad a'u gweithredoedd, oherwydd byddi'n gwybod nad heb achos y gwneuthum y cyfan ynddi, medd yr Arglwydd Dduw."

Dameg y Winwydden

15 Daeth gair yr Arglwydd ataf a dweud, ²"Fab dyn, sut y mae pren y winwydden yn well na phob coeden, ac na phob cangen ar goed y goedwig? ³A gymerir pren ohoni i wneud rhywbeth defnyddiol? A wneir ohoni hoelen bren i grogi rhywbeth arni? ⁴Os rhoddir hi'n gynnud i dân, bydd y tân yn difa'r ddau ben, a'r canol yn golosgi; ac i beth y mae'n dda wedyn? ⁵Os na ellid gwneud dim defnyddiol ohoni pan oedd yn gyfan, pa faint llai y gwneir dim defnyddiol ohoni wedi i'r tân ei difa ac iddi olosgi? ⁶Felly, fel hyn y dywed yr Arglwydd Dduw: Fel y rhoddais bren y winwydden o blith coed y goedwig yn gynnud i'r tân, felly y gwnaf i drigolion Jerwsalem. ⁷Byddaf yn gosod fy wyneb yn eu herbyn; er iddynt ddod allan o'r tân, eto bydd y tân yn eu difa. A phan osodaf fy wyneb yn eu herbyn, byddwch yn gwybod mai myfi yw'r Arglwydd. ⁸Gwnaf y wlad yn ddiffeithwch, am iddynt fod yn anffyddlon, medd yr Arglwydd Dduw."

Jerwsalem y Wraig Anffyddlon

16 Daeth gair yr Arglwydd ataf a dweud, ²"Fab dyn, gwna i Jerwsalem sylweddoli ei ffieidd-dra, ³a dywed wrthi, 'Fel hyn y dywed yr Arglwydd Dduw wrth Jerwsalem: O wlad Canaan yr wyt o ran dy dras a'th enedigaeth; Amoriad oedd dy dad, a'th fam yn Heth-

iad. ⁴Ac am dy enedigaeth, ar ddydd dy
eni ni thorrwyd llinyn dy fogail, na'th
olchi mewn dŵr i'th lanhau, na'th rwbio
â halen, na'th rwymo â chadach. ⁵Ni
thosturiodd neb wrthyt i wneud yr un o'r
pethau hyn i ti, nac i drugarhau wrthyt;
ond fe'th luchiwyd allan i'r maes, oher-
wydd fe'th ffieiddiwyd y diwrnod y
ganwyd di.

6 "'Yna fe ddeuthum heibio iti, a'th
weld yn ymdrybaeddu yn dy waed, a
dywedais wrthyt yn dy waed, "Bydd
fyw."ᵣ ⁷Gwneuthum iti dyfu fel plan-
higyn y maes; tyfaist a chynyddu a
chyrraedd aeddfedrwydd. Chwyddodd dy
fronnau a thyfodd dy wallt, er dy fod yn
llwm a noeth.

8 "'Deuthum heibio iti drachefn a
sylwi arnat, a gweld dy fod yn barod am
gariad; taenais gwr fy mantell drosot a
chuddio dy noethni. Tynghedais fy hun
iti, a gwneud cyfamod â thi, medd yr
Arglwydd Dᴅᴜᴡ, a daethost yn eiddo
imi. ⁹Golchais di mewn dŵr a glanhau'r
gwaed oddi arnat, a'th eneinio ag olew.
¹⁰Gwisgais di mewn brodwaith a rhoi iti
sandalau lledr; rhoddais liain main am-
danat a'th orchuddio â sidan. ¹¹Addurnais
di â thlysau, a rhoi breichledau am
dy freichiau a chadwyn am dy wddf;
¹²rhoddais fodrwy yn dy drwyn, tlysau ar
dy glustiau a choron hardd ar dy ben.
¹³Yr oeddit wedi dy addurno ag aur ac
arian, a'th wisgo â lliain, sidan a brod-
waith; yr oeddit yn bwyta peilliaid, mêl ac
olew; yr oeddit yn hynod o bryderth, a
chodaist i fod yn frenhines. ¹⁴Aethost yn
enwog ymysg y cenhedloedd o achos dy
brydferthwch, oherwydd fe'i perffeith-
iwyd trwy'r harddwch a roddais i arnat,
medd yr Arglwydd Dᴅᴜᴡ.

15 "'Ond aethost i ymddiried yn dy
brydferthwch, a phuteiniaist oherwydd
dy enwogrwydd; yr oeddit yn cynnig dy
gorff i unrhyw un a âi heibio, ac yntau'n
ei gymryd. ¹⁶Cymeraist rai o'th ddillad, a
gwneud i ti dy hun uchelfeydd lliwgar, a
phuteiniaist yno; ni fu peth fel hyn, ac ni
fydd ychwaith. ¹⁷Cymeraist hefyd dy
dlysau prydferth, y tlysau o aur ac arian a
roddais iti, a gwnaethost i ti dy hun
eilunod gwryw a phuteinio gyda hwy;
¹⁸cymeraist dy ddillad o frodwaith i'w
gorchuddio, ac offrymu fy olew a'm
harogldarth o'u blaenau. ¹⁹A'r bwyd a
roddais iti—oherwydd bwydais di â

pheilliaid, olew a mêl—fe'i rhoddaist o'u
blaenau yn arogldarth hyfryd; fel hyn y
bu, medd yr Arglwydd Dᴅᴜᴡ. ²⁰Cymer-
aist dy feibion a'th ferched, a oedd yn
blant i mi, a'u hoffrymu yn fwyd iddynt; a
oedd hyn yn llai o beth na'th buteindra?
²¹Lleddaist fy meibion a'u haberthu i'r
eilunod. ²²Ac yn dy holl ffieidd-dra a'th
buteindra, ni chofiaist ddyddiau dy ieu-
enctid, pan oeddit yn llwm a noeth ac yn
ymdrybaeddu yn dy waed.

23 "'Wedi dy holl ddrygioni (Gwae!
Gwae di! medd yr Arglwydd Dᴅᴜᴡ),
²⁴adeiledaist i ti dy hun lwyfan, a gwn-
aethost iti uchelfa ym mhob sgwâr. ²⁵Ar
ben pob stryd codaist dy uchelfa, a halogi
dy brydferthwch gan ledu dy goesau i bob
un a âi heibio, a phuteinio'n ddiddiwedd.
²⁶Puteiniaist gyda'r Eifftiaid, dy gym-
dogion trachwantus, ac ennyn fy nig â'th
buteindra diddiwedd. ²⁷Estynnais innau
fy llaw yn dy erbyn, a lleihau dy diriog-
aeth; rhoddais di i ddymuniad dy elynion,
merched y Philistiaid, a gywilyddiwyd
gan dy ffordd anllad. ²⁸Puteiniaist hefyd
gyda'r Asyriaid, am dy fod heb dy
ddigoni; ac wedi iti buteinio, nid oeddit
eto wedi cael digon. ²⁹Cynyddaist dy
buteindra hyd at Caldea, gwlad o fas-
nachwyr, ac eto ni chefaist ddigon.

30 "'Mor ymrwyfus yw dy galon,
medd yr Arglwydd Dᴅᴜᴡ, dy fod yn
gwneud yr holl bethau hyn, ac yn gweith-
redu fel putain ddigywilydd! ³¹Pan
godaist dy lwyfan ar ben pob stryd, a
gwneud dy uchelfa ym mhob sgwâr, eto
nid oeddit yn union fel putain, gan dy fod
yn dirmygu tâl. ³²O wraig o butain,
cymeraist estroniaid yn lle dy ŵr.
³³Rhoddir tâl i bob putain, ond yr wyt ti
yn rhoi tâl i'th holl gariadau, gan eu
llwgrwobrwyo i ddod atat o bob man i
buteinio gyda thi. ³⁴Yr wyt yn wahanol i
wragedd eraill yn dy buteindra; nid oes
neb yn dy geisio di; yr wyt yn rhoi tâl yn
lle derbyn tâl, a dyna'r gwahaniaeth.

35 "'Felly, butain, gwrando ar air yr
Aʀɢʟᴡʏᴅᴅ. ³⁶Fel hyn y dywed yr Ar-
glwydd Dᴅᴜᴡ: Am iti fod yn gwbl anllad,
a dangos dy noethni wrth buteinio
gyda'th gariadau, ac oherwydd dy holl
eilunod ffiaidd, ac am iti roi iddynt waed
dy feibion, ³⁷felly, fe gasglaf ynghyd dy
holl gariadau y cefaist bleser gyda hwy, y
rhai yr oeddit yn eu caru a'r rhai yr oeddit
yn eu casáu. Fe'u casglaf ynghyd yn dy

ᵣFelly Groeg. Hebraeg yn ail-adrodd *a dywedais...*"Bydd fyw."

erbyn o bob man, ac fe'th ddinoethaf o'u blaenau, ac fe welant dy holl noethni. [38]Rhof arnat gosb godinebwyr a rhai'n tywallt gwaed, a dwyn arnat waed llid ac eiddigedd. [39]A rhof di yn nwylo dy gariadau; bwriant i lawr dy lwyfan a dinistrio dy uchelfeydd, tynnant dy ddillad oddi amdanat, a chymryd dy dlysau hardd a'th adael yn llwm a noeth. [40]Dônt â thyrfa yn dy erbyn, ac fe'th labyddiant â cherrig a'th rwygo â'u cleddyfau. [41]Llosgant dy dai, a rhoi cosb arnat yng ngŵydd llawer o wragedd. [42]Rhof ddiwedd ar dy buteindra, ac ni fyddi'n talu eto i'th gariadau. Yna gwnaf i'm llid gilio, a throf ymaith fy eiddigedd oddi wrthyt; ymdawelaf, ac ni ddigiaf rhagor. [43]Am iti anghofio dyddiau dy ieuenctid, a'm cynddeiriogi â'r holl bethau hyn, felly byddaf finnau'n peri i'r hyn a wnaethost ddod ar dy ben di dy hun, medd yr Arglwydd DDUW. Oni wnaethost anlladrwydd yn ogystal â'th holl ffieidd-dra?

44 "'Bydd pob un sy'n defnyddio diarhebion yn dweud y ddihareb hon amdanat: "Fel y fam y bydd y ferch." [45]Yr wyt ti'n ferch i'th fam, a gasaodd ei gŵr a'i meibion, ac yn chwaer i'th chwiorydd, a gasaodd eu gwŷr a'u plant; Hethiad oedd eich mam, a'ch tad yn Amoriad. [46]Dy chwaer hynaf oedd Samaria, a oedd yn byw gyda'i merched tua'r gogledd, a'th chwaer ieuangaf oedd Sodom, a oedd yn byw gyda'i merched tua'r de. [47]Nid yn unig fe gerddaist yn eu ffyrdd hwy a dilyn eu ffieidd-dra, ond ymhen ychydig amser yr oeddit yn fwy llygredig na hwy yn dy holl ffyrdd. [48]Cyn wired â'm bod yn fyw, medd yr Arglwydd DDUW, ni wnaeth dy chwaer Sodom a'i merched fel y gwnaethost ti a'th ferched. [49]Hyn oedd pechod dy chwaer Sodom: yr oedd hi a'i merched yn falch, yn gorfwyta, ac mewn esmwythyd diofal; ond ni roesant gymorth i'r tlawd anghenus. [50]Bu iddynt ymddyrchafu a gwneud ffieidd-dra o'm blaen; felly fe'u symudais, fel y gwelaist. [51]Ni wnaeth Samaria chwaith hanner dy bechodau di. Gwnaethost fwy o ffieidd-dra na hwy, a pheri i'th chwiorydd ymddangos yn gyfiawn ar gyfrif yr holl bethau ffiaidd a wnaethost ti. [52]Derbyn di felly warth, oherwydd sicrheaist ddedfryd ffafriol i'th chwiorydd; am fod dy bechodau di yn fwy ffiaidd na'u

rhai hwy, ymddangosant hwy yn fwy cyfiawn na thi. Felly, cywilyddia a derbyn dy warth, oherwydd gwnaethost i'th chwiorydd ymddangos yn gyfiawn.

Adfer Sodom a Samaria

53 "'Eto, adferaf eu llwyddiant— llwyddiant Sodom a'i merched, a llwyddiant Samaria a'i merched—ac adferaf dy lwyddiant dithau gyda hwy, [54]er mwyn iti dderbyn dy warth, a bod arnat gywilydd o'r cyfan a wnaethost, er iti ddwyn cysur iddynt hwy. [55]Bydd dy chwiorydd Sodom a Samaria, a'u merched, yn dychwelyd i'w cyflwr blaenorol, a byddi dithau a'th ferched yn dychwelyd i'ch cyflwr blaenorol. [56]Nid oedd unrhyw sôn gennyt am dy chwaer Sodom yn nydd dy falchder, [57]cyn datguddio dy ddrygioni. Ond yn awr daethost fel hithau[rh], yn destun gwaradwydd i ferched Edom[s] a'r holl rai sydd o'u hamgylch, ac i ferched Philistia, sef yr holl rai o'th amgylch sy'n dy ddilorni. [58]Byddi'n derbyn cosb dy anlladrwydd a'th ffieidd-dra, medd yr AR-GLWYDD.

59 "'Fel hyn y dywed yr Arglwydd DDUW: Gwnaf â thi yn ôl dy haeddiant, am iti ddiystyru llw a thorri cytamod; [60]eto fe gofiaf fi fy nghyfamod â thi yn nyddiau dy ieuenctid, a sefydlaf gyfamod tragwyddol â thi. [61]Yna, fe gofi dy ffyrdd, a chywilyddio pan dderbynni dy chwiorydd, y rhai hŷn na thi a'r rhai iau na thi; rhof hwy yn ferched i ti, ond nid oherwydd fy nghyfamod â thi. [62]Felly, sefydlaf fy nghyfamod â thi, a byddi'n gwybod mai myfi yw'r ARGLWYDD. [63]Fe gofi a chywilyddio, ac nid agori dy enau rhagor, oherwydd dy warth pan faddeuaf fi iti am y cyfan a wnaethost, medd yr Arglwydd DDUW.'"

Dameg yr Eryr a'r Winwydden

17 Daeth gair yr ARGLWYDD ataf a dweud, [2]"Fab dyn, gosod bos a llefara ddameg wrth dŷ Israel, [3]a dywed, 'Fel hyn y dywed yr Arglwydd DDUW: Daeth i Lebanon eryr mawr, a chanddo adenydd cryfion, a'i esgyll yn hirion ac yn llawn plu amryliw. Cymerodd frigyn uchaf y gedrwydden, [4]a thorrodd flaen uchaf y brigyn a'i gymryd i wlad o fasnachwyr a'i blannu yn ninas marsiandïwyr. [5]Cymerodd hefyd beth o had y tir a'i roi mewn daear ffrwythlon;

[rh]Tebygol. Cymh.Groeg. Hebraeg, *fel amser.*

[s]Felly llawysgrifau a Syrieg. TM, *Syria.*

plannodd ef fel helygen wrth ddigon o ddŵr. ⁶Blagurodd a daeth yn winwydden, â'i thyfiant yn lledu'n isel, ei changhennau'n troi ato ef, ond ei gwreiddiau'n parhau o dani. Felly daeth yn winwydden, gan dyfu canghennau a bwrw allan frigau. ⁷Ond yr oedd eryr mawr arallᵗ, a chanddo adenydd cryfion a digon o blu, a throdd y winwydden hon ei gwreiddiau i'w gyfeiriad ef, ac o'r rhandir lle plannwyd hi anfonodd allan ganghennau ato ef i geisio dŵr. ⁸Fe'i trawsblannwyd mewn daear dda wrth ddigon o ddŵr er mwyn iddi dyfu canghennau, cynhyrchu ffrwyth a dod yn winwydden odidog.' ⁹Dywed, 'Fel hyn y dywed yr Arglwydd Dᴅᴜᴡ: A ffynna hi? Oni chodir ei gwreiddiau hi, a thynnu ei ffrwyth? Oni wywa ei thyfiant newydd hi yn llwyr, nes y gellir tynnu ymaith ei gwreiddiau heb fraich gref na llawer o bobl? ¹⁰Os trawsblennir hi, a ffynna? Oni wywa'n llwyr, fel petai wedi ei tharo gan wynt y dwyrain—gwywo ar y rhandir lle bu'n tyfu?'''

11 Daeth gair yr Aʀɢʟᴡʏᴅᴅ ataf a dweud, ¹²"Dywed wrth y tylwyth gwrthryfelgar hwn, 'Oni wyddoch beth a olyga hyn?' Dywed, 'Daeth brenin Babilon i Jerwsalem a chymryd ei brenin a'i thywysogion, a mynd â hwy gydag ef i Fabilon. ¹³Yna cymerodd un o'r teulu brenhinol, a gwneud cytundeb ag ef a'i osod dan lw. Aeth ag arweinwyr y wlad ymaith, ¹⁴er mwyn darostwng y deyrnas, rhag iddi godi drachefn; ac ni allai sefyll ond trwy gadw cytundeb ag ef. ¹⁵Ond gwrthryfelodd y brenin yn ei erbyn trwy anfon negeswyr i'r Aifft i geisio meirch a byddin fawr. A lwydda? A arbedir y sawl sy'n gwneud fel hyn? A all dorri'r cytundeb a chael ei arbed? ¹⁶Cyn wired â'm bod yn fyw, medd yr Arglwydd Dᴅᴜᴡ, bydd farw ym Mabilon, yng ngwlad y brenin a'i rhoes ar yr orsedd ac y diystyrodd ei lw ac y torrodd ei gytundeb. ¹⁷Ni all Pharo gyda'i fyddin gref a'i lu mawr wneud dim drosto mewn rhyfel, pan godir esgynfa ac adeiladu gwarchglawdd i ladd llawer o bobl. ¹⁸Diystyrodd y llw a thorri'r cytundeb; er iddo daro bargen, eto gwnaeth y pethau hyn, ac felly nis arbedir. ¹⁹Am hynny, fel hyn y dywed yr Arglwydd Dᴅᴜᴡ: Cyn wired â'm bod yn fyw, ar ei ben ef ei hun y

dygaf fy llw a ddiystyrodd a'm cytundeb a dorrodd. ²⁰Taenaf fy rhwyd drosto, ac fe'i delir yn fy magl; af ag ef i Fabilon a'i farnu yno am iddo fod yn anffyddlon i mi. ²¹Lleddir â'r cleddyf holl wŷr detholᵗʰ ei fyddin, a gwasgerir y gweddill i'r pedwar gwynt. Yna byddwch yn gwybod mai myfi, yr Aʀɢʟᴡʏᴅᴅ, a lefarodd.

22 "Fel hyn y dywed yr Arglwydd Dᴅᴜᴡ: Cymeraf finnau hefyd frigyn o ben y gedrwydden a'i blannu; torraf flagur tyner o'r blaenion a'i blannu ar fynydd mawr ac uchel. ²³Ar fynydd-dir uchel Israel y plannaf ef; fe dyf ganghennau, a rhoi ffrwyth a dod yn gedrwydden odidog. Bydd adar o bob math yn nythu ynddo, ac yn clwydo yng nghysgod ei gangau. ²⁴Bydd holl goed y maes yn gwybod mai myfi'r Aʀɢʟᴡʏᴅᴅ sy'n darostwng y goeden uchel ac yn codi'r goeden isel, yn sychu'r goeden iraidd ac yn bywiocáu'r goeden grin. Myfi, yr Aʀɢʟᴡʏᴅᴅ, a lefarodd, ac fe'i gwnaf.'"

Pob Un yn ôl ei Bechod ei Hun

18 Daeth gair yr Aʀɢʟᴡʏᴅᴅ ataf a dweud, ²"Beth a olygwch wrth ddefnyddio'r ddihareb hon am wlad Israel:

'Y tadau fu'n bwyta grawnwin surion, ond ar ddannedd y plant y mae dincod?'

³Cyn wired â'm bod yn fyw," medd yr Arglwydd Dᴅᴜᴡ, "ni ddefnyddiwch eto'r ddihareb hon yn Israel. ⁴I mi y perthyn pob enaid byw, y tad a'r mab fel ei gilydd; a'r sawl sy'n pechu fydd farw.

5 "Bwriwch fod dyn cyfiawn sy'n gwneud barn a chyfiawnder. ⁶Nid yw'n bwyta yn uchelfeydd y mynyddoedd, nac yn edrych ar eilunod tŷ Israel; nid yw'n halogi gwraig ei gymydog, nac yn mynd at wraig yn ystod ei misglwyf. ⁷Nid yw'n gorthrymu neb, ond y mae'n dychwelyd gwystl y dyledwr, ac nid yw'n lladrata; y mae'n rhoi bwyd i'r newynog a dillad am y noeth. ⁸Nid yw'n rhoi ei arian ar log nac yn derbyn elw; y mae'n atal ei law rhag drygioni, ac yn gwneud barn gywir rhwng dynion a'i gilydd. ⁹Y mae'n dilyn fy neddfau ac yn cadw'n gywir fy marnau; y mae'n ddyn cyfiawn, a bydd yn sicr o fyw," medd yr Arglwydd Dᴅᴜᴡ.

10 "Bwriwch fod ganddo fab sy'n treisio ac yn tywallt gwaed, ac yn gwneud

---

ᵗFelly Fersiynau. Hebraeg, *un.*
ᵗʰFelly llawysgrifau a Fersiynau. TM. *holl ffoedigion.*

un o'r pethau hyn[u], [11]er na wnaeth ei dad[w] yr un ohonynt. Y mae'n bwyta yn uchelfeydd y mynyddoedd, ac yn halogi gwraig ei gymydog; [12]y mae'n gorthrymu'r tlawd a'r anghenus ac yn lladrata; nid yw'n dychwelyd gwystl y dyledwr; y mae'n edrych ar eilunod ac yn gwneud ffieidd-dra; [13]y mae'n rhoi ei arian ar log ac yn derbyn elw. A fydd ef fyw? Na fydd! Am iddo wneud yr holl bethau ffiaidd hyn fe fydd yn sicr o farw, a bydd ei waed arno ef ei hun.

14 "Bwriwch fod gan hwnnw fab sy'n gweld yr holl bechodau a wnaeth ei dad; ac wedi iddo weld, nid yw'n ymddwyn felly. [15]Nid yw'n bwyta yn uchelfeydd y mynyddoedd, nac yn edrych ar eilunod tŷ Israel, nac yn halogi gwraig ei gymydog. [16]Nid yw'n gorthrymu neb, nac yn gofyn gwystl gan ddyledwr, nac yn lladrata; y mae'n rhoi bwyd i'r newynog a dillad am y noeth. [17]Y mae'n atal ei law rhag drygioni[y], ac nid yw'n cymryd llog nac elw; y mae'n cadw fy marnau ac yn dilyn fy neddfau. Ni fydd ef farw am drosedd ei dad, ond bydd yn sicr o fyw. [18]Bydd ei dad farw o achos ei drosedd ei hun, am iddo elwa trwy drais, lladrata oddi ar frawd, a gwneud yr hyn nad oedd yn iawn ymysg ei bobl.

19 "Eto fe ofynnwch, 'Pam nad yw'r mab yn euog am drosedd y tad?' Am i'r mab wneud barn a chyfiawnder, a chadw fy holl ddeddfau ac ufuddhau iddynt, bydd yn sicr o fyw. [20]Y sawl sy'n pechu a fydd farw. Ni fydd y mab yn euog am drosedd y tad, na'r tad am drosedd y mab; fe dderbyn y cyfiawn yn ôl ei gyfiawnder, a'r drygionus yn ôl ei ddrygioni.

21 "Os bydd y drygionus yn troi oddi wrth yr holl bechodau a wnaeth, ac yn cadw fy holl ddeddfau, a gwneud barn a chyfiawnder, bydd yn sicr o fyw; ni fydd farw. [22]Ni chofir yn ei erbyn yr un o'r camweddau a wnaeth, ond oherwydd y cyfiawnder a wnaeth bydd fyw. [23]A wyf yn ymhyfrydu ym marw'r drygionus?" medd yr Arglwydd DDUW. "Onid gwell gennyf iddo droi o'i ffyrdd a byw? [24]Ond os bydd dyn cyfiawn yn troi o'i gyfiawnder, ac yn gwneud drygioni a'r holl bethau ffiaidd y mae'r dyn drygionus yn eu gwneud, a fydd ef fyw? Ni chofir yr

un o'r pethau cyfiawn a wnaeth, ond am iddo fod yn anffyddlon a chyflawni pechodau, bydd farw.

25 "Eto fe ddywedwch, 'Nid yw ffordd yr Arglwydd yn gywir.' Clywch hyn, dŷ Israel: A yw fy ffordd i yn anghywir? Onid eich ffyrdd chwi sy'n anghywir? [26]Os bydd dyn cyfiawn yn troi o'i gyfiawnder ac yn gwneud drygioni, bydd farw o'i achos; am y drygioni a wnaeth bydd farw. [27]Ond os bydd dyn drwg yn troi o'r drygioni a wnaeth ac yn gwneud barn a chyfiawnder, bydd yn arbed ei fywyd. [28]Am iddo weld, a throi oddi wrth yr holl gamweddau y bu'n eu gwneud, bydd yn sicr o fyw; ni fydd farw. [29]Ac eto fe ddywed tŷ Israel, 'Nid yw ffordd yr Arglwydd yn gywir.' A yw fy ffyrdd i yn anghywir, dŷ Israel? Onid eich ffyrdd chwi sy'n anghywir?

30 "Felly, dŷ Israel, fe'ch barnaf bob un am ei ffordd ei hun," medd yr Arglwydd DDUW. "Edifarhewch, a throwch oddi wrth eich holl gamweddau, fel na fydd pechod yn dramgwydd i chwi. [31]Bwriwch ymaith yr holl gamweddau a wnaethoch, a cheisiwch galon newydd ac ysbryd newydd; pam y byddwch farw, dŷ Israel? [32]Nid wyf yn ymhyfrydu ym marwolaeth neb," medd yr Arglwydd DDUW; "edifarhewch a byddwch fyw."

Galarnad am Dywysogion

19 "Gwna alarnad am dywysogion Israel, [2]a dywed:
'Y fath lewes oedd dy fam
ymhlith y llewod!
Gorweddodd ymysg y llewod ifanc
a magu ei chenawon.
[3]Meithrinodd un o'i chenawon,
a thyfodd yn llew ifanc;
dysgodd larpio ysglyfaeth
a bwyta dynion.
[4]Clywodd y cenhedloedd amdano,
ac fe'i daliwyd yn eu pwll;
aethant ag ef â bachau
i wlad yr Aifft.
[5]Pan welodd hi ei siomi[a]
a dinistrio ei gobaith,
cymerodd un arall o'i chenawon
a gwneud llew ifanc ohono.
[6]Yr oedd yn prowla ymhlith y llewod,
a thyfodd yn llew ifanc;
dysgodd larpio ysglyfaeth

---

[u]Felly llawysgrifau a Fersiynau. TM, *gwneud i frawd o un o'r pethau hyn.*
[w]Cymh. Groeg. Hebraeg, *ef.* [y]Felly Groeg. Cymh. adn. 8. Hebraeg, *oddi wrth y tlawd.*
[a]Felly Fersiynau. Hebraeg, *ei disgwyl.*

a bwyta dynion.
⁷Tynnodd i lawr eu ceyrydd ᵇ,
a dinistrio eu dinasoedd;
daeth ofn ar y wlad a phopeth ynddi
oherwydd sŵn ei ruo.
⁸Yna daeth y cenhedloedd yn ei erbyn
o'r taleithiau o amgylch;
taenasant eu rhwyd drosto,
ac fe'i daliwyd yn eu pwll.
⁹Tynasant ef i gawell â bachau,
a mynd ag ef at frenin Babilon;
rhoddwyd ef mewn carchar,
fel na chlywyd ei sŵn mwyach
ar fynyddoedd Israel.

¹⁰"'Yr oedd dy fam fel gwinwydden
mewn gwinllan ᶜ,
wedi ei phlannu yn ymyl dyfroedd;
yr oedd yn ffrwythlon a brigog
am fod digon o ddŵr.
¹¹Yr oedd ei changhennau yn gryfion,
yn addas i deyrnwialen
llywodraethwyr.
Tyfodd yn uchel iawn,
uwchlaw'r prysgwydd;
yr oedd yn amlwg oherwydd ei
huchder
a nifer ei changau.
¹²Ond fe'i diwreiddiwyd mewn dicter,
fe'i bwriwyd hi i'r llawr;
deifiodd gwynt y dwyrain hi,
dinoethwyd hi o'i ffrwythau;
gwywodd ei changau cryfion,
ac yswyd hwy gan dân.
¹³Yn awr, y mae wedi ei thrawsblannu
mewn diffeithwch,
mewn tir cras a sychedig.
¹⁴Lledodd tân o un o'i changhennau
ac ysu ei blagur ᶜʰ;
ni adawyd arni yr un gangen gref,
yn addas i deyrnwialen
llywodraethwr.'
Galarnad yw hon, ac y mae i'w
defnyddio'n alarnad."

Neges i'r Henuriaid

20 Ar y degfed dydd o'r pumed mis
yn y seithfed flwyddyn, daeth rhai
o henuriaid Israel i ymofyn â'r AR-
GLWYDD, ac yr oeddent yn eistedd o'm
blaen. ²Daeth gair yr ARGLWYDD ataf a
dweud, ³"Fab dyn, llefara wrth henur-
iaid Israel a dywed wrthynt: 'Fel hyn y
dywed yr Arglwydd DDUW: Ai i ymofyn
â mi y daethoch? Cyn wired â'm bod yn

fyw, medd yr Arglwydd DDUW, ni
adawaf i chwi ymofyn â mi.' ⁴A wnei di
eu barnu? A wnei eu barnu, fab dyn?
Pâr iddynt wybod am ffieidd-dra eu
tadau, ⁵a dywed wrthynt, 'Fel hyn y
dywed yr Arglwydd DDUW: Yn y dydd y
dewisais Israel, tyngais wrth ddisgyn-
yddion tylwyth Jacob, a datguddiais fy
hun iddynt yng ngwlad yr Aifft; tyngais
wrthynt a dweud, "Myfi yw'r AR-
GLWYDD eich Duw." ⁶Y diwrnod
hwnnw tyngais wrthynt y byddwn yn dod
â hwy allan o wlad yr Aifft i'r wlad a
geisiais iddynt, gwlad yn llifeirio o laeth a
mêl, y decaf o'r holl wledydd. ⁷Dywedais
wrthynt, "Pob un ohonoch, bwriwch
ymaith y pethau atgas y mae eich llygaid
yn syllu arnynt, a pheidiwch â'ch halogi
eich hunain ag eilunod yr Aifft. Myfi yw'r
ARGLWYDD eich Duw."
8 "'Ond bu iddynt wrthryfela yn
f'erbyn a gwrthod gwrando arnaf; ni
wnaeth yr un ohonynt fwrw ymaith y
pethau atgas yr oedd eu llygaid yn syllu
arnynt, na gadael eilunod yr Aifft. Bwr-
iadwn dywallt fy llid a dod â'm dicter
arnynt yng ngwlad yr Aifft; ⁹eto gweith-
redais er mwyn fy enw rhag ei halogi yng
ngolwg y cenhedloedd yr oeddent yn eu
mysg, a datguddiais fy hun yn eu gŵydd
trwy fynd ag Israel allan o wlad yr Aifft.
¹⁰Felly euthum â hwy allan o wlad yr Aifft
a mynd â hwy i'r anialwch. ¹¹Rhoddais
iddynt fy neddfau, a pheri iddynt wybod
fy marnau; pwy bynnag a'u gwna, bydd
fyw trwyddynt. ¹²Rhoddais iddynt hefyd
fy Sabothau yn arwydd rhyngom, er
mwyn iddynt wybod fy mod i, yr AR-
GLWYDD, yn eu sancteiddio.
13 "'Ond gwrthryfelodd tylwyth Israel
yn f'erbyn yn yr anialwch. Nid oeddent
yn dilyn fy neddfau, ac yr oeddent yn
gwrthod fy marnau—er mai'r sawl a'u
gwna a fydd byw—ac yn halogi'n llwyr
fy Sabothau. Yna bwriadwn dywallt fy
llid arnynt yn yr anialwch a'u difetha;
¹⁴eto gweithredais er mwyn fy enw, rhag
ei halogi yng ngolwg y cenhedloedd y
deuthum â hwy allan yn eu gŵydd.
¹⁵Tyngais wrthynt yn yr anialwch na
fyddwn yn dod â hwy i'r wlad a roddais
iddynt, gwlad yn llifeirio o laeth a mêl, y
decaf o'r holl wledydd, ¹⁶oherwydd
iddynt wrthod fy marnau a pheidio â
chadw fy neddfau, ond halogi fy Saboth-

ᵇTebygol. Cymh. Fersiynau. Hebraeg, *Adnabu eu gweddwon.*
ᶜFelly llawysgrifau. TM, *yn dy waed.*   ᶜʰFelly Groeg. Hebraeg yn ychwanegu *ei ffrwyth.*

au, am fod eu calon yn dilyn eu heilunod. [17]Eto edrychais mewn tosturi arnynt, rhag eu dinistrio, ac ni roddais ddiwedd arnynt yn yr anialwch. [18]Dywedais wrth eu plant yn yr anialwch, "Peidiwch â dilyn deddfau eich tadau, na chadw eu barnau, na halogi eich hunain â'u heilunod. [19]Myfi yw'r Arglwydd eich Duw; dilynwch fy neddfau a gwylio eich bod yn cadw fy marnau. [20]Cadwch fy Sabothau, iddynt fod yn arwydd rhyngom, a chewch wybod mai myfi yw'r Arglwydd eich Duw."

21 "'Ond gwrthryfelodd eu plant yn fy erbyn. Nid oeddent yn dilyn fy neddfau, nac yn cadw fy marnau—er mai'r sawl a'u gwna a fydd byw—ac yr oeddent yn halogi fy Sabothau. Yna bwriadwn dywallt fy llid a dod â'm dicter arnynt yn yr anialwch. [22]Ond ateliais fy llaw a gweithredais er mwyn fy enw, rhag ei halogi yng ngolwg y cenhedloedd y deuthum â hwy allan yn eu gŵydd. [23]Tyngais wrthynt yn yr anialwch y byddwn yn eu gwasgaru ymysg y cenhedloedd ac yn eu chwalu trwy'r gwledydd, [24]oherwydd iddynt beidio â gwneud fy marnau, ond gwrthod fy neddfau, halogi fy Sabothau, a throi eu llygaid at eilunod eu tadau. [25]Yn wir, rhoddais iddynt ddeddfau heb fod yn dda, a barnau na allent fyw wrthynt; [26]gwneuthum iddynt eu halogi eu hunain â'u rhoddion trwy aberthu pob cyntafanedig, er mwyn imi eu brawychu, ac er mwyn iddynt wybod mai myfi yw'r Arglwydd.'

27 "Felly, fab dyn, llefara wrth dŷ Israel a dywed wrthynt, 'Fel hyn y dywed yr Arglwydd Dduw: Yn hyn hefyd y bu i'ch tadau fy nghablu a bod yn anffyddlon imi. [28]Pan ddeuthum â hwy i'r wlad yr oeddwn wedi tyngu y byddwn yn ei rhoi iddynt, a hwythau'n gweld bryn uchel neu bren deiliog, fe offrymant aberthau yno a chyflwyno rhoddion a'm digiai; rhoddent yno eu harogldarth peraidd, a thywallt eu diod-offrwm. [29]Yna dywedais wrthynt, "Beth yw'r uchelfa hon yr ewch iddi?" A gelwir hi yn Bama[d] hyd y dydd hwn.'

30 "Am hynny, dywed wrth dŷ Israel, 'Fel hyn y dywed yr Arglwydd Dduw: A ydych yn eich halogi eich hunain fel y gwnaeth eich tadau, a phuteinio gyda'u heilunod atgas? [31]Pan gyflwynwch eich rhoddion, a gwneud i'ch meibion fynd

trwy'r tân, yr ydych yn eich halogi eich hunain â'ch holl eilunod hyd heddiw. Sut y gadawaf i chwi ymofyn â mi, dŷ Israel? Cyn wired â'm bod yn fyw, medd yr Arglwydd Dduw, ni adawaf i chwi ymofyn â mi.

Carthu'r Gwrthryfelwyr

32 "'Yr ydych yn dweud, "Byddwn fel y cenhedloedd, fel pobloedd y gwledydd, yn addoli pren a charreg"; ond yn sicr ni ddigwydd yr hyn sydd yn eich meddwl. [33]Cyn wired â'm bod yn fyw, medd yr Arglwydd Dduw, llywodraethaf drosoch â llaw gref, â braich estynedig ac â llid tywalltedig. [34]Dof â chwi o blith y cenhedloedd, a'ch casglu o'r gwledydd lle gwasgarwyd chwi, â llaw gref, â braich estynedig ac â llid tywalltedig. [35]Dof â chwi i anialwch y cenhedloedd a'ch barnu yno wyneb yn wyneb. [36]Fel y bernais eich tadau yn anialwch gwlad yr Aifft, felly y barnaf chwithau, medd yr Arglwydd Dduw. [37]Gwnaf i chwi fynd heibio dan y wialen, a'ch dwyn i rwymyn y cyfamod. [38]Fe garthaf o'ch plith y rhai sy'n gwrthryfela ac yn codi yn f'erbyn; er imi ddod â hwy o'r wlad lle maent yn aros, eto nid ânt i dir Israel. Yna byddwch yn gwybod mai myfi yw'r Arglwydd.'

39 "A chwithau, dŷ Israel, fel hyn y dywed yr Arglwydd Dduw: Aed pob un ohonoch i addoli ei eilunod. Yna byddwch yn siŵr o wrando arnaf fi, ac ni fyddwch yn halogi fy enw sanctaidd â'ch rhoddion ac â'ch eilunod. [40]Oherwydd ar fy mynydd sanctaidd, ar fynydd uchel Israel, medd yr Arglwydd Dduw, y bydd holl dŷ Israel, a phob un sydd yn y wlad, yn fy addoli, ac yno y derbyniaf hwy. Yno y ceisiaf eich aberthau a'ch offrymau gorau, ynghyd â'ch holl aberthau sanctaidd. [41]Fe'ch derbyniaf chwi fel arogldarth peraidd, pan ddof â chwi allan o blith y cenhedloedd, a'ch casglu o'r gwledydd lle gwasgarwyd chwi, a sancteiddiaf fy hun ynoch chwi yng ngŵydd y cenhedloedd. [42]Yna byddwch yn gwybod mai myfi yw'r Arglwydd, pan ddof â chwi i dir Israel, y wlad y tyngais y byddwn yn ei rhoi i'ch tadau. [43]Yno byddwch yn cofio eich ffyrdd, a'r holl bethau a wnaethoch i'ch halogi eich hunain, a bydd arnoch gywilydd wyneb am yr holl ddrygioni a wnaethoch. [44]Yna

[d]Ystyr *Bama* yw *uchelfa*, ond gall hefyd olygu *Â beth?*

byddwch yn gwybod mai myfi yw'r AR-
GLWYDD, pan fyddaf yn ymwneud â chwi
er mwyn fy enw, ac nid yn ôl eich ffyrdd
drygionus a'ch gweithredoedd llygredig,
O dŷ Israel, medd yr Arglwydd DDUW."

Tân yng Nghoedwig y De

45* Daeth gair yr ARGLWYDD ataf a
dweud, ⁴⁶ "Fab dyn, tro dy wyneb i
gyfeiriad Teman, a llefara i gyfeiriad y
Negeb; proffwyda yn erbyn tir coediog y
Negeb. ⁴⁷ Dywed wrth goedwig y de,
'Gwrando air yr ARGLWYDD. Fel hyn y
dywed yr Arglwydd DDUW: Dyma fi'n
cynnau tân ynot, ac fe ysir dy holl goed,
yr ir a'r crin fel ei gilydd. Ni ddiffoddir y
fflam danllyd, ond fe losgir ganddi bob
wyneb o'r de i'r gogledd. ⁴⁸ Bydd pob dyn
yn gweld mai myfi'r ARGLWYDD a fu'n ei
chynnau, ac nis diffoddir.' " ⁴⁹ A dywed-
ais, "Och! Fy Arglwydd DDUW, y maent
yn dweud amdanaf, 'Onid llefaru dam-
hegion y mae?' "

Cleddyf o'r Wain yn erbyn Israel

21 * Daeth gair yr ARGLWYDD ataf a
dweud, ² "Fab dyn, tro dy wyneb
tua Jerwsalem, a llefara yn erbyn ei
chysegrᵈᵈ a phroffwyda yn erbyn tir
Israel. ³ Dywed wrth dir Israel, 'Fel hyn y
dywed yr ARGLWYDD: Yr wyf fi yn dy
erbyn; tynnaf fy nghleddyf o'i wain a
thorri ymaith ohonot y cyfiawn a'r dryg-
ionus. ⁴ Oherwydd fy mod am dorri
ymaith ohonot y cyfiawn a'r drygionus y
tynnir fy nghleddyf o'i wain yn erbyn
pawb o'r de i'r gogledd. ⁵ Yna bydd pob
un yn gwybod fy mod i, yr ARGLWYDD,
wedi tynnu fy nghleddyf o'i wain; ni fydd
yn dychwelyd yno byth eto.' ⁶ Ac yn awr,
fab dyn, griddfan; griddfan yn chwerw
o'u blaenau â chalon ddrylliedig. ⁷ A phan
ofynnant iti pam dy fod yn griddfan, fe
ddywedi, 'Oherwydd y newyddion; pan
ddaw, bydd pob calon yn toddi, pob llaw
yn llipa, pob ysbryd yn pallu a phob glin
yn ddŵr. Fe ddigwydd, ac y mae ar
ddyfod, medd yr Arglwydd DDUW.' "

8 Daeth gair yr ARGLWYDD ataf a
dweud, ⁹ "Fab dyn, proffwyda a dweud,
'Fel hyn y dywed yr ARGLWYDD:
Cleddyf! Cleddyf wedi ei hogi,
a hefyd wedi ei loywi—

¹⁰ wedi ei hogi er mwyn lladd,
a'i loywi i fflachio fel mellten!
O fy mab, fe chwifir gwialen
i ddilorni pob eilun pren!ᵉ
¹¹ Rhoddwyd y cleddyf i'w loywi,
yn barod i law ymaflyd ynddo;
y mae'r cleddyf wedi ei hogi a'i loywi,
yn barod i'w roi yn llaw y lladdwr.'
¹² Gwaedda ac uda, fab dyn,
oherwydd y mae yn erbyn fy mhobl,
yn erbyn holl dywysogion Israel—
fe'u bwrir hwythau i'r cleddyf gyda'm
pobl;
felly cura dy ddwyfronᶠ.
Oherwydd bydd profi.
¹³ A beth os nad gwialen dilorni ydyw
mewn gwirionedd?" medd yr Arglwydd
DDUW.

¹⁴ "Ac yn awr, fab dyn, proffwyda,
a chura dy ddwylo yn erbyn ei gilydd;
chwifier y cleddyf ddwywaith a thair—
cleddyf i ladd ydyw,
cleddyf i wneud lladdfa fawr,
ac y mae'n chwyrlïo o'u hamgylch.
¹⁵ Er mwyn i'w calon doddi,
ac i lawer ohonynt syrthio,
yr wyf wedi gosod cleddyf dinistrᶠᶠ
wrth eu holl byrth.
Och! Fe'i gwnaed i ddisgleirio fel
mellten,
ac fe'i tynnir i ladd.
¹⁶ Tro'n finiog i'r dde ac i'r chwith,
i ble bynnag y pwyntia dy flaen.
¹⁷ Byddaf finnau hefyd yn curo fy nwylo,
ac yna'n tawelu fy llid.
Myfi yr ARGLWYDD a lefarodd."

18 Daeth gair yr ARGLWYDD ataf a
dweud, ¹⁹ "Yn awr, fab dyn, noda ddwy
ffordd i gleddyf brenin Babilon ddod, a'r
ddwy yn arwain o'r un wlad, a gosod
fynegbost ar ben y ffordd sy'n dod i'r
ddinas. ²⁰ Noda un ffordd i'r cleddyf ddod
yn erbyn Rabba'r Ammoniaid, a'r llall yn
erbyn Jwda a Jerwsalem gaerog. ²¹ Oher-
wydd fe oeda brenin Babilon ar y groes-
ffordd lle mae'r ddwy ffordd yn fforchi, i
geisio argoel; bydd yn bwrw coelbren â
saethau, yn ymofyn â'i eilunod ac yn
edrych ar yr afu. ²² Yn ei law dde bydd
coelbren Jerwsalem, iddoᵍ roi gorchymyn
i ladd, codi bonllef rhyfel, gosod peirian-
nau hyrddio yn erbyn y pyrth, codi

---

*21:1 yn y TM.   *21:6 yn y TM.   ᵈᵈTebygol. Hebraeg, cysegrleoedd.
ᵉHebraeg yn aneglur. Rhai Fersiynau heb O fy mab...pren.   ᶠHebraeg, dy glun.
ᶠᶠCymh. Groeg. Hebraeg yn aneglur.   ᵍHebraeg yn ychwanegu osod peiriannau hyrddio.

esgynfa ac adeiladu gwarchglawdd.
²³Bydd yn ymddangos yn argoel twyll-odrus i'r rhai sy'n deyrngar iddo, ond bydd ef yn dwyn eu trosedd i gof ac yn eu caethiwo. ²⁴Felly, fel hyn y dywed yr Arglwydd DDUW: Oherwydd ichwi ddwyn eich trosedd i gof trwy eich gwrthryfel agored, ac amlygu eich pech-odau yn y cyfan a wnewch, oherwydd i chwi wneud hyn, fe'ch caethiwir.

25 "A thithau, dywysog annuwiol a drygionus Israel, yr un y daeth ei ddydd yn amser y gosb derfynol, ²⁶fel hyn y dywed yr Arglwydd DDUW: Diosg y benwisg a thyn y goron; nid fel y bu y bydd; dyrchefir yr isel a darostyngir yr uchel. ²⁷Adfail! Adfail! Yn adfail na fu ei bath y gwnaf hi, nes i'r hwn a'i piau trwy deg ddod, ac imi ei rhoi iddo ef.

Cleddyf yn erbyn Ammon

28 "Yn awr, fab dyn, proffwyda a dywed, 'Fel hyn y dywed yr Arglwydd DDUW wrth yr Ammoniaid a'u hcilun ⁿᵍ: Cleddyf! Cleddyf wedi ei dynnu i ladd, wedi ei loywi i ddifa ac i ddisgleirio fel mellten! ²⁹Er bod gweledigaethau gau amdanat ac argoelion twyllodrus ynglŷn â thi, fe'th osodir ar yddfau'r drygionus sydd i'w lladd, sef y rhai y daeth eu dydd yn amser y gosb derfynol. ³⁰Yna, dych-weler ef i'w wain. Yn y lle y crewyd di, yng ngwlad dy gynefin, y barnaf di. ³¹Tywalltaf fy llid arnat a chwythu fy nig tanllyd drosot; rhoddaf di yn nwylo dynion creulon, dynion medrus i ddinis-trio. ³²Byddi'n gynnud i dân, bydd dy waed trwy'r tir, ac ni chofir amdanat. Myfi yr ARGLWYDD a lefarodd.'"

Troseddau Jerwsalem

22 Daeth gair yr ARGLWYDD ataf a dweud, ²"Yn awr, fab dyn, a ferni di? A ferni di y ddinas waedlyd, a pheri iddi wybod ei holl ffieidd-dra? ³Dywed wrthi, 'Fel hyn y dywed yr Arglwydd DDUW: O ddinas, sy'n dwyn ei thynged arni ei hun trwy dywallt gwaed o'i mewn, ac yn ei halogi ei hun â'i heilunod, ⁴yr wyt yn euog oherwydd y gwaed a dywelltaist, ac yn halogedig oherwydd yr eilunod a wnaethost. Daethost â'th ddyddiau i ben, a daeth diwedd ar dy flynyddoedd. Am hynny, gwnaf di'n warth i'r cenhedloedd ac yn gyff gwawd i'r holl wledydd. ⁵Bydd y rhai

agos a'r rhai pell yn dy wawdio di, yr un enwog am dy ddrygioni a'r un llawn cythrwfl. ⁶Ynot ti y mae holl dywysogion Israel yn defnyddio'u nerth i dywallt gwaed. ⁷O'th fewn di y maent yn dirmygu tad a mam, yn gorthrymu'r dieithr sydd ynot, ac yn camdrin yr amddifad a'r weddw. ⁸Yr wyt wedi diystyru fy mhethau sanctaidd ac wedi halogi fy Sabothau. ⁹Y mae ynot ddynion sy'n enllibio er mwyn tywallt gwaed, yn bwyta yng nghysegrfeydd y mynyddoedd ac yn gweithredu'n anllad o'th fewn. ¹⁰Y mae ynot rai sy'n datguddio noethni eu tadau, ac yn treisio merched yn ystod eu mis-glwyf; ¹¹y mae un yn gwneud ffieidd-dra gyda gwraig ei gymydog, un arall yn halogi'n waradwyddus ei ferch-yng-nghyfraith, ac un arall yn treisio ei chwaer, merch ci dad ei hun. ¹²Y mae ynot rai sy'n derbyn llwgrwobr am dywallt gwaed; yr wyt yn cymryd budd-dâl a llog, ac yn elwa ar dy gymdogion trwy drais. Anghofiaist fi, medd yr Ar-glwydd DDUW.

13 "'Yn wir, byddaf yn dyrnu yn erbyn yr elw a wnaethost ac yn erbyn y gwaed sydd o'th fewn. ¹⁴A ddeil dy ddewrder, ac a fydd dy ddwylo'n gryf yn y dydd y byddaf fi'n ymwneud â thi? Myfi yr ARGLWYDD a lefarodd, a myfi a fydd yn gweithredu. ¹⁵Fe'th wasgaraf ymysg y cenhedloedd a'th chwalu trwy'r gwledydd, a rhof ddiwedd ar dy aflendid. ¹⁶Pan fyddi'n halogedig yng ngolwg y cenhedloedd, byddi'n gwybod mai myfi yw'r ARGLWYDD.'"

17 Daeth gair yr ARGLWYDD ataf a dweud, ¹⁸"Fab dyn, fe aeth tŷ Israel yn amhur gennyf; y maent i gyd yn gymysg o bres, alcam, haearn a phlwm mewn ffwrnais; arian amhur ydynt. ¹⁹Felly, fel hyn y dywed yr Arglwydd DDUW: Oher-wydd i chwi oll fynd yn amhur, fe'ch casglaf ynghyd i Jerwsalem. ²⁰Fel y cesglir arian, pres, haearn, plwm ac alcam i ffwrnais â thân dani i'w toddi, felly y casglaf finnau chwi yn fy nicter a'm llid, a'ch rhoi yno a'ch toddi. ²¹Fe'ch casglaf, a chwythu arnoch â'm dig tan-llyd, ac fe'ch toddir ynddi. ²²Fel y toddir arian mewn ffwrnais, felly y toddir chwithau ynddi, a byddwch yn gwybod mai myfi'r ARGLWYDD a dywalltodd fy llid arnoch."

23 Daeth gair yr ARGLWYDD ataf a

ⁿᵍHebraeg, *gwarth.*

dweud, ²⁴ "Fab dyn, dywed wrthi, 'Gwlad heb gael cawodydd ʰ na glaw fuost yn nydd dicter.' ²⁵ Y mae brad ei thywysogion ⁱ o'i mewn fel rhu llew yn llarpio'i ysglyfaeth; y maent yn traflyncu pobl, yn cymryd eu cyfoeth a'u trysor, ac yn gwneud llawer yn weddwon o'i mewn. ²⁶ Y mae ei hoffeiriaid yn treisio fy nghyfraith ac yn halogi fy mhethau sanctaidd; nid ydynt yn gwahaniaethu rhwng sanctaidd a chyffredin, nac yn cydnabod gwahaniaeth rhwng glân ac aflan; y maent yn anwybyddu fy Sabothau, ac fe'm halogir yn eu mysg. ²⁷ Y mae ei swyddogion o'i mewn fel bleiddiaid yn llarpio ysglyfaeth; y maent yn tywallt gwaed ac yn lladd pobl er mwyn gwneud elw. ²⁸ Y mae ei phroffwydi'n gwyngalchu drostynt â gweledigaethau gau ac argoelion twyllodrus, ac yn dweud, 'Fel hyn y dywed yr Arglwydd Dduw', a'r ARGLWYDD heb ddweud. ²⁹ Y mae pobl y wlad yn arfer trais ac yn lladrata; y maent yn gorthrymu'r tlawd a'r anghenog, ac yn treisio'r dieithryn gan atal cyfiawnder. ³⁰ Chwiliais am ddyn yn eu mysg a allai adeiladu mur, a sefyll o'm blaen yn y bwlch, i amddiffyn y wlad rhag dinistr, ond ni chefais yr un. ³¹ Tywelltais fy llid arnynt a'u dinistrio â'm dicter tanllyd, a dwyn ar eu pennau eu hunain yr hyn a wnaethant," medd yr Arglwydd Dduw.

Dwy Chwaer yn Puteinio

23 Daeth gair yr ARGLWYDD ataf a dweud, ² "Fab dyn, yr oedd unwaith ddwy wraig, merched y un fam. ³ Aethant yn buteiniaid yn yr Aifft, gan ddechrau'n ifanc; yno y chwaraewyd â'u bronnau a gwasgu eu tethau morwynol. ⁴ Ohola oedd enw'r hynaf, ac Oholiba oedd ei chwaer; daethant yn eiddof fi, a ganwyd iddynt feibion a merched. Samaria yw Ohola a Jerwsalem yw Oholiba.

5 "Puteiniodd Ohola pan oedd yn eiddo i mi, a chwantu ei chariadon, yr Asyriaid, yn swyddogion ⁶ mewn lifrai glas, yn llywodraethwyr a chadfridogion —gwŷr ifainc dymunol, pob un ohonynt, ac yn marchogaeth ar geffylau. ⁷ Puteiniodd gyda'i dewis o holl wŷr yr Asyriaid, a'i halogi ei hun gydag eilunod y rhai a chwantai. ⁸ Ni throes oddi wrth y puteindra a gychwynnodd yn yr Aifft, pan oedd hi'n ifanc a rhai'n gorwedd gyda hi ac yn gwasgu ei thethau morwynol ac yn tywallt eu chwant arni. ⁹ Am hynny, rhoddais hi yn nwylo ei chariadon, yn nwylo'r Asyriaid yr oedd yn eu chwantu. ¹⁰ Bu iddynt hwythau ei dinoethi, cymryd ei meibion a'i merched, a'i lladd hithau â'r cleddyf. Daeth yn enwog ymysg gwragedd, a rhoddwyd barn arni.

11 "Er i'w chwaer Oholiba weld hyn, eto aeth yn fwy llwgr na'i chwaer yn ei chwant a'i phuteindra. ¹² Chwantodd hithau'r Asyriaid, yn llywodraethwyr a chadfridogion, yn swyddogion mewn lifrai glas a marchogion ar geffylau— gwŷr ifainc dymunol, pob un ohonynt. ¹³ Gwelais hithau hefyd yn ei halogi ei hun; yr un ffordd yr âi'r ddwy. ¹⁴ Ond fe wnaeth hi fwy o buteindra. Gwelodd ddynion wedi eu darlunio ar bared— lluniau o'r Caldeaid, wedi eu lliwio mewn coch, ¹⁵ yn gwisgo gwregys am eu canol a thwrbanau llaes am eu pennau, a phob un ohonynt yn ymddangos fel swyddog ac yn edrych yn debyg i'r Babiloniaid, brodorion gwlad Caldea. ¹⁶ Pan welodd hwy, fe'u chwantodd ac anfon negeswyr amdanynt i Caldea. ¹⁷ Daeth y Babiloniaid ati i wely cariad a'i halogi â'u puteindra; wedi iddi gael ei halogi ganddynt, fe droes ymaith mewn atgasedd oddi wrthynt. ¹⁸ Pan wnaeth ei phuteindra'n amlwg a datguddio'i noethni, fe drois innau oddi wrthi, fel yr oeddwn wedi troi mewn atgasedd oddi wrth ei chwaer. ¹⁹ Ond fe wnaeth ragor o buteindra wrth iddi gofio am ddyddiau ei hieuenctid, pan oedd yn butain yng ngwlad yr Aifft. ²⁰ Yno yr oedd yn chwantu ei chariadon, a oedd â'u haelodau fel rhai asynnod a'u ffrydlif fel eiddo march. ²¹ Felly yr oeddit yn ail-fyw anlladrwydd dy ieuenctid, pan wasgwyd dy dethau a chwarae â'th fronnau ifanc yn yr Aifft.¹

22 "Felly, Oholiba, fel hyn y dywed yr Arglwydd Dduw: 'Yr wyf am gyffroi yn dy erbyn dy gariadon, y troist mewn atgasedd oddi wrthynt; dof â hwy yn dy erbyn o bob tu—²³ y Babiloniaid a'r holl Galdeaid, gwŷr Pecod, Soa a Coa, a'r holl Asyriaid, gwŷr ifainc dymunol pob un ohonynt, i gyd yn llywodraethwyr a chadfridogion, yn benaethiaid a swydd-

---

ʰ Felly Groeg. Hebraeg, *glendid.*
ⁱ Felly Groeg, Hebraeg, *ei phroffwydi.*
¹ Cymh. Fersiynau. Hebraeg, *pan wasgwyd dy dethau er mwyn dy fronnau ifanc o'r Aifft.*

ogion[ll] ac yn marchogaeth ar geffylau. [24]Dônt yn dy erbyn o'r gogledd[m], â cherbydau, gwagenni a mintai o bobl, ac fe safant yn dy erbyn o bob tu gyda tharianau bach a mawr a chyda helmedau; rhof iddynt hawl i gosbi, ac fe'th gosbant yn ôl eu dedfryd eu hunain. [25]Trof f'eiddigedd yn dy erbyn, ac fe weithredant fy llid arnat; torrant ymaith dy drwyn a'th glustiau, a bydd y rhai a adewir ohonot yn syrthio trwy'r cleddyf; cymerant dy feibion a'th ferched, ac fe losgir y rhai a adewir â thân. [26]Tynnant dy ddillad oddi amdanat, a chymerant hefyd dy dlysau prydferth. [27]Rhof derfyn ar dy anlladrwydd ac ar y puteindra a gychwynnodd yng ngwlad yr Aifft; ni fyddi'n edrych arnynt eto â blys, nac yn cofio'r Aifft mwyach.'

28 "Fel hyn y dywed yr Arglwydd DDUW: 'Yr wyf am dy roi yn nwylo'r rhai a gasei, y rhai y troist mewn atgasedd oddi wrthynt. [29]Fe weithredant yn atgas tuag atat, a chymryd popeth y gweithiaist amdano; fe'th adawant yn llwm a noeth, a datguddir noethni dy buteindra. Dy anlladrwydd a'th buteindra [30]a ddaeth â hyn arnat, oherwydd iti yn dy buteindra fynd ar ôl y cenhedloedd a'th halogi dy hun gyda'u heilunod. [31]Aethost yr un ffordd â'th chwaer, a rhof ei chwpan hi yn dy law.'

32 "Fel hyn y dywed yr Arglwydd DDUW:
'Fe yfi o gwpan dy chwaer,
cwpan dwfn a llydan;
fe fyddi'n wawd a gwatwar,
oherwydd fe ddeil lawer.
[33]Fe'th lenwir â meddwdod a gofid;
cwpan dinistr ac anobaith
yw cwpan dy chwaer Samaria.
[34]Fe'i hyfi i'r gwaelod;
yna fe'i maluri'n ddarnau
a rhwygo dy fronnau.'
Myfi a lefarodd," medd yr Arglwydd DDUW.

35 "Felly, fel hyn y dywed yr Arglwydd DDUW: 'Oherwydd iti fy anghofio a'm bwrw y tu ôl i'th gefn, bydd yn rhaid iti ddwyn cosb dy anlladrwydd a'th buteindra.'"

36 Dywedodd yr ARGLWYDD wrthyf, "Fab dyn, a ferni di Ohola ac Oholiba, a gosod eu ffieidd-dra o'u blaenau? [37]Oherwydd bu iddynt odinebu, ac y mae gwaed ar eu dwylo; buont yn godinebu gyda'u heilunod, ac yn aberthu'n fwyd iddynt hyd yn oed y plant a anwyd i mi ohonynt. [38]Gwnaethant hyn hefyd i mi: yr un pryd fe lygrasant fy nghysegr a halogi fy Sabothau. [39]Ar y dydd pan oeddent yn aberthu eu plant i'w heilunod, aethant i mewn i'm cysegr i'w halogi. Dyna a wnaethant yn fy nhŷ. [40]Anfonasant hefyd negeswyr i gyrchu dynion o bell; a phan ddaethant, yr oeddit yn ymolchi, yn lliwio dy lygaid ac yn gwisgo dy dlysau. [41]Yr oeddit yn eistedd ar wely drudfawr, wedi gosod bwrdd o'i flaen a rhoi arno fy arogldarth a'm holew i. [42]Yr oedd sŵn tyrfa ddiofal o'i amgylch, ac fe ddygwyd y Sabeaid o'r anialwch yn ogystal â mintai o ddynion cyffredin; rhoesant freichledau ar freichiau'r merched a thorchau prydferth ar eu pennau. [43]Yna fe ddywedais am yr un oedd wedi diffygio gan buteindra, 'Yn awr, bydded iddynt buteinio gyda hi, oherwydd putain ydyw.' [44]Aethant ati fel yr â dyn at butain; felly yr aethant at Ohola ac Oholiba, y merched anllad. [45]Ond bydd dynion cyfiawn yn eu cosbi â dedfryd puteiniaid ac â dedfryd rhai'n tywallt gwaed, oherwydd puteiniaid ydynt ac y mae gwaed ar eu dwylo."

46 Fel hyn y dywed yr Arglwydd DDUW: "Dewch â mintai yn eu herbyn i'w dychryn a'u hysbeilio. [47]Bydd y fintai yn eu llabyddio â cherrig, yn eu darnio â chleddyfau, yn lladd eu meibion a'u merched, ac yn llosgi eu tai â thân. [48]Rhof derfyn ar anlladrwydd yn y wlad, ac fe rybuddir pob gwraig rhag bod mor anllad â chwi. [49]Byddwch yn derbyn cosb am eich anlladrwydd a thâl am bechod eich eilunaddoliad. Yna byddwch yn gwybod mai myfi yw'r Arglwydd DDUW."

Dameg y Crochan

24 Ar y degfed dydd o'r degfed mis yn y nawfed flwyddyn daeth gair yr ARGLWYDD ataf a dweud, [2]"Fab dyn, gwna gofnod o enw'r dydd hwn, ie, yr union ddydd hwn, oherwydd heddiw y gosododd brenin Babilon warchae ar Jerwsalem. [3]Llefara ddameg wrth y tŷ gwrthryfelgar hwn, a gwaed wrthynt, 'Fel hyn y dywed yr Arglwydd DDUW:
Gosod y crochan ar y tân,
ei osod a rhoi dŵr ynddo.

[ll]Tebygol. Cymh. adn. 5 a 12. Hebraeg, *gwahoddedigion*.
[m]Felly Groeg. Hebraeg yn aneglur.

⁴Casgl ddarnau iddo—
y darnau dewisol, y goes a'r ysgwydd;
llanw ef â'r gorau o'r esgyrn,
⁵a chymer dy ddewis o'r praidd.
Gosod y coedⁿ dano,
cod ef i'r berw,
a berwi'r esgyrn ynddo.
6 "'Felly, fel hyn y dywed yr Ar-
glwydd DDUW: Gwae'r ddinas waedlyd,
y crochan y mae rhwd arno, rhwd nad â
allan ohono! Gwagiwch ef bob yn ddarn,
heb fwrw coelbren am yr un ohonynt. ⁷Yr
oedd y gwaed yng nghanol y ddinas wedi
ei dywallt ar y graig noeth, ac nid ar y
ddaear i'r llwch ei guddio. ⁸Er mwyn
ennyn llid a chodi dialedd, rhois innau ei
gwaed ar graig noeth fel na ellir ei guddio.
9 "'Felly, fel hyn y dywed yr Ar-
glwydd DDUW: Gwae'r ddinas waedlyd!
Gwnaf fi bwll tân mawr. ¹⁰Gosod dithau
ddigon o goed, cynnau'r tân, coginia'r
cig, cymysga'r perlysiau, a llosger yr
esgyrn. ¹¹Yna gosod y crochan yn wag ar
y tanwydd nes iddo boethi ac i'w bres
gochi, er mwyn toddi'r amhuredd a difa'r
rhwd. ¹²Yn ofer y blinaisᵒ; nid â'r rhwd
trwchus allan ohono hyd yn oed trwy
dân. ¹³Dy amhuredd di yw anlladrwydd;
oherwydd imi geisio dy lanhau, ac na
ddoit yn lân o'th amhuredd, ni fyddi'n lân
eto nes i'm llid yn dy erbyn dawelu.
¹⁴Myfi, yr ARGLWYDD, a lefarodd; daeth
yn amser imi weithredu. Ni fyddaf yn
ymatal, nac yn tosturio nac yn trugarhau.
Fe'th fernir yn ôl dy ffyrdd a'th weith-
redoedd,' medd yr Arglwydd DDUW."

Marw Gwraig Eseciel

15 Daeth gair yr ARGLWYDD ataf a
dweud, ¹⁶"Fab dyn, ag un trawiad yr wyf
am gymryd oddi wrthyt yr un fwyaf
dymunol yn dy olwg, ond nid wyt i alaru
nac wylo na cholli dagrau. ¹⁷Ochneidia'n
ddistaw, ond paid â galaru am y marw.
Cadw orchudd am dy ben a rho sandalau
am dy draed; paid â gorchuddio dy enau
na bwyta bwyd galarᵖ." ¹⁸Yr oeddwn yn
siarad gyda'r bobl yn y bore, a chyda'r
nos bu farw fy ngwraig; bore trannoeth
gwneuthum fel y gorchmynnwyd imi.
¹⁹Yna dywedodd y bobl wrthyf, "Oni
ddywedi beth sydd a wneloʼr pethau hyn
a wnei â ni?" ²⁰Yna dywedais wrthynt,
"Daeth gair yr ARGLWYDD ataf a dweud,
²¹'Dywed wrth dŷ Israel, "Fel hyn y

dywed yr Arglwydd DDUW: Yr wyf yn
mynd i halogi fy nghysegr, yr hwn yr wyt
yn ymfalchïo yn ei gadernid, ac sydd
mor ddymunol a hoff yn dy olwg. Bydd y
meibion a'r merched a adawyd yn syrthio
trwy'r cleddyf. ²²Fe wnewch chwi fel y
gwneuthum i; ni fyddwch yn gorchuddio
eich genau nac yn bwyta bwyd galarᵖʰ.
²³Byddwch yn cadw gorchudd am eich
pennau a sandalau am eich traed, heb
alaru nac wylo. Ond byddwch yn dihoeni
oherwydd eich pechodau ac yn ochneidio
wrth eich gilydd. ²⁴Bydd Eseciel yn
arwydd i chwi, ac fe wnewch fel y
gwnaeth ef; pan ddigwydd hyn, byddwch
yn gwybod mai myfi yw'r Arglwydd
DDUW."
25 "'Ac yn awr, fab dyn, ar y dydd
pan gymeraf ymaith y gaer yr oeddent yn
ymfalchïo yn ei gogoniant ac a oedd mor
ddymunol a hoff yn eu golwg, a phan
gymeraf eu meibion a'u merched, ²⁶ar y
dydd hwnnw fe ddaw atat ffoadur i
ddweud y newydd. ²⁷Y diwrnod hwnnw
fe agorir dy enau; fe siaredi gyda'r ffo-
adur ac ni fyddi'n fud mwyach. Byddi'n
arwydd iddynt, a byddant yn gwybod mai
myfi yw'r ARGLWYDD.'"

Proffwydo yn erbyn Ammon

25 Daeth gair yr ARGLWYDD ataf a
dweud, ²"Fab dyn, tro dy wyneb
at yr Ammoniaid a phroffwyda yn eu
herbyn. ³Dywed wrthynt, 'Gwrandewch
air yr Arglwydd DDUW. Fel hyn y dywed
yr Arglwydd DDUW: Oherwydd iti
ddweud, "Aha!" pan halogwyd fy
nghysegr a phan anrheithiwyd tir Israel a
phan ddygwyd tŷ Jwda i gaethglud, ⁴am
hynny fe'th rof yn eiddo i bobl y dwyrain.
Gosodant hwy eu gwersylloedd, a chodi
eu pebyll yn dy ganol; byddant yn bwyta
dy gnydau ac yn yfed dy laeth. ⁵Fe wnaf
Rabba yn borfa i gamelod ac Ammon yn
gynefin defaid, a byddwch yn gwybod
mai myfi yw'r ARGLWYDD. ⁶Fel hyn y
dywed yr Arglwydd DDUW: Oherwydd iti
guro dwylo a tharo traed a llawenhau â
holl falais fy galon yn erbyn Israel, ⁷am
hynny yr wyf am estyn fy llaw yn dy
erbyn a'th roi yn anrhaith i'r cenhed-
loedd; torraf di ymaith o blith y bobloedd
a'th ddifetha o fysg y gwledydd. Fe'th
ddinistriaf, a byddi'n gwybod mai myfi
yw'r ARGLWYDD.

ⁿTebygol. Cymh. adn. 10. Hebraeg, *yr esgyrn.*
ᵖCymh. Fersiynau. Hebraeg, *dynion.*

ᵒTebygol. Hebraeg yn aneglur.
ᵖʰCymh. adn. 17. Hebraeg, *dynion.*

Proffwydo yn erbyn Moab

8 "'Fel hyn y dywed yr Arglwydd DDUW: Oherwydd i Moab a Seir ddweud, "Edrych, aeth tŷ Jwda fel yr holl genhedloedd", [9] am hynny fe ddifethaf derfynau Moab, sef dinasoedd y gororau[r], Beth-jesimoth, Baal Meon a Ciriathaim, rhai gorau'r wlad. [10] Rhof Moab gyda'r Ammoniaid yn eiddo i bobl y dwyrain, fel na bydd i'r Ammoniaid gael eu cofio ymhlith y cenhedloedd, [11] a gweithredaf farn ar Moab. Yna byddant yn gwybod mai myfi yw'r ARGLWYDD.

Proffwydo yn erbyn Edom

12 "'Fel hyn y dywed yr Arglwydd DDUW: Oherwydd i Edom ddial ar dŷ Jwda, a bod yn euog iawn trwy wneud hynny, [13] am hynny fel hyn y dywed yr Arglwydd DDUW: Fe estynnaf fy llaw yn erbyn Edom, a thorri ymaith ohoni ddyn ac anifail, a'i gwneud yn anrhaith; o Teman hyd Dedan byddant yn syrthio trwy'r cleddyf. [14] Byddaf yn dial ar Edom trwy fy mhobl Israel, ac fe wnânt ag Edom yn ôl fy nicter a'm llid. Yna byddant yn gwybod mai dyma fy nialedd, medd yr Arglwydd DDUW.

Proffwydo yn erbyn y Philistiaid

15 "'Fel hyn y dywed yr Arglwydd DDUW: Oherwydd i'r Philistiaid weithredu'n ddialgar, a dial â malais yn eu calonnau, a dinistrio o achos hen gasineb, [16] am hynny fel hyn y dywed yr Arglwydd DDUW: Fe estynnaf fy llaw yn erbyn y Philistiaid, ac fe dorraf ymaith y Cerethiaid, a dinistrio'r rhai sy'n weddill ar hyd yr arfordir. [17] Dygaf ddialedd mawr arnynt a'u cosbi yn fy nicter. Yna byddant yn gwybod mai myfi yw'r ARGLWYDD, pan fyddaf yn dial arnynt.'"

Proffwydo yn erbyn Tyrus

26 Ar ddydd cyntaf y mis cyntaf[rh] yn yr unfed flwyddyn ar ddeg, daeth gair yr ARGLWYDD ataf a dweud, [2] "Fab dyn, oherwydd i Tyrus ddweud am Jerwsalem, 'Aha! Fe ddrylliwyd porth y cenhedloedd, ac fe'i gwnaed yn agored i mi; fe lwyddaf fi am ei bod hi'n anrheithiedig', [3] am hynny fel hyn y dywed yr Arglwydd DDUW: 'Yr wyf yn dy erbyn, O Tyrus, ac fe ddygaf lawer o genhedl-

oedd yn dy erbyn, fel môr yn dygyfor. [4] Fe fyddant yn dinistrio muriau Tyrus ac yn bwrw i lawr ei thyrau; crafaf y pridd ohoni a'i gwneud yn graig noeth. [5] Bydd yn lle i daenu rhwydau allan yng nghanol y môr, oherwydd myfi a lefarodd,' medd yr Arglwydd DDUW. 'Bydd yn anrhaith i'r cenhedloedd, [6] ac fe ddinistrir ei maestrefi trwy'r cleddyf; yna byddant yn gwybod mai myfi yw'r ARGLWYDD.'

7 "Fel hyn y dywed yr Arglwydd DDUW: 'Fe ddof â Nebuchadnesar brenin Babilon, brenin y brenhinoedd, yn erbyn Tyrus o'r gogledd gyda meirch a cherbydau, gyda marchogion a mintai fawr yn fyddin. [8] Bydd yn dinistrio dy faestrefi trwy'r cleddyf, yn gosod gwarchae arnat, yn codi esgynfa tuag atat, ac yn gosod tarianau yn dy erbyn. [9] Fe dry ei beiriannau hyrddio yn erbyn dy furiau, a dymchwel dy dyrau â'i arfau. [10] Bydd ei feirch mor niferus nes dy orchuddio â llwch; bydd dy furiau'n crynu gan sŵn y meirch, y gwagenni a'r cerbydau, wrth iddo ddod i mewn trwy'r pyrth fel un[s] yn dod i ddinas wedi ei bylchu. [11] Bydd carnau ei feirch yn sathru dy strydoedd i gyd; fe leddir dy bobl â'r cleddyf, ac fe syrth dy golofnau cedyrn i'r llawr. [12] Anrheithiant dy gyfoeth a chymryd dy nwyddau'n ysbail; dymchwelant dy furiau a chwalu dy dai dymunol, a lluchio'r meini, y coed a'r pridd i ganol y môr. [13] Rhof ddiwedd ar sŵn dy ganiadau, ac ni chlywir sain dy delynau mwyach. [14] Gwnaf di'n graig noeth, ac fe ddoi'n lle i daenu rhwydau; nid ailadeiledir di mwyach, oherwydd myfi'r ARGLWYDD a lefarodd,' medd yr Arglwydd DDUW.

15 "Fel hyn y dywed yr Arglwydd DDUW wrth Tyrus: 'Oni fydd yr ynysoedd yn crynu gan sŵn dy gwymp, pan fydd yr archolledig yn cwynfan a phan fydd rhai yn lladd o'th fewn? [16] Yna bydd holl dywysogion y môr yn disgyn oddi ar eu gorseddau, yn tynnu eu mentyll ac yn diosg eu gwisgoedd o frodwaith. Byddant wedi eu gwisgo â dychryn, yn eistedd ar lawr ac yn crynu bob eiliad, ac wedi eu brawychu o'th achos. [17] Yna, fe godant alarnad a dweud amdanat,

"O, fel y dinistriwyd di, y ddinas enwog
a fu'n gartref i forwyr!
Buost yn rymus ar y moroedd,

[r] Tebygol. Hebraeg yn aneglur.
[s] Cymh. Fersiynau. Hebraeg, rhai.
[rh] Cymh. Groeg. Hebraeg heb cyntaf.

ti a'th drigolion,
a gosodaist dy arswyd
ar dy holl drigolion.
[18] Yn awr y mae'r ynysoedd yn crynu
ar ddydd dy gwymp;
y mae'r ynysoedd yn y môr yn arswydo
wrth i ti syrthio."'
[19] Fel hyn y dywed yr Arglwydd DDUW:
'Pan wnaf di'n ddinas anrheithiedig, fel y
dinasoedd sydd heb drigolion, a phan
ddygaf y dyfnfor drosot, a'r dyfroedd
mawrion yn dy orchuddio, [20] yna fe'th
fwriaf i lawr gyda'r rhai sy'n disgyn i'r
pwll at bobl o'r oesoedd gynt. Gwnaf iti
fyw yn y tir isod, fel mewn hen adfeilion,
gyda'r rhai sy'n disgyn i'r pwll; ac ni
ddychweli i gymryd dy le[1] yn nhir y rhai
byw. [21] Rhof iti ddiwedd ofnadwy, ac ni
fyddi mwyach; fe'th geisir, ond ni cheir
mohonot byth mwy,' medd yr Arglwydd
DDUW."

Galarnad am Tyrus

27 Daeth gair yr ARGLWYDD ataf a
dweud, [2] "Fab dyn, cod alarnad
am Tyrus. [3] Dywed wrth Tyrus sydd wrth
fynedfa'r môr, marsiandïydd y bob-
loedd ar lawer o ynysoedd, 'Fel hyn y
dywed yr Arglwydd DDUW:
Yr wyt ti, O Tyrus, yn dweud,
"Yr wyf fi'n berffaith mewn
prydferthwch."
[4] Y mae dy derfynau yng nghanol y
moroedd;
gwnaeth dy adeiladwyr dy
brydferthwch yn berffaith.
[5] Gwnaethant dy holl waith coed o
binwydd Senir,
a chymryd cedrwydd Lebanon i wneud
hwylbren iti.
[6] Gwnaethant dy rwyfau o dderw
Basan,
a'th fwrdd o binwydd goror Cyprus,
wedi ei addurno ag ifori.
[7] Lliain wedi ei frodio o'r Aifft oedd dy
hwyliau,
ac yn gwneud baner iti;
yr oedd dy gysgodlenni yn las a
phorffor
o ororau Elisa.
[8] Gwŷr Sidon ac Arfad oedd dy
rwyfwyr,
ac yr oedd ynot ti, O Tyrus, wŷr
medrus
â'u llaw ar y llyw.
[9] Yr oedd gwŷr profiadol a medrus o

Gebal
ar dy fwrdd i gyweirio'r agennau;
yr oedd holl longau'r môr a'u dynion
yn dod atat i farchnata dy nwyddau.
[10] Yr oedd gwŷr Persia, Lud a Phut
yn filwyr yn dy fyddin,
yn crogi eu tarianau a'u helmedau
ynot;
ac yr oeddent yn dy wneud yn hardd.
[11] Yr oedd gwŷr Arfad a Helech ar dy
furiau o amgylch,
a gwŷr Gammad yn dy dyrau;
yr oeddent yn crogi eu tarianau ar dy
furiau,
ac yn gwneud dy brydferthwch yn
berffaith.

12 "'Yr oedd Tarsis yn marchnata
gyda thi oherwydd dy holl gyfoeth, ac yn
rhoi iti arian, haearn, alcam a phlwm yn
gyfnewid am dy nwyddau. [13] Jafan, Tubal
a Mesech oedd dy farsiandïwyr, ac yn
cyfnewid caethweision a llestri pres yn dy
farchnad. [14] Yr oedd rhai o Beth-togarma
yn cyfnewid ceffylau, meirch a mulod am
dy nwyddau. [15] Yr oedd gwŷr Rhoda[th]
yn farsiandïwyr i ti, ac ynysoedd lawer
yn marchnata gyda thi, ac yn rhoi'n dâl iti
gyrn ifori ac eboni. [16] Yr oedd Aram yn
marchnata gyda thi am fod gennyt ddigon
o nwyddau, ac yn rhoi glasfeini, porffor,
brodwaith, lliain, cwrel a gemau yn gyf-
newid am dy nwyddau. [17] Yr oedd Jwda a
gwlad Israel hefyd ymhlith dy farsiandï-
wyr, ac yn cyfnewid gwenith o Minnith,
ŷd, mêl, olew a balsam yn dy farchnad.
[18] Am fod gennyt ddigon o nwyddau a
chyfoeth, yr oedd Damascus yn march-
nata gyda thi win o Helbon a gwlân o
Sahar. [19] Yr oedd Dan a Jafan o Usal yn
rhoi haearn gyr, casia a chalamus yn
gyfnewid am nwyddau yn dy farchnad.
[20] Yr oedd Dedan yn marchnata brethyn-
nau ar gyfer dy gyfrwyau. [21] Yr oedd
Arabia a holl dywysogion Cedar yn bar-
geinio â thi ac yn cyfnewid ŵyn, hyrddod
a geifr. [22] Yr oedd marsiandïwyr Seba a
Rama ymhlith dy farsiandïwyr, ac yn
rhoi iti'n nwyddau y gorau o berlysiau a
meini gwerthfawr ac aur. [23] Yr oedd
Haran, Canne, Eden a marsiandïwyr
Seba, Asyria a Chilmad yn marchnata
gyda thi. [24] Yn dy farchnadoedd yr oedd-
ent yn marchnata gwisgoedd heirdd,
brethynnau gleision, brodwaith, a char-
pedi amryliw mewn rheffynnau wedi eu

---

[1] Felly Groeg. Hebraeg, *a rhof anrhydedd*.

[th] Felly Groeg. Hebraeg, *Dedan*.

troi a'u clymu. ²⁵Llongau Tarsis oedd yn
cludo dy nwyddau.
Llanwyd di â llwyth trwm
yng nghanol y moroedd.
²⁶Aeth dy rwyfwyr â thi allan
i'r moroedd mawr,
ond y mae gwynt y dwyrain wedi dy
ddryllio
yng nghanol y moroedd.

27 "'Bydd dy gyfoeth, dy nwyddau,
dy fasnach, dy forwyr, dy longwyr, dy
seiri llongau, dy farchnatawyr, dy holl
filwyr, a phawb arall sydd ar dy fwrdd yn
suddo yng nghanol y môr y diwrnod y
dryllir di.

²⁸"'Pan glywir cri dy longwyr,
bydd yr arfordir yn crynu.
²⁹Bydd yr holl rwyfwyr yn gadael eu
llongau,
a'r morwyr a'r llongwyr yn sefyll ar y
lan,
³⁰yn gweiddi'n uchel ac yn wylo'n
chwerw amdanat,
yn rhoi llwch ar eu pennau ac yn
ymdrybaeddu mewn lludw.
³¹Eilliant eu pennau o'th achos, a
gwisgo sachliain;
wylant yn chwerw amdanat mewn
galar trist.
³²Yn eu cwynfan a'u galar codant
alarnad amdanat:
"Pwy erioed a dawelwyd fel Tyrus yn
eigion y môr?
³³Pan âi dy nwyddau allan ar y
moroedd,
yr oeddit yn diwallu llawer o
genhedloedd;
trwy dy gyfoeth mawr a'th nwyddau
gwnaethost frenhinoedd y ddaear yn
gyfoethog.
³⁴Ond yn awr yr wyt wedi dy ddryllio
gan y môr
yn nyfnder y dyfroedd;
aeth dy nwyddau a'th holl fintai
i lawr i'th ganlyn.
³⁵Brawychwyd holl drigolion yr
ynysoedd o'th achos;
y mae eu brenhinoedd yn crynu gan
ofn,
a phryder ar eu hwynebau.
³⁶Y mae marsiandïwyr y cenhedloedd yn
synnu o'th blegid;
aethost yn ddychryn, ac ni cheir
mohonot mwyach."'"

Proffwydo yn erbyn Brenin Tyrus

28 Daeth gair yr ARGLWYDD ataf a
dweud, ²"Fab dyn, dywed wrth
lywodraethwr Tyrus, 'Fel hyn y dywed yr
Arglwydd DDUW:
Ym malchder dy galon fe ddywedaist,
"Yr wyf yn dduw,
ac yn eistedd ar orsedd y duwiau
yng nghanol y môr."
Ond dyn wyt, ac nid duw,
er iti dybio dy fod fel duw—
³yn ddoethach yn wir na Daniel,
heb yr un gyfrinach yn guddiedig oddi
wrthyt.
⁴Trwy dy ddoethineb a'th ddeall
enillaist iti gyfoeth,
a chael aur ac arian i'th ystordai.
⁵Trwy dy fedr mewn masnach
cynyddaist dy gyfoeth,
ac aeth dy galon i ymfalchïo ynddo.'

6 "Fel hyn y dywed yr Arglwydd
DDUW:
'Oherwydd iti dybio dy fod fel duw,
⁷fe ddygaf estroniaid yn dy erbyn,
y fwyaf didostur o'r cenhedloedd;
tynnant eu cleddyfau yn erbyn
gwychder dy ddoethineb,
a thrywanu d'ogoniant.
⁸Bwriant di i lawr i'r pwll,
a byddi farw o'th glwyfau
yn nyfnderoedd y môr.
⁹A ddywedi, "Duw wyf fi,"
yng ngŵydd y rhai sy'n dy ladd?
Dyn wyt, ac nid duw,
yn nwylo'r rhai sy'n dy drywanu.
¹⁰Byddi'n profi marwolaeth y
dienwaededig
trwy ddwylo estroniaid.
Myfi a lefarodd,' medd yr Arglwydd
DDUW."

11 Daeth gair yr ARGLWYDD ataf a
dweud, ¹²"Fab dyn, cod alarnad am
frenin Tyrus a dywed wrtho, 'Fel hyn y
dywed yr Arglwydd DDUW:
Yr oeddit yn esiampl o
berffeithrwydd,
yn llawn doethineb, a pherffaith dy
brydferthwch.
¹³Yr oeddit yn Eden, gardd Duw,
a phob carreg werthfawr yn
d'addurno—
rhuddem, topas ac emrallt,
eurfaen, onyx a jasper,
saffir, glasfaen a beryl,
ac yr oedd dy fframiau a'th gerfiadau i

gyd yn aur;
ar ddydd dy eni y paratowyd hwy.
[14] Fe'th osodais gyda cherwb
gwarcheidiol wedi ei eneinio;
yr oeddit ar fynydd sanctaidd Duw,
ac yn cerdded ymysg y cerrig tanllyd.
[15] Yr oeddit yn berffaith yn dy ffyrdd o
ddydd dy eni,
nes darganfod drygioni ynot.
[16] Fel yr amlhaodd dy fasnach fe'th
lanwyd â thrais,
ac fe bechaist.
Felly fe'th fwriais allan fel peth aflan o
fynydd Duw,
ac esgymunodd y cerwb gwarcheidiol
di
o fysg y cerrig tanllyd.
[17] Ymfalchïodd dy galon yn dy
brydferthwch,
a halogaist dy ddoethineb er mwyn
d'ogoniant;
lluchiais di i'r llawr,
a'th adael i'r brenhinoedd edrych
arnat.
[18] Trwy dy droseddau aml, ac
anghyfiawnder dy fasnach,
fe halogaist dy gysegrleoedd;
felly gwneuthum i dân ddod allan
ohonot a'th ysu,
a'th wneud yn lludw ar y ddaear yng
ngŵydd pawb oedd yn edrych.
[19] Y mae pob un ymhlith y bobloedd sy'n
d'adnabod wedi ei syfrdanu;
aethost yn ddychryn, ac ni cheir
mohonot mwyach.'"

Proffwydo yn erbyn Sidon

20 Daeth gair yr ARGLWYDD ataf a
dweud, [21] "Fab dyn, tro dy wyneb tua
Sidon a phroffwyda yn ei herbyn, [22] a
dywed, 'Fel hyn y dywed yr Arglwydd
DDUW:
Yr wyf yn dy erbyn, O Sidon,
ac amlygaf fy ngogoniant yn dy ganol.
Byddant yn gwybod mai myfi yw'r
ARGLWYDD,
pan weithredaf fy nghosb arni
ac amlygu fy sancteiddrwydd ynddi.
[23] Anfonaf bla iddi, a thywallt gwaed ar
ei heolydd;
syrth y lladdedigion o'i mewn o achos
y cleddyf sydd o'i hamgylch.
Yna byddant yn gwybod mai myfi yw'r
ARGLWYDD.'

[24] "Ni fydd gan dŷ Israel mwyach
fieri i'w pigo na drain i'w poeni ymysg yr
holl gymdogion a fu'n eu dilorni. Yna
byddant y gwybod mai myfi yw'r
Arglwydd DDUW.

[25] "Fel hyn y dywed yr Arglwydd
DDUW: 'Pan gasglaf dŷ Israel o fysg y
bobloedd lle gwasgarwyd hwy, ac amlygu
fy sancteiddrwydd ynddynt yng ngŵydd
y cenhedloedd, cânt fyw yn eu tir eu
hunain, a roddais i'm gwas Jacob.
[26] Byddant yn byw'n ddiogel yno, yn codi
tai ac yn plannu gwinllannoedd; byddant
yn byw'n ddiogel pan fyddaf fi'n
gweithredu barn ar yr holl gymdogion a
fu'n eu dilorni. Yna byddant yn gwybod
mai myfi yw'r ARGLWYDD eu Duw.'"

Proffwydo yn erbyn yr Aifft

29 Ar y deuddegfed dydd o'r deg-
fed mis yn y ddegfed flwyddyn,
daeth gair yr ARGLWYDD ataf a dweud,
[2] "Fab dyn, tro dy wyneb yn erbyn Pharo
brenin yr Aifft, a phroffwyda yn ei erbyn
ef ac yn erbyn yr Aifft gyfan. [3] Llefara a
dweud, 'Fel hyn y dywed yr Arglwydd
DDUW:
Yr wyf yn dy erbyn, O Pharo, brenin
yr Aifft,
y ddraig fawr sy'n ymlusgo yng
nghanol ei hafonydd,
ac yn dweud, "Myfi biau Afon Neil,
myfi a'i gwnaeth."
[4] Rhof fachau yn dy safn,
a gwneud i bysgod dy afonydd lynu
wrth gen dy groen;
tynnaf di i fyny o ganol dy afonydd
gyda'u holl bysgod yn glynu wrth gen
dy groen.
[5] Fe'th fwriaf i'r anialwch, ti a holl
bysgod dy afonydd;
syrthi ar wyneb y ddaear heb dy gasglu
na'th gladdu[u];
rhof di'n fwyd i'r anifeiliaid gwylltion
a'r adar.
[6] Yna bydd holl drigolion yr Aifft yn
gwybod mai myfi yw'r ARGLWYDD,
oherwydd iti[w] fod yn ffon o frwyn i dŷ
Israel. [7] Pan gydiodd yr Aifft ynot â'i law,
torrais eu hysgwyddau a'u niweidio; pan
bwysodd arnat, torraist ac ysigo[y] eu
llwynau. [8] Felly fel hyn y dywed yr
Arglwydd DDUW: Yr wyf am ddwyn

---

[u] Felly llawysgrifau. TM, gynnull.   [w] Felly Fersiynau. Hebraeg, iddynt.
[y] Felly Fersiynau. Hebraeg, a pheri sefyll.

cleddyf arnat a thorri ymaith ohonot ddyn ac anifail; bydd gwlad yr Aifft yn anrhaith ac yn ddiffeithwch. [9]Yna byddant yn gwybod mai myfi yw'r ARGLWYDD. Oherwydd iti[a] ddweud, "Myfi biau Afon Neil, myfi a'i gwnaeth", [10]am hynny yr wyf yn dy erbyn ac yn erbyn dy afonydd, a gwnaf wlad yr Aifft yn ddiffeithwch llwyr ac yn dir anrheithiedig o Migdol hyd Aswan, hyd derfyn Ethiopia. [11]Ni throedia dyn nac anifail trwyddi, ac fe fydd yn anghyfannedd am ddeugain mlynedd. [12]Fe wnaf wlad yr Aifft yn anrhaith ymysg gwledydd anrheithiedig, a bydd ei dinasoedd yn anrheithiedig am ddeugain mlynedd ymysg dinasoedd anghyfannedd. Byddaf yn gwasgaru'r Eifftiaid ymysg y cenhedloedd, ac yn eu chwalu trwy'r gwledydd.

13 "'Fel hyn y dywed yr Arglwydd DDUW: Ar derfyn deugain mlynedd fe gasglaf yr Eifftiaid o blith y bobloedd lle gwasgarwyd hwy, [14]ac fe adferaf lwyddiant yr Aifft, a'u dychwelyd i wlad Pathros, gwlad eu hynafiaid, ac yno byddant yn deyrnas fechan. [15]Hi fydd yr isaf o'r teyrnasoedd, ac ni ddyrchafa mwy goruwch y cenhedloedd; fe'i gwnaf mor fychan fel na lywodraetha eto dros y cenhedloedd. [16]Ni fydd yr Aifft mwyach yn hyder i dŷ Israel, ond bydd yn eu hatgoffa o'u trosedd gynt, yn troi ati am gymorth. Yna byddant yn gwybod mai myfi yw'r Arglwydd DDUW.'"

17 Ar y dydd cyntaf o'r mis cyntaf yn y seithfed flwyddyn ar hugain, daeth gair yr ARGLWYDD ataf a dweud, [18]"Fab dyn, gwnaeth Nebuchadnesar brenin Babilon i'w fyddin lafurio'n galed yn erbyn Tyrus, nes bod pob pen yn foel a phob ysgwydd yn ddolurus, ond ni chafodd ef na'i fyddin elw o Tyrus am eu llafur caled. [19]Am hynny fel hyn y dywed yr Arglwydd DDUW: 'Yr wyf am roi gwlad yr Aifft i Nebuchadnesar brenin Babilon, a bydd yn cymryd ei chyfoeth; yr anrhaith a gymer a'r ysbail a ladrata ohoni fydd y tâl i'w fyddin. [20]Rhoddais iddo wlad yr Aifft yn gyflog am ei waith, oherwydd i mi y buont yn gweithio,' medd yr Arglwydd DDUW.

21 "'Y dydd hwnnw, paraf i gorn dyfu i dŷ Israel, a gwnaf iti agor dy enau yn eu mysg, a byddant yn gwybod mai myfi yw'r ARGLWYDD.'"

Barn ar yr Aifft

30 Daeth gair yr ARGLWYDD ataf a dweud, [2]"Fab dyn, proffwyda, a dywed, 'Fel hyn y dywed yr Arglwydd DDUW:
Galarwch, a dweud,
"Och am y dydd!"
[3]Oherwydd agos yw'r dydd,
agos yw dydd yr ARGLWYDD—
dydd o gymylau,
dydd barn y cenhedloedd.
[4]Daw cleddyf yn erbyn yr Aifft,
a bydd gwewyr yn Ethiopia
pan syrth lladdedigion yr Aifft,
a chymerir ymaith ei chyfoeth
a malurio'i sylfeini.

5 "'Bydd Ethiopia, Put, Lydia a holl Arabia, Libya[b], a phobl y wlad sydd mewn cynghrair â hwy, yn syrthio trwy'r cleddyf.

6 "'Fel hyn y dywed yr ARGLWYDD:
Bydd y rhai sy'n cefnogi'r Aifft yn syrthio,
a darostyngir ei grym balch;
o Migdol i Aswan
byddant yn syrthio trwy'r cleddyf,'
medd yr Arglwydd DDUW.
[7]'Byddant yn anrhaith ymysg gwledydd anrheithiedig,
a bydd eu dinasoedd ymysg dinasoedd anghyfannedd.
[8]Yna byddant yn gwybod mai myfi yw'r ARGLWYDD,
pan rof dân ar yr Aifft,
a phan ddryllir ei holl gynorthwywyr.

[9]Y diwrnod hwnnw fe â negeswyr allan mewn llongau oddi wrthyf i ddychryn Ethiopia ddiofal, a daw gewyr arnynt pan syrth yr Aifft; yn wir y mae'n dod.

10 "'Fel hyn y dywed yr Arglwydd DDUW: Rhof ddiwedd ar gyfoeth yr Aifft trwy law Nebuchadnesar brenin Babilon. [11]Dygir ef, a'i fyddin gydag ef, y greulonaf o'r cenhedloedd, i mewn i ddifetha'r wlad; tynnant eu cleddyfau yn erbyn yr Aifft a llenwi'r wlad â lladdedigion. [12]Sychaf yr afonydd hefyd, a gwerthu'r wlad i ddynion drwg; trwy ddwylo estroniaid anrheithiaf y wlad a phopeth sydd ynddi. Myfi yr ARGLWYDD a lefarodd.
13 "'Fel hyn y dywed yr Arglwydd

DDUW: Dinistriaf yr eilunod a rhof ddiwedd ar y delwau sydd yn Memffis; ni fydd tywysog yng ngwlad yr Aifft mwyach, a pharaf fod ofn trwy'r wlad. ¹⁴Anrheithiaf Pathros, a rhof dân ar Soan, a gweithredu barn ar Thebes. ¹⁵Tywalltaf fy llid ar Sin, cadarnle'r Aifft, a thorri ymaith finteioedd Thebes. ¹⁶Rhof dân ar yr Aifft, a bydd Sin mewn gwewyr mawr; rhwygir Thebes a bydd Memffis mewn cyfyngder yn ddyddiol. ¹⁷Fe syrth gwŷr ifainc On a Pibeseth trwy'r cleddyf, a dygir y merched i gaethglud. ¹⁸Bydd y dydd yn dywyllwch yn Tehaffnehes, pan dorraf yno iau yr Aifft a dod â'i grym balch i ben; fe'i gorchuddir â chwmwl, a dygir ei merched i gaethglud. ¹⁹Gweithredaf farn ar yr Aifft, a byddant yn gwybod mai myfi yw'r ARGLWYDD.'"

20 Ar y seithfed dydd o'r mis cyntaf yn yr unfed flwyddyn ar ddeg, daeth gair yr ARGLWYDD ataf a dweud, ²¹"Fab dyn, torrais fraich Pharo brenin yr Aifft, ond ni rwymwyd hi i'w gwella, na'i rhoi mewn rhwymyn i'w chryfhau i ddal y cleddyf. ²²Felly fel hyn y dywed yr Arglwydd DDUW: 'Yr wyf yn erbyn Pharo brenin yr Aifft, a thorraf ei freichiau, yr un iach a'r un sydd wedi ei thorri, a gwneud i'r cleddyf syrthio o'i law. ²³Gwasgaraf yr Eifftiaid ymysg y cenhedloedd a'u chwalu trwy'r gwledydd. ²⁴Cryfhaf freichiau brenin Babilon a rhoi fy nghleddyf yn ei law, ond torraf freichiau Pharo, a bydd yn griddfan o'i flaen fel un wedi ei glwyfo i farwolaeth. ²⁵Atgyfnerthaf freichiau brenin Babilon, ond bydd breichiau Pharo'n llipa. Yna byddant yn gwybod mai myfi yw'r ARGLWYDD, pan rof fy nghleddyf yn llaw brenin Babilon, ac yntau'n ei ysgwyd yn erbyn gwlad yr Aifft. ²⁶Gwasgaraf yr Eifftiaid ymysg y cenhedloedd a'u chwalu trwy'r gwledydd, a byddant yn gwybod mai myfi yw'r ARGLWYDD.'"

Dymchwel y Gedrwydden

31 Ar y dydd cyntaf o'r trydydd mis yn yr unfed flwyddyn ar ddeg, daeth gair yr ARGLWYDD ataf a dweud: ²"Fab dyn, dywed wrth Pharo brenin yr Aifft ac wrth ei finteioedd, 'I bwy yr wyt yn debyg yn dy fawredd? ³Edrych ar Asyria; yr oedd fel cedrwydden yn Lebanon, ac iddi gangen brydferth yn bwrw cysgod dros y goedwig,

yn tyfu'n uchel, a'i brig yn uwch na'r cangau trwchus.
⁴Yr oedd dyfroedd yn ei chyfnerthu a'r dyfnder yn peri iddi dyfu; a'u nentydd yn llifo o amgylch ei gwreiddiau, ac yn ffrydio'n aberoedd i holl goed y maes.
⁵Felly tyfodd yn uwch na holl goed y maes; yr oedd ei cheinciau'n ymestyn a'i changau'n lledaenu, am fod digon o ddŵr yn y sianelau.
⁶Yr oedd holl adar y nefoedd yn nythu yn ei cheinciau, a'r holl anifeiliaid gwylltion yn epilio dan ei changau, a'r holl genhedloedd mawrion yn byw yn ei chysgod.
⁷Yr oedd ei mawredd yn brydferth, a'i cheinciau'n ymestyn, oherwydd yr oedd ei gwreiddiau'n cyrraedd at ddigon o ddŵr.
⁸Ni allai cedrwydd o ardd Duw gystadlu â hi, ac nid oedd y pinwydd yn cymharu o ran ceinciau; nid oedd y ffawydd yn debyg iddi o ran cangau, ac ni allai'r un goeden o ardd Duw gystadlu â hi o ran prydferthwch.
⁹Gwneuthum hi'n brydferth â digon o ganghennau, nes bod holl goed Eden, gardd Duw, yn cenfigennu wrthi.

10 "'Felly, fel hyn y dywed yr Arglwydd DDUW: Oherwydd iddi dyfu'n uchel, gan godi ei phen yn uwch na'r cangau ac ymfalchïo yn ei huchder, ¹¹rhoddais hi yn llaw rheolwr y cenhedloedd, iddo wneud â hi yn ôl ei drygioni. Bwriais hi o'r neilltu, ¹²a thorrwyd hi, y greulonaf o'r cenhedloedd, gan estroniaid, a'i gadael. Syrthiodd ei changhennau ar y mynyddoedd ac i'r holl ddyffrynnoedd; yr oedd ei changau wedi eu torri yn holl gilfachau'r tir; daeth holl genhedloedd y ddaear allan o'i chysgod a'i gadael. ¹³Aeth holl adar y nefoedd i fyw ar ei boncyff, a'r holl anifeiliaid gwylltion i'w brigau. ¹⁴Oherwydd hyn, nid yw'r holl goed eraill wrth y dyfroedd i dyfu'n uchel na chodi eu pennau'n uwch na'r cangau; nid ydynt, oherwydd bod digon o ddŵr, i sefyll mor uchel; y maent i gyd wedi eu tynghedu i farwolaeth yn y tir

isod, gyda dynion meidrol, ymhlith y rhai
sy'n disgyn i'r pwll.

15 "'Fel hyn y dywed yr Arglwydd
DDUW: Yn y dydd yr aed â hi i lawr i
Sheol, gorchuddiais y dyfnder â galar
drosti; ateliais ei hafonydd a dal yn ôl ei
digonedd o ddŵr. O'i herwydd hi gwisg-
ais Lebanon â phrudd-der, a chrinodd
holl goed y maes. ¹⁶Gwneuthum i'r cen-
hedloedd grynu gan sŵn ei chwymp, pan
ddygais hi i lawr i Sheol gyda'r rhai sy'n
disgyn i'r pwll; felly cysurir yn y tir isod
holl goed Eden sy'n cael eu dyfrhau, y
rhai gorau a mwyaf dewisol yn Lebanon.
¹⁷Aethant hwythau hefyd gyda hi i lawr i
Sheol at y rhai a laddwyd â'r cleddyf;
gwasgarwyd y rhai oedd yn byw yn ei
chysgod ymhlith y cenedloedd. ¹⁸Prun o
goed Eden sy'n debyg i ti mewn gogon-
iant a mawredd? Ond fe'th ddygir dithau
hefyd gyda choed Eden i'r tir isod, a
byddi'n gorwedd gyda'r dienwaededig a
laddwyd â'r cleddyf. Dyna Pharo a'i holl
finteioedd,' medd yr Arglwydd DDUW."

Galarnad am Pharo

32 Ar y dydd cyntaf o'r deuddegfed
mis yn y ddeuddegfed flwyddyn,
daeth gair yr ARGLWYDD ataf a dweud:
²"Fab dyn, cod alarnad am Pharo
    brenin yr Aifft, a dywed wrtho,
'Yr wyt fel llew ymysg y cenhedloedd.
Yr wyt fel draig yn y moroedd,
    yn ymdroelli yn d'afonydd,
    yn corddi dŵr â'th draed,
    ac yn maeddu ei ffrydiau.
3 "'Fel hyn y dywed yr Arglwydd
DDUW:
    Â thyrfa fawr o bobl fe daflaf fy rhwyd
        drosot,
    ac fe'th godant i fyny ynddi.
⁴Fe'th luchiaf ar y ddaear,
    a'th daflu ar y maes agored,
    a gwneud i holl adar y nefoedd ddisgyn
        arnat,
    a diwallu'r holl anifeiliaid gwylltion
        ohonot.
⁵Gwasgaraf dy gnawd ar y
        mynyddoedd,
    a llenwi'r dyffrynnoedd â'th
        weddillionᶜ.
⁶Mwydaf y ddaear hyd at y
        mynyddoedd
    â'r gwaed fydd yn llifo ohonot,
    a bydd y cilfachau yn llawn ohono.

⁷Pan ddiffoddaf di, gorchuddiaf y
        nefoedd
    a thywyllu ei sêr;
    cuddiaf yr haul â chwmwl,
    ac ni rydd y lloer ei goleuni.
⁸Tywyllaf holl oleuadau disglair y
        nefoedd uwch dy ben,
    ac fe'i gwnaf yn dywyll dros dy dir,'
        medd yr Arglwydd DDUW.

9 "'Gofidiaf galon llawer o bobl pan af
â thi i gaethgludᶜʰ ymysg y cenhedloedd,
i wledydd nad wyt yn eu hadnabod.
¹⁰Gwnaf i lawer o bobl frawychu o'th
achos, a bydd eu brenhinoedd yn crynu
mewn braw o'th blegid pan ysgydwaf fy
nghleddyf o'u blaenau; byddant yn ofni
am eu heinioes bob munud ar ddydd dy
gwymp. ¹¹Fel hyn y dywed yr Arglwydd
DDUW:
    Daw cleddyf brenin Babilon yn dy
        erbyn.
¹²Gwnaf i'th finteioedd syrthio trwy
        gleddyfau'r rhai cryfion,
    y greulonaf o'r holl genhedloedd.
Dymchwelant falchder yr Aifft,
    ac fe ddifethir ei holl finteioedd.
¹³Dinistriaf ei holl wartheg o ymyl y
        dyfroedd;
    ni fydd traed dyn yn eu corddi
        mwyach,
    na charnau anifeiliaid yn eu maeddu.
¹⁴Yna gwnaf eu dyfroedd yn groyw,
    a bydd eu hafonydd yn llifo fel olew,'
        medd yr Arglwydd DDUW.
¹⁵'Pan wnaf wlad yr Aifft yn anrhaith,
    a dinoethi'r wlad o'r hyn sydd ynddi;
    pan drawaf i lawr bawb sy'n byw
        ynddi,
    yna byddant yn gwybod mai myfi yw'r
        ARGLWYDD.
¹⁶Dyma'r alarnad a lafargenir amdani;
merched y cenhedloedd fydd yn ei chanu,
ac am yr Aifft a'i holl finteioedd y canant
hi,' medd yr Arglwydd DDUW."

Gyda'r Meirw yn y Pwll

17 Ar y pymthegfed dydd o'r mis
cyntafᵈ yn y ddeuddegfed flwyddyn, daeth
gair yr ARGLWYDD ataf a dweud, ¹⁸"Fab
dyn, galara am finteioedd yr Aifft, a bwrw
hi i lawr, hi a merched y cenhedloedd
cryfion, i'r tir isod gyda'r rhai sy'n dis-
gyn i'r pwll.

ᶜCymh. Fersiynau. Hebraeg, *â'th uchder.*
ᵈFelly Groeg. Hebraeg heb *cyntaf.*

ᶜʰFelly Groeg. Hebraeg, *pan ddinistriaf di.*

¹⁹'A gei di ffafr rhagor nag eraill?
Dos i lawr, a gorwedd gyda'r
dienwaededig.
²⁰Syrthiant gyda'r rhai a leddir â'r
cleddyf;
tynnwyd y cleddyf, llusgir hi a'i
minteioedd ymaith.
²¹O ganol Sheol fe ddywed y cryfion
amdani hi a'i chynorthwywyr,
"Daethant i lawr a gorwedd gyda'r
dienwaededig a laddwyd â'r
cleddyf."
²²Y mae Asyria a'i holl luoedd yno,
ac o'i hamgylch feddau'r lladdedigion,
yr holl rai a laddwyd â'r cleddyf.
²³Y mae eu beddau yn nyfnder y pwll,
ac y mae ei holl lu o amgylch ei bedd;
y mae'r holl rai a fu'n achosi braw yn
nhir y byw
wedi syrthio trwy'r cleddyf.
²⁴Y mae Elam a'i holl luoedd o amgylch
ei bedd,
i gyd wedi eu lladd a syrthio trwy'r
cleddyf;
y mae'r holl rai a fu'n achosi braw yn
nhir y byw
i lawr yn y tir isod gyda'r
dienwaededig,
ac yn dwyn eu gwarth gyda'r rhai sy'n
disgyn i'r pwll.
²⁵Gwnaed gwely iddi ymysg y
lladdedigion,
gyda'i holl luoedd o amgylch ei bedd;
y maent i gyd yn ddienwaededig, wedi
eu lladd â'r cleddyf.
Am iddynt achosi braw yn nhir y byw,
y maent yn dwyn eu gwarth gyda'r rhai
sy'n disgyn i'r pwll,
ac yn gorwedd ymysg y lladdedigion.
²⁶Y mae Mesach a Tubal yno, a'u holl
luoedd o amgylch eu beddau,
y maent i gyd yn ddienwaededig, wedi
eu lladd â'r cleddyf,
am iddynt achosi braw yn nhir y byw.
²⁷Onid ydynt yn gorwedd gyda'r
rhyfelwyr a syrthiodd yn
ddienwaededig,
a mynd i lawr i Sheol gyda'u harfau
rhyfel,
a rhoi eu harfau dan eu pennau?
Daeth cosb eu troseddau ar eu
hesgyrn,
oherwydd bod braw ar y cryfion hyn
trwy dir y byw.
²⁸Byddi dithau hefyd ymysg y dienwaed-
edig, wedi dy ddryllio ac yn gorwedd
^{dd}Tebygol. Hebraeg, *achosais.*

gyda'r rhai a laddwyd â'r cleddyf. ²⁹Y
mae Edom gyda'i brenhinoedd a'i holl
dywysogion yno; er eu grym y maent
gyda'r rhai a laddwyd â'r cleddyf, yn
gorwedd gyda'r dienwaededig, gyda'r
rhai sy'n disgyn i'r pwll. ³⁰Y mae holl
dywysogion y gogledd a'r holl Sidoniaid
yno; aethant i lawr mewn gwarth gyda'r
lladdedigion, er gwaetha'r braw a achos-
odd eu cryfder; y maent yn gorwedd yn
ddienwaededig gyda'r rhai a laddwyd â'r
cleddyf, ac yn dwyn eu gwarth gyda'r
rhai sy'n disgyn i'r pwll. ³¹Pan fydd Pharo
yn eu gweld bydd yn ymgysuro am ei holl
finteioedd—Pharo a'i holl lu, a laddwyd
â'r cleddyf,' medd yr Arglwydd DDUW.
³²'Oherwydd achosodd ^{dd} fraw trwy holl
dir y byw, ac fe'i rhoir i orwedd, ef a'i
holl finteioedd, ymysg y dienwaededig a
laddwyd â'r cleddyf,' medd yr Arglwydd
DDUW."

Eseciel yn Wyliedydd
(Esec. 3:16-21)

33 Daeth gair yr ARGLWYDD ataf a
dweud, ²"Fab dyn, llefara wrth
dy bobl a dweud wrthynt, 'Bwriwch fy
mod yn anfon cleddyf yn erbyn gwlad, a
phobl y wlad yn dewis un gŵr o'u plith i
fod yn wyliedydd iddynt, ³ac yntau'n
gweld y cleddyf yn dod yn erbyn y wlad
ac yn canu utgorn i rybuddio'r bobl; ⁴yna,
os bydd rhywun yn clywed sain yr utgorn
ond heb dderbyn y rhybudd, a'r cleddyf
yn dod ac yn ei ladd, ef ei hun fydd yn
gyfrifol am ei waed. ⁵Oherwydd iddo
glywed sain yr utgorn a pheidio â derbyn
rhybudd, ef ei hun fydd yn gyfrifol am ei
waed; pe byddai wedi derbyn rhybudd,
byddai wedi arbed ei fywyd. ⁶Ond pe
byddai'r gwyliedydd yn gweld y cleddyf
yn dod ac yn peidio â chanu'r utgorn i
rybuddio'r bobl, a'r cleddyf yn dod ac yn
lladd un ohonynt, yna, er i hwnnw gael ei
ladd am ei bechod, byddwn yn dal y
gwyliedydd yn gyfrifol am ei waed.'
⁷ "Fab dyn, fe'th osodais di yn wyl-
iedydd i dŷ Israel; gwrando ar y gair a
lefaraf, a rho rybudd iddynt oddi wrthyf.
⁸Os dywedaf fi wrth y drygionus, 'O
ŵr drygionus, byddi'n sicr o farw', a
thithau'n peidio â llefaru i'w rybuddio i
droi o'i ffordd, yna, er i'r drygionus farw
am ei bechod, byddaf yn dy ddal di'n
gyfrifol am ei waed. ⁹Ond os byddi'n

rhybuddio'r drygionus i droi o'i ffordd, ac yntau'n gwrthod, fe fydd ef farw am ei bechod, ond fe fyddi di'n arbed dy fywyd.

10 "Fab dyn, dywed wrth dŷ Israel, 'Dyma a ddywedwch: "Y mae ein troseddau a'n pechodau yn fwrn arnom, ac yr ydym yn darfod o'u plegid; sut y byddwn fyw?"' ¹¹Dywed wrthynt, 'Cyn wired â'm bod yn fyw, medd yr Arglwydd DDUW, nid wyf yn ymhyfrydu ym marwolaeth y drygionus, ond yn hytrach ei fod yn troi o'i ffordd ac yn byw. Trowch, trowch o'ch ffyrdd drwg! Pam y byddwch farw, O dŷ Israel?'

12 "Fab dyn, dywed wrth dy bobl, 'Ni fydd cyfiawnder y cyfiawn yn ei waredu pan fydd yn pechu, ac ni fydd drygioni'r drygionus yn peri iddo syrthio pan fydd yn troi oddi wrth ei ddrygioni; ni all y cyfiawn fyw trwy ei gyfiawnder pan fydd yn pechu.' ¹³Os dywedaf wrth y cyfiawn y bydd yn sicr o fyw, ac yntau wedyn yn ymddiried yn ei gyfiawnder ac yn gwneud drygioni, ni chofir yr un o'i weithredoedd cyfiawn; bydd farw am y drygioni a wnaeth. ¹⁴Ac os dywedaf wrth y drygionus, 'Byddi'n sicr o farw', ac yntau'n troi oddi wrth ei bechod ac yn gwneud yr hyn sy'n gywir a chyfiawn, ¹⁵yn dychwelyd gwystl, yn adfer yr hyn a ladrataodd, yn dilyn rheolau'r bywyd ac yn ymatal rhag drwg, bydd yn sicr o fyw; ni fydd farw. ¹⁶Ni chofir yn ei erbyn yr un o'i bechodau; gwnaeth yr hyn sy'n gywir a chyfiawn, a bydd yn sicr o fyw.

17 "Eto fe ddywed dy bobl, 'Nid yw ffordd yr Arglwydd yn gyfiawn'; ond eu ffordd hwy sy'n anghyfiawn. ¹⁸Os try un cyfiawn oddi wrth ei gyfiawnder a gwneud drwg, bydd farw am hynny. ¹⁹Os try un drygionus oddi wrth ei ddrygioni a gwneud yr hyn sy'n gywir a chyfiawn, bydd ef fyw am hynny. ²⁰Eto fe ddywedwch, 'Nid yw ffordd yr Arglwydd yn gyfiawn'! O dŷ Israel, fe farnaf bob un ohonoch yn ôl ei ffyrdd."

Cwymp Jerwsalem

21 Ar y pumed dydd o'r degfed mis yn neuddegfed flwyddyn ein caethglud, daeth ataf ddyn oedd wedi dianc o Jerwsalem a dweud, "Cwympodd y ddinas!" ²²Y noson cyn iddo gyrraedd, yr oedd llaw yr ARGLWYDD wedi dod arnaf, ac yr oedd wedi agor fy ngenau cyn i'r dyn ddod ataf yn y bore. Felly yr oedd fy ngenau'n agored, ac nid oeddwn bellach yn fud.

23 Daeth gair yr ARGLWYDD ataf a dweud, ²⁴"Fab dyn, y mae'r rhai sy'n byw yn yr adfeilion yna yng ngwlad Israel yn dweud, 'Un dyn oedd Abraham, ac fe feddiannodd y wlad; ond yr ydym ni'n llawer, ac yn sicr y mae'r wlad wedi ei rhoi'n feddiant i ni.' ²⁵Felly, dywed wrthynt, 'Fel hyn y dywed yr Arglwydd DDUW: Yr ydych yn bwyta cig gyda'r gwaed, yn codi eich golygon at eich eilunod, ac yn tywallt gwaed; a fyddwch felly'n meddiannu'r wlad? ²⁶Yr ydych yn dibynnu ar eich cleddyf, yn gwneud ffieidd-dra, a phob un ohonoch yn halogi gwraig ei gymydog; a fyddwch felly'n meddiannu'r wlad?' ²⁷Dywed wrthynt, 'Fel hyn y dywed yr Arglwydd DDUW: Cyn wired â'm bod yn fyw, bydd y rhai a adawyd yn yr adfeilion yn syrthio trwy'r cleddyf, y sawl sydd mewn amddiffynfeydd ac ogofâu yn marw o bla. ²⁸Gwnaf y wlad yn ddiffeithwch anial, a bydd diwedd ar ei grym balch; bydd mynyddoedd Israel mor ddiffaith fel na fydd neb yn eu croesi. ²⁹Yna byddant yn gwybod mai myfi yw'r ARGLWYDD, pan fyddaf wedi gwneud y wlad yn ddiffeithwch anial oherwydd yr holl fficidd-dra a wnaethant.'

30 "Amdanat ti, fab dyn, y mae dy bobl yn siarad ger y muriau ac wrth ddrysau'r tai, ac yn dweud wrth ei gilydd, 'Dewch i wrando beth yw'r gair a ddaeth oddi wrth yr ARGLWYDD.' ³¹Fe ddaw fy mhobl yn ôl eu harfer, ac eistedd o'th flaen a gwrando ar dy eiriau, ond ni fyddant yn eu gwneud. Y mae geiriau serchog yn eu genau, ond eu calon yn eu harwain ar ôl elw. ³²Yn wir, nid wyt ti iddynt hwy ond un yn canu cancuon serch mewn llais peraidd ac yn chwarae offeryn yn dda, oherwydd y maent yn gwrando ar dy eiriau ond heb eu gwneud. ³³Pan ddigwydd hyn, ac y mae hynny'n sicr, byddant yn gwybod i broffwyd fod yn eu mysg."

Bugeiliaid Israel

34 Daeth gair yr ARGLWYDD ataf a dweud, ²"Fab dyn, proffwyda yn erbyn bugeiliaid Israel; proffwyda, a dywed wrthynt, 'Fel hyn y dywed yr Arglwydd DDUW: Gwae fugeiliaid Israel, nad ydynt yn gofalu ond amdanynt eu hunain! Oni ddylai'r bugeiliaid ofalu am y praidd? ³Yr ydych yn bwyta'r braster, yn gwisgo'r gwlân, yn lladd y pasgedig, ond nid ydych yn gofalu am y praidd. ⁴Nid ydych wedi cryfhau'r ddafad wan na gwella'r glaf na rhwymo'r ddolurus; ni ddaethoch â'r grwydredig yn ôl, na chwilio am y golledig; buoch yn eu rheoli'n galed ac yn greulon. ⁵Fe'u gwasgarwyd am eu bod heb fugail, ac yna aethant yn fwyd i'r holl anifeiliaid gwylltion. ⁶Crwydrodd fy mhraidd dros yr holl fynyddoedd a bryniau uchel; aethant ar wasgar dros yr holl ddaear, ond nid oedd neb yn eu ceisio nac yn chwilio amdanynt.

7 "'Felly, fugeiliaid, clywch air yr ARGLWYDD. ⁸Cyn wired â'm bod yn fyw, medd yr Arglwydd DDUW, oherwydd i'r praidd fynd yn ysglyfaeth ac yn fwyd i'r holl anifeiliaid gwylltion, am nad oedd bugail, ac oherwydd i'm bugeiliaid beidio â chwilio am fy mhraidd ond gofalu amdanynt eu hunain yn hytrach nag am y praidd, ⁹felly, fugeiliaid, clywch air yr ARGLWYDD. ¹⁰Fel hyn y dywed yr Arglwydd DDUW: Yr wyf yn erbyn y bugeiliaid, ac yn eu dal yn gyfrifol am fy mhraidd. Byddaf yn eu hatal rhag gofalu am y praidd, rhag i'r bugeiliaid mwyach ofalu amdanynt eu hunain. Gwaredaf fy mhraidd o'u genau, ac ni fyddant mwyach yn fwyd iddynt.

11 "'Fel hyn y dywed yr Arglwydd DDUW: Byddaf fi fy hunan yn chwilio am fy mhraidd ac yn gofalu amdanynt. ¹²Fel y mae bugail yn gofalu am ei braidd gwasgaredig pan fydd yn eu mysg, felly y byddaf finnau'n gofalu am fy mhraidd; byddaf yn eu gwaredu o'r holl fannau lle gwasgarwyd hwy ar ddydd cymylau a thywyllwch. ¹³Dygaf hwy allan o fysg y bobloedd, a'u casglu o'r gwledydd, a dod â hwy i'w gwlad eu hunain; bugeiliaf hwy ar fynyddoedd Israel, ger y nentydd ac yn holl fannau cyfannedd y wlad. ¹⁴Gofalaf amdanynt mewn porfa dda, a bydd uchelfannau mynyddoedd Israel yn dir pori iddynt; yno byddant yn gorwedd ar dir pori da ac yn ymborthi ar borfa fras ar fynyddoedd Israel. ¹⁵Byddaf fi fy hun yn bugeilio fy nefaid ac yn gwneud iddynt orwedd, medd yr Arglwydd DDUW. ¹⁶Byddaf yn ceisio'r ddafad golledig ac yn dychwelyd y wasgaredig; byddaf yn rhwymo'r ddolurus ac yn cryfhau'r wan. Ond byddaf yn difa'r fras a'r gref; byddaf yn eu bugeilio â chyfiawnder.

17 "'Amdanoch chwi, fy mhraidd, fel

hyn y dywed yr Arglwydd DDUW: Wele, byddaf fi'n barnu rhwng y naill ddafad a'r llall, a rhwng hyrddod a bychod. ¹⁸Onid yw'n ddigon ichwi bori ar borfa dda heb ichwi sathru gweddill eich porfa â'ch traed, ac yfed dŵr clir heb ichwi faeddu'r gweddill â'ch traed? ¹⁹A yw'n rhaid i'm praidd fwyta'r hyn a sathrwyd gennych, ac yfed yr hyn a faeddwyd â'ch traed?

20 "'Felly, fel hyn y dywed yr Arglwydd DDUW wrthynt: Byddaf fi fy hunan yn barnu rhwng defaid bras a defaid tenau. ²¹Oherwydd eich bod yn gwthio ag ystlys ac ysgwydd, ac yn twlcio'r gweiniaid â'ch cyrn nes ichwi eu gyrru ar wasgar, ²²byddaf yn gwaredu fy mhraidd, ac ni fyddant mwyach yn ysglyfaeth, a byddaf yn barnu rhwng y naill ddafad a'r llall. ²³Byddaf yn gosod arnynt un bugail, fy ngwas Dafydd, a bydd ef yn gofalu amdanynt; ef fydd yn gofalu amdanynt ac ef fydd eu bugail. ²⁴Myfi, yr ARGLWYDD, fydd eu Duw, a'm gwas Dafydd fydd yn dywysog yn eu mysg; myfi, yr ARGLWYDD, a lefarodd.

25 "'Gwnaf gyfamod heddwch â hwy, a gwaredu'r wlad oddi wrth anifeiliaid gwylltion; yna byddant yn byw yn yr anialwch ac yn cysgu yn y coedwigoedd mewn diogelwch. ²⁶Gwnaf hwy, a'r mannau o amgylch fy mynyddoedd, yn fendith; anfonaf i lawr y cawodydd yn eu pryd, a byddant yn gawodydd bendith. ²⁷Bydd coed y maes yn rhoi eu ffrwyth, a'r tir ei gnydau, a bydd y bobl yn ddiogel yn eu gwlad. Byddant yn gwybod mai myfi yw'r ARGLWYDD, pan fyddaf yn torri barrau eu iau ac yn eu gwaredu o ddwylo'r rhai sy'n eu caethiwo. ²⁸Ni fyddant mwyach yn ysglyfaeth i'r cenhedloedd, ac ni fydd anifeiliaid gwylltion yn eu difa; byddant yn byw'n ddiogel heb neb i'w dychryn. ²⁹Byddaf yn darparu iddynt blanhigfa ffrwythlonᵉ, ac ni fyddant mwyach yn dioddef newyn yn y wlad na dirmyg y cenhedloedd. ³⁰Yna byddant yn gwybod fy mod i, yr ARGLWYDD eu Duw, gyda hwy, ac mai hwy, tŷ Israel, yw fy mhobl, medd yr Arglwydd DDUW. ³¹Chwi fy mhraidd, praidd fy mhorfa, yw fy mhobl, a myfi yw eich Duw, medd yr Arglwydd DDUW.'"

Barn Duw ar Edom

35 Daeth gair yr ARGLWYDD ataf a dweud, ²"Fab dyn, gosod dy

<hr>

ᵉCymh. Fersiynau. Hebraeg, *er enw.*

wyneb yn erbyn Mynydd Seir; proffwyda yn ei erbyn ³a dywed, 'Fel hyn y dywed yr Arglwydd DDUW: Wele fi yn dy erbyn, Fynydd Seir; estynnaf fy llaw yn dy erbyn, a'th wneud yn ddiffeithwch anial. ⁴Gwnaf dy ddinasoedd yn adfeilion a byddi dithau'n ddiffaith; yna byddi'n gwybod mai myfi yw'r ARGLWYDD. ⁵Oherwydd iti goleddu hen elyniaeth a darostwng pobl Israel i'r cleddyf yn nydd eu trallod, yn nydd eu cosb derfynol, ⁶felly, cyn wired â'm bod yn fyw, medd yr Arglwydd DDUW, fe'th ddedfrydaf i waed, a bydd gwaed yn dy ymlid; am na chaseaist ti waed, gwaed fydd yn dy ymlid. ⁷Gwnaf Fynydd Seir yn ddiffeithwch anial, a thorraf ymaith oddi yno bawb sy'n mynd a dod. ⁸Llanwaf dy fynyddoedd â chelaneddau; bydd y rhai a laddwyd â'r cleddyf yn syrthio ar dy fryniau, yn dy ddyffrynnoedd ac yn dy holl nentydd. ⁹Gwnaf di yn ddiffeithwch am byth, ac ni fydd neb yn byw yn dy ddinasoedd. Yna byddi'n gwybod mai myfi yw'r ARGLWYDD.

10 "'Oherwydd iti ddweud, "Eiddof fi fydd y ddwy genedl hyn a'r ddwy wlad hyn, a chymeraf feddiant ohonynt", er bod yr ARGLWYDD yno, ¹¹felly, cyn wired â'm bod yn fyw, medd yr Arglwydd DDUW, fe wnaf â thi yn ôl y dig a'r eiddigedd a ddangosaist ti yn dy gasineb tuag atynt; gwnaf fy hunan yn wybyddus yn eu mysg pan farnaf di. ¹²Yna, byddi'n gwybod i mi, yr ARGLWYDD, glywed yr holl bethau gwaradwyddus a leferaist yn erbyn mynyddoedd Israel pan ddywedaist, "Y maent yn ddiffeithwch; fe'u rhoddwyd i ni i'w difa." ¹³Ymddyrchefaist yn f'erbyn â'th enau ac amlhau geiriau yn f'erbyn, a chlywais innau. ¹⁴Fel hyn y dywed yr Arglwydd DDUW: Tra bydd yr holl ddaear yn llawenhau, fe'th wnaf di'n ddiffeithwch. ¹⁵Oherwydd iti lawenhau pan wnaed etifeddiaeth tŷ Israel yn ddiffeithwch, fel hyn y gwnaf i tithau: byddi di'n ddiffeithwch, o Fynydd Seir, ti a'r cyfan o Edom. Yna byddant yn gwybod mai myfi yw'r ARGLWYDD.'

Bendith i Israel

36 "Fab dyn, proffwyda wrth fynyddoedd Israel a dywed, 'O fynyddoedd Israel, clywch air yr ARGLWYDD. ²Fel hyn y dywed yr Arglwydd DDUW: Oherwydd i'r gelyn ddweud amdanoch, "Aha! Daeth yr hen uchelfeydd yn eiddo i ni!" ³felly proffwyda a dywed: Fel hyn y dywed yr Arglwydd DDUW: Oherwydd iddynt eich gwneud yn ddiffeithwch ac yn anrhaith o bob tu, nes ichwi fynd yn eiddo i weddill y cenhedloedd, yn destun siarad ac yn enllib i'r bobl, ⁴felly, O fynyddoedd Israel, clywch air yr Arglwydd DDUW. Fel hyn y dywed yr Arglwydd DDUW wrth y mynyddoedd a'r bryniau, wrth y nentydd a'r dyffrynnoedd, wrth yr adfeilion diffaith a'r dinasoedd anghyfannedd, sydd wedi mynd yn ysglyfaeth ac yn wawd i weddill y cenhedloedd o amgylch; ⁵felly, fel hyn y dywed yr Arglwydd DDUW: Lleferais yn fy sêl ysol yn erbyn gweddill y cenhedloedd, ac yn erbyn y cyfan o Edom, oherwydd iddynt, â llawenydd yn eu calon a malais yn eu hysbryd, wneud fy nhir yn eiddo iddynt eu hunain a gwneud ei borfa yn anrhaith.' ⁶Felly, proffwyda am dir Israel, a dywed wrth y mynyddoedd a'r bryniau, wrth y nentydd a'r dyffrynnoedd, 'Fel hyn y dywed yr Arglwydd DDUW: Wele fi'n llefaru yn fy eiddigedd a'm llid, oherwydd ichwi ddioddef dirmyg y cenhedloedd. ⁷Felly, fel hyn y dywed yr Arglwydd DDUW: Yr wyf yn tyngu y bydd y cenhedloedd o'ch amgylch yn dioddef dirmyg.

8 "'Ond byddwch chwi, fynyddoedd Israel, yn tyfu canghennau ac yn cynhyrchu ffrwyth i'm pobl Israel, oherwydd fe ddônt adref ar fyrder. ⁹Wele, yr wyf fi o'ch tu ac yn troi'n ôl atoch; cewch eich aredig a'ch hau, ¹⁰a byddaf yn lluosogi pobl arnoch, sef tŷ Israel i gyd. Fe gyfanheddir y dinasoedd ac fe adeiledir yr adfeilion. ¹¹Byddaf yn lluosogi pobl ac anifeiliaid arnoch, a byddant yn lluosogi ac yn ffrwythloni; byddaf yn peri i rai fyw arnoch fel o'r blaen, a gwnaf fwy o ddaioni i chwi na chynt. Yna byddwch yn gwybod mai myfi yw'r ARGLWYDD. ¹²Gwnaf i bobl, fy mhobl Israel, gerdded arnoch; byddant yn eich meddiannu, a byddwch yn etifeddiaeth iddynt, ac ni fyddwch byth eto'n eu gwneud yn amddifad. ¹³Fel hyn y dywed yr Arglwydd DDUW: Oherwydd bod pobl yn dweud wrthych, "Yr ydych yn difa dynion ac yn amddifadu eich cenedl o blant", ¹⁴felly, ni fyddwch eto'n difa dynion nac yn gwneud eich cenedl yn amddifad, medd yr Arglwydd DDUW. ¹⁵Ni pharaf ichwi eto glywed dirmyg y cenhedloedd, na dioddef gwawd y bobloedd, na gwneud

i'ch cenedl gwympo, medd yr Arglwydd
DDUW.' "

16 Daeth gair yr ARGLWYDD ataf a
dweud, ¹⁷"Fab dyn, pan oedd tŷ Israel yn
byw yn eu gwlad eu hunain, yr oeddent
yn ei halogi trwy eu ffyrdd a'u gweithred-
oedd; yr oedd eu ffyrdd i mi fel halog-
rwydd misol gwraig. ¹⁸Felly tywelltais fy
llid arnynt, oherwydd iddynt dywallt
gwaed ar y tir a'i halogi â'u heilunod.
¹⁹Gwasgerais hwy ymhlith y cenhedloedd
nes eu bod ar chwâl trwy'r gwledydd;
fe'u bernais yn ôl eu ffyrdd a'u gweith-
redoedd. ²⁰I ble bynnag yr aethant ymysg
y cenhedloedd, yr oeddent yn halogi fy
enw sanctaidd; oherwydd fe ddywedwyd
amdanynt, 'Pobl yr ARGLWYDD yw'r
rhain, ond eto fe'u gyrrwyd allan o'i
wlad.' ²¹Ond yr wyf yn gofalu am fy enw
sanctaidd, a halogwyd gan dŷ Israel pan
aethant allan i blith y cenhedloedd.

22 "Felly dywed wrth dŷ Israel, 'Fel
hyn y dywed yr Arglwydd DDUW: Nid er
dy fwyn di, dŷ Israel, yr wyf yn gweith-
redu, ond er mwyn fy enw sanctaidd, a
halogaist pan aethost allan i blith y cen-
hedloedd. ²³Amlygaf sancteiddrwydd fy
enw mawr, a halogwyd gennyt ti ymysg y
cenhedloedd. Yna bydd y cenhedloedd
yn gwybod mai myfi yw'r ARGLWYDD,
medd yr Arglwydd DDUW, pan fyddaf
trwoch chwi yn amlygu fy sancteidd-
rwydd yn eu gŵydd. ²⁴Oherwydd byddaf
yn eich cymryd o blith y cenhedloedd, yn
eich casglu o'r holl wledydd, ac yn dod â
chwi i'ch gwlad eich hunain. ²⁵Taenellaf
ddŵr glân drosoch i'ch glanhau; a
byddwch yn lân o'ch holl aflendid ac o'ch
holl eilunod. ²⁶Rhof i chwi galon newydd,
a bydd ysbryd newydd ynoch; tynnaf
allan ohonoch y galon garreg, a rhof i
chwi galon gig. ²⁷Rhof fy ysbryd ynoch, a
gwneud ichwi ddilyn fy neddfau a gofalu
cadw fy ngorchmynion. ²⁸Byddwch yn
byw yn y tir a roddais i'ch tadau; bydd-
wch yn bobl i mi, a minnau'n Dduw i
chwi. ²⁹Gwaredaf chwi o'ch holl aflendid;
byddaf yn galw am y grawn ac yn gwneud
digon ohono, ac ni fyddaf yn dwyn newyn
arnoch. ³⁰Byddaf yn cynyddu ffrwythau'r
coed a chnydau'r maes, rhag ichwi byth
eto ddioddef dirmyg newyn ymysg y
cenhedloedd. ³¹Yna byddwch yn cofio
eich ffyrdd drygionus a'r gweithredoedd
drwg, a byddwch yn eich casáu eich
hunain am eich pechodau a'ch ffieidd-dra.
³²Bydded wybyddus i chwi nad er eich

mwyn chwi yr wyf yn gweithredu, medd
yr Arglwydd DDUW. Bydded cywilydd a
gwarth arnoch am eich ffyrdd, dŷ Israel!

33 "'Fel hyn y dywed yr Arglwydd
DDUW: Ar y dydd y glanhaf chwi o'ch
holl bechodau, fe gyfanheddir y dinas-
oedd ac fe adeiledir yr adfeilion. ³⁴Caiff y
wlad oedd yn ddiffaith ei thrin, rhag iddi
fod yn ddiffaith yng ngolwg pawb sy'n
mynd heibio. ³⁵Fe ddywedant, "Aeth y
wlad hon, a fu'n ddiffaith, fel gardd Eden,
ac y mae'r dinasoedd a fu'n adfeilion, ac
yn ddiffeithwch anial, wedi eu cyfan-
heddu a'u hamddiffyn." ³⁶Yna, bydd y
cenhedloedd a adawyd o'ch amgylch yn
gwybod i mi, yr ARGLWYDD, ailadeil-
adu'r hyn a ddinistriwyd ac ailblannu'r
hyn oedd yn ddiffaith. Myfi yr AR-
GLWYDD a lefarodd, ac fe'i gwnaf.

37 "'Fel hyn y dywed yr Arglwydd
DDUW: Byddaf eto'n gwrando ar gais tŷ
Israel ac yn gwneud hyn iddynt: byddaf
yn amlhau eu pobl fel praidd. ³⁸Mor
lluosog â phraidd yr offrwm, mor lluosog
â phraidd Jerwsalem ar ei gwyliau pen-
odedig, felly y llenwir y dinasoedd a fu'n
adfeilion â phraidd o bobl. Yna byddant
yn gwybod mai myfi yw'r ARGLWYDD.' "

Gweledigaeth Dyffryn yr Esgyrn

37 Daeth llaw yr ARGLWYDD arnaf,
ac aeth â mi allan trwy ysbryd yr
ARGLWYDD a'm gosod yng nghanol
dyffryn a oedd yn llawn esgyrn. ²Aeth â
mi'n ôl a blaen o'u hamgylch, a gwelais
lawer iawn o esgyrn ar lawr y dyffryn, ac
yr oeddent yn sychion iawn. Gofynnodd
imi, "Fab dyn, a all yr esgyrn hyn fyw?"
³Atebais innau, "O Arglwydd DDUW,
ti sy'n gwybod." ⁴Dywedodd wrthyf,
"Proffwyda wrth yr esgyrn hyn a dywed
wrthynt, 'Esgyrn sychion, clywch air yr
ARGLWYDD. ⁵Fel hyn y dywed yr Ar-
glwydd DDUW wrth yr esgyrn hyn: Wele,
fe roddaf fi anadl ynoch, a byddwch fyw.
⁶Rhoddaf ewynnau arnoch, paraf i gnawd
ddod arnoch a rhoddaf groen drosoch;
rhoddaf anadl ynoch, a byddwch fyw.
Yna byddwch yn gwybod mai myfi yw'r
ARGLWYDD.' "

7 Proffwydais fel y gorchmynnwyd
imi. Ac fel yr oeddwn yn proffwydo daeth
sŵn, a hefyd gynnwrf, a daeth yr esgyrn
ynghyd, asgwrn at asgwrn. ⁸Edrychais,
ac yr oedd gewynnau arnynt, a chnawd
hefyd, ac yr oedd croen drostynt, ond nid
oedd anadl ynddynt. ⁹Yna dywedodd

wrthyf, "Proffwyda wrth yr anadl; proff-wyda, fab dyn, a dywed wrth yr anadl, 'Fel hyn y dywed yr Arglwydd DDUW: O anadl, tyrd o'r pedwar gwynt, ac anadla ar y lladdedigion hyn, iddynt fyw.'" ¹⁰Proffwydais fel y gorchmynnwyd imi, a daeth anadl iddynt ac aethant yn fyw, a chodi ar eu traed yn fyddin gref iawn. 11 Yna dywedodd wrthyf, "Fab dyn, holl dŷ Israel yw'r esgyrn hyn. Y maent yn dweud, 'Aeth ein hesgyrn yn sychion, darfu am ein gobaith, ac fe'n torrwyd ymaith.' ¹²Felly, proffwyda wrthynt a dywed, 'Fel hyn y dywed yr Arglwydd DDUW: O fy mhobl, yr wyf am agor eich beddau a'ch codi ohonynt, ac fe af â chwi'n ôl i dir Israel. ¹³Yna, byddwch chwi fy mhobl yn gwybod mai myfi yw'r ARGLWYDD, pan agoraf eich beddau a'ch codi ohonynt. ¹⁴Rhoddaf fy ysbryd ynoch, a byddwch fyw, ac fe'ch gosodaf yn eich gwlad eich hunain. Yna byddwch yn gwybod mai myfi'r ARGLWYDD a lefarodd, ac mai myfi a'i gwnaeth, medd yr ARGLWYDD.'"

Un Genedl

15 Daeth gair yr ARGLWYDD ataf a dweud, ¹⁶"Fab dyn, cymer ffon ac ysgrifenna arni, 'I Jwda ac i'r Israeliaid sydd mewn cysylltiad eg ef'; yna cymer ffon arall ac ysgrifenna arni, 'Ffon Effraim: i Joseff a holl dŷ Israel sydd mewn cysylltiad ag ef.' ¹⁷Una hwy â'i gilydd yn un ffon, fel y dônt yn un yn dy law. ¹⁸Pan ddywed dy bobl, 'Oni ddywedi wrthym beth yw ystyr hyn?' ¹⁹ateb hwy, 'Fel hyn y dywed yr Arglwydd DDUW: Byddaf yn cymryd ffon Joseff, sydd yn nwylo Effraim, a llwythau Israel mewn cysylltiad ag ef, ac yn uno â hi ffon Jwda, ac yn eu gwneud yn un ffon, fel y byddant yn un yn fy llaw.' ²⁰Dal y ffyn yr ysgrif-ennaist arnynt yn dy law o'u blaenau, ²¹a dywed wrthynt, 'Fel hyn y dywed yr Arglwydd DDUW: Wele fi'n cymryd yr Israeliaid o blith y cenhedloedd lle'r aethant; fe'u casglaf o bob man, a mynd â hwy i'w gwlad eu hunain. ²²Gwnaf hwy'n un genedl yn y wlad, ar fynyddoedd Israel, a bydd un brenin drostynt i gyd; ni fyddant byth eto'n ddwy genedl, ac ni rennir hwy mwyach yn ddwy deyrnas. ²³Ni fyddant yn eu halogi eu hunain eto â'u heilunod, eu pethau atgas a'u holl droseddau, oherwydd byddaf yn eu

ᶠFelly llawysgrifau. TM, breswylfeydd.

gwaredu o'u holl wrthgilioᶠ, a fu'n bechod ynddynt, ac fe'u glanhaf; byddant hwy'n bobl i mi, a minnau'n Dduw iddynt hwy. 24 "'Fy ngwas Dafydd a fydd yn frenin arnynt, a bydd un bugail drostynt i gyd. Byddant yn dilyn fy nghyfreithiau ac yn gofalu cadw fy neddfau. ²⁵Byddant yn byw yn y wlad a roddais i'm gwas Jacob, y wlad lle bu'ch tadau yn byw; byddant hwy a'u plant a phlant eu plant yn byw yno am byth, a bydd fy ngwas Dafydd yn dywysog iddynt am byth. ²⁶Gwnaf gyf-amod heddwch â hwy, ac fe fydd yn gyfamod tragwyddol; sefydlaf hwy, a'u lluosogi, a gosodaf fy nghysegr yn eu mysg am byth. ²⁷Bydd fy nhrigfan gyda hwy; a byddaf fi'n Dduw iddynt, a hwy-thau'n bobl i mi. ²⁸Yna, pan fydd fy nghysegr yn eu mysg am byth, bydd y cenhedloedd yn gwybod mai myfi, yr ARGLWYDD, sy'n sancteiddio Israel.'"

Proffwydo yn erbyn Gog

38 Daeth gair yr ARGLWYDD ataf a dweud, ²"Fab dyn, gosod dy wyneb yn erbyn Gog yn nhir Magog, prif dywysog Mesach a Tubal; proffwyda yn ei erbyn, ³a dywed, 'Fel hyn y dywed yr Arglwydd DDUW: Wele fi yn dy erbyn di, Gog, prif dywysog Mesach a Tubal; ⁴byddaf yn dy droi'n ôl, yn rhoi bachau yn dy gernau ac yn dy dynnu allan—ti, a'th holl fyddin, yn feirch a marchogion, y cyfan ohonynt yn llu mawr arfog, â tharianau bach a mawr, a phob un yn chwifio'i gleddyf. ⁵Bydd Persia, Ethiopia a Libya gyda hwy, oll â tharianau a helmedau; ⁶Gomer hefyd a'i holl fyddin, a Beth Togarma o bellterau'r gogledd a'i holl fyddin; bydd pobloedd lawer gyda thi.

7 "'Bydd barod ac ymbaratoa, ti a'r holl fyddinoedd sydd o'th amgylch, byddi'n eu gwarchod. ⁸Ar ôl dyddiau lawer fe'th gynullir, ac mewn blynydd-oedd i ddod byddi'n mynd yn erbyn gwlad sydd wedi ei hadfer ar ôl rhyfel, a'i phobl wedi eu casglu o blith llawer o genhedloedd ar fynyddoedd Israel, lle bu diffeithwch cyhyd; fe'u dygwyd allan o blith y bobloedd, ac yn awr y maent i gyd yn byw'n ddiogel. ⁹Byddi di a'th holl fyddin, a phobloedd lawer gyda thi, yn mynd i fyny ac yn ymdaith fel storm; byddi fel cwmwl yn gorchuddio'r ddaear. 10 "'Fel hyn y dywed yr Arglwydd

DDUW: Y diwrnod hwnnw fe ddaw syniadau i'th feddwl, a byddi'n dyfeisio cynllun drygionus, ¹¹ac yn dweud, "Af i fyny yn erbyn gwlad o bentrefi diamddiffyn, ac ymosod ar bobl heddychol sy'n byw'n ddiogel—pob un ohonynt yn byw heb furiau na barrau na phyrth. ¹²Fe ysbeiliaf ac fe anrheithiaf; trof fy llaw yn erbyn yr adfeilion a gyfanheddwyd, ac yn erbyn y bobl a gasglwyd o blith y cenhedloedd ac sydd yn meddu da ac eiddo ac yn byw yng nghanol y wlad." ¹³Bydd Seba a Dedan, a marchnatwyr Tarsis a'i holl bentrefi, yn dweud wrthynt, "Ai i anrheithio y daethost? A gesglaist dy lu i ysbeilio, i gymryd arian ac aur, i gipio da ac eiddo, i gymryd llawer o ysbail?"'

14 "Felly, fab dyn, proffwyda a dywed wrth Gog, 'Fel hyn y dywed yr Arglwydd DDUW: Y diwrnod hwnnw, pan fydd fy mhobl Israel yn byw'n ddiogel, oni fyddi'n sylweddoli? ¹⁵Fe ddoi o'th le ym mhellterau'r gogledd, ti a phobloedd lawer gyda thi, i gyd yn marchogaeth ar geffylau, yn llu mawr ac yn fyddin gref. ¹⁶Doi i fyny yn erbyn fy mhobl Israel fel cwmwl yn gorchuddio'r ddaear. Mewn dyddiau i ddod, O Gog, fe'th ddygaf yn erbyn fy nhir, er mwyn i'r cenhedloedd f'adnabod pan amlygaf fy sancteiddrwydd trwoch chwi yn eu gŵydd.

17 "'Fel hyn y dywed yr Arglwydd DDUW: Onid ti yw'r un y dywedais amdano yn y dyddiau gynt trwy fy ngweision, proffwydi Israel, a fu yr amser hwnnw yn proffwydo am flynyddoedd y dygwn di yn eu herbyn? ¹⁸Y diwrnod hwnnw, pan fydd Gog yn dod yn erbyn tir Israel, fe gwyd dicter fy llid, medd yr Arglwydd DDUW. ¹⁹Yn fy eiddigedd a gwres fy nig cyhoeddaf y bydd, y diwrnod hwnnw, ddaeargryn mawr yng ngwlad Israel. ²⁰Bydd popeth yn crynu o'm blaen—pysgod y môr, adar yr awyr, yr anifeiliaid gwylltion, holl ymlusgiaid y tir, a phob dyn ar wyneb y ddaear; dymchwelir y mynyddoedd, syrth y creigiau, a bwrir pob mur i'r llawr. ²¹Galwaf am bob math o ddychryn^ff yn erbyn Gog, medd yr Arglwydd DDUW. Bydd cleddyf pob un yn erbyn ei gymydog; ²²dof i farn yn ei erbyn â haint ac â gwaed; tywalltaf lawogydd trymion, cenllysg, tân a brwmstan arno ef a'i fyddin a'r bobloedd lawer sydd gydag ef. ²³Amlygaf fy mawredd a'm sancteiddrwydd, a gwnaf fy hun yn

wybyddus yng ngolwg llawer o genhedloedd. Yna byddant yn gwybod mai myfi yw'r ARGLWYDD.'

Cwymp Gog

39 "Fab dyn, proffwyda yn erbyn Gog a dywed, 'Fel hyn y dywed yr Arglwydd DDUW: Wele fi yn dy erbyn di, Gog, prif dywysog Mesach a Tubal. ²Byddaf yn dy droi ac yn dy lusgo ymlaen; dof â thi o bellterau'r gogledd, a'th anfon yn erbyn mynyddoedd Israel. ³Yna trawaf dy fwa o'th law chwith a pheri i'th saethau ddisgyn o'th law dde. ⁴Ar fynyddoedd Israel y syrthi, ti a'th holl fyddin a'r bobloedd sydd gyda thi; fe'th rof yn fwyd i bob math o adar ysglyfaethus ac i'r anifeiliaid gwylltion. ⁵Byddi'n syrthio yn y maes, oherwydd myfi a lefarodd, medd yr Arglwydd DDUW. ⁶Byddaf yn anfon tân ar Magog ac ar y rhai sy'n byw'n ddiogel ar yr arfordir; a byddant yn gwybod mai myfi yw'r ARGLWYDD.

7 "'Gwnaf fy enw sanctaidd yn wybyddus ymhlith fy mhobl Israel, ac ni adawaf i'm henw sanctaidd gael ei halogi mwyach; a bydd y cenhedloedd yn gwybod mai myfi, yr ARGLWYDD, yw Sanct Israel. ⁸Y mae'n dod! Bydd yn digwydd, medd yr Arglwydd DDUW. Dyma'r diwrnod y dywedais amdano!

9 "'Yna, bydd y rhai sy'n byw yn ninasoedd Israel yn mynd allan ac yn gwneud tân o'r arfau ac yn eu llosgi— y tarianau bach a mawr, y bwâu a'r saethau, y pastynau a'r gwaywffyn; byddant yn gwneud tân ohonynt am saith mlynedd. ¹⁰Ni fyddant yn casglu cynnud o'r meysydd nac yn torri coed yn y coedwigoedd, gan y byddant yn gwneud tân o'r arfau. Byddant yn ysbeilio'u hysbeilwyr ac yn anrheithio'u hanrheithiwr, medd yr Arglwydd DDUW.

11 "'Y diwrnod hwnnw fe roddaf i Gog feddrod yn Israel, yn nyffryn y rhai sy'n croesi i'r dwyrain at y môr; bydd yn rhwystr i'r rhai sy'n croesi drosodd, oherwydd bydd Gog a'i holl luoedd wedi eu claddu yno, ac fe'i gelwir yn Ddyffryn Hamon Gog^g. ¹²Bydd tŷ Israel yn eu claddu am saith mis, er mwyn glanhau'r wlad. ¹³Bydd holl bobl y wlad yn eu claddu, a bydd yn glod iddynt ar y diwrnod y gogoneddir fi, medd yr Arglwydd DDUW. ¹⁴Neilltuir dynion i fynd

---

trwy'r wlad yn gyson i gladdu'r rhai a adawyd[ng] ar wyneb y ddaear, er mwyn ei glanhau; ar derfyn y saith mis byddant yn dechrau chwilio. [15]Wrth iddynt fynd trwy'r wlad, ac i un ohonynt weld asgwrn dyn, bydd hwnnw'n codi arwydd yn ei ymyl nes i'r claddwyr ei gladdu yn Nyffryn Hamon Gog. Bydd yno hefyd dref o'r enw Hamona[h]. [16]Felly y glanheir y wlad.'

17 "Fab dyn, fel hyn y dywed yr Arglwydd Dduw: Galw ar bob math o adar ac ar yr holl anifeiliaid gwylltion, 'Ymgasglwch a dewch at eich gilydd o bob tu i'r aberth yr wyf yn ei baratoi i chwi, sef yr aberth mawr ar fynyddoedd Israel; a byddwch yn bwyta cnawd ac yn yfed gwaed. [18]Byddwch yn bwyta cnawd y cedyrn ac yn yfed gwaed tywysogion y ddaear, yn union fel pe byddent yn hyrddod ac ŵyn, yn fychod a bustych, pob un ohonynt wedi ei besgi yn Basan. [19]Yn yr aberth yr wyf fi'n ei baratoi i chwi, byddwch yn bwyta braster nes eich digoni ac yn yfed gwaed nes meddwi. [20]Fe'ch digonir wrth fy mwrdd â meirch a marchogion, â chedyrn a phob math o filwyr,' medd yr Arglwydd Dduw.

Adfer Israel

21 "Byddaf yn gosod fy ngogoniant ymysg y cenhedloedd, a bydd yr holl genhedloedd yn gweld y farn a wneuthum a'r llaw a osodais arnynt. [22]O'r dydd hwnnw ymlaen, bydd tŷ Israel yn gwybod mai myfi yw'r Arglwydd eu Duw. [23]Bydd y cenhedloedd yn gwybod mai am eu pechod yr aeth tŷ Israel i gaethglud; am iddynt fod yn anffyddlon i mi y cuddiais fy wyneb oddi wrthynt a'u rhoi yn nwylo'u gelynion nes iddynt i gyd syrthio trwy'r cleddyf. [24]Fe wneuthum â hwy yn ôl eu haflendid a'u troseddau, a chuddiais fy wyneb oddi wrthynt.

25 "Felly, fel hyn y dywed yr Arglwydd Dduw: Yn awr, fe adferaf lwyddiant Jacob a thosturio wrth holl dŷ Israel; a byddaf yn eiddigus o'm henw sanctaidd. [26]Byddant yn anghofio'u gwarth, a'u holl anffyddlondeb tuag ataf fi pan oeddent yn byw'n ddiogel yn eu gwlad heb neb i'w dychryn. [27]Pan ddychwelaf hwy o blith y bobloedd a'u casglu o

wledydd eu gelynion, amlygaf fy sancteiddrwydd trwyddynt hwy yng ngŵydd llawer o genhedloedd. [28]Yna byddant yn gwybod mai myfi yw'r Arglwydd eu Duw, oherwydd, er imi eu hanfon i gaethglud ymhlith y cenhedloedd, fe'u casglaf ynghyd i'w gwlad heb adael yr un ohonynt ar ôl. [29]Ni chuddiaf fy wyneb oddi wrthynt mwyach, oherwydd byddaf yn tywallt fy ysbryd ar dŷ Israel, medd yr Arglwydd Dduw."

Eseciel yn Jerwsalem

40 Ar ddechrau'r bumed flwyddyn ar hugain o'n caethglud, ar y degfed o'r mis yn y bedwaredd flwyddyn ar ddeg wedi cwymp y ddinas, ar yr union ddiwrnod hwnnw, daeth llaw yr Arglwydd arnaf a mynd â mi yno. [2]Mewn gweledigaethau Duw, aeth â mi i dir Israel a'm gosod ar fynydd uchel iawn ag adeiladau tebyg i ddinas ar ei ochr ddeheuol. [3]Cymerodd fi yno, a gwelais ddyn a'i ymddangosiad yn debyg i bres; yr oedd yn sefyll wrth y porth, â llinyn o liain a ffon fesur yn ei law. [4]Dywedodd y dyn wrthyf, "Fab dyn, edrych â'th lygaid, gwrando â'th glustiau, a dal sylw ar bopeth a ddangosaf i ti, oherwydd dyna pam y daethpwyd â thi yma. Dywed wrth dŷ Israel am y cyfan a weli."

Porth y Dwyrain

5 Gwelais fur yn amgylchu'n llwyr safle'r deml. Yr oedd y ffon fesur yn llaw'r dyn yn chwe chufydd hir, sef cufydd a dyrnfedd, o hyd; a phan fesurodd y mur yr oedd ei drwch yn hyd y ffon, a'i uchder yn hyd y ffon. [6]Yna aeth at y porth oedd yn wynebu'r dwyrain, ac i fyny ei risiau, a phan fesurodd riniog y porth yr oedd yn hyd y ffon[i]. [7]Yr oedd hyd yr ystafelloedd ochr yn un ffon, a'u lled yn un ffon, a'r mur rhwng yr ystafelloedd yn bum cufydd o led; yr oedd rhiniog y porth ger y cyntedd gyferbyn â'r deml yn hyd un ffon. [8]Yna mesurodd gyntedd y porth[j], [9]ac yr oedd yn wyth cufydd o ddyfnder, a'i bileri yn ddau gufydd o drwch. Yr oedd cyntedd y porth gyferbyn â'r deml. [10]Y tu mewn i borth y dwyrain yr oedd tair o ystafelloedd ochr o'r ddeutu; yr un oedd mesuriadau'r tair,

[ng]Felly Groeg a Syrieg. Hebraeg yn ychwanegu a'r rhai sy'n croesi drosodd.   [h]Sef Tyrfa.
[i]Felly Groeg. Hebraeg yn ychwanegu, un rhiniog yn un ffon o led.
[j]Felly llawysgrifau a Fersiynau. TM yn ychwanegu, gyferbyn â'r deml, yr oedd yn un ffon. [9]Yna mesurodd gyntedd y porth.

ac yr oedd y pileri ar bob ochr o'r un mesuriadau. ¹¹Yna mesurodd led agoriad y porth; yr oedd yn ddeg cufydd, ac yr oedd ei hyd yn dri chufydd ar ddeg. ¹²Yr oedd wal cufydd o uchder o flaen yr ystafelloedd, ac yr oedd yr ystafelloedd yn chwe chufydd sgwâr. ¹³Yna mesurodd y porth o ben mur cefn un ystafell i ben mur cefn yr un gyferbyn; yr oedd yn bum cufydd ar hugain o'r naill agoriad i'r llall. ¹⁴Mesurodd ar hyd y muriau o amgylch y porth o'r tu mewn, a'u cael yn drigain cufydd ᴵᴵ. ¹⁵Yr oedd y pellter o agoriad y porth i ben draw'r cyntedd yn hanner can cufydd. ¹⁶Yr oedd ffenestri bychain oddi amgylch yn yr ystafelloedd ac yn y muriau y tu mewn i'r porth, ac felly hefyd yn y cyntedd; yr oedd y ffenestri oddi amgylch yn wynebu i mewn, ac yr oedd y pileri wedi eu haddurno â phalmwydd.

Y Cyntedd Nesaf Allan

17 Yna aeth â mi i'r cyntedd nesaf allan, a gwelais yno ystafelloedd, a phalmant wedi ei wneud o amgylch y cyntedd; yr oedd deg ar hugain o ystafelloedd yn wynebu'r palmant. ¹⁸Yr oedd y palmant wrth ochr y pyrth, a'r un hyd â'r pyrth; hwn oedd y palmant isaf. ¹⁹Yna mesurodd o'r tu mewn i'r porth isaf at y tu allan i'r cyntedd nesaf i mewn; yr oedd yn gan cufydd ar yr ochr ddwyreiniol ac ar yr ochr ogleddol.

Porth y Gogledd

20 Yna mesurodd hyd a lled y porth oedd yn wynebu'r gogledd yn y cyntedd nesaf allan. ²¹Yr oedd ei ystafelloedd, tair o'r ddeutu, ei bileri a'i gyntedd yr un mesuriadau â rhai'r porth cyntaf; yr oedd yn hanner can cufydd o hyd ac yn bum cufydd ar hugain o led. ²²Yr oedd ei ffenestri, ei gyntedd a'i balmwydd yr un mesuriadau â rhai porth y dwyrain; arweiniai saith o risiau ato, ac yr oedd y cyntedd gyferbyn â hwy. ²³Yr oedd agoriad i'r cyntedd nesaf i mewn gyferbyn â phorth y gogledd, fel yr oedd ym mhorth y dwyrain. Mesurodd o'r naill borth i'r llall, ac yr oedd yn gan cufydd.

Porth y De

24 Yna arweiniodd fi at ochr y de, a gwelais borth yn wynebu'r de. Mesurodd ei bileri a'i gyntedd, a'r un oedd eu

mesuriadau â'r lleill. ²⁵Yr oedd ffenestri o amgylch yn y porth ac yn ei gyntedd, fel ffenestri'r lleill. Hanner can cufydd oedd ei hyd, a phum cufydd ar hugain ei led. ²⁶Arweiniai saith o risiau ato, ac yr oedd y cyntedd gyferbyn â hwy; yr oedd y pileri ar y naill ochr a'r llall wedi eu haddurno â phalmwydd. ²⁷Yn y cyntedd nesaf i mewn yr oedd porth yn wynebu'r de, a mesurodd o'r porth hwn at y porth nesaf allan ar ochr y de; yr oedd yn gan cufydd.

Cyntedd y De

28 Yna aeth â mi trwy borth y de i'r cyntedd nesaf i mewn, a mesurodd y porth; yr un oedd ei fesuriadau â'r lleill. ²⁹Yr oedd ei ystafelloedd, ei bileri a'i gyntedd yr un mesuriadau â'r lleill, ac yr oedd ffenestri o amgylch y porth ac yn ei gyntedd. Hanner can cufydd oedd ei hyd, a phum cufydd ar hugain ei led. ³⁰Yr oedd cynteddoedd y pyrth o amgylch y cyntedd nesaf i mewn yn bum cufydd ar hugain o led, a phum cufydd o ddyfnder. ³¹Wynebai ei gyntedd y cyntedd nesaf allan; yr oedd ei bileri wedi eu haddurno â phalmwydd, ac yr oedd wyth o risiau'n arwain ato.

Cyntedd y Dwyrain

32 Yna aeth â mi i'r cyntedd nesaf i mewn ar ochr y dwyrain, a mesurodd y porth; yr un oedd ei fesuriadau â'r lleill. ³³Yr oedd ei ystafelloedd, ei bileri a'i gyntedd yr un mesuriadau â'r lleill, ac yr oedd ffenestri o amgylch y porth ac yn ei gyntedd. Hanner can cufydd oedd ei hyd, a phum cufydd ar hugain ei led. ³⁴Wynebai ei gyntedd y cyntedd nesaf allan; yr oedd ei bileri wedi eu haddurno â phalmwydd, ac yr oedd wyth o risiau'n arwain ato.

35 Yna aeth â mi at borth y gogledd, a'i fesur; yr un oedd ei fesuriadau â'r lleill; ³⁶felly hefyd ei ystafelloedd, ei bileri a'i gyntedd, ac yr oedd ffenestri o'i amgylch. Hanner can cufydd oedd ei hyd, a phum cufydd ar hugain ei led. ³⁷Wynebai ei gyntedd ᵐ y cyntedd nesaf allan; yr oedd ei bileri wedi eu haddurno â phalmwydd, ac yr oedd wyth o risiau'n arwain ato.

Adeiladu'r Cyntedd Nesaf Allan

38 Yng nghyntedd y porth ⁿ yr oedd

ᴵᴵTebygol. Cymh. Groeg. Hebraeg yn aneglur.
ⁿFelly Fersiynau. Hebraeg, *Ym mhileri'r pyrth.*
ᵐFelly Fersiynau. Hebraeg, *ei bileri.*

ystafell ac iddi ddrws, ac yno y golchid y poethoffrwm. [39]Yng nghyntedd y porth yr oedd hefyd ddau fwrdd o boptu, ac arnynt y lleddid y poethoffrwm, yr aberth dros bechod a'r aberth dros gamwedd. [40]Yng nghyntedd nesaf allan y porth, wrth ymyl y grisiau oedd yn arwain i borth y gogledd, yr oedd dau fwrdd, a'r ochr arall i'r grisiau hefyd ddau fwrdd. [41]Yr oedd pedwar o fyrddau ar un ochr i'r porth, a phedwar ar yr ochr arall, wyth i gyd; ac arnynt y lleddid yr aberthau. [42]Yr oedd hefyd bedwar bwrdd o feini nadd ar gyfer y poethoffrwm, pob un yn gufydd a hanner o hyd, yn gufydd a hanner o led ac yn gufydd o uchder; arnynt hwy y rhoddid yr offer ar gyfer lladd y poethoffrwm a'r aberthau eraill. [43]Ar y muriau oddi amgylch yr oedd bachau dwbl, dyrnfedd o hyd; yr oedd y byrddau ar gyfer cig yr offrwm.

Ystafelloedd yr Offeiriaid

44 Y tu allan i'r porth nesaf i mewn, a'r tu mewn i'r cyntedd nesaf i mewn, yr oedd dwy ystafell°, un ger porth y gogledd ac yn wynebu'r de, ac un ger porth y dc[p] ac yn wynebu'r gogledd. [45]Dywedodd wrthyf, "Y mae'r ystafell sy'n wynebu'r de ar gyfer yr offeiriaid sy'n gofalu am y deml, [46]ac y mae'r un sy'n wynebu'r gogledd ar gyfer yr offeiriaid sy'n gofalu am yr allor, sef meibion Sadoc, yr unig rai o feibion Lefi sy'n cael dynesu at yr ARGLWYDD i'w wasanaethu." [47]Yna mesurodd y cyntedd, ac yr oedd yn sgwâr, yn gan cufydd o hyd ac yn gan cufydd o led; yr oedd yr allor o flaen y deml.

Y Deml

48 Aeth â mi at gyntedd y deml, a mesur pileri'r cyntedd; yr oedd eu trwch yn bum cufydd bob ochr. Yr oedd lled y porth yn bedwar cufydd ar ddeg, a'i furiau[ph] yn dri chufydd o led bob ochr. [49]Yr oedd y cyntedd yn ugain[r] cufydd o led, ac yn ddeuddeg cufydd o'r blaen i'r cefn; arweiniai grisiau i fyny ato, ac yr oedd colofnau bob ochr i'r pileri.

41 Yna aeth â mi i mewn i'r deml a mesur y pileri; yr oedd y pileri bob ochr yn chwe chufydd o drwch[rh].

[2]Yr oedd y mynediad yn ddeg cufydd o led, a muriau'r mynediad bob ochr yn bum cufydd o drwch. Mesurodd hefyd hyd y deml; yr oedd yn ddeugain cufydd, a'i lled yn ugain cufydd. [3]Yna aeth i'r cysegr nesaf i mewn a mesur pileri'r mynediad, ac yr oeddent yn ddau gufydd o drwch; yr oedd y mynediad yn chwe chufydd o led, a muriau'r[s] mynediad yn saith cufydd o drwch. [4]Mesurodd hefyd hyd y cysegr nesaf i mewn; yr oedd yn ugain cufydd, a'i led yn ugain cufydd ar draws y cysegr. Dywedodd wrthyf, "Dyma'r cysegr sancteiddiaf."

5 Yna mesurodd fur y deml; yr oedd yn chwe chufydd o drwch, ac yr oedd pob ystafell o amgylch y deml yn bedwar cufydd o led. [6]Yr oedd yr ystafelloedd ar dri uchder, y naill ar ben y llall, a deg ar hugain, ym mhob uchder. Yr oedd bwtresi[t] o amgylch mur y deml i gynnal yr ystafelloedd, fel nad oeddent yn cael eu cynnal gan fur y deml. [7]Yr oedd yr ystafelloedd o amgylch y deml yn lletach wrth godi o'r naill uchder i'r llall. Yr oedd yr adeiladwaith o amgylch y deml yn codi mewn esgynfeydd, fel bod yr ystafelloedd yn lletach wrth esgyn; ac yr oedd grisiau'n arwain o'r llawr isaf i'r llawr uchaf trwy'r llawr canol. [8]Gwelais fod o amgylch y deml balmant yn sylfaen i'r ystafelloedd, a'i led yr un maint â ffon fesur, sef chwe chufydd o hyd. [9]Pum cufydd oedd trwch mur nesaf allan yr ystafelloedd, ac yr oedd y lle agored rhwng ystafelloedd y deml, [10]ac ystafelloedd yr offeiriaid yn ugain cufydd o led o amgylch y deml. [11]Yr oedd dau fynediad o'r lle agored i'r ystafelloedd ochr, y naill yn y gogledd a'r llall yn y de; ac yr oedd lled y lle agored yn bum cufydd oddi amgylch.

12 Yr oedd yr adeilad a wynebai gwrt y deml ar ochr y gorllewin yn ddeg cufydd a thrigain o led, a mur yr adeilad yn bum cufydd o drwch oddi amgylch, a hyd yr adeilad yn ddeg cufydd a phedwar ugain.

13 Yna mesurodd y deml; yr oedd yn gan cufydd o hyd, ac yr oedd y cwrt a'r adeilad gyda'i furiau hefyd yn gan cufydd o hyd. [14]Yr oedd lled wyneb y deml a'r cwrt ar ochr y dwyrain yn gan cufydd. [15]Yna mesurodd hyd yr adeilad a wyneb-

---

°Felly Groeg. Hebraeg, *yr oedd ystafelloedd y cantorion.*   [p]Felly Groeg. Hebraeg, *y dwyrain.*
[ph]Felly Groeg. Hebraeg heb *yn bedwar...furiau.*   [r]Felly Groeg. Hebraeg, *un ar ddeg.*
[s]Felly Groeg ac un llawysgrif. TM yn ychwanegu *lled y babell.*
Felly Groeg. Hebraeg heb *muriau.*   [t]Tebygol. Cymh. I Bren. 6:6. Hebraeg yn aneglur.

ai'r cwrt yng nghefn y deml, gyda'i orielau bob ochr, ac yr oedd yn gan cufydd.

Yr oedd y deml, y cysegr nesaf i mewn a'r cyntedd yn wynebu'r cwrt, [16]yn ogystal â'r rhiniogau, y ffenestri bychain a'r orielau o amgylch y tri ohonynt, sef y cyfan o'r rhiniog ymlaen, wedi eu byrddio â choed; yr oedd y muriau o'r llawr at y ffenestri[th] wedi eu byrddio. [17]Yn y lle uwchben y mynediad i'r cysegr nesaf i mewn, ar y tu allan, a hefyd ar y muriau o amgylch y cysegr mewnol a'r cysegr allanol, [18]yr oedd cerfiadau ar ffurf cerwbiaid a choed palmwydd, sef palmwydd a cherwbiaid bob yn ail. Yr oedd dau wyneb gan bob cerwb, [19]wyneb dyn at y balmwydden ar un ochr, a wyneb llew at y balmwydden ar yr ochr arall. Yr oeddent wedi eu cerfio o amgylch yr holl deml. [20]O'r llawr at y lle uwchben y drws, yr oedd cerwbiaid a phalmwydd wedi eu cerfio ar fur y deml.

21 Yr oedd pyst drws y deml yn sgwâr; ac o flaen y cysegr sancteiddiaf yr oedd rhywbeth tebyg [22]i allor o goed, tri chufydd o uchder a dau gufydd o hyd; yr oedd ei chornelau, ei sylfaen[u] a'i hochrau o goed. Dywedodd y dyn wrthyf, "Dyma'r bwrdd sydd o flaen yr AR-GLWYDD." [23]Yr oedd drysau dwbl i'r deml ac i'r cysegr sancteiddiaf; [24]yr oedd dwy ddalen i bob drws, a'r ddwy wedi eu bachu wrth ei gilydd. [25]Ar ddrysau'r deml yr oedd cerfiadau o gerwbiaid ac o balmwydd, fel ar y muriau, ac yr oedd cornis pren ar flaen y cyntedd o'r tu allan. [26]Ym muriau'r cyntedd yr oedd ffenestri bychain, a phalmwydd wedi eu cerfio bob ochr. Yr oedd cornis hefyd ar bob un o ystafelloedd ochr y deml.

Adeiladau gerllaw'r Deml

42 Yna aeth y dyn â mi allan tua'r gogledd i'r cyntedd nesaf allan, ac arweiniodd fi i'r ystafelloedd oedd gyferbyn â chwrt y deml a'r adeilad tua'r gogledd. [2]Hyd yr adeilad â'i ddrws tua'r gogledd oedd can cufydd, a'i led yn hanner can cufydd. [3]Yn yr ugain cufydd oedd yn perthyn i'r cyntedd nesaf i mewn, a chyferbyn â phalmant y cyntedd nesaf allan, yr oedd orielau yn wynebu ei gilydd ar dri llawr. [4]O flaen yr ystafelloedd

yr oedd llwybr caeëdig, deg cufydd o led a chan cufydd o hyd. [w] Yr oedd eu drysau tua'r gogledd. [5]Yr oedd yr ystafelloedd uchaf yn gulach, gan fod yr orielau yn tynnu mwy oddi arnynt hwy nag oddi ar yr ystafelloedd ar loriau isaf a chanol yr adeilad. [6]Nid oedd colofnau i ystafell-oedd y trydydd llawr, fel yn y cynteddau, ac felly yr oedd eu lloriau'n llai na rhai'r lloriau isaf a chanol. [7]Yr oedd y mur y tu allan yn gyfochrog â'r ystafelloedd, a chyferbyn â hwy, ac yn ymestyn i gyfeiriad y cyntedd nesaf allan; yr oedd yn hanner can cufydd o hyd. [8]Yr oedd y rhes ystafelloedd ar yr ochr nesaf at y cyntedd allanol yn hanner can cufydd o hyd, a'r rhai ar yr ochr nesaf i'r cysegr yn gan cufydd. [9]Islaw'r ystafelloedd hyn yr oedd mynediad o du'r dwyrain, fel y deuir atynt o'r cyntedd nesaf allan, [10]lle mae'r mur allanol yn cychwyn[y].

Tua'r de[a], gyferbyn â'r cwrt a chyfer-byn â'r adeilad, yr oedd ystafelloedd, [11]gyda llwybr o'u blaen. Yr oeddent yn debyg i ystafelloedd y gogledd; yr un oedd eu hyd a'u lled, a hefyd eu mynedfeydd a'u cynllun. Yr oedd drysau'r ystafelloedd yn y gogledd [12]yn debyg i ddrysau'r ystafelloedd yn y de. Ar ben y llwybr, yr oedd drws yn y mur mewnol i gyfeiriad y dwyrain, er mwyn dod i mewn.

13 Yna dywedodd wrthyf, "Y mae ystafelloedd y gogledd ac ystafelloedd y de, sy'n wynebu'r cwrt, yn ystafelloedd cysegredig, lle bydd yr offeiriad sy'n dynesu at yr ARGLWYDD yn bwyta'r offrymau sancteiddiaf; yno y byddant yn rhoi'r offrymau sancteiddiaf, y bwyd-offrwm, yr aberth dros bechod a'r aberth dros gamwedd, oherwydd lle cysegredig ydyw. [14]Pan fydd yr offeiriaid wedi dod i mewn i'r cysegr, nid ydynt i fynd allan i'r cyntedd nesaf allan heb adael ar ôl y gwisgoedd a oedd ganddynt wrth wasan-aethu, oherwydd y maent yn sanctaidd. Y maent i wisgo dillad eraill i fynd allan lle mae'r bobl."

Mesuriadau Safle'r Deml

15 Wedi iddo orffen mesur oddi mewn i safle'r deml, aeth â mi allan trwy'r porth oedd i gyfeiriad y dwyrain, a mesur y hyn oedd oddi amgylch. [16]Mesurodd

[th]Hebraeg yn ychwanegu a'r ffenestri. [u]Felly Groeg. Hebraeg, ei uchder.
[w]Felly Fersiynau. Hebraeg, a ffordd o un cufydd. [y]Tebygol. Cymh. Groeg. Hebraeg, lled.
[a]Tebygol. Cymh. Groeg. Hebraeg, dwyrain.

ochr y dwyrain â'r ffon fesur, a chael y mesur oddi amgylch yn bum can cufydd. [17]Mesurodd ochr y gogledd â'r ffon fesur, a chael y mesur oddi amgylch yn bum can cufydd. [18]Mesurodd ochr y de â'r ffon fesur, a chael y mesur yn bum can cufydd. [19]Aeth drosodd i ochr y gorllewin, a mesurodd â'r ffon fesur bum can cufydd. [20]Fe'i mesurodd ar y pedair ochr. Yr oedd mur oddi amgylch, yn bum can cufydd o hyd ac yn bum can cufydd o led, i wahanu rhwng y sanctaidd a'r cyffredin.

Duw yn Dychwelyd i'r Deml

43 Yna aeth â mi at y porth oedd yn wynebu tua'r dwyrain, [2]a gwelais ogoniant Duw Israel yn dod o'r dwyrain. Yr oedd ei lais fel sŵn llawer o ddyfroedd, ac yr oedd y ddaear yn disgleirio gan ei ogoniant. [3]Yr oedd y weledigaeth yn debyg i'r un a gefais pan ddaeth i ddinistrio'r ddinas, ac i'r un a gefais wrth Afon Chebar; a syrthiais ar fy wyneb. [4]Fel yr oedd gogoniant yr ARGLWYDD yn dod i mewn i'r deml trwy'r porth oedd yn wynebu tua'r dwyrain, [5]cododd yr ysbryd fi a mynd â mi i'r cyntedd nesaf i mewn, ac yr oedd y deml yn llawn o ogoniant yr ARGLWYDD.

6 Fel yr oedd y dyn yn sefyll yn f'ymyl, clywais rywun yn siarad â mi o'r deml, [7]ac yn dweud wrthyf, "Fab dyn, dyma le fy ngorsedd, lle gwadnau fy nhraed, a'r lle y byddaf yn trigo ymhlith pobl Israel am byth. Ni fydd yr Israeliaid na'u brenhinoedd byth eto'n halogi fy enw sanctaidd trwy eu puteindra a'r delwau o'u brenhinoedd wedi iddynt farw. [8]Wrth iddynt osod eu rhiniog wrth ochr fy rhiniog i, a physt eu pyrth wrth ochr pyst fy mhyrth i, heb ddim ond mur yn ein gwahanu, bu iddynt halogi fy enw sanctaidd trwy eu ffieidd-dra; a dinistriais hwy yn fy nig. [9]Yn awr, bydded iddynt droi ymaith oddi wrthyf eu puteindra a'r delwau o'u brenhinoedd, ac fe drigaf yn eu plith am byth.

10 "Fab dyn, disgrifia'r deml i bobl Israel, er mwyn iddynt gywilyddio am eu pechodau. Bydded iddynt ystyried y cynllun, [11]ac os byddant yn cywilyddio am y cyfan a wnaethant, dangos iddynt batrwm y deml, ei chynllun, ei hagoriadau a'i mynedfeydd, a'i holl batrwm. Gwna iddynt wybod ei holl ddeddfau[b] a'i holl gyfreithiau; ysgrifenna hwy yn eu gŵydd,

er mwyn iddynt ddilyn ei phatrwm a chadw ei deddfau. [12]Dyma fydd cyfraith y deml: bydd yr holl diriogaeth oddi amgylch ar ben y mynydd yn gwbl sanctaidd. Dyna gyfraith y deml.

Yr Allor

13 "Dyma fesuriadau'r allor mewn cufyddau hir, sef cufydd a dyrnfedd: bydd ei gwaelod yn gufydd o uchder[c] ac yn gufydd o led, gyda chantel rhychwant o led o amgylch yr ymyl. A dyma fydd uchder yr allor: [14]o'r gwaelod ar y llawr hyd y silff isaf, bydd yn ddau gufydd, ac yn gufydd o led; o'r silff leiaf hyd y silff fwyaf bydd yn bedwar cufydd, ac yn gufydd o led. [15]Bydd aelwyd yr allor yn bedwar cufydd o uchder, a bydd pedwar corn yn codi i fyny oddi ar yr aelwyd. [16]Bydd aelwyd yr allor yn sgwâr, deuddeg cufydd o hyd a deuddeg cufydd o led. [17]Bydd y silff uchaf hefyd yn sgwâr, yn bedwar cufydd ar ddeg o led, gyda chantel o hanner cufydd, a gwaelod o gufydd oddi amgylch. Bydd grisiau'r allor yn wynebu tua'r dwyrain."

18 Yna dywedodd wrthyf, "Fab dyn, fel hyn y dywed yr Arglwydd DDUW: Dyma'r deddfau ynglŷn ag aberthu poethoffrymau a thaenellu gwaed ar yr allor, pan fydd wedi ei hadeiladu: [19]yn aberth dros bechod byddi'n rhoi bustach ifanc i'r offeiriaid sy'n Lefiaid o deulu Sadoc, oherwydd hwy fydd yn dynesu ataf i'm gwasanaethu, medd yr Arglwydd DDUW. [20]Byddi'n cymryd o'i waed ac yn ei roi ar bedwar corn yr allor, ar bedair cornel y silff uchaf, ac ar y cantel oddi amgylch; felly byddi'n puro'r allor ac yn gwneud cymod drosti. [21]Byddi'n cymryd bustach yr aberth dros bechod ac yn ei losgi yn y lle penodol yn y deml, y tu allan i'r cysegr. [22]Ar yr ail ddiwrnod yr wyt i offrymu bwch gafr di-nam yn aberth dros bechod, a phuro'r allor, fel y purwyd hi gyda'r bustach. [23]Wedi iti orffen puro'r allor, yr wyt i aberthu bustach ifanc di-nam, a hwrdd di-nam o'r praidd. [24]Offryma hwy i'r ARGLWYDD, a bydded i'r offeiriaid daenellu halen drostynt a'u haberthu'n boethoffrwm i'r ARGLWYDD. [25]Am saith diwrnod tyrd â bwch gafr bob dydd yn aberth dros bechod; tyrd hefyd â bustach ifanc a hwrdd o'r praidd, y ddau yn ddi-nam. [26]Am saith diwrnod byddant

---

[b]TM yn ychwanegu *a'i holl batrwm.*   [c]Tebygol. Cymh. Groeg. Hebraeg heb *o uchder.*

yn gwneud cymod dros yr allor ac yn ei glanhau, ac felly'n ei chysegru. ²⁷Ar ddiwedd y dyddiau hyn, sef o'r wythfed diwrnod ymlaen, bydd yr offeiriaid yn aberthu eich poethoffrymau a'ch ebyrth hedd ar yr allor; ac yna fe'ch derbyniaf, medd yr Arglwydd Dduw."

Mynediad i'r Cysegr

44 Yna aeth y dyn â mi'n ôl at borth nesaf allan y cysegr, a oedd yn wynebu tua'r dwyrain; ac yr oedd wedi ei gau. ²Dywedodd yr Arglwydd wrthyf, "Y mae'r porth hwn i fod ar gau; nid oes neb i'w agor nac i fynd trwyddo; y mae i fod ar gau oherwydd i'r Arglwydd, Duw Israel, ddod trwyddo. ³Y tywysog yn unig a gaiff eistedd yn y porth i fwyta ym mhresenoldeb yr Arglwydd; daw ef i mewn trwy gyntedd y porth ac ymadael yr un ffordd."

4 Yna aeth â mi ar hyd ffordd porth y gogledd at flaen y deml; a phan edrychais, gwelais fod gogoniant yr Arglwydd yn llenwi'r deml, a syrthiais ar fy wyneb. ⁵Dywedodd yr Arglwydd wrthyf, "Fab dyn, dal sylw, edrych yn ofalus, a gwrando'n astud ar y cyfan a ddywedaf wrthyt ynglŷn â holl ddeddfau'r deml a'i chyfreithiau. Rho sylw i holl fynedfeydd y deml ac i holl agoriadau'r cysegr. ⁶Dywed wrth dŷ gwrthryfelgar Israel, 'Fel hyn y dywed yr Arglwydd Dduw: Dyna ddigon ar dy holl ffieidd-dra, dŷ Israel! ⁷Ychwanegaist at dy holl ffieidd-dra trwy ddod ag estroniaid, dienwaededig o ran calon a chnawd, i mewn i'm cysegr a'i halogi; tra oeddit ti'n offrymu bwyd, gyda'r braster a'r gwaed, yr oeddent hwy'n torri fy nghyfamod. ⁸Yn lle gofalu am fy mhethau sanctaidd dy hunan, fe roddaist y cyfrifoldeb ar y bobl hyn i ofalu am fy nghysegr. ⁹Fel hyn y dywed yr Arglwydd Dduw: Nid yw'r un estron dienwaededig o ran calon a chnawd i ddod i mewn i'm cysegr, hyd yn oed yr estroniaid sy'n byw ymhlith pobl Israel. ¹⁰Bydd y Lefiaid, a ymbellhaodd oddi wrthyf pan aeth Israel ar gyfeiliorn, a chrwydro ar ôl eu heilunod, yn gorfod dwyn eu cosb. ¹¹Byddant yn gwasanaethu yn fy nghysegr trwy ofalu am byrth y deml, ac yn gweini yno; byddant yn lladd y poethoffrwm a'r aberth i'r bobl, ac yn gweini ar y bobl ac yn eu gwasanaethu. ¹²Ond oherwydd iddynt eu gwasanaethu o flaen eu heilunod, a

gwneud i dŷ Israel syrthio i bechu, fe dyngais y bydd yn rhaid iddynt ddwyn eu cosb, medd yr Arglwydd Dduw. ¹³Ni chânt ddod yn agos ataf i'm gwasanaethu fel offeiriaid, na dynesu at yr un o'm pethau sanctaidd na'm hoffrymau sancteiddiaf; rhaid iddynt ddwyn gwarth am y ffieidd-dra a wnaethant. ¹⁴Eto rhof arnynt ddyletswydd i ofalu am y deml, i fod yn gyfrifol am yr holl wasanaeth a'r holl waith ynddi.

Yr Offeiriaid yn Gwasanaethu

15 "'Ond bydd yr offeiriaid sy'n Lefiaid o dylwyth Sadoc, ac a fu'n gofalu am fy nghysegr pan grwydrodd pobl Israel oddi wrthyf, yn dynesu ataf i'm gwasanaethu; byddant yn sefyll o'm blaen i offrymu'r braster a'r gwaed, medd yr Arglwydd Dduw. ¹⁶Hwy fydd yn dod i mewn i'm cysegr, a hwy fydd yn dynesu at fy mwrdd i'm gwasanaethu'n ffyddlon. ¹⁷Pan fyddant yn dod trwy byrth y cyntedd mewnol, y maent i wisgo dillad o liain; nid ydynt i roi unrhyw ddillad o wlân amdanynt pan fyddant yn gwasanaethu ym mhyrth y cyntedd mewnol neu i mewn yn y deml. ¹⁸Byddant yn gwisgo gorchudd o liain am eu pennau, a gwregys o liain am eu llwynau; nid ydynt i wisgo dim a wna iddynt chwysu. ¹⁹Pan fyddant yn mynd i'r cyntedd allanol, lle mae'r bobl, y maent i ddiosg y dillad a fu ganddynt yn gwasanaethu, a'u gadael yn yr ystafelloedd cysegredig; rhoddant wisgoedd eraill amdanynt, rhag i'w dillad drosglwyddo i'r bobl yr hyn sy'n sanctaidd. ²⁰Nid ydynt i eillio'u pennau, na gadael i'w gwallt dyfu'n hir, ond y maent i dorri eu gwalltiau. ²¹Nid yw'r un offeiriad i yfed gwin pan fydd yn mynd i'r cyntedd mewnol. ²²Nid ydynt i briodi â gweddwon nac â gwragedd a ysgarwyd, ond gallant briodi gwyryfon o dylwyth tŷ Israel, neu weddwon i offeiriaid. ²³Y maent i ddysgu i'm pobl y gwahaniaeth rhwng sanctaidd a chyffredin, a dangos iddynt sut i wahaniaethu rhwng glân ac aflan. ²⁴Mewn achos o ymrafael, y mae'r offeiriaid i weithredu fel barnwyr, a barnu yn ôl fy nghyfreithiau. Y maent i gadw fy neddfau a'm hordeiniadau ar fy holl wyliau penodedig, a chadw fy Sabothau'n sanctaidd. ²⁵Nid yw offeiriad i'w halogi ei hun trwy fynd yn agos at berson marw, ond os yw'r un marw yn dad neu'n fam, yn fab neu'n ferch, yn frawd neu'n chwaer ddi-briod

iddo, fe gaiff ei halogi ei hun. [26] Ar ôl iddo'i lanhau ei hun, y mae i aros am saith diwrnod. [27] A'r diwrnod y bydd yn mynd i mewn i gyntedd mewnol y cysegr i wasanaethu, y mae i offrymu aberth dros bechod, medd yr Arglwydd Dduw.

[28] " 'Ni[ch] fydd ganddynt etifeddiaeth yn Israel, ond myfi fydd eu hetifeddiaeth hwy; paid â rhoi iddynt unrhyw eiddo yn Israel, oherwydd myfi fydd eu heiddo hwy. [29] Byddant yn bwyta'r bwydoffrwm, yr aberth dros bechod a'r aberth dros gamwedd, a'u heiddo hwy fydd pob diofryd yn Israel. [30] Eiddo'r offeiriaid hefyd fydd y gorau o'r holl flaenffrwyth ac o'ch holl offrymau arbennig. Rhowch i'r offeiriaid hefyd y gyfran gyntaf o'ch blawd mâl, er mwyn i fendith fod ar eich tai[d]. [31] Nid yw'r offeiriaid i fwyta dim a fu farw neu a larpiwyd, boed aderyn neu anifail.

Y Tir Cysegredig

45 " 'Pan fyddwch yn rhannu'r wlad yn etifeddiaeth trwy fwrw coelbren, neilltuwch yn dir cysegredig i'r Arglwydd gyfran yn mesur pum mil ar hugain o gyfyddau o hyd ac ugain[dd] mil o gyfyddau o led; a bydd yr holl gyfran yn sanctaidd trwyddi. [2] Bydded pum can cufydd sgwâr ohono ar gyfer y cysegr, gyda hanner can cufydd yn dir agored o'i amgylch. [3] Yn y tir cysegredig mesurwch gyfran pum mil ar hugain o gufyddau o hyd a deng mil o gufyddau o led; yma y bydd y cysegr, sef y cysegr sancteiddiaf. [4] Bydd hon yn gyfran gysegredig o'r tir, ar gyfer yr offeiriaid sy'n gwasanaethu yn y cysegr ac yn dynesu i wasanaethu'r Arglwydd; bydd yn lle ar gyfer eu tai, yn ogystal ag yn lle sanctaidd i'r cysegr. [5] Bydd cyfran pum mil ar hugain o gufyddau o hyd a deng mil o gufyddau o led yn etifeddiaeth i'r Lefiaid sy'n gwasanaethu yn y deml, iddynt gael dinasoedd i fyw ynddynt[e].

[6] " 'Yn gyfochrog â'r tir sanctaidd, neilltuwch yn etifeddiaeth i'r ddinas gyfran pum mil o gufyddau o led a phum mil ar hugain o gufyddau o hyd; bydd hwn yn perthyn i holl dŷ Israel.

[7] " 'Y tywysog fydd piau'r tir o boptu i'r tir cysegredig ac i'r tir sy'n perthyn i'r ddinas. Bydd ei dir ef yn ymestyn tua'r gorllewin ar un ochr, a thua'r dwyrain ar yr ochr arall, ac yn rhedeg yn gyfochrog â rhan un o'r llwythau, o derfyn y gorllewin hyd derfyn y dwyrain. [8] Y tir hwn fydd etifeddiaeth y tywysog yn Israel; ac ni chaiff fy nhywysogion orthrymu fy mhobl mwyach, ond gadawant i Israel etifeddu'r wlad yn ôl ei llwythau.

Rheolau i'r Tywysogion

[9] " 'Fel hyn y dywed yr Arglwydd Dduw: Dyna ddigon, chwi dywysogion Israel! Rhowch heibio eich trais a'ch gormes; gwnewch yr hyn sy'n gywir a chyfiawn, a pheidiwch â throi fy mhobl allan o'u hetifeddiaeth, medd yr Arglwydd Dduw.

[10] " 'Bydded gennych gloriannau cywir, effa gywir a bath cywir. [11] Y mae'r effa a'r bath i fod o'r un maint, y bath yn pwyso degfed ran o homer a'r effa ddegfed ran o homer; yr homer fydd y safon ar gyfer y ddau. [12] Bydd y sicl yn pwyso ugain gera, a bydd eich mina yn pwyso ugain sicl a phum sicl ar hugain a phymtheg sicl.

[13] " 'Dyma'r offrwm a ddygwch: y chweched ran o effa o bob homer o wenith, a'r chweched ran o effa o bob homer o haidd. [14] Y rheol ynglŷn ag olew, gan fesur yn ôl y bath, fydd: degfed ran o bath o bob corus; y mae corus yn cynnwys deg bath neu homer, gan fod deg bath yn gyfartal â homer. [15] Hefyd un ddafad o bob diadell o ddeucant gan holl ddylwythau[f] Israel. Byddant yn fwydoffrwm, yn boethoffrwm ac yn ebyrth hedd i wneud cymod dros Israel, medd yr Arglwydd Dduw. [16] Bydd holl bobl y wlad yn rhoi'r offrwm hwn i'r tywysog yn Israel. [17] Dyletswydd y tywysog fydd darparu'r poethoffrymau, y bwydoffrymau a'r diodoffrymau ar gyfer y gwyliau, y newydd-loerau a'r Sabothau, sef holl wyliau penodedig tŷ Israel. Bydd yn darparu'r aberth dros bechod, y bwydoffrwm, y poethoffrwm a'r ebyrth hedd i wneud cymod dros dŷ Israel.

Y Gwyliau
(Ex. 12:1-20; Lef. 23:33-43)

[18] " 'Fel hyn y dywed yr Arglwydd Dduw: Ar y dydd cyntaf o'r mis cyntaf, cymer fustach ifanc di-nam, a phura'r

---

[ch] Felly Fwlgat. Hebraeg heb Ni.
[dd] Felly Groeg. Hebraeg, a deng.
[f] Tebygol. Hebraeg, holl fannau dyfrhau.
[d] Felly Fersiynau. Hebraeg, ar dy dŷ.
[e] Felly Groeg. Hebraeg, iddynt gael ugain o ystafelloedd.

cysegr. ¹⁹Y mae'r offeiriad i gymryd o waed yr aberth dros bechod a'i roi ar byst pyrth y deml, ar bedair cornel silff uchaf yr allor ac ar byst pyrth y cyntedd mewnol. ²⁰Gwna'r un modd ar y seithfed dydd o'r mis dros unrhyw un a bechodd yn ddifwriad neu trwy anwybodaeth; felly y gwnewch gymod dros y tŷ.

21 "'Ar y pedwerydd ar ddeg o'r mis cyntaf, cadwch y Pasg, yn ŵyl am saith diwrnod, pan fyddwch yn bwyta bara croyw. ²²Y diwrnod hwnnw y mae'r tywysog i baratoi bustach yn aberth dros bechod ar ei ran ei hun ac ar ran holl bobl y wlad. ²³Bob dydd yn ystod saith diwrnod yr ŵyl y mae i ddarparu saith bustach a saith hwrdd di-nam yn boethoffrwm i'r ARGLWYDD, a bwch gafr yn aberth dros bechod. ²⁴Yn fwydoffrwm y mae i ddarparu effa am bob bustach ac effa am bob hwrdd, gyda hin o olew am bob effa. ²⁵Ar y pymthegfed dydd o'r seithfed mis, ac am saith diwrnod yr ŵyl honno, y mae i ddarparu'r un modd, yn aberth dros bechod, boethoffrwm, bwydoffrwm ac olew.

Y Tywysog

46 "'Fel hyn y dywed yr Arglwydd DDUW: Y mae porth y cyntedd nesaf i mewn, sy'n wynebu tua'r dwyrain, i fod ar gau am y chwe diwrnod gwaith, ond ar agor ar y dydd Saboth ac ar ddydd y newydd-loer. ²Y mae'r tywysog i ddod i mewn trwy gyntedd y porth, a sefyll ger pyst y porth; ac y mae'r offeiriad i aberthu ei boethoffrwm a'i offrymau hedd. Y mae i addoli wrth riniog y porth ac yna mynd allan, ond ni chaeir y porth hyd fin nos. ³Ar y Sabothau a'r newydd-loerau y mae pobl y wlad i addoli gerbron yr ARGLWYDD wrth fynedfa'r porth hwn. ⁴Bydd y poethoffrwm a ddygir gan y tywysog i'r ARGLWYDD ar y Saboth yn cynnwys chwe oen di-nam a hwrdd di-nam. ⁵Bydd effa o fwydoffrwm gyda'r hwrdd, ond gyda'r ŵyn bydd yn gymaint ag a ddymuna; bydd hin o olew am bob effa. ⁶Ar ddiwrnod y newydd-loer y mae i offrymu bustach ifanc, chwe oen a hwrdd, y cyfan yn ddi-nam. ⁷Y mae i ddarparu effa o fwydoffrwm gyda'r bustach, effa gyda'r hwrdd, a chyda'r ŵyn gymaint ag a ddymuna; bydd hin o olew am bob effa. ⁸Pan ddaw'r tywysog i mewn, y mae i ddod trwy gyntedd y porth, a mynd allan yr un ffordd.

9 "'Pan fydd pobl y wlad yn dod o flaen yr ARGLWYDD ar y gwyliau penodedig, y mae'r sawl sy'n dod i mewn i addoli trwy borth y gogledd i fynd allan trwy borth y de, a'r sawl sy'n dod i mewn trwy borth y de i fynd allan trwy borth y gogledd. Ni chaiff neb ymadael trwy'r porth y daeth i mewn trwyddo, ond mynd allan trwy'r porth gyferbyn. ¹⁰Bydd y tywysog hefyd yn eu plith, yn mynd i mewn pan ânt hwy i mewn, ac yn mynd allan pan ânt hwy allan.

11 "'Ar y gwyliau a'r adegau penodedig, bydd effa o fwydoffrwm gyda bustach, effa gyda hwrdd, ond gyda'r ŵyn gymaint ag a ddymunir; bydd hin o olew am bob effa. ¹²Pan fydd y tywysog yn darparu offrwm gwirfodd i'r AR-GLWYDD, yn boethoffrwm neu'n offrym-au hedd, fe agorir iddo'r porth sy'n wynebu tua'r dwyrain. Bydd yn aberthu ei boethoffrwm neu ei offrymau hedd fel y gwna ar y Saboth. Yna fe â allan, ac wedi iddo fynd allan fe gaeir y porth.

Yr Offrwm Dyddiol

13 "'Bob dydd yr wyt i ddarparu oen blwydd di-nam yn boethoffrwm i'r AR-GLWYDD; yr wyt i'w ddarparu bob bore. ¹⁴Yr wyt hefyd i ddarparu bob bore fwydoffrwm yn pwyso chweched ran o effa, gyda thraean hin o olew i fwydo'r blawd; y mae cyflwyno bwydoffrwm i'r ARGLWYDD yn ddeddf dragwyddol. ¹⁵Felly darpara'r oen, y bwydoffrwm a'r olew bob bore yn boethoffrwm cyson.

Y Tywysog a'r Tir

16 "'Fel hyn y dywed yr Arglwydd DDUW: Os bydd y tywysog yn rhoi rhodd o'i etifeddiaeth i un o'i feibion, fe â hefyd i'w ddisgynyddion; bydd yn eiddo iddynt hwy trwy etifeddiaeth. ¹⁷Ond os bydd y tywysog yn rhoi rhodd o'i etifeddiaeth i un o'i weision, bydd yn eiddo i'r gwas hyd flwyddyn ei ryddhau, ac yna bydd yn dychwelyd i'r tywysog; ei feibion yn unig a gaiff gadw ei etifeddiaeth. ¹⁸Nid yw'r tywysog i gymryd o etifeddiaeth y bobl, a'u troi allan o'u tir; o'i eiddo ei hun y rhydd etifeddiaeth i'w feibion, fel na fydd yr un o'm pobl yn cael ei wahanu oddi wrth ei etifeddiaeth.'"

Ceginau'r Offeiriaid

19 Yna aeth y dyn â mi trwy'r myned-iad wrth ochr y porth i'r ystafelloedd

cysegredig a wynebai tua'r gogledd, ac a berthynai i'r offeiriaid; a gwelais yno y lle yn y pen gorllewinol. ²⁰Dywedodd wrthyf, "Dyma'r lle y bydd yr offeiriaid yn coginio'r aberth dros gamwedd a'r aberth dros bechod, ac yn pobi'r bwydoffrwm, rhag iddynt ddod â hwy i'r cyntedd nesaf allan a throsglwyddo i'r bobl yr hyn sydd sanctaidd."

21 Yna aeth â mi i'r cyntedd nesaf allan a'm harwain i bedair cornel y cyntedd, a gwelais gyntedd ymhob un o'r pedair cornel. ²²Ym mhedair cornel y cyntedd nesaf allan yr oedd cynteddoedd bychain ᶠᶠ, deugain cufydd o hyd a deg cufydd ar hugain o led; yr oedd pob un o'r cynteddoedd yn y pedair cornel yr un maint. ²³Y tu mewn i'r pedwar cyntedd yr oedd rhes o feini oddi amgylch, ac aelwydydd wedi eu gwneud yn agos at y meini o amgylch. ²⁴A dywedodd wrthyf, "Dyma'r ceginau lle bydd y rhai sy'n gwasanaethu yn y deml yn coginio aberthau'r bobl."

Yr Afon o'r Deml

47 Aeth y dyn â mi'n ôl at ddrws y deml, a gwelais ddŵr yn dod allan o dan riniog y deml tua'r dwyrain, oherwydd wynebai'r deml tua'r dwyrain; yr oedd y dŵr yn dod i lawr o dan ochr dde'r deml, i'r de o'r allor. ²Yna aeth â mi allan trwy borth y gogledd, a'm harwain oddi amgylch o'r tu allan at borth y dwyrain, ac yr oedd y dŵr yn llifo o'r ochr dde.

3 Wrth i'r dyn fynd allan tua'r dwyrain â llinyn mesur yn ei law, mesurodd fil o gufyddau, a'm harwain trwy ddyfroedd oedd at y fferau. ⁴Yna mesurodd fil arall, a'm harwain trwy ddyfroedd oedd at y gliniau; a mesurodd fil arall, a'm harwain trwy ddyfroedd oedd at y wasg. ⁵Mesurodd fil arall eto, ond yr oedd yn afon na allwn ei chroesi, oherwydd yr oedd y dyfroedd wedi codi gymaint fel y gellid nofio ynddynt, ac yn afon na ellid ei chroesi. ⁶A dywedodd wrthyf, "Fab dyn, a welaist ti hyn?"

Yna aeth â mi'n ôl at lan yr afon. ⁷Pan gyrhaeddais yno, gwelais nifer mawr o goed ar ddwy lan yr afon. ⁸Dywedodd wrthyf, "Y mae'r dyfroedd hyn yn llifo i diriogaeth y dwyrain, ac yna i lawr i'r Araba ac i mewn i'r môr, y môr y mae ei ddyfroedd yn ddrwg, ac fe'u purir. ⁹Bydd pob math o ymlusgiaid yn byw lle byn-

nag y llifa'r afon, a bydd llawer iawn o bysgod, oherwydd bydd yr afon hon yn llifo yno ac yn puro'r dyfroedd; bydd popeth yn byw lle llifa'r afon. ¹⁰Bydd pysgotwyr yn sefyll ar y lan, ac o Engedi hyd Eneglaim bydd lle i daenu rhwydau; bydd llawer math o bysgod, fel pysgod y Môr Mawr. ¹¹Ni fydd y rhosydd a'r corsydd yn cael eu puro, ond fe'u gadewir ar gyfer halen. ¹²Ar y glannau oddeutu'r afon fe dyf coed ffrwythau o bob math, ac ni fydd eu dail yn gwywo na'u ffrwyth yn methu; ffrwythant bob mis, oherwydd bydd y dyfroedd o'r cysegr yn llifo atynt, a bydd eu ffrwyth yn fwyd a'u dail yn iechyd."

Terfynau'r Tiroedd

13 Fel hyn y dywed yr Arglwydd DDUW: "Dyma'r terfynau ar gyfer rhannu'r wlad yn etifeddiaeth i ddeuddeg llwyth Israel, gyda dwy gyfran i Joseff. ¹⁴Yr wyt i'w rhannu'n gyfartal rhyngddynt; tyngais y byddwn yn ei rhoi i'ch tadau, ac fe ddaw'r wlad hon yn etifeddiaeth i chwi.

15 "Dyma fydd terfyn y wlad: ar ochr y gogledd bydd yn rhedeg o'r Môr Mawr ar hyd ffordd Hethlon heibio i Lynedta Hamath i Sedad, ¹⁶Berotha a Sibraim, sydd ar y terfyn rhwng Damascus a Hamath, a chyn belled â Haser-hatticon, sydd ar derfyn Hauran. ¹⁷Bydd y terfyn yn ymestyn o'r môr at Hasar-enan ar hyd terfyn gogleddol Damascus, gyda therfyn Hamath i'r gogledd. Dyma fydd terfyn y gogledd.

18 "Ar ochr y dwyrain bydd yn rhedeg rhwng Hauran a Damascus, ar hyd yr Iorddonen rhwng Gilead a thir Israel, ac at fôr y dwyrain hyd at Tamar ᵍ. Dyma fydd terfyn y dwyrain.

19 "Ar ochr y de bydd yn rhedeg o Tamar at ddyfroedd Meriba-Cades ac ar hyd yr afon at y Môr Mawr. Dyma fydd terfyn y de.

20 "Ar ochr y gorllewin, y Môr Mawr fydd y terfyn nes dod gyferbyn â Lebo-Hamath. Dyma fydd terfyn y gorllewin.

21 "Rhannwch y wlad hon rhyngoch yn ôl llwythau Israel, ²²a'i neilltuo'n etifeddiaeth i chwi ac i'r estroniaid sy'n byw yn eich mysg ac yn magu plant; byddant hwythau yn eich mysg fel rhai o frodorion Israel, ac fel chwithau byddant yn cael etifeddiaeth ymhlith llwythau

---

ᶠᶠFelly Fersiynau. Hebraeg yn aneglur.　　ᵍFelly Fersiynau. Hebraeg, *at fôr y dwyrain mesurwch*.

Israel. ²³Ym mha lwyth bynnag y bydd yr
estron yn ymsefydlu, yno y byddwch yn
rhoi etifeddiaeth iddo, medd yr Arglwydd
DDUW.

Rhannu'r Wlad

48 "Dyma enwau'r llwythau. Ar
derfyn y gogledd, wrth ymyl
ffordd Hethlon i Lebo-Hamath a Hasar-
enan, gyda Damascus ar derfyn y gog-
ledd at ymyl Hamath, ac yn ymestyn
o ddwyrain i orllewin, bydd Dan: un
gyfran. ²Ar derfyn Dan, o ddwyrain
i orllewin, bydd Aser: un gyfran. ³Ar
derfyn Aser, o ddwyrain i orllewin, bydd
Nafftali: un gyfran. ⁴Ar derfyn Nafftali, o
ddwyrain i orllewin, bydd Manasse: un
gyfran. ⁵Ar derfyn Manasse, o ddwyrain i
orllewin, bydd Effraim: un gyfran. ⁶Ar
derfyn Effraim, o ddwyrain i orllewin,
bydd Reuben: un gyfran. ⁷Ar derfyn
Reuben, o ddwyrain i orllewin, bydd
Jwda: un gyfran. ⁸Ar derfyn Jwda, o
ddwyrain i orllewin, bydd y gyfran a
neilltuir yn arbennig; bydd yn bum mil ar
hugain o gufyddau o led, a bydd yn
ymestyn o ddwyrain i orllewin yn gyfartal
â chyfran un o'r llwythau; a bydd y
cysegr yn ei chanol. ⁹Bydd y gyfran a
neilltuir yn arbennig i'r ARGLWYDD yn
bum mil ar hugain o gufyddau o hyd a
deng mil o gufyddau o led. ¹⁰Dyma fydd
yn gyfran gysegredig i'r offeiriaid: cyfran
pum mil ar hugain o gufyddau o hyd ar
ochr y gogledd, deng mil o led ar ochr y
gorllewin, deng mil o led ar ochr y
dwyrain, a phum mil ar hugain o hyd ar
ochr y de; ac yn y canol bydd cysegr yr
ARGLWYDD. ¹¹Bydd y gyfran hon i'r
offeiriaid cysegredig o deulu Sadoc a fu'n
ffyddlon i'm gwasanaethu, heb fynd ar
gyfeiliorn fel y gwnaeth y Lefiaid pan
aeth yr Israeliaid ar grwydr. ¹²Bydd
yn gyfran arbennig iddynt hwy o'r rhan
gysegredig o'r tir; bydd yn gyfran gysegr-
edig yn terfynu ar gyfran y Lefiaid.
¹³Dyma fydd i'r Lefiaid: cyfran o dir pum
mil ar hugain o gufyddau o hyd a deng mil
o gufyddau o led, yn rhedeg yn gyfochrog
â therfyn yr offeiriaid; pum mil ar hugain
o gufyddau fydd ei hyd cyfan, a'i led yn
ddeng mil o gufyddau. ¹⁴Ni chânt werthu
dim ohono, na'i gyfnewid; ni ellir ei dros-
glwyddo, oherwydd dyma'r gorau o'r tir,
ac y mae'n gysegredig i'r ARGLWYDD.
15 "Bydd y gweddill, sef pum mil o
gufyddau o led a phum mil ar hugain o

hyd, ar gyfer defnydd cyffredin y ddinas,
ar gyfer tai a phorfeydd. Bydd y ddinas
yn ei ganol, ¹⁶a'i mesuriadau fel a ganlyn:
ar ochr y gogledd, pedair mil a hanner o
gufyddau; ar ochr y de pedair mil a
hanner; ar ochr y dwyrain, pedair mil a
hanner, ac ar ochr y gorllewin, pedair mil
a hanner. ¹⁷Bydd y tir pori ar gyfer y
ddinas yn ddau gan cufydd a hanner ar
ochr y gogledd, dau gant a hanner ar ochr
y de, dau gant a hanner ar ochr y
dwyrain, a dau gant a hanner ar ochr y
gorllewin. ¹⁸Bydd y gweddill yn rhedeg
yn gyfochrog â therfyn y gyfran gyseg-
redig, a bydd o'r un hyd â hi, sef deng mil
o gufyddau ar ochr y dwyrain a deng mil
ar ochr y gorllewin. Bydd ei gynnyrch yn
fwyd i weithwyr y ddinas. ¹⁹O holl lwyth-
au Israel y daw gweithwyr y ddinas a fydd
yn ei drin. ²⁰Bydd y gyfran gyfan yn
sgwâr o bum mil ar hugain o gufyddau ar
bob ochr; fe'i neilltuir yn gyfran gyseg-
redig ynghyd ag eiddo'r ddinas.
21 "Bydd y gweddill a adewir oddeu-
tu'r gyfran gysegredig ac eiddo'r ddinas
yn perthyn i'r tywysog. Bydd yn ymestyn
i'r dwyrain ar un ochr, ac i'r gorllewin ar
yr ochr arall i'r gyfran gysegredig o bum
mil ar hugain o gufyddau; bydd yn rhedeg
yn gyfochrog â chyfrannau'r llwythau, ac
yn perthyn i'r tywysog; bydd y gyfran
gysegredig a chysegr y deml yn y canol.
²²Felly bydd eiddo'r Lefiaid ac eiddo'r
ddinas yng nghanol eiddo'r tywysog, a
bydd eiddo'r tywysog rhwng terfyn Jwda
a therfyn Benjamin.
23 "Dyma weddill y llwythau: yn
ymestyn o'r dwyrain i'r gorllewin bydd
Benjamin: un gyfran. ²⁴Ar derfyn Ben-
jamin, o ddwyrain i orllewin, bydd
Simeon: un gyfran. ²⁵Ar derfyn Simeon, o
ddwyrain i orllewin, bydd Issachar: un
gyfran. ²⁶Ar derfyn Issachar, o ddwyrain
i orllewin, bydd Sabulon: un gyfran. ²⁷Ar
derfyn Sabulon, o ddwyrain i orllewin,
bydd Gad: un gyfran. ²⁸Bydd terfyn de
Gad yn rhedeg o Tamar at ddyfroedd
Meriba-Cades, ac ar hyd yr afon at y Môr
Mawr.
29 "Dyma'r tir a roddi'n etifeddiaeth
i lwythau Israel, a dyma'u cyfrannau,
medd yr Arglwydd DDUW.

Pyrth y Ddinas

30 "Dyma'r ffyrdd allan o'r ddinas: ar
ochr y gogledd, sy'n bedair mil a hanner o
gufyddau o hyd, ³¹fe enwir pyrth y ddinas

ar ôl llwythau Israel. Y tri phorth ar ochr y gogledd fydd porth Reuben, porth Jwda a phorth Lefi. ³²Ar ochr y dwyrain, sy'n bedair mil a hanner o gufyddau o hyd, bydd tri phorth, sef porth Joseff, porth Benjamin a phorth Dan. ³³Ar ochr y de, sy'n bedair mil a hanner o gufyddau o hyd, bydd tri phorth, sef porth Simeon, porth Issachar a phorth Sabulon. ³⁴Ar ochr y gorllewin, sy'n bedair mil a hanner o gufyddau o hyd, bydd tri phorth, sef porth Gad, porth Aser a phorth Nafftali. ³⁵Bydd y pellter o amgylch y ddinas yn ddeunaw mil o gufyddau. Ac enw'r ddinas o'r dydd hwn fydd, 'Y mae'r ARGLWYDD yno'."

LLYFR

DANIEL

Daniel a'i Gyfeillion yn Llys Nebuchadnesar

1 Yn y drydedd flwyddyn o deyrnasiad Jehoiacim brenin Jwda, daeth Nebuchadnesar brenin Babilon i Jerwsalem a gwarchae arni. ²A rhoddodd yr Arglwydd Jehoiacim brenin Jwda yn ei law, a rhai o lestri tŷ Dduw, ac aeth yntau â hwy i wlad Sinar a'u cadw yn nhrysordy ei dduw. ³Yna gorchmynnodd y brenin i Aspenas, ei brif eunuch, ddewis, o blith teulu brenhinol Israel a'r penaethiaid, ⁴rai bechgyn golygus heb unrhyw nam corfforol arnynt, yn hyddysg ym mhob gwyddor, yn ddeallus a gwybodus, ac yn gymwys i wasanaethu llys y brenin, ac iddo'u trwytho yn llên ac iaith y Caldeaid. ⁵Trefnodd y brenin iddynt dderbyn bwyd a gwin bob dydd o'i fwrdd ei hun, a chael eu hyfforddi am dair blynedd cyn mynd yn weision i'r llys. ⁶Yn eu mysg yr oedd Jwdeaid, o'r enwau Daniel, Hananeia, Misael ac Asareia; ⁷ond galwodd y prif eunuch Daniel yn Beltesassar, Hananeia yn Sadrach, Misael yn Mesach, ac Asareia yn Abednego.

8 Penderfynodd Daniel beidio â'i halogi ei hun â bwyd a gwin o fwrdd y brenin, ac erfyniodd ar y prif eunuch i'w arbed rhag cael ei halogi. ⁹Parodd Duw i'r prif eunuch ymddwyn yn ffafriol a charedig at Daniel, ¹⁰ond dywedodd y prif eunuch wrth Daniel, "'Rwy'n ofni f'ar-glwydd frenin; ef sydd wedi pennu'ch bwyd a'ch diod, a phe sylwai eich bod yn edrych yn waelach na'ch cyfeillion byddech yn peryglu fy mywyd." ¹¹Dywedodd Daniel wrth y swyddog a osododd y prif eunuch i ofalu am Daniel, Hananeia, Misael ac Asareia, ¹²"Rho brawf ar dy weision am ddeg diwrnod: rhodder inni lysiau i'w bwyta a dŵr i'w yfed, ¹³ac wedyn cymharu'n gwedd ni a gwedd y bechgyn sy'n bwyta o fwyd y brenin. Yna gwna â'th weision fel y gweli'n dda." ¹⁴Cydsyniodd yntau, a'u profi am ddeg diwrnod. ¹⁵Ac ymhen y deg diwrnod yr oeddent yn edrych yn well ac yn fwy graenus na'r holl fechgyn oedd yn bwyta o fwyd y brenin. ¹⁶Felly cadwodd y swyddog y bwyd a'r gwin, a rhoi llysiau iddynt.

17 Rhoddodd Duw i'r pedwar bachgen wybod a deall pob math o lenyddiaeth a gwyddor; a chafodd Daniel y gallu i ddatrys pob gweledigaeth a breuddwyd. ¹⁸Pan ddaeth yr amser a benodwyd gan y brenin i'w dwyn i'r llys, cyflwynodd y prif eunuch hwy i Nebuchadnesar. ¹⁹Ar ôl i'r brenin siarad â hwy, ni chafwyd neb yn eu mysg fel Daniel, Hananeia, Misael ac Asareia; felly daethant hwy yn weision i'r brenin. ²⁰A phan fyddai'r brenin yn eu holi ar unrhyw fater o ddoethineb a deall, byddai'n eu cael ddengwaith yn well na holl ddewiniaid a swynwyr ei deyrnas. ²¹A bu Daniel yno hyd flwyddyn gyntaf y Brenin Cyrus.

Breuddwyd Nebuchadnesar

2 Yn yr ail flwyddyn o'i deyrnasiad breuddwydiodd Nebuchadnesar; yr oedd ei feddwl yn gynhyrfus ac ni allai gysgu, [2]a pharodd y brenin iddynt alw'r dewiniaid a'r swynwyr a'r hudolwyr a'r Caldeaid i esbonio'r hyn yr oedd wedi ei freuddwydio. Pan ddaethant o flaen y brenin, [3]dywedodd wrthynt, "Cefais freuddwyd, ac yr wyf yn poeni ynghylch ei hystyr." [4]Atebodd y Caldeaid mewn Aramaeg, "O frenin, bydd fyw byth! Adrodd dy freuddwyd wrth dy weision, a rhown iti'r dehongliad." [5]Atebodd y brenin, "Dyma fy mhenderfyniad: os na fynegwch i mi'r freuddwyd a'i dehongliad, cewch eich rhwygo'n ddarnau, a chwelir eich tai. [6]Ond os mynegwch y freuddwyd a'i dehongliad, cewch anrhegion a chyfoeth ac anrhydedd mawr gennyf fi. Felly mynegwch imi'r freuddwyd a'i dehongliad." [7]Dywedasant yr ail waith, "Adrodded y brenin y freuddwyd wrth ei weision; yna rhoddwn ninnau ei dehongliad." [8]Atebodd y brenin, "Y mae'n amlwg eich bod yn oedi'n fwriadol, am ichwi sylweddoli fy mhenderfyniad; [9]un ddedfryd yn unig sy'n eich aros os na fynegwch y freuddwyd imi. Yr ydych wedi cytuno â'ch gilydd i ddweud celwydd wrthyf hyd nes y daw tro ar fyd. Dywedwch wrthyf beth oedd y freuddwyd, a chaf wybod y medrwch ei dehongli." [10]Atebodd y Caldeaid, "Nid oes neb ar wyneb daear a all fynegi'r hyn y mae'r brenin yn ei ofyn, oherwydd nid yw'r un brenin o fri ac awdurdod wedi gofyn cwestiwn fel hwn i ddewin na swynwr na Chaldead. [11]Y mae'r brenin wedi gofyn cwestiwn dyrys na all neb ei ateb ond y duwiau, nad ydynt yn byw ym myd y cnawd." [12]Yna llidiodd y brenin a chynddeiriogi, a gorchymyn difa holl ddoethion Babilon. [13]Cyhoeddwyd dedfryd fod y doethion i'w lladd; a chwiliwyd am Daniel a'i gyfeillion, i'w lladd hwythau.

Duw'n Datguddio Ystyr y Freuddwyd i Daniel

14 Ymresymodd Daniel yn ddoeth a phwyllog ag Arioch, capten gwarchodlu'r brenin, pan ddaeth i ladd y doethion. [15]Dywedodd wrtho, "Ti, gennad y brenin, pam y mae dedfryd y brenin mor chwyrn?" [16]Eglurodd Arioch i cyfan i Daniel, ac aeth Daniel at y brenin a gofyn am amser, iddo gael cyfle i fynegi'r dehongliad iddo. [17]Yna aeth Daniel i'w dŷ ac adrodd yr hanes wrth ei gyfeillion, Hananeia, Misael ac Asareia, [18]a'u hannog hwy i erfyn am drugaredd gan Dduw'r nefoedd ynglŷn â'r dirgelwch hwn, rhag i Daniel a'i gyfeillion gael eu difa gyda'r gweddill o ddoethion Babilon. [19]Datguddiwyd y dirgelwch i Daniel mewn gweledigaeth nos. Bendithiodd Daniel Dduw'r nefoedd, a dyma'i eiriau:

[20]"Bendigedig fyddo enw Duw yn oes oesoedd;
eiddo ef yw doethineb a nerth.
[21]Ef sy'n newid amserau a thymhorau,
yn diorseddu brenhinoedd a'u hadfer,
yn rhoi doethineb i'r doeth a
gwybodaeth i'r deallus.
[22]Ef sy'n datguddio pethau dwfn a chuddiedig,
yn gwybod yr hyn sydd yn dywyll;
gydag ef y trig goleuni.
[23]Diolchaf a rhof fawl i ti, O Dduw fy nhadau,
am i ti roi doethineb a nerth i mi.
Dangosaist i mi yn awr yr hyn a ofynnwyd gennym,
a rhoi gwybod inni beth sy'n poeni'r brenin."

Daniel yn Dehongli'r Freuddwyd i'r Brenin

24 Yna aeth Daniel at Arioch, a benodwyd gan y brenin i ladd doethion Babilon, a dweud wrtho, "Paid â difa doethion Babilon. Dos â fi at y brenin, a mynegaf y dehongliad iddo." [25]Brysiodd Arioch i fynd â Daniel at y brenin, a dweud wrtho, "Cefais ddyn ymhlith alltudion Jwda a all roi'r dehongliad i'r brenin." [26]Meddai'r brenin wrth Daniel, a alwyd yn Beltesassar, "A fedri di ddweud wrthyf beth oedd y freuddwyd a welais, a'i dehongli?" [27]Atebodd Daniel, "Nid oes doethion na swynwyr na dewiniaid na brudwyr a fedr ddehongli i'r brenin y dirgelwch y mae'n holi yn ei gylch; [28]ond y mae Duw yn y nefoedd sy'n datguddio dirgelion, ac ef sy'n dangos i'r Brenin Nebuchadnesar beth a ddigwydd yn y dyfodol. [29]Meddwl am y dyfodol yr oeddit ti, O frenin, yn dy wely; a mynegodd datguddiwr dirgelion iti beth sydd i ddod. [30]Ond rhoddwyd datguddiad o'r dirgelwch i mi, nid am fy mod yn ddoethach na neb arall, ond er mwyn mynegi'r dehongliad i'r brenin, a

pheri iti ddeall dy feddyliau. 31* "Dyma'r freuddwyd a'r gweledigaethau a gefaist yn dy wely. O frenin, delw fawr a welaist yn y weledigaeth, ac yr oedd yn sefyll o'th flaen yn fawr ac yn llachar, a'i golwg yn codi arswyd. [32]Yr oedd pen y ddelw yn aur coeth, ei bron a'i breichiau'n arian, ei bol a'i chluniau'n bres, [33]ei choesau'n haearn, a'i thraed yn gymysgedd o haearn a phridd. [34]Tra oeddit yn edrych, naddwyd carreg heb gymorth llaw; trawodd hon y ddelw yn ei thraed o haearn a phridd, a'u malurio. [35]Yna drylliwyd yr haearn, y pridd, y pres, yr arian a'r aur gyda'i gilydd, nes eu bod fel us llawr dyrnu yn yr haf. Chwythodd y gwynt hwy i ffwrdd, ac nid oedd golwg ohonynt. Ond tyfodd y garreg a faluriodd y ddelw yn fynydd mawr, a llenwi'r holl ddaear.

36 "Dyna'r freuddwyd, ac yn awr fe rown y dehongliad i'r brenin. [37]Yr wyt ti, O frenin, yn frenin y brenhinoedd; rhoddodd Duw'r nefoedd i ti frenhiniaeth, awdurdod, nerth a gogoniant, [38]a'th ethol i lywodraethu ar ddynion ac anifeiliaid y maes ac adar yr awyr ple bynnag y bônt. Ti yw'r pen aur. [39]Ar dy ôl daw brenhiniaeth arall, wannach na thi. Yna trydedd frenhiniaeth, un o bres, yn teyrnasu dros yr holl ddaear. [40]Wedyn pedwaredd frenhiniaeth, a fydd cyn gryfed â haearn. Ac fel y mae haearn yn malurio a dryllio popeth, bydd hithau'n malurio a dryllio'r rhain i gyd. [41]Fel y gwelaist y traed a'r bysedd yn gymysgedd o bridd crochenydd a haearn, felly bydd brenhiniaeth ranedig; bydd peth ohoni'n gryf fel haearn, yn union fel y gwelaist yr haearn yn gymysg â'r pridd cleiog. [42]Ac fel yr oedd bysedd y traed yn gymysg o haearn ac o bridd, felly y bydd rhan o'r frenhiniaeth yn gryf a rhan yn wan. [43]Fel y gwelaist yr haearn yn gymysg â'r pridd cleiog, felly y byddant hwy'n priodi trwy'i gilydd[a]; ond ni lŷn y naill wrth y llall, fel nad yw haearn a phridd yn glynu. [44]Yn nyddiau'r brenhinoedd hynny bydd Duw'r nefoedd yn sefydlu brenhiniaeth nas difethir byth, brenhiniaeth na chaiff ei meddiannu gan eraill. Bydd hon yn dryllio ac yn rhoi terfyn ar yr holl freniniaethau eraill, ond bydd hi ei hun yn para am byth, [45]fel y garreg a welaist yn cael ei naddu o'r mynydd heb gymorth llaw ac yn malurio'r haearn, y pres, y pridd, yr

arian, a'r aur. Dangosodd y Duw mawr i'r brenin beth sydd i ddigwydd ar ôl hyn. Y mae'r freuddwyd yn ddilys, a'i dehongliad yn sicr."

Y Brenin yn Gwobrwyo Daniel

46 Yna plygodd y Brenin Nebuchadnesar i lawr ac ymgrymu i Daniel, a gorchymyn offrymu iddo aberth ac aroglddarth. [47]Dywedodd y brenin wrth Daniel, "Yn wir, Duw y duwiau ac Arglwydd y brenhinoedd yw eich Duw chwi, a datguddiwr dirgelion; oherwydd medraist ddatrys y dirgelwch hwn." [48]Yna dyrchafodd y brenin Daniel a rhoi llawer iawn o anrhegion iddo, a'i wneud yn ben ar holl dalaith Babilon ac yn bennaeth doethion Babilon. [49]Ar gais Daniel penododd y brenin Sadrach, Mesach ac Abednego yn llywodraethwyr yn nhalaith Babilon, ond arhosodd Daniel ei hun yn llys y brenin.

Nebuchadnesar yn Gorchymyn i Bawb Addoli'r Ddelw Aur

3 Gwnaeth y Brenin Nebuchadnesar ddelw aur drigain cufydd o uchder a chwe chufydd o led, a'i gosod yng ngwastadedd Dura yn nhalaith Babilon. [2]A gwysiodd y Brenin Nebuchadnesar y tywysogion, y penaethiaid, y pendefigion, y rhaglawiaid, y trysorwyr, y barnwyr, y cyfreithwyr, a holl lywodraethwyr y taleithiau i ddod ynghyd i gysegru'r ddelw a wnaeth y Brenin Nebuchadnesar. [3]Yna daeth y tywysogion, y penaethiaid, y pendefigion, y rhaglawiaid, y trysorwyr, y barnwyr, y cyfreithwyr, a holl lywodraethwyr y taleithiau at ei gilydd i gysegru'r ddelw a wnaeth Nebuchadnesar, a sefyll o'i blaen. [4]Gwaeddodd y cyhoeddwr yn uchel, "Dyma'r gorchymyn i chwi bobloedd, cenhedloedd ac ieithoedd. [5]Pan glywch sŵn y corn, y pibgorn, y delyn, y trigon, y crythau, a'r dwsmel, a phob math o offeryn, syrthiwch ac addoli'r ddelw aur a wnaeth y Brenin Nebuchadnesar. [6]Pwy bynnag sy'n gwrthod syrthio ac addoli, caiff ei daflu ar unwaith i ganol ffwrn o dân poeth." [7]Felly, cyn gynted ag y clywodd yr holl bobl sŵn y corn, y pibgorn, y delyn, y trigon, y crythau, a'r dwsmel, a phob math o offeryn, syrthiodd y bobloedd a'r cenhedloedd a'r ieithoedd

ac addoli'r ddelw aur a wnaeth Nebuchadnesar.

Y Ffwrnais o Dân Poeth

8 Dyna'r adeg y daeth rhai o'r Caldeaid â chyhuddiad yn erbyn yr Iddewon, [9]a dweud wrth y Brenin Nebuchadnesar, "O frenin, bydd fyw byth! [10]Rhoddaist orchymyn, O frenin, fod pawb a glywai sŵn y corn, y pibgorn, y delyn, y trigon, y crythau, a'r dwsmel, a phob math o offeryn, i syrthio ac addoli'r ddelw aur, [11]a bod pob un sy'n gwrthod syrthio ac addoli i'w daflu i ganol ffwrnais o dân poeth. [12]Y mae rhyw Iddewon a benodaist yn llywodraethwyr yn nhalaith Babilon—Sadrach, Mesach, ac Abednego —heb gymryd dim sylw ohonot, O frenin. Nid ydynt yn gwasanaethu dy dduwiau, nac yn addoli'r ddelw aur a wnaethost," [13]Yna, mewn tymer wyllt, anfonodd Nebuchadnesar am Sadrach, Mesach ac Abednego. Pan ddygwyd hwy o flaen y brenin, [14]dywedodd, "Sadrach, Mesach ac Abednego, a yw'n wir nad ydych yn gwasanaethu fy nuwiau i nac yn addoli'r ddelw aur a wneuthum? [15]Yn awr, a ydych yn barod i syrthio ac addoli'r ddelw a wneuthum, pan glywch sŵn y corn, y pibgorn, y delyn, y trigon, y crythau, a'r dwsmel, a phob math o offeryn? Os na wnewch, teflir chwi ar unwaith i ganol ffwrnais o dân poeth. Pa dduw a all eich gwaredu o'm gafael?" [16]Atebodd Sadrach, Mesach ac Abednego y brenin, "Nid oes angen i ni dy ateb ynglŷn â hyn. [17]Y mae'r Duw a addolwn ni yn alluog i'n hachub, ac fe'n hachub o ganol y ffwrnais danllyd ac o'th afael dithau, O frenin; [18]a hyd yn oed os na wna, yr ydym am i ti wybod, O frenin, na wasanaethwn ni dy dduwiau nac addoli'r ddelw aur a wnaethost." [19]Yna cynddeiriogodd Nebuchadnesar, a newid ei agwedd tuag at Sadrach, Mesach ac Abednego. [20]Gorchmynnodd dwymo'r ffwrnais yn seithwaith poethach nag arfer, ac i filwyr praff o'i fyddin rwymo Sadrach, Mesach ac Abednego a'u taflu i'r ffwrnais dân. [21]Felly rhwymwyd y tri yn eu dillad—cotiau, crysau a chapiau—a'u taflu i ganol y ffwrnais dân. [22]Yr oedd gorchymyn y brenin mor chwyrn, a'r ffwrnais mor boeth, [23]yswyd y dynion oedd yn cario Sadrach, Mesach ac Abednego gan fflamau'r tân, a syrthiodd y tri

gwron, Sadrach, Mesach ac Abednego, yn eu rhwymau i ganol y ffwrnais dân.

24 Yna neidiodd Nebuchadnesar ar ei draed mewn syndod a dweud wrth ei gynghorwyr, "Onid tri dyn a daflwyd gennym yn rhwym i ganol y tân?" "Gwir, O frenin," oedd yr ateb. [25]"Ond", meddai yntau, "rwy'n gweld pedwar o ddynion yn cerdded yn rhydd ynghanol y tân, heb niwed, a'r pedwerydd yn debyg i un o feibion y duwiau.". [26]Yna aeth Nebuchadnesar at geg y ffwrnais a dweud, "Sadrach, Mesach ac Abednego, gweision y Duw Goruchaf, dewch allan a dewch yma." A daeth Sadrach, Mesach ac Abednego allan o ganol y tân. [27]Pan ddaeth tywysogion, penaethiaid, pendefigion a chynghorwyr y brenin at ei gilydd, gwelsant nad oedd y tân wedi cyfwrdd â chyrff y tri. Nid oedd gwallt eu pen wedi ei ddeifio, na'u dillad wedi eu llosgi, ac nid oedd arogl tân arnynt. [28]A dywedodd Nebuchadnesar, "Bendigedig yw Duw Sadrach, Mesach ac Abednego, a anfonodd ei angel i achub ei weision, a ymddiriedodd ynddo a herio gorchymyn y brenin, a rhoi eu cyrff i'r tân yn hytrach na gwasanaethu ac addoli unrhyw dduw ond eu Duw eu hunain. [29]Yr wyf yn gorchymyn fod unrhyw un, beth bynnag fo'i bobl, ei genedl, neu ei iaith, sy'n cablu Duw Sadrach, Mesach ac Abednego yn cael ei rwygo'n ddarnau, a bod ei dŷ i'w droi'n domen. Nid oes duw arall a all waredu fel hyn." [30]Yna parodd y brenin lwyddiant i Sadrach, Mesach ac Abednego yn nhalaith Babilon.

Ail Freuddwyd Nebuchadnesar

4 [*]"Y Brenin Nebuchadnesar at yr holl bobloedd a chenhedloedd ac ieithoedd trwy'r byd i gyd. Bydded heddwch i chwi! [2]Dewisais ddadlennu'r arwyddion a'r rhyfeddodau a wnaeth y Duw Goruchaf â mi.

[3]Mor fawr yw ei arwyddion ef,
  mor nerthol ei ryfeddodau!
Y mae ei frenhiniaeth yn frenhiniaeth
    dragwyddol,
  a'i arglwyddiaeth o genhedlaeth i
    genhedlaeth.

4 [*]"Yr oeddwn i, Nebuchadnesar, yn mwynhau bywyd braf yn fy nhŷ a moethusrwydd yn fy llys. [5]Tra oeddwn ar fy

ngwely, cefais freuddwyd a'm dychryn- odd, a chynhyrfwyd fi gan fy nychmyg- ion, a chododd fy ngweledigaethau arswyd arnaf. ⁶Gorchmynnais ddwyn ataf holl ddoethion Babilon i ddehongli fy mreuddwyd. ⁷Pan ddaeth y dewiniaid, y swynwyr, y Caldeaid, a'r hudolwyr, adroddais y freuddwyd wrthynt, ond ni fedrent ei dehongli. ⁸Yna daeth un arall ataf, sef Daniel, a elwir Beltesassar ar ôl fy nuw i, dyn yn llawn o ysbryd y duwiau sanctaidd; ac adroddais fy mreuddwyd wrtho: ⁹'Beltesassar fy mhrif ddewin, gwn fod ysbryd y duwiau sanctaidd ynot ac nad oes dirgelwch sy'n rhy anodd i ti; gwrando ar y freuddwyd a welais, a mynega'i dehongliad.' ¹⁰Dyma fy ngwel- edigaethau ar fy ngwely:

Tra oeddwn yn edrych, gwelais goeden uchel iawn ynghanol y ddaear.
¹¹Tyfodd y goeden yn fawr a chryf, a'i huchder yn cyrraedd i'r entrychion;
yr oedd i'w gweld o bellteroedd byd.
¹²Yr oedd ei dail yn brydferth a'i ffrwyth yn niferus,
ac ymborth arni i bopeth.
Oddi tani câi anifeiliaid loches,
a thrigai adar yr awyr yn ei changhennau,
a châi pob creadur byw fwyd ohoni.

13 "Tra oeddwn ar fy ngwely, yn edrych ar fy ngweledigaethau, gwelwn wyliwr sanctaidd yn dod i lawr o'r nef- oedd, ¹⁴ac yn gweiddi yn uchel, 'Torrwch y goeden, llifiwch ei changhennau;
rhisglwch hi a gwasgarwch ei ffrwyth. Gwnewch i'r anifeiliaid ffoi o'i chysgod a'r adar o'i changhennau.
¹⁵Ond gadewch y boncyff a'i wraidd yn y ddaear,
a chadwyn o haearn a phres amdano yng nghanol y maes.
Bydd gwlith y nefoedd yn ei wlychu,
a bydd ei le gyda'r anifeiliaid sy'n pori'r ddaear.
¹⁶Newidir y galon ddynol sydd ganddo a rhoir calon anifail iddo yn ei lle.
Bydd hyn dros dymor o saith mlynedd.
¹⁷Dedfryd y gwylwyr yw hyn,
a dyma ddatganiad y rhai sanctaidd,
er mwyn i bawb byw wybod mai'r Gor- uchaf sy'n rheoli teyrnas dynion, ac yn ei rhoi i'r sawl a fyn, ac yn gosod yr isaf yn ben arni.'

Daniel yn Dehongli'r Freuddwyd

18 "Dyma'r freuddwyd a welais i, y Brenin Nebuchadnesar. Dywed tithau, Beltesassar, beth yw'r dehongliad, oher- wydd ni fedr yr un o ddoethion fy nheyrnas ei dehongli imi, ond medri di, am fod ysbryd y duwiau sanctaidd ynot." ¹⁹Aeth Daniel, a enwyd Beltesassar, yn fud am funud, a'i feddwl mewn penbleth. Dywedodd y brenin, "Paid â gadael i'r freuddwyd a'r dehongliad dy boeni, Beltesassar." Atebodd yntau, "Boed hon yn freuddwyd i'th gaseion, a'i dehongliad i'th elynion. ²⁰Y goeden a welaist yn tyfu'n fawr a chryf, a'i huchder yn cyr- raedd i'r entrychion ac i'w gweld o bellteroedd byd, ²¹a'i dail yn brydferth, a'i ffrwyth yn niferus, ac ymborth arni i bopeth, a lloches i anifeiliaid oddi tani, a chartref i adar yr awyr yn ei changhennau. ²²ti, O frenin, yw'r goeden honno. Yr wyt wedi tyfu'n fawr a chryf, a'th fawr- edd wedi cynyddu a chyrraedd i'r en- trychion, a'th frenhiniaeth yn ymestyn i bellteroedd byd. ²³Fe welaist hefyd, O frenin, wyliwr sanctaidd yn dod i lawr ac yn dweud, 'Torrwch y goeden a difeth- wch hi, ond gadewch y boncyff a'i wraidd yn y ddaear, a chadwyn o haearn a phres amdano yng nghanol y maes; bydd gwlith y nefoedd yn ei wlychu, a bydd ei le gyda'r anifeiliaid, hyd nes i saith o dym- horau fynd heibio.' ²⁴Dyma'r dehongliad, O frenin: Datganiad y Goruchaf ynglŷn â'm harglwydd frenin yw hwn. ²⁵Cei dy yrru o ŵydd dynion, a bydd dy gartref gyda'r anifeiliaid; byddi'n bwyta gwellt fel ych, a bydd gwlith y nefoedd yn dy wlychu. Bydd saith o dymhorau'n mynd heibio, nes iti wybod mai'r Goruchaf sy'n rheoli teyrnas dynion ac yn ei rhoi i'r sawl a fyn. ²⁶Am y gorchymyn i adael boncyff y pren a'i wraidd, bydd dy frenhiniaeth yn sefydlog wedi iti ddeall mai'r Nefoedd sy'n teyrnasu. ²⁷Derbyn fy nghyngor, O frenin: tro oddi wrth dy bechodau trwy wneud cyfiawnder, a'th droseddau trwy wneud trugaredd â'r tlodion, iti gael dyddiau hir o heddwch."

28 Digwyddodd hyn i gyd i'r Brenin Nebuchadnesar. ²⁹Ym mhen deuddeng mis, yr oedd y brenin yn cerdded yn ei balas ym Mabilon, ³⁰ac meddai, "Onid hon yw Babilon fawr, a godais trwy rym fy nerth yn gartref i'r brenin ac er clod i'm mawrhydi?" ³¹Cyn i'r brenin orffen siarad, daeth llais o'r nefoedd, "Dyma

neges i ti, O Frenin Nebuchadnesar:
Cymerwyd y frenhiniaeth oddi arnat.
[32]Cei dy yrru o ŵydd dynion, a bydd dy
gartref gyda'r anifeiliaid. Byddi'n bwyta
gwellt fel ych, a bydd saith o dymhorau'n
mynd heibio, nes iti wybod mai'r Gor-
uchaf sy'n rheoli teyrnas dynion ac yn ei
rhoi i'r sawl a fyn." [33]Digwyddodd hyn ar
unwaith i Nebuchadnesar. Cafodd ei yrru
o ŵydd dynion; yr oedd yn bwyta gwellt
fel ych, ei gorff yn wlyb gan wlith y
nefoedd, ei wallt yn hir fel plu eryr, a'i
ewinedd yn hir fel crafangau aderyn.

Nebuchadnesar yn Moli Duw

34 "Ymhen amser, codais i, Nebu-
chadnesar, fy llygaid i'r nefoedd, ac
adferwyd fy synnwyr. Yna bendithiais y
Goruchaf, a moli a mawrhau'r un sy'n
byw yn dragywydd.

Y mae ei arglwyddiaeth yn
    arglwyddiaeth dragwyddol,
a'i frenhiniaeth o genhedlaeth i
    genhedlaeth.
[35]Nid yw neb o drigolion y ddaear yn
    cyfrif dim;
y mae'n gwneud fel y mynno â llu'r
    nefoedd
ac â thrigolion y ddaear.
Ni fedr neb ei atal, a gofyn iddo,
'Beth wyt yn ei wneud?'
[36]Y pryd hwnnw adferwyd fy synnwyr a
dychwelodd fy mawrhydi a'm clod, er
gogoniant fy mrenhiniaeth. Daeth fy
nghynghorwyr a'm tywysogion ataf.
Cadarnhawyd fi yn fy nheyrnas, a rhodd-
wyd llawer mwy o rym i mi. [37]Ac yn awr
yr wyf fi, Nebuchadnesar, yn moli a
mawrhau a chlodfori Brenin y Nefoedd,
sydd â'i weithredoedd yn gywir a'i ffyrdd
yn gyfiawn, ac yn gallu darostwng y
balch."

Gwledd Belsassar

5 Gwnaeth y Brenin Belsassar wledd
    fawr i fil o'i dywysogion, ac yfodd
win gyda hwy. [2]Wedi cael blas y gwin,
gorchmynnodd Belsassar ddwyn y llestri
aur ac arian a ladrataodd ei dad Nebu-
chadnesar o'r deml yn Jerwsalem, er
mwyn i'r brenin a'i dywysogion a'i
wragedd a'i ordderchwragedd yfed
ohonynt. [3]Felly dygwyd y llestri aur a
ladratawyd o'r deml yn Jerwsalem,
ac yfodd y brenin a'i dywysogion a'i
wragedd a'i ordderchwragedd ohonynt.
[4]Wrth yfed y gwin, yr oeddent yn mol-

iannu duwiau o aur ac arian, o bres a
haearn, o bren a charreg.

5 Yn sydyn, ymddangosodd bysedd
llaw dyn yn ysgrifennu ar galch y pared
gyferbyn â'r canhwyllbren yn llys y
brenin, a gwelai'r brenin y llaw yn ysgrif-
ennu. [6]Yna gwelwodd y brenin mewn
dychryn, ac aeth ei gymalau'n llipa a'i
liniau'n grynedig. [7]Galwodd y brenin am
y swynwyr a'r Caldeaid a'r sêr-ddewin-
iaid, ac meddai wrth ddoethion Babilon,
"Os medr unrhyw un ddarllen yr ysgrifen
hon a'i dehongli i mi, caiff hwnnw wisg
borffor, a chadwyn aur am ei wddf, a
llywodraethu'n drydydd yn y deyrnas."
[8]Yna daeth doethion y brenin ato, ond ni
fedrent ddarllen yr ysgrifen na'i dehongli
i'r brenin. [9]Felly cynhyrfodd y Brenin
Belsassar yn enbyd, a gwelwi, ac yr oedd
ei dywysogion yn yr un dryswch.

10 Wrth glywed sŵn y brenin a'i dyw-
ysogion, daeth y frenhines i'r ystafell
fwyta a dweud, "O frenin, bydd fyw
byth! Paid ag edrych mor gynhyrfus a
gwelw. [11]Y mae gŵr yn dy deyrnas sy'n
llawn o ysbryd y duwiau sanctaidd, ac yn
amser dy dad dangosodd oleuni a deall, a
doethineb fel doethineb y duwiau; a
gwnaed ef gan dy dad, y Brenin Nebu-
chadnesar, yn ben ar y dewiniaid a'r
swynwyr a'r Caldeaid a'r sêr-ddewiniaid.
[12]Gan fod yn Daniel, a alwodd y brenin
yn Beltesassar, ysbryd ardderchog, a
deall a dirnadaeth, a'r gallu i ddehongli
breuddwydion ac esbonio dirgelion a
datrys problemau, anfon yn awr am
Daniel; gall ef roi dehongliad."

Daniel yn Dehongli'r Ysgrifen

13 Yna daethpwyd â Daniel at y
brenin, a gofynnodd y brenin iddo, "Ai ti
yw Daniel, un o'r caethgludion a ddug
fy nhad, y brenin, o Jwda? [14]'Rwy'n
clywed fod ysbryd y duwiau ynot a'th fod
yn llawn o oleuni a deall a doethineb
ragorol. [15]Er i'r doethion a'r swynwyr
ddod yma i ddarllen yr ysgrifen hon a'i
dehongli i mi, nid ydynt yn medru rhoi
dehongliad ohoni. [16]Ond 'rwy'n clywed
dy fod ti'n gallu rhoi deongliadau a
datrys problemau. Yn awr os medri ddar-
llen yr ysgrifen a'i dehongli i mi, cei wisg
borffor, a chadwyn aur am dy wddf, a
llywodraethu'n drydydd yn y deyrnas."
[17]Yna atebodd Daniel y brenin, "Cei
gadw d'anrhegion, a rhoi dy wobrwyon i
eraill, ond fe ddarllenaf yr ysgrifen a'i

DANIEL 5, 6   737

dehongli i'r brenin. ¹⁸Rhoes y Duw Goruchaf frenhiniaeth a mawredd a gogoniant ac urddas i'th dad Nebuchadnesar. ¹⁹Ac oherwydd y mawredd a roed iddo, yr oedd yr holl bobloedd, cenhedloedd ac ieithoedd yn crynu mewn ofn o'i flaen. Gallai ladd neu gadw'n fyw, dyrchafu neu ddarostwng y neb a fynnai. ²⁰Ond pan ymffrostiodd a mynd yn falch, fe'i diorseddwyd a chymerwyd ei ogoniant oddi arno. ²¹Gyrrwyd ef o ŵydd dynion, rhoddwyd iddo galon anifail, ac yr oedd ei gartref gyda'r asynnod gwylltion. Yr oedd yn bwyta gwellt fel ych, ac yr oedd ei gorff yn wlyb gan wlith y nefoedd, nes iddo wybod mai'r Duw Goruchaf sy'n rheoli teyrnas dynion ac yn gosod arni'r sawl a fyn. ²²Ond amdanat ti, ei fab Belsassar, er iti wybod hyn oll, ni ddarostyngaist dy hun. ²³Yr wyt wedi herio Arglwydd y nefoedd trwy ddod â llestri ei dŷ ef o'th flaen, a thithau a'th dywysogion a'th wragedd a'th ordderchwragedd yn yfed gwin ohonynt. Yr wyt wedi moliannu duwiau o arian ac aur, o bres a haearn, o bren a charreg, nad ydynt yn clywed dim, nac yn gweld nac yn gwybod; ac yr wyt wedi gwrthod addoli'r Duw y mae d'einioes a'th ffyrdd yn ei law. ²⁴Dyna pam yr anfonwyd y llaw i ysgrifennu'r geiriau hyn. ²⁵Fel hyn y mae'r ysgrifen yn darllen: 'Mene, Mene, Tecel, Wparsin.' ²⁶A dyma'r dehongliad. 'Mene': rhifodd Duw flynyddoedd dy deyrnasiad, a daeth ag ef i ben. ²⁷'Tecel': pwyswyd di yn y glorian, a'th gael yn brin. ²⁸'Peres': rhannwyd dy deyrnas, a'i rhoi i'r Mediaid a'r Persiaid." ²⁹Yna, ar orchymyn Belsassar, cafodd Daniel wisg borffor, a chadwyn o aur am ei wddf, a'i benodi yn drydydd llywodraethwr yn y deyrnas. ³⁰A'r noson honno lladdwyd Belsassar, brenin y Caldeaid, ³¹*A derbyniodd Dareius y Mediad y deyrnas, yn ŵr dwy a thrigain oed.

Daniel yn Ffau'r Llewod

6 *Penderfynodd Dareius benodi cant ac ugain o lywodraethwyr, un i fod dros bob rhan o'r deyrnas, ²a throstynt hwy dri rhaglaw, gan gynnwys Daniel; ac iddynt hwy yr oedd y llywodraethwyr yn gyfrifol, i warchod buddiannau'r brenin. ³Yr oedd Daniel yn rhagori ar y rhaglawiaid a'r llywodraethwyr am fod ganddo ddawn arbennig, a bwriadai'r brenin ei osod dros yr holl deyrnas. ⁴Yna chwiliodd y rhaglawiaid a'r llywodraethwyr am ryw achos ynglŷn â'r deyrnas y gallent ei ddwyn yn erbyn Daniel, ond ni fedrent gael achos na bai ynddo; am ei fod mor ddidwyll, ni chawsant unrhyw amryfusedd na bai ynddo. ⁵Yna dywedodd y dynion hyn, "Ni fedrwn gael unrhyw achos yn erbyn y Daniel hwn os na chawn rywbeth ynglŷn â chyfraith ei Dduw." ⁶Felly aeth y rhaglawiaid a'r llywodraethwyr gyda'i gilydd at y brenin a dweud wrtho, "O Frenin Dareius, bydd fyw byth! ⁷Y mae holl swyddogion y deyrnas, yn benaethiaid a llywodraethwyr, yn cynghorwyr a rhaglawiaid, yn unfryd â'i gilydd y dylai'r brenin wneud deddf a gorchymyn pendant fod pob un sydd, o fewn deg diwrnod ar hugain, yn ymbil ar unrhyw dduw neu ddyn, ar wahân i ti, O frenin, i'w daflu i ffau'r llewod. ⁸Yn awr, O frenin, cadarnha'r gorchymyn ac arwydda'r ddogfen, fel na chaiff ei newid, yn ôl cyfraith ddigyfnewid y Mediaid a'r Persiaid." ⁹Felly arwyddodd y Brenin Dareius y ddogfen a'r gorchymyn.

10 Pan glywodd Daniel fod y ddogfen wedi ei harwyddo, aeth i'w dŷ. Yr oedd ffenestri ei lofft yn agor i gyfeiriad Jerwsalem, ac yntau'n parhau i benlinio deirgwaith y dydd, a gweddïo a thalu diolch i'w Dduw, yn ôl ei arfer. ¹¹Daeth y dynion hyn gyda'i gilydd a chael Daniel yn ymbil ac yn erfyn ar ei Dduw. ¹²Yna aethant at y brenin a'i atgoffa am ei orchymyn: "Onid wyt wedi arwyddo gorchymyn fod pob un sydd, o fewn deg diwrnod ar hugain, yn gweddïo ar unrhyw dduw neu ddyn ar wahân i ti, O frenin, i'w daflu i ffau'r llewod?" Atebodd y brenin, "Dyna'r gorchymyn, yn unol â chyfraith ddigyfnewid y Mediaid a'r Persiaid." ¹³Dywedasant hwythau wrth y brenin, "Nid yw'r Daniel yma, o gaethglud Jwda, yn cymryd unrhyw sylw ohonot ti na'r gorchymyn a arwyddaist, O frenin, ond y mae'n gweddïo deirgwaith y dydd." ¹⁴Pan glywodd y brenin hyn yr oedd yn drist iawn, a cheisiodd ffordd i achub Daniel, ac ymdrechu hyd fachlud haul i'w arbed. ¹⁵Ond daeth y dynion hyn gyda'i gilydd at y brenin a dweud wrtho, "Gwyddost, O frenin, fod

*Aramaeg, 6:1.   *Aramaeg, 6:2.

pob gorchymyn a deddf o eiddo'r brenin yn ddigyfnewid yn ôl cyfraith y Mediaid a'r Persiaid." ¹⁶Felly gorchmynnodd y brenin iddynt ddod â Daniel, a'i daflu i ffau'r llewod; ond dywedodd wrth Daniel, "Bydded i'th Dduw, yr wyt yn ei wasanaethu'n barhaus, dy achub." ¹⁷Yna daethant â maen, a'i osod ar geg y ffau, a seliodd y brenin ef â'i sêl ei hun a sêl ei bendefigion, rhag bod unrhyw newid ar y dyfarniad yn erbyn Daniel.

18 Dychwelodd y brenin i'w balas a threulio'r noson mewn ympryd; ni ddaethpwyd â merched ato, ac ni allai gysgu. ¹⁹Yn y bore, ar doriad gwawr, cododd y brenin a mynd ar frys at ffau'r llewod. ²⁰Wedi iddo gyrraedd y ffau, galwodd ar Daniel mewn llais pryderus a dweud, "Daniel, gwas y Duw byw, a fedrodd dy Dduw, yr wyt yn ei wasanaethu'n barhaus, dy achub rhag y llewod?" ²¹Atebodd Daniel y brenin, "O frenin, bydd fyw byth! ²²Anfonodd fy Nuw ei angel, a chau safn y llewod fel na wnaethant niwed i mi, am fy mod yn ddieuog yn ei olwg; ni wneuthum niwed i tithau chwaith, O frenin." ²³Gorfoleddodd y brenin, a gorchymyn rhyddhau Daniel o'r ffau. A phan gafodd ei ryddhau, nid oedd unrhyw niwed i'w weld arno, am iddo ymddiried yn ei Dduw. ²⁴Ac ar orchymyn y brenin, daethant â'r dynion hynny oedd wedi cyhuddo Daniel, a'u taflu i ffau'r llewod, hwy a'u plant a'u gwragedd, a chyn iddynt gyrraedd gwaelod y ffau yr oedd y llewod wedi eu llarpio a malu eu hesgyrn yn chwilfriw.

25 Yna ysgrifennodd y Brenin Dareius at yr holl bobloedd, o bob cenedl ac iaith trwy'r byd i gyd, "Heddwch fo i chwi! ²⁶Yr wyf yn gorchymyn fod pawb ym mhob talaith o'm teyrnas i ofni a pharchu Duw Daniel.

Ef yw'r Duw byw, y tragwyddol;
  ni ddinistrir ei frenhiniaeth, a phery ei
    arglwyddiaeth byth.
²⁷Y mae'n achub ac yn gwaredu,
  yn gwneud arwyddion a rhyfeddodau
  yn y nefoedd ac ar y ddaear;
  ef a achubodd Daniel o afael y
    llewod."

28 A llwyddodd y Daniel hwn yn ystod teyrnasiad Dareius a theyrnasiad Cyrus y Persiad.

Gweledigaeth y Pedwar Bwystfil

7 Yn y flwyddyn gyntaf i Belsassar brenin Babilon, cafodd Daniel freuddwyd a gweledigaethau tra oedd yn gorwedd ar ei wely. Ysgrifennodd Daniel y freuddwyd, a dyma sylwedd yr hanes a adroddodd. ²Yn fy ngweledigaethau yn y nos gwelais bedwar gwynt y nefoedd yn corddi'r môr mawr, ³a phedwar bwystfil anferth yn codi o'r môr, pob un yn wahanol i'w gilydd. ⁴Yr oedd y cyntaf fel llew a chanddo adenydd eryr; a thra oeddwn yn edrych, rhwygwyd ei adenydd a chodwyd ef oddi ar y ddaear a'i osod ar ei draed fel dyn, a rhoddwyd meddwl dyn iddo. ⁵Yna gwelais fwystfil arall, yr ail, yn debyg i arth. Yr oedd yn hanner codi ar un ochr, ac yr oedd tair asen yn ei safn rhwng ei ddannedd, a dywedwyd wrtho, "Cyfod, bwyta lawer o gig." ⁶Wedyn, a minnau'n dal i edrych, gwelais un arall, tebyg i lewpart, a phedair adain aderyn ar ei gefn; ac yr oedd gan y bwystfil bedwar pen, a rhoddwyd arglwyddiaeth iddo. ⁷Yna, tra oeddwn yn edrych ar weledigaethau'r nos, gwelais bedwerydd bwystfil, un arswydus ac erchyll a chryf eithriadol, a chanddo ddannedd mawr o haearn; yr oedd yn bwyta ac yn malu ac yn sathru'r gweddill dan ei draed. Yr oedd hwn yn wahanol i'r holl fwystfilod eraill oedd o'i flaen, ac yr oedd ganddo ddeg o gyrn. ⁸Fel yr oeddwn yn sylwi ar y cyrn, gwelais gorn arall, un bychan, yn codi o'u mysg, a thynnwyd tri o'r cyrn cyntaf o'u gwraidd i wneud lle iddo, ac yn y corn yma gwelais lygaid fel llygaid dyn a cheg yn traethu balchder.

Yr Hen Ddihenydd a'r Un fel Mab Dyn

⁹Fel yr oeddwn yn edrych,
  gosodwyd y gorseddau yn eu lle
  ac eisteddodd Hen Ddihenydd;
  yr oedd ei wisg cyn wynned â'r eira,
  a gwallt ei ben fel gwlân pur;
  yr oedd ei orsedd yn fflamau o dân,
  a'i holwynion yn dân crasboeth.
¹⁰Yr oedd afon danllyd yn llifo allan o'i
    flaen.
  Yr oedd mil o filoedd yn ei
    wasanaethu
  a myrdd o fyrddiynau'n sefyll ger ei
    fron.
  Eisteddodd y llys ac agorwyd y llyfrau.

11 Oherwydd sŵn geiriau balch y corn,

daliais i edrych, ac fel yr oeddwn yn gwneud hynny lladdwyd y bwystfil a dinistrio'i gorff a'i daflu i ganol y tân. [12]Collodd y bwystfilod eraill eu harglwyddiaeth, ond cawsant fyw am gyfnod a thymor. [13]Ac fel yr oeddwn yn edrych ar weledigaethau'r nos,

Gwelais un fel mab dyn yn dyfod ar gymylau'r nef;
a daeth at yr Hen Ddihenydd a chael ei gyflwyno iddo.
[14]Rhoddwyd iddo arglwyddiaeth a gogoniant a brenhiniaeth,
i'r holl bobloedd o bob cenedl ac iaith ei wasanaethu.
Yr oedd ei arglwyddiaeth yn dragwyddol a digyfnewid,
ac ni ddinistrir ei frenhiniaeth.

Dehongli'r Gweledigaethau

15 Yr oeddwn i, Daniel, wedi fy nghynhyrfu'n fawr, a brawychwyd fi gan fy ngweledigaethau. [16]Euthum at un o'r rhai oedd yn sefyll yn ymyl, a gofynnais iddo beth oedd ystyr hyn i gyd. Atebodd yntau a rhoi dehongliad o'r cyfan imi: [17]"Pedwar brenin yn codi o'r ddaear yw'r pedwar bwystfil. [18]Ond bydd saint y Goruchaf yn derbyn y frenhiniaeth ac yn ei meddiannu'n oes oesoedd." [19]Yna dymunais wybod ystyr y pedwerydd bwystfil, a oedd yn wahanol i'r lleill i gyd, yn arswydus iawn, a chanddo ddannedd o haearn a chrafangau o bres, yn bwyta ac yn malu ac yn sathru'r gweddill dan ei draed; [20]a hefyd ystyr y deg corn ar ei ben, a'r corn arall a gododd, a thri yn syrthio o'i flaen—y corn ag iddo lygaid a cheg yn traethu balchder ac yn gwneud mwy o ymffrost na'r lleill. [21]Dyma'r corn a welais yn rhyfela yn erbyn y saint ac yn eu trechu, [22]hyd nes i'r Hen Ddihenydd ddyfod a dyfarnu o blaid saint y Goruchaf, ac i'r saint feddiannu'r deyrnas. [23]Dyma'i ateb: "Pedwaredd frenhiniaeth ar y ddaear yw'r pedwerydd bwystfil. Bydd hi'n wahanol i'r holl freniniaethau eraill; bydd yn ysu'r holl ddaear, a'i sathru a'i malu. [24]Saif y deg corn dros ddeg brenin a fydd yn codi; daw un arall ar eu hôl, yn wahanol i'r lleill, ac yn darostwng tri brenin. [25]Bydd yn herio'r Goruchaf ac yn llethu saint y Goruchaf, ac yn cynllunio i newid y gwyliau a'r gyfraith; a chaiff awdurdod drostynt am amser ac amserau a hanner amser. [26]Yna bydd y llys yn eistedd, a dygir ymaith ei

arglwyddiaeth, i'w distrywio a'i difetha'n llwyr. [27]A rhoddir y frenhiniaeth a'r arglwyddiaeth, a gogoniant pob brenhiniaeth dan y nef, i bobl saint y Goruchaf. Brenhiniaeth dragwyddol fydd eu brenhiniaeth hwy, a bydd pob teyrnas yn eu gwasanaethu ac yn ufuddhau iddynt."

28 Dyma ddiwedd yr hanes; ac yr oeddwn i, Daniel, wedi fy nghynhyrfu'n fawr ac yn welw, ond cedwais y pethau hyn i mi fy hun.

Gweledigaeth yr Hwrdd a'r Bwch Gafr

8 Yn y drydedd flwyddyn o deyrnasiad y Brenin Belsassar cefais i, Daniel, weledigaeth arall at yr un gyntaf a gefais. [2]Yr oeddwn yn y palas yn Susan yn nhalaith Elam, a gwelais yn y weledigaeth fy mod wrth Afon Ulai. [3]Codais fy ngolygon a gwelais hwrdd yn sefyll ar lan yr afon. Yr oedd ganddo ddau gorn hir, un yn hwy na'r llall, ac yn tyfu y tu ôl iddo. [4]Gwelwn yr hwrdd yn cornio tua'r gorllewin, y gogledd a'r de, ac ni allai'r un anifail ei wrthsefyll na neb achub o'i afael. Yr oedd yn gwneud fel y mynnai, ac yn dangos ei nerth. [5]Fel yr oeddwn yn ystyried hyn gwelais fwch gafr a chanddo gorn enfawr rhwng ei lygaid; yr oedd yn dod o'r gorllewin ar draws yr holl wlad heb gyffwrdd â'r ddaear. [6]Daeth at yr hwrdd deugorn a welais yn sefyll ar lan yr afon, a rhuthro arno â'i holl nerth. [7]Gwelais ef yn nesáu'n ffyrnig at yr hwrdd ac yn ei daro a thorri ei ddau gorn, ac am nad oedd yr hwrdd yn ddigon cryf i'w wrthsefyll, bwriodd ef i'r llawr a'i fathru; ac nid oedd neb i achub yr hwrdd o'i afael. [8]Yna ymorchestodd y bwch gafr yn fwy byth, ond yn ei anterth torrwyd y corn mawr, a chododd pedwar corn amlwg yn ei le, yn wynebu tua phedwar gwynt y nefoedd. [9]Ac allan o un ohonynt daeth corn bychan a dyfodd yn gryf tua'r de a'r dwyrain a'r wlad hyfryd. [10]Dyrchafodd hwn at lu'r nef, a thaflu rhai o'r llu ac o'r sêr i'r llawr a'u mathru. [11]Ymchwyddodd yn erbyn tywysog y llu, a diddymu'r offrwm beunyddiol a difetha'i gysegr. [12]Mewn pechod gosodwyd llu yn erbyn yr offrwm beunyddiol, a thaflu gwirionedd i'r llawr. Felly y llwyddodd yn y cwbl a wnaeth. [13]Clywais un o'r rhai sanctaidd yn siarad, ac un arall yn dweud wrth yr un a siaradai, "Am ba hyd y

pery'r weledigaeth o'r offrwm beunyddiol, a'r pechod anrheithiol, a sarnu'r cysegr a'r llu?" [14] Dywedodd wrtho[b], "Am ddwy fil tri chant o ddyddiau, hwyr a bore; yna fe adferir y cysegr."

Gabriel yn Esbonio'r Weledigaeth

15 Ac fel yr oeddwn i, Daniel, yn edrych ar y weledigaeth ac yn ceisio'i deall, gwelwn un tebyg i ddyn yn sefyll o'm blaen, [16] a chlywais lais dyn yn galw dros yr afon Ulai ac yn dweud, "Gabriel, esbonia'r weledigaeth i hwn." [17] Yna daeth Gabriel at y man lle'r oeddwn yn sefyll, a phan ddaeth crynais mewn ofn a syrthio ar fy wyneb. Dywedodd wrthyf, "Deall, fab dyn, mai ag amser y diwedd y mae a wnelo'r weledigaeth." [18] Wrth iddo siarad â mi, syrthiais ar fy hyd ar lawr mewn llewyg, ond cydiodd ef ynof a'm gosod ar fy nhraed, [19] a dweud, "Yn wir rhof wybod iti beth a ddigwydd pan ddaw'r llid i ben, oherwydd y mae i'r diwedd ei amser penodedig. [20] Brenhinoedd Media a Persia yw'r hwrdd deugorn a welaist. [21] Brenin Groeg yw'r bwch blewog, a'r corn mawr rhwng ei lygaid yw'r brenin cyntaf. [22] A'r un a dorrwyd, a phedwar yn codi yn ei le, dyma bedair brenhiniaeth yn codi o'r un genedl, ond heb feddu'r un nerth ag ef.

[23] Ac ar ddiwedd eu teyrnasiad,
pan fydd y troseddwyr yn eu hanterth,
fe gyfyd brenin creulon a chyfrwys.
[24] Bydd ei nerth yn fawr,[c]
ac fe wna niwed anhygoel;
fe lwydda yn yr hyn a wna,
ac fe ddinistria'r cedyrn a phobl y
saint.
[25] Yn ei gyfrwystra fe wna i ddichell
ffynnu;
ymfalchïa ynddo'i hunan,
a heb rybudd fe ddinistria lawer.
Heria dywysog y tywysogion,
ond fe'i torrir i lawr heb gymorth llaw.
[26] Y mae'r weledigaeth a roddwyd am yr
hwyr a'r bore yn wir;
ond cadw di'r weledigaeth dan sêl,
am ei bod yn cyfeirio at y dyfodol
pell."

27 Yr oeddwn i, Daniel, wedi diffygio, a bûm yn glaf am ddyddiau. Yna codais i wasanaethu'r brenin, wedi fy syfrdanu gan y weledigaeth a heb ei deall.

Gweddi Daniel

9 Daeth Dareius fab Ahasferus o linach y Mediaid yn frenin ar deyrnas y Caldeaid. [2] Ym mlwyddyn gyntaf ei deyrnasiad, yr oeddwn i, Daniel, yn chwilio'r ysgrythurau ynglŷn â'r hyn a ddywedodd yr ARGLWYDD wrth Jeremeia'r proffwyd am nifer y blynyddoedd hyd derfyn dinistr Jerwsalem, sef deng mlynedd a thrigain. [3] Yna trois at yr Arglwydd Dduw mewn gweddi daer ac ymbil, gydag ympryd a sachliain a lludw. [4] Gweddïais ar yr ARGLWYDD fy Nuw a chyffesu a dweud, "O Arglwydd, y Duw mawr ac ofnadwy, sy'n cadw cyfamod ac sy'n ffyddlon i'r rhai sy'n ei garu ac yn cadw ei orchmynion, [5] yr ydym wedi pechu a gwneud camwedd a drwg, ac wedi gwrthryfela ac anwybyddu d'orchmynion a'th ddeddfau. [6] Ni wrandawsom ar dy weision y proffwydi, a fu'n llefaru yn dy enw wrth ein brenhinoedd a'n tywysogion a'n tadau, ac wrth holl bobl y wlad. [7] I ti, Arglwydd, y perthyn cyfiawnder; ond heddiw fel erioed, cywilydd sydd i ni, bobl Jwda a thrigolion Jerwsalem a holl Israel, yn agos ac ymhell, ym mhob gwlad lle'r alltudiwyd hwy am iddynt dy fradychu. [8] O ARGLWYDD, cywilydd sydd i ni, i'n brenhinoedd a'n tywysogion a'n tadau, am inni bechu yn dy erbyn. [9] Ond y mae trugaredd a maddeuant gan yr Arglwydd ein Duw, er inni wrthryfela yn ei erbyn [10] a gwrthod gwrando ar lais yr ARGLWYDD ein Duw i ddilyn ei gyfreithiau, a roddodd inni trwy ei weision y proffwydi. [11] Y mae holl Israel wedi torri dy gyfraith a gwrthod gwrando ar dy lais; ac am inni bechu yn ei erbyn tywalltwyd arnom y felltith a'r llw sy'n ysgrifenedig yng nghyfraith Moses gwas Duw. [12] Cyflawnodd yr hyn a ddywedodd amdanom ni ac am ein barnwyr trwy ddwyn dinistr mawr arnom, oherwydd ni ddigwyddodd yn unman ddim tebyg i'r hyn a ddigwyddodd yn Jerwsalem. [13] Daeth y dinistr hwn arnom, fel y mae'n ysgrifenedig yng nghyfraith Moses; eto nid ydym wedi ymbil ar yr ARGLWYDD ein Duw trwy droi oddi wrth ein camweddau ac ystyried dy wirionedd di. [14] Disgwyliodd yr ARGLWYD am gyfle i ddwyn y dinistr arnom, am fod yr ARGLWYDD ein Duw yn gyfiawn yn ei holl weithredoedd, a ninnau heb wrando ar ei lais.

[b] Felly Groeg. Hebraeg, *wrthyf*.　　[c] Tebygol. Hebraeg yn ychwanegu *ond nid yn ei nerth*.

15 "Ac yn awr, O Arglwydd ein Duw, sydd wedi achub dy bobl o wlad yr Aifft â llaw gref a gwneud enw i ti dy hun hyd heddiw, yr ydym ni wedi pechu a gwneud drygioni. ¹⁶O Arglwydd, yn ôl dy gyfiawnder, erfyniwn arnat droi dy lid a'th ddigofaint oddi wrth dy ddinas Jerwsalem, dy fynydd sanctaidd, oherwydd am ein pechodau ni ac am anwireddau ein tadau y mae Jerwsalem a'th bobl yn wawd i bawb o'n cwmpas. ¹⁷Ac yn awr, ein Duw, gwrando ar weddi ac ymbil dy was, ac er dy fwyn dy hun pâr i'th wyneb ddisgleirio ar dy gysegr anghyfannedd. ¹⁸Fy Nuw, gostwng dy glust a gwrando; agor dy lygaid ac edrych ar ein hanrhaith ac ar y ddinas y gelwir dy enw arni; nid oherwydd ein cyfiawnder ein hunain yr ydym yn ymbil o'th flaen, ond oherwydd dy aml drugareddau di. ¹⁹Gwrando, O Arglwydd! Trugarha, O Arglwydd! Gwrando, O Arglwydd, a gweithreda! Er dy fwyn dy hun, fy Nuw, paid ag oedi, oherwydd dy enw di sydd ar dy ddinas ac ar dy bobl."

Gabriel yn Esbonio'r Broffwydoliaeth

20 A thra oeddwn yn llefaru a gweddïo, ac yn cyffesu fy mhechod a phechod fy mhobl Israel, ac yn ymbil o flaen yr ARGLWYDD fy Nuw dros fynydd sanctaidd fy Nuw, ²¹ehedodd y gŵr Gabriel, a welais eisoes yn y weledigaeth, a chyffyrddodd â mi ar adeg yr offrwm hwyrol. ²²Daeth ᶜʰ ac ymddiddan â mi a dweud, "Daniel, 'rwyf wedi dod yn awr i'th hyfforddi. ²³Pan ddechreuaist ymbil cyhoeddwyd gair, a deuthum innau i'w fynegi. Cefaist ffafr; ystyria'r gair a deall y weledigaeth.

24 "Nodwyd deg wythnos a thrigain i'th bobl ac i'th ddinas sanctaidd, i roi diwedd ar gamwedd a therfyn ar bechodau, i wneud iawn am anwiredd ac i adfer cyfiawnder tragwyddol; i roi sêl ar weledigaeth a phroffwydoliaeth, ac i eneinio'r lle sancteiddiolaf. ²⁵Deall hyn ac ystyria: bydd saith wythnos o'r amser y daeth gorchymyn i ailadeiladu Jerwsalem hyd ddyfodiad tywysog eneiniog; yna am ddwy wythnos a thrigain adnewyddir heol a ffos, ond bydd yn amser adfyd. ²⁶Ac ar ôl y ddwy wythnos a thrigain fe leddir yr un eneiniog heb neb o'i du, a difethir y ddinas a'r cysegr gan

ᶜʰFelly Groeg. Hebraeg, *Gwnaeth (i mi) ddeall.*
ᵈNeu, gyda'r Groeg, *Ac ar y pinacl bydd y ffieiddbeth diffeithiol.* Cymh. 11:31.
ᵈᵈFelly Groeg. Hebraeg, *yno gyda.*

filwyr tywysog sydd i ddod. Bydd yn gorffen mewn llifeiriant, gyda rhyfel yn peri anghyfanedd-dra hyd y diwedd. ²⁷Fe wna gyfamod cadarn â llawer am un wythnos, ac am hanner yr wythnos rhydd derfyn ar aberth ac offrwm. Ac yn sgîl y ffieiddbeth daw anrheithiwrᵈ, a erys hyd y diwedd, pan dywelltir ar yr anrheithiwr yr hyn a ddywedwyd."

Y Weledigaeth ar Lan Afon Tigris

10 Yn y drydedd flwyddyn i Cyrus brenin Persia rhoddwyd datguddiad i Daniel, a elwid Beltesassar. Yr oedd yn ddatguddiad gwir, er ei fod yn anodd iawn ei ddeall; ond rhoddwyd iddo ddeall trwy'r weledigaeth.

2 Yn y dyddiau hynny, yr oeddwn i, Daniel, mewn galar am dair wythnos. ³Ni fwyteais ddanteithion ac ni chyffyrddais â chig na gwin, ac nid irais fy hun am y tair wythnos gyfan. ⁴Ar y pedwerydd ar hugain o'r mis cyntaf, a minnau'n eistedd ar lan yr afon fawr, Afon Tigris, ⁵codais fy ngolwg a gwelais ddyn wedi ei wisgo mewn lliain, a gwregys o aur Offir am ei ganol. ⁶Yr oedd ei gorff fel maen beryl a'i wyneb fel mellt; yr oedd ei lygaid fel ffaglau tân, ei freichiau a'i draed fel pres gloyw, a'i lais fel sŵn taran. ⁷Myfi, Daniel, yn unig a welodd y weledigaeth; ni welodd y dynion oedd gyda mi mohoni, ond daeth arnynt ddychryn mawr a ffoesant i ymguddio. ⁸Gadawyd fi ar fy mhen fy hun i edrych ar y weledigaeth fawr hon; pallodd fy nerth, newidiodd fy ngwedd yn arswydus, ac cuthum yn wan. ⁹Fe'i clywais yn siarad, ac wrth wrando ar sŵn ei eiriau syrthiais ar fy hyd ar lawr mewn llewyg. ¹⁰Yna cyffyrddodd llaw â mi, a'm gosod ar fy ngliniau a'm dwylo, ¹¹a dywedodd wrthyf, "Daniel, cefaist ffafr; ystyria'r geiriau a lefaraf wrthyt, a saf ar dy draed, oherwydd anfonwyd fi atat." Pan lefarodd wrthyf, codais yn grynedig. ¹²Yna dywedodd wrthyf, "Paid ag ofni, Daniel, oherwydd o'r dydd cyntaf y penderfynaist geisio deall ac ymostwng o flaen dy Dduw, clywyd dy eiriau; ac oherwydd hynny y deuthum i. ¹³Am un diwrnod ar hugain bu tywysog teyrnas Persia yn sefyll yn f'erbyn; yna daeth Michael, un o'r prif dywysogion, i'm helpu, pan adawyd fi yno gyda thywysogᵈᵈ brenhinoedd Persia. ¹⁴Deuthum i

roi gwybod i ti beth a ddigwydd i'th bobl yn niwedd y dyddiau, oherwydd gweledigaeth am y dyfodol yw hon hefyd."

15 Wedi iddo ddweud hyn wrthyf, ymgrymais hyd lawr heb ddweud dim. [16]Yna cyffyrddodd un tebyg i ddyn â'm gwefusau, ac agorais fy ngenau i siarad, a dywedais wrth yr un oedd yn sefyll o'm blaen, "F'arglwydd, y mae fy ngofid yn fawr oherwydd y weledigaeth, a phallodd fy nerth. [17]Sut y gall gwas f'arglwydd ddweud dim wrth f'arglwydd, a minnau yn awr heb nerth nac anadl ynof?" [18]Unwaith eto cyffyrddodd yr un tebyg i ddyn â mi a'm cryfhau, [19]a dweud, "Paid ag ofni, cefaist ffafr; heddwch i ti. Bydd wrol, bydd gryf." Ac fel yr oedd yn siarad â mi cefais nerth, a dywedais, "Llefara, f'arglwydd, oblegid rhoddaist nerth i mi." [20]Yna dywedodd, "A wyddost pam y deuthum atat? Dywedaf wrthyt beth sy'n ysgrifenedig yn llyfr y gwirionedd. 'Rwy'n dychwelyd yn awr i ymladd â thywysog Persia, ac wedyn fe ddaw tywysog Groeg. [e] [21]Ac nid oes neb yn fy nghynorthwyo yn erbyn y rhai hyn ar wahân i'ch tywysog Michael.

Yr Aifft a Syria

11 [2f]"Yn awr dywedaf y gwir wrthyt: cyfyd tri brenin arall yn Persia, ac yna pedwerydd, a fydd yn gyfoethocach o lawer na hwy i gyd, ac fel yr ymgryfha trwy ei gyfoeth bydd yn cyffroi pawb yn erbyn brenhiniaeth Groeg. [3]Yna fe gyfyd brenin cryf a llywodraethu dros ymerodraeth fawr a gwneud fel y myn. [4]Ond, cyn gynted â'i fod mewn awdurdod, rhwygir ei deyrnas a'i rhannu i bedwar gwynt y nefoedd, ac nid i'w ddisgynyddion; ni fydd yn ymerodraeth fel ei eiddo ef, oherwydd diwreiddir ei frenhiniaeth a'i rhoi i eraill ar wahân i'r rhain. [5]Bydd brenin y de yn gryf, ond bydd un o'i dywysogion yn gryfach nag ef ac yn llywodraethu ar ymerodraeth fwy na'r eiddo ef. [6]Ymhen rhai blynyddoedd gwnânt gytundeb â'i gilydd, a daw merch brenin y de yn wraig i frenin y gogledd, i selio'r cytundeb; ond ni fydd ei dylanwad yn aros na'i hil yn para. Fe'i bradychir hi a'i gosgordd, a hefyd ei phlentyn a'i gŵr. [7]Yna fe dyf blaguryn o'i gwraidd, a sefyll yn ei lle, a dod yn erbyn y fyddin i gaer

brenin y gogledd, a llwyddo i'w threchu. [8]Bydd yn cludo ymaith i'r Aifft eu duwiau a'u heilunod a'u celfi gwerthfawr o arian ac aur. [9]Ni fydd ymosod ar frenin y gogledd am rai blynyddoedd, ond fe ddaw hwnnw yn erbyn teyrnas brenin y de, a dychwelyd i'w wlad ei hun.

10 "Bydd ei feibion yn ymbaratoi i ryfel ac yn casglu mintai gref o filwyr; ac fe ddaw un ohonynt a rhuthro ymlaen fel llif a rhyfela hyd at y gaer. [11]Yna bydd brenin y de yn cyffroi ac yn ymladd yn erbyn brenin y gogledd; bydd hwnnw'n arwain llu mawr, ond rhoddir y llu yn llaw ei elyn. [12]Pan orchfygir y llu, bydd yn ymfalchïo ac yn lladd myrddiynau, ond heb ennill buddugoliaeth. [13]Yna bydd brenin y gogledd yn codi llu arall, mwy na'r cyntaf, ac ymhen amser fe ddaw â byddin fawr ac adnoddau lawer. [14]Y pryd hwnnw bydd llawer yn gwrthryfela yn erbyn brenin y de, a therfysgwyr o blith dy bobl di yn codi, ac felly'n cyflawni'r weledigaeth, ond methu a wnânt. [15]Yna daw brenin y gogledd a gwarchae ar ddinas gaerog a'i hennill. Ni fydd byddinoedd y de, na'r milwyr dewisol, yn medru ei wrthsefyll, am eu bod heb nerth. [16]Bydd ei wrthwynebydd yn gwneud fel y myn, ac ni saif neb o'i flaen; bydd yn ymsefydlu yn y wlad hyfryd, a fydd yn llwyr dan ei awdurdod. [17]Ei fwriad fydd dod â holl rym ei deyrnas, ac yna fe wna gytundeb ag ef a rhoi iddo ferch yn briod er mwyn distrywio'r deyrnas; ond ni fydd hynny'n tycio nac yn troi'n fantais iddo. [18]Yna fe dry at yr ynysoedd, ac ennill llawer ohonynt, ond fe rydd pennaeth estron derfyn ar ei ryfyg, a throi ei ryfyg yn ôl arno ef ei hun. [19]Yna fe gilia'n ôl at amddiffynfeydd ei wlad; ond methu a wna, a syrthio a diflannu o'r golwg. [20]Yn ei le daw un a fydd yn anfon allan swyddog i drethu golud y deyrnas; mewn ychydig ddyddiau fe'i torrir yntau i lawr, ond nid mewn cythrwfl nac mewn brwydr.

Brenin Dirmygus Syria

21 "Yn ei le ef cyfyd un dirmygus, ond ni roddir iddo ogoniant brenhinol. Yn ddirybudd y daw, a chymryd y frenhiniaeth trwy weniaith. [22]Ysgubir ymaith fyddinoedd nerthol o'i flaen, a'u dryllio hwy a thywysog y cyfamod hefyd. [23]Er

iddo wneud cytundeb, bydd yn twyllo, ac yn para i gryfhau, er lleied yw ei genedl. [24]Heb rybudd meddianna rannau ffrwythlonaf y dalaith, a gwneud yr hyn na wnaeth ei dadau na'i gyndadau, sef rhannu eu hysglyfaeth a'u hysbail a'u golud, a chynllwyn yn erbyn dinasoedd caerog am gyfnod.

25 "Mewn nerth a balchder fe ymesyd â byddin fawr ar frenin y de, a daw yntau i ryfel â byddin fawr a chref iawn; ond ni fedr barhau, am fod rhai yn cynllwyn yn ei erbyn. [26]Y rhai sy'n bwyta wrth ei fwrdd a fydd yn ei ddifetha; ysgubir ymaith ei fyddin, a syrthia llawer yn gelain. [27]Bwriad drwg fydd gan y ddau frenin yma, ac er eu bod wrth yr un bwrdd byddant yn dweud celwydd wrth ei gilydd; ond ni lwyddant, oherwydd ar yr amser penodedig fe ddaw'r diwedd. [28]Bydd brenin Syria yn dychwelyd i'w wlad ei hun a chanddo lawer o ysbail, ond â'i galon yn erbyn y cyfamod sanctaidd; ar ôl gweithredu, â'n ôl i'w wlad ei hun.

29 "Ar amser penodedig fe ddaw'n ôl eilwaith i'r de, ond ni fydd y tro hwn fel y tro cyntaf. [30]Daw llongau Chittim yn ei erbyn, a bydd yntau'n digalonni ac yn troi'n ôl; unwaith eto fe ddengys ei lid yn erbyn y cyfamod sanctaidd, a rhoi sylw i bawb sy'n ei dorri. [31]Daw rhai o'i filwyr a halogi'r cysegr a'r amddiffynfa, a dileu'r offrwm beunyddiol a gosod yno y ffieiddbeth diffeithiol. [32]Trwy ei weniaith fe ddena'r rhai sy'n torri'r cyfamod, ond bydd y bobl sy'n adnabod eu Duw yn gweithredu'n gadarn. [33]Bydd y deallus ymysg y bobl yn dysgu'r lliaws, ond am ryw hyd byddant yn syrthio trwy gleddyf a thân, trwy gaethiwed ac anrhaith. [34]Pan syrthiant, cânt rywfaint o gymorth, er y bydd llawer yn ymuno â hwy trwy weniaith. [35]Bydd rhai o'r deallus yn syrthio er mwyn cael eu puro a'u glanhau a'u cannu ar gyfer amser y diwedd, oherwydd y mae'r amser penodedig yn dod. [36]Bydd y brenin yn gwneud fel y myn, yn ymorchestu ac yn ymddyrchafu uwchlaw pob duw, a chablu Duw y duwiau. Bydd yn llwyddo hyd ddiwedd y llid, oherwydd yr hyn a ordeiniwyd a fydd. [37]Nid ystyria dduwiau ei dadau na'r duw a hoffir gan wragedd; nid ystyria'r un duw, ond ei osod ei hun yn uwch na hwy i gyd. [38]Yn eu lle fe anrhydedda dduw'r caerau; ag aur ac arian a meini gwerthfawr a phethau

dymunol bydd yn anrhydeddu duw oedd yn ddieithr i'w dadau. [39]Bydd yn gorfodi pobl duw dieithr i amddiffyn ei gaerau, yn rhoi anrhydedd i'r rhai sy'n ei gydnabod, yn gwneud iddynt lywodraethu dros y lliaws, ac yn rhannu tir iddynt am bris.

40 "Yn amser y diwedd daw brenin y de allan i ymladd, a daw brenin y gogledd fel corwynt yn ei erbyn â cherbydau a marchogion a llawer o longau; bydd hwnnw'n ymosod ar y gwledydd ac yn eu gorlifo. [41]Daw i'r wlad hyfryd, a chaiff llawer eu difa; ond bydd rhai, fel Edom a Moab a gweddill Ammon, yn dianc o'i afael. [42]Ymleda'i awdurdod dros y gwledydd, ac ni chaiff yr Aifft ei harbed. [43]Daw trysorau aur ac arian a holl bethau dymunol yr Aifft i'w feddiant, a bydd y Libyaid a'r Ethiopiaid yn ei ddilyn. [44]Ond daw newyddion o'r dwyrain a'r gogledd a'i gynhyrfu, ac fe â allan mewn cynddaredd i ladd a dinistrio llawer. [45]Gesyd bebyll ei bencadlys rhwng y môr a'r mynydd sanctaidd godidog; ond daw ei yrfa i ben heb neb yn ei helpu.

Yr Amser Diwethaf

12 "Ac yn yr amser hwnnw cyfyd Michael, y tywysog mawr, sy'n gwarchod dros dy bobl; a bydd cyfnod blin na fu erioed ei fath er pan ffurfiwyd cenedl hyd yr amser hwnnw. Ond yn yr amser hwnnw gwaredir dy bobl, pob un yr ysgrifennwyd ei enw yn y llyfr. [2]Bydd llawer o'r rhai sy'n cysgu yn llwch y ddaear yn deffro, rhai i fywyd tragwyddol, a rhai i waradwydd a dirmyg tragwyddol. [3]Disgleiria'r deallus fel y ffurfafen, a'r rhai sydd wedi troi llawer at gyfiawnder, byddant fel y sêr yn oes oesoedd. [4]Ond amdanat ti, Daniel, cadw'r geiriau'n ddiogel, a selia'r llyfr hyd amser y diwedd. Bydd llawer yn rhedeg yma ac acw, a bydd gofid[ff] yn cynyddu.'

5 Yna edrychais i, Daniel, a gweld dau arall yn sefyll un bob ochr i'r afon. [6]A gofynnodd y naill i'r llall, sef y gŵr mewn gwisg liain a oedd yn sefyll ar lan bellaf yr afon, "Pa bryd y bydd terfyn ar y rhyfeddodau?" [7]Sylwais ar y gŵr mewn gwisg liain a oedd ar lan bellaf yr afon; cododd ei ddwy law i'r nef a thyngu, "Cyn wired â bod y Tragwyddol yn fyw, am amser ac amserau a hanner amser y bydd hyn, a daw'r cwbl i ben pan roddir

[ff]Neu, gwybodaeth.

terfyn ar ddiddymu nerth y bobl sanct-
aidd." [8]Yr oeddwn yn clywed heb ddeall,
a gofynnais, "F'arglwydd, beth a ddaw o
hyn?" [9]Dywedodd yntau, "Dos Daniel,
oherwydd y mae'r geiriau wedi eu cadw'n
ddiogel a'u selio hyd amser y diwedd.
[10]Bydd llawer yn ymlanhau ac yn eu
cannu eu hunain ac yn cael eu puro; bydd
yr holl rai drygionus yn gwneud drwg heb
ddeall, heb neb ond y deallus yn am-
gyffred. [11]Ac o'r amser y diddymir yr
aberth beunyddiol, a gosod yno y ffieidd-
beth diffeithiol, bydd mil dau gant naw
deg o ddyddiau. [12]Gwyn ei fyd yr un fydd
yn disgwyl ac yn cyrraedd y mil tri chant
tri deg a phump o ddyddiau. [13]Dos dithau
ymlaen hyd y diwedd; yna cei orffwys, a
sefyll yn dy le priod yn niwedd y dydd-
iau."

LLYFR

HOSEA

1 Gair yr ARGLWYDD at Hosea fab
Beeri yn nyddiau Usseia, Jotham,
Ahas a Heseceia, brenhinoedd Jwda, ac
yn nyddiau Jeroboam fab Joas, brenin
Israel.

Gwraig a Phlant Hosea

[2] Dyma ddechrau geiriau'r AR-
GLWYDD trwy Hosea. Dywedodd yr AR-
GLWYDD wrth Hosea, "Dos, cymer iti
wraig o butain, a phlant puteindra, oher-
wydd puteiniodd y wlad i gyd trwy gilio
oddi wrth yr ARGLWYDD." [3]Fe aeth a
chymryd Gomer, merch Diblaim; beich-
iogodd hithau a geni mab iddo. [4]Yna
dywedodd yr ARGLWYDD wrtho, "Enwa
ef Jesreel, oherwydd ymhen ychydig eto
dialaf ar dŷ Jehu am waed Jesreel, [5]a rhof
derfyn ar frenhiniaeth tŷ Israel. Y dydd
hwnnw torraf fwa Israel yn nyffryn Jes-
reel."
[6] Beichiogodd Gomer eilwaith a geni
merch. A dywedodd yr ARGLWYDD wrth
Hosea, "Enwa hi Heb-drugaredd[a],
oherwydd ni wnaf drugaredd mwyach â
thŷ Israel, i roi maddeuant iddynt. [7]Ond
gwnaf drugaredd â thŷ Jwda, a gwaredaf
hwy trwy'r ARGLWYDD eu Duw; ond ni
waredaf hwy trwy'r bwa, y cleddyf,
rhyfel, meirch na marchogion."

[8] Wedi iddi ddiddyfnu Heb-drugaredd,
beichiogodd Gomer a geni mab. [9]A
dywedodd yr ARGLWYDD, "Enwa ef
Nid-fy-mhobl[b], oherwydd nid ydych
yn bobl i mi, na minnau'n Dduw i
chwithau."

Adfer Israel

[10]* Bydd nifer plant Israel fel tywod y
  môr,
 na ellir ei fesur na'i rifo.
 Yn y lle y dywedwyd wrthynt, "Nid-fy-
  mhobl ydych",
 fe ddywedir wrthynt, "Meibion y Duw
  byw".
[11]Cesglir ynghyd blant Jwda a phlant
  Israel,
 a gosodant iddynt un pen;
 dônt i fyny o'r wlad,
 oherwydd mawr fydd dydd Jesreel.

Gomer Anffyddlon—Israel Anffyddlon

2* "Dywedwch wrth eich brawd,
  'Fy-mhobl[c]',
 ac wrth eich chwaer, 'Cafodd-
  drugaredd[ch]'.
[2]Plediwch â'ch mam, plediwch—
 onid yw'n wraig i mi,
 a minnau'n ŵr iddi hi?—
 ar iddi symud ei phuteindra o'i

[a]Hebraeg, *Lo-ruhama*.   [b]Hebraeg, *Lo-ammi*.
*Hebraeg, 2:3.   [c]Hebraeg, *eich brodyr*, *'Ammi'*.
[ch]Hebraeg, *eich chwiorydd*, *'Ruhama'*.   *Hebraeg, 2:1.

hwyneb,
a'i godineb oddi rhwng ei bronnau.
³Onid e, rhaid imi ei diosg yn noeth a'i
gosod fel ar ddydd ei geni,
a'i gwneud fel anialwch a'i gosod fel tir
sych,
a'i lladd â syched;
⁴ni wnaf drugaredd â'i phlant,
am eu bod yn blant puteindra.
⁵Oherwydd i'w mam buteinio,
ac i'r hon a'u cariodd ymddwyn yn
waradwyddus,
a dweud, 'Af ar ôl fy nghariadon,
sy'n rhoi imi fy mara a'm dŵr, fy
ngwlân a'm llin, fy olew a'm
diod'—
⁶am hynny, caeaf ei ᵈ ffordd â drain,
a gosodaf rwystr rhag iddi gael ei
llwybrau.
⁷Fe ymlid ei chariadon heb eu dal,
fe'u cais heb eu cael;
yna dywed, 'Dychwelaf at y gŵr oedd
gennyf,
gan ei bod yn well arnaf y pryd hwnnw
nag yn awr.'
⁸Ond ni ŵyr hi mai myfi a roddodd iddi
ŷd a gwin ac olew,
ac amlhau iddi arian ac aur, pethau a
roesant hwy i Baal.
⁹Felly, cymeraf yn ôl fy ŷd yn ei bryd
a'm gwin yn ei dymor;
dygaf ymaith fy ngwlân a'm llin, a
guddiai ei noethni.
¹⁰Yn awr, dinoethaf ei gwarth gerbron
ei chariadon,
ac ni fyn yr un ohonynt ei chipio o'm
llaw.
¹¹Rhof derfyn ar ei holl lawenydd,
ei gwyliau, ei newydd-loerau, ei
Sabothau a'i gwyliau sefydlog.
¹²Difethaf ei gwinwydd a'i ffigyswydd, y
dywedodd amdanynt,
'Dyma fy nhâl, a roes fy nghariadon i
mi.'
Gwnaf hwy'n goedwig, a bydd yr
anifeiliaid gwylltion yn eu difa.
¹³Cosbaf hi am ddyddiau gŵyl Baalim,
pan losgodd arogldarth iddynt,
a gwisgo'i modrwy a'i haddurn,
a mynd ar ôl ei chariadon a'm
hanghofio i," medd yr
ARGLWYDD.

Yr Arglwydd yn Caru ei Bobl

¹⁴"Am hynny, wele, fe'i denaf;

af â hi i'r anialwch, a siarad yn dyner
wrthi.
¹⁵Rhof iddi yno ei gwinllannoedd,
a bydd dyffryn Achor ᵈᵈ yn ddrws
gobaith.
Yno fe ymetyb hi fel yn nyddiau ei
hieuenctid,
fel yn y dydd y daeth i fyny o wlad yr
Aifft.

16 "Yn y dydd hwnnw," medd yr
ARGLWYDD, "gelwi fi 'Fy ngŵr', ac ni'm
gelwi mwyach 'Fy Baalᵉ'; ¹⁷symudaf
ymaith enwau'r Baalim o'i genau, ac ni
chofir hwy mwy wrth eu henwau. ¹⁸Yn y
dydd hwnnw gwnaf i tiᶠ gyfamod â'r
anifeiliaid gwylltion, ac adar yr awyr ac
ymlusgiaid y tir; symudaf o'r tir y bwa, y
cleddyf, a rhyfel, a gwnaf i tiᶠ orffwyso
mewn diogelwch. ¹⁹Fe'th ddyweddïaf â
mi fy hun dros byth; fe'th ddyweddïaf â
mi mewn cyfiawnder a barn, mewn cariad
a thrugaredd. ²⁰Fe'th ddyweddïaf â mi
mewn ffyddlondeb, a byddi'n adnabod yr
ARGLWYDD.

²¹"Yn y dydd hwnnw," medd yr
ARGLWYDD,
"atebaf y nef, ac etyb hithau y ddaear;
²²etyb y ddaear yr ŷd, y gwin a'r olew,
ac atebant hwythau Jesreelᶠᶠ;
²³ac fe'i heuaf i mi fy hun yn y tir.
Gwnaf drugaredd â Heb-drugaredd;
dywedaf wrth Nid-fy-mhobl, 'Fy
mhobl wyt ti',
a dywed yntau, 'Fy Nuw'."

Hosea a'r Wraig Anffyddlon

3 Dywedodd yr ARGLWYDD wrthyf,
"Dos eto, câr wraig a gerir gan arall
ac sy'n odinebwraig, fel y câr yr AR-
GLWYDD blant Israel er iddynt droi at
dduwiau eraill a hoffi teisennau grawn-
win." ²Felly, fe'i prynais am bymtheg
darn o arian, a homer a hanner o haidd.
³Dywedais wrthi, "Aros amdanaf am
ddyddiau lawer, heb buteinio na'th roi dy
hun i neb; felly y gwnaf finnau i ti."
⁴Oherwydd am ddyddiau lawer yr erys
plant Israel heb frenin na thywysog, heb
offrwm na cholofn, heb effod na delwau.
⁵Wedi hyn, bydd plant Israel yn troi eto i
geisio'r ARGLWYDD eu Duw a Dafydd eu
brenin, ac yn troi mewn braw yn y
dyddiau diwethaf at yr ARGLWYDD ac at
ei ddaioni.

ᵈFelly Groeg a Syrieg. Hebraeg, *dy*. ᵈᵈH.y., *helynt*. ᵉH.y., *Fy meistr*.
ᶠHebraeg, *iddynt hwy*. ᶠᶠH.y., *Heua Duw*.

Cyhuddiadau'r Arglwydd

4 Clywch air yr ARGLWYDD, blant
Israel.

Y mae gan yr ARGLWYDD achos yn
erbyn trigolion y tir,
am nad oes ffyddlondeb, na chariad na
gwybodaeth o Dduw yn y tir,
2 ond tyngu a chelwydda, lladd a
lladrata,
godinebu a threisio, a lladd yn dilyn
lladd.
3 Am hynny, galara'r wlad, nycha'i holl
drigolion;
dygir ymaith anifeiliaid y maes,
adar yr awyr hefyd a physgod y môr.

4 "Peidied dyn ag ymryson, ac na
chyhudded neb;
y mae fy achos yn dy erbyn di,
offeiriad ffals. g
5 Yr wyt yn baglu liw dydd,
a syrth y proffwyd hefyd gyda thi yn y
nos.
Dinistriaf dy fam;
6 difethir fy mhobl o eisiau gwybodaeth;
am i ti wrthod gwybodaeth y
gwrthodaf di yn offeiriad imi;
am i ti anghofio cyfraith dy Dduw yr
anghofiaf finnau dy blant.

7 "Po fwyaf yr amlhânt, mwyaf fyth y
pechant yn f'erbyn;
trof eu gogoniant yn warth.
8 Bwytânt bechod fy mhobl,
ac estyn eu safn at eu drygioni.
9 Bydd y bobl fel yr offeiriad;
fe'u cosbaf am eu ffyrdd a dial arnynt
am eu gweithredoedd.
10 Bwytânt, ond heb eu digoni,
puteiniant, ond heb amlhau,
am iddynt ddiystyru yr ARGLWYDD.

11 "Y mae puteindra, gwin a gwin
newydd
yn dwyn ymaith y deall.
12 Y mae fy mhobl yn ymofyn â phren,
a'u gwialen sy'n eu cyfarwyddo;
oherwydd ysbryd puteindra a'u
camarweiniodd,
troesant mewn puteindra oddi wrth eu
Duw.
13 Y maent yn aberthu ar bennau'r
mynyddoedd,
ac yn offrymu ar y bryniau,
o dan y dderwen, y boplysen a'r

llwyfen
am fod eu cysgod yn dda.

"Am hynny, y mae eich merched yn
puteinio
a'ch gwragedd priod yn godinebu.
14 Ni chosbaf eich merched pan
buteiniant,
na'ch gwragedd pan odinebant,
oherwydd y mae'r dynion yn troi at
buteiniaid
ac yn aberthu gyda phuteiniaid y deml.
Pobl heb ddeall, fe'u difethir.

15 "Er i ti buteinio, Israel, na fydded
Jwda'n euog.
Peidiwch â mynd i Gilgal, nac i fyny i
Beth-awen,
a pheidiwch â thyngu, 'Cyn wired â
bod yr ARGLWYDD yn fyw.'
16 Fel anner anhydrin y mae Israel yn
anodd ei thrin;
a all yr ARGLWYDD yn awr eu bwydo
fel oen mewn porfa?
17 "Glynodd Effraim wrth eilunod;
gadawer iddo.
18 Cwmni o feddwon wedi ymollwng i
buteindra!
Syrthiodd ei arweinwyr mewn cariad â
gwarth.
19 Clymodd y gwynt hwy ng yn ei
adenydd,
a chywilyddiant oherwydd eu
hallorau.

Barn ar Israel

5 "Clywch hyn, offeiriaid;
gwrandewch, dŷ Israel;
daliwch sylw, dylwyth y brenin.
Arnoch chwi y daw'r farn,
am i chwi fod yn fagl yn Mispa ac yn
rhwyd wedi ei thaenu ar Tabor;
2 gwnaethant bwll Sittim h yn ddwfn.
Ond fe gosbaf fi bawb ohonynt.

3 "Adwaenais Effraim, ac ni chuddiodd
Israel ei hun oddi wrthyf;
ond yn awr, O Effraim, fe buteiniaist,
ac fe'i halogodd Israel ei hun.
4 Ni chaniatâ eu gweithredoedd iddynt
droi at eu Duw,
am fod ysbryd puteindra o'u mewn, ac
nad adwaenant yr ARGLWYDD."

---

g Felly Groeg. Hebraeg, *y mae dy bobl fel rhai'n dadlau ag offeiriad.*
ng Hebraeg, *hi.*   h Tebygol. Hebraeg yn ansicr.

Rhybudd rhag Eilunaddoliaeth

[5] Y mae balchder Israel yn tystio yn eu
herbyn;
syrth Israel ac Effraim trwy eu
camwedd,
syrth Jwda hefyd gyda hwy.
[6] Ânt gyda'u defaid a'u gwartheg i
geisio'r ARGLWYDD,
ond heb ei gael—ciliodd oddi wrthynt.

[7] Buont dwyllodrus i'r ARGLWYDD, gan
iddynt eni plant anghyfreithlon.
Yn awr, fe ddifa'r gorthrymydd[i] eu
rhandiroedd.

Rhyfel rhwng Jwda ac Israel

[8] "Canwch gorn yn Gibea ac utgorn yn
Rama;
rhowch floedd yn Beth-awen; i'r gad,
Benjamin!
[9] Bydd Effraim yn anrhaith yn nydd y
cosbi;
mynegaf yr hyn sydd sicr ymysg
llwythau Israel.
[10] Y mae tywysogion Jwda fel rhai sy'n
symud terfyn;
bwriaf fy llid arnynt fel dyfroedd.
[11] Gorthrymwyd Effraim, fe'i drylliwyd
trwy farn,
oherwydd iddo ddewis dilyn
gwagedd[l].
[12] Byddaf fel dolur crawnllyd i Effraim,
ac fel cancr i dŷ Jwda.

[13] "Pan welodd Effraim ei glefyd a Jwda
ei ddoluriau,
aeth Effraim at Asyria ac anfonodd at
frenin mawr[ll];
ond ni all ef eich gwella na'ch iacháu
o'ch doluriau.
[14] Oherwydd yr wyf fi fel llew i Effraim,
ac fel cenau llew i dŷ Jwda;
myfi, ie myfi, a larpiaf, ac af ymaith;
cipiaf, ac ni bydd gwaredydd.

[15] "Dychwelaf drachefn i'm lle, nes
iddynt weld eu bai,
a chwilio amdanaf, a'm ceisio yn eu
hadfyd."

Edifeirwch Ffuantus

6 "Dewch, dychwelwn drachefn
at yr ARGLWYDD;
fe'n drylliodd, ac fe'n hiachâ;

fe'n trawodd, ac fe'n meddyginiaetha.
[2] Fe'n hadfywia ar ôl deuddydd,
a'n codi ar y trydydd dydd, inni fyw yn
ei ŵydd.
[3] Gadewch inni adnabod, ymdrechu i
adnabod, yr ARGLWYDD;
y mae ei ddyfodiad mor sicr â'r wawr;
daw fel glaw atom, fel glaw gwanwyn
sy'n dyfrhau'r ddaear."

[4] "Beth a wnaf i ti, Effraim? Beth a
wnaf i ti, Jwda?
Y mae dy ffyddlondeb fel tarth y bore,
fel gwlith sy'n codi'n gynnar.
[5] Am hynny, fe'u drylliais trwy'r
proffwydi,
fe'u lleddais â geiriau fy ngenau,
a daw fy marn allan fel goleuni.
[6] Oherwydd ffyddlondeb a geisiaf, ac
nid aberth,
gwybodaeth o Dduw yn hytrach nag
offrymau.
[7] Yn[m] Adma torasant gyfamod,
yno buont dwyllodrus tuag ataf.
[8] Dinas drwgweithredwyr yw Gilead,
wedi ei thrybaeddu â gwaed.
[9] Fel y bydd lladron yn disgwyl am ŵr,
felly'r ymunodd yr offeiriaid yn fintai;
byddant yn lladd ar y ffordd i Sichem,
yn wir, yn gwneud anfadwaith.
[10] Yng nghysegr Israel gwelais beth
erchyll;
yno y mae puteindra Effraim, ac yr
halogodd Israel ei hun.
[11] I tithau hefyd, Jwda, paratowyd
cynhaeaf.

7 "Pan ddymunaf adfer llwyddiant fy
mhobl ac iacháu Israel,
datguddir camwedd Effraim a drygioni
Samaria,
oherwydd y maent yn ymddwyn yn
ffals;
y mae lleidr yn torri i mewn, ysbeiliwr
yn anrheithio ar y stryd.
[2] Nid ydynt yn ystyried fy mod yn
cofio'u holl ddrygioni;
y mae eu gweithredoedd yn gylch o'u
cwmpas,
y maent yn awr ger fy mron.
[3] Y maent yn llawenychu'r brenin â'u
drygioni,
a'r tywysogion â'u celwyddau.
[4] Y mae pawb ohonynt yn wyllt[n] fel

---

[i] Tebygol. Hebraeg, *lleuad newydd.*
[ll] Hebraeg, *Jareb.*   [m] Hebraeg, *Fel.*

[l] Cymh. Groeg a Syrieg. Hebraeg, *gorchymyn.*
[n] Hebraeg, *yn buteiniaid.*

ffwrn a daniwyd gan bobydd,
nad oes angen ei chyffwrdd o dyliniad
y toes nes iddo godi.
[5] Ar ddydd gŵyl ein brenin clafychodd y
tywysogion gan effaith gwin;
estynnodd yntau ei law gyda'r
gwatwarwyr.
[6] Fel ffwrn y mae° eu calon yn llosgi gan
ddichell;
ar hyd y nos bydd eu dicter yn mud
losgi;
yn y bore bydd yn cynnau fel fflamau
tân.
[7] Y mae pawb ohonynt yn boeth fel
ffwrn, ac ysant eu barnwyr;
syrthiodd eu holl frenhinoedd, ac ni
eilw yr un ohonynt arnaf.

Israel a'r Cenhedloedd

[8] "Y mae Effraim wedi ymgymysgu â'r
cenhedloedd;
y mae Effraim fel teisen heb ei throi.
[9] Y mae estroniaid yn ysu ei nerth, ac
yntau heb wybod;
lledodd penwynni drosto, ac yntau heb
wybod.
[10] Y mae balchder Israel yn tystio yn ei
erbyn;
eto ni ddychwelant at yr ARGLWYDD eu
Duw,
ac ni cheisiant ef, er hyn i gyd.

[11] "Y mae Effraim fel colomen,
yn ffôl a diddeall;
galwant ar yr Aifft, ânt i Asyria.
[12] Fel yr ânt, lledaf fy rhwyd drostynt,
a'u dwyn i lawr fel adar yr awyr;
fe'u cosbaf fel rhybudd cyhoeddus.
[13] Gwae hwy am grwydro oddi wrthyf!
Distryw arnynt am wrthryfela yn
f'erbyn!
Gwaredwn hwy, ond dywedant
gelwydd amdanaf.

[14] "Ni lefant o galon arnaf, ond dolefant
ar eu gwelyau;
am ŷd a gwin fe'u drylliant eu hunain,
gwrthryfelant yn f'erbyn.
[15] Er i mi eu dysgu a nerthu eu breichiau,
eto dyfeisiant ddrwg yn f'erbyn.
[16] Trônt yn ôl heb lwyddoᵖ; y maent fel
bwa twyllodrus;
syrth eu penaethiaid trwy'r cleddyf
oherwydd dichell eu tafodau.
Dyma'u dirmyg yng ngwlad yr Aifft.

Condemnio Eilunaddoliaeth Israel

8 "At dy wefus â'r utgorn!
Y mae un tebyg i fwltur yn erbyn tŷ'r
ARGLWYDD,
am iddynt dorri fy nghyfamod
a gwrthryfela yn erbyn fy nghyfraith.
[2] Llefant arnaf, 'O Dduw, yr ydym ni,
Israel, yn dy adnabod.'
[3] Ffieiddiodd Israel ddaioni;
bydd gelyn yn ei ymlid yntau.

[4] "Gwnaethant frenhinoedd, ond nid
trwof fi;
gwnaethant dywysogion, nad oeddwn
yn eu hadnabod.
Â'u harian a'u haur gwnaethant iddynt
eu hunain ddelwau,
a hynny er distryw.
[5] Ffieiddiaisᵖʰ dy lo, Samaria;
cyneuodd fy llid yn ei erbyn.
Pa hyd y methant ymlanhau yn
Israel?ʳ
[6] Crefftwr a'i gwnaeth;
nid yw'n dduw.
Dryllir llo Samaria yn chwilfriw.

[7] "Canys y maent yn hau gwynt,
ac yn medi corwynt.
Y mae'r corsennau ŷd heb rawn,
ni rônt flawd;
pe rhoent, estroniaid a'i llyncai.
[8] Llyncwyd Israel;
y mae eisoes ymysg y cenhedloedd
fel llestr diwerth.
[9] Aethant i fyny at Asyria,
fel asyn gwyllt ar ddisberod.
Bargeiniodd Effraim am gariadau;
[10] er iddynt fargeinio ymysg y
cenhedloedd,
fe'u casglaf yn awr,
wedi iddynt am ychydig wingo dan y
baich, yn frenin a thywysogion.

[11] "Amlhaodd Effraim allorau; aethant
yn bechod iddo,
allorau pechod.
[12] Er i mi ysgrifennu fy neddfau iddo
fyrddiwn o weithiau,
fe'u hystyrir fel peth dieithr.
[13] Carant aberthau;ʳʰ
aberthant gig a'i fwyta;
ond nid yw'r ARGLWYDD yn fodlon
arnynt.
Yn awr fe gofia eu drygioni,
a chosbi eu pechodau;

°Cymh. Groeg. Hebraeg, *y dygasant yn agos.*
ᵖHebraeg yn ansicr. ᵖʰHebraeg, *Ffieiddiodd*
ʳFelly Groeg. Hebraeg yn ansicr. ʳʰTebygol. Hebraeg yn ansicr.

dychwelant i'r Aifft.
[14] Canys anghofiodd Israel ei
    wneuthurwr,
ac adeiladodd balasau;
lluosogodd Jwda ddinasoedd caerog;
ond anfonaf dân ar ei ddinasoedd
ac fe ysa ei amddiffynfeydd.''

Cyhoeddi Cosb ar Israel

9 Paid â llawenychu, Israel.
    Paid â gorfoleddu[s] fel y bobloedd;
canys puteiniaist a gadael dy Dduw,
ceraist am dâl ar bob llawr dyrnu.
[2] Ni fydd llawr dyrnu a gwinwryf yn eu
    porthi hwy;
bydd y gwin newydd yn eu siomi.
[3] Nid arhosant yn nhir yr ARGLWYDD;
ond dychwel Effraim i'r Aifft,
a bwytânt beth aflan yn Asyria.
[4] Ni thywalltant win yn offrwm i'r
    ARGLWYDD,
ac ni fodlonir ef â'u haberthau;
byddant iddynt fel bara galarwyr,
sy'n halogi pawb sy'n ei fwyta.
Canys at eu hangen eu hunain y bydd
    eu bara,
ac ni ddaw i dŷ'r ARGLWYDD.

[5] Beth a wnewch ar ddydd yr ŵyl
    sefydlog,
neu ar ddydd uchel-ŵyl yr
    ARGLWYDD?

[6] Canys wele, ffoant rhag dinistr;
bydd yr Aifft yn eu casglu,
a Memffis yn eu claddu;
bydd danadl yn meddiannu eu heiddo
    teg,
a drain fydd yn eu pebyll.

[7] Daeth dyddiau cosbi,
dyddiau i dalu'r pwyth,
a darostyngir Israel.
Ffŵl yw'r proffwyd,
gwallgof yw gŵr yr ysbryd,
o achos dy ddrygioni mawr
a maint dy elyniaeth.
[8] Y mae'r proffwyd, gwyliedydd
    Effraim, pobl fy Nuw,
yn fagl heliwr ar eu holl ffyrdd
ac yn elyniaeth yn nhŷ eu Duw.
[9] Syrthiasant yn ddwfn i lygredd,
fel yn nyddiau Gibea.
Fe gofia Duw eu drygioni
a chosbi eu pechodau.

Pechod Israel a'i Ganlyniadau

[10] "Fel grawnwin yn yr anialwch y cefais
    hyd i Israel;
fel blaenffrwyth ar ffigysbren newydd
    y gwelais eich tadau.
Ond aethant i Baal-peor,
a'u rhoi eu hunain i warth eilun;
ac aethant mor ffiaidd â gwrthrych eu
    serch.
[11] Bydd gogoniant Effraim yn ehedeg
    ymaith fel aderyn;
ni bydd na geni, na chario plant na
    beichiogi.
[12] Pe magent blant,
fe'u gwnawn yn llwyr amddifad.
Gwae hwy pan ymadawaf oddi
    wrthynt!
[13] Yn ôl a welais, bydd Effraim yn
    gwneud ei feibion yn ysglyfaeth,[t]
ac yn dwyn ei blant allan i'r lladdfa.''
[14] Dyro iddynt, ARGLWYDD—
    beth a roddi?
Dyro iddynt groth yn erthylu,
a bronnau hysbion.

[15] "Yn Gilgal y mae eu holl ddrygioni;
yno'n wir y rhois fy nghas arnynt.
O herwydd eu gweithredoedd
    drygionus,
gyrraf hwy allan o'm tŷ.
Ni charaf hwy mwyach;
gwrthryfelwyr yw eu holl dywysogion.

[16] "Trawyd Effraim.
Sychodd eu gwraidd;
ni ddygant ffrwyth.
Er iddynt eni plant,
lladdaf anwyliaid eu crothau.''

[17] Bydd fy Nuw yn eu gwrthod,
am iddynt beidio â gwrando arno;
byddant yn grwydriaid ymysg y
    cenhedloedd.

Cosb Duw ar Israel

10 Gwinwydden doreithiog[th] yw
    Israel,
a'i ffrwyth yr un fath â hi.
Fel yr amlhaodd ei ffrwyth,
amlhaodd yntau allorau;
fel y daeth ei dir yn well,
gwnaeth yntau ei golofnau yn well.
[2] Aeth eu calon yn ffals,
ac yn awr y maent yn euog.

---

[s] Felly Groeg. Hebraeg, *Hyd orfoledd*.   [t] Hebraeg yn ansicr.   [th] Neu, *wael*.

Dryllia ef eu hallorau,
a difetha'u colofnau.

³Yn awr y maent yn dweud,
"Nid oes inni frenin;
nid ydym yn ofni'r ARGLWYDD,
a pha beth a wnâi brenin i ni?"
⁴Llefaru geiriau y maent,
a gwneud cyfamod â llwon ffals.
Y mae barn yn codi fel chwyn
     gwenwynllyd
yn rhychau'r maes.
⁵Y mae trigolion Samaria yn crynu o
     achos llo ᵘ Beth-afen.
Y mae ei bobl yn galaru amdano,
a'i eilun-offeiriaid yn wylofain ʷ
     amdano,
am i'w ogoniant ymadael oddi wrtho.
⁶Fe'i dygir ef i Asyria,
yn anrheg i frenin mawr ʸ.
Gwneir Effraim yn warth
a chywilyddia Israel oherwydd ei
     eilun ᵃ.

⁷Y mae brenin Samaria yn gyffelyb i
     frigyn ar wyneb dyfroedd.
⁸Distrywir uchelfeydd Beth-afen,
     pechod Israel;
tyf drain a mieri ar eu hallorau;
a dywedant wrth y mynyddoedd,
     "Cuddiwch ni",
ac wrth y bryniau, "Syrthiwch
     arnom".

⁹"Er dyddiau Gibea pechaist, O Israel;
yno y safant—oni ddaw rhyfel ar y
     gwrthryfelwyr yn Gibea?
¹⁰Dof i'w cosbi,
a chasglu pobloedd yn eu herbyn,
pan gaethiwir hwy am eu drygioni
     deublyg.

¹¹"Anner wedi ei dofi yw Effraim;
y mae'n hoff o ddyrnu;
gosodaf iau ar ei gwar deg,
a rhof Effraim mewn harnais;
bydd Jwda yn aredig,
a Jacob yn llyfnu iddo.
¹²Heuwch mewn cyfiawnder,
medwch yn ôl tegwch,
triniwch i chwi fraenar;
y mae'n bryd ceisio'r ARGLWYDD,
iddo ddod a glawio cyfiawnder arnoch.

¹³"Buoch yn aredig drygioni,
yn medi anghyfiawnder,
ac yn bwyta ffrwyth celwydd.

"Am iti ymddiried yn dy ffordd,
ac yn nifer dy ryfelwyr,
¹⁴fe gwyd terfysg ymysg dy bobl,
a dinistrir dy holl amddiffynfeydd,
fel y dinistriwyd Beth-arbel gan
     Salman yn nydd rhyfel,
a dryllio'r fam gyda'i phlant.
¹⁵Felly y gwneir i chwi, Bethel,
oherwydd eich drygioni mawr;
gyda'r wawr torrir brenin Israel i
     lawr."

Cariad Duw at ei Bobl Wrthryfelgar

11 "Pan oedd Israel yn fachgen
     fe'i cerais,
ac o'r Aifft y gelwais fy mab.
²Fel y galwn arnynt, aent ymaith oddi
     wrthyf ᵇ;
aberthent i Baal ac arogldarthu i
     eilunod.

³"Myfi a fu'n dysgu Effraim i gerdded,
a'u cymryd erbyn eu breichiau;
ond ni fynnent gydnabod mai myfi
     oedd yn eu nerthu.
⁴Tywysais hwy â rheffynnau tirion
ac â rhwymau caredig;
bûm iddynt fel un yn codi'r iau, yn
     llacio'r ffrwyn ᶜ,
ac yn plygu atynt i'w porthi.
⁵"Ni ddychwelant i wlad yr Aifft,
ond Asyria fydd yn frenin arnynt,
am iddynt wrthod dychwelyd ataf.
⁶Chwyrlïa cleddyf yn erbyn eu
     dinasoedd,
a difa pyst eu pyrth
a'u difetha yn eu cynllwynion.
⁷Y mae fy mhobl ar fwriad i gilio oddi
     wrthyf;
er iddynt alw ar dduw goruchel,
ni fydd yn eu dyrchafu o gwbl.

⁸"Pa fodd y'th roddaf i fyny, Effraim,
a'th roi ymaith, Israel?
Pa fodd y'th wnaf fel Adma,
a'th osod fel Seboim?
Newidiodd fy meddwl ynof;
enynnodd fy nhosturi hefyd.
⁹Ni chyflawnaf angerdd fy llid,

ᵘHebraeg, *lloi*.   ʷHebraeg, *gorfoleddu*.
ʸHebraeg, *i frenin Jareb*. Neu, *i frenin a ymryson*.
ᵇFelly Groeg. Hebraeg, *Fel y galwent...oddi wrthynt*.

ᵃHebraeg, *ei gyngor*.
ᶜHebraeg yn ansicr.

ni ddinistriaf Effraim eto;
canys Duw wyf fi, ac nid dyn,
y Sanct yn dy ganol;
ac ni ddof i ddinistrio ᶜʰ.

¹⁰ "Ânt ar ôl yr ARGLWYDD; fe rua fel
    llew.

Pan rua ef, daw ei feibion gan frysio
    o'r gorllewin;
¹¹ dônt ar frys fel aderyn o'r Aifft,
ac fel colomen o wlad Asyria,
a gosodaf hwy eto yn eu cartrefi,"
    medd yr ARGLWYDD.
¹²* Amgylchodd Effraim fi â chelwydd,
a thŷ Israel â thwyll;
ond y mae Jwda'n ymwneud â Duw,
ac yn ffyddlon i'r Sanct.

Condemnio Israel a Jwda

12 Y mae Effraim yn bugeilio gwynt,
    ac yn dilyn gwynt y dwyrain trwy'r
    dydd;
amlhânt dwyll a thrais;
gwnânt gytundeb ag Asyria,
a dygant olew i'r Aifft.

² Y mae gan yr ARGLWYDD achos yn
    erbyn Jwda;
fe gosba Jacob yn ôl ei ffyrdd,
a thalu iddo yn ôl ei weithredoedd.
³ Yn y groth gafaelodd yn sawdl ei
    frawd,
ac wedi iddo dyfu ymdrechodd â Duw.

⁴ Ymdrechodd â'r angel a gorchfygu;
wylodd a cheisiodd ei ffafr.
Ym Methel y cafodd ef,
a siarad yno ag efᵈ—
⁵ ARGLWYDD Dduw y Lluoedd,
yr ARGLWYDD yw ei enw.
⁶ A thithau, trwy nerth dy Dduw,
    dychwel,
cadw deyrngarwch a barn,
a disgwyl wrth dy Dduw bob amser.

⁷ Y mae masnachwr ᵈᵈ a chanddo
    gloriannau twyllodrus
yn caru gorthrymu.
⁸ Dywedodd Effraim, "Yn wir, 'rwy'n
    gyfoethog,
ac enillais olud;
yn fy holl enillion ni cheir
nac anwiredd na phechod."
⁹ "Myfi yw'r ARGLWYDD dy Dduw,
a'th ddygodd o wlad yr Aifft;

gwnaf iti eto drigo mewn pebyll,
fel yn nyddiau'r ŵyl sefydlog.

¹⁰ "Lleferais wrth y proffwydi;
ac amlheais weledigaethau
a dangos gwers trwy'r proffwydi.
¹¹ Am fod eilunod yn Gilead,
pethau cwbl ddiddim;
am fod aberthu teirw yn Gilgal,
bydd eu hallorau fel pentyrrau cerrig
ar rychau'r meysydd."
¹² Ffodd Jacob i dir Aram;
gwasanaethodd Israel am wraig;
am wraig y cadwodd ddefaid.
¹³ Trwy broffwyd y dygodd yr
    ARGLWYDD Israel o'r Aifft,
a thrwy broffwyd y cadwyd ef.
¹⁴ Cythruddodd Effraim yn chwerw,
a bydd i'w Arglwydd ei adael yn ei
    euogrwydd,
a throi ei waradwydd yn ôl arno.

Barn Derfynol ar Israel

13 Pan lefarai Effraim byddai
    dychryn;
yr oedd yn ddyrchafedig yn Israel;
ond pan bechodd gyda Baal, bu farw.
² Ac yn awr y maent yn pechu mwy;
gwnânt iddynt eu hunain ddelwau
    tawdd,
eilunod cywrain o arian,
y cyfan yn waith crefftwyr.
"Aberthwch ᵉ i'r rhai hyn," meddant.
Dynion yn cusanu lloi!
³ Felly byddant fel tarth y bore,
ac fel gwlith yn codi'n gyflym,
fel us yn chwyrlïo o'r llawr dyrnu,
ac fel mwg trwy hollt.

⁴ "Myfi yw'r ARGLWYDD dy Dduw,
a'th ddygodd o wlad yr Aifft;
nid adwaenit Dduw heblaw myfi,
ac nid oedd achubydd ond myfi.
⁵ Gofelais amdanat yn yr anialwch,
yn nhir sychder.
⁶ Dan fy ngofal cawsant ddigon;
fe'u llanwyd, a dyrchafodd eu calon;
felly yr anghofiwyd fi.
⁷ Minnau, byddaf fel llew iddynt;
llechaf fel llewpart ar ymyl y llwybr.
⁸ Syrthiaf arnynt fel arth wedi colli ei
    chenawon,
rhwygaf gnawd eu mynwes,
ac yno traflyncaf hwy fel llew,
fel y llarpia anifail gwyllt hwy.

ᶜʰ Hebraeg, *i'r ddinas.*   *Hebraeg, 12:1.
ᵈᵈ Neu, *Canaanead.*   ᵉ Hebraeg, *Aberthwyr.*

ᵈ Felly Groeg. Hebraeg, *â ni.*

⁹"Os dinistriaf di, O Israel,
pwy fydd dy gynorthwywr?
¹⁰Ble yn awr mae dy frenin, i'th achub
yn dy holl ddinasoedd,
a'th farnwyr, y dywedaist amdanynt,
'Dyro inni frenin a thywysogion'?
¹¹Rhoddais iti frenin yn fy nig,
ac fe'i dygais ymaith yn fy
nghynddaredd.
¹²Rhwymwyd drygioni Effraim,
a storiwyd ei bechod.
¹³Pan ddaw poenau esgor,
am mai plentyn anghall ydyw,
ni esyd ei hun yn yr amser
ym man yr esgor.

¹⁴"A waredaf hwy o Sheol?
A achubaf hwy rhag angau?
O angau, ble mae dy blâu?
O Sheol, ble mae dy ddinistr?ᶠ
Cuddiwyd trugareddᶠᶠ oddi wrth fy
llygaid.

¹⁵"Yn wir yr oedd yn dwyn ffrwyth
ymysg brodyr,
ond daw dwyreinwynt, gwynt yr
ARGLWYDD,
yn codi o'r anialwch;
â ei ffynnon yn hesb,
a sychir ei bydew;
dinoetha ei drysordy
o'i holl ddarnau gwerthfawr.
¹⁶*Bydd Samaria yn euog,
am iddi wrthryfela yn erbyn ei Duw;
syrthiant wrth y cleddyf,
dryllir eu rhai bychain yn chwilfriw,
a rhwygir eu rhai beichiog yn agored."

Apêl Hosea at Israel

14 Dychwel, Israel, at yr ARGLWYDD
dy Dduw,
canys syrthiaist oherwydd dy
ddrygioni.

²Cymerwch eiriau gyda chwi,
a dychwelwch at yr ARGLWYDD;
dywedwch wrtho, "Maddau'r holl
ddrygioni,
derbyn ddaioni, a rhown i ti ffrwythᵍ
ein gwefusau.
³Ni all Asyria ein hachub,
ac ni farchogwn ar geffylau;
ac wrth waith ein dwylo
ni ddywedwn eto, 'Ein Duw'.
Ynot ti y caiff yr amddifad
drugaredd."

Ymateb Duw

⁴"Iachâf eu hanffyddlondeb;
fe'u caraf o'm bodd,
oherwydd trodd fy llid oddi wrthynt.
⁵Byddaf fel gwlith i Israel;
blodeua fel lili
a lleda'i wraidd fel pren poplysⁿᵍ.
⁶Lleda'i flagur,
a bydd ei brydferthwch fel yr
olewydden,
a'i arogl fel Lebanon.
⁷Dychwelant a thrigo yn fy nghysgodʰ;
cynhyrchant ŷd,
ffrwythant fel y winwydden,
bydd eu harogl fel gwin Lebanon.

⁸"Beth sydd a wnelo Effraim mwy ag
eilunod?
Myfi sydd yn ei ateb ac yn ei arwain yn
gywir.
Yr wyf fi fel cypreswydden ddeiliog;
oddi wrthyf y daw dy ffrwyth."

⁹Pwy bynnag sydd ddoeth, dealled hyn;
pwy bynnag sydd ddeallgar,
gwybydded.
Oherwydd y mae ffyrdd yr ARGLWYDD
yn gywir;
rhodia'r cyfiawn ynddynt,
ond meglir y drygionus ynddynt.

ᶠFelly'r Groeg a'r Syrieg. Hebraeg yn amwys.　　ᶠᶠNeu, dialedd.　　*Hebraeg, 14:1.
ᵍFelly Groeg a Syrieg. Hebraeg, loi.　　ⁿᵍHebraeg, fel Lebanon.　　ʰHebraeg, ei gysgod.

LLYFR
JOEL

Locustiaid yn Ymosod

1 Gair yr ARGLWYDD, a ddaeth at Joel fab Pethuel.
² Clywch hyn, henuriaid,
gwrandewch, holl drigolion y wlad.
A ddigwyddodd peth fel hyn yn eich
dyddiau chwi,
neu yn nyddiau eich tadau?
³ Dywedwch am hyn wrth eich plant,
a dyweded eich plant wrth eu plant,
a'u plant hwythau wrth genhedlaeth
arall.

⁴ Yr hyn a adawodd y cyw locust,
fe'i bwytaodd y locust sydd ar ei
dyfiant;
yr hyn a adawodd y locust ar ei dyfiant
fe'i bwytaodd y locust mawr;
a'r hyn a adawodd y locust mawr,
fe'i bwytaodd y locust difaol.

⁵ Deffrowch feddwon, ac wylwch;
galarwch, bob yfwr gwin,
am y gwin newydd a dorrwyd ymaith
o'ch genau.

⁶ Oherwydd goresgynnodd cenedl fy
nhir,
a honno'n un gref a dirifedi;
dannedd llew yw ei dannedd,
ac y mae ganddi gilddannedd llewes.
⁷ Maluriodd fy ngwinwydd,
a darnio fy nghoed ffigys;
rhwygodd ymaith y rhisgl yn llwyr,
ac aeth y cangau'n wyn.

⁸ Galara di fel gwraig ifanc yn gwisgo
sachliain
am briod ei hieuenctid.
⁹ Pallodd y bwydoffrwm a'r diodoffrwm
yn nhŷ'r ARGLWYDD;
y mae'r offeiriaid, gweinidogion yr
ARGLWYDD, yn galaru.
¹⁰ Anrheithiwyd y tir,
y mae'r ddaear yn galaru,
oherwydd i'r grawn gael ei ddifa,

ac i'r gwin ballu,
ac i'r olew sychu.

¹¹ Safwch mewn braw, amaethwyr,
galarwch, winwyddwyr,
am y gwenith a'r haidd;
oherwydd difawyd cynhaeaf y maes.
¹² Gwywodd y winwydden,
a deifiwyd y ffigysbren.
Y prennau pomgranad, y palmwydd
a'r coed afalau —
y mae holl brennau'r maes wedi
gwywo.
A diflannodd llawenydd cynhaeaf o
blith meibion dynion.

Galwad i Edifeirwch

¹³ Gwisgwch ddillad galar, offeiriaid,
codwch gwynfan, weinidogion yr allor.
Ewch i dreulio'r nos mewn sachliain,
weinidogion fy Nuw,
oherwydd i'r bwydoffrwm a'r
diodoffrwm
gael eu hatal o dŷ eich Duw.
¹⁴ Cyhoeddwch ympryd,
galwch gymanfa.
Chwi henuriaid, cynullwch
holl drigolion y wlad
i dŷ'r ARGLWYDD eich Duw,
a llefwch ar yr ARGLWYDD.

¹⁵ Och y fath ddiwrnod!
Oherwydd y mae dydd yr ARGLWYDD
yn agos;
daw fel dinistr oddi wrth yr
Hollalluog.
¹⁶ Oni ddiflannodd y bwyd o flaen ein
llygaid,
a dedwyddwch a llawenydd o dŷ ein
Duw?

¹⁷ Y mae'r had yn crebachu
o dan y tywyrch,
yr ysgubor wedi ei chwalu
a'r granar yn adfeilion,
am i'r grawn fethu.
¹⁸ Y fath alar gan yr anifeiliaid!

Y mae'r gyrroedd gwartheg mewn
dryswch
am eu bod heb borfa;
ac y mae'r diadelloedd defaid yn
darfod.

¹⁹Arnat ti, ARGLWYDD, yr wyf yn llefain,
oherwydd difaodd tân borfeydd yr
anialwch,
a llosgodd fflam holl goed y maes.
²⁰Y mae'r anifeiliaid gwylltion yn llefain
arnat,
oherwydd sychodd y nentydd
a difaodd tân borfeydd yr anialwch.

Rhybudd am Ddydd
yr ARGLWYDD

2 Canwch utgorn yn Seion,
bloeddiwch ar fy mynydd sanctaidd.
Cryned holl drigolion y wlad
am fod dydd yr ARGLWYDD yn dyfod;
y mae yn agos—
²dydd o dywyllwch ac o gaddug,
dydd o gymylau ac o ddüwch.
Fel cysgod yn ymdaenu dros y
mynyddoedd,
wele luoedd mawr a chryf;
ni fu eu bath erioed,
ac ni fydd ar eu hôl ychwaith
am flynyddoedd dirifedi.

³Ysa tân o'u blaen
a llysg fflam ar eu hôl.
Y mae'r wlad o'u blaen fel gardd
Eden,
ond ar eu hôl yn anialwch diffaith,
ac ni ddianc dim rhagddynt.

⁴Y maent yn ymddangos fel ceffylau,
ac yn carlamu fel meirch rhyfel.
⁵Fel torf o gerbydau
neidiant ar bennau'r mynyddoedd;
fel sŵn fflamau tân yn ysu sofl,
fel byddin gref yn barod i ryfel.
⁶Arswyda'r cenhedloedd rhagddynt,
a gwelwa pob wyneb.
⁷Rhuthrant fel milwyr,
dringant y mur fel rhyfelwyr;
cerdda pob un yn ei flaen
heb wyro ᵃ o'i reng.
⁸Ni wthiant ar draws ei gilydd,
dilyn pob un ei lwybr ei hun;
er y saethau, ymosodant
ac ni ellir eu hatal ᵇ.
⁹Rhuthrant yn erbyn y ddinas,
rhedant dros ei muriau,

dringant i fyny i'r tai,
ânt i mewn trwy'r ffenestri fel lladron.
¹⁰Ysgwyd y ddaear o'u blaen
a chryna'r nefoedd.
Bydd yr haul a'r lleuad yn tywyllu
a'r sêr yn atal eu goleuni.
¹¹Cwyd yr ARGLWYDD ei lef ar flaen ei
fyddin;
y mae ei lu yn fawr iawn,
a'r un sy'n cyflawni ei air yn gryf.
Oherwydd mawr yw dydd yr
ARGLWYDD,
ac ofnadwy, a phwy a'i deil?

Galwad i Ddychwelyd at Dduw

¹²"Yn awr," medd yr ARGLWYDD,
"dychwelwch ataf â'ch holl galon,
ag ympryd, wylofain a galar.
¹³Rhwygwch eich calon, nid eich dillad,
a dychwelwch at yr ARGLWYDD eich
Duw."
Graslon a thrugarog yw ef,
araf i ddigio, a mawr ei ffyddlondeb,
ac yn gofidio am ddrwg.
¹⁴Pwy a ŵyr na thry a thosturio,
a gadael bendith ar ei ôl—
bwydoffrwm a diodofffrwm i'r
ARGLWYDD eich Duw?

¹⁵Canwch utgorn yn Seion,
cyhoeddwch ympryd,
galwch gymanfa,
¹⁶cynullwch y bobl.
Neilltuwch y gynulleidfa,
cynullwch yr henuriaid,
casglwch y plant,
hyd yn oed y babanod.
Doed y priodfab o'i ystafell
a'r briodferch o'i siambr.
¹⁷Rhwng y porth a'r allor
wyled yr offeiriaid, gweinidogion yr
ARGLWYDD,
a dweud, "Arbed dy bobl, O
ARGLWYDD.
Paid â gwneud dy etifeddiaeth yn
warth
ac yn gyff gwawd ymysg y
cenhedloedd.
Pam y dywedir ymysg y bobloedd,
'Ple mae eu Duw?'"

Duw yn Ateb Gweddi'r Bobl

¹⁸Yna aeth yr ARGLWYDD yn
eiddigeddus dros ei dir,
a thrugarhau wrth ei bobl.

ᵃ Felly Fersiynau. Hebraeg, *heb gymryd gwystl*.

ᵇ Tebygol. Hebraeg yn ansicr.

¹⁹ Atebodd yr ARGLWYDD a dweud wrth
ei bobl,
"Yr wyf yn anfon i chwi rawn a gwin
ac olew
nes eich digoni;
ac ni wnaf chwi eto'n warth ymysg y
cenhedloedd.
²⁰ Symudaf y gelyn o'r gogledd ymhell
oddi wrthych,
a'i yrru i dir sych a diffaith,
â'i reng flaen at fôr y dwyrain
a'i reng ôl at fôr y gorllewin;
bydd ei arogl drwg a'i ddrewdod yn
codi,
am iddo ymorchestu."
²¹ Paid ag ofni, ddaear;
bydd lawen a gorfoledda,
oherwydd fe wna'r ARGLWYDD ei hun
orchest.
²² Peidiwch ag ofni, anifeiliaid gwylltion,
oherwydd bydd porfeydd yr anialwch
yn wyrddlas;
bydd y coed yn dwyn ffrwyth,
a'r coed ffigys a'r gwinwydd yn rhoi eu
cnwd yn helaeth.

²³ Blant Seion, byddwch lawen,
gorfoleddwch yn yr ARGLWYDD eich
Duw;
oherwydd rhydd ef ichwi law cynnar
digonol;
fe dywallt y glawogydd ichwi,
y rhai cynnar a'r rhai diweddar fel o'r
blaen.
²⁴ Bydd y llawr-dyrnu yn llawn o ŷd
a'r cafnau yn orlawn o win ac olew.
²⁵ "Ad-dalaf ichwi am y blynyddoedd
a ddifaodd y locust ar ei dyfiant a'r
locust mawr,
y locust difaol a'r cyw locust,
fy llu mawr, a anfonais i'ch mysg.

²⁶ "Fe fwytewch yn helaeth, nes eich
digoni,
a moliannu enw'r ARGLWYDD eich
Duw,
a wnaeth ryfeddod â chwi.
Ni wneir fy mhobl yn waradwydd
mwyach.
²⁷ Cewch wybod fy mod i yng nghanol
Israel,
ac mai myfi, yr ARGLWYDD, yw eich
Duw, ac nid neb arall.
Ni wneir fy mhobl yn waradwydd
mwyach.

Dydd yr ARGLWYDD

²⁸*"Ar ôl hyn
tywalltaf fy ysbryd ar bob dyn;
bydd eich meibion a'ch merched yn
proffwydo,
bydd eich hynafgwyr yn gweld
breuddwydion,
a'ch gwŷr ifainc yn cael
gweledigaethau.
²⁹ Hyd yn oed ar y gweision a'r morynion
fe dywalltaf fy ysbryd yn y dyddiau
hynny.

³⁰ "Rhof argoelion yn y nefoedd ac ar y
ddaear,
gwaed a thân a cholofnau mwg.
³¹ Troir yr haul yn dywyllwch
a'r lleuad yn waed
cyn i ddydd mawr ac ofnadwy yr
ARGLWYDD ddod.
³² A bydd pob un sy'n galw ar enw'r
ARGLWYDD yn cael ei achub,
oherwydd ar Fynydd Seion ac yn
Jerwsalem bydd rhai dihangol,
fel y dywedodd yr ARGLWYDD,
ac ymysg y gwaredigion rai a elwir gan
yr ARGLWYDD.

Barn Duw ar y Cenhedloedd

3 * "Yn y dyddiau hynny ac ar yr amser
hwnnw,
pan adferaf lwyddiant Jwda a
Jerwsalem,
² fe gasglaf yr holl genhedloedd
a'u dwyn i ddyffryn Jehosaffat^c,
a mynd i farn â hwy yno
ynglŷn â'm pobl a'm hetifeddiaeth,
Israel,
am iddynt eu gwasgaru ymysg y
cenhedloedd
a rhannu fy nhir,
³ a bwrw coelbren am fy mhobl,
a chynnig bachgen am butain,
a gwerthu geneth am win a'i yfed.

⁴ "Beth ydych chwi i mi, Tyrus a Sidon,
a holl ranbarthau Philistia? Ai talu'n ôl i
mi yr ydych? Os talu'n ôl i mi yr ydych, fe
ddychwelaf y tâl ar eich pen chwi eich
hunain yn chwim a buan. ⁵ Yr ydych wedi
cymryd f'arian a'm haur, ac wedi dwyn fy
nhrysorau gwerthfawr i'ch temlau. ⁶ Yr
ydych wedi gwerthu pobl Jwda a
Jerwsalem i'r Groegiaid er mwyn eu
symud ymhell o'u goror. ⁷ Ond yn awr fe'u

---

*Hebraeg, 3:1.   *Hebraeg, 4:1.   ^cH.y., Yr ARGLWYDD a farna.

galwaf o'r mannau lle'u gwerthwyd, a dychwelaf eich tâl ar eich pen chwi eich hunain. [8]Gwerthaf eich bechgyn a'ch merched i feibion Jwda, a byddant hwythau'n eu gwerthu i'r Sabeaid, cenedl bell." Yr ARGLWYDD a lefarodd.

[9]"Cyhoeddwch hyn ymysg y cenhedloedd:
'Ymgysegrwch i ryfel;
galwch y gwŷr cryfion;
doed y milwyr ynghyd i ymosod.
[10]Curwch eich ceibiau'n gleddyfau
a'ch crymanau'n waywffyn;
dyweded y gwan, "'Rwy'n rhyfelwr."

[11]" 'Dewch ar frys,
chwi genhedloedd o amgylch,
ymgynullwch yno.' "
Anfon i lawr dy ryfelwyr, O
ARGLWYDD.
[12]"Bydded i'r cenhedloedd ymysgwyd
a dyfod i ddyffryn Jehosaffat[ch];
oherwydd yno'r eisteddaf mewn barn
ar yr holl genhedloedd o amgylch.

[13]"Codwch y cryman,
y mae'r cynhaeaf yn barod;
dewch i sathru,
y mae'r gwinwryf yn llawn;
y mae'r cafnau'n gorlifo,
oherwydd mawr yw eu drygioni."

Bendith Duw ar ei Bobl

[14]Tyrfa ar dyrfa
yn nyffryn y ddedfryd,

oherwydd agos yw dydd yr ARGLWYDD
yn nyffryn y ddedfryd.
[15]Bydd yr haul a'r lleuad yn tywyllu,
a'r sêr yn atal eu goleuni.
[16]Rhua'r ARGLWYDD o Seion,
a chodi ei lef o Jerwsalem;
cryna'r nefoedd a'r ddaear.
Ond y mae'r ARGLWYDD yn gysgod i'w
bobl,
ac yn noddfa i blant Israel.

[17]"Cewch wybod mai myfi yw'r
ARGLWYDD eich Duw,
yn trigo yn Seion, fy mynydd
sanctaidd.
A bydd Jerwsalem yn sanctaidd,
ac nid â dieithriaid trwyddi eto.

[18]"Yn y dydd hwnnw,
difera'r mynyddoedd win newydd,
a llifa'r bryniau o laeth,
a bydd holl nentydd Jwda yn llifo o
ddŵr.
Tardd ffynnon o dŷ'r ARGLWYDD
a dyfrhau dyffryn Sittim.

[19]"Bydd yr Aifft yn anghyfannedd
ac Edom yn anialwch diffaith,
oherwydd y gorthrwm ar feibion Jwda
wrth dywallt gwaed y dieuog yn eu
gwlad.
[20]Ond erys Jwda dros byth
a Jerwsalem dros genedlaethau.
[21]Dialaf eu gwaed, ac ni ollyngaf yr
euog[d],
a phreswylia'r ARGLWYDD yn Seion."

[ch]H.y., Yr ARGLWYDD a farna.   [d]Felly Groeg a Syrieg. Hebraeg yn ansicr.

LLYFR

AMOS

1 Geiriau Amos, un o fugeiliaid Tecoa, a gafodd weledigaeth am Israel yn nyddiau Usseia brenin Jwda, ac yn nyddiau Jeroboam fab Joas brenin Israel, ddwy flynedd cyn y daeargryn.

Geiriau Amos

2 Dywedodd,
"Rhua'r ARGLWYDD o Seion,
a chwyd ei lef o Jerwsalem;
galara porfeydd y bugeiliaid,
a gwywa pen Carmel."

Barn Duw ar y Cenhedloedd

Syria

3 Fel hyn y dywed yr ARGLWYDD:
"Am dri o droseddau Damascus,
ac am bedwar, ni throf y gosb yn ôl[a];
am iddynt ddyrnu Gilead
â llusg-ddyrnwyr haearn,
4 anfonaf dân ar dŷ Hasael,
ac fe ddifa geyrydd Benhadad.
5 Drylliaf farrau pyrth Damascus,
a thorraf ymaith y trigolion o Ddyffryn Afen,
a pherchen y deyrnwialen o Betheden;
a chaethgludir pobl Syria i Cir," medd yr ARGLWYDD.

Philistia

6 Fel hyn y dywed yr ARGLWYDD:
"Am dri o droseddau Gasa,
ac am bedwar, ni throf y gosb yn ôl;
am iddynt gaethgludo poblogaeth gyfan
i'w caethiwo yn Edom,
7 anfonaf dân ar fur Gasa,
ac fe ddifa ei cheyrydd.
8 Torraf ymaith y trigolion o Asdod,
a pherchen y deyrnwialen o Ascalon;
trof fy llaw yn erbyn Ecron,
a difodir gweddill y Philistiaid," medd yr Arglwydd DDUW.

Tyrus

9 Fel hyn y dywed yr ARGLWYDD:
"Am dri o droseddau Tyrus,
ac am bedwar, ni throf y gosb yn ôl;
am iddynt gaethgludo poblogaeth gyfan i Edom,
ac anghofio cyfamod brawdol,
10 anfonaf dân ar fur Tyrus,
ac fe ddifa ei cheyrydd."

Edom

11 Fel hyn y dywed yr ARGLWYDD:
"Am dri o droseddau Edom,
ac am bedwar, ni throf y gosb yn ôl;
am iddo ymlid ei frawd â chleddyf,
a mygu ei drugaredd,
a bod ei lid yn rhwygo'n barhaus
a'i ddigofaint yn dal am byth,
12 anfonaf dân ar Teman,
ac fe ddifa geyrydd Bosra."

Ammon

13 Fel hyn y dywed yr ARGLWYDD:
"Am dri o droseddau'r Ammoniaid,
ac am bedwar, ni throf y gosb yn ôl;
am iddynt rwygo gwragedd beichiog Gilead,
er mwyn ehangu eu terfynau,
14 cyneuaf dân ar fur Rabba,
ac fe ddifa ei cheyrydd
â bloedd ar ddydd brwydr,
a chorwynt ar ddydd tymestl.
15 A chaethgludir eu brenin,
ef a'i swyddogion i'w ganlyn," medd yr ARGLWYDD.

Moab

2 Fel hyn y dywed yr ARGLWYDD:
"Am dri o droseddau Moab,
ac am bedwar, ni throf y gosb yn ôl;
am iddo losgi'n galch esgyrn brenin Edom,
2 anfonaf dân ar Moab,
ac fe ddifa geyrydd Cerioth.
Bydd farw Moab yng nghanol terfysg,
yng nghanol banllefau a sŵn utgorn.

---

[a] Hebraeg, *ni throf ef yn ôl.* Felly hefyd yn adn. 6,9,11,13, a 2:1,4,6.

³Torraf ymaith y pennaeth o'i chanol,
a lladdaf ei holl swyddogion gydag ef,"
medd yr ARGLWYDD.

Jwda

4 Fel hyn y dywed yr ARGLWYDD:
"Am dri o droseddau Jwda,
ac am bedwar, ni throf y gosb yn ôl;
am iddynt wrthod cyfraith yr
ARGLWYDD,
a pheidio â chadw ei ddeddfau,
a'u denu ar gyfeiliorn gan y celwyddau
a ddilynwyd gan eu tadau,
⁵anfonaf dân ar Jwda,
ac fe ddifa geyrydd Jerwsalem."

Barn Duw ar Israel

6 Fel hyn y dywed yr ARGLWYDD:
"Am dri o droseddau Israel,
ac am bedwar, ni throf y gosb yn ôl;
am iddynt werthu'r cyfiawn am arian
a'r anghenog am bâr o esgidiau;
⁷am eu bod yn sathru pen y tlawd i'r
llwch
ac yn ystumio ffordd y gorthrymedig;
am fod dyn a'i dad yn mynd at yr un
llances,
er mwyn halogi fy enw sanctaidd;
⁸am eu bod yn gorwedd ar ddillad
gwystl
yn ymyl pob allor;
am eu bod yn yfed gwin y ddirwy
yn nhŷ eu Duw.

⁹"Eto, myfi a ddinistriodd yr Amoriad
o'u blaenau,
a'i uchder fel uchder cedrwydd
a'i gryfder fel y derw;
dinistriais ei ffrwyth oddi arno
a'i wreiddiau oddi tano.
¹⁰Myfi hefyd a'ch dygodd o'r Aifft,
a'ch arwain am ddeugain mlynedd yn
yr anialwch,
i feddiannu gwlad yr Amoriad.
¹¹Codais rai o'ch meibion yn broffwydi,
a rhai o'ch llanciau yn Nasareaid.
Onid fel hyn y bu, bobl Israel?" medd
yr ARGLWYDD.

¹²"Ond gwnaethoch i'r Nasareaid yfed
gwin,
a rhoesoch orchymyn i'r proffwydi,
'Peidiwch â phroffwydo.'

¹³"Wele, yr wyf am eich gwasgu i lawr,
fel y mae trol lawn ysgubau yn gwasgu.

ᵇFelly Groeg. Hebraeg, *ar fagl y ddaear.*

¹⁴Derfydd am ddihangfa i'r cyflym,
ac ni ddeil y cryf yn ei gryfder,
ac ni all y rhyfelwr ei waredu ei hun;
¹⁵ni saif y saethwr bwa;
ni all y cyflym ei droed ei achub ei hun,
na'r marchog ei waredu ei hun;
¹⁶bydd y dewraf ei galon o'r rhyfelwyr
yn ffoi yn noeth yn y dydd hwnnw,"
medd yr ARGLWYDD.

Gair yn erbyn Israel

3 Gwrandewch y gair a lefarodd yr
ARGLWYDD yn eich erbyn, bobl
Israel, yn erbyn yr holl deulu a ddygais i
fyny o'r Aifft:
²"Chwi'n unig a adwaenais
o holl deuluoedd y ddaear;
am hynny, fe'ch cosbaf chwi
am eich holl bechodau."

³A gerdda dau gyda'i gilydd
heb wneud cytundeb?
⁴A rua llew yn y goedwig
pan fydd heb ysglyfaeth?
A waedda'r cenau llew o'i ffau
pan fydd heb ddal dim?
⁵A syrth aderyn ar y ddaearᵇ
os nad oes magl iddo?
A neidia'r groglath oddi ar y ddaear
os nad yw wedi dal dim?
⁶A genir utgorn yn y ddinas
heb i'r bobl ddychryn?
A ddaw drwg i'r ddinas
heb i'r ARGLWYDD ei anfon?
⁷Ni wna'r Arglwydd DDUW ddim
heb ddangos ei fwriad i'w weision, y
proffwydi.
⁸Rhuodd y llew;
pwy nid ofna?
Llefarodd yr Arglwydd DDUW;
pwy all beidio â phroffwydo?

Tynged Samaria

⁹Cyhoeddwch wrth geyrydd Asyriaᶜ,
ac wrth geyrydd gwlad yr Aifft;
dywedwch, "Ymgynullwch ar
fynyddoedd Samaria,
ac edrych ar y terfysgoedd mawr o'i
mewn,
ac ar y gorthrymderau sydd ynddi."
¹⁰"Ni wyddant sut i wneud tegwch,"
medd yr ARGLWYDD.
"Y maent yn pentyrru trais ac ysbail
yn eu ceyrydd."
¹¹Am hynny, fel hyn y dywed yr
Arglwydd DDUW:

ᶜFelly Groeg. Hebraeg, *Asdod.*

"Daw gelyn i amgylchu'r wlad,
a bwrw i lawr dy amddiffynfeydd
ac ysbeilio dy geyrydd."

12 Fel hyn y dywed yr ARGLWYDD: "Fel
y gwareda'r bugail ddwy goes neu ddarn o
glust o safn y llew, felly o'r Israeliaid sy'n
trigo yn Samaria, gwaredir cwr o fatras
neu ddarn^{ch} o wely."

¹³ "Clywch, a thystiwch yn erbyn tŷ
    Jacob,"
medd yr Arglwydd DDUW, Duw'r
    Lluoedd.
¹⁴ "Ar y dydd y cosbaf Israel am ei
    bechodau,
fe gosbaf allorau Bethel;
torrir cyrn yr allor,
a syrthiant i'r llawr.
¹⁵ Difethaf y tŷ gaeaf a'r tŷ haf;
derfydd am y tai ifori,
a daw diwedd ar y tai mawrion," medd
    yr ARGLWYDD.

Israel Heb Ddychwelyd

4 Clywch y gair hwn, fuchod Basan,
  sydd ym mynydd Samaria,
sy'n gorthrymu'r tlawd ac yn treisio'r
    anghenus,
sy'n dweud wrth eu gwŷr, "Dewch â
    gwin, inni gael yfed":
² Tyngodd yr Arglwydd DDUW i'w
    sancteiddrwydd,
"Fe ddaw, yn wir, ddyddiau arnoch
pan ddygir chwi i ffwrdd â bachau,
a'r olaf ohonoch â bachau pysgota.
³ Ac ewch allan trwy'r bylchau,
pob un ohonoch ar ei chyfer,
ac fe'ch bwrir i Harmon," medd yr
    ARGLWYDD.

⁴ "Dewch i Fethel a throseddu,
i Gilgal a phechu fwyfwy;
dygwch eich aberthau bob bore
a'ch degymau bob tridiau;
⁵ offrymwch aberth diolch o surdoes,
cyhoeddwch aberthau gwirfodd, a
    gwnewch hwy'n hysbys;
canys hyn a hoffwch, bobl Israel,"
    medd yr Arglwydd DDUW.

⁶ "Myfi a adawodd eich dannedd yn lân
    yn eich holl ddinasoedd,
ac eisiau bara ym mhob man;
er hynny ni throesoch yn ôl ataf,"
    medd yr ARGLWYDD.

⁷ "Myfi hefyd a ataliodd y glaw oddi
    wrthych,
pan oedd eto dri mis hyd y cynhaeaf;
rhoddais law ar un ddinas,
a'i atal oddi ar un arall;
glawiodd ar un cae,
a gwywodd y cae na chafodd law;
⁸ crwydrodd dwy ddinas neu dair i un
    ddinas
i yfed dŵr, ond heb gael digon;
er hynny ni throesoch yn ôl ataf,"
    medd yr ARGLWYDD.

⁹ "Trewais chwi â malltod a llwydni;
difeais^d eich gerddi a'ch
    gwinllannoedd;
bwytaodd y locust eich coed ffigys a'ch
    olewydd;
er hynny ni throesoch yn ôl ataf,"
    medd yr ARGLWYDD.

¹⁰ "Anfonais arnoch haint fel haint yr
    Aifft;
lleddais eich llanciau â'r cleddyf,
a chaethgludo eich meirch^{dd};
gwneuthum i ddrewdod eich gwersyll
    godi i'ch ffroenau;
er hynny ni throesoch yn ôl ataf,"
    medd yr ARGLWYDD.

¹¹ "Dymchwelais chwi, fel y
    dymchwelodd Duw Sodom a
    Gomorra,
ac yr oeddech fel pentewyn wedi ei
    gipio o'r tân;
er hynny ni throesoch yn ôl ataf,"
    medd yr ARGLWYDD.

¹² "Hyn felly a wnaf i ti, Israel.
Gan fy mod am wneud hyn i ti,
bydd yn barod, Israel, i gyfarfod â'th
    Dduw."

¹³ Wele, lluniwr y mynyddoedd a chrëwr
    y gwynt,
yr un sy'n mynegi ei feddwl i ddyn,
yr un sy'n gwneud y bore'n dywyllwch,
ac yn cerdded uchelderau'r ddaear—
yr ARGLWYDD, Duw y Lluoedd, yw ei
    enw.

Galarnad am Israel

5 Clywch y gair hwn a lefaraf yn eich
  erbyn; galarnad yw, dŷ Israel:
² "Y mae'r wyryf Israel wedi syrthio,
ac ni chyfyd eto;

---
^{ch} Hebraeg yn ansicr.   ^d Hebraeg, amlder.   ^{dd} Hebraeg, gyda chaethgludiad eich meirch.

gadawyd hi ar lawr,
heb neb i'w chodi."

3 Fel hyn y dywed yr ARGLWYDD Dduw
wrth dŷ Israel:
"Y ddinas a anfonodd fil
a gaiff gant yn ôl;
a'r un a anfonodd gant
a gaiff ddeg yn ôl."

4 Fel hyn y dywed yr ARGLWYDD wrth
dŷ Israel:
"Ceisiwch fi, a byddwch fyw;
⁵peidiwch â cheisio Bethel,
nac ymweld â Gilgal,
na theithio i Beerseba;
oherwydd yn wir fe gaethgludir Gilgal,
ac ni bydd Bethel yn ddim."

⁶Ceisiwch yr ARGLWYDD, a byddwch
fyw—
rhag iddo ruthro fel tân drwy dŷ Joseff
a'i ddifa, heb neb i'w ddiffodd ym
Methel—
⁷chwi sy'n troi barn yn wermod,
ac yn taflu cyfiawnder i'r llawr.

⁸Ef a wnaeth Pleiades ac Orion;
ef sy'n troi tywyllwch yn fore,
ac yn tywyllu'r dydd yn nos.
Ef sy'n galw ar ddyfroedd y môr,
a'u tywallt ar wyneb y tir;
yr ARGLWYDD yw ei enw.
⁹Gwna i ddinistr fflachio ar y cryf,
a daw distryw ar y gaer.

¹⁰Y maent yn casáu'r un a wna farn yn y
porth,
ac yn ffieiddio'r sawl a lefara'n onest.
¹¹Felly, am ichwi sathru'r tlawd,
a chymryd oddi arno ei gyfran
gwenith—
er ichwi godi tai o gerrig nadd,
ni chewch fyw ynddynt;
er ichwi blannu gwinllannoedd hyfryd,
ni chewch yfed eu gwin.
¹²Canys gwn mor niferus yw'ch
troseddau
ac mor fawr yw'ch pechodau—
chwi, sy'n gorthrymu'r cyfiawn, yn
derbyn llwgrwobr,
ac yn troi ymaith y tlawd yn y porth.
¹³Felly tawed y doeth ar y fath amser,
canys amser drwg ydyw.

¹⁴Ceisiwch ddaioni, ac nid drygioni,
fel y byddwch fyw

ac y bydd yr ARGLWYDD, Duw'r
Lluoedd, gyda chwi,
fel yr ydych yn honni ei fod.
¹⁵Casewch ddrygioni, carwch ddaioni,
gofalwch am farn yn y porth;
efallai y trugarha'r ARGLWYDD, Duw'r
Lluoedd,
wrth weddill Joseff.

16 Am hynny, fel hyn y dywed yr
ARGLWYDD, Duw'r Lluoedd, yr Ar-
glwydd:
"Ym mhob sgwâr fe fydd wylo,
ym mhob stryd fe ddywedant, 'Och!
Och!'
Galwant ar y llafurwr i alaru
ac ar y galarwyr i gwynfan.
¹⁷Bydd wylofain ym mhob gwinllan,
oherwydd mi af trwy dy ganol," medd
yr ARGLWYDD.

Dydd yr ARGLWYDD

18 Gwae y rhai sy'n dyheu am ddydd yr
ARGLWYDD!
Beth fydd dydd yr ARGLWYDD i chwi?
Tywyllwch fydd, nid goleuni;
¹⁹fel pe bai dyn yn dianc rhag llew,
ac arth yn ei gyfarfod;
neu'n cyrraedd y tŷ a rhoi ei law ar y
pared,
a neidr yn ei frathu.
²⁰Onid tywyllwch fydd dydd yr
ARGLWYDD, ac nid goleuni;
caddug, heb lygedyn golau ynddo?

²¹"Yr wyf yn casáu, yr wyf yn ffieiddio
eich gwyliau;
nid oes imi bleser yn eich cynulliadau
crefyddol.
²²Er ichwi aberthu imi boethoffrymau a
bwydoffrymau,
ni allaf eu derbyn;
ac nid edrychaf ar eich offrymau hedd
o'ch anifeiliaid bras.
²³Ewch â sŵn eich caneuon oddi wrthyf;
ni wrandawaf ar gainc eich telynau.
²⁴Ond llifed barn fel dyfroedd
a chyfiawnder fel afon gref.

25 "A ddaethoch ag aberthau ac
offrymau i mi yn yr anialwch am ddeugain
mlynedd, dŷ Israel? ²⁶Fe gludwch ymaith
eich delwau, a wnaethoch i chwi—eich
duw Saccuth, a Caiwan eich seren-dduw—
²⁷oherwydd caethgludaf chwi y tu hwnt i
Ddamascus," medd yr ARGLWYDD; Duw'r
Lluoedd yw ei enw.

Dinistr Israel

6 Gwae y rhai sydd mewn esmwythyd
　　yn Seion,
y rhai sy'n teimlo'n ddiogel ar fynydd
　　Samaria,
gwŷr mawr y genedl bennaf,
y rhai y mae tŷ Israel yn troi atynt.
² Ewch trosodd i Calne ac edrychwch;
oddi yno ewch i Hamath fawr,
ac yna i lawr i Gath y Philistiaid.
A ydynt yn well na'ch teyrnasoedd
　　chwi?
A yw eu tiriogaeth yn fwy na'r eiddoch
　　chwi?
³ Chwi, sy'n ceisio pellhau'r dydd drwg,
ond yn dwyn teyrnasiad trais yn nes;
⁴ yn gorwedd ar welyau ifori
ac yn ymestyn ar eich matresi;
yn gwledda ar ŵyn o'r ddiadell
ac ar y lloi pasgedig;
⁵ yn canu maswedd i sain y delyn,
ac fel Dafydd yn dyfeisio offerynnau
　　cerdd;
⁶ yn yfed gwin fesul powlennaid,
ac yn eich iro'ch hunain â'r olew
　　gorau;
ond heb boeni am ddinistr Joseff!
⁷ Felly, yn awr, chwi fydd y cyntaf i'r
　　gaethglud;
derfydd am rialtwch y rhai sy'n
　　gorweddian.

⁸ Tyngodd yr Arglwydd Dduw iddo'i
　　hun
(oracl yr Arglwydd, Duw'r Lluoedd):
"Yr wyf yn ffieiddio balchder Jacob,
ac yn casáu ei geyrydd;
gadawaf y ddinas a phopeth sydd
　　ynddi."

9 Os gadewir deg dyn mewn un tŷ,
byddant farw. ¹⁰ Pan ddaw perthynas dyn,
yr un sydd i'w losgi, i'w godi a dwyn ei
gorff allan o'r tŷ, a dweud wrth un sydd
yng nghanol y tŷ, "A oes rhywun gyda
thi?" fe ddywed yntau, "Nac oes". Yna fe
ddywed, "Taw! Nid yw enw'r Arglwydd
i'w grybwyll."
¹¹ Wele, yr Arglwydd sy'n gorchymyn;
bydd yn taro'r plasty yn deilchion
a'r bwthyn yn siwrwd.
¹² A garlama meirch ar graig?
A ellir aredig môr ag ychen?
Ond troesoch chwi farn yn wenwyn,
a ffrwyth cyfiawnder yn wermod.
¹³ Llawenhau yr ydych am Lo-debar,

a dweud, "Onid trwy ein nerth ein
　　hunain
y cymerasom ni Carnaim?"
¹⁴ "Wele, yr wyf yn codi cenedl yn eich
　　erbyn, tŷ Israel,"
medd Arglwydd Dduw'r Lluoedd,
"ac fe'ch gorthrymant o Lebo-Hamath
hyd at afon yr Araba."

Gweledigaeth o Locustiaid

7 Fel hyn y dangosodd yr Arglwydd
　　Dduw i mi: dyma haid o locustiaid yn
codi ar ddechrau tyfiant yr adladd, sef y
cynhaeaf ar ôl torri cnwd y brenin. ² Pan
oeddent yn gorffen bwyta gwellt y ddaear,
dywedais,
　　"O Arglwydd Dduw, maddau!
Sut y saif Jacob,
ac yntau mor fychan?"

3 Edifarhaodd yr Arglwydd am hyn.
"Ni fydd hyn," medd yr Arglwydd.

Gweledigaeth o Dân

4 Fel hyn y dangosodd yr Arglwydd
Dduw i mi: dyma'r Arglwydd Dduw yn
galw am farn trwy dân, a hwnnw'n difa'r
dyfnder mawr, ac yn ysu'r tir hefyd. ⁵ A
dywedais,
　　"O Arglwydd Dduw, paid!
Sut y saif Jacob,
ac yntau mor fychan?"

6 Ac edifarhaodd yr Arglwydd. "Ni
fydd hyn chwaith," medd yr Arglwydd
Dduw.

Gweledigaeth o Linyn Plwm

7 Fel hyn y dangosodd i mi: dyma'r
Arglwydd yn sefyll ger mur a godwyd â
llinyn plwm, a'r llinyn plwm yn ei law. ⁸ A
dywedodd yr Arglwydd wrthyf, "Beth a
weli, Amos?" Atebais innau, "Llinyn
plwm." A dywedodd yr Arglwydd,
　　"Wele fi'n gosod llinyn plwm
yng nghanol fy mhobl Israel;
nid af heibio iddynt byth eto.
⁹ Difodir uchelfeydd Isaac
a distrywir cysegrleoedd Israel;
a chodaf gleddyf yn erbyn tŷ
　　Jeroboam."

Amos ac Amaseia

10 Yna anfonodd Amaseia offeiriad
Bethel at Jeroboam brenin Israel i
ddweud, "Cynllwyniodd Amos yn dy
erbyn yng nghanol tŷ Israel; ni all y wlad

oddef ei holl eiriau. ¹¹Oherwydd fel hyn y dywed Amos: 'Bydd Jeroboam yn marw trwy'r cleddyf, ac Israel yn mynd i gaethglud ymhell o'u gwlad.' " ¹²A dywedodd Amaseia wrth Amos, "Dos ymaith, weledydd; ffo i wlad Jwda; ennill dy damaid yno, a phroffwyda yno. ¹³Paid â phroffwydo ym Methel eto, gan mai dyma gysegr y brenin a theml y wladwriaeth."
¹⁴Ond atebodd Amos a dweud wrth Amaseia, "Nid oeddwn i'n broffwyd, nac yn fab i broffwyd chwaith; bugail oeddwn i, a garddwr coed sycamor; ¹⁵ond cymerodd yr ARGLWYDD fi oddi wrth y praidd, a dywedodd yr ARGLWYDD wrthyf, 'Dos i broffwydo i'm pobl Israel.' ¹⁶Gwrando yn awr ar air yr ARGLWYDD. Yr wyt ti'n dweud, 'Paid â phroffwydo yn erbyn Israel, a phaid â llefaru yn erbyn tŷ Isaac.' ¹⁷Am hynny, fel hyn y dywed yr ARGLWYDD:

'Bydd dy wraig yn puteinio yn y ddinas;
fe syrth dy feibion a'th ferched trwy'r cleddyf;
rhennir dy dir â'r llinyn;
byddi dithau'n marw mewn gwlad aflan,
ac Israel yn mynd i gaethglud ymhell o'u gwlad.' "

Gweledigaeth o Ffrwythau Haf

8 Fel hyn y dangosodd yr Arglwydd DDUW i mi: dyma fasgedaid o ffrwythau haf^e, ²a gofynnodd ef, "Beth a weli, Amos?" Atebais innau, "Basgedaid o ffrwythau haf^f." Yna dywedodd yr ARGLWYDD wrthyf,

"Daeth y diwedd^{ff} ar fy mhobl Israel; nid af heibio iddynt byth eto.
³Bydd cantorion y deml yn galarnadu yn y dydd hwnnw," medd yr Arglwydd DDUW,
"bod y cyrff mor niferus fel y teflir hwy'n ddi-sôn ym mhob man."

Tynged Israel

⁴Gwrandewch hyn, chwi sy'n sathru'r anghenus
ac yn difa tlodion y wlad,
⁵ac yn dweud, "Pa bryd y mae'r

newydd-loer yn diweddu, inni gael gwerthu ŷd;
a'r saboth, inni roi'r grawn ar werth, inni leihau'r effa a thrymhau'r sicl, inni gael twyllo â chloriannau anghywir,
⁶inni gael prynu'r tlawd am arian a'r anghenus am bâr o esgidiau, a gwerthu ysgubion yr ŷd?' "

⁷Tyngodd yr ARGLWYDD i falchder Jacob,
"Ni allaf fyth anghofio'u gweithredoedd.
⁸Onid am hyn y cryna'r ddaear nes y galara'i holl drigolion, ac y cwyd i gyd fel Afon Neil, a dygyfor a gostwng fel afon yr Aifft?' "

⁹"Y dydd hwnnw," medd yr Arglwydd DDUW,
"gwnaf i'r haul fachlud am hanner dydd,
a thywyllaf y ddaear gefn dydd golau.
¹⁰Trof eich gwyliau yn alaru a'ch holl ganiadau yn wylofain;
rhof sachliain am eich lwynau a moelni ar eich pennau.
Fe'i gwnaf yn debyg i alar am unig fab;
bydd ei ddiwedd yn ddiwrnod chwerw.

¹¹"Wele'r dyddiau yn dod," medd yr Arglwydd DDUW,
"pan anfonaf newyn i'r wlad;
nid newyn am fara, na syched am ddŵr,
ond am glywed geiriau'r ARGLWYDD.
¹²Crwydrant o fôr i fôr ac o'r gogledd i'r dwyrain;
ânt yn ôl ac ymlaen i geisio gair yr ARGLWYDD,
ond heb ei gael.

¹³"Yn y dydd hwnnw, bydd gwyryfon teg a gwŷr ifainc
yn llewygu o syched.
¹⁴Y rhai sy'n tyngu i Asima Samaria, ac yn dweud, 'Cyn wired â bod dy dduw yn fyw, Dan',
neu, 'Cyn wired â bod dy dduw^g yn fyw, Beersheba'—
fe syrthiant oll heb godi byth mwy."

---

^eHebraeg, *qayits.*   ^fHebraeg, *qayits.*   ^{ff}Hebraeg, *qets.*
^gFelly Groeg. Hebraeg, *ffordd.*

Barn yr ARGLWYDD

9 Gwelais yr ARGLWYDD yn sefyll gerllaw'r allor, ac yn dweud, "Taro gapan y drws nes i'r rhiniogau ysgwyd,
a maluria ef ar eu pennau i gyd; y rhai a adewir, fe'u lladdaf â'r cleddyf;
ni ffy yr un ohonynt ymaith, ni ddianc yr un ohonynt.
² Pe baent yn cloddio hyd at Sheol, fe dynnai fy llaw hwy oddi yno; pe baent yn dringo i'r nefoedd, fe'u dygwn i lawr oddi yno.
³ Pe baent yn ymguddio ar ben Carmel, fe chwiliwn amdanynt, a'u cymryd oddi yno;
pe baent yn cuddio o'm golwg yng ngwaelod y môr, byddwn yn gorchymyn i'r ddraig eu brathu yno.
⁴ Pe bai eu gelynion yn eu dwyn ymaith i gaethglud, fe rown orchymyn i'm cleddyf eu lladd yno;
trawaf fy llygad arnynt, er drwg ac nid er da."
⁵ Yr Arglwydd, DUW y Lluoedd— ef sy'n cyffwrdd â'r ddaear, a hithau'n toddi,
a'i holl drigolion yn galaru; bydd i gyd yn dygyfor fel Afon Neil, ac yn gostwng fel afon yr Aifft;
⁶ ef sy'n codi ei breswylfeydd yn y nefoedd
ac yn sylfaenu ei gromen ar y ddaear; ef sy'n galw ar ddyfroedd y môr ac yn eu tywallt dros y tir; yr ARGLWYDD yw ei enw.

⁷ "Onid ydych chwi fel pobl Ethiopia i mi, O bobl Israel?" medd yr ARGLWYDD. "Oni ddygais Israel i fyny o'r Aifft,
a'r Philistiaid o Cafftor a'r Syriaid o Cir?
⁸ Wele, y mae llygaid yr Arglwydd DDUW ar y deyrnas bechadurus; fe'i dinistriaf oddi ar wyneb y ddaear; eto ni ddinistriaf dŷ Jacob yn llwyr," medd yr ARGLWYDD.
⁹ "Wele, yr wyf yn gorchymyn, ac ysgydwaf dŷ Israel ymhlith yr holl genhedloedd fel ysgwyd gogr, heb i'r un gronyn syrthio i'r ddaear.
¹⁰ Lleddir holl bechaduriaid fy mhobl â'r cleddyf, y rhai sy'n dweud, 'Ni chyffwrdd dinistr â ni, na dod yn agos atom.'

¹¹ "Yn y dydd hwnnw, codaf furddyn dadfeiliedig Dafydd; trwsiaf ei fylchau a chodaf ei adfeilion, a'i ailadeiladu fel yn y dyddiau gynt,
¹² fel y gallant goncro gweddill Edom a'r holl genhedloedd y galwyd fy enw arnynt," medd yr ARGLWYDD. Ef a wna hyn.
¹³ "Wele'r dyddiau yn dod," medd yr ARGLWYDD, "pan ddaw'r cynhaeaf yn union ar ôl yr aredig, a sathru'r grawnwin yn union ar ôl yr hau;
bydd y mynyddoedd yn diferu gwin newydd, a'r bryniau yn ymdonni.
¹⁴ Adferaf lwyddiant fy mhobl Israel, ac adeiladant y dinasoedd adfeiliedig, a byw ynddynt;
plannant winllannoedd ac yfed eu gwin, palant erddi a bwyta'u cynnyrch.
¹⁵ Fe'u plannaf yn eu gwlad, ac ni ddiwreiddir hwy byth eto o'r tir a rois iddynt," medd yr ARGLWYDD dy Dduw.

LLYFR

OBADEIA

Yr ARGLWYDD yn Cosbi Edom

Gweledigaeth Obadeia.
Fel hyn y dywed yr Arglwydd
DDUW am Edom
(clywsom genadwri gan yr ARGLWYDD;
anfonwyd cennad i blith y
cenhedloedd:
"Codwch! Gadewch inni fynd i frwydr
yn eu herbyn")ª:
2 "Wele, gwnaf di'n fychan ymysg y
cenhedloedd,
ac fe'th lwyr ddirmygir.
3 Twyllwyd di gan dy galon falch,
ti sy'n byw yn agennau'r graig,
a'th drigfan yn uchel;
dywedi yn dy galon,
'Pwy a'm tyn i'r llawr?'
4 Er iti esgyn cyn uched â'r eryr,
a gosod dy nyth ymysg y sêr,
fe'th hyrddiaf i lawr oddi yno," medd
yr ARGLWYDD.

5 "Pe dôi lladron atat,
neu ysbeilwyr liw nos
(O fel y'th ddinistriwyd!),
onid digon iddynt eu hunain yn unig a
ysbeilient?
Pe dôi cynaeafwyr grawnwin atat,
oni adawent loffion?
6 O fel y dinoethwyd Esau,
ac y datguddiwyd ei drysorau!
7 Y mae dy holl gynghreiriaid wedi dy
dwyllo,
y maent wedi dy yrru dros y terfyn;
y mae dy gyfeillion wedi dy drechu,
dy wahoddedigion wedi gosod magl i
ti—
nid oes deall ar hyn.
8 Ar y dydd hwnnw," medd yr
ARGLWYDD,
"oni ddileaf ddoethineb o Edom,
a deall o fynydd Esau?
9 Y mae dy gedyrn mewn braw, O
Teman,
fel y torrir ymaith bob dyn o fynydd

Esau.
10 Am y lladdfaᵇ, ac am y trais yn erbyn
dy frawd Jacob,
fe'th orchuddir gan warth,
ac fe'th dorrir ymaith am byth.

11 "Ar y dydd y sefaist draw,
ar y dydd y dygodd estroniaid ei
gyfoeth,
ac y daeth dieithriaid trwy ei byrth
a bwrw coelbren am Jerwsalem,
yr oeddit tithau fel un ohonynt.
12 Ni ddylit ymfalchïo ar ddydd dy frawd,
dydd ei drallod.
Ni ddylit lawenhau dros blant Jwda
ar ddydd eu dinistr;
ni ddylit wneud sbort
ar ddydd gofid.
13 Ni ddylit fynd i borth fy mhobl
ar ddydd eu hadfyd;
ni ddylit ymfalchïo yn eu dinistr
ar ddydd eu hadfyd;
ni ddylit ymestyn am eu heiddo
ar ddydd eu hadfyd.
14 Ni ddylit sefyll ar y groesffordd
i ddifa eu ffoaduriaid;
ni ddylit drosglwyddo'r rhai a
ddihangodd
ar ddydd gofid.

Duw yn Barnu'r Cenhedloedd

15 "Y mae dydd yr ARGLWYDD yn agos;
daw ar yr holl genhedloedd.
Fel y gwnaethost ti y gwneir i ti;
fe ddychwel dy weithredoedd ar dy
ben dy hun.
16 Fel yr yfaist ar fy mynydd sanctaidd,
fe yf yr holl genhedloedd yn ddi-baid;
yfant ac ânt yn chwil,
a mynd yn anymwybodol.

Buddugoliaeth Israel

17 "Ond ym Mynydd Seion bydd rhai
dihangol,
a bydd yn sanctaidd;

ªCymh. Jer. 49:14. ᵇCymh. Fersiynau. Hebraeg yn darllen *am y lladdfa* gydag adn 9.

meddianna tŷ Jacob ei eiddo'i hun.
¹⁸ A bydd tŷ Jacob yn dân,
tŷ Joseff yn fflam,
a thŷ Esau yn gynnud;
fe'i cyneuant a'i losgi,
ac ni fydd gweddill o dŷ Esau,
oherwydd llefarodd yr ARGLWYDD.
¹⁹ Bydd y Negeb yn meddiannu mynydd
Esau,
a'r Seffela yn meddiannu gwlad y
Philistiaid;
byddant yn meddiannu tir Effraim a
thir Samaria,

a bydd Benjamin yn meddiannu
Gilead.
²⁰ Bydd meibion Israel, caethgludion y
fyddin,
yn meddiannu Canaan hyd Sareffath;
a chaethgludion Jerwsalem yn
Seffarad
yn meddiannu dinasoedd y Negeb.
²¹ A gwaredwyr i fyny i Fynydd Seion,
i reoli mynydd Esau;
a bydd y frenhiniaeth yn eiddo i'r
ARGLWYDD."

LLYFR

JONA

Anufudd-dod Jona

1 Daeth gair yr ARGLWYDD at Jona
fab Amitai, a dweud, ² "Cod, dos i
Ninefe, y ddinas fawr, a llefara yn ei
herbyn; ohcrwydd daeth ei drygioni i'm
sylw." ³ Ond cododd Jona i ffoi oddi wrth
yr ARGLWYDD i Tarsis. Aeth i lawr i Jopa
a chael llong yn mynd i Tarsis, ac wedi
talu ei dreuliau aeth arni i fynd gyda hwy i
Tarsis oddi wrth yr ARGLWYDD. ⁴ Ond
cododd yr ARGLWYDD wynt nerthol ar y
môr, a bu storm mor arw ar y môr nes bod
y llong mewn perygl o gael ei dryllio. ⁵ Yr
oedd y morwyr wedi dychryn, a phob un
yn gweiddi ar ei dduw, a thaflasant y gêr
oedd ar y llong i'r môr i'w hysgafnu. Ond
yr oedd Jona wedi mynd i grombil y llong
i orwedd, ac wedi cysgu. ⁶ A daeth capten
y llong ato a gofyn, "Beth yw dy feddwl,
yn cysgu? Cod, a galw ar dy dduw;
efallai y meddylia'r duw amdanom, rhag
ein difetha."
⁷ Yna dywedodd y morwyr wrth ei
gilydd, "O achos pwy y daeth y drwg
hwn arnom? Gadewch inni fwrw coel-
bren, inni gael gwybod." Felly bwriasant
goelbren, a syrthiodd y coelbren ar Jona.
⁸ Yna dywedasant wrtho, "Dywed i ni,ᵃ

beth yw dy neges? U ble y daethost?
Prun yw dy wlad? O ba gcnedl yr
wyt?" ⁹ Atebodd yntau hwy, "Hebrëwr
wyf fi; ac yr wyf yn ofni'r ARGLWYDD,
Duw'r nefoedd, a wnaeth y môr a'r
sychdir." ¹⁰ A daeth ofn mawr ar y
dynion, a dywedasant wrtho, "Beth
yw hyn a wnaethost?" Oherwydd
gwyddai'r dynion mai ffoi oddi wrth yr
ARGLWYDD yr oedd, gan iddo ddweud
hynny wrthynt. ¹¹ Yna dywedasant,
"Beth a wnawn â thi, er mwyn i'r môr
ostegu inni, oherwydd y mae'n gwaeth-
ygu o hyd." ¹² Atebodd yntau, "Cymer-
wch fi a'm taflu i'r môr, ac yna fe dawela'r
môr ichwi; oherwydd gwn mai o'm
hachos i y daeth y storm arw hon
arnoch." ¹³ Rhwyfodd y dynion yn galed i
gyrraedd tir, ond ni allent, gan fod y môr
yn gwaethygu o hyd yn eu herbyn. ¹⁴ Yna
gwaeddasant ar yr ARGLWYDD a dweud,
"O ARGLWYDD, paid â gadael inni gael
ein difetha am fywyd y dyn hwn, na rhoi
gwaed dieuog yn ein herbyn; ti yw'r
ARGLWYDD, ac yr wyt yn gwneud fel y
gweli'n dda." ¹⁵ Yna cymerasant Jona a'i
daflu i'r môr, a llonyddodd y môr o'i
gynnwrf. ¹⁶ Ac ofnodd y gwŷr yr AR-
GLWYDD yn fawr iawn, gan offrymu

ᵃ Felly Groeg. Hebraeg yn ychwanegu, *o achos pwy y daeth y drwg hwn arnom?*

aberth i'r ARGLWYDD a gwneud addunedau. [17]*A threfnodd yr ARGLWYDD i bysgodyn mawr lyncu Jona; a bu Jona ym mol y pysgodyn am dri diwrnod a thair noson.

Gweddi Jona

2 Yna gweddïodd Jona ar yr ARGLWYDD ei Dduw o fol y pysgodyn a dweud,
[2] "Gelwais ar yr ARGLWYDD yn fy nghyfyngder, ac atebodd fi;
o ddyfnder Sheol y gwaeddais, a chlywaist fy llais.
[3] Teflaist fi i'r dyfnder, i eigion y môr,
a'r llanw yn f'amgylchu;
yr oedd dy holl donnau a'th lifeiriant yn mynd dros fy mhen.
[4] Yna dywedais, 'Fe'm gyrrwyd allan o'th olwg di;
sut y caf edrych eto ar dy deml sanctaidd?'
[5] Caeodd y dyfroedd amdanaf, a'r dyfnder o'm cwmpas;
clymodd y gwymon am fy mhen wrth wreiddiau'r mynyddoedd;
[6] euthum i lawr i'r wlad y caeodd ei bolltau arnaf am byth.
Eto, dygaist fy mywyd i fyny o'r pwll,
O ARGLWYDD fy Nuw.
[7] Pan deimlais fy hun yn llewygu, cofiais am yr ARGLWYDD,
a daeth fy ngweddi atat i'th deml sanctaidd.
[8] Y mae'r rhai sy'n addoli eilunod gwag yn gwadu eu teyrngarwch.
[9] Ond aberthaf i ti â chân o ddiolch.
Talaf yr hyn a addunedais; i'r ARGLWYDD y perthyn gwaredu."

10 A llefarodd yr ARGLWYDD wrth y pysgodyn, a chwydodd yntau Jona ar y lan.

Ufudd-dod Jona

3 Yna daeth gair yr ARGLWYDD at Jona yr eildro a dweud, [2] "Cod, dos i Ninefe, y ddinas fawr, a llefara wrthi y neges a ddywedaf fi wrthyt." [3] Cododd Jona a mynd i Ninefe yn ôl gair yr ARGLWYDD. Yr oedd Ninefe'n ddinas fawr iawn, yn daith tridiau ar ei thraws. [4] Yna dechreuodd Jona fynd trwy'r ddinas, ac wedi mynd daith un diwrnod cyhoeddodd, "Ymhen deugain diwrnod fe ddymchwelir Ninefe." [5] Credodd pobl

Ninefe yn Nuw, a chyhoeddasant ympryd a gwisgo sachliain, o'r mwyaf hyd y lleiaf ohonynt. [6] A phan ddaeth y newydd at frenin Ninefe, cododd yntau oddi ar ei orsedd, a diosg ei fantell a gwisgo sachliain ac eistedd mewn lludw. [7] Gwnaeth broclamasiwn a'i gyhoeddi yn Ninefe: "Trwy orchymyn y brenin a'i uchelwyr:
"Na fydded i ddyn nac anifail, gwartheg na defaid, brofi dim; na fydded iddynt fwyta nac yfed. [8] Bydded iddynt [b] wisgo sachliain a galw yn daer ar Dduw. Bydded i bob un droi oddi wrth ei ffordd ddrygionus ac oddi wrth y trais sydd ar ei ddwylo. [9] Pwy a ŵyr na fydd Duw yn edifarhau eto, ac yn troi oddi wrth ei ddig mawr, fel na'n difethir ni?"
10 Pan welodd Duw beth a wnaethant, a'u bod wedi troi o'u ffyrdd drygionus, edifarhaodd am y drwg y bwriadodd ei wneud iddynt, ac nis gwnaeth.

Dicter Jona a Thrugaredd Duw

4 Yr oedd Jona'n anfodlon iawn am hyn, a theimlai'n ddig. [2] Yna gweddïodd ar yr ARGLWYDD a dweud, "Yn awr, ARGLWYDD, onid hyn a ddywedais pan oeddwn gartref? Dyna pam yr achubais y blaen trwy ffoi i Tarsis. Gwyddwn dy fod yn Dduw graslon a thrugarog, araf i ddigio, mawr o dosturi ac yn edifarhau am ddrwg. [3] Yn awr, ARGLWYDD, cymer fy mywyd oddi arnaf; gwell gennyf farw na byw." [4] Atebodd Duw, "A yw'n iawn iti deimlo'n ddig?" [5] Aeth Jona allan ac aros i'r dwyrain o'r ddinas. Gwnaeth gaban iddo'i hun yno, ac eistedd yn ei gysgod i weld beth a ddigwyddai i'r ddinas. [6] A threfnodd yr ARGLWYDD Dduw i blanhigyn dyfu dros Jona i fod yn gysgod dros ei ben ac i leddfu ei lid; ac yr oedd Jona'n falch iawn o'r planhigyn. [7] Ond gyda'r wawr drannoeth, trefnodd Duw i bryfyn nychu'r planhigyn, nes iddo grino. [8] A phan gododd yr haul trefnodd Duw wynt poeth o'r dwyrain, ac yr oedd yr haul yn taro ar ben Jona nes iddo lewygu; gofynnodd am gael marw, a dweud, "Gwell gennyf farw na byw." [9] A gofynnodd Duw i Jona, "A yw'n iawn iti deimlo'n ddig o achos y planhigyn?" Atebodd yntau, "Y mae'n iawn imi deimlo'n ddig hyd angau." [10] Dywedodd Duw, "Yr wyt ti'n tosturio wrth blanhigyn na fuost yn llafurio gyda

---

*Hebraeg, 2:1.　　　　[b] Hebraeg, *Bydded i ddyn ac anifail.*

ef nac yn ei dyfu; mewn noson y daeth, ac mewn noson y darfu. ¹¹Oni thosturiaf finnau wrth Ninefe, y ddinas fawr, lle mae mwy na chant ac ugain o filoedd o ddynion sydd heb wybod y gwahaniaeth rhwng y llaw chwith a'r llaw dde, heb sôn am lu o anifeiliaid?"

LLYFR

MICHA

1 Gair yr ARGLWYDD a ddaeth at Micha o Moreseth yn nyddiau Jotham, Ahas, Heseceia, brenhinoedd Jwda. Dyma'i weledigaethau am Samaria a Jerwsalem.

Barn ar Samaria a Jerwsalem

²Gwrandewch, bobloedd, bawb ohonoch;
clyw dithau, ddaear, a phopeth ynddi.
Y mae'r Arglwydd DDUW, yr
Arglwydd o'i deml sanctaidd,
yn dyst yn eich erbyn.
³Wele'r ARGLWYDD yn dod allan o'i
drigfan,
yn dod i lawr ac yn troedio ar
uchelderau'r ddaear.
⁴Y mae'r mynyddoedd yn toddi dano,
a'r dyffrynnoedd yn hollti'n agored,
fel cwyr o flaen tân,
fel dyfroedd wedi eu tywallt ar
oriwaered.
⁵Am drosedd Jacob y mae hyn oll,
ac am bechod tŷ Israel.
Beth yw trosedd Jacob? Onid
Samaria?
Beth yw pechod tŷ ᵃ Jwda? Onid
Jerwsalem?
⁶"Am hynny, gwnaf Samaria yn
garnedd ar faes agored,
yn lle i blannu gwinwydd;
gwnaf i'w cherrig dreiglo i'r dyffryn,
a dinoethaf ei sylfeini.
⁷Malurir ei holl gerfddelwau,
llosgir ei holl enillion yn y tân,
a gwnaf ddifrod o'i delwau;
o enillion puteindra y casglodd hwy,
ac yn dâl puteindra y dychwelant."

⁸Am hyn y galaraf ac yr wylaf,
a mynd yn noeth a heb esgidiau;
galarnadaf fel y siacal,
a llefain fel tylluanod yr anialwch;
⁹am nad oes meddyginiaeth i'w chlwyf;
oherwydd daeth hyd at Jwda,
a chyrraedd at borth fy mhobl,
hyd at Jerwsalem.

Y Gelyn yn Nesáu

¹⁰Peidiwch â chyhoeddi'r peth yn Gath,
a pheidiwch ag wylo yn Baca ᵇ;
yn Beth-affra ymdreiglwch yn y llwch.
¹¹Ewch ymlaen, drigolion Saffir;
onid mewn noethni a chywilydd
yr â trigolion Saanan allan?
Galar sydd yn Beth-esel,
a pheidiodd â bod yn gynhaliaeth i
chwi.
¹²Mewn gwewyr am newydd da y mae
trigolion Maroth,
oherwydd i ddrygioni oddi wrth yr
ARGLWYDD
ddod hyd at borth Jerwsalem.
¹³Harneisiwch y meirch wrth y
cerbydau,
drigolion Lachis;
chwi oedd cychwyn pechod i ferch
Seion,
ac ynoch chwi y caed troseddau Israel.
¹⁴Felly, rhodder anrheg ymadael i
Moreseth-gath;
y mae Beth-Achsib ᶜ yn dwyllodrus i
frenhinoedd Israel.
¹⁵Dygaf eto yr anrheithiwr at bobl
Maresa,
a bydd gogoniant Israel yn mynd i
Adulam.

ᵃFelly Groeg. Hebraeg, *uchelfa.*   ᵇNeu, *yn hidl.*   ᶜHebraeg, *tai Achsib.*

¹⁶Cneifia dy ben a gwna dy hun yn foel,
am y plant a hoffaist;
gwna dy hun yn foel fel eryr,
am iddynt fynd oddi wrthyt i
gaethglud.

Tynged Gormeswyr y Tlawd

2 Gwae'r rhai sy'n dyfeisio niwed,
ac yn llunio drygioni yn eu gwelyau,
ac ar doriad dydd yn ei wneud,
cyn gynted ag y bydd o fewn eu gallu.
²Y maent yn chwenychu meysydd ac yn
eu cipio,
a thai, ac yn eu meddiannu;
y maent yn treisio gŵr a'i dŷ,
dyn a'i etifeddiaeth.
³Felly, fel hyn y dywed yr ARGLWYDD:
"Wele fi'n dyfeisio yn erbyn y tylwyth
hwn y fath ddrwg
na all eich gwarrau ei osgoi;
byddwch yn methu ymsythu;
yn wir, bydd yn amser drwg.
⁴Yn y dydd hwnnw, gwneir dychan
ohonoch,
a chenir galargan a dweud,
'Yr ydym wedi'n difetha'n llwyr;
y mae cyfran fy mhobl yn newid
dwylo.
Sut y gall neb adfer i mi
ein meysydd sydd wedi eu rhannu?' "
⁵Am hyn, ni bydd neb i fesur i ti trwy
fwrw coelbren
yng nghynulleidfa'r ARGLWYDD.

Ymryson â'r Gau-broffwydi

⁶Fel hyn y proffwydant: "Peidiwch â
phroffwydo;
peidied neb â phroffwydo am hyn;
ni ddaw cywilydd arnom.
⁷A ddywedir hyn am dŷ Jacob?
A yw'r ARGLWYDD yn ddiamynedd?
Ai ei waith ef yw hyn?
Onid yw ei eiriau'n gwneud daioni?"
⁸"Ond yr ydych chwi'n codi yn erbyn fy
mhobl fel gelyn
yn cipio ymaith fantell yr heddychol,
ac yn dwyn dinistr rhyfel ar y rhai sy'n
rhodio'n ddiofal. ᶜʰ
⁹Yr ydych yn troi gwragedd fy mhobl
o'u tai dymunol,
ac yn dwyn eu llety ᵈ oddi ar eu plant
am byth.
¹⁰Codwch! Ewch! Nid oes yma orffwysfa
i chwi,
oherwydd yr aflendid sy'n dinistrio â

dinistr creulon.
¹¹Pe byddai dyn mewn ysbryd twyll a
chelwydd yn dweud,
'Proffwydaf i chwi am win a diod
gadarn',
câi fod yn broffwyd i'r bobl hyn."

¹²"Yn wir, fe gasglaf y cyfan ohonot,
Jacob,
a chynullaf ynghyd weddill Israel;
gosodaf hwy gyda'i gilydd, fel defaid
Bosra,
fel diadell yn ei phorfa yn tyrru o
Edom.
¹³Fe â'r un a agorodd y bwlch i fyny o'u
blaen;
torrant hwythau trwy'r porth a rhuthro
allan.
Â eu brenin o'u blaenau,
a bydd yr ARGLWYDD yn eu harwain."

3 Yna dywedais,
"Clywch, benaethiaid Jacob,
arweinwyr tŷ Israel!
Oni ddylech chwi wybod beth sy'n
iawn?
²Yr ydych yn casáu daioni ac yn caru
drygioni,
yn rhwygo'u croen oddi ar fy mhobl,
a'u cnawd oddi ar eu hesgyrn;
³yr ydych yn bwyta'u cnawd,
yn blingo'u croen oddi amdanynt,
yn dryllio'u hesgyrn,
yn eu malu fel cnawd ᵈᵈ i badell
ac fel cig i grochan.
⁴Yna fe waeddant ar yr ARGLWYDD,
ond ni fydd yn eu hateb;
bydd yn cuddio'i wyneb oddi wrthynt
yr amser hwnnw,
am fod eu gweithredoedd mor
ddrygionus."

⁵Fel hyn y dywed yr ARGLWYDD am y
proffwydi
sy'n arwain fy mhobl ar gyfeiliorn,
y rhai os cânt rywbeth i'w fwyta
sy'n cyhoeddi heddwch,
ond pan na rydd neb ddim iddynt
sy'n cyhoeddi rhyfel yn ei erbyn:
⁶"Am hyn bydd yn nos heb weledigaeth
arnoch,
ac yn dywyllwch heb ddim dewiniaeth;
bydd yr haul yn machlud ar y
proffwydi,
a'r dydd yn tywyllu o'u cwmpas."
⁷Bydd y gweledyddion mewn gwarth

ᶜʰHebraeg adn. 8 yn ansicr.   ᵈTebygol. Hebraeg, *fy ngogoniant.*
ᵈᵈFelly Groeg. Hebraeg, *fel yr hyn sydd.*

a'r dewiniaid mewn cywilydd;
byddant i gyd yn gorchuddio'u genau,
am nad oes ateb oddi wrth Dduw.

[8] Ond amdanaf fi, 'rwy'n llawn grym
ac ysbryd yr ARGLWYDD, a
chyfiawnder a nerth,
i gyhoeddi ei drosedd i Jacob,
a'i bechod i Israel.
[9] Clywch hyn, benaethiaid Jacob,
arweinwyr tŷ Israel,
chwi sy'n casáu cyfiawnder
ac yn gwyrdroi pob uniondeb,
[10] yn adeiladu Seion trwy dywallt gwaed
a Jerwsalem trwy gamwri.
[11] Y mae ei phenaethiaid yn barnu yn ôl
y tâl,
ei hoffeiriaid yn cyfarwyddo yn ôl y
wobr,
ei phroffwydi yn cyflwyno neges yn ôl
yr arian;
ac eto, pwysant ar yr ARGLWYDD, a
dweud,
"Onid yw'r ARGLWYDD yn ein mysg?
Ni ddaw drwg arnom."
[12] Am hynny, o'ch achos chwi
bydd Seion yn faes wedi ei aredig,
a Jerwsalem yn garneddau,
a mynydd y deml yn fynydd-dir
coediog.

Yr ARGLWYDD yn Teyrnasu mewn Heddwch

(Eseia 2:1-4)

4 Yn y dyddiau diwethaf bydd mynydd
tŷ'r ARGLWYDD
wedi ei osod ar ben y mynyddoedd
ac yn uwch na'r bryniau.
Dylifa'r bobloedd ato,
[2] a daw cenhedloedd lawer, a dweud,
"Dewch, esgynnwn i fynydd yr
ARGLWYDD,
i deml Duw Jacob,
er mwyn iddo ddysgu inni ei ffyrdd
ac i ninnau rodio yn ei lwybrau.
Oherwydd o Seion y daw'r gyfraith,
a gair yr ARGLWYDD o Jerwsalem."
[3] Bydd ef yn barnu rhwng cenhedloedd,
ac yn torri'r ddadl i bobloedd cryfion o
bell;
byddant hwy'n curo'u cleddyfau'n
geibiau,
a'u gwaywffyn yn grymanau.
Ni chyfyd cenedl gleddyf yn erbyn
cenedl,
ac ni ddysgant ryfel mwyach;
[4] a bydd pob dyn yn eistedd dan ei

winwydden
a than ei ffigysbren, heb neb i'w
ddychryn.
Oherwydd genau ARGLWYDD y
Lluoedd a lefarodd.

[5] Rhodia pob un o'r cenhedloedd yn
enw ei duw,
ac fe rodiwn ninnau yn enw'r
ARGLWYDD ein Duw dros byth.

Adferiad Israel

[6] "Yn y dydd hwnnw," medd yr
ARGLWYDD,
"fe gasglaf y cloff,
a chynnull y rhai a wasgarwyd
a'r rhai a gosbais;
[7] a gwnaf weddill o'r cloff,
a chenedl gref o'r rhai briwedig,
a theyrnasa'r ARGLWYDD drostynt ym
Mynydd Seion
yn awr a hyd byth.
[8] A thithau, tŵr y ddiadell, mynydd
merch Sïon,
i ti y daw, ie, y daw y llywodraeth a fu,
y frenhiniaeth i ferch Jerwsalem."

Ymryson Arall â'r Gau-broffwydi

[9] "Pam yn awr yr wyt yn llefain yn
uchel?
Onid oes gennyt frenin?
A yw dy gynghorwyr wedi darfod,
nes bod pocnau, fel gwewyr gwraig yn
esgor, wedi cydio ynot?"
[10] "Gwinga a gwaedda, ferch Seion,
fel gwraig yn esgor,
oherwydd yn awr byddi'n mynd o'r
ddinas
ac yn byw yn y maes agored;
byddi'n mynd i Fabilon.
Yno fe'th waredir;
yno bydd yr ARGLWYDD yn dy achub
o law d'elynion."

[11] "Yn awr y mae llawer o genhedloedd
wedi ymgasglu yn dy erbyn,
ac yn dweud, 'Haloger hi,
a chaed ein llygaid weld eu dymuniad
ar Seion.'
[12] Ond nid ydynt hwy'n gwybod
meddyliau'r ARGLWYDD,
nac yn deall ei fwriad,
oherwydd y mae ef wedi eu casglu fel
ysgubau i'r llawr dyrnu.
[13] Cod i ddyrnu, ferch Seion,
oherwydd gwnaf dy gorn o haearn
a'th garnau o bres,

ac fe fethri bobloedd lawer;
yn ddiofryd i'r ARGLWYDD y gwneir eu
helw,
a'u cyfoeth i Arglwydd yr holl
ddaear."

5* "Yn awr, dos i mewn i'th gaer, ti
ferch gaerog;
y mae gwarchae wedi ei osod yn ein
herbyn;
trewir barnwr Israel ar ei foch â ffon."

Addo Llywodraethwr o Fethlehem

²Ond ti, Bethlehem Effrata,
sy'n fechan i fod ymhlith llwythau
Jwda,
ohonot ti y daw allan i mi
un i fod yn llywodraethwr yn Israel,
a'i darddiad yn y gorffennol,
mewn dyddiau gynt.
³Felly fe'u gedy hyd amser esgor yr un
feichiog,
ac yna fe ddychwel gweddill ei frodyr
at feibion Israel.
⁴Fe saif ac arwain y praidd yn nerth yr
ARGLWYDD,
ac ym mawredd enw'r ARGLWYDD ei
Dduw.
A byddant yn ddiogel,
oherwydd bydd ef yn fawr hyd
derfynau'r ddaear;
⁵ac yna bydd heddwch.

Gwaredigaeth a Chosb

Pan ddaw Asyria i'n gwlad,
a cherddded hyd ein tirᵉ,
codwn yn ei erbyn saith o fugeiliaid
ac wyth o arweinwyr dynion.
⁶A bugeiliant Asyria â'r cleddyf,
a thir Nimrod â'r cleddyf noeth;
fe'n gwaredant oddi wrth Asyria
pan ddaw i'n gwlad
a sarnu'n terfynau.

⁷A bydd gweddill Jacob yng nghanol
pobloedd lawer,
fel gwlith oddi wrth yr ARGLWYDD,
fel cawodydd ar welltglas,
nad ydynt yn disgwyl wrth ddyn,
nac yn aros am feibion dynion.
⁸A bydd gweddill Jacob ymhlith y
cenhedloedd,
ac yng nghanol pobloedd lawer,
fel llew ymysg anifeiliaid y goedwig,
fel llew ifanc ymhlith diadelloedd

defaid,
sydd, wrth fynd heibio, yn mathru
ac yn malurio, heb neb i waredu.
⁹Bydd dy law wedi ei chodi yn erbyn dy
wrthwynebwyr,
a thorrir ymaith dy holl elynion.

¹⁰"Yn y dydd hwnnw," medd yr
ARGLWYDD,
"distrywiaf dy feirch o'ch plith,
a dinistriaf dy gerbydau.
¹¹Distrywiaf ddinasoedd dy wlad,
a mathraf dy holl geyrydd.
¹²Distrywiaf swyngyfaredd o'th afael,
ac ni fydd gennyt ddewiniaid.
¹³Distrywiaf dy ddelwau
a'th golofnau o'ch mysg,
a mwyach nid addoli waith dy ddwylo
dy hun.
¹⁴Diwreiddiaf yr Aserim yn eich plith,
a dinistriaf dy ddinasoedd.
¹⁵Mewn llid a digofaint fe ddialaf
ar yr holl genhedloedd na fuont yn
ufudd."

Achos yr ARGLWYDD yn erbyn Israel

6 Clywch yn awr beth a ddywed yr
ARGLWYDD:
"Cod, dadlau dy achos o flaen y
mynyddoedd,
a bydded i'r bryniau glywed dy lais.
²Clywch achos yr ARGLWYDD, chwi
fynyddoedd,
chwi gadarn sylfeini'r ddaear;
oherwydd y mae gan yr ARGLWYDD
achos yn erbyn ei bobl,
ac fe'i dadlau yn erbyn Israel.
³O fy mhobl, beth a wneuthum i ti?
Sut y blinais di? Ateb fi.
⁴Dygais di i fyny o'r Aifft,
gwaredais di o dŷ'r caethiwed,
a rhoddais Moses, Aaron a Miriam i'th
arwain.
⁵O fy mhobl, cofia beth oedd bwriad
Balac brenin Moab,
a sut yr atebodd Balaam fab Beor ef,
a hefyd y daith o Sittim i Gilgal,
er mwyn iti wybod cyfiawnder yr
ARGLWYDD."

⁶Â pha beth y dof o flaen yr
ARGLWYDD,
a phlygu gerbron y Duw uchel?
A ddof ger ei fron â phoethoffrymau,
neu â lloi blwydd?

⁷A fydd yr ARGLWYDD yn fodlon ar
   filoedd o hyrddod
neu ar fyrddiwn o afonydd olew?
A rof fy nghyntafanedig am fy
   nghamwedd,
fy mhlant fy hun am fy mhechod?
⁸Dywedodd wrthyt, ddyn, beth sydd
   dda,
a'r hyn a gais yr ARGLWYDD gennyt:
dim ond gwneud beth sy'n iawn, caru
   ffyddlondeb,
a rhodio'n ostyngedig gyda'th Dduw.

Euogrwydd Israel a'i Chosb

⁹Clyw! Y mae'r ARGLWYDD yn gweiddi
   ar y ddinas—
y mae llwyddiant o ofni ei enw:
"Gwrando, di lwyth, a chyngor y
   ddinas ᶠ.
¹⁰A anghofiaf enillion twyllodrus yn
   nhŷ'r twyllwr,
a'r mesur prin sy'n felltigedig?
¹¹A oddefaf gloriannau twyllodrus,
   neu gyfres o bwysau ysgafn?
¹²Y mae ei chyfoethogion yn llawn trais,
a'i thrigolion yn dweud celwydd,
a thafodau ffals yn eu genau.
¹³Ond yr wyf fi'n dy daro nes dy glwyfo,
i'th anrheithio am dy bechodau:
¹⁴byddi'n bwyta, ond heb dy ddigoni,
a bydd y bwyd yn pwyso ᶠᶠ ar dy
   stumog;
byddi'n cilio, ond heb ddianc,
a'r sawl a ddianc, fe'i lladdaf â'r
   cleddyf;
¹⁵byddi'n hau, ond heb fedi,
yn sathru olewydd, ond heb
   ddefnyddio'r olew,
a gwinwydd, ond heb yfed gwin.
¹⁶Cedwaist ᵍ ddeddfau Omri,
a holl weithredoedd tŷ Ahab,
a dilynaist eu cynghorion,
er mwyn imi dy wneud yn ddiffaith
a'th drigolion ⁿᵍ yn gyff gwawd;
a dygwch ddirmyg y bobl ʰ."

Trueni Israel

7 Gwae fi! Yr wyf fel gweddillion
   ffrwythau haf,
ac fel lloffion cynhaeaf gwin;
nid oes grawnwin i'w bwyta,
na'r ffigys cynnar a flysiaf.
²Darfu am y ffyddlon o'r tir,
ac nid oes dyn uniawn ar ôl;

y maent i gyd yn llechu i ladd,
a phob un yn hela'i frawd â rhwyd.
³Y mae eu dwylo'n fedrus mewn
   drygioni,
y swyddog yn codi tâl a'r barnwr yn
   derbyn gwobr,
a'r uchelwr yn mynegi ei ddymuniad
   llygredig.
⁴Y maent yn gwneud i'w cymwynas
   droi fel mieri,
a'u huniondeb fel drain.
Daeth y dydd y gwyliwyd amdano,
   dydd cosb;
ac yn awr y bydd yn ddryswch iddynt.
⁵Peidiwch â rhoi hyder mewn cymydog,
nac ymddiried mewn cyfaill;
gwylia ar dy enau rhag gwraig dy
   fynwes.
⁶Oherwydd y mae'r mab yn amharchu
   ei dad,
y ferch yn gwrthryfela yn erbyn ei
   mam,
y ferch-yng-nghyfraith yn erbyn ei
   mam-yng-nghyfraith;
a gelynion dyn yw ei dylwyth ei hun.
⁷Ond edrychaf fi at yr ARGLWYDD,
disgwyliaf wrth Dduw fy
   iachawdwriaeth;
gwrendy fy Nuw arnaf.

Gwaredigaeth i Israel

⁸Paid â llawenychu yn f'erbyn, fy
   ngelyn;
er imi syrthio, fe godaf.
Er fy mod yn trigo mewn tywyllwch,
bydd yr ARGLWYDD yn oleuni i mi.
⁹Dygaf ddig yr ARGLWYDD—oherwydd
   pechais yn ei erbyn—
nes iddo ddadlau f'achos a rhoi
   dedfryd o'm plaid,
nes iddo fy nwyn allan i oleuni,
ac imi weld ei gyfiawnder.
¹⁰Yna fe wêl fy ngelyn a chywilyddio—
yr un a ddywedodd wrthyf, "Ble mae'r
   ARGLWYDD dy Dduw?"
Yna bydd fy llygaid yn gloddesta arno,
pan sethrir ef fel baw ar yr heolydd.

¹¹Bydd yn ddydd adeiladu dy furiau,
yn ddydd ehangu terfynau,
¹²yn ddydd pan ddônt atat o Asyria hyd
   yr Aifft ⁱ,
ac o'r Aifft hyd Afon Ewffrates,
o fôr i fôr, ac o fynydd i fynydd.

ᶠCymh. Groeg. Hebraeg yn ansicr.
ᵍFelly Fersiynau. Hebraeg, *Cadwodd.*
ʰFelly Fersiynau. Hebraeg, *fy mhobl.*
ᶠᶠHebraeg yn ansicr.
ⁿᵍHebraeg, *a'i thrigolion.*
ⁱHebraeg, *y dinasoedd.*

¹³Ond bydd y ddaear yn ddiffaith,
oherwydd ei thrigolion;
dyma ffrwyth eu gweithredoedd.

Yr ARGLWYDD yn Tosturio wrth Israel

¹⁴Bugeilia dy bobl â'th ffon,
y ddiadell sy'n etifeddiaeth iti,
sy'n trigo ar wahân mewn coedwig yng
nghanol Carmel;
porant Basan a Gilead fel yn y dyddiau
gynt.

¹⁵Fel yn y dyddiau pan ddaethost allan
o'r Aifft,
fe ddangosaf iddynt ryfeddodau.

¹⁶Fe wêl y cenhedloedd, a chywilyddio
er eu holl rym;
rhônt eu dwylo ar eu genau
a bydd eu clustiau'n fyddar;

¹⁷llyfant y llwch fel neidr,
fel ymlusgiaid y ddaear;
dônt yn grynedig allan o'u llochesau,
a throi mewn dychryn at yr ARGLWYDD
ein Duw,
ac ofnant di.
¹⁸Pwy sydd dduw fel ti, yn maddau
anwiredd,
ac yn mynd heibio i drosedd gweddill
ei etifeddiaeth?
Nid yw'n dal ei ddig am byth,
ond ymhyfryda mewn trugaredd.
¹⁹Bydd yn tosturio wrthym eto,
ac yn golchi ein hanwireddau,
ac yn taflu ein holl bechodau i eigion y
môr.
²⁰Byddi'n ffyddlon i Jacob
ac yn deyrngar i Abraham,
fel y tyngaist i'n tadau
yn y dyddiau gynt.

LLYFR
NAHUM

Barn Duw ar Ninefe

1 Oracl am Ninefe. Llyfr gweledigaeth
Nahum o Elcos.
²Duw eiddigeddus ac un sy'n dial yw'r
ARGLWYDD;
y mae'r ARGLWYDD yn dial ac yn llawn
llid;
y mae'r ARGLWYDD yn dial ar ei
wrthwynebwyr,
ac yn dal dig at ei elynion.
³Y mae'r ARGLWYDD yn araf i ddigio
ond yn fawr o nerth,
ac nid yw'n gadael yr euog yn ddi-
gosb.

Y mae ei ffordd yn y corwynt a'r
dymestl,
a llwch ei draed yw'r cymylau.
⁴Y mae'r ceryddu'r môr ac yn ei sychu,
ac yn gwneud yr holl afonydd yn hysb;
gwywa Basan a Charmel,

a derfydd gwyrddlesni Lebanon.
⁵Cryna'r mynyddoedd o'i flaen,
a thodda'r bryniau;
difodir y ddaear o'i flaen,
y byd a phopeth sy'n byw ynddo.
⁶Pwy a saif o flaen ei lid?
Pwy a ddeil gynddaredd ei ddig?
Tywelltir ei lid fel tân,
a dryllir y creigiau o'i flaen.
⁷Da yw'r ARGLWYDD fel amddiffynfa yn
nydd argyfwng;
y mae'n adnabod y rhai sy'n ymddiried
ynddo.
⁸Ond â llifeiriant ysgubol gwna
ddiwedd llwyr ar ei
wrthwynebwyr^a,
ac fe ymlid ei elynion i'r tywyllwch.
⁹Beth a gynlluniwch yn erbyn yr
ARGLWYDD?
Gwna ef ddiwedd llwyr,
fel na ddaw blinder ddwywaith.
¹⁰Fel perth o ddrain fe'u hysir,

^aFelly Groeg. Hebraeg, *ei lle.*

fel diotwyr â'u diod,
fel sofl wedi sychu'n llwyr.
[11]Ohonot ti y daeth allan un yn
cynllunio
drygioni yn erbyn yr ARGLWYDD—
cynghorwr dieflig.
[12]Fel hyn y dywed yr ARGLWYDD:
"Er eu bod yn gyflawn a niferus,
eto fe'u torrir i lawr, a darfyddant.
Er imi dy flino,
ni flinaf di mwach.
[13]Yn awr, fe ddrylliaf ei iau oddi arnat,
a thorraf dy rwymau."
[14]Rhoes yr ARGLWYDD orchymyn
amdanat:
"Ni fydd had o'th hil mwach;
torraf ymaith ddelw ac eilun o dŷ dy
dduw;
a rhoddaf i ti fedd am dy fod yn
anwadal."
[15]*Wele ar y mynyddoedd draed yr
efengylwr
yn cyhoeddi heddwch.
Dathla dy wyliau, O Jwda,
tâl dy addunedau,
oherwydd ni ddaw'r dieflig byth yn
d'erbyn rhagor;
fe'i torrwyd ymaith yn llwyr.

Cwymp Ninefe

2 Daeth dinistrydd i fyny yn dy erbyn;
diogela'r amddiffynfa, gwylia'r
ffordd,
rhwyma dy wregys, a chasgla dy nerth
ynghyd.

[2]Y mae'r ARGLWYDD yn adfer
gogoniant Jacob,
a gogoniant Israel yr un modd,
er i'r anrheithwyr eu difetha
a dinoethi eu canghennau.

[3]Y mae tarian ei ryfelwyr yn goch,
a'r milwyr mewn ysgarlad,
a'i gerbydau yn eu rhengoedd
yn fflachio fel tân,
a'r gwŷr meirch[b] yn prancio.
[4]Rhuthra'r cerbydau trwy'r strydoedd,
a gweu trwy'i gilydd yn y mannau
agored;
fflachiant fel ffaglau,
gwibiant fel mellt.
[5]Gelwir y glewion i'r frwydr,
baglant hwythau wrth ddod;
brysiant at y mur,

a pharatoir yr amddiffyn.
[6]Agorir llifddorau'r afonydd,
ac y mae'r plas mewn dychryn;
[7]dygir y frenhines[c] ymaith i gaethglud,
a'i morynion yn galaru,
yn cwyno fel colomennod
ac yn curo dwyfron.
[8]Y mae Ninefe fel llyn
a'i ddyfroedd yn diflannu.
"Aros! Aros!" meddant, ond nid yw
neb yn troi.
[9]Ysbeiliwch yr arian! Ysbeiliwch yr
aur!
Nid oes terfyn ar y trysor,
nac ar y cyfoeth o bethau dymunol.
[10]Wedi ei hysbeilio, ei hanrheithio a'i
dinoethi,
pob calon yn toddi, pob glin yn
gwegian,
yr ymysgaroedd yn cael eu dirdynnu,
ac wyneb pawb yn gwelwi!

[11]Ple mae ffau'r llew ac ogof[ch] y
cenawon,
cynefin y llew a'r llewes,
lle triga'r llew heb ei darfu?
[12]Darniodd y llew ddigon i'w genawon,
a lladd ar gyfer ei lewesau;
llanwodd ei ogofau ag ysglyfaeth
a'i loches â'i raib.
[13]"Wele fi yn dy erbyn," medd
ARGLWYDD y Lluoedd.
"Llosgaf dy lawnder[d] mewn mwg,
ac ysa'r cleddyf dy genawon;
torraf ymaith dy ysbail o'r tir,
ac ni chlywir mwyach sôn am dy
lawnder."

Gwae Ninefe

3 Gwae'r ddinas waedlyd,
sy'n dwyll i gyd,
yn llawn anrhaith
a heb derfyn ar ysbail!
[2]Clec y chwip, trwst olwynion,
meirch yn carlamu a cherbydau'n
ysgytian,
[3]marchogion yn ymosod,
cleddyfau'n disgleirio, gwaywffyn yn
fflachio.
Llu o glwyfedigion,
pentyrrau o gyrff,
meirwon dirifedi—
baglant dros y meirwon.
[4]Y cyfan oherwydd puteindra mynych y
butain,

---

*Hebraeg, 2:1.   [b]Felly Groeg a Syrieg. Hebraeg, *pinwydd*.   [c]Hebraeg yn ansicr.
[ch]Tebygol. Hebraeg, *a phorfa*.   [d]Felly Groeg. Hebraeg, *ei cherbyd*.

y deg ei phryd, meistres swynion,
a dwyllodd genhedloedd â'i
phuteindra
a phobloedd â'i swynion.
⁵ "Wele fi yn dy erbyn," medd
ARGLWYDD y Lluoedd.
"Codaf odre dy wisg at dy wyneb,
a dangosaf dy noethni i'r cenhedloedd,
a'th warth i'r teyrnasoedd.
⁶ Taflaf fudreddi drosot,
gwaradwyddaf di a'th wneud yn sioe.
⁷ Yna bydd pob un a'th wêl yn cilio oddi
wrthyt a dweud,
'Difethwyd Ninefe, pwy a
gydymdeimla â hi?'
O ble y ceisiaf rai i'th gysuro?"

⁸ A wyt yn well na No-amon,
sydd ar lannau Afon Neil,
gyda dŵr o'i hamgylch
a'r lli yn wrthglawdd iddi?
⁹ Ethiopia oedd ei chadernid,
a'r Aifft hefyd, a hynny'n ddihysbydd;
Put a Libya oedd ei chymorth ᵈᵈ.
¹⁰ Ond dygwyd hithau ymaith a'i
chaethgludo;
drylliwyd ei phlantos ar ben pob heol;
bwriwyd coelbren am ei huchelwyr,
a rhwymwyd ei mawrion â chadwynau.

¹¹ Byddi dithau hefyd yn chwil a
syfrdan ᵉ;
byddi dithau'n ceisio noddfa rhag y
gelyn.
¹² Bydd dy holl amddiffynfeydd fel coed
ffigys
gyda'u ffigys cynnar aeddfed;
pan ysgydwir hwy, syrthiant i geg y
bwytawr.

¹³ Wele, gwragedd yw dy filwyr yn dy
ganol,
y mae pyrth dy wlad yn agored i'th
elynion,
a thân wedi ysu eu barrau.
¹⁴ Tyn ddŵr ar gyfer gwarchae,
cryfha dy amddiffynfeydd;
dos at y clai,
sathra'r pridd,
moldia briddfeini.
¹⁵ Er hynny, cei dy ddifa gan dân,
fe'th dorrir ymaith â'r cleddyf,
ac fe'th ysir fel gan locust.
Lluosoga fel y locust,
lluosoga fel y sbonciwr,
¹⁶ haid sy'n ymledu ac yn hedfan
ymaith ᶠ.
Y mae dy farsiandïwyr
yn lluosocach na sêr y nefoedd,
¹⁷ dy dywysogion fel locustiaid,
dy gapteiniaid fel cwmwl o
sboncwyr—
ymsefydlant ar y muriau ar ddiwrnod
oer,
ond pan gyfyd yr haul ehedant ymaith,
ac ni ŵyr neb ble maent.
¹⁸ Cysgu y mae dy fugeiliaid, O frenin
Asyria,
a'th arweinwyr yn gorffwyso;
gwasgarwyd dy luoedd hyd y
mynyddoedd,
heb neb i'w casglu.
¹⁹ Ni ellir lliniaru dy glwyf;
y mae dy archoll yn gwaethygu.
Bydd pob un a glyw'r newydd
amdanat
yn curo'i ddwylo o'th blegid.
A oes rhywun nad yw wedi dioddef
oddi wrth dy ddrygioni
diddiwedd?

ᵈᵈ Felly Groeg. Hebraeg, *dy gymorth.*   ᵉ Tebygol. Hebraeg, *a chuddiedig.*
ᶠ Y mae *haid...ymaith* ar ddiwedd yr adnod yn yr Hebraeg.

LLYFR

HABACUC

Cwyn Habacuc

1 Yr oracl a ddaeth at Habacuc y
proffwyd mewn gweledigaeth.
[2] Am ba hyd, ARGLWYDD, y gwaeddaf
am gymorth,
a thithau heb wrando,
ac y llefaf arnat, "Trais!",
a thithau heb waredu?
[3] Pam y peri imi edrych ar ddrygioni,
a gwneud imi weld blinder?
Anrhaith a thrais sydd o'm blaen,
cynnen a therfysg yn codi.
[4] Am hynny, â'r gyfraith yn ddi-rym,
ac nid yw cyfiawnder byth yn llwyddo;
yn wir y mae'r drygionus yn
amgylchu'r cyfiawn,
a daw cyfiawnder allan yn wyrgam.

Ateb yr ARGLWYDD

[5] "Edrychwch ymysg y cenhedloedd, a
sylwch;
rhyfeddwch, a byddwch wedi'ch
syfrdanu;
oherwydd yn eich dyddiau chwi yr wyf
yn gwneud gwaith
na choeliech, pe dywedid wrthych.
[6] Oherwydd wele, yr wyf yn codi'r
Caldeaid,
y genedl greulon a chyflym,
sy'n ymdaith ledled y ddaear
i feddiannu cartrefi nad ydynt yn eiddo
iddynt.
[7] Arswydus ac ofnadwy ydynt,
a'u dull a'u rhwysg yn eithriadol.
[8] Y mae eu meirch yn gyflymach na'r
llewpard,
yn ddycnach na bleiddiaid yr hwyr,
ac yn ysu am fynd.
Daw ei farchogion o bell,
yn ehedeg fel eryr yn brysio at
ysglyfaeth.
[9] Dônt i gyd i dreisio,
a bydd dychryn o'u blaen;
casglant gaethion rif y tywod;
[10] gwawdiant frenhinoedd
a dirmygant arweinwyr;
dirmygant bob amddiffynfa,
a gosod gwarchae i'w meddiannu.
[11] Yna fe dry'r gwynt,
a bydd y rhai a wnaeth dduw o'u nerth
yn troseddu ac yn euog."

Habacuc yn Cwyno Eto

[12] Onid wyt ti erioed, O ARGLWYDD,
fy Nuw sanctaidd na fyddi farw?
O ARGLWYDD, ti a'u penododd i farn;
O Graig, ti a'u dewisodd i ddwyn
cerydd.
[13] Ti, sydd â'th lygaid yn rhy bur i edrych
ar ddrwg,
ac na elli oddef camwri,
pam y goddefi ddynion twyllodrus,
a bod yn ddistaw pan fydd y drygionus
yn traflyncu un mwy cyfiawn nag ef ei
hun?
[14] Pam y gwnei ddynion fel pysgod y
môr,
fel ymlusgiaid heb neb i'w rheoli?
[15] Codant hwy i fyny â bach, bob un
ohonynt,
a'u dal mewn rhwydau,
a'u casglu â llusgrwyd;
yna maent yn llawenhau a gorfoleddu,
[16] yn cyflwyno aberth i'w rhwydau
ac yn arogldarthu i'r llusgrwydau,
am mai trwyddynt hwy y cânt fyw'n
fras
a bwyta'n foethus.
[17] A ydynt felly i wagio'u rhwydau'n
ddiddiwedd,
a lladd cenhedloedd yn ddidostur?

Yr ARGLWYDD yn Ateb Eto

2 Safaf ar fy nisgwylfa,
a chymryd fy safle ar y tŵr;
syllaf i weld beth a ddywed wrthyf,
a beth fydd ei ateb i'm cwyn.
[2] Atebodd yr ARGLWYDD fi:
"Ysgrifenna'r weledigaeth,
a gwna hi'n eglur ar lechen,
fel y gellir ei darllen wrth redeg;
[3] oherwydd fe ddaw eto weledigaeth yn
ei hamser—
daw ar frys i'w chyflawni, a heb ball.
Yn wir nid oeda; disgwyl amdani,
oherwydd yn sicr fe ddaw, a heb fethu.
[4] Yr un nad yw ei enaid yn uniawn sy'n
ddi-hid,
ond bydd y cyfiawn fyw trwy ei
ffyddlondeb."

Gwaeau

⁵Y mae cyfoeth[a] yn dwyllodrus, yn
  gwneud dyn yn falch a di-ddal;
y mae yntau'n lledu ei safn fel Sheol,
ac fel marwolaeth yn anniwall,
yn casglu'r holl genhedloedd iddo'i
  hun
ac yn cynnull ato'r holl bobloedd.
⁶Oni fyddant i gyd yn adrodd dychan yn
  ei erbyn,
ac yn ei watwar yn sbeitlyd a dweud,
"Gwae'r un sy'n pentyrru'r hyn nad
  yw'n eiddo iddo,[b]
ac yn ei feichio'i hun â gwystlon."
⁷Oni chyfyd dy echwynwyr yn sydyn,
ac oni ddeffry'r rhai sy'n dy ddychryn,
a thithau'n syrthio'n ysglyfaeth
  iddynt?
⁸Am i ti dy hun ysbeilio cenhedloedd
  lawer,
bydd gweddill pobloedd y byd yn dy
  ysbeilio di,
o achos y tywallt gwaed a'r anrheithio
  ar y tir
a'r ddinas a'i holl drigolion.

⁹Gwae'r sawl a gais enillion drygionus
  i'w feddiant,
er mwyn gosod ei nyth yn uchel,
a'i waredu ei hun o afael blinder.
¹⁰Cynlluniaist warth i'th dŷ dy hun
trwy dorri ymaith bobloedd lawer,
a pheryglaist dy einioes dy hun.
¹¹Oherwydd gwaedda'r garreg o'r mur,
ac etyb trawst o'r gwaith coed.

¹²Gwae'r sawl sy'n adeiladu dinas trwy
  waed,
ac yn sylfaenu dinas ar anwiredd.
¹³Wele, onid oddi wrth Arglwydd y
  Lluoedd y daw hyn:
fod pobloedd yn llafurio i ddim ond
  tân,
a chenhedloedd yn ymdrechu i ddim o
  gwbl?
¹⁴Oherwydd llenwir y ddaear â
  gwybodaeth o ogoniant yr
  Arglwydd,
fel y mae'r dyfroedd yn llenwi'r môr.

¹⁵Gwae'r sawl sy'n gwneud i'w gymydog
  yfed o gwpan ei lid,
ac yn ei feddwi er mwyn cael gweld ei

noethni.
¹⁶Byddi'n llawn o warth, ac nid o
  ogoniant.
Yf dithau nes y byddi'n simsan.[c]
Atat ti y daw cwpan deheulaw'r
  Arglwydd,
a bydd dy warth yn fwy na'th
  ogoniant.
¹⁷Bydd y trais a wnaed yn Lebanon yn
  dy oresgyn,
a dinistr yr anifeiliaid yn dy arswydo,
o achos y tywallt gwaed a'r anrheithio
  ar y tir
a'r ddinas a'i holl drigolion.

¹⁸Pa fudd i'w wneuthurwr yw'r eilun a
  luniodd?
Nid yw ond delw a dysgwr celwydd.
Er bod y gwneuthurwr yn ymddiried
  yn ei waith,
nid yw'n gwneud ond delwau mud.
¹⁹Gwae'r sawl a ddywed wrth bren,
  "Deffro",
ac wrth garreg fud, "Symud".[ch]
Y mae wedi ei amgylchu ag aur ac
  arian,
ond nid oes dim anadl ynddo.
²⁰Ond y mae'r Arglwydd yn ei deml
  sanctaidd;
bydded i'r holl ddaear ymdawelu ger
  ei fron.

Gweddi Habacuc

3 Gweddi'r proffwyd Habacuc. Ar
  Sigionoth.
²O Arglwydd, clywais y sôn amdanat,
a gwelais[d] dy waith, O Arglwydd.
Adnewydda ef yng nghanol y
  blynyddoedd,
datguddia ef yng nghanol y
  blynyddoedd,
ac yn dy lid cofia drugaredd.
³Y mae Duw yn dyfod o Teman,
a'r Sanctaidd o Fynydd Paran.   Sela
Y mae ei ogoniant yn gorchuddio'r
  nefoedd,
a'i fawl yn llenwi'r ddaear.
⁴Y mae ei lewyrch fel y wawr,
a phelydrau'n fflachio o'i law;
ac yno y mae cuddfan ei nerth.
⁵Â haint allan o'i flaen,
a daw pla allan ar ei ôl.
⁶Pan saif, y mae'r ddaear yn ysgwyd;
pan edrycha, gwna i'r cenhedloedd

---

[a] Felly Sgrôl. TM, *gwin.*   [b] Hebraeg yn ychwanegu *Am ba hyd?*
[c] Felly Groeg a Syrieg. Hebraeg, *nes y byddi'n ddienwaededig.*
[ch] Hebraeg yn ychwanegu, *Hwn sy'n dysgu.*   [d] Cymh. Groeg. Hebraeg, *ac ofnais.*

grynu;
rhwygir y mynyddoedd hen
a siglir y bryniau oesol;
llwybrau oesol sydd ganddo.
⁷Gwelais bebyll Cusan mewn helbul
a llenni tir Midian yn crynu.
⁸A wyt yn ddig wrth y dyfroedd,
ARGLWYDD?
A yw dy lid yn erbyn yr afonydd,
a'th ddicter at y môr?
Pan wyt yn marchogaeth dy feirch
mewn ymdaith fuddugoliaethus,
⁹y mae dy fwa wedi ei ddarparu
a'r saethau'n barod i'r llinyn.   Sela
Yr wyt yn hollti'r ddaear ag afonydd;
¹⁰pan wêl y mynyddoedd di, fe'u
dirdynnir.
Ysguba'r llifddyfroedd ymlaen;
tarana'r dyfnder a chodi ei ddwylo'n
uchel.
¹¹Saif yr haul a'r lleuad yn eu lle,
rhag fflachiau dy saethau cyflym,
rhag llewyrch dy waywffon ddisglair.
¹²Mewn llid yr wyt yn camu dros y
ddaear,
ac mewn dicter yn mathru
cenhedloedd.
¹³Ei allan i waredu dy bobl,
i waredu dy eneiniog;
drylli dŷ'r drygionus i'r llawr,
a dinoethi'r sylfaen hyd at y graig. Sela
¹⁴Tryweni â'th waywffyn bennau'r

rhyfelwyr
a ddaeth fel corwynt i'm gwasgaru,
fel rhai'n llawenhau i lyncu'r tlawd yn
ddirgel.
¹⁵Pan sethri'r môr â'th feirch,
y mae'r dyfroedd mawrion yn
ymchwyddo.

¹⁶Clywais innau, a chynhyrfwyd fy
ymysgaroedd,
cryna fy ngwefusau gan y sŵn;
daw pydredd i'm hesgyrn,
ac y mae fy nhraed yn
ymollwng danaf;
disgwyliaf am i'r dydd blin
wawrio ar y bobl sy'n ymosod arnom.

¹⁷Er nad yw'r ffigysbren yn blodeuo,
ac er nad yw'r gwinwydd yn dwyn
ffrwyth;
er i'r cynhaeaf olew ballu,
ac er nad yw'r meysydd yn rhoi bwyd;
er i'r praidd ddarfod o'r gorlan,
ac er nad oes gwartheg yn y beudai;
¹⁸eto llawenychaf yn yr ARGLWYDD,
a llawenhaf yn Nuw fy
iachawdwriaeth.
¹⁹Yr ARGLWYDD Dduw yw fy nerth;
gwna fy nhraed yn ysgafn fel ewig,
a phâr imi rodio uchelfannau.

*I'r Cyfarwyddwr: gydag offerynau
llinynnol.*

SEFFANEIA

Dydd Barn yr ARGLWYDD

1 Gair yr ARGLWYDD, a ddaeth at Seffaneia fab Cushi, fab Gedaleia, fab Amareia, fab Heseceia, yn nyddiau Joseia fab Amon, brenin Jwda.

2 "Ysgubaf ymaith yn llwyr bopeth oddi ar wyneb y ddaear," medd yr ARGLWYDD.
3 "Ysgubaf ymaith ddyn ac anifail;
ysgubaf ymaith adar y nefoedd a physgod y môr;
darostyngaf y rhai drygionus,
a thorraf ymaith ddyn oddi ar wyneb y ddaear," medd yr ARGLWYDD.

4 "Estynnaf fy llaw yn erbyn Jwda
ac yn erbyn holl drigolion Jerwsalem;
a thorraf ymaith o'r lle hwn weddill Baal,
ac enw'r offeiriaid gau,
5 a'r rhai sy'n ymgrymu ar bennau'r tai i lu'r nef,
y rhai sy'n ymgrymu ac yn tyngu i'r ARGLWYDD
ond hefyd yn tyngu i Milcom,
6 a'r rhai sydd wedi cefnu ar yr ARGLWYDD,
ac nad ydynt yn ceisio'r ARGLWYDD nac yn ymgynghori ag ef."

7 Distawrwydd o flaen yr Arglwydd DDUW!
Oherwydd y mae dydd yr ARGLWYDD yn agos;
y mae'r ARGLWYDD wedi paratoi aberth
ac wedi cysegru ei wahoddedigion.
8 "Ac ar ddydd aberth yr ARGLWYDD mi gosbaf y swyddogion a'r tŷ brenhinol,
a phawb sy'n gwisgo dillad estron.
9 Ar y dydd hwnnw mi gosbaf bawb sy'n camu dros y rhiniog

ac yn llenwi tŷ eu harglwydd â thrais a thwyll.

10 "Ar y dydd hwnnw," medd yr ARGLWYDD,
"clywir gwaedd o Borth y Pysgod,
a chri o Ail Barth y ddinas,
a malurio trystfawr o'r bryniau.
11 Gwaeddwch, drigolion y Farchnad[a].
Oherwydd darfu am yr holl fasnachwyr,
a thorrwyd ymaith yr holl bwyswyr arian.

12 "Yn yr amser hwnnw
chwiliaf Jerwsalem â llusernau,
a chosbaf y rhai sy'n ymbesgi uwch eu gwaddod
ac yn dweud wrthynt eu hunain,
'Ni wna'r ARGLWYDD na da na drwg.'
13 Anrheithir eu cyfoeth
a difethir eu tai;
codant dai, ond ni chânt fyw ynddynt;
plannant winllannoedd, ond ni chânt yfed eu gwin."

14 Y mae dydd mawr yr ARGLWYDD yn agos,
yn agos ac yn dod yn gyflym;
chwerw yw trwst dydd yr ARGLWYDD,
ac yna y gwaedda'r rhyfelwr yn uchel.
15 Dydd dicter yw'r dydd hwnnw,
dydd blinder a gofid,
dydd dinistr a difrod,
dydd tywyllwch a düwch,
dydd cymylau a chaddug,
16 dydd utgorn a bloedd rhyfel
yn erbyn y dinasoedd caerog
ac yn erbyn y tyrau uchel.
17 "Mi ddof â thrybini ar ddynion,
a cherddant fel deillion;
am iddynt bechu yn erbyn yr ARGLWYDD
tywelltir eu gwaed fel llwch
a'u cnawd fel tom,
18 ac ni all eu harian na'u haur eu

---
[a] 1 eu^gol. Hebraeg, *Machtes*.

gwaredu."
Ar ddydd dicter yr ARGLWYDD
ysir yr holl dir â thân ei lid,
oherwydd gwna ddiwedd, ie, yn fuan,
ar holl drigolion y ddaear.

Galwad i Edifeirwch

2 Ymgasglwch a dewch ynghyd, genedl
ddigywilydd,
²cyn i chwi gael eich gyrru ymaith, a
diflannu fel us,
cyn i gynddaredd llid yr ARGLWYDD
ddod arnoch,
cyn i ddydd dicter yr ARGLWYDD ddod
arnoch.
³Ceisiwch yr ARGLWYDD, holl rai
gostyngedig y ddaear sy'n cadw ei
ddeddfau;
ceisiwch gyfiawnder, ceisiwch
ostyngeiddrwydd;
efallai y cewch guddfan yn nydd llid yr
ARGLWYDD.

Yn erbyn Philistia

⁴Bydd Gasa yn anghyfannedd
ac Ascalon yn ddiffaith;
gyrrir allan drigolion Asdod ganol
dydd,
a diwreiddir Ecron.
⁵Gwae drigolion glan y môr, cenedl y
Cerethiaid!
Y mae gair yr ARGLWYDD yn eich
erbyn,
O Ganaan, gwlad y Philistiaid:
"Difethaf chwi heb adael trigiannydd
ar ôl."
⁶A bydd glan y môr yn borfa,
yn fythod i fugeiliaid
ac yn gorlannau i ddefaid.
⁷Bydd glan y môr yn eiddo i weddill tŷ
Jwda;
yno y porant, a gorwedd fin nos yn
nhai Ascalon.
Oherwydd bydd yr ARGLWYDD eu
Duw yn ymweld â hwy
ac yn adfer eu llwyddiant.

Yn erbyn Moab ac Ammon

⁸"Clywais wawd Moab
a gwatwaredd yr Ammoniaid,
fel y bu iddynt wawdio fy mhobl
a bygwth eu terfyn.
⁹Am hynny, cyn wired â'm bod i'n
fyw,"
medd ARGLWYDD y Lluoedd, Duw

Israel,
"bydd Moab fel Sodom,
a'r Ammoniaid fel Gomorra,
yn dir danadl, yn bentwr o halen, yn
ddiffaith am byth.
Bydd y rhai a adawyd o'm pobl yn eu
hanrheithio,
a gweddill fy nghenedl yn meddiannu
eu tir."
¹⁰Dyma'r tâl am eu balchder,
am iddynt wawdio a bygwth pobl
ARGLWYDD y Lluoedd.
¹¹Bydd yr ARGLWYDD yn ofnadwy yn eu
herbyn,
oherwydd fe ddarostwng holl
dduwiau'r ddaear hyd newyn,
a bydd holl arfordir y cenhedloedd yn
ymostwng iddo,
pob un yn ei le ei hun.

Yn erbyn Ethiopia ac Asyria

¹²Chwithau hefyd, Ethiopiaid,
fe'ch lleddir â'm cleddyf.
¹³Ac fe estyn ei law yn erbyn y gogledd,
a dinistrio Asyria;
fe wna Ninefe'n anialwch,
yn sych fel diffeithwch.
¹⁴Bydd diadelloedd yn gorwedd yn ei
chanol,
holl anifeiliaid y maesᵇ;
bydd y fwltur ac aderyn y bwn
yn nythu yn ei thrawstiau;
bydd y dylluanᶜ yn llefain yn ei
ffenestr,
a'r gigfran ᶜʰ wrth y rhiniog,
am fod y cedrwydd yn noeth.
¹⁵Dyma'r ddinas fostfawr
oedd yn byw mor ddiofal,
ac yn dweud wrthi ei hun,
"Myfi sydd, heb neb arall."
Y fath ddiffeithwch ydyw,
lloches i anifeiliaid gwylltion!
Bydd pob un a â heibio iddi
yn chwibanu ac yn gwaredu drosti.

Pechod a Gwaredigaeth Jerwsalem

3 Gwae'r ddinas orthrymus,
yr un wrthryfelgar a budr!
²Ni wrandawodd ar lais neb,
ac ni dderbyniodd gyngor;
nid ymddiriedodd yn yr ARGLWYDD,
ac ni nesaodd at ei Duw.
³Llewod yn rhuo yn ei chanol
oedd ei swyddogion;
ei barnwyr yn fleiddiaid yr hwyr,

ᵇCymh. Groeg. Hebraeg, *y genedl.*   ᶜTebygol. Hebraeg, *y llais.*
ᶜʰTebygol. Hebraeg, *a'r diffeithwch.*

heb adael dim tan y bore;
⁴ei phroffwydi'n rhyfygus
ac yn wŷr twyllodrus;
ei hoffeiriaid yn halogi'r cysegredig
ac yn treisio'r gyfraith.
⁵Ond y mae'r ARGLWYDD yn ei chanol
yn gyfiawn;
nid yw'n gwneud cam;
fore ar ôl bore y mae'n traddodi barn
heb ballu ar doriad y dydd;
ond ni ŵyr yr anwir gywilydd.

⁶"Torrais ymaith genhedloedd,
ac y mae eu tyrau'n garnedd;
gwneuthum eu strydoedd yn
ddiffeithwch
nad eir trwyddo;
anrheithiwyd eu dinasoedd,
heb ddyn, heb drigiannydd.
⁷Dywedais, 'Bydd yn sicr o'm hofni
a derbyn cyngor,
ac ni chyll olwg^d ar y cyfan
a ddygais arni.'
Ond yr oeddent yn eiddgar i lygru eu
holl weithredoedd.

⁸"Felly, disgwyliwch amdanaf," medd
yr ARGLWYDD,
"am y dydd y codaf i'ch cyhuddo;
oherwydd fy mwriad yw casglu
cenhedloedd
a chynnull teyrnasoedd,
i dywallt fy nicter arnynt,
holl gynddaredd fy llid;
oherwydd â thân fy llid yr ysir yr holl
dir.

⁹"Yna, rhof i'r bobloedd wefus bur,
iddynt oll alw ar enw'r ARGLWYDD
a'i wasanaethu'n unfryd.
¹⁰O'r tu hwnt i afonydd Ethiopia
y dygir offrwm i mi gan y rhai ar
wasgar
sy'n ymbil arnaf.

¹¹"Ar y dydd hwnnw
ni'th waradwyddir am dy holl waith
yn gwrthryfela i'm herbyn;
oherwydd symudaf o'th blith
y rhai sy'n ymhyfrydu mewn balchder,

ac ni fyddi byth mwy'n ymddyrchafu
yn fy mynydd sanctaidd.
¹²Ond gadawaf yn dy fysg
bobl ostyngedig ac isel,
a bydd gweddill Israel yn gobeithio yn
enw'r ARGLWYDD;
¹³ni wnânt anwiredd na dweud celwydd,
ac ni cheir tafod twyllodrus yn eu
genau;
oherwydd porant, a gorweddant heb
neb i'w dychryn."

Cân o Lawenydd

¹⁴Cân, ferch Seion;
gwaedda'n uchel, O Israel;
llawenha a gorfoledda â'th holl galon,
ferch Jerwsalem.
¹⁵Trodd yr ARGLWYDD dy gosb oddi
wrthyt,
a symudodd dy elynion.
Y mae brenin Israel, yr ARGLWYDD, yn
dy ganol,
ac nid ofni ddrwg mwyach.
¹⁶Y dydd hwnnw dywedir wrth
Jerwsalem,
"Nac ofna, Seion,
ac na laesa dy ddwylo;
¹⁷y mae'r ARGLWYDD dy Dduw yn dy
ganol,
yn rhyfelwr i'th waredu;
fe orfoledda'n llawen ynot,
a'th adnewyddu yn ei gariad;
llawenycha ynot â chân
¹⁸fel ar ddydd gŵyl. ^{dd}
Symudaf aflwydd ymaith oddi wrthyt,
rhag bod iti gywilydd o'i blegid.
¹⁹Wele fi'n talu'r pwyth i'th orthrymwyr
yn yr amser hwnnw;
gwaredaf y rhai cloff a chasglaf y rhai
gwasgaredig,
a rhof iddynt glod ac enw yn holl dir eu
gwarth.
²⁰Y pryd hwnnw,
pan fydd yn amser i'ch casglu, mi ddof
â chwi adref;
oherwydd rhof i chwi glod ac enw
ymhlith holl bobloedd y ddaear,
pan adferaf eich llwyddiant yn eich
gŵydd," medd yr ARGLWYDD.

^dFelly Groeg a Syrieg. Hebraeg, *ei thrigfan.*

^{dd}Cymh. Groeg. Hebraeg yn aneglur.

LLYFR

HAGGAI

Gorchymyn i Ailadeiladu'r Deml

1 Yn ail flwyddyn y Brenin Dareius, yn y chweched mis, ar y dydd cyntaf o'r mis, daeth gair yr ARGLWYDD trwy'r proffwyd Haggai at Sorobabel fab Salathiel, llywodraethwr Jwda, ac at Josua fab Josedec, yr archoffeiriad. ²Fel hyn y dywed ARGLWYDD y Lluoedd:"Y mae'r bobl hyn yn dweud na ddaeth yr amser i adeiladu tŷ'r ARGLWYDD." ³A daeth gair yr ARGLWYDD trwy'r proffwyd Haggai: ⁴"Ai amser yw i chwi eich hunain fyw yn eich tai clyd, a'r tŷ hwn yn adfeilion?" ⁵Yn awr, fel hyn y dywed ARGLWYDD y Lluoedd: "Ystyriwch eich cyflwr. ⁶Hauasoch lawer, ond medi ychydig; yr ydych yn bwyta, ond heb gael digon; yr ydych yn yfed, ond heb eich llenwi byth; yr ydych yn ymwisgo, ond heb fod yn gynnes byth; y mae'r sawl sy'n ennill cyflog yn ei gadw mewn cod dyllog."

7 Fel hyn y dywed ARGLWYDD y Lluoedd: "Ystyriwch eich cyflwr. ⁸Ewch i'r mynydd, torrwch goed i adeiladu'r tŷ, i mi gael ymhyfrydu ynddo a chael anrhydedd," medd yr ARGLWYDD. ⁹"Yr ydych yn edrych am lawer, ond yn cael ychydig; pan ddygwch y cynhaeaf adref, yr wyf yn chwythu arno. Pam?" medd ARGLWYDD y Lluoedd. "Am fod fy nhŷ i'n adfeilion, a chwithau bob un ohonoch â thŷ ganddo i fynd iddo. ¹⁰Dyna pam yr ataliodd y nefoedd y gwlith ac y cadwodd y ddaear ei ffrwyth, ¹¹ac y cyhoeddais innau sychder ar y ddaear, y mynyddoedd, yr ŷd, y gwin, yr olew, ar bopeth o gynnyrch y tir, ar ddyn ac anifail, ac ar holl lafur dwylo."

Ymateb y Bobl

12 Clywodd Sorobabel fab Salathiel a Josua fab Josedec, yr archoffeiriad, a holl weddill y bobl, lais yr ARGLWYDD eu Duw a geiriau Haggai, y proffwyd a anfonodd yr ARGLWYDD eu Duw; ac ofnodd y bobl o flaen yr ARGLWYDD.

¹³Yna llefarodd Haggai, cennad yr ARGLWYDD, neges yr ARGLWYDD i'r bobl: "Yr wyf fi gyda chwi," medd yr ARGLWYDD. ¹⁴A chynhyrfodd yr ARGLWYDD ysbryd Sorobabel fab Salathiel, llywodraethwr Jwda, ac ysbryd Josua fab Josedec, yr archoffeiriad, a gweddill y bobl; a daethant a dechrau gweithio ar dŷ ARGLWYDD y Lluoedd, eu Duw hwy, ¹⁵ar y pedwerydd dydd ar hugain o'r chweched mis.

Gogoniant y Deml Newydd

2 Yn ail flwyddyn y Brenin Dareius, yn y seithfed mis, ar yr unfed dydd ar hugain o'r mis, daeth gair yr ARGLWYDD trwy'r proffwyd Haggai: ²"Dywed wrth Sorobabel fab Salathiel, llywodraethwr Jwda, ac wrth Josua fab Josedec, yr archoffeiriad, ac wrth weddill y bobl, ³'A adawyd un yn eich plith a welodd y tŷ hwn yn ei ogoniant cyntaf? Sut yr ydych chwi yn ei weld yn awr? Onid megis dim yn eich golwg? ⁴Yn awr, ymgryfha, Sorobabel,'" medd yr ARGLWYDD, "'ac ymgryfha, Josua fab Josedec, yr archoffeiriad, ac ymgryfhewch, holl bobl y tir,'" medd yr ARGLWYDD. "'Gweithiwch, oherwydd yr wyf fi gyda chwi,'" medd ARGLWYDD y Lluoedd, ⁵"'yn unol â'r addewid a wneuthum i chwi pan ddaethoch allan o'r Aifft. Y mae fy ysbryd yn aros yn eich plith; peidiwch ag ofni.'" ⁶Oherwydd fel hyn y dywed ARGLWYDD y Lluoedd: "Unwaith eto, ymhen ychydig, yr wyf am ysgwyd y nefoedd a'r ddaear, y môr a'r sychdir, ⁷ac ysgydwaf hefyd yr holl genhedloedd; daw trysor yr holl genhedloedd i mewn, a llanwaf y tŷ hwn â gogoniant," medd ARGLWYDD y Lluoedd. ⁸"Eiddof fi yr arian a'r aur," medd ARGLWYDD y Lluoedd. ⁹"Bydd gogoniant y tŷ diwethaf hwn yn fwy na'r cyntaf," medd ARGLWYDD y Lluoedd; "ac yn y lle hwn rhof heddwch," medd ARGLWYDD y Lluoedd.

Y Proffwyd yn Ymgynghori â'r Offeiriad

10 Ar y pedwerydd dydd ar hugain o'r nawfed mis yn ail flwyddyn Dareius, daeth gair yr ARGLWYDD at y proffwyd Haggai. [11]Fel hyn y dywed ARGLWYDD y Lluoedd: "Gofynnwch fel hyn i'r offeiriad am gyfarwyddyd: [12]'Os dwg un ym mhlyg ei wisg gig wedi ei gysegru, a gadael i'r wisg gyffwrdd â bara, neu gawl, neu win, neu olew, neu unrhyw fwyd, a fyddant yn gysegredig?'" Atebodd yr offeiriad, "Na fyddant." [13]Yna dywedodd Haggai, "Os bydd dyn sy'n halogedig oherwydd cysylltiad â chorff marw yn cyffwrdd â'r rhain, a fyddant yn halogedig?" Atebodd yr offeiriad, "Byddant." [14]Yna dywedodd Haggai, "'Felly y mae'r bobl hyn, a'r genedl hon ger fy mron,' medd yr ARGLWYDD, 'a hefyd holl waith eu dwylo; y mae pob offrwm a ddygant yma yn halogedig.'"

15 "Yn awr, ystyriwch sut y bu hyd at y dydd hwn. Cyn rhoi carreg ar garreg yn nheml yr ARGLWYDD, sut y bu? [16]Dôi un at bentwr ugain mesur, a chael deg; dôi at winwryf i dynnu hanner can mesur, a chael ugain. [17]Trewais chwi, a holl lafur eich dwylo, â malltod, llwydni a chen-llysg, ac eto ni throesoch ataf," medd yr ARGLWYDD. [18]"Yn awr ystyriwch sut y bydd o'r dydd hwn ymlaen, o'r pedwerydd dydd ar hugain o'r nawfed mis, dydd gosod sylfaen teml yr ARGLWYDD; ystyriwch. [19]A fydd had eto yn yr ysgubor? A fydd y winwydden, y ffigysbren, y pomgranadwydden a'r olewydden eto heb roi dim? O'r dydd hwn ymlaen fe'ch bendithiaf."

Addewid yr ARGLWYDD i Sorobabel

20 Daeth gair yr ARGLWYDD at Haggai eilwaith ar y pedwerydd dydd ar hugain o'r mis: [21]"Dywed wrth Sorobabel, llywodraethwr Jwda, 'Yr wyf fi am ysgwyd y nefoedd a'r ddaear; [22]dymchwelaf orsedd brenhinoedd, dinistriaf gryfder teyrnasoedd y cenhedloedd, a dymchwelaf gerbydau a marchogion; bydd ceffylau a'u marchogion yn syrthio, pob un trwy gleddyf ei gyfaill. [23]Yn y dydd hwnnw,'" medd ARGLWYDD y Lluoedd, "'fe'th gymeraf di Sorobabel fab Salathiel, fy ngwas,'" medd yr ARGLWYDD, "'ac fe'th wisgaf fel sêl-fodrwy, oherwydd tydi a ddewisais,'" medd ARGLWYDD y Lluoedd.

LLYFR
SECHAREIA

Galwad i Ddychwelyd at yr ARGLWYDD

1 Yn yr wythfed mis o ail flwyddyn Dareius, daeth gair yr ARGLWYDD at y proffwyd Sechareia fab Beracheia, fab Ido, a dweud, ²"Digiodd yr ARGLWYDD yn fawr wrth eich tadau. ³Dywed wrthynt, 'Fel hyn y dywed ARGLWYDD y Lluoedd: Dychwelwch ataf fi,' medd ARGLWYDD y Lluoedd, 'a dychwelaf finnau atoch chwi,' medd ARGLWYDD y Lluoedd. ⁴'Peidiwch â bod fel eich tadau, y galwodd y proffwydi cyntaf arnynt, a dweud, Fel hyn y dywed ARGLWYDD y Lluoedd: Trowch oddi wrth eich ffyrdd drygionus a'ch gweithredoedd drygionus, ond ni wrandawsant na rhoi sylw imi,' medd yr ARGLWYDD. ⁵'Eich tadau—ple maent? A'r proffwydi—a ydynt yn fyw o hyd? ⁶Ond y geiriau a'r deddfau a orchmynnais i'm gweision y proffwydi—oni ddaethant ar eich tadau? A ddychwelasant hwy a dweud, Gwnaeth ARGLWYDD y Lluoedd fel y bwriadodd i ni am ein ffyrdd a'n gweithredoedd?' "

Gweledigaeth y Meirch

7 Ar y pedwerydd ar hugain o'r unfed mis ar ddeg, sef mis Sebat, o ail flwyddyn Dareius, daeth gair yr ARGLWYDD at y proffwyd Sechareia fab Beracheia, fab Ido. ⁸Dywedodd Sechareia: Neithiwr cefais weledigaeth, dyn yn marchogaeth ar geffyl coch. Yr oedd yn sefyll rhwng y myrtwydd yn y pant, ac o'i ôl yr oedd meirch cochion, brithion a gwynion. ⁹A gofynnais, "Beth yw'r rhai hyn, arglwydd?" A dywedodd yr angel oedd yn siarad â mi, "Dangosaf i ti beth ydynt." ¹⁰Yna dywedodd y gŵr oedd yn sefyll rhwng y myrtwydd, "Dyma'r rhai a anfonodd yr ARGLWYDD i dramwyo dros y ddaear." ¹¹A dywedasant wrth angel yr ARGLWYDD, a oedd yn sefyll rhwng y myrtwydd, "Yr ydym wedi bod dros y ddaear, ac y mae'r holl ddaear yn dawel ac yn heddychlon." ¹²Yna atebodd angel yr ARGLWYDD, "O ARGLWYDD y Lluoedd, am ba hyd y peidi â thosturio wrth Jerwsalem ac wrth ddinasoedd Jwda, y dangosaist dy lid wrthynt y deng mlynedd a thrigain hyn?" ¹³A llefarodd yr Arglwydd eiriau caredig a chysurlon wrth yr angel oedd yn siarad â mi, ¹⁴a dywedodd yr angel oedd yn siarad â mi, "Cyhoedda, Fel hyn y dywed ARGLWYDD y Lluoedd: 'Yr wyf yn eiddigeddus iawn dros Jerwsalem a thros Seion. ¹⁵Yr wyf yn llawn llid mawr yn erbyn y cenhedloedd y mae'n esmwyth arnynt, am iddynt bentyrru drwg ar ddrwg pan nad oedd fy llid ond bychan.' ¹⁶Am hynny, fel hyn y dywed yr ARGLWYDD: 'Dychwelaf i Jerwsalem mewn trugaredd ac adeiledir fy nhŷ ynddi,' medd ARGLWYDD y Lluoedd, 'ac estynnir llinyn mesur dros Jerwsalem.' ¹⁷Cyhoedda hefyd, Fel hyn y dywed ARGLWYDD y lluoedd: 'Bydd fy ninasoedd eto'n orlawn o ddaioni; rhydd yr ARGLWYDD eto gysur i Seion, a bydd eto'n dewis Jerwsalem.' "

Gweledigaeth y Cyrn

18* A chodais fy ngolwg ac edrych, ac wele bedwar corn. ¹⁹A gofynnais i'r angel oedd yn siarad â mi, "Beth yw'r rhain?" A dywedodd wrthyf, "Dyma'r cyrn a wasgarodd Jwda, Israel a Jerwsalem." ²⁰Yna dangosodd yr ARGLWYDD imi bedwar gof. ²¹A dywedais, "Beth y mae'r rhain am ei wneud?" Atebodd, "Bu'r cyrn hyn yn gwasgaru Jwda mor llwyr fel na allai un dyn godi ei ben; ond daeth y gofaint i'w dychryn a dinistrio cyrn y cenhedloedd a gododd gorn yn erbyn gwlad Jwda i'w gwasgaru."

Gweledigaeth y Llinyn Mesur

2* Pan godais fy ngolwg, gwelais ŵr a llinyn mesur yn ei law, ²a dywedais, "Ble'r wyt ti'n mynd?" Atebodd, "I fesur Jerwsalem, i weld beth yw ei lled a

---

*Hebraeg, 2:1.   *Hebraeg, 2:5.

beth yw ei hyd." ³Wedi i'r angel oedd yn siarad â mi ddod allan, daeth angel arall i'w gyfarfod, ⁴a dweud wrtho, "Rhed i ddweud wrth y llanc acw, 'Bydd Jerwsalem yn faestrefi heb furiau, gan mor niferus fydd dynion ac anifeiliaid ynddi. ⁵A byddaf fi,' medd yr ARGLWYDD, 'yn fur o dân o'i hamgylch, a byddaf yn ogoniant yn ei chanol.'"

Galw'r Bobl Adref o'r Gaethglud

6 "Gwyliwch, gwyliwch! Ffowch o dir y gogledd," medd yr ARGLWYDD, "oherwydd taenaf chwi ar led fel pedwar gwynt y nefoedd," medd yr ARGLWYDD. ⁷"Gwyliwch! Ffowch i Seion, chwi sy'n trigo ym Mabilon." ⁸Oherwydd fel hyn y dywed ARGLWYDD y Lluoedd, wedi i'w ogoniant fy anfon at y cenhedloedd sy'n eich ysbeilio, am fod pob un sy'n cyffwrdd â chwi yn cyffwrdd â channwyll ei lygad: ⁹"Wele fi'n ysgwyd fy nwrn yn eu herbyn, a byddant yn ysbail i'w gweision eu hunain." Yna cewch wybod mai ARGLWYDD y Lluoedd a'm hanfonodd. ¹⁰"Gwaedda a gorfoledda, ferch Seion; oherwydd yr wyf yn dod i drigo yn dy ganol," medd yr ARGLWYDD. ¹¹"A bydd cenhedloedd lawer yn glynu wrth yr ARGLWYDD yn y dydd hwnnw, ac yn dod yn bobl iddo, a byddaf yn trigo yn dy ganol, a chei wybod mai ARGLWYDD y Lluoedd a'm hanfonodd atat. ¹²Bydd yr ARGLWYDD yn etifeddu Jwda yn gyfran iddo yn y tir sanctaidd, a bydd eto yn dewis Jerwsalem. ¹³Distawed pawb gerbron yr ARGLWYDD, oherwydd y mae wedi codi o'i drigfa sanctaidd."

Yr Archoffeiriad Josua

3 Yna dangosodd imi Josua yr archoffeiriad, yn sefyll o flaen angel yr ARGLWYDD, a Satan yn sefyll ar ei ddeheulaw i'w gyhuddo. ²A dywedodd yr ARGLWYDD wrth Satan, "Y mae'r ARGLWYDD yn dy geryddu di, Satan; yr ARGLWYDD, yr un a ddewisodd Jerwsalem, sy'n dy geryddu di. Onid marworyn wedi ei arbed o'r tân yw hwn?" ³Yr oedd Josua yn sefyll o flaen yr angel mewn dillad budron; ⁴a dywedodd yr angel wrth ei osgordd, "Tynnwch y dillad budron oddi amdano." Dywedodd wrth Josua, "Edrych fel y symudais dy anwiredd oddi wrthyt, ac fe'th wisgaf â gwisgoedd gwynion." ⁵Dywedodd hefyd, "Rhodder twrban glân am ei ben"; a

rhoesant dwrban glân am ei ben, a dillad amdano; ac yr oedd angel yr ARGLWYDD yn sefyll gerllaw. ⁶Yna rhybuddiodd angel yr ARGLWYDD Josua a dweud, ⁷"Fel hyn y dywed ARGLWYDD y Lluoedd: 'Os rhodi yn fy ffyrdd a chadw fy ngorchmynion, cei reoli fy nhŷ a gofalu am fy llysoedd, a rhof iti'r hawl i fynd a dod gyda'r osgordd. ⁸Gwrando, Josua yr archoffeiriad, ti a'th gyfeillion sydd ger dy fron, oherwydd arwyddion yw'r dynion hyn. Wele fi'n arwain allan fy ngwas, y Blaguryn. ⁹Dyma'r garreg a osodaf o flaen Josua, carreg ac iddi saith llygad, ac wele fi'n egluro eu hystyr,' medd ARGLWYDD y Lluoedd. 'Symudaf ymaith anwiredd y tir hwn mewn un diwrnod. ¹⁰Y dydd hwnnw,' medd ARGLWYDD y Lluoedd, 'byddwch yn gwahodd bob un ei gilydd i eistedd o dan ei winwydden ac o dan ei ffigysbren.'"

Gweledigaeth y Canhwyllbren

4 Dychwelodd yr angel oedd yn siarad â mi, a'm deffro fel deffro dyn o'i gwsg, ²a dweud wrthyf, "Beth a weli?" Atebais innau, "Yr wyf yn gweld canhwyllbren, yn aur i gyd, a'i badell ar ei ben; y mae iddo saith o lampau a saith o bibellau i'r lampau arno; ³y mae dwy olewydden gerllaw iddo, un ar dde'r badell a'r llall ar ei chwith." ⁴Gofynnais i'r angel oedd yn siarad â mi, "Beth yw'r rhain, f'arglwydd?" ⁵Ac atebodd yr angel oedd yn siarad â mi, "Oni wyddost beth yw'r rhain?" Dywedais, "Na wn i, f'arglwydd." ⁶Yna dywedodd wrthyf, "Dyma air yr ARGLWYDD at Sorobabel: 'Nid trwy lu ac nid trwy nerth, ond trwy fy ysbryd,' medd ARGLWYDD y Lluoedd. ⁷Beth wyt ti, O fynydd mawr? O flaen Sorobabel nid wyt ond gwastadedd; fe'i gesyd ef yn garreg uchaf, a phawb yn galw arni, 'Hyfryd! Hyfryd!'" ⁸Daeth gair yr ARGLWYDD ataf a dweud, ⁹"Dwylo Sorobabel sy'n sylfaenu'r tŷ hwn, a'i ddwylo ef a'i gorffen"; a chewch wybod mai ARGLWYDD y Lluoedd a'm hanfonodd i atoch. ¹⁰"Pwy bynnag a ddirmygodd ddydd y pethau bychain, caiff lawenhau wrth weld carreg a gwahanu yn llaw Sorobabel."

Y saith hyn yw llygaid yr ARGLWYDD sy'n tramwyo dros yr holl ddaear.

11 Yna gofynnais iddo, "Beth yw'r ddwy olewydden hyn ar dde a chwith y canhwyllbren?" ¹²A gofynnais iddo eil-

waith, "Beth yw'r ddwy gangen olewydd sydd yn ymyl y ddwy bibell aur sy'n tywallt yr olew[a]?" [13]Ac atebodd fi, "Oni wyddost beth yw'r rhain?" Dywedais innau, "Na wn i, f'arglwydd." [14]Yna dywedodd, "Y rhain yw'r ddau eneiniog sy'n gwasanaethu ARGLWYDD yr holl ddaear."

Gweledigaeth y Sgrôl yn Ehedeg

5 Codais fy ngolwg eto a gweld sgrôl yn ehedeg. [2]A dywedodd wrthyf, "Beth a weli?" Dywedais innau, "Yr wyf yn gweld sgrôl yn ehedeg, yn ugain cufydd ei hyd, a'i lled yn ddeg cufydd." [3]Yna dywedodd wrthyf, "Dyma'r farn sy'n mynd allan dros yr holl dir: yn ôl un ochr, torrir ymaith pwy bynnag sy'n lladrata; yn ôl yr ochr arall, torrir ymaith pwy bynnag sy'n tyngu anudon. [4]Fe'i hanfonaf allan," medd ARGLWYDD y Lluoedd, "ac fe â i mewn i dŷ'r lleidr ac i dŷ'r un sy'n tyngu'n gelwyddog yn fy enw; ac fe erys yng nghanol ei dŷ a'i ddifetha, yn goed a cherrig."

Gweledigaeth y Ddynes mewn Casgen

5 Daeth yr angel oedd yn siarad â mi a dweud wrthyf, "Cod dy olwg ac edrych beth yw hyn sy'n dod i'r golwg." [6]Pan ofynnais, "Beth ydyw?" atebodd, "Casgen sy'n dod." A dywedodd, "Dyma'u drygioni trwy'r holl dir." [7]Yna codwyd y caead plwm, ac yr oedd dynes yn eistedd yn y gasgen. [8]Dywedodd yr angel, "Drygioni yw hon", a thaflodd hi i waelod y gasgen a chau'r caead plwm arni. [9]Codais fy ngolwg a gweld dwy wraig yn dod, a'r gwynt dan eu hadenydd (yr oedd ganddynt adenydd fel adenydd garan), ac yn codi'r gasgen rhwng nefoedd a daear. [10]Yna gofynnais i'r angel oedd yn siarad â mi, "I ble maent yn mynd â'r gasgen?" [11]Dywedodd wrthyf, "I godi tŷ iddi yng ngwlad Sinar, a phan fydd yn barod fe'i gadewir yno yn ei lle priodol."

Gweledigaeth y Pedwar Cerbyd

6 Codais fy ngolwg eto, a gweld pedwar cerbyd yn dod allan rhwng dau fynydd, a'r rheini yn fynyddoedd o bres. [2]Yn y cerbyd cyntaf yr oedd meirch cochion, yn yr ail feirch duon, [3]yn y trydydd feirch gwynion ac yn y pedwerydd feirch gwinau. [4]Yna gofynnais i'r

angel oedd yn siarad â mi, "Beth yw'r rhain, f'arglwydd?" [5]Ac atebodd yr angel, "Y rhain yw pedwar gwynt y nefoedd sy'n mynd allan o'u safle gerbron Arglwydd yr holl ddaear. [6]Y mae'r cerbyd gyda cheffylau duon yn mynd i dir y gogledd, yr un gyda'r rhai gwynion i'r gorllewin, yr un gyda'r rhai gwinau i'r de." [7]Daeth y meirch allan yn barod i dramwyo'r ddaear. A dywedodd, "Ewch i dramwyo'r ddaear." A gwnaethant hynny. [8]Yna galwodd arnaf a dweud, "Edrych fel y mae'r rhai sy'n mynd i dir y gogledd wedi rhoi gorffwys i'm hysbryd yn nhir y gogledd."

Gorchymyn i Goroni Josua

9 Daeth gair yr ARGLWYDD ataf a dweud, [10]"Cymer arian ac aur oddi ar Haldai, Tobeia a Jedaia, caethgludion a ddaeth o Fabilon, a dos di y dydd hwnnw i dŷ Joseia fab Seffaneia. [11]Gwna goron o'r arian a'r aur, a'i rhoi ar ben Josua fab Josedec, yr archoffeiriad, [12]a dweud wrtho, 'Fel hyn y dywed ARGLWYDD y Lluoedd: Wele'r dyn a'i enw Blaguryn, oherwydd blagura o'i gyff ac adeiladu teml yr ARGLWYDD. [13]Ef fydd yn adeiladu teml yr ARGLWYDD ac yn dwyn anrhydedd ac yn eistedd i deyrnasu ar ei orsedd; bydd offeiriad yn ymyl ei orsedd a chytundeb perffaith rhyngddynt.' [14]A bydd y goron yn nheml yr ARGLWYDD yn goffâd i Haldai, Tobeia, Jedaia a Joseia[b] fab Seffaneia. [15]Daw rhai o bell i adeiladu teml yr ARGLWYDD, a chewch wybod mai ARGLWYDD y Lluoedd a'm hanfonodd i atoch. A bydd hyn os gwrandewch yn astud ar lais yr ARGLWYDD eich Duw."

Ymprydio'n Annheilwng

7 Ym mhedwaredd flwyddyn y Brenin Dareius, ar y pedwerydd dydd o'r nawfed mis, Cislef, daeth gair yr AR-GLWYDD at Sechareia. [2]Yr oedd pobl Bethel wedi anfon Sareser a Regemmelech a'u gwŷr i geisio ffafr yr AR-GLWYDD, [3]ac i ofyn i'r offeiriaid oedd yn nhŷ ARGLWYDD y Lluoedd ac i'r proffwydi, "A ddylid galaru ac ymprydio yn y pumed mis fel y gwneir ers blynyddoedd bellach?" [4]Yna daeth gair ARGLWYDD y Lluoedd ataf a dweud, [5]"Dywed wrth holl bobl y tir ac wrth yr offeiriaid, 'Pan oeddech yn ymprydio ac yn galaru yn y

---

[a]Tebygol. Hebraeg, *yr aur*. [b]Tebygol. Hebraeg, *Hen*.

pumed mis ac yn y seithfed mis y deng mlynedd a thrigain hyn, ai er fy mwyn i yr oeddech yn ymprydio? [6]A phan oeddech yn bwyta ac yn yfed, onid er eich mwyn eich hunain yr oeddech yn bwyta ac yn yfed? [7]Onid hyn a gyhoeddodd yr ARGLWYDD trwy'r proffwydi gynt pan oedd Jerwsalem yn boblog a llewyrchus, gyda'i threfi o'i hamgylch, a'r Negeb a'r Seffela hefyd yn boblog?' "

Anufudd-dod yn Achos y Gaethglud

8 Daeth gair yr ARGLWYDD at Sechareia: [9]"Fel hyn y dywed ARGLWYDD y Lluoedd: 'Barnwch yn deg, a dangoswch drugaredd a thosturi tuag at eich gilydd; [10]peidiwch â gorthrymu'r weddw, yr amddifad, yr estron a'r tlawd, na dyfeisio yn eich meddyliau ddrwg i'ch gilydd.' [11]Ond gwrthodasant wrando, a throi cefn yn ystyfnig arnaf, a chau eu clustiau rhag iddynt glywed. [12]Gwnaethant eu calonnau fel adamant rhag clywed y gyfraith a'r geiriau a anfonodd ARGLWYDD y Lluoedd â'i ysbryd trwy'r proffwydi gynt; a daeth digofaint mawr oddi wrth ARGLWYDD y Lluoedd. [13]'Nid oeddent hwy'n gwrando pan oeddwn i'n galw; yn yr un modd nid oeddwn innau'n gwrando pan oeddent hwy'n galw,' medd ARGLWYDD y Lluoedd, [14]'a gwasgerais hwy ymhlith yr holl genhedlodd nad oeddent yn eu hadnabod, a gadael eu tir yn ddiffaith ar eu hôl, heb neb yn mynd a dod yno. Felly y gwnaethant eu tir dymunol yn ddiffeithwch.' "

Addo Adfer Jerwsalem

8 A daeth gair yr ARGLWYDD ataf a dweud, [2]"Fel hyn y dywed ARGLWYDD y Lluoedd: 'Yr wyf yn eiddigeddus dros Seion, yn eiddigeddus iawn; â llid mawr yr wyf yn eiddigeddus drosti.' [3]Fel hyn y dywed yr ARGLWYDD: 'Dychwelaf i Seion a thrigo yng nghanol Jerwsalem, a gelwir Jerwsalem, Y Ddinas Ffyddlon, a mynydd ARGLWYDD y Lluoedd, Y Mynydd Sanctaidd.' [4]Fel hyn y dywed ARGLWYDD y Lluoedd: 'Bydd hen wŷr a gwragedd unwaith eto yn eistedd yn heolydd Jerwsalem, pob un a ffon yn ei law oherwydd ei henaint; [5]bydd strydoedd y ddinas yn llawn o fechgyn a genethod yn chwarae ar hyd y stryd.' [6]Fel hyn y dywed ARGLWYDD y Lluoedd: 'Os yw'n rhyfedd yng ngolwg gweddill y bobl hyn yn y dyddiau hynny,

a yw hefyd yn rhyfedd yn fy ngolwg i?' medd ARGLWYDD y Lluoedd. [7]Fel hyn y dywed ARGLWYDD y Lluoedd: 'Wele fi'n gwaredu fy mhobl o wledydd y dwyrain a'r gorllewin, a'u dwyn i drigo yng nghanol Jerwsalem; [8]a byddant yn bobl i mi, a minnau'n Dduw iddynt hwy, mewn gwirionedd a chyfiawnder.'

9 'Fel hyn y dywed ARGLWYDD y Lluoedd: 'Chwi yn y dyddiau hyn sy'n clywed y geiriau hyn o enau'r proffwydi, er y dydd y gosodwyd sylfeini tŷ ARGLWYDD y Lluoedd, cryfhaer eich dwylo i adeiladu'r deml. [10]Oherwydd cyn y dyddiau hynny nid oedd llogi ar ddyn nac ar anifail, ac ni chaed llonydd gan y gelyn i fynd a dod, ac yr oeddwn yn gyrru dynion, pawb yn erbyn ei gilydd. [11]Ond yn awr nid wyf yr un tuag at weddill y bobl hyn ag yn y dyddiau gynt,' medd ARGLWYDD y Lluoedd. [12]'Oherwydd bydd hau mewn heddwch; rhydd y winwydden ei ffrwyth, y tir ei gynnyrch, a'r nefoedd ei gwlith; rhof yr holl bethau hyn yn feddiant i weddill y bobl hyn. [13]Ac fel y buoch chwi, dŷ Jwda a thŷ Israel, yn felltith ymysg y cenhedloedd, felly y'ch gwaredaf, a byddwch yn fendith. Peidiwch ag ofni, ond cryfhaer eich dwylo.'

14 'Oherwydd fel hyn y dywed ARGLWYDD y Lluoedd: 'Fel y bwriedais wneud drwg i chwi pan gythruddodd eich tadau fi,' medd ARGLWYDD y Lluoedd, 'ac nid edifarheais, [15]felly y bwriadaf eto yn y dyddiau hyn wneud da i Jerwsalem ac i dŷ Jwda; peidiwch ag ofni. [16]Dyma'r peth a wnewch: dywedwch y gwir wrth eich gilydd; gwnewch farn uniawn a chywir yn eich pyrth; [17]peidiwch â dyfeisio â'ch meddyliau ddrwg i'ch gilydd, na charu llwon celwyddog, oherwydd yr wyf yn casáu yr holl bethau hyn,' medd yr ARGLWYDD.'

18 Daeth gair ARGLWYDD y Lluoedd ataf a dweud, [19]"Fel hyn y dywed ARGLWYDD y Lluoedd: 'Bydd ymprydiau'r pedwerydd mis, a'r pumed mis, a'r seithfed mis, a'r degfed mis yn troi'n dymhorau llawenydd a dedwyddwch, ac yn wyliau llawen i dŷ Jwda; felly carwch wirionedd a heddwch.'

20 "Fel hyn y dywed ARGLWYDD y Lluoedd: 'Daw eto genhedloedd a thrigolion dinasoedd mawrion; [21]bydd trigolion un dref yn mynd at drigolion tref arall a dweud, Awn i geisio ffafr yr ARGLWYDD ac i ymofyn ag ARGLWYDD y

Lluoedd; ac fe af finnau hefyd. ²²Daw pobloedd cryfion a chenhedloedd nerthol i ymofyn ag ARGLWYDD y Lluoedd yn Jerwsalem ac i geisio ffafr yr AR-GLWYDD.' ²³Fel hyn y dywed AR-GLWYDD y Lluoedd: 'Yn y dyddiau hynny bydd deg o wŷr o blith cenhedloedd o bob iaith yn cydio yn llewys gŵr o Iddew ac yn dweud, Awn gyda chwi, oherwydd clywsom fod Duw gyda chwi.' "

Barn ar y Cenhedloedd
Oracl

9 Gair yr ARGLWYDD yn nhir Hadrach ac yn Namascus, ei orffwysfa.
   Yn wir, eiddo'r ARGLWYDD yw dinasoedd Aramᶜ,
   fel holl lwythau Israel;
²hefyd Hamath, sy'n terfynu arni,
   a Tyrus a Sidon, er eu bod yn ddoeth iawn.
³Cododd Tyrus dŵr iddi ei hun;
   pentyrrodd arian fel llwch,
   ac aur fel llaid heol.
⁴Ond wele, y mae'r ARGLWYDD yn cymryd ei heiddo
   ac yn taflu ei chyfoeth i'r môr;
   ac ystr hithau yn y tân.

⁵Bydd Ascalon yn gweld ac yn ofni,
   Gasa hefyd, a bydd yn gwingo gan ofid,
   ac Ecron, oherwydd drysir ei gobaith;
   derfydd am frenin yn Gasa,
   a bydd Ascalon heb drigolion;
⁶pobl gymysgryw fydd yn trigo yn Asdod,
   a thorraf ymaith falchder y Philistiad.
⁷Tynnaf ymaith ei waed o'i enau,
   a'i ffieidd-dra oddi rhwng ei ddannedd;
   bydd yntau'n weddill i'n Duw ni,
   ac fel tylwyth yn Jwda;
   a bydd Ecron fel y Jebusiaid.
⁸Yna gwersyllaf i wylio fy nhŷ,
   fel na chaiff neb fynd i mewn nac allan,
   ac ni ddaw gorthrymydd atynt mwyach.
   Gwelais hyn â'm llygaid fy hun.

Brenin i Seion

⁹"Llawenha'n fawr, ferch Seion;

bloeddia'n uchel, ferch Jerwsalem.
   Wele dy frenin yn dod atat
   â buddugoliaeth a gwaredigaeth,
   yn ostyngedig ac yn marchogaeth ar asyn,
   ar ebol, llwdn asen.
¹⁰Tyrᶜʰ ymaith y cerbyd o Effraim
   a'r meirch o Jerwsalem;
   a thorrir ymaith y bwa rhyfel.
   Bydd yn siarad heddwch â'r cenhedloedd;
   bydd ei lywodraeth o fôr i fôr,
   ac o Afon Ewffrates hyd derfynau'r ddaear.

¹¹"Amdanat ti, oherwydd gwaed y cyfamod rhyngom,
   gollyngaf dy garcharorion yn rhydd o'r pydew di-ddŵr.
¹²Dychwelwch i'ch amddiffynfa, chwi garcharorion hyderus;
   heddiw yr wyf yn cyhoeddi i chwi adferiad dauddyblyg.
¹³Yr wyf wedi plygu fy mwa, O Jwda,
   ac wedi gosod fy saeth ynddo, O Effraim;
   codaf dy feibion, Seion,
   yn erbyn meibionᵈ Groeg,
   a gwnaf di yn gleddyf rhyfelwr."

Duw'n Ymddangos

¹⁴Bydd yr ARGLWYDD yn ymddangos uwch eu pennau,
   a'i saeth yn fflachio fel mellten;
   Bydd yr Arglwydd DDUW yn rhoi bloedd â'r utgorn
   ac yn mynd allan yng nghorwyntoedd y de.
¹⁵Bydd ARGLWYDD y Lluoedd yn amddiffyn iddynt;
   llwyddantᵈᵈ, sathrant y cerrig tafl,
   byddant yn derfysglyd feddw fel gan win,
   wedi eu trochi fel cyrnᵉ allor.
¹⁶Y dydd hwnnw bydd yr ARGLWYDD eu Duw yn eu gwaredu;
   bydd ei bobl fel praidd,
   fel gemau coron yn disgleirio dros ei dir.
¹⁷Mor dda ac mor brydferth fydd!
   Bydd ŷd yn nerth i'r llanciau,
   a gwin i'r morynion.

ᶜTebygol. Hebraeg, *llygad dyn.*   ᶜʰFelly Groeg. Hebraeg, *Torraf.*
ᵈFelly Groeg. Hebraeg, *dy feibion.*   ᵈᵈHebraeg, *bwytânt.*
ᵉCymh. Groeg. Hebraeg yn ychwanegu *fel dysgl.*

Yr ARGLWYDD yn Addo Gwaredigaeth

10 Gofynnwch i'r ARGLWYDD am law
yn nhymor glaw'r gwanwyn;
yr ARGLWYDD sy'n gwneud y cymylau
trymion
a'r cawodydd glaw;
rhydd fara i ddyn[f],
a gwellt yn y maes.
[2]Oherwydd y mae'r eilunod yn llefaru
oferedd,
a gweledigaeth y dewiniaid yn
gelwydd;
cyhoeddant freuddwydion twyllodrus,
a chynnig cysur gwag.
Am hynny y mae'r bobl yn crwydro fel
defaid,
yn druenus am eu bod heb fugail.

[3]"Enynnodd fy llid yn erbyn y
bugeiliaid,
a dygaf gosb ar arweinwyr y praidd;
oherwydd gofala ARGLWYDD y
Lluoedd am ei braidd,
a gwneud tŷ Jwda yn farch-rhyfel
balch.
[4]Ohonynt hwy y daw'r conglfaen a hoel
y babell;
ohonynt hwy y daw pob cadfridog.
[5]Byddant gyda'i gilydd fel rhyfelwyr
yn sathru'r heolydd lleidiog[ff];
brwydrant am fod yr ARGLWYDD gyda
hwy,
a pharant gywilydd i farchogion.
[6]Gwnaf dŷ Jwda yn nerthol,
a gwaredaf dŷ Joseff;
dychwelaf hwy am fy mod yn tosturio
wrthynt,
a byddant fel pe bawn heb erioed eu
gwrthod;
oherwydd myfi yw'r ARGLWYDD eu
Duw, ac fe'u hatebaf.
[7]Yna bydd Effraim fel rhyfelwr,
a'i galon yn llawenhau fel gan win,
a bydd ei feibion yn gweld ac yn
llawenychu,
a'u calonnau'n gorfoleddu yn yr
ARGLWYDD.
[8]Chwibanaf arnynt i'w casglu ynghyd,
oherwydd gwaredaf hwy,
a byddant cyn amled ag y buont gynt.
[9]Er imi eu gwasgaru ymysg
cenhedloedd,
eto mewn gwledydd pell fe'm cofiant,
a magu plant, a dychwelyd.
[10]Dygaf hwy'n ôl o wlad yr Aifft,

a chasglaf hwy o Asyria;
dygaf hwy i mewn i dir Gilead a
Lebanon
hyd nes y byddant heb le.
[11]Ânt trwy fôr yr argyfwng;
trewir tonnau'r môr,
a sychir holl ddyfnderoedd Afon Neil.
Darostyngir balchder Asyria,
a throir ymaith deyrnwialen yr Aifft.
[12]Gwnaf hwy'n nerthol yn yr
ARGLWYDD,
ac ymdeithiant yn ei enw," medd yr
ARGLWYDD.

11 Agor dy byrth, O Lebanon,
er mwyn i dân ysu dy gedrwydd.
[2]Galarwch, ffynidwydd; oherwydd
syrthiodd y cedrwydd,
dinistriwyd y coed cryfion.
Galarwch, dderw Basan,
oherwydd syrthiodd y goedwig
drwchus.
[3]Clywch alarnadu'r bugeiliaid,
am i'w gogoniant gael ei ddinistrio;
clywch ru'r llewod,
am i goedwig yr Iorddonen gael ei
difetha.

Y Ddau Fugail

4 Fel hyn y dywed yr ARGLWYDD fy
Nuw: "Portha'r praidd sydd i'w lladd.
[5]Bydd y sawl sy'n eu prynu yn eu lladd
heb deimlo'n euog; bydd y sawl sy'n eu
gwerthu yn dweud, 'Bendigedig fo'r AR-
GLWYDD, cefais gyfoeth'; ac ni fydd eu
bugeiliaid yn tosturio wrthynt. [6]Yn wir,
ni thosturiaf mwy wrth drigolion y
ddaear," medd yr ARGLWYDD. "Wele
fi'n gwneud i ddynion syrthio i ddwylo'i
gilydd ac i ddwylo'u brenin; ac fel y syrth
pob gwlad, ni waredaf hi o'u gafael."

7 Porthais y praidd a oedd i'w lladd ar
gyfer y marchnatwyr. Cymerais ddwy
ffon, a galw'r naill, Gras, a'r llall, Undeb;
a phorthais y praidd. [8]Mewn un mis
diswyddais dri o'r bugeiliaid am imi flino
arnynt, ac yr oeddent hwythau'n fy
nghasáu innau. [9]Yna dywedais, "Ni
fugeiliaf chwi; y rhai sydd i farw, bydded
iddynt farw, a'r rhai sydd i'w dinistrio,
bydded iddynt fynd i ddinistr; a bydded
i'r rhai sy'n weddill fwyta cnawd ei
gilydd." [10]A chymerais fy ffon Gras a'i
thorri, gan ddiddymu'r cyfamod a
wneuthum â'r holl bobloedd. [11]Fe'i

---

[f]Hebraeg, *iddynt*.   [ff]Hebraeg yn ychwanegu *mewn rhyfel*.

diddymwyd y dydd hwnnw, a gwyddai'r marchnatwyr a edrychai arnaf mai gair yr ARGLWYDD oedd hyn. ¹²A dywedais wrthynt, "Os yw'n dderbyniol gennych, rhowch imi fy nghyflog; os nad yw, peidiwch." A bu iddynt hwythau bwyso fy nghyflog, deg darn ar hugain o arian. ¹³Yna dywedodd yr ARGLWYDD wrthyf, "Bwrw ef i'r drysorfa—y pris teg a osodwyd arnaf, i'm troi ymaith!" A chymerais y deg darn ar hugain a'u bwrw i'r drysorfa yn nhŷ'r ARGLWYDD. ¹⁴Yna torrais yr ail ffon, Undeb, gan ddiddymu'r frawdoliaeth rhwng Jwda ac Israel.

15 Yna dywedodd yr ARGLWYDD wrthyf, ¹⁶"Cymer eto offer bugail diwerth, oherwydd yr wyf yn codi yn y wlad fugail na fydd yn gofalu am y ddafad golledig, nac yn ceisio'r grwydredigᵍ, nac yn gwella'r friwedig, nac yn porthi'r iach, ond a fydd yn bwyta cnawd y rhai bras ac yn rhwygo'u traed i ffwrdd.
¹⁷Gwae fy mugail diwerth, sy'n gadael y praidd.
Trawed y cleddyf ei fraich a'i lygad de;
bydded ei fraich yn gwbl ddiffrwyth, a'i lygad de yn hollol ddall."

Gwaredigaeth Jerwsalem

Oracl

12 Gair yr ARGLWYDD am Israel, oracl yr ARGLWYDD a daenodd y nefoedd a sylfaenu'r ddaear a llunio ysbryd dyn ynddo: ²"Wele fi'n gwneud Jerwsalem yn rhiniog i faglu'r holl bobloedd oddi amgylch; a bydd yn Jwda warchae yn erbyn Jerwsalem. ³Yn y dydd hwnnw, pan fydd holl genhedloedd y ddaear wedi ymgasglu yn ei herbyn, gwnaf Jerwsalem yn garreg rhy drom i'r holl bobloedd, a bydd pwy bynnag a'i cwyd yn brifo'n arw. ⁴Y dydd hwnnw," medd yr ARGLWYDD, "trawaf bob ceffyl â syndod, a'i farchog â dryswch; cadwaf fy ngolwg ar dŷ Jwda, ond trawaf holl geffylau'r bobloedd yn ddall. ⁵Yna dywed tylwythau Jwda wrthynt eu hunain, 'Cafodd trigolion Jerwsalem nerth trwy ARGLWYDD y Lluoedd, eu Duw.'
6 "Y dydd hwnnw gwnaf dylwythau Jwda fel aelwyd dân yng nghanol coed, fel ffagl dân mewn ysgub; byddant yn ysu'r holl bobloedd o'u cwmpas, ar y dde

ᵍFelly Syrieg. Hebraeg, *ceisio'r llanc.*

a'r chwith, ac eto bydd Jerwsalem ei hun yn aros yn ddiogel yn ei lle.
7 "Rhydd yr ARGLWYDD waredigaeth yn gyntaf i deuluoedd Jwda, rhag i ogoniant tŷ Dafydd a gogoniant trigolion Jerwsalem ddyrchafu'n uwch na Jwda. ⁸Yn y dydd hwnnw bydd yr ARGLWYDD yn amddiffyn trigolion Jerwsalem, a bydd y gwannaf ohonynt fel Dafydd, yn y dydd hwnnw, a llinach Dafydd fel Duw, fel angel yr ARGLWYDD yn mynd o'u blaenau.
9 "Yn y dydd hwnnw af ati i ddinistrio'r holl genhedloedd sy'n dod yn erbyn Jerwsalem. ¹⁰A thywalltaf ar linach Dafydd ac ar drigolion Jerwsalem ysbryd gras a thrugaredd, ac edrychant ar yr un a drywanwyd ganddynt, a galaru amdano fel am unig-anedig, ac wylo amdano fel am gyntaf-anedig. ¹¹Y dydd hwnnw bydd y galar yn Jerwsalem gymaint â'r galar am Hadad-rimmon yn nyffryn Megido. ¹²Galara'r wlad, pob teulu wrtho'i hun—teulu llinach Dafydd wrtho'i hun, a'i wragedd wrthynt eu hunain; teulu llinach Nathan wrtho'i hun, a'i wragedd wrthynt eu hunain; ¹³teulu llinach Lefi wrtho'i hun, a'i wragedd wrthynt eu hunain; teulu Simei wrtho'i hun, a'i wragedd wrthynt eu hunain; ¹⁴a'r gweddill o'r holl deuluoedd wrthynt eu hunain, a'u gwragedd wrthynt eu hunain.

Glanhau o Bechod

13 "Yn y dydd hwnnw bydd ffynnon wedi ei hagor i linach Dafydd ac i drigolion Jerwsalem, ar gyfer pechod ac aflendid. ²Yn y dydd hwnnw," medd ARGLWYDD y Lluoedd, "torraf ymaith enwau'r eilunod o'r tir, ac ni chofir hwy mwyach; symudaf hefyd o'r tir y proffwydi ac ysbryd aflendid. ³Ac os cyfyd un i broffwydo eto, fe ddywed ei dad a'i fam a'i cenhedlodd, 'Ni chei fyw, am iti lefaru twyll yn enw'r ARGLWYDD', a bydd ei dad a'i fam a'i cenhedlodd yn ei ladd wrth iddo broffwydo. ⁴Yn y dydd hwnnw bydd ar bob proffwyd gywilydd o'i weledigaeth wrth broffwydo, ac ni fydd yn gwisgo mantell o flew er mwyn twyllo, ⁵ond dywed, 'Nid proffwyd wyf fi, ond dyn yn trin tir, a'r tir yn gynhaliaeth imi o'm hieuenctid.' ⁶Os dywed rhywun wrtho, 'Beth yw'r creithiau hyn ar dy fron?' fe etyb, 'Fe'u cefais yn nhŷ fy ngharïadon.'"

Gorchymyn i Ladd Bugail Duw

7 "Deffro, gleddyf, yn erbyn fy mugail,
ac yn erbyn y gŵr sydd yn f'ymyl,"
medd ARGLWYDD y Lluoedd.
"Taro'r bugail, a gwasgerir y praidd,
a rhof fy llaw yn erbyn y gweiniaid.
8 Yn yr holl dir," medd yr ARGLWYDD,
"trewir dwy ran o dair, a threngant,
a gadewir traean yn fyw.
9 A dygaf y drydedd ran trwy dân,
a'u puro fel y purir arian,
a'u profi fel y profir aur.
Byddant yn galw ar f'enw,
a minnau fy hun yn ateb;
dywedaf fi, 'Fy mhobl ydynt',
a dywedant hwy, 'Yr ARGLWYDD yw
ein Duw'."

Jerwsalem a'r Cenhedloedd

14 Wele, y mae diwrnod i'r AR-
GLWYDD yn dod, ac fe rennir yn
dy ŵydd yr ysbail a gymerwyd oddi
arnat. 2 Casglaf yr holl genhedloedd i
frwydr yn erbyn Jerwsalem; cymerir y
ddinas, ysbeilir y tai, a threisir y gwrag-
edd, caethgludir hanner y ddinas, ond ni
thorrir ymaith weddill y bobl o'r ddinas.
3 Yna â'r ARGLWYDD allan i ymladd yn
erbyn y cenhedloedd hynny, fel yr
ymladd yn nydd brwydr. 4 Yn y dydd
hwnnw, gesyd ei draed ar Fynydd yr
Olewydd, sydd gyferbyn â Jerwsalem i'r
dwyrain; a holltir Mynydd yr Olewydd
yn ddau o'r dwyrain i'r gorllewin gan
ddyffryn mawr, a symud hanner y
mynydd tua'r gogledd a hanner tua'r de.
5 Llenwir y dyffryn rhwng y mynyddoedd
(oherwydd y mae'r dyffryn rhyngddynt
yn cyrraedd hyd Asal), a bydd wedi ei
lenwi fel yr oedd ar ôl ei lenwi gan y
daeargryn yn amser Usseia brenin Jwda.
Yna bydd yr ARGLWYDD fy Nuw yn dod,
a'i holl rai sanctaidd gydag ef[ng].
6 Ar y dydd hwnnw ni bydd na gwres,
nac oerni, na rhew. 7 A bydd yn un
diwrnod—y mae'n wybyddus i'r AR-
GLWYDD—heb wahaniaeth rhwng dydd a
nos; a bydd goleuni gyda'r hwyr.
8 Ar y dydd hwnnw daw dyfroedd
bywiol allan o Jerwsalem, eu hanner yn
mynd i fôr y dwyrain a'u hanner i fôr y

gorllewin, ac fe ddigwydd hyn haf a
gaeaf. 9 Yna bydd yr ARGLWYDD yn
frenin ar yr holl ddaear; a'r dydd hwnnw
bydd yr ARGLWYDD yn un, a'i enw'n un.
10 Bydd yr holl ddaear yn wastadedd o
Geba i Rimmon yn y de, a Jerwsalem yn
sefyll yn uchel yn ei lle ac yn boblog o
borth Benjamin hyd le'r hen borth, hyd
borth y gornel, ac o dŵr Hananel hyd
winwryf y brenin. 11 Bydd yn boblog, ac
ni fydd dan felltith mwyach, ond gellir
byw'n ddiogel ynddi.
12 Bydd yr ARGLWYDD yn taro'r holl
bobloedd a fu'n rhyfela yn erbyn Jerw-
salem â'r pla hwn: bydd eu cnawd yn
pydru, a hwythau'n dal ar eu traed, eu
llygaid yn pydru yn eu tyllau, a'u tafod yn
eu safn. 13 Ar y dydd hwnnw daw dych-
ryn mawr arnynt oddi wrth yr AR-
GLWYDD. Bydd dyn yn codi yn erbyn ei
gymydog, a byddant yn ymladd yn erbyn
ei gilydd; a bydd Jwda'n rhyfela yn erbyn
Jerwsalem. 14 Symudir cyfoeth yr holl
genhedloedd oddi amgylch—aur ac arian
a digonedd o ddillad. 15 A syrth pla tebyg
ar geffyl a mul, ar gamel ac asyn, ac ar
bob anifail yn eu gwersylloedd.
16 Yna bydd pob un a adawyd o'r holl
genhedloedd a ddaeth yn erbyn Jerw-
salem yn dod i fyny flwyddyn ar ôl
blwyddyn i addoli'r brenin, ARGLWYDD
y Lluoedd, ac i gadw Gŵyl y Pebyll. 17 A
phrun bynnag o deuluoedd y ddaear nad â
i fyny i Jerwsalem i addoli'r brenin,
ARGLWYDD y Lluoedd, ni ddisgyn glaw
arno. 18 Ac os bydd teulu o'r Aifft heb
fynd i fyny ac ymddangos, yna fe ddaw
arnynt y pla sydd gan yr ARGLWYDD i
daro'r cenhedloedd nad ydynt yn mynd i
fyny i gadw Gŵyl y Pebyll. 19 Dyna fydd
cosb yr Aifft, a chosb unrhyw genedl nad
yw'n mynd i fyny i gadw Gŵyl y Pebyll.
20 Ar y dydd hwnnw, bydd "Sanct-
eiddrwydd i'r ARGLWYDD" wedi ei
ysgrifennu ar glychau'r meirch, a bydd y
cawgiau yn nhŷ'r ARGLWYDD fel y
dysglau o flaen yr allor; 21 a bydd pob cawg
yn Jerwsalem a Jwda yn sanctaidd i
ARGLWYDD y Lluoedd, a bydd pob un
sy'n dod i aberthu yn cymryd un ohonynt
i ferwi cig. Ni fydd marchnatwr yn nhŷ
ARGLWYDD y Lluoedd ar y dydd hwnnw.

---

ngFelly Fersiynau. Hebraeg, *gyda thi.*

LLYFR
MALACHI

Oracl

1 Gair yr ARGLWYDD i Israel trwy Malachi.

Duw yn Caru Jacob

2 "Rwy'n eich caru," medd yr AR-GLWYDD, a dywedwch chwithau, "Ym mha ffordd yr wyt yn ein caru?" "Onid yw Esau'n frawd i Jacob?" medd yr ARGLWYDD. ³"Yr wyf yn caru Jacob, ond yn casáu Esau; gwneuthum ei fynyddoedd yn ddiffeithwch a'i etifeddiaeth yn gartref i siacal yr anialwch." ⁴Os dywed Edom, "Maluriwyd ni, ond adeiladwn ein hadfeilion eto," fe ddywed ARGLWYDD y Lluoedd fel hyn: "Os adeiladant, fe dynnaf i lawr, ac fe'u gelwir yn diriogaeth drygioni ac yn bobl y digiodd yr ARGLWYDD wrthynt am byth." ⁵Cewch weld hyn â'ch llygaid eich hunain a dweud, "Y mae'r ARGLWYDD yn fawr hyd yn oed y tu allan i Israel."

Ceryddu'r Offeiriaid

6 "Y mae mab yn anrhydeddu ei dad, a gwas ei feistr. Os wyf fi'n dad, ple mae f'anrhydedd? Os wyf yn feistr, ple mae fy mharch?" medd ARGLWYDD y Lluoedd wrthych chwi'r offeiriaid, sy'n dirmygu ei enw. A dywedwch, "Sut y bu inni ddirmygu dy enw?" ⁷"Wrth offrymu bwyd halogedig ar fy allor." A dywedwch, "Sut y bu inni ei halogi?" "Wrth feddwl y gellir dirmygu bwrdd yr ARGLWYDD, ⁸a thybio, pan fyddwch yn offrymu anifeiliaid dall yn aberth, nad yw hynny'n ddrwg, a phan fyddwch yn offrymu rhai cloff neu glaf, nad yw hynny'n ddrwg. Pe dygech hyn i lywodraethwr y wlad, a fyddai ef yn fodlon ac yn dangos ffafr atoch?" medd AR-GLWYDD y Lluoedd. ⁹"Yn awr, ceisiwch ffafr Duw, er mwyn iddo drugarhau wrthym; a'r fath rodd gennych, a ddengys ef ffafr atoch?" medd ARGLWYDD

y Lluoedd. ¹⁰"O na fyddai rhywun o'ch plith yn cloi'r drysau, rhag i chwi aberthu'n ofer ar fy allor! Nid wyf yn fodlon o gwbl arnoch," medd AR-GLWYDD y Lluoedd, "ac ni dderbyniaf offrwm gennych. ¹¹Oherwydd y mae f'enw yn fawr ymysg y cenhedloedd o'r dwyrain i'r gorllewin, ac ym mhob man offrymir arogldarth ac offrwm pur i'm henw; oherwydd mawr yw f'enw ymysg y cenhedloedd," medd ARGLWYDD y Lluoedd. ¹²"Ond yr ydych chwi yn ei halogi wrth feddwl y gallwch ddifwyno bwrdd yr ARGLWYDD â bwyd gwrthodedig. ¹³Wrth ei arogli, fe ddywedwch, 'Mor atgas yw!'" medd ARGLWYDD y Lluoedd. "Os dygwch anifeiliaid anafus, cloff neu glaf, a'u cyflwyno'n offrwm, a dderbyniaf hwy gennych?" medd yr ARGLWYDD. ¹⁴"Melltith ar y twyllwr sy'n addunedu hwrdd o'i braidd, ond sy'n aberthu i'r Arglwydd un â nam arno; oherwydd brenin mawr wyf fi," medd ARGLWYDD y Lluoedd, "a'm henw'n ofnadwy ymhlith y cenhedloedd."

2 Yn awr, offeiriaid, i chwi y mae'r gorchymyn hwn. ²"Os na wrandewch, a gofalu am anrhydeddu fy enw," medd ARGLWYDD y Lluoedd, "yna anfonaf felltith arnoch, a melltithiaf eich bendithion; yn wir, yr wyf wedi eu melltithio eisoes, am nad ydych yn ystyried. ³Wele fi'n torri ymaith eich braich ᵃ ac yn taflu carthion i'ch wynebau, carthion eich uchel-wyliau, ac yn eich troi ymaith oddi wrthyf. ⁴Yna cewch wybod imi anfon y gorchymyn hwn atoch, er mwyn parhau fy nghyfamod â Lefi," medd ARGLWYDD y Lluoedd. ⁵"Fy nghyfamod ag ef oedd bywyd a heddwch; rhoddais hyn iddo er mwyn iddo ofni, ac ofnodd yntau fi a pharchu fy enw. ⁶Gwir gyfarwyddyd oedd yn ei enau, ac ni chaed twyll ar ei wefusau; rhodiai gyda mi mewn heddwch ac uniondeb, a throdd lawer oddi wrth

---

ᵃFelly Groeg. Hebraeg, *ceryddu eich had*.

ddrygioni. ⁷Y mae gwefusau offeiriad yn diogelu gwybodaeth, ac y mae pawb yn ceisio cyfarwyddyd o'i enau, oherwydd cennad ARGLWYDD y Lluoedd yw. ⁸Ond troesoch chwi oddi ar y ffordd, a gwneud i lawer faglu â'ch cyfarwyddyd; yr ydych wedi diddymu cyfamod Lefi," medd AR-GLWYDD y Lluoedd. ⁹"Yr wyf finnau wedi eich gwneud yn ddirmygus ac yn salw gan yr holl bobl, yn gymaint ag ichwi beidio â chadw fy ffyrdd, ac ichwi ddangos ffafr yn eich cyfarwyddyd."

Anffyddlondeb y Bobl

10 Onid un tad sydd gennym oll? Onid un Duw a'n creodd? Pam felly yr ydym yn dwyllodrus tuag at ein gilydd, gan ddifwyno cyfamod ein tadau? ¹¹Bu Jwda'n dwyllodrus, a gwnaed pethau ffiaidd yn Israel ac yn Jerwsalem; oher-wydd halogodd Jwda y cysegr a gâr yr ARGLWYDD trwy briodi merch duw estron. ¹²Bydded i'r ARGLWYDD dorri ymaith o bebyll Jacob pwy bynnag a wna hyn, boed dystᵇ neu ddiffynnydd, er iddo ddwyn offrwm i ARGLWYDD y Lluoedd.

13 Dyma beth arall a wnewch: yr ydych yn tywallt dagrau ar allor yr AR-GLWYDD, gan wylo a galaru am nad yw ef bellach yn edrych ar eich offrwm nac yn derbyn rhodd gennych. ¹⁴Yr ydych yn gofyn, "Pam?" Am i'r ARGLWYDD fod yn dyst rhyngot ti a gwraig dy ieuenctid, y buost yn anffyddlon iddi, er mai hi yw dy gymar a'th wraig trwy gyfamod. ¹⁵Onid yn un y gwnaeth chwi, yn gnawd ac ysbryd? A beth yw amcan yr undod hwn, ond cael plant i Dduw? Gwyliwch arnoch eich hunain rhag bod yn anffydd-lon i wraig eich ieuenctid. ¹⁶"Oherwydd yr wyf yn casáu ysgariad," medd AR-GLWYDD y Lluoedd, Duw Israel, "a'r sawl sy'n gwisgo trais fel dilledyn," medd ARGLWYDD y Lluoedd. Felly, gwyliwch arnoch eich hunain rhag bod yn anffyddlon.

Dydd y Farn yn Agos

17 Yr ydych wedi blino'r ARGLWYDD â'ch geiriau. Gofynnwch, "Sut yr ydym wedi ei flino?" Trwy ddweud, "Y mae pawb sy'n gwneud drygioni yn dda yng ngolwg yr ARGLWYDD, ac y mae'n fodlon arnynt"; neu trwy ofyn, "Ple mae Duw cyfiawnder?"

ᵇCymh. Groeg. Hebraeg yn aneglur.

3 "Wele fi'n anfon fy nghennad i baratoi fy ffordd o'm blaen; ac yn sydyn fe ddaw'r Arglwydd yr ydych yn ei geisio i mewn i'w deml; y mae cennad y cyfamod yr ydych yn hoff ohono yn dod," medd ARGLWYDD y Lluoedd. ²Pwy a all ddal dydd ei ddyfodiad, a phwy a saif pan ymddengys? Y mae fel tân coethydd ac fel sebon golchydd. ³Fe eistedd i lawr fel un yn coethi a phuro arian, ac fe bura feibion Lefi a'u coethi fel aur ac arian, er mwyn iddynt fod yn addas i ddwyn offrymau i'r ARGLWYDD. ⁴Yna bydd offrwm Jwda a Jerwsalem yn hyfrydwch i'r ARGLWYDD, fel yn y dyddiau gynt a'r blynyddoedd a fu.

5 "Yna nesâf atoch i farn, yn dyst parod yn erbyn dewiniaid a godinebwyr; yn erbyn y rhai sy'n tyngu'n gelwyddog; yn erbyn y rhai sy'n gorthrymu'r gwas cyflog, y weddw a'r amddifad; yn erbyn y rhai sy'n gwthio'r estron o'r neilltu, ac nad ydynt yn fy ofni i," medd AR-GLWYDD y Lluoedd.

Degymau

6 "Oherwydd nid wyf fi, yr AR-GLWYDD, yn newid, ac nid ydych chwithau'n peidio â bod yn blant Jacob. ⁷O ddyddiau eich tadau, troesoch oddi wrth fy neddfau a pheidio â'u cadw. Dychwelwch ataf fi, a dychwelaf finnau atoch chwi," medd ARGLWYDD y Llu-oedd. "A dywedwch, 'Sut y dych-welwn?' ⁸A dwylla dyn Dduw? Eto yr ydych chwi yn fy nhwyllo i. A dywed-wch, 'Sut yr ydym yn dy dwyllo?' Yn eich degymau a'ch cyfraniadau. ⁹Fe'ch melltithiwyd â melltith am eich bod yn fy nhwyllo i, y genedl gyfan ohonoch. ¹⁰Dygwch y degwm llawn i'r trysordy, fel y bo bwyd yn fy nhŷ. Profwch fi yn hyn," medd ARGLWYDD y Lluoedd, "nes imi agor i chwi ffenestri'r nefoedd a thywallt arnoch fendith yn helaeth. ¹¹Ceryddaf hefyd y locust, rhag iddo ddifetha cyn-nyrch eich tir a gwneud eich gwinwydden yn ddiffrwyth," medd ARGLWYDD y Lluoedd. ¹²"Yna bydd yr holl genhed-loedd yn dweud, 'Gwyn eich byd', oherwydd byddwch yn wlad o hyfryd-wch," medd ARGLWYDD y Lluoedd.

Duw yn Addo Trugarhau

13 "Bu eich geiriau'n galed yn f'erbyn," medd yr ARGLWYDD, "a

dywedwch, 'Beth a ddywedasom yn dy erbyn?' [14]Dywedasoch, 'Ofer yw gwasanaethu Duw. Pa ennill yw cadw ei ddeddfau neu rodio'n wynepdrist gerbron ARGLWYDD y Lluoedd? [15]Yn awr, yr ydym ni'n ystyried mai'r trahaus sy'n hapus, ac mai'r rhai sy'n gwneud drwg sy'n llwyddo, ac yn dianc hefyd er iddynt herio Duw.'"

16 Fel yr oedd y rhai a ofnai Dduw yn siarad â'i gilydd, sylwodd Duw a gwrando, ac ysgrifennwyd ger ei fron gofrestr o'r rhai a oedd yn ofni'r AR-GLWYDD ac yn meddwl am ei enw. [17]"Eiddof fi fyddant," medd ARGLWYDD y Lluoedd, "fy eiddo arbennig ar y dydd pan weithredaf; ac arbedaf hwy fel y mae dyn yn arbed ei fab, a'i gwasanaetha. [18]Yna, unwaith eto, byddwch yn gweld rhagor rhwng y cyfiawn a'r drygionus, rhwng yr un sy'n gwasanaethu Duw a'r un nad yw."

*Hebraeg, 3:19, ac adn. 2-6 yn 20-24.

Dyfodiad Dydd yr ARGLWYDD

4 * "Wele'r dydd yn dod, yn llosgi fel ffwrnes, pan fydd yr holl rai balch a'r holl wneuthurwyr drwg yn sofl; bydd y dydd hwn sy'n dod yn eu llosgi," medd ARGLWYDD y Lluoedd, "heb adael iddynt na gwreiddyn na changen. [2]Ond i chwi sy'n ofni fy enw fe gyfyd haul cyfiawnder â meddyginiaeth yn ei esgyll, ac fe ewch allan a llamu fel lloi wedi eu gollwng. [3]Fe sathrwch y rhai drwg, oherwydd byddant fel lludw dan wadnau eich traed, ar y dydd pan weithredaf," medd ARGLWYDD y Lluoedd.

4 "Cofiwch gyfraith fy ngwas Moses, y deddfau a'r ordeiniadau a orchmynnais iddo yn Horeb ar gyfer Israel gyfan.

5 "Wele fi'n anfon atoch Eleias y proffwyd cyn dod dydd mawr ac ofnadwy'r ARGLWYDD. [6]Ac fe dry galonnau'r tadau at y plant a chalonnau'r plant at y tadau, rhag imi ddod a tharo'r ddaear â difodiant."

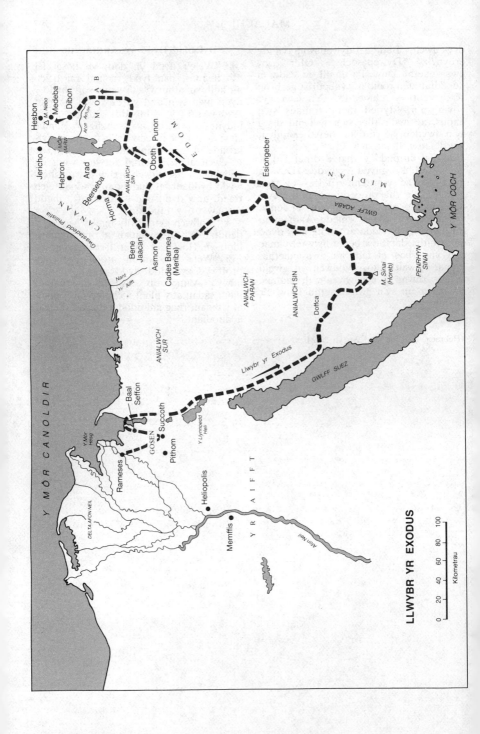

LLWYBR YR EXODUS

Y MÔR CANOLDIR

CANAAN

Gwastadedd Philistia

Jericho
Hebron
Beerseba
Arad
Horma

Hesbon
△ M. Nebo
Medeba
Dibon
Afon Arnon

MOÂB

MÔR MARW

Afon Arnon

EDOM

Oboth
Punon

Esiongeber

MIDIAN

Y MÔR COCH

ANIALWCH SIN

Bene Jaacan
Asmon
Cades Barnea (Meriba)

ANIALWCH SUR

ANIALWCH PARAN

ANIALWCH SIN

Dofca

M. Sinai (Horeb) △

PENRHYN SINAI

GWLFF AQABA

Nant Yr Aifft

Baal Seffon
Y Môr Hesg
GOSEN
Succoth
Pithom
Y Llynnoedd Heli

Rameses

DELTA AFON NEIL

Heliopolis

YR AIFFT

Memffis

Afon Neil

Llwybr yr Exodus

GWLFF SUEZ

0 20 40 60 80 100
Kilometrau

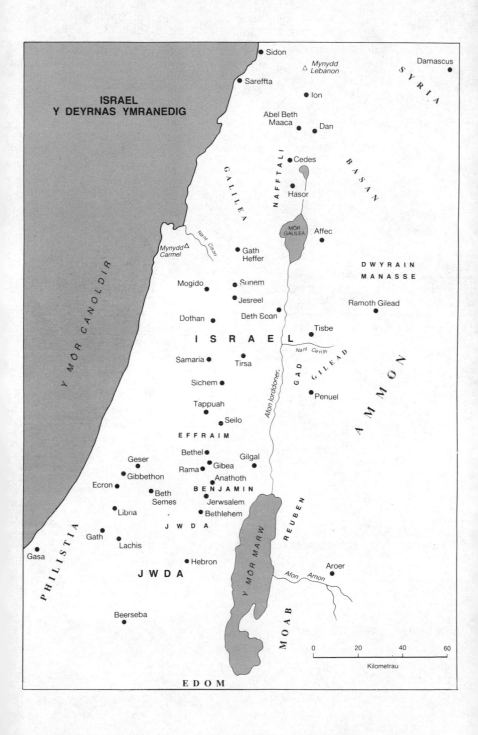

Sidon

Mynydd Lebanon △

Damascus

ISRAEL
Y DEYRNAS YMRANEDIG

Y MÔR CANOLDIR

Sareffta

Ion

Abel Beth Maaca

Dan

GALILEA

NAFFTALI

Cedes

Hasor

MÔR GALILEA

Affec

BASAN

Mynydd Carmel △

Nant Cison

Gath Heffer

DWYRAIN MANASSE

Mogido

Sunem

Jesreel

Ramoth Gilead

Dothan

Beth Sean

Tisbe

ISRAEL

Nant Cerith

GAD GILEAD

AMMON

Samaria

Tirsa

Afon Iorddonen

Sichem

Penuel

Tappuah

Seilo

EFFRAIM

Bethel

Gilgal

Geser

Rama

Gibea

Gibbethon

Anathoth

Ecron

BENJAMIN

Beth Semes

Jerwsalem

Libna

Bethlehem

REUBEN

JWDA

Gath

Lachis

Y MÔR MARW

Gasa

PHILISTIA

Hebron

Aroer

JWDA

Afon Arnon

MOAB

Beerseba

| 0 | 20 | 40 | 60 |

Kilometrau

EDOM

YR
APOCRYFFA

RHAGARWEINIAD
I'R APOCRYFFA

Gair Groeg yw Apocryffa, a'i ystyr yw "(pethau) cuddiedig". Defnyddiwyd ef yn yr hen fyd am gyfansoddiadau llenyddol a gedwid, am ryw reswm neu'i gilydd, yn "guddiedig" rhag y cyhoedd. Yn yr Eglwys Gristionogol, er dyddiau Jerôm yn niwedd y bedwaredd ganrif O.C., daethpwyd i arfer y term "Apocryffa" am lyfrau, a darnau o lyfrau, nas cynhwyswyd yng nghanon y Beibl Hebraeg ond a oedd ar gael mewn Fersiynau Groeg a Lladin o'r Beibl. Fersiwn y Septuaginta (LXX, Deg a Thrigain), y fersiwn Groeg o'r Ysgrythurau Hebraeg a gyfansoddwyd yn Alexandria yn y blynyddoedd rhwng 250 C.C. ac O.C.100, oedd Beibl yr Eglwys yn ei dyddiau cynharaf a Hen Destament ei Beibl yn ddiweddarach. Pan ymledodd yr Eglwys i'r Gorllewin a chynhyrchu Fersiwn Lladin o'i Hysgrythurau (yr Hen Ladin), defnyddiwyd yn gynsail i'r cyfieithiad hwnnw y LXX, gan gynnwys y llyfrau na chawsant le yn y Canon Hebraeg. Wrth ddiwygio'r Hen Ladin a chynhyrchu'r fersiwn y daethpwyd i'w alw'n Fwlgat ac a ddaeth yn Feibl swyddogol Eglwys y Gorllewin am ganrifoedd wedyn, mynnodd Jerôm gyfieithu'r Hen Destament o'r newydd o'r Hebraeg, a gadawodd heb eu cyffwrdd y llyfrau ychwanegol a oedd yn yr Hen Ladin, gan eu dosbarthu fel "apocrypha", term bychanus ei naws. Er gwaethaf Jerôm, fodd bynnag, cynhwyswyd y llyfrau hyn, yn y ffurf y cafwyd hwy yn yr Hen Ladin, yn y Fwlgat, ac ni bu odid ddim amheuaeth ynglŷn â'u statws ysgrythurol hyd ddyddiau'r Dadeni Dysg a'r Diwygiad Protestannaidd. Dan ddylanwad y gred mai gan yr Hebraeg yr oedd y gwirionedd, daeth safle y llyfrau nas ceid ond gan y Fersiynau yn fater o amheuaeth, yn enwedig ymhlith Protestaniaid.

Daw'r amheuaeth hwn i'r golwg yn hanes argraffu testun Groeg yr Apocryffa a'r fersiynau ohono yn ystod yr unfed ganrif ar bymtheg; bach iawn oedd diddordeb ysgolheigion y ganrif honno yn y LXX. Ynglŷn â llyfrau'r Apocryffa, y mae'n arwyddocaol eu bod, yn ail argraffiad Beibl Aldus Manutius (1524-26), wedi eu cymryd o'u lleoliad arferol yn y LXX ymhlith llyfrau'r Hen Destament, a'u casglu yn adran ar wahân ar ôl yr Hen Destament. Mabwysiadwyd y drefn hon gan bob un o'r fersiynau Protestannaidd hyd at ein dyddiau ni, ac fe'i mabwysiedir yn y fersiwn Cymraeg presennol. Y mae fersiynau'r Eglwys Gatholig Rufeinig, ar y llaw arall, gan gynnwys *The Jerusalem Bible,* wedi glynu wrth drefn y Fwlgat, sy'n cynnwys y llyfrau yn eu lleoliad gwreiddiol yn y LXX.

Yng ngolwg Eglwys Rufain, y mae llyfrau'r Apocryffa, neu'r "llyfrau deutero-canonaidd" fel y gelwir hwy ganddi, i'w derbyn fel llyfrau sy'n meddu awdurdod ysgrythurol cyflawn. Agwedd swyddogol yr Eglwysi Protestannaidd, ar y llaw arall, yw eu bod yn llyfrau buddiol i'w darllen ond heb feddu awdurdod Ysgrythur. Prun bynnag a dderbynnir hwy fel Ysgrythur ai peidio, nid oes amheuaeth ynglŷn â'u gwerth a'u pwysigrwydd fel ffynonellau gwybodaeth am hanes, bywyd, syniadaeth, addoliad ac arferion crefyddol yr Iddewon yng nghanrifoedd olaf y cyfnod Cyn Crist. Y maent yn cyfrannu'n helaeth, felly, at ein dealltwriaeth o gefndir y Testament Newydd, yn enwedig gyda golwg ar sefyllfa hanesyddol a diwylliannol bywyd a dysgeidiaeth Iesu a'r Eglwys Fore.

Pan ysgrifennodd William Morgan yng Nghyflwyniad Beibl 1588 ei fod wedi cyfieithu'r "cwbl o'r Hen Destament", y tebygolrwydd yw mai'r hyn a olyga wrth yr ymadrodd hwnnw yw'r Hen Destament Hebraeg ynghyd â'r Apocryffa Groeg. Ym Meibl Morgan ceir tudalen wag ar ddiwedd yr Hen Destament, a thestun yr Apocryffa yn dilyn. Gan nad oedd y "Llyfrau Apocryphaidd", fel y geilw ef hwy, yn meddu statws Ysgrythur, y mae'n ymddangos i Morgan ystyried nad oedd, wrth eu trosi, angen yr un gofal am gyfieithu llythrennol ag oedd wrth gyfieithu'r Hen Destament Hebraeg a'r Testament Newydd Groeg; nid oedd mor bwysig fod pob gair a phob cystrawen yn cael eu trosi yn ôl union eiriad y gwreiddiol. Yn dilyn ar hyn, y mae'n bur debygol iddo deimlo y gallai ganiatáu iddo'i hun beth brys wrth gyfieithu'r Apocryffa yn wyneb gofynion y dasg enfawr o gyfieithu'r Beibl cyfan. Yn hyn o beth, nid yw Morgan yn wahanol i gyfieithwyr eraill ei gyfnod; at ei gilydd y mae cyfieithiadau'r unfed ganrif ar bymtheg o'r Apocryffa yn llawer llai llwyddiannus na'r cyfieithiadau o'r Hen Destament a'r Newydd. Yn yr un modd, y mae'n ymddangos nad oedd Richard Parry a John Davies yn ystyried bod yr un galw am ofal, ac am gadw llythyren y gwreiddiol, wrth gyfieithu'r Apocryffa ag oedd wrth gyfieithu Ysgrythurau'r Hen Destament a'r Newydd. Y mae maint y diwygio ar fersiwn Morgan a welir ym Meibl Cymraeg 1620 yn llawer llai yn yr Apocryffa nag ydyw yn yr Hen Destament a'r Newydd, ac o ran ei natur nid yw'n ddim namyn dwyn fersiwn Morgan ei hun mewn rhai mannau i gytundeb â fersiwn Saesneg 1611.

Y fersiwn a gynigir yn awr yw'r cyfieithiad Cymraeg cyntaf o'r Apocryffa cyfan ers 1588/1620. Ei gynsail testunol ym mhob llyfr, ac eithrio Ail Lyfr Esdras, yw argraffiad Rahlfs o'r LXX: *Septuaginta, id est Vetus Testamentum Graece iuxta LXX Interpretes*, edidit Alfred Rahlfs (y pumed argraffiad, Stuttgart, 1952). Mewn rhai mannau, rhydd Rahlfs ddau destun gwahanol, a bu'n rhaid dewis rhyngddynt. Yn Tobit dewiswyd cyfieithu testun Codex Sinaiticus, sy'n wahanol i'r testun Groeg a oedd yn gynsail i fersiwn William Morgan. Yn Cân y Tri Llanc, Swsanna, a Bel a'r Ddraig (sef yr ychwanegiadau at Lyfr Daniel) dewiswyd cyfieithu testun fersiwn Groeg Theodotion. Ni chynhwysir Ail Lyfr Esdras yn y LXX, ac ychydig o adnodau yn unig o'r llyfr sydd ar gael bellach mewn ffurf Roeg; y mae'r cyfieithiad o'r llyfr hwn, felly, yn seiliedig ar y fersiwn Lladin ohono a olygwyd gan R.L.Bensly: *The Fourth Book of Ezra* (Texts and Studies III, ii, Caer-grawnt, 1895). Manteisiwyd, wrth gwrs, yn y llyfrau oll, ar ddarlleniadau amrywiadol o'r testun Groeg a'r gwahanol Fersiynau, ac ar sylwadau ac awgrymiadau golygyddion ac esbonwyr. Y mae nodiadau godre'r tudalen yn tynnu sylw at yr amrywiadau pwysicaf, yn ogystal ag at wahanol bosibiliadau yn y cyfieithu; yn nau Lyfr y Macabeaid ceir hefyd nodiadau godre sy'n esbonio dyddiadau'r awduron yn nhermau'r dyddiadau C.C. sy'n gyfarwydd i ni. Lle mae'r testun a gyfieithwyd yn gadael allan adnodau a gynhwyswyd yn yr hen Fersiwn Cymraeg, tynnir sylw at y ffaith honno mewn nodiad. Wrth rannu'r testun yn adnodau rhifedig, yn hytrach na dilyn dull y testun Groeg neu Ladin o wneud hynny, cadwyd at ddull yr hen Fersiwn Cymraeg, er mwyn hwylustod i'r darllenydd a fyn gymharu'r fersiwn newydd â'r hen. Nid yw'r paragraffu chwaith yn dilyn patrwm y Groeg a'r Lladin yn gaeth; byddai hynny'n golygu bodloni'n aml ar baragraffau meithach o lawer nag a fyddai'n naturiol a derbyniol yn Gymraeg. Wrth rannu'r testun yn baragraffau ac yn adrannau, yr hyn a wnaed oedd efelychu ac addasu, i raddau helaeth, y rhaniadau (addas iawn, at ei gilydd) a geir yn Fersiwn Saesneg *The Good News Bible*. Mewn rhai mannau cynhwysir o dan y penawdau groes-gyfeiriadau at adrannau cyfochrog mewn llyfrau Beiblaidd eraill. Y mae'r Nodiadau rhagarweiniol ar ddechrau rhai o'r llyfrau yn tynnu sylw'r darllenydd at gyd-destun gwreiddiol y llyfrau (neu'r darnau) hynny yn y LXX.

Gyda golwg ar enwau priod, arfer y cyfieithiad fel rheol yw trawslythrennu'r ffurfiau Groeg a Lladin a geir yn y gwreiddiol. Ond yn achos y personau a'r lleoedd sy'n gyfarwydd ar bwys y cyfeiriadau mynych atynt yn yr Hen Destament, barnwyd yn ddoeth gadw'r ffurfiau (sy'n seiliedig ar yr Hebraeg) a ddefnyddir amdanynt yn yr Hen Destament; e.e., Esra, Sechareia, Nebuchadnesar, Gilead.

ESDRAS

Joseia yn Dathlu'r Pasg
(2 Bren. 23:21-23; 2 Cron. 35:1-19)

1 Cadwodd Joseia ŵyl y Pasg i'w Arglwydd yn Jerwsalem, ac offrymodd oen y Pasg ar y pedwerydd dydd ar ddeg o'r mis cyntaf. [2] Gosododd yr offeiriaid yn nheml yr Arglwydd, pob un yn ôl ei adran ac yn ei urddwisg. [3] Gorchmynnodd i'r Lefiaid, gwasanaethwyr teml Israel, eu sancteiddio'u hunain i'r Arglwydd er mwyn gosod arch sanctaidd yr Arglwydd yn y tŷ a adeiladodd y Brenin Solomon, mab Dafydd. [4] Dywedodd Joseia wrthynt: "Nid oes rhaid ichwi mwyach ei dwyn ar eich ysgwyddau; yn awr gwasanaethwch yr Arglwydd eich Duw a gweini ar ei genedl, Israel, a gwnewch baratoadau fesul teulu a thylwyth yn unol â'r hyn a ysgrifennodd Dafydd brenin Israel, ac yn gweddu i wychder Solomon ei fab. [5] Safwch mewn trefn yn y deml, yn ôl dosbarthiad eich teulu, fel Lefiaid ym mhresenoldeb eich brodyr yr Israeliaid; offrymwch oen y Pasg a pharatowch yr aberthau dros eich brodyr. [6] Dathlwch ŵyl y Pasg yn ôl y gorchymyn a roddodd yr Arglwydd i Moses."

7 Cyflwynodd Joseia i'r bobl oedd yn bresennol rodd o ddeng mil ar hugain o ŵyn a mynnod a thair mil o loi. Rhoddwyd y pethau hyn o stadau'r brenin yn unol â'i addewid i'r bobl ac i'r offeiriaid a'r Lefiaid. [8] Rhoddodd Chelcias, Sachareias ac Esuelus, goruchwylwyr y deml, ddwy fil chwe chant o ddefaid a thri chant o loi i'r offeiriaid ar gyfer y Pasg. [9] Rhoddodd yr uchel-swyddogion milwrol, Jechonias, Samaias, Nathanael ei frawd, Asabias, Ochielus a Joram, bum mil o ddefaid a saith gant o loi i'r Lefiaid ar gyfer y Pasg.

10 Dyma'r hyn a ddigwyddodd: safodd yr offeiriaid a'r Lefiaid yn drefnus, yn ôl eu tylwythau a'u teuluoedd ym mhresenoldeb y bobl, yn dwyn y bara croyw, [11] i offrymu i'r Arglwydd yn unol â'r hyn a ysgrifennwyd yn llyfr Moses. Digwyddodd hyn yn y bore. [12] Rhostiasant oen y Pasg ar dân yn ôl y ddefod, a berwi'r aberthau mewn pedyll a chrochanau, gydag arogl pêr, ac yna eu rhannu i bawb o blith y bobl. [13] Ar ôl hyn gwnaethant baratoadau iddynt eu hunain ac i'w brodyr yr offeiriaid, meibion Aaron, [14] oherwydd parhaodd yr offeiriaid i offrymu'r braster hyd yr hwyr. Felly y gwnaeth y Lefiaid y paratoadau iddynt eu hunain ac i'w brodyr yr offeiriaid, meibion Aaron. [15] Arhosodd cantorion y deml, meibion Asaff, ynghyd ag Asaff, Sachareias, ac Edinws o lys y brenin, [16] a'r porthorion ar bob porth, yn eu lleoedd yn unol â gorchmynion Dafydd; nid oedd gan neb ohonynt hawl i esgeuluso ei adran ei hun, gan fod ei frodyr, y Lefiaid, wedi paratoi ar ei gyfer. [17] Cwblhawyd popeth ynglŷn â'r aberth i'r Arglwydd y diwrnod hwnnw: [18] dathlwyd y Pasg ac offrymwyd yr aberthau ar allor yr Arglwydd yn unol â gorchymyn y Brenin Joseia. [19] Cadwodd yr Israeliaid oedd yn bresennol ar adeg honno y Pasg a gŵyl y Bara Croyw am saith diwrnod. [20] Ni ddathlwyd Pasg fel hwnnw yn Israel er dyddiau'r proffwyd Samuel; [21] ni chynhaliodd yr un o frenhinoedd Israel Basg tebyg i'r un a gynhaliodd Joseia a'r offeiriaid a'r Lefiaid, dynion Jwda ac Israel gyfan oedd yn digwydd preswylio yn Jerwsalem. [22] Dathlwyd y Pasg hwnnw yn y ddeunawfed flwyddyn o deyrnasiad Joseia.

Diwedd Teyrnasiad Joseia
(2 Bren. 23:28-30; 2 Cron. 35:20-27)

23 Gwnaeth Joseia bopeth yn gywir gerbron ei Arglwydd â chalon lawn duwioldeb. [24] Ysgrifennwyd eisoes ddigwyddiadau ei ddyddiau mewn adroddiadau am y rhai a bechodd yn fwy yn erbyn yr Arglwydd ac a fu'n fwy annuwiol nag unrhyw genedl neu deyrnas arall, ac a'i tristaodd yn fawr, nes i eiriau barn yr Arglwydd ddisgyn ar Israel.

25 Ar ôl yr holl weithgarwch hwn o eiddo Joseia, digwyddodd Pharo brenin yr Aifft ddod i ryfela yn Carchemis ar lan Afon Ewffrates, ac aeth Joseia allan i'w gyfarfod. ²⁶Anfonodd brenin yr Aifft neges ato i ofyn: "Pam yr wyt yn ymyrryd â mi, frenin Jwda? ²⁷Nid yn dy erbyn di y'm hanfonwyd gan yr Arglwydd Dduw,oherwydd yn ymyl Afon Ewffrates y mae fy mrwydr. Ac yn awr y mae'r Arglwydd gyda mi; ydyw, mae'r Arglwydd gyda mi, yn fy ngyrru ymlaen. Dos yn dy ôl, a phaid â gwrthwynebu'r Arglwydd." ²⁸Ond ni throdd Joseia ei gerbyd rhyfel yn ôl, ond ceisiodd ymladd ag ef, gan anwybyddu geiriau'r Arglwydd drwy enau'r proffwyd Jeremeia. ²⁹Aeth i frwydr yn erbyn Pharo ar wastadedd Megido. Ymosododd tywysogion hwnnw ar y Brenin Joseia, ³⁰a dywedodd yntau wrth ei weision, "Ewch â mi allan o'r frwydr, oherwydd fe'm clwyfwyd yn arw." Cludodd ei weision ef yn syth o faes y gad, ³¹a'i godi i'w ail gerbyd. Yna, wedi iddo gael ei ddwyn yn ôl i Jerwsalem, bu farw ac fe'i claddwyd ym meddrod ei dadau. ³²Bu galaru am Joseia trwy Jwda i gyd, a chanodd Jeremeia'r proffwyd alarnad amdano; a galarodd yr arweinwyr amdano, gyda'u gwragedd, hyd y dydd hwn. Gorchmynnwyd cadw'r arferiad hwn am byth drwy holl genedl Israel. ³³Y mae'r pethau hyn wedi eu hysgrifennu yn llyfr hanesion brenhinoedd Jwda; pob gweithred a gyflawnodd Joseia, ei enw da a'i ddealltwriaeth o gyfraith yr Arglwydd, ei weithredoedd gynt a'r rhai a adroddir yn awr, y mae'r hanes wedi ei gofnodi yn y gyfrol am frenhinoedd Israel a Jwda.

Y Brenin Jechoneia yn Jwda
(2 Bren. 23:30-35; 2 Cron. 36:1-4)

34 Cymerodd rhai o'i gyd-genedl Jechoneiaᵃ fab Joseia, a'i gyhoeddi'n frenin yn lle ei dad Joseia pan oedd yn dair ar hugain oed. ³⁵Teyrnasodd yn Jwda a Jerwsalem am dri mis, ac yna symudodd brenin yr Aifft ef o deyrnasu yn Jerwsalem, ³⁶a gosododd dreth ar y genedl o gan talent o arian ac un dalent o aur. ³⁷Yna cyhoeddodd brenin yr Aifft ei frawd Joacim yn frenin ar Jwda a Jerwsalem. ³⁸Carcharodd Joacim y prif ddynion, a daliodd ei frawd Sarius a'i ddwyn yn ôl o'r Aifft.

Y Brenin Jehoiacim yn Jwda
(2 Bren. 23:36—24:7; 2 Cron. 36:5-8)

39 Pump ar hugain oed oedd Jehoiacim pan ddaeth yn frenin ar Jwda a Jerwsalem, a gwnaeth ddrwg yng ngolwg yr Arglwydd. ⁴⁰Daeth Nebuchadnesar brenin Babilon ar ymgyrch yn ei erbyn, ei rwymo mewn cadwyn bres, a'i ddwyn ymaith i Fabilon. ⁴¹Cymerodd Nebuchadnesar hefyd rai o lestri sanctaidd yr Arglwydd, gan eu cludo i ffwrdd a'u gosod yn ei deml ym Mabilon. ⁴²Y mae hanes Joacim a'i ymarweddiad amhur ac annuwiol wedi ei ysgrifennu yn llyfr croniclau'r brenhinoedd.

Y Brenin Jehoiachin yn Jwda
(2 Bren. 24:8-17; 2 Cron. 36:9-10)

43 Daeth ei fab Jehoiachinᵇ yn frenin yn ei le. Pan ddaeth i'r orsedd yr oedd yn ddeunaw oed. ⁴⁴Bu'n frenin am dri mis a deg diwrnod yn Jerwsalem, a gwnaeth ddrwg yng ngolwg yr Arglwydd. ⁴⁵Ymhen blwyddyn anfonodd Nebuchadnesar i'w ddwyn i Fabilon ynghyd â llestri sanctaidd yr Arglwydd. ⁴⁶Cyhoeddodd Sedeceia yn frenin ar Jwda a Jerwsalem.

Y Brenin Sedeceia yn Jwda
(2 Bren. 24:18-20; 2 Cron. 36:11-12; Jer. 52:1-3a)

Un ar hugain oed oedd Sedeceia ar y pryd, a theyrnasodd am un mlynedd ar ddeg. ⁴⁷Gwnaeth ddrwg yng ngolwg yr Arglwydd, heb ystyried y geiriau a lefarwyd gan yr Arglwydd drwy enau'r proffwyd Jeremeia.

Cwymp Jerwsalem
(2 Bren. 25:1-21; 2 Cron. 36:13-21; Jer. 52:3b-11)

48 Wedi iddo dyngu llw o deyrngarwch i'r Brenin Nebuchadnesar yn enw'r Arglwydd, torrodd Sedeceia y llw a gwrthryfelodd. Aeth yn wargaled ac ystyfnig a throseddodd ddeddfau Arglwydd Dduw Israel. ⁴⁹Cyflawnodd arweinwyr y bobl a'r prif offeiriaid lawer o bethau annuwiol, a thorri'r gyfraith, gan ymddwyn yn waeth na'r cenhedloedd i gyd ym mhob math o amhurdeb, a halogi teml yr Arglwydd, a oedd wedi ei chysegru yn Jerwsalem. ⁵⁰Anfonodd Duw eu tadau drwy ei negesydd i'w galw'n ôl, am fod ei fryd ar eu harbed hwy a'i

---

ᵃYn ôl darlleniad arall, *Joachas.*   ᵇGroeg, *Joacim.*

dabernacl. ⁵¹Ond gwatwarasant ei negeswyr, ac ar y dydd y llefarodd yr Arglwydd yr oeddent yn gwawdio ei broffwydi, ⁵²nes iddo ddigio wrth ei genedl oherwydd eu gweithredoedd annuwiol, a threfnu i frenhinoedd y Caldeaid ymosod arnynt. ⁵³Lladdodd y rhain eu dynion ifainc â'r cleddyf o gwmpas eu teml sanctaidd, heb arbed na bachgen na merch, na hen nac ifanc; ⁵⁴ond traddodwyd hwy i gyd i'w dwylo. Cymerasant holl lestri sanctaidd yr Arglwydd, mawr a bach, ac addurniadau Arch yr Arglwydd, a thrysorau'r brenin, a'u cludo ymaith i Fabilon. ⁵⁵Llosgasant dŷ'r Arglwydd, dinistrio muriau Jerwsalem a difa ei thyrau â thân, ⁵⁶nes gorffen difodi ei holl wychder hi. Dug Nebuchadnesar y gweddill ymaith i Fabilon â chleddyf. ⁵⁷Buont yn weision iddo ac i'w feibion nes i'r Persiaid ddod i deyrnasu, er mwyn cyflawni gair yr Arglwydd drwy enau Jeremeia: ⁵⁸"Hyd nes y cyflawna'r wlad ei sabothau, bydd yn cadw saboth holl amser ei hanghyfanedd-dra hyd ddiwedd deng mlynedd a thrigain."

Cyrus yn Gorchymyn bod yr Iddewon i Ddychwelyd
(2 Cron. 36:22-23; Esra 1:1-11)

2 Ym mlwyddyn gyntaf teyrnasiad Cyrus brenin Persia, er mwyn cyfawni gair yr Arglwydd drwy enau Jereneia, ²cynhyrfodd yr Arglwydd ysbryd Cyrus brenin Persia i gyhoeddi drwy ei deyrnas i gyd, yn llafar ac yn ysgrifenedig, fel hyn: ³"Dyma a ddywed Cyrus brenin Persia: Arglwydd Israel, yr Arglwydd Goruchaf, a'm gwnaeth yn frenin ar yr holl fyd, ⁴a rhoddodd gyfarwyddyd mi i adeiladu iddo dŷ yn Jerwsalem yn wda. ⁵Pwy bynnag ohonoch sy'n perthyn i'w genedl ef, bydded ei Arglwydd gydag ef, ac aed i fyny i Jerwsalem yn Jwda i adeiladu tŷ Arglwydd Israel—ef yw'r Arglwydd sy'n preswylio n Jerwsalem. ⁶Y rheini oll sy'n byw newn gwahanol ardaloedd, bydded i bobl u hardal hwy eu helpu â rhoddion o aur c arian, ⁷â cheffylau a gwartheg, yn ɔgystal â phethau eraill a gyflwynwyd rwy adduned i deml yr Arglwydd yn erwsalem."

8 Yna cododd pennau-teuluoedd wythau Jwda a Benjamin, a'r offeiriaid 'r Lefiaid, a'r holl rai y cynhyrfodd yr Arglwydd eu hysbryd, i fynd i fyny i adeiladu tŷ i'r Arglwydd yn Jerwsalem, ⁹a chynorthwyodd eu cymdogion hwy ym mhob peth, ag arian ac aur, ceffylau a gwartheg, a llawer iawn o'r rhoddion a gyflwynwyd trwy adduned gan lawer o bobl a roes eu bryd ar hynny.

10 Dug y Brenin Cyrus allan hefyd lestri sanctaidd yr Arglwydd, a gludodd Nebuchadnesar i ffwrdd o Jerwsalem a'u gosod yn nheml ei eilunod. ¹¹Wedi i Cyrus brenin Persia eu dwyn allan, fe'u rhoddodd i Mithridates ei drysorydd, ¹²a thrwyddo ef fe'u trosglwyddwyd i Sanabassar llywodraethwr Jwdea. ¹³Dyma gyfrif ohonynt: mil o gwpanau aur, mil o gwpanau arian, dau ddeg a naw o thuserau arian, tri deg o ffiolau aur, dwy fil pedwar cant a deg o rai arian, a mil o lestri eraill. ¹⁴Trosglwyddwyd felly yr holl lestri aur ac arian, pum mil pedwar cant chwe deg a naw i gyd, ¹⁵ac fe'u cludwyd yn ôl gan Sanabassar gyda'r bobl a ddychwelodd o'r gaethglud ym Mabilon i Jerwsalem.

Gwrthwynebu Ailadeiladu Jerwsalem
(Esra 4:7-24)

16 Ond yn amser Artaxerxes brenin Persia, dyma Beslemus, Mithridates, Tabelius, Rawmus, Beeltemus a Samsaius yr ysgrifennydd, a gweddill eu cyd-swyddogion, a oedd yn byw yn Samaria ac mewn mannau eraill, yn ysgrifennu ato y llythyr canlynol yn erbyn y rhai oedd yn byw yn Jwda a Jerwsalem: "I'r Brenin Artaxerxes, ein harglwydd, ¹⁷oddi wrth dy weision, Rawmus y cofnodydd, a Samsaius yr ysgrifennydd, a gweddill y barnwyr o'u cyngor yn Celo-Syria a Phenice. ¹⁸Bydded hysbys yn awr i'n harglwydd fod yr Iddewon a ddaeth i fyny oddi wrthych atom ni, ac a aeth i Jerwsalem, yn adeiladu'r ddinas wrthryfelgar a drwg honno, yn atgyweirio ei marchnadoedd a'i muriau, ac yn gosod sylfeini teml. ¹⁹Yn awr os adeiledir y ddinas hon a gorffen ei muriau, byddant nid yn unig yn gwrthod talu teyrnged, ond hefyd yn gwrthryfela yn erbyn brenhinoedd. ²⁰Oherwydd bod y gwaith ar y deml yn mynd yn ei flaen, dyma ni'n meddwl y byddai'n well i ni beidio ag anwybyddu'r fath sefyllfa, ²¹ond ei hysbysu i'n harglwydd y brenin, er mwyn i archwiliad gael ei wneud, os yw'n dda gennyt, yn llyfrau dy dadau. ²²Byddi'n

darganfod yn y cofnodion yr hyn a ysgrifennwyd amdanynt, a chei wybod i'r ddinas hon fod yn wrthryfelgar a blino brenhinoedd a dinasoedd, ²³ac i'r Iddewon hwythau fod yn wrthryfelgar a chodi terfysg ynddi ers amser maith. Yn wir, dyna pam y difrodwyd y ddinas hon. ²⁴Felly yr ydym yn awr yn dy hysbysu, arglwydd frenin, os adeiledir y ddinas hon ac os ailgodir ei muriau, na fydd modd i ti ddychwelyd i Celo-Syria nac i Phenice."

25 Yna ysgrifennodd y brenin mewn ateb i Rawmus y cofnodydd, Beeltemus, Samsaius yr ysgrifennydd, a gweddill eu cyd-swyddogion, a oedd yn byw yn Samaria, Syria a Phenice, fel hyn: ²⁶"Darllenais y llythyr a anfonasoch ataf. Ac o ganlyniad gorchmynnais chwilio, a darganfuwyd bod y ddinas hon ers amser maith wedi bod yn ymladd yn erbyn brenhinoedd, ²⁷a bod ei thrigolion wedi achosi terfysgoedd a rhyfeloedd, a hefyd bod brenhinoedd cryf a chreulon yn Jerwsalem wedi arglwyddiaethu ar Celo-Syria a Phenice a chodi treth arnynt. ²⁸Felly gorchmynnais yn awr rwystro'r dynion hynny rhag adeiladu'r ddinas, a gofalu na wneir dim pellach, ²⁹na gyrru ymlaen â'r fath bethau drwg i flino brenhinoedd."

30 Yna, wedi i lythyr y Brenin Artaxerxes gael ei ddarllen, cychwynnodd Rawmus a Samsaius yr ysgrifennydd a'u cyd-swyddogion ar frys i Jerwsalem gyda gwŷr meirch a mintai yn barod i ryfel, a dechrau rhwystro'r adeiladwyr. Peidiodd y gwaith o adeiladu'r deml yn Jerwsalem hyd yr ail flwyddyn o deyrnasiad Dareius brenin Persia.

Dadl y Tri Llanc gerbron y Brenin

3 Gwnaeth y Brenin Dareius wledd fawr i'r holl rai oddi tano, i'w holl deulu, i'r holl arweinwyr Media a Persia, ²i'r holl benaethiaid, y cadfridogion a'r swyddogion oedd oddi tano yn y cant dau ddeg a saith o daleithiau o'r India i Ethiopia. ³Ar ôl iddynt fwyta ac yfed a chael eu digon ymadawsant, ac aeth y Brenin Dareius i'w ystafell wely a chysgu, ond yna deffrôdd. ⁴Wedyn dywedodd y tri llanc oedd yn gwarchod y brenin, y naill wrth y llall, ⁵"Gadewch i bob un ohonom enwi un peth, y peth cryfaf, ac fe rydd y Brenin Dareius roddion gwerthfawr a gwobrau gwych i'r sawl y bydd ei ddywediad yn ymddangos

yn ddoethach na'r lleill. ⁶Fe'i gwisgir mewn porffor, caiff yfed allan o lestri aur, cysgu ar wely aur, cael cerbyd â ffrwynau aur, penwisg o liain main, a chadwyn am ei wddf. ⁷Caiff eistedd yn nesaf at Dareius oherwydd ei ddoethineb, a dwyn yr enw, 'Câr Dareius'."

8 Yna ysgrifennodd pob un ei ateb ei hun, ei selio a'i osod o dan obennydd y Brenin Dareius, ⁹gan ddweud, "Pan fydd y brenin yn deffro, rhoddir iddo yr hyn a ysgrifennwyd. I'r un y bydd y brenin a thri arweinydd Persia yn barnu mai ei ateb yw'r doethaf y rhoddir y fuddugoliaeth yn ôl yr hyn a ysgrifennwyd." ¹⁰Ysgrifennodd y cyntaf, "Gwin sydd gryfaf." ¹¹Ysgrifennodd yr ail, "Y brenin sydd gryfaf." ¹²Ysgrifennodd y trydydd, "Gwragedd sydd gryfaf, ond y mae gwirionedd yn drech na phopeth."

13 Pan ddeffrôdd y brenin, cymerasant yr hyn a ysgrifennwyd a'i roi iddo, ac fe'i darllenodd. ¹⁴Yna anfonodd a galw ynghyd holl arweinwyr Persia a Media, y penaethiaid, y cadfridogion, y swyddogion a'r is-swyddogion. ¹⁵Eisteddodd yn ystafell y cyngor, a darllenwyd yr hyn a ysgrifennwyd yng ngŵydd pawb. ¹⁶Yna dywedodd, "Galwch y llanciau er mwyn iddynt gael egluro'u hatebion." Fe'u galwyd i mewn, ¹⁷a dywedwyd wrthynt "Eglurwch inni'r hyn a ysgrifennwyd gennych."

Dechreuodd y cyntaf, yr un a soniai am gryfder gwin, ¹⁸drwy ddweud "Foneddigion, ym mha ffordd y mae gwin gryfaf? Mae'n drysu meddwl pob dyn sy'n ei yfed. ¹⁹Mae'n effeithio a feddwl y brenin a'r amddifad, y caeth a'r rhydd, y tlawd a'r cyfoethog, yn yr un ffordd. ²⁰Mae'n troi pob meddwl a gyfeddach a llawenydd, nes anghofio pob tristwch a phob dyled. ²¹Gwna i ddyn ymddwyn fel cyfoethogion, heb falio am na brenin na phennaeth, ond siarad am bopeth fel petai'n filiwnydd. ²²Wrth yfed nid ydynt yn malio am gyfeillachu ffrindiau a brodyr, a chyn bo hir tynnant eu cleddyfau. ²³Wedi sobri, nid ydynt y cofio beth a wnaethant. ²⁴Foneddigion onid gwin sydd gryfaf, gan ei fod yn gorfodi dynion i ymddwyn fel hyn?" Tawodd ar ôl dweud hyn.

4 Yna dechreuodd yr ail lefaru, yr un a soniai am gryfder y brenin ²"Foneddigion," meddai, "onid dynion sydd gryfaf, gan eu bod yn llywodraethu

tir a môr a phopeth sydd ynddynt? ³A'r
brenin yw'r cryfaf, oherwydd y mae'n
arglwydd ac yn feistr ar bawb; ufuddhânt
i bopeth y mae'n ei orchymyn iddynt. ⁴Os
yw'n gorchymyn iddynt ryfela yn erbyn
ei gilydd, gwnânt hynny. Os yw'n eu
hanfon allan yn erbyn ei elynion, fe ânt
a dymchwel mynyddoedd, muriau a
thyrau. ⁵Er iddynt ladd a chael eu lladd,
nid anufuddhânt i orchymyn y brenin. Os
enillant fuddugoliaeth, i'r brenin y dygant
bopeth, yr holl ysbail a phob dim arall.
⁶Yn yr un modd y mae'r arddwyr, nad
ydynt na milwyr na rhyfelwyr, yn trin y
tir, ac at y brenin y dygant y cynnyrch
wedi iddynt hau a medi. Mae pawb yn
cymell ei gilydd i dalu trethi i'r brenin.
⁷Ac eto, un yn unig yw ef. Os yw'n
gorchymyn iddynt ladd, lladdant; os
rhyddhau, rhyddhânt; ⁸os taro, trawant;
os difrodi, difrodant; os adeiladu, adeil-
adant; ⁹os torri i lawr, torrant i lawr; os
plannu, plannant. ¹⁰Y mae ei holl bobl a'i
luoedd yn ufuddhau iddo. At hyn oll, y
mae'n cael eistedd i fwyta ac yfed, a
syrthio i gysgu, ¹¹tra maent hwy'n gwylio
o'i gwmpas. Ni chaiff un fynd i ymhél â'i
orchwylion ci hun; nid ydynt yn an-
ufuddhau iddo. ¹²Foneddigion, rhaid
mai'r brenin sydd gryfaf, gan ei fod yn
derbyn y fath ufudd-dod." A thawodd.

13 Yna dechreuodd y trydydd lefaru;
Sorobabel oedd hwn, yr un a soniai am
wragedd ac am wirionedd. ¹⁴"Foneddi-
igion," meddai, "a yw'r brenin yn fawr,
dynion yn niferus, a gwin yn gryf?
Ydynt, ond pwy sy'n feistr ac yn ar-
glwydd arnynt? Onid gwragedd?
¹⁵Gwragedd a esgorodd ar y brenin a'i
holl bobl, y rhai sy'n llywodraethu môr a
thir. ¹⁶O wragedd y daethant. Hwy hefyd
a fagodd y rhai sy'n plannu'r gwinllan-
noedd y daw'r gwin ohonynt. ¹⁷Hwy sy'n
gwneud dillad i ddynion ac yn ennill clod
iddynt; ni all dynion wneud heb wragedd.
¹⁸Os yw dyn yn casglu aur ac arian a
phopeth arall sy'n brydferth, ac yna'n
canfod un wraig sy'n deg ei phryd a'i
gwedd, ¹⁹y mae'n gadael hynny i gyd er
mwyn ei llygadu a syllu'n geg-agored
arni. Byddai pob dyn yn ei dewis hi yn
hytrach nag aur ac arian a phopeth arall
sy'n brydferth. ²⁰Mae dyn yn gadael ei
dad, a'i magodd, a hyd yn oed ei wlad ei
hun, er mwyn glynu wrth ei wraig.
²¹Gyda hi y treulia'i oes, gan anghofio tad
a mam a gwlad. ²²Rhaid felly ichwi ddeall

mai gwragedd sydd yn eich rheoli. Onid
er mwyn rhoi a chludo popeth i'ch
gwragedd yr ydych yn llafurio ac yn
chwysu? ²³Y mae dyn yn cymryd ei
gleddyf a mynd allan i deithio, ysbeilio,
lladrata; y mae'n hwylio ar fôr ac ar afon;
²⁴y mae'n wynebu llewod ac yn cerdded
yn y tywyllwch; y mae'n lladrata, ysbeilio
a dwyn, a'r cyfan er mwyn cludo'r ysbail
i'w anwylyd. ²⁵Mae dyn yn caru ei wraig
ei hun yn fwy na'i dad a'i fam. ²⁶Gwrag-
edd a barodd i lawer golli eu synnwyr
a mynd yn gaethweision; ²⁷o achos
gwragedd y bu farw llawer, neu lithro a
phechu. ²⁸Nid ydych yn fy nghredu eto?
A yw'r brenin yn fawr ei awdurdod?
Ydyw. A phob gwlad yn ofni ymyrryd
ag ef? Ydyw. ²⁹Eto gwelais ef gyda'i
ordderch Apame, merch yr enwog Barta-
cus, pan eisteddai hi ar ei law dde ³⁰a
chymryd y goron oddi ar ei ben a'i gosod
ar ei phen ei hun, a tharo'r brenin â'i llaw
chwith. ³¹Edrychai'r brenin yn geg-
agored arni. Pan fyddai hi'n gwenu arno,
gwenai yntau; pan fyddai hi'n gas wrtho,
byddai'n gwenieithio i'w chael i gymod ag
ef. ³²Foneddigion, rhaid bod gwragedd yn
gryf os ydynt yn ymddwyn fcl hyn."

33 Ar hynny, edrychodd y brenin a'r
arweinwyr ar ei gilydd, ond dechreuodd
y llanc siarad am wirionedd. ³⁴"Foned-
igion, onid yw gwragedd yn gryf? Mae'r
ddaear yn fawr, y nefoedd yn uchel, a'r
haul yn gyflym yn ei gwrs wrth droi o
amgylch y ffurfafen a dychwelyd i'w le ei
hun mewn un diwrnod. ³⁵Onid mawr yw'r
sawl sy'n gwneud y pethau hyn? Ond
mawr hefyd yw gwirionedd; yn wir y
mae'n gryfach na phopeth arall. ³⁶Mae'r
holl ddaear yn apelio at wirionedd; mae'r
nefoedd yn ei glodfori a'r holl greadigaeth
yn ysgwyd ac yn crynu, ac nid oes dim
anghyfiawnder ynddo. ³⁷Y mae anghyf-
iawnder mewn gwin; anghyfiawn yw'r
brenin; anghyfiawn yw gwragedd; ang-
hyfiawn yw holl feibion dynion ynghyd
â'u holl weithredoedd a phopeth tebyg.
Nid oes ynddynt wirionedd, a darfod â
wnânt yn eu hanghyfiawnder. ³⁸Erys
gwirionedd yn gryf am byth; byw fydd,
ac aros mewn grym yn oes oesoedd.
³⁹Gydag ef nid oes derbyn wyneb na
ffafriaeth, ond y mae'n gwneud yr hyn
sy'n gyfiawn yn hytrach na phopeth
anghyfiawn a drwg. Mae pawb yn canmol
ei weithredoedd, ⁴⁰ac yn ei farn nid oes
dim anghyfiawnder. Iddo ef y mae'r

nerth, y deyrnas, yr awdurdod a'r mawredd trwy'r holl oesoedd. Bendigedig fyddo Duw'r gwirionedd." ⁴¹Tawodd â sôn, a gwaeddodd yr holl bobl: "Mawr yw'r gwirionedd. Y mae'n gryfach na dim."

42 Dywedodd y brenin wrtho: "Gofyn am yr hyn a ddymunit, hyd yn oed y tu hwnt i'r hyn a ysgrifennwyd, ac fe'i rhoddwn i ti, gan mai ti a gafwyd yn ddoethaf. Cei eistedd yn nesaf ataf a dwyn yr enw, 'Câr i mi'." ⁴³Dywedodd yntau wrth y brenin: "Cofia'r adduned a wnaethost, ar y dydd y derbyniaist y frenhiniaeth, i adeiladu Jerwsalem, ⁴⁴a chymryd ac anfon yn ôl yno yr holl lestri a ddygwyd o Jerwsalem ac a osododd Cyrus o'r neilltu. Pan adduenedodd ef ddinistrio Babilon, addunedodd hefyd anfon y llestri yn ôl yno. ⁴⁵Addunedaist tithau hefyd adeiladu'r deml a losgodd yr Edomiaid pan ddifrodwyd Jwdea gan y Chaldeaid. ⁴⁶Yn awr, hyn yr wyf yn ei ofyn ac yn ei geisio gennyt, O arglwydd frenin, peth sy'n gwbl gyson â'th fawrfrydigrwydd; gofynnaf iti gyflawni'r adduned a wnaethost â'th enau dy hun i Frenin Nef."

47 Cododd y Brenin Dareius a'i gusanu, ac ysgrifennu llythyrau ar ei ran i'r holl drysoryddion, swyddogion, cadfridogion a phenaethiaid, ar iddynt ei hebrwng ef yn ddiogel ynghyd â'r holl rai a fyddai'n mynd i fyny gydag ef i adeiladu Jerwsalem. ⁴⁸Hefyd ysgrifennodd lythyrau at yr holl swyddogion yn Celo-Syria a Phenice ac i'r rhai yn Libanus, yn gorchymyn iddynt gludo coed cedrwydd o Libanus i Jerwsalem, ac felly ei gynorthwyo i adeiladu'r ddinas. ⁴⁹Ysgrifennodd ar ran yr holl Iddewon a fyddai'n dod i fyny o'i deyrnas i Jwdea i'w sicrhau o'u rhyddid; ni fyddai'r un llywodraethwr, pennaeth, swyddog na thrysorydd yn torri i mewn drwy eu pyrth; ⁵⁰byddai'r holl wlad a feddiennid ganddynt yn ddi-dreth; byddai'r Edomiaid yn ildio pentrefi'r Iddewon a feddiannwyd ganddynt hwy; ⁵¹byddai cyfraniad o ugain talent bob blwyddyn tuag at adeiladu'r deml nes i'r gwaith gael ei orffen, ⁵²a deg talent yn ychwanegol bob blwyddyn tuag at y poethoffrymau a offrymid yn ddyddiol ar yr allor yn unol â'r gorchymyn i offrymu un deg a saith; ⁵³câi pawb a ddôi o Fabilon i adeiladu'r ddinas ryddid iddynt eu hunain ac i'w

plant yn ogystal ag i'r holl offeiriaid a fyddai'n dod. ⁵⁴Ysgrifennodd hefyd ynglŷn â'u treuliau, a'r gwisgoedd offeiriadol yr oeddent i'w defnyddio. ⁵⁵Gorchmynnodd roi eu treuliau i'r Lefiaid hyd nes cwblhau'r deml ac adeiladu Jerwsalem, ⁵⁶a rhoi tiroedd a chyflog i holl warchodwyr y ddinas. ⁵⁷Anfonodd yn ôl o Fabilon yr holl lestri a osododd Cyrus o'r neilltu; gorchmynnodd gyflawni holl orchmynion Cyrus ac anfon popeth yn ôl i Jerwsalem.

58 Pan aeth y llanc allan, dyrchafodd ei olwg tua'r nef, gan wynebu Jerwsalem a chanmol Brenin Nef fel hyn: ⁵⁹"Oddi wrthyt ti y daw buddugoliaeth, oddi wrthyt ti y daw doethineb, a thi biau'r gogoniant. Dy was di wyf fi. ⁶⁰Bendigedig wyt ti, a roddaist i mi ddoethineb. Clodforaf di, Arglwydd ein tadau."

61 Cymerodd y llythyrau, ac aeth i Fabilon a chyhoeddi hyn i'w frodyr oll. ⁶²Canmolasant Dduw eu tadau am iddo roi iddynt ryddid a chaniatâd ⁶³i fynd i fyny i adeiladu Jerwsalem a'r deml yr oedd ei enw ef arni. A buont yn dathlu am saith diwrnod â cherddoriaeth a llawenydd.

Rhestr y Rhai a Ddychwelodd o'r Gaethglud
(Esra 2:1-70; Neh. 7:4-73)

5 Wedi'r pethau hyn dewiswyd y pennau-teuluoedd, bob yn llwyth, i fynd i fyny ynghyd â'u gwragedd, eu meibion a'u merched, eu caethweision yn wryw ac yn fenyw, a'u hanifeiliaid. ²Anfonodd Dareius gyda hwy fil o farchogion i'w dwyn yn ôl i Jerwsalem yn ddiogel i gyfeiliant drymiau a phibau, ³a'u holl frodyr yn dawnsio. Felly y parodd iddynt fynd i fyny gyda'r osgordd hon.

4 Dyma enwau'r dynion a aeth i fyny yn ôl eu teuluoedd a'u llwythau yn eu trefn: ⁵yr offeiriaid, meibion Phinees fab Aaron; Jesua fab Josedec, fab Saraias, a Joacim fab Sorobabel, fab Salathiel, o dŷ Dafydd o linach Phares o lwyth Jwda, ⁶a lefarodd eiriau doeth gerbron Dareius brenin y Persiaid yn ail flwyddyn ei frenhiniaeth, yn y mis Nisan, y mis cyntaf.

7 Dyma'r gwŷr o Jwda a ddaeth i fyny o gaethiwed y gaethglud—y rhai a gludodd Nebuchadnesar brenin Babilon i Fabilon—⁸ac a ddychwelodd i Jerwsalem a gweddill Jwda, pob un i'w dref ei hun. Daethant gyda Sorobabel a Jesua,

Nehemeia, Saraias, Resaias, Enenius, Mardochaius, Beelsarus, Asffarasus, Borolius, Roimus, a Baana, eu harwein-wyr. ⁹Dyma nifer aelodau'r genedl, ac enwau eu harweinwyr: teulu Phorus, dwy fil un cant saith deg a dau; teulu Saffat, pedwar cant saith deg a dau; ¹⁰teulu Ares, saith gant pum deg a chwech; ¹¹teulu Phaath-Moab, hynny yw teulu-oedd Jesua a Joab, dwy fil wyth gant a deuddeg; ¹²teulu Elam, mil dau gant pum deg a phedwar; teulu Satus, naw cant pedwar deg a phump; teulu Chorbe, saith gant a phump; teulu Bani, chwe chant pedwar deg ac wyth; ¹³teulu Bebai, chwe chant dau ddeg a thri; teulu Asgad, mil tri chant dau ddeg a dau; ¹⁴teulu Adonicam, chwe chant chwe deg a saith; teulu Bagoi, dwy fil chwe deg a chwech; teulu Adinus, pedwar cant pum deg a phed-war; ¹⁵teulu Ater, hynny yw Heseceiaᶜ, naw deg a dau; teulu Cilan ac Asetas, chwe deg a saith; teulu Aswrus, pedwar cant tri deg a dau; ¹⁶teulu Annias, cant ac un; teulu Arom; teulu Besaiᶜʰ, tri chant dau ddeg a thri; teulu Hariff, cant a deuddeg; ¹⁷teulu Baiterus, tair mil a phump; teulu Bethlomon, cant dau ddeg a thri; ¹⁸gwŷr Netebaᵈ, pum deg a phump; gwŷr Enatosᵈᵈ, cant pum deg ac wyth; gwŷr Beth Asmos, pedwar deg a dau; ¹⁹gwŷr Cariathiarius, dau ddeg a phump; gwŷr Capira a Beroth, saith gant pedwar deg a thri; ²⁰y Chadiasiaid a'r Ammidiaid, pedwar cant dau ddeg a dau; gwŷr Cirama a Gabbes, chwe chant dau ddeg ac un; ²¹gwŷr Macalon, cant dau ddeg a dau; gwŷr Betolio, pum deg a dau; teulu Niffis, cant pum deg a chwech; ²²teulu'r Elam arall ac Onus, saith gant dau ddeg a phump; teulu Jerechus, tri chant pedwar deg a phump; ²³teulu Senaa, tair mil tri chant tri deg.

24 Yr offeiriaid: teulu Jedu fab Jesua o linach Anasib, naw cant saith deg a dau; teulu Emmerus, mil pum deg a dau; ²⁵teulu Phasswrus, mil dau gant pedwar deg a saith; teulu Charme, mil un deg a saith.

26 Y Lefiaid: teuluoedd Jesua, Cad-mielus, Bannus a Sudius, saith deg a phedwar.

27 Cantorion y deml: teulu Asaff, cant dau ddeg ac wyth.

28 Y porthorion: teuluoedd Salum, Atar, Tolman, Acoub, Ateta a Sobai, cant tri deg a naw i gyd.

29 Gweision y deml: teuluoedd Esau, Asiffa, Tabaoth, Ceras, Swa, Phadaius, Labana, Aggaba, ³⁰Acwd, Wta, Cetab, Agab, Subai, Anan, Cathwa, Gedwr, ³¹Jairus, Daisan, Noeba, Chaseba, Gasera, Osius, Phinoe, Asara, Basthai, Asana, Maani, Naffis, Acwff, Achiba, Aswr, Pharacim, Basaloth, ³²Moeda, Cwtha, Charea, Barchus, Serar, Thomi, Nasi, ac Atiffa.

33 Disgynyddion gweision Solomon: teuluoedd Asaffioth, Pharida, Jeeli, Loson, Isdael, Saffuthi, ³⁴Agia, Phac-areth o Sabie, Sarothie, Masias, Gas, Adus, Swbas, Afferra, Barodis, Saffat, Amon. ³⁵Cyfanswm gweision y deml a disgynyddion gweision Solomon oedd tri chant saith deg a dau.

36 Daeth y rhai canlynol i fyny o Thermeleth a Thelersa dan arweiniad Charaath, Adan ac Amar, ³⁷ond ni fedrent brofi mai o Israel yr oedd eu llinach a'u tras: teuluoedd Dalan fab Twba, a Necodan, chwe chant pum deg a dau. ³⁸Ac o blith yr offeiriaid honnodd y canlynol hawl i'r swydd, ond nid oedd cofnod o'u hachau: teuluoedd Obbia, Accos, Jodus, a briododd Augia, un o ferched Pharselaius, ³⁹a chymryd ei enw. Pan chwiliwyd yn aflwyddiannus am gofnod o'u hachau yn y rhestr, fe'u hataliwyd rhag gwasanaethu fel offeiriaid, ⁴⁰a gwaharddodd Nehemeia ac Atthariasᵉ iddynt gyfranogi o'r pethau cysegredig nes y ceid archoffeiriad yn gwisgo'r Wrim a'r Twmimᶠ.

41 Y cyfanswm oedd: Israeliaid deuddeg oed a mwy, heblaw eu gweision a'u morynion, yn bedwar deg dwy o filoedd tri chant chwe deg; ⁴²eu gweision a'u morynion yn saith mil tri chant tri deg a saith; a'r cantorion a'r cantoresau yn ddau gant pedwar deg a phump. ⁴³Yr oedd ganddynt bedwar cant tri deg a phump o gamelod, saith mil tri deg a chwech o geffylau, dau gant pedwar deg a phump o fulod, a phum mil pum cant dau ddeg a phump o asynnod.

44 Pan ddaethant i deml Duw yn Jerw-salem, ymrwymodd rhai o'r pennau-teuluoedd i godi'r tŷ ar ei hen sylfaen yn

<hr>

ᶜNeu, *Ater fab Heseceia.*　　ᶜʰNeu, *teulu Arom a theulu Besai.*
ᵈYn ôl darlleniad arall, *Netoffa.*　　ᵈᵈYn ôl darlleniad arall, *Anathoth.*
ᵉNeu, *y llywodraethwr.*　　ᶠGroeg, *arddangosiad a gwirionedd.*

ôl eu gallu, ⁴⁵ac i roi i drysorfa'r deml ar gyfer y gwaith fil mina o aur a phum mil mina o arian a chant o wisgoedd offeiriadol. ⁴⁶Cartrefodd yr offeiriaid a'r Lefiaid a rhai o'r bobl yn Jerwsalem a'r cyffiniau, a'r cantorion, y porthorion a holl Israel yn eu trefi.

Ailddechrau Addoli
(Esra 3:1-6)

47 Pan ddaeth y seithfed mis, a'r Israeliaid erbyn hyn yn eu cartrefi, ymgasglasant fel un gŵr i'r sgwâr o flaen y porth cyntaf yn wynebu'r dwyrain. ⁴⁸Yna cododd Jesua fab Josedec a'i gyd-offeiriaid, a Sorobabel fab Salathiel a'i frodyr, a pharatoi allor Duw Israel ⁴⁹er mwyn aberthu poethoffrymau arni, fel y mae'n ysgrifenedig yng nghyfraith Moses, gŵr Duw. ⁵⁰Ymunodd rhai o bobloedd eraill y wlad â hwy. Codasant yr allor yn ei lle, er bod pobloedd y wlad yn gyffredinol yn elyniaethus iddynt ac yn gryfach na hwy, ac offrymasant aberthau yn eu priod amser a phoethoffrymau i'r Arglwydd fore a hwyr. ⁵¹Cadwasant ŵyl y Pebyll fel y gorchmynnwyd yn y gyfraith, ac offrymu'r aberthau dyddiol fel yr oedd yn briodol, ⁵²ac ar ôl hyn yr aberthau cyson a'r rhai ar gyfer y sabothau a'r newyddloerau a'r holl wyliau cysegredig. ⁵³Dechreuodd pob un a wnaethai lw i Dduw offrymu aberthau iddo o ddydd cyntaf y seithfed mis, er nad oedd teml Duw wedi ei hadeiladu eto.

Dechrau Ailadeiladu'r Deml
(Esra 3:7-13)

54 Yna rhoesant arian i'r seiri meini a'r seiri coed, a bwyd a diod ⁵⁵a cherti^{ff} i'r Sidoniaid a'r Tyriaid, i gyrchu cedrwydd o Libanus a dod â hwy ar wyneb y dŵr i borthladd Jopa yn unol â'r cennad a roddwyd iddynt gan Cyrus brenin Persia. ⁵⁶Yn ail fis yr ail flwyddyn wedi iddo ddychwelyd i deml Duw yn Jerwsalem, dechreuodd Sorobabel fab Salathiel ar y gwaith, ynghyd â Jesua fab Josedec a'u brodyr a'r offeiriaid Lefitaidd a phawb oedd wedi dychwelyd o'r gaethglud i Jerwsalem. ⁵⁷Gosodasant sylfaen teml Duw ar ddydd cyntaf yr ail fis o'r ail flwyddyn wedi iddynt gyrraedd Jwdea a Jerwsalem. ⁵⁸Penodwyd y Lefiaid oedd dros ugain mlwydd oed i arolygu gwaith

yr Arglwydd, ac fel un gŵr cododd Jesua a'i feibion a'i frodyr, Cadmiel ei frawd, meibion Jesua Emadabun a meibion Joda fab Iliadun ynghyd â'i feibion a'i frodyr, yr holl Lefiaid, a gyrru ymlaen â'r gwaith ar dŷ Dduw. Felly y cododd yr adeiladwyr deml yr Arglwydd. ⁵⁹Safodd yr offeiriaid yn eu gwisgoedd gydag offerynnau cerdd ac utgyrn, a'r Lefiaid, meibion Asaff, gyda symbalau, ⁶⁰i foliannu'r Arglwydd a'i fendithio yn ôl gorchymyn Dafydd brenin Israel. ⁶¹Canasant emynau'n moliannu'r Arglwydd am fod ei ddaioni a'i ogoniant yn dragwyddol ar holl Israel. ⁶²Yna seiniodd yr holl bobl utgyrn, a bloeddio'n uchel mewn moliant i'r Arglwydd wrth i dŷ'r Arglwydd godi. ⁶³Daeth rhai o'r offeiriaid Lefitaidd a'r pennau-teuluoedd, a oedd yn ddigon hen i fod wedi gweld y tŷ cyntaf, at y gwaith adeiladu hwn â llefain ac wylofain mawr, ⁶⁴a daeth eraill lawer â'u hutgyrn a seinio'u llawenydd â sŵn mawr; ⁶⁵ond ni allai'r bobl glywed yr utgyrn oherwydd sŵn y bobl yn wylo, er bod y dyrfa'n seinio'r utgyrn mor uchel nes bod y sŵn i'w glywed o bell.

Gwrthwynebu Ailadeiladu'r Deml
(Esra 4:1-5)

66 Pan glywodd gelynion llwyth Jwda a Benjamin, daethant i weld beth oedd ystyr sŵn yr utgyrn. ⁶⁷Wedi darganfod fod y rhai a ddychwelodd o'r gaethglud yn adeiladu'r deml i Arglwydd Dduw Israel, ⁶⁸daethant at Sorobabel a Jesua a'r pennau-teuluoedd a dweud wrthynt: "Gadewch i ni adeiladu gyda chwi, ⁶⁹oherwydd yr ydym ni'n ufuddhau i'r Arglwydd fel chwithau, ac iddo ef hefyd yr ydym wedi aberthu er amser Asbasareth^g brenin Asyria, a ddaeth â ni yma." ⁷⁰Ond dywedodd Sorobabel a Jesua a phennau-teuluoedd Israel wrthynt: "Nid oes a wneloch chwi ddim â ni i adeiladu tŷ i'r Arglwydd ein Duw; ⁷¹ni yn unig sydd i adeiladu i Arglwydd Israel, fel y gorchmynnodd Cyrus brenin Persia i ni." ⁷²Yna aflonyddodd pobloedd y wlad yn drwm ar drigolion Jwda, gan osod gwarchae arnynt a'u rhwystro rhag adeiladu, ⁷³a thrwy gynllwynion a chreu terfysg a chyffro eu hatal rhag cwblhau'r adeilad holl ddyddiau'r Brenin Cyrus. Fe'u rhwystrwyd rhag adeiladu am ddwy

flynedd hyd at deyrnasiad y Brenin Dareius.

Ailddechrau'r Gwaith ar y Deml
(Esra 5:1-17)

6 Yn ail flwyddyn brenhiniaeth Dareius, proffwydodd y proffwydi, Haggai a Sechareia fab Ido, yn enw'r Arglwydd, Duw Israel, i'r Iddewon yn Jwda a Jerwsalem. ²Yna cododd Sorobabel fab Salathiel a Jesua fab Josedec a dechrau adeiladu tŷ'r Arglwydd yn Jerwsalem; ac yr oedd proffwydi'r Arglwydd gyda hwy yn eu cefnogi. ³Yr un adeg daeth Sisinnes, llywodraethwr Syria a Phenice, a Sathrabwsanes a'u cefnogwyr atynt a gofyn iddynt, ⁴"Pwy a roes ganiatâd i chwi i adeiladu'r tŷ hwn a rhoi to arno a'i gwblhau ym mhob dim arall? A phwy yw'r adeiladwyr sy'n cyflawni'r gwaith hwn?" ⁵Ond cafodd henuriaid yr Iddewon ffafr gan yr Arglwydd, a fu'n gofalu amdanynt yn y gaethglud, ⁶ac ni rwystrwyd hwy rhag adeiladu yn y cyfnod rhwng anfon adroddiad amdanynt at Dareius a chael ei ddyfarniad arno.

7 Dyma gopi o'r llythyr a ysgrifennodd ac a antonodd Sisinnes, llywodraethwr Syria a Phenice, a Sathrabwsanes a'u cefnogwyr, y swyddogion yn Syria a Phenice, at Dareius: "I'r Brenin Dareius, cyfarchion! ⁸Bydded hyn oll yn hysbys i'n harglwydd y brenin: inni ymweld â thalaith Jwda a mynd i mewn i ddinas Jerwsalem; yno cawsom henuriaid yr Iddewon, a ddychwelodd o'r gaethglud, ⁹yn adeiladu yn ninas Jerwsalem dŷ mawr newydd i'r Arglwydd o gerrig nadd drud, gyda choed wedi eu gosod yn y muriau; ¹⁰y mae'r gwaith yn mynd rhagddo'n gyflym a'r adeiladu'n llwyddo dan eu llaw, ac fe'i cwblheir â phob ysblander a gofal. ¹¹Yna gofynasom i'r henuriaid hyn, 'Pwy a roes gennad i chwi i adeiladu'r tŷ hwn a gosod y sylfeini hyn?' ¹²Ein hamcan wrth eu holi oedd gallu cyflwyno i ti restr o'u gwŷr blaenllaw, ond pan ofynasom iddynt am restr o enwau eu harweinwyr, ³eu hateb i ni oedd: 'Gweision yr Arglwydd, creawdwr nef a daear, ydym ni. ¹⁴Adeiladwyd y tŷ lawer o flynyddoedd yn ôl gan frenin mawr a nerthol yn Israel, a'i orffen ganddo. ¹⁵Ond am i'n tadau wrthryfela a phechu yn erbyn Arglwydd nefol Israel, rhoddodd ef hwy yn nwylo Nebuchadnesar brenin Babilon, brenin y Caldeaid. ¹⁶Dymchwelwyd y tŷ a'i losgi,

a chaethgludwyd y bobl i Fabilon. ¹⁷Ym mlwyddyn gyntaf teyrnasiad Cyrus dros wlad Babilonia, rhoes y Brenin Cyrus gennad i adeiladu'r tŷ hwn. ¹⁸Y llestri aur ac arian a ddygodd Nebuchadnesar o'r tŷ yn Jerwsalem a'u rhoi yn ei deml ei hun, cymerodd y Brenin Cyrus hwy drachefn o'r deml ym Mabilon a'u trosglwyddo i Sorobabel a Sanabassar y llywodraethwr. ¹⁹Gorchmynnodd iddo gymryd yr holl lestri yma a'u gosod yn y deml yn Jerwsalem, ac adeiladu'r deml hon o eiddo'r Arglwydd ar ei hen safle. ²⁰Yna daeth y Sanabassar hwn a gosod sylfeini tŷ'r Arglwydd yn Jerwsalem; a bu adeiladu o'r amser hwnnw hyd yn awr, ond nid yw wedi ei orffen.' ²¹Felly, os dyna d'ewyllys, O frenin, chwilier yn archifau brenhinol ein harglwydd y brenin ym Mabilon, ²²ac os ceir bod tŷ'r Arglwydd yn Jerwsalem wedi ei adeiladu â chydsyniad y Brenin Cyrus, ac os dyna ewyllys ein harglwydd y brenin, anfoner ei ddyfarniad ar y mater i ni."

Ailddarganfod Gorchymyn y Brenin Cyrus
(Esra 6:1-5)

23 Yna gorchmynnodd y Brenin Dareius ymchwil yn yr archifau brenhinol a gedwid ym Mabilon. Ac yn Ecbatana, y gaer yn nhalaith Media, cafwyd un sgrôl, a dyma'r cofnod oedd wedi ei ysgrifennu arni: 24 "Ym mlwyddyn gyntaf teyrnasiad Cyrus, gorchmynnodd y Brenin Cyrus fod tŷ'r Arglwydd yn Jerwsalem, lle'r aberthir â thân parhaus, i'w adeiladu: ²⁵ei uchder i fod yn drigain cufydd a'i led yn drigain cufydd, gyda thair rhes o gerrig nadd ac un rhes o goed newydd lleol, a'r gost i'w dwyn gan drysorfa'r Brenin Cyrus; ²⁶hefyd fod llestri sanctaidd tŷ'r Arglwydd, yn aur ac yn arian, y rheini a ddygodd Nebuchadnesar o'r deml yn Jerwsalem a'u cludo i Fabilon, i'w dychwelyd i'r deml yn Jerwsalem a'u gosod yn y man lle'r oeddent o'r blaen."

Dareius yn Gorchymyn i'r Gwaith Barhau
(Esra 6:6-12)

27 A gorchmynnodd Dareius i Sisinnes, llywodraethwr Syria a Phenice, a Sathrabwsanes a'u cefnogwyr, a'r swyddogion a benodwyd yn Syria a Phenice, ofalu cadw draw o'r lle gan adael i Sorobabel, gwas yr Arglwydd

a llywodraethwr Jwda, a henuriaid yr Iddewon, adeiladu tŷ'r Arglwydd ar ei hen safle. [28] "Yr wyf fi hefyd wedi gorchymyn," meddai, "iddo gael ei adeiladu'n gyfan gwbl, a bod cydweithredu ewyllysgar â'r rhai yn Jwda a ddychwelodd o'r gaethglud hyd nes y cwblheir tŷ'r Arglwydd. [29] O dreth Celo-Syria a Phenice taler yn ddi-feth i'r dynion hyn, trwy law Sorobabel y llywodraethwr, at aberthau i'r Arglwydd: teirw, hyrddod ac ŵyn, [30] ac yn yr un modd wenith, halen, gwin ac olew yn gyson bob blwyddyn ac yn ddirwgnach yn ôl amcangyfrifon yr offeiriaid yn Jerwsalem o'n gwariant beunyddiol, [31] er mwyn offrymu diodoffrymau i'r Duw Goruchaf ar ran y brenin a'i feibion, a gweddïo dros eu bywyd." [32] Gorchmynnodd hefyd, os byddai i unrhyw un dorri neu ddiystyru unrhyw orchymyn a draethwyd neu a ysgrifennwyd yma, fod trawst i'w dynnu o'i dŷ, a'i fod yntau i'w grogi arno, a bod ei eiddo i fynd i'r brenin. [33] "A bydded i'r Arglwydd," meddai, "sydd wedi gosod ei enw yno, ddymchwel pob brenin a chenedl sy'n estyn llaw i beri rhwystr neu niwed i'r tŷ hwn o eiddo'r Arglwydd yn Jerwsalem. [34] Yr wyf fi, y Brenin Dareius, wedi rhoi'r gorchymyn mai fel hyn yn fanwl y mae i fod."

Cysegru'r Deml
(Esra 6:13-18)

7 Yna dilynodd Sisinnes, llywodraethwr Celo-Syria a Phenice, a Sathrabwsanes a'u cefnogwyr gyfarwyddiadau'r Brenin Dareius, [2] a goruchwylio'r gwaith cysegredig yn fanwl gan gydweithredu â henuriaid yr Iddewon a swyddogion y `deml. [3] Llwyddodd y gwaith cysegredig trwy gymorth proffwydoliaeth Haggai a Sechareia y proffwydi. [4] Ac felly, trwy orchymyn Arglwydd Dduw Israel, ac â chydsyniad Cyrus a Dareius ac Artaxerxes brenin Persia, daeth y gwaith i ben [5] a gorffennwyd y tŷ sanctaidd erbyn y trydydd dydd ar hugain o fis Adar, yn y chweched flwyddyn o deyrnasiad Dareius. [6] Gweithredodd yr Israeliaid, yr offeiriaid a'r Lefiaid a gweddill y caethgludion a ymunodd â hwy, yn unol â'r hyn a gynhwyswyd yn llyfr Moses. [7] Wrth gysegru teml yr Arglwydd offrymasant

gant o deirw, dau gant o hyrddod, pedwar cant o ŵyn, [8] a deuddeg gafr, yn ôl nifer penaethiaid llwythau Israel, yn bechaberth dros holl Israel. [9] Safodd yr offeiriaid a'r Lefiaid yn eu gwisgoedd fesul teulu i oruchwylio gwasanaethau Arglwydd Dduw Israel yn unol â llyfr Moses, tra safai'r porthorion wrth bob porth.

Y Pasg
(Esra 6:19-22)

10 Felly cadwodd yr Israeliaid a ddaeth o'r gaethglud y Pasg ar y pedwerydd dydd ar ddeg o'r mis cyntaf. Cafodd yr offeiriaid eu puro, a'r Lefiaid gyda hwy. [11] Er na phurwyd y caethgludion i gyd, am fod pob un o'r Lefiaid wedi ei buro, [12] lladdasant oen y Pasg ar gyfer pawb a ddaeth o'r gaethglud, a'u brodyr yr offeiriaid, a hwy eu hunain. [13] Fe'i bwytawyd gan yr Israeliaid a ddychwelodd o'r gaethglud, gan bawb oedd wedi ymwahanu oddi wrth aflendid pobloedd y wlad, er mwyn ceisio'r Arglwydd. [14] Cadwyd gŵyl y Bara Croyw mewn llawenydd o flaen yr Arglwydd am saith diwrnod, [15] oherwydd iddo ddarbwyllo brenin Asyria i'w cynorthwyo yng ngwaith Arglwydd Dduw Israel.

Esra yn Cyrraedd Jerwsalem
(Esra 7:1-10)

8 Wedi'r digwyddiadau hyn, yn nheyrnasiad Artaxerxes brenin Persia, cyrhaeddodd Esra[ng] fab Saraias, fab Eserias, fab Chelcias, fab Salemus, [2] fab Sadoc, fab Ahitob, fab Amarias, fab Osias[h], fab Bocca, fab Abiswa, fab Phinees, fab Eleasar, fab Aaron yr archoffeiriad. [3] Daeth yr Esra hwn i fyny o Fabilon yn ysgrifennydd hyddysg yng nghyfraith Moses, a roddwyd gan Dduw Israel. [4] Rhoddodd y brenin anrhydedd iddo ac ymateb yn ffafriol i bob cais o'r eiddo. [5] Daeth rhai o'r Israeliaid, yn offeiriaid ac yn Lefiaid, ynghyd â chantorion, porthorion a gweision y deml, i fyny gydag ef i Jerwsalem [6] yn y seithfed flwyddyn o deyrnasiad Artaxerxes, yn y pumed mis (hon oedd seithfed flwyddyn y brenin). Gadawsant Fabilon ar y dydd cyntaf o'r mis cyntaf, a chyrraedd Jerwsalem ar y dydd cyntaf o'r pumed mis, oherwydd i'r Arglwydd roi iddynt daith

---

[ng] Groeg, *Esdras*. Felly hefyd yn adn. 3 a 7 isod.

[h] Yn ôl darlleniad arall, ychwanegir *fab Mareroth, fab Saraias, fab Sawia.*

rwydd er ei fwyn. [7]Meddai Esra ar wybodaeth mor llwyr fel nad esgeulusai unrhyw ran o gyfraith yr Arglwydd na'i gorchmynion, a dysgai i Israel gyfan y deddfau a'r barnedigaethau i gyd.

Gorchymyn Artaxerxes i Esra
(Esra 7:11-26)

[8] Dyma gopi o'r gorchymyn ysgrifenedig a ddaeth oddi wrth y Brenin Artaxerxes at Esra'r offeiriad a darllenydd cyfraith yr Arglwydd: [9] "Y Brenin Artaxerxes at Esra'r offeiriad a darllenydd cyfraith yr Arglwydd, cyfarchion. [10]Yn unol â'm penderfyniad tirion, gorchmynnais y caiff pwy bynnag o genedl yr Iddewon ac o'r offeiriaid a'r Lefiaid, ac eraill yn ein teyrnas sy'n dymuno ac yn dewis gwneud hynny, fynd gyda thi i Jerwsalem. [11]Cynifer felly ag sy'n awyddus i fynd, cânt gychwyn gyda chwi, fel y penderfynais i a'm saith Cyfaill, fy nghynghorwyr, [12]i wneud arolwg o gyflwr Jwda a Jerwsalem yn unol â'r hyn sydd yng nghyfraith yr Arglwydd, [13]ac i gludo i Jerwsalem i Arglwydd Israel y rhoddion a addunedais i a'm cyfeillion, ac i ddwyn yr holl aur ac arian y gellir eu darganfod yng ngwlad Babilon, ynghyd â'r hyn a gyfrannwyd gan y genedl at deml eu Harglwydd yn Jerwsalem. [14]Gwarier yr aur a'r arian ar deirw, hyrddod ac ŵyn, a phethau cysylltiedig â hwy, [15]er mwyn offrymu aberthau ar allor yr Arglwydd yn Jerwsalem. [16]Beth bynnag y byddi di a'th frodyr yn dymuno'i wneud â'r aur a'r arian, gwna hynny yn ôl ewyllys dy Dduw, [17]a'r un modd â'r llestri sanctaidd a roddir iti at wasanaeth teml dy Dduw yn Jerwsalem. [18]A beth bynnag arall y gweli fod ei angen at wasanaeth teml dy Dduw, fe gei ei roi o storfa'r brenin. [19]Ac yr wyf fi, y Brenin Artaxerxes, wedi gorchymyn bod trysoryddion Syria a Phenice i roi iddo yn ddiymdroi bob peth yr enfyn Esra'r offeiriad a darllenydd cyfraith y Duw Goruchaf amdano, [20]hyd at gan talent o arian, a'r un modd hyd at gan mesur yr un o wenith a gwin, a digonedd o halen. [21]Y mae holl ofynion cyfraith Duw i'w cyflawni'n ddiwyd er clod i'r Duw Goruchaf, rhag i'w ddigofaint ddisgyn ar deyrnas y brenin a'i feibion. [22]Rhoddir hefyd ar ddeall ichwi nad oes unrhyw dreth na tholl arall i'w gosod ar neb o'r offeiriaid, Lefiaid, cantorion, porthorion, gweision y deml na gweithwyr y deml hon; ac nad oes gan neb awdurdod i fynnu dim ganddynt. [23]Ac yr wyt tithau, Esra, yn unol â doethineb Duw, i benodi barnwyr ac ustusiaid i farnu pawb yn holl Syria a Phenice sy'n gwybod cyfraith dy Dduw; ac yr wyt i ddysgu'r rhai sydd heb ei gwybod. [24]Pob un sy'n troseddu cyfraith dy Dduw a chyfraith y brenin, y mae i'w ddedfrydu'n ddi-oed naill ai i farwolaeth neu i ryw gosb arall, boed ddirwy neu garchar."

Esra yn Moliannu Duw
(Esra 7:27-28)

[25] Meddai Esra, "Bendigedig fyddo'r unig Arglwydd, a symbylodd y brenin i harddu ei dŷ yn Jerwsalem, [26]ac a barodd i mi gael ffafr gan y brenin a'i gynghorwyr a'i holl gyfeillion a'i bendefigion. [27]Am fod yr Arglwydd fy Nuw yn fy nghynorthwyo, ymwrolais a chasglu gwŷr o Israel i fynd i fyny gyda mi.

Y Rhai a Ddychwelodd o'r Gaethglud
(Esra 8:1-14)

[28] "Dyma'r arweinwyr, yn ôl eu teuluoedd a'u hadrannau, a ddaeth i fyny gyda mi o Fabilon yn nheyrnasiad y Brenin Artaxerxes: [29]o deulu Phinees, Gersom; o deulu Ithamar, Gamelus; o deulu Dafydd, Attus fab Sechenias. [30]O deulu Phoros, Sacharias, a chant a hanner o ddynion wedi eu rhestru gydag ef. [31]O deulu Phaath-Moab, Eliaonias fab Saraias, a dau gant o ddynion gydag ef. [32]O deulu Sathoe, Sechenias fab Jeselus, a thri chant o ddynion gydag ef; o deulu Adin, Obeth[i] fab Jonathan, a dau gant a hanner o ddynion gydag ef. [33]O deulu Elam, Jesias fab Gotholias, a saith deg o ddynion gydag ef. [34]O deulu Saffatias, Saraias fab Michael, a saith deg o ddynion gydag ef. [35]O deulu Joab, Abadias fab Jeselus, a dau gant a deuddeg o ddynion gydag ef. [36]O deulu Bani, Assalimoth fab Josaffias, a chant chwe deg o ddynion gydag ef. [37]O deulu Babi, Sacharias fab Bebai, a dau ddeg wyth o ddynion gydag ef. [38]O deulu Asgath, Joanes fab Hacatan, a chant a deg o ddynion gydag ef. [39]O deulu Adonicam, y rhai olaf, a'u henwau yw: Eliffalatus, Jewel a Samaias, a saith

---

[i]Groeg, Ben. Yn ôl darlleniad arall, Obeth.

deg o ddynion gyda hwy. ⁴⁰O deulu Bago, Wthi fab Istalcwrus, a saith deg o ddynion gydag ef.

Esra yn Ceisio Offeiriaid a Lefiaid i'r Deml
(Esra 8:15-20)

41 "Cesglais hwy ynghyd wrth yr afon a elwir Theras, a buom yn gwersyllu yno dridiau, ac archwiliais hwy. ⁴²Ac wedi canfod nad oedd yno neb o linach yr offeiriaid na neb o'r Lefiaid, ⁴³anfonais at Eleasar, Idwelus, Maasmas, ⁴⁴Elnatan, Samaias, Joribus, Nathan, Enmatas, Sacharias a Mesolamus, a oedd yn wŷr blaenllaw a gwybodus, ⁴⁵a dywedais wrthynt am fynd at Adaius, y pennaeth yn y trysordy, ⁴⁶gan orchymyn iddynt ofyn i Adaius a'i frodyr a'r trysoryddion yno anfon atom rai i weinyddu fel offeiriaid yn nhŷ ein Harglwydd. ⁴⁷A thrwy law nerthol ein Harglwydd dygasant inni ddynion gwybodus o deulu Mooli fab Lefi, fab Israel, sef Asebebias a'i feibion a'i frodyr, deunaw ohonynt i gyd; ⁴⁸hefyd Asebias ac Annwnus a Mosaias ei frawd, o deulu Chanwnaius, a'u meibion, ugain ohonynt i gyd; ⁴⁹a dau gant ac ugain o weision y deml, a osodasai Dafydd a'r swyddogion i gynorthwyo'r Lefiaid. Gwnaethpwyd rhestr o'r enwau i gyd.

Esra yn Arwain y Bobl mewn Ympryd a Gweddi
(Esra 8:21-23)

50 "Yno cyhoeddais ympryd i'r gwŷr ifainc o flaen ein Harglwydd, i geisio ganddo siwrnai ddiogel i ni, i'n plant a oedd gyda ni, ac i'n hanifeiliaid. ⁵¹Yr oedd arnaf gywilydd gofyn i'r brenin am osgordd o filwyr traed a marchogion i'n cadw'n ddiogel rhag ein gelynion, ⁵²am ein bod wedi dweud wrth y brenin, 'Bydd nerth ein Harglwydd gyda'r rhai sy'n ei geisio ac yn eu cynnal ymhob ffordd.' ⁵³Felly unwaith eto rhoesom hyn i gyd o flaen ein Harglwydd mewn gweddi, a'i gael yn raslon iawn.

Esra yn Clywed am y Priodi â Merched Estron
(Esra 9:1-15)

68 "Wedi cwblhau'r pethau hyn daeth y penaethiaid ataf a dweud, ⁶⁹'Nid yw pobl Israel, na'u llywodraethwyr, na'r offeiriaid na'r Lefiaid, wedi ymneilltuo oddi wrth frodorion cenhedlig y wlad a'u haflendid—y Canaaneaid, yr Hethiaid, y Peresiaid, y Jebusiaid, y Moabiaid, yr Eifftiaid a'r Edomiaid. ⁷⁰Y maent wedi cymryd merched y rheini yn wragedd iddynt hwy a'u meibion, a chymysgu'r hil sanctaidd â brodorion cenhedlig y wlad; bu gan yr arweinwyr a'r penaethiaid ran yn y camwedd hwn o'r cychwyn.' ⁷¹Cyn gynted ag y clywais hyn, rhwygais fy nillad a'm mantell sanctaidd, tynnais wallt fy mhen a'm barf, ac eisteddais yn syn ac yn drist iawn. ⁷²Ymgasglodd ataf yr holl rai a gynhyrfwyd y pryd hynny gan air Arglwydd Israel wrth inni alaru dros y camwedd hwn, ac eisteddais yn drist iawn hyd amser yr offrwm hwyrol. ⁷³Yna codais o'm hympryd, a'm dillad a'm mantell sanctaidd amdanaf wedi eu rhwygo, a phenliniais a lledu fy nwylo o flaen yr Arglwydd ⁷⁴a dweud, 'O Arglwydd, yr wyf mewn gwaradwydd a chywilydd ger dy fron, ⁷⁵oherwydd pentyrrodd ein pechodau yn uwch na'n pennau a chododd ein cyfeiliornadau hyd y nefoedd. ⁷⁶Felly y bu o ddyddiau ein tadau, ac yr ydym yn dal mewn pechod mawr hyd y dydd hwn. ⁷⁷Ac oherwydd ein pechodau ni a phechodau ein tadau fe'n traddodwyd ni, ynghyd â'n brodyr, ein brenhinoedd a'n hoffeiriaid, i afael brenhinoedd y ddaear, i'r cleddyf ac i gaethiwed, i anrhaith a gwarth hyd y dydd hwn. ⁷⁸Ac yn awr, mor fawr yw dy drugaredd tuag atom, O Arglwydd, gan iti adael gwreiddyn ac enw yn dy le sanctaidd, ⁷⁹ac ailgynnau ein goleuni yn nhŷ ein Harglwydd, a rhoi cynhaliaeth i ni yn amser ein caethiwed. ⁸⁰Hyd yn oed yn ein caethiwed ni'n gadawyd gan ein Harglwydd: parodd i frenhinoedd Persia edrych â ffafr arnom a rhoi bwyd inni, ⁸¹ac anrhydeddu teml ein Harglwydd ac ailgodi adfeilion Seion er mwyn rhoi i ni droedle cadarn yn Jwda a Jerwsalem. ⁸²Ac yn awr, Arglwydd, a'r pethau hyn gennym, beth a ddywedwn ni? Oherwydd yr ydym wedi torri dy orchmynion, a roddaist trwy dy weision y proffwydi gan ddweud, ⁸³"Y mae'r wlad yr ydych yn mynd i'w hetifeddu yn wlad halogedig, wedi ei halogi gan y brodorion cenhedlig a'i llenwi ganddynt â'u hanifeiliaid. ⁸⁴Am hynny, peidiwch â rhoi eich merched mewn priodas i'w meibion na chymryd eu merched hwy i'ch meibion chwi, ⁸⁵a pheidiwch byth â cheisio heddwch â hwy; ac felly fe fyddwch yn gryf, a mwynhau

braster y wlad a'i gadael yn etifeddiaeth i'ch meibion am byth." ⁸⁶Daeth hyn i gyd i'n rhan drwy ein drwgweithredoedd a'n pechodau mawr.

Er i ti, Arglwydd, ysgafnhau baich ein pechodau ⁸⁷a rhoi'r fath wreiddyn i ni, yr ydym ni unwaith eto wedi gwrthgilio a thorri dy gyfraith drwy ymgyfathrachu â chenhedloedd aflan y wlad. ⁸⁸Oni fuost ti'n ddigon dig wrthym i'n dinistrio a'n gadael heb na gwreiddyn na had nac enw? ⁸⁹Arglwydd Israel, ffyddlon wyt ti, gan iti ein cadw yn wreiddyn hyd heddiw. ⁹⁰Dyma ni, yn awr, yn dy ŵydd yn ein camweddau, oherwydd ni allwn hyd yn hyn sefyll o'th flaen yn ein heuogrwydd.'

Rhoddion i'r Deml
(Esra 8:24-30)

54 "Yna neilltuais ddeuddeg o benaethiaid yr offeiriaid, Serebias ac Asabias a deg o'u brodyr gyda hwy, ⁵⁵a phwysais iddynt yr arian a'r aur a llestri sanctaidd tŷ ein Harglwydd, rhoddion gan y brenin ei hun a'i gynghorwyr a'i dywysogion a holl Israel. ⁵⁶Wedi ei bwyso trosglwyddais i'w gofal chwe chant a hanner o dalentau o arian, llestri arian gwerth can talent, a chan talent o aur, ⁵⁷ac ugain o lestri aur, a deuddeg llestr o bres, ie, o'r pres gorau sy'n disgleirio fel aur. ⁵⁸A dywedais wrthynt, 'Yr ydych chwi'n gysegredig i'r Arglwydd, ac y mae'r llestri'n gysegredig, ac offrwm adduned i'r Arglwydd, Arglwydd ein tadau, yw'r arian a'r aur. ⁵⁹Byddwch effro a gwyliwch drostynt hyd nes ichwi eu trosglwyddo i benaethiaid yr offeiriaid a'r Lefiaid a phennau-teuluoedd Israel yn Jerwsalem, yn ystafelloedd yr offeiriaid yn nhŷ ein Harglwydd.' ⁶⁰A chymerodd yr offeiriaid a'r Lefiaid yr arian a'r aur a'r llestri a berthynai i Jerwsalem, a'u dwyn i deml yr Arglwydd.

Cyrraedd Jerwsalem
(Esra 8:31-36)

61 "Gadawsom Afon Theras ar y deuddegfed dydd o'r mis cyntaf a chyrraedd Jerwsalem, oherwydd yr oedd llaw nerthol ein Harglwydd gyda ni. Gwaredodd ni oddi wrth bob gelyn ar y ffordd, ac felly y daethom i Jerwsalem. ⁶²Wedi inni fod yno dridiau, pwyswyd yr arian a'r aur a'u trosglwyddo yn nhŷ ein Harglwydd i Marmoth fab Wria yr offeiriad; ⁶³a chydag ef yr oedd Eleasar fab Phinees. Yr

oedd y Lefiaid, Josabdus fab Jesua a Möeth fab Sabannus, hefyd gyda hwy. Gwnaed cyfrif o'r cwbl a'u pwyso; ⁶⁴cofnodwyd pwysau popeth yr un pryd.

⁶⁵Offrymodd y rhai a ddychwelodd o'r gaethglud aberthau i'r Arglwydd, Duw Israel: deuddeg bustach dros holl Israel, naw deg a chwech o hyrddod, ⁶⁶saith deg a dau o ŵyn, a deuddeg bwch yn aberth hedd; yr oedd y cwbl yn offrwm i'r Arglwydd. ⁶⁷Hefyd rhoesant orchmynion y brenin i'r trysoryddion brenhinol a'r llywodraethwyr yn Celo-Syria a Phenice, a rhoes y rheini anrhydedd i'r genedl ac i deml yr Arglwydd."

Y Cynllun i Ddileu Priodi Merched Estron
(Esra 10:1-17)

91 Tra oedd Esra'n gweddïo ac mewn dagrau'n cyffesu, ar ei hyd o flaen y deml, ymgasglodd tyrfa fawr iawn o Jerwsalem ato, yn wŷr, gwragedd a llanciau; ac yr oedd y gynulleidfa'n wylo'n hidl. ⁹²Yna galwodd Jechonias fab Jeelus, un o feibion Israel, a dweud wrth Esra, "Yr ydym wedi pechu yn erbyn yr Arglwydd trwy briodi merched estron o blith y brodorion; ond hyd yn oed yn awr y mae gobaith i Israel. ⁹³Gadewch i ni dyngu llw i'r Arglwydd, i fwrw allan yr holl wragedd estron sydd yn ein plith, a'u plant, ⁹⁴yn unol â'th ddedfryd di a phawb sy'n ufudd i gyfraith yr Arglwydd. ⁹⁵Cod a gweithreda, oherwydd dy gyfrifoldeb di yw hyn, ond fe fyddwn ni gyda thi i'th gefnogi." ⁹⁶Yna cododd Esra a pheri i arweinwyr offeiriaid a Lefiaid holl Israel dyngu llw i'r perwyl hwn; a thyngu a wnaethant.

9 Yna cododd Esra ac aeth o gyntedd y deml i ystafell Joanan fab Eliasibus, ²ac aros yno heb fwyta bara nac yfed dŵr, am ei fod yn dal i alaru am gamweddau mawr y gynulleidfa. ³Yna gwnaethpwyd cyhoeddiad yn holl Jwda a Jerwsalem fod pawb a ddychwelodd o'r gaethglud i ymgynnull yn Jerwsalem, ⁴a bod pwy bynnag na ddôi i'r cyfarfod o fewn deuddydd neu dri, ar wŷs yr henuriaid llywodraethol, i fforffedu ei anifeiliaid at wasanaeth y deml, ac yntau ei hun i'w dorri allan o gynulleidfa'r gaethglud.

5 O fewn tridiau, ar yr ugeinfed dydd o'r nawfed mis, ymgasglodd pobl llwyth Jwda a Benjamin i Jerwsalem, ⁶ac eisteddodd yr holl gynulleidfa ar y sgwâr o

flaen y deml, yn rhynnu oherwydd ei bod bellach yn aeaf. ⁷Cododd Esra a dweud wrthynt, "Yr ydych wedi torri'r gyfraith trwy briodi merched estron ac ychwanegu at bechod Israel. ⁸Yn awr gwnewch gyffes, a rhowch ogoniant i Arglwydd Dduw ein tadau; ⁹gwnewch ei ewyllys ef ac ymwahanwch oddi wrth y brodorion a'ch gwragedd estron." ¹⁰Atebodd yr holl gynulleidfa â llais uchel, "Gwnawn yn union fel yr wyt ti wedi gorchymyn. ¹¹Ond y mae'r gynulleidfa'n niferus a'r tywydd yn aeafol, ac ni allwn sefyll yma yn yr awyr agored; y mae'n amhosibl. Nid gwaith diwrnod neu ddau yw hyn i ni, oherwydd y mae gormod ohonom wedi pechu yn hyn o beth. ¹²Bydded i arweinwyr y gynulleidfa aros yma, ac i'r holl rai yn ein gwladfeydd sydd wedi priodi gwragedd estron ddod ar amser penodedig, ¹³pob un gyda henuriaid a barnwyr ei le ei hun, nes inni gael gwared â dicter yr Arglwydd yn y mater hwn." ¹⁴Ymgymerodd Jonathan fab Asael a Jesias fab Thocanus â'r gwaith ar yr amodau hyn, gyda Mosolamus, Lefi a Sabbataius yn cydeistedd â hwy. ¹⁵Gweithredodd y rhai a ddaeth o'r gaethglud yn ôl y trefniant hwn ym mhob peth. ¹⁶Dewisodd Esra yr offeiriad iddo'i hun ddynion oedd yn bennau-teuluoedd, pob un wrth ei enw, ac ar y dydd cyntaf o'r degfed mis eisteddasant gyda'i gilydd i archwilio'r mater. ¹⁷Daethpwyd i ben ag achos y gwŷr a fu'n cyd-fyw â gwragedd estron erbyn y dydd cyntaf o'r mis cyntaf.

Y Rhai oedd wedi Priodi Gwragedd Estron
(Esra 10:18-44)

18 Ymysg yr offeiriad a ddaeth ynghyd, darganfuwyd bod y canlynol wedi priodi gwragedd estron: ¹⁹o deulu Jesua fab Josedec a'i frodyr: Maseas, Eleasar, Joribus a Jodanus. ²⁰Gwnaethant addewid i fwrw allan eu gwragedd ac offrymu hyrddod yn foddion puredigaeth am eu cyfeiliornad. ²¹O feibion Emmer: Ananias, Sabdaius, Manes, Samaius, Jiel ac Asarias. ²²O feibion Phaiswr: Elionais, Massias, Ismael, Nathanael, Ocidelus a Salthas. ²³O'r Lefiaid: Josabdus, Semeïs, Colius (hynny yw Calitas), Pathaius, Jwda a Joanas.
24 O'r cantorion: Eliasibus, Bacchwrus. ²⁵O'r porthorion: Salwmus a Tolbanes.

26 O Israel, o feibion Phoros: Jermas, Jesias, Melchias, Miaminus, Eleasar, Asibias a Bannaias. ²⁷O feibion Elam: Matanias, Sacharias, Jesrielus, Obadius, Jeremoth ac Elias. ²⁸O feibion Samoth: Eliadas, Eliasimus, Othonias, Jarimoth, Sabathus a Serdaias. ²⁹O feibion Bebai: Joannes, Ananias, Sabdus ac Emathis. ³⁰O feibion Mani: Olamus, Mamwchus, Jedaius, Jaswbus, Asaelus a Jeremoth. ³¹O feibion Adi: Naathus, Moossias, Laccwnus, Naïdus, Bescaspasmus, Sesthel, Balnwus a Manasseas. ³²O feibion Annas: Elionas, Asaias, Melchias, Sabbaias a Simon Chosamaius. ³³O feibion Asom: Maltannaius, Mattathias, Sabannaius, Eliffalat, Manasses a Semoï. ³⁴O feibion Baani: Jeremias, Momdius, Maerus, Jwel, Mamdai, Pedias, Anos, Carabasion, Eliasibus, Mamnitanaimus, Eliasis, Bannus, Elialis, Someïs, Selemias a Nathanias. O feibion Esora: Sessis, Esril, Asaelus, Samatus, Sambris a Josepus. ³⁵O feibion Nooma: Masitias, Sabadaias, Edais, Jwel a Banaias. ³⁶Yr oedd y rhain i gyd wedi priodi gwragedd estron, a throesant hwy allan gyda'u plant.

Esra yn Darllen y Gyfraith i'r Bobl
(Neh. 7:73—8:12)

37 Gwladychodd yr offeiriad a'r Lefiaid a'r Israeliaid yn Jerwsalem a'i chyffiniau. Ar y dydd cyntaf o'r seithfed mis, a'r Israeliaid yn awr yn eu gwladfeydd, ³⁸ymgasglodd yr holl gynulleidfa fel un gŵr ar y sgwâr o flaen porth dwyreiniol y deml, ³⁹a galw ar Esra yr archoffeiriad a'r darllenydd i ddod â chyfraith Moses, a roddwyd gan Arglwydd Dduw Israel. ⁴⁰Ar y dydd cyntaf o'r seithfed mis daeth Esra'r archoffeiriad â'r gyfraith o flaen y holl gynulleidfa, yn wŷr a gwragedd, a'r holl offeiriaid, iddynt ei chlywed. ⁴¹Darllenodd ohoni ar y sgwâr o flaen porth y deml o doriad gwawr hyd hanner dydd yng ngŵydd y gwŷr a'r gwragedd, a gwrandawodd yr holl gynulleidfa'n astud ar y gyfraith. ⁴²Yr oedd Esra, yr offeiriad a darllenydd y gyfraith, ar lwyfan pren wedi ei ddarparu i'r diben. ⁴³Ar yr ochr dde iddo yr oedd Mattathias, Sammus, Ananias, Asarias, Wrias, Esecias a Baalsamus, ⁴⁴ac ar y chwith Phadaius, Misael, Melchias, Lothaswbus, Nabarias a Sacharias. ⁴⁵Cymerodd

Esra lyfr y gyfraith yng ngolwg y gynull-
eidfa, oherwydd yr oedd yn eistedd yn y
lle amlycaf o'u blaen i gyd, ⁴⁶a phan
agorodd y gyfraith, safodd pawb ar eu
traed. Bendithiodd Esra'r Arglwydd
Dduw Goruchaf, Duw y lluoedd, yr Holl-
alluog, ⁴⁷a gwaeddodd yr holl gynulleidfa,
"Amen", gan godi eu dwylo a syrthio
i'r llawr ac addoli'r Arglwydd. ⁴⁸Yr oedd
Jesua, Anniwth, Sarabias, Jadinus,
Jacwbus, Sabbataius, Autaias, Maian-
nas, Calitas, Asarias, Josabdus, Ananias
a Phalias, y Lefiaid, yn dysgu cyfraith yr
Arglwydd, yn ei darllen i'r gynulleidfa a
goleuo'r darlleniad yr un pryd. ⁴⁹Dywed-
odd y llywodraethwr¹ wrth Esra, yr arch-
offeiriad a darllenydd y gyfraith, ac wrth
bob un o'r Lefiaid oedd yn dysgu'r

gynulleidfa, ⁵⁰"Y mae'r dydd hwn yn
sanctaidd i'r Arglwydd." Ac yr oedd
pawb yn wylo wrth wrando ar y gyfraith.
⁵¹"Ewch," meddai, "bwytewch fwyd
bras ac yfwch win melys, ac anfonwch
gyfran i'r rhai sydd heb ddim, ⁵²oher-
wydd y mae'n ddydd sanctaidd i'r Ar-
glwydd. Peidiwch â galaru, oherwydd
bydd yr Arglwydd yn eich gogoneddu."
⁵³Rhoddodd y Lefiaid orchymyn i'r holl
bobl: "Y mae'r dydd hwn yn sanctaidd,
peidiwch â galaru." ⁵⁴Yna aeth pawb i
ffwrdd i fwyta ac yfed, i lawenhau ac i
anfon cyfran i'r rhai oedd heb ddim, ac i
orfoleddu'n fawr, ⁵⁵oherwydd yr oeddent
wedi eu goleuo gan y geiriau a ddysgwyd
iddynt. Ac ymgynullasant.ᴵᴵ

¹Groeg, *Dywedodd Attarates*.   ᴵᴵY mae'r testun yn gorffen yn sydyn. Cymh. Neh. 8:13.

AIL LYFR

ESDRAS

Gwrthod Israel

1 Ail lyfr y proffwyd Esra fab Saraias,
fab Asarias, fab Helcias, fab Salum,
fab Sadoc, fab Ahitob, ²fab Achias, fab
Phinees, fab Heli, fab Amarias, fab Asias,
fab Marimoth, fab Arna, fab Osias, fab
Borith, fab Abiswa, fab Phinees, fab
Eleasar, ³fab Aaron, o lwyth Lefi. Yr
oedd ef mewn caethiwed yn nhiriogaeth
y Mediaid, yn ystod teyrnasiad Artax-
erxes brenin y Persiaid.
4 Daeth gair yr Arglwydd ataf fi fel
hyn: ⁵"Dos at fy mhobl a chyhoedda
wrthynt eu troseddau; dywed wrth eu
plant am y camweddau y maent wedi eu
cyflawni yn fy erbyn i, er mwyn iddynt
hwythau gyhoeddi wrth blant eu plant
⁶fod pechodau eu rhieni wedi cynyddu
fwyfwy ynddynt hwy, am iddynt fy
anghofio i ac aberthu i dduwiau dieithr.
⁷Onid myfi a'u dug hwy allan o wlad yr
Aifft, o dŷ caethiwed? Eto i gyd, y
maent wedi ennyn fy nicter ac wedi

diystyru fy nghynghorion. ⁸Ond tydi, tyn
allan wallt dy ben, a hyrddia bob drwg
arnynt, am iddynt anufuddhau i'm cyf-
raith i. Y fath bobl ddiddisgyblaeth! ⁹Pa
hyd y goddefaf hwy, a minnau wedi rhoi
cynifer o freintiau iddynt? ¹⁰Yr wyf wedi
dymchwelyd llawer o frenhinoedd er eu
mwyn; trewais i lawr Pharo a'i weision,
ynghyd â'i holl fyddin. ¹¹Difethais yr holl
genhedloedd o'u blaen, ac yn y dwyrain
gwasgerais bobl y ddwy dalaith, Tyrus a
Sidon; lleddais bob un a'u gwrthwyn-
ebai.
12 "Llefara di wrthynt fel hyn. Dyma
eiriau'r Arglwydd: ¹³Fel y gŵyr pawb,
myfi a'ch dug chwi trwy'r môr, a phal-
mantu ffyrdd eang ichwi lle na bu ffordd
o'r blaen; rhoddais Moses yn arweinydd
ichwi ac Aaron yn offeiriad; ¹⁴darperais
golofn o dân i roi goleuni ichwi, a
gwneuthum ryfeddodau mawr yn eich
plith. Ond chwithau, yr ydych wedi fy
anghofio i, medd yr Arglwydd.

15 "Dyma eiriau'r Arglwydd Holl-alluog: Cawsoch soflieir yn arwydd ichwi, a rhoddais wersyll yn amddiffyn ichwi; ond grwgnach a wnaethoch yno, ¹⁶nid gorfoleddu yn fy enw i am i'ch gelynion gael eu difetha; yn wir yr ydych yn parhau i rwgnach hyd y dydd heddiw. ¹⁷Ble bellach y mae'r breintiau a ddarperais ar eich cyfer? Pan oedd newyn a syched arnoch yn yr anialwch, oni waeddasoch arnaf ¹⁸fel hyn: 'Pam yr wyt ti wedi ein dwyn ni i'r anialwch hwn i'n lladd? Buasai'n well i ni fod yn gaeth-weision i'r Eifftiaid na marw yn yr anialwch hwn.' ¹⁹Yr oedd yn ofidus gennyf am eich cwynion, a rhoddais ichwi fanna yn ymborth; bwytasoch fara angyl-ion. Pan oedd syched arnoch, oni holltais i'r graig, a dyna ddigonedd o ddŵr yn llifo allan? ²⁰Ac oherwydd y gwres rhoddais ddail y coed yn gysgod ichwi. ²¹Rhennais diroedd ffrwythlon rhyngoch, gan fwrw allan y Canaaneaid, y Pheresiaid a'r Philistiaid o'ch blaen. Beth arall a allaf ei wneud er eich mwyn?" medd yr Ar-glwydd.

22 "Dyma eiriau'r Arglwydd Holl-alluog: Pan oeddech yn yr anialwch, yn sychedu wrth yr afon chwerw ac yn fy nghablu, ²³nid anfon tân arnoch am eich cableddau a wneuthum, ond bwrw pren i'r dŵr a melysu'r afon. ²⁴Beth a wnaf â thi, Jacob, â thi, Jwda, na fynnaist ufuddhau i mi? Fe drof at genhedloedd eraill, a rhoddaf fy enw iddynt, er mwyn iddynt hwy gael cadw fy neddfau. ²⁵Gan i chwi fy ngadael i, fe'ch gadawaf finnau chwithau; pan ymbiliwch arnaf am dru-garedd, ni thrugarhaf wrthych. ²⁶Pan alwch arnaf, ni wrandawaf arnoch; oherwydd yr ydych wedi difwyno eich dwylo â gwaed, ac yr ydych yn chwim eich troed i gyflawni llofruddiaeth. ²⁷Nid arnaf fi, fel petai, ond arnoch chwi eich hunain yr ydych wedi cefnu," medd yr Arglwydd.

28 "Dyma eiriau'r Arglwydd Holl-alluog: Onid wyf fi wedi ymhŵedd arnoch, fel tad ar ei feibion, neu fam ar ei merched, neu famaeth ar ei babanod, ²⁹ar i chwi fod yn bobl i mi, ac i minnau fod yn Dduw i chwithau; ar i chwi fod yn feibion i mi, ac i minnau fod yn dad i chwithau? ³⁰Felly, fe'ch cesglais chwi ynghyd fel y mae iâr yn casglu ei chywion dan ei

hadenydd. Ond beth a wnaf â chwi yn awr? Bwriaf chwi allan o'm gŵydd. ³¹Pan ddygwch offrymau i mi, trof fy wyneb oddi wrthych; oherwydd yr wyf wedi gwrthod eich dyddiau gŵyl, eich newydd-loerau, a'ch enwaediadau ar y cnawd. ³²Anfonais atoch fy ngweision y proffwydi, ond yr hyn a wnaethoch chwi oedd eu cymryd hwy a'u lladd, a darnio eu cyrff; mynnaf gael cyfrif am eu gwaed hwy," medd yr Arglwydd.

33 "Dyma eiriau'r Arglwydd Holl-alluog: Y mae eich tŷ chwi wedi ei adael yn anghyfannedd; fe'ch lluchiaf chwi ymaith, fel gwynt yn lluchio gwellt. ³⁴Ni chaiff eich meibion genhedlu, am iddynt, fel chwithau, ddiystyru fy ngorchymyn a gwneud yr hyn sydd ddrwg yn fy ngolwg. ³⁵Trosglwyddaf eich tai chwi i bobl sydd i ddod, pobl a gred er na chlywsant fi, pobl a geidw fy ngorchmynion er na roddais arwyddion iddynt. ³⁶Er na welsant y proffwydi, eto i gyd fe gofiant eiriau proffwydi'r dyddiau gynt. ³⁷Yr wyf yn galw yn dyst ddiolchgarwch y bobl sydd i ddodª; bydd eu plant bychain yn neidio gan lawenydd, ac er na chânt fy ngweld â'u llygaid naturiol, eto trwy'r ysbryd fe gredant fy ngeiriau. 38 "Ac yn awr, dad, edrych â gor-foledd, a gwêl y bobl sydd i ddod o'r dwyrain. ³⁹Rhoddaf yn arweinwyr iddynt Abraham, Isaac a Jacob, Hosea ac Amos, Micha a Joel, Obadeia a Jona, ⁴⁰Nahum a Habacuc, Seffaneia, Haggai, Sechareia a Malachi, a alwyd hefyd yn Negesydd yr Arglwydd.

2 "Dyma eiriau'r Arglwydd: Dygais i'r bobl hyn allan o gaethiwed, a rhoddais orchmynion iddynt trwy fy ngweision y proffwydi; ond gwrthod-asant wrando arnynt, gan wneud fy nghynghorion yn ddiddim. ²Y mae'r fam a'u dug hwy yn dweud wrthynt: 'Ewch, feibion, oherwydd yr wyf fi'n weddw ac yn wrthodedig. ³Llawenydd i mi oedd eich magu chwi, ond galar a thristwch fu eich colli, am i chwi bechu gerbron yr Arglwydd Dduw, a gwneud yr hyn sydd ddrwg yn fy ngolwg i. ⁴Beth a allaf ei wneud er eich mwyn yn awr, a minnau'n weddw ac yn wrthodedig? Ewch, feib-ion, a deisyfwch drugaredd gan yr Ar-glwydd.' ⁵O'm rhan i, 'rwy'n galw arnat ti, dad, i ychwanegu dy dystiolaeth di at

---

ªNeu, *Yr wyf yn tystio y bydd fy ngras i gyda'r bobl sydd i ddod.*

dystiolaeth eu mam, bod y meibion wedi gwrthod cadw fy nghyfamod i. ⁶Dwg felly derfysg arnynt hwy, ac anrhaith ar eu mam, rhag iddynt allu cenhedlu. ⁷Gwasgarer hwy ymhlith y cenhedloedd, a dilëer eu henwau oddi ar y ddaear, am iddynt ddirmygu fy nghyfamod.

8 "Gwae di, Asyria, am roi lloches o'th fewn i'r rhai anghyfiawn! Y genedl ddrygionus, cofia di beth a wneuthum i Sodom a Gomorra. ⁹Y mae eu tir yn gorwedd dan dywyrch pyglyd a thomennydd o ludw; felly y gwnaf â'r rhai a wrthododd wrando arnaf fi," medd yr Arglwydd Hollalluog.

Y Gogoniant i Ddod

10 Dyma eiriau'r Arglwydd wrth Esra: "Cyhoedda wrth fy mhobl y rhoddaf iddynt hwy deyrnas Jerwsalem, yr oeddwn am ei rhoi i Israel. ¹¹Adfeddiannaf ogoniant Israel; a'r tragwyddol bebyll yr oeddwn wedi eu darparu iddi hi, fe'u rhoddaf i'm pobl fy hun. ¹²Eiddynt hwy fydd pren y bywyd a'i arogl pêr, ac ni ddaw llafur a lludded arnynt. ¹³Ceisiwch, ac fe gewch; gofynnwch am i'r dyddiau fod yn ychydig i chwi, ac am eu byrhau; eisoes y mae'r deyrnas wedi ei pharatoi i chwi; byddwch yn wyliadwrus. ¹⁴Galw'r nef yn dyst, galw'r ddaear yn dyst: yr wyf wedi dileu'r drwg a chreu'r da; oherwydd byw wyf fi," medd yr Arglwydd.

15 "Fam, cofleidia dy feibion; maetha hwy yn llawen, fel y gwna colomen; rho nerth i'w traed hwy. Oherwydd yr wyf fi wedi dy ddewis di," medd yr Arglwydd. ¹⁶"Atgyfodaf y meirw o'u lleoedd a'u dwyn allan o'u beddau, am fy mod yn cydnabod fy enw ynddynt hwy. ¹⁷Paid ag ofni, fam y meibion, oherwydd yr wyf fi wedi dy ddewis di," medd yr Arglwydd. ¹⁸"Anfonaf fy ngweision Eseia a Jeremeia i'th gynorthwyo; yn unol â'u proffwydoliaeth hwy yr wyf wedi cysegru a darparu ar dy gyfer ddeuddeg pren yn plygu dan bwysau eu gwahanol ffrwythau, ¹⁹a deuddeg ffynnon yn llifeirio o laeth a mêl, a saith mynydd enfawr wedi eu gorchuddio â rhos a lili; â'r rhain fe lanwaf dy feibion â gorfoledd. ²⁰Gwna gyfiawnder â'r weddw, barna dros y di-dad, rho i'r anghenus, gofala am yr amddifad, dillada'r noeth. ²¹Cymer ofal o'r clwyfedig a'r gwan, paid â gwawdio'r

cloff, gwarchod yr anafus, a dwg y dall i olwg fy nisgleirdeb i. ²²Cadw'r hen a'r ifanc yn ddiogel o fewn dy furiau. ²³Lle bynnag y doi o hyd i rai meirw, cladda hwy mewn bedd, gan osod nod arnynt; yna, pan atgyfodaf y meirw, rhoddaf i ti y lle blaenaf. ²⁴Ymlacia a bydd lonydd, fy mhobl; oherwydd fe ddaw dy orffwystra. ²⁵Di, famaeth dda, meithrin dy feibion a rho nerth i'w traed hwy. ²⁶Ni chollir un o'r gweision a roddais i ti, oblegid fe'u ceisiaf o blith dy rifedi. ²⁷Paid â chynhyrfu, oherwydd pan ddaw dydd gorthrwm a chyfyngder, bydd eraill mewn galar a thristwch, ond byddi di'n llawen ac ar ben dy ddigon. ²⁸Bydd y cenhedloedd yn genfigennus, ond yn analluog i wneud dim yn dy erbyn di," medd yr Arglwydd. ²⁹"Bydd fy nwylo'n dy warchod, rhag i'th feibion weld Gehenna. ³⁰Gorfoledda, fam, ynghyd â'th feibion, oherwydd arbedaf di," medd yr Arglwydd. ³¹"Cofia dy feibion sydd yn huno, oblegid fe'u dygaf allan o leoedd dirgel y ddaear, a thrugarhaf wrthynt; oherwydd trugarog wyf fi," medd yr Arglwydd Hollalluog. ³²"Cofleidia dy blant nes i mi ddod, a chyhoedda iddynt drugaredd, am fod fy ffynhonnau yn llifo trosodd, heb ddim pall ar fy ngras i."

Esra ar Fynydd Horeb

33 Derbyniais i, Esra, orchymyn gan yr Arglwydd ar Fynydd Horeb, i fynd at Israel; ond pan ddeuthum atynt, fy nirmygu a wnaethant, a bwrw gorchymyn yr Arglwydd o'r neilltu. ³⁴Am hynny 'rwy'n dweud wrthych chwi, genhedloedd, chwi sydd yn clywed ac yn deall: "Disgwyliwch am eich bugail, ac fe rydd ichwi orffwys tragwyddol; oherwydd y mae'r un sydd i ddod ar ddiwedd y byd yn agos iawn. ³⁵Byddwch barod i dderbyn gwobrau'r deyrnas, oblegid bydd goleuni diddiwedd yn llewyrchu arnoch yn dragywydd. ³⁶Ffowch rhag cysgod y byd hwn, a derbyniwch orfoledd eich gogoniant. Yr wyf fi'n dwyn tystiolaeth agored i'm Gwaredwrᵇ. ³⁷Derbyniwch y rhodd a ymddiriedwyd i chwi gan yr Arglwydd, ac mewn gorfoledd diolchwch i'r Un sydd wedi'ch galw chwi i deyrnasoedd nefol. ³⁸Codwch a safwch; gwelwch yng ngwledd yr Arglwydd nifer y rhai sydd wedi eu selio, ³⁹y rhai sydd wedi

ᵇNeu, *Yr wyf fi'n galw'n agored ar fy Ngwaredwr yn dyst.*

ymadael â chysgod y byd, ac wedi derbyn gwisgoedd disglair gan yr Arglwydd. [40] Derbyn, Seion, y rhifedi sydd i ti, a chwblha nifer y rhai mewn gwisgoedd gwynion sydd i ti, y rhai sydd wedi cadw cyfraith yr Arglwydd. [41] Y mae nifer dy feibion, y buost yn hiraethu amdanynt, yn gyflawn; gofyn felly am deyrnasiad yr Arglwydd, ar i'th bobl, sydd wedi eu galw o'r dechreuad, gael eu sancteiddio."

Esra ar Fynydd Seion

42 Gwelais i, Esra, ar Fynydd Seion dyrfa fawr na allwn ei rhifo, ac yr oeddent oll yn cydfoliannu'r Arglwydd ar gân. [43] Yn eu canol hwy yr oedd dyn ifanc o daldra mawr iawn, talach na phawb arall; yr oedd yn gosod coronau ar eu pennau hwy bob un, ac yr oedd ef yn dra dyrchafedig. Yr oeddwn i wedi fy nal gan ryfeddod, [44] ac yna gofynnais i'r angel, "Pwy yw'r rhain, f'arglwydd?" [45] Fe'm hatebodd fel hyn: "Dyma'r rhai sydd wedi rhoi heibio eu dillad marwol ac wedi gwisgo'r anfarwol, gan gyffesu enw Duw; yn awr coronir hwy, ac y maent yn derbyn palmwydd." [46] Yna gofynnais i'r angel: "Pwy yw'r dyn ifanc acw sydd yn gosod coronau ar eu pennau a rhoi palmwydd yn eu dwylo?" [47] Fe'm hatebodd fel hyn: "Mab Duw yw ef, hwnnw y maent wedi ei gyffesu yn y byd hwn." Dechreuais innau fawrygu'r rhai a safodd yn gadarn dros enw'r Arglwydd. [48] Yna dywedodd yr angel wrthyf: "Dos, a mynega i'm pobl natur a nifer y rhyfeddodau a welaist gan yr Arglwydd Dduw."

Y Weledigaeth Gyntaf

Cwynfan Esra

3 Yn y ddegfed flwyddyn ar hugain ar ôl cwymp y ddinas, yr oeddwn i ym Mabilon—myfi, Salathiel, a wyf hefyd Esra. Gorweddwn yn aflonydd ar fy ngwely, a'm meddyliau yn llethu fy nghalon, [2] am i mi weld anghyfanedd-dra Seion, ond digonedd y rhai oedd yn trigo ym Mabilon. [3] Cynhyrfwyd fy ysbryd yn fawr iawn, a dechreuais lefaru wrth y Goruchaf eiriau yn mynegi fy mhryder. [4] "Arglwydd Iôr," meddwn, "onid ti a lefarodd yn y dechreuad, pan luniaist y ddaear, a hynny ar dy ben dy hun?

Rhoddaist orchymyn i'r llwch, [5] a rhoddodd hwnnw i ti Adda yn gorff difywyd. Ond gwaith dy ddwylo di oedd y corff hwnnw hefyd; anedlaist i mewn iddo anadl einioes, a daeth ef yn greadur byw ger dy fron. [6] Dygaist ef i'r baradwys yr oedd dy ddeheulaw wedi ei phlannu cyn i'r ddaear erioed ymddangos; [7] gosodaist arno gadw un gorchymyn o'r eiddot; ond anwybyddu hwnnw a wnaeth ef, ac ar unwaith pennaist farwolaeth iddo ef a'i hiliogaeth. Ohono ef y ganwyd cenhedloedd a llwythau, pobloedd a theuluoedd, dirifedi. [8] Ond byw yn ôl ei hewyllys ei hun a wnaeth pob cenedl, gan ymddwyn yn annuwiol ac yn ddirmygus ger dy fron di; eto ni rwystraist hwy. [9] Ond yna, yn ei amser, fe ddygaist y dilyw ar ben trigolion y ddaear, a'u difetha. [10] Yr un oedd eu tynged hwy oll: fel y daeth marwolaeth ar Adda, felly hefyd y daeth y dilyw arnynt hwy. [11] Er hynny, arbedaist un ohonynt, Noa, ynghyd â'i deulu, a'r holl rai cyfiawn oedd yn ddisgynyddion iddo.

12 "Pan ddechreuodd trigolion y ddaear gynyddu, amlhawyd plant a phobloedd a chenhedloedd lawer, ac unwaith eto dechreusant wneud annuwioldeb, mwy hyd yn oed na'r cenedlaethau o'u blaen. [13] Felly, a hwythau yn gwneud drygioni ger dy fron, dewisaist i ti dy hun un ohonynt, o'r enw Abraham; [14] ceraist ef, ac iddo ef yn unig, yn ddirgel, liw nos, y datguddiaist ddiwedd yr amserau. [15] Gwnaethost gyfamod tragwyddol ag ef, gan addo iddo na fyddit byth yn ymadael â'i had ef; rhoddaist Isaac iddo, ac i Isaac rhoddaist Jacob ac Esau. [16] Neilltuaist Jacob i ti dy hun, ond bwrw Esau ymaith; ac aeth Jacob yn dyrfa fawr.

17 "Pan oeddit yn arwain ei ddisgynyddion allan o'r Aifft, fe'u dygaist at Fynydd Sinai; [18] yno gostyngaist yr wybren, ysgydwaist[c] y ddaear, cynhyrfaist y byd, peraist i'r dyfnderoedd grynu, terfysgaist y cyfanfyd. [19] Daeth dy ogoniant drwy bedwar porth—tân, daeargryn, gwynt a rhew—er mwyn iti roi'r gyfraith i had Jacob a'r ddeddf i blant Israel. [20] Eto ni thynnaist eu calon ddrwg oddi wrthynt, er mwyn i'th gyfraith ddwyn ffrwyth ynddynt. [21] Oherwydd yr oedd yr Adda cyntaf wedi ei feichio â chalon ddrwg: cyflawnodd drosedd, ac fe'i gorchfygwyd; ac nid ef yn unig, ond ei holl

---

[c] Felly Syrieg a rhai Fersiynau eraill. Lladin, *sefydlaist.*

ddisgynyddion hefyd. ²²Felly aeth y gwendid yn beth parhaol, ac ynghyd â'r gyfraith yr oedd y drygioni gwreiddiol hefyd yng nghalonnau'r bobl; felly ymadawodd yr hyn sydd dda, ac arhosodd y drwg. 23 "Aeth cyfnodau heibio, a daeth y blynyddoedd i ben, ac yna codaist i ti dy hun was o'r enw Dafydd. ²⁴Gorchmynnaist iddo adeiladu dinas i ddwyn dy enw, ac i gyflwyno iti yno offrymau o blith yr hyn sy'n eiddo iti. ²⁵Hynny a fu am flynyddoedd lawer; ond yna aeth trigolion y ddinas ar gyfeiliorn, ²⁶gan ymddwyn ym mhob dim fel Adda a'i holl ddisgynyddion ef; oherwydd yr oedd ganddynt hwythau hefyd galon ddrwg. ²⁷Felly traddodaist dy ddinas dy hun i ddwylo dy elynion. 28 "Yna dywedais wrthyf fy hun: 'Tybed a yw trigolion Babilon yn ymddwyn yn well? Ai dyna pam y daethant i arglwyddiaethu ar Seion?' ²⁹Ond pan ddeuthum yma, gwelais weithredoedd annuwiol y dyrfa aneirif sydd yma; am ddeng mlynedd ar hugain bellach yr wyf wedi gweld eu drwgweithredwyr lu drosof fy hun. ³⁰Ymollyngodd fy nghalon, oherwydd gwelais fel yr wyt yn cydymddwyn â hwy yn eu pechod, ac fel yr arbedaist y rhai annuwiol eu ffyrdd; difethaist dy bobl dy hun, ond cedwaist dy elynion yn ddiogel. ³¹Nid wyt ychwaith wedi rhoi unrhyw arwydd i neb ynglŷn â'r modd y dylid dwyn y drefn hon i ben. ᶜʰ Tybed a yw gweithredoedd Babilon yn well na rhai Seion? ³²A fu i unrhyw genedl arall heblaw Israel dy adnabod di? Pa lwythau sydd wedi ymddiried, fel llwythau Jacob, yn dy gyfamodau di? ³³Ond nid yw eu gwobr hwy wedi dod i'r amlwg, na'u llafur wedi dwyn ffrwyth. Yr wyf wedi teithio llawer ymhlith y cenhedloedd, a'u gweld uwchben eu digon, er eu bod yn diystyru dy ddeddfau di. ³⁴Yn awr, felly, pwysa mewn clorian ein drygioni ni a drygioni trigolion y byd; yna ceir gweld ar ba ochr y bydd y pwysau'n troi'r dafol. ³⁵A fu amser erioed pan na phechodd trigolion y ddaear yn dy olwg di? Pa genedl sydd wedi cadw dy ddeddfau fel Israel? ³⁶Y mae'n wir y cei hyd i unigolion sydd wedi cadw dy ddeddfau, ond ni chei genhedloedd a wnaeth hynny."

Methu Deall Ffyrdd Duw

4 Yna fe'm hatebwyd gan yr angel a anfonwyd ataf. Enw'r angel oedd Uriel. ²Meddai: "Cyfeiliornodd dy ddeall yn ddybryd yn y byd hwn, ac a wyt yn amcanu amgyffred ffordd y Goruchaf?" ³"Ydwyf, f'arglwydd," atebais innau.

Atebodd yntau fi fel hyn: "Anfonwyd fi i ddangos iti dair ffordd, ac i osod tri phos o'th flaen di. ⁴Os gelli di ddehongli un ohonynt hwy i mi, yna fe ddangosaf fi i ti y ffordd yr wyt yn dyheu am ei gweld, ac fe ddysgaf iti pam y mae'r galon yn ddrwg."

5 Dywedais i: "Llefara, f'arglwydd." Meddai yntau wrthyf: "Tyrd, pwysa i mi bwysau'r tân, mesura i mi fesur y gwynt, neu galw yn ôl i mi y dydd a aeth heibio."

6 Atebais: "Gan nad oes dyn byw a all wneud hynny, pam yr wyt yn fy holi ynglŷn â'r pethau hyn?" ⁷Yna meddai wrthyf: "Beth pe bawn wedi gofyn i ti, 'Pa nifer o drigfannau sydd yng nghanol y môr?' Neu 'Pa nifer o ffrydiau sydd am nharddle'r dyfnder?' Neu 'Pa nifer o ffrydiau sydd uwchlaw'r ffurfafen?' Neu 'Pa le y mae'r ffyrdd allan o Baradwys?'ᵈ ⁸Hwyrach y byddit yn f'ateb i, 'Nid wyf fi erioed wedi disgyn i'r dyfnder, nac i'r byd tanddaearol; nid wyf ychwaith erioed wedi esgyn i'r nefoedd.' ⁹Ond ni ofynnais iti ond am y tân a'r gwynt a'r dydd, pethau yr wyt yn gyfarwydd â hwy ac na elli fyw hebddynt; ond hyd yn oed am y rhain, ni chefais ateb gennyt."

10 Meddai ymhellach: "Nid yw'r gallu gennyt i ddeall o bethau hynny o'r eiddot yr wyt wedi tyfu in eu cwmni. ¹¹Sut felly y dichon dy feddwl di amgyffred ffordd y Goruchaf? Sut y gall un sydd wedi ei ysu gan y byd llygredig ddeall anllygredigaeth?"

12 Pan glywais hyn, syrthiais ar fy hyd, a dweud wrtho: "Buasai'n well i ni fod heb ein geni na dod i fyw yng nghanol annuwioldeb, a dioddef heb ddeall pam." ¹³Atebodd yntau fi fel hyn: "Euthum allan i goedwig, ac yno yr oedd prennau'r maes yn cynllwyn â'i gilydd. ¹⁴'Dewch', meddent, 'awn i ryfel yn erbyn y môr, a pheri iddo gilio o'n blaen, inni gael gwneud rhagor o goedwigoedd inni ein hunain.' ¹⁵Yn yr un modd cynllwyniodd tonnau'r môr hwythau â'i gilydd, a

---

ᶜʰYn ôl y Syrieg, *modd y mae deall dy ffyrdd di.*

ᵈYn ôl Fersiynau eraill, *Neu 'Pa le y mae'r ffyrdd allan o'r byd tanddaearol?' Neu 'Pa le y mae llwybrau Paradwys?'*

dweud, 'Dewch, awn i fyny a threchu coed y maes, i ennill yno diriogaeth ychwanegol inni ein hunain.' ¹⁶Ond ofer fu cynllwyn y coed, oherwydd daeth tân a'u difa hwy. ¹⁷A'r un modd cynllwyn tonnau'r môr, oherwydd safodd y tywod yn ddiysgog a'u rhwystro hwy. ¹⁸Yn awr, pe bait ti'n farnwr ar y rhain, prun ohonynt y byddit ti am ei gyhoeddi'n ddieuog, a phrun ei gondemnio?"

19 Atebais fel hyn: "Yn ofer y cynllwyniodd y naill a'r llall ohonynt; oherwydd pennwyd y tir i'r coed, a gwely'r môr i gario ei donnau ef."

20 "Yr wyt wedi barnu'n gywir," meddai yntau. "Pam, ynteu, na fernaist yn gywir yn dy achos dy hun? ²¹Oherwydd yn yr un modd yn union ag y mae'r tir wedi ei roi i'r coed a'r môr i'r tonnau, felly pethau'r ddaear yn unig y gall trigolion y ddaear eu deall; trigolion y nefoedd sy'n deall pethau goruchel y nefoedd."

Diwedd yr Oes

22 "Ond atolwg, f'arglwydd," meddwn innau, "pam y rhoddwyd i mi gynneddf deall? ²³Oherwydd nid oedd yn fy mryd i holi am y ffyrdd sydd uchod, ond am y pethau hynny sydd yn digwydd bob dydd o flaen ein llygaid. Pam y rhoddwyd Israel yn destun gwawd i'r cenhedloedd? Pam yr ildiwyd y bobl a geraist ti i lwythau annuwiol? Pam y mae cyfraith ein tadau wedi ei gwneud yn ddiddim, a'r cyfamodau ysgrifenedig wedi eu colli? ²⁴Yr ydym yn diflannu o'r byd fel locustiaid, y mae ein heinioes fel tarth, ac nid ydym yn deilwng i dderbyn trugaredd. ²⁵Ond beth a wna ef er mwyn ei enw ei hun, yr enw y'n gelwir ni wrtho? Dyna fy nghwestiynau i."

26 Atebodd ef fel hyn: "Os bydd iti oroesi, fe gei weld, ac os byddi byw, fe ryfeddi'n fynych, oherwydd y mae'r byd hwn yn prysur ddarfod. ²⁷Am ei fod yn llawn tristwch a llesgedd, ni all y byd hwn ddal y pethau a addawyd i'r rhai cyfiawn yn eu hiawn bryd. ²⁸Oherwydd y mae'r drwg yr wyt yn fy holi i amdano wedi ei hau, ond ni ddaeth amser ei fedi ef eto. ²⁹Hyd oni fedir yr hyn a heuwyd, a hyd oni ddiflanna'r lle yr heuwyd y drwg ynddo, nid ymddengys y maes lle'r heu-

wyd y da. ³⁰Heuwyd gronyn o had drwg yng nghalon Adda o'r dechreuad, a pha faint o annuwioldeb y mae eisoes wedi ei gynhyrchu, ac y bydd eto'n ei gynhyrchu hyd nes y daw amser dyrnu! ³¹Cyfrif drosot dy hun gymaint o ffrwyth annuwioldeb y mae'r gronyn o had drwg wedi ei gynhyrchu. ³²Pan fydd hadau dirifedi o rawn da^dd wedi eu hau, mor fawr y cynhaeaf a ddaw ohonynt hwy!"

33 Atebais innau: "Pa mor hir y mae'n rhaid aros? Pa bryd y digwydd hyn? Pam mai ychydig a drwg yw'n blynyddoedd ni?" ³⁴Meddai ef wrthyf: "Ni elli di brysuro mwy na'r Goruchaf; er dy fwyn dy hun yr wyt ti'n prysuro, ond mae'r Goruchaf yn prysuro er mwyn llawer. ³⁵Onid ynglŷn â'r pethau hyn y bu eneidiau'r cyfiawn yn holi yn eu hystafelloedd cudd, a dweud: 'Pa mor hir yr wyf fi i barhau i obeithio fel hyn?'ᵉ Pa bryd y gwelir y cynnyrch ar y llawr dyrnu, ac y cawn ninnau dderbyn ein gwobr?' ³⁶A dyma'r ateb a gawsant gan yr archangel Jeremiel: 'Pan fydd rhif y rhai tebyg i chwi yn gyflawn. Oherwydd y mae'r Arglwydd wedi pwyso'r byd mewn clorian, ³⁷y mae wedi mesur yr amserau yn sicr, a'u rhifo'n derfynolᶠ; ni symuda ac ni chyffry mohonynt, hyd nes y bydd y rhif penodedig yn gyflawn.' "

38 "Ond edrych, f'arglwydd feistr," meddwn i, "yr ydym ni oll yn llawn annuwioldeb. ³⁹Hwyrach mai o'n hachos ni, o achos pechodau trigolion y ddaear, y cedwir y cyfiawn rhag gweld dyfodiad amser dyrnu." ⁴⁰Atebodd ef: "Dos a gofyn i wraig feichiog a all y groth ddal ei gafael ar y plentyn o'i mewn pan fydd ei naw mis hi yn gyflawn." ⁴¹"Amhosibl, f'arglwydd!" meddwn i. Atebodd yntau: "Yn y byd tanddaearol y mae'r ystafelloedd cudd sy'n dal eneidiau yn debyg i groth. ⁴²Oherwydd fel y mae gwraig wrth esgor yn prysuro i gael diwedd ar wewyr anorfod esgor, felly hefyd y mae'r ystafelloedd cudd yn prysuro i roi'n ôl yr hyn a ymddiriedwyd iddynt o'r dechreuad. ⁴³Yna fe esbonnir i ti y pethau yr wyt yn dymuno eu gweld."

44 Atebais fel hyn: "Os wyf yn gymeradwy yn dy olwg, ac os yw'n bosibl, ac os wyf yn gymwys, ⁴⁵eglura hyn i mi hefyd: a oes mwy i ddod nag a

---

ᵈᵈFelly Syrieg, Ethiopeg. Lladin heb o rawn da.
ᵉYn ôl y Syrieg a'r Ethiopeg, Pa mor hir y mae'n rhaid i ni aros yma?
ᶠYn ôl y Syrieg, a rhifo'r oriau'n derfynol.

aeth heibio, neu a yw'r rhan fwyaf eisoes wedi mynd heibio i ni? ⁴⁶Oherwydd gwn beth sydd wedi mynd, ond ni wn beth sydd eto i ddod." ⁴⁷Meddai yntau wrthyf: "Saf ar y llaw dde i mi; fe rof finnau ddehongliad iti o'r pos."

⁴⁸ Felly sefais a gwylio, a dyma ffwrn danllyd yn mynd heibio imi; ac ar ôl i'r fflamau fynd heibio, edrychais a gweld bod mwg yn aros. ⁴⁹Ar ôl hyn aeth heibio imi gwmwl yn llawn dŵr, ac arllwysodd law trwm yn genllif; ac wedi i'r cenllif fynd heibio, yr oedd rhai diferion yn aros yn y cwmwl. ⁵⁰Yna meddai'r angel wrthyf: "Ystyria hyn drosot dy hun: fel y mae'r glaw yn fwy na'r diferion, a'r tân yn fwy na'r mwg, felly hefyd y mae'r gorffennol yn fwy o lawer ei hyd na'r dyfodol; nid oes ond diferion a mwg yn aros."

Arwyddion y Diwedd

51 Yna ymbiliais fel hyn: "A wyt ti'n tybio y caf fi fyw i weld y dyddiau hynny? Yn wir, pwy fydd yn bod yn y dyddiau hynny?" ⁵¹Atebodd ef: "Gallaf ddweud rhywfaint wrthyt am yr arwyddion yr wyt yn fy holi amdanynt, ond ni chefais fy anfon i ddweud dim wrthyt am hyd dy einioes; nid yw'n hysbys imi.

5 "Am yr arwyddion, fodd bynnag: edrych, fe ddaw'r amser pan gaiff trigolion y ddaear eu dal gan frawᶠᶠ mawr; cuddir ffordd gwirionedd, a bydd y tir yn ddiffrwyth o ffydd. ²Bydd anghyfiawnder ar gynnydd, y tu hwnt i'r hyn yr wyt ti dy hun yn ei weld yn awr neu y clywaist amdano erioed. ³Anghyfannedd a di-lwybr fydd y wlad yr wyt yn awr yn ei gweld yn teyrnasu; diffeithwch fydd hi yng ngolwg dynion. ⁴Os caniatâ'r Goruchaf i ti fyw, cei dithau weld ei therfysg ar ôl y trydydd cyfnod. Yn sydyn bydd yr haul yn cynnau liw nos, a'r lleuad liw dydd. ⁵Bydd gwaed yn diferu o'r coed, y cerrig yn llefaru, y bobloedd mewn cynnwrf, a chwrs y sêr yn cael ei newid. ⁶Daw yn frenin un nad yw trigolion y ddaear yn ei ddisgwyl, ac fe eheda'r holl adar ymaith. ⁷Bydd y Môr Marw yn bwrw pysgod i fyny; clywir llef liw nos nad yw'r lliaws yn ei deall, er i bawb ei chlywed. ⁸Bydd agennauᵍ yn ymddangos

mewn llawer lle, a thân yn saethu allan ohonynt yn fynych. Bydd anifeiliaid gwylltion yn cefnu ar eu cynefin, a gwragedd misglwyfus yn esgor ar angenfilod. ⁹Ceir dŵr hallt mewn ffynhonnau o ddŵr croyw, a bydd cyfeillion yn ymosod bob un ar ei gilydd; yna cuddir y synhwyrau, a chilia deall i'w guddfan; ¹⁰bydd llawer yn ei geisio ac yn methu ei gael; bydd anghyfiawnder ac anlladrwydd ar gynnydd dros wyneb y ddaear. ¹¹Bydd y naill wlad yn holi'r llall fel hyn: 'A yw cyfiawnder, sy'n gwneud yr hyn sydd iawn, wedi tramwy trwot ti?'ⁿᵍ A'r ateb fydd, 'Nac ydyw.' ¹²Y pryd hwnnw bydd dynion yn gobeithio, ond ni welant gyflawni eu gobeithion; yn llafurio, ond ni bydd eu ffyrdd yn llwyddo. ¹³Dyna'r arwyddion y caniatawyd i mi eu hadrodd wrthyt; ond os bydd iti weddïo eto, a pharhau i wylo ac ymprydio am saith diwrnod, yna cei glywed ymhellach bethau mwy na'r rhain."

14 Yna deffrois, a'm corff yn crynu drwyddo; yr oeddwn mor drallodus fy meddwl fel y llewygais. ¹⁵Ond daeth yr angel a fu'n ymddiddan â mi i'm cynnal a'm nerthu i sefyll ar fy nhraed. ¹⁶Y noson wedyn daeth Phaltiel, arweinydd y bobl, ataf a dweud: "Ble buost ti? A pham y mae golwg drist arnat? ¹⁷A wyt yn anghofio bod Israel, yng ngwlad ei halltudiaeth, wedi ei hymddiried i ti? ¹⁸Cod, felly, a bwyta ychydig fara; paid â'n gadael ni, fel bugail yn gadael ei braidd yng ngafael bleiddiaid milain." ¹⁹Dywedais innau wrtho: "Dos ymaith oddi wrthyf, ac am saith diwrnod paid â dod yn agos ataf; yna fe gei ddod ataf eto." Ar ôl clywed fy ngeiriau aeth ef ymaith a'm gadael.

Yr Ail Weledigaeth
Gweddi Esra ac Ateb Uriel

20 Am saith diwrnod bûm yn ymprydio, yn galaru ac yn wylo, fel y gorchmynnodd yr angel Uriel i mi. ²¹Ymhen y saith diwrnod yr oedd meddyliau fy nghalon yn peri blinder mawr i mi unwaith eto, ²²ond adfeddiannodd fy enaid ysbryd deall, a thrachefn dechreuais lefaru wrth y Goruchaf. 23 "Arglwydd Iôr," meddwn, "o bob

---

ᶠᶠFelly Syrieg. Lladin yn ansicr.   ᵍFelly Syrieg. Lladin, *chaos.*
ⁿᵍYn ôl y Syrieg a'r Ethiopeg, *'A yw cyfiawnder wedi tramwy trwot ti, neu ddyn yn gwneud yr hyn sydd gyfiawn?'*

coedwig drwy'r ddaear, ac o blith ei holl brennau yr wyt ti wedi dewis un win-wydden; [24] o'r holl diroedd drwy'r byd cyfan dewisaist i ti dy hun un man i'w phlannu ynddo; o'r holl flodau sydd yn y byd dewisaist un lili i ti dy hun; [25] o holl ddyfnderoedd y môr llenwaist un afon i ti, ac o'r holl ddinasoedd a adeiladwyd cysegraist Seion i ti dy hun; [26] o'r holl adar a grewyd penodaist un golomen i ti dy hun, ac o'r holl anifeiliaid a luniwyd darperaist un ddafad ar dy gyfer dy hun; [27] o'r holl bobloedd, yn eu lluosogrwydd, mabwysiedaist un bobl i ti dy hun, ac i'r bobl honno yr ymserchaist ynddi rhoddaist gyfraith gymeradwy gan bawb. [28] Pam ynteu, Arglwydd, yr wyt yn awr wedi traddodi'r un bobl hon i ddwylo llaweroedd? Pam y dirmygaist[h] yr un gwreiddyn yn fwy na'r lleill i gyd, ac y gwasgeraist dy unig bobl ymhlith lliaws? [29] Y mae'r rhai a fu'n gwrthod dy addewidion wedi sathru â'u traed y rhai a fu'n ymddiried yn dy gyfamodau. [30] Os wyt yn wir yn casáu dy bobl gymaint, dylit eu cosbi â'th ddwylo dy hun."

31 Ar ôl imi orffen llefaru'r geiriau hyn, anfonwyd ataf yr angel a ddaethai ataf y noson flaenorol honno. [32] "Gwrando arnaf fi," meddai, "ac fe'th ddysgaf; dal sylw, ac fe ddywedaf fwy wrthyt." [33] "Llefara, f'arglwydd," atebais innau.

Meddai'r angel wrthyf: "Yr wyt yn drallodus iawn dy feddwl ynglŷn ag Israel. A yw dy gariad di tuag at Israel yn fwy na chariad Gwneuthurwr Israel?" [34] "Nac ydyw, f'arglwydd," atebais innau, "ond o wir ofid y lleferais i; oherwydd yr wyf yn cael fy mhoenydio o'm mewn bob awr o'r dydd, wrth imi geisio deall ffordd y Goruchaf a dirnad rhyw ran o'i farnedigaethau ef." [35] "Ni elli wneud hynny," meddai wrthyf. "Pam, f'arglwydd?" atebais innau. "I ba beth, felly, y'm ganwyd? Pam na throes croth fy mam yn fedd imi? Yna ni chawswn weld poen Jacob a blinder plant Israel."

36 Meddai ef: "Cyfrif imi y rheini sydd hyd yma heb eu geni, casgl ynghyd imi ddiferion gwasgaredig y glaw, a phâr i'r blodau a wywodd lasu unwaith eto; [37] agor imi yr ystafelloedd caeëdig, a

dwg allan y gwyntoedd sydd wedi eu cloi o'u mewn, neu dangos imi lun llais; yna fe ddangosaf i ti y rheswm am y caledi hwn yr wyt yn gofyn am gael ei ddeall." [38] "Ond, f'arglwydd feistr," atebais i, "pwy a all fod â gwybodaeth felly ganddo, ond yr Un nad yw ei drigfa ymhlith dynion? [39] Ond myfi, nid oes imi ddoethineb; sut felly y gallaf siarad am y pethau hyn y gofynnaist i mi amdanynt?"

O Genhedlaeth i Genhedlaeth

40 Meddai wrthyf: "Yn yr un modd ag yr wyt yn analluog i gyflawni unrhyw un o'r pethau a grybwyllwyd, felly hefyd ni elli ddarganfod fy marnedigaethau i, nac amcan y cariad a addewais i'm pobl." [41] "Ond atolwg, f'arglwydd," meddwn i, "yr wyt ti'n rhoi blaenoriaeth[i] i'r rhai a fydd yn fyw yn y diwedd. Beth a wna'r rhai a fu byw o'n blaen ni, neu nyni ein hunain, neu'r rheini a ddaw ar ein hôl ni?" [42] Dywedodd yntau: "Cyffelybaf fy marnedigaeth i gylch crwn; ni bydd y rhai olaf yn rhy hwyr, na'r rhai cynharaf yn rhy fuan." [43] Atebais innau fel hyn: "Onid oedd yn bosibl i ti lunio pawb—pobl y gorffennol, y presennol, a'r dyfodol—yn union yr un pryd? Byddit felly'n gallu cyhoeddi dy farnedigaeth gymaint yn gynt." [44] Atebodd ef: "Ni all y greadigaeth brysuro mwy na'r Creawdwr, na'r byd gynnal yr un pryd bawb o'r rhai a grewyd i fyw ynddo."

45 Meddwn innau: "Sut felly y dywedaist wrthyf y bywhei yn wir bob creadur a grewyd gennyt, a hynny'n union yr un pryd? Os ydynt hwy oll, yn y dyfodol, i fod yn fyw yr un pryd, ac os yw'r greadigaeth i'w chynnal, yna gallai'r greadigaeth wneud hynny yn awr, a'u dal oll yn bresennol gyda'i gilydd yr un pryd."

46 Meddai yntau wrthyf: "Gofyn gwestiwn i groth gwraig, fel hyn: 'Os wyt ti i esgor ar ddeg o blant, pam mai ar bob un yn ei dro y gwnei hynny?' Gofyn iddi, gan hynny, esgor ar y deg yr un pryd." [47] Meddwn innau: "Ni all wneud hynny; yn ei dro y digwydd pob esgor." [48] "Felly hefyd," atebodd ef, "i bob un yn ei dro y rhoddais i groth y ddaear i'r rheini a feichiogwyd ynddi. [49] Ni all plentyn roi

genedigaeth, nac ychwaith wraig sydd bellach wedi mynd yn hen; yn yr un modd yr wyf finnau wedi trefnu ar gyfer y byd a grewyd gennyf."

50 Yna gofynnais ymhellach fel hyn: "Gan dy fod wedi agor y ffordd imi yn awr, a gaf fi barhau i siarad â thi? A yw ein mam ni, y soniaist wrthyf amdani, yn dal yn ifanc, ynteu a yw hi eisoes yn heneiddio?" [51]Atebodd ef: "Gofyn gwestiwn fel hyn i wraig sy'n planta: [52]'Pam nad yw'r plant yr esgoraist arnynt yn ddiweddar yn debyg i'r rhai a anwyd yn gynharach? Pam y maent yn llai eu taldra?' [53]Ac fe ddywed hi wrthyt: 'Ni ellir cymharu y rhai a anwyd yng nghryfder ieuenctid â'r rhai a anwyd yn amser henaint, pan yw'r groth yn llesgáu.' [54]Felly ystyria dithau hefyd: yr ydych chwi yn llai eich maint na'r rhai a fu o'ch blaen chwi, [55]a bydd y rhai a ddaw ar eich ôl yn llai hyd yn oed na chwi, oherwydd y mae'r greadigaeth eisoes yn heneiddio ac yn colli cryfder ieuenctid."

Diwedd yr Oes Hon

56 Meddwn innau: "Os wyf yn gymeradwy yn dy olwg di, Arglwydd, a gaf fi ofyn i ti ddangos imi trwy bwy yr ymweli â'th greadigaeth?"

6 Atebodd fi: "Ystyria ddechrau cyntaf y ddaear: nid oedd pyrth y byd yn sefyll eto; nid oedd gwyntoedd yn ymgasglu ac yn chwythu, [2]na thrwst taranau yn atseinio, na fflachiadau mellt yn disgleirio; nid oedd seiliau paradwys wedi eu gosod, [3]na blodau prydferth i'w gweld; nid oedd y grymoedd sy'n troi'r bydysawd wedi eu sefydlu, na lluoedd dirifedi'r angylion wedi eu casglu ynghyd. [4]Nid oedd uchelderau'r awyr wedi eu codi fry, na pharthau'r ffurfafen wedi eu henwi, na Seion wedi ei chyfrif yn droedfainc Duw; [5]nid oedd yr oes bresennol wedi ei chynllunio; nid oedd ystrywiau pechaduriaid yr oes hon wedi eu gwahardd, na sêl wedi ei gosod ar y rhai sydd wedi cadw ffydd yn drysor iddynt eu hunain. [6]Dyna'r pryd y meddyliais, a daeth y pethau hyn i fod trwof fi—trwof fi, nid trwy neb arall, fel y daw'r diwedd hefyd trwof fi, ac nid trwy neb arall."

7 Yna atebais i fel hyn: "Beth fydd yn gwahanu'r amserau? Pa bryd y bydd diwedd yr oes gyntaf a dechrau'r nesaf?" [8]Meddai ef wrthyf: "Ni bydd y gwahaniad yn hwy na hwnnw rhwng Abraham ac Abraham; oherwydd ganed Jacob ac Esau yn ddisgynyddion iddo ef, ac yr oedd llaw Jacob yn cydio yn sawdl Esau o'r dechreuad. [9]Y mae Esau'n cynrychioli diwedd yr oes hon, a Jacob ddechrau'r oes nesaf. [10]Dechrau dyn yw ei law, a diwedd dyn yw ei sawdl[1]. Paid â chwilio am ddim arall rhwng sawdl a llaw, Esra." [11]"F'arglwydd feistr," meddwn innau, [12]"os wyf yn gymeradwy yn dy olwg, dangos i mi ddiwedd dy arwyddion, y dangosaist ran ohonynt imi y noson flaenorol honno."

Arwyddion y Diwedd

13 Atebodd fi fel hyn: "Saf ar dy draed, a chei glywed llais cryf yn atscinio; [14]ac os bydd y lle y sefi arno yn siglo [15]pan lefara'r llais, paid â dychrynu; oherwydd ynglŷn â'r diwedd y bydd neges y llais, a bydd seiliau'r ddaear yn deall [16]mai amdanynt hwy y mae'n traethu. Crynant a siglant, oherwydd gwyddant am eu diwedd, bod newid llwyr i ddigwydd."

17 Ar ôl imi glywed hyn, sefais ar fy nhraed a gwrando; a dyma lais yn llefaru, a'i sŵn fel sŵn dyfroedd lawer. [18]Meddai'r llais: "Y mae'r dyddiau yn wir yn dod pan ddof yn agos i farnu preswylwyr y ddaear, [19]pan fynnaf gyfrif gan ddrwgweithredwyr didostur am eu drygioni, pan fydd darostyngiad Seion wedi ei gwblhau, [20]a phan fydd sêl wedi ei gosod ar yr oes sydd ar ddarfod. Yna gwnaf yr arwyddion a ganlyn: agorir y llyfrau yng ngolwg y ffurfafen, a chaiff pawb eu gweld yr un pryd. [21]Bydd babanod blwydd oed yn medru siarad; bydd gwragedd beichiog yn esgor yn gynamserol, wedi tri neu bedwar mis, a bydd eu plant yn fyw ac yn llamu o gwmpas. [22]Yn sydyn ymddengys mannau a heuwyd fel rhai heb eu hau, a cheir stordai llawn yn sydyn yn wag; [23]bydd yr utgorn yn seinio'n uchel, a daw dychryn ar unwaith ar bawb a'i clyw. [24]Y pryd hwnnw bydd cyfeillion yn ymladd â chyfeillion fel petaent yn elynion, a daw ofn ar y ddaear ynghyd â'i thrigolion. Bydd dyfroedd y ffynhonnau yn sefyll, ac am dair awr fe beidiant â llifo.

---

[1]Felly Fersiynau eraill. Lladin yn ddiffygiol.

25 "Pwy bynnag a adewir ar ôl wedi'r holl bethau hyn yr wyf wedi eu rhagfynegi i ti, caiff ef ei achub, ac fe wêl fy iachawdwriaeth i a diwedd fy myd hwn. ²⁶ Yna cânt weld y dynion hynny a dderbyniwyd i'r nefoedd heb iddynt erioed brofi marwolaeth. Newidir calon trigolion y ddaear, ac fe'u troir i ddeall pethau mewn ffordd newydd. ²⁷ Oherwydd caiff drygioni ei lwyr ddiddymu, a thwyll ei ddileu; ²⁸ ond bydd ffyddlondeb yn blodeuo, llygredd yn cael ei orchfygu, a'r gwirionedd, a fu'n ddiffrwyth cyhyd, yn dod i'r amlwg."

29 Tra oedd y llais yn siarad â mi, dyma'r man yr oeddwn yn sefyll arno yn dechrau siglo[ll]. ³⁰ Yna meddai'r angel wrthyf: "Dyna'r pethau y deuthum i'w dangos iti y nos hon[m]. ³¹ Os bydd iti weddïo eto, ac ymprydio eto am saith diwrnod, yna fe ddychwelaf atat a mynegi iti bethau mwy hyd yn oed na'r rhain[n], ³² oherwydd y mae dy lais yn sicr wedi ei glywed gan y Goruchaf, ac y mae'r Duw nerthol wedi gweld dy uniondeb ac wedi sylwi ar lendid dy fuchedd o'th ieuenctid. ³³ Dyna pam yr anfonodd fi atat i ddangos yr holl bethau hyn iti ac i ddweud wrthyt: 'Bydd ffyddiog, a phaid ag ofni. ³⁴ Paid ychwaith â brysio, yn yr amserau sy'n blaenori'r diwedd, i ddyfalu pethau ofer; yna ni byddi'n gweithredu ar frys pan ddaw'r amserau diwethaf.' "

Y Drydedd Weledigaeth
Pam y Dioddefa Pobl Dduw

35 Ar ôl hynny, felly, bûm unwaith eto yn wylo ac yn ymprydio am saith diwrnod, yn union fel o'r blaen, er mwyn cyflawni'r tair wythnos a bennwyd imi. ³⁶ A'r wythfed nos, yr oedd fy nghalon wedi ei chythryblu unwaith eto o'm mewn, a dechreuais lefaru wrth y Goruchaf; ³⁷ oherwydd yr oedd fy ysbryd ar dân drwyddo, a'm henaid yn drallodus. ³⁸ "Arglwydd," meddwn, "o ddechrau'r greadigaeth fe fuost ti yn wir yn llefaru; y dydd cyntaf dywedaist, 'Bydded nef a daear', a chyflawnodd dy air y gwaith. ³⁹ Yr amser hwnnw yr oedd yr Ysbryd ar ei adain, a thywyllwch a distawrwydd yn ymdaenu oddi amgylch, heb fod sŵn llais dyn yno eto. ⁴⁰ Yna gorchmynnaist ddwyn allan belydryn o oleuni o'th

drysorfeydd, er mwyn i'th waith di ddod i'r golwg y pryd hwnnw. ⁴¹ Yr ail ddydd eto creaist ysbryd y ffurfafen, a gorchmynnaist iddo rannu a gwneud gwahaniad rhwng y dyfroedd—un rhan i gilio i fyny, a'r llall i aros islaw. ⁴² Y trydydd dydd gorchmynnaist i'r dyfroedd ymgasglu yn seithfed ran y ddaear, ond sychaist y chwe rhan arall a'u cadw, fel y byddai rhai ohonynt yn cael eu hau a'u trin yn wasanaeth i ti. ⁴³ A chyn gynted ag yr aeth dy air di allan, fe wnaed y gwaith. ⁴⁴ Oherwydd ar unwaith daeth ffrwythau allan yn llu aneirif, a phob math o bethau dymunol i'w blasu, ynghyd â blodau digymar eu lliw ac arogleuon persawrus tu hwnt. Dyna'r hyn a wnaed y trydydd dydd. ⁴⁵ Y pedwerydd dydd gorchmynnaist ddyfod ysblander yr haul, a llewyrch y lleuad, a'r sêr yn eu trefn; ⁴⁶ a gorchmynnaist iddynt wasanaethu dyn, a oedd ar fin cael ei lunio. ⁴⁷ Y pumed dydd dywedaist wrth y seithfed ran, lle'r oedd y dŵr wedi ymgasglu, am iddi eni i'r byd greaduriaid byw, adar a physgod. ⁴⁸ Ac felly, yn unol â'th orchymyn, cynhyrchodd y dŵr mud, difywyd, greaduriaid byw, i'r cenhedloedd gael traethu dy ryfeddodau di oherwydd hynny. ⁴⁹ Yna diogelaist ddau greadur; enwaist un ohonynt Behemoth, a'th enw ar yr ail oedd Lefiathan. ⁵⁰ Neilltuaist y naill oddi wrth y llall, oherwydd ni allai'r seithfed ran, lle'r oedd y dŵr wedi ymgasglu, eu dal hwy. ⁵¹ I Behemoth rhoddaist un o'r rhannau a sychwyd ar y trydydd dydd, iddo gael trigo yno, lle mae mil o fynyddoedd; ond i Lefiathan rhoddaist y seithfed ran, yr un ddyfriog. ⁵² Ac yr wyt wedi eu cadw hwy i'w bwyta gan bwy bynnag a fynni, a phryd bynnag y mynni. ⁵³ Y chweched dydd gorchmynnaist i'r ddaear gynhyrchu ger dy fron anifeiliaid a bwystfilod ac ymlusgiaid. ⁵⁴ A thros y rhain gosodaist Adda, a'i wneud yn ben ar bopeth a greaist; disgynyddion iddo ef ydym ni oll, dy bobl ddewisedig.

55 "Yr wyf wedi adrodd yr holl bethau hyn ger dy fron di, Arglwydd, am iti ddweud mai er ein mwyn ni y creaist y byd cyntaf hwn a wnaethost. ⁵⁶ Ond am y cenhedloedd eraill, sy'n disgyn oddi wrth Adda, dywedaist nad ydynt hwy'n ddim, a'u bod yn debyg i boeryn, a chyffelyb-

---

[ll] Felly Fersiynau eraill. Lladin yn aneglur.

[m] Felly Syrieg. Lladin, *y nos sydd yn dod*.

[n] Felly Fersiynau eraill. Lladin yn ychwanegu, *yn ystod y dydd*.

aist eu digonedd hwy i ddiferyn o ddŵr o lestr. ⁵⁷Eto, Arglwydd, wele yn awr y cenhedloedd hynny a gyfrifwyd yn ddim yn arglwyddiaethu arnom ni ac yn ein llyncu. ⁵⁸Ond yr ydym ni, dy bobl di— a elwaist dy gyntafanedig, dy uniganedig, dy ffefryn a'th anwylyn—wedi ein traddodi i'w dwylo hwy. ⁵⁹Os er ein mwyn ni yn wir y crewyd y byd, pam nad yw'r etifeddiaeth, sef ein byd ni, yn ein meddiant? Pa hyd y bydd hyn yn parhau?"

7 Ar ôl imi orffen llefaru'r geiriau hyn, anfonwyd ataf yr angel a anfonasid ataf y nosweithiau blaenorol. ²"Cod, Esra," meddai wrthyf, "a gwrando ar y geiriau y deuthum i'w llefaru wrthyt." ³"Llefara, f'arglwydd," atebais innau.

Meddai'r angel wrthyf: "Dychmyga fôr wedi ei osod mewn lle eang, ac yn ymestyn ar led heb derfyn iddo, ⁴ond bod y ffordd i mewn iddo yn lle mor gul nes ymddangos fel afon. ⁵Pe bai rhywun yn dymuno o ddifrif gyrraedd y môr, naill ai i'w weld neu i gael rheolaeth arno, sut y gallai gyrraedd y lle eang heb iddo'n gyntaf fynd trwy'r lle cul? ⁶Neu eto, dychmyga ddinas wedi ei hadeiladu a'i safle ar dir gwastad, a'i llond o bopeth da, ⁷ond bod y ffordd i mewn iddi yn gul a serth, gyda thân ar y dde a dyfnder o ddŵr ar y chwith, ⁸a'r llwybr hwn rhyngddynt, sef rhwng y tân a'r dŵr, yn unig lwybr ati, a'i led heb fod yn ddim mwy na lled trocd dyn. ⁹Pc bai'r ddinas honno wedi ei rhoi yn etifeddiaeth i ryw ddyn, sut y gallai'r etifedd hwnnw feddiannu ei etifeddiaeth heb iddo'n gyntaf fynd trwy'r perygl a osodwyd o'i flaen?" ¹⁰"Felly'n union, f'arglwydd," atebais innau.

Meddai yntau wrthyf: "Hyn hefyd yw rhan Israel. ¹¹Oherwydd er mwyn Israel y gwneuthum y byd; ond pan dorrodd Adda fy neddfau, daeth yr hyn a wnaethpwyd dan farn. ¹²Gwnaed y ffyrdd i mewn i'r byd hwn yn gul a phoenus a hrafferthus; ychydig ydynt a gwael, yn lawn peryglon ac wedi eu pentyrru ag anawsterau mawr. ¹³Ond y mae'r ffyrdd mewn i'r byd helaethach yn eang a diogel, ac yn dwyn ffrwyth anfarwoldeb.

¹⁴Felly os na bydd y rhai byw wedi mynd yn ddiogel trwy'r mannau cul a thwyllodrus hyn, ni allant feddiannu'r hyn a roddwyd ynghadw iddynt. ¹⁵Pam, ynteu, yr wyt ti yn awr yn aflonyddu, a thithau'n llygradwy? Pam yr wyt yn cynhyrfu, a thithau'n feidrol? ¹⁶A pham na roddaist le yn dy feddwl i'r hyn sydd i ddod, yn hytrach nag i'r hyn sy'n digwydd yn y presennol?"

17 "Atolwg, Arglwydd Iôr," atebais innau, "deddfaist yn dy gyfraith fod y cyfiawn i etifeddu'r bendithion hyn, ond bod yr annuwiol i ddarfod amdanynt. ¹⁸Felly bydd y cyfiawn yn dioddef y mannau cul mewn gobaith am yr eangderau; ond y rhai annuwiol eu buchedd, er iddynt ddioddef y mannau cul, ni chânt weld yr eangderau."

Y Deyrnas Feseianaidd a'r Farn Olaf

19 Meddai yntau wrthyf: "Nid wyt ti'n well barnwr na Duw, nac yn fwy deallus na'r Goruchaf. ²⁰Darfydded, felly, am lawer o'r rhai sy'n byw yn awr, yn hytrach na bod cyfraith Duw, a osodwyd o'u blaen hwy, yn cael ei diystyru. ²¹Oherwydd rhoddodd Duw orchmynion clir i ddynion pan ddaethant i mewn i'r byd, beth oedd yn rhaid iddynt ei wneud i gael byw, a beth i'w ddilyn i osgoi cosb. ²²Ond ni ddarbwyllwyd y dynion hyn, a'i wrthwynebu ef a wnaethant: llunio iddynt eu hunain feddyliau ofer, ²³a dyfeisio'u hystrywiau dichellgar eu hunain; mynnu nad oedd bodolaeth i'r Goruchaf, a nacáu cydnabod ei ffyrdd ef; ²⁴dirmygu ei gyfraith ef a gwadu ei addewidion; gwrthod gosod eu ffydd yn ei ddeddfau, a pheidio â chyflawni'r gweithredoedd y mae ef yn gofyn amdanynt. ²⁵Am hynny, Esra, gwacter i'r gweigion a llawnder i'r llawnion! ²⁶Oherwydd wele, fe ddaw'r amser pan ddigwydd yr arwyddion yr wyf wedi eu rhagfynegi iti; fe ddaw'r ddinas, sydd yn awr yn anweladwy, i'r golwg, a'r tir, sydd yn awr yn guddiedig, i'r amlwg.ᵒ ²⁷Pob un a waredwyd oddi wrth y drygau a ragfynegais, caiff hwnnw weld fy ngweithredoedd rhyfeddol i. ²⁸Oherwydd datguddir fy mab, y Meseiaᴾ, ynghyd â'r rhai sydd gydag ef, ac fe rydd ef lawen-

ydd, yn parhau am bedwar can mlynedd, i'r rhai a adewir. ²⁹Ar ddiwedd y cyfnod hwnnw, bydd farw fy mab, y Meseia, ynghyd â phawb sydd ag anadl dyn ynddynt. ³⁰Yna dychwelir y byd i'w ddistawrwydd cysefin am saith diwrnod, fel yn y dechreuad cyntaf, fel na adewir neb ar ôl. ³¹Ac ar ôl saith diwrnod, deffroir yr oes nad yw hyd yma ar ddihun, a bydd farw yr oes lygradwy. ³²Bydd y ddaear yn rhoi'n ôl y rhai sy'n cysgu ynddi, a'r llwch y rhai sy'n trigo ynddo mewn distawrwydd; hefyd bydd yr ystafelloedd cudd yn rhoi'n ôl yr eneidiau a ymddiriedwyd iddynt hwy. ³³Datguddir y Goruchaf yn eistedd ar orseddfainc barn, ei dosturi ar ffo a'i hirymaros ar ben. ³⁴Barn yn unig fydd yn aros, gwirionedd fydd yn sefyll, a ffyddlondeb yn ymgryfhau. ³⁵Bydd tâl am waith yn dilyn, a'r wobr yn cael ei dangos; bydd gweithredoedd da ar ddihun, ac ni chaiff gweithredoedd drwg gysgu'n llonydd. ^{ph} ³⁶Yna daw pwll poenedigaeth i'r golwg, a chyferbyn ag ef bydd yr orffwysfa; amlygir ffwrnais Gehenna, a chyferbyn â hi baradwys llawenydd. ³⁷Yna fe ddywed y Goruchaf wrth y cenhedloedd a ddeffrowyd: 'Edrychwch, a gwelwch pwy yr ydych wedi ei wadu, pwy yr ydych wedi gwrthod ei wasanaethu, gorchmynion pwy yr ydych wedi eu dirmygu. ³⁸Edrychwch yma, ac yna draw; yma y mae llawenydd a gorffwys, ond draw tân a phoenedigaeth.' ³⁹Dyna'r hyn a ddywed ef^r wrthynt ar Ddydd y Farn. Dydd tebyg i hyn fydd hwnnw: dydd heb na haul na lleuad na sêr; ⁴⁰heb na chwmwl na tharan na mellten; heb na gwynt na dŵr nac awyr; heb na thywyllwch na hwyr na bore; ⁴¹heb na haf na gwanwyn na gwres; heb na gaeaf na rhew nac oerfel; heb na chenllysg na glaw na gwlith; ⁴²heb na chanol dydd na nos na gwawr; heb na disgleirdeb na llewyrch na goleuni; dim ond llewyrch ysblennydd y Goruchaf, y bydd pawb yn dechrau gweld wrtho beth a ragosodwyd iddynt. ⁴³Bydd y dydd yn parhau megis am wythnos o flynyddoedd. ⁴⁴Dyna'r farn, a'r drefn a osodais ar ei chyfer. I ti yn unig y dangosais y pethau hyn.'

Ychydig a Achubir

⁴⁵"Fe'i dywedais o'r blaen, f'arglwydd," atebais innau, "ac 'rwy'n ei ddweud eto: Gwyn eu byd y rhai sy'n byw yn awr ac yn cadw dy ddeddfau di. ⁴⁶Ond beth am y rhai y gweddïais drostynt? Oherwydd pwy o blith y rhai sy'n byw yn awr sydd heb bechu, neu pwy o blith plant dynion sydd heb anwybyddu dy addewid? ⁴⁷Gwelaf yn awr mai i ychydig y bydd y byd a ddaw yn dwyn llawenydd, ond arteithiau i'r lliaws. ⁴⁸Oherwydd mynd ar gynnydd a wnaeth ein calon ddrwg, a'n dieithrio oddi wrth ffyrdd Duw^{rh}; arweiniodd ni i lygredigaeth a ffyrdd marwolaeth; dangosodd inni lwybrau distryw, a'n pellhau oddi wrth fywyd. Hyn a fu, nid i ychydig, ond i bron bawb a grewyd."

⁴⁹Atebodd ef fi fel hyn: "Gwrando arnaf fi, ac fe'th ddysgaf; af ymlaen ymhellach i'th gywiro di. ⁵⁰Y mae'r rheswm pam y creodd y Goruchaf nid un byd ond dau fel a ganlyn: ⁵¹yr wyt wedi addef nad llawer ond ychydig yw'r cyfiawn, a bod yr annuwiol, yn wir, ar gynnydd. Felly, gwrando di ar hyn: ⁵²bwrw fod gennyt ychydig bach o feini gwerthfawr; a fyddit am ychwanegu atynt drwy roi plwm a chlai gyda hwy?"^s ⁵³"F'arglwydd," meddwn innau, "sut y byddai hynny'n bosibl?" ⁵⁴"Ac nid hynny'n unig," atebodd ef, "ond gofyn i'r ddaear, ac fe ddywed hi wrthyt; deisyf arni, ac fe draetha wrthyt. ⁵⁵Dywed wrthi: 'Yr wyt ti'n cynhyrchu aur ac arian a chopr, haearn hefyd a phlwm a chlai. ⁵⁶Ond ceir mwy o arian nag o aur, mwy o gopr nag o arian, mwy o haearn nag o gopr, mwy o blwm nag o haearn, a mwy o glai nag o blwm.' ⁵⁷Ystyria, felly, drosot dy hun beth sy'n werthfawr ac i'w ddymuno, ai'r peth y mae llawer ohono ar gael, ai'r peth sy'n brin." ⁵⁸"F'arglwydd feistr," meddwn i, "y mae'r cyffredin yn llai ei werth, oherwydd po brinnaf y peth, gwerthfawrocaf yw." ⁵⁹Atebodd yntau fi fel hyn: "Rho iyw gofalus i ystyr yr hyn y buost yn myfyrio arno: sef bod mwy o achos llawenhau gan y dyn sy'n berchen ar rywbeth anodd ei gael na chan hwnnw sy'n berchen ar rywbeth cyffredin.

---

^{ph}Yma adferwyd adn. 36-105, a adawyd allan o'r llawysgrifau sy'n sail i'r hen Fersiwn Cymraeg.
^rFelly rhai Fersiynau. Lladin, *a ddywedi di.*   ^{rh}Yn llythrennol, *oddi wrth y pethau hyn.*
^s *a fyddit...gyda hwy.* Felly rhai Fersiynau. Lladin yn aneglur.

⁶⁰Felly hefyd y bydd y farn¹ a addewais i; gorfoleddaf am yr ychydig a achubir, oherwydd hwy yw'r rhai sydd eisoes wedi peri i rym fy ngogoniant i fynd ar led, ac y maent eisoes wedi gwneud fy enw yn hysbys. ⁶¹Ni ofidiaf am lu'r rhai a gollwyd; oherwydd hwy yw'r rhai sydd bellach wedi mynd yn debyg i darth, yn gyffelyb i fflam neu fwg, yn cynnau a llosgi a diffodd."

62 Atebais innau: "Di ddaear, ar beth yr wyt wedi esgor, os o'r llwch y daeth deall dyn, fel popeth arall a grewyd? ⁶³Byddai'n well petai'r llwch ei hun heb ei eni, a deall dyn, felly, heb ddod ohono. ⁶⁴Ond yn awr y mae'r deall yn cyd-dyfu â ni, a chawn ninnau ein harteithio o wybod ein bod yn trengi. ⁶⁵Galared yr hil ddynol, ond llawenyched yr anifeiliaid gwylltion; galared holl blant dynion, ond gorfoledded y gwartheg a'r diadelloedd. ⁶⁶Y mae'n llawer gwell arnynt hwy nag yw arnom ni; oherwydd nid ydynt yn disgwyl barn, nac yn gwybod am na phoenedigaeth nac iachawdwriaeth yn addewid iddynt ar ôl marw. ⁶⁷Ond nyni, pa fudd yw inni ein bod i'n cadw'n fyw, dim ond i ddioddef arteithiau? ⁶⁸Oherwydd y mae holl blant dynion yn gymysgedd o gamweddau, yn llawn pechodau ac wedi eu llwytho â gweithredoedd drwg. ⁶⁹Felly hwyrach y buasai'n well i ni pe na baem i ddod i farn ar ôl marw."

70 Atebodd ef fi fel hyn: "Pan oedd y Goruchaf wrthi'n creu y byd ac Adda a'i holl ddisgynyddion, yn gyntaf oll fe drefnodd y Farn a'r hyn sy'n gysylltiedig â hi. ⁷¹Yn awr, gelli amgyffred hyn ar sail dy eiriau dy hun; oherwydd dywedaist fod y deall yn cyd-dyfu â ni. ⁷²Y rheswm pam y poenydir preswylwyr y ddaear yw hyn: iddynt gyflawni camwedd er bod ganddynt ddeall; iddynt wrthod cadw'r gorchmynion er iddynt eu cael; ac er iddynt gael y gyfraith, iddynt ddirmygu'r hyn a dderbyniasant. ⁷³Beth felly a fydd ganddynt i'w ddweud yn y Farn, neu pa ateb a roddant yn yr amserau diwethaf? ⁷⁴Cyhyd o amser y bu'r Goruchaf yn amyneddgar tuag at drigolion y byd! A hynny nid er eu mwyn hwy, ond oherwydd yr amserau a ragordeiniodd ef."

Ar ôl Marw

75 "Os wyf yn gymeradwy yn dy olwg, f'arglwydd feistr," atebais i, "gwna hyn hefyd yn eglur i'th was: ar ôl marw, pan fydd pob un ohonom o'r diwedd yn ildio'i enaid, a gawn ni ein cadw yn gorffwys nes dyfod yr amserau hynny pan fyddi'n dechrau adnewyddu'r greadigaeth, neu a yw ein poenedigaeth i ddechrau ar unwaith?" ⁷⁶Atebodd ef fi â'r geiriau hyn: "Dangosaf hynny hefyd iti; ond paid â'th gynnwys dy hun ymhlith y gwawdwyr, na'th gyfrif dy hun gyda'r rhai a boenydir. ⁷⁷Oherwydd y mae gennyt ti drysor o weithredoedd da wedi ei roi i gadw gyda'r Goruchaf, ond ni chaiff ei amlygu iti hyd at yr amserau diwethaf. ⁷⁸Ond dyma sydd i'w ddweud ynglŷn â marwolaeth: pan fydd y ddedfryd derfynol wedi mynd allan oddi wrth y Goruchaf bod dyn i farw, y mae'r ysbryd yn ymadael â'r corff i ddychwelyd at yr Un a'i rhoes, ac y mae'n addoli gogoniant y Goruchaf yn gyntaf oll. ⁷⁹Ac os yw'n un o'r rheini a fu'n gwawdio ac yn gwrthod cadw ffordd y Goruchaf, ac yn dirmygu ei gyfraith ef ac yn casáu'r rhai sy'n ofni Duw, ⁸⁰ni chaiff ysbrydoedd felly fynd i mewn i'r trigfannau, ond o hynny ymlaen byddant yn crwydro mewn pocncdigacthau, bob amser yn alarus a thrist, a hynny am saith rheswm. ⁸¹Yn gyntaf, am iddynt ddiystyru ffordd y Goruchaf. ⁸²Yn ail, am na allant bellach wir edifarhau a chael byw. ⁸³Yn drydydd, fe welant y wobr sydd ynghadw ar gyfer y rhai a ymddiriedodd yng nghyfamodau'r Goruchaf. ⁸⁴Yn bedwerydd, byddant yn meddwl am y boenedigaeth sydd ynghadw ar eu cyfer hwy yn yr amserau diwethaf. ⁸⁵Yn bumed, gwelant angylion yn gwarchod trigfannau ysbrydoedd eraill mewn tawelwch mawr. ⁸⁶Yn chweched, gwelant eu bod hwy yn fuan i fynd i'w poenydio. ⁸⁷Yn seithfed—ac y mae'r rheswm hwn yn bwysicach na'r holl rai y soniwyd amdanynt eisoes—am y byddant yn nychu mewn siom, yn cael eu difa mewn cywilydd, ᵗʰ ac yn dihoeni mewn ofnau, pan welant ogoniant y Goruchaf; oherwydd pechu ger ei fron ef a wnaethant yn ystod eu bywyd, a cher ei fron ef hefyd y maent i gael eu barnu yn yr amserau diwethaf.

88 "Ond ynglŷn â'r rhai a gadwodd ffyrdd y Goruchaf, dyma drefn pethau pan ddaw'r amser iddynt hwy gael eu gwahanu oddi wrth eu llestr llygradwy.

---

¹Felly Fersiynau eraill. Lladin, *y greadigaeth*.　　ᵗʰFelly Fersiynau eraill. Lladin, *mewn anrhydeddau*.

⁸⁹Yn ystod eu hamser ar y ddaear buont yn ddyfal yn gwasanaethu'r Goruchaf ac yn dioddef perygl bob awr, er mwyn cadw cyfraith y Deddfwr yn berffaith.

⁹⁰Ar gyfrif hynny, dyma sydd i'w ddweud amdanynt hwy: ⁹¹yn gyntaf oll cânt weld, â gorfoledd mawr, ogoniant yr Un sydd yn eu derbyn; ac yna ânt i'w gorffwys, a hynny ar hyd saith gris o orfoledd. ⁹²Yn gyntaf, cânt orfoleddu am iddynt ymdrechu, â llafur mawr, i orchfygu'r meddwl drwg sy'n gynhenid ynddynt, heb adael iddo eu llithio oddi wrth fywyd i farwolaeth. ⁹³Yn ail, cânt weld y dryswch y mae eneidiau'r annuwiol yn crwydro ynddo, a'r gosb sy'n eu haros. ⁹⁴Yn drydydd, gwelant y dystiolaeth iddynt a ddygwyd gan yr Un a'u lluniodd, eu bod hwy yn ystod eu bywyd wedi cadw'r gyfraith a ymddiriedwyd iddynt. ⁹⁵Yn bedwerydd, deallant y gorffwys y maent i'w fwynhau yn awr, a hwythau wedi eu cynnull ynghyd yn eu hystafelloedd cudd a'u gwarchod mewn tawelwch mawr gan angylion, a hefyd cânt ddeall y gogoniant sydd yn eu haros yn yr amserau diwethaf. ⁹⁶Yn bumed, gorfoleddant yn y modd y bu iddynt yn awr ddianc rhag y llygradwy, a'r modd y cânt dderbyn yr hyn sydd i ddod yn etifeddiaeth; hefyd gwelant y bywyd cyfyng a phoenusᵘ y rhyddhawyd hwy ohono, a'r bywyd eang y maent ar fedr ei dderbyn, i'w fwynhau heb farw mwy. ⁹⁷Yn chweched dangosir iddynt y modd y mae eu hwynebau i ddisgleirio fel yr haul, a'r modd y maent i'w gwneud yn debyg i oleuni'r sêr, yn anllygredig mwyach. ⁹⁸Yn seithfed—ac y mae'r gris hwn yn bwysicach na'r holl rai y soniwyd amdanynt eisoes—gorfoleddant â hyder, ymddiriedant heb siom, a llawenychant heb ofn; oherwydd y maent yn prysuro i edrych ar wyneb yr Un y buont yn ei wasanaethu yn ystod eu bywyd, ac y maent ar fedr derbyn ganddo eu gwobr mewn gogoniant. ⁹⁹Dyna drefn pethau ar gyfer eneidiau'r cyfiawn, ac o hyn allan y mae'n hysbys; cyn hynny soniais am ffyrdd poenedigaeth, sydd i'w dioddef o hyn allan gan y rhai a fu'n ddifraw."

100 Atebais i fel hyn: "Pan fydd yr eneidiau wedi eu gwahanu oddi wrth y cyrff, a roddir cyfle iddynt weld yr hyn y buost yn ei ddisgrifio imi?" ¹⁰¹Meddai ef wrthyf: "Caniateir iddynt saith diwrnod; am saith diwrnod cânt weld y pethau y soniwyd amdanynt eisoes; ar ôl hynny fe'u cynullir ynghyd yn eu trigfannau."

Dydd y Farn

102 "Os wyf yn gymeradwy yn dy olwg," atebais innau, "dangos hyn hefyd i mi, dy was: ar Ddydd y Farn, a fydd yn bosibl i'r cyfiawn eiriol dros yr annuwiol, neu ymbil ar y Goruchaf am faddeuant iddynt? ¹⁰³A all tadau eiriol dros eu meibion, neu feibion dros eu rhieni? A all brodyr eiriol dros frodyr, neu berthnasau dros geraint, neu gyfeillion dros y rhai sydd anwylaf ganddynt?"

104 Atebodd ef fi fel hyn: "Yr wyt yn gymeradwy yn fy ngolwg, ac am hynny fe ddangosaf hyn hefyd i ti. Y mae Dydd y Farn yn derfynolʷ, ac yn dangos i bawb y sêl a roir ar wirionedd. Yn yr oes bresennol ni all tad anfon ei fab, neu fab ei dad, neu feistr ei gaethwas, neu gyfaill yr un sydd anwylaf ganddo, i fod yn glafʸ ar ei ran, neu i gysgu, neu i fwyta, neu i gael ei iacháu ar ei ran. ¹⁰⁵Yn yr un modd, ni all neb fyth eiriol dros rywun arall; oherwydd, yn y dydd hwnnw, bydd yn rhaid i bob unigolyn ddwyn baich ei weithredoedd drwg ei hun, neu faich ei weithredoedd da."ᵃ

106 [36] Atebais innau: "Sut, ynteu, y mae gennym dystiolaeth fod dynion wedi eiriol felly dros eraill? Yn gyntaf, dyna Abraham yn eiriol dros y Sodomiaid, ac yna Moses dros ein tadau a bechodd yn yr anialwch. ¹⁰⁷[37] Ar ei ôl ef, dyna Josua yn eiriol dros Israel yn amser Achan, ¹⁰⁸[38] a Samuel yn amser Saul. Eto, dyna Ddafydd yn eiriol oherwydd y haint ddinistriol, a Solomon dros y rhai a fyddai'n dod i'r cysegr. ¹⁰⁹[39] Beth am Elias yn eiriol dros y rhai a dderbyniodd law, a thros ddyn marw, iddo gael byw? ¹¹⁰[40] Beth am Heseceia yn eiriol dros y bobl yn amser Senacherib, a llawer o enghreifftiau eraill? ¹¹¹[41] Felly os gallai'r cyfiawn bledio dros yr annuwiol yn yr oes bresennol, pan yw llygredd wedi tyfu ac ang-

---

ᵘFelly rhai Fersiynau. Lladin yn ansicr.   ʷFelly Syrieg. Lladin, *yn eofn.*
ʸFelly Fersiynau eraill. Lladin, *i ddeall.*
ᵃGweler nodyn ᵖʰ uchod. Y mae adn. 106-140 yn cyfateb i adn. 36-70 yn yr hen Fersiwn Cymraeg, fel y dengys y rhifolion mewn bachau petryal.

hyfiawnder wedi cynyddu, pam na all hynny ddigwydd yn y dydd hwnnw?" ¹¹²[⁴²] "Nid y byd presennol hwn yw'r diwedd," atebodd ef, "ac nid yw gogoniant Duw yn aros ynddo yn barhaolᵇ; dyna'r rheswm pam y gweddïai'r rhai cryf dros y rhai gwan. ¹¹³[⁴³] Ond bydd Dydd y Farn yn ddiwedd yr oes bresennol, ac yn ddechrau i'r oes anfarwol sydd i ddod: bydd llygredd wedi darfod, ¹¹⁴[⁴⁴] anghymedroldeb wedi ei ddileu, ac anghrediniaeth wedi ei thorri ymaith; ond bydd cyfiawnder wedi tyfu i'w lawn dwf, a haul gwirionedd wedi codi. ¹¹⁵[⁴⁵] Felly, ni bydd neb yn gallu tosturio wrth un a gafwyd yn euog yn y Farn, nac ychwaith ddarostwng un a gafwyd yn ddieuog."

116 [46] Atebais innau fel hyn: "Dyma fy ngair cyntaf a'm gair olaf: y buasai'n well pe na bai'r ddaear wedi rhoi bod i Adda; neu, o roi bod iddo, pe bai wedi ei gadw fel na allai bechu. ¹¹⁷[⁴⁷] Oherwydd pa elw sydd i ni oll o fyw mewn tristwch yn y presennol, heb ddim ond cosb i ddisgwyl amdano ar ôl marw? ¹¹⁸[⁴⁸] O Adda, beth a wnaethost? Oherwydd os tydi a bechodd, nid i ti yn unig y bu'r cwymp, ond i ninnau hefyd sydd yn ddisgynyddion i ti. ¹¹⁹[⁴⁹] Pa elw yw i ni fod oes anfarwol wedi ei haddo inni, a ninnau wedi cyflawni gweithredoedd marwol; ¹²⁰[⁵⁰] bod gobaith tragwyddol wedi ei ragfynegi ar ein cyfer, a ninnau wedi mynd yn wael a diwerth; ¹²¹[⁵¹] bod trigfannau llawn iechyd a diogelwch wedi eu darparu, a ninnau wedi byw bywyd drwg; ¹²²[⁵²] bod gogoniant y Goruchaf i amddiffyn y rhai sydd wedi byw bywyd glân, a ninnau wedi rhodio yn y ffyrdd bryntaf posibl; ¹²³[⁵³] bod paradwys i gael ei datguddio, a'i ffrwyth sy'n parhau yn ddiddarfod ac yn dwyn llawnder ac iachâd, ¹²⁴[⁵⁴] a ninnau heb fynediad iddi am ein bod wedi byw mewn lleoedd anfuddiol; ¹²⁵[⁵⁵] bod wynebau'r rhai a fu'n arfer hunan-ddisgyblaeth i ddisgleirio'n oleuach na'r sêr, a'n hwynebau ninnau yn dduach na'r tywyllwch? ¹²⁶[⁵⁶] Oherwydd, yn ystod oes o wneud drygioni, nid ydym wedi ystyried beth yr ydym i'w ddioddef ar ôl marw."

127 [57] Atebodd ef fi a dweud:

"Dyma resymeg yr ornest y mae pob dyn a aned ar y ddaear yn bwrw iddi: ¹²⁸[⁵⁸] os colli a wna, bydd yn dioddef fel y dywedaist ti; ond os ennill, caiff dderbyn yr hyn yr wyf fi'n ei ddweud. ¹²⁹[⁵⁹] Oherwydd dyma'r ffordd y soniodd Moses amdani yn ei ddydd, pan ddywedodd wrth y bobl: 'Dewis fywyd i ti dy hun, a bydd fyw!' ¹³⁰[⁶⁰] Ond ni chredasant ef, na'r proffwydi ar ei ôl, na minnau chwaith, a fûm yn llefaru wrthynt. ¹³¹[⁶¹] Felly ni all y tristwch am eu dinistr hwy gael ei gymharu â'r llawenydd am iachawdwriaeth y rhai a gredoddᶜ."
¹³²[⁶²] "Gwn, f'arglwydd," atebais innau, "y gelwir y Goruchaf yn awr yn drugarog, am ei fod yn trugarhau wrth y rhai sydd hyd yma heb ddod i mewn i'r byd; ¹³³[⁶³] ac yn dosturiol, am ei fod yn tosturio wrth y rhai sydd wedi troi a derbyn ei gyfraith ef; ¹³⁴[⁶⁴] ac yn amyneddgar, am ei fod yn dangos amynedd tuag at y rhai a bechodd, yn gymaint â'u bod yn waith ei ddwylo'i hun; ¹³⁵[⁶⁵] ac yn haelionus, am ei fod yn well ganddo roi yn hytrach na mynnu derbyn; ¹³⁶[⁶⁶] ac yn fawr ei drugaredd, am ei fod yn amlhau ei drugareddau fwyfwy tuag at bobl y presennol, y gorffennol a'r dyfodol. ¹³⁷[⁶⁷] Oherwydd pe na bai ef yn amlhau ei drugareddau, ni châi'r byd a'i drigolion eu cadw'n fyw. ¹³⁸[⁶⁸] Fe'i gelwir hefyd yn gymwynaswr, oherwydd pe na bai ef, o'i ddaioni, mor fawr ei gymwynas ag i ryddhau o'u pechodau y rhai a bechodd, ni allai'r ddeg filfed ran o ddynion gael eu cadw'n fyw; ¹³⁹[⁶⁹] ac yn farnwr, oherwydd pe na bai ef yn maddau i'r rhai a grewyd gan ei air, ac yn dileu eu llu camweddau, ¹⁴⁰[⁷⁰] hwyrach na adewid ar ôl ond ychydig iawn o'r lliaws aneirif."

Ychydig a Gaiff eu Hachub

8 Atebodd yr angel fi fel hyn: "Gwnaeth y Goruchaf y byd hwn ar gyfer llawer, ond y byd sydd i ddod ar gyfer ychydig. ²Ond gad imi roi eglureb iti, Esra. Hola'r ddaear, ac fe ddywed wrthyt y rhydd hi ddigonedd o glai i wneud llestri pridd, ond ychydig iawn o'r llwch y ceir aur ohono. Yr un yw ffordd y byd hwn: ³y mae llawer, yn wir, wedi eu creu, ond ychydig a gaiff eu hachub."

ᵇFelly rhai Fersiynau. Lladin, *ac nid oes gogoniant lawer yn aros ynddo.*
ᶜFelly rhai Fersiynau. Lladin, *am y rhai a ddarbwyllwyd ynglŷn ag iachawdwriaeth.*

Esra'n Gweddïo dros Ei Bobl

4 Atebais innau: "Fy enaid, cymer ddeall i'w yfed a doethineb i'w fwyta. ⁵Oherwydd nid o'th ddewis dy hun^ch y daethost i'r byd, ac yn erbyn dy ewyllys yr wyt yn ymadael ag ef; oblegid am gyfnod byr yn unig y caniatawyd i ti fyw." ⁶Yna gweddïais: "O Arglwydd uwchben, os caniatéi i'th was ddynesu a gweddïo arnat, gosod had yn ein calon a gwrtaith i'n deall, er mwyn i ffrwyth ddod ohono a galluogi pob dyn llygredig i gael bywyd. ⁷Oherwydd un wyt ti; ac un ffurfiad, gwaith dy ddwylo di, ydym ninnau, fel y dywedaist. ⁸Gan mai ti sydd yn rhoi bywyd mewn corff a ffurfiwyd yn y groth, ac yn rhoi iddo aelodau, cedwir yr hyn a grëir gennyt yn ddiogel yng nghanol tân a dŵr, ac am naw mis y mae gwaith dy ddwylo yn goddef y creadur a greaist ynddo. ⁹Ond caiff yr hyn sy'n diogelu a'r hyn a ddiogelir ill dau eu diogelu gan dy ddiogelwch di. A phan yw'r groth wedi rhoi i fyny'r hyn a grewyd o'i mewn, ¹⁰yna, allan o aelodau'r corff, hynny yw o'r bronnau, gorchmynnaist gynhyrchu llaeth, ffrwyth y bronnau, ¹¹er mwyn maethu am beth amser yr hyn a luniwyd; ac fe fyddi'n parhau i'w gynnal ar ôl hynny yn dy drugaredd. ¹²Yr wyt yn ei feithrin â'th gyfiawnder, yn ei hyfforddi yn dy gyfraith, ac yn ei ddisgyblu â'th ddoethineb. ¹³Dy greadigaeth di, gwaith dy ddwylo, ydyw; gelli ei ladd, a gelli ei fywhau! ¹⁴Ond os wyt yn distrywio mor swta un a luniwyd wrth dy orchymyn â chymaint o lafur, beth oedd pwrpas ei greu ef? ¹⁵Yn awr yr wyf am ddweud hyn: ti sy'n gwybod orau am y ddynolryw gyfan; ond am dy bobl dy hun yr wyf fi'n poeni, ¹⁶ac am dy etifeddiaeth yr wyf yn galaru; am Israel yr wyf fi'n drist, ac am had Jacob yr wyf yn drallodus. ¹⁷Drosof fy hun, felly, a throstynt hwy, dymunwn weddïo ger dy fron, am fy mod yn gweld ein gwrthgiliadau ni, drigolion y tir; ¹⁸clywais hefyd fod y Farn i ddilyn yn gyflym. ¹⁹Am hynny gwrando ar fy llais, ac ystyria'r geiriau a lefaraf ger dy fron."

20 Dyma ddechrau gweddi Esra, cyn iddo gael ei gymryd i fyny i'r nefoedd. Meddai: "Arglwydd, yr wyt ti'n preswylio yn nhragwyddoldeb, a'th lygaid wedi eu dyrchafu, a'r nefoedd uwchben yn eiddo iti; ²¹y mae dy orsedd y tu hwnt i bob dychymyg, a'th ogoniant yn anchwiliadwy; ger dy fron saif llu'r angylion dan grynu, ²²yn cael eu troi'n wynt a thân i'th wasanaethu di; y mae dy air yn sicr a'th ymadroddion yn ddianwadal, ²³dy archiad yn gadarn a'th orchymyn yn ofnadwy; y mae dy drem yn sychu'r dyfnderau, dy ddicter yn peri i'r mynyddoedd doddi, a'th wirionedd yn para byth^d. ²⁴Clyw, Arglwydd, weddi dy was; gwrando ar ddeisyfiad creadur a luniaist, a dal sylw ar fy ngeiriau. ²⁵Tra byddaf byw, gadawer imi lefaru; tra bydd synnwyr gennyf, gadawer imi ateb.

26 "Paid ag edrych ar gamweddau dy bobl, ond edrych ar y rheini sydd wedi dy wasanaethu'n onest. ²⁷Paid â sylwi ar bethau y mae'r annuwiol yn eu ceisio, ond sylwa ar y rhai a gadwodd dy gyfamodau yng nghanol eu trallodion. ²⁸Paid â meddwl am y rhai y bu eu hymddygiad yn dwyllodrus yn dy olwg, ond cofia'r rheini sydd o'u gwirfodd wedi cydnabod eu parch tuag atat. ²⁹Paid â mynnu difetha'r rhai sydd wedi byw fel anifeiliaid, ond ystyria'r rheini a fu'n hyfforddwyr disglair yn dy gyfraith. ³⁰Paid â bod yn ddig wrth y rhai a gyfrifir yn waeth na bwystfilod, ond rho dy fryd ar y rheini y bu eu hyder bob amser yn dy ogoniant di. ³¹Oherwydd buom ni a'n tadau yn dilyn arferion angheuol, ac eto o'n hachos ni bechaduriaid y gelwir di yn drugarog; ³²oblegid os wyt yn dymuno trugarhau wrthym ni, sydd heb unrhyw weithredoedd cyfiawn ar ein helw, yna fe'th elwir yn drugarog yn wir. ³³Oherwydd y mae'r cyfiawn, gan fod ganddynt lawer o weithredoedd da wedi eu rhoi ynghadw gyda thi, yn derbyn eu tâl ar sail eu gweithredoedd eu hunain.

34 "Beth yw dyn, i ti ddigio wrtho, neu'r hil lygradwy, i ti fod mor chwerw tuag ati? ³⁵Oherwydd y gwir yw na aned neb nad yw wedi ymddwyn yn annuwiol, ac nad oes neb byw^dd nad yw wedi pechu. ³⁶Oblegid yn hyn, Arglwydd, y gwneir dy gyfiawnder a'th ddaioni di yn hysbys, sef iti fod yn drugarog tuag at y rhai nad oes ganddynt gyfalaf o weithredoedd da."

37 Atebodd ef fi fel hyn: "Y mae llawer o'r hyn a ddywedaist yn gywir, ac

---

^chFelly Syrieg. Lladin, *Oherwydd i ufuddhau.*
^ddFelly Syrieg. Lladin, *neb sy'n cyffesu dy enw.*
^dFelly rhai Fersiynau. Lladin, *yn tystio.*

yn unol â'th eiriau y bydd pethau'n digwydd. ³⁸Oherwydd, yn wir i ti, ni feddyliaf am y rhai a bechodd, am eu creu na'u marw, eu barn na'u colledigaeth; ³⁹ond gorfoleddaf yng nghreadigaeth y cyfiawn, eu pererindod hefyd, a'u hiachawdwriaeth, a'r tâl a dderbyniant. ⁴⁰Felly y dywedais, ac felly y mae.

⁴¹Oherwydd fel y mae'r ffermwr yn hau llawer o had ar y ddaear ac yn plannu llu o blanhigion, ond nad yw'r cyfan a heuwyd yn tyfu'n ddiogel yn ei bryd, na'r cyfan a blannwyd yn bwrw gwraidd; felly hefyd ni waredir pob dyn a heuwyd yn y byd hwn."

42 Meddwn innau: "Os wyf yn gymeradwy yn dy olwg, gadawer imi lefaru. ⁴³Fe all had y ffermwr fethu tyfu am nad yw wedi derbyn glaw oddi wrthyt ti yn ei iawn bryd; neu fe all bydru am ei fod wedi ei ddifetha gan ormod o law. ⁴⁴Ond dyn, a luniwyd gan dy ddwylo, a elwir yn ddelw ohonot am ei fod wedi ei wneud yn debyg i ti, hwnnw y lluniaist bopeth er ei fwyn—a wyt ti yn ei gymharu ef â had y ffermwr? ⁴⁵Na, ein Harglwydd! Yn hytrach, arbed dy bobl, a chymer drugaredd ar dy etifeddiaeth; oherwydd yr wyt yn trugarhau wrth dy greadigaeth."

46 Atebodd ef fi: "Pethau'r presennol i bobl y presennol, a phethau'r dyfodol i bobl y dyfodol! ⁴⁷Yr wyt ti ymhell o allu caru fy nghreadigaeth yn fwy nag a wnaf fi fy hun. Er hynny, paid â'th gyplysu dy hun byth mwy â'r anghyfiawn, fel yr wyt wedi gwneud yn fynych. ⁴⁸Eto ar gyfrif hynny byddi'n fawr dy glod yng ngolwg y Goruchaf, ⁴⁹am iti dy ddarostwng dy hun, fel y mae'n gweddu iti, yn hytrach na'th gyfrif dy hun ymhlith y cyfiawn ac ymffrostio'n fawr yn hynny. ⁵⁰Oherwydd daw llawer o drallodion gresynus i ran trigolion y byd yn yr amserau diwethaf, am iddynt rodio mewn balchder mawr. ⁵¹Ond tydi, meddylia amdanat dy hun, ac ymhola am y gogoniant sy'n aros i rai tebyg i ti. ⁵²Oherwydd ar eich cyfer chwi y mae Paradwys yn agored, pren y bywyd wedi ei blannu, yr oes i ddod wedi ei pharatoi, a digonedd wedi ei ddarparu; i chwi yr adeiladwyd dinas, y sicrhawyd gorffwys, ac y dygwyd daioni yn ogystal â doethineb i berffeithrwydd. ⁵³Y mae gwreiddyn drygioni wedi ei selio rhag-

och, a gwendid wedi ei ddiddymu oddi wrthych; y mae angau wedi diflannu, uffern ar ffo, a llygredigaeth yn ebargofiant; ⁵⁴aeth trallodion heibio, ac yn ddiwedd ar bopeth datguddiwyd trysor anfarwoldeb. ⁵⁵Felly paid â holi rhagor ynglŷn â'r llu a gollir. ⁵⁶Oherwydd cawsant hwythau eu rhyddid, ond yr hyn a wnaethant oedd dirmygu'r Goruchaf, diystyru ei gyfraith, a gadael ei ffyrdd ef. ⁵⁷Heblaw hynny, y maent wedi sathru ei weision cyfiawn ef, ⁵⁸a dweud ynddynt eu hunain, 'Nid yw Duw yn bod', er gwybod ohonynt yn iawn fod yn rhaid iddynt farw. ⁵⁹Fel y daw i'ch rhan chwi y pethau a soniwyd amdanynt eisoes, felly paratowyd syched a phoenedigaeth ar eu cyfer hwy. Oherwydd nid ewyllysiodd y Goruchaf fod dyn i'w ddifetha; ⁶⁰y rhai a grewyd ganddo sydd eu hunain wedi halogi enw eu gwneuthurwr, ac wedi ymddwyn yn anniolchgar tuag at yr un a ddarparodd iddynt fywyd. ⁶¹Am hynny, y mae fy marn i yn awr yn nesáu, ⁶²ond nid wyf wedi gwneud hynny'n hysbys i bawb, dim ond i ti ac i ychydig o rai tebyg i ti."

Arwyddion y Diwedd

63 "Edrych, f'arglwydd," atebais innau, "yr wyt wedi dangos imi yr arwyddion lu y byddi'n eu gwneud yn yr amserau diwethaf, ond ni ddangosaist imi pa bryd y bydd hynny."

9 Meddai'r angel wrthyf: "Cadw gyfrif gofalus dy hun, a phan weli fod cyfran arbennig o'r arwyddion y soniwyd amdanynt wedi digwydd, ²yna byddi'n deall fod yr amser yn wir wedi dod pan yw'r Goruchaf ar fedr barnu'r byd a grewyd ganddo. ³A phan fydd daeargrynfâu i'w gweld yn y byd, a chynnwrf ymhlith pobloedd, cenhedloedd yn cynllwyn, arweinwyr yn gwamalu a thywysogion yn cynhyrfu, ⁴yna byddi'n deall mai dyma'r pethau y bu'r Goruchaf yn eu rhagfynegi o'r dyddiau cyntaf oll. ⁵Oherwydd fel y mae i bopeth sy'n digwydd yn y byd ddechrau a diwedd, a'r rheini'n gwbl eglurᵉ, ⁶felly y mae hefyd gydag amserau'r Goruchaf: gwneir eu dechrau yn eglur gan ryfeddodau a gwyrthiau, a'u diwedd gan weithredoedd nerthol ac arwyddion. ⁷Pob un a achubir, ac y caniateir iddo ddianc ar gyfrif ei weithredoedd neu'r ffydd a arddelwyd

---
ᵉFelly Syrieg. Lladin yn ddiffygiol.

ganddo, [8]caiff hwnnw ei waredu rhag y peryglon a ragfynegwyd, a gweld fy iachawdwriaeth yn fy nhir, o fewn i'r terfynau a gysegrais i mi fy hun ers tragwyddoldeb. [9]Yna trewir â syndod y rhai a fu'n sarhau fy ffyrdd i; mewn poenedigaethau y pery'r rhai a fu'n eu gwrthod yn wawdlyd. [10]Pawb a fethodd f'adnabod yn ystod eu bywyd, er iddynt dderbyn bendithion gennyf; [11]pawb a wawdiodd fy nghyfraith pan oedd eu rhyddid yn dal ganddynt, [12]ac a wrthododd â dirmyg diddeall y cyfle i edifarhau pan oedd o hyd ar gael iddynt—rhaid i'r rhain ddod i'm hadnabod trwy boenedigaeth ar ôl marw. [13]Felly paid â bod yn chwilfrydig mwyach ynglŷn â sut y poenydir yr annuwiol, ond yn hytrach hola sut y caiff y cyfiawn eu hachub, ac i bwy ac er mwyn pwy y mae'r oes newydd, a pha bryd y daw."

14 Atebais innau: "Yr wyf wedi dweud hyn o'r blaen, 'rwy'n ei ddweud eto, ac fe af ymlaen i'w ddweud ar ôl hyn: [15]y mae'r rhai a gollir yn fwy eu nifer na'r rhai a achubir, [16]fel y mae ton yn fwy na diferyn o ddŵr."

17 Atebodd ef fel hyn: "Yn ôl y tir y bydd ansawdd y grawn, yn ôl y blodau y bydd ansawdd eu lliwiau, yn ôl y llafur y bydd ansawdd y cynnyrch, ac yn ôl yr amaethwr y bydd ansawdd y cynhaeaf. [18]Fe fu amser, cyn i'r byd erioed gael ei greu i ddynion fyw ynddo, pan oeddwn i eisoes yn paratoi ar gyfer y rheini sy'n bod yn awr; ni wrthwynebodd neb fi y pryd hwnnw, oherwydd nid oedd neb yn bod. [19]Y mae'r dynion a greais, er darparu bwrdd dihysbydd a chyfraith anchwiliadwy ar eu cyfer, wedi mynd yn llygredig eu moesau. [20]Yna ystyriais fy myd, a dyna lle'r oedd, wedi ei ddifetha; edrychais ar fy naear, a dyna lle'r oedd, mewn perygl oherwydd y cynllwynion a ddaethai i mewn iddi. [21]Wrth edrych, felly, o'r braidd y gallwn feddwl am arbed dynion; eto achubais i mi fy hun un gronyn oddi ar y clwstwr grawnwin, ac un planhigyn o'r fforest fawr[f]. [22]Darfydded felly am y llu pobl a anwyd i ddim pwrpas, ond cadwer fy ngronyn a'm planhigyn i; oherwydd â llafur mawr yr wyf wedi eu perffeithio hwy. [23]Yn awr, rhaid i ti aros am saith diwrnod eto. Paid ag ymprydio yn ystod yr amser hwnnw, [24]ond dos i mewn i faes â'i lond o flodau,

[f]Felly rhai Fersiynau. Lladin, o'r llwyth mawr.

heb dŷ wedi ei adeiladu yno; myn dy fwyd o blith blodau'r maes yn unig; paid â blasu cig nac yfed gwin, dim ond blodau; gweddïa hefyd ar y Goruchaf yn ddi-baid. [25]Yna fe ddof atat a siarad â thi."

Y Bedwaredd Weledigaeth

Y Gyfraith yn Aros

26 Felly, yn unol â gair yr angel imi, euthum i faes a elwir Ardat, ac yno eisteddais ymysg y blodau; llysiau'r maes oedd fy mwyd, ac fe'u cefais yn ymborth digonol. [27]Ymhen y saith diwrnod yr oeddwn yn gorwedd ar y glaswellt, a'm calon wedi ei chythryblu eto fel o'r blaen. [28]Agorais fy ngenau, a dechreuais annerch y Goruchaf fel hyn: [29]"O Arglwydd, fe'th ddangosaist dy hun yn eglur yn ein plith, sef i'n tadau yn yr anialwch; pan oeddent yn mynd allan o'r Aifft, ac yn teithio trwy'r anialwch disathr a diffrwyth, dywedaist wrthynt, [30]'Clyw fi, Israel; gwrando fy ngeiriau, had Jacob. [31]Canys wele, yr wyf yn hau fy nghyfraith ynoch chwi; bydd yn dwyn ffrwyth ynoch, a chewch eich gogoneddu'n dragwyddol drwyddi.' Ond er i'n tadau dderbyn y gyfraith, ni chadwasant hi na pharchu'r deddfau. [32]Nid bod ffrwyth y gyfraith wedi darfod amdano; ni allai hynny ddigwydd, oherwydd eiddot ti oedd y ffrwyth; [33]ond darfu am y rhai a dderbyniodd y gyfraith, am na chadwent yn ddiogel yr hyn a heuwyd ynddynt. [34]Yn awr, pan fydd y ddaear yn derbyn had, neu'r môr long, neu lestr arall fwyd neu ddiod, os collir yr had, neu'r llong, neu gynnwys y llestr, yr arfer yw [35]mai eu cynnwys a gollir, ond bod y llestri a'u derbyniodd yn aros. Ond gyda ni, nid felly y mae. [36]Oherwydd derfydd amdanom ni, bechaduriaid, y rhai a dderbyniodd y gyfraith, a derfydd am ein calon, a fu'n llestr iddi. [37]Ond ni dderfydd am y gyfraith; y mae hi'n aros yn ei gogoniant."

Y Wraig Drallodus

38 Pan oeddwn yn dweud y pethau hyn ynof fy hun, edrychais o'm cwmpas a gweld ar y dde imi wraig, a honno'n galaru ac yn wylofain â llais uchel, yn drallodus iawn ei hysbryd, ei dillad wedi eu rhwygo, a lludw ar ei phen. [39]Bwriais

o'r neilltu y pethau a fu'n llenwi fy meddwl, a throi ati hi a dweud: ⁴⁰"Pam yr wyt ti'n wylo? A pham yr wyt yn drallodus?" ⁴¹Atebodd hithau: "F'arglwydd, gad lonydd imi, i wylo drosof fy hun ac i ymollwng i'm galar, oherwydd yr wyf yn chwerw iawn fy ysbryd, a'm darostyngiad yn fawr." ⁴²"Beth sydd wedi digwydd iti?" gofynnais. "Dywed wrthyf." ⁴³Meddai hithau wrthyf: "Bûm i, dy wasanaethyddes, yn ddiffrwyth, ac er imi fod yn briod am ddeng mlynedd ar hugain nid oeddwn wedi dwyn plant. ⁴⁴A phob awr a phob diwrnod o'r deng mlynedd ar hugain hynny bûm yn gweddïo, nos a dydd, ar y Goruchaf. ⁴⁵Yna, ar ôl deng mlynedd ar hugain, gwrandawodd Duw arnaf fi, dy wasanaethferch; sylwodd ar fy narostyngiad, ystyriodd fy nhrallod, a rhoddodd imi fab. Mawr iawn oedd y llawenydd a gawsom ynddo, myfi a'm gŵr a'n holl gymdogion, a mawr iawn oedd y gogoniant a roesom i'r Duw nerthol. ⁴⁶Meithrinais ef â phob gofal, ⁴⁷ac wedi iddo dyfu'n ddyn euthum ati i gael gwraig iddo, a threfnu dydd y wledd briodas.

10 "Ond pan aeth fy mab i mewn i'w ystafell briodas, syrthiodd yn farw. ²Diffoddasom bawb ei lamp, a chododd fy nghymdogion oll i'm cysuro; arhosais innau'n dawel hyd nos drannoeth. ³Wedi iddynt hwy oll roi'r gorau i'w cais i'm cysuro a'm cadw'n dawel, codais liw nos a ffoi, a dod, fel y gweli, i'r maes hwn. ⁴A'm bwriad yw peidio â dychwelyd mwyach i'r ddinas, ond aros yma, heb fwyta nac yfed, a galaru ac ymprydio yn ddi-baid hyd angau."

⁵Yna torrais ar draws dilyniant fy myfyrdodau, ac atebais hi yn ddig fel hyn: ⁶"Ti, y ffolaf o'r holl wragedd, onid wyt yn gweld ein galar ni, a'r pethau sydd wedi digwydd inni? ⁷Y mae Seion, ein mam ni oll, yn llawn tristwch ac wedi ei llwyr ddarostwng; am hynny y dylid galaru'n ddwys. ⁸Ond yn awr, a chennym ni oll reswm yn hyn i alaru a bod yn brudd^ff, a chennym ni oll reswm yn hyn i dristáu, dyma ti yn tristáu am un mab. ⁹Gofyn i'r ddaear, ac fe ddywed hi wrthyt mai hi yw'r un a ddylai alaru, oherwydd y nifer mawr o ddynion a enir arni hi. ¹⁰Oddi wrthi hi y cafodd pawb oll eu dechreuad, ac y mae eraill eto i ddod;

a dyma hwy i gyd bron yn cerdded i'w distryw, ac yn mynd yn llu i'w tranc. ¹¹Pwy, felly, a ddylai alaru fwyaf? Onid y ddaear, a gollodd liaws mor fawr, yn hytrach na thi, nad wyt yn galaru ond am un person? ¹²Dichon y dywedi wrthyf, 'Nid yw fy ngalarnad i yn debyg i alarnad y ddaear, oherwydd fe gollais i ffrwyth fy nghroth fy hun, a ddygais i'r byd mewn gwewyr ac yr esgorais arno â phoenau; ¹³ond y mae'r ddaear yn gweithredu yn ôl ffordd y ddaear, a'r lliaws sy'n bresennol arni yn ymadael yn yr un modd ag y daethant.' Fy ateb i yw hyn: ¹⁴fel y bu i ti trwy boen roi genedigaeth, yn yr un modd y rhoes y ddaear o'r dechreuad ei ffrwyth, sef dyn, i'w Chreawdwr. ¹⁵Yn awr, felly, cadw dy ofid i ti dy hun, a dioddef yn wrol y trallodion a ddaeth arnat. ¹⁶Oherwydd os derbynni di fod dyfarniad Duw yn gyfiawn, ymhen amser fe gei dy fab yn ôl, a bydd iti glod ymhlith gwragedd. ¹⁷Dos, felly, i'r ddinas at dy ŵr."

18 "Na wnaf," atebodd hithau, "nid af i mewn i'r ddinas, ond byddaf farw yma."

19 Ond deliais ati i siarad â hi, fel hyn: ²⁰"Paid â chyflawni'r bwriad hwn," meddwn, "ond cymer dy ddarbwyllo o achos trallodion Seion, ac ymgysura o achos adfyd Jerwsalem. ²¹Oherwydd yr wyt yn gweld fel y mae ein cysegr wedi ei anghyfanheddu, ein hallor wedi ei dymchwel, a'n teml wedi ei dinistrio. ²²Y mae ein telyn dan draed, ein hemyn yn fud, a'n llawenydd wedi darfod; diffoddwyd golau ein canhwyllbren, cipiwyd ymaith arch ein cyfamod, halogwyd ein llestri sanctaidd, a dygwyd gwarth ar yr enw y'n gelwir wrtho; y mae ein pendefigion wedi dioddef amarch, ein hoffeiriaid wedi eu llosgi, ein Lefiaid wedi ymadael mewn caethiwed, ein morynion wedi eu halogi a'n gwragedd wedi eu treisio, gwŷr cyfiawn wedi eu dwyn ymaith, ein plant wedi eu gadael, ein gwŷr ifainc wedi eu gwneud yn gaethweision, a'n dewrion wedi eu gwneud yn ddi-rym. ²³A gwaeth na dim yw'r hyn a ddigwyddodd i sêl gogoniant Seion, oherwydd bellach y mae wedi ei difreinio o'i gogoniant, a'i throsglwyddo i ddwylo'r rhai sydd yn ein casáu. ²⁴Tithau, felly, bwrw ymaith dy fawr dristwch, a rho o'r neilltu dy lu

---

^ff Felly un darlleniad Lladin. Yn ôl darlleniad arall, *a'ch bod chwi yn brudd*.

trallodion, er mwyn i'r Duw nerthol ddangos ei ffafr iti, ac i'r Goruchaf roi iti lonyddwch a gorffwys oddi wrth dy drafferthion."

25 Yna'n sydyn hollol, wrth imi siarad â hi, dyma'i hwyneb yn fflachio a'i gwedd yn melltennu, fel y dychrynais rhagddi a'm holi fy hun beth oedd hyn. [26] Ac yn sydyn dyma hi'n gollwng gwaedd groch a brawychus, nes i'r ddaear grynu gan y sŵn. [27] Edrychais i fyny, ac nid y wraig a welwn mwyach, ond dinas yn cael ei hadeiladu ar sylfeini mawrion. Cefais fraw, a gwaeddais â llais uchel fel hyn: [28] "Ble mae'r angel Uriel, a ddaeth ataf yn y dechrau? Oherwydd ef a barodd imi yr holl ddryswch meddwl hwn. Gwnaethpwyd llygredigaeth yn ddiwedd imi, a throwyd fy ngweddi yn gerydd."

Uriel yn Dehongli'r Weledigaeth

29 A minnau'n llefaru'r geiriau hyn, dyma'r angel a ddaethai ataf yn y dechrau yn cyrraedd. Pan welodd fi'n [30] gorwedd fel dyn marw, a'm meddwl wedi ei ddrysu, gafaelodd yn fy llaw dde a'm cyfnerthu; cododd fi ar fy nhraed, a dweud: [31] "Beth sy'n bod arnat? Beth yw achos dy gynnwrf? Pam y mae dy ddeall, a theimladau dy galon, wedi eu cynhyrfu?" [32] "Am i ti fy llwyr adael i," atebais innau. "Oherwydd yr wyf wedi gwneud yr hyn a ddywedaist wrthyf: deuthum allan i'r maes; ac ar fy ngwir, gwelais—a gwelaf o hyd—bethau na allaf eu hadrodd."

Meddai ef wrthyf: [33] "Saf ar dy draed fel dyn, ac fe egluraf hyn i ti." [34] "Llefara, f'arglwydd," atebais innau; "yn unig paid â'm gadael i farw yn ddibwrpas. [35] Oherwydd yr wyf wedi gweld pethau, ac yr wyf yn clywed pethau sydd y tu hwnt i'm dirnadaeth—[36] os nad yw fy synhwyrau'n methu a minnau'n breuddwydio. [37] Felly 'rwy'n crefu arnat yn awr egluro'r dryswch hwn i'th was."

38 Atebodd ef fi: "Gwrando arnaf fi, ac fe'th ddysgaf, ac egluraf iti ynglŷn â'r pethau yr wyt yn eu hofni, oherwydd y mae'r Goruchaf wedi datguddio dirgelion lawer iti. [39] Oherwydd gwelodd dy ffordd uniawn, dy dristwch parhaus am dy bobl a'th fawr alar dros Seion. [40] Dyma, felly, yr esboniad ar y weledigaeth. Ychydig amser yn ôl ymddangosodd gwraig iti, [41] ac fe'i gwelaist hi'n galaru, a dechreu-

aist ei chysuro; [42] ond erbyn hyn nid ffurf y wraig yr wyt yn ei gweld, ond ymddangosodd iti ddinas yn cael ei hadeiladu. [43] Ac ynglŷn â'r hyn a ddywedodd hi wrthyt am dynged ei mab, dyma'r eglurhad. [44] Seion yw'r wraig hon a welaist, ac yr wyt yn ei chanfod yn awr fel dinas wedi ei hadeiladu. [45] Dywedodd hi wrthyt iddi fod yn ddiffrwyth am ddeng mlynedd ar hugain; yr eglurhad ar hynny yw i dair mil o flynyddoedd [g] fynd heibio yn hanes y byd cyn bod offrymu yn Seion. [46] Yna, ar ôl y tair mil o flynydd-oedd [ng], adeiladodd Solomon y ddinas ac offrymu offrymau: dyna'r amser pan roddodd y wraig ddiffrwyth enedigaeth i'w mab. [47] Ynglŷn â'r hyn a ddywedodd wrthyt, iddi ei feithrin ef yn ofalus, hwnnw oedd y cyfnod pan oedd Jerwsalem yn gyfannedd. [48] Ac ynglŷn â'r hyn a ddywedodd wrthyt am farwolaeth ei mab, wrth iddo fynd i mewn i'w ystafell briodas, ac am y trallod a ddaeth arni, dyna'r dinistr a ddaeth ar Jerwsalem. [49] Dyma, ynteu, y gyffelybiaeth a welaist ti—y wraig yn galaru am ei mab, a thithau'n dechrau ei chysuro o achos yr hyn a ddigwyddodd iddi. Dyma'r pethau yr oedd yn rhaid eu datguddio i ti. [50] A chan fod y Goruchaf yn gweld dy dristwch enaid a'th ing calon drosti, y mae ef yn awr yn dangos i ti ei ddisgleirdeb gogoneddus a'i thegwch ysblennydd. [51] Dyna'r rheswm y gorchmynnais iti aros mewn maes lle nad oes tŷ wedi ei adeil-adu, [52] oherwydd fod y Goruchaf ar fedr dangos y pethau hyn iti. [53] Felly Dywedais wrthyt am ddod i faes lle nad oes sylfaen wedi ei gosod ar gyfer unrhyw adeilad. [54] Oherwydd ni allai unrhyw adeilad o waith dyn sefyll yn y fan lle'r oedd dinas y Goruchaf i gael ei datguddio. [55] Felly paid ag ofni na gadael i'th galon arswydo, ond dos i mewn, ac i'r graddau y gall dy lygaid eu gweld, gwêl wychder a maint yr adeiladau. [56] Ar ôl hynny, cei glywed cymaint ag y mae dy glustiau yn abl i'w glywed. [57] Oherwydd yr wyt ti yn uwch dy wynfyd na'r lliaws, a chennyt enw gyda'r Goruchaf nad oes gan fwy nag ychydig. [58] Ond aros yma hyd nos yfory, [59] ac mewn breuddwydion fe ddengys y Goruchaf iti weledigaethau o'r pethau y bydd ef yn eu gwneud i'r rhai fydd yn trigo ar y ddaear yn y dyddiau diwethaf." [60] Felly, yn unol â'r gorchymyn a gefais

[g] Yn ôl rhai Fersiynau Lladin, *dair blynedd.*

[ng] Felly Fersiynau eraill. Lladin, *tair blynedd.*

ganddo, cysgais y nos honno a nos drannoeth.

Y Bumed Weledigaeth
Yr Eryr

11 Yr ail noson cefais freuddwyd, a gweld yn dod i fyny o'r môr eryr a chanddo ddeuddeg aden bluog a thri phen. ²Edrychais, a dyma'r eryr yn lledu ei adenydd dros yr holl ddaear; chwythodd holl wyntoedd y nefoedd arno ef, ac ymgasglodd y cymylau o'i gwmpas. ³Allan o'i adenydd ef gwelais wrthadenydd yn tarddu, ond heb dyfu'n ddim ond adenydd bach a phitw. ⁴Yr oedd ei bennau yn gorffwys yn llonydd; yr oedd hyd yn oed y pen canol, er ei fod yn fwy na'r pennau eraill, yn gorffwys yn llonydd gyda hwy. ⁵Wrth imi edrych, dyma'r eryr yn hedfan ar ei adenydd i ennill arglwyddiaeth ar y ddaear a'i thrigolion. ⁶Gwelais fel y gwnaed popeth dan y nefoedd yn ddarostyngedig iddo; ac ni chafodd ei wrthwynebu gan unrhyw greadur ar wyneb y ddaear, naddo gan un. ⁷Edrychais, a dyma'r eryr yn sefyll ar ei ewinedd ac yn llefaru wrth ei adenydd fel hyn: ⁸"Peidiwch oll â chadw gwyliadwriaeth yr un pryd; cysgwch bob un yn ei le, a gwylio yn ei dro; ⁹ond y mae'r pennau i'w cadw hyd yn ddiwethaf." ¹⁰Sylwais hefyd nad allan o'i bennau ef yr oedd y llais yn dod, ond o ganol ei gorff. ¹¹Rhifais ei wrth-adenydd ef, a gweld bod wyth ohonynt.

12 Wrth imi edrych, dyma un o'r adenydd ar y llaw dde yn codi ac yn teyrnasu dros yr holl ddaear. ¹³Ac yna daeth diwedd arni hi ac ar ei theyrnasiad; a diflannodd o'r golwg, ac ni welwyd ei lle mwyach. Yna cododd y nesaf, a bu hithau'n teyrnasu am amser hir. ¹⁴A phan oedd diwedd ei theyrnasiad yn agosáu, a hithau ar fin diflannu fel y gyntaf, ¹⁵dyma lais yn ei chlyw yn dweud: ¹⁶"Gwrando di, ti a fu'n rheoli'r ddaear cyhyd; y mae gennyf y neges hon i'w rhoi cyn iti ddechrau mynd o'r golwg. ¹⁷Ni chaiff neb o'th olynwyr deyrnasu am yr un hyd o amser â thi, nac yn wir am ei hanner." ¹⁸Yna cododd y drydedd aden, ac arglwyddiaethu fel ei rhagflaenwyr, a diflannodd hithau. ¹⁹Felly bu pob un o'r adenydd yn arglwyddiaethu yn ei thro, ac yna eto aethant yn llwyr o'r golwg.

20 Yna edrychais, ac ymhen amser dyma'r adenydd eraill, ar y llaw chwith ʰ, hwythau'n codi i gael arglwyddiaethu; yr oedd rhai ohonynt a wnaeth hynny, er nad heb ddiflannu ar unwaith o'r golwg, ²¹ond yr oedd eraill a gododd na chawsant deyrnasu o gwbl. ²²A phan edrychais wedyn, nid oedd y deuddeg aden, na dwy o'r adenydd bychain, i'w gweld; ²³nid oedd dim ar ôl ar gorff yr eryr ond y tri phen yn gorffwys yn llonydd, a chwech aden fechan. ²⁴Wrth imi edrych, dyma ddwy o'r chwech aden fach yn ymddidoli oddi wrth y lleill ac yn aros o dan y pen ar y dde; arhosodd y pedair arall yn eu lle. ²⁵Yna gwelais yr is-adenydd hyn yn cynllunio i'w dyrchafu eu hunain i gael teyrnasu. ²⁶Dyma un ohonynt yn codi, ond diflannodd ar unwaith; ²⁷gwnaeth yr ail yr un modd, ond diflannodd hon yn gyflymach na'r un o'i blaen. ²⁸Yna, wrth imi edrych, gwelais y ddwy oedd ar ôl yn cyd-gynllunio i gael teyrnasu eu hunain. ²⁹Ac wrth iddynt gynllunio, dyma un o'r pennau oedd yn gorffwyso—yr un yn y canol, oedd yn fwy na'r ddau arall—yn dechrau dihuno. ³⁰Gwelais hefyd iddo uno'r ddau ben arall ag ef ei hun, ³¹a throi, ynghyd â'r pennau oedd gydag ef, a bwyta'r ddwy is-aden oedd yn cynllunio i gael teyrnasu. ³²Darostyngodd y pen hwn yr holl ddaear iddo'i hun, ac arglwyddiaethu ar ei thrigolion â gormes mawr; ac yr oedd ei arglwyddiaeth fydeang ef yn rymusach nag eiddo'r holl adenydd a fu o'i flaen. ³³Ar ôl hynny edrychais eto, ac yn sydyn dyma'r pen oedd yn y canol yn diflannu, yn union fel yr adenydd. ³⁴Ond yr oedd dau ben yn aros, a buont hwythau'n teyrnasu dros y ddaear a'i thrigolion; ³⁵ac wrth imi edrych, dyma'r pen ar y dde yn llyncu'r un ar y chwith.

36 Yna clywais lais yn dweud wrthyf, "Edrych o'th flaen, ac ystyria'r hyn yr wyt yn ei weld." ³⁷Edrychais, a dyma rywbeth fel llew, wedi ei darfu o'r coed, yn rhuo; ac fe'i clywais yn llefaru wrth yr eryr â llais dyn, a dweud: ³⁸"Gwrando, 'rwyf am siarad â thi. ³⁹Y mae'r Goruchaf yn dweud wrthyt: 'Onid ti yw'r unig un sy'n aros o'r pedwar bwystfil y perais iddynt deyrnasu ar fy myd, er mwyn dirwyn fy amserau i ben drwyddynt?' ⁴⁰Ti yw'r pedwerydd i ddod, ac yr wyt

wedi trechu'r[i] holl fwystfilod a aeth o'r blaen, gan arglwyddiaethu ar y byd â braw mawr ac ar yr holl ddaear â'r gormes llymaf. Cyhyd o amser y buost[1] fyw yn y byd trwy dwyll! [41]Ac nid â gwirionedd y bernaist y ddaear. [42]Buost yn gorthrymu'r addfwyn ac yn camdrin yr heddychol; caseaist y rhai a ddywedai'r gwir, a charu celwyddwyr; dinistriaist gartrefi'r ffyniannus, a bwrw i lawr furiau rhai na wnaethant unrhyw ddrwg iti. [43]Ond y mae dy draha wedi codi i fyny at y Goruchaf, a'th falchder at yr Hollalluog. [44]Y mae'r Goruchaf wedi edrych yn ôl ar ei amserau; y maent wedi dod i ben, ac y mae ei oesoedd ef wedi eu cyflawni. [45]Felly rhaid i ti, yr eryr, ddiflannu o'r golwg yn llwyr, ynghyd â'th adenydd ofnadwy, a'th is-adenydd ysgeler, dy bennau atgas, dy ewinedd creulon, a'th holl gorff diwerth. [46]Felly, wedi ei gwaredu oddi wrth dy drais di, caiff yr holl ddaear adfywiad ac adnewyddiad; yna gall obeithio am farn ac am drugaredd yr Un a'i creodd."

12 Tra oedd y llew yn llefaru'r geiriau hyn wrth yr eryr, edrychais; [2]ac wele, diflannodd yr un pen oedd ar ôl. Yna cododd y ddwy aden a aethai drosodd ato, a'u dyrchafu eu hunain i deyrnasu; ond tlawd a therfysglyd oedd eu teyrnasiad hwy. [3]Wrth imi edrych, dyma hwythau'n dechrau diflannu, a llosgwyd holl gorff yr eryr yn fflamau, a dychrynodd y ddaear yn fawr.

Dehongli'r Weledigaeth

Dihunais innau, yn ddryslyd iawn fy meddwl ac mewn braw mawr, a dweud wrthyf fy hun: [4]"Edrych, ti dy hun a ddaeth â'r pethau hyn arnat, am dy fod yn chwilio ffyrdd y Goruchaf. [5]'Rwy'n dal yn flinedig fy meddwl ac yn lluddedig iawn fy ysbryd, ac nid oes ynof nemor ddim nerth, oherwydd yr ofn mawr a fu arnaf y nos hon. [6]Am hynny, gweddïaf yn awr ar y Goruchaf i'm cynnal hyd y diwedd." [7]Yna dywedais, "Arglwydd Iôr, os wyf yn gymeradwy yn dy olwg, os wyf wedi fy nghyfiawnhau ger dy fron yn fwy na'r lliaws, ac os yw fy ngweddi yn wir wedi codi i'th ŵydd, [8]yna nertha fi, a dangos i mi, dy was, ddehongliad manwl o'r weledigaeth arswydus hon, i ddwyn cysur llawn i'm henaid. [9]Oherwydd yr

wyt wedi barnu fy mod yn deilwng i gael dangos imi ddiwedd yr amserau a'r dyddiau diwethaf."

[10] Meddai ef wrthyf: "Dyma ddehongliad y weledigaeth hon a gefaist. [11]Yr eryr a welaist yn esgyn o'r môr yw'r bedwaredd deyrnas a ymddangosodd mewn gweledigaeth i'th frawd Daniel. [12]Ond ni roddwyd iddo ef y dehongliad yr wyf yn ei roi i ti yn awr, neu a rois iti eisoes. [13]Ystyria, y mae'r dyddiau'n dod pan gyfyd ar y ddaear deyrnas a fydd yn fwy arswydlon na'r holl deyrnasoedd a fu o'i blaen. [14]Bydd deuddeg brenin yn olynol yn llywodraethu ar y deyrnas honno, [15]ac o'r deuddeg, yr ail i ddod i'r deyrnas a fydd yn teyrnasu hwyaf. [16]Dyna'r esboniad ar y deuddeg aden a welaist. [17]Ynglŷn â'r llais a glywaist yn dod allan, nid o bennau'r eryr ond o ganol ei gorff, ac yn llefaru, [18]dyma'r esboniad ar hwnnw: yn dilyn cyfnod teyrnasiad yr ail frenin, fe gyfyd ymrafaelion nid bychan, a bydd y deyrnas mewn perygl o gwympo; eto ni chwymp y pryd hwnnw, ond fe'i hadferir i'w chyflwr cychwynnol. [19]A dyma'r esboniad ar yr wyth is-aden a welaist yn glynu wrth ei adenydd ef: [20]fe gyfyd o fewn i'r deyrnas wyth brenin, a bydd eu hamserau yn ddibwys a'u blynyddoedd yn fyr; derfydd am ddau ohonynt [21]pan fydd cyfnod canol y deyrnas yn nesáu, ond cedwir pedwar hyd at yr amser pan fydd cyfnod olaf y deyrnas yn nesáu, a chedwir dau hyd i ddiwedd ei hun. [22]Ynglŷn â'r tri phen a welaist yn gorffwys yn llonydd, [23]dyma'r esboniad: ym mlynyddoedd olaf y deyrnas, fe gyfyd y Goruchaf dri brenin[II] i ddwyn adferiad mawr iddi, a byddant hwy yn arglwyddiaethu ar y ddaear [24]a'i thrigolion â mwy o ormes na'r holl rai a fu o'u blaen. Felly fe'u gelwir hwy yn bennau'r eryr, [25]am mai hwy yw'r rhai a fydd yn gweithio'i weithredoedd annuwiol ef i'w pen, ac yn rhoi terfyn llwyr arno. [26]Ynglŷn â'r pen mwyaf a welaist yn diflannu, y mae hynny'n arwyddo y bydd farw un ohonynt yn ei wely, ond mewn arteithiau. [27]Caiff y ddau sy'n aros eu lladd â'r cleddyf; [28]oherwydd difethir un ohonynt gan gleddyf y llall, ond yn y diwedd bydd hwnnw hefyd yn syrthio gan gleddyf. [29]Ynglŷn â'r ddwy is-aden a welaist yn

---

[i]Felly rhai Fersiynau. Lladin, *Daeth y pedwerydd bwystfil a threchu'r.*
[1]Felly rhai Fersiynau. Lladin, *y buont.* [II]Felly Fersiynau eraill. Lladin, *dair teyrnas.*

mynd drosodd at y pen ar y llaw dde, [30]dyma'r esboniad: hwy yw'r rhai a gadwodd y Goruchaf hyd y diwedd a bennodd; a thlawd a therfysglyd, fel y gwelaist, fu eu teyrnasiad. [31]A'r llew a welaist yn dod o'r coed, wedi ei ddeffro ac yn rhuo, ac a glywaist yn siarad â'r eryr a'i geryddu am ei weithredoedd anghyfiawn a'i holl eiriau, [32]hwnnw yw'r Eneiniog[m], y mae'r Goruchaf wedi ei gadw hyd y diwedd. Bydd ef yn eu ceryddu hwy am eu hannuwioldeb a'u hanghyfiawnderau, ac yn gosod ger eu bron eu gweithredoedd sarhaus. [33]Oherwydd yn gyntaf bydd yn eu dwyn yn fyw i farn, ac yna, ar ôl eu profi'n euog, yn eu dinistrio. [34]Ond fe ddengys drugaredd tuag at weddill fy mhobl, pawb o fewn terfynau fy nhir a gadwyd yn ddiogel, a'u rhyddhau; bydd yn peri iddynt orfoleddu, hyd nes i'r diwedd ddod, sef y dydd barn y soniais wrthyt amdano ar y dechrau. [35]Dyna'r freuddwyd a welaist, a dyna'i dehongliad. [36]Ti'n unig, fodd bynnag, oedd yn deilwng i wybod y gyfrinach hon o eiddo'r Goruchaf. [37]Gan hynny, ysgrifenna mewn llyfr yr holl bethau hyn a welaist, a'u gosod mewn lle dirgel, [38]a dysg hwy i'r doethion hynny o blith dy bobl y gwyddost fod eu calonnau yn gallu derbyn y cyfrinachau hyn a'u cadw'n ddiogel. [39]Ond aros di yma am saith diwrnod eto, i gael pa ddatguddiad bynnag y bydd y Goruchaf yn gweld yn dda ei roi iti." Yna gadawodd yr angel fi.

Y Bobl yn Dod at Esra

40 Pan glywodd yr holl bobl fod saith diwrnod wedi mynd heibio, a minnau heb ddychwelyd i'r ddinas, daethant hwy oll ynghyd, o'r lleiaf ohonynt hyd y mwyaf, a dweud wrthyf: [41]"Pa ddrwg a wnaethom yn dy erbyn, a pha gam a wnaethom â thi, dy fod wedi'n llwyr adael ac ymsefydlu yn y lle hwn? [42]Oherwydd o'r holl broffwydi, ti yw'r unig un a adawyd i ni; yr wyt fel y sypyn olaf o rawnwin y cynhaeaf gwin, fel llusern mewn lle tywyll, ac fel hafan i long a arbedwyd rhag y storm. [43]Onid digon i ni y trallodion sydd wedi dod arnom? [44]Os bydd i ti ein gadael, byddai'n well o lawer pe baem ninnau hefyd wedi ein llosgi yn y tân a losgodd Seion; [45]oherwydd nid

ydym ni'n well na'r rhai a fu farw yno." Yna wylo a wnaethant yn uchel. Atebais innau hwy fel hyn: [46]"Ymwrola, Israel; a thithau, dŷ Jacob, gad dy dristwch. [47]Oherwydd y mae'r Goruchaf yn eich cofio, ac nid yw'r Hollalluog wedi eich gollwng dros gof am byth[n]. [48]Nid wyf finnau wedi eich gadael na chefnu arnoch, ond deuthum i'r lle hwn i weddïo dros anghyfanedd-dra Seion ac i geisio trugaredd i'ch cysegr, a ddarostyngwyd. [49]Yn awr ewch adref, bob un ohonoch; ac ar ôl y dyddiau hyn fe ddof atoch."

Y Chweched Weledigaeth
Y Dyn o'r Môr

50 Yna aeth y bobl ymaith i'r ddinas, fel y dywedais wrthynt. [51]Ond arhosais innau yn y maes am saith diwrnod, yn unol â'r gorchymyn a roddwyd imi. Blodau'r maes yn unig oedd fy mwyd; llysiau oedd fy ymborth y dyddiau hynny.

13 Ymhen y saith diwrnod cefais freuddwyd liw nos, [2]a gweld gwynt yn codi o'r môr ac yn cynhyrfu ei holl donnau ef. [3]Edrychais, a dyma'r gwynt hwnnw yn peri bod rhywbeth tebyg i ddyn yn dod i fyny o eigion y môr, a gwelais y[o] dyn hwn yn ehedeg[p] gyda chymylau'r nef. Ble bynnag y trôi ef ei wyneb i edrych, crynai popeth y syllai arno; [4]a phle bynnag yr âi llais allan o'i enau ef, toddai[ph] pob un a'i clywai, fel cŵyr yn toddi ar gyffyrddiad tân.

5 Yna gwelais lu aneirif o ddynion yn ymgynnull, o bedwar gwynt y nefoedd, i ryfela yn erbyn y dyn oedd wedi codi o'r môr. [6]Ac wrth imi edrych, dyma yntau'n naddu iddo'i hun fynydd mawr, ac yn hedfan i fyny arno. [7]Ond pan geisiais weld y man neu'r lle y naddwyd y mynydd ohono, ni allwn. [8]Yna gwelais fod ofn mawr ar bawb oedd wedi ymgynnull i geisio'i drechu ef; er hynny, yr oeddent yn dal yn eu beiddgarwch i ymladd yn ei erbyn. [9]Pan welodd ef y llu yn dod i ymosod arno, ni wnaeth gymaint â chodi ei law, ac ni ddaliai na gwaywffon nac unrhyw arf rhyfel. Yn wir, yr unig beth a welais [10]oedd y modd y tywalltai rywbeth tebyg i lifeiriant o dân o'i enau, ac anadl fflamllyd o'i wefusau; ac o'i

---

[m]Neu, *Meseia*.   [n]Felly Syrieg. Lladin, *mewn ymryson*.
[o]*gwynt hwnnw...gwelais y*. Felly Syrieg. Lladin yn ddiffygiol.
[p]Felly Fersiynau eraill. Lladin, *yn mynd yn gryf*.   [ph]Felly Syrieg. Lladin, *llosgai*.

dafod tywalltai storm o wreichion. Cymysgwyd y rhain i gyd â'i gilydd—y llifeiriant tân, yr anadl fflamllyd, a'r storm fawr—[11] a syrthiodd y crynswth hwnnw ar ben y llu ymosodwyr oedd yn barod i ymladd, a'u llosgi i gyd. Yn sydyn, nid oedd dim i'w weld o'r llu dirifedi ond lludw llychlyd ac arogl mwg. Edrychais, ac fe'm syfrdanwyd. [12] Wedyn gwelais y dyn hwnnw yn dod i lawr o'r mynydd ac yn galw ato'i hun dyrfa arall, un heddychlon. [13] Ato daeth llawer o ddynion, a'u gwedd yn amrywio: rhai yn llawen, eraill yn drist; rhai yn wir mewn rhwymau, ac eraill yn dwyn ato offrymau o blith y rhai a aberthid.

Y Dehongliad

14 Dihunais innau mewn dychryn mawr, a gweddïo ar y Goruchaf fel hyn: "O'r dechrau yr wyt wedi dangos y rhyfeddodau hyn i'th was, a'm cyfrif yn un a deilyngai dderbyn ohonot ei weddi. [15] Yn awr dangos i mi beth yw ystyr y freuddwyd hon hefyd. [16] Oherwydd, yn ôl yr hyn yr wyf fi'n ei ddeall, gwae'r rhai a adewir yn y dyddiau hynny, ond gymaint mwy y gwae i'r rhai ni adewir! [17] Oblegid bydd y rhai ni adewir yn drist, [18] am eu bod yn gwybod beth sydd ynghadw yn y dyddiau diwethaf, a hwythau'n ei golli. [19] Ond gwae hefyd y rhai a adewir, oherwydd byddant hwy'n gweld peryglon mawr a chyfyngderau lawer, fel y mae'r breuddwydion hyn yn dangos. [20] Eto i gyd, gwell dioddef y perygl a chyrraedd y pethau hyn na diflannu fel cwmwl o'r byd, heb weld yr hyn a ddigwydd yn y diwedd."

21 Atebodd fi fel hyn: "Fe ddehonglaf y weledigaeth iti, ac at hynny egluraf ynglŷn â'r pethau y buost yn siarad amdanynt. [22] Cyfeiriaist at y rhai a adewir, a dyma'r dehongliad: [23] yr un a fydd yn achos perygl yn yr amser hwnnw, ef ei hun hefyd fydd yn gwarchod yn eu perygl y rhai y mae ganddynt weithredoedd a ffydd yn yr Hollalluog. [24] Felly gwybydd mai mwy yw gwynfyd y rhai a adewir na'r eiddo y rhai a fu farw. [25] Dyma ddehongliad y weledigaeth: y dyn a welaist yn dod i fyny o eigion y môr [26] yw'r un y mae'r Goruchaf yn ei gadw'n barod drwy oesoedd lawer; bydd ef ei hun yn gwaredu ei greadigaeth ac yn

pennu tynged y rhai a adewir. [27] Ynglŷn â'r anadl a'r tân a'r storm a welaist yn dod allan o'i enau, [28] ac yntau heb na gwaywffon nac arf rhyfel yn difetha ymosodiad y llu a ddaeth i ymladd yn ei erbyn, dyma'r dehongliad: [29] y mae'r dyddiau'n wir yn dod pan fydd y Goruchaf yn dechrau gwaredu'r rhai sydd ar y ddaear. [30] Daw dryswch meddwl ar drigolion y ddaear; [31] byddant yn cynllunio rhyfel yn erbyn ei gilydd, dinas yn erbyn dinas, ardal yn erbyn ardal, cenedl yn erbyn cenedl, teyrnas yn erbyn teyrnas. [32] A phan ddaw hyn i fod, a phan ddigwyddo yr arwyddion a ddangosais iti o'r blaen, yna datguddir fy mab, sef y dyn a welaist ti yn codi o'r môr. [33] Yna, pan glyw yr holl genhedloedd ei lais ef, bydd pob un ohonynt yn gadael ei gwlad ei hun ac yn rhoi'r gorau i ryfela yn erbyn ei gilydd, [34] ac fe'u cesglir ynghyd yn un llu aneirif, fel y gwelaist, â'u bryd ar ddod a'i drechu ef. [35] Ond bydd ef yn sefyll ar ben Mynydd Seion; [36] a daw Seion yn amlwg i bawb, wedi ei chynllunio a'i hadeiladu, yn cyfateb i'r modd y gwelaist y mynydd yn cael ei naddu heb gymorth llaw dyn. [37] Bydd ef, fy mab, yn ceryddu am eu hannuwioldeb y cenhedloedd a ddaw yno; y mae hynny'n cyfateb i'r storm. Bydd hefyd yn edliw iddynt yn eu hwynebau eu bwriadau drwg a'r poenedigaethau y maent i'w dioddef; [38] hynny sy'n cyfateb i'r fflam. Ac yn ddiymdrech fe'u difetha hwy drwy'r[r] gyfraith; hynny sy'n cyfateb i'r tân. [39] Ynglŷn â'th weledigaeth ohono'n casglu tyrfa arall, un heddychlon, ato'i hun, [40] dyna'r deg llwyth a gaethgludwyd allan o'u gwlad yn nyddiau'r Brenin Hosea[rh]. Dygodd Salmaneser brenin Asyria ef yn gaeth, ac alltudio'r llwythau y tu hwnt i'r Afon, a'u dwyn i wlad arall. [41] Ond gwnaethant hwy y penderfyniad hwn rhyngddynt a'i gilydd, sef gadael y llu cenedloedd, a theithio ymlaen i wlad fwy pellennig, lle nad oedd yr hil ddynol erioed wedi trigo, [42] ac yno, o'r diwedd, gadw gofynion eu cyfraith nad oeddent wedi eu parchu yn eu gwlad eu hunain. [43] Wrth iddynt groesi ar draws mynedfeydd cyfyng Afon Ewffrates, [44] rhoddodd y Goruchaf iddynt arwyddion, gan atal ffrydiau'r afon hyd nes iddynt fynd trosodd. [45] Yr oedd eu taith drwy'r wlad honno, a elwir Arsareth, yn un hir, yn para blwyddyn a

---

[r] Felly Syrieg. Lladin, *a'r.*　　[rh] Felly rhai llawysgrifau Lladin, ond y mwyafrif, *Joseia.*

hanner. ⁴⁶Oddi ar hynny y maent wedi byw yno, hyd yr amser diwethaf hwn. Ac yn awr y maent ar fin dychwelyd, ⁴⁷ac unwaith eto bydd y Goruchaf yn atal ffrydiau'r afon iddynt gael croesi. ⁴⁸Dyna'r rheswm pam y gwelaist y dyrfa wedi ei chynnull mewn heddwch. Gyda hwy hefyd y mae'r rhai a adawyd yn weddill o'th bobl di, y rhai a geir o fewn fy nherfynau sanctaidd i. ⁴⁹Felly, pan fydd ef yn dechrau difetha'r llu cenhedloedd a gynullwyd, bydd yn gwarchod dros ei bobl a adawyd yn weddill, ⁵⁰a daw iddynt lawer o ryfeddodau mawr."

⁵¹Yna meddwn innau: "Arglwydd Iôr, eglura i mi pam y gwelais y dyn hwnnw yn codi o eigion y môr". Atebodd ef fi: ⁵²"Fel y mae'n amhosibl i unrhyw un chwilio dyfnderoedd y môr a gwybod beth sydd yno, felly hefyd ni all neb ar y ddaear weld fy mab na'r rhai sydd gydag ef, hyd oni ddaw ei ddydd. ⁵³Dyna felly ddehongliad y freuddwyd a gefaist. Ti'n unig a oleuwyd yn y pethau hyn, ⁵⁴a hynny am dy fod wedi gadael dy ffyrdd dy hun ac wedi ymroi i'm rhai i, a chwilio fy nghyfraith yn fanwl. ⁵⁵Cyfeiriaist dy fywyd i ffordd docthineb, a gelwaist ddeall yn fam i ti. ⁵⁶Dangosais hyn oll i ti, am fod i ti wobr gyda'r Goruchaf; ymhen tri diwrnod eto bydd gennyf ragor i'w ddweud wrthyt, a mynegaf iti bethau pwysfawr a rhyfeddol."

Y Seithfed Weledigaeth
Y Llais o'r Berth

57 Felly cychwynnais ar draws y maes, gan ogoneddu a chlodfori'r Goruchaf yn fawr am y rhyfeddodau a wnaeth ef yn eu pryd, ⁵⁸ac am ei fod yn llywodraethu'r amseroedd a phopeth sy'n digwydd ynddynt. Ac yno yr arhosais am dridiau.

14 Y trydydd dydd yr oeddwn yn eistedd dan dderwen, ²a dyma lais yn dod allan o berth gyferbyn â mi, a dweud, "Esra, Esra!" Atebais innau, "Dyma fi, Arglwydd." Codais ar fy nhraed, ac meddai ef wrthyf: ³"Fe'm datguddiais fy hun yn eglur yn y berth, a bûm yn siarad â Moses, pan oedd fy mhobl yn gaethweision yn yr Aifft; ⁴anfonais ef i arwain fy mhobl allan o'r Aifft, a dygais ef i fyny i Fynydd Sinai, a'i gadw yno gyda mi am ddyddiau lawer.

⁵Mynegais iddo lawer o bethau rhyfeddol, gan ddangos iddo gyfrinachau'r oesau a diwedd yr amseroedd. Rhoddais orchymyn iddo fel hyn: ⁶'Gwna'r geiriau hyn yn hysbys, a chadw'r lleill yn gyfrinach.' ⁷Ac yn awr dyma fy ngorchymyn i ti: ⁸cadw'n ddiogel yn dy galon yr arwyddion a ddangosais iti, y breuddwydion a gefaist, a'r dehongliadau a glywaist. ⁹Oherwydd fe'th ddygir di ymaith o blith dynion, ac o hynny ymlaen byddi'n aros gyda'm mab i a chyda rhai tebyg i ti, hyd ddiwedd yr amseroedd. ¹⁰Oherwydd y mae'r byd wedi colli ei ieuenctid, ac y mae'r amseroedd yn dechrau heneiddio. ¹¹Y mae oes y byd wedi ei rhannu'n ddeuddeg rhan, ac eisoes aeth naw⁵ o'r rhannau hynny heibio, a hanner y ddegfed ran; ¹²nid oes ond dwy ran ohoni'n aros, ynghyd â hanner arall y ddegfed ran. ¹³Yn awr, felly, gosod dy dŷ mewn trefn; rhybuddia dy bobl, rho gysur i'r rhai gostyngedig yn eu mysg, ac ymwâd bellach â'r bywyd llygradwy. ¹⁴Bwrw ymaith oddi wrthyt feddyliau meidrol, a thafl i ffwrdd oddi wrthyt dy feichiau dynol; ¹⁵yn awr diosg oddi amdanat dy natur wan, gosod o'r neilltu y pryderon sy'n pwyso drymaf arnat, a brysia i ffoi rhag yr amseroedd hyn. ¹⁶Oherwydd er mor fawr y drygau a welaist eisoes, y mae rhai gwaeth i ddigwydd ar ôl hyn. ¹⁷Oherwydd po fwyaf y bydd henaint yn gwanychu'r byd, amlaf y drygau a ddaw ar ei drigolion. ¹⁸Bydd gwirionedd yn cilio draw, ac anwiredd yn agosáu. Oherwydd y mae'r eryr a welaist yn dy freuddwyd eisoes yn dod ar frys."

Esra'n Ysgrifennu

19 Atebais innau fel hyn: "A gaf fi siarad¹ yn dy wyddfod, Arglwydd? Dyma fi ar fin ymadael, yn unol â'th orchymyn; fe geryddaf fi y bobl sydd yn awr yn fyw, ond pwy sydd i rybuddio'r rhai a enir ar ôl hyn? ²⁰Y mae'r byd yn gorwedd mewn tywyllwch, ac y mae ei drigolion heb oleuni. ²¹Oherwydd y mae dy gyfraith di wedi ei llosgi, ac felly ni ŵyr neb am y gweithredoedd a gyflawnydd gennyt neu sydd eto i'w cyflawni. ²²Felly, os wyf yn gymeradwy yn dy olwg, dyro ysbryd sanctaidd o'm mewn, ac ysgrifennaf holl hanes y byd o'r dechreuad, a'r pethau oedd yn ysgrifenedig yn dy gyfraith di; felly bydd yn

⁵Tebygol. Lladin, deg.   ¹Felly Fersiynau eraill. Lladin yn ddiffygiol.

bosibl i ddynion ddarganfod y llwybr, a chael byw, os dymunant hynny, yn yr amseroedd diwethaf."

23 Atebodd ef fi fel hyn: "Dos, galw'r bobl ynghyd, a dywed wrthynt nad ydynt i chwilio amdanat am ddeugain diwrnod. ²⁴Ond darpara di lawer o dabledi ysgrifennu, a chymer gyda thi Sarea, Dabria, Selemia, Ethanus ac Asiel—pump a hyfforddwyd i ysgrifennu'n gyflym. ²⁵Wedyn tyrd yma, a chyneuaf yn dy feddwl lusern deall, ac ni ddiffoddir hi nes cwblhau'r cyfan yr wyt i'w ysgrifennu. ²⁶A phan fyddi wedi gorffen, gelli wneud rhai pethau'n hysbys i bawb, ond cyflwyno eraill yn gyfrinachol i'r doethion. Y pryd hwn yfory cei ddechrau ysgrifennu."

27 Euthum allan, fel y gorchmynnodd ef imi, a galw'r holl bobl ynghyd, a dweud: ²⁸"Clyw, Israel, y geiriau hyn. ²⁹Estroniaid yn byw yn yr Aifft oedd ein tadau ni yn wreiddiol. Gwaredwyd hwy oddi yno, ³⁰a derbyniasant gyfraith bywyd. Ond ni chadwasant hi, ac yr ydych chwi hefyd ar eu hôl wedi troseddu. ³¹Yna rhoddwyd i chwi wlad yn etifeddiaeth, yn nhiriogaeth Seion; ond pechu a wnaethoch chwi a'ch tadau, heb gadw'r ffyrdd a bennodd y Goruchaf ichwi. ³²Am ei fod ef yn farnwr cyfiawn, ymhen amser fe dynnodd yn ôl oddi wrthych yr hyn yr oedd wedi ei roi. ³³Ac yn awr yr ydych chwi yma, yn alltud, ac y mae'ch brodyr ymhellach i ffwrdd na chwith. ³⁴Felly, os cadwch reolaeth ar eich deall a disgyblu eich meddwl, fe'ch cedwir yn ddiogel yn ystod eich bywyd, ac fe dderbyniwch drugaredd ar ôl marw. ³⁵Oherwydd bydd y farn yn dilyn marwolaeth; byddwn ninnau'n dod yn fyw drachefn, ac yna daw enwau'r rhai cyfiawn yn eglur, a gweithredoedd yr annuwiol yn amlwg. ³⁶Ond peidied neb â dod ataf yn awr, na'm ceisio am y deugain diwrnod nesaf."

37 Yna cymerais y pum dyn, fel y gorchmynnwyd imi, ac aethom allan i'r maes ac aros yno. ³⁸A'r dydd canlynol, dyma lais yn galw arnaf a dweud, "Esra, agor dy enau ac yf yr hyn yr wyf yn ei roi i ti i'w yfed." ³⁹Felly agorais fy ngenau, a dyma estyn imi gwpan yn llawn o rywbeth tebyg i ddŵr, ond bod ei liw fel lliw tân. ⁴⁰Cymerais ef ac yfed, a chyn gynted

ag y gwneuthum hynny dyma fy meddwl yn dylifo â dealltwriaeth, a doethineb yn mynd ar gynnydd o'm mewn; oherwydd ni chollodd cyneddfau fy ysbryd afael ar y cof. ⁴¹Felly agorwyd fy ngenau, ac nis caewyd wedyn. ⁴²Hefyd rhoddodd y Goruchaf ddeall i'r pum dyn, ac ysgrifenasant hwy yn eu trefn y pethau a ddywedwyd, gan ddefnyddio llythrennau heb fod yn wybyddus iddynt; yno y buont am y deugain diwrnod, yn ysgrifennu trwy'r dydd, ⁴³ac yn bwyta bara gyda'r nos. A minnau, yr oeddwn yn llefaru y dydd, ac nid oeddwn yn ddistaw y nos. ⁴⁴Yn y deugain diwrnod fe ysgrifennwyd naw deg a phedwar^u o lyfrau. ⁴⁵A phan gwblhawyd y deugain diwrnod, siaradodd y Goruchaf â mi fel hyn: "Gwna'n hysbys y llyfrau cyntaf a ysgrifennaist, a gad i'r rhai teilwng a'r annheilwng fel ei gilydd eu darllen, ⁴⁶ond cadw'n ôl y saith deg olaf, i'w cyflwyno i'r doethion ymhlith dy bobl. ⁴⁷Oherwydd ynddynt hwy y mae ffrwd deall, ffynnon doethineb, ac afon gwybodaeth." ⁴⁸A gwneuthum felly.

Proffwydoliaethau Pellach

Y Drygau i Ddod

15 "Llefara'n awr yng nghlyw fy mhobl y geiriau proffwydol a osodaf yn dy enau," medd yr Arglwydd, ²"a phâr eu hysgrifennu hwy ar bapur, oherwydd y maent yn eiriau ffyddlon a gwir. ³Paid ag ofni unrhyw gynllwynion yn dy erbyn, na gadael i anghrediniaeth dy wrthwynebwyr darfu arnat. ⁴Oherwydd bydd pob un nad yw'n credu yn marw yn^w ei anghrediniaeth."

5 "Edrych," medd yr Arglwydd, "yr wyf fi'n pentyrru drygau ar y byd— cleddyf a newyn, marwolaeth a dinistr— ⁶oherwydd y mae anghyfiawnder wedi ymledu dros yr holl ddaear, a throseddau dynion wedi cyrraedd eu penllanw." ⁷Am hynny dywed yr Arglwydd: ⁸"Nid wyf am gadw'n dawel bellach ynglŷn â'u pechodau a'u gweithredoedd annuwiol, na goddef eu harferion anghyfiawn. Gwêl fel y mae gwaed dieuog a chyfiawn yn galw arnaf fi, ac eneidiau'r cyfiawn yn galw'n ddi-baid. ⁹Mi fynnaf ddial eu cam hwy," medd yr Arglwydd, "a chymryd baich eu gwaed dieuog hwy i gyd arnaf fy hun. ¹⁰Edrych, y mae fy mhobl yn cael eu harwain fel praidd i'r lladdfa; ni adawaf

---

thFelly rhai Fersiynau. Lladin, *yn eich plith chwi.*
^uFelly Fersiynau eraill. Lladin, *naw cant a phedwar.*
^wNeu, *oherwydd.*

iddynt aros mwyach yng ngwlad yr Aifft, [11]ond dygaf hwy allan â llaw gadarn ac â braich ddyrchafedig, a thrawaf yr Aifft â phla, fel y gwneuthum o'r blaen, a difrodi ei holl dir. [12]Galared yr Aifft a'i holl sylfeini dan bla'r chwipio a'r cystwyo y mae'r Arglwydd yn ei ddwyn arni. [13]Galared yr amaethwyr sy'n trin y tir am fod eu had yn pallu, a'u coed yn cael eu difetha gan falltod a chenllysg, a chan dymestl[y] ofnadwy. [14]Gwae'r byd a'i drigolion! [15]Oherwydd y mae'r cleddyf wedi nesáu i ddwyn dinistr arnynt hwy. Bydd un genedl yn codi i ymladd yn erbyn y llall, â chleddyfau yn eu dwylo. [16]Anhrefn fydd rhan dynion: y naill garfan yn cael y trechaf ar y llall, ac yn eu rhwysg heb falio dim am na'r brenin na'r pennaf o'u gwŷr mawr. [17]Bydd dyn am fynd i ddinas, ond yn methu, [18]oherwydd o achos eu balchder bydd eu dinasoedd mewn terfysg, eu tai ar lawr, a'u trigolion mewn ofn. [19]Oherwydd prinder bara a chystudd mawr, ni bydd trugaredd yn cadw neb rhag ymosod ar gartref cymydog â'r cleddyf, ac ysbeilio'i feddiannau."

20 "Edrychwch," medd Duw, "yr wyf yn galw ynghyd holl frenhinoedd y ddaear i'm hofni i, o godiad haul ac o'r de, o'r dwyrain ac o Libanus; yr wyf yn eu galw i droi a dychwelyd yr hyn a roddywd iddynt. [21]Fel y maent hwy wedi gwneud hyd y dydd heddiw i'm hetholedigion i, felly y gwnaf finnau iddynt hwy wrth dalu'r pwyth yn ôl." [22]Dyma eiriau yr Arglwydd Dduw: "Ni bydd fy llaw dde yn arbed pechaduriaid, ac ni bydd y cleddyf yn ymatal rhag y rhai sy'n tywallt gwaed dieuog ar y ddacar." [23]Torrodd ei ddicter ef allan yn dân, gan ddifa'r ddaear i'w sylfeini, a'r pechaduriaid fel gwellt yn llosgi. [24]"Gwae'r rhai sy'n pechu a heb gadw fy ngorchmynion," medd yr Arglwydd; [25]"nid arbedaf hwy. Ymaith oddi wrthyf, chwi wrthgilwyr! Peidiwch â halogi fy sancteiddrwydd[a] i." [26]Y mae'r Arglwydd yn adnabod pawb sy'n ymwrthod ag ef, ac am hynny y mae wedi eu traddodi hwy i farwolaeth a distryw. [27]Oherwydd y mae drygau eisoes wedi dod ar y ddaear, ac ynddynt yr arhoswch; ni wareda Duw chwi, am ichwi bechu yn ei erbyn.

Gweledigaeth Erchyll

28 Dyma weledigaeth erchyll, yn ymddangos o gyfeiriad y dwyrain: [29]llu o ddreigiau Arabia yn dod allan mewn cerbydau lawer, ac o ddydd cyntaf eu taith eu hisian yn taenu dros yr holl ddaear, gan beri braw a dychryn i bawb o fewn clyw. [30]Yna y Carmoniaid, yn wallgof gan ddicter, yn rhuthro fel baeddod o'r goedwig, ac â'u holl rym yn bwrw i frwydr ddi-ildio â hwy, ac yn rhwygo rhandir yr Asyriaid â'u dannedd mawrion. [31]Wedyn bydd y dreigiau, o gofio'u hanian gynhenid, yn cael y trechaf, ac o droi yn cydymosod â'u holl nerth i erlid y Carmoniaid, [32]a hwythau wedi eu syfrdanu a'u distewi gan rym y dreigiau yn hel eu traed. [33]Ond bydd gelyn yn llercian i ymosod arnynt o diriogaeth yr Asyriaid, ac yn lladd un ohonynt; daw ofn ac arswyd ar eu byddin, ac ansicrwydd ar eu brenhinoedd.

34 Dyma gymylau yn ymestyn o'r dwyrain ac o'r gogledd hyd y de! Y mae eu golwg yn dra erchyll, yn llawn dicter a drycin. [35]Trawant yn erbyn ei gilydd, a gollwng dros y ddaear lu o dymhestloedd, heblaw eu tymestl[b] eu hunain; bydd gwaed a dywelltir gan y cleddyf yn cyrraedd hyd at fol ceffyl, [36]at forddwyd dyn ac at esgair camel. [37]Bydd ofn a dychryn mawr dros y ddaear, a phawb a wêl y dicter hwnnw yn crynu, wedi eu dal gan ddychryn. [38]Yna cynullir llu o gymylau o'r de ac o'r gogledd, ac eraill o'r gorllewin. [39]Ond cryfach fydd y gwyntoedd o'r dwyrain, a threch na'r cwmwl a'r sawl a'i cyffrôdd yn ei ddicter; bydd ffyrnigrwydd y dwyrcinwynt yn gyrru ar led i'r de a'r gorllewin y dymestl[c] a oedd i ddwyn dinistr. [40]Bydd cymylau mawr a chryf, yn llawn dicter, yn esgyn, a thymestl yn eu canlyn, i ddifetha'r ddaear gyfan a'i thrigolion, ac i ollwng tymestl erchyll ar y mawrion a'r enwog, [41]a hefyd dân a chenllysg a chleddyfau hedegog; bydd y dyfroedd yn llifo, nes llenwi'r holl feysydd a'r holl afonydd â'u llifeiriant helaeth. [42]Bwriant i lawr ddinasoedd a muriau, mynyddoedd a bryniau, coed y fforestydd a chnydau'r meysydd. [43]Daliant i fynd yn eu blaen hyd at Fabilon, a'i llwyr ddinistrio hi. [44]Pan ymgasglant

---

[y]Tebygol. Lladin, seren.   [a]Neu, fy nghysegr.
[b]Tebygol. Lladin, lu o sêr, heblaw eu seren.
[c]Tebygol. Lladin, seren. Felly hefyd yn adn. 40 a 44.

yno, fe'i hamgylchant hi ac arllwys ar ei phen y dymestl a'i holl ddicter; bydd y llwch a'r mwg yn codi i'r nefoedd, a bydd pawb o'i hamgylch yn galaru am Fabilon. ⁴⁵A chaethweision i'w dinistrwyr hi fydd unrhyw rai a adewir.

Tynged Asia

46 A thithau Asia, a fu'n gyfrannog o brydferthwch Babilon a'i gogoniant hi, ⁴⁷gwae di, y druan! Oherwydd yr wyt wedi ymdebygu iddi hi, gan wisgo dy ferched â phuteindra, i foddhau, ac i ymffrostio yn y cariadon a fu bob amser yn dy chwenychu di. ⁴⁸Yr wyt wedi efelychu'r butain ffiaidd yn ei holl weithredoedd a'i hystrywiau. Am hynny y mae Duw yn dweud: ⁴⁹"Anfonaf ddrygau arnat: gweddwdod a thlodi, newyn a chleddyf a haint, i ddifrodi dy gartrefi a dwyn trais a marwolaeth yn eu sgil. ⁵⁰Bydd gogoniant dy nerth yn crino fel blodeuyn, pan gyfyd y gwres a anfonir arnat. ⁵¹Byddi'n wan a thlawd gan wialenodiau, wedi dy gystwyo â chlwyfau, yn anabl mwyach i dderbyn dy gariadon nerthol. ⁵²A fyddwn i mor eiddgar yn dy erbyn," medd yr Arglwydd, ⁵³"oni bai i ti bob amser ladd fy etholedigion i, gan lawenhau a churo dwylo a gwawdio'nᶜʰ feddw uwchben eu cyrff? ⁵⁴Ymbincia! ⁵⁵Cei dâl putain yn dy boced, ac felly fe dderbynni dy wobr. ⁵⁶Fel y gwnei di i'm hetholedigion i," medd yr Arglwydd, "felly y gwna Duw i tithau, a'th fwrw i'r un drygau. ⁵⁷Bydd dy blant farw o newyn; byddi dithau'n syrthio drwy'r cleddyf, sethrir dy ddinasoedd i'r llawr, a lleddir dy holl bobl ar faes y gâd. ⁵⁸Trengi o newyn y bydd y rhai sydd yn y mynyddoedd, yn cnoi eu cnawd eu hunain ac yn yfed eu gwaed eu hunain, o eisiiau bara a syched am ddŵr. ⁵⁹Ti a fydd flaenaf mewn trueni, a daw drygau pellach i'th ran. ⁶⁰Wrth i'r gorchfygwyr fynd heibio ar eu taith yn ôl wedi dymchweliad Babilon, chwalant dy ddinas lonydd, dinistriant dy randir helaeth, a rhoi diwedd ar dy gyfran o ogoniant. ⁶¹Byddant fel tân arnat, yn dy ddifetha fel sofl o'u blaen. ⁶²Ysant di a'th ddinasoedd, dy dir a'th fynyddoedd, a llosgi'n ulw dy holl fforestydd a'th goed ffrwythlon. ⁶³Dygant ymaith dy feibion yn gaethweision, ysbeilio dy holl eiddo, a rhoi diwedd ar ogoniant dy wedd."

ᶜʰYn ôl darlleniad arall, *a siarad yn*.

16 Gwae di, Fabilon, ac Asia hefyd! Gwae di, yr Aifft, a Syria! ²Ymwregyswch â sachliain a blew geifr, galarwch a thristewch dros eich meibion, oherwydd y mae eich distryw gerllaw. ³Y mae'r cleddyf wedi ei ollwng yn eich erbyn, a phwy sydd i'w droi ymaith? ⁴Y mae tân wedi ei ollwng yn eich erbyn, a phwy sydd i'w ddiffodd? ⁵Y mae drygau wedi eu gollwng yn eich erbyn, a phwy sydd i'w gyrru yn eu hôl? ⁶A all unrhyw un yrru llew newynog yn ei ôl mewn coedwig, neu ddiffodd tân mewn sofl unwaith y bydd wedi dechrau ffaglu? ⁷A all unrhyw un droi yn ei ôl saeth a yrrwyd gan saethwr cryf? ⁸Yr Arglwydd Dduw sy'n gyrru'r drygau, a phwy sydd i'w troi yn eu hôl? ⁹Bydd tân yn mynd allan o'i lid ef, a phwy sydd i'w ddiffodd? ¹⁰Bydd yn melltennu, a phwy nid ofna? Bydd yn taranu, a phwy nid arswyda? ¹¹Yr Arglwydd fydd yn bygwth, a phwy ni lethir yn llwyr yn ei ŵydd ef? ¹²Crynodd y ddaear o'i sylfeini, a'r môr yn ymchwyddo o'i ddyfnderoedd, a'r tonnau a'r pysgod sydd ynddo yn gyffro i gyd yng ngŵydd yr Arglwydd a gogoniant ei nerth. ¹³Oherwydd nerthol yw deheulaw yr hwn sy'n anelu'r bwa, a llym yw'r saethau a ollyngir ganddo, ac unwaith ar eu ffordd ni ddiffygiant nes cyrraedd terfynau eithaf y ddaear. ¹⁴Wele ddrygau ar eu ffordd, ac ni bydd troi arnynt nes mynd ar hyd ỹ ddaear. ¹⁵Y mae'r tân yn cynnau, ac ni ddiffoddir ef nes iddo ddinistrio sylfeini'r ddaear. ¹⁶Fel nad yw saeth a ollyngir gan saethwr cydnerth yn dychwelyd, felly hefyd ni bydd troi'n ôl ar y drygau a ollyngir ar y ddaear.

17 Gwae fi, gwae fi! Pwy a'm gwared yn y dyddiau hynny? ¹⁸Dechrau gwaeau, a bydd ochneidio mawr; dechrau newyn, a bydd llawer yn marw; dechrau rhyfeloedd, a bydd pwerau mewn ofni; dechrau drygau, a bydd pawb yn crynu. Beth a wna dynion, felly, pan ddaw'r drygau yn eu grym? ¹⁹Dyna newyn a phla, cystudd a chyni, wedi eu hanfon yn fflangellau i gywiro dynion. ²⁰Eto, ynghanol hyn i gyd, ni thrônt oddi wrth eu drygioni, na chadw'r fflangellau mewn cof yn hir. ²¹Bydd bwydydd mor rhad ar y ddaear fel y cred y bobl fod eu ffyniant yn sicr, ond dyna'r union adeg y bydd drygau'n blaguro ar y ddaear—cleddyf, newyn a therfysg mawr. ²²Bydd mwyafrif trig-

olion y ddaear yn marw o newyn; a'r gweddill, y rhai a ddihangodd rhag y newyn, yn cael eu difa gan gleddyf. ²³A theflir allan y meirw fel tail, ac ni bydd neb i gynnig cysur; oherwydd gadewir y ddaear yn anghyfannedd a'i dinasoedd yn adfeilion. ²⁴Ni bydd neb ar ôl i drin y tir a'i hau. ²⁵Bydd y coed yn dwyn eu ffrwythau, ond pwy fydd i'w cynaeafu? ²⁶Bydd y grawnwin yn aeddfedu, ond pwy fydd i'w sathru? Oherwydd bydd y broydd yn anghyfannedd hollol; ²⁷bydd un dyn yn hiraethu am weld dyn arall neu glywed ei lais. ²⁸Oherwydd o ddinas gyfan gadewir deg; yng nghefn gwlad dau fydd ar ôl, yn ymguddio yn y fforestydd trwchus ac yn agennau'r creigiau. ²⁹Fel y gadewir tri neu bedwar olif ar bob coeden mewn perllan olewydd, ³⁰neu fel y gadewir rhai sypiau o rawnwin ar ôl mewn gwinllan hyd yn oed ar ôl ei chwilio'n ofalus gan gasglwyr llygatgraff, ³¹felly yn y dyddiau hynny gadewir tri neu bedwar ar ôl gan y rhai fydd yn chwilio'r tai i ladd eu trigolion â'r cleddyf. ³²Gadewir y ddaear yn anghyfannedd, a meddiennir y meysydd gan ddrysni; bydd drain yn tyfu ar ffyrdd a holl lwybrau'r ddaear, am na bydd defaid yn eu tramwyo. ³³Bydd morynion yn galaru am nad oes ganddynt ddarparwŷr, bydd gwragedd yn galaru am nad oes ganddynt wŷr, a'u merched yn galaru am nad oes iddynt neb i'w cynnal. ³⁴Lleddir darpar-wŷr y naill yn y rhyfel, a bydd gwŷr y lleill yn marw o newyn.

Pobl Dduw yn Paratoi ar gyfer y Diwedd

35 Ond gwrandewch y geiriau hyn, chwi weision yr Arglwydd, a'u hystyried yn fanwl. ³⁶Dyma air yr Arglwydd; derbyniwch ef, a pheidiwch ag amau yr hyn sydd gan yr Arglwydd i'w ddweud. ³⁷Yn wir, y mae'r drygau yn agos; nid oes dal yn ôl arnynt. ³⁸Pan yw gwraig feichiog yn ei nawfed mis, a'i hamser i esgor yn agos, bydd poenau arteithiol yn ei chroth am ddwy neu dair awr; ond yna, pan yw'r baban yn dod allan o'r groth, ni all hi ddal ei phlentyn yn ôl am un munudyn. ³⁹Felly y daw'r drygau allan dros y ddaear yn ddi-oed, a bydd y byd yn griddfan gan y poenau sy'n ei ddal o bob tu.

40 Gwrandewch ar y gair, fy mhobl; ymbaratowch ar gyfer y frwydr, ac ynghanol y drygau byddwch fel dieithriaid ar y ddaear. ⁴¹Gwertha fel un ar ffo, a phryna fel un ar dranc; ⁴²masnacha fel un heb obaith am elw, ac adeilada dŷ fel un sydd heb obaith byw ynddo. ⁴³Heua fel un na chaiff fedi, a'r un modd tocia'r gwinwydd fel un na wêl y grawnwin. ⁴⁴Priodwch fel rhai na fydd iddynt feibion, a byddwch heb briodi fel rhai a fydd yn weddwon. ⁴⁵Felly y mae'r rhai sy'n llafurio yn llafurio'n ofer; ⁴⁶estroniaid fydd yn medi eu ffrwyth hwy, gan ysbeilio eu cyfoeth a dymchwel eu tai, a chaethiwo'u meibion, oherwydd mewn caethiwed a newyn y maent yn cenhedlu plant. ⁴⁷Nid yw arian yr arianwyr yn ddim ond ysbail; po fwyaf yr addurnant eu dinasoedd, eu tai, eu meddiannau a'u cyrff eu hunain, ⁴⁸mwyaf oll y byddaf finnau'n ddig wrthynt am eu pechodau, medd yr Arglwydd. ⁴⁹Fel dicter gwraig barchus, rinweddol tuag at butain, ⁵⁰felly y bydd dicter cyfiawnder tuag at anghyfiawnder a'i holl addurniadau; fe'i cyhudda wyneb yn wyneb, pan ddaw pleidiwr yr un sy'n chwilio allan bob pechod ar y ddaear. ⁵¹Felly peidiwch ag efelychu anghyfiawnder na'i weithredoedd. ⁵²Oherwydd mewn byr amser fe'i symudir oddi ar y ddaear, a chyfiawnder fydd yn llywodraethu arnom.

53 Peidied y pechadur â dweud nad yw wedi pechu, oherwydd llosgir marwor tanllyd ar ben yr un sy'n dweud, "Nid wyf fi wedi pechu gerbron Duw a'i ogoniant ef." ⁵⁴Yn sicr y mae'r Arglwydd yn gwybod am holl weithredoedd dynion, eu cynlluniau, a'u bwriadau, a'u meddyliau dyfnaf. ⁵⁵Dywedodd ef, "Bydded daear," a daeth i fod; a "Bydded nef," a daeth hithau i fod. ⁵⁶Yn unol â'i air ef y gosodwyd y sêr yn eu lle, ac y mae eu nifer hwy yn hysbys iddo. ⁵⁷Y mae ef yn chwilio'r dyfnderoedd a'u trysorfeydd; mae wedi mesur y môr a'i gynnwys. ⁵⁸Â'i air cyfyngodd ef y môr oddi mewn i derfynau'r dyfroedd, a gosod y ddaear ynghrog uwchben y dŵr. ⁵⁹Taenodd ef y nef fel cronglwyd, a'i sefydlu goruwch y dyfroedd. ⁶⁰Gosododd ffynhonnau dŵr yn yr anialwch, a llynnoedd ar ben y mynyddoedd i ollwng afonydd i lawr o'r ucheldir i ddyfrhau'r ddaear. ⁶¹Lluniodd ef ddyn, a gosod calon yng nghanol ei gorff; rhoddodd ynddo ysbryd a bywyd a deall, ⁶²ynghyd ag anadl y Duw Hollalluog, a greodd bob peth ac sy'n chwilio pethau cuddiedig mewn mannau dirgel. ⁶³Yn ddiau y mae hwn yn gwybod am

eich cynllun chwi, ac am fwriadau eich meddwl. Gwae'r pechaduriaid a'r rhai sy'n dymuno cuddio'u pechodau! ⁶⁴Am hynny bydd yr Arglwydd yn chwilio'n fanwl eu holl weithredoedd hwy, a pheri i chwi i gyd gywilyddio. ⁶⁵Gwaradwydd fydd i chwi pan ddaw eich pechodau allan yn agored gerbron dynion; bydd eich anghyfiawnderau yn sefyll i'ch cyhuddo yn y dydd hwnnw. ⁶⁶Beth a wnewch chwi? Sut y gallwch guddio'ch pechodau oddi wrth Dduw a'i angylion? ⁶⁷Duw yn wir yw'r barnwr; ofnwch ef! Rhowch y gorau i'ch pechu, a rhowch heibio eich anghyfiawnderau, i beidio â'u cyflawni byth mwy. Yna daw Duw â chwi allan, a'ch rhyddhau o'ch holl drallodion. ⁶⁸Oherwydd yn wir y mae llu mawr â'u hawch amdanoch ar dân; fe gipiant ymaith rai ohonoch, a'ch bwydo â bwyd a offrymwyd i eilunod. ⁶⁹Caiff y rhai sy'n ildio iddynt eu gwatwar ganddynt, a'u diystyru, a'u sathru dan draed. ⁷⁰Mewn lle ar ôl lleᵈ, a thrwy'r dinasoedd cyfagos, cyfyd erledigaeth chwyrn ar y rhai

sy'n ofni'r Arglwydd. ⁷¹Fel dynion gorffwyll, ni fyddant yn arbed neb wrth anrheithio a difrodi'r rhai sy'n dal i ofni'r Arglwydd. ⁷²Oherwydd difrodant ac anrheithiant eu cyfoeth, a'u bwrw allan o'u cartrefi. ⁷³Yna bydd yn amlwg fod fy etholedigion wedi eu profi, fel aur sy'n cael ei brofi yn y tân.

74 "Gwrandewch, fy etholedigion," medd yr Arglwydd, "dyma ddyddiau'r cyfyngder wedi dod, ond fe'ch gwaredaf chwi ohonynt. ⁷⁵Peidiwch ag ofni na phetruso, oherwydd Duw yw eich arweinydd chwi. ⁷⁶Chwi sy'n cadw fy neddfau a'm gorchmynion i," medd yr Arglwydd Dduw, "peidiwch â gadael i'ch pechodau gael y gorau arnoch, nac i'ch anghyfiawnderau gael y trechaf arnoch. ⁷⁷Gwae'r rhai sydd yn rhwym gan eu pechodau ac wedi eu gorchuddio gan eu hanghyfiawnderau. Y maent fel maes wedi ei oresgyn gan lwyni, a'i lwybrᵈᵈ wedi ei orchuddio gan ddrain, heb ffordd i ddyn fynd trwyddo; ⁷⁸fe'i caeir, a'i draddodi i'w ddifa â thân."

ᵈTebygol. Lladin yn aneglur. ᵈᵈYn ôl darlleniad arall, a'i had.

LLYFR
TOBIT

Rhagair

1 Dyma hanes Tobit fab Tobiel, fab Ananiel, fab Adwel, fab Gabael, fab Raffael, fab Ragwel, o linach Asiel ac o lwyth Nafftali. [2] Yn ystod teyrnasiad Salmaneser[a] yn Asyria, fe'i cipiwyd yn gaeth o Thisbe, lle yng Ngalilea Uchaf i'r de o Cedes Nafftali ac i'r gogledd o Hasor, neu o gyfeiriad ffordd y gorllewin, i'r gogledd o Peor.[b]

Bore Oes Tobit

3 Yr oeddwn i, Tobit, wedi dilyn llwybrau'r gwirionedd a gweithredoedd da ar hyd fy mywyd, gan fod yn hael iawn fy nghymwynas i'm brodyr ac i'm cydgenedl a aeth gyda mi mewn caethiwed i Ninefe yng ngwlad yr Asyriaid. [4] Yn wir, pan ocddwn yn ŵr ifanc, a minnau'n dal i fyw ar dir Israel, fy mamwlad, cefnodd holl lwyth Nafftali, fy nghyndad, ar dŷ Dafydd[c] ac ar Jerwsalem, y ddinas a ddewiswyd o holl lwythau Israel iddynt offrymu aberthau ynddi. Yno y codwyd y deml, preswylfa Duw, a'i chysegru i'r holl genedlaethau am byth. [5] Yr oedd fy mrodyr oll, sef teulu Nafftali fy nghyndad, yn offrymu aberthau ar holl fryniau Galilea i'r llo a osododd Jeroboam brenin Israel yn Dan. [6] Ar fy mhen fy hun yn unig, felly, yr euthum droeon i Jerwsalem ar gyfer y gwyliau, fel y gorchmynnwyd i holl Israel mewn ordinhad oesol. Byddwn yn prysuro i Jerwsalem gan gymryd gyda mi y blaenffrwyth a'r cyntafanedig, degwm y gwartheg a chneifiad cyntaf y defaid, a'u rhoi i feibion Aaron, yr offeiriaid, o flaen yr allor; [7] ac yn yr un modd rhoddwn i feibion Lefi, y cynorthwywyr yn Jerwsalem, ddegwm yr ŷd, y gwin a'r olew, y pomgranadau a'r ffigys a'r ffrwythau eraill. Byddwn yn cyfrannu ail ddegwm mewn arian am y chwe blynedd, [8] ac yn mynd a'i wario yn Jerwsalem bob blwyddyn, gan ddosbarthu'r arian i'r amddifaid ac i'r gweddwon yn ogystal ag i'r proselytiaid oedd wedi eu cysylltu eu hunain â meibion Israel. Byddwn yn mynd i fyny a'i ddosbarthu iddynt bob trydedd flwyddyn. Byddem yn ei fwyta yn unol â'r ordinhad a ordeiniwyd am y pethau hyn yng Nghyfraith Moses, ac yn unol â'r gorchmynion a orchmynnodd Debora, mam Ananiel ein taid; oherwydd fe'm gadawyd yn amddifad ar ôl marwolaeth fy nhad.

Tobit yn y Gaethglud

9 Wedi i mi dyfu'n ddyn, cymerais wraig o linach ein teulu. Cefais fab ganddi a rhoi'r enw Tobias arno. [10] Pan gipiwyd fi'n gaeth i Asyria, a minnau'n un o'r gaethglud, deuthum i Ninefe. Yr oedd fy mrodyr oll a'm cyd genedl yn cymryd o fwyd y Cenhedloedd, [11] ond ymgedwais i rhag bwyta mymryn o fwyd y Cenhedloedd. [12] A chan i mi ddal yn ffyddlon i'm Duw â'm holl fryd, [13] rhoddodd y Goruchaf imi wedd a enillodd ffafr gerbron Salmaneser; myfi fyddai'n prynu pob peth at ei ddefnydd. [14] Byddwn yn teithio i Media i brynu iddo yno, hyd ei farw. Gadewais godau o arian, gwerth deg talent, yng ngwlad Media yng ngofal Gabael, brawd Gabri. [15] Pan fu farw Salmaneser, daeth ei fab Senacherib yn frenin yn ei le, ac fe ataliwyd yr hawl i deithio i Media, fel na ellais deithio yno mwyach.

16 Yng nghyfnod Salmaneser bûm yn hael iawn fy nghymwynas i'm brodyr o'm cyd-genedl: [17] byddwn yn rhannu fy mwyd â'r newynog, ac yn rhoi dillad i'r noeth; a phan ddigwyddwn daro ar un o'm cyd-genedl yn farw, a'i gorff wedi ei daflu dros furiau Ninefe, byddwn yn ei gladdu. [18] Cleddais hefyd bwy bynnag a laddwyd gan Senacherib wedi iddo ffoi yn ôl o Jwdea ar adeg y farnedigaeth a ddug Brenin y Nef arno ar gyfrif ei holl gabl-

[a] Groeg, *Enemesarus*. Felly hefyd yn adn. 13, etc.
[b] Groeg, *Phogor*.
[c] Ychwanega'r Groeg *fy nghyndad*.

eddau. Oherwydd yn ei ddicter fe laddodd lawer o feibion Israel, ond byddwn yn dwyn eu cyrff ac yn eu claddu; ac er i Senacherib chwilio amdanynt, ni ddaeth o hyd iddynt. [19]Ond aeth rhywun o blith gwŷr Ninefe a hysbysu'r brenin mai myfi oedd yn eu claddu. Ymguddiais, a phan sylweddolais fod y brenin yn gwybod amdanaf a bod chwilio amdanaf i'm lladd, cododd arswyd arnaf, a rhedais i ffwrdd. [20]Yna cipiwyd fy holl eiddo. Ni adawyd dim imi nas cymerwyd i drysorfa'r brenin, ar wahân i Anna fy ngwraig a Tobias fy mab. [21]Ond cyn pen deugain diwrnod llofruddiwyd y brenin gan ddau o'i feibion. Ffoesant hwy am loches i fynydd-dir Ararat, ac felly daeth ei fab Esarhadon[ch] yn frenin ar ei ôl. Penododd yntau Achicar fab Anael, mab fy mrawd, yn oruchwyliwr ar holl drysorlys ei deyrnas; yn wir, cafodd awdurdod dros y weinyddiaeth gyfan. [22]Yna, wedi i Achicar eiriol ar fy rhan, dychwelais i Ninefe. Oherwydd yn ystod teyrnasiad Senacherib ar yr Asyriaid, Achicar oedd â gofal cwpan a sêl y brenin; ef hefyd oedd y prif weinidog a'r trysorydd. Ailbenodwyd ef i'r swyddi hyn gan Esarhadon. Yr oedd yn nai i mi, o'r un dras yn union â mi.

Tobit yn Ddall

2 Ac Esarhadon bellach yn frenin, dychwelais adref a chael Anna fy ngwraig a Tobias fy mab yn ôl. Adeg y Pentecost, ein gŵyl sy'n ŵyl sanctaidd yr Wythnosau, darparwyd cinio ardderchog ar fy nghyfer ac eisteddais i fwyta. [2]Yr oedd y bwrdd wedi ei osod, a danteithion lawer arno ar fy nghyfer, a dywedais wrth Tobias fy mab, "Fy machgen, dos am dro, ac os digwydd iti ddod ar draws dyn tlawd o blith ein brodyr, y gaethglud yn Ninefe, ac yntau'n ffyddlon â'i holl galon, tyrd ag ef, ac fe gaiff gydfwyta â mi. A chofia, fy machgen, byddaf yn aros amdanat nes i ti ddod yn ôl." [3]Aeth Tobias allan i chwilio am rywun tlawd o blith ein brodyr. Daeth yn ôl ac meddai, "'Nhad.'" "Dyma fi, fy machgen," meddwn wrtho. "Gwrando, 'nhad," atebodd yntau, "y mae un o'n pobl wedi ei ladd, a'i gorff yn gorwedd yn y farchnadfa; cafodd ei daflu yno, wedi ei dagu, ychydig funudau yn ôl." [4]Neidiais ar fy nhraed a gadael y cinio heb ei flasu; cymerais y corff oddi ar

y briffordd a'i osod yn un o'm hystafelloedd hyd fachlud haul, er mwyn imi gael ei gladdu. [5]Yna dychwelais ac ymolchi, a bwyta fy mwyd mewn galar, [6]gan gofio geiriau'r proffwyd, y geiriau a lefarodd Amos yn erbyn Bethel, pan ddywedodd: "Troir eich gwyliau yn alar, a'ch holl ganeuon yn wylofain." Wylais innau hefyd. [7]Wedi machlud haul, euthum allan a thorri bedd a chladdu'r corff. [8]Yr oedd fy nghymdogion yn chwerthin am fy mhen a dweud, "Onid oes ofn arno bellach? Oherwydd pan geisiwyd ef i'w roi i farwolaeth am y weithred hon o'r blaen, fe redodd i ffwrdd, ond dyma fe unwaith eto'n claddu'r meirw." [9]Y noson honno, wedi imi ymolchi, euthum allan i'm cyntedd a chysgu wrth wal y cyntedd, heb orchudd ar fy wyneb o achos y gwres. [10]Ni wyddwn fod adar y to ar y wal uwch fy mhen; syrthiodd diferion o'u baw yn dwym i mewn i'm llygaid, gan ymdaenu'n smotiau gwyn drostynt. Euthum at y meddygon am driniaeth, ond po fwyaf o ennaint a roddent ar fy llygaid, llwyraf oll y collwn fy ngolwg dan y smotiau gwyn, nes i mi fynd yn gwbl ddall. Bûm heb wasanaeth fy llygaid am bedair blynedd. Yr oedd fy mrodyr oll yn gofidio amdanaf, ac am y ddwy flynedd cyn iddo ymfudo i Elymais bu Achicar yn gofalu amdanaf.

Dadl ynghylch Myn

[11]Yn ystod y cyfnod hwn bu Anna fy ngwraig yn ennill cyflog wrth waith merched. [12]Byddai'n mynd â'i gwaith at ei chyflogwyr ac yn derbyn tâl amdano. Ar y seithfed dydd o fis Dystrus, torrodd y brethyn o'r ffrâm a mynd ag ef at ei chyflogwyr. Talasant ei chyflog yn llawn a rhoi iddi yn ogystal fyn o'r praidd i fynd ag ef adref. [13]Pan ddaeth i mewn ataf, dechreuodd y myn frefu. Gelwais ar y wraig a gofyn, "O ble y daeth y myn yma? Wedi ei ddwyn y mae, onid e? Dos ag ef yn ôl i'w berchnogion. Nid oes gennym hawl i fwyta dim sydd wedi ei ddwyn." [14]"Fe'i rhoddwyd imi'n anrheg ar ben fy nghyflog," oedd ei hateb imi. Er hynny, ni allwn ei chredu, a dywedais wrthi am ei roi'n ôl i'w berchnogion. Gwridais o'i blaen o achos hyn. Yna atebodd fi fel hyn: "Beth a ddaeth o'th gymwynasau di? Beth a ddaeth o'th

---

[ch]Groeg, *Sacherdonos*, Felly hefyd yn adn. 22, etc.

weithredoedd da? Gwrando, y mae dy hanes di'n hysbys i bawb."

Gweddi Tobit

3 Daeth trallod mawr arnaf, gan beri imi ochneidio ac wylo, ac yn fy nghyfyngder dechreuais weddïo fel hyn: ²"Cyfiawn wyt ti, Arglwydd, a chyfiawn yw dy holl weithredoedd; trugarog wyt, a chywir yn dy holl ffyrdd; ti sy'n barnu'r byd. ³Cofia fi yn awr, Arglwydd, ac edrych arnaf. Paid â'm cosbi am y pechodau ac am y camweddau diarwybod yr wyf fi a'm tadau yn euog ohonynt. ⁴Yr wyf wedi pechu ger dy fron ac wedi anwybyddu dy orchmynion. Traddodaist ni, felly, i anrhaith a chaethiwed a marwolaeth, ac i fod yn ddihareb ac yn destun siarad a chyff gwawd i'r holl genhedloedd y gwasgeraist ni i'w plith. ⁵Yn wir, cywir yw dy aml farnedigaethau wrth fynnu rhoi cosb arnaf am fy mhechodau, oherwydd nid ydym wedi cadw dy orchmynion na rhodio'n gywir yn dy olwg di. ⁶Yn awr, felly, gwna â mi yn ôl dy ddymuniad. Gorchymyn gymryd fy ysbryd oddi wrthyf, imi gael fy ngollwng yn rhydd oddi ar wyneb y ddaear a'm troi yn bridd; oherwydd marw sydd fuddiol i mi, nid byw, am i mi glywed geiriau o sen celwyddog, er mawr ofid imi. Arglwydd, rho orchymyn i mi gael rhyddhad o'r cyfyngder hwn; gad imi ddianc i'r orffwysfa dragwyddol, a phaid â throi dy wyneb oddi wrthyf, Arglwydd. Oherwydd gwell i mi farw na chael bywyd o flinder mawr a gwrando ar y fath sen."

Gofid Sara, a'i Gweddi

7 Y diwrnod hwnnw digwyddodd i Sara, merch Ragwel, o Ecbatana yn Media orfod gwrando ar sen gan un o forynion ei thad. ⁸Yn awr yr oedd hi wedi ei rhoi mewn priodas i saith gŵr yn eu tro, ond fe'u lladdwyd bob un gan Asmodeus, yr ysbryd drwg, cyn iddynt gael cydorwedd â hi fel sy'n briodol i ŵr a gwraig. Ond dywedodd y forwyn wrthi, "Ti yw llofrudd dy wŷr. Er gwaethaf dy roi mewn priodas i saith o wŷr bellach, ni chefaist enw'r un ohonynt. ⁹Pam yr wyt ti'n ein cosbi ni am fod dy wŷr wedi marw? Dos i gadw cwmni â hwy. Gobeithio na welwn na mab na merch i ti byth."

10 Bu hyn yn ofid calon iddi y diwrnod hwnnw. Yn ei dagrau aeth i fyny i oruwch-ystafell ei thad gyda'r bwriad o'i

chrogi ei hun. Ond dechreuodd ailfeddwl a dweud, "Ni chânt fyth fwrw sen ar fy nhad a dweud wrtho, 'Un ferch, a honno'n annwyl, oedd i ti, ond fe'i crogodd ei hun o achos ei helbulon.' Byddai'r fath weithred yn ddigon i ddwyn fy nhad oedrannus i'r bedd o dristwch. Mwy buddiol i mi fydd peidio â'm crogi fy hun, ond gweddïo ar i'r Arglwydd ganiatáu imi farw, rhag imi ddioddef sen byth eto yn ystod fy mywyd." ¹¹Aeth ar unwaith at y ffenestr, â'i dwylo ar led, a gweddïo fel hyn: "Bendigedig wyt ti, Dduw trugarog, a bendigedig fydd dy enw yn oes oesoedd; bydded i'th holl greadigaeth dy fendithio am byth. ¹²Dyma fi wedi codi fy ngolwg a'm llygaid tuag atat; ¹³gorchymyn fy ngollwng o'r ddaear, imi beidio â dioddef y fath sen byth eto. ¹⁴Gwyddost, Arglwydd, fy mod yn lân o unrhyw aflendid gyda gŵr; ¹⁵nid wyf wedi halogi fy enw i nac enw fy nhad yn nhir fy nghaethiwed. Myfi yw unig ferch fy nhad; nid oes ganddo blentyn arall i fod yn etifedd iddo, na brawd wrth law, na pherthynas i mi fy nghadw fy hun i fod yn wraig iddo. Eisoes yr wyf wedi colli saith gŵr; pa bwrpas, felly, sydd i mi ddal i fyw? Ond, os nad yw'n rhyngu bodd i ti ganiatáu i mi farw, Arglwydd, tro dy sylw trugarog at y sen a fwriwyd arnaf."

Duw yn Gwrando Gweddïau Tobit a Sara

16 Ar yr union adeg honno, fe glywyd gweddi'r ddau gan Dduw yn ei ogoniant, ¹⁷ac anfonwyd Raffael i adfer y ddau: adfer Tobit, trwy symud y smotiau gwyn oddi ar ei lygaid, iddo gael gweld goleuni Duw â'i lygaid; ac adfer Sara, merch Ragwel, trwy ei rhoi hi'n wraig i Tobias fab Tobit, a'i rhyddhau o afael Asmodeus, yr ysbryd drwg, oherwydd Tobias oedd biau'r hawl arni o flaen pawb arall a oedd am ei phriodi. Aeth Tobit yn ôl i'w dŷ o'r cyntedd, ac ar yr un pryd yn union daeth Sara, merch Ragwel, hithau i lawr o'r oruwch-ystafell.

Cyngor Tobit i Tobias

4 Dyna'r diwrnod y cofiodd Tobit am yr arian yr oedd wedi ei adael yng ngofal Gabael yn Rhages yn Media, ²a myfyriodd ynddo'i hun fel hyn: "Gan imi weddïo am gael marw, oni ddylwn alw

Tobias fy mab ac esbonio wrtho am yr arian hwn cyn imi farw?" ³Felly, galwodd ei fab Tobias a dweud wrtho pan ddaeth ato, "Rho angladd parchus i mi, ac anrhydedda dy fam; paid â'i gadael hi'n ddigymorth tra bydd hi byw. Gwna'r hyn a fydd wrth fodd ei chalon, a phaid â pheri gofid iddi ag unrhyw weithred. ⁴Cofia, fy machgen, iddi wynebu peryglon lawer wrth dy gario di yn ei chroth. Pan fydd hi farw, rho hi i orwedd wrth fy ochr yn yr un bedd. ⁵Bydd yn ffyddlon i'r Arglwydd holl ddyddiau dy fywyd, fy machgen, heb bechu o'th ewyllys na throseddu yn erbyn ei orchmynion. Gwna weithredoedd da holl ddyddiau dy fywyd, a phaid â cherdded llwybrau drygioni; ⁶oherwydd caiff dynion cywir eu gweithredoedd lwyddiant yn eu gwaith, ⁷ac i'r cyfiawn eu gweithredoedd ¹⁹fe rydd yr Arglwydd gyngor da, ond y mae'n darostwng i ddyfnder Trigfan y Meirw unrhyw un a fyn. Cofia'r gorchmynion hyn yn awr, fy machgen, heb adael i'r un ohonynt gael ei ddileu o'th feddwl.ᵈ

20 "Ac yn awr, fy machgen, 'rwyf am i ti wybod bod gennyf ddeg darn arian ynghadw yng ngofal Gabael, brawd Gabri, yn Rhages yn Media. ²¹Ac felly, os ydym wedi mynd yn dlawd, paid â phryderu, fy machgen. Mawr fydd dy gyfoeth os bydd iti ddal i ofni Duw, gan gilio oddi wrth bob pechod a gwneud yr hyn sydd dda yng ngolwg yr Arglwydd dy Dduw."

Paratoi ar gyfer y Daith

5 Yna atebodd Tobias ei dad Tobit fel hyn: "Gwnaf bob peth yr wyt wedi ei orchymyn imi, fy nhad; ²ond sut y bydd hi'n bosibl i mi gael yr arian ganddo, ac yntau heb f'adnabod i a minnau heb ei adnabod ef? Pa arwydd a roddaf iddo, er mwyn iddo f'adnabod ac ymddiried ynof a rhoi'r arian imi? Nid wyf yn gyfarwydd â'r ffyrdd i Media, chwaith, i fynd yno." ³Yna atebodd Tobit ei fab Tobias, "Rhoddodd ei lofnod ar bapur i mi, a rhoddais innau fy llofnod iddo yntau, a thorri'r papur yn ei hanner, inni gael hanner yr un. Gadewais fy narn i gyda'r arian. Aeth ugain mlynedd heibio bellach er pan adewais yr arian yma ynghadw ganddo. Ond yn awr, fy machgen, chwilia am rywun y gellir dibynnu arno, i fynd ar y daith gyda thi. Fe dalwn gyflog iddo hyd at amser dy ddychweliad. Ac felly dos i dderbyn yr arian hwn yn ôl gan Gabael."

Tobias yn Cyfarfod Raffael

4 Aeth Tobias allan i chwilio am rywun i fynd gydag ef i Media, un a fyddai'n gyfarwydd â'r ffordd. Wedi mynd allan, fe'i cafodd ei hun wyneb yn wyneb â Raffael, yr angel, ⁵ond ni wyddai mai angel Duw oedd ef. Gofynnodd iddo, "O ble 'rwyt ti'n dod, ŵr ifanc?" "O blith meibion Israel, dy frodyr," meddai wrtho, "ac 'rwyf wedi dod yma i gael gwaith." A dyma'i holi ymhellach, "A

ᵈYn ôl darlleniad arall, ceir adnodau 7-19 fel a ganlyn: ⁷Gwna gymwynas o'th adnoddau i'r cyfiawn eu gweithredoedd, a phaid â bod yn rwgnachlyd dy olwg wrth wneud hynny. Paid â throi dy wyneb oddi wrth unrhyw ddyn tlawd, ac ni fydd wyneb Duw byth wedi ei droi oddi wrthyt ti. ⁸Gwna gymwynas yn gymesur ag amlder dy adnoddau; os ychydig ydynt, paid â bod â chywilydd gwneud cymwynas yn ôl yr ychydig sydd gennyt; ⁹oherwydd bydd yn drysor rhagorol ynghadw i ti ar gyfer amser argyfwng. ¹⁰Yn wir, y mae cymwynas yn achub dyn rhag angau; nid yw'n caniatáu iddo fynd i'r tywyllwch. ¹¹Rhodd dderbyniol gan y Goruchaf yw cymwynas, pwy bynnag sy'n ei gwneud.
¹²"Ymochel, fy machgen, rhag pob godineb; o flaen pob peth, cymer wraig o hil dy dadau. Paid â chymryd estrones yn wraig, un nad yw'n disgyn o lwyth dy dad; oherwydd meibion y proffwydi ydym ni. Cofia, fy machgen, fod Noa, Abraham, Isaac a Jacob, ein cyndadau o'r dechrau, bob un ohonynt wedi cymryd gwraig o blith eu cyd-genedl a chael bendith yn eu plant. Eu disgynyddion fydd yn etifeddu'r tir. ¹³Yn awr, felly, câr dy genedl dy hun, fy machgen; paid â bod yn rhy falch yn dy gyfrif ohonot dy hun i briodi merch o'th genedl dy hun, meibion a merched dy bobl, oherwydd y mae balchder yn esgor ar ddistryw ac anhrefn llwyr, a diogi yn esgor ar brinder a thlodi mawr—yn wir, mam newyn yw diogi.
¹⁴"Paid â chadw cyflog unrhyw weithiwr yn dy feddiant dros nos, ond tâl ei gyflog iddo ar unwaith; os wyt ti'n gwasanaethu Duw, cei dithau dy dâl. Bydd yn wyliadwrus yn dy holl weithredoedd, fy machgen, ac yn ddisgybledig yn dy holl ymddygiad. ¹⁵Paid â gwneud i neb yr hyn sy'n gas gennyt. Paid ag yfed gwin hyd at fedd-dod na chymryd medd-dod yn gydymaith iti ar dy ffordd. ¹⁶Rhanna dy dorth â'r newynog a'th ddillad â'r noethion. Rho bob peth sydd dros ben gennyt yn elusen, a phaid â bod yn rwgnachlyd dy olwg wrth ei roi. ¹⁷Tywallt dy fara ar fedd y cyfiawn, ond paid â rhoi dim i bechaduriaid. ¹⁸Ceisia gyngor gan bob dyn doeth, a phaid â dirmygu unrhyw gyngor buddiol. ¹⁹Bendithia'r Arglwydd dy Dduw ar bob achlysur, a gweddïa ar iddo hyrwyddo dy ffyrdd a rhoi llwyddiant i ti yn dy holl lwybrau a'th amcanion; oherwydd nid oes gan un o'r Cenhedloedd y fath gyngor; yr Arglwydd ei hun sy'n rhoi pob peth da. Y mae'n darostwng unrhyw un a fyn, yn ôl ei ewyllys. Cofia'r gorchmynion hyn yn awr, fy machgen, heb adael i'r un ohonynt gael ei ddileu o'th feddwl.

wyt ti'n gyfarwydd â'r ffordd i fynd i
Media?" ⁶"Ydwyf," oedd ei ateb,
"bûm yno droeon. 'Rwy'n gyfarwydd o
brofiad â phob cam o'r ffordd. Bûm ar
deithiau mynych i Media, a lletya yn nhŷ
Gabael, ein brawd, sy'n byw yn Rhages
yn Media. Fe'i cyfrifir yn daith dau
ddiwrnod cyfan o Ecbatana i Rhages,
oherwydd y mae'n gorwedd yn y
mynydd-dir." ⁷"Aros amdanaf, ŵr
ifanc," meddai wrtho, "'rwyf am fynd i'r
tŷ a rhoi gwybod i'm tad, oherwydd y
mae arnaf dy angen i deithio gyda mi, ac
mi ofalaf fi am dalu dy gyflog." ⁸"O'r
gorau," atebodd yntau, "disgwyliaf am-
danat, ond paid â bod yn rhy hir."

Tobit yn Cyfarfod Raffael

Aeth Tobias i'r tŷ, felly, a rhoi gwybod
i'w dad Tobit. "Gwrando," meddai,
"'rwyf wedi taro ar gydymaith o blith ein
brodyr, meibion Israel." "Tyrd â'r dyn
ataf," atebodd yntau, "i mi gael gwybod
beth yw ei hil a'i linach, a gweld a ellir
ymddiried ynddo fel cydymaith i ti, fy
machgen."
9 Aeth Tobias allan a galw arno. "Y
mae 'nhad am dy weld di, ŵr ifanc,"
meddai wrtho. Pan ddaeth i'r tŷ ato,
Tobit oedd gyntaf â'i gyfarchiad. Ym-
atebodd yntau fel hyn: "A phob dymun-
iad da i tithau!" Ond ateb Tobit oedd:
"Pa dda y gellir ei ddymuno i mi, bellach,
a minnau heb wasanaeth fy llygaid? Ni
allaf weld golau dydd; yr wyf wedi fy
ngosod mewn tywyllwch, fel y meirw nad
ydynt mwyach yn gweld y golau. Er yn
fyw, 'rwyf yng nghwmni'r meirw; 'rwy'n
clywed lleisiau dynion, ond ni allaf eu
gweld." "Cod dy galon," meddai Raffael
wrtho, "y mae ym mwriad Duw dy
iacháu gyda hyn; cod dy galon!" Yna
esboniodd Tobit iddo fel hyn: "Y mae
Tobias fy mab am deithio i Media. A elli
di fynd gydag ef a'i arwain yno? Fe
ofalaf fi y cei di dy gyflog, fy mrawd."
Atebodd yntau, "Gallaf, mi af gydag ef.
'Rwy'n gyfarwydd â'r ffyrdd i gyd, am i
mi fod droeon yn Media a thramwyo'i
holl diroedd gwastad yn ogystal â'i
mynyddoedd. 'Rwy'n adnabod ei ffyrdd
i gyd." ¹⁰Yna gofynnodd Tobit iddo, "Fy
mrawd, i ba deulu ac i ba lwyth yr wyt ti'n
perthyn? Dywed wrthyf, fy mrawd."
"Pa angen sydd i ti wybod am fy
llwyth?" gofynnodd yntau. ¹¹"Yr wyf

am wybod y gwir am dy achau, fy
mrawd," meddai Tobit. "Beth yw dy
enw?" ¹²Yna dywedodd wrtho,
"Asarias wyf fi, mab Ananias yr hynaf,
o blith dy frodyr."
13 Ymatebodd yntau, "Bendith arnat!
Duw a'th gadwo ar y daith, fy mrawd!
Paid â dal dig yn fy erbyn, fy mrawd, am
i mi fynnu gwybod y gwir am dy deulu.
Fel y digwydd, 'rwyt ti'n un o'n brodyr ac
yn barchus a theilwng dy linach. Yr
oeddwn yn adnabod Ananias a Nathan,
dau fab Semelias yr hynaf. Yr oeddent yn
arfer mynd ar bererindod i Jerwsalem
gyda mi, ac yn addoli gyda mi yno. Nid
aethant ar gyfeiliorn. Yr oedd dy frodyr
yn ddynion da. Yr wyt ti'n tarddu o dras
enwog. Ac felly bendith ar dy siwrnai!"
¹⁴Ychwanegodd, "Rhof iti ddrachma y
dydd yn gyflog, a'th dreuliau angenrheid-
iol, yr un fath ag i'm mab; ¹⁵ac os cedwi di
wrth ochr fy mab ar hyd y daith, yna fe
ychwanegaf at dy gyflog." ¹⁶"Af gydag
ef," atebodd, "a phaid ag ofni. Yn iach yr
ymadawn â thi, ac yn iach y dychwelwn
atat, oherwydd y mae'r ffordd yn
ddiogel." "Bendith arnat, fy mrawd,"
meddai Tobit wrtho. Yna galwodd ei fab a
dweud wrtho, "Fy machgen, gwna dy
baratoadau ar gyfer y daith, a dos gyda'th
frawd. Boed i Dduw, sydd yn y nefoedd,
eich cadw'n ddiogel ar y ffordd yno, a
dod â chwi'n ôl ataf yn holliach. A boed
i'w angel fod gyda chwi ar y ffordd, fy
machgen, er diogelwch." Wrth ymadael i
gychwyn ar ei daith, cusanodd ei dad a'i
fam, a chanodd Tobit yn iach iddo.
17 Ond dyma'i fam yn torri i wylo a
chwyno wrth Tobit fel hyn: "Pam yr wyt
ti wedi anfon fy machgen i ffwrdd? Onid
ef yw'r ffon, megis, y pwyswn arni, ac
yntau'n mynd a dod yn ein gwasanaeth?
¹⁸Paid â phrysuro i hel arian at arian, ond
er mwyn ein bachgen, cymer fod yr arian
wedi ei golli. ¹⁹Digon i ni yw'r math o
fywyd sydd wedi ei roi inni gan yr
Arglwydd." ²⁰"Paid â hel meddyliau,"
meddai wrthi, "yn holliach y mae ein
bachgen yn dechrau ar ei daith, ac yn
holliach y daw'n ôl atom. Caiff dy lygaid
di ei weld yn fyw ac yn iach ar y dydd y
daw'n ôl atat. ²¹Paid â hel meddyliau, na
phoeni amdanynt, fy chwaer, oherwydd
bydd angel da yn gydymaith iddo, i
hyrwyddo'i ffordd a dod ag ef yn ôl yn
holliach." ²²Yna distawodd hithau, a
pheidio ag wylo.

Tobias yn Dal Pysgodyn

6 Cychwynnodd y bachgen ar ei daith, a'r angel gydag ef; aeth y ci hefyd yn gydymaith iddynt. Aethant yn eu blaen ill dau nes i'r nos eu dal, a threuliasant y noson gyntaf honno ar lan Afon Tigris. ²Aeth y bachgen i lawr i olchi ei draed yn Afon Tigris, a dyma bysgodyn mawr yn neidio allan o'r dŵr gan geisio llyncu troed y bachgen. ³Gwaeddodd y bachgen, ond meddai'r angel wrtho, "Gafael yn y pysgodyn a chydia'n dynn ynddo." Cafodd y bachgen y trechaf ar y pysgodyn a'i dynnu i'r lan. ⁴"Hollta'r pysgodyn," meddai'r angel wrtho, "a thyn allan ei fustl, ei galon a'i afu, a'u cadw gyda thi, ond tafla'r perfedd i ffwrdd; oherwydd y mae i'r bustl, y galon a'r afu eu defnydd fel meddyginiaeth." ⁵Holltodd y bachgen y pysgodyn, felly, a chasglu'r bustl, y galon a'r afu. Yna ffriodd ddarn o'r pysgodyn a'i fwyta, a chadw'r gweddill wedi ei halltu. Teithiodd y ddau ymlaen gyda'i gilydd nes iddynt ddod yn agos i Media. ⁶Yna holodd y bachgen yr angel: "Asarias, fy mrawd," meddai wrtho, "beth yw'r feddyginiaeth sydd gan galon y pysgodyn, a'i afu a'i fustl?" ⁷Atebodd yntau, "Os llosgi di galon ac afu pysgodyn o flaen gŵr neu wraig a flinir gan gythraul neu ysbryd drwg, bydd y mwg yn peri i bob blinder gilio oddi wrthynt, ac ni chaiff y cythreuliaid feddiant arnynt byth mwy. ⁸A'r bustl, os eneini lygaid dyn ag ef pan fydd smotiau gwyn wedi ymdaenu drostynt, ac os chwythi ar y smotiau gwyn, daw'r llygaid yn holliach."

Cyrraedd Media

9 Wedi iddo fynd i mewn i Media, ac yntau erbyn hyn ar fin cyrraedd Ecbatana, ¹⁰dywedodd Raffael wrth y bachgen, "Tobias, fy mrawd." "Dyma fi," atebodd yntau. "Rhaid inni letya heno yn nhŷ Ragwel, sy'n berthynas iti," meddai wrtho. "Y mae ganddo ferch o'r enw Sara. Nid oes ganddo blentyn, na mab na merch, ar wahân i Sara yn unig, ¹¹a thi yw ei pherthynas agosaf, ac yn meddu'r hawl i'w chael yn etifeddiaeth rhagor undyn arall, a'r hawl hefyd i etifeddu holl eiddo ei thad. ¹²Y mae hi'n ferch gall a dewr ac eithriadol brydferth, a'i thad yn ddyn nobl." Ychwanegodd, "Y mae'n iawn i ti ei chael hi'n wraig.

Gwrando arnaf, felly, fy mrawd. Siaradaf â'i thad heno am y ferch, er mwyn inni ei chael hi'n ddyweddi iti. A phan ddychwelwn o Rhages cawn ddathlu ei phriodas. Y mae gennyf wybodaeth sicr na all Ragwel ei gwrthod i ti, na'i dyweddïo i neb arall, gan y byddai felly yn haeddu marwolaeth yn ôl dyfarniad llyfr Moses, oherwydd y mae'n gwybod mai braint i ti rhagor undyn arall yw etifeddu ei ferch yn wraig. Gwrando arnaf yn awr, fy mrawd. Cawn siarad am y ferch heno, a'i dyweddïo i ti, a phan ddychwelwn o Rhages fe'i cymerwn hi'n wraig iti a mynd â hi'n ôl gyda ni i'th gartref."

13 Ond atebodd Tobias Raffael fel hyn: "Asarias, fy mrawd, clywais ei bod hi wedi ei rhoi mewn priodas i saith gŵr yn barod, a'u bod wedi marw yn yr ystafell briodas, bob un. Y noson yr aent i mewn i gydorwedd â hi byddent farw. ¹⁴Clywais sôn mai cythraul oedd yn eu lladd. Y mae arnaf ofn rhag i minnau farw. Er nad yw'r cythraul yn gwneud dim niwed iddi hi, y mae'n lladd unrhyw un a gais ddod yn agos ati. A minnau'n unig blentyn fy nhad, y mae arnaf ofn dwyn bywyd fy nhad a'm mam i'r bedd o alar amdanaf, a hwythau heb fab arall i'w claddu." ¹⁵Ond dyma Raffael yn gofyn iddo, "Onid wyt ti'n cofio gorchmynion dy dad, pan ddywedodd wrthyt am briodi gwraig o blith teulu dy dad? Gwrando yn awr, felly, fy mrawd, a phaid â phryderu ynghylch y cythraul hwn. Prioda hi. 'Rwy'n gwybod y bydd hi heno yn cael ei rhoi'n wraig iti. ¹⁶Ond pan ei di i mewn i'r ystafell briodas, cymer ddarn o afu'r pysgodyn a'i galon, a'u taenu ar farwor offrwm yr arogldarth. ¹⁷Bydd yr arogl yn codi a'r cythraul yn ei glywed ac yn ffoi. Ni ddaw llun ohono ar ei chyfyl hi byth mwy. A phan fyddi di ar glosio ati yn y gwely, codwch eich dau yn gyntaf a gweddïwch. Deisyfwch ar Arglwydd y nef ar iddo fod yn drugarog wrthych a'ch gwaredu. Paid ag ofni. Y mae hi wedi ei harfaethu i ti cyn dechrau'r byd. Ti sydd i'w hachub hi, er mwyn iddi fod yn gydymaith iti. Diau y cei blant ohoni hi, a byddant fel brodyr iti. Paid â phryderu." Ar ôl i Tobias glywed geiriau Raffael, ei fod hi'n berthynas iddo, yn hanu o deulu ei dad, ymserchodd yn ddwfn ynddi a rhoi ei galon yn llwyr iddi.

Cyrraedd Tŷ Ragwel

7 Ar ôl cyrraedd Ecbatana, dywedodd Tobias wrtho, "Asarias, fy mrawd, dos â mi ar f'union at Ragwel ein perthynas." Daeth ag ef, felly, i dŷ Ragwel, lle cawsant ef yn eistedd wrth borth y cyntedd. Hwy oedd gyntaf â'u cyfarchiad, ac yntau'n ateb, "Croeso cynnes i chwi, frodyr. Y mae'n dda gennyf eich bod wedi cyrraedd yn ddiogel." ²Aeth â hwy i mewn i'r tŷ, ac meddai wrth Edna ei wraig, "Onid yw'r gŵr ifanc yma'n debyg i'm perthynas Tobit?" ³A dyma Edna yn eu holi: "O ble'r ydych chwi'n dod, frodyr?" "Yr ydym ni," atebasant, "yn perthyn i feibion Nafftali, y rheini sydd mewn caethiwed yn Ninefe." ⁴Holodd ymhellach: "A ydych chwi'n adnabod Tobit ein perthynas?" "Ydym," meddent, "yr ydym yn ei adnabod." "A yw ef yn iach?" gofynnodd hi. ⁵"Y mae'n fyw ac yn iach," meddent, a Tobias yn ychwanegu, "Ef yw fy nhad." ⁶Neidiodd Ragwel ar ei draed a'i gusanu. Â dagrau yn ei lygaid llefarodd y geiriau hyn wrtho: "Bendith arnat, fy machgen! 'Rwyt ti'n fab i dad nobl a chywir. ⁷Y mae'n drueni o'r mwyaf fod dyn mor gyfiawn ac aml ei gymwynasau wedi colli ei olwg." Rhoes ei freichiau am wddf Tobias a'i berthynas, ac wylo. ⁸Torrodd Edna ei wraig i wylo o achos Tobit, a'r un modd Sara eu merch. Lladdodd Ragwel faharen o'r praidd yn arwydd o'i groeso brwd iddynt.

Wedi iddynt ymolchi drostynt a golchi eu dwylo, cymerasant eu lle wrth y bwrdd cinio. Yna gofynnodd Tobias i Raffael, "Asarias, fy mrawd, dywed wrth Ragwel am roi Sara fy mherthynas imi." ⁹Digwyddodd Ragwel glywed ei eiriau, a dywedodd wrth y llanc, "Bwyta, yf a bydd lawen y nos hon, ¹⁰oherwydd nid eiddo neb ond ti, fy mrawd, yw'r fraint o gael Sara fy merch yn wraig iddo. Yn yr un modd hefyd nid oes hawl gennyf finnau i'w rhoi hi i'r un gŵr arall ond ti, oherwydd ti yw fy mherthynas agosaf. Ond ni allaf beidio â datgelu'r caswir iti, fy machgen. ¹¹'Rwyf wedi ei rhoi hi'n wraig i saith gŵr o blith ein brodyr, ond bu farw pob un ohonynt yr union noson yr aent i mewn i gydorwedd â hi. Ond bellach bwyta ac yf, fy machgen. Bydd yr Arglwydd yn drugarog wrthych." Ond atebodd Tobias, "Nid wyf am fwyta nac yfed dim oll yma cyn iti ddyfarnu ynglŷn â'm cais." ¹²"O'r gorau," meddai Ragwel wrtho, "fe'i rhoddir hi iti yn unol ag ordinhad llyfr Moses, oherwydd o'r nef y daeth y dyfarniad ei bod i'w rhoi iti. Cymer dy berthynas. O hyn ymlaen 'rwyt ti'n frawd iddi hi a hithau'n chwaer i ti. Y mae hi wedi ei rhoi iti o'r dydd heddiw ac am byth. Bydded i Arglwydd y nef eich llwyddo chwi y nos hon, fy machgen, a chaniatáu i chwi drugaredd a thangnefedd."

Priodas Tobias a Sara

13 Yna galwodd Ragwel Sara ei ferch. Pan ddaeth ato, gafaelodd yn ei llaw a'i chyflwyno hi i Tobias, gan ddweud, "Cymer hi yn unol â'r gyfraith ac â'r ordinhad sydd wedi ei hysgrifennu yn llyfr Moses, sef fy mod i'w rhoi yn wraig i ti. Cadw hi a dos â hi adref at dy dad yn ddiogel. Bydded i Dduw'r nef sicrhau llwyddiant a thangnefedd i chwi." ¹⁴Galwodd Ragwel ar ei mam hi a dweud wrthi am ddod â sgrôl, ac ysgrifennodd arni eu cyfamod priodasol, gan egluro hefyd iddo ei rhoi yn wraig i Tobias yn unol ag ordinhad cyfraith Moses. ¹⁵Wedi hynny dechreusant fwyta ac yfed.

16 Yna galwodd Ragwel ar Edna ei wraig a dweud wrthi, "Fy chwaer, gwna'r ystafell arbennig yn barod, a chymer hi yno." ¹⁷Aeth hithau a chyweirio gwely yn yr ystafell, fel y dywedodd wrthi. Aeth â'r ferch yno, ond torrodd i wylo o'i hachos. Yna sychodd ei dagrau a dweud wrthi, ¹⁸"Bydd ddewr, fy merch. Rhodded Arglwydd y nef iti lawenydd yn lle galar. Bydd ddewr, fy merch." Yna aeth allan.

Bwrw Allan y Cythraul

8 Wedi iddynt orffen bwyta ac yfed, ac yn dymuno mynd i orwedd, cymerasant y gŵr ifanc a'i hebrwng i'r ystafell briodas. ²Cofiodd Tobias gyfarwyddyd Raffael; cymerodd afu a chalon y pysgodyn o'r god oedd ganddo, a'u taenu ar farwor offrwm yr aroglderth. ³Ataliwyd y cythraul gan arogl y pysgodyn, a rhedodd i ffwrdd i barthau pellaf yr Aifft. Ac i ffwrdd â Raffael ar ei ôl, a'i rwymo draed a dwylo yno'n ddiymdroi.

Gweddi Tobias

4 Aeth y cwmni allan a chloi drws yr ystafell briodas. Yna cododd Tobias o'r gwely a dweud wrthi, "Cod, fy chwaer.

Gad inni weddïo ac erfyn ar ein Har-glwydd ar iddo drugarhau wrthym a'n harbed." ⁵Cododd hithau, a dechreusant weddïo, gan erfyn am gael eu harbed.

Fel hyn y dechreuodd Tobias weddïo: "Bendigedig wyt ti, Dduw ein tadau, a bendigedig fydd dy enw o genhedlaeth i genhedlaeth am byth. Bendithied y nef-oedd a'th holl greadigaeth dydi yn oes oesoedd! ⁶Tydi a wnaeth Adda, a gwnaethost Efa ei wraig hefyd i fod yn gymorth ac yn gefn iddo, ac o'r ddeuddyn yma y deilliodd yr hil ddynol. Tydi a ddywedodd, 'Nid da i'r dyn fod ar ei ben ei hun; gwnawn iddo gymar yn gymorth iddo.' ⁷Yn awr, felly, nid mewn puteindra yr wyf yn cymryd fy chwaer hon, ond mewn gwir briodas. Caniatâ dy drug-aredd arnaf fi ac arni hithau, er mwyn inni fyw yn hen yng nghwmni'n gilydd." ⁸Ac meddai'r ddau gyda'i gilydd, "Amen, Amen." ⁹Yna aethant i orwedd am y nos.

Pryder y Rhieni

Ond deffrodd Ragwel a galw ato weis-ion y tŷ, ac aethant allan i dorri bedd. ¹⁰"Rhag ofn," meddai, "i Tobias farw, ac i ninnau fynd yn gyff gwawd a dirmyg." ¹¹Wedi iddynt orffen torri'r bedd, daeth Ragwel yn ôl i'r tŷ a galw ar ei wraig. ¹²"Anfon un o'r morynion i'r ystafell," meddai, "i fynd a gweld a yw'n dal yn fyw. Os yw wedi marw, yr ydym am ei gladdu rhag i neb wybod." ¹³Anfonasant y forwyn felly. Wedi iddynt gynnau lamp ac agor y drws, aeth hi i mewn a chael y ddau yn gorwedd gyda'i gilydd ac yn cysgu'n drwm. ¹⁴Daeth y forwyn allan a dweud wrthynt, "Y mae'n fyw. Ni ddaeth unrhyw niwed iddo."

Gweddi Ragwel

15 Yna bendithio Duw'r nef a wnaeth-ant, gan ddweud, "Bendithier di, O Dduw, â phob bendith ddiffuant! Bendithied dynion di yn oes oesoedd! ¹⁶Bendigedig wyt am iti lonni fy nghalon, oherwydd nid yr hyn a ofnwn a fu, ond yn hytrach gwnaethost â ni yn ôl dy fawr drugaredd. ¹⁷Bendigedig wyt am iti drugarhau wrth y ddau unig blentyn yma. Dangos dy drugaredd wrthynt, Ar-glwydd, a'u cadw'n ddiogel, a chaniatâ iddynt hir oes o lawenydd yn dy drug-aredd." ¹⁸Yna dywedodd wrth ei weision am lenwi'r bedd cyn iddi wawrio.

Y Wledd Briodas

19 Dywedodd Ragwel ymhellach wrth ei wraig am grasu digon o fara, ac aeth yntau allan at yr anifeiliaid a dod â dau ych a phedwar maharen, a rhoi gorch-ymyn i'w rhostio. Dyma gychwyn felly ar y paratoadau. ²⁰Yna galwodd ar Tobias a dweud wrtho, "Ni chei symud oddi yma am bythefnos; ond yr wyt i aros yma i fwyta ac yfed yn fy nghartref, i lonni ysbryd cystuddiedig fy merch. ²¹A pha bethau bynnag sy'n eiddo i mi, cymer hanner ohonynt i'th feddiant yn awr, a dos yn ôl yn ddiogel at dy dad; ac ar ôl inni farw, myfi a'm gwraig, bydd yr hanner arall yn eiddo i chwi. Bydd lawen, fy machgen. Yr wyf fi'n dad iti ac Edna'n fam iti; o hyn allan ac am byth, yr wyt ti mor agos atom ni ag yw dy chwaer. Bydd lawen, fy machgen."

Y Daith i Rhages

9 Yna galwodd Tobias Raffael a dweud wrtho, ²"Asarias, fy mrawd, cymer gyda thi bedwar gwas a dau gamel, a dos ar daith i Rhages. Ar ôl cyrraedd tŷ Gabael, rho iddo'r papur a lofnodwyd. Cymer yr arian yn ôl, ac yna tyrd â Gabael gyda thi i'r wledd briodas. ³⁻⁴Fel y gwyddost, bydd fy nhad yn cyfrif y dyddiau, ac ni allaf oedi un diwrnod heb achosi gofid mawr iawn iddo. Ond yr wyt ti'n sylwi hefyd sut lw a dyngodd Ragwel; ni allaf fynd yn groes i'w lw ef." ⁵Teith-iodd Raffael, felly, ynghyd â'r pedwar gwas a'r ddau gamel i Rhages yn Media, a lletya yn nhŷ Gabael. Rhoddodd y papur i Gabael a'i hysbysu fod Tobias fab Tobit wedi cymryd gwraig, a'i fod yn estyn gwahoddiad iddo i'r briodas. A dyma Gabael ar ei union yn cyfrif iddo y codau a oedd yn dal dan sêl, a chasglwyd hwy at ei gilydd. ⁶Cododd y ddau gyda'r wawr i fynd i'r briodas. Daethant i dŷ Ragwel a chael Tobias yn eistedd wrth y bwrdd. Neidiodd yntau ar ei draed a chyfarch Gabael. Torrodd Gabael i wylo a bendithiodd Tobias â'r geiriau hyn: "Yr wyt ti'n ŵr nobl a chywir, ac yn fab i ŵr nobl a chywir, dyn cyfiawn ac aml ei gymwynasau. Rhodded yr Arglwydd fendith y nef i ti ac i'th wraig, i'th dad ac i'th fam-yng-nghyfraith! Bendigedig fyddo Duw am adael imi weld Tobias fy mherthynas, ac yntau mor debyg i'w dad."

Pryder Tobit ac Anna

10 Yr oedd Tobit, bob dydd ar ôl ei gilydd, yn cadw cyfrif o'r dyddiau, sawl un oedd cyn i Tobias gyrraedd Rhages a sawl un cyn iddo ddychwelyd. A phan ddaeth y dyddiau i ben a'i fab heb ddod yn ei ôl, ²dechreuodd ddyfalu, "Tybed a gafodd ei ddal yno? Efallai fod Gabael wedi marw, ac nad oes neb i drosglwyddo'r arian iddo." ³Ac yntau'n dechrau gofidio, ⁴dywedodd Anna ei wraig, "Y mae hi ar ben ar fy machgen; nid yw bellach ar dir y rhai byw." Torrodd i wylo a galaru am ei mab, a dweud, ⁵"Gwae fi, fy mhlentyn, imi adael iti fynd, ti oleuni fy llygaid." ⁶Ond meddai Tobit wrthi, "Bydd dawel, fy chwaer, a phaid â phoeni. Y mae'n holliach. Y tebyg yw i ryw rwystr ddod ar ei ffordd. Gallwn ymddiried yn y gŵr sy'n gydymaith iddo, ac yntau'n un o'n tylwyth. Paid â gofidio amdano, fy chwaer; bydd yma cyn pen dim." ⁷Ond atebodd hithau, "Gad lonydd imi, a phaid â'm twyllo. Y mae hi ar ben ar fy machgen." A daeth yn arfer ganddi ruthro allan gyda dyfodiad pob dydd i gadw llygad ar y ffordd yr aeth ei mab ar hyd-ddi. Ni fyddai'n cymryd sylw o neb. Yna wedi machlud haul byddai'n dod i'r tŷ ac yn galaru ac wylo ar hyd y nos, heb gysgu dim.

Gadael Ecbatana

7 Daeth y wledd bythefnos, yr oedd Ragwel wedi ei haddo ar lw i ddathlu priodas ei ferch, i ben, ac yna aeth Tobias ato a gofyn, "Gad imi ymadael, oherwydd y mae'n siŵr gennyf nad yw fy nhad a'm mam yn disgwyl fy ngweld i byth eto. 'Rwy'n ymbil arnat, felly, fy nhad, fy esgusodi, er mwyn imi ddychwelyd at fy nhad fy hun; 'rwyf eisoes wedi dweud wrthyt am ei gyflwr pan ymadewais ag ef." ⁸Ond atebodd Ragwel Tobias fel hyn: "Aros, fy machgen, aros gyda mi; fe anfonaf genhadon at Tobit dy dad i roi gwybodaeth iddo amdanat." ⁹"Ddim ar unrhyw gyfrif," meddai yntau. "'Rwy'n ymbil arnat adael imi fynd oddi yma at fy nhad fy hun." ¹⁰Ar unwaith trosglwyddodd Ragwel i Tobias Sara ei briodferch ynghyd â hanner ei holl eiddo, yn gaethweision a chaethforynion, yn wartheg a defaid, yn asynnod a chamelod, yn ddillad ac arian a llestri. ¹¹Felly ffarweliodd â hwy, gan gusanu Tobias. "Yn

iach iti, fy machgen," meddai wrtho, "bendith ar dy siwrnai! Bydded i Arglwydd y nef dy lwyddo di a Sara dy wraig! 'Rwyf am weld geni plant ichwi cyn imi farw." ¹²Yna dywedodd wrth Sara ei ferch, "Dos at dy dad-yngnghyfraith, oherwydd o hyn ymlaen byddant hwy'n dad a mam iti, fel y tad a'r fam a'th genhedlodd. Dos mewn tangnefedd, fy merch. 'Rwyf am glywed gair da amdanat, tra byddaf byw." Fe'u cusanodd a'u hanfon ar eu ffordd. A dywedodd Edna wrth Tobias, "Fy machgen, a'm brawd annwyl, doed yr Arglwydd â thi'n ôl, fel y caf fyw i weld dy blant di a Sara fy merch cyn imi farw. Yng ngŵydd yr Arglwydd yr wyf yn rhoi fy merch yn dy ofal di; paid ag achosi poen iddi holl ddyddiau dy fywyd. Dos mewn tangnefedd, fy machgen; o hyn ymlaen byddaf fi'n fam iti, a Sara'n chwaer iti. Doed llwyddiant i ni i gyd holl ddyddiau ein bywyd." Cusanodd y ddau ohonynt, a'u hanfon ymaith yn holliach.

11 Ymadawodd Tobias â Ragwel gan ganu'n iach iddo a chlodfori Arglwydd nef a daear, brenin yr holl gread igaeth, am iddo ei lwyddo ef ar ei daith. A dywedodd Ragwel wrtho, "Rhwydd hynt i ti wrth iti anrhydeddu dy rieni holl ddyddiau eu bywyd."

Cyrraedd Adref

Wedi iddynt ddod yn agos at Caserin, tref gyferbyn â Ninefe, dywedodd Raffael, ²"Fe wyddost am gyflwr dy dad pan ymadawsom ag ef; ³gadewch inni frysio o'n blaen i gael y tŷ yn barod, tra bydd dy wraig a'r cwmni ar eu ffordd." ⁴Aeth y ddau ymlaen gyda'i gilydd. Yna dywedodd Raffael wrtho, "Cymer y bustl yn dy ddwylo." Yr oedd y ci hefyd yn dilyn y tu ôl iddo ef a Tobias.

5 Yn y cyfamser yr oedd Anna'n eistedd, yn cadw llygad ar y ffordd yr aeth ei mab; ⁶gwelodd ef yn dod, a dyma hi'n dweud wrth ei dad, "Y mae dy fab ar y ffordd, a'i gydymaith gydag ef." ⁷Cyn i Tobias ddod yn agos at ei dad, meddai Raffael wrtho, "'Rwy'n berffaith siŵr y caiff ei olwg yn ôl. ⁸Taena fustl y pysgodyn ar ei lygaid; bydd yr eli'n achosi i'r smotiau gwyn grebachu a syrthio i ffwrdd oddi ar ei lygaid. Yna caiff dy dad ei olwg yn ôl, a gweld golau dydd." ⁹A dyma Anna'n rhedeg at ei mab ac yn ei

gofleidio. "Cefais dy weld, fy machgen," meddai wrtho. "'Rwy'n barod i farw yn awr." A thorrodd i wylo.

Iacháu Tobit

10 Ar hynny cododd Tobit ar ei draed, a baglodd allan trwy ddrws y cyntedd. ¹¹Cerddodd Tobias ato â bustl y pysgodyn yn ei law; chwythodd ar ei lygaid, a chan afael yn dynn ynddo dywedodd, "Paid ag ofni, fy nhad." ¹²Rhoes yr eli ar ei lygaid a'i daenu drostynt. ¹³Yna, â'i ddwy law fe dynnodd y bilen wen oddi ar gil llygaid ei dad. Cofleidiodd Tobit ei fab; torrodd i wylo a dweud, ¹⁴"'Rwy'n gallu dy weld, fy mhlentyn, goleuni fy llygaid." Ychwanegodd, "Bendigedig fyddo Duw! Bendigedig fyddo'i enw mawr! Bendigedig fyddo'i holl angylion sanctaidd! Boed ei enw mawr arnom, a bendith ar ei holl angylion sanctaidd yn oes oesoedd! ¹⁵Oherwydd cosbodd fi â'i ffrewyll, ond yn awr dyma fi'n gallu gweld Tobias fy mab."

Sara yn Cyrraedd Tŷ Tobit

Aeth Tobias i mewn yn llawen, gan fendithio Duw ar uchaf ei lais. Adroddodd Tobias wrth ei dad am lwyddiant ei daith, ei fod wedi dod â'r arian, ac wedi cael Sara ferch Ragwel yn wraig iddo a'i bod hi eisoes ar gyrraedd wrth borth Ninefe. ¹⁶Yna aeth Tobit allan i borth Ninefe yn llawen i gyfarfod ei ferch-yng-nghyfraith, gan fendithio Duw. Daeth syndod ar drigolion Ninefe o weld Tobit yn cerdded a rhodio'n llawn egni heb neb i'w dywys, ¹⁷a thystiodd Tobit ger eu bron sut y trugarhaodd Duw wrtho ac agor ei lygaid. Pan ddaeth Tobit at Sara, gwraig Tobias ei fab, bendithiodd hi â'r geiriau hyn: "Croeso cynnes iti, fy merch! Bendigedig fyddo Duw, sydd wedi dod â thi atom, fy merch! Boed bendith ar dy dad, bendith ar Tobias fy mab, a bendith arnat ti, fy merch! Croeso i'th gartref newydd, a bendith a llawenydd iti! Croeso, fy merch!" A'r diwrnod hwnnw bu dathlu llawen ymhlith yr holl Iddewon oedd yn Ninefe. ¹⁸A daeth Achicar a Nabad, ei gefndyr, at Tobit i ddathlu.

Yr Angel Raffael

12 Wedi i'r dathlu ddod i ben, galwodd Tobit Tobias ei fab ato a dweud, "Fy machgen, cofia dalu ei gyflog i'r gŵr a fu'n gydymaith iti, a rho rywbeth ar ben ei gyflog iddo." ²"Fy nhad," gofynnodd yntau, "pa faint o gyflog yr wyf i'w roi iddo? Ni welwn eu heisiau pe rhown iddo hanner y meddiannau y bu'n gymorth imi ddod â hwy adref. ³Fe'm cadwodd yn ddiogel, rhoes iachâd i'm gwraig; bu'n gymorth imi ddod â'r arian, a rhoes iachâd i tithau. Pa faint o gyflog ychwanegol a roddaf iddo?" ⁴Atebodd Tobit fel hyn: "Y mae'n deg iddo gael hanner y cwbl a ddygodd yn ôl, fy machgen." ⁵Galwodd ef ato, felly, a dweud, "Cymer hanner y cwbl a ddygaist yn ôl. Dyna dy gyflog, a dos mewn tangnefedd."

6 Yna galwodd Raffael y ddau o'r neilltu a dweud wrthynt, "Bendithiwch Dduw, ac am y daioni a gawsoch ganddo clodforwch ef gerbron pob dyn byw, er mwyn iddynt ei fendithio a moliannu ei enw. Cyhoeddwch weithredoedd Duw i bob dyn gyda phob dyledus glod, a pheidiwch ag ymatal rhag ei glodfori. ⁷Da yw cadw cyfrinach brenin, ond rhaid datguddio gweithredoedd Duw a'u canmol, gyda phob dyledus glod. Gwnewch ddaioni, ac ni ddaw drygioni ar eich cyfyl. ⁸Gwell gweddi ddiffuant ac elusen gyfiawn na chyfoeth anghyfiawn; gwell rhoi elusen na phentyrru cyfoeth, ⁹oherwydd y mae elusen yn achub rhag marwolaeth ac yn glanhau pob pechod. ¹⁰Bydd y rhai sy'n rhoi elusen yn mwynhau bywyd yn ei gyflawnder, ond gelynion iddynt hwy eu hunain yw'r rheini sy'n euog o bechod ac anghyfiawnder.

11 "Mynegaf y gwir cyfan i chwi, heb guddio dim oddi wrthych. Yr wyf eisoes wedi ei fynegi i chwi pan ddywedais: 'Da yw cadw cyfrinach brenin, ond rhaid datguddio gweithredoedd Duw a'u clodfori.' ¹²Yn awr, pan weddïaist ti, Tobit, a Sara hithau, myfi a gyflwynodd eich gweddïau gerbron gogoniant yr Arglwydd; a'r un modd wrth iti gladdu'r meirw: ¹³y noson y codaist o'r bwrdd swper yn ddibetrus i fynd i gladdu'r corff marw, yr adeg honno fe'm hanfonwyd atat i'th roi di ar brawf. ¹⁴Dyna'r adeg hefyd yr anfonodd Duw fi i ddwyn iachâd i ti ac i Sara, dy ferch-yng-nghyfraith. ¹⁵Myfi yw Raffael, un o'r saith angel sy'n sefyll wrth ymyl yr Arglwydd ac yn cael mynd i mewn gerbron ei ogoniant."

16 Syfrdanwyd y ddau, a syrthiasant ar eu hwynebau mewn dychryn, ¹⁷ond

dywedodd ef wrthynt, "Peidiwch ag ofni. Tangnefedd i chwi! Bendithiwch Dduw am byth. [18]I mi fod yn eich plith, nid i mi y mae'r diolch am hynny, ond i ewyllys Duw; ef, gan hynny, sydd i gael eich clod holl ddyddiau eich bywyd; ef sydd i gael eich mawl. [19]Sylwch ar hyn amdanaf, na chymerais ddim i'w fwyta; ni welsoch chwi namyn rhith. [20]Yn awr, felly, bendithiwch yr Arglwydd ar y ddaear, a chlodforwch Dduw. Ond yr wyf fi'n esgyn at yr hwn a'm hanfonodd. Rhowch mewn ysgrifen yr holl bethau hyn a ddigwyddodd i chwi." [21]Yna fe esgynnodd. Codasant ar eu traed, ond ni allent ei weld ef mwyach. [22]A dechreuasant fendithio Duw a chanu mawl iddo a'i glodfori am y gweithredoedd mawr hyn o'i eiddo, pan ymddangosodd angel Duw iddynt.

Cân Tobit

13 Dyma gân Tobit:
"Bendigedig fo'r Duw bytholfyw a'i deyrnas ef!
[2]Oherwydd ef sy'n cosbi, ac yn trugarhau.
Ef sy'n bwrw dynion i lawr hyd ddyfnder eithaf y bedd,
ac ef hefyd sy'n eu codi i fyny o'r dinistr mawr.
Nid oes dim a all ddianc rhag ei law.
[3]Clodforwch ef gerbron y Cenhedloedd, feibion Israel,
oherwydd ef a'ch gwasgarodd yn eu plith hwy;
[4]ac yno dangosodd ei fawredd i chwi.
Dyrchafwch ef, felly, gerbron pob dyn byw,
oherwydd ef yw ein Harglwydd; ef yw ein Duw;
[5]Fe'ch cosba chwi am eich anghyfiawnderau,

ac eto fe drugarha wrthych chwi oll, a'ch cynnull o blith yr holl genhedloedd,
lle bynnag y'ch gwasgarwyd chwi yn eu plith.
[6]Os dychwelwch ato â'ch holl galon ac â'ch holl enaid,
a gweithredu'n gywir ger ei fron,
yna fe ddychwel atoch chwi,
ac ni chuddia'i wyneb oddi wrthych ddim mwy.
Ystyriwch yn awr y pethau a wnaeth yn eich plith,
a chlodforwch ef ar uchaf eich llais.
Bendithiwch yr Arglwydd cyfiawn a dyrchafwch y Brenin tragwyddol.[dd]

[10]"Fe ailadeiledir dy babell iti mewn llawenydd
i fod yn achos gorfoledd ynot i'r holl rai a alltudiwyd,
ac yn arwydd o gariad ynot i'r holl drueiniaid ym mhob cenhedlaeth am byth.
[11]Llewyrcha disgleirdeb dy oleuni i holl derfynau'r ddaear;
daw cenhedloedd lawer atat o bell,
a thrigolion holl eithafoedd y ddaear at dy enw sanctaidd,
a'u rhoddion yn eu dwylo i'w cyflwyno i Frenin y Nef.
Bydd cenhedlaeth ar ôl cenhedlaeth yn gorfoleddu ynot,
ac fe bery enw'r ddinas etholedig am byth.
[12]Bydd melltith ar bawb a ddywed ddrygair wrthyt,
a melltith ar bawb a gais dy ddifrodi a thynnu dy furiau i lawr,
ar bawb a gais ddymchwel dy dyrau a rhoi dy drigfannau ar dân;
ond bydd bendith am byth ar bawb sy'n dy barchu di.
[13]Tyrd, felly, ac ymlawenha ym meibion

[dd]Yn ôl darlleniad arall ychwanegir:
"A minnau, fe'i clodforaf ef yng ngwlad fy nghaethiwed,
a datganaf ei nerth a'i fawredd i genedl o bechaduriaid.
Edifarhewch, bechaduriaid, a gwnewch gyfiawnder yn ei olwg ef.
Pwy a ŵyr na fydd yn raslon tuag atoch a thrugarhau wrthych?
[7]*Dyrchafaf fy Nuw*
a llawenychaf ym Mrenin y Nef a'i fawredd.
[8]*Llefared pob dyn amdano*
a'i glodfori yn Jerwsalem.
[9]*O Jerwsalem, y ddinas sanctaidd,*
fe'th gosba di am weithredoedd dy feibion,
ond fe drugarha eto wrth feibion y cyfiawn.
[10]*Clodfora'r Arglwydd am ei ddaioni,*
a bendithia'r Brenin tragwyddol.

y cyfiawn,
am y byddant oll wedi eu casglu
ynghyd
ac yn bendithio'r Arglwydd
tragwyddol.
Gwyn eu byd y rhai sy'n dy garu;
gwyn eu byd y rhai sy'n llawenhau yn
dy lwyddiant.
¹⁴ Gwyn eu byd pawb sy'n gofidio
amdanat ar gyfrif dy holl
gystuddiau,
oherwydd fe gânt lawenhau ynot ac
edrych ar dy holl lawenydd am
byth.
¹⁵ Fy enaid, bendithia'r Arglwydd, y
Brenin mawr,
¹⁶ oherwydd fe adeiledir Jerwsalem yn
ddinas iddo breswylio ynddi yn
oes oesoedd.

"Gwyn fy myd, pan ddaw gweddill fy
hiliogaeth i weld dy ogoniant
ac i glodfori Brenin y Nef.
Fe adeiledir pyrth Jerwsalem â saffir
ac emrallt,
a'th holl furiau â meini gwerthfawr;
adeiledir tyrau Jerwsalem ag aur,
a'u hamddiffynfeydd ag aur pur;
¹⁷ palmentir heolydd Jerwsalem â
rhuddemau a gemau Offir.
¹⁸ Bydd caneuon o orfoledd yn atseinio o
byrth Jerwsalem,
ac o'i holl breswylfeydd y llef,
'Haleliwia! Bendigedig fyddo
Duw Israel!'
Dan ei fendith ef, bendithiant hwy ei
enw sanctaidd byth bythoedd."

Cyngor Olaf Tobit

14 Â'r geiriau hyn gorffennodd
Tobit ei emyn o fawl. Bu farw
mewn tangnefedd, ac yntau'n gant a
deuddeng mlwydd oed, a chladdwyd ef
yn llawn clod yn Ninefe. ² Yr oedd yn
ddwy a thrigain oed pan ddaeth yr anaf ar
ei lygaid, ond wedi iddo gael ei olwg yn ôl
bu'n byw yn dda ei fyd. Bu'n hael ei
gymwynasau, gan fendithio Duw a
chlodfori ei fawredd yn gyson.
3 Ar ei wely angau galwodd ato ei fab
Tobias a rhoi'r gorchymyn hwn iddo:
⁴ "Fy machgen, cymer dy blant a ffo i
Media, oherwydd yr wyf fi'n credu gair
Duw, y gair a lefarodd Nahum yn erbyn
Ninefe. Fe gyflawnir y cyfan. Fe ddigw-
ydd pob peth i Asyria a Ninefe yn
union fel y llefarodd cenhadon Duw,

proffwydi Israel; ni fydd yr un o'u holl
eiriau yn methu. Fe ddigwydd pob peth
yn ei amser priodol. Yn Media, felly, y
cewch ddiogelwch, nid yn Asyria a
Babilon, oherwydd y mae'n gred sicr
gennyf y cyflawnir pob gair a lefarodd
Duw. Dyma a fydd—ni fydd yr un gair o'r
proffwydoliaethau yn methu. Fe wasgerir
ein holl frodyr sy'n preswylio yng ngwlad
Israel, a'u dwyn yn gaeth o'u tir da. Bydd
y cwbl o dir Israel yn anghyfannedd; a
bydd Samaria a Jerwsalem yn anghyf-
annedd, ac am gyfnod bydd tŷ Dduw
mewn galar, wedi ei ddifetha drwy dân.
5 "Ond eto fe drugarha Duw wrthynt,
ac fe ddaw Duw â hwy yn ôl i dir Israel.
Ailgodant ei dŷ, er na fydd yn debyg i'r tŷ
cyntaf, nid nes y daw'r cyfnod penodedig
o amser i ben. Wedi hynny, daw pob un
yn ôl o'u caethglud ac adeiladu Jerw-
salem yn ei holl ogoniant. Fe godir tŷ
Dduw ynddi, fel y llefarodd proffwydi
Israel amdani. ⁶ Bydd pob cenedl ar
draws y byd, pob un ohonynt, yn troi'n ôl
at Dduw mewn parchedig ofn diffuant;
ymwrthodant oll â'u heilunod, a fu'n eu
harwain ar gyfeiliorn i ffordd anwiredd;
⁷ a bendithiant y Duw tragwyddol mewn
cyfiawnder. Ac fe gesglir ynghyd holl
feibion Israel a achubir yn y dyddiau
hynny ac sy'n wir deyrngar i Dduw.
Dychwelant i Jerwsalem a phreswylio yn
ddiogel am byth yn nhir Abraham, a
roddir iddynt i'w feddiannu. Bydd y rhai
sy'n caru Duw mewn gwirionedd yn
llawenhau, ond diflannu y bydd y pech-
aduriaid a'r drwgweithredwyr oddi ar
wyneb y ddaear. ⁸ Ac yn awr, fy mhlant,
dyma fy ngorchymyn i chwi: gwasan-
aethwch Dduw mewn gwirionedd, a
gwnewch yr hyn sy'n gymeradwy yn ei
olwg ef; ⁹ a chyfarwyddwch eich plant i
wneud yr hyn sy'n iawn, ac i roi elusen,
ac i fod yn deyrngar i Dduw a bendithio'i
enw bob amser mewn gwirionedd ac â'u
holl nerth.
10 "A thithau, fy machgen, dos allan
o Ninefe. Paid ag aros yma. Y dydd y
byddi'n claddu dy fam wrth fy ochr,
ymfuda heb dreulio noson o fewn cyffin-
iau'r ddinas, oherwydd yr wyf yn gweld
bod anghyfiawnder yn rhemp ac anffydd-
londeb digywilydd yn uchel ei ben ynddi.
Ystyria, fy machgen, yr holl bethau a
wnaeth Nadab i Achicar, yr un a'i
magodd. Oni orfodwyd ef i ymguddio yn
y pridd, ac yntau'n fyw? Ond troes

Duw y weithred gywilyddus yn fantais iddo: daeth Achicar allan i olau dydd, tra aeth Nadab i mewn i dywyllwch tragwyddol am iddo geisio lladd Achicar. Am iddo^c roi elusen, fe ddihangodd Achicar o'r fagl farwol a osododd Nadab iddo, ond syrthiodd Nadab i'r fagl farwol, ac fe'i lladdodd. ¹¹Ystyriwch, felly, fy mhlant, beth yw ffrwyth elusengarwch, a beth yw ffrwyth anghyfiawnder, oherwydd lladd y mae hwnnw. Ond yn awr y mae fy einioes yn dod i ben."
11 Rhoesant ef i orwedd ar ei wely, a bu farw. Claddwyd ef yn llawn clod. ¹²Wedi marw ei fam, claddodd Tobias hithau wrth ochr ei dad. Yna aeth Tobias

^cYn ôl darlleniad arall, *imi*.

a'i wraig i Media, ac ymsefydlu yn Ecbatana yn nhŷ Ragwel ei dad-yngnghyfraith. ¹³Gofalodd Tobias amdanynt yn eu henaint â phob parch, a'u claddu yn Ecbatana yn Media. Etifeddodd Tobias holl eiddo Ragwel yn ogystal ag eiddo Tobit ei dad. ¹⁴Bu farw'n uchel ei barch, ac yntau'n gant a dwy ar bymtheng mlwydd oed. ¹⁵Cyn iddo farw cafodd wybod am ddinistr Ninefe, gan weld ei chaethglud i Media, a gyflawnwyd gan Achiacharus brenin Media. Bendithiodd Dduw am yr holl bethau a wnaeth i bobl Ninefe ac Asyria. Cyn iddo farw, felly, cafodd lawenhau dros Ninefe, a bendithiodd yr Arglwydd Dduw yn oes oesoedd.

LLYFR

JUDITH

Rhyfel rhwng Nebuchadnesar ac Arffaxad

1 Yr oedd y Brenin Nebuchadnesar yn neuddegfed flwyddyn ei deyrnasiad ar yr Asyriaid yn Ninefe, y ddinas fawr. ²Yn y dyddiau hynny, Arffaxad oedd yn teyrnasu ar y Mediaid yn Ecbatana, a chododd hwn furiau o gerrig nadd o amgylch Ecbatana. Yr oedd y cerrig yn dri chufydd o led a chwe chufydd o hyd, ac uchder y muriau a gododd oedd deg cufydd a thrigain, a'u lled yn hanner can cufydd. ³Gosododd wrth byrth y ddinas dyrau can cufydd o uchder, a'u sylfeini'n drigain cufydd o led; ⁴gwnaeth byrth hefyd a oedd yn codi i uchder o ddeg cufydd a thrigain, ac yn ddeugain cufydd o led, er mwyn i'w holl luoedd gychwyn allan mewn nerth, gyda'i wŷr traed yn eu rhengoedd. ⁵Yn y dyddiau hynny, rhyfelodd y Brenin Nebuchadnesar yn erbyn y Brenin Arffaxad yn y gwastatir mawr, set yr un sydd ar ffiniau Ragau. ⁶Daeth i'w gyfarfod holl drigolion yr ucheldiroedd a phawb a drigai ar lannau afonydd Ewffrates, Tigris a Hydaspes, ac yn y gwastatir oedd yn eiddo i Arioch

brenin Elam; ac ymunodd llawer o lwythau o feibion Chelewd â'r rheng ymladd.

7 Anfonodd Nebuchadnesar brenin yr Asyriaid at holl drigolion Persia ac at holl drigolion y gorllewin: preswylwyr Cilicia a Damascus, Libanus ac Antilibanus, holl drigolion yr arfordir; ⁸pobloedd ardal Carmel a Gilead, Galilea Uchaf a gwastatir eang Esdraelon; ⁹pawb yn Samaria a'i threfi, ac i'r gorllewin o'r Iorddonen cyn belled â Jerwsalem, Batane, Chelws, Cades ac afon yr Aifft; trigolion Taffnes, Rameses a holl wlad Gosen ¹⁰cyn belled â Tanis a Memffis; a holl drigolion yr Aifft hyd at ffiniau Ethiopia. ¹¹Ond diystyrodd pawb o drigolion yr holl ranbarth neges Nebuchadnesar brenin Asyria, gan wrthod ymuno ag ef i ryfela. Nid oedd arnynt ei ofn; yn wir, nid oedd ef namyn un dyn yn eu golwg; anfonasant ei genhadau yn eu hôl yn waglaw ac yn waradwyddus. ¹²Gwnaeth hyn Nebuchadnesar yn dra chynddeiriog tuag at yr holl ranbarth hwnnw, a thyngodd i'w orsedd a'i frenhiniaeth y byddai'n siŵr o ddial ar

holl diriogaethau Cilicia, Damascus a Syria, a hefyd yn lladd â'r cleddyf holl drigolion gwlad Moab, yr Ammoniaid a holl Jwdea, a holl bobl yr Aifft hyd at derfynau'r ddau fôr.

13 Yn yr ail flwyddyn ar bymtheg anfonodd ei fyddin i ryfela yn erbyn y Brenin Arffaxad; bu'n fuddugoliaethus yn y frwydr a gyrru byddin Arffaxad ar ffo, ynghyd â'i holl wŷr meirch a'i holl gerbydau. [14]Meddiannodd ei ddinasoedd, ac wedi cyrraedd Ecbatana, goresgynnodd ei thyrau ac ysbeilio'i heolydd llydan, gan droi ysblander y ddinas yn waradwydd llwyr. [15]Daliodd Arffaxad ym mynyddoedd Ragau, trywanodd ef â'i bicellau, a'i lwyr ddifodi unwaith ac am byth. [16]Yna, dychwelsant i Ninefe, ef a'i fintai gymysg, yn llu enfawr o filwyr. Yno bu'n gorffwys a gwledda gyda'i fyddin am gant ac ugain o ddyddiau.

Rhyfel yn erbyn y Rhanbarth Gorllewinol

2 Yn y ddeunawfed flwyddyn, ar yr ail ddydd ar hugain o'r mis cyntaf, yn nhŷ Nebuchadnesar brenin yr Asyriaid, bu sôn am ddial ar yr holl ranbarth, fel yr oedd ef wedi bygwth eisoes. [2]Galwodd ynghyd ei holl swyddogion a'i holl bendefigion, a thrafod gyda hwy ei gynllun cudd, a chyhoeddi â'i enau ei hun derfyn ar holl ddrygioni'r rhanbarth. [3]Gwnaethant benderfyniad i ddinistrio pawb nad oedd wedi ufuddhau i orchymyn y brenin.

4 Yna, wedi iddo orffen egluro'i gynllun, galwodd Nebuchadnesar brenin Asyria ar Holoffernes, prif gadfridog ei fyddin, a'i ddirprwy, a dywedodd wrtho, [5]"Dyma orchymyn y brenin mawr, arglwydd yr holl ddaear: dos allan o'm gŵydd, a chymer gyda thi wŷr eofn a chadarn, chwech ugain mil o wŷr traed a deuddeng mil o wŷr meirch. [6]Yr wyt i ryfela yn erbyn yr holl ranbarth gorllewinol, am i'w drigolion anufuddhau i'm gorchymyn i. [7]Dywed wrthynt am baratoi offrwm o bridd a dŵr, oherwydd yr wyf yn dod allan yn fy llid yn eu herbyn. Gorchuddiaf holl wyneb eu tir â thraed fy myddin, ac fe'u rhoddaf hwy yn ysbail i'm milwyr. [8]Bydd eu clwyfedigion yn llenwi'r ceunentydd, a bydd pob ffos ac afon yn llifo a gorlifo â chyrff; [9]a chymeraf hwy yn gaethglud i eithafoedd y ddaear. [10]A thithau, brysia i feddiannu i

mi eu holl diriogaeth; [11]os ildio a wnânt i ti, gwarchod hwy drosof hyd amser eu cosbi. Ond i'r rhai sy'n anufudd paid â dangos trugaredd; traddoda hwy i gael eu lladd a'u hysbeilio trwy'r holl ranbarth a berthyn iti. [12]Ar fy mywyd ac ar holl nerth fy mrenhiniaeth y tyngaf: yr hyn a leferais, fe'i cyflawnaf â'm llaw fy hun. [13]A thithau, paid ag anufuddhau i unrhyw un o orchmynion dy arglwydd, ond cwbl gyflawna bopeth yn union fel y gorchmynnais iti. Gweithreda yn ddi-oed."

Ymgyrch Holoffernes

14 Felly, wedi ymadael â llys ei arglwydd, galwodd Holoffernes holl fawrion, cadfridogion a swyddogion byddin Asyria, [15]a chasglu milwyr dethol yn unol â gorchymyn ei arglwydd, chwech ugain mil o filwyr traed a deuddeng mil o saethwyr ar feirch, [16]a threfnodd hwy yn y dull arferol ar gyfer brwydr. [17]Cymerodd nifer enfawr o gamelod, asynnod a mulod i gario eu cyfreidiau; defaid, ychen a geifr di-rif i sicrhau darpariaeth [18]a dogn ddigonol o fwyd i bob dyn; ac yn ychwanegol, swm enfawr o aur ac arian o blas y brenin. [19]Yna cychwynnodd, ef a'i holl fyddin, i arloesi'r ffordd i Nebuchadnesar a gorchuddio holl wyneb y rhanbarth gorllewinol â'u cerbydau, eu gwŷr meirch a'u gwŷr traed dethol. [20]Yr oedd y cwmni cymysgryw a'u dilynodd fel haid o locustiaid neu fel llwch y ddaear, yn llu dirifedi.

21 Aethant o Ninefe daith dridiau i ymyl gwastatir Bectileth, a gwersyllu gerllaw Bectileth yn agos i'r mynydd i'r gogledd o Cilicia Uchaf. [22]Oddi yno symudodd Holoffernes ymlaen i'r mynydd-dir gyda'i holl fyddin, ei wŷr traed a'i wŷr meirch a'i gerbydau. [23]Difrododd Phwd a Lwd, ac anrheithio holl drigolion Rassis a'r Ismaeliaid ar ffin yr anialwch i'r de o wlad y Cheliaid. [24]Dilynodd Afon Ewffrates, a thramwyo drwy Mesopotamia gan lwyr ddinistrio'r holl drefi caerog ar lannau Afon Abron hyd at y môr. [25]Meddiannodd diriogaeth Cilicia, a lladd pawb a'i gwrthwynebai. Yna aeth i'r de i gyffiniau Jaffeth, a oedd yn ffinio ar Arabia. [26]Amgylchynodd yr holl Midianiaid, a llosgi eu pebyll ac ysbeilio'u corlannau. [27]Aeth i lawr i wastatir Damascus ar adeg y cynhaeaf gwenith, a llosgi eu holl gnydau, difrodi eu defaid a'u gwartheg,

dinistrio'u trefi, dinoethi eu meysydd, a thrywanu eu holl wŷr ifainc â min y cledd. [28]Disgynnodd braw a dychryn rhagddo ar drigolion y glannau yn Sidon a Tyrus, ar drigolion Swr ac Ocina, ac ar holl drigolion Jamnia; yr oedd trigolion Asotus ac Ascalon hefyd yn ei ofni'n ddirfawr.

Ymbil am Heddwch

3 Anfonasant genhadau ato i ymbil am heddwch, a dweud: [2]"Gweision y brenin mawr Nebuchadnesar ydym ni; gorweddwn ar ein hyd o'th flaen; gwna â ni yr hyn a fynni. [3]Ein ffermydd, ein holl dir, ein holl feysydd gwenith, ein defaid a'n gwartheg a'n holl gorlannau a'n pebyll, eiddot ti ydynt; defnyddia hwy fel y mynni. [4]Ein trefi a'u trigolion, dy gaethweision di ydynt; tyrd a'u trin hwy fel y gweli'n dda." [5]Dychwelodd y cenhadau at Holoffernes ac adrodd y geiriau hyn iddo. [6]Daeth i lawr i'r arfordir, ef a'i fyddin, a gosod gwarchodwyr ar y trefi caerog, gan gymryd gwŷr dethol o'u plith fel cynghreiriaid. [7]Rhoesant hwy a'r holl wlad oddi amgylch groeso iddo â thorchau, â dawnsiau ac â thabyrddau. [8]Dinistriodd yntau yn llwyr eu holl gysegrleoedd[a], a thorri i lawr eu llwyni cysegredig. Yr oedd wedi ei orchymyn i ddinistrio holl dduwiau'r rhanbarth, er mwyn i bob cenedl addoli Nebuchadnesar yn unig, ac i bob llwyth ac iaith alw arno ef fel ar dduw. [9]Daeth i gyfeiriad Esdraelon, yn agos i Dothan, lle sy'n wynebu crib fynyddig enfawr Jwdea, [10]a gwersyllu rhwng Geba a Scythopolis. Arhosodd yno am fis cyfan er mwyn casglu'r holl gyfreidiau i'w fyddin.

Cynllun Amddiffyn yr Israeliaid

4 Pan glywodd yr Israeliaid oedd yn preswylio yn Jwdea am y cwbl a wnaeth Holoffernes, prif gadfridog Nebuchadnesar brenin yr Asyriaid, i'r cenhedloedd hynny, a'r modd yr anrheithiodd eu holl demlau a'u llwyr ddifodi, [2]parodd hynny iddynt ei ofni'n ddirfawr, a phryderu'n enbyd am Jerwsalem a theml yr Arglwydd eu Duw. [3]Nid oeddent ond newydd ddychwelyd o'r gaethglud, a dim ond yn ddiweddar yr oedd holl bobl Jwdea wedi eu hailuno, a'r llestri sanctaidd, yr allor a'r deml wedi eu hailgysegru ar ôl eu halogi. [4]Anfonasant neges at bob ardal yn Samaria, Cona, Bethoron, Belmain a Jericho, ac i Choba, Aisora a dyffryn Salem. [5]Wedi meddiannu copaon yr holl fryniau uchel a chadarnhau'r pentrefi oedd arnynt, rhoesant ddigon o fwyd ynghadw ar gyfer rhyfel; newydd orffen medi'r meysydd yr oeddent.

6 Ysgrifennodd Joacim yr archoffeiriad, a oedd yr adeg honno yn Jerwsalem, at drigolion Bethulia a Betomesthaim, lle sy'n wynebu ar Esdraelon, gyferbyn â'r gwastatir ger Dothan. [7]Dywedodd wrthynt am feddiannu bylchau'r mynydddir, oherwydd trwyddynt hwy yr oedd cael ffordd i mewn i Jwdea; a chan fod y fynedfa'n rhy gul ar gyfer mwy na dau ddyn, gellid yn hawdd rwystro'r fyddin rhag symud ymlaen. [8]Felly y gweithredodd yr Israeliaid yn ôl gorchymyn Joacim yr archoffeiriad a senedd holl bobl Israel, a oedd yn eistedd yn Jerwsalem. [9]Â thaerineb mawr llefodd pob gŵr yn Israel ar Dduw, ac ymddarostwng â thaerineb mawr. [10]Rhoesant sachliain am eu llwynau, hwy a'u gwragedd, eu plant, eu hanifeiliaid, a phob preswylydd estron a gwas cyflog a chaethwas, [11]a syrthiodd pob gŵr o Israeliad a oedd yn byw yn Jerwsalem, ynghyd â'u gwragedd a'u plant, o flaen y deml; taenasant ludw ar eu pennau a lledu eu sachlieiniau o flaen yr Arglwydd. [12]Ar ôl gwisgo'r allor hefyd â sachliain, gwaeddasant yn daer ag un llais ar Dduw Israel, iddo beidio â gadael i'w babanod gael eu dwyn yn ysbail, i'w gwragedd fynd yn anrhaith, i'w dinasoedd treftadol gael eu difodi a'u teml ei halogi er llawenydd maleisus y Cenhedloedd. [13]Gwrandawodd yr Arglwydd ar eu cri a thosturio wrth eu gorthrymder. Ymroes y bobl yn holl Jwdea a Jerwsalem i ymprydio am lawer o ddyddiau o flaen teml yr Arglwydd Hollalluog. [14]Yr oedd Joacim yr archoffeiriad a'r holl offeiriaid a safai gerbron yr Arglwydd, a'r rhai oedd yn gweini ar yr Arglwydd, wedi gwregysu eu llwynau â sachlieiniau, ac yn offrymu'r poethoffrwm arferol, yr addunedau a rhoddion gwirfoddol y bobl. [15]Â lludw ar eu penwisg, dalient i lefain â'u holl egni ar i'r Arglwydd ymweld â holl dŷ Israel er daioni.

---

[a]Felly Syrieg. Groeg, ffiniau.

Cyngor Rhyfel yng Ngwersyll Holoffernes

5 Pan dderbyniodd Holoffernes, prif gadfridog byddin Asyria, y newydd fod yr Israeliaid wedi ymbaratoi at ryfel, eu bod wedi cau bylchau'r mynydd-dir ac wedi cadarnhau holl gopaon yr ucheldir, ac wedi gosod maglau ar y gwastadeddau, aeth yn gynddeiriog. ²Galwodd ato holl lywodraethwyr Moab, cadfridogion Ammon, a holl benaethiaid yr arfordir, ³a dweud wrthynt, "Dywedwch wrthyf yn awr, chwi Ganaaneaid, pwy yw'r bobl hyn sy'n trigo yn y mynydd-dir? Ym mha drefi y maent yn preswylio? Beth yw nifer eu byddin? O ble y daw eu grym a'u gallu? Pa frenin sy'n llywodraethu arnynt ac yn arwain eu byddinoedd? ⁴Pam y bu iddynt hwy'n unig o holl drigolion y gorllewin wrthod dod i'm cyfarfod?"

Araith Achior ac Ymateb y Dyrfa

5 Atebodd Achior, arweinydd yr holl Ammoniaid, ef: "Gwrandawed f'arglwydd air o enau ei was, ac fe ddywedaf y gwir wrthyt am y bobl hyn, trigolion y mynydd-dir hwn sy'n gyfagos iti: ni ddaw un celwydd allan o enau dy was. ⁶Disgynyddion y Chaldeaid yw'r bobl hyn; ⁷buont yn trigo gynt yn Mesopotamia, am iddynt wrthod dilyn duwiau eu tadau, a fu'n byw yn Chaldea. ⁸Yr oeddent wedi cefnu ar arferion eu cyndadau a throi i addoli Duw y Nefoedd, y Duw yr oeddent wedi dod i'w adnabod. Gyrrodd y Chaldeaid hwy allan o ŵydd eu duwiau, a ffoesant hwythau i Mesopotamia, lle buont yn trigo am gyfnod hir. ⁹Yna galwodd eu Duw arnynt i ymadael â'u trigfa yno a mynd i wlad Canaan. Yno bu iddynt ymgartrefu a chasglu cyfoeth mawr mewn aur, arian ac anifeiliaid lawer. ¹⁰Aethant i lawr i'r Aifft pan ymledodd newyn dros wlad Canaan, a byw yno tra oedd cyflenwad o fwyd iddynt. Ac yno lluosogodd eu nifer gymaint fel na ellid rhifo'u poblogaeth, ¹¹a throes brenin yr Aifft yn eu herbyn, ac ymddwyn yn ddichellgar wrthynt drwy beri iddynt lafurio'n galed i wneud priddfeini, a'u darostwng i safle caethweision. ¹²Llefasant hwythau ar eu Duw, a thrawodd ef holl wlad yr Aifft â phlâu nad oedd meddyginiaeth iddynt. Gyrrodd yr Eifftiaid hwy allan. ¹³A sychodd Duw y Môr Coch o'u blaen, ¹⁴a'u harwain i Fynydd Sinai a Cades-

Barnea. Bwriasant allan holl drigolion yr anialwch, ¹⁵a thrigasant yng ngwlad yr Amoriaid, gan ddinistrio'n llwyr â'u llu nerthol holl bobl Hesbon. Yna, ar ôl croesi'r Iorddonen a meddiannu'r holl fynydd-dir, ¹⁶gyrasant allan o'u blaen y Canaaneaid, y Peresiaid, y Jebusiaid, y Sichemiaid a'r holl Gergesiaid, ac ymgartrefu yno am gyfnod maith. ¹⁷Cyhyd ag y peidient â phechu yn erbyn eu Duw, fe fyddai llwyddiant iddynt, gan mai Duw sy'n casáu drygioni yw eu Duw hwy. ¹⁸Felly, pan wyrasant oddi ar y llwybr a osododd ef iddynt, dinistriwyd hwy'n llwyr mewn rhyfeloedd lawer, a'u cludo'n garcharorion i wlad arall. Dymchwelwyd i'r llawr deml eu Duw, a goresgynnwyd eu trefi gan eu gelynion. ¹⁹Bellach troesant yn ôl at eu Duw, daethant i fyny o'r lleoedd y gwasgarwyd hwy iddynt, a meddiannu Jerwsalem, lle mae eu cysegr, ac ymgartrefu yn y mynydd-dir am ei fod yn anghyfannedd.

20 "Yn awr, f'arglwydd feistr, os yw'r bobl hyn yn cyfeiliorni ac yn pechu yn erbyn eu Duw, a ninnau'n dod i wybod iddynt gyflawni'r trosedd hwn, yna awn i fyny i ryfela yn eu herbyn; ²¹ond os nad oes yn eu cenedl hwy unrhyw anghyfraith, gad lonydd iddynt, f'arglwydd, rhag ofn i'w Harglwydd a'u Duw eu hamddiffyn, ac i ninnau fynd yn gyff gwawd i'r holl fyd." ²²Pan orffennodd Achior lefaru'r geiriau hyn, dechreuodd yr holl bobl oedd yn sefyll o amgylch y babell furmur yn ei erbyn; a galwodd swyddogion Holoffernes, a holl drigolion yr arfordir a Moab, am ei dorri'n ddarnau. ²³"Ni ddychrynir ni gan yr Israeliaid," meddent, "oherwydd pobl ydynt heb na'r gallu na'r grym i ymfyddino'n effeithiol. ²⁴Awn i fyny felly, f'arglwydd Holoffernes, ac fe'u traflyncir gan dy fyddin fawr di."

Araith Holoffernes

6 Pan ddistawodd dwndwr y dynion oedd o amgylch y cyngor, dywedodd Holoffernes, prif gadfridog byddin Asyria, wrth Achior yng ngŵydd yr holl estroniaid, ac wrth holl bobl Moab, ²"A phwy wyt ti, Achior, ti a'th filwyr cyflog o Effraim, i broffwydo yn ein mysg fel y gwnaethost heddiw, a'n gwaharddo rhag rhyfela yn erbyn cenedl Israel am y byddai eu Duw yn eu hamddiffyn? Pwy sydd Dduw ond Nebuchadnesar? ³Pan

enfyn ef ei lu nerthol, fe'u hysguba'n llwyr oddi ar wyneb y ddaear, ac ni chânt waredigaeth gan eu Duw. Ond nyni, gweision Nebuchadnesar ydym; fe'u darostyngwn hwy fel un gŵr, ac ni ddaliant eu tir o flaen ein gwŷr meirch; ⁴byddwn yn eu difa'n llwyr. Bydd eu mynyddoedd yn feddw ar eu gwaed, a'u gwastadeddau yn llawn o'u cyrff. Ni allant sefyll yn ein herbyn, ond fe'u llwyr ddifethir, medd y Brenin Nebuchadnesar, arglwydd yr holl ddaear. Y mae ef wedi llefaru, ac ni phrofir yn ofer yr un o'r geiriau a lefarodd ef. ⁵Ond amdanat ti, Achior, ti was cyflog Ammon, yn dy anwiredd y lleferaist ti y geiriau hyn heddiw; ni chei weld fy wyneb eto, o'r dydd hwn nes i mi ddial ar hiliogaeth y ffoaduriaid hynny o'r Aifft. ⁶Ond pan ddychwelaf, caiff cleddyfau fy milwyr a gwaywffyn ᵇ fy ngosgordd dy drywanu drwy dy ystlysau, ac fe syrthi dithau ymhlith eu clwyfedigion. ⁷Yn awr, caiff fy ngweision dy gymryd di i ffwrdd i'r mynydd-dir, a'th roi yn un o drefi'r bylchau, ⁸ond ni chei di farw nes iti gael dy lwyr ddifetha gyda hwy. ⁹Os wyt yn wir yn hyderus na chymerir hwy, paid ag edrych mor ddigalon. Lleferais, ac ni fydd un o'm geiriau nas cyflawnir."

Mynd ag Achior i Bethulia

10 Gorchmynnodd Holoffernes i'r gwcision hynny a ocdd ganddo yn ei babell afael yn Achior, a mynd ag ef i Bethulia i'w drosglwyddo i'r Israeliaid. ¹¹Gafaelodd y gweision ynddo a'i ddwyn allan o'r gwersyll i'r gwastatir, a mynd oddi yno i'r mynydd-dir, nes cyrraedd y ffynhonnau islaw Bethulia. ¹²Gwelodd trigolion y dref hwy; codasant eu harfau a mynd allan o'r dref i gopa'r mynydd, a'u ffon-daflwyr i gyd yn lluchio cerrig at y gelyn, i'w rhwystro rhag dringo i fyny. ¹³Llithrasant hwy dan gysgod y mynydd, a chlymu Achior, ac wedi ei daflu i lawr, ei adael yn gorwedd wrth droed y mynydd, a dychwelyd at eu harglwydd. ¹⁴Pan ddaeth yr Israeliaid i lawr o'u tref a'i ddarganfod yno, datodasant ei rwymau a mynd ag ef i Bethulia a'i osod gerbron y rhai oedd yn llywodraethwyr eu tref ¹⁵yr adeg honno, sef Osias fab Micha, o lwyth Simeon, Chabris fab Gothoniel, a Charmis fab Melchiel. ¹⁶A dyma hwy'n

gwysio holl henuriaid y dref i gyfarfod, a brysiodd yr holl wŷr ifainc a'r gwragedd i'r cyfarfod. Dygwyd Achior gerbron yr holl bobl, a gofynnodd Osias iddo beth oedd wedi digwydd. ¹⁷Atebodd yntau trwy adrodd hanes cyngor Holoffernes, yr holl bethau a ddywedodd ef ei hun gerbron llywodraethwyr Asyria, a phopeth a ddywedodd Holoffernes mewn bygwth ymffrostgar yn erbyn Israel. ¹⁸Yna syrthiodd y bobl i lawr mewn addoliad, a gweiddi'n uchel ar Dduw, ¹⁹"Arglwydd Dduw y nefoedd, gwêl eu balchder; tosturia wrth ddarostyngiad ein cenedl, a dangos heddiw dy ffafr i'th bobl sanctaidd." ²⁰Yna rhoesant eu cymeradwyaeth i Achior, a'i ganmol yn fawr. ²¹Cymerodd Osias ef o'r cyfarfod i'w dŷ ei hun, a gwnaeth wledd i'r henuriaid; a thrwy'r holl noson honno buont yn galw ar Dduw Israel am ei gymorth.

Gwarchae ar Bethulia

7 Trannoeth gorchmynnodd Holoffernes i'w holl fyddin, a phawb a ddaethai'n cynghreiriaid iddo, symud yn erbyn Bethulia, a mcddiannu bylchau'r mynydd-dir, ac ymosod ar yr Israeliaid. ²Y diwrnod hwnnw symudodd yr holl ryfelwyr eu gwersyll, yn dyrfa enfawr: eu lluoedd arfog yn gant saith deg o filoedd o wŷr traed a deuddeng mil o wŷr meirch, heb gyfrif y gwŷr traed a oedd yn cludo cyfreidiau'r fyddin. ³Ar ôl iddynt wersyllu yn y dyffryn ger Bethulia, wrth y ffynnon, yr oedd eu gwersyll yn ymestyn yn y cyfeiriad Dothan mor bell â Belbaim yn ei led, ac yn ei hyd o Bethulia i Cyamon gogyfer ag Esdraelon. ⁴Pan welodd yr Israeliaid y llu enfawr ohonynt, daeth ofn mawr arnynt, ac meddent bob un wrth ei gymydog, "Dinoethir yn awr holl wyneb y ddaear gan y dynion hyn; ni ddichon y mynyddoedd uchel na'r dyffrynnoedd na'r bryniau ddal eu pwysau." ⁵Cymerodd pob dyn ei arfau rhyfel, ac wedi cynnau coelcerthi ar eu tyrau, arosasant ar wyliadwriaeth ar hyd y noson honno.

6 Y diwrnod wedyn, arweiniodd Holoffernes ei holl wŷr meirch allan yng ngolwg yr Israeliaid oedd yn Bethulia. ⁷Wedi chwilio'r ffyrdd i fyny i'w tref hwy, cafodd hyd i'w ffynhonnau dŵr a'u

ᵇFelly Lladin a Syrieg. Groeg, *a phobl.*

meddiannu, ac wedi gadael milwyr i'w gwarchod, dychwelodd at ei bobl. [8]Yna, daeth ato holl lywodraethwyr yr Edomiaid, arweinwyr y Moabiaid a phenaethiaid yr arfordir, a dweud, [9]"Gwrandawed ein harglwydd ar ein gair, rhag i'w fyddin ddioddef colled. [10]Nid yn eu gwaywffyn y mae'r bobl hyn, yr Israeliaid, yn ymddiried, ond yn uchder y mynyddoedd lle y maent yn preswylio, oherwydd nid yn hawdd y gellir cyrraedd copaon eu mynyddoedd hwy. [11]Felly, f'arglwydd, paid â rhyfela yn eu herbyn yn y dull arferol, ac ni chollir un gŵr o'th fyddin. [12]Aros yn dy wersyll a diogela bob un o'th filwyr; a goresgynned dy weision y ffynnon ddŵr sy'n llifo allan o odre'r mynydd, [13]oherwydd ohoni hi y caiff holl drigolion Bethulia eu dŵr. Fe'u difethir gan syched, ac fe ildiant eu tref. Yna fe awn ninnau a'n pobl i fyny i gopaon y mynyddoedd cyfagos a gwersyllu arnynt, i ofalu na all yr un dyn fynd allan o'r dref. [14]Dihoenant o newyn, hwy a'u gwragedd a'u plant, ac fe'u gwasgerir hwy'n gyrff ar heolydd eu trigle cyn i gleddyf ddod yn agos atynt. [15]Dyma'r ffordd iti dalu'r pwyth yn ôl, drwg am eu drwg hwy yn gwrthryfela a gwrthod dy gyfarfod mewn heddwch." [16]Yr oedd eu geiriau wrth fodd Holoffernes a'i holl osgordd, a gorchmynnodd weithredu yn ôl eu cynllun. [17]Symudodd yr Ammoniaid, ynghyd â phum mil o Asyriaid, eu gwersyll a'i sefydlu yn y dyffryn, a goresgyn y ffynhonnau, cyflenwad dŵr yr Israeliaid. [18]Yna, aeth yr Edomiaid a'r Ammoniaid i fyny a gwersyllu yn y mynydd-dir gyferbyn ag Egrebel ger Chusi, ar lan ceunant Mochmur. Gwersyllodd gweddill byddin Asyria ar y gwastatir, gan orchuddio holl wyneb y tir; yr oedd eu pebyll a'u cyfreidiau yn wersyll enfawr, a hwythau'n dyrfa dra lluosog.

19 Gwaeddodd yr Israeliaid ar yr Arglwydd eu Duw; yr oeddent wedi digalonni am i'w holl elynion eu hamgylchynu, a hwythau heb fodd i ddianc rhagddynt. [20]Bu holl fyddin Asyria, yn wŷr traed, yn gerbydau, ac yn wŷr meirch, yn gwarchae arnynt am dri deg a phedwar o ddyddiau. [21]Yr oedd holl lestri dŵr trigolion Bethulia yn wag, y cronfeydd yn mynd yn sych, a chan fod dogni ar y dŵr yfed, nid oedd diwrnod pan gaent ddigon i'w diwallu. [22]Llesg-

aodd eu plant, llewygodd eu gwragedd a'u gwŷr ifainc o syched, a syrthio ar heolydd y dref ac ar fynedfeydd y pyrth; yr oeddent wedi llwyr ddiffygio.

23 Yna ymgynullodd yr holl bobl, yn wŷr ifainc, yn wragedd ac yn blant, o amgylch Osias ac arweinwyr y dref; gwaeddasant â llais uchel, a dweud gerbron yr holl henuriaid, [24]"Barned Duw rhyngoch chwi a ninnau. Oherwydd gwnaethoch gam mawr â ni drwy wrthod trafod heddwch gyda'r Asyriaid. [25]Yn awr, nid oes gennym neb i fod yn gefn inni, oherwydd y mae Duw wedi ein gwerthu i'w dwylo hwy, fel y'n ceir ganddynt wedi ein gwasgaru ar lawr mewn syched a diymadferthedd llwyr. [26]Am hynny, galw hwy i mewn, ac ildia'r holl dref yn ysbail i bobl Holoffernes ac i'w fyddin i gyd. [27]Bydd mynd yn anrhaith iddynt yn well i ni, oherwydd fel caethweision fe gawn gadw ein heinioes, a'n harbed rhag gweld ein babanod yn marw o flaen ein llygaid, a'n gwragedd a'n plant yn trengi. [28]Galwn yn dyst yn eich erbyn y nefoedd a'r ddaear, a'n Duw ni ac Arglwydd ein tadau, yr hwn sy'n ein cosbi yn ôl ein pechodau ni ac yn ôl gweithredoedd pechadurus ein tadau. Na foed iddo ef heddiw weithredu yn ôl y geiriau hyn." [29]Yna bu wylofain mawr a chyffredinol ymhlith y gynulleidfa, a gwaeddasant yn uchel ar yr Arglwydd eu Duw. [30]Ond dywedodd Osias wrthynt, "Codwch eich calon, frodyr; gadewch inni ddal ati am bum diwrnod eto; erbyn hynny, bydd yr Arglwydd ein Duw wedi adfer ei drugaredd tuag atom, oherwydd ni bydd ef yn cefnu arnom yn y diwedd. [31]Ond os â'r dyddiau hyn heibio heb i gymorth ddod inni, gwnaf yn ôl eich dymuniad." [32]Gollyngodd y bobl, a'u hanfon bob un i'w safle ei hun, ac aethant hwythau ymaith i furiau a thyrau eu tref, ac anfon eu gwragedd a'u plant i'w cartrefi; a thrwy'r dref yr oedd digalondid mawr.

Judith y Weddw

8 Yn y dyddiau hynny, clywodd Judith am hyn. Merch oedd hi i Merari fab Ox, fab Joseff, fab Osiel, fab Helcias, fab Ananias, fab Gideon, fab Raffaim, fab Achitob, fab Elias, fab Chelciap, fab Eliab, fab Nathanael, fab Salamiel, fab Sarasadai, fab Israel. [2]Yr oedd ei gŵr Manasse o'r un llwyth a theulu â hithau;

bu ef farw adeg y cynhaeaf barlys. [3]Tra oedd yn arolygu'r rhai oedd yn rhwymo'r ysgubau ar y maes, fe'i trawyd gan wres yr haul; aeth i'w wely a bu farw yn Bethulia, ei dref ei hun. Claddasant ef gyda'i dadau yn y maes sydd rhwng Dothan a Balamon. [4]Am dair blynedd a phedwar mis bu Judith fyw yn ei thŷ ei hun yn weddw. [5]Yr oedd wedi gwneud pabell iddi ei hun ar do ei thŷ, a gosod sachliain am ei chanol, a dillad gweddwdod oedd amdani. [6]Byddai hi'n ymprydio bob dydd o'i gweddwdod ar wahân i'r dydd cyn y Saboth a'r Saboth, y noson cyn y newydd-loer a'r newydd-loer, a dyddiau gŵyl ac uchel wyliau Israel. [7]Gwraig brydferth a deniadol iawn oedd Judith. Gadawodd ei gŵr Manasse iddi aur ac arian, gweision a morynion a gwartheg a thiroedd, ac yr oedd hi'n dal i fyw ar ei hystad. [8]Nid oedd gan neb air drwg i'w ddweud amdani, am ei bod hi'n dduwiol iawn.

Judith yn Cynghori Henuriaid y Dref

9 Clywodd Judith am eiriau cas y bobl yn erbyn y llywodraethwr Osias, a hwythau wedi gwangalonni oherwydd prinder dŵr, a chlywodd hefyd am bopeth a ddywedodd Osias yn ateb iddynt, a'i fod wedi tyngu iddynt yr ildiai'r dref i'r Asyriaid ymhen pum diwrnod. [10]Anfonodd y forwyn a ofalai am ei holl ystad i alw ati Osias[c], Chabris a Charmis, henuriaid ei thref. [11]Wedi iddynt gyrraedd dywedodd wrthynt: "Gwrandewch arnaf, lywodraethwyr trigolion Bethulia. Nid oedd yn iawn i chwi siarad fel y gwnaethoch heddiw gerbron y bobl, a thyngu'r llw hwn gerbron Duw, gan ddweud y byddech yn ildio'r dref i'n gelynion, os na byddai'r Arglwydd yn troi'n ôl i'ch gwaredu chwi cyn pen nifer o ddyddiau. [12]Pwy ydych chwi, ynteu, sydd wedi rhoi Duw ar ei brawf heddiw, a sefyll yn ei le ef ymhlith dynion? [13]Yn hyn o beth, onid yr Arglwydd Hollalluog a osodir ar brawf gennych? Ni ddeallwch chwi ddim am hyn byth bythoedd. [14]Ni threiddiwch byth i ddyfnder calon dyn, na dirnad ei feddyliau; sut, felly, y chwiliwch feddwl y Duw a wnaeth hyn oll, a dirnad ei feddwl a deall ei gynlluniau ef? Na, frodyr, peidiwch â digio'r Arglwydd ein Duw. [15]Os nad yw'n dewis ein cynorth-

wyo cyn pen y pum diwrnod, ganddo ef y mae'r hawl i'n hamddiffyn am gynifer o ddyddiau ag a fyn, neu i'n dinistrio gerbron ein gelynion. [16]Peidiwch â gosod amodau ar yr Arglwydd ein Duw; nid dyn mohono i'w fygwth, na mab dyn i ddwyn perswâd arno. [17]Gan hynny, wrth inni aros iddo'n hachub ni, galwn arno am ei gymorth, ac os gwêl yn dda fe wrendy ar ein cri. [18]Oherwydd ni fu yn ein hoes ni, ac ni cheir heddiw, na llwyth na theulu, na thref na dinas, ohonom ni sy'n addoli duwiau o waith llaw fel y bu yn y dyddiau gynt. [19]Dyna'r rheswm y rhoddwyd ein tadau i fin y cleddyf ac i fod yn ysbail; mawr iawn fu eu cwymp o flaen ein gelynion. [20]Ond amdanom ni, nid ydym wedi cydnabod unrhyw Dduw arall ond ef; dyma sail ein gobaith na fydd iddo ein dirmygu ni na neb o'n cenedl. [21]Oherwydd o'n dal ni fel hyn, fe ddelir holl wlad Jwdea; anrheithir ein cysegroedd, a gelwir arnom i ateb dros eu halogi hwy â'n gwaed. [22]Lladd ein brodyr, caethiwo'n gwlad, troi'n treftadaeth yn anialwch—ar ein pen ni y daw hyn oll ymhlith y cenhedloedd, lle bynnag y byddwn yn gaethion iddynt; byddwn yn wrthrych gwarth a dirmyg yng ngolwg ein perchnogion. [23]Nid ffafr fydd yn deillio o'n caethiwed; yn hytrach bydd yr Arglwydd ein Duw yn dwyn amarch ohono. [24]Ac yn awr, frodyr, rhown esiampl i'n cymrodyr, oherwydd arnom ni y mae eu heinioes yn dibynnu, ac yn ein llaw ni y saif tynged y cysegr, y deml a'r allor. [25]Ar ben hyn oll, rhown ddiolch i'r Arglwydd ein Duw, sy'n gosod prawf arnom fel y gwnaeth ar ein tadau. [26]Cofiwch yr hyn a wnaeth i Abraham, y modd y profodd Isaac, a'r hyn a ddigwyddodd i Jacob yn rhanbarth Syria o Mesopotamia tra oedd yn bugeilio defaid Laban, brawd ei fam. [27]Ni phrofodd ni â thân fel y profodd hwy, i chwilio'u calonnau; nid yw ef wedi dial arnom ni; er mwyn eu disgyblu y mae'r Arglwydd yn cosbi'r rhai sy'n nesáu ato."

28 "O galon ddiffuant," meddai Osias wrthi, "yr wyt wedi llefaru'r cwbl a ddywedaist, ac nid oes neb a all wrthsefyll dy eiriau. [29]Oherwydd nid heddiw yw'r tro cyntaf iti amlygu doethineb; y mae pawb yn gwybod mor ddeallus wyt, ac mor ddibynadwy dy farn o'th blentyndod. [30]Ond, a'r bobl yn dioddef yn

enbyd o syched, gorfodwyd ni ganddynt
i gyflawni'n haddewid iddynt, a thyngu llw
nad ydym i'w dorri. ³¹Gwraig dduwiol
wyt; gweddïa drosom felly, a bydd yr
Arglwydd yn anfon glaw i lenwi ein llestri
dŵr, fel na byddwn mwyach yn llewygu
gan syched."
32 Atebodd Judith hwy, "Gwrand-
ewch arnaf, ac mi gyflawnaf weithred a
gofir o genhedlaeth i genhedlaeth gan ein
cenedl. ³³Safwch chwithau wrth y porth
trwy'r nos heno; ac mi af fi allan gyda'm
llawforwyn. Cyn y daw'r dydd yr
addawsoch ildio'r ddinas i'n gelynion,
bydd yr Arglwydd drwy fy llaw i wedi
gwaredu Israel. ³⁴Peidiwch chwi â holi
am fy nghynllun; ni ddywedaf ddim
wrthych hyd nes i mi ei gyflawni." ³⁵Ac
meddai Osias a'r llywodraethwyr wrthi:
"Dos mewn tangnefedd, a bydded yr
Arglwydd Dduw o'th flaen di, i ddial ar
ein gelynion." ³⁶Yna aethant o'r babell
a dychwelyd i'w rhengoedd.

Gweddi Judith

9 Yna syrthiodd Judith ar ei hwyneb,
taenellodd ludw ar ei phen, a dat-
gelu'r sachliain a wisgai. Ac ar adeg
offrymu'r arogldarth hwyrol yn nhŷ
Dduw yn Jerwsalem, galwodd Judith â
llais uchel ar yr Arglwydd, a dweud: ²"O
Arglwydd, Duw fy nghyndad Simeon,
rhoddaist yn ei law ef gleddyf i ddial ar
yr estroniaid hynny a dreisiodd forwyn
a'i difwyno; noethasant ei chluniau a'i
chywilyddio, a halogi ei chroth a'i
gwaradwyddo. Er iti ddweud, 'Ni chaiff
hyn fod', fe'i gwnaethant. ³Am hynny,
traddodaist eu llywodraethwyr i'w lladd,
a thraddodi i'r gwaed eu gwely, a wridai
am y ferch a dwyllwyd; trewaist gaeth-
weision ynghyd â'u harglwyddi, a'r ar-
glwyddi ar eu gorseddau. ⁴Traddodaist
eu gwragedd i'w hysbeilio a'u merched
i'w caethgludo, a'u holl anrhaith i'w
rhannu rhwng y meibion a geraist, y rhai a
fu mor fawr eu sêl drosot, ac a ffieiddiodd
y gwaradwydd a fu ar eu gwaed. Gal-
wasant arnat ti am gymorth. O Dduw, fy
Nuw, gwrando yn awr arnaf fi, a min-
nau'n weddw. ⁵Oherwydd ti a wnaeth y
pethau hynny, a'r pethau a fu o'u blaen
a'r pethau a'u dilynodd; ti a fwriadodd yr
hyn sy'n digwydd yn awr a'r hyn sydd i
ddod. ⁶Y mae'r pethau a gynlluniaist ti
yma wrth law yn dweud, 'Dyma ni.'
Oherwydd parod yw dy holl ffyrdd, a

rhagwybodaeth sy'n llywio dy farn.
⁷Dyma'r Asyriaid wedi cynyddu yn eu
nerth, yn ymfalchïo yn eu meirch a'u
marchogion, yn ymffrostio yn nerth eu
gwŷr traed, yn ymddiried mewn tarian a
phicell, mewn bwa a ffon-dafl; ni wydd-
ant mai ti yw'r Arglwydd sy'n rhoi terfyn
ar ryfel. Yr Arglwydd yw dy enw.
⁸Rhwyga di eu cryfder yn dy nerth, a
dryllia eu cadernid yn dy lid. Oherwydd
eu bwriad yw halogi dy deml, difwyno'r
tabernacl sy'n drigfan i'th enw gogon-
eddus, a bwrw i lawr â chleddyf gorn dy
allor. ⁹Edrych ar eu balchder, tywallt dy
lid ar eu pennau, a rho i mi sy'n weddw
law nerthol i gyflawni fy mwriad. ¹⁰Trwy
dwyll fy ngwefusau taro'r caethwas
gyda'r tywysog a'r tywysog gyda'i was;
dryllia eu balchder trwy law benyw.
¹¹Oherwydd nid mewn lliaws y mae dy
nerth di, na'th allu llywodraethol mewn
gwŷr cedyrn; Duw'r gostyngedig ydwyt,
cymorth yr isel, cynhaliwr y gwan, am-
ddiffynnydd y diymadferth a gwaredwr
y diobaith. ¹²Yn awr, O Dduw fy nghyn-
dad, a Duw treftadaeth Israel, llywod-
raethwr nefoedd a daear, creawdwr y
dyfroedd a brenin yr holl greadigaeth,
gwrando ar fy ngweddi daer, ¹³a rho imi
eiriau twyllodrus i glwyfo ac anafu'r
rhain sydd wedi cynllunio'r fath greulon-
der yn erbyn dy gyfamod, a'th deml
sanctaidd, a Mynydd Seion, a'r tŷ sy'n
eiddo dy blant. ¹⁴A rho i bob cenedl o'r
eiddot a phob llwyth amgyffrediad i
wybod mai ti sydd Dduw, y Duw holl-
alluog a nerthol, ac nad oes neb arall ond
tydi'n amddiffynfa i genedl Israel."

Judith yn Mynd i Wersyll Holoffernes

10 Ar ôl iddi beidio â'i llefain ar
Dduw Israel, a gorffen yr holl
eiriau hyn, ²cododd Judith o'r fan lle y
gorweddai ar ei hyd, galwodd ar ei mor-
wyn, ac aeth i lawr i'r tŷ lle'r arferai
dreulio'r Sabothau a'i dyddiau gŵyl.
³Wedi tynnu'r sachliain a osodasai am-
dani, a diosg gwisg gweddwdod, ac
ymolchi drosti i gyd, fe'i heneiniodd ei
hun â pheraroglau drud, trin ei gwallt a
rhoi penwisg ar ei phen. Rhoes amdani'r
dillad yr arferai eu gwisgo yn y dyddiau
llawen pan oedd ei gŵr Manasse yn fyw.
⁴Wedi rhoi sandalau am ei thraed, gwisg-
odd yddfdorchau, breichledau, modrwy-
au, clustlysau a'i holl emau. Fe'i
haddurnodd ei hun yn ddigon deniadol i

hudo unrhyw ddyn a'i gwelai. ⁵Yna, rhoddodd i'w morwyn gostrel o win a stên o olew, ac wedi llenwi cod â bara'r radell, cacenni ffigys a thorthau o fara peilliaid, a phacio'r llestri gyda'i gilydd, rhoes y rhain hefyd i'w gofal. ⁶Aethant allan at borth tref Bethulia, a chael Osias a henuriaid y dref, Chabris a Charmis, yn sefyll yno. ⁷Pan welsant Judith â'i hwyneb wedi ei weddnewid a'i dillad mor wahanol, synasant yn fawr iawn at ei phrydferthwch, a dweud wrthi: ⁸"Bydded i Dduw ein tadau ganiatáu o'i ffafr iti gyflawni dy fwriadau er gogoniant i blant Israel a dyrchafiad i Jerwsalem." Yna addolodd Judith Dduw a dweud: ⁹"Gorchmynnwch iddynt agor porth y dref, ac mi af allan i gyflawni'r pethau y buoch yn siarad â mi amdanynt." Gorchmynasant i'r gwŷr ifainc agor iddi, yn unol â'i chais. Gwnaethant felly, ¹⁰ac aeth Judith allan, a'i llawforwyn gyda hi. Yr oedd gwŷr y dref yn ei gwylio hi'n mynd i lawr y mynydd nes iddi groesi'r dyffryn a diflannu o'u golwg.

11 Aeth y ddwy yn syth ymlaen trwy'r dyffryn, a daeth nifer o wylwyr yr Asyriaid i'w chyfarfod. ¹²Wedi ei dal hi, dyma'i holi: "I ba bobl yr wyt ti'n perthyn? O ble y daethost? I ble'r wyt ti'n mynd?" Atebodd hithau: "Merch i'r Hebreaid wyf fi, yn ffoi oddi wrthynt gan eu bod ar gael eu rhoi i'w traflyncu gennych chwi. ¹³Yr wyf ar fy ffordd at Holoffernes, prif gadfridog eich byddin, er mwyn rhoi gwybodaeth gywir iddo. Hysbysaf ger ei fron y ffordd i fynd a meddiannu'r holl ucheldir, a hynny heb golli'r un o'i ddynion, na cholli bywyd neb." ¹⁴Pan glywodd y gwŷr ei geiriau edrychasant ar ei hwyneb; yn eu golwg hwy yr oedd ei phrydferthwch yn eithriadol. Meddent wrthi: ¹⁵"Arbedaist dy fywyd wrth frysio i lawr at ein harglwydd. Yn awr, dos i'w babell, a daw rhai o'n plith i'th hebrwng a'th drosglwyddo i'w ddwylo. ¹⁶Pan fyddi'n sefyll o'i flaen, paid ag ofni yn dy galon, ond dywed wrtho yr hyn a ddywedaist wrthym ni, a chei dy drin yn dda ganddo." ¹⁷Yna, wedi dewis cant o ddynion o'u plith, fe'u hanfonasant yn osgordd iddi hi a'i morwyn, a'u harwain i babell Holoffernes.

18 Yna bu cynnwrf drwy'r holl wersyll, wrth i'r newydd am ddyfodiad Judith ymledu o babell i babell. A

ch Felly'r Groeg. Y mae'r testun a'r ystyr yn ansicr.

hithau'n sefyll y tu allan i babell Holoffernes yn disgwyl iddynt ddweud wrtho amdani, fe'i hamgylchynwyd gan dyrfa fawr. ¹⁹Yr oeddent yn synnu at ei phrydferthwch, ac o'i hachos hi yn synnu at feibion Israel, a'r naill yn dweud wrth y llall: "Pwy a all fychanu'r bobl hyn, a'r fath wragedd yn eu plith? Gwell fydd peidio â gadael yn fyw yr un dyn ohonynt; os caiff y rhain fynd yn rhydd, byddant yn gallu hudo'r holl fyd." ²⁰Aeth amddiffynwyr Holoffernes allan, ynghyd â'i holl weision, a'i harwain hi i mewn i'r babell. ²¹Yr oedd Holoffernes yn gorffwys ar ei wely dan len a oedd wedi ei gweu â phorffor, aur, emrallt a meini gwerthfawr. ²²Wedi iddynt ddweud wrtho amdani, aeth ef allan i gyntedd y babell, a chludwyd lampau arian o'i flaen. ²³Pan ddaeth Judith wyneb yn wyneb ag ef a'i weision, synasant oll at brydferthwch ei gwedd. Syrthiodd hi ar ei hyd o'i flaen, a thalu gwrogaeth iddo, ond fe'i codwyd ar ei thraed gan ei weision.

11 Meddai Holoffernes wrthi: "Cod dy galon, wraig; paid ag ofni. Oherwydd ni wneuthum i niwed erioed i neb a welodd yn dda wasanaethu Nebuchadnesar, brenin yr holl ddaear. ²Hyd yn oed yn awr, onibai i'th bobl, trigolion yr ucheldir, fy niystyru, ni fyddwn wedi codi fy mhicell yn eu herbyn; hwy sydd wedi dwyn hyn arnynt eu hunain. ³Ond yn awr, dywed wrthyf pam y ffoaist oddi wrthynt a dod atom ni? Oherwydd yr wyt wedi dod i le diogel. Cod dy galon; cei fyw y nos hon a rhag llaw, ⁴oherwydd nid oes neb a wna niwed iti; yn hytrach, bydd pawb yn dy drin yn dda, yn union fel y maent yn trin holl weision f'arglwydd, y Brenin Nebuchadnesar." ⁵Meddai Judith wrtho: "Gwrando ar eiriau dy gaethferch; caniataer i'th lawforwyn lefaru o'th flaen; ni ddywedaf air o gelwydd wrth f'arglwydd y nos hon. ⁶Os dilyni gyngor dy lawforwyn, bydd Duw yn gwarantu llwyddiant iti yn dy waith, ac ni fetha f'arglwydd yn ei amcanion. ⁷Oherwydd tyngaf lw iti ar fywyd Nebuchadnesar, brenin yr holl ddaear, ac ar ei allu ef, yr hwn a'th anfonodd i osod trefn ar bob enaid byw; oherwydd nid dynion yn unig sydd yn ei wasanaethu ef o'th achos di, ond hefyd bydd bwystfilod y maes, anifeiliaid, ac adar yr awyr trwy dy nerth di yn byw tra pery Nebuchadnesar a'i holl dŷ. ch ⁸Clywsom yn wir am dy

ddoethineb a'th orchestion cyfrwys. Y mae'n hysbys i'r holl fyd mai ti'n unig yn yr holl deyrnas sydd dda, yn gyfoethog o ran gwybodaeth, ac yn rhyfeddol o ran medrau rhyfel. [9]Yn awr, clywsom am yr hyn a ddywedodd Achior yn ei araith yn dy gyngor di; gan i wŷr Bethulia ei arbed, fe'u hysbysodd am bopeth a ddywedodd wrthyt ti. [10]Paid, felly, f'arglwydd feistr, â diystyru ei neges; cadw hi yn dy feddwl, oherwydd y mae'n wir; oblegid ni chosbir ein cenedl, ac ni niweidir ei phobl gan y cleddyf oni fyddant yn pechu yn erbyn eu Duw. [11]Ond yn awr, nid oes rhaid i'm harglwydd wynebu rhwystr na methiant yn ei amcan, oherwydd y mae angau ar fin syrthio ar eu pennau, am i bechod eu meddiannu, a byddant felly yn cynddeiriogi eu Duw bob tro y troseddant. [12]Pan fethodd eu cyflenwad bwyd, a'r dŵr yn mynd yn brin, penderfynasant fwyta eu hanifeiliaid, a defnyddio'r holl bethau y gwaharddodd Duw yn ei gyfreithiau iddynt eu bwyta. [13]Er iddynt gysegru blaenffrwyth y gwenith a degymau'r gwin a'r olew, a'u neilltuo i'r offeiriaid sy'n gweini gerbron Duw yn Jerwsalem, ac er nad yw'n briodol i neb o'r bobl gymaint â chyffwrdd y pethau hyn â'u dwylo, y maent wedi penderfynu eu bwyta. [14]Y maent hefyd wedi anfon negeswyr i Jerwsalem, lle mae'r trigolion yn gweithredu yn yr un modd, i geisio caniatâd y senedd i wneud hyn. Yn awr dyma beth a ddigwydd: [15]pan ddaw'r caniatâd iddynt, a hwythau'n gweithredu arno, y dydd hwnnw fe'u traddodir iti i'w dinistrio. [16]Felly, pan glywais i, dy gaethferch, am hyn oll, ffois oddi wrthynt; ac y mae Duw wedi f'anfon i gyflawni gyda thi bethau a fydd yn rhyfeddod i'r holl fyd, wedi i ddynion glywed amdanynt. [17]Oherwydd y mae dy gaethferch yn wraig dduwiol, ac yn addoli Duw'r nef ddydd a nos. Ac yn awr, f'arglwydd, fe arhosaf gyda thi, ac fe â dy gaethferch allan bob nos i'r dyffryn a gweddïo ar Dduw, ac fe ddywed ef wrthyf pan fyddant wedi cyflawni eu pechodau. [18]Yna pan ddychwelaf a chyflwyno'r wybodaeth i ti, cei fynd allan gyda'th holl fyddin, ac nid oes neb ohonynt a all dy wrthsefyll. [19]Arweiniaf di drwy ganol Jwdea nes iti gyrraedd yn agos i Jerwsalem, a gosodaf dy orsedd yng nghanol y ddinas. Byddi yn eu harwain fel defaid

heb fugail ganddynt, ac ni feiddia unrhyw gi gyfarth o'th flaen. Cefais ragwybodaeth am hyn; fe'i datguddiwyd imi, ac fe'm hanfonwyd i'w chyhoeddi i ti."

20 Yr oedd geiriau Judith wrth fodd Holoffernes a'i holl weision. Synasant at ei doethineb hi, [21]ac meddent: "O naill gwr y ddaear i'r llall, nid oes gwraig debyg o ran prydferthwch ei gwedd nac o ran deallusrwydd ei geiriau." [22]Meddai Holoffernes wrthi: "Gwnaeth Duw yn dda trwy dy anfon oddi wrth dy bobl er mwyn rhoi'r gallu yn ein dwylo ni, a pheri dinistr i'r rhai sydd wedi diystyru f'arglwydd. [23]Y mae dy ffurf yn brydferth a'th eiriau'n dda. Os gwnei yn ôl d'addewid, dy Dduw di fydd fy Nuw innau, a chei gymryd dy le yn nhŷ Nebuchadnesar, a dod yn enwog drwy'r holl ddaear."

Judith yn Glynu'n Ffyddlon wrth ei Chrefydd

12 Yna gorchmynnodd Holoffernes ei harwain hi i mewn i'r ystafell lle'r oedd ei lestri arian, ac arlwyo ger ei bron o'i ddanteithion, ac o'i win iddi ei yfed. [2]Dywedodd Judith, "Nid wyf am fwyta dim ohonynt, rhag ofn bod hynny'n drosedd; ond bydd peth o'r bwyd y deuthum ag ef gyda mi yn ddigon." [3]Yna dywedodd Holoffernes wrthi, "Ond os palla'r hyn sydd gennyt, o ble y cawn ddim tebyg i'w roi iti? Oherwydd nid oes yn ein plith neb o'th genedl di." [4]Atebodd Judith, "Cyn wired â'th fod yn fyw, f'arglwydd, ni fyddaf fi, dy gaethferch, wedi dibennu'r hyn sydd gennyf cyn i'r Arglwydd drwy fy llaw i gyflawni ei fwriad." [5]Arweiniodd gweision Holoffernes hi i'r babell, a chysgodd hyd ganol nos; yna cododd tua gwyliadwriaeth y bore. [6]Anfonodd neges at Holoffernes fel hyn: "Os gwêl f'arglwydd yn dda, gorchmynned ganiatáu i'th gaethferch fynd allan i weddïo." [7]Gorchmynnodd Holoffernes nad oedd ei osgordd i'w rhwystro hi. Arhosodd hi yn y gwersyll am dri diwrnod, a phob nos byddai'n mynd allan i ddyffryn Bethula ac yn ymdrochi wrth y ffynnon ddŵr ger y gwersyll. [8]Wedi dod i fyny o'r dŵr byddai'n deisyf ar Arglwydd Dduw Israel i hyrwyddo'i chynllun i adfer plant ei bobl. ⁹Byddai'n dychwelyd wedi ei phuro'i hun, ac yn aros yn y babell nes iddi gymryd pryd o fwyd gyda'r nos.

Gwledd Holoffernes

10 Ar y pedwerydd dydd, gwnaeth Holoffernes wledd i'w gaethweision ei hun, ond nid estynnodd wahoddiad i'r rhai oedd wrth eu dyletswydd. ¹¹Dywedodd wrth Bagoas, yr eunuch a ofalai am ei holl eiddo, "Dos yn awr a pherswadia'r Hebrëes sydd yn dy ofal i ddod atom i fwyta ac yfed gyda ni. ¹²Yn wir byddai'n gywilydd inni pe baem yn caniatáu i'r fath wraig ymadael heb inni ymgyfeillachu â hi; os na allwn ei denu atom, bydd hi'n chwerthin am ein pen." ¹³Aeth Bagoas allan o ŵydd Holoffernes, a mynd at Judith a dweud: "Paid ti, ferch brydferth, â phetruso dod at f'arglwydd i'th anrhydeddu ger ei fron, i yfed gwin gyda ni mewn llawenydd, ac i fod heddiw fel un o ferched yr Asyriaid sy'n gweini yn nhŷ Nebuchadnesar." ¹⁴Meddai Judith wrtho: "Pwy wyf fi i wrthod f'arglwydd? Popeth fydd wrth ei fodd, fe'i gwnaf yn eiddgar, a hynny fydd fy ngorfoledd hyd ddydd fy marwolaeth." ¹⁵Cododd, a gwisgo amdani ei dillad gwych a holl addurniadau gwraig, ac aeth ei chaethferch a thaenu iddi ar y llawr o flaen Holoffernes y cnuau yr oedd wedi eu derbyn gan Bagoas at ei gwasanaeth bob dydd, iddi gael gorwedd arnynt i fwyta. ¹⁶Daeth Judith i mewn a gorwedd yn ei lle. Collodd Holoffernes arno'i hun yn ei awydd amdani; cynhyrfwyd ei deimladau yn ei flys angerddol am gydorwedd â hi. Yn wir, o'r dydd cyntaf y gwelodd hi, yr oedd wedi bod yn aros ei gyfle i'w hudo. ¹⁷Dywedodd Holoffernes wrthi, "Yf yn awr, 'rwy'n erfyn arnat, a bydd lawen gyda ni." ¹⁸Atebodd Judith: "Yn wir, f'arglwydd, mi yfaf, oherwydd heddiw yw'r diwrnod mwyaf gogoneddus yn fy mywyd er dydd fy ngeni." ¹⁹Cymerodd y bwyd yr oedd ei llawforwyn wedi ei baratoi, a bwyta ac yfed o'i flaen ef. ²⁰Llonnwyd Holoffernes ganddi, ac yfodd lawer gormod o win, mwy nag yr yfodd erioed mewn un diwrnod er dydd ei eni ef.

13 Ond yr oedd wedi hwyrhau, a brysiodd ei weision i ymadael. Caeodd Bagoas y babell o'r tu allan, gan gau allan y gwarchodwyr o ŵydd ei

arglwydd, ac aeth y rheini ymaith i'w gwelyau; yr oedd pawb wedi blino'n lân gan i'r wledd barhau cyhyd. ²Gadawyd Judith ar ei phen ei hun yn y babell, a Holoffernes wedi syrthio ar ei hyd ar ei wely; yr oedd yn frwysg gan win. ³Dywedodd Judith wrth ei chaethferch am sefyll y tu allan i'w hystafell wely a disgwyl am ei hymadawiad, fel y byddai'n gwneud yn feunyddiol. Yr oedd wedi dweud wrthi y byddai'n mynd i'w man gweddi, ac wedi rhoi'r un neges i Bagoas. ⁴Yr oedd pawb wedi mynd allan, ac nid oedd neb, neb pwysig na di-nod, ar ôl yn yr ystafell. Safodd Judith wrth wely Holoffernes, a gweddïo'n ddistaw: "O Arglwydd Dduw pob gallu, edrych yn awr ar waith fy nwylo er dyrchafu Jerwsalem, ⁵oherwydd dyma'r awr i gynorthwyo dy dreftadaeth a chyflawni fy nghynllun i ddryllio'r gelynion a gododd yn ein herbyn." ⁶Aeth at erchwyn y gwely, wrth ymyl pen Holoffernes, a chymryd ei gleddyf i lawr. ⁷Nesaodd at y gwely a gafael yng ngwallt ei ben, a dweud, "Nertha fi, O Arglwydd Dduw Israel, y dydd hwn." ⁸Â'i holl nerth, trawodd ei wddf ddwywaith a thorri ci ben i ffwrdd. ⁹Trciglodd ci gorff oddi ar y gwely, a thynnu'r llen i lawr o'r pyst. Ar unwaith dyma hi'n mynd allan a rhoi pen Holoffernes i'w llawforwyn, ¹⁰a dododd hithau ef yn ei chod bwyd. Aeth y ddwy allan gyda'i gilydd fel arfer i weddïo. Aethant trwy'r gwersyll ac o amgylch y dyffryn, a dringo Mynydd Bethulia nes cyrraedd pyrth y dref honno.

Judith yn Dychwelyd i Bethulia

11 Galwodd Judith o hirbell ar warchodwyr y pyrth: "Agorwch, da chwi, agorwch y porth. Y mae Duw, ein Duw ni, gyda ni i ddangos eto ei allu yn Israel a'i rym yn erbyn ein gelynion, yn union fel y gwnaeth heddiw." ¹²Pan glywodd gwŷr ei threfi hi ei llais, aethant i lawr ar frys i borth eu tref a galw ynghyd yr henuriaid. ¹³Rhedodd pawb ynghyd, y rhai pwysig a'r di-nod, gan mor annisgwyl oedd ei dyfodiad hi. Agorasant y porth a'u croesawu, ac wedi cynnau tân i gael golau, ymgasglasant o'u hamgylch ill dwy. ¹⁴Yna dywedodd Judith wrthynt â llais uchel: "Molwch Dduw, molwch ef! Molwch Dduw, oherwydd ni thynnodd yn ôl ei drugaredd oddi wrth dŷ Israel, ond drwy fy llaw i dinistriodd ein gelynion y

nos hon." ¹⁵Tynnodd y pen allan o'i chod a'i ddangos iddynt, a dweud: "Dyma ben Holoffernes, prif gadfridog byddin Asyria, a dyma'r llen a oedd drosto pan orweddai yn ei feddwod. A thrwy law benyw y trawodd yr Arglwydd ef. ¹⁶Cyn wired â bod byw yr Arglwydd a ofalodd trosof ar y llwybr a gymerais, fy wyneb i a hudodd Holoffernes i'w ddinistr, ac eto ni chyflawnodd ef bechod gyda mi, i'm halogi na'm cywilyddio." ¹⁷Synnwyd yr holl bobl yn ddirfawr, ac wedi ymgrymu, addolasant Dduw a dweud ag un llais: "Bendigedig wyt ti, ein Duw, a ddiddymodd elynion dy bobl heddiw." ¹⁸Yna meddai Osias wrthi, "Bendigedig wyt tithau, fy merch, goruwch holl wragedd y ddaear yng ngolwg y Duw goruchaf, a bendigedig yw'r Arglwydd Dduw, Creawdwr nefoedd a daear, a'th dywysodd i dorri pen cadfridog ein gelynion. ¹⁹Oherwydd ni ddiflanna dy obaith di byth o galon dynion, wrth iddynt gofio am allu Duw. ²⁰Bydded i Dduw dy ddyrchafu am byth am y gweithredoedd hyn, ac ymweld â thi mewn daioni; ni cheisiaist arbed dy einioes yn wyneb darostyngiad dy bobl, ond aethost allan i ddial eu cwymp, a cherddaist yn union gerbron ein Duw." Atebodd yr holl bobl: "Amen! Amen!"

Cynllun Judith

14 Dywedodd Judith wrthynt: "Gwrandewch arnaf yn awr, frodyr. Cymerwch y pen hwn a'i grogi ar fur uchaf eich amddiffynfa. ²Pan wawria'r bore, a'r haul yn codi dros y ddaear, cymerwch bawb ohonoch eich arfau rhyfel a mynd, pob gŵr cadarn, allan o'r dref; a rhowch arweinydd arnynt, fel pe baech ar fynd i lawr i'r gwastatir yn erbyn gwersyll yr Asyriaid; ond peidiwch â mynd i lawr. ³Fe gymer yr Asyriaid eu holl arfwisgoedd, a mynd i'w gwersyll a dihuno cadfridogion byddin Asyria; ac fe redant hwythau fel un gŵr i babell Holoffernes, ond ni ddônt o hyd iddo. Yna fe syrth ofn arnynt, a ffoant rhagoch. ⁴Ond dilynwch hwy, chwi a holl drigolion ffiniau Israel, a dinistriwch hwy wrth iddynt ffoi. ⁵Ond cyn i chwi wneud hyn, galwch ataf Achior yr Ammoniad, er mwyn iddo gael gweld ac adnabod y gŵr a fychanodd dŷ Israel ac a'i hanfonodd ef atom ni, fel y tybiai, i'w farwolaeth."

Tröedigaeth Achior

6 Galwasant Achior o dŷ Osias; a phan ddaeth, a gweld pen Holoffernes yn llaw un o wŷr y gynulleidfa, syrthiodd ar ei wyneb fel un heb anadl. ⁷Wedi iddynt ei godi, syrthiodd wrth draed Judith ac ymgrymu ger ei bron a dweud, "Bendigedig wyt ti trwy holl bebyll Jwda, ac ym mhob cenedl! Daw ofn dirfawr ar bawb a glywant dy enw. ⁸Yn awr, adrodd imi hanes y cwbl a wnaethost yn ystod y dyddiau hyn." A dyma Judith yn sefyll yng nghanol y bobl ac yn adrodd iddo'r cwbl yr oedd hi wedi ei wneud o'r dydd yr aeth allan hyd y foment yr oedd yn siarad â hwy. ⁹Wedi iddi orffen, bloeddiodd y bobl â llais uchel, nes bod sŵn eu llawenydd yn atseinio trwy eu tref. ¹⁰Pan welodd Achior y cwbl a wnaeth Duw Israel, credodd yn frwd yn Nuw; derbyniodd enwaediad a chael ei gorffori yn nhŷ Israel hyd y dydd hwn.

Arswyd yng Ngwersyll Holoffernes

11 Pan wawriodd y bore, crogasant ben Holoffernes ar y mur, a chymerodd pob dyn ei arfau a mynd allan yn gatrodau i fylchau'r mynydd-dir. ¹²Gwelodd yr Asyriaid hwy, ac anfon neges at eu harweinwyr; aethant hwythau at y cadfridogion, capteiniaid y miloedd, a phob swyddog arall. ¹³Aethant i babell Holoffernes a dweud wrth yr un a ofalai am ei holl eiddo: "Yn awr, deffro ein harglwydd, oherwydd meiddiodd y caethweision ddod i lawr i ryfela yn ein herbyn, ac felly i gael eu llwyr ddifetha." ¹⁴Aeth Bagoas i mewn a churo ar borth allanol y babell, am iddo dybio fod Holoffernes yn cysgu gyda Judith. ¹⁵Pan nad atebodd neb, agorodd y porth allanol a mynd i mewn i'w ystafell wely, a'i gael wedi ei daflu i lawr yn gelain ar y trothwy, a'r pen wedi ei ddwyn ymaith. ¹⁶Yna gwaeddodd â llef uchel, ac wylo, galarnadu, bloeddio a rhwygo'i ddillad. ¹⁷Wedyn aeth i'r babell lle'r oedd Judith wedi bod yn aros, ond ni ddaeth o hyd iddi. Llamodd allan at y bobl a gweiddi: ¹⁸"Y mae'r caethweision wedi'n twyllo! Y mae un wraig o blith yr Hebreaid wedi dwyn gwaradwydd ar dŷ'r Brenin Nebuchadnesar. Dyma Holoffernes ar lawr, a'i ben wedi mynd!" ¹⁹Pan glywsant hyn, rhwygodd arweinwyr byddin Asyria eu dillad, a daeth ofn dirfawr arnynt. Bu bloeddio a gweiddi croch trwy'r holl wersyll.

Buddugoliaeth Israel

15 Pan glywodd y rhai a oedd yn eu pebyll, fe'u brawychwyd gan yr hyn oedd wedi digwydd. ²Disgynnodd ofn a dychryn arnynt, ac nid arhosai neb yng nghwmni ei gymydog, ond wedi rhuthro allan fel un gŵr, ffoesant ar hyd pob llwybr dros y gwastatir a'r ucheldir. ³Ffoi hefyd a wnaeth y rhai oedd yn gwersyllu yn yr ucheldir o amgylch Bethulia. Yna rhuthrodd yr Israeliaid, pob gŵr arfog o'u plith, arnynt. ⁴Anfonodd Osias i Bethomasthaim, Bebai, Choba a Cola, ac i bob cwr o diriogaeth Israel, i ddweud wrthynt am yr hyn oedd wedi digwydd, er mwyn i bawb ruthro ar eu gelynion a'u difodi. ⁵Clywodd yr Israeliaid y newydd, ac yna ymosod, bawb ohonynt, fel un gŵr ar eu gelynion, a'u torri i lawr ar hyd yr holl ffordd i Choba. Wedi iddynt glywed am yr hyn oedd wedi digwydd yng ngwersyll eu gelynion, ymunodd trigolion Jerwsalem a'r holl ucheldir â hwy. Ymosododd gwŷr Gilead a gwŷr Galilea hwythau ar ystlys y gelyn, a'u taro nes cyrraedd Damascus a'i chyffiniau. ⁶Syrthiodd gweddill trigolion Bethulia ar wersyll Asyria, a chael cyfoeth enfawr o'i ysbeilio. ⁷Dychwelodd yr Israeliaid o'r lladdfa a meddiannu'r gweddill, a chafodd y pentrefi a'r ffermydd ar yr ucheldir a'r gwastatir lawer o'r anrhaith, gan fod digonedd ohono.

Dathlu'r Fuddugoliaeth

8 Daeth Joacim yr archoffeiriad, a enedd yr Israeliaid a oedd yn trigo yn Jerwsalem, i syllu ar y daioni a wnaeth yr Arglwydd i Israel, ac i weld Judith a'i chyfarch hi. ⁹Daethant ati a'i bendithio yn unfryd a dweud: "Ti yw dyrchafiad Jerwsalem, ti yw gogoniant mawr Israel, ti yw ymffrost balch ein cenedl! ¹⁰Wrth wneud hyn oll â'th law dy hun, dygaist ddaioni i Israel, a chymeradwyodd Duw y weithredoedd; bendigedig fyddi yng ngolwg yr Arglwydd Hollalluog yn dragywydd." A dywedodd yr holl bobl, "Amen!" ¹¹Anrheithiodd pawb o'r bobl y gwersyll am ddeg diwrnod ar hugain. Rhoesant i Judith babell Holoffernes, ei holl lestri arian, ei welyau, ei gawgiau a'i holl ddodrefn. Cymerodd hithau hwy a wytho ei mul, gan harneisio'i gwagenni u llenwi. ¹²Brysiodd holl wragedd Israel i'w gweld, a dawnsiodd rhai ohonynt er irhydedd iddi. Cymerodd Judith gang-

hennau yn ei dwylo, a'u dosbarthu i'r gwragedd oedd gyda hi. ¹³Gwisgodd hi a'r rhai oedd gyda hi dorchau o ddail olewydd am eu pennau. Aeth o flaen yr holl bobl, gan arwain yr holl wragedd yn y ddawns. Dilynodd holl wŷr Israel, â'u harfwisg amdanynt a thorchau am eu pennau ac emyn ar eu gwefusau.

Emyn o Ddiolchgarwch

16 Ym mhresenoldeb holl Israel, dechreuodd Judith ganu emyn o ddiolchgarwch, a'r holl bobl yn codi eu lleisiau i ymuno yn y mawl. Dyma eiriau Judith:

²"Dechreuwch foliannu fy Nuw i â thabyrddau;
 canwch i'r Arglwydd â symbalau;
 tiwniwch iddo salm ac emyn.
 Dyrchafwch ei enw a galwch arno.
³Oherwydd Duw sy'n rhoi terfyn ar ryfel yw'r Arglwydd;
 i mewn i'w wersyll, yng nghanol ei bobl,
 y'm dygodd i ddiogelwch o law fy erlidwyr.
⁴Daeth Asyria i lawr o fynyddoedd y gogledd;
 daeth â degau o filoedd o'i byddin;
 llanwodd eu llu enfawr y ceunentydd,
 a chuddiodd eu gwŷr meirch y bryniau.
⁵Bygythiodd ddifa fy nhiriogaeth â thân,
 lladd fy ngwŷr ifainc â'r cleddyf,
 hyrddio fy mhlant sugno i'r ddaear,
 dwyn fy mabanod yn ysbail,
 a chymryd fy morynion yn ysglyfaeth.
⁶Diddymodd yr Arglwydd Hollalluog hwy
 trwy law benyw.
⁷Oherwydd nid trwy law gwŷr ifainc y syrthiodd eu harwr;
 nid meibion Titan a'i darostyngodd;
 nid cewri talgryf a ymosododd arno;
 ond Judith, merch Merari, a'i diarfogodd â thegwch ei gwedd.
⁸Wedi diosg gwisg gweddwdod
 i ddyrchafu'r rhai gorthrymedig yn Israel,
 eneiniodd ei hwyneb ag ennaint,
 rhwymodd ei gwallt â phenwisg,
 a gwisgodd ŵn o liain main i'w hudo.
⁹Daliodd ei sandal ei lygad,
 a chaethiwodd ei phrydferthwch ei galon;
 a dyna'r cleddyf yn syth drwy ei wddf.

¹⁰Crynodd y Persiaid oherwydd ei
   beiddgarwch,
a chyffrowyd y Mediaid gan ei hyfdra.
¹¹Yna bloeddiodd fy rhai distadl mewn
   buddugoliaeth,
ac ofnodd y gelyn; gwaeddodd fy
   ngweiniaid, ac fe'u dychrynwyd;
gwaeddasant hwy yn uwch, ac aeth ef
   ar ffo.
¹²Plant morynion a'i trywanodd,
a'i glwyfo fel ffoadur;
fe'i dinistriwyd gan reng milwyr fy
   Arglwydd.

¹³"Canaf i'm Duw gân newydd:
Arglwydd, mawr ydwyt a gogoneddus,
rhyfeddol dy nerth, ac anorchfygol.
¹⁴Gwasanaethed dy holl greadigaeth di,
oherwydd lleferaist, a daeth popeth i
   fod;
anfonaist dy ysbryd, a chyfannwyd
   popeth.
Ac nid oes neb a all wrthsefyll dy lais.
¹⁵Y mynyddoedd ynghyd â'r moroedd,
   fe'u siglir i'w seiliau;
toddir y creigiau fel cŵyr o'th flaen;
eto i'r rhai sy'n dy ofni,
trugaredd a ddangosi di.
¹⁶Peth bychan yn wir yw perarogl pob
   offrwm,
ac annigonol yw holl fraster y
   poethoffrymau,
ond mawr dros byth yw'r hwn sy'n
   ofni'r Arglwydd.
¹⁷Gwae'r cenhedloedd sy'n codi yn
   erbyn fy mhobl;

yr Arglwydd Hollalluog a'u cosba yn
   Nydd y Farn,
a rhoi eu cyrff i'r tân a'r pryfed;
a byddant yn wylofain mewn poen am
   byth.''

Enwogrwydd Judith

18 Wedi cyrraedd Jerwsalem, syrth-
iodd y bobl i lawr mewn addoliad i
Dduw, ac wedi eu puro, offrymasant eu
poethoffrymau, eu hoffrymau gwirfoddol
a'u rhoddion. ¹⁹Cysegrodd Judith i Dduw
holl eiddo Holoffernes, a roddodd y bobl
iddi, ac offrymodd i Dduw y llen a
gymerodd hi ei hun o'i ystafell wely.
²⁰Am dri mis, bu'r bobl yn gorfoleddu yn
Jerwsalem gerbron y cysegr, ac arhosodd
Judith gyda hwy.

21 Ar ôl hyn aeth pawb i'w gartref ei
hun, a dychwelodd Judith i Bethulia a
byw ar ei hystad. Ac yr oedd enw da iddi
drwy'r wlad ar hyd ei hoes. ²²Bu llawer
yn ei chwenychu, ond ni roddodd ei hun
i un gŵr o'r dydd y bu farw ei phriod
Manasse a'i gladdu gyda'i dadau. ²³Cyn-
yddodd ei henwogrwydd yn ddirfawr fel
yr heneiddiai yn nhŷ ei gŵr, nes iddi
gyrraedd yr oedran o gant a phump.
Rhoddodd ei rhyddid i'w morwyn. Bu
farw yn Bethulia, a chladdwyd hi yn
yr ogof lle gorweddai ei gŵr Manasse.
²⁴Galarodd yr Israeliaid amdani am saith
diwrnod. Cyn iddi farw, rhannodd e
heiddo rhwng perthnasau ei gŵr Manasse
a'i theulu agosaf ei hun. ²⁵Ni fygythiodd
neb Israel yn ystod bywyd Judith, nac yn
wir am gyfnod maith wedi ei marwolaeth

ESTHER

NODIAD. Y mae Fersiwn Groeg Llyfr Esther yn bur wahanol i'r testun Hebraeg y ceir cyfieithiad ohono yn yr Hen Destament. Y mae'n cynnwys nifer o ddarnau nas cynhwysir yn yr Hebraeg. Gan hynny, cynhwysir yn yr Apocryffa gyfieithiad o'r darnau ychwanegol hyn. Yn y Fersiwn Cymraeg traddodiadol, trinir y darnau hyn fel parhad o'r testun a geir yn yr Hen Destament, sy'n terfynu yn 10:3; rhifir y darnau ychwanegol yn yr Apocryffa, felly, yn 10:4—16:24. Yn y Fersiwn presennol, fodd bynnag, gosodir y darnau ychwanegol yn y drefn sydd iddynt yn Fersiwn Groeg y llyfr, fel y ceir ef yn y LXX; nodir yma, yn achos pob un o'r darnau, y man y dylid ei osod i mewn i'r testun a geir yn yr Hen Destament:
11:2—12:6 Dyma agoriad y llyfr yn y Fersiwn Groeg.
13:1-7 Y mae'r Groeg yn gosod hwn rhwng 3:13 a 3:14 yr Hebraeg.
13:8—14:19 Yn y Groeg y mae hwn yn dilyn pennod 4 yr Hebraeg.
15:1-16 Ceir hwn yn y Groeg yn lle 5:1-2 yr Hebraeg.
16:1-24 Y mae'r Groeg yn gosod hwn rhwng 8:12 a 8:13 yr Hebraeg.
10:4—11:1 Yn y Groeg y mae hwn yn dilyn 10:3, sef diwedd y llyfr yn ôl yr Hebraeg.

Breuddwyd Mordecai

11 [2]Yn yr ail flwyddyn o deyrnasiad Artaxerxes Fawr, ar y dydd cyntaf o fis Nisan, cafodd Mordecai fab Iairus, fab Semeius, fab Cisaius, o lwyth Benjamin, freuddwyd. [3]Iddew oedd ef, yn byw yn ninas Susan, gŵr blaenllaw a wasanaethai yn llys y brenin. Yr oedd yn un o'r rhai a gaethgludodd Nebuchadnesar brenin Babilon o Jerwsalem gyda Iechoneia brenin Jwda. [4]A dyma gynnwys ei freuddwyd: [5]twrw a dwndwr, taranau a daeargryn, a therfysg ar y ddaear. [6]Yna daeth dwy ddraig fawr ymlaen, yn barod i ymladd â'i gilydd, a mawr oedd eu sŵn. [7]Yn sgîl eu sŵn ymbaratôdd pob cenedl i ryfel, er mwyn ymladd â chenedl y rhai cyfiawn. [8]Yr oedd yn ddydd tywyllwch a chaddug, gorthrymder a chyfyngder, drygfyd a therfysg mawr ar y ddaear. [9]Cynhyrfwyd y holl genedl gyfiawn gan ofn y drygau oedd yn eu haros; ymbaratoesant i farw, a galwasant ar Dduw. Yn sgîl eu cri, ododd fel pe bai o ffynnon fach afon fawr yn gorlifo â dŵr. [11]Daeth goleuni wedi i'r haul godi, a dyma'r distadl yn ael eu dyrchafu ac yn difa'r gwŷr o fri.
Pan ddeffrôdd Mordecai, wedi profi'r reuddwyd hon a gweld yr hyn y bwriadai

Duw ci wneud, fe'i hystyriodd yn ei feddwl, a bu trwy'r dydd yn ceisio ymhob ffordd ddeall y peth.

Mordecai yn Achub Bywyd y Brenin

12 Yr oedd Mordecai yn gorffwys yn y llys gyda Gabatha a Tharra, dau o eunuchiaid y brenin a oedd yn gwylio'r llys. [2]Clywodd eu cynlluniau, a holodd yn ddyfal beth oedd yn eu poeni, ac wedi darganfod eu bod yn paratoi i ymosod ar y Brenin Artaxerxes, rhybuddiodd y brenin amdanynt. [3]Holodd y brenin y ddau eunuch, ac wedi iddynt gyffesu fe'u dienyddiwyd. [4]Ysgrifennodd y brenin gronicl o'r digwyddiadau hyn, ac ysgrifennodd Mordecai hefyd amdanynt. [5]Rhoes y brenin orchymyn i Mordecai wasanaethu yn y llys, a'i wobrwyo am ei wasanaeth. [6]Ond yr oedd y Bwgead, Haman fab Hamadathus, yn ŵr o fri yng ngolwg y brenin. Ceisiodd ef, o achos dau eunuch y brenin, wneud drwg i Mordecai a'i bobl.

Llythyr Artaxerxes yn erbyn yr Iddewon

13 Dyma gopi o'r llythyr:
"Y mae'r brenin mawr Artax-

erxes yn ysgrifennu'r geiriau hyn at lywodraethwyr y cant dau ddeg a saith o daleithiau o'r India i Ethiopia, ac at y swyddogion sydd danynt. [2] Wedi imi ddod yn arglwydd ar lawer cenedl ac yn llywodraethwr ar yr holl fyd, penderfynais sicrhau i'm deiliaid fywyd tawel ar hyd yr amser, a hynny nid oherwydd i mi ymddyrchafu'n haerllug am awdurdod, ond am imi ymddwyn bob amser yn dirion ac yn addfwyn; ac er mwyn creu teyrnas wâr a diogel i'w thramwyo hyd ei ffiniau, yr wyf am adfer yr heddwch hwnnw y mae pob dyn yn ei ddeisyfu. [3] Pan ofynnais i'm cynghorwyr sut y gellid dwyn y bwriad hwn i ben, atebodd Haman, sy'n rhagori yn ein plith o ran barn gyfrifol, ac a gydnabyddir am ei ewyllys da cyson a'i ffyddlondeb diwyro, ac a gyrhaeddodd yr ail safle yn y deyrnas. [4] Dangosodd i ni fod pobl wedi ei gwasgaru ymhlith holl genhedloedd y byd, sy'n elyniaethus a gwrthwynebus o ran ei chyfreithiau i bob cenedl arall, ac sy'n diystyru'n gyson ordeiniadau'r brenin. Gan hynny, ni ellir sefydlu'r undeb hwnnw sy'n fwriad di-fai gennym. [5] Sylweddolwn mai'r genedl hon, a hi'n unig, sy'n dal i wrthwynebu pob dyn; y mae'n dilyn llwybr cyfeiliornus ei chyfreithiau estron ei hun, sy'n elyniaethus i'n buddiannau ni, ac yn cyflawni pob drwg posibl er mwyn rhwystro sefydlogrwydd y deyrnas. [6] Gan hynny, ynglŷn â'r rhai a enwyd wrthych yn llythyrau Haman, gŵr sy'n gyfrifol am ein buddiannau ac sydd fel ail dad i ni, yr ydym wedi gorchymyn eu bod i gyd, gan gynnwys y gwragedd a'r plant, i'w difa'n llwyr, heb unrhyw drugaredd nac ymatal, gan gleddyfau eu gelynion ar y trydydd[a] dydd ar ddeg o'r deuddegfed mis, sef Adar, o'r flwyddyn bresennol. [7] Bydd y rhai sydd yn awr, fel erioed, yn elyniaethus, mewn un diwrnod yn mynd i lawr i Drigfan y Meirw trwy drais, er mwyn sicrhau llywodraeth sefydlog a didrafferth i ni byth mwy."

Gweddi Mordecai

8 Gweddïodd Mordecai ar yr Arglwydd, gan ddwyn i gof holl weithredoedd yr Arglwydd, [9] fel hyn: "Arglwydd, Arglwydd Frenin, llywodraethwr pob peth, y mae'r cyfanfyd dan dy awdurdod, ac nid oes neb a all dy wrthsefyll pan ddymuni waredu Israel. [10] Oherwydd

[a] Groeg, pedwerydd.

ti a luniaist nef a daear, a phob rhyfeddod dan y nef. [11] Ti yw Arglwydd pob peth, ac nid oes neb a'th wrthwyneba di, yr Arglwydd. [12] Ti a wyddost bopeth; fe wyddost ti, Arglwydd, nad o ryfyg nac o falchder nac o chwant am glod yr wyf wedi gwneud hyn, sef gwrthod ymgrymu gerbron Haman falch, [13] oherwydd yr oeddwn yn fodlon cusanu gwadnau ei draed er mwyn achub Israel. [14] Ond rhag gosod gogoniant dyn uwchlaw gogoniant Duw y gwneuthum hyn; nid ymgrymaf gerbron neb ond tydi, f'Arglwydd. Ac nid o falchder y gwnaf hyn. [15] Ac yn awr, Arglwydd, Duw a Brenin, Duw Abraham, arbed y bobl, oherwydd y mae dynion yn chwilio am gyfle i'n difa, ac yn dymuno dinistrio'r hyn a fu'n etifeddiaeth i ti o'r cychwyn. [16] Paid â diystyru yr eiddot dy hun, a waredaist i ti dy hun o'r Aifft. [17] Clyw fy ngweddi a thrugarha wrth dy etifeddiaeth, a thro ein tristwch yn llawenydd, er mwyn inni fyw a chanu mawl i'th enw, O Arglwydd. Paid â rhoi taw ar y genau sy'n dy foli." [18] Yna gwaeddodd Israel i gyd â'u holl nerth, oherwydd eu bod yn wynebu eu hangau.

Gweddi Esther

14 A hithau dan fygythiad marwolaeth, ceisiodd y Frenhines Esther loches gyda'r Arglwydd. [2] Wedi diosg ei gwisg ysblennydd, ymwisgodc mewn dillad cyfyngder a galar, ac yn lle peraroglau costus gorchuddiodd ei phen â llwch a thom. Darostyngodd ei chorff yn llwyr, ac â'i gwallt aflêr gorchuddiodd bob rhan yr arferai ei haddurno'n llawen. [3] Gweddïodd ar Arglwydd Dduw Israe fel hyn: [4] "F'Arglwydd, ti'n unig yw eir brenin. Cymorth fi sy'n unig, nad oes im gynorthwywr ond tydi, oherwydd yr wy mewn perygl enbyd. [5] Er dydd fy ngen clywais oddi mewn i lwyth fy nheulu d fod ti, Arglwydd, wedi dewis Israel o blith yr holl genhedloedd, a'n tadau o blith eu holl hynafiaid, i fod yn etifedd iaeth dragwyddol; a deliaist â hwy y union fel yr addewaist. [6] Ond yn aw pechasom yn dy erbyn, a thraddodaist ni ddwylo ein gelynion, [7] am inni anrhyc eddu eu duwiau hwy. [8] Cyfiawn wyt ti Arglwydd. Ac eto, nid ydynt yn fodlo ein bod yn dioddef caethglud chwerw tyngasant lw gerbron eu heilunod, ddiddymu gorchymyn dy enau, i ddile dy etifeddiaeth, i ddistewi'r genau sy'n d foli, i ddiffodd dy allor, gogoniant dy dŷ, [10]i agor genau'r cenhedloedd i fawrhau pethau ofer, ac anrhydeddu am byth frenin o gnawd. [11]Paid ag ildio dy deyrnwialen, Arglwydd, i dduwiau nad ydynt ddim, na gadael iddynt chwerthin am ben ein cwymp. Tro eu cynllwyn yn eu herbyn eu hunain a gwna esiampl o'r gŵr a ddechreuodd hyn yn ein herbyn. [12]Cofia ni, Arglwydd; datguddia dy hun yn amser ein gorthrymder. Rho ddewrder i mi, ti Frenin y duwiau ac Arglwydd pob gallu. [13]Rho i'm gwefusau ymadrodd cymwys o flaen y llew, a phâr i'w galon droi'n gasineb tuag at y sawl sy'n rhyfela yn ein herbyn, er mwyn ei ddinistrio ef a phob un sydd o'r un farn ag ef. [14]Gwared ni drwy dy nerth, a chymorth fi sy'n unig, nad oes gennyf neb ond tydi, Arglwydd. [15]Yr wyt yn amgyffred popeth, a gwyddost i mi gasáu clod y digyfraith, a'm bod yn ffieiddio gwely'r dienwaededig, a phob Cenedl-ddyn. [16]Gwyddost am fy nghyfyngder, a'm bod yn ffieiddio'r arwydd hwnnw o falchder sydd ar fy mhen pan ymddangosaf yn gyhoeddus; y mae mor ffiaidd gennyf â chadach misglwyf, ac nid wyf yn ei wisgo yn fy oriau hamdden. [17]Ni fwytaodd dy gaethferch wrth fwrdd Haman, ac nid anrhydeddais wledd y brenin nac yfed gwin y diod-offrymau. [18]O'r dydd y'm dygwyd yma hyd yn awr nid ymhyfrydodd dy gaethferch mewn dim ond ynot ti, Arglwydd Dduw Abraham. [19]O Dduw cadarnach na phawb, gwrando lef y rhai diobaith, a gwared ni o ddwylo'r drygionus; gwared fi o'm hofn."

Esther yn Mynd at y Brenin

15 Ar y trydydd dydd, wedi iddi orffen gweddïo, diosgodd y dillad a wisgai wrth ymbil, a rhoi amdani ei gwisg ysblennydd. [2]A hithau'n ymddangos yn urddasol, galwodd ar y Duw sy'n gweld popeth ac sy'n Waredwr, a chymerodd ddwy gaethferch, [3]gan bwyso'n ysgafn ar y naill, [4]a'r llall yn dilyn gan gludo godre'i gwisg. [5]Yr oedd gwrid hardd iawn ar ei gwedd, a'i hwyneb yn siriol fel cariadferch, ond ei chalon wedi fferru gan ofn. [6]Wedi mynd drwy'r holl ddrysau safai o flaen y brenin, ac eisteddai yntau ar ei orsedd frenhinol wedi ei wisgo yn ei holl ysblander, y cyfan o aur a meini gwerthfawr. Yr oedd

yr olwg arno yn ennyn ofn. [7]Cododd ei olygon, a'i wyneb yn disgleirio gan ogoniant, ac edrychodd arni'n ddig dros ben. Syrthiodd y frenhines mewn llewyg, gan newid ei lliw a chwympo ar ben y gaethferth oedd yn mynd o'i blaen. [8]Gwnaeth Duw ysbryd y brenin yn addfwyn, ac yn ei bryder neidiodd i lawr oddi ar ei orsedd a'i chymryd yn ei freichiau hyd nes iddi ddod ati ei hun. Cysurodd hi â geiriau heddychlon, a dweud wrthi: [9]"Beth sy'n bod, Esther? Dy frawd wyf fi; cod dy galon. [10]Ni chei di farw; ar gyfer y bobl gyffredin y bwriadwyd ein gorchymyn. Tyrd ataf." [11]Cododd y deyrnwialen aur a chyffwrdd â'i gwddf. [12]Cusanodd hi a dweud: "Siarad â mi." [13]Dywedodd wrtho: "Gwelais di, f'arglwydd, fel angel Duw, a chynhyrfwyd fy nghalon gan ofn dy ogoniant, [14]oherwydd rhyfeddol wyt ti, f'arglwydd, a'th wyneb yn llawn graslonrwydd." [15]A hithau'n dal i siarad, syrthiodd mewn llewyg, [16]a chynhyrfwyd y brenin, a cheisiodd yr holl lys ei chysuro.

Llythyr Artaxerxes o blaid yr Iddewon

16 Y mae'r canlynol yn gopi o'r llythyr:

"Artaxerxes y brenin mawr at lywodraethwyr y cant dau ddeg a saith o daleithiau o'r India i Ethiopia, ac at y rhai sy'n deyrngar i ni, cyfarchion. [2]Wedi eu hanrhydeddu fwyfwy drwy haelioni mawr eu cymwynaswyr, aeth llawer yn fwy balch. [3]Ceisiant nid yn unig wneud drwg i'n deiliaid, ond gan nad ydynt yn gallu goddef digonedd y maent yn troi i gynllwynio yn erbyn eu cymwynaswyr eu hunain. [4]Nid yn unig y maent yn amddifadu dynion o ymdeimlad o ddiolchgarwch, ond gan eu bod wedi eu hudo gan ymffrost y rhai sydd heb brofiad o ddaioni, tybiant y gallant ffoi rhag barn y Duw sy'n gweld popeth yn wastad ac y mae'n gas ganddo ddrygioni. [5]Ac yn aml y mae perswâd y rhai yr ymddiriedwyd iddynt ofalu am fuddiannau eu cyfeillion wedi peri i lawer o'r rhai mewn awdurdod gynorthwyo mewn tywallt gwaed dieuog, ac wedi eu harwain i ganol trychinebau marwol, [6]am iddynt dwyllo â'u celwyddau maleisus y llywodraethwyr a ymddiriedai'n ddiffuant ynddynt. [7]Gellir gweld hyn, nid yn gymaint o'r hen gofnodion a drosglwyddwyd gennym, ond o archwilio'r pethau gwarthus a gyflawnwyd dan eich trwynau drwy y rhai sy'n llywodraethu'n annheilwng. ⁸Yn y dyfodol bydd yn rhaid i ni ofalu bod y deyrnas yn ddigynnwrf ac yn heddychlon i bob dyn, ⁹trwy wneud cyfnewidiadau a rhoi gwrandawiad tecach wrth farnu'r hyn a ddaw ger ein bron. ¹⁰Felly derbyniwyd yn westai gennym y Macedoniad Haman fab Hamadathus, nad oedd mewn gwirionedd yn perthyn o ran gwaed i'r Persiaid ac a oedd yn gwbl amddifad o'n natur garedig ni. ¹¹Derbyniodd ef y caredigrwydd y byddwn yn ei ddangos i bob cenedl; yn wir cafodd ei gyhoeddi'n 'dad' i ni, a byddai pawb yn ymgrymu'n wastad iddo fel yr un nesaf at orsedd y brenin. ¹²Ond ni allai ffrwyno ei falchder, a chynllwyniodd i'n hamddifadu o'n teyrnas ac o'n heinioes. ¹³Trwy ddulliau cymhleth a thwyllodrus ceisiodd ddinistrio Mordecai, ein hachubydd a'n cymwynaswr cyson, ac Esther, ein cymar di-fai yn y deyrnas, ynghyd â'u holl genedl. ¹⁴Trwy'r moddion hyn, tybiodd y gallai ein dal ni yn ddiamddiffyn, a throsglwyddo ymerodraeth y Persiaid i'r Macedoniaid. ¹⁵Ond yr ydym ni'n barnu nad drwgweithredwyr mo'r Iddewon a draddodwyd i'w difa gan y dyn hwn a drwythwyd mewn pechod; pobl ydynt wedi eu llywodraethu gan gyfreithiau tra chyfiawn, ¹⁶a meibion y Duw byw, y goruchaf a'r mwyaf, a lywiodd y deyrnas i ni a'n cyndadau yn y modd gorau posibl.

17 "Byddai'n dda i chwi beidio â gweithredu ar sail y llythyrau a anfonwyd gan Haman fab Hamadathus, ¹⁸gan fod y sawl a gyflawnodd y pethau hyn wedi ei grogi wrth byrth Susan ynghyd â'i deulu i gyd, a bod Duw felly, sy'n tra-arglwyddiaethu ar bopeth, wedi talu iddo'n fuan y gosb a haeddai. ¹⁹Rhodder copi o'r llythyr hwn ym mhob man cyhoeddus, a gadawer i'r Iddewon ymarfer eu harferion eu hunain, ²⁰a chael cymorth i'w hamddiffyn eu hunain rhag y rhai fydd yn ymosod arnynt pan ddaw'r amser a bennwyd ar gyfer eu herlid, sef yr union ddiwrnod hwnnw, y trydydd dydd ar ddeg o'r deuddegfed mis, sef Adar. ²¹Felly y mae'r Duw sy'n rheoli pob peth wedi gwneud hwn yn ddydd o lawenydd i'w genedl etholedig yn hytrach nag yn ddydd o ddinistr iddynt. ²²A chwithau, dathlwch y dydd arbennig hwn ymhlith eich gwyliau penodedig â phob llawenydd, ²³er mwyn iddo fod, yn awr ac ar ôl hyn, i ni ac i'r Persiaid teyrngar, yn arwydd gwaredigaeth, ond i'r rhai sy'n cynllwynio yn ein herbyn yn goffadwriaeth dinistr. ²⁴Dinistrir yn ddidrugaredd â gwaywffyn a thân heb unrhyw eithriad, bob dinas a gwlad nad yw'n ymddwyn yn unol â'r cyfarwyddiadau hyn. Fe'u gwneir nid yn unig yn ddidramwy i ddynion, ond yn ffiaidd am byth hyd yn oed i anifeiliaid gwyllt ac adar."

Mordecai yn Cofio'i Freuddwyd

10 ⁴Dywedodd Mordecai: "Gwaith Duw oedd hyn. ⁵Oherwydd cofiais am y freuddwyd a gefais ynglŷn â'r materion hyn. Nid yw'r un ohonynt heb ei gyflawni. ⁶Tyfodd y ffynnon fach yn afon, ac yr oedd goleuni a haul a llawer o ddŵr. Y mae'r afon yn cynrychioli Esther, y priododd y brenin hi a'i gwneud yn frenhines. ⁷Haman a minnau yw'r ddwy ddraig. ⁸Y cenhedloedd yw'r rhai a ymgasglodd ynghyd i ddinistrio enw'r Iddewon. ⁹A'm cenedl i, hi yw Israel, a alwodd ar Dduw ac a achubwyd. Achubodd yr Arglwydd ei bobl; gwaredodd yr Arglwydd ni o'r holl ddrygau hyn; gwnaeth Duw arwyddion a rhyfeddodau mawr nas cyflawnwyd ymhlith y cenhedloedd. ¹⁰Felly gwnaeth ddau goelbren, un ar gyfer pobl Dduw a'r llall ar gyfer yr holl genhedloedd. ¹¹A daeth y ddau goelbren yma, erbyn awr ac amser a dydd barn, o flaen Duw yng ngŵydd yr holl genhedloedd. ¹²Cofiodd Duw ei bobl ei hun, a dyfarnu o blaid ei etifeddiaeth. ¹³Dethlir y dyddiau hyn ym mis Adar, ar y pedwerydd dydd ar ddeg ac ar y pymthegfed dydd o'r un mis, â chymanfa a llawenydd a gorfoledd o flaen Duw, o genhedlaeth i genhedlaeth am byth, ymysg ei bobl Israel."

Diweddglo

11 Yn y bedwaredd flwyddyn o ddeyrnasiad Ptolemeus a Cleopatra, dyma Dositheus, a honnai fod yn offeiriad ac yn Lefiad, ynghyd â'i fab Ptolemeus, yn dod â'r llythyr sydd o'n blaen ynglŷn â'r Pwrim. Dywedasant ei fod yn ddilys, a'i fod wedi ei gyfieithu gan Lysimachus fab Ptolomeus, un o drigolion Jerwsalem.

DOETHINEB SOLOMON

Ceisio Duw ac Ymwrthod â Drygioni

1 Carwch gyfiawnder, chwi
lywodraethwyr y ddaear;
meddyliwch am yr Arglwydd ag
ewyllys da,
a cheisiwch ef o lwyrfryd calon.
[2] Fe'i ceir gan y rhai na fynnant ei herio;
y mae'n ymddangos i'r rhai na fynnant
anghredu ynddo.
[3] Oherwydd y mae cynlluniau gwyrgam
yn ein gwahanu oddi wrth Dduw,
ac o'i roi ar brawf y mae'r Hollalluog
yn dinoethi'r ynfyd.
[4] Ni chaiff doethineb ddod i mewn i'r
enaid dichellgar
nac ymgartrefu mewn corff sy'n wystl i
bechod.
[5] Bydd ysbryd sanctaidd addysg yn ffoi
oddi wrth dwyll,
ac yn cilio ymhell oddi wrth gynlluniau
anneallus,
ac yn cywilyddio pan ddaw
anghyfiawnder i'r golwg.
[6] Ysbryd dyngarol yw doethineb,
ond ni all ddyfarnu'n ddieuog un sy'n
cablu â'i wefusau,
am fod Duw'n dyst o'i deimladau
dyfnaf,
yn archwiliwr cywir o'i feddyliau
ac yn wrandawr ar ei eiriau.
[7] Gan fod ysbryd yr Arglwydd wedi
llenwi'r holl fyd,
a'r ysbryd sy'n dal y cyfanfyd ynghyd
yn adnabod pob llais,
[8] am hynny ni fydd neb sy'n llefaru
geiriau anghyfiawn yn dianc,
ac ni fydd y farn byth yn mynd heibio
iddo heb ei gondemnio.
[9] Oherwydd archwilir cynllwynion yr
annuwiol,
ac adroddir ei eiriau wrth yr
Arglwydd,
i'w gondemnio am ei droseddau.
[10] Oherwydd y mae clust eiddigus yn
clywed popeth;
nid oes na siw na miw a gollir.
[11] Gochelwch, felly, rhag grwgnach
anfuddiol,
a chadwch eich tafod rhag athrod;
oherwydd ni fydd gair llechwraidd
heb ei ganlyniad,
a lladd yr enaid y mae genau
celwyddog.
[12] Peidiwch â chwennych marwolaeth
trwy fyw ar gyfeiliorn,
na thynnu distryw ar eich pennau trwy
weithredoedd eich dwylo.
[13] Oherwydd nid gwaith Duw yw
marwolaeth,
ac nid yw'n hyfrydwch ganddo ef weld
y byw yn darfod.
[14] Pwrpas y creu oedd rhoi bod i bob
peth,
a phwerau creadigol y byd yw ei
iechyd;
nid oes ynddynt wenwyn marwol,
na chyfle i angau deyrnasu ar y ddaear.
[15] Y mae cyfiawnder yn anfarwol,
[16] ond ar air a gweithred gwahoddodd yr
annuwiol angau i'w plith;
gan iddynt ei ystyried yn gyfaill, darfu
amdanynt.
Gwnaethant gyfamod ag ef,
oherwydd teilwng ydynt o fod yn
bartneriaid iddo.

Ymresymiad yr Annuwiol

2 Dywedasant wrthynt eu hunain, gan
resymu ar gam:
"Byr a blinderus yw ein bywyd;
nid oes iachâd pan ddaw dyn i'w
ddiwedd,
ac ni wyddom am neb a ddaeth yn ôl[a]
o'r bedd.
[2] Ar hap y'n ganwyd ni,
ac yn y fan byddwn fel pe baem heb
fod;
mwg yw'r anadl yn ein ffroenau,
a gwreichionen yn tasgu o guriad y
galon yw ein rheswm.
[3] Pan ddiffoddir hi, lludw fydd y corff,
a'r ysbryd yn diflannu fel tarth ysgafn.
[4] Gollyngir ein henw i ebargofiant
ymhen amser,

[a] Neu, *a all ryddhau.*

ac angof fydd ein gweithredoedd gan
bawb.
Mynd heibio y bydd ein heinioes fel
olion cwmwl,
a'i gwasgaru fel niwl
a erlidir gan belydrau'r haul
ac a lethir gan drymder ei wres.
⁵Oherwydd cysgod yn mynd heibio yw
ein hoedl,
ac nid oes dychwelyd oddi wrth ein
diwedd;
seliwyd ein tynged, ac ni all neb droi
yn ei ôlᵇ.
⁶Dewch, felly, mwynhawn bob
difyrrwch sy'n bod;
ymrown ag asbri ieuenctid i bleserau'r
greadigaeth.
⁷Mynnwn ein gwala o win drudfawr ac
o beraroglau,
a pheidied hoen y gwanwyn â mynd
heibio inni.
⁸Plethwn am ein pennau dorch o rosod
yn eu blagur cyn iddynt wywo.
⁹Peidied neb ohonom â bod heb ei
gyfran o'n gloddesta;
gadawn arwyddion ein rhialtwch ym
mhobman,
am mai dyma'n rhan a dyma'n cyfran.
¹⁰Gorthrymwn y tlawd cyfiawn;
peidiwn ag arbed y weddw;
gwrthodwn barchu hirhoedledd
penwyn yr henwr.
¹¹I ni boed grym yn gyfraith cyfiawnder,
am inni brofi bod gwendid yn gwbl
ddi-fudd.
¹²Gosodwn fagl ar gyfer y cyfiawn, am
iddo sefyll ar ein ffordd
a rhwystro ein gweithgareddau;
y mae'n edliw i ni ein troseddau yn
erbyn y gyfraith,
ac yn dannod i ni ein troseddau yn
erbyn ein magwraeth.
¹³Y mae'n honni bod ganddo wybodaeth
o Dduw,
ac yn ei alw ei hun yn blentynᶜ yr
Arglwydd.
¹⁴Fe'i cawsom yn gerydd ar ein
cynlluniau,
a gwrthun i ni yw hyd yn oed edrych
arno.
¹⁵Oherwydd annhebyg yw yn ei fuchedd
i bawb arall,
a chwbl ar wahân yw ei lwybrau.
¹⁶Cyfrifwyd ni ganddo yn arian gau,
a'n rhodiad yn aflendid i ymochel
rhagddo.

Gwynfydedig y geilw ef ddiwedd y rhai
cyfiawn,
a'i ymffrost yw fod Duw yn dad iddo.
¹⁷Gadewch inni weld ai gwir yw ei
eiriau,
a rhown brawf ar yr hyn a ddigwydd ar
ei ymadawiad.
¹⁸Oherwydd os yw'r cyfiawn yn fab i
Dduw, caiff gymorth ganddo,
a'i waredu o ddwylo'i elynion.
¹⁹Holwn ef ag artaith a dirboen,
inni gael mesur ei diriondeb
a dyfarnu ar ei oddefgarwch.
²⁰Dedfrydwn ef i farwolaeth
gywilyddus;
oherwydd daw gwaredigaeth iddo, yn
ôl ei eiriau ef."

Cyfeiliorni'r Annuwiol

²¹Dyna'u hymresymiad, ond aethant ar
gyfeiliorn,
am i'w drygioni eu dallu.
²²Nid oedd ganddynt wybodaeth am
ddirgelion Duw,
na gobaith am wobr sancteiddrwydd,
nac amcan am fraint eneidiau di-fai;
²³oherwydd mewn anllygredigaeth y
creodd Duw ddyn
a'i wneud ar ddelw ei dragwyddoldebᶜʰ
ef ei hun.
²⁴Ond trwy genfigen y diafol y daeth
angau i'r byd,
ac y mae'r rhai sydd o'i blaid ef yn cael
profiad ohono.

Tynged y Cyfiawn

3 Ond y mae eneidiau'r cyfiawn yn llaw
Duw,
ac ni ddaw poenedigaeth byth i'w
rhan.
²Yn llygaid y rhai ynfyd, y maent fel pe
baent wedi marw;
ystyriwyd eu hymadawiad yn
drychineb,
³a'u mynediad oddi wrthym yn
ddistryw;
ond y maent mewn hedd.
⁴Oherwydd er i gosb ddod arnynt yng
ngolwg dynion,
digoll yw eu gobaith am anfarwoldeb;
⁵ac er eu disgyblu ychydig, mawr fydd
eu hennill,
am fod Duw wedi eu profi
a'u cael yn deilwng ohono ef ei hun.
⁶Fel aur mewn tawddlestr y profodd
hwy,

ᵇNeu, *neb ei droi yn ôl.*   ᶜNeu, *yn was.*   ᶜʰYn ôl darlleniad arall, *hanfod.*

ac fel poethoffrwm yr aberth y
derbyniodd hwy.
⁷Pan ddaw Duw i ymweld â hwy
cyneuant yn wenfflam;
fel gwreichion mewn sofl fe redant
drwy'r byd.
⁸Cânt lywodraethu ar genhedloedd a
rheoli ar bobloedd,
a'r Arglwydd fydd eu brenin am byth.
⁹Bydd y rhai sy'n ymddiried ynddo ef
yn deall y gwir,
a'r ffyddloniaid yn gweini arno mewn
cariad,
oherwydd gras a thrugaredd yw rhan
ei etholedigion.

Tynged yr Annuwiol

¹⁰Ond bydd yr annuwiol yn derbyn eu
haeddiant am eu cynlluniau,
am iddynt anwybyddu'r cyfiawn ac
ymbellhau oddi wrth yr
Arglwydd.
¹¹Druan o'r sawl sy'n diystyru doethineb
ac addysg;
ofer yw eu gobaith, eu llafur yn
ddi-fudd,
eu gweithredoedd yn ddi-les,
¹²eu gwragedd yn benchwiban,
eu plant yn llawn drygioni,
a'u hiliogaeth dan felltith.

Rhagoriaeth Rhinwedd

¹³Gwyn ei byd y wraig ddi-blant, nas
halogwyd,
ac na fu'n cydorwedd â neb yn
anghyfreithlon.
Fe gaiff hi ffrwyth, pan ddaw Duw i
farnu.
¹⁴Gwyn ei fyd yr eunuch, na
throseddodd mewn gweithred,
ac na chynlluniodd ddrwg yn erbyn yr
Arglwydd;
oherwydd fe roddir iddo ddethol ras ei
ffydd,
a chyfran fwy dymunol yn nheml yr
Arglwydd.
¹⁵Oherwydd y mae ffrwyth ymdrechion
gonest yn ogoneddus,
a'r gwreiddyn, sef dealltwriaeth, yn
ffynnu'n ddi-ffael.
¹⁶Ond ni ddaw plant godinebwyr i'w
llawn dwf;
dilëir had cydorwedd anghyfreithlon.
¹⁷Os digwydd iddynt fyw'n hir, fe'u
hystyrir yn ddiddim,
ac yn eu dyddiau olaf ni bydd parch i'w
henaint.

¹⁸Os yn gynnar y daw eu diwedd, ni
bydd ganddynt obaith
na chysur ar ddydd y ddedfryd,
¹⁹oherwydd i genhedlaeth anghyfiawn
caled fydd y diwedd.

4 Gwell bod heb blant a bod gennym
rinwedd,
oherwydd yn yr atgof amdani y daw
anfarwoldeb,
gan yr arddelir hi gan Dduw a hefyd
gan ddynion.
²Yn ei gŵydd fe'i hefelychir,
a hiraethir amdani yn ei habsen;
ac yn yr oes a ddaw, bydd yn
gorymdeithio â thorch am ei
phen,
wedi mynd â'r gamp ac ennill gwobr
anllygredigaeth.
³Ond ni bydd eu hepil toreithiog o les
i'r annuwiol,
am na all yr un eginyn bastardaidd
fwrw gwreiddyn yn ddwfn
na daearu'n gadarn.
⁴Oherwydd er i'w ganghennau flaguro
am dymor,
gan nad oes iddo gadernid daear fe'i
hysgydwir gan y storm
a'i ddiwreiddio gan rym y gwyntoedd.
⁵Rhwygir ei frigau i ffwrdd cyn dod i'w
llawn dwf;
bydd ei ffrwyth yn ddiwerth ac
anaeddfed i'w fwyta,
heb fod yn dda i ddim yn y byd.
⁶Oherwydd bydd plant a genhedlir o
gydorwedd anghyfreithlon
yn dystiolaeth i bechod eu rhieni yn
nydd yr archwiliad arnynt.

Marw Cynnar y Cyfiawn

⁷Ond bydd y cyfiawn, er iddo farw'n
gynnar, yn gorffwys mewn hedd.
⁸Nid hirhoedledd sy'n rhoi ei werth i
henaint,
ac nid amlder blynyddoedd yw ei
fesur.
⁹Nage, dealltwriaeth sy'n rhoi urddas
penwynni i ddynion,
a bywyd difrycheulyd sy'n eu codi yn
hynafgwyr.
¹⁰Yr oedd gŵr yr ymhyfrydodd Duw
ynddo a'i garu;
am ei fod yn byw ymhlith
pechaduriaid, fe'i cymerodd ef
ato'i hun.
¹¹Fe'i cipiodd ymaith rhag i ddrygioni
wyrdroi ei ddeall

neu i ddichell dwyllo'i enaid.
12 Oherwydd y mae hud oferedd yn
    bwrw daioni i'r cysgod,
  a chwirligwgan chwant yn troi pen y
    diniwed.
13 Yng nghyflawniad oes fer cwblhaodd
    hir flynyddoedd.
14 Yr oedd ei enaid wrth fodd yr
    Arglwydd;
  dyna pam y brysiodd ef i'w dynnu o
    ganol drygioni.
  Ond er iddynt weld, ni ddeallodd y
    cenhedloedd
  y fath ddigwyddiad, na dwyn i
    ystyriaeth
15 fod gras a thrugaredd gan Dduw i'w
    etholedigion,
  a chymorth amserol i'w saint.

Tynged yr Anghyfiawn

16 Bydd y cyfiawn a fu farw yn
    condemnio'r annuwiol sy'n dal i
    fyw,
  a'r ifanc, a ddaeth i ddiwedd cynnar,
    yn condemnio hirhoedledd yr
    anghyfiawn.
17 Y mae'r rhieni'n gweld diwedd y gŵr
    doeth,
  heb fod ganddynt syniad am
    fwriadau'r Arglwydd amdano,
  a'i ddiben wrth ei ddwyn i ddiogelwch.
18 Fe'i gwelant ac fe'i dirmygant;
  ond bydd yr Arglwydd yn chwerthin
    am eu pen hwy.
  A'r peth nesaf fydd eu cael yn
    gelanedd di-barch,
  ac yn warth ymhlith y meirw am byth,
19 am y bydd ef yn eu lluchio ar eu hyd yn
    gyrff mud,
  a'u dymchwel yn llwyr,
  a'u llosgi'n llwch;
  poenedigaeth fydd eu rhan,
  a derfydd y cof amdanynt.
20 Ar ddydd cyfrif eu pechodau dynesant
    fel llyfrgwn,
  am y collfernir hwy yn eu hwyneb gan
    eu troseddau eu hunain.

Edifeirwch yr Anghyfiawn

5 Yna fe saif y cyfiawn yn llawn hyder,
    ac wynebu ei ormeswyr
  a'r rhai sy'n diystyru ei gur.
2 O'i weld, fe'u hysgydwir gan ofn a
    dychryn,
  a'u drysu gan mor annisgwyl oedd ei
    ymwared.

3 Yn llawn edifeirwch dywedant y naill
    wrth y llall,
  gan ochneidio o gyfyngder ysbryd:
4 "Dyma'r gŵr a fu gynt yn gyff gwawd i
    ni,
  ac yn ddihareb gan ein dirmyg ohono.
  Dyna ffyliaid oeddem,
  yn ystyried ei fuchedd yn
    wallgofrwydd
  a'i ddiwedd yn warth!
5 Sut y cafodd ei gyfrif ymhlith meibion
    Duw?
  Sut y mae cyfran iddo ymhlith y saint?
6 Dyma'r prawf inni fynd ar gyfeiliorn
    oddi ar ffordd y gwirionedd;
  ni thywynnodd goleuni cyfiawnder
    arnom ni,
  ac ni chododd yr haul arnom ni.
7 Cawsom ein gwala o rodio llwybrau
    digyfraith distryw,
  a theithio tiroedd diffaith, didramwy;
  ond ffordd yr Arglwydd, ni fynnem ei
    hadnabod.
8 Pa les i ni o'n balchder?
  Pa fudd o'n cyfoeth a'i rwysg?
9 Heibio yr aeth y rhain i gyd fel cysgod,
  fel negesydd ar frys yn rhuthro heibio;
10 fel llong ar ei ffordd trwy ymchwydd y
    môr,
  na ellir gweld ôl ei thramwy,
  na llwybr ei chilbren yn y tonnau;
11 neu fel aderyn, wedi iddo hedfan
    trwy'r awyr,
  nad oes yr un prawf o'i ehediad—
  y mae'n chwipio'r awyr denau â
    thrawiad ei esgyll,
  ac yn gwanu'r gwynt â grym ei gyrch,
  ac â gwth ei adenydd yn mynd ar ei
    daith,
  ond wedi hynny nid oes yno'r un
    arwydd o'i hynt.
12 Neu fel yr awyr—pan ollyngir saeth at
    nod—
  sy'n gwahanu a chau eilwaith, mor
    gyflym
  fel nad oes gwybod pa ffordd y
    tramwyodd y saeth.
13 Felly ninnau hefyd, dod a wnaethom,
    a darfod,
  ac nid oedd gennym yr un arwydd o
    rinwedd i'w ddangos;
  na, fe'n hafradwyd yn llwyr gan ein
    drygioni."
14 Oherwydd y mae gobaith yr annuwiol
    fel us a yrrir gan y gwynt,
  ac fel barrug d ysgafn a erlidir gan

d Yn ôl darlleniad arall, *ewyn;* yn ôl darlleniad arall, *gwe corryn.*

gorwynt;
fe'i gwasgarwyd fel mwg gan y gwynt;
aeth heibio fel atgof am ymwelydd
unnos.

Gwobr y Cyfiawn a Chosb yr Anghyfiawn

¹⁵ Ond y mae'r cyfiawn yn byw am byth;
yng nghwmni'r Arglwydd bydd eu
gwobr,
a bydd gofal amdanynt gan y
Goruchaf.
¹⁶ Dyna pam y derbyniant goron
ysblennydd,
dïadem hardd o law'r Arglwydd;
ei ddeheulaw fydd yn eu gwarchod,
a'i fraich fydd yn eu hamddiffyn.
¹⁷ Fe gymer ei eiddigedd yn arfwisg,
a'r greadigaeth yn arfogaeth i fwrw ei
elynion yn ôl.
¹⁸ Fe wisg gyfiawnder yn ddwyfronneg,
a barn ddidwyll yn helm ar ei ben.
¹⁹ Fe gymer sancteiddrwydd yn darian
anorchfygol,
²⁰ a min ei ddicter llym yn gleddyf iddo.
Daw'r bydysawd i'r frwydr gydag ef yn
erbyn y rhai gwallgof.
²¹ Bydd bolltau'r mellt yn cyrchu'n
ddi-feth at y nod;
llamant ato fel saeth o fwa anelog y
cymylau.
²² Lluchir cenllysg yn llawn dicter fel
cerrig o daflydd.
Bydd dŵr y môr yn ffyrnig yn eu
herbyn,
ac afonydd yn eu golchi ymaith yn
ddidostur,
²³ a gwynt nerthol yn codi yn eu herbyn
ac yn eu chwythu ymaith fel corwynt.
Diffeithir yr holl ddaear gan anhrefn,
a dymchwelir gorseddau'r
llywodraethwyr gan eu
gweithredoedd drwg.

Cyfrifoldeb Brenhinoedd

6 Gwrandewch, felly, chwi
frenhinoedd, a deallwch;
dysgwch, chwi sy'n rheoli eithafoedd y
ddaear.
² Clustfeiniwch, chwi sy'n
arglwyddiaethu ar bobloedd lawer
ac yn ymfalchïo yn nhyrfaoedd eich
cenhedloedd.
³ Yn rhodd oddi wrth yr Arglwydd y
daeth arglwyddiaeth ichwi,
a sofraniaeth oddi wrth y Goruchaf,
ac ef fydd yn archwilio'ch

gweithredoedd ac yn arolygu'ch
amcanion yn drwyadl.
⁴ Oherwydd, a chwi'n weinidogion ei
deyrnas, nid ydych wedi rheoli'n
uniawn;
nid ydych wedi cadw'r gyfraith
nac ymddwyn yn ôl ewyllys Duw.
⁵ Ofnadwy a buan fydd ei ymosodiad
arnoch,
oherwydd llym yw barn yn achos gwŷr
mawr.
⁶ Gall y lleiaf o ddynion fod yn wrthrych
trugaredd,
ond cadarn fydd archwiliad y cedyrn.
⁷ Oherwydd ni fydd yr Hollalluog yn
ymgreinio i neb,
nac yn ymostwng i fawredd;
oherwydd ef a wnaeth y bach a'r
mawr,
a'i ragluniaeth ef sy'n cynnal pawb yn
ddiwahân.
⁸ Er hynny, llym fydd yr ymchwiliad a
ddaw ar y cedyrn.
⁹ I'ch clustiau chwi, deyrnedd, y mae fy
ngeiriau,
ichwi gael dysgu doethineb a pheidio â
throseddu;
¹⁰ oherwydd fe sancteiddir y rhai a
gadwodd bethau sanctaidd yn
sanctaidd,
a bydd y sawl a drwythwyd ynddynt
â'u hamddiffyniad ganddynt.
¹¹ Byddwch yn eiddgar, felly, am fy
ngeiriau;
blysiwch amdanynt, ac fe gewch eich
addysgu.

Ceisio a Chael Doethineb

¹² Disglair, ac anniflan ei thegwch, yw
doethineb,
yn hawdd ei chanfod gan y rhai sy'n ei
charu,
a'i chael gan y rhai sy'n ei cheisio.
¹³ Y mae'n achub y blaen ar y sawl sy'n ei
chwennych trwy beri iddynt ei
hadnabod.
¹⁴ Ni flina'r bore-godwr yn ei ymchwil
amdani;
daw o hyd iddi'n eistedd gydag ef yn
ymyl ei byrth.
¹⁵ Oherwydd y mae ymroddiad iddi yn
perffeithio'r deall;
y sawl sy'n effro er ei mwyn, buan y
cyll ei bryderon;
¹⁶ y mae hi ar gerdded o hyd yn chwilio
am y rhai sy'n ei deilwng ohoni,
ac o'i hynawsedd yn ymddangos

iddynt ar eu llwybrau,
ac yn dod i'w cyfarfod ym mhob rhyw
amcan.
[17] Gwir ddechreuad doethineb yw
dyhead am addysg;
gofal am addysg yw ei charu hi;
[18] ei charu hi yw cadw ei chyfreithiau;
parchu ei chyfreithiau yw gwarant
anllygredigaeth,
[19] ac y mae anllygredigaeth yn ein dwyn
yn agos at Dduw.
[20] Felly y mae dyheu am ddoethineb yn
ein harwain i frenhiniaeth.
[21] Am hynny, os ar orsedd a
theyrnwialen y mae eich bryd,
chwi deyrnedd y bobloedd,
anrhydeddwch ddoethineb, ichwi gael
teyrnasu am byth.
[22] Beth yw doethineb, a sut y daeth i fod,
hynny a fynegaf,
heb guddio'r dirgelion oddi wrthych,
ond dilyn ei llwybrau o'r dechrau
cyntaf,
a dwyn gwybodaeth amdani i'r amlwg;
nid af heibio i'r gwir mewn unrhyw
ffordd.
[23] Yn sicr, ni chaiff cenfigen afiach
gydgerdded â mi,
gan na all gymdeithasu â doethineb.
[24] Y mae lliaws o ddoethion yn
iachawdwriaeth i'r byd,
a brenin call yn ddiogelwch i'r werin.
[25] Felly derbyniwch addysg o'm geiriau
er eich lles eich hunain.

Cariad Solomon at Ddoethineb

7 Yr wyf finnau hefyd yn ddyn meidrol
fel pawb arall,
o hil y dyn cyntaf a luniwyd o bridd y
ddaear;
o fewn croth mam fe'm ffurfiwyd yn
gnawd,
[2] mewn deng mis wedi ceulo mewn
gwaed,
o had gŵr a'r pleser fu'n gydymaith
cwsg.
[3] Ac wedi fy ngeni anedlais innau yr
awyr gyffredin,
a chwympo ar y ddaear sy'n derbyn
pawb fel ei gilydd;
ac fel pawb arall, sŵn crio a ddaeth
gyntaf o'm genau.
[4] Fe'm rhwymwyd a'm magu â phob
gofal.
[5] Ni chafodd yr un brenin ddechrau
gwahanol i'w fywyd.
[6] Un ffordd i mewn i fywyd sydd i bawb,

ac un ffordd allan.
[7] Am hynny gweddïais, a rhoddwyd i mi
ddeall;
gelwais am gymorth, a daeth ysbryd
doethineb ataf.
[8] Dewisais ddoethineb o flaen
teyrnwialen a gorsedd,
heb ystyried cyfoeth yn ddim wrthi hi.
[9] Ni chyfrifais unrhyw em amhrisiadwy
yn debyg i ddoethineb,
oherwydd nid yw holl aur y byd namyn
tywodyn wrth ei hochr hi,
ac fel clai yr ystyrir arian gyferbyn â hi.
[10] Cerais hi'n fwy nag iechyd a
phrydferthwch,
a dewisais ei chael hi yn hytrach na
goleuni,
am nad yw ei llewyrch hi byth yn
machlud.
[11] Gyda hi y daeth i'm rhan bob peth da
gyda'i gilydd,
ac yn ei dwylo gyfoeth difesur.
[12] Gorfoleddais ym mhob un o'i doniau
am fod doethineb yn eu tywys;
ni ddeallwn, er hynny, mai hi oedd
mam y rhai hyn.
[13] Yn ddidwyll derbyniais ddysg; yn
ddiwarafun yr wyf yn ei rhannu;
nid wyf yn darnguddio ei chyfoeth.
[14] Oherwydd trysor diball yw hi i
ddynion,
ac y mae'r sawl a'i meddiannodd yn
ennill cyfeillgarwch Duw,
am eu bod yn gymeradwy ganddo ar
gyfrif y doniau a gawsant gan
addysg.
[15] Rhodded Duw i mi siarad yn ôl ei
ewyllys,
ac ymsynio yn deilwng o'i roddion,
am mai ef ei hun yw hyfforddwr
doethineb
a chywirwr y doethion.
[16] Oherwydd yn ei law ef yr ydym ni a'n
geiriau hefyd,
ynghyd â phob medr a gwybodaeth
ymarferol.
[17] Ie, ef ei hun a roes imi wybodaeth
ddi-feth am y pethau sydd,
imi ddeall cyfansoddiad y byd a
gweithrediad yr elfennau:
[18] dechrau a diwedd a chanol yr
amserau,
troadau'r rhod a threigl y tymhorau,
[19] cylchdroeon y flwyddyn a safleoedd y
sêr,
[20] natur anifeiliaid a thymer bwystfilod,

nerth ysbrydion [dd] a rhesymu dynion,
rhywogaeth planhigion a rhinwedd
gwreiddiau.
²¹ Yn wir, deuthum i wybod pob peth,
dirgel ac amlwg,
am fod doethineb, pensaer pob peth,
wedi fy nysgu.
²² Oherwydd y mae ynddi ysbryd
deallus, sanctaidd,
unigryw, amryddawn, coeth,
heini, eglur, dilychwin,
disglair, dianaf, daionus, brwd,
²³ dirwystr, haelionus, dyngarol,
cadarn, diysgog, dibryder,
hollalluog, holl-arolygol,
sy'n treiddio pob ysbryd
deallus, pur, gwir goeth.
²⁴ Oherwydd cyflymach na phob
cyflymder yw doethineb,
yn gwanu ac yn treiddio pob peth o
achos ei phurdeb;
²⁵ hi yw tawch gallu Duw,
a phelydriad diledryw gogoniant yr
Hollalluog.
Am hynny ni all dim halogedig gael
ffordd i mewn iddi.
²⁶ Adlewyrchiad yw hi o'r goleuni
tragwyddol,
drych dilychwin o allu gweithredol
Duw,
a delw o'i ddaioni ef.
²⁷ Er nad yw ond un, eto y mae'n gallu
gwneud pob dim,
ac er aros ei hun yr un fath, y mae'n
creu pob peth o'r newydd;
ac ym mhob cenhedlaeth y mae'n
ymweld ag eneidiau sanctaidd
a'u gwneud yn gyfeillion i Dduw ac yn
broffwydi.
²⁸ Oherwydd nid yw Duw'n caru dim, ac
eithrio'r sawl sy'n byw gyda
doethineb.
²⁹ Y mae hi'n ddisgleiriach na'r haul,
ac yn rhagori ar bob clwm o sêr;
o'i chymharu â goleuni, hi sydd ar y
blaen,
³⁰ am fod tywyllwch yn disodli hwnnw,
ond ni all drygioni drechu doethineb.

8 Y mae'n ymestyn o naill eithaf y
ddaear i'r llall yn llawn nerth,
ac yn trefnu pob peth er daioni.

² Cerais hon, a rhedais ar ei hôl hi o'm
hieuenctid;
ceisiais ei chymryd yn briod i mi fy
hun,

a rhois fy serch ar ei phrydferthwch.
³ Y mae'n mawrygu ei huchel dras drwy
rannu ei bywyd gyda Duw,
a charodd yr Hollalluog hi.
⁴ Y mae hi'n gyfrin am y wybodaeth a
fedd Duw;
hi sy'n pennu ei weithredoedd.
⁵ Ond os yw cyfoeth yn feddiant i'w
chwenychu mewn bywyd,
beth sy'n gyfoethocach na doethineb,
sy'n ymelwa ar bob peth?
⁶ Ac os deall sy'n gweithredu,
pwy ond hyhi yw pensaer y pethau
sydd?
⁷ Ac os yw dyn yn caru cyfiawnder,
o'i hymdrechion hi y caiff rinweddau;
oherwydd o'i hyfforddiant hi y daw
pwyll a deall,
cyfiawnder a dewrder,
ac nid oes dim mewn bywyd yn fwy
defnyddiol i ddynion na'r rhain.
⁸ Ac os yw dyn yn dyheu am brofiad
eang,
y mae hi'n gwybod yr hyn a fu, a sut i
ddyfalu'r hyn a fydd;
y mae'n medru deall ymadroddion
trofaus a datrys posau dyrys;
y mac'n rhagweld arwyddion a
rhyfeddodau,
a chanlyniadau tymhorau a
chyfnodau.
⁹ Penderfynais felly ei chymryd hi i fyw
gyda mi,
gan wybod y cawn ei chyngor mewn
hawddfyd,
a'i chysur mewn pryder ac adfyd.
¹⁰ Caf trwyddi glod yng nghynulleidfa'r
bobl,
ac anrhydedd, er yn ifanc, ymhlith
henuriaid.
¹¹ Fe'm ceir yn graff yn y llys barn,
ac fe'm hedmygir yng ngŵydd
penaethiaid.
¹² Os tewi a wnaf, disgwyliant wrthyf; os
llefaru, fe ddaliant sylw;
ac er imi draethu'n hir,
fe wrandawant yn dawel.
¹³ O'i hachos caf anfarwoldeb yn eiddo
imi,
a gadawaf goffadwriaeth dragwyddol
i'r rhai a ddaw ar fy ôl.
¹⁴ Byddaf yn llywodraethwr ar bobloedd,
a bydd cenhedloedd dan fy
awdurdod.
¹⁵ Bydd clywed amdanaf yn codi arswyd
ar deyrnedd echryslon;

[dd] Neu, *gwyntoedd.*

ymhlith y bobl fe'm ceir yn dirion, ac
yn wrol ar faes y gad.
¹⁶ Ar ôl dod adref, caf orffwys yn ei
chwmni,
am na cheir chwerwder yn ei
chymdeithas hi,
na phoen o gyd-fyw â hi,
ond yn hytrach llonder a llawenydd.
¹⁷ Ymresymais fel hyn â mi fy hun,
gan ystyried yn fy nghalon
fod anfarwoldeb yn dod o
gydberthynas â doethineb,
¹⁸ a hyfrydwch digymysg o'i
chyfeillgarwch,
a chyfoeth diball o lafur ei dwylo,
a dealltwriaeth o gydymarfer yn ei
chwmni,
ac enwogrwydd o ymddiddan â hi.
Ac felly euthum o gwmpas gan geisio
modd i'w chymryd i mi fy hun.
¹⁹ Plentyn lluniaidd oeddwn,
a daeth enaid da i'm rhan;
²⁰ neu'n hytrach, fe ddeuthum i, a
minnau'n dda, i mewn i gorff
dihalog.
²¹ Eto, am imi ddeall na allwn feddiannu
doethineb heb i Dduw ei rhoi—
a pheth craff oedd deall rhodd pwy
ydoedd—
gweddïais ar yr Arglwydd ac ymbiliais
arno
â'm holl galon fel hyn:

Gweddi Solomon am Ddoethineb

9 "O Dduw ein tadau ac Arglwydd
trugarog,
ti a greodd y cyfanfyd trwy dy air,
² a llunio dyn trwy dy ddoethineb
i fod yn feistr ar y creaduriaid a
wnaethost,
³ ac i reoli'r byd mewn sancteiddrwydd
a chyfiawnder,
ac i weinyddu barn mewn unionder.
⁴ Rho i mi'r ddoethineb sy'n gymar i ti
ar dy orsedd,
a phaid â'm diarddel o blith dy
weision ᵉ.
⁵ Oherwydd dy gaethwas wyf fi, a mab
dy gaethferch,
dyn gwan, byr ei ddyddiau,
y lleiaf ei ddeall am farn a
chyfreithiau.
⁶ Yn wir, pe bai dyn yn berffaith
ymhlith meibion dynion,
eto heb y ddoethineb a ddaw oddi
wrthyt ti, nis cyfrifid yn ddim.

⁷ Ti a'm dewisodd yn frenin dy bobl
ac yn rheolwr ar dy feibion a'th
ferched.
⁸ Ti a'm gorchmynnodd i godi teml ar dy
fynydd sanctaidd,
ac allor yn ninas dy breswylfa,
ar lun y babell sanctaidd a baratoaist
ymlaen llaw o'r dechreuad.
⁹ Gyda thi y mae doethineb, sy'n deall
dy weithredoedd;
ac yr oedd gyda thi hefyd, pan oeddit
yn creu'r byd;
y mae hi'n gwybod beth sy'n
gymeradwy yn dy olwg,
a beth sy'n uniawn yn ôl dy
orchmynion.
¹⁰ Gollwng hi o'r nefoedd sanctaidd,
ac anfon hi o orsedd dy ogoniant,
er mwyn iddi aros gyda mi, ac
ymdrechu
i'm cael i wybod beth sy'n gymeradwy
gennyt ti.
¹¹ Oherwydd y mae hi'n gwybod ac yn
deall pob peth.
Fe'm tywys yn bwyllog yn fy
ngweithredoedd,
a'm hamddiffyn â'i gogoniant.
¹² Yna bydd fy ngweithredoedd yn
dderbyniol,
a rheolaf dy bobl yn gyfiawn;
byddaf yn deilwng o orsedd fy nhad.
¹³ Pa ddyn, felly, all wybod cyngor Duw?
Neu pwy all synied beth yw ewyllys yr
Arglwydd?
¹⁴ Gwan yw rhesymu dynion meidrol,
a'n hamcanion yn debyg o fethu.
¹⁵ Oherwydd y mae'r corff llygredig yn
faich ar enaid,
a'r babell ddaearol yn gwasgu'n drwm
ar feddwl yr ystyriol.
¹⁶ Prin y medrwn ddyfalu'r pethau sydd
ar y ddaear;
y mae'n ymdrech i ni ddod o hyd i'r
pethau sydd wrth law.
Pwy ynteu sydd wedi olrhain y pethau
sydd yn y nefoedd?
¹⁷ Pwy erioed a ddaeth i wybod dy
fwriad, oddieithr i ti roi doethineb
ac anfon dy ysbryd sanctaidd oddi
uchod?
¹⁸ Ac felly yr unionwyd llwybrau
trigolion y ddaear,
a dysgu i ddynion yr hyn sy'n
gymeradwy i ti,
a'u hachub gan ddoethineb.''

ᵉ Neu, *blant.*

Doethineb a Hanes
O Adda i Moses

10 Doethineb a fu'n gwarchod y dyn cyntaf a luniwyd, tad y ddynolryw,
pan nad oedd neb wedi ei greu ond ef yn unig;
hi a'i gwaredodd o'i gamwedd ef ei hun,
[2] a rhoi nerth iddo fod yn feistr ar bob peth.
[3] Ond cefnodd y dyn anghyfiawn arni yn ei lid,
ac yn ei lofruddiog nwyd fe'i distrywiodd ei hun gyda'i frawd.
[4] A phan lifodd dilyw dros y ddaear o'i achos, doethineb a'i hachubodd unwaith eto,
a dwyn y dyn cyfiawn drwy'r dyfroedd â dernyn dibris o bren.
[5] A phan ddaeth eu drygioni unfryd â therfysg i'r cenhedloedd,
hi eto a gafodd hyd i'r dyn cyfiawn a'i warchod yn ddi-fai i Dduw,
a'i gadw'n gadarn, er cymaint ei dosturi wrth ei blentyn.
[6] Hi, pan oedd yr annuwiolion ar eu ffordd i ddistryw, a achubodd y dyn cyfiawn
a ddihangodd o'r tân a ddisgynnodd ar y Pum Dinas.
[7] Tyst hyd heddiw i'w drygioni hwy yw'r crastir sy'n dal i losgi'n fud,
a'r planhigion na allant ddwyn ffrwyth i aeddfedrwydd,
a'r golofn halen sy'n sefyll er cof am enaid anghredadun.
[8] Oherwydd trwy anwybyddu doethineb fe'u rhwystrwyd rhag adnabod y da—
ac nid hynny'n unig,
ond gadawsant hefyd gofeb i'r byd o'u ffolineb,
fel nad oedd modd iddynt hyd yn oed guddio'u camweddau.
[9] Ond achubodd doethineb ei gwasanaethwyr o'u helbulon.
[10] Hi a dywysodd y dyn cyfiawn ar hyd llwybrau unionder—
ac yntau'n ffoadur rhag dicter ei frawd;
dangosodd iddo deyrnas Dduw,
a rhoes iddo wybodaeth am fodau sanctaidd;
daeth â llwyddiant iddo yn ei ymdrechion,
a chynnydd yn ffrwyth ei lafur.
[11] Bu'n gefn iddo yn erbyn rhaib ei dreiswyr,
a'i wneud yn gyfoethog.
[12] Amddiffynnodd ef rhag gelynion,
a'i gadw'n ddiogel rhag cynllwynwyr;
dyfarnodd yr ornest fawr iddo,
er mwyn iddo wybod mai trech duwioldeb na dim.
[13] Hithau, ni chefnodd ar y dyn cyfiawn a werthwyd yn gaethwas,
ond ei achub o afael pechod.
[14] Aeth i lawr gydag ef i'r dwnsiwn;
ni adawodd ef yn ei gadwynau,
cyn estyn iddo deyrnwialen y frenhiniaeth
ac awdurdod dros ei ormeswyr;
datguddiodd gelwydd ei gyhuddwyr,
a sicrhaodd iddo enw anfarwol.

Yr Exodus

[15] Hi a ddaeth at bobl sanctaidd a hil ddi-fai,
a'u hachub o afael cenedl o ormeswyr.
[16] Aeth i mewn i enaid gwasanaethwr yr Arglwydd,
a safodd yntau yn erbyn brenhinoedd ofnadwy a'u trechu â rhyfeddodau ac arwyddion.
[17] Gwobrwyodd y saint am eu llafur;
arweiniodd hwy ar hyd ffordd ryfeddol;
bu iddynt yn gysgod liw dydd
ac yn fflam serennog liw nos.
[18] Daeth â hwy trwy'r Môr Coch,
a'u harwain trwy ddyfroedd dyfnion.
[19] Ond gwnaeth i'r tonnau lyncu eu gelynion
a'u taflu i fyny eto o'r dyfnder diwaelod.
[20] Am hynny ysbeiliodd y cyfiawn yr annuwiol,
gan glodfori dy enw sanctaidd, O Arglwydd,
a moliannu'n unfryd dy law, a'u hamddiffynnodd.
[21] Oherwydd agorodd doethineb enau'r rhai mud,
ac i'r dilafar rhoes dafodau croyw.

Y Daith trwy'r Anialwch

11 Parodd hi i'w gweithredoedd lwyddo trwy law proffwyd sanctaidd.
[2] Teithiasant ar draws anialwch anghyfannedd,
a gosod eu pebyll mewn mannau didramwy.
[3] Gwrthsafasant eu gelynion, gan fwrw

eu gwrthwynebwyr yn ôl.
⁴Pan ddaeth syched arnynt, galwasant
   arnat,
a rhoddwyd dŵr iddynt o glogwyn
   creigiog,
a modd i ddiwallu eu syched o faen
   caled.

Cosbi'r Gwrthwynebwyr

⁵Oherwydd bu moddion cosb eu
   gwrthwynebwyr
yn foddion budd iddynt hwy yn eu
   hangen.
⁶Yn wir, yn cyfateb i'r afon ddiball ei
   tharddiad,
sy'n gynnwrf i gyd gan waed halogedig
⁷a cherydd am y gorchymyn i ladd plant
   bychain,
rhoddaist iddynt hwy ddigonedd o
   ddŵr y tu hwnt i'w gobeithion;
⁸a dangosaist trwy eu syched y pryd
   hwnnw
pa fath o gosb a osodaist ar eu
   gwrthwynebwyr.
⁹Ac er eu disgyblu hwy mewn
   trugaredd yn nydd eu prawf,
deallasant sut boenedigaeth sydd i'r
   annuwiol a fernir mewn dicter;
¹⁰oherwydd profaist y rhain, a'u
   rhybuddio fel tad,
ond chwiliaist achos y lleill ag artaith,
a'u condemnio fel brenin llym.
¹¹Ymhell neu'n agos, yr un oedd eu
   trallod,
¹²oherwydd gafaelodd gofid deublyg
   ynddynt,
a griddfan wrth gofio am yr hyn a aeth
   heibio.
¹³Oherwydd pan glywsant fod yr hyn a
   fu'n gosb iddynt hwy
wedi dod â budd i'r cyfiawn, gwelsant
   mai gwaith yr Arglwydd ydoedd.
¹⁴Oherwydd er ei daflu allan gynt yn
   faban diymgeledd, ac yna ei
   wrthod â dirmyg,
daethant i ryfeddu at ganlyniad ei
   gyflawniadau;
am nad oedd eu syched hwy am yr un
   math o bethau â'r rhai cyfiawn.
¹⁵Ac yn dâl am eu syniadau diddeall ac
   anghyfiawn,
y rheini a'u harweiniodd ar gyfeiliorn i
   addoli ymlusgiaid direswm a
   phryfetach diwerth,
anfonaist haid o greaduriaid direswm i
   ddial arnynt,
¹⁶er mwyn iddynt ddeall mai moddion

pechod dyn yw moddion ei gosb.
¹⁷Oherwydd nid oedd y tu hwnt i allu dy
   law hollalluog—
a hithau wedi creu'r byd o ddeunydd
   afluniaidd—
anfon arnynt lu o eirth, neu lewod
   rheibus,
¹⁸neu fwystfilod ffyrnig newydd-greëdig
   ac anhysbys,
rhai â'u chwyth yn chwa o dân,
rhai'n bytheirio cymylau o fwg,
rhai â'u llygaid yn pelydru braw.
¹⁹Heblaw eu gallu i ddrygu dynion i
   ddistryw,
yr oedd eu golwg yn codi arswyd hyd
   at angau.
²⁰Ac ar wahân i'r rhain, digon fyddai un
   chwythiad iddynt syrthio,
pan fyddai dial yn eu herlid,
a'th anadl nerthol yn eu chwalu;
ond gosodaist bob peth mewn trefn yn
   ôl mesur a rhif a phwys.
²¹Oherwydd y mae gallu aruthrol ar gael
   i ti bob amser;
pwy all wrthsefyll nerth dy fraich?
²²I ti, yn wir, nid yw'r byd cyfan ond
   megis y gronyn llwch sy'n troi'r
   fantol,
neu'r defnyn o wlith sy'n disgyn ar y
   ddaear gyda'r wawr.
²³Eto yr wyt yn trugarhau wrth bawb,
gan fod popeth yn bosibl i ti;
ac yn edrych heibio i bechodau dynion
   er mwyn iddynt edifarhau.
²⁴Yr wyt yn caru popeth sy'n bod;
nid oes un dim a greaist yn ffiaidd
   gennyt;
yn wir, ni fuasit wedi llunio dim sy'n
   atgas yn dy olwg.
²⁵Sut y gallai dim barhau, ond trwy dy
   ewyllys di?
Neu gael ei gadw heb dy fod di wedi ei
   alw?
²⁶Ond yr wyt yn arbed pob peth am mai
   dy eiddo di yw, O Feistr sy'n
   caru'r byw.

12 Oherwydd y mae dy ysbryd
   anllygradwy ym mhob un.

Pechodau Trigolion Cyntefig Canaan

²Am hynny, yn araf deg y byddi'n
   cywiro troseddwyr,
ac yn eu hatgoffa am eu pechodau, a'u
   rhybuddio,
er mwyn iddynt roi'r gorau i ddrygioni
ac ymddiried ynot ti,
O Arglwydd.

³Yn wir, yr oedd trigolion cyntefig dy
   wlad sanctaidd
⁴yn gas gennyt fel gweithredwyr pob
   ffieidd-dra—
   yn ddilynwyr dewiniaeth a defodau
   halogedig,
⁵yn llofruddwyr didostur plant bach,
   ac yn loddestwyr ar gig a gwaed yr
   aberth dynol;
   yn addolwyr a chanlynwyr crefydd
   ddirgel,
⁶yn rhieni a oedd yn lleiddiaid eu plant
   diymadferth eu hunain.
Penderfynaist, felly, eu difetha hwy
   trwy law ein tadau,
⁷fel y gallai'r wlad sy'n werthfawrocach
   gennyt na'r holl wledydd
   dderbyn plant Duw yn wladychwyr
   teilwng.
⁸Ond arbedaist hyd yn oed y rhain, am
   mai dynion oeddent,
   trwy anfon cacwn o flaen dy fyddin
   i'w difa yn araf deg.
⁹Nid nad oedd gennyt allu i roi'r
   annuwiol yn nwylo'r cyfiawn ar
   faes y gad,
   neu i'w difa ar drawiad â bwystfilod
   dychrynllyd neu â gair llym,
¹⁰ond yn araf deg y dygaist hwy i farn, i
   roi cyfle i edifeirwch,
   er iti wybod yn iawn eu bod yn ddrwg
   wrth natur,
   a'u drygioni'n gynhenid,
   ac na welid byth newid ar eu
   bwriadau,
¹¹oherwydd yr oedd eu hil dan felltith
   o'r dechreuad,
   ac nid rhag ofn neb y rhoddaist
   bardwn am eu pechodau.
¹²Pwy yn wir all ddweud, "Beth
   wnaethost ti?"
Neu pwy all wrthsefyll dy ddyfarniad?
Pwy all dy ddwyn i gyfrif am anfon
   cenhedloedd i ddistryw, a thithau
   wedi eu creu?
Neu pwy all ddod ger dy fron i hawlio
   iawn am ddynion anghyfiawn?
¹³Oherwydd ar wahân i ti, sydd â gofal
   am bob un, nid oes yr un duw
   iti gael dangos iddo nad oedd dy
   ddyfarniad yn anghyfiawn;
¹⁴nid oes ychwaith na brenin na theyrn a
   all dy herio am y rhai a gosbaist.
¹⁵Ond, a thi dy hun yn gyfiawn, cyfiawn
   yw dy drefn ar bob peth,
   ac fe'i hystyrit yn gwbl groes i'th allu

iti gollfarnu un nad yw'n teilyngu cosb.
¹⁶Oherwydd y mae dy nerth di yn
   ffynhonnell cyfiawnder,
   a'th benarglwyddiaeth yn peri iti arbed
   pawb.
¹⁷Pan amheuir cyflawnder dy allu, yna y
   byddi'n datguddio dy nerth;
   ymhlith y rhai sy'n gwybod^f, yr wyt yn
   condemnio haerllugrwydd;
¹⁸ond yr wyt ti, yn dy benarglwyddiaeth
   nerthol, yn barnu'n dirion
   ac yn ein rheoli ag ymatal mawr,
   am fod gallu ar gael iti pryd y mynni.
¹⁹Dysgaist dy bobl trwy'r fath
   weithredoedd
   fod yn rhaid i'r dyn cyfiawn garu ei
   gyd-ddyn;
   a pheraist i'th feibion obeithio'n
   hyderus
   dy fod yn rhoi edifeirwch am
   bechodau.
²⁰Oherwydd os cafodd gelynion dy
   blant, a oedd yn haeddu
   marwolaeth,
   eu trin gennyt mor ystyriol a
   goddefgar,
   gan i ti roi amser a chyfle iddynt
   ymwrthod â drygioni,
²¹pa mor fanwl oedd dy ofal wrth farnu
   dy feibion,
   y rhoddaist addewid o ddaioni i'w
   tadau dan lwon y cyfamodau?
²²Ac felly, er dy fod yn ein disgyblu ni,
   yr wyt yn fflangellu ein gelynion
   ddengmil gwaith mwy,
   er mwyn i ni ystyried dy diriondeb
   wrth farnu,
   ac wrth gael ein barnu allu disgwyl am
   drugaredd.

Y Ddedfryd Derfynol

²³Dyna pam y peraist fod y rhai a fu'n
   byw bywydau ffôl ac anghyfiawn
   i'w poenydio gan eu ffieidd-dra eu
   hunain,
²⁴gan iddynt gyfeiliorni y tu hwnt i
   ffyrdd pob cyfeiliorni,
   ac ystyried yn dduwiau anifeiliaid
   atgas a ffiaidd hyd yn oed,
   wedi eu twyllo'u hunain fel plant bach
   diddeall.
²⁵Fel plant direswm, felly,
   gweithredaist farn arnynt mewn
   dychan chwareus;
²⁶ond bydd y rhai a ddiystyrodd rybudd
   y dychan direidus

ᶠYn ôl darlleniad arall, *y rhai na wyddant.*

yn sicr o gael eu haeddiant pan ddaw
barn Duw arnynt.
27 Oherwydd wrth ddioddef eu hunain,
ac ymgynddeiriogi
yn erbyn y rhai y tybient eu bod yn
dduwiau, o achos eu cosbi
drwyddynt,
daethant i weld a chydnabod yn wir
Dduw yr un na fynnent gynt
wybod dim amdano;
am hynny traddodwyd y ddedfryd
derfynol arnynt hwythau.

Ffolineb Addoli Natur

13 Mor ffôl oedd dynion i gyd wrth
natur, yn amddifad o'r gallu i
ganfod Duw;
yn analluog, ar sail y daioni oedd yn
weladwy iddynt, i ddirnad yr Un
sy'n bod,
a heb adnabod y Pensaer er cymaint
eu sylw i'w waith.
2 Ond tân neu wynt neu awel dro
neu gylchdro'r sêr neu ddŵr chwyrn
neu oleuadau'r ffurfafen, rheolwyr y
bydysawd—dyma eu duwiau.ff
3 Os ymhyfrydu yn eu tegwch a barodd
iddynt eu cymryd fel duwiau,
dylent wybod gymaint y mae Meistr y
pethau hyn yn rhagori arnynt,
oherwydd lluniwr cyntaf prydferthwch
a'u creodd hwy.
4 Neu os eu syndod at eu gallu a'u grym
a wnaeth hyn,
dylent ddeall wrth hynny gymaint mwy
galluog yw'r hwn a'u lluniodd.
5 Oherwydd ym mawredd a
phrydferthwch y pethau a grewyd
yr amlygir delwedd gyfatebol eu
gwneuthurwr cyntaf.
6 Er hynny, ychydig o fai sydd ar y
rhain,
oherwydd cyfeiliorni y maent, efallai,
wrth chwilio am Dduw a cheisio dod o
hyd iddo.
7 Wrth fyw a bod ynghanol ei
weithredoedd, a'u harchwilio'n
fanwl,
cânt eu hennill gan yr hyn a welir, gan
mor deg yw'r olwg arnynt.
8 Ac eto, nid yw'r rhain i'w hesgusodi
chwaith;
9 oherwydd os oedd y gallu ganddynt i
wybod cymaint
ac i ddyfalu ynghylch y bydysawd,
sut na chawsant hyd yn gynt i Feistr y

pethau hyn?

Ffolineb Eilunaddoliaeth

10 Ond druan ohonynt! Ar bethau
meirwon y mae eu gobaith;
rhoesant yr enw duwiau ar bethau o
waith llaw dynion,
ar aur ac arian, deunydd crai y
crefftwr;
ar lun anifeiliaid,
ar faen di-fudd, cerflun o'r amser gynt.
11 Bwriwch fod rhyw saer coed wedi llifio
a chwympo coeden gyfleus,
a'i rhisglo'n lân a chymen,
a gweithio arni'n gelfydd a chain,
i'w llunio'n llestr defnyddiol ar gyfer
gorchwylion bywyd;
12 yna y mae'n gwneud tân o'r darnau a
naddwyd i ffwrdd,
i baratoi ei fwyd, ac yn cael ei wala;
13 a'r darn olaf, nad yw'n dda i ddim,
pren crwca a chnotiog drwyddo—
y mae'n cymryd hwnnw ac yn ei naddu
i ddifyrru ei oriau segur,
gan roi ffurf arno â medr hamddenol
a'i lunio ar ddelw dyn.
14 Neu y mae'n ei wneud yn debyg i ryw
anifail diwerth,
a'i liwio â fermilion a'i baentio'n goch
drosto i gyd,
i guddio â'r lliw bob nam sydd arno;
15 ac yna y mae'n darparu cartref addas
ar ei gyfer,
ac yn ei osod ar wal a'i hoelio'n
ddiogel â haearn.
16 Felly y mae'n cynllunio ymlaen llaw
i'w gadw rhag cwympo,
gan wybod nad oes ganddo nerth i'w
helpu ei hunan,
am mai delw ydyw, a chymorth yn
anghenraid iddo.
17 Ond y mae'n gweddïo arno dros ei
eiddo a'i briodas a'i blant,
heb gywilyddio dim wrth gyfarch y
peth difywyd hwn;
y mae'n ymbil am iechyd ar rywbeth
nad oes iechyd ganddo;
18 yn disgwyl bywyd gan beth marw;
yn deisyf cymorth gan beth cwbl
ddiymadferth;
a siwrnai dda gan rywbeth na all
gerdded cam;
19 ac i sicrhau elw a busnes a llwydd yn ei
grefft,
y mae'n erfyn am nerth gan rywbeth
nad oes nerth yn ei ddwylo.

ff Neu, *ffurfafen—dyma'r pethau a gyfrifasant yn dduwiau sy'n rheoli'r bydysawd.*

14 Ymhellach, dyna'r dyn sy'n trefnu
mordaith ac am hwylio trwy'r
tonnau tymhestlog:
bydd ef yn galw am gymorth ar
ddernyn o bren mwy bregus na'r
llong sy'n ei gludo.
²Oherwydd awydd am elw a
gymhellodd ddyfeisio'r llong,
a doethineb oedd y saer a'i
hadeiladodd. ᵍ
³Ond dy ragluniaeth di, O Dad, sy'n ei
llywio,
oherwydd ti a agorodd ffordd hyd yn
oed trwy'r môr,
a llwybr diogel ymhlith y tonnau,
⁴gan ddangos dy allu i achub o bob
perygl,
fel y gall hyd yn oed yr anghyfarwydd
hwylio ar y môr.
⁵Ni fynni weld cynnyrch dy ddoethineb
yn segur,
ac felly bydd dynion yn eu hymddiried
eu hunain i'r darn lleiaf o bren,
ac yn dod i'r lan yn ddiogel trwy'r
tonnau ar gludair.
⁶Oherwydd hyd yn oed yn y dechreuad,
pan oedd cewri balch ar dranc,
dihangodd gobaith y byd ar gludair,
ac o'i llywio gan dy law gadawodd had
hiliogaeth newydd i'r oes oedd i
ddilyn.
⁷Bendigedig yw'r pren y mae
cyfiawnder yn dod drwyddo.
⁸Ond am yr eilun o waith llaw,
melltigedig yw ef a'r gŵr a'i
gwnaeth;
y gŵr am iddo'i gynhyrchu, a'r eilun
llygradwy am iddo gael ei alw'n
dduw.
⁹Oherwydd y mae'r dyn annuwiol yr un
mor atgas gan Dduw â'i weithred
annuwiol,
¹⁰a chosbir y weithred ynghyd â'r
gweithredwr.
¹¹Dyna pam y daw barn ar eilunod y
Cenhedloedd hefyd,
oherwydd er i Dduw eu creu, aethant
yn ffieidd-beth,
ac yn achos cwymp i eneidiau dynion,
ac yn fagl i draed y ffôl.

Gwreiddiau Eilunaddoliaeth
¹²Oherwydd dyfeisio eilunod yw
gwreiddyn puteindra,
a phla ar fywyd fu eu darganfod.
¹³Nid oeddent o'r dechreuad, ac ni

fyddant am byth.
¹⁴Gwag-ogoniant dynion a ddaeth â hwy
i'r byd,
ac am hynny diwedd cwta sydd yn eu
haros.
¹⁵Dyna dad dan gystudd ei alar
annhymig
yn gwneud delw o'r plentyn a gipiwyd
oddi arno mor fuan,
ac yn awr yn anrhydeddu fel duw un
nad oedd gynt yn ddim ond corff
dyn marw,
ac yn traddodi i'w dylwyth arferion a
defodau cyfrin.
¹⁶Yna, gyda threigl amser, cadarnheir yr
arfer annuwiol a'i gadw fel
cyfraith.
¹⁷Neu eto, dyna ddelwau cerfiedig a
gafodd eu haddoli ar orchymyn
teyrn;
pan na allai dynion ei anrhydeddu
wyneb yn wyneb, o achos pellter
ei drigfan,
tynasant lun o bell o'i wyneb,
a gwneud delw weladwy o'r brenin
oedd i'w anrhydeddu,
er mwyn ymgreinio'n frwd i un nad
oedd yno fel pe bai yno.
¹⁸Ac âi'r addoliad ar gynnydd hyd yn
oed ymhlith y rhai nad adwaenent
mohono,
dan anogaeth uchelgais y crefftwr,
¹⁹gan iddo—hwyrach yn ei awydd i
blesio'r teyrn—
arfer ei gelfyddyd i ystumio'r
tebygrwydd â cheinder na feddai,
²⁰er mwyn i'r werin, dan gyfaredd
glendid y gwaith,
dybio bod un, a anrhydeddwyd
ychydig yn gynt fel dyn, bellach
yn haeddu eu haddoliad.
²¹Daeth hyn oll, felly, yn fagl ar lwybr
dynion;
dan orfod anffawd neu drais teyrnedd,
cymerasant yr enw anghyfathrebol a'i
drosglwyddo i gerrig a darnau o
bren.

Canlyniadau Eilunaddoliaeth
²²Yna, heb fodloni ar gyfeiliorni yn eu
canfyddiad o Dduw,
y maent trwy gamganfod yn troi eu
bywyd yn lladdfa fawr,
ac yn galw'r fath ddrygioni hyll yn
heddwch.
²³Oherwydd, a hwythau'n lladd eu plant

ᵍYn ôl darlleniad arall, *a lluniodd y saer hi â doethineb.*

mewn defod neu'n cynnal
seremonïau cyfrin
neu'n ymroi i loddesta gorffwyll eu
crefydd annaturiol,
²⁴nid ydynt bellach yn diogelu glendid
bywyd na phriodas,
ond, yn hytrach, yn lladd ei gilydd â
dichell, a thrallodi ei gilydd â
godineb.
²⁵Aeth yn anhrefn ym mhob man:
llofruddio a lladd, lladrad a
thwyll,
llygredd, brad, terfysg,
camdystiolaeth,
²⁶sarhau dynion da, anghofio
cymwynasau,
halogi personau, gwyrdroi arferion
rhyw,
torpriodas, godineb ac anniweirdeb.
²⁷Oherwydd addoli eilunod, na ddylid
eu henwi,
yw dechrau ac achos a diwedd pob
drygioni,
²⁸gan fod dynion yn gwallgofi yn eu miri,
neu'n proffwydo celwydd,
neu'n byw'n anghyfiawn, neu'n
rhuthro i gamdystiolaethu.
²⁹Ac wrth ymddiried mewn eilunod
difywyd,
nid ydynt yn disgwyl cosb am iddynt
dyngu ar gam.
³⁰Ond fe'u goddiweddir gan
farnedigaeth ddeublyg,
am iddynt synied ar gam am Dduw, a
throi at eilunod,
ac am iddynt dyngu ar gam i dwyllo, a
dirmygu duwioldeb.
³¹Oherwydd nid unrhyw allu yn y
pethau y tyngent iddynt,
ond y dial sy'n goddiweddyd
pechaduriaid
sydd, bob amser, yn erlid trosedd yr
anghyfiawn.

Israel yn Ymwrthod ag Eilunaddoliaeth

15 Ond graslon a chywir wyt ti, ein
Duw;
yn amyneddgar ac yn trefnu pob peth
mewn trugaredd.
²Hyd yn oed os byddwn yn pechu,
eiddot ti ydym, gan ein bod yn
cydnabod dy allu;
ond ni phechwn, gan inni wybod ein
cyfrif yn eiddo i ti.
³Dy adnabod di, cyfiawnder perffaith
yw,
a gwreiddyn anfarwoldeb yw

cydnabod dy allu.
⁴Ni thwyllwyd ni gan ddyfeisgarwch
cyfrwys dynion,
na chan lafur diffrwyth yr arlunydd—
gan ryw lun sy'n frith o liwiau
amrywiol,
⁵y bydd golwg arno'n codi chwant ar
ffyliaid,
a blys am ryw lun heb nac anadl na
hoedl.
⁶Ymserchu yn y drwg, heb haeddu dim
gwell i obeithio ynddo,
y mae gwneuthurwyr a chwenychwyr
ac addolwyr y pethau hyn.

Ni All Dyn Lunio Duw

⁷Bydd crochenydd yn llafurus dylino
clai hydrin
ac yn moldio pob rhyw lestr at ein
gwasanaeth;
yn wir, o'r un clai y mae'n llunio
y llestri sy'n ddefnyddiol at waith glân
a'r rhai nad ydynt, pob un fel ei gilydd.
Ond beth fydd priod ddefnydd y naill
neu'r llall,
gweithiwr y clai sy'n pennu hynny.
⁸Yna, o'r un clai, y mae ef yn llunio
ffug-dduw trwy lafur di-fudd—
ie, hwnnw a ddaeth ei hun o'r ddaear
ychydig yn gynt,
ac a ddychwel ar fyr i'r union le y
cymerwyd ef ohono,
pan hawlir yn ôl y bywyd a gafodd ar
fenthyg.
⁹Ond yr hyn sydd ar ei feddwl yw, nid
bod ei nerth yn mynd i ballu,
na bod diwedd buan i'r bywyd sydd
ganddo;
yn hytrach, cystadlu y mae â'r gofaint
aur ac arian,
ac efelychu'r gweithwyr pres,
gan dybied y daw clod iddo am lunio
pethau ffug.
¹⁰Lludw yw ei galon, ei obaith yn werth
llai na baw,
a'i fywyd yn werth llai na chlai,
¹¹am nad adnabu'r hwn a'i lluniodd,
hwnnw a anadlodd anadl einioes i roi
nerth iddo,
a'i gynysgaeddu ag ysbryd sy'n
bywhau.
¹²Na, rhyw chwarae, yn nhyb dynion,
yw ein bywyd,
a ffair i wneud elw ynddi yw ein
bodolaeth;
rhaid, meddir, i ddyn ofalu amdano'i
hun, waeth pa mor ddrwg y dull.

¹³Fe ŵyr hwn yn well na neb ei fod yn
    pechu,
ac yntau'n gweithio llestri brau a
    delwau cerfiedig o'r un deunydd
    priddlyd.
¹⁴Ond y ffyliaid pennaf, a thruenusach
    na'r un baban,
oedd holl elynion a gormeswyr dy
    bobl,
¹⁵am iddynt ystyried yn dduwiau holl
    cilunod y Cenhedloedd,
er na allant ddefnyddio'u llygaid i
    weld,
na'u ffroenau i anadlu awyr,
na'u clustiau i glywed,
na bysedd eu dwylo i deimlo,
a'u traed, hwythau, yn ddiwerth i
    gerdded.
¹⁶Oherwydd dyn a'u gwnaeth,
ac un a gafodd ei anadl ar fenthyg a'u
    lluniodd;
ac ni all yr un dyn lunio duw, hyd yn
    oed un tebyg iddo ef ei hun.
¹⁷Marwol yw ef, ond marw yw gwaith ei
    ddwylo halogedig,
ac felly y mae'n rhagori ar wrthrychau
    ei addoliad,
oherwydd fe gafodd ef fywyd, peth na
    ddaw byth iddynt hwy.
¹⁸Ymhellach, y mwyaf atgas o'r
    anifeiliaid yw gwrthrychau eu
    haddoliad;
y rhai, o'u cymharu ag eraill, sy'n
    fwyaf di-reswm.
¹⁹Hyd yn oed fel anifeiliaid, nid oes
    iddynt degwch gwedd i ddenu
    bryd dynion;
ond y maent wedi cefnu ar
    gymeradwyaeth Duw a'i fendith.

Cosbi'r Eilunaddolwyr ac Arbed Pobl Dduw

16 Am hynny gweinyddwyd cosb
    haeddiannol arnynt gan
    greaduriaid o'r un fath,
a'u poenydio gan heidiau o bryfed.
²Yn lle'r fath gosbedigaeth, buost yn
    hael wrth dy bobl dy hun,
gan ddarparu soflieir i'w porthi,
danteithfwyd na welwyd ei debyg i
    ddiwallu eu harchwaeth.
³Dy fwriad oedd i'r gormeswyr, er
    cymaint eu gwanc am fwyd,
golli eu harchwaeth naturiol hyd yn
    oed
gan yr olwg oedd ar y creaduriaid a
    anfonwyd yn fwyd iddynt;
ond dy fwriad i'th bobl oedd iddynt

hwy, wedi ysbaid byr o brinder,
gael mwynhau hyd yn oed
    ddanteithfwyd na welwyd ei
    debyg.
⁴Oherwydd rhaid oedd i brinder
    diwrthdro oddiweddyd y
    gormeswyr hynny,
ond i'th bobl gael cip yn unig ar y
    modd y câi eu gelynion eu
    poenydio.

⁵Oherwydd hyd yn oed pan ymosododd
    creaduriaid gwyllt a chynddeiriog
    ar dy bobl,
a'u difa â brathiadau seirff troellog,
ni ddaliodd dy ddicter hyd yr eithaf;
⁶yn wers iddynt fe'u trallodwyd am
    ychydig,
a chawsant arwydd o achubiaeth i'w
    hatgoffa am orchymyn dy
    gyfraith.
⁷Oherwydd nid y peth yr edrychid arno
    a achubai'r sawl a fyddai'n troi
    ato,
ond ti, achubwr pob dim.
⁸Yn wir, dyma sut y darbwyllaist ein
    gelynion
mai ti sy'n gwaredu oddi wrth bob
    drwg.
⁹Fe'u lladdwyd hwy gan frathiadau
    locustiaid a chlêr,
ac ni chafwyd meddyginiaeth i achub
    eu bywydau,
oherwydd eu bod yn haeddu eu cosbi
    gan y fath bethau.
¹⁰Ond dy feibion di, nis trechwyd hwy
    hyd yn oed gan ddannedd seirff
    gwenwynig,
gan i'th drugaredd ddod i'w
    hymgeleddu a'u hiacháu.
¹¹Fe'u brathwyd, a'u hadfer yn
    ddiymdroi,
i'w hatgoffa o'th oraclau
ac i'w cadw rhag syrthio i anghofrwydd
    dwfn
a pheidio ag ymateb i'th haelioni di.
¹²Oherwydd nid llysieuyn na phowltis a
    ddaeth â gwellhad iddynt,
ond dy air di, Arglwydd, sy'n iacháu
    pawb.
¹³Gennyt ti y mae'r awdurdod dros
    fywyd a marwolaeth;
ti sy'n dod â dyn hyd at byrth angau,
    ac yn dod ag ef yn ôl.
¹⁴Fe ddichon i ddyn, yn ei ddrygioni,
    ladd,
ond ni all alw'n ôl yr ysbryd sydd wedi

ymadael,
na rhyddhau'r enaid sydd wedi ei ddal
gan angau.

15 Ond rhag dy law di nid oes dianc;
16 oherwydd pan wrthododd yr annuwiol
dy gydnabod di,
fe'u fflangellwyd gan nerth dy fraich,
a'u herlid gan lawogydd na welwyd eu
tebyg, a chenllysg a llifogydd
diwrthdro,
a'u difa'n llwyr gan dân.
17 Oherwydd—rhyfeddod y
rhyfeddodau—yn y dŵr sy'n
diffodd pob peth
'roedd y tân yn mynd o nerth i nerth,
gan fod y greadigaeth yn ymladd dros
y cyfiawn.
18 Ar un adeg byddai'r fflam yn cael ei
lleddfu,
rhag iddi losgi'n ulw yr anifeiliaid a
anfonwyd yn erbyn yr annuwiol,
ac iddynt hwy gael gweld a deall mai
barnedigaeth Duw oedd yn eu
herlid.
19 Ond bryd arall, hyd yn oed dan y dŵr,
byddai'n llosgi â grym ffyrnicach
na thân,
a difetha cynnyrch y tir anghyfiawn.
20 Nid felly dy bobl di; fe'u porthaist hwy
ag ymborth angylion,
a darperaist iddynt fara o'r nef, yn
barod i'w fwyta, heb iddynt
lafurio dim,
yn llawn o bob melyster ac yn flasus i
bob dant.
21 Dangosodd y lluniaeth a ddarperaist
dy dynerwch tuag at dy blant,
heblaw boddio chwaeth pob un a'i
bwytaodd
trwy ei droi i'r peth a ddymunai.
22 Aeth eira a rhew trwy dân heb doddi,
er mwyn iddynt wybod mai'r tân a
fflamiodd yn y cenllysg
ac a daniodd yn y cawodydd glaw
a ddifethodd gnydau eu gelynion,
23 a bod y tân hwnnw bellach wedi
anghofio'i nerth ei hun,
er mwyn i'r cyfiawn gael ymborth.

24 Oherwydd yn dy wasanaeth di, ei
Gwneuthurwr, y mae'r
greadigaeth
yn ymegnïo er mwyn cosbi'r
anghyfiawn,
ac yn ymlacio er lles y rhai sy'n
ymddiried ynot ti.

25 Ac felly y pryd hwnnw hefyd, fe
ymaddasodd ym mhob rhyw
ffordd
wrth wasanaethu dy haelioni
holl-gynhaliol di
yn ôl dymuniad y rhai oedd mewn
angen,
26 er mwyn i'th feibion a geraist, O
Arglwydd, ddysgu
nad tyfu ffrwythau sy'n bwydo dyn,
ond mai dy air di sy'n cadw y rhai sy'n
ymddiried ynot.
27 Oherwydd fe doddodd y peth na
chafodd ei ddistrywio gan dân
ar unwaith dan wres pelydryn bach o'r
haul,
28 er mwyn ein hysbysu bod rhaid talu
diolch i ti cyn codiad yr haul,
a gweddïo arnat ar doriad y wawr.
29 Oherwydd bydd gobaith yr
anniolchgar yn dadmer fel
llwydrew y gaeaf,
ac yn llifo i ffwrdd fel dŵr gwast.

17 Mawr yw dy farnedigaethau, ac
anodd eu hesbonio;
dyna pam yr aeth eneidiau diaddysg ar
gyfeiliorn.
2 Tybiodd y digyfraith eu bod yn
arglwyddiaethu ar genedl
sanctaidd,
ond gorwedd yr oeddent yn hualau'r
tywyllwch a llyffetheiriau nos
ddiddiwedd,
carcharorion caeth yn llochesu rhag y
rhagluniaeth dragwyddol.
3 Yn eu pechodau cudd, eu syniad oedd
osgoi sylw
dan orchudd tywyll ebargofiant,
ond fe'u gwasgarwyd dan arswyd
ofnadwy
a dychryn drychiolaethau.
4 Ni allai'r gilfach a'u daliai eu
hamddiffyn chwaith rhag ofn,
gan fod dwndwr dychrynllyd yn
ddadwrdd o'u cwmpas,
ac ysbrydion prudd ac wynepdrist yn
ymddangos iddynt.
5 Ni allai'r tân tanbeitiaf roi golau
iddynt,
ac ni fedrai fflamau disgleiriaf y sêr
oleuo caddug y nos honno.
6 Yr unig beth y treiddiodd ei olau atynt
oedd coelcerth echryslon a daniodd
ohoni ei hun;
a chan gymaint eu braw tybiasant fod
yr hyn oedd o flaen eu llygaid

yn waeth na'r pethau anweledig a
welsent.
[7] Bellach yr oedd celfyddyd swyn a'i
hystrywiau ar dranc,
a'i dealltwriaeth honedig wedi ei
dinoethi â dirmyg.
[8] Oherwydd yr oedd y rhai a addawai
ymlid ofn a phenbleth o enaid claf
eu hunain yn glaf gan ofnusrwydd
chwerthinllyd.
[9] Oherwydd, er nad oedd dim
brawychus yno i godi ofn arnynt,
eto gymaint oedd eu dychryn wrth i
bryfed fynd heibio ac i seirff
ddechrau hisian,
buont farw o fraw,
gan wrthod edrych i'r awyr er nad
oedd achos o gwbl i'w ochel.
[10] Oherwydd peth llwfr yw drygioni, fel y
dengys y modd y mae'n ei
gollfarnu ei hun,
ac y mae bob amser yn mynd o ddrwg i
waeth [ng] dan bwysau cydwybod.
[11] Yn wir, nid yw ofn yn ddim ond troi
cefn ar gymorth rheswm.
[12] Ac i'r graddau y mae gobaith dyn yn
lleihau o'i fewn,
dewisach yw ganddo fod mewn
anwybod o'r hyn sy'n achos y
boenedigaeth.
[13] Ar hyd y nos honno, nad oedd i'w
chaddug ddim gallu gwirioneddol
gan mai o anallu perfeddion uffern y
daeth,
buont yn cysgu'r un cwsg;
[14] weithiau yn cael eu herlid gan
ddrychiolaethau erchyll,
weithiau eu parlysu gan
ddiymadferthwch eu heneidiau,
yn sgîl yr arswyd disymwth ac
annisgwyl a'u goddiweddodd.
[15] O ganlyniad, felly, yr oedd pwy
bynnag oedd yno yn cwympo,
a chael ei gloi a'i gadw mewn carchar
di-glo.
[16] Yn amaethwr neu'n fugail,
neu'n llafurwr wrth ei galedwaith yn y
diffeithwch,
daliwyd pob un i aros ei dynged
anochel,
am fod pawb wedi eu rhwymo gan yr
un gadwyn o dywyllwch.
[17] Chwiban y gwynt,
sŵn seinber yr adar yn y coed
canghennog,
curiad cyson dŵr yn gyrru heibio,

[ng] Yn ôl darlleniad arall, *yn rhagweld pethau gwael.*

twrw trystfawr creigiau'n cwympo'n
bendramwnwgl,
[18] carnau yn carlamu heibio heb eu
gweld,
sŵn rhuo anifeiliaid gwyllt a mawr eu
trwst,
carreg ateb yn atseinio o agen y
mynyddoedd—
dyma'r pethau a'u parlysodd gan ofn.
[19] Ond yr oedd y byd i gyd wedi ei oleuo
â goleuni disglair,
ac yn ymroi i'w orchwylion heb rwystr.
[20] Arnynt hwy yn unig yr ymestynnodd
trymder y nos,
delwedd o'r tywyllwch oedd ar fin eu
derbyn;
ond trymach na'r tywyllwch oedd y
baich oedd pob un iddo'i hun.

18 Ond llewyrchodd goleuni mawr ar
dy bobl sanctaidd;
a chan i'r lleill glywed eu sŵn heb weld
eu gwedd,
cyfrifasant hwy'n wynfydedig, am nad
oeddent hwy wedi dioddef hefyd;
[2] gan ddiolch am eu hymatal yn wyneb y
cam a gawsant gynt,
ac erfyn arnynt, o'u graslonrwydd,
brysuro ymaith.
[3] Darperaist, felly, golofn o dân gwynias
i arwain dy bobl ar eu taith ddieithr
ac i dywynnu fel haul tyner ar yr
ymfudo yr ocddent wedi dyhcu
amdano.
[4] Wrth golli'r goleuni, a'u carcharu gan
y tywyllwch, eu haeddiant a
gafodd
y rheini a gadwodd dan glo dy feibion
di,
a thithau drwyddynt ar fin cyflwyno
goleuni anniffodd y gyfraith i'r
byd.
[5] Eu bwriad oedd lladd babanod dy bobl
sanctaidd,
ond wedi i un plentyn gael ei fwrw
allan a'i achub,
cymeraist, yn gosb arnynt, lu o'u plant
hwythau,
a'u boddi gyda'i gilydd yn y dyfroedd
gwyllt.
[6] Rhybuddiwyd ein tadau am y noson
honno ymlaen llaw,
er mwyn iddynt gael gwybodaeth sicr
ac ymwroli yn y llwon y buont yn
ymddiried ynddynt.
[7] Disgwyl yr oedd dy bobl

am waredigaeth i'r cyfiawn, ond am
ddinistr i'w gelynion.
[8] Oherwydd yr hyn a fu'n gyfrwng dy
ddial ar ein gwrthwynebwyr,
trwy hwnnw y'n gelwaist ni atat dy hun
a'n gogoneddu.
[9] Yr oedd plant sanctaidd dy bobl
dduwiol yn aberthu'n ddirgel,
ac wedi cyfamodi'n unfryd i gadw'r
gyfraith ddwyfol,
fod y saint i gyfranogi'n unwedd
o'r un bendithion a'r un peryglon;
ac yr oeddent eisoes yn dechrau canu
emynau mawl eu tadau
[10] pan atseiniodd gwaedd aflafar eu
gelynion yn ateb iddynt,
ac y treiddiodd eu galarnadau truenus
am eu plant i bob man.
[11] Â barn debyg fe gosbwyd caethwas a
meistr ynghyd;
gwreng a bonedd, yr un oedd eu
tynged.
[12] Yr oedd pawb yn ddiwahân yng
ngafael yr un farwolaeth;
a'u meirw'n ddirifedi,
heb ddigon o'r byw i'w claddu,
oherwydd ar un trawiad fe
ddinistriwyd y gwerthfawrocaf o'u
cenhedlaeth.
[13] Yr oeddent wedi diystyru pob
rhybudd, gan ymddiried mewn
swynion,
ond ar ddinistr y cyntafanedig
cydnabuasant fod y bobl yn fab
Duw.
[14] Yr oedd popeth mewn hedd a
thawelwch,
a chwrs cyflym y nos ar ei hanner,
[15] pan lamodd dy air hollalluog o'th
orsedd frenhinol yn y nef,
yn rhyfelwr llym i ganol y wlad yr oedd
i'w dinistrio,
â chleddyf miniog dy orchymyn dilys
yn ei law.
[16] Safodd â'i ben yn y nef a'i draed ar y
ddaear,
a llanwodd y byd â marwolaeth.
[17] Yna'n ddisymwth daeth
drychiolaethau hunllefus i'w
haflonyddu,
ac ofnau annisgwyl i ymosod arnynt;
[18] fe'u trawyd yn hanner-marw i'r llawr,
un yma, un draw,
gan fynegi achos eu marwolaeth;
[19] oherwydd yr oedd y breuddwydion a
fu'n tarfu arnynt wedi eu

rhagrybuddio,
rhag iddynt farw heb wybod achos eu
dioddefaint.
[20] Daeth profiad marwolaeth i ran y
cyfiawn hefyd,
pan drawyd lliaws ohonynt yn yr
anialwch,
ond ni pharhaodd dy lid yn hir;
[21] oherwydd brysiodd dyn di-fai i'w
hamddiffyn,
gan gludo tarian ei weinidogaeth
sanctaidd ei hun—
gweddi ac arogldarth y cymod;
safodd yn erbyn y dicter a rhoddodd
derfyn ar y trychineb,
gan ei ddangos ei hun yn was i ti.
[22] Gorchfygodd y trallod[h], nid â nerth
corfforol
na thrwy rym arfau,
ond darostyngodd y cosbwr â gair,
trwy ddwyn ar gof lw'r cyfamodau a
wnaethpwyd â'r tadau.
[23] Oherwydd, a'r meirw eisoes yn
gorwedd yn bentwr ar ei gilydd,
fe safodd yn y bwlch, a bwrw'r
digofaint yn ei ôl
a'i atal rhag cyrraedd at y byw.
[24] Ar ei wisg laes fe welid y cyfanfyd,
a gogoniannau'r tadau yn gerfiedig ar
bedair rhes o feini gwerthfawr,
a'th fawrhydi di ar y diadem am ei
ben.
[25] Ildiodd y Dinistrydd i'r rhain, gan
gymaint ei arswyd rhagddynt;
oherwydd digon oedd iddynt brofi blas
y digofaint yn unig.

19 Ond ymosododd dicter
didrugaredd ar yr annuwiol
hyd yr eithaf,
oherwydd yr oedd Duw'n gwybod
amdanynt, hyd yn oed am eu
dyfodol;
[2] sut y byddent yn caniatáu i'th bobl
ymadael,
a'u danfon ar eu ffordd yn frwd,
ac yna'n edifarhau a chychwyn ar eu
hôl.
[3] Oherwydd, a hwythau ar ganol eu
defodau galar,
ac yn wylofain wrth feddau'r meirw,
daeth syniad byrbwyll arall i'w
pennau,
i ymlid fel ffoaduriaid y rheini y buont
yn ymbil am gael gwared arnynt.

[h] Groeg, *y dorf.*

[4]Yr oedd eu tynged haeddiannol yn eu
llusgo ymlaen i'r terfyn hwn,
ac yn peri iddynt anghofio am yr hyn a
fu,
er mwyn iddynt ddioddef y poenau a
oedd eto'n ôl i gwblhau eu cosb,
[5]ac i'th bobl anturio ar[i] y daith wyrthiol
honno,
ond iddynt hwy syrthio i afael
marwolaeth ddieithr.
[6]Oherwydd fe ail-luniwyd o'r newydd
bob creadur yn ôl ei ryw ei hun[1],
i ufuddhau i'th orchmynion di,
er mwyn cadw dy blant rhag niwed.
[7]Yr oedd y gwersyll dan gysgod cwmwl,
pan welwyd tir sych yn codi lle gynt y
bu dŵr—
ffordd ddi-rwystr lle bu'r Môr Coch,
a gwastatir glas lle bu'r tonnau
tymhestlog.
[8]A throsto yr aeth y genedl gyfan dan
nodded dy law,
gan wylio'r arwyddion rhyfeddol.
[9]Yr oeddent fel ceffylau ar borfa
ac fel ŵyn yn prancio,
wrth ganu mawl i ti, O Arglwydd, yr
hwn a'u gwaredodd.
[10]Dalient i gofio digwyddiadau cu
preswyliad mewn gwlad ddieithr:
y ddaear, yn lle magu gwartheg, yn
heidio â llau,
a'r afon, yn lle pysgod, yn chwydu
brogaod yn lluoedd.
[11]Ac yn ddiweddarach gwelsant fath
newydd o adar hefyd,
pan lithiwyd hwy gan eu chwant i
ddeisyf am ddanteithion i'w
bwyta;
[12]oherwydd i'w diwallu cododd soflieir
allan o'r môr.

[13]Daeth cosbedigaethau i'r
pechaduriaid,
nid heb rybuddion trwst taranau
ymlaen llaw;
yr oeddent yn dioddef yn gyfiawn am
eu drygioni eu hunain,
am iddynt fynd i eithafion yn eu
casineb tuag at ddieithriaid.
[14]Y mae'n wir fod eraill wedi gwrthod

derbyn ymwelwyr nad oeddent yn
eu hadnabod,
ond gwnaeth y rhain gaethweision o
ddieithriaid oedd yn
gymwynaswyr iddynt.
[15]Ac ymhellach, yn wir, fe ddaw rhyw
farn ar yr eraill hynny,
gan mor gyndyn fuont i dderbyn
estroniaid yn llawen;
[16]ond am y rhain, ar ôl croesawu'r
dieithriaid â gwleddoedd,
a'u derbyn fel rhai oedd eisoes yn
gyfrannog o'r un breintiau â hwy,
troi a wnaethant, a'u gorthrymu â
chaledwaith dirdynnol.
[17]Ac felly fe'u trawyd yn ddall,
fel y bu i'r rheini wrth ddrws y dyn
cyfiawn:
y tywyllwch a'i safn yn cau amdanynt,
a phob un yn ceisio'r ffordd allan trwy
ei ddrws ei hun.

[18]Oherwydd fel ar y delyn yr arferir
nodau mewn tonau gwahanol,
ond yn cadw'r un sŵn bob amser,
felly yr oedd yr elfennau'n newid eu lle
ymhlith ei gilydd,
fel y gwelir yn glir o ystyried yr hyn a
ddigwyddodd.
[19]Aeth creaduriaid y tir yn greaduriaid y
dŵr,
a chreaduriaid sy'n nofio yn cerdded ar
dir sych.
[20]Cadwodd y tân ei rym cynhenid dan y
dŵr,
ac anghofiodd y dŵr ei allu i ddiffodd y
tân.
[21]I'r gwrthwyneb, ni ddifethodd
fflamau'r tân
gnawd yr anifeiliaid hawdd eu difa a
gerddodd trwy eu canol;
ac ni fu toddi ar yr ymborth nefol er ei
debyced i'r iâ sy'n hawdd ei
doddi.
[22]Ym mhob peth, felly, O Arglwydd,
mawrheaist dy bobl a'u
gogoneddu,
ac nid oes lle nac amser yr esgeulusaist
eu hymgeleddu.

---

[i]Yn ôl darlleniad arall, *gyflawni*.   [1]Neu, *natur yr holl greadigaeth o'r newydd*.

ECCLESIASTICUS
neu DOETHINEB IESU FAB SIRACH

Prolog

Y mae gwaddol helaeth a gwerthfawr wedi ei draddodi i ni trwy'r gyfraith a'r proffwydi a'r ysgrifenwyr eraill sydd wedi eu dilyn hwy, ac am hynny y mae'n ddyletswydd arnom ganmol Israel ar gyfrif ei haddysg a'i doethineb. Nid yn unig y mae'n ddyletswydd ar yr ysgolheigion ddod yn hyddysg eu hunain, ond hefyd dylai'r efrydwyr allu cynorthwyo, trwy'r hyn a draethant a'r hyn a ysgrifennant, y rhai sydd oddi allan. Yn wyneb hyn cafodd fy nhaid Iesu, ar ôl ymroi o ddifrif i ddarllen y gyfraith a'r proffwydi a llyfrau eraill ein tadau, ac ennill cryn feistrolaeth arnynt, yntau ei ysgogi i gyfansoddi llyfr ar faterion yn ymwneud ag addysg a doethineb, er mwyn i'r efrydwyr sydd wedi ymrwymo i'r pethau hyn wneud llawer mwy o gynnydd trwy fyw yn unol â'r gyfraith.

Deisyfir arnoch, felly, ei ddarllen â hynawsedd a gofal, a bod yn oddefgar os tybiwch inni fethu cyfleu ystyr rhai o'r ymadroddion er gwaethaf ein hymdrechion i'w cyfieithu. Oherwydd nid yw geiriau a leferir yn yr Hebraeg yn cyfleu'r un ystyr yn union o'u trosi i iaith arall. Y mae'n wir, nid yn unig am y llyfr hwn, ond hefyd am y gyfraith hithau, a'r proffwydoliaethau a'r gweddill o'r llyfrau, eu bod yn bur wahanol pan ddarllenir hwy yn eu hiaith wreiddiol. Wedi imi gyrraedd yr Aifft yn y ddeunawfed flwyddyn ar hugain o deyrnasiad y Brenin Euergetes, a threulio peth amser yno, deuthum ar draws copi o'r llyfr, yn cynnwys nid ychydig o addysg; a thybiais ei bod yn dra angenrheidiol i mi fy hunan fynd ati, yn ddiwyd ac ymdrechgar, i gyfieithu'r llyfr hwn. Byth er hynny yr wyf wedi ymroi yn ddi-orffwys, â'r holl ddysg a feddaf, er mwyn cwblhau'r llyfr a'i gyflwyno i'r rheini sy'n alltud mewn gwlad ddieithr ac yn awyddus i fod yn efrydwyr trwy eu hyfforddi eu hunain i fyw yn unol â'r gyfraith.

Molawd i Ddoethineb

1 Oddi wrth yr Arglwydd y daw pob doethineb,
   a chydag ef y mae am byth.
² Tywod y môr, a dafnau'r glaw,
   a dyddiau tragwyddoldeb, pwy all eu rhifo?
³ Uchder y nef, a lled y ddaear,
   a'r dyfnder diwaelod, a doethineb,
   pwy all eu holrhain?
⁴ Y mae doethineb wedi ei chreu o flaen pob peth,
   a phwyll dealltwriaeth yn bod erioed. ᵃ
⁶ I bwy y datguddiwyd gwreiddyn doethineb?
   Pwy sy'n deall ei dyfeisiau hi? ᵇ
⁸ Y mae Un sy'n ddoeth, ac i'w ofni'n ddirfawr,
   Un sy'n eistedd ar ei orsedd—
⁹ ef yw'r Arglwydd, ac ef a greodd ddoethineb;
   ef a'i canfu hi, a'i dosrannu,
   a'i harllwys ar ei holl weithredoedd.
¹⁰ I bob dyn y mae cyfran ohoni, yn ôl ei roddiad ef,
   ond rhoddodd yn hael ohoni i'r rhai sy'n ei garu.

¹¹ Y mae ofn yr Arglwydd yn achos anrhydedd ac ymffrost,
   llawenydd a thorch gorfoledd.
¹² Bydd ofn yr Arglwydd yn llonni'r galon,
   yn rhoi llawenydd a dedwyddwch a hir ddyddiau.

ᵃ Yn ôl darlleniad arall ychwanegir: ⁵ Ffynnon doethineb yw gair Duw yn y goruchaf, a'r gorchmynion tragwyddol yw ei ffyrdd hi.
ᵇ Yn ôl darlleniad arall ychwanegir: ⁷ I bwy yr amlygwyd gwybodaeth am ddoethineb? Pwy sy'n deall ei phrofiad helaeth hi?

¹³ Yr hwn sy'n ofni'r Arglwydd, da fydd
 ei ran yn y diwedd,
 ac yn nydd ei farwolaeth fe'i bendithir.
¹⁴ Ofni'r Arglwydd yw dechrau
 doethineb;
 crewyd hi gyda'r rhai ffyddlon yng
 nghroth eu mam.
¹⁵ Gyda dynion y gwnaeth ei chartref
 tragwyddol,
 a chyda'u plant fe'i ccir yn un i
 ymddiried ynddi.
¹⁶ Ofni'r Arglwydd yw cyflawnder
 doethineb;
 o'i ffrwythau fe rydd iddynt ddigonedd
 o win.
¹⁷ Fe leinw eu holl dŷ hwy â'i phethau
 dymunol,
 a'u hysguboriau â'i chnydau.
¹⁸ Ofn yr Arglwydd yw torch doethineb,
 a thangnefedd a hoen iechyd yn flodau
 arni.
¹⁹ Ef a'i canfu hi, a'i dosrannu;
 glawiodd fedrusrwydd a phwyll
 gwybodaeth,
 a dyrchafodd i ogoniant y rhai sy'n
 glynu wrthi.
²⁰ Ofni'r Arglwydd yw gwreiddyn
 doethineb,
 a hir ddyddiau yw ei changhennau hi. ᶜ

Hunan-ddisgyblaeth

²² Ni ellir cyfiawnhau dicter anghyfiawn,
 oherwydd pan dry ei ddicter y dafol
 cwympo a wna dyn.
²³ Bydd dyn da ei amynedd yn ymarhous
 nes dyfod ei awr,
 ac yna bydd llawenydd yn torri arno.
²⁴ Bydd yn cadw ei feddyliau'n gudd nes
 dyfod ei awr,
 ac yna bydd gwefusau llaweroedd yn
 traethu ei synnwyr ef.

Ofn yr Arglwydd

²⁵ Yn ystordai doethineb mae dirgelion
 gwybodaeth,
 ond ffieiddbeth i'r pechadur yw
 duwioldeb.
²⁶ Os wyt yn chwennych doethineb,
 cadw'r gorchmynion,
 a rhydd yr Arglwydd iti yn hael ohoni.
²⁷ Oherwydd ofn yr Arglwydd yw
 doethineb ac addysg;
 a ffydd ac addfwynder sy'n rhyngu ei

fodd ef.
²⁸ Paid ag anwybyddu ofn yr Arglwydd,
 a phaid â nesáu ato â meddwl
 dauddyblyg.
²⁹ Paid â rhagrithio o flaen ᶜʰ dynion,
 a gwylia'n ofalus eiriau dy wefusau.
³⁰ Paid â'th ddyrchafu dy hun, rhag iti
 syrthio
 a dwyn amarch arnat dy hun;
 fe ddatguddia'r Arglwydd dy
 gyfrinachau,
 a'th fwrw i lawr yng nghanol y
 gynulleidfa,
 am iti beidio â nesáu yn ofn yr
 Arglwydd,
 ac am fod dy galon yn llawn twyll.

Ffyddlondeb i Dduw yn Nydd Prawf

2 Fy mab, pan fyddi'n nesáu i
 wasanaethu'r Arglwydd,
 paratoa dy hun i gael dy brofi.
² Uniona dy galon a saf yn gadarn,
 a phaid â bod yn fyrbwyll pan ddaw
 aflwydd arnat.
³ Glŷn wrtho ef, paid â chefnu arno,
 er mwyn iti ffynnu yn niwedd dy
 ddyddiau.
⁴ Beth bynnag a fwrir arnat, derbyn ef,
 a bydd yn amyneddgar pan ddaw tro
 ar fyd i'th ddarostwng;
⁵ oherwydd trwy dân y caiff aur ei brofi,
 ac yn ffwrnais darostyngiad y gwneir
 dynion yn gymeradwy.
⁶ Ymddiried ynddo ef, ac fe'th
 gynorthwya;
 uniona dy lwybrau a gobeithia ynddo.
⁷ Chwi sy'n ofni'r Arglwydd,
 disgwyliwch wrth ei drugaredd;
 peidiwch â throi oddi wrtho, rhag
 ichwi syrthio.
⁸ Chwi sy'n ofni'r Arglwydd,
 ymddiriedwch ynddo,
 ac ni phalla eich gwobr byth.
⁹ Chwi sy'n ofni'r Arglwydd,
 gobeithiwch am ddaioni,
 am lawenydd tragwyddol a
 thrugaredd.
¹⁰ Ystyriwch y cenedlaethau gynt a
 daliwch sylw:
 Pwy erioed a ymddiriedodd yn yr
 Arglwydd a chael ei siomi?
 Neu pwy erioed a rhosodd yn ei ofn
 ef a chael ei wrthod?

ᶜ Yn ôl darlleniad arall ychwanegir: ²¹ *Y mae ofn yr Arglwydd yn ymlid ymaith bechodau, a thra pery fe dry heibio ddigofaint.*
ᶜʰ Felly rhai Fersiynau. Groeg, *yng ngenau.*

Neu pwy erioed a alwodd arno a chael
i'r Arglwydd ei ddiystyru?
[11] Oherwydd y mae'r Arglwydd yn
dosturiol a thrugarog;
y mae'n maddau pechodau ac yn
achub yn amser cyfyngder.

[12] Gwae'r calonnau llwfr a'r dwylo llesg,
a'r pechadur sy'n ceisio dilyn dau
lwybr!
[13] Gwae'r galon lesg, am nad yw'n
credu!
Dyna'r rheswm na chaiff gysgod
drosti.
[14] Gwae chwi sydd wedi colli'r gallu i
ymddál!
Beth a wnewch pan ddaw'r Arglwydd i
ymweld â chwi?
[15] Y rhai sy'n ofni'r Arglwydd, nid
anufuddhânt byth i'w eiriau ef;
a'r rhai sy'n ei garu ef, fe gadwant at ei
lwybrau.
[16] Y rhai sy'n ofni'r Arglwydd, fe
geisiant ryngu ei fodd ef;
a'r rhai sy'n ei garu ef, fe'u llenwir â'r
gyfraith.
[17] Y rhai sy'n ofni'r Arglwydd, fe
baratoant eu calonnau,
ac yn ei ŵydd ef fe'u darostyngant eu
hunain.
[18] "Syrthiwn," meddant, "i ddwylo'r
Arglwydd,
ac nid i ddwylo dynion,
oherwydd fel y mae ei fawrhydi,
felly hefyd y mae ei drugaredd."

Anrhydeddu Rhieni

3 Gwrandewch, blant, arnaf fi, eich
tad,
a gweithredwch ar fy ngeiriau, ichwi
gael eich cadw'n ddiogel.
[2] Oherwydd mynnodd yr Arglwydd
anrhydedd i'r tad gan ei blant,
a sicrhaodd barch i awdurdod y fam
gan ei meibion.
[3] Y mae'r hwn sy'n anrhydeddu ei dad
yn sicrhau puredigaeth pechodau,
[4] ac y mae'r hwn sy'n mawrhau ei fam
fel un sy'n casglu trysor iddo'i
hun.
[5] Yr hwn sy'n anrhydeddu ei dad, caiff
yntau lawenydd gan ei blant,
a phan ddaw dydd iddo weddïo,
gwrandewir arno.
[6] Yr hwn sy'n anrhydeddu ei dad, fe wêl

hir ddyddiau,
a'r hwn sy'n ufuddhau i'r Arglwydd,
rhydd orffwys i'w fam.
[7] A bydd yn gweini ar ei rieni fel
caethwas ar ei feistri.
[8] Parcha dy dad ar weithred ac ar air,
er mwyn i'w fendith ddisgyn arnat.
[9] Oherwydd bendith tad sy'n rhoi
cadernid i gartrefi'r plant,
ond y mae melltith mam yn tanseilio'u
sylfeini.
[10] Paid â cheisio clod i ti dy hun ar draul
anfri dy dad,
canys nid clod i ti yw anfri dy dad.
[11] Oherwydd daw clod i ddyn o'r bri a
roddir i'w dad,
a gwarth i blant yw anghlod eu mam.
[12] Fy mab, cynorthwya dy dad yn ei
henaint,
a phaid â'i dristáu tra bydd ef byw.
[13] A phan fydd ei synnwyr yn pallu, dylit
gydymddwyn ag ef,
a phaid â'i ddirmygu am dy fod ti yn
dy lawn gryfder.
[14] Oherwydd nid anghofir caredigrwydd i
dad;
fe'i codir yn gaer o'th gylch rhag cosb
dy bechodau.
[15] Yn nydd dy gyfyngder fe gofir amdano
o'th blaid,
a diflanna dy bechodau fel barrug dan
heulwen.
[16] Yr hwn sy'n cefnu ar ei dad, nid yw
namyn cablwr,
a'r hwn sy'n cythruddo'i fam, dan
felltith yr Arglwydd y mae.

Gostyngeiddrwydd

[17] Fy mab, dos ymlaen â'th waith yn
wylaidd,
ac fe'th gerir gan y rhai sy'n
gymeradwy gan Dduw.
[18] Po fwyaf yr wyt, mwyaf y dylit dy
ddarostwng dy hun;
a chei ffafr gan yr Arglwydd. [d]
[20] Oherwydd mawr yw gallu'r Arglwydd,
ac fe'i gogoneddir gan y rhai
gostyngedig.
[21] Paid ag ymhél â phethau sy'n rhy
anodd iti,
a phaid ag ymchwilio i bethau sydd
uwchlaw dy allu.
[22] Ystyria'r pethau hynny a
orchmynnwyd iti,
oherwydd nid oes arnat angen y

---

[d] Yn ôl darlleniad arall ychwanegir: [19] Y mae llawer o dras uchel ac anrhydeddus, ond i'r rhai gwylaidd y
datguddir dirgelion Duw.

pethau cudd.
²³Paid ag ymyrryd yn y pethau nad oes
a wnelych di â hwy,
oherwydd dangoswyd i ti fwy nag y
gall dyn ei ddeall.
²⁴Oherwydd twyllwyd llawer gan eu
dyfaliadau eu hunain,
a pharodd dychmygion drwg i'w barn
lithro. ᵈᵈ
²⁶Drwg fydd i'r meddwl ystyfnig yn y
diwedd,
a'r hwn sy'n hoffi perygl, fe'i dinistrir
ganddo.
²⁷Ei lethu gan boenau a gaiff y meddwl
ystyfnig,
a llwytho pechod ar bechod a wna'r
pechadur.
²⁸Nid oes iachâd pan ddaw aflwydd ar y
balch,
oherwydd y mae tyfiant drwg wedi
gwreiddio o'i fewn.
²⁹Bydd meddwl dyn deallus yn myfyrio
ar ddihareb,
a dymuniad y dyn doeth yw ennill clust
y gwrandawr.
³⁰Bydd dŵr yn diffodd fflamau tân,
a bydd elusen yn difa aflendid
pechodau.
³¹Y mae'r hwn a wna gymwynas yn ei
dro yn edrych i'r dyfodol,
ac yn nydd ei gwymp fe gaiff
gynhaliaeth.

Rhoi i'r Tlawd

4 Fy mab, paid â dwyn ei fywoliaeth
oddi ar y tlawd,
na chadw llygaid yr anghenus i
ddisgwyl.
²Paid â thristáu'r sawl sy'n newynu,
na chythruddo dyn yn ei angen.
³Paid â chyffroi mwy ar galon a
gythruddwyd,
na chadw'r cardotyn i ddisgwyl am dy
rodd.
⁴Paid â throi ymaith ymbiliwr yn ei
gyfyngder,
na throi dy wyneb oddi wrth y tlawd.
⁵Paid â throi dy lygad oddi wrth un sy'n
deisyf arnat,
na rhoi lle i ddyn dy felltithio.
⁶Oherwydd os bydd iddo, o chwerwder
ei enaid, dy felltithio,
bydd ei Greawdwr yn gwrando ar ei
ddeisyfiad.
⁷Gwna dy hun yn annwyl i'r

gynulleidfa,
a moesymgryma i'r gwŷr mawr.
⁸Gostwng dy glust at y tlawd
ac ateb ef â geiriau heddychlon a
llednais.
⁹Gwared y sawl sy'n cael cam o law ei
gamdriniwr,
a phaid â bod yn wangalon wrth
weinyddu barn.
¹⁰I'r plant amddifad, bydd fel tad,
ac i'w mam, cymer le ei gŵr;
byddi felly fel mab i'r Goruchaf,
a chei dy garu ganddo'n fwy na chan
dy fam dy hun.

Doethineb yn Addysgu

¹¹Y mae doethineb yn dyrchafu ei
meibion
ac yn cynorthwyo'r rhai sy'n ei cheisio.
¹²A'i câr hi a gâr fywyd;
a ddaw ati yn fore a lenwir â
llawenydd.
¹³A lŷn wrthi a etifedda ogoniant,
a lle bynnag yr â rhydd yr Arglwydd ei
fendith.
¹⁴A weinydda arni hi a wasanaetha'r
Sanct;
a'i câr hi a gerir gan yr Arglwydd.
¹⁵A fydd yn ufudd iddi a farna'r
cenhedloedd;
a rydd sylw iddi a gaiff gartref diogel.
¹⁶Os ymddirieda ynddi, fe'i caiff hi'n
etifeddiaeth,
a bydd cenedlaethau o'i blant yn ei
meddu.
¹⁷Ar y cyntaf bydd hi'n cydgerdded ag ef
ar lwybrau troellog,
ac yn codi ofn a dychryn arno,
ac yn ei boenydio â'i disgyblaeth,
nes iddi fedru ymddiried ynddo
a'i roi ar brawf â'i gofynion cyfiawn.
¹⁸Yna fe ddychwel ato ar ei hunion, a'i
lonni
a datguddio iddo ei chyfrinachau.
¹⁹Os crwydra ef oddi wrthi, bydd hi'n ei
adael
a'i draddodi i'w gwymp ei hun.

Cywilydd a Hunan-barch

²⁰Gwylia dy gyfle ac ymgadw rhag drwg,
a phaid â chywilyddio amdanat dy
hun;
²¹oherwydd y mae cywilydd sy'n dwyn
pechod
a chywilydd sy'n anrhydeddus a

ᵈᵈYn ôl darlleniad arall ychwanegir: ²⁵*Heb gannwyll i'th lygad, ni bydd gennyt oleuni, ac os wyt heb dy gyfran o wybodaeth, paid â honni dim.*

graslon.
²²Paid â dangos ffafriaeth i neb er drwg i
ti dy hun,
nac ymgreinio i neb er niwed i ti dy
hun.
²³Paid ag ymatal rhag siarad pan fydd
angen hynny. ᵉ
²⁴Oherwydd adwaenir doethineb wrth ei
hymadrodd,
ac addysg wrth y gair a lefara.
²⁵Paid â dweud dim yn erbyn y
gwirionedd,
a bydd yn wylaidd ar gyfrif dy ddiffyg
addysg.
²⁶Paid â bod â chywilydd cyffesu dy
bechodau,
na cheisio atal llif yr afon.
²⁷Paid â gorwedd ar lawr i ddyn ffôl
sathru arnat,
na dangos ffafriaeth i lywodraethwr.
²⁸Ymegnïa hyd at farw dros y
gwirionedd,
ac fe frwydra'r Arglwydd Dduw
drosot tithau.
²⁹Paid a bod yn hy dy dafod
ac yn ddiog a diofal dy
weithredoedd.
³⁰Paid â bod fel llew yn dy dŷ,
gan ladd ar dy weision o hyd.
³¹Paid â dal dy law yn agored i dderbyn,
a'i chau'n dynn ddydd talu'n ôl.

Peidio â Bod yn Eofn

5 Paid â rhoi dy fryd ar dy gyfoeth,
na dweud, "Yr wyf ar ben fy nigon."
²Paid â dilyn trywydd dy ewyllys a'th
gryfder dy hun,
gan rodio yn ôl chwantau dy galon dy
hun.
³Paid â dweud, "Pwy gaiff fod yn feistr
arnaf fi?"
Oherwydd y mae'r Arglwydd yn siŵr
o'th alw i gyfrif.
⁴Paid â dweud, "Pechais, a beth a
ddigwyddodd imi?"
Oherwydd hirymarhous yw'r
Arglwydd.
⁵Paid â bod yn eofn ynglŷn â
phuredigaeth dy bechod,
nes pentyrru ohonot bechod ar
bechod.
⁶A phaid â dweud, "Mawr yw ei
dosturi ef;
fe faddeua fy aml bechodau."
Oherwydd gydag ef y mae trugaredd,

a digofaint hefyd,
ac ar bechaduriaid y gorffwys ei lid ef.
⁷Paid ag oedi cyn troi at yr Arglwydd,
na gohirio o ddydd i ddydd,
oherwydd yn ddisymwth y daw
digofaint yr Arglwydd,
ac yn nydd ei ddial ef i ddistryw yr ei.

Didwylledd a Hunan-reolaeth

⁸Paid â rhoi dy fryd ar gyfoeth anonest,
oherwydd ni chei ddim budd ohono
pan ddaw aflwydd arnat.
⁹Paid â throi i nithio gyda phob gwynt,
na chanlyn pob llwybr;
ffordd y pechadur dauwynebog yw
hynny.
¹⁰Bydd yn gadarn dy argyhoeddiad
ac yn gyson dy air.
¹¹Bydd yn gyflym i wrando
ond yn bwyllog i roi dy ateb.
¹²Ateb dy gymydog os yw'r deall
gennyt;
onid e, bydded dy law ar dy geg.
¹³Yn lleferydd dyn y mae ei fri a'i warth,
ac yn ei dafod y mae achos cwymp
iddo.
¹⁴Paid ag ennill enw fel clepgi,
na chynllwynio â'th dafod,
oherwydd rhan y lleidr fydd cywilydd,
a barnedigaeth lem fydd i'r
dauwynebog.
¹⁵Paid â chyfeiliorni mewn dim, boed
fawr neu fach.

6 O fod yn gyfaill, paid â throi'n elyn,
oherwydd bydd enw drwg yn
etifeddu gwarth a gwaradwydd;
ffordd y pechadur dauwynebog yw
hynny.

²Paid â'th ddyrchafu dy hun yn dy
ewyllys hunanol,
rhag iti fel tarw dy ddarnio dy hun.
³Byddi'n difa dy ddail ac yn dinistrio dy
ffrwythau,
ac yn dy adael dy hun fel pren crin.
⁴Bydd natur ddrygionus yn dinistrio'i
pherchennog
ac yn ei wneud yn gyff gwawd i'w
elynion.

Cyfeillgarwch

⁵Y mae ymadroddion melys yn amlhau
cyfeillion dyn,

ᵉYn ôl darlleniad arall, *rhag siarad yn amser iachawdwriaeth, na chuddio dy ddoethineb er mwyn
ymddangos yn deg.*

a geiriau mwyn yn amlhau
moesgarwch.
⁶Gad i lawer gyfarch gwell iti,
ond i un o bob mil dy gynghori.
⁷Wrth geisio cael cyfaill, cais ef drwy
brawf,
a phaid â brysio i ymddiried ynddo.
⁸Oherwydd y mae ambell un sy'n
gyfaill tra mae'n gyfleus iddo,
ond ni fydd yn glynu pan ddaw'n
gyfyng arnat.
⁹Y mae ambell gyfaill sy'n troi yn elyn,
ac yn dy waradwyddo trwy gyhoeddi'r
ffrae i'r byd.
¹⁰Y mae ambell un sy'n gyfaill tra bydd
wrth dy fwrdd,
ond ni fydd yn glynu pan ddaw'n
gyfyng arnat.
¹¹Yn dy lwyddiant bydd hwn yn un â thi
ac yn hy ar dy weision.
¹²Os cei dy ddarostwng fe dry yn dy
erbyn
a'i guddio'i hun allan o'th olwg.
¹³Cadw draw oddi wrth dy elynion,
a gochel rhag dy gyfeillion.
¹⁴Y mae cyfaill ffyddlon yn gysgod
diogel;
a'r sawl a gafodd un, fe gafodd drysor.
¹⁵Nid oes dim y gellir ei gyfnewid am
gyfaill ffyddlon,
ac ni ellir pwyso ei werth ef.
¹⁶Swyn i estyn bywyd yw cyfaill
ffyddlon,
a'r rhai sy'n ofni'r Arglwydd sy'n cael
hyd iddo.
¹⁷Y mae'r hwn sy'n ofni'r Arglwydd yn
cadw ei gyfeillgarwch yn gywir,
oherwydd y mae'n ymwneud â'i
gymydog fel ag ef ei hun.

Disgybl Doethineb

¹⁸Fy mab, o'th ieuenctid casgla addysg,
ac fe gei ddoethineb hyd at henoed.
¹⁹Tyrd ati fel un sy'n aredig a hau,
ac yna aros am ei ffrwythau da hi;
oherwydd byr fydd dy lafur wrth drin
ei thir,
a buan y byddi'n bwyta o'i chnwd hi.
²⁰Llym iawn yw hi ar y rhai diaddysg,
ac nid erys y diddeall yn ei chwmni.
²¹Bydd yn gwasgu arno fel maen prawf
trwm,
ond ni bydd ef yn araf i'w bwrw hi
oddi arno.
²²Oherwydd y mae doethineb gystal â'i
henw,

ac nid yw'n amlwg i lawer.
²³Gwrando, fy mab, derbyn fy marn
a phaid â gwrthod fy nghyngor.
²⁴Rho dy draed yn llyffetheiriau
doethineb,
a'th wddf yn ei haerwy hi.
²⁵Rho dy ysgwydd dani i'w chario hi,
a phaid â gwingo yn erbyn ei
rhwymau.
²⁶Tyrd ati â'th holl fryd,
ac â'th holl allu cadw i'w ffyrdd hi.
²⁷Dos ar ei thrywydd a chais hi, a chei ei
hadnabod;
ac wedi cael gafael arni, paid â'i
gollwng.
²⁸Oherwydd yn y diwedd cei brofi ei
gorffwystra hi,
a throir hi yn llawenydd iti.
²⁹Daw ei llyffetheiriau yn gysgod cryf
iti,
a'i haerwyon yn wisg ysblennydd.
³⁰Oherwydd addurn aur yw ei hiau hiᶠ,
a phleth o borffor yw ei rhwymau.
³¹Fel gwisg ysblennydd y gwisgi hi,
a'i gosod ar dy ben yn dorch
gorfoledd.
³²Os mynni, fy mab, cei dy hyfforddi,
ac os rhoddi dy fryd ar hynny, cei bob
rhyw fedr.
³³Os byddi'n hoff o wrando, fe
dderbynni addysg,
ac os bydd dy glust yn agored, fe
ddoi'n ddoeth.
³⁴Saf yng nghwmni'r henuriaid,
a hola prun sy'n ddoeth; glŷn wrth
hwnnw.
³⁵Bydd fodlon i wrando ar bob traethiad
duwiol,
a phaid â cholli cyfle i glywed
diarhebion deallus.
³⁶Os gweli ddyn deallus, dos ato yn fore
a threulia garreg ei ddrws â'th draed.
³⁷Meddylia am ordeiniadau'r Arglwydd,
a myfyria'n wastadol ar ei
orchmynion.
Rhydd ef gadernid i'th galon,
a rhoddir iti'r ddoethineb yr wyt yn ei
chwennych.

Amrywiol Gynghorion

7 Paid â gwneud drwg, ac ni chaiff
drwg afael ynot;
²cilia oddi wrth anghyfiawnder, ac fe
dry yntau oddi wrthyt ti.
³Fy mab, paid â hau yng nghhwysi

ᶠFelly Hebraeg. Groeg, *addurn aur sydd arni.*

anghyfiawnder,
rhag i ti fedi cynhaeaf seithwaith
cymaint.
⁴Paid â cheisio gan yr Arglwydd swydd
arweinydd,
na chan y brenin sedd anrhydedd.
⁵Paid â'th gyfiawnhau dy hun gerbron
yr Arglwydd,
na chymryd arnat fod yn ddoeth yng
ngŵydd y brenin.
⁶Paid â cheisio bod yn farnwr,
rhag ofn na fyddi'n ddigon cryf i
ddileu anghyfiawnder;
fe ddichon y cait dy ddychryn gan
lywodraethwr,
a pheri cwymp i ti dy hun ar lwybr
uniondeb.
⁷Paid â phechu yn erbyn poblogaeth y
ddinas,
na'th waradwyddo dy hun yng nghanol
y dyrfa.
⁸Paid â rhwymo pechod wrth bechod,
oherwydd y mae un yn ddigon i'th
brofi'n euog.
⁹Paid â dweud, "Fe sylwa Duw ar
luosogrwydd fy rhoddion,
ac fe dderbyn y Goruchaf yr offrwm a
ddygaf iddo."
¹⁰Paid â bod yn wangalon yn dy weddi,
nac esgeuluso rhoi elusen.
¹¹Paid â chwerthin am ben dyn yng
nghanol profiad chwerw,
oherwydd yr Un sy'n darostwng sy'n
dyrchafu hefyd.
¹²Paid â phalu celwydd yn erbyn dy
frawd,
na gwneud dim tebyg i gyfaill chwaith.
¹³Paid byth â dymuno dweud unrhyw
gelwydd,
oherwydd ni ddaw dim da o ddilyn
arferiad felly.
¹⁴Paid â bod yn dafodrydd yng nghwmni
henuriaid,
nac ailadrodd dy eiriau yn dy weddi.
¹⁵Paid â chasáu gwaith llafurus
na gwaith ar y tir; fe'u hordeiniwyd
gan y Goruchaf.
¹⁶Paid ag ymrestru yn rhengoedd y
pechaduriaid;
cofia na fydd oedi ar ddigofaint.
¹⁷Darostwng dy hunan i'r eithaf,
oherwydd tân a phryf fydd cosb yr
annuwiol.

Perthynas ag Eraill

¹⁸Paid â chyfnewid cyfaill am elwᶠᶠ,

ᶠᶠYn ôl darlleniad arall, *am rywbeth diwerth.*

na brawd cywir am aur Offir.
¹⁹Paid â'th amddifadu dy hun o wraig
ddoeth a da,
oherwydd gwell nag aur yw ei
hawddgarwch hi.
²⁰Paid â cham-drin caethwas sy'n
gweithio'n onest,
na gwas cyflog sy'n ymroi i'th
wasanaeth.
²¹Boed iti garu gwas deallus;
paid â gwrthod ei ryddid iddo.
²²Os oes gennyt anifeiliaid, gofala
amdanynt,
ac os ydynt yn fuddiol iti, cadw hwy yn
dy feddiant.
²³Os oes gennyt feibion, hyffordda hwy,
a phlyg hwy dan yr iau o'u hieuenctid.
²⁴Os oes gennyt ferched, gwylia bod eu
cyrff yn bur,
a phaid â bod yn rhy dirion dy agwedd
atynt.
²⁵Rho dy ferch mewn priodas, a byddi
wedi cyflawni camp fawr;
ond rho hi i ŵr deallus.
²⁶Os oes gennyt wraig wrth dy fodd,
paid â'i bwrw hi ymaith,
ond paid â'th ymddiried dy hun i wraig
sy'n atgas gennyt.

²⁷Anrhydedda dy dad â'th holl galon,
a phaid ag anghofio gwewyr esgor dy
fam.
²⁸Cofia mai ohonynt hwy y cefaist dy
eni.
Sut y gelli dalu'n ôl iddynt am a
wnaethant hwy i ti?
²⁹Ofna'r Arglwydd â'th holl enaid,
a pharcha'i offeiriaid ef.
³⁰Câr dy Greawdwr â'th holl allu,
a phaid â chefnu ar ei weinidogion.
³¹Ofna'r Arglwydd ac anrhydedda'r
offeiriad;
rho iddo ei gyfran, fel y
gorchmynnwyd iti:
y blaenffrwyth, a'r offrwm dros
gamwedd, a'r offrwm dyrchafael,
ac aberth y cysegru, a blaenffrwyth y
pethau sanctaidd.

³²Estyn hefyd dy law i'r dyn tlawd,
er mwyn iti dderbyn cyflawnder
bendith.
³³Y mae rhoi yn ennill cymeradwyaeth
pob dyn byw;
paid ag atal dy gymwynas hyd yn oed i
ddyn marw.

³⁴ Paid ag anwybyddu'r rhai sy'n wylo,
a chydalara â'r rhai sy'n galaru.
³⁵ Paid ag oedi ymweld â'r claf,
oherwydd cei dy garu ar gyfrif
ymweliadau felly.
³⁶ Yn dy holl ymgymeriadau, cofia beth
fydd dy ddiwedd,
ac yna ni phechi byth.

Arfer Synnwyr Cyffredin

8 Paid ag ymryson â llywodraethwr,
rhag iti syrthio i'w ddwylo.
² Paid ag ymgiprys â dyn cyfoethog,
rhag iddo gynnig talu mwy na thi.
Oherwydd bu aur yn ddinistr i
laweroedd,
ac yn achos i frenhinoedd fynd ar
gyfeiliorn.
³ Paid â dadlau â dyn sy'n dafod i gyd,
na llwytho coed ar ei dân ef.
⁴ Paid â gwatwar y diaddysg,
rhag i'th hynafiaid di gael eu
hamharchu.
⁵ Paid ag edliw i ddyn y pechod y mae
eisoes yn troi oddi wrtho;
cofia fod pob un ohonom yn haeddu
cosb.
⁶ Paid ag amharchu dyn yn ei henaint,
oherwydd heneiddio y mae llawer
ohonom ninnau.
⁷ Paid ag ymfalchïo ym marwolaeth
neb;
cofia mai marw a wnawn ni i gyd.
⁸ Paid â diystyru'r hyn a draetha gwŷr
doeth,
ond ymgydnabod â'u diarhebion;
oherwydd ganddynt hwy y cei addysg
a hyfforddiant i weini ar wŷr mawr.
⁹ Paid â gwyro oddi wrth yr hyn a
draetha hynafgwyr,
oherwydd gan eu tadau y dysgasant
hwythau;
ganddynt hwy y dysgi di ddeall
a rhoi ateb yn awr yr angen.
¹⁰ Paid â chynnau golosg pechadur,
rhag iti gael dy losgi yn fflam ei dân.
¹¹ Paid â gadael dyn rhyfygus o'th olwg,
rhag iddo ymguddio i'th faglu ar dy
air.
¹² Paid â rhoi benthyg i ddyn cryfach na
thi,
ac os gwnei, cyfrif dy hun yn golledwr.
¹³ Paid â mechnïo uwchlaw dy allu i dalu,
ac os gwnei, cofia mai ti fydd y talwr.
¹⁴ Paid ag ymgyfreithio â barnwr,
oherwydd o'i blaid ef y dyfernir, ar
bwys ei safle.

¹⁵ Paid â chyd-deithio â dyn beiddgar,
rhag iddo dy lethu'n llwyr,
oherwydd bydd ef yn gwneud fel y
myn ef ei hun,
a thrwy ei ffolineb fe drengi dithau
gydag ef.
¹⁶ Paid ag ymladd â dyn llidiog,
na mynd am dro gydag ef ar ffordd
anial, ·
oherwydd nid yw tywallt gwaed yn
ddim yn ei olwg ef,
ac fe'th dery i lawr lle nad oes help
wrth law.
¹⁷ Paid ag ymgynghori â dyn ffôl,
oherwydd ni all ef gadw cyfrinach.
¹⁸ Paid â gwneud dim dirgel yng ngŵydd
dyn dieithr,
oherwydd ni wyddost beth a wna ef o'r
peth.
¹⁹ Paid â datgelu dy galon i bob dyn,
na derbyn ffafriaeth ganddo.

Perthynas â Gwragedd

9 Paid â bod yn eiddigeddus wrth wraig
dy fynwes,
na'i hyfforddi i ymarfer drwg er niwed
i ti dy hun.
² Paid â'th roi dy hun i ferch,
a gadael iddi ymosod ar dy gryfder di.
³ Paid â mynd i gyfarfod merch lac ei
moesau,
rhag iti syrthio i'w maglau hi.
⁴ Paid ag oedi yng nghwmni
dawnsferch,
rhag iti gael dy ddal gan ei hystrywiau
hi.
⁵ Paid â chraffu ar wyryf,
rhag iti gael dy rwydo a gorfod talu
iawn amdani.
⁶ Paid â'th roi dy hun i buteiniaid,
rhag iti golli dy etifeddiaeth.
⁷ Paid ag edrych o'th gwmpas yn
heolydd y ddinas,
nac ymdroi yn ei lleoedd anial.
⁸ Tro dy lygad oddi wrth wraig
brydweddol,
a phaid â chraffu ar brydferthwch
gwraig dyn arall;
o achos prydferthwch gwraig aeth
llawer ar gyfeiliorn,
a thrwyddo cyneuir serch fel tân.
⁹ Paid byth â chydeistedd â gwraig
briod,
nac ymuno â hi mewn gloddest a gwin,
rhag iti osod dy fryd arni,
a llithro ohonot i ddinistr llwyr.

Perthynas â Dynion Eraill

¹⁰ Paid â chefnu ar hen gyfaill,
oherwydd nid yw un newydd cystal ag
ef;
y mae cyfaill newydd fel gwin newydd;
wedi iddo heneiddio y cei fwynhad o'i
yfed.
¹¹ Paid â chenfigennu wrth bechadur yn
ei lwyddiant,
oherwydd ni wyddost beth fydd ei
dynged ef.
¹² Paid ag ymbleseru ym mhleserau yr
annuwiol;
cofia fod eu cosb yn sicr hyd at fedd.
¹³ Cadw'n ddigon pell oddi wrth ddyn a
chanddo awdurdod i ladd;
yna ni ddaw ofn marwolaeth i darfu
arnat.
Ond os doi di ato, paid â chymryd cam
gwag,
rhag iddo gymryd dy einioes oddi
wrthyt.
Ystyria dy fod yn rhodio yng nghanol
maglau
ac yn cerdded ar dyrau uchaf y ddinas.
¹⁴ Hyd y gelli, amcana adnabod dy
gymdogion,
ac ymgynghora â dynion doeth.
¹⁵ Bydded dy ymddiddan â dynion
deallus,
a'th ymadrodd bob amser am gyfraith
y Goruchaf.
¹⁶ Bydded y cwmni wrth dy fwrdd yn wŷr
cyfiawn,
a bydded dy ymffrost yn ofn yr
Arglwydd.
¹⁷ Ar gyfrif eu dwylo y canmolir gwaith
crefftwyr,
a cheir llywodraethwr yn ddoeth ar
gyfrif ei eiriau.
¹⁸ Gŵr i'w ofni yn ei ddinas yw hwnnw
sy'n dafod i gyd,
a'i gasáu a gaiff y dyn byrbwyll ei
eiriau.

Rheolwyr

10 Bydd rheolwr doeth yn hyfforddi
ei bobl,
a bydd llywodraeth dyn deallus wedi ei
threfnu'n drwyadl.
² Fel y mae rheolwr y bobl, felly hefyd
ei weinidogion;
ac fel y mae llywodraethwr y ddinas,
felly ei thrigolion oll.

³ Bydd brenin diaddysg yn ddinistr i'w
bobl;
ond cyfanheddir dinas trwy ddeall ei
llywodraethwyr.
⁴ Yn llaw'r Arglwydd y mae awdurdod
ar y ddaear,
ac ef, yn yr amser priodol, fydd yn
gosod gŵr cymwys yn ben arni.
⁵ Yn llaw'r Arglwydd y mae ffyniant
dyn,
ac ef sy'n gosod ei anrhydedd ar
berson y deddfwr.

Balchder

⁶ Paid â digio wrth dy gymydog am bob
rhyw gam,
a phaid â gwneud dim trwy
weithredoedd rhyfygus.
⁷ Casbeth yng ngolwg yr Arglwydd a
dynion yw balchder,
a gwrthun gan y naill a'r llall yw
anghyfiawnder.
⁸ Symudir y frenhiniaeth o'r naill genedl
i'r llall
o achos anghyfiawnder a rhyfyg ac
ariangarwch.
⁹ Pam yr ymfalchïa llwch a lludw?
Oherwydd yswyd ei gorff gan bryfed,
ac yntau'n fyw. ᵍ
¹⁰ Y mae afiechyd hir yn gwawdio gallu'r
meddyg;
gall dyn fod yn frenin heddiw ac yn
farw yfory.
¹¹ Oherwydd pan fydd dyn farw,
ymlusgiaid a bwystfilod a phryfed fydd
ei etifeddiaeth.

¹² Dechrau balchder dyn yw ymadael â'r
Arglwydd,
a'i galon wedi cefnu ar ei Greawdwr.
¹³ Oherwydd pechod yw dechrau
balchder,
ac y mae'r sawl sy'n glynu wrtho yn
tywallt allan ffieidd-dra.
Am hynny achosodd yr Arglwydd
drallodion rhyfeddol,
a llwyr ddinistrio'r rhai balch.
¹⁴ Dymchwelodd yr Arglwydd orseddau
tywysogion,
a gosod rhai addfwyn i eistedd yn eu
lle.
¹⁵ Diwreiddiodd yr Arglwydd
genhedloedd,
a phlannu rhai gostyngedig yn eu lle.
¹⁶ Dinistriodd yr Arglwydd diroedd

ᵍ Y mae testun yr adnod hon yn ansicr. Gadawyd allan ddwy linell nas ceir yn y llawysgrifau gorau, a
chyfieithwyd y gweddill ar sail y testun Hebraeg.

cenhedloedd,
a'u difa hyd at seiliau'r ddaear.
[17] Symudodd rai ohonynt o'u lle a'u difa,
a pheri i'w coffadwriaeth ddarfod oddi
ar y ddaear.
[18] Ni chrewyd balchder ar gyfer dynion,
na dicter llidiog ar gyfer plant
gwragedd.

Y Rhai Sydd i'w Parchu

[19] Pa had sydd i'w barchu? Had dyn.
Pa had sydd i'w barchu? Y rhai sy'n
ofni'r Arglwydd.
Pa had nad yw i'w barchu? Had dyn.
Pa had nad yw i'w barchu? Y rhai sy'n
torri'r gorchmynion.
[20] Ymhlith brodyr, eu pennaeth sydd i'w
barchu;
ac yng ngolwg yr Arglwydd, y rhai sy'n
ei ofni ef.[ng]
[22] Y cyfoethog, yr anrhydeddus, a'r
tlawd,
ofn yr Arglwydd yw eu hymffrost bob
un.
[23] Nid yw'n gyfiawn amharchu dyn tlawd
sy'n ddeallus,
ac nid yw'n weddus anrhydeddu dyn
pechadurus.
[24] Anrhydeddir y gŵr mawr, y barnwr,
a'r llywodraethwr;
ond nid yw'r un ohonynt mor fawr â
hwnnw sy'n ofni'r Arglwydd.
[25] Caiff caethwas doeth ddynion rhydd i
weini arno,
ac ni bydd neb call yn cwyno.

Gostyngeiddrwydd a Hunan-barch

[26] Paid â bod yn rhy ddoeth i wneud dy
waith,
na'th fawrhau dy hun pan yw'n gyfyng
arnat.
[27] Gwell yw gweithio, a bod ar ben dy
ddigon o bopeth,
na'th fawrhau dy hun a bod heb fara.
[28] Fy mab, gogonedda dy hun mewn
gwyleidd-dra,
ac anrhydedda dy hun yn ôl dy
deilyngdod.
[29] Pwy a gyfiawnha'r dyn sy'n pechu yn
ei erbyn ei hun?
A phwy a anrhydedda'r dyn sy'n ei
amharchu ei hun?
[30] Anrhydeddir dyn tlawd ar gyfrif ei
wybodaeth,
a dyn cyfoethog ar gyfrif ei gyfoeth.

[31] Os cafodd dyn anrhydedd yn ei dlodi,
pa faint mwy felly yn ei gyfoeth!
Os bu heb anrhydedd yn ei gyfoeth, pa
faint mwy felly yn ei dlodi!

11

Y mae doethineb y gostyngedig yn
dyrchafu ei ben
ac yn ei osod i eistedd yng nghanol
gwŷr mawr.

Peidio â Barnu wrth yr Olwg

[2] Paid â chanmol dyn ar gyfrif ei
harddwch,
na ffieiddio neb ar gyfrif ei wedd.
[3] Ymhlith ehediaid un fechan yw'r
wenynen,
ond ei chynnyrch hi yw'r pennaf o
bopeth melys.
[4] Paid ag ymfalchïo yn y dillad a wisgi,
nac ymddyrchafu pan ddaw
anrhydedd i'th ran.
Oherwydd rhyfeddol yw
gweithredoedd yr Arglwydd;
cuddiedig yw ei weithredoedd o olwg
dynion.
[5] Y mae llawer teyrn wedi gorfod
eistedd ar y llawr,
a dyn disylw wedi gwisgo diadem.
[6] Daeth llywodraethwyr lawer i
waradwydd mawr,
a thraddodwyd gwŷr o fri i ddwylo
dynion eraill.

Ymbwyllo

[7] Paid â gweld bai cyn iti chwilio i'r
achos;
ystyria yn gyntaf, ac yna cerydda.
[8] Paid ag ateb cyn iti wrando,
a phaid â thorri ar draws neb ar ganol
ei sgwrs.
[9] Paid ag ymladd achos nad oes a wnelo
â thi,
a phaid ag eistedd i farnu gyda
phechaduriaid.
[10] Fy mab, paid â'th feichio dy hun â
gofalon lawer;
o'u hamlhau, ni fyddi'n ddi-gosb;
o redeg ar eu hôl, ni elli eu dal;
o redeg rhagddynt, ni elli ddianc.
[11] Gall dyn lafurio ac ymboeni a brysio,
a bod yr un mor bell yn ôl wedi'r
cyfan.
[12] Gall dyn fod yn araf ac mewn angen
am help llaw,
yn ddiffygiol mewn nerth ac yn llawn
tlodi;

[ng] Yn ôl darlleniad arall ychwanegir: [21] *Ofn yr Arglwydd yw dechrau cymeradwyaeth, ond ystyfnigrwydd a balchder yw dechrau anghymeradwyaeth.*

eto y mae llygaid yr Arglwydd yn
edrych arno er ei les,
yn ei godi allan o'i ddistadledd,
¹³ac yn dyrchafu ei ben ef,
nes bod llawer yn rhyfeddu ato.
¹⁴Llwydd ac aflwydd, bywyd a
marwolaeth,
tlodi a chyfoeth, oddi wrth yr
Arglwydd y deuant i gyd. ʰ
¹⁷Y mae rhodd yr Arglwydd yn para'n
eiddo i'r rhai duwiol,
a'i gymeradwyaeth yn hyrwyddo'u
taith am byth.
¹⁸Gall dyn ymgyfoethogi trwy ofalu a
chynilo,
a dyna'r cwbl a gaiff yn gyflog.
¹⁹Pan ddywed, "Yr wyf wedi ennill fy
ngorffwys;
bellach caf fyw ar fy meddiannau",
nid yw'n gwybod faint o amser sydd
i'w dreulio
cyn marw a gadael ei eiddo i eraill.
²⁰Saf wrth dy gyfamod a gweithreda'n
unol ag ef;
heneiddia wrth dy waith.
²¹Paid â rhyfeddu at weithredoedd
pechadur;
cred yr Arglwydd a dal ati yn dy lafur,
oherwydd peth hawdd yng ngolwg yr
Arglwydd
yw gwneud y tlawd yn gyfoethog yn
ddisymwth ac yn ddiymdroi.
²²Bendith yr Arglwydd yw cyflog y
duwiol;
bendith a ddwg ef i flagur mewn
munud awr.
²³Paid â dweud, "Pa angen sydd
amdanaf fi?
Pa lwydd a all ddod imi bellach?"
²⁴A phaid â dweud, "Yr wyf yn
hunanddigonol;
pa aflwydd a all ddod imi bellach?"
²⁵Yn nydd llwydd anghofir aflwydd,
ac yn nydd aflwydd ni chofir am
lwydd.
²⁶Peth hawdd i'r Arglwydd, pan fydd
dyn farw,
yw talu iddo yn ôl ei ymddygiad.
²⁷Y mae awr o adfyd yn difa'r cof am
foethusrwydd,
a diwedd dyn sy'n datguddio'i
weithredoedd.
²⁸Paid â galw neb, cyn iddo farw, yn

wynfydedig;
wrth ei blant yr adwaenir dyn.

Gochel rhag Drwgweithredwyr

²⁹Paid â dod â phob dyn i'th dŷ,
oherwydd aml yw cynllwynion dyn
twyllodrus.
³⁰Fel petrisen hudo mewn cawell y mae
calon dyn balch,
neu fel gwyliwr cudd a'i fryd ar faglu.
³¹Y mae'n cynllwynio i droi llwydd yn
aflwydd,
ac i ddangos diffyg yn y cyflawniadau
gorau.
³²Gall gwreichionen fach gynnau llwyth
o lo;
ac y mae dyn pechadurus yn
cynllwynio i dywallt gwaed.
³³Gochel rhag drwgweithredwr sy'n
dyfeisio drwg yn dy erbyn,
rhag iddo dy gael i fai a bery am byth.
³⁴Derbyn ddieithryn i'th dŷ, a bydd yn
tarfu arnat a'th gyffroi,
a'th ddieithrio oddi wrth dy bobl dy
hun.

Gwneud Da

12 Wrth wneud cymwynas, ystyria i
bwy yr wyt yn ei gwneud,
a chei ddiolch am dy gymwynasau.
²Gwna dda i ddyn duwiol, ac fe gei dy
dalu'n ôl,
os nad ganddo ef, yna gan y Goruchaf.
³Ni ddaw daioni i'r hwn sy'n dal ati i
wneud drygioni,
nac i'r hwn sy'n gwrthod rhoi elusen.
⁴Rho i'r dyn duwiol, ond paid â
chynorthwyo'r pechadur.
⁵Gwna dda i'r dyn gostyngedig, a phaid
â rhoi i'r annuwiol.
Atal iddo ei fara, a phaid â rhoi iddo,
rhag iddo drwyddo fynd yn feistr
arnat.
Oherwydd cei ganddo ddwywaith
cymaint o ddrwg yn dâl
am yr holl ddaioni a wnaethost iddo
ef.
⁶Y mae'r Goruchaf yntau'n casáu
pechaduriaid,
ac yn talu i'r annuwiol y gosb a
haeddant.
⁷Rho i'r dyn da, ond paid â
chynorthwyo'r pechadur.

ʰYn ôl darlleniad arall ychwanegir: ¹⁵Doethineb a deall a gwybodaeth o'r gyfraith, oddi wrth yr Arglwydd y
deuant, ac oddi wrtho ef y daw cariad a llwybrau gweithredoedd da. ¹⁶Y mae cyfeiliornad a thywyllwch wedi
eu cyd-greu â phechaduriaid, a heneiddia drygioni ynghyd â'r rhai sy'n ymffrostio mewn drygioni.

Cyfeillion Gwir a Gau

⁸ Nid mewn hawddfyd y cosbir ⁱ cyfaill;
ac mewn adfyd ni fydd gelyn yn
ymguddio.
⁹ Pan yw'n hawddfyd ar ddyn mae ei
elynion yn drist,
a phan yw'n adfyd arno mae hyd yn
oed ei gyfaill yn pellhau oddi
wrtho.
¹⁰ Paid byth ag ymddiried yn dy elyn,
oherwydd y mae ei ddrygioni'n difa fel
rhwd ar bres.
¹¹ Er iddo ymostwng a rhodio'n benisel,
gwylia dy hun a gochel rhagddo;
byddi iddo ef fel un sy'n gloywi drych,
a chei wybod nad yw wedi gorffen
rhydu.
¹² Paid â'i osod i sefyll yn dy ymyl,
rhag iddo dy ddisodli a sefyll yn dy le.
Paid â'i roi i eistedd ar dy law dde,
rhag iddo geisio cael dy gadair di;
yn y diwedd fe weli ystyr fy ngeiriau,
a chael dy ddwysbigo gan yr hyn a
ddywedais.
¹³ Pwy sy'n tosturio wrth swynwr-
nadredd a frathwyd,
neu wrth bawb sy'n ymwneud ag
anifeiliaid gwylltion?
¹⁴ Felly gyda'r sawl sy'n closio at
bechadur
ac yn ymgolli yn ei bechodau ef.
¹⁵ Am awr yr erys ef gyda thi,
ac os llithro a wnei, ni lŷn wrthyt.
¹⁶ Y mae gwefusau'r gelyn yn diferu
melyster,
ond yn ei galon y mae'n cynllwynio
i'th fwrw i bydew.
Y mae llygaid y gelyn yn colli dagrau,
ond os caiff gyfle, ni fydd tywallt
gwaed yn ddigon ganddo.
¹⁷ Os daw drygfyd arnat, cei ei fod ef yno
o'th flaen,
yn cymryd arno dy helpu ond yn baglu
dy droed.
¹⁸ Bydd yn ysgwyd ei ben ac yn curo'i
ddwylo,
yn clebran llawer ac yn newid ei wedd.

Cymdeithasu

13 Yr hwn sy'n cyffwrdd â phyg, fe'i
baeddir,
a'r hwn sy'n cymdeithasu â dyn balch,
fe â'n debyg iddo.
² Paid â chodi baich sy'n rhy drwm iti,
a phaid â chymdeithasu â dyn cryfach

a chyfoethocach na thi.
Sut y mae llestr pridd i gymdeithasu â
chrochan haearn,
ac yntau o daro'r crochan yn chwalu'n
chwilfriw?
³ Bydd dyn cyfoethog yn gwneud cam,
ac ef fydd uchaf ei gloch;
bydd dyn tlawd yn cael cam, ac ef fydd
yn crefu am bardwn.
⁴ Os gelli fod o les iddo, bydd y
cyfoethog yn dy ddefnyddio;
ond os byddi mewn angen, dy
anwybyddu y bydd.
⁵ Os bydd rhywbeth gennyt wrth gefn,
fe ddaw i fyw gyda thi,
a'th ddisbyddu'n llwyr heb boeni dim.
⁶ Pan fydd arno d'eisiau, dy dwyllo a
wna,
a gwenu arnat a meithrin gobaith
ynot;
fe sieryd yn deg â thi a gofyn, "Beth
sydd arnat ei eisiau?"
⁷ Fe gwyd gywilydd arnat â'i fwydydd ei
hun,
nes dy ddisbyddu'n llwyr ddwywaith
neu dair;
ac yn y diwedd bydd yn chwerthin am
dy ben.
Ar ôl hyn oll, pan wêl di, fe'th
anwybydda,
ac ysgwyd ei ben arnat.
⁸ Gwylia rhag dy gamarwain
na'th ddarostwng yn dy ffolineb.

⁹ Paid â bod yn rhy barod i dderbyn
gwahoddiad gan lywodraethwr,
a bydd yntau gymaint â hynny'n
daerach ei wahoddiad.
¹⁰ Paid ag ymwthio arno, rhag iddo dy
wthio ymaith;
ond paid â sefyll yn rhy bell, rhag iddo
dy anghofio.
¹¹ Paid â beiddio siarad ag ef fel un
cydradd,
a phaid ag ymddiried yn amlder ei
eiriau,
oherwydd rhoi prawf arnat y bydd â'i
siarad hir,
a'th chwilio a gwên ar ei wyneb.
¹² Didrugaredd yw'r dyn nad yw'n cadw
dy gyfrinachau,
ac ni'th arbed rhag drygfyd na
charchar.
¹³ Cadw dy gyfrinach i ti dy hun a
chymer ofal mawr,

ⁱ Yn ôl darlleniad arall, *yr adwaenir.*

oherwydd cerdded yr wyt ar ymyl y
dibyn.[1]

[15] Y mae pob anifail yn caru ei debyg,
a phob dyn ei gymydog.
[16] Y mae'r holl greaduriaid yn ymgasglu
yn ôl eu rhywogaeth,
a dyn yn ymlynu wrth ei debyg.
[17] Pa gymdeithas fydd rhwng blaidd ac
oen?
Felly y mae rhwng pechadur a dyn
duwiol.
[18] Pa heddwch fydd rhwng udfil a chi?
A pha heddwch rhwng cyfoethog a
thlawd?
[19] Helfa i lewod yw asynnod gwylltion yr
anialwch;
a phorfa i gyfoethogion yw'r tlodion yr
un modd.
[20] Ffieiddbeth i'r balch yw
gostyngeiddrwydd,
a ffieiddbeth hefyd yw dyn tlawd i'r
cyfoethog.
[21] Pan fydd dyn cyfoethog yn simsanu,
bydd ei gyfeillion yn ei gynnal;
ond pan fydd dyn distadl yn cwympo,
ei wthio ymhellach y bydd ei
gyfeillion.
[22] Pan fydd dyn cyfoethog yn llithro, daw
llawer i'w gynorthwyo;
er iddo lefaru geiriau anweddus, ei
esgusodi a wnânt.
Pan fydd dyn distadl yn llithro, ei
geryddu y bydd dynion;
er iddo siarad synnwyr, ni roddir cyfle
iddo.
[23] Pan fydd dyn cyfoethog yn llefaru,
bydd pawb yn ddistaw,
ac yn canmol ei araith hyd y cymylau.
Pan fydd dyn tlawd yn llefaru,
gofynnant, "Pwy yw hwn?"
Ac os digwydd iddo faglu, rhônt help
iddo i syrthio.
[24] Da yw cyfoeth na chafodd pechod
afael ynddo;
ym marn yr annuwiol y mae tlodi yn
ddrwg.
[25] Y mae calon dyn yn newid gwedd ei
wyneb,
naill ai i'w llonni neu i'w thristáu.
[26] Y mae wyneb siriol yn arwydd o galon
mewn hawddfyd,
ond llafur poenus i'r meddwl yw llunio
diarhebion.

14 Gwyn ei fyd y gŵr na lithrodd yn
ei ymadrodd
ac na chafodd ei ddwysbigo gan ofid
am ei bechodau.
[2] Gwyn ei fyd y gŵr na chafodd achos
i'w gondemnio ei hun
ac na chollodd ei afael yn ei obaith.

Defnyddio Cyfoeth yn Gyfrifol

[3] I ddyn crintachlyd nid lles mo'i
gyfoeth;
ac i gybydd, pa fudd ei feddiannau?
[4] A helia oddi arno ef ei hun a helia i
eraill;
eraill a gaiff fyw'n foethus ar ei
gyfoeth ef.
[5] A fo'n greulon wrtho ef ei hun, wrth
bwy y bydd yn dirion?
Ni chaiff lawenydd fyth yn ei
feddiannau.
[6] Nid oes neb creulonach na'r dyn sy'n
gybyddlyd wrtho ef ei hun;
dyna'i wobr am ei grintachrwydd.
[7] Hyd yn oed os yw'n hael, nid yw felly
o fwriad,
ac yn y diwedd amlygir ei
grintachrwydd.
[8] Creulon yw'r dyn sydd â llygad cybydd
ganddo;
y mae'n troi ei wyneb ymaith ac yn
diystyru ei gyd-ddynion.
[9] Nid yw llygad y trachwantus yn fodlon
ar ei gyfran,
ac y mae ei anghyfiawnder creulon yn
crebachu ei enaid.
[10] Y mae llygad creulon yn eiddigeddus
am ei fara,
a llwm yw'r bwrdd a hulia.
[11] Fy mab, yn ôl yr hyn sydd gennyt,
bydd yn hael wrthyt ti dy hun;
offryma hefyd ebyrth teilwng i'r
Arglwydd.
[12] Cofia nad yw marwolaeth yn oedi,
ac na hysbyswyd iti pa bryd yr wyt i
gadw dy oed â Thrigfan y Meirw.
[13] Cyn iti farw, bydd yn hael wrth dy
gyfaill;
estyn dy law a rho iddo gymaint ag a
elli.
[14] Paid â'th amddifadu dy hun o
ddiwrnod o fwynhad,
na cholli un dim o'r hyfrydwch yr wyt
yn ei chwennych.
[15] Onid gadael ffrwyth dy lafur a'th

---

[1] Yn ôl darlleniad arall ychwanegir: *Pan glywi hyn yn dy gwsg, deffro.* [14] *Câr yr Arglwydd ar hyd dy oes, a
galw arno am dy iachawdwriaeth.*

ludded
i arall y byddi, i'w rannu â choelbren?
[16] Rho, a derbyn, a difyrra dy hun,
oherwydd ofer yw ceisio moethau yn
Nhrigfan y Meirw.
[17] Y mae pob dyn yn heneiddio fel
dilledyn;
y mae wedi ei bennu o'r dechreuad:
"Marw fyddi."
[18] Fel dail toreithiog yn drwch ar bren,
rhai'n cwympo a rhai'n blaguro,
felly y mae cenedlaethau cig a
gwaed—
y naill yn marw a'r llall yn cael ei geni.
[19] Pydru y mae pob gwaith, a pheidio â
bod,
ac y mae'r gweithiwr yntau'n mynd i
ganlyn ei waith.

Gwynfyd Doethineb

[20] Gwyn ei fyd y gŵr a fyfyria ar
ddoethineb
ac a ddengys ei ddeall yn ei
ymddiddan;
[21] y gŵr sy'n gosod ei fryd ar ei ffyrdd hi
a gaiff amgyffred hefyd ei
chyfrinachau.
[22] Dos ar ei hôl hi fel heliwr,
a gosod fagl i'w dal yn ei llwybrau.
[23] Y gŵr sy'n sbïo trwy ei ffenestri
ac yn clustfeinio wrth ei drysau,
[24] yn codi ei lety yn ymyl ei thŷ
ac yn ei hoelio wrth ei muriau hi,
[25] caiff hwnnw osod ei babell gerllaw iddi
a lletya yn llety'r goreuon;
[26] caiff osod ei blant dan ei chysgod
a gorffwys dan ei changhennau.
[27] Hi fydd ei gysgod rhag y gwres,
a'i gogoniant hi fydd ei lety.

15 Yr hwn sy'n ofni'r Arglwydd a
wna hyn oll, .
a'r hwn sy'n dal gafael ar y gyfraith a
gaiff ddoethineb.
[2] Daw hi i'w gyfarfod fel mam;
rhydd groeso iddo fel priodasferch
ifanc.
[3] Rhydd fara dealltwriaeth iddo'n
ymborth,
a dŵr doethineb yn ddiod.
[4] Ynddi hi y bydd ei gadernid, ac nis
syflir;
ynddi hi y bydd ei gynhaliaeth, ac nis
siomir.
[5] Fe'i dyrchefir ganddi yn uwch na'i
gymdogion,

a chaiff ganddi air i'w draethu yng
nghanol y gynulleidfa.
[6] Llawenydd a choron gorfoledd fydd ei
ran,
ac enw tragwyddol fydd ei
etifeddiaeth.
[7] Ni chaiff dynion diddeall afael ar
ddoethineb,
ac ni chaiff pechaduriaid ei gweld hi.
[8] Pell yw hi oddi wrth falchder,
ac ni chofia dynion celwyddog ddim
amdani.

[9] Nid gweddus moliant yng ngenau
pechadur,
oherwydd nis anfonwyd gan yr
Arglwydd.
[10] Trwy ddoethineb y mynegir mawl,
a'r Arglwydd sy'n ei hyrwyddo.

Rhyddid Ewyllys Dyn

[11] Paid â dweud, "Yr Arglwydd a barodd
imi gwympo",
oherwydd ti sydd i beidio â gwneud yr
hyn sy'n gas ganddo ef.[II]
[12] Paid â dweud, "Ef a'm harweiniodd ar
gyfeiliorn",
oherwydd nid oes angen dyn
pechadurus arno ef.
[13] Y mae pob ffieiddbeth yn gas gan yr
Arglwydd,
ac nis cerir chwaith gan y rhai sy'n ei
ofni ef.
[14] Ef yn y dechreuad a wnaeth ddyn,
a'i adael i'w dywys gan ei ewyllys ei
hun.
[15] Os mynni, cei gadw ei orchmynion;
ti biau'r dewis i weithredu'n ffyddlon.
[16] Gosodwyd o'th flaen ddŵr a thân;
cei estyn dy law at brun bynnag a
fynni.
[17] Gerbron dyn y mae bywyd a
marwolaeth,
a phrun bynnag a ddewis a roddir
iddo.
[18] Oherwydd mawr yw doethineb yr
Arglwydd;
cryf a galluog yw, ac yn gweld pob
peth.
[19] Y mae ei lygaid ar y rhai a'i hofna,
a hysbys iddo fydd holl weithredoedd
dyn.
[20] Ni orchmynnodd i neb ymddwyn yn
annuwiol,
na rhoi cennad iddo i bechu.

[II] Neu, *oherwydd ni wna ef yr hyn sy'n gas ganddo.*

Cosbi Pechaduriaid

16 Paid â chwennych llond tŷ o blant da-i-ddim,
nac ymhyfrydu mewn meibion annuwiol.
2 Os bydd aelodau dy deulu yn amlhau,
paid ag ymhyfrydu ynddynt
oni fydd ofn yr Arglwydd ynddynt.
3 Paid ag ymddiried ym mywyd dy blant,
na dibynnu ar eu rhif;
oherwydd gwell un na miloedd,
a marw'n ddi-blant na magu plant annuwiol.
4 Oherwydd gall un gŵr deallus godi dinas gyfanheddol,
ond anialwch a grëir gan lwyth cyfan o ddynion digyfraith.

5 Gwelais bethau felly'n aml â'm llygad fy hun,
a chlywed â'm clust bethau gwaeth na'r rhain.
6 Lle'r ymgynnull pechaduriaid y cyneuir tân;
mewn cenedl wrthryfelgar enynnir digofaint.
7 Nid oedd puredigaeth pechod i gewri'r amser gynt,
a wrthgiliodd â'u holl nerth,
8 nac arbediad i'r bobl y trigai Lot yn eu plith,
y rhai a ffieiddiwyd ar gyfrif eu balchder.
9 Nid oedd trugaredd i'r genedl a dynghedwyd i ddistryw,
y bobl a ddilëwyd yn eu pechodau.
10 Yr un oedd tynged y chwe chan mil o wŷr traed
a gasglwyd ynghyd yn llu herfeiddiol.

11 Pe na bai ond un dyn gwargaled,
rhyfeddod fyddai iddo fynd heb ei gosbi,
oherwydd Duw biau trugaredd a digofaint,
ac y mae'n nerthol i faddau, a hefyd i arllwys ei lid.
12 Fel y mae maint ei drugaredd, felly hefyd maint ei gerydd;
caiff dyn ei farnu ganddo yn ôl ei weithredoedd.
13 Ni chaiff pechadur ddianc gyda'i ysbail,
ac ni phalla amynedd y dyn duwiol.
14 Caiff pob gweithred o drugaredd ei chyfle,
a phob dyn ei drin yn ôl ei weithredoedd. [m]

17 Paid â dweud, "Ymguddiaf oddi wrth yr Arglwydd;
pwy yn yr uchelder a gofia amdanaf?
Ymhlith pobl mor lluosog ni sylwir arnaf fi;
beth yw fy mywyd i mewn creadigaeth na ellir ei mesur?"
18 Wele'r nefoedd, a nef y nefoedd,
y dyfnder diwaelod a'r ddaear, fe'u hysgydwir ar ei ymweliad ef.
19 Y mynyddoedd, ynghyd â seiliau'r ddaear,
ysgydwant a chrynant dan ei edrychiad ef.
20 Ni all meddwl dyn ddirnad y pethau hyn;
pwy all amgyffred ei ffyrdd ef?
21 Fel tymestl a ddaw heb i ddyn ei gweld,
y mae ei weithredoedd ef gan amlaf yn y dirgel.
22 Pwy a draetha ofynion ei gyfiawnder?
Pwy a ddisgwyl amdanynt? Oherwydd pell yw ei gyfamod.
23 Dyn penwan sy'n dyfalu'r pethau hyn,
ie, dyn ffôl ar gyfeiliorn yn dyfalu ffolineb.

24 Gwrando arnaf, fy mab, a dysg wybodaeth;
dal sylw gofalus ar fy ngeiriau.
25 Dangosaf yn gytbwys beth yw addysg,
a mynegaf yn fanwl beth yw gwybodaeth.

Doethineb Duw yn y Creu

26 Pan greodd yr Arglwydd [n] ei weithredoedd yn y dechrau,
a gosod i bob un ei derfynau o'i wneuthuriad,
27 rhoes i'w weithredoedd drefn dragwyddol,
a blaenoriaeth iddynt ar hyd y cenedlaethau.
Nid ydynt yn newynu nac yn blino,
nac yn rhoi'r gorau i'w gwaith.

---

[m] Yn ôl darlleniad arall ychwanegir: 15 Gwnaeth yr Arglwydd Pharo'n rhy wargaled i'w adnabod, er mwyn i'w weithredoedd ddod yn hysbys ar y ddaear. 16 Y mae ei drugaredd yn amlwg i'r holl greadigaeth; â llinyn plwm y gwahanodd ef ei oleuni oddi wrth y tywyllwch.
[n] Dilynwyd yr Hebraeg. Groeg, Wrth farn yr Arglwydd y mae.

²⁸ Nid yw'r un ohonynt yn gwasgu ar ei
gymydog,
ac ni fyddant byth yn anufudd i'w air
ef.
²⁹ Ar ôl hyn edrychodd yr Arglwydd ar y
ddaear
a'i llenwi â'i ddoniau da.
³⁰ Gorchuddiodd wyneb y ddaear â phob
math o greaduriaid byw,
ac i'r ddaear y byddant oll yn
dychwelyd.

17 Creodd yr Arglwydd ddyn o'r
ddaear,
a'i anfon yn ôl iddi hi drachefn.
² Rhoddodd i ddynion ddyddiau wrth
rif, a thymor bywyd,
a rhoes iddynt awdurdod dros bopeth
ar y ddaear.
³ Gwisgodd hwy â nerth tebyg i'r eiddo'i
hun°;
gwnaeth hwy ar ei ddelw ei hun.
⁴ Rhoes ofn dyn ar bob creadur,
a'i wneud yn arglwydd ar anifeiliaid ac
adar. ᵖ
⁶ Ewyllys, tafod a llygad,
clust a meddwl, doniau Duw ydynt i
roi dirnadaeth i ddynion.
⁷ Llanwodd ddynion â gwybodaeth a
deall,
a dangos iddynt dda a drwg.
⁸ Cadwodd ei olwg ar eu calonnau,
i ddangos iddynt fawredd ei
weithredoedd. ᵖʰ
¹⁰ Clodforant hwy ei enw sanctaidd,
gan fynegi mawredd ei weithredoedd.
¹¹ Rhoddodd hefyd iddynt wybodaeth,
a chyfraith bywyd yn etifeddiaeth.
¹² Gwnaeth gyfamod tragwyddol â hwy,
a dangos iddynt ei ddyfarniadau.
¹³ Gwelodd eu llygaid fawredd ei
ogoniant,
a chlywodd eu clust ogoniant ei lais.
¹⁴ Dywedodd wrthynt, "Gochelwch rhag
pob anghyfiawnder,"
a rhoes orchymyn i bob un ohonynt
ynglŷn â'i gymydog.

Duw'n Farnwr

¹⁵ Y mae eu ffyrdd ger ei fron ef bob
amser;
ni chuddir hwy o'i olwg. ʳ
¹⁷ I bob cenedl penododd lywodraethwr,
ond cyfran yr Arglwydd yw Israel. ʳʰ
¹⁹ Y mae eu holl weithredoedd mor glir
iddo â'r haul,
ac y mae ei lygaid ar eu ffyrdd yn
wastadol.
²⁰ Ni chuddiwyd eu hanghyfiawnder
rhagddo;
y mae eu holl bechodau gerbron yr
Arglwydd. ˢ
²² Y mae elusennau dyn fel sêl-fodrwy yn
ei olwg,
ac y mae'n trysori graslonrwydd dyn
fel cannwyll ei lygad.
²³ Yn y diwedd bydd yn codi ac yn talu'n
ôl i'r drwgweithredwyr,
gan fwrw ar eu pennau eu cosb
haeddiannol.
²⁴ Ond i'r edifeiriol y mae'n rhoi llwybr
adferiad,
ac yn calonogi'r diffygiol i
ddyfalbarhau.

Galwad i Edifeirwch

²⁵ Tro at yr Arglwydd a chefna ar
bechodau;
gweddïa ger ei fron a lleiha dy
gamwedd.
²⁶ Dychwel at y Goruchaf a thro oddi
wrth anghyfiawnder,
a bydd fawr dy gasineb at y
ffieiddbeth.
²⁷ Pwy a glodfora'r Goruchaf yn
Nhrigfan y Meirw,
a chymryd lle'r byw i'w foliannu yn y
côr?
²⁸ Pan fydd dyn farw, derfydd ei foliant
fel petai ef wedi peidio â bod;
y sawl sy'n fyw ac yn iach a glodfora'r
Arglwydd.
²⁹ Mor fawr yw trugaredd yr Arglwydd,
a'i faddeuant i'r rhai sy'n troi ato!
³⁰ Ni all pob peth fod yn bosibl i

ᵒ Yn ôl darlleniad arall, *nerth o'r eiddynt eu hunain.*
ᵖ Yn ôl darlleniad arall ychwanegir: ⁵ *Cafodd dynion arfer pum cynneddf yr Arglwydd: cyfrannodd iddynt hefyd feddwl, yn chweched dawn: ac yn seithfed, reswm, sy'n dehongli'r cyneddfau a roddodd.*
ᵖʰ Yn ôl darlleniad arall ychwanegir: ⁹ *a rhoddodd iddynt ymffrostio am byth yn ei ryfeddodau.*
ʳ Yn ôl darlleniad arall ychwanegir: ¹⁶ *Y mae eu ffyrdd o'u hieuenctid a'u gogwydd i gyfeiriad drygioni; methasant wneud iddynt eu hunain galonnau dynol yn lle eu calonnau carreg.* ¹⁷ *Pan ddosbarthodd y cenhedloedd trwy'r holl fyd,...*
ʳʰ Yn ôl darlleniad arall ychwanegir: ¹⁸ *Ef yw ei gyntafanedig, ac y mae'n ei feithrin ag addysg, yn cyfrannu iddo oleuni ei gariad, heb ei adael byth.*
ˢ Yn ôl darlleniad arall ychwanegir: ²¹ *Y mae'r Arglwydd yn raslawn ac yn gwybod sut y lluniodd hwy, ac nid yw wedi eu gwrthod na'u gadael, ond eu harbed.*

ddynion,
oherwydd nid yw mab dyn yn
anfarwol.
31 A oes dim yn fwy golau na'r haul? Eto
ceir diffyg ar hwnnw;
felly bydd cig a gwaed yn dyfeisio
drwg.
32 Y mae Duw'n goruchwylio llu'r nef
oruchaf,
ond pridd a lludw yw pob dyn.

Mawredd Duw

18 Yr hwn sy'n byw am byth a
greodd bob peth fel ei gilydd;
2 yr Arglwydd yn unig sydd i'w gyfrif yn
gyfiawn.¹
4 Ni roddodd gennad i neb i draethu ei
weithredoedd;
pwy a olrhain ei fawredd ef?
5 Pwy a fesur nerth ei fawrhydi,
a phwy hefyd a all draethu'n llawn ei
drugareddau ef?
6 Ni ellir cymryd dim oddi wrthynt nac
ychwanegu dim atynt,
ac ni ellir olrhain rhyfeddodau'r
Arglwydd.
7 Pan ddaw dyn i ben â'r gwaith, nid yw
ond dechrau,
a phan rydd y gorau iddo, caiff ei hun
mewn penbleth.

Distadledd Dyn

8 Beth yw dyn, ac i beth y mae'n dda?
Beth yw ei lwydd, a beth yw ei
aflwydd?
9 Nid yw hyd einioes dyn
namyn can mlynedd ar y mwyaf.
10 Fel diferyn o ddŵr y môr neu ronyn o
dywod
y mae ei ychydig flynyddoedd yn ymyl
dydd tragwyddoldeb.
11 Dyna pam y mae'r Arglwydd yn
ymarhous wrthynt
ac yn tywallt ei drugaredd arnynt.
12 Gwelodd, a gwybu enbydrwydd eu
hargyfwng;
am hynny maddeuodd yn fwy helaeth
iddynt.
13 Ei gymydog yw gwrthrych tosturi dyn,
ond y mae pob dyn yn wrthrych
trugaredd yr Arglwydd;
y mae'n ceryddu, yn hyfforddi, yn
dysgu,
ac yn eu dwyn yn ôl, fel bugail ei

braidd.
14 Y mae'n trugarhau wrth y rhai sy'n
derbyn disgyblaeth,
ac wrth y rhai sy'n dyfal geisio ei
ddyfarniadau.

Cymwynasgarwch

15 Fy mab, paid â chlymu cerydd wrth dy
gymwynas,
na geiriau cas wrth yr un o'th roddion.
16 Onid yw'r gwlith yn lleddfu'r gwres
tanbaid?
Felly trech gair na rhodd.
17 Yn wir, onid rhagorach yw gair nag
anrheg ddrud?
Ceir y ddau gan ŵr graslon.
18 Edliw'n ddi-ras y mae ynfytyn,
ac y mae rhodd dyn crintachlyd yn
achos dagrau.

Hunanymholiad

19 Dysg cyn llefaru,
a chymer ofal o'th iechyd cyn dod
gwaeledd.
20 Chwilia dy hun cyn dod barn,
a chei faddeuant yn nydd yr ymweliad.
21 Ymddarostwng cyn iti glafychu,
a phan ddaw cyfle i bechu, dangos dy
gefn iddo.
22 Paid â gadael i ddim dy rwystro rhag
cyflawni adduned yn brydlon,
a phaid ag oedi nes y byddi'n marw
cyn cael gollyngdod oddi wrthi.
23 Cyn gwneud adduned paratoa dy hun,
a phaid â bod fel dyn yn gosod yr
Arglwydd ar brawf.
24 Cofia'r digofaint a wynebi yn nyddiau
dy ddiwedd,
yn amser dial Duw, pan dry ymaith ei
wyneb.
25 Yn amser digonedd, cofia amser
newyn,
ac yn nyddiau cyfoeth, cofia amser
tlodi ac angen.
26 Gall dy ragolygon newid rhwng bore a
hwyr;
y mae popeth ar garlam, pan
ewyllysia'r Arglwydd.
27 Bydd gŵr doeth ar ei wyliadwriaeth
bob amser;
mewn dyddiau o bechod bydd yn
ofalus rhag troseddu.
28 Y mae pob dyn deallus yn
ymgydnabod â doethineb,

---

¹ Yn ôl darlleniad arall ychwanegir: ac nid oes neb ond ef, ³ sy'n llywio'r byd â chledr ei law, nes bod popeth
yn ufuddhau i'w ewyllys; ef yw brenin y cyfanfyd, a thrwy ei nerth y mae'n gwahanu rhwng pethau sanctaidd
a phethau halogedig.

a rhydd hi achos diolch i'r sawl a'i
cafodd.
²⁹ Y mae'r rhai sy'n fedrus ar eiriau
hwythau'n ennill doethineb,
ac yn llunio diarhebion cywrain yn llif.

Hunan-ddisgyblaeth

³⁰ Paid â dilyn dy chwantau,
ond ymatal rhag porthi dy flysiau.
³¹ Os rhoddi i ti dy hun bopeth a fyn dy
chwant,
fe'th wna di'n gyff gwawd dy elynion.
³² Paid â gloddesta mewn moethusrwydd
mawr,
rhag iti gael dy dlodi gan ᵗʰ gost y
wledd.
³³ Ymgadw rhag mynd yn dlawd trwy hel
nwyddau gwledd ar goel,
a thithau heb ddim yn dy bwrs.

19 Ni bydd meddwyn o weithiwr yn
casglu cyfoeth,
ac i lawr bob yn dipyn yr â'r dyn sy'n
esgeulus o bethau bach.
² Y mae gwin a mercheta yn arwain
dynion call ar gyfeiliorn,
a chynyddu mewn rhyfyg y bydd yr
hwn sy'n ymlynu wrth buteiniaid.
³ Fe â'n ysglyfaeth i bydredd a phryfed;
darfod amdano a wna'r dyn rhyfygus.

Mân Siarad

⁴ Penwan yw'r dyn parod ei
ymddiriedaeth,
ac er niwed iddo'i hun y mae dyn yn
pechu.
⁵ Collfarn sy'n aros y dyn sy'n ymfalchïo
yn ei feddwl,
⁶ ond llai fydd y niwed i'r sawl sy'n
casáu clebran.
⁷ Paid byth ag ailadrodd gair a glywi,
ac ni fyddi byth ar dy golled.
⁸ Paid ag adrodd hanes na chyfaill na
gelyn,
na datgelu ei gyfrinach, oni fydd tewi
yn bechod ynot.
⁹ Oherwydd os bydd ef wedi dy glywed
a chael achos i'th amau,
bydd yntau yn ei dro yn dy gasáu di.

¹⁰ A glywaist ti glep? Gad iddi farw gyda
thi.
Paid â phoeni, gelli ei chadw heb iti
ffrwydro.
¹¹ Dyn ffôl fydd mewn gwewyr am y glep
a daenir amdano,
fel gwraig wrth esgor ar blentyn.
¹² Fel saeth a lynodd ym morddwyd dyn,
felly y mae clep ym mol dyn ffôl.

¹³ Hola gyfaill; dichon na wnaeth ddim,
ac os gwnaeth, dichon nas gwna eto.
¹⁴ Hola dy gymydog; dichon na
ddywedodd ddim,
ac os dywedodd, dichon nas dywed
eilwaith.
¹⁵ Hola gyfaill; oherwydd yn fynych
enllib a gafodd;
paid â choelio pob clep a glywi.
¹⁶ Gall dyn lithro'n anfwriadol;
pwy sydd na phechodd â'i dafod?
¹⁷ Hola dy gymydog cyn ei fygwth;
rho ei chyfle i gyfraith y Goruchaf. ᵘ

Adnabod Gwir Ddoethineb

²⁰ Ofn yr Arglwydd yw pob doethineb,
a chynnwys pob doethineb yw
cyflawni'r gyfraith. ʷ
²² Nid doethineb yw gwybodaeth o
ddrygioni,
ac nis ceir lle cyfrifir cyngor
pechaduriaid yn synnwyr.
²³ Y mae clyfrwch sydd eto'n ffiaidd,
a cheir dyn ffôl nad yw ond yn brin o
ddoethineb.

²⁴ Gwell yw bod yn brin o ddeall, ac ofni
Duw,
na rhagori mewn synnwyr a
throseddu'r gyfraith.
²⁵ Y mae clyfrwch cywrain sydd eto'n
anghyfiawn;
a cheir dyn sy'n ymwrthod â ffafr er
mwyn amlygu cyfiawnder.
²⁶ Y mae ambell adyn sy'n gwargrymu
mewn dillad galar,
a'i galon yn llawn twyll,
²⁷ gan wyro'i wyneb tua'r llawr a
chymryd arno bod yn fyddar;

ᵗʰ Yn ôl darlleniad arall, *rhag dy ddal yn gyfrifol am.*
ᵘ Yn ôl darlleniad arall ychwanegir: *...heb ddangos dig dy hunan.* ¹⁸ *Ofni'r Arglwydd yw dechrau
cymeradwyaeth, a doethineb sydd yn ennill cariad ganddo ef.* ¹⁹ *Gwybod gorchmynion yr Arglwydd yw
addysg bywyd, a'r rhai sy'n gwneud y pethau hynny sy'n rhyngu ei fodd ef a gaiff fwyta ffrwyth pren
anfarwoldeb.*
ʷ Yn ôl darlleniad arall ychwanegir: *...a gwybod am ei hollalluogrwydd ef.* ²¹ *Y mae'r gwas sy'n dweud wrth
ei feistr, "Ni wnaf yr hyn sy'n dy blesio di", er iddo wedyn wneud hynny, yn ennyn dicter y sawl sy'n ei
fwydo.*

ac onid wyt wedi ei adnabod, fe gaiff y
trechaf arnat.
28 Os diffyg gallu fydd yn rhwystro dyn
rhag pechu,
fe wna ddrwg ar y cyfle cyntaf.
29 Yn ôl yr olwg a geir arno yr
adnabyddir dyn,
ac o'i gyfarfod wyneb yn wyneb yr
adnabyddir dyn call.
30 Dillad dyn, a'i geg agored wrth
chwerthin,
a'i gerddediad, sy'n dweud y cwbl
amdano.

Gwybod Pryd i Siarad

20 Y mae cerydd sydd heb fod yn ei
bryd,
ac y mae dyn tawedog sydd eto'n
ddeallus.
2 Cymaint gwell yw ceryddu na dal dig!
3 A gyffeso'i fai a gedwir rhag niwed.
4 Fel eunuch yn chwenychu treisio
morwyn,
felly y mae dyn a gais wneud
cyfiawnder trwy drais.
5 Y mae dyn tawedog sy'n cael ei brofi'n
ddoeth,
ac y mae dyn a gaseir am ei fod yn
siarad gormod.
6 Y mae un yn dawedog am nad oes
ganddo ateb,
ac un arall yn dawedog am ei fod yn
gwybod pryd i siarad.
7 Y mae dyn doeth yn tewi nes dyfod yr
amser priodol,
ond y mae'r broliwr ynfyd yn siarad
pryd na ddylai.
8 Ffieiddir y dyn sy'n pentyrru gair ar
air,
a chaseir hwnnw sy'n honni mai ef yn
unig biau'r hawl i siarad.

Gwrthddywediadau

9 Gall dyn gael elw o aflwydd,
a gall ennill droi'n golled.
10 Y mae math o roi nad yw'n dwyn elw
iti,
a math arall sy'n talu'n ddauddyblyg.
11 Gellir ymleihau wrth ymfawrhau,
ond ceir hefyd ddynion a gododd yn
uchel o ddinodedd.
12 Gall dyn brynu llawer am bris bychan,
a gorfod talu seithwaith amdanynt.
13 Bydd dyn doeth trwy ei eiriau yn ei
wneud ei hun yn ffefryn,
ond yn ofer y tywelltir gweniaith
dynion ffôl.

14 Nid yw rhodd dyn dwl o unrhyw werth
iti,
oherwydd y mae ganddo fwy nag un
peth mewn golwg.
15 Ychydig y mae'n ei roi, ond yn edliw
llawer,
ac yn agor ei geg fel cyhoeddwr;
rhoi benthyg heddiw, a gofyn
amdano'n ôl yfory;
cas gan bawb yw dyn o'r fath.
16 Dywed y ffŵl, "Nid oes gennyf gyfaill,
ac nid oes diolch am fy
nghymwynasau."
17 Y rhai sy'n bwyta'i fara, drygair sydd
ganddynt iddo;
chwerthin am ei ben y bydd pawb, a
hynny'n aml.

Siarad Anghyfaddas

18 Gwell llithro ar balmant na llithro â'r
tafod;
fodd bynnag, buan y daw cwymp y
drygionus.
19 Y mae dyn di-chwaeth fel chwedl
anamserol
sydd beunydd ar enau'r diaddysg.
20 Os daw dameg o enau ffŵl fe'i
gwrthodir,
oherwydd nid yw byth yn ei hadrodd
yn ei hiawn bryd.
21 Cedwir ambell un rhag pechu gan
dlodi,
a chaiff orffwys â chydwybod dawel.
22 Y mae ambell un yn ei ddifetha'i hun
â'i swildod,
neu â'r olwg ynfyd a geir arno.
23 Y mae ambell un rhag cywilydd yn
rhoi addewid i gyfaill
ac yn ei droi'n elyn yn ddiachos.

Celwydd

24 Bai drwg mewn dyn yw celwydd:
y mae beunydd ar enau'r diaddysg.
25 Dewisach lleidr na dyn sy'n palu
celwyddau,
ond distryw fydd rhan y ddau.
26 Dygir anfri ar gymeriad dyn
celwyddog,
a bydd ei gywilydd beunydd gydag ef.

Ymarfer Doethineb

27 Bydd dyn doeth trwy ei eiriau yn ei
ddyrchafu ei hun,
a'r dyn o synnwyr yn rhyngu bodd
gwŷr mawr.
28 Bydd y dyn sy'n trin ei dir yn codi tas
uchel,

a'r dyn sy'n rhyngu bodd gwŷr mawr
yn cael puredigaeth i'w gamwedd.
²⁹ Y mae lletygarwch ac anrhegion yn
dallu llygaid y doeth,
ac fel rhwymyn ar safn yn atal cerydd.
³⁰ Doethineb guddiedig a thrysor
anweledig,
pa fudd a geir o'r un o'r ddau?
³¹ Gwell dyn sy'n cuddio'i ffolineb
na dyn sy'n cuddio'i ddoethineb. ʸ

Pechod

21 A bechaist, fy mab? Paid â
phechu rhagor,
ond deisyf faddeuant am dy bechodau
blaenorol.
² Ffo oddi wrth bechod fel o olwg sarff,
oherwydd os ei'n agos ato, fe'th
fratha.
Y mae ei ddannedd fel dannedd llew,
a gallant ddifa bywyd dyn.
³ Y mae pob tor-cyfraith fel cleddyf
daufiniog;
nid oes iachâd o'i archoll.
⁴ Bydd dychryn a rhyfyg yn anrheithio
cyfoeth;
felly yr anrheithir tŷ'r dyn balch.
⁵ Daw deisyfiad o enau'r tlawd i glustiau
Duw,
a daw ei ddyfarniad ef yn ôl yn
ddi-oed.
⁶ Y mae dyn sy'n casáu cerydd yn dilyn
camre pechadur,
ond y mac'r hwn sy'n ofni'r Arglwydd
yn edifarhau o'i galon.
⁷ Adwaenir o bell y dyn rhugl ei dafod,
ond y mae'r dyn call yn gwybod pan
yw'n llithro.
⁸ Y mae'r dyn sy'n adeiladu ei dŷ ag
arian pobl eraill
fel un yn casglu iddo'i hun gerrig at y
gaeafᵃ.
⁹ Pentwr o danwydd yw cynulliad y
digyfraith,
a fflamau tân fydd eu diwedd hwy.
¹⁰ Y mae ffordd pechaduriaid wedi ei
phalmantu â cherrig,
ond ei therfyn yw pydew Trigfan y
Meirw.

Doethineb a Ffolineb

¹¹ Y mae'r hwn sy'n cadw'r gyfraith yn
feistr ar ei feddyliau ei hun,
a chyflawni ofn yr Arglwydd y mae
doethineb.

¹² Dyn heb glyfrwch, ni ellir ei hyfforddi,
ond y mae clyfrwch sy'n lledu
chwerwedd.
¹³ Y mae gwybodaeth dyn doeth yn
ymledu fel llif-ddyfroedd,
a'i gyngor fel dŵr bywiol y ffynnon.
¹⁴ Y mae meddwl dyn ffôl fel llestr a
ddarniwyd
fel na all ddal unrhyw wybodaeth.
¹⁵ Os clyw dyn deallus air doeth,
bydd yn ei ganmol, ac yn ychwanegu
ato;
ond pan glyw dyn glwth ef, nid yw'n
ddiddanwch iddo
ac fe'i teifl y tu ôl i'w gefn.
¹⁶ Y mae ymadrodd dyn ffôl fel baich ar
gefn teithiwr,
ond ar wefusau dyn deallus ceir
hyfrydwch.
¹⁷ Mewn cynulliad ceisir gair gan ddyn
call,
a dwys ystyrir yr hyn a ddywed.

¹⁸ I'r ffŵl y mae doethineb fel tŷ a
ddiflannodd,
a geiriau diystyr yw gwybodaeth y
diddeall.
¹⁹ I lyffetheiriau am ei draed yw addysg
i'r anwybodus;
y mae fel gefynnau ar ei law dde.
²⁰ Y mae ffŵl yn chwerthin ar uchaf ei
lais,
ond lled-wenu'n dawel y mae gŵr call.
²¹ Y mae addysg i'r deallus fel tlws aur
ac fel breichled ar ei fraich dde.
²² Y mae ffŵl yn brasgamu i dŷ,
ond oedi'n wylaidd o'i flaen y mae gŵr
profiadol.
²³ Y mae ynfytyn yn sbïo i mewn i dŷ o
drothwy'r drws,
ond sefyll oddi allan y bydd gŵr a
gafodd ei hyfforddi.
²⁴ Diffyg addysg mewn dyn yw gwrando
wrth ddrws,
a gwarth annioddefol fyddai i ddyn
deallus.
²⁵ Gwefusau pobl eraill fydd yn traethu'r
pethau hyn,
ond bydd geiriau dynion deallus yn
cael eu pwyso mewn clorian.
²⁶ Y mae ffyliaid yn siarad yn lle
meddwl,
ond y mae meddwl y doeth yn eu
siarad.
²⁷ Pan fydd dyn annuwiol yn melltithio'r

ʸ Yn ôl darlleniad arall ychwanegir: ³² *Gwell ceisio'r Arglwydd â dyfalbarhad cyson na cheisio gyrru cerbyd
eich bywyd heb feistr wrth y llyw.*   ᵃ Yn ôl darlleniad arall, *at ei feddrod.*

gwrthwynebwr[b],
y mae'n ei felltithio'i hunan.
[28] Y mae clepgi'n pardduo'i gymeriad ei
hun,
ac fe'i caseir yn ei gymdogaeth.

Diogi a Ffolineb

22 Y mae dyn diog yn debyg i garreg
a faeddwyd,
a bydd pawb yn ei hisian ymaith yn ei
warth.
[2] Y mae dyn diog yn debyg i domen
dail,
a bydd pawb sy'n ei godi yn ei ysgwyd
oddi ar ei law.
[3] Cywilydd i'r tad a'i cenhedlodd yw
mab heb ei hyfforddi,
a cholled yw geni merch iddo.
[4] Bydd merch gall yn cael gŵr yn
etifeddiaeth iddi,
ond gofid i'r tad a'i cenhedlodd yw
merch sy'n ei waradwyddo.
[5] Y mae merch ryfygus yn
gwaradwyddo'i thad a'i gŵr,
a chaiff ei dirmygu gan y naill a'r llall.
[6] Y mae ymddiddan anamserol fel cerdd
ar adeg galar,
ond y mae ffrewyll bob amser yn
ddisgyblaeth ddoeth. [c]
[7] Y mae dysgu ffŵl fel gludio darnau o
lestr ynghyd,
neu fel deffro cysgadur o'i drymgwsg.
[8] Y mae ymresymu â ffŵl fel ymresymu
â dyn cysglyd;
wedi iti orffen y mae'n gofyn, "Beth
sy'n bod?" [ch]
[11] Wyla dros ddyn marw, oherwydd
diffodd ei dân,
ac wyla dros ddyn ffôl, oherwydd
diffodd ei synnwyr.
Wyla'n llawen dros ddyn marw,
oherwydd cafodd ef orffwys,
ond gwaeth nag angau yw bywyd y dyn
ffôl.
[12] Saith diwrnod o alar sydd i'r marw,
ond i'r ffŵl annuwiol, holl ddyddiau ei
oes.
[13] Paid ag amlhau geiriau gydag ynfytyn
nac ymweld â dyn diddeall.
Gwylia rhagddo, rhag iti gael
trafferth,
a chael dy halogi, yn wir, pan fydd yn
ysgwyd y baw oddi arno.

Tro dy gefn arno, ac fe gei lonydd,
a dianc rhag blinder ei orffwylltra ef.
[14] Beth sy'n drymach na phlwm?
Pa enw sydd arno ond Ffŵl?
[15] Tywod, halen a thalp o haearn,
maent i gyd yn llai o faich na dyn
diddeall.
[16] Os bydd y trawsbren wedi ei osod yn
ddiogel mewn adeilad,
ni symudir ef o'i le gan ddaeargryn.
Felly'r meddwl, pan fydd yn sefyll yn
gadarn ar gyngor doeth,
ni therfir mohono mewn argyfwng.
[17] Y mae'r meddwl a gadarnhawyd gan
syniadau deallus
fel pared llyfn wedi ei blastro'n gain.
[18] Ffens wedi ei gosod ar dir uchel,
ni saif yn hir yn nannedd y gwynt.
Felly'r meddwl a wnaed yn ofnus gan
ddychmygion ffôl,
ni saif yn hir yn wyneb yr un dychryn a
ddaw.

Cyfeillgarwch

[19] Y mae pigo'r llygad yn tynnu dagrau
ohono,
ac y mae pigo'r meddwl yn amlygu ei
hydeimledd.
[20] Y mae taflu carreg at adar yn tarfu
arnynt,
ac y mae edliw i gyfaill yn difa'r
cyfeillgarwch.
[21] Os tynnaist gleddyf ar gyfaill,
paid ag anobeithio; y mae modd adfer
y cyfeillgarwch.
[22] Os ymosodaist ar gyfaill â'th dafod,
paid â phoeni; y mae cymod yn bosibl.
Ond edliw a balchder a bradychu
cyfrinach a chernod dwyllodrus—
o brofi'r rhain ffoi a wna pob cyfaill.
[23] Ennill ymddiriedaeth dy gymydog yn
ei dlodi,
fel y cei gydgyfranogi ag ef yn ei
lwyddiant;
glŷn wrtho yn amser ei gyfyngder,
fel y cei ran gydag ef yn ei
etifeddiaeth.
[24] Ceir tawch a mwg o'r ffwrnais cyn bod
fflam,
a'r un modd ddifenwi cyn tywallt
gwaed.
[25] Ni bydd arnaf gywilydd cysgodi cyfaill;
nid ymguddiaf rhag iddo fy ngweld.

---

[b] Neu, *yn melltithio Satan.*
[c] Yn ôl darlleniad arall, *ond y mae doethineb bob amser yn ffrewyll a disgyblaeth.*
[ch] Yn ôl darlleniad arall ychwanegir: [9] *Y mae plant sy'n cael eu magu'n dda eu byd yn cuddio dinodedd tras eu rhieni.* [10] *Y mae plant haerllug, dirmygus a direol yn difwyno bonedd tras eu teulu.*

²⁶Os digwydd niwed i mi o'i achos ef,
bydd pawb a glyw ar eu
gwyliadwriaeth rhagddo.

Gwyliadwriaeth

²⁷Pwy a rydd wyliadwriaeth ar fy ngenau
a sêl pwyll ar fy ngwefusau,
i'm cadw rhag syrthio o'u hachos,
a chael fy ninistrio gan fy nhafod?

23 O Arglwydd, fy Nhad a Meistr fy
mywyd,
paid â'm gadael ar drugaredd eu
cyngor hwy,
na pheri imi gwympo o'u hachos.
²Pwy a rydd ei ffrewyll ar fy meddyliau,
a disgyblaeth doethineb ar fy neall,
fel na bydd arbed ar fy nghamsyniadau
nac esgusodi ar fy mhechodau?
³Ni fynnwn i'm camsyniadau fynd ar
gynnydd
nac i'm pechodau amlhau,
nac i minnau syrthio o flaen fy
ngwrthwynebwyr,
nac i'm gelynion grechwen am fy
mhen.
⁴O Arglwydd, fy Nhad a Duw fy
mywyd,
paid â'm gwneud yn drahaus fy
edrychiad,
⁵ac ymlid oddi wrthyf bob trachwant.
⁶Na foed i lythineb na blys gael gafael
ynof,
a phaid â'm traddodi i reolaeth nwyd
digywilydd.

Llwon

⁷Gwrandewch, feibion, sut i
ddisgyblu'r genau;
ni rwydir neb sydd ar ei
wyliadwriaeth.
⁸Wrth ei wefusau y delir pechadur,
a thrwyddynt hefyd y daw cwymp i'r
difenwr a'r balch.
⁹Paid ag arfer dy enau i dyngu llw,
a phaid â chynefino â dweud enw'r Un
sanctaidd.
¹⁰Oherwydd fel na fydd gwas a
fflangellir yn barhaus
yn brin o gleisiau,
felly ni chaiff y sawl sy'n tyngu o hyd
yn enw Duw
ei lanhau oddi wrth bechod.
¹¹Dyn aml ei lwon, dyn llawn o
anghyfraith;
ni bydd y fflangell ymhell o'i dŷ ef.
Os trosedda, caiff ddwyn baich ei
bechod;

os bydd yn esgeulus, bydd wedi
pechu'n ddauddyblyg;
os tyngodd yn ofer, ni bydd
cyfiawnhad iddo,
oherwydd llenwir ei dŷ â thrallodion.

Siarad Anllad

¹²Y mae math o siarad sy'n cyfateb i
farwolaeth.
Na foed lle iddo ymhlith etifeddion
Jacob!
Pell fydd hyn oll oddi wrth y rhai
duwiol;
nid ymdrybaeddu mewn pechodau a
wnânt hwy.
¹³Paid â chynefino dy enau â siarad
anllad ac amrwd,
oherwydd pechu â geiriau y byddi
felly.
¹⁴Cofia dy dad a'th fam
pan fyddi'n eistedd ym mysg gwŷr
mawr,
rhag iti dy anghofio dy hun yn eu
gŵydd
ac ymroi i arferion ffôl.
Byddai'n dda gennyt wedyn pe bait
heb dy eni,
a melltithio dydd dy eni y byddi.
¹⁵Dyn sy'n gynefin â geiriau ceryddgar,
ni cheir disgyblaeth arno holl
ddyddiau ei fywyd.

Godineb

¹⁶Y mae dau fath o ddyn sy'n amlhau
pechodau,
a thrydydd math a ddwg ddigofaint
arno ef ei hun.
¹⁷Y mae nwyd gwresog yn llosgi fel tân
nas diffoddir nes ei ddifa'n llwyr.
Dyn godinebus, yng nghnawdolrwydd
ei gorff,
nid yw'n ymatal nes i'r tân losgi'n
llwyr.
I ddyn godinebus melys yw pob bara,
ac nid yw'n blino arno nes iddo farw.
¹⁸Y mae'r dyn sy'n sleifio o'i wely ei hun
yn dweud wrtho'i hun, "Pwy sy'n fy
ngweld?
Y mae'n dywyll o'm hamgylch, a'r
muriau'n fy nghuddio,
ac ni all neb fy ngweld. Beth sydd
gennyf i'w ofni?
Ni sylwa'r Goruchaf ar fy
mhechodau."
¹⁹Llygaid dynion y mae'n eu hofni;
nid yw'n sylweddoli bod llygaid yr
Arglwydd

yn ddengmil disgleiriach na'r haul,
a'u bod yn canfod holl ffyrdd dynion
ac yn treiddio i'w mannau dirgel.
20 Yr oedd y cyfanfyd yn hysbys iddo er
cyn ei greu,
fel y mae hefyd ar ôl ei gwblhau.
21 Bydd y dyn hwn yn dwyn ei gosb yn
heolydd y ddinas,
a chaiff ei ddal mewn man na
ddisgwyliodd erioed.

22 Felly y bydd hefyd i'r wraig a adawodd
ei gŵr
ac a ddug etifedd o had dyn arall.
23 Oherwydd, yn gyntaf, bu'n anufudd i
gyfraith y Goruchaf;
yn ail, troseddodd yn erbyn ei gŵr;
yn drydydd, godinebodd fel putain,
gan ddwyn plant o had dyn arall.
24 Dygir y wraig hon allan gerbron y
cynulliad,
a bydd ymchwiliad ynglŷn â'i phlant
hi.
25 Nid ymleda gwreiddiau ei phlant,
ac ni ddwg ei changhennau ffrwyth.
26 Melltith fydd y goffadwriaeth y bydd
hi'n ei gadael,
ac ni ddileir ei gwaradwydd;
27 bydd y rhai a adewir ar ei hôl yn dysgu
nad oes dim rhagorach nag ofn yr
Arglwydd,
na dim melysach na chadw
gorchmynion yr Arglwydd. d

Molawd i Ddoethineb

24 Dyma fydd molawd doethineb
iddi ei hunan,
a'i hymffrost ymhlith ei phobl;
2 dyma eiriau ei genau yng
nghynulleidfa'r Goruchaf,
a'i hymffrost yng ngŵydd ei lu nefol:
3 "Myfi yw'r gair o enau'r Goruchaf,
a gorchuddiais y ddaear fel niwl.
4 Myfi a osodais fy mhabell yn yr
uchelderau,
ac y mae fy ngorsedd mewn colofn o
gwmwl.
5 Amgylchais gylch y nefoedd fy hunan,
a thramwyais y dyfnderau diwaelod.
6 Ar donnau'r môr ac ar yr holl ddaear,
ac ar bob pobl a chenedl, enillais
feddiant dd.

7 Ymhlith y rhain i gyd ceisiais
orffwysfa;
yn nhiriogaeth prun ohonynt y
gwnawn fy nhrigfan?
8 Yna rhoes Creawdwr y cyfanfyd
orchymyn imi;
gosododd fy Nghrëwr fy mhabell yn
ei lle.
'Gosod,' meddai, 'dy babell yn Jacob,
a myn dy etifeddiaeth yn Israel.'
9 O'r dechreuad, cyn bod y byd, y
creodd fi,
a hyd y diwedd ni bydd darfod arnaf
ddim.
10 Yn y tabernacl sanctaidd bûm yn
gweini ger ei fron,
ac felly fe'm sefydlwyd yn Seion.
11 Dyma sut y gwnaeth imi orffwys yn y
ddinas sy'n annwyl ganddo,
ac y daeth imi awdurdod yn
Jerwsalem.
12 Bwriais fy ngwreiddiau ymhlith pobl
freintiedig,
pobl sy'n gyfran yr Arglwydd ac yn
etifeddiaeth iddo.
13 Tyfais fel cedrwydden yn Libanus
ac fel cypreswydden ar lethrau
Hermon;
14 tyfais fel palmwydden yn Engedi,
ac fel prennau rhosod yn Jericho;
fel olewydden hardd ar wastatir
y tyfais, neu fel planwydden.
15 Fel sinamon ac aspalathus rhoddais
sawr perlysiau,
ac fel myrr dethol taenais fy
mherarogl,
fel galbanum ac onyx a stacte,
ac fel arogldarth thus yn y tabernacl.
16 Estynnais i fy nghanghennau fel
terebinth;
canghennau llwythog o ogoniant a
gras oedd fy rhai i.
17 Blagurais yn haelwych fel y
winwydden;
a daeth llawnder o ffrwyth
gogoneddus o'm blodau. e
19 Dewch ataf fi, chwi sy'n blysio
amdanaf,
a bwytewch eich gwala o'm ffrwythau.
20 Cofio amdanaf sy'n well na melyster
mêl,
a'm hetifeddu'n well na dil mêl.

---

d Yn ôl darlleniad arall ychwanegir: 28 Anrhydedd mawr yw canlyn Duw; hir ddyddiau fydd i'r sawl
dderbynnir ganddo.   dd Yn ôl darlleniad arall, bûm yn llywodraethu.
e Yn ôl darlleniad arall ychwanegir: 18 Myfi yw mam cariad rhinweddol, parchedig ofn, gwybodaeth
gobaith sanctaidd; gan fy mod yn dragywydd, felly, fe'm rhoddir i'm holl blant sydd wedi eu henwi gandd
ef.

21 Y rhai a ymborthant arnaf, newynu
am fwy y byddant,
a'r rhai a yfant ohonof, sychedu am
fwy y byddant.
22 Ni bydd cywilydd ar neb a fydd yn
ufudd i mi,
ac ni phecha neb a fydd yn gweithio
dan fy nghyfarwyddyd."

Doethineb a'r Gyfraith

23 Llyfr cyfamod y Duw Goruchaf yw
hyn oll,
y gyfraith a orchmynnodd Moses i ni,
i fod yn etifeddiaeth i gynulleidfaoedd
Jacob. f
25 Y mae'n peri i ddoethineb orlifo fel
Afon Phison,
ac fel Afon Tigris yn nyddiau'r
blaenffrwyth;
26 y mae'n chwyddo dealltwriaeth yn
llifeiriant fel Afon Ewffrates,
ac fel yr Iorddonen yn nyddiau'r
cynhaeaf;
27 y mae'n peri i addysg ddisgleirio fel
goleuni,
ac fel Gihon yn nyddiau'r cynhaeaf
gwin.
28 Ni lwyddodd y dyn cyntaf i'w llwyr
amgyffred,
na'r dyn olaf chwaith i'w holrhain hi.
29 Llawnach na'r môr yw ei meddyliau
hi,
a'i chyngor na'r dyfnfor diwaelod.

30 Minnau, fel camlas yn llifo o afon
y deuthum allan, fel ffrwd yn rhedeg i
ardd.
31 "Dyfrhaf fy ngardd," meddwn,
"a diodaf ei gwelyau hi."
A dyna'r gamlas yn troi'n afon imi,
a'm hafon yn troi'n fôr.
32 Paraf eto i addysg oleuo fel y wawr,
ac i'w goleuni ddisgleirio ymhell.
33 Tywalltaf eto athrawiaeth fel
proffwydoliaeth,
a'i gadael ar fy ôl i genedlaethau'r
dyfodol.
34 Gwelwch nad trosof fy hunan yn unig
y llafuriais,
ond dros bawb sy'n ceisio doethineb.

Pethau Gwynfydedig

25 Mewn tri pheth yr ymhyfrydaf,
pethau sy'n brydferth ff
yng ngolwg yr Arglwydd a dynion:
cytundeb rhwng brodyr, cyfeillgarwch
rhwng cymdogion,
a gŵr a gwraig yn cyd-dynnu â'i
gilydd.
2 Y mae tri math o ddyn sy'n gas
gennyf,
a'u buchedd yn ffiaidd iawn yn fy
ngolwg:
y tlawd bostfawr, y cyfoethog
celwyddog,
a'r henwr godinebus prin o synnwyr.

3 Oni chesglaist ddim yn dy ieuenctid,
sut y cei afael ar ddim yn dy henaint?
4 Mor hardd yw barn mewn rhai
penwyn,
a chyngor a phwyll mewn hynafgwyr!
5 Mor hardd yw doethineb yr
oedrannus,
a deall a chyngor mewn rhai uchel eu
parch!
6 Profiad helaeth yw coron yr
oedrannus,
ac ofn yr Arglwydd yw eu hymffrost.

7 Y mae naw peth sy'n wynfydedig yn fy
meddwl,
a'r degfed yr wyf am ei draethu ar
lafar:
dyn yn cael llawenydd yn ei blant;
dyn yn byw i weld cwymp ei elynion;
8 gwyn ei fyd y gŵr a chanddo wraig
ddeallus yn ei gartref g;
a'r dyn na lithrodd â'i dafod;
a'r dyn na fu'n was i feistr annheilwng
ohono;
9 gwyn ei fyd y dyn a gafodd hyd i
ddealltwriaeth;
a'r dyn sy'n traethu yng nghlyw rhai
sy'n gwrando arno.
10 Mor fawr yw'r dyn a ddaeth o hyd i
ddoethineb!
Ond nid oes neb mwy na'r dyn sy'n
ofni'r Arglwydd.
11 Y mae ofn yr Arglwydd yn rhagori ar
bopeth;

Yn ôl darlleniad arall ychwanegir: 24 Peidiwch â diffygio yn yr Arglwydd; glynwch wrtho, er mwyn iddo eich
nerthu. Yr Arglwydd Hollalluog yw'r unig Dduw, ac nid oes waredwr arall ond ef.
Felly rhai Fersiynau. Groeg, Mewn tri pheth fe'm prydferthwyd, a chodais yn brydferth.
Y mae'r Hebraeg a rhai Fersiynau yn ychwanegu: ac nad yw'n troi'n tir ag ych ac asyn ynghyd. Cymh.
Deut. 22:10.

pwy sydd i'w gymharu â'r sawl sydd â'i
afael arno?[ng]

Gwragedd

[13] Unrhyw glwyf ond clwyf i'r galon!
Unrhyw falais ond malais gwraig!
[14] Unrhyw aflwydd ond aflwydd o du
caseion!
Unrhyw ddial ond dial gelynion!
[15] Nid oes gwenwyn gwaeth na
gwenwyn[h] sarff,
na llid gwaeth na llid gelyn.
[16] Dewisach gennyf gartrefu gyda llew
neu ddraig
na chartrefu gyda gwraig faleisus.
[17] Y mae malais gwraig yn newid ei
gwedd,
a duo'i hwyneb fel wyneb arth.
[18] Gyda'i gymdogion y bydd ei gŵr yn
cymryd ei brydau,
ac yn methu peidio ag ochneidio'n
ddwys.
[19] Bach yw pob drygioni yn ymyl
drygioni gwraig;
syrthied iddi gyfran pechadur!
[20] Fel dringo twyn tywod i draed
hynafgwr
yw byw gyda gwraig dafotrydd i ŵr
tawel.
[21] Paid â syrthio'n ysglyfaeth i
brydferthwch gwraig,
na rhoi dy fryd ar feddiannu gwraig.
[22] Dicter, hyfdra ac amarch mawr
fydd rhan gŵr os ei wraig sy'n ei
gynnal.
[23] Iselder ysbryd, gwedd wynepdrist,
a chalon glwyfus a rydd gwraig
faleisus;
dwylo llesg a gliniau gwan
fydd i'r gŵr nad yw ei wraig yn achos
gwynfyd iddo.
[24] O wraig y tarddodd pechod,
ac o'i hachos hi yr ydym oll yn marw.
[25] Paid â rhoi cyfle i ddŵr ollwng,
na chyfle i wraig faleisus siarad yn
ddiatal.
[26] Os na chymer ei harwain gennyt,
tor bob cyfathrach â hi.

26 Gwraig dda yw gwynfyd ei gŵr,
yn dyblu nifer ei ddyddiau.
[2] Gwraig lew yw llawenydd ei gŵr,
yn llenwi ei flynyddoedd â heddwch.

[3] Gwraig dda, y mae'n gyfran dda,
y gyfran a roddir i'r rhai sy'n ofni'r
Arglwydd;
[4] yn gyfoethog neu'n dlawd, bydd eu
calon yn llon
a'u hwyneb bob amser yn siriol.

[5] Rhag tri pheth y brawychodd fy
nghalon,
ac y mae pedwerydd yr wyf yn dychryn
rhag ei wedd[i]:
enllib dinas, cynulliad torf,
a gaudystiolaeth—pethau blin, gwaeth
nag angau, bob un.
[6] Gofid calon a thrallod yw cenfigen
gwraig wrth wraig arall,
a llach ei thafod ar bawb yn ddiwahân.
[7] Y mae gwraig faleisus fel iau
anesmwyth,
a dal gafael ynddi fel cydio mewn
ysgorpion.
[8] Peri dicter mawr y mae gwraig feddw;
ni all guddio'i gwarth ei hun.
[9] Y mae puteindra gwraig i'w weld yn
ehondra'i llygaid,
ac i'w ganfod yn ei hamrannau.
[10] Cadw wyliadwriaeth gyson ar ferch
anhydrin,
rhag iddi fanteisio ar dy ddiofalwch er
ei niwed ei hun.
[11] Gwylia am ei hedrychiad digywilydd,
a phaid â rhyfeddu os tramgwydda yn
dy erbyn.
[12] Bydd yn agor ei cheg fel teithiwr
sychedig,
ac yn yfed o bob rhyw ddŵr sydd wrth
law;
bydd yn eistedd gyferbyn â phob rhyw
fachyn,
ac yn agor ei chawell i bob rhyw saeth.
[13] Y mae swyn gwraig yn llonni ei gŵr,
a'i medr yn rhoi cnawd ar ei esgyrn.
[14] Rhodd gan yr Arglwydd yw gwraig
ddistaw,
a'i henaid disgybledig yn amhrisiadwy.
[15] Swyn ar ben swyn yw gwraig wylaidd,
a'i henaid diwair yn ddifesur ei werth.
[16] Fel haul yn codi yn uchelderau'r
Arglwydd,
y mae prydferthwch gwraig dda yn
harddu ei thŷ;
[17] fel lamp yn llewyrchu ar ganhwyllbren
sanctaidd,

[ng] Yn ôl darlleniad arall ychwanegir: [12] *Y mae ofn yr Arglwydd yn ddechrau cariad tuag ato, ac y mae ffydd*
yn ddechrau ymlyniad wrtho.
[h] Tebygol, seiliedig ar un Fersiwn. Groeg, *Nid oes pen uwch na phen.*
[i] Yn ôl darlleniad arall, *y gweddïais yn ei gylch.*

y mae prydferthwch ei hwyneb ar gorff aeddfed.

[18] Fel colofnau aur ar waelod arian,
felly mae traed lluniaidd a'u sodlau[1] cadarn.[II]

Pethau Trist

[28] Dau beth sy'n peri loes i'm calon,
a thrydydd peth yn codi fy ngwrychyn:
milwr mewn angen o achos tlodi;
gwŷr deallus yn cael eu trin fel baw;
a dyn yn cefnu ar gyfiawnder i ddilyn
pechod—
fe ddarpara'r Arglwydd i hwn gleddyf
i'w ladd.

[29] Go brin y gall masnachwr osgoi gwneud cam,
ac ni cheir siopwr yn ddieuog o bechod.

27 Pechodd llawer er mwyn elw[m];
y mae'r sawl a fyn ymgyfoethogi
yn barod i gau ei lygad.
[2] Fel hoelen wedi ei hoelio rhwng cydiad meini,
y mae pechod yn ymwthio rhwng prynu a gwerthu.
[3] Oni lŷn dyn yn frwd wrth ofn yr Arglwydd,
buan y dymchwelir ei dŷ.

Geiriau Dyn yn Brawf Arno

[4] Wedi ysgwyd y gogr, erys y gwehilion;
felly y daw gwaethaf dyn i'r wyneb
wrth iddo ddadlau.
[5] Y mae'r ffwrn yn profi llestri'r crochenydd,
a cheir prawf ar ddyn wrth iddo ymresymu.
[6] Fel y mae ffrwyth pren yn dangos y driniaeth a gafodd,
felly y mae mynegiant dyn o'i feddyliau yn dangos ei ddiwylliant.
[7] Paid â chanmol dyn cyn ei glywed yn

dadlau,
oherwydd dyna'r prawf ar ddynion.
[8] O geisio cyfiawnder, fe'i cei,
a'i wisgo fel gŵn ysblennydd.
[9] Bydd adar yn nythu gyda'u tebyg,
a bydd gwirionedd yn clwydo gyda'r rhai sy'n ei weithredu.
[10] Fel y mae llew'n gwylio'i ysglyfaeth i'w ddal,
felly y mae pechod yn gwylio drwgweithredwyr.
[11] Traethu doethineb y bydd dyn duwiol bob amser,
ond y mae'r ynfytyn mor gyfnewidiol â'r lleuad.
[12] Gwylia dy gyfle i ddianc o gwmni'r diddeall,
ond oeda'n hir yng nghwmni'r meddylgar.
[13] Ffiaidd yw ymadroddion ffyliaid,
a'u chwerthin yn faswedd pechadurus.
[14] Y mae siarad dyn aml ei lwon yn codi gwallt y pen,
a chweryla rhai felly'n cau clustiau.
[15] Y mae cweryla'r beilchion yn peri tywallt gwaed,
a'u difenwi ei gilydd yn merwino'r glust.

Bradychu Cyfrinach

[16] Y mae bradychwr cyfrinach wedi diddymu pob ymddiriedaeth ynddo,
ac ni chaiff gyfaill mynwesol byth mwy.
[17] Câr dy gyfaill a bydd yn ffyddlon iddo,
ond os bradychi ei gyfrinach, paid â'i ganlyn mwy.
[18] Oherwydd fel y dinistriodd dyn ei elyn[n],
felly y dinistriaist ti gyfeillgarwch dy gymydog;
[19] ac fel y gollyngaist aderyn o'th law,
felly y gadewaist i'th gymydog fynd, ac ni chei afael arno eto.

---

[1] Yn ôl darlleniad arall, *bronnau.*

[II] Yn ôl darlleniad arall ychwanegir: [19] *Fy mab, cadw dy iechyd ym more dy oes, a phaid â gwastraffu dy gryfder ar ddieithriaid.* [20] *Chwilia'r gwastatir i gyd am faes ffrwythlon, a hau dy had dy hun gan ymddiried yn dy dras.* [21] *Felly bydd dy blant, a adewi ar dy ôl, yn llwyddo, yn llawn hyder yn eu tras.* [22] *Gwraig y gellir ei llogi, nis cyfrifir yn werth poeri arni, ac os yw'n briod, fe'i cyfrifir yn gladdfa i'r rhai a gais ymhel â hi.* [23] *Gwraig annuwiol a roddir yn rhan i ŵr digyfraith, a gwraig dduwiol i'r sawl sy'n ofni'r Arglwydd.* [24] *Y mae gwraig anweddus yn ddi-hid o'i gwarth, ond y mae merch weddus yn ymddwyn yn wylaidd hyd yn oed gerbron ei gŵr.* [25] *Ni chaiff gwraig anhydrin fwy o barch na gast, ond y mae'r hon sy'n ymgywilyddio yn ofni'r Arglwydd.* [26] *Y mae'r wraig sy'n parchu ei gŵr yn ddoeth yng ngolwg pawb, ond os yw'n ei amharchu, fe'i hadwaenir gan bawb fel un falch ac annuwiol. Gwraig dda yw gwynfyd ei gŵr, oherwydd dyblir nifer ei flynyddoedd.* [27] *Y mae gwraig groch dafotrydd fel utgorn sy'n gyrru gelynion ar ffo, a berw brwydr fydd bywyd pob gŵr sy'n byw yn y fath awyrgylch.*

[II] Yn ôl darlleniad arall,   *er mwyn peth pitw.*

[n] Yn ôl darlleniad arall, *ei gelain.*

²⁰ Paid â'i ganlyn, oherwydd ciliodd
ymhell oddi wrthyt,
dihangodd fel ewig o rwyd.

²¹ Oherwydd gellir rhwymo archoll,
a chymodi ar ôl difenwi,
ond nid oes gan fradychwr cyfrinach
ddim i obeithio amdano.

Rhagrith

²² Y mae dyn sy'n wincio yn dyfeisio
drwg,
ac nid oes neb a'i ceidw oddi wrtho.

²³ Geiriau melys a draetha i'th wyneb,
a bydd yn dotio at dy eiriau dithau,
ond wedyn bydd yn newid ei dôn
ac yn dy faglu â'th eiriau dy hun.

²⁴ 'Rwy'n casáu llawer o bethau, ond
hyn yn fwy na dim,
a chas fydd hefyd gan yr Arglwydd.

²⁵ A daflo garreg i'r awyr, fe'i teifl ar ei
ben ef ei hun,
ac y mae ergyd fradwrus yn clwyfo'r
ergydiwr hefyd.

²⁶ A gloddio ffos, fe syrth iddi;
a osodo fagl, fe'i delir ynddi.

²⁷ A wnelo ddrwg, arno ef ei hun y treigl
yn ôl,
ac yntau heb sylweddoli o ble y daeth.

²⁸ Gwatwar a sarhad yw nodau'r dyn
balch,
ond bydd dial fel llew yn ei wylio, i'w
ddal.

²⁹ Eu dal mewn magl a gaiff y rhai sy'n
llawenhau yng nghwymp y
duwiol,
a'u hysu gan ing cyn eu marw.

Dal Dig

³⁰ Llid a dicter, ffiaidd yw'r rhain hefyd,
ond dal ei afael arnynt y bydd dyn
pechadurus.

28 A fyn ddial a wêl ddial gan yr
Arglwydd,
sy'n cadw cyfrif manwl o'i bechodau.

² Maddau i'th gymydog ei gamwedd,
ac yna cei faddeuant am dy bechodau
di, pan ddeisyfi amdano.

³ Os deil dyn ddig yn erbyn dyn arall,
a all geisio iachâd gan yr Arglwydd?

⁴ Os na chymer drugaredd ar ei
gyd-ddyn,
a all ddeisyf maddeuant am ei
bechodau ei hun?

⁵ Os yw ef, nad yw ond cnawd dynol, yn
meithrin llid,
pwy a rydd iddo buredigaeth ei
bechodau?

⁶ Cofia'r diwedd sy'n dy aros, a gad
lonydd i elyniaeth;
cofia dy dranc a'th farwolaeth, a glŷn
wrth y gorchmynion.

⁷ Cofia'r gorchmynion, a phaid â bwrw
dy lid ar dy gymydog;
cofia gyfamod y Goruchaf, ac edrych
heibio i anwybodaeth.

Cweryla

⁸ Ymgadw rhag cweryla, a byddi'n llai
dy bechod,
oherwydd bydd y gwyllt ei dymer yn
ennyn cweryl,

⁹ a'r gŵr pechadurus yn creu helynt
rhwng cyfeillion,
ac yn tarfu ar bobl heddychlon â'i
ensyniadau enllibus.

¹⁰ Yn ôl y tanwydd a roir arno y llosga'r
tân,
ac yn ôl poethder y cweryl y llosga'i
fflam yntau;
yn ôl ei nerth y bydd llidiogrwydd dyn,
ac yn ôl ei gyfoeth y cwyd ei ddicter.

¹¹ Y mae ymryson sydyn yn cynnau tân,
a chweryl sydyn yn peri tywallt gwaed.
Chwytha ar wreichionen, a gloywi a
wna;
poera arni, ac fe ddiffydd;
o'th enau di y daw'r ddeubeth.

Siarad Maleisus

¹³ Melltithiwch y clepgi a'r dyblyg ei
dafod,
oherwydd dinistriodd ef lawer o bobl
heddychlon.

¹⁴ Y mae trydydd tafod wedi tarfu ar
lawer,
a'u hymlid o genedl i genedl,
gan ddifrodi dinasoedd caerog
a dymchwelyd tai gwŷr mawr.

¹⁵ Y mae trydydd tafod wedi gyrru
gwragedd priod o'u cartrefi,
a'u hamddifadu o ffrwyth eu llafur.

¹⁶ A rydd goel arno, ni bydd gorffwys
iddo mwy,
na thawelwch yn ei drigle.

¹⁷ Y mae llach ffrewyll yn gadael clais,
ond y mae llach tafod yn torri esgyrn.

¹⁸ Cwympodd llawer gan fin y cleddyf,
ond nid cynifer ag a gwympodd o
achos y tafod.

¹⁹ Gwyn ei fyd y dyn a gafodd noddfa
rhagddo,
ac na phrofodd erwinder ei lid;
y dyn na wingodd dan ei iau,

na'i gael ei hun yn rhwymyn ei
gadwyni.
[20] Oherwydd iau'r tafod, iau o haearn
yw,
a chadwyni o bres yw ei gadwyni.
[21] Marwolaeth erchyll yw'r farwolaeth a
geir ganddo;
dewisach yw Trigfan y Meirw na'r
tafod.
[22] Ni chaiff wastrodaeth ar y rhai duwiol,
ac ni losgir hwy gan ei fflam.
[23] Y rhai sy'n cefnu ar yr Arglwydd a
fyddant yn ysglyfaeth y tafod;
bydd yn llosgi'n anniffodd yn eu plith.
Gollyngir ef arnynt fel llew,
ac fe'u llarpia fel llewpart.
[24] Gofala gau dy dir â gwrych o ddrain,
a chlo dy arian a'th aur yn ddiogel;
[25] gofala hefyd am glorian a phwysau i'th
eiriau,
a rho ddrws a bollt ar dy enau.
[26] Gwylia rhag llithro o achos dy dafod,
a syrthio'n ysglyfaeth i'r sawl sy'n aros
ei gyfle i'th ddal.

Benthyca ac Ad-dalu

29 Y mae dyn trugarog yn rhoi
benthyg i'w gymydog,
ac wrth estyn ei law i'w gynnal y mae'n
cadw'r gorchmynion.
[2] Rho fenthyg i'th gymydog yn awr ei
angen,
a thâl dithau'n ôl i'th gymydog yn ei
iawn bryd.
[3] Gwiredda dy air a chadw gyfamod ag
ef,
a chei ddigon bob amser at dy angen.
[4] Y mae llawer yn ystyried cael ar
fenthyg yn gael i gadw,
ac yn peri blinder i'r rhai a wnaeth y
gymwynas â hwy.
[5] Hyd nes iddo gael, bydd dyn yn
cusanu llaw ei gymydog,
ac yn sôn am arian hwnnw â goslef o
barch;
ond pan ddaw'n amser ad-dalu y
mae'n oedi ac oedi,
heb dalu dim yn ôl ond geiriau
didaro,
gan gwyno bod yr amser yn brin [o].
[6] Er iddo wasgu, prin y caiff yr
echwynnwr yr hanner yn ôl,
a bydd yn cyfrif hynny yn gael ffodus;
os amgen, bydd y benthyciwr wedi ei
ysbeilio o'i arian,

ac yntau wedi ennill gelyn heb achos;
melltith a difenwad a gaiff yn
ad-daliad,
ac amarch yn hytrach nag anrhydedd.
[7] Y mae llawer yn gwrthod rhoi ar
fenthyg, er nad o falais [p];
ofn cael eu colledu heb achos sydd
arnynt.

Elusengarwch

[8] Er hynny, bydd yn amyneddgar wrth
yr anghenus,
a phaid ag oedi rhoi d'elusen iddo.
[9] Er mwyn y gorchymyn cynorthwya'r
tlawd,
ac yn ei angen paid â'i droi ymaith yn
waglaw.
[10] Gwell yw colli dy arian er mwyn
brawd neu gyfaill
na'i golli trwy ei adael i rydu dan
garreg.
[11] Storia dy drysor yn ôl gorchmynion y
Goruchaf,
ac fe dâl i ti yn well nag aur.
[12] Rho elusengarwch ynghadw yn
d'ystordai,
a bydd yn waredigaeth iti rhag pob
aflwydd
[13] Cryfach na tharian, grymusach na
phicell,
fydd arfogaeth o'r fath iti i ymladd â'th
elyn.

Mechnïo

[14] Dyn da fydd yn mechnïo dros ei
gymydog,
a dyn a gollodd bob cywilydd fydd yn
cefnu arno.
[15] Paid ag anghofio caredigrwydd dy
fechnïwr,
oherwydd fe roes ei fywyd er dy fwyn.
[16] Dyn pechadurus fydd yn dymchwel
llwyddiant ei fechnïwr,
a dyn diddiolch fydd yn gollwng dros
gof y sawl a'i gwaredodd.
[17] Dinistriodd mechnïaeth lawer o
ddynion cefnog,
a'u siglo fel y gwna tonnau'r môr;
[18] gyrrodd ddynion nerthol o'u cartrefi
i grwydro mewn gwledydd estron.
[19] Pan fydd pechadur yn ymrwymo i
fechnïaeth
a'i fryd ar elw, ymrwymo y bydd i
achosion llys.
[20] Cynorthwya dy gymydog hyd eithaf dy

Neu, *yn galed.*
Yn ôl darlleniad arall, *gwrthod rhoi ar fenthyg, felly, o achos yr anonestrwydd hwn.*

allu,
ond gwylia rhag i ti gael dy ddal gan
d'ymrwymiad.

Hel Tai

21 Hanfodion bywyd yw dŵr a bara a
dillad,
a thŷ fydd yn lloches rhag
anwedduster.
22 Gwell yw byw'n dlawd mewn cut o
bren
na chael danteithion moethus dan do
dieithriaid.
23 Boed gennyt ychydig neu lawer, bydd
fodlon arno,
a phaid ag ennill enw fel un sy'n hel
tai.ph
24 Bywyd gwael yw crwydro o dŷ i dŷ
heb feiddio agor dy geg am mai
dieithryn wyt yno.
25 Cei weini ar y lletywyr, a llenwi eu
cwpanau, yn gwbl ddiddiolch,
heb sôn am ufuddhau i'w galwadau
croch:
26 "Tyrd yma, ddyn dieithr, gosod y
bwrdd,
gad imi flasu beth bynnag sydd yn dy
law."
27 "Ffwrdd â thi, ddyn dieithr, rho dy le
i'th well;
mae fy mrawd am gael llety; mae
angen y tŷ arnaf."
28 Profiad caled yw hwn i ddyn deallus:
cael cerydd gan y teulu, a sarhad gan
fenthyciwr arian.

Disgyblu Plant

30 Bydd dyn sy'n caru ei fab yn ei
chwipio'n fynych,
er mwyn cael llawenydd ynddo yn
ddiweddarach.
2 Bydd dyn sy'n disgyblu ei fab yn cael
budd ohono,
a chaiff ymffrostio ynddo ymhlith ei
gydnabod.
3 Bydd dyn a rydd addysg i'w fab yn
deffro eiddigedd ei elyn,
a chaiff ymfalchïo ynddo yng ngŵydd
ei gyfeillion.
4 Pan fydd y tad wedi marw, bydd fel
petai heb farw,
gan iddo adael ei debyg ar ei ôl.
5 Yn ei fywyd fe'i gwelodd a llawenychu
ynddo,
ac yn ei farw ni phrofodd dristwch.
6 Gadawodd etifedd i ddial ar ei elynion

ac i dalu'n ôl garedigrwydd ei
gyfeillion.
7 Bydd dyn sy'n maldodi ei fab yn
rhwymo'i friwiau i gyd,
a bydd ei deimladau mewn cynnwrf
wrth bob cri.
8 Y mae ebol heb ei ddofi yn tyfu'n
geffyl anhydrin,
a mab heb ei reoli yn tyfu'n ddyn
anhywaith.
9 Rho fwythau i blentyn, a daw â braw
iti;
bydd chwareus gydag ef, a daw â
thrallod iti.
10 Paid â chwerthin gydag ef, rhag iti
ofidio gydag ef,
a'th gael yn y diwedd yn rhincian dy
ddannedd.
11 Paid â rhoi rhyddid iddo yn ei
ieuenctid,
a phaid ag anwybyddu ei
gamgymeriadau.
12 Plyga'i war ef yn ei ieuenctid,
a phwnio'i asennau pan yw'n blentyn,
rhag iddo fynd yn anhydrin ac
anufudd,
a pheri gofid iti.
13 Disgybla dy fab, a chymer drafferth ag
ef,
rhag i'w ymddygiad anweddus fod yn
dramgwydd iti.

Iechyd

14 Gwell dyn tlawd iach a chryf ei
gyfansoddiad
na dyn cyfoethog cystuddiedig ei
gorff.
15 Y mae iechyd a chyfansoddiad cryf yn
well na'r aur i gyd,
a chorff nerthol na golud difesur.
16 Nid oes cyfoeth gwell na iechyd corff
na llonder llawnach na llawenydd
calon.
17 Gwell marwolaeth na bywyd o drueni,
a gorffwys tragwyddol nag afiechyd
sy'n parhau.
18 Y mae tywallt danteithion gerbron
dyn a'i geg wedi ei chau
fel gosod offrymau o fwyd ar fedd.
19 Pa les yw offrwm i eilun,
ac yntau heb allu blasu nac arogli dim?
Dyna gyflwr y sawl a gystuddir gan yr
Arglwydd.
20 Y mae'n gweld â'i lygaid ac yn
griddfan,
griddfan fel y bydd eunuch wrth

ph Felly Lladin. Groeg, *ac ni chei glywed edliw dy deulu.*

gofleidio gwyryf.

Tristwch a Llonder

21 Paid ag ymollwng i dristwch,
nac ymgystuddio o'th wirfodd.
22 Y mae llonder calon yn fywyd i ddyn,
a gorfoledd gŵr yn estyn ei ddyddiau.
23 Difyrra dy hun a diddana dy galon,
a chadw dristwch ymhell oddi wrthyt;
oherwydd bu tristwch yn angau i
lawer,
ac ni ddaw unrhyw fudd ohono.
24 Y mae cenfigen a llid yn byrhau
dyddiau dyn,
a phryder yn peri iddo heneiddio cyn
pryd.
25 Y mae calon hael a siriol yn creu
archwaeth
ac yn rhoi blas ar ymborth dyn.

Problemau Cyfoeth

31 Y mae anhunedd o achos cyfoeth
yn bwyta'r cnawd,
a phryder amdano'n cadw cwsg draw.
2 Y mae anhunedd pryderus yn
rhwystro hepian,
fel y mae afiechyd blin yn tarfu cwsg.
3 Y mae'r cyfoethog yn llafurio i gasglu
golud,
a phan beidia, bydd ganddo
gyflawnder o foethau.
4 Y mae'r tlawd yn llafurio i grafu
bywoliaeth brin,
a phan beidia, bydd mewn angen.

5 A gâr aur, nis cyfrifir yn gyfiawn;
a gais elw, nid union fydd ei lwybr. r
6 Daeth llawer i'w cwymp o achos aur,
a'u cael eu hunain wyneb yn wyneb â
dinistr.
7 Magl ydyw i'r rhai a swynir ganddo,
a chaiff pob ffŵl ei ddal ynddi.
8 Gwyn ei fyd y cyfoethog na chafwyd
bai ynddo,
ac na wnaeth aur yn ddiben ei fyw.
9 Pwy yw ef, i ni ei alw'n wynfydedig?
Oherwydd gwnaeth ryfeddodau
ymhlith ei bobl.
10 Pwy a brofwyd fel hyn a'i gael yn
berffaith?
Y mae gan hwnnw le i ymffrostio.
Pwy, a'r gallu ganddo i droseddu, na
throseddodd,
na gwneud drwg pan allai ei wneud?
11 Bydd ei ffyniant ar seiliau cadarn,
a'i elusengarwch yn destun mawl i'r

gynulleidfa.

Sut i Ymddwyn mewn Gwledd

12 Pan fyddi'n eistedd wrth fwrdd
llwythog,
paid â rhythu'n geg-agored arno,
na dweud, "Dyma beth yw gwledd!"
13 Cofia mai peth pechadurus yw llygad
gwancus.
A oes dim gwaeth na'r llygad wedi ei
greu?
Dyna pam y mae ei ddagrau ar bob
wyneb.
14 Paid ag estyn dy law at bopeth a
lygadi,
nac ymgiprys amdano wrth y ddysgl.
15 Barna angen dy gymydog wrth yr
eiddot dy hun,
a bydd yn ystyriol ohono ym mhob
peth.
16 Bwyta'r hyn a osodir ger dy fron fel
dyn gwâr,
a phaid â bwyta'n farus a'th wneud dy
hun yn atgas.
17 Dangos dy foesau da trwy fod yn
gyntaf i orffen,
a phaid â bod yn anniwall, rhag iti beri
tramgwydd.
18 Ac os byddi'n eistedd ymhlith cwmni
niferus,
paid ag estyn dy law at y bwyd o'u
blaen hwy.
19 Y mae ychydig yn ddigon i ddyn o
fagwraeth dda,
ac nid yw'n fyr ei wynt pan â i'w wely.
20 Iachus fydd cwsg y bwytawr cymedrol;
bydd yn codi'n fore yn ei iawn bwyll.
Ond baich o anhunedd, cyfog a bolwst
a gaiff dyn anniwall ei chwant.
21 Os cefaist dy orfodi i orfwyta,
gad y pryd ar ei ganol i geisio
rhyddhad.
22 Gwrando arnaf, fy mab, a phaid â'm
hanwybyddu;
yn y diwedd cei wybod mai gwir yw fy
ngeiriau.
Bydd ymroddgar ym mhopeth a wnei,
ac ni ddaw unrhyw afiechyd ar dy
gyfyl.
23 Hael ei fwrdd, hael fydd ei glod,
a'r dystiolaeth i'w ragoriaeth yn sicr.
24 Crintach ei fwrdd, bydd grwgnach
trwy'r dref amdano,
a'r dystiolaeth i'w grintachrwydd yn
fanwl.

r Felly Hebraeg a Syrieg. Groeg, *a gais ddistryw, caiff ei wala ohono.*

²⁵ Paid ag ymwroli â gwin,
oherwydd distryw fu gwin i lawer.
²⁶ Fel y profir dur gan ffwrn a dŵr,
felly y profir cymeriad gan win pan
fydd beilchion yn ymryson.
²⁷ Y mae gwin yn fywyd i ddyn
o'i yfed ym gymesur.
Beth yw bywyd i ddyn heb win?
Onid er llawenychu dynion y crewyd
ef?
²⁸ Llonder calon a llawenydd ysbryd
yw gwin, o'i yfed yn gymedrol ac yn ei
bryd.
²⁹ Ond o'i yfed yn ormodol ceir
chwerwder ysbryd,
a chythruddo a chynhennu.
³⁰ Y mae medd-dod yn chwyddo dicter
ffŵl i'w niwed ei hun,
yn gwanychu ei nerth ac yn amlhau ei
glwyfau.
³¹ Paid â cheryddu dy gymydog mewn
cyfeddach,
na'i fychanu yng nghanol ei lawenydd;
paid â dweud gair gwawdlyd wrtho,
na phwyso arno i dalu'n ôl ei ddyled.

32 Os cei dy benodi'n llywydd
gwledd, paid ag ymddyrchafu;
bydd yn eu plith fel un ohonynt hwy;
gofala amdanynt hwy cyn eistedd dy
hun.
² Ar ôl cyflawni pob dyletswydd, yna
cymer dy le wrth y bwrdd,
ac felly cei lawenydd yn dy westeion,
a thorch ar dy ben am drefnu'r wledd
mor dda.
³ Os wyt yn hynafgwr, llefara—dyna dy
fraint—
ond yn fyr ac i bwynt, a heb darfu ar y
gân.
⁴ Tra pery'r perfformiad, rho daw ar dy
gleber,
a phaid â doethinebu'n annhymig.
⁵ Insel o ruddem mewn tlws o aur
yw cynghanedd cân yn y gyfeddach
win;
⁶ insel o emrallt mewn addurn o aur
yw nodau cân wrth flasu melyster y
gwin.

⁷ Os ifanc wyt, llefara'n unig os bydd
rhaid,
a dwywaith ar y mwyaf, oni ofynnir
cwestiwn iti.
⁸ Bydd yn gryno, gan ddweud llawer

mewn ychydig;
bydd fel un sy'n gwybod, ac eto'n gallu
tewi.
⁹ Yng nghwmni gwŷr mawr, paid â
chystadlu â hwy,
a pharablu llawer pan fydd rhywun
arall yn siarad.
¹⁰ Y mae mellt yn fflachio o flaen y daran,
a chymeradwyaeth yn rhagflaenu dyn
gwylaidd.
¹¹ Cod i ymadael yn brydlon; paid â bod
yn olaf;
brysia adref yn ddiymdroi.
¹² Yno cei ymlacio a gwneud a fynni,
heb bechu trwy siarad balch.
¹³ Ac at hyn oll, bendithia dy Greawdwr,
a lanwodd dy gwpan â'i roddion
daionus.

Ofni'r Arglwydd

¹⁴ Bydd y dyn sy'n ofni'r Arglwydd yn
derbyn ei ddisgyblaeth,
a'r rhai sy'n codi'n fore i'w geisio yn
ennill ei ffafr.
¹⁵ Bydd y dyn sy'n rhoi ei fryd ar y
gyfraith yn cael boddhad ynddi,
ond achos cwymp fydd hi i'r
rhagrithiwr.
¹⁶ Bydd y rhai sy'n ofni'r Arglwydd yn
gallu barnu'n deg,
a bydd eu gweithredoedd cyfiawn yn
llewyrchu fel goleuni.
¹⁷ Bydd dyn pechadurus yn gwrthod
cerydd,
ac yn darganfod cyfiawnhad dros
wneud ei ewyllys ei hun.

¹⁸ Nid yw dyn pwyllog byth yn diystyru
awgrym;
ni ŵyr y pagan balch beth yw
gwargrymu mewn ofn.
¹⁹ Paid â gwneud dim heb ymbwyllo;
yna, ar ôl ei wneud, ni fydd yn edifar
gennyt.
²⁰ Paid â theithio ar hyd ffordd lawn o
rwystrau,
i faglu ar draws yr holl gerrig sydd
arni.
²¹ Paid â bod yn or-hyderus ar ffordd
ddirwystr,
²² a gwylia lle'r wyt yn mynd. ʳʰ
²³ Ym mhopeth a wnei, cred ynot ti dy
hun,
oherwydd dyna beth yw cadw'r
gorchmynion.

ʳʰ Felly Hebraeg. Groeg, *gwylia rhag dy blant.*

²⁴ Y mae'r hwn sy'n credu yn y gyfraith a gofal ganddo am y gorchmynion, ac ni bydd yr hwn sy'n ymddiried yn yr Arglwydd yn ôl am ddim.

33 Ni ddaw niwed i ran y dyn sy'n ofni'r Arglwydd; mewn treialon fe'i gwaredir dro ar ôl tro.

² Ni bydd dyn doeth yn casáu'r gyfraith, ac y mae'r sawl sy'n rhagrithio ynddi fel cwch mewn storm.

³ Bydd dyn deallus yn ymddiried yn y gyfraith, ac yn ei chael mor ddibynadwy ag oracl dwyfol.

⁴ O baratoi dy araith, cei wrandawiad; casgla dy ddysg yn becyn trefnus, ac yna rho dy ateb.

⁵ Troi fel olwyn trol y mae teimladau ffŵl, a'i feddyliau'n chwyldroi fel yr echel.

⁶ Y mae cyfaill coeglyd fel ystalwyn, sy'n gweryru ni waeth pwy sydd ar ei gefn.

Amrywiaeth o Ddynion

⁷ Pam y mae un dydd yn well na'r llall, er mai o'r haul y daw golau pob dydd o'r flwyddyn?

⁸ Yr Arglwydd a wahaniaethodd rhyngddynt trwy ei wybodaeth; ef a drefnodd yr amrywiol dymhorau a gwyliau,

⁹ gan wneud rhai ohonynt yn uchel-wyliau sanctaidd, a gosod eraill ymhlith rhifedi'r dyddiau cyffredin.

¹⁰ O lawr y ddaear y daw pob dyn, ac o'r pridd y crewyd Adda.

¹¹ Yng nghyflawnder ei wybodaeth gwahaniaethodd yr Arglwydd rhyngddynt, a threfnu iddynt eu hamrywiol ffyrdd.

¹² Bendithiodd rai ohonynt, a'u dyrchafu; sancteiddiodd rai, a'u dwyn yn agos ato'i hun. Ond melltithiodd eraill ohonynt, a'u darostwng, a'u symud o'u safleoedd.

¹³ Fel y mae'r clai yn llaw'r crochenydd, i'w foldio'n union fel y bydd ef yn dewis, felly y mae dynion yn llaw eu Creawdwr, i'w trin yn union fel y bydd ef yn barnu.

¹⁴ Yn wrthwyneb i'r drwg y mae'r da, ac yn wrthwyneb i farwolaeth y mae bywyd; felly yn wrthwyneb i'r duwiol y mae'r pechadur.

¹⁵ Dyma sut yr wyt i edrych ar holl weithredoedd y Goruchaf: yn ddau a dau, a'r naill yn wrthwyneb i'r llall.

¹⁶ Myfi oedd yr olaf i ddeffro; yr oeddwn fel lloffwr yn dilyn y cynaeafwyr. Dan fendith yr Arglwydd achubais y blaen, a llenwi fy ngwinwryf fel cynaeafwr grawnwin.

¹⁷ Cofiwch nad trosof fy hunan yn unig y llafuriais, ond dros bawb sy'n ceisio addysg.

¹⁸ Gwrandewch arnaf, bendefigion y bobl, a chwi lywodraethwyr y gynulleidfa, trowch eich clust ataf.

Bod yn Annibynnol

¹⁹ Boed fab neu wraig, boed frawd neu gyfaill, paid â rhoi i neb awdurdod arnat tra byddi byw. A phaid â rhoi dy feddiannau i arall, rhag ofn iti edifarhau a gorfod ymbil amdanynt yn ôl.

²⁰ Tra bydd bywyd ac anadl yn dal ynot, paid â newid dy le â neb byw.

²¹ Y mae'n well fod dy blant yn ymbil arnat ti na'th fod ti'n gorfod disgwyl wrth dy feibion.

²² Ym mhopeth a wnei, myn fod ar y blaen, a phaid â goddef anaf i'th anrhydedd.

²³ Yn y dydd y daw i ben ddyddiau d'einioes, yn amser dy farwolaeth, rhanna'r etifeddiaeth.

Trin Caethwas

²⁴ Porthiant a ffon a phwn sydd i asyn; bara a disgyblaeth a gwaith sydd i gaethwas.

²⁵ Gwna i'th was weithio, ac fe gei di orffwys; gad ei ddwylo'n segur, a bydd yn ceisio'i ryddid.

²⁶ Bydd iau a thennyn yn crymu gwar anifail,

ac i'r caethwas drygionus y mae'r
glwyd a'i harteithiau.
[27] Gyr ef at ei waith, i'w gadw rhag
segura,
oherwydd dysgodd segurdod lawer o
gastiau drwg.
[28] Gosod ef i weithio, i hynny y mae'n
bod,
ac os yw'n anufudd rho lyffetheiriau
trymach arno.
[29] Ond paid â gosod gormod o faich ar
unrhyw ddyn,
na gwneud dim nad yw'n gyfiawn.
[30] Os oes gennyt gaethwas, bydded fel ti
dy hun,
oherwydd â gwaed y prynaist ef.
[31] Os oes gennyt gaethwas, trin ef fel
brawd,
oherwydd bydd rhaid iti wrtho ef fel
wrthyt dy hun.
Os byddi'n ei gam-drin, ac yntau'n codi
a ffoi,
pa ffordd yr ei di i chwilio amdano?

Breuddwydion

34 Gobeithion ofer a thwyllodrus
sydd gan ddyn diddeall,
a breuddwydion yw adenydd ffŵl.
[2] Fel un a gais ddal ei gysgod neu ymlid
y gwynt
y mae'r dyn a rydd goel ar
freuddwydion.
[3] Nid yw'r hyn a welir mewn breuddwyd
yn ddim namyn llun,
cyffelybrwydd o wyneb mewn drych.
[4] Beth a lanheir ag aflendid?
A beth a wireddir â chelwydd?
[5] Ofer pob dewiniaeth ac argoelion a
breuddwydion—
dychmygion y meddwl, fel eiddo
gwraig mewn gwewyr esgor.
[6] Onis anfonwyd gan ymweliad y
Goruchaf,
paid â chymryd sylw ohonynt.
[7] Oherwydd y mae breuddwydion wedi
arwain llawer ar gyfeiliorn,
a dymchwel y rhai a obeithiodd
ynddynt.
[8] Cyflawnir y gyfraith heb gymorth y
fath gelwydd,
a chyflawnir doethineb ar enau
geirwir.

Teithio

[9] Y mae'r dyn sydd wedi teithio[s] wedi

dysgu llawer,
a bydd dyn helaeth ei brofiad yn
traethu synnwyr.
[10] Ychydig a ŵyr y dyn prin ei brofiad,
ond bydd y sawl sydd wedi teithio yn
amlhau ei fedrau.
[11] 'Rwyf wedi gweld llawer ar fy
nheithiau,
ac 'rwy'n amgyffred pethau sydd y tu
hwnt i'm geiriau.
[12] Yn fynych bûm mewn perygl am fy
einioes,
ond dihengais ar bwys y profiadau
hyn.

Ofni'r Arglwydd

[13] Byw fydd ysbryd y rhai sy'n ofni'r
Arglwydd,
oherwydd y mae eu gobaith ar un sy'n
eu hachub.
[14] Yr hwn sy'n ofni'r Arglwydd, ni bydd
nac ofnus
na llwfr, oherwydd yn yr Arglwydd y
mae ei obaith.
[15] Gwyn ei fyd y dyn sy'n ofni'r
Arglwydd.
Wrth bwy y mae'n disgwyl? Pwy yw ei
gadernid ef?
[16] Y mae llygaid yr Arglwydd ar y rhai
sy'n ei garu,
yn amddiffynfa gadarn ac yn
gynhaliaeth gref,
yn gysgod rhag gwres tanbaid a rhag
haul canol dydd,
yn ddiogelwch rhag baglu ac yn
gymorth rhag cwympo.
[17] Y mae'n codi eu hysbryd ac yn goleuo
eu llygaid,
gan roi iddynt iechyd a bywyd a
bendith.

Offrymau

[18] Halogedig[t] yw offrwm a wneir o
fudrelw,
ac anghymeradwy yw rhoddion[th] y
digyfraith.
[19] Nid yw'r Goruchaf yn ymhyfrydu yn
offrymau'r annuwiol,
ac nid yw'n puro'u pechodau ar bwys
amlder eu haberthau.
[20] Y mae dwyn eiddo'r tlodion, a'i
gynnig yn offrwm,
fel aberthu mab yng ngŵydd ei dad.
[21] Y mae bara'n fywyd i'r tlodion yn eu
hangen,

---

[s] Yn ôl darlleniad arall, *dyn a hyfforddwyd.*
[th] Yn ôl darlleniad arall, *pethau gwawdlyd.*

[t] Yn ôl darlleniad arall, *Gwawdlyd.*

a llofrudd yw'r hwn a'i cymer oddi
wrthynt.
²²Lladd ei gymydog y mae'r sawl sy'n
dwyn ei fywoliaeth,
a thywallt gwaed y mae'r sawl sy'n atal
ei gyflog i weithiwr.
²³Os bydd un yn adeiladu a'r llall yn
tynnu i lawr,
pa elw fydd iddynt heblaw poen eu
llafur?
²⁴Os bydd un yn gweddïo a'r llall yn
melltithio,
ar lais prun y gwrendy'r Meistr?
²⁵Os ymolcha dyn ar ôl cyffwrdd celain,
a'i chyffwrdd eilwaith,
pa faint gwell fydd o'i ymolchi?
²⁶Felly hefyd os ymprydia dyn am ei
bechodau,
a mynd eilwaith a gwneud yr un
pethau,
pwy a wrendy ar ei weddi,
a pha faint gwell fydd o'i
ymostyngiad?

35 Y mae'r dyn sy'n cadw'r gyfraith
eisoes yn amlhau offrymau,
a'r hwn sy'n glynu wrth y gorchmynion
cisoes yn aberthu heddoffrwm.
²Y mae'r dyn sy'n talu cymwynas yn ôl
yn offrymu peilliaid,
a'r hwn sy'n rhoi elusen yn offrymu
aberth moliant.
³Y mae cefnu ar ddrygioni yn rhyngu
bodd yr Arglwydd,
a chefnu ar anghyfiawnder yn ennill
maddeuant ganddo.
⁴Paid ag ymddangos gerbron yr
Arglwydd yn waglaw;
⁵oherwydd gwneir y pethau hyn oll er
mwyn cadw'r gorchymyn.
⁶Y mae offrwm gŵr cyfiawn yn
eneinio'r allor,
a'i arogl pêr yn dod gerbron y
Goruchaf.
⁷Y mae aberth dyn cyfiawn yn
dderbyniol,
a'i goffadwriaeth yn ddigoll.
⁸Rho ogoniant i'r Arglwydd yn hael,
heb warafun iddo ddim o flaenffrwyth
llafur dy ddwylo.
⁹Bydd siriol dy wyneb ym mhob rhoi,
a bydd lawen wrth gysegru dy
ddegwm.
¹⁰Rho i'r Goruchaf fel y rhoes ef i ti,
yn hael, yn ôl yr ennill a gefaist.
¹¹Oherwydd un sy'n talu'n ôl yw'r
Arglwydd,

ac fe dâl yn ôl i ti seithwaith cymaint.

Duw'n Barnu'n Gyfiawn

¹²Paid â cheisio'i brynu â rhodd,
oherwydd nis derbyn;
a phaid ag ymddiried mewn aberth
anghyfiawn;
oherwydd barnwr yw'r Arglwydd
nad yw'n ystyried safle neb.
¹³Yn ddi-dderbyn-wyneb yn achos y
tlawd,
fe wrendy ar ei ble os cafodd gam.
¹⁴Ni fydd byth yn ddiystyr o ddeisyfiad
yr amddifad,
nac o'r weddw sy'n tywallt ei chŵyn.
¹⁵Onid yw dagrau'r weddw yn llif ar ei
gruddiau,
wrth iddi lefain yn erbyn y sawl a'u
cyffrôdd?
¹⁶Bydd y dyn sy'n gwasanaethu Duw ac
yn rhyngu ei fodd yn gymeradwy,
a bydd ei weddi yn esgyn hyd at y
cymylau.
¹⁷Y mae gweddi'r gostyngedig yn
treiddio'r cymylau,
ond nis bodlonir nes iddi gyrraedd ei
nod.
Ni fydd yn peidio, nes i'r Goruchaf
ymweld ag ef
i farnu o blaid y cyfiawn, a gweini
cosb.
¹⁸Ni fydd yr Arglwydd byth yn oedi,
ac ni fydd yn ymarhous wrthynt,
nes iddo ddryllio llwynau'r
anhrugarog,
a dial ar y cenhedloedd;
nes iddo fwrw allan dyrfa'r rhyfygus
a dryllio teyrnwialen yr anghyfiawn;
¹⁹nes iddo dalu'n ôl i ddyn yn ôl ei
gyflawniadau,
a barnu gweithredoedd dynion yn ôl
eu hamcanion;
nes iddo mewn barn achub cam ei
bobl,
a pheri llawenydd iddynt â'i
drugaredd.
²⁰Y mae trugaredd yn nydd cyfyngder
mor amserol
â chymylau glaw yn nydd sychder.

Gweddi dros Israel

36 Trugarha wrthym, O Arglwydd
Dduw pawb; edrych arnom
²a phâr i'r holl genhedloedd dy ofni di.
³Cod dy law yn erbyn cenhedloedd
estron,
iddynt gael edrych ar dy allu di.

⁴Fel y gwelsant hwy dy sancteiddrwydd
   yn ein hanes ni,
gad i ninnau weld dy fawredd yn eu
   hanes hwy.
⁵A phâr iddynt hwy ddeall, fel y
   deallasom ninnau,
nad oes Duw ond tydi, O Arglwydd.
⁶Gwna arwyddion newydd a
   rhyfeddodau gwahanol,
i ddangos gogoniant dy law a'th fraich
   dde.
⁷Deffro dy lid a thywallt dy ddigofaint;
difroda dy wrthwynebwyr a difa dy
   elyn.
⁸Prysura'r dydd a chofia dy lwᵘ;
a phâr i ddynion draethu dy fawrion
   weithredoedd.
⁹Gad i dân dy ddigofaint ysu'r neb a
   gais ddianc,
ac i golledigaeth oddiweddyd
   gorthrymwyr dy bobl.
¹⁰Dryllia bennau tywysogion ein
   gelynion,
sy'n dweud, "Nid oes neb ond nyni."
¹¹Cynnull ynghyd holl lwythau Jacob,
a chymer hwy'n etifeddiaeth itiʷ, fel y
   gwnaethost gynt.
¹²Trugarha, Arglwydd, wrth y bobl a
   elwir wrth dy enw,
wrth Israel, a gymeraist fel dy
   gyntafanedig.
¹³Tosturia wrth ddinas dy gysegr,
wrth Jerwsalem, dy orffwysfa.
¹⁴Llanw Seion â'th foliant
a'th bobl â'th ogoniant.
¹⁵Arddel yn awr y rhai a greaist yn y
   dechreuad,
a chyflawna'r proffwydoliaethau a
   gyhoeddwyd yn dy enw.
¹⁶Gwobrwya'r rhai sy'n disgwyl wrthyt,
a chaffer dy broffwydi yn eirwir.
¹⁷Clyw, Arglwydd, weddi'r rhai sy'n
   ymbil arnat,
yn ôl bendith Aaron i'th bobl.
Yna caiff pawb sydd ar y ddaear
   wybod
mai ti yw'r Arglwydd, y Duw
   tragwyddol.

Dewis

¹⁸Fe gymer yr ystumog bob math o
   fwyd,
ond y mae rhagor rhwng bwyd a bwyd
   mewn blas.
¹⁹Fel y mae'r genau'n blasu cig yr helfa,

y mae meddwl deallus yn synhwyro
   geiriau celwyddog.
²⁰Y mae meddwl gwrthnysig yn peri
   gofid,
ond gall dyn profiadol ei dalu'n ôl.
²¹Fe gymer benyw bob math o ddyn yn
   ŵr,
ond y mae rhagor rhwng merch a
   merch mewn gwerth.
²²Y mae prydferthwch benyw yn sirioli
   wyneb dyn,
ac yn peri chwant dwysach na dim
   arall.
²³Os yw ei thafod yn garedig ac
   addfwyn,
nid yw ei gŵr yn safle'r rhelyw o
   ddynion.
²⁴A gymero wraig a ddaw'n berchen
   golud,
ymgeledd cymwys iddo a cholofn i
   bwyso arni.
²⁵Lle na bo clawdd, bydd anrhaith ar
   eiddo;
a lle na bo gwraig, bydd crwydro ac
   ochain.
²⁶Pwy a ymddiried mewn gwylliad
   ysgafndroed
sy'n gwibio o dref i dref?
Pwy, felly, a ymddiried mewn dyn heb
   ganddo nyth,
sy'n clwydo lle bynnag y daw hi'n nos
   arno.

Cyfeillion Gau

37 Dywed pob cyfaill, "Yr wyf
   finnau'n gyfaill iti";
ond ceir hefyd gyfaill nad yw'n gyfaill
   ond mewn enw'n unig.
²Onid gofid marwol i ddyn
yw cyfaill a chymar a dry'n elyn?
³O feddylfryd drygionus, o ble yr
   ymdreiglaist ti
i orchuddio'r ddaear â thwyll?
⁴Ceir cymar sy'n ymhyfrydu yn
   llawenydd ei gyfaill,
ond yn troi yn ei erbyn yn nydd ei
   gyfyngder.
⁵Ond ceir hefyd gymar a gydlafuria â'i
   gyfaill er mwyn ymborth yn unig,
ac eto fe gymer darian i'w amddiffyn
   rhag ei ryw.
⁶Paid ag anghofio cyfaill a frwydrodd
   drosotʸ,
na'i ollwng dros gof pan ddoi'n
   gyfoethog.

ᵘYn ôl darlleniad arall, *a chofia'r amser penodedig.*
ʸFelly Hebraeg. Groeg, *cyfaill yn dy enaid.*
ʷNeu, *a rho iddynt eu hetifeddiaeth.*

Bod yn Wyliadwrus wrth Dderbyn Cyngor

7 Y mae pob cynghorwr yn canmol ei gyngor,
ond ceir hefyd gynghorwr nad yw'n cynghori ond er ei fudd ei hun.
8 Bydd ar dy wyliadwriaeth rhag y dyn sy'n cynnig cyngor,
a myn wybod yn gyntaf beth fydd ei fantais ef—
oherwydd yn ddiau bydd yn cynghori er budd iddo'i hun—
rhag iddo beri i'r coelbren syrthio yn dy erbyn.
9 Gall ddweud wrthyt, "Mae'r ffordd yn glir iti",
ac yna sefyll o'r neilltu i weld beth a ddaw ohonot.
10 Paid ag ymgynghori â ncb sy'n dy amau,
a chuddia dy fwriad rhag y sawl sy'n eiddigeddus ohonot.
11 Paid ag ymgynghori â gwraig ynglŷn â'i chystadleuydd,
nac â llwfrgi ynglŷn â rhyfel,
nac â masnachwr ynglŷn â'i brisiau,
nac â phrynwr ynglŷn â gwerthu,
nac â dyn crintachlyd ynglŷn â diolchgarwch,
nac â dyn angharedig ynglŷn â chymwynasgarwch,
nac â diogyn ynglŷn â gwaith o unrhyw fath,
nac â gwas a gyflogir wrth yr awr am orffen y gwaith,
nac â gwas diog ynglŷn ag unrhyw orchwyl mawr;
paid â gwrando ar gyngor y rhain ar unrhyw fater.
12 Ond yn hytrach bydd ddyfal yn ceisio cyngor dyn duwiol
y gwyddost ei fod yn cadw'r gorchmynion,
un sydd o'r un anian â thydi dy hun.
Cei gydymdeimlad hwnnw os digwydd iti faglu.
13 Glŷn wrth gyngor dy feddwl dy hun,
gan na chei ddim y gelli ymddiried mwy ynddo.
14 Oherwydd gall ymwybyddiaeth dyn weithiau ddweud mwy wrtho
na saith o wylwyr yn eistedd fry mewn twr gwylio.
15 Uchlaw'r cwbl deisyf ar y Goruchaf,

iddo ef dy gyfarwyddo ar hyd ffordd gwirionedd.

Y Doeth yn Ennill Ymddiriedaeth

16 Dechrau pob gwaith yw ei drafod,
ac yn blaenori ar bob ymgymeriad y mae ymgynghori.
17 Y mae newid yn y meddwl
18 yn dilyn pedwar tro ar fyd—
da a drwg, bywyd a marwolaeth—
a'r tafod sy'n eu rheoli bob un yn wastadol.
19 Gall dyn fod yn amryddawn ac yn athro i lawer,
ac eto fod yn anfuddiol iddo ef ei hun.
20 Gall dyn fod yn feistr ar eiriau, ond yn atgas gan bawb;
caiff hwn weld prinder bwyd,
21 am na roddodd yr Arglwydd raslonrwydd iddo,
gan mor amddifad yw o ddoethineb.
22 Gall dyn fod yn ddoeth er ei les ei hun,
ond geiriau i'w credu fydd ffrwyth ei ddeallusrwydd.
23 Ond y dyn doeth, bydd ef yn athro i'w bobl ei hun,
a phethau i'w credu fydd ffrwyth ei ddeallusrwydd.
24 Bydd y dyn doeth yn ddihysbydd ei glod,
ac yn hapus yng ngolwg pawb a'i gwêl.
25 Gellir rhifo dyddiau einioes dyn,
ond y mae dyddiau Israel yn ddi-rif.
26 Bydd y doeth yn ennill ymddiriedaeth ymhlith ei bobl,
a bydd ei enw fyw byth.

Gwylio rhag Glythineb

27 Fy mab, profa dy hun yn ystod dy fywyd,
a gwêl beth sy'n ddrwg iti, a phaid ag ymroi iddo.
28 Oherwydd nid yw pob peth yn fuddiol i bawb,
ac nid yw pawb yn cael pleser ym mhob peth.
29 Paid â bod yn lwth am bob rhyw ddanteithion,
a phaid â rhoi ei ffordd i'th flys am fwydydd.
30 Oherwydd daw afiechyd o orfwyta,
a chyfog o lythineb.
31 Bu llawer farw o lythineb;
ond y mae'r sawl sy'n gwylio rhagddo'n estyn hyd ei einioes.

Afiechyd a Meddygaeth

38 Rho i'r meddyg yr anrhydedd sy'n ddyledus iddo am ei wasanaeth,
oherwydd yr Arglwydd a'i creodd yntau.
² Oddi wrth y Goruchaf y daw ei ddawn i iacháu,
a chan y brenin y bydd yn derbyn rhodd.
³ Rhydd ei wybodaeth i'r meddyg safle aruchel,
ac ennill iddo edmygedd yng ngŵydd y gwŷr mawr.
⁴ Creodd yr Arglwydd o'r ddaear gyffuriau meddygol,
ac ni ddirmyga dyn call mohonynt.
⁵ Onid â phren y melyswyd y dŵr,
i wneud yn hysbys y rhin oedd iddo?
⁶ Rhoes ef i ddynion wybodaeth,
er mwyn cael ei ogoneddu trwy ei ryfeddodau.
⁷ Trwyddynt hwy y mae meddyg yn iacháu a symud y boen,
⁸ a'r fferyllydd yr un modd yn cymysgu cyffuriau.
Ni cheir diwedd ar weithredoedd yr Arglwydd;
oddi wrtho ef y daw heddwch dros wyneb y ddaear.

⁹ Fy mab, mewn afiechyd, paid â'i ddiystyru,
ond gweddïa ar yr Arglwydd, a daw ef i'th iacháu.
¹⁰ Ymwrthod â'th fai, uniona dy ddwylo,
a glanha dy galon o bob pechod.
¹¹ Offryma berarogl a pheilliaid yn offrwm coffadwriaeth,
ac aberth bras, y gorau sydd gennyt ᵃ.
¹² Yna, rho gyfle i'r meddyg, oherwydd yr Arglwydd a'i creodd yntau;
paid â'i anfon ymaith, oherwydd y mae ei angen arnat.
¹³ Gall amser ddod pan fydd dy adferiad yn nwylo'r meddygon.
¹⁴ Oherwydd fe ddeisyfant hwythau ar yr Arglwydd
am lwyddiant i'w hymdrech i leddfu poen,
i iacháu'r claf ac achub ei fywyd.
¹⁵ A becho yn erbyn ei Greawdwr,
rhodder ef yn nwylo meddyg.

Galar dros y Meirw

¹⁶ Fy mab, gollwng ddagrau dros y marw,
ac ymrô i alar yn dy ddioddefaint poenus;
amdoa ei gorff mewn modd gweddus,
a phaid ag esgeuluso'i gladdedigaeth.
¹⁷ Gan wylo'n chwerw a galarnadu'n angerddol,
gwna dy alar yn deilwng ohono,
am un diwrnod, ac am ddau, rhag bod edliw iti;
yna, ymgysura yn dy dristwch;
¹⁸ oherwydd gall tristwch arwain i farwolaeth,
a chalon drist sigo nerth dyn.
¹⁹ Mewn aflwydd, y mae tristwch hefyd yn aros,ᵇ
ac y mae byw i ddyn tlawd yn loes i'w galon.
²⁰ Paid â gollwng dy galon i dristwch,
ond bwrw ef ymaith, a chofia am dy ddiwedd.
²¹ Paid â'i anghofio, oherwydd nid oes dychwelyd;
ni wnei ddim lles i'r marw, a byddi'n dy niweidio dy hun.
²² Cofia'r farn a ddaeth arnaf fiᶜ, mai felly y daw arnat tithau—
arnaf fi ddoe, ac arnat tithau heddiw.
²³ Pan roddir y marw i orffwys, pâr i'w goffadwriaeth hefyd orffwys,
ac ymgysura amdano, fod ei ysbryd wedi dianc.

Amrywiol Orchwylion

²⁴ O'i gyfle i gael hamdden y daw doethineb i ddyn o ddysg;
y lleiaf ei orchwylion a ddaw'n ddoeth.
²⁵ Sut y gall dyn ddod yn ddoeth, ac yntau wrth gyrn yr aradr,
a'i ymffrost i gyd yn ei fedr â'r wialen,
a'i fryd yn llwyr ar ychen, ac ar eu gyrru yn eu gwaith,
heb fod ganddo unrhyw sgwrs ond am loi teirw?
²⁶ Ar droi cwysi y rhydd ei fryd,
a chyll ei gwsg i roi porthiant i'r heffrod.
²⁷ Felly hefyd y mae pob crefftwr a meistr crefft
sydd wrth ei waith nos a dydd:
y rhai sy'n ysgythru ar seliau,

ᵃ Felly Hebraeg. Groeg, *bras, fel un heb fod.*
ᵇ Yn ôl darlleniad arall, *Pan gymerir dyn ymaith, y mae tristwch drosodd.*
ᶜ Yn ôl darlleniad arall, *arno ef.*

gan ddyfal amrywio'r patrymau;
ar gael yr union debygrwydd yn y llun
y rhoddant eu bryd,
a chollant eu cwsg i orffen y gwaith.
²⁸Felly hefyd y gof: y mae'n eistedd wrth
yr eingion,
yn craffu ar yr haearn sydd i'w
weithio^ch;
bydd mwg ei dân yn crychu ei gnawd
wrth iddo frwydro yng ngwres y
ffwrnais;
bydd sŵn y morthwyl yn atseinio yn ei
glustiau,
a'i lygaid yn syllu ar ei batrwm;
ar gwblhau'r gwaith y rhydd ei fryd,
a chyll ei gwsg i'w orffen yn gelfydd.
²⁹Felly hefyd y crochenydd: y mae'n
eistedd wrth ei waith
ac yn troi'r dröell â'i draed,
mewn pryder yn wastad am ei waith,
i gwblhau'r nifer a osodwyd iddo.
³⁰Â'i fraich y mae'n moldio'r clai,
gan blygu tua'r llawr o'i flaen i arfer ei
nerth.
Ar sgleinio'r gwaith yn berffaith y
rhydd ef ei fryd,
a chyll ei gwsg i garthu'r ffwrnais.

³¹Y mae'r rhain oll a'u hyder yn eu
dwylo'u hunain,
ac y mae pob un yn feistr ar ei grefft.
³²Hebddynt ni chyfanheddir dinas;
ni ddaw iddi na thrigolion na
theithwyr.
³³Eto ni ofynnir amdanynt ar gyfer
cyngor y bobl,
ac ni chodant i safle uchel yn y
cynulliad;
nid eisteddant ar fainc yr ynadon,
ac ni allant ddeall dyfarniadau
cyfreithiol
nac esbonio egwyddorion disgyblaeth
a chosb;
ac ni cheir mohonynt yn traethu
gwirebau.
³⁴Ond hwy sydd yn cynnal adeiladwaith
y byd,
a dilyn eu crefft yw eu gweddi.

Y Dyn Deallus

39 Ond fel arall y mae'r dyn sydd â'i
fryd
a'i feddwl ar gyfraith y Goruchaf.
Chwilio y bydd ef am ddoethineb holl
wŷr yr hen oesoedd,

a rhoi ei amser i fyfyrio ar y
proffwydoliaethau.
²Ceidw ymadroddion gwŷr enwog,
gan dreiddio plygion astrus eu
damhegion.
³Fe ddwg i'r golau ystyron cudd y
diarhebion,
a daw'n gyfarwydd â holl
ddirgeleddau'r damhegion.
⁴Ymhlith gwŷr mawr y bydd yn
gwasanaethu,
ac yng ngŵydd llywodraethwyr y
gwelir ef.
Teithia mewn gwledydd estron,
oherwydd cafodd brofiad o ddaioni a
drygioni dynion.
⁵Rhydd ei fryd ar godi'n fore
i droi at yr Arglwydd, ei Greawdwr,
i ymbil ger bron y Goruchaf,
gan agor ei enau mewn gweddi,
ac erfyn am faddeuant ei bechodau.
⁶Os ewyllysia'r Arglwydd mawr,
llenwir ef ag ysbryd deallus;
yna fe dywallt eiriau ei ddoethineb
ac offrymu diolch i'r Arglwydd mewn
gweddi.
⁷Fe geidw ei gyngor a'i wybodaeth ar
lwybr union,
a myfyria ar y pethau cudd a ŵyr.
⁸Fe amlyga ddisgyblaeth ei addysg,
ac yng nghyfraith cyfamod yr
Arglwydd y bydd ei ymffrost.
⁹Bydd llawer yn canmol ei
ddeallusrwydd,
na ddileir mohono byth;
ni ddiflanna'r coffadwriaeth amdano,
a bydd byw ei enw o genhedlaeth i
genhedlaeth.
¹⁰Bydd cenhedloedd yn traethu ei
ddoethineb,
a'r gynulleidfa'n canu ei glod.
¹¹Os caiff oes hir, bydd yn gadael enw
sy'n rhagori ar fil,
ac os â i'w orffwys yn gynnar, bydd
hynny'n ddigon iddo.

Emyn Mawl i Dduw

¹²Y mae gennyf eto fwy o feddyliau i'w
traethu,
oherwydd yr wyf mor llawn ohonynt â
lleuad ganol mis.
¹³Gwrandewch arnaf, chwi feibion
sanctaidd, a blagurwch
fel rhosyn a blannwyd ar lan afon,
¹⁴yn perarogli fel thus,

---

^ch Yn ôl darlleniad arall, *sydd heb ei weithio.*

yn blodeuo fel y lili;
taenwch eich persawr a chanwch fawl,
bendithiwch yr Arglwydd am ei holl
   weithredoedd.
[15] Mawrygwch ei enw ef,
a diolchwch iddo, gan ei foliannu
â chaneuon eich gwefusau ac â
   thelynau.
Dyma a ddywedwch i leisio'ch
   diolchgarwch:
[16] "Mor wych yw holl weithredoedd yr
   Arglwydd!
Cyflawnir ei holl orchmynion yn eu
   pryd."
Ni ddylai neb ofyn, "Beth yw hyn?"
   neu, "Pam y mae hyn?"
Oherwydd y mae pob gwybodaeth i'w
   cheisio yn ei hiawn bryd.
[17] Wrth ei air ef safodd y dŵr yn bentwr,
ac wrth orchymyn ei enau cronnodd y
   dyfroedd.
[18] Ar ei archiad, fe gyflawnir y peth a
   fyn,
ac ni all neb gyfyngu ar ei allu achubol
   ef.
[19] Y mae gweithredoedd pob dyn yn
   hysbys iddo,
ac nid oes modd cuddio dim rhag ei
   lygaid.
[20] O dragwyddoldeb i dragwyddoldeb y
   mae ef yn gwylio,
ac nid oes dim a all beri syndod iddo.
[21] Ni ddylai neb ofyn, "Beth yw hyn?"
   neu, "Pam y mae hyn?"
Oherwydd y mae popeth wedi ei greu
   at ei bwrpas ei hun.

[22] Y mae ei fendith yn llifo fel afon,
fel gorlif yn disychedu'r tir cras.
[23] Felly y rhydd i'r cenhedloedd ei
   ddigofaint yn etifeddiaeth,
fel pan droes y fro ddyfradwy yn
   anialdir hallt.
[24] I'r duwiolfrydig y mae ei ffyrdd yn
   union,
ond i'r drygionus yn llawn maglau.
[25] Daioni i'r rhai da—dyna drefn y creu
   o'r dechrau—
ond drygioni i bechaduriaid.
[26] Y pennaf o holl reidiau dyn er byw
yw dŵr, a thân, a haearn, a halen,
a blawd gwenith, a llaeth, a mêl,
a sudd grawnwin, ac olew, a dillad.
[27] Y mae'r pethau hyn oll er lles i'r rhai
   duwiol;
ond fe'u troir yn bethau er niwed i
   bechaduriaid.

[28] Y mae gwyntoedd a grewyd i
   ddibenion dial,
a'u ffrewyll yn ddidostur yn ei ddicter
   ef;
pan ddaw amser y cyflawniad fe
   dywalltant eu nerth
a lleddfu dicter eu creawdwr.
[29] Tân, a chenllysg, a newyn, a
   marwolaeth,
crewyd y rhain i gyd i ddibenion dial;
[30] dannedd bwystfilod hefyd, ac
   ysgorpionau, a gwiberod,
a'r cleddyf sy'n dial ar yr annuwiol a'u
   lladd.
[31] Llawenychu a wnânt yn ei orchymyn
   ef,
yn barod ar y ddaear at ei alwad;
a phan ddaw'r amser ni fyddant yn
   anufudd i'w air.

[32] Dyna pam y bûm yn ddisyfl o'r
   dechrau;
myfyriais ar y peth, ac ysgrifennu
   cofnod i'w adael:
[33] Gweithredoedd yr Arglwydd sy'n dda
   bob un,
ac fe ddiwalla ef bob angen yn ei bryd.
[34] Ni ddylai neb ddweud, "Y mae hwn
   yn waeth na hwnyna."
Oherwydd fe brofir popeth yn dda yn
   ei bryd.
[35] Ac yn awr, canwch â'ch holl galon ac
   â'ch holl lais,
a bendithiwch enw'r Arglwydd.

Gofidiau Bywyd Dyn

40 Caledwaith yw rhan pob dyn,
a iau drom sydd ar feibion Adda,
o'r dydd y dônt allan o groth eu mam
hyd y dydd y dychwelant at fam pob
   peth:
[2] eu meddyliau'n anniddig, a braw yn eu
   calon
wrth ddisgwyl yn bryderus am ddydd
   eu marwolaeth.
[3] O'r brenin yn ei ogoniant ar ei orsedd
hyd at y tlawd yn y llwch a'r lludw;
[4] o'r porffor ei wisg, â'i ben coronog,
hyd at y truan yn ei sachliain;
[5] dicter a chenfigen, cynnwrf a helbul
yw eu rhan bob un,
ac ofn marwolaeth, a dicllonedd, a
   chynnen.
Hyd yr oed pan yw'n gorffwys yn ei
   wely,
nid yw cwsg y nos ond yn newid ei
   feddyliau er gwaeth.

6 Ni chaiff nemor ddim gorffwys,
ac nid yw ei gwsg, pan ddaw, yn ddim
gwell na bod yn effro y dydd;
a'i galon ar garlam mewn hunllef,
y mae fel un wedi ffoi o faes y gad,
7 ac ar foment ei ddihangfa, y mae'n
deffro
ac yn rhyfeddu mor ddi-sail oedd ei
ofn.
8 Dyma hanes pob cnawd, yn ddyn ac
anifail,
a seithwaith gwaeth yn hanes
pechaduriaid:
9 marwolaeth, a thywallt gwaed, a
chynnen, a chleddyf,
trallodion, newyn, cyfyngder, a phla.
10 Ar gyfer y drygionus y crewyd y rhain i
gyd,
ac o'u hachos hwy y daeth y dilyw.
11 Y mae popeth sydd o'r ddaear yn
dychwelyd i'r ddaear,
a phopeth sydd o'r dyfroedd yn troi'n
ôl i'r môr.

Amrywiol Ddywediadau
12 Dileir pob prynu â rhodd, a phob
anghyfiawnder,
ond fe saif ffyddlondeb am byth.
13 Fel ffrwd yn sychu y bydd cyfoeth yr
anghyfiawn,
yn darfod fel twrw taran fawr mewn
cawod o law.
14 Wrth agor ei ddwylo caiff dyn
lawenydd;
yn yr un modd daw troseddwyr i
ddifodiant llwyr.
15 Ni thyf llawer o ganghennau o gyff yr
annuwiol,
a'u gwreiddiau pwdr wedi eu plannu
ar greigle noeth.
16 Y mae'r hesg sy'n tyfu lle bynnag y
mae dŵr neu afon yn rhedeg
yn haws eu tynnu nag unrhyw dyfiant
arall.
17 Y mae rhadlonrwydd yn baradwys o
fendithion,
ac elusengarwch yn dragwyddol ei
barhad.

Pleserau Bywyd Dyn
18 Melys yw gweithio a bod yn
hunangynhaliol,
ond gwell na'r ddau yw dod o hyd i
drysor.
19 Y mae cael plant ac adeiladu dinas yn
sicrhau enw i ddyn,
ond gwell na'r ddau mewn bri yw

gwraig ddi-fai.
20 Y mae gwin a cherddoriaeth yn
llawenhau'r galon,
ond gwell na'r ddau yw cariad at
ddoethineb.
21 Y mae pibell a thelyn yn bêr eu sain,
ond gwell na'r ddwy yw llais swynol.
22 Tegwch a phrydferthwch sydd wrth
fodd y llygad,
ond gwell na'r ddau yw egin glas yr ŷd.
23 Hyfryd yw taro ar gâr a chyfaill,
ond gwell na'r ddau yw bod yn ŵr a
gwraig.
24 Hyfryd yn amser cyfyngder yw cael
brodyr a chefnogaeth,
ond gwell na'r ddau i achub yw
elusengarwch.
25 Rhydd aur ac arian droedle sefydlog i
ddyn,
ond gwell na'r ddau mewn bri yw
cyngor buddiol.
26 Y mae cyfoeth a nerth yn codi calon
dyn,
ond gwell na'r ddau yw ofn yr
Arglwydd.
Ni bydd dyn ar ei golled o ofni'r
Arglwydd,
ac ni bydd rhaid iddo chwilio am
gymorth arall.
27 Y mae ofn yr Arglwydd yn baradwys o
fendithion,
ac yn cysgodi dyn yn well na phob
gogoniant bydol.

Cardota
28 Fy mab, paid â threulio dy oes yn byw
ar gardod;
gwell marw na chardota.
29 Y dyn sydd â'i lygad ar fwrdd dyn
arall,
treulio'i oes y mae, nid byw;
y mae'n ei lygru ei hun â bwyd dyn
arall,
ond bydd dyn o ddysg a disgyblaeth yn
ochelgar rhag hynny.
30 Gall cardota fod yn felys ar wefusau'r
digywilydd,
ond yn ei fol y mae'n dân yn llosgi.

Marwolaeth
41 O farwolaeth, mor chwerw yw
cofio amdanat ti
i ddyn sy'n byw'n esmwyth ymysg ei
feddiannau,
i ŵr dibryder sy'n llwyddo ym mhob
ymgymeriad
ac yn dal yn ddigon cryf i fwynhau ei

fwyd!
²O farwolaeth, gweddus yw dy
ddedfryd di
ar ddyn anghenus a'i nerth yn pallu,
wedi ei sigo gan henaint, yn bryderus
am bob peth,
yn wrthnysig, a'i amynedd ar ben!
³Paid ag ofni dedfryd marwolaeth;
cofia'r rhai a fu o'th flaen a'r rhai a
ddaw ar dy ôl.
⁴Dyma'r ddedfryd a gyhoeddodd yr
Arglwydd ar bob dyn;
pa les i ti wrthsefyll ewyllys y
Goruchaf?
Boed blynyddoedd dy einioes yn
ddeg, neu'n gant, neu'n fil,
yn Nhrigfan y Meirw ni bydd holi
amdani.

Tynged yr Annuwiol

⁵Plant ffiaidd yw plant pechaduriaid,
yn ymdroi yn nhrigfannau'r annuwiol.
⁶Plant pechaduriaid, fe dderfydd eu
hetifeddiaeth,
a gwaradwydd fydd rhan eu hiliogaeth
am byth.
⁷Bydd ei blant yn beio tad annuwiol
am y gwaradwydd a ddaeth arnynt o'i
achos ef.
⁸Gwae chwi, wŷr annuwiol,
a gefnodd ar gyfraith y Duw
Goruchaf.
⁹Pan gewch eich geni, i felltith y'ch
genir,
a phan fyddwch farw, melltith fydd
eich rhan.
¹⁰Y mae popeth sydd o'r ddaear i
ddychwelyd i'r ddaear;
felly yr â'r annuwiol o felltith i
ddistryw.

¹¹Galaru am eu cyrff a wna dynion,
ond dileir enw pechaduriaid am nad
yw'n dda.
¹²Cymer ofal o'th enw, oherwydd fe
erys i'th glod
yn hwy na mil o gronfeydd mawr o
aur.
¹³I fywyd da y mae nifer penodedig o
ddyddiau,
ond y mae enw da yn aros am byth.

Cywilydd

¹⁴Fy mhlant, daliwch afael ar eich
addysg, i fyw mewn heddwch.
Doethineb guddiedig a thrysor

anweledig,
pa fudd sydd yn y naill na'r llall?
¹⁵Gwell yw dyn sy'n cuddio'i ffolineb
na dyn sy'n cuddio'i ddoethineb.
¹⁶Gan hynny, byddwch yn barchus o'm
gair i,
oherwydd nid yw pob math o gywilydd
yn beth da i'w goleddu,
ac nid yw pob peth i'w gymeradwyo'n
ffyddiog bob amser.
¹⁷Bydded cywilydd arnoch o buteindra
yng ngŵydd tad a mam,
o gelwydd yng ngŵydd tywysog a
llywodraethwr,
¹⁸o drosedd yng ngŵydd barnwr ac
ynad,
o gamwedd yng ngŵydd y gynulleidfa
a'r bobl,
o anghyfiawnder yng ngŵydd
cydymaith a chyfaill,
¹⁹ac o ladrad yng ngŵydd dy
gymdogaeth;
ymgywilyddiwch yng ngŵydd
gwirionedd a chyfamod Duw.
Bydded cywilydd arnat o osod dy
benelin ar y bwrdd,
o dderbyn a rhoi mewn dirmyg,
²⁰o fod yn fud yng ngŵydd y rhai sy'n dy
gyfarch,
o lygadu gwraig sy'n butain,
²¹o droi dy wyneb oddi wrth dy gâr,
o ddwyn cyfran neu rodd oddi ar
ddyn,
o roi sylw i wraig a chanddi ŵr,
²²ac o ymyrryd â chaethferch dyn—
paid â mynd yn agos at ei gwely hi.
Bydded cywilydd arnat o eiriau
bychanus yng ngŵydd cyfeillion—
paid ag edliw iddynt dy rodd ar ôl ei
rhoi.
²³Bydded cywilydd arnat o ailadrodd
stori a glywaist,
ac o fradychu cyfrinachau.
²⁴Yna byddi'n dangos cywilydd o'r iawn
ryw,
a byddi'n gymeradwy yng ngolwg pob
dyn.

42 Dyma'r pethau na ddylai fod
arnat gywilydd ohonynt,
rhag iti bechu wrth geisio plesio eraill:
²o gyfraith a chyfamod y Goruchaf,
a'r ddedfryd sy'n cyfiawnhau'r ᵈ
annuwiol;
³o gadw cyfrif gyda chydymaith neu
gyd-deithwyr,

ᵈNeu, *a'i farnedigaeth, rhag iti gyfiawnhau'r.*

a derbyn rhodd dan ewyllys cyfeillion;
⁴o fod yn fanwl gywir â chloriannau a
phwysau,
a phrynu pethau mawr a mân,
⁵a gwneud elw trwy fargeinio â
masnachwyr;
o ddisgyblu mynych ar blant,
a thynnu gwaed o ystlys caethwas
drwg.
⁶Peth da yw sêl lle bo gwraig ddidoreth,
a chlo lle bo dwylo lawer.
⁷Beth bynnag a roddi i'w gadw, cymer
ofal i'w rifo a'i bwyso,
ac ym mhob rhoi a derbyn, cadw
gofnod ysgrifenedig.
⁸Na foed cywilydd arnat o gywiro'r
anwybodus a'r ynfyd,
neu ŵr oedrannus sy'n dadlau â phobl
ifainc. ᵈᵈ
Byddi felly yn dangos iti gael addysg
wirioneddol,
a byddi'n gymeradwy gan bawb.

Tad a Merch
⁹Y mae merch yn bryder dirgel i'w
thad,
a phoeni amdani'n cadw cwsg draw:
yn ei hieuenctid, rhag iddi fynd heibio
i oed priodi,
ac wedi iddi briodi, rhag i'w gŵr
ddechrau ei chasáu;
¹⁰yn ei gwyryfdod, rhag iddi gael ei
halogi
a dod yn feichiog yn nhŷ ei thad,
ac wedi iddi gael gŵr, rhag iddi
droseddu,
neu rhag iddi, yn wraig briod, fod yn
ddi-blant.
¹¹Cadw ferch anhydrin dan
warchodaeth lem,
rhag iddi dy wneud yn gyff gwawd i'th
elynion,
yn destun siarad yn y ddinas, yn
ddihareb ymhlith y bobl,
a rhag iddi ddwyn gwaradwydd arnat
ger bron lliaws y boblogaeth.
¹²Paid â gadael iddi ddangos ei thegwch
i unrhyw ddyn,
na chymryd ei chynghori gan y
gwragedd. ᵉ
¹³Oherwydd o ddillad y daw pryf,
ac o wraig ddrygioni gwraig.
¹⁴Gwell yw drygioni dyn na gwraig dda
ei gweithredoedd

nad yw ond yn pentyrru gwarth ar
waradwydd.

Gogoniant Duw mewn Natur
¹⁵Cofiaf yn awr weithredoedd yr
Arglwydd,
a thraethaf yr hyn a welais;
trwy eiriau'r Arglwydd y gwneir ei
weithredoedd.
¹⁶Fel y mae llewyrch yr haul yn treiddio
i bob man,
felly y mae gogoniant yr Arglwydd yn
llenwi ei waith.
¹⁷Ni roddodd yr Arglwydd i'w angylion
sanctaidd
draethu ei holl ryfeddodau,
sef y rheini a lanwodd yr Arglwydd
hollalluog â'i nerth
i beri i'r cyfanfyd sefyll yn ddiysgog yn
ei ogoniant ef.
¹⁸Y mae'r dyfnder diwaelod, a'r galon,
yn hysbys iddo,
a'u holl droeau cudd yn wybyddus
ganddo,
oherwydd y mae'r Goruchaf yn meddu
ar bob gwybodaeth,
ac yn gweld arwyddion pob oes.
¹⁹Y mae'n cyhoeddi'r pethau a fu, a'r
pethau a fydd,
ac yn datguddio llwybr pethau dirgel.
²⁰Ni ddihangodd unrhyw wybodaeth
rhagddo,
ac ni chuddiwyd dim un gair o'i olwg.
²¹Rhoes drefn ar fawrion weithredoedd
ei ddoethineb;
y mae yn bod o dragwyddoldeb i
dragwyddoldeb,
un nad oes ychwanegu ato na thynnu
oddi wrtho,
a heb fod arno angen cyngor neb.
²²Mor ddymunol yw ei holl
weithredoedd ef,
fel y gwelir hyd yn oed mewn
gwreichionen.
²³Y mae pob un ohonynt a bywyd
ynddi, ac yn para am byth,
ac yn ufudd ym mhob defnydd a wneir
ohoni.
²⁴Y mae dau o bob peth, y naill yn
wrthwyneb i'r llall;
ni wnaeth ef ddim yn ddiffygiol.
²⁵Y mae'r naill yn cadarnhau gwerth y
llall.
Pwy a all gael digon o syllu ar ei
ogoniant ef?

ᵈᵈYn ôl darlleniad arall, neu ŵr oedrannus a gyhuddir o buteindra.
ᵉFelly Hebraeg. Ystyr y Groeg yn dywyll.

43 Godidowgrwydd yr uchelder yw
gloywder y ffurfafen,
a golwg ar y gogoniant yw ffurfiad y
nefoedd.
² Yr haul ar ei gyfodiad, ac yn ei
ymdaith trwy'r nen,
yn cyhoeddi rhyfeddod ei greadigaeth
dan law'r Goruchaf,
³ ac yn crino'r holl wlad cyn canol dydd,
pwy a saif yn wyneb ei wres tanbaid
ef?
⁴ Y mae megino ffwrnais yn creu gwres
tanbaid,
ond teirgwaith tanbeitiach yw'r haul,
sy'n troi'r mynyddoedd yn fflam,
ei chwyth yn darth o dân,
a disgleirdeb ei belydrau'n dallu pob
llygad.
⁵ Mawr yw'r Arglwydd, creawdwr hwn;
ef, â'i air, sy'n ei brysuro ar ei daith.

⁶ A'r lleuad wedyn, sy'n cadw ei hoed
yn ddi-feth,
hi sy'n datgan yr amserau ac yn nodi'r
cyfnodau,
⁷ hi sy'n pennu dydd gŵyl—
y goleuad sy'n gwanhau wrth ddod i
ben ei rawd.
⁸ Wrthi hi yr enwir y mis,
a hithau ar newydd wedd yn prifio'n
rhyfeddol.
Hi yw llusern lluoedd yr uchelder,
yn rhoi ei goleuni yn ffurfafen y nef.
⁹ Y sêr yn eu gogoniant yw
prydferthwch y nef,
llu goleulon uchelderau'r Arglwydd.
¹⁰ Ar archiad yr Un Sanctaidd fe safant
yn eu trefn,
heb ddiffygio byth yn eu
gwyliadwriaethau.
¹¹ Edrych ar fwa'r enfys a folianna'i
greawdwr;
teg odiaeth yw ei lewyrch ef,
¹² yn amgylchu'r nef â chylch o
ysblander,
wedi ei dynnu gan ddwylo'r Goruchaf.

¹³ Ei orchymyn ef sy'n prysuro'r eira,
ac yn cyflymu mellt ei farnedigaethau.
¹⁴ Felly hefyd yr agorir yr ystordai
i'r cymylau hedfan allan fel adar.
¹⁵ Â'i allu nerthol y crynhoir y cymylau
ac y melir y cesair mân.
¹⁶ Ar ei ymddangosiad fe ysgydwir y
mynyddoedd,

ac wrth ei ewyllys y chwyth y
deheuwynt;
¹⁷ wrth sŵn ei daran y gwinga'r f ddaear,
a daw tymestl o'r gogledd, a chorwynt.
Y mae'n taenu'r plu eira fel adar yn
disgyn;
dônt i lawr fel haid o locustiaid yn
glanio.
¹⁸ Rhyfeddod i'r llygad yw tegwch eu
gwynder,
a syndod i'r galon yw eu gweld yn
disgyn.
¹⁹ A'r barrug, y mae'n ei dywallt ar y
ddaear fel halen,
a hwnnw wedyn yn rhewi'n ddrain
pigog.
²⁰ Y mae gwynt oer y gogledd yn
chwythu
ac yn caledu'r rhew ar wyneb y dŵr;
ar bob cronfa o ddŵr fe ddaw'r rhew,
a'r dŵr yn ei wisgo fel llurig.
²¹ Y mae'n difa'r mynyddoedd ac yn
llosgi'r anialwch,
ac yn crino'r borfa fel tân.
²² Yn sydyn daw niwlen i iacháu pob
peth;
ac wedi'r gwres, y gwlith yn disgyn i
sirioli'r wlad.

²³ Llonyddodd ef y dyfnfor â grym ei
feddwl,
a phlannodd ynysoedd ynddo.
²⁴ Y mae'r rhai sy'n hwylio ar y môr yn
traethu am ei beryglon,
nes peri syndod i ni sy'n eu clywed.
²⁵ Ynddo gwelir creaduriaid anhygoel a
rhyfeddol,
anifeiliaid o bob rhywogaeth ac
angenfilod y môr.
²⁶ O'i allu ei hun fe ddwg i ben ei holl
amcanion, ff
ac yn ei air ef y mae popeth yn
cydsefyll.

²⁷ Faint bynnag a ddywedwn, ni allwn
byth ddod i ben.
Swm a sylwedd yr hyn a draethwyd
yw: ef yw'r cyfan.
²⁸ O ble y cawn fedr i ganu ei glod?
Oherwydd mwy yw ef na'i
weithredoedd i gyd.
²⁹ Ofnadwy yw'r Arglwydd, a mawr
iawn,
a rhyfeddol yw ei allu ef.
³⁰ Gogoneddwch yr Arglwydd,

---

f Yn ôl darlleniad arall, *y mae sŵn ei daran yn ceryddu'r.*
ff Yn ôl darlleniad arall, *fe lwydda ei negesydd.*

dyrchafwch ef
hyd eithaf eich gallu, oherwydd
rhagorach lawer yw na'ch mawl;
dyrchafwch ef, ymegnïwch yn fwyfwy
heb ddiffygio dim, oherwydd ni
ddewch byth i ben.
³¹ Pwy a'i gwelodd ef, i fedru traethu
amdano?
A phwy a all ei fawrhau yn deilwng o'r
hyn ydyw?
³² Y mae llawer o ddirgelion mwy na'r
rhai hyn yn aros,
oherwydd ni welsom ond ychydig o'i
weithredoedd ef.
³³ Yr Arglwydd a wnaeth bob peth,
ac ef a roes i'r rhai duwiol ddoethineb.

Mawl i'n Cyndadau

44 Canwn fawl, yn awr, i wŷr o fri,
ie, i'n cyndadau, a'n cenhedlodd
ni.
² Eu mawr ogoniant, yr Arglwydd a'i
sicrhaodd,
yn amlygiad o'i fawrhydi o ddechrau'r
byd.
³ Bu rhai yn llywodraethwyr ar eu
teyrnasoedd,
ac yn wŷr enwog yn eu gallu nerthol.
Bu eraill yn gynghorwyr yn eu
dealltwriaeth,
ac yn traethu geiriau proffwydoliaeth.
⁴ Bu rhai'n cyfarwyddo'r bobl â'u
cynghorion
ac â'u dealltwriaeth o addysg y bobl,
yn hyfforddi â geiriau doeth.
⁵ Yn eu plith yr oedd cyfansoddwyr
cerddoriaeth
ac awduron arwrgerddi ein llên.
⁶ Yr oedd rhai yn wŷr cyfoethog a chryf
eu hadnoddau,
yn byw'n heddychlon yn eu cartrefi.
⁷ Y rhain i gyd, cawsant glod yn eu
cenedlaethau,
a dod yn achos ymffrost yn eu
hamserau.
⁸ Y mae rhai ohonynt a adawodd enw ar
eu hôl,
i bobl allu traethu eu clod yn llawn.
⁹ Ond y mae eraill nad oes iddynt
goffadwriaeth;
darfu amdanynt fel pe baent heb eu
geni;
aethant fel rhai na fuont erioed,
a'u plant ar eu holau yr un modd.
¹⁰ Ond nid felly ein cyndadau; gwŷr
teyrngar oeddent hwy,

g Groeg, *cyfamodau.*

ac nid aeth eu gweithredoedd da yn
angof.
¹¹ Trwy eu had fe erys
eu hiliogaeth yn etifeddiaeth deg.
¹² Saif eu had oddi mewn i'r cyfamodau,
a thrwyddynt hwy, eu plant hwythau.
¹³ Fe erys eu had am byth,
ac ni ddileir y clod sydd iddynt.
¹⁴ Cleddir eu cyrff mewn heddwch,
ond bydd eu henw'n fyw am
genedlaethau.
¹⁵ Bydd pobloedd yn traethu eu
doethineb,
a'r gynulleidfa'n canu eu clod.

Enoch a Noa

¹⁶ Rhyngodd Enoch fodd yr Arglwydd, a
chymerwyd ef ymaith,
yn batrwm o edifeirwch i bob
cenhedlaeth.
¹⁷ Cafwyd Noa yn ŵr perffaith a
chyfiawn,
ac yn nydd digofaint fe ddaeth yn
ddirprwy y byd.
O'i achos ef gadawyd gweddill ar y
ddaear
pan ddaeth y dilyw.
¹⁸ Gwnaed cyfamod g tragwyddol ag ef,
na châi dim sy'n byw ei ddileu byth eto
gan ddilyw.

Abraham

¹⁹ Abraham oedd cyndad mawr llu o
genhedloedd,
ac ni chafwyd ei debyg mewn bri.
²⁰ Cadwodd ef gyfraith y Goruchaf
a dod i gyfamod ag ef,
gan roi nod y cyfamod ar ei gnawd;
ac yn y prawf fe'i cafwyd yn ffyddlon.
²¹ Am hynny rhoes yr Arglwydd
sicrwydd iddo trwy lw
y câi cenhedloedd fendith trwy ei had
ef,
y lluosogai hwy fel llwch y ddaear,
a'u dyrchafu fel y sêr,
ac y byddai eu hetifeddiaeth yn
ymestyn
o fôr i fôr,
ac o'r Afon hyd eithafoedd y ddaear.

Isaac a Jacob

²² Rhoes yr un sicrwydd i Isaac,
er mwyn Abraham ei dad,
²³ am fendith i'r ddynolryw gyfan, a
chyfamod;
a pharodd iddynt orffwys ar ben
Jacob.

Fe'i cydnabu â'i fendithion,
a rhoi iddo dir yn etifeddiaeth,
gan bennu ei randiroedd
a'u dosbarthu rhwng y deuddeg
llwyth.

Moses

45 O hil Jacob cododd Duw ŵr
teyrngar iddo,
a gafodd ffafr yng ngolwg pobun,
a'i garu gan Dduw a dynion;
Moses oedd ef, o fendigedig
goffadwriaeth.
[2] Lluniodd Duw ef yn un mewn
gogoniant â'r angylion sanctaidd,
a pheri i'w elynion ei ofni'n ddirfawr.
[3] Trwy ei air ef rhoes Duw derfyn ar yr
arwyddion;
a rhoes iddo anrhydedd yng ngŵydd
brenhinoedd.
Rhoes iddo orchmynion ar gyfer ei
bobl,
a dangos iddo rywbeth o'i ogoniant ei
hun.
[4] Am ei ffydd a'i addfwynder, fe'i
cysegrodd,
a'i ddewis ef o blith pob dyn byw.
[5] Caniataodd iddo glywed ei lais,
a'i arwain i mewn i'r cwmwl tywyll;
wyneb yn wyneb, rhoes iddo'r
gorchmynion,
cyfraith i roi bywyd a gwybodaeth,
i ddysgu ei gyfamod i Jacob
a'i farnedigaethau i Israel.

Aaron

[6] Dyrchafodd Aaron hefyd, gŵr
sanctaidd fel Moses,
a brawd iddo, o lwyth Lefi.
[7] Gwnaeth gyfamod tragwyddol ag ef,
a rhoi offeiriadaeth ei bobl iddo.
Addurnodd ef â thlysau cain
a'i arwisgo â mantell ogoneddus.
[8] Gwisgodd ef ag ysblander cyflawn,
a'i gadarnhau ag arwyddion
awdurdod—
y llodrau, y fantell laes a'r grysbais.
[9] Gwregysodd ef â phomgranadau,
a'i amgylchu ag amlder o glychau aur
i ganu a seinio gyda phob cam o'i
eiddo,
nes bod eu sŵn i'w glywed yn y cysegr,
yn alwad i'r bobl i'w gofio.
[10] Rhoes iddo wisg sanctaidd o aur a
sidan glas
a phorffor, o waith brodiwr;

dwyfronneg barn, ynghyd â'r Wrim
a'r Twmim;
y bleth o ysgarlad, o waith crefftwr;
[11] y meini gwerthfawr, wedi eu
hysgythru fel seliau
a'u gosod mewn aur, o waith gemydd,
yn dwyn arysgrifen gerfiedig yn
goffadwriaeth,
a'u rhif yn ôl llwythau Israel;
[12] y goron aur ar ei benwisg,
wedi ei hysgythru, fel sêl, â'r gair
"Sancteiddrwydd",
yn anrhydedd i ymfalchïo ynddo, yn
waith godidog,
yn addurn i foddhau holl ddymuniant
y llygaid.
[13] Cyn ei amser ef, ni bu erioed y fath
addurniadau gwych;
ac nis gwisgwyd erioed gan neb nad
oedd o'i deulu,
neb ond ei feibion ef yn unig,
a'i ddisgynyddion ym mhob cyfnod.
[14] Llwyr losgir ei holl offrymau ef
ddwywaith bob dydd yn wastadol.
[15] Moses a'i cysegrodd ef,
a'i eneinio ag olew sanctaidd;
daeth hyn yn gyfamod tragwyddol
iddo ef,
ac i'w ddisgynyddion holl ddyddiau'r
nef:
ei fod i weinidogaethu i'r Arglwydd a
gwasanaethu fel offeiriad,
a bendithio'i bobl yn ei enw ef.
[16] Dewisodd ef o blith pob dyn byw
i offrymu aberth i'r Arglwydd,
arogldarth peraidd yn goffadwriaeth,
ac yn foddion puredigaeth pechodau
dy bobl.
[17] Rhoes iddo ef, gyda'i orchmynion,
awdurdod i ddyfarnu ar amodau'r
cyfamod [ng],
i ddysgu i Jacob ei ddatganiadau
ac i oleuo Israel yn ei gyfraith.
[18] Mewn cynllwyn yn tarddu o genfigen,
cododd gwŷr nad oeddent o'i deulu yn
ei erbyn yn yr anialwch;
Dathan ac Abiram a'u gwŷr,
a charfan Cora yn eu llid a'u dicter.
[19] Gwelodd yr Arglwydd hyn, a'i gael yn
anghymeradwy;
fe'u llwyr ddinistriodd yn llid ei
ddicter.
Gwnaeth ryfeddodau yn eu herbyn
i'w difa â fflam ei dân.
[20] Ond ychwanegodd at ogoniant Aaron
a rhoi iddo etifeddiaeth;

[ng] Groeg, *cyfamodau.*

rhannodd i'r offeiriaid flaenffrwyth ei
gynnyrch gorau,
a sicrhau iddynt hwy yn gyntaf
ddigonedd o fara.
21 Oherwydd hwy a gaiff fwyta
aberthau'r Arglwydd;
y maent wedi eu rhoi i Aaron a'i
ddisgynyddion.
22 Eto ni bydd iddo etifeddiaeth yn nhir
ei bobl;
nid oes iddo randir yn eu plith,
oherwydd yr Arglwydd ei hun yw ei
randir a'i etifeddiaeth ef.

Phineas

23 Phineas fab Eleasar yw'r trydydd
mewn bri,
am ei sêl yn ofni'r Arglwydd,
ac am iddo sefyll yn gadarn pan
wrthryfelodd y bobl,
yn hael ac eiddgar ei ysbryd,
gan sicrhau puredigaeth pechodau i
Israel.
24 Am hynny sefydlwyd cyfamod hedd ag
ef,
i'w osod yn ben ar y cysegr ac ar ei
bobl,
fel mai'r eiddo ef a'i ddisgynyddion
fyddai braint yr offeiriadaeth yn oes
oesoedd.
25 Fel y bu yn y cyfamod a wnaed â
Dafydd,
mab Jesse o lwyth Jwda,
fod etifeddiaeth y brenin i fynd o fab i
fab yn unig,
felly hefyd yr oedd etifeddiaeth Aaron
i fynd i'w ddisgynyddion ef.
26 Rhodded yr Arglwydd ichwi
ddoethineb yn eich meddwl
i farnu ei bobl mewn cyfiawnder,
fel na bydd i rinweddau eich cyndadau
ddiflannu,
ac y cedwir eu gogoniant i
genedlaethau o'u plant.

Josua

46 Gŵr nerthol mewn rhyfel oedd
Josua fab Nun,
olynydd Moses yn ei swydd
broffwydol.
Bu cystal â'i enw,
yn rymus i roi gwaredigaeth i
etholedigion yr Arglwydd,
ac i ddial ar y gelynion a godai yn eu
herbyn,
er mwyn sicrhau ei hetifeddiaeth i
Israel.

2 Mor ogoneddus ydoedd wrth godi ei
ddwylo
a chwifio'i gleddyf wrth ymosod ar
ddinasoedd!
3 Pwy o'i flaen ef a safodd mor gadarn?
Oherwydd ymladd rhyfeloedd yr
Arglwydd yr oedd ef.
4 Onid ei fraich ef a ataliodd yr haul,
ac estyn un dydd dros ddau?
5 Galwodd ar y Goruchaf, y Duw
nerthol,
pan oedd ei elynion yn gwasgu arno ar
bob tu,
ac atebodd yr Arglwydd mawr ef
6 â grym nerthol storm o genllysg.
Rhuthrodd ar y genedl mewn cyrch,
a dinistrio'i wrthwynebwyr ar y
goriwaered,
i beri i'r cenhedloedd ddeall am ei
arfogaeth lawn,
fod ei filwriaeth dan ofal yr Arglwydd,
oherwydd canlyn y Duw nerthol a
wnaeth ef.

Caleb

7 Yn nyddiau Moses hefyd fe brofodd ei
deyrngarwch,
ef a Chaleb fab Jeffune,
trwy wrthwynebu'r cynulliad
ac atal y bobl rhag pechu,
a rhoi taw ar eu grwgnach drygionus.
8 A dyma'r unig ddau a ddihangodd yn
fyw,
o'r chwe chan mil o wŷr traed,
i gael mynediad i mewn i'w
hetifeddiaeth
yn y wlad oedd yn llifeirio o laeth a
mêl.
9 Rhoes yr Arglwydd i Caleb gryfder
a barhaodd gydag ef hyd ei henaint,
i'w alluogi i droedio ar uchelfannau'r
wlad
y mae ei ddisgynyddion wedi ei
meddiannu'n etifeddiaeth.
10 Felly daeth holl feibion Israel i weld
mai da yw canlyn yr Arglwydd.

Y Barnwyr

11 A'r barnwyr hefyd, y mae i bob un
ohonynt ei enw da,
ni bu neb ohonynt yn anffyddlon yn ei
amcanion,
ac ni chefnodd neb ohonynt ar yr
Arglwydd.
Bendigedig fo'u coffadwriaeth hwy!
12 Bydded i'w hesgyrn egino eto o'r
ddaear lle'u claddwyd,

a bydded i enwau'r gwŷr hyglod hyn
ennill bri tebyg yn hanes eu plant.

Samuel

¹³ Gŵr annwyl yng ngolwg ei Arglwydd
oedd Samuel;
fel proffwyd yr Arglwydd sefydlodd y
frenhiniaeth
ac eneinio llywodraethwyr ar ei bobl.
¹⁴ Barnodd y gynulleidfa wrth gyfraith yr
Arglwydd,
a daeth yr Arglwydd i warchod Jacob.
¹⁵ Trwy ei ffyddlondeb fe'i profwyd yn
wir broffwyd,
a thrwy ei eiriau daethpwyd i'w
adnabod fel un cywir ei welediad.
¹⁶ Galwodd ar yr Arglwydd nerthol,
pan oedd ei elynion yn gwasgu arno ar
bob tu,
ac offrymodd oen sugno yn aberth.
¹⁷ Yna taranodd yr Arglwydd o'r nef
a pharodd glywed ei lais â sŵn mawr.
¹⁸ Difaodd arweinwyr y Tyriaid
a holl lywodraethwyr y Philistiaid.
¹⁹ A chyn dyfod yr amser iddo fynd i'w
hun dragwyddol,
tystiolaethodd Samuel gerbron yr
Arglwydd a'i eneiniog:
"Ni ddygais ddim o'i eiddo oddi ar
neb,
naddo, ddim cymaint â'i sandalau."
Ac nid oedd neb a'i cyhuddodd.
²⁰ Hyd yn oed ar ôl iddo huno, fe
broffwydodd
a rhybuddio'r brenin o'i farwolaeth,
gan fwrw ei lais i fyny o'r ddaear
mewn proffwydoliaeth, i ddileu
camwedd y bobl.

Nathan

47 Ar ei ôl ef cododd Nathan
i broffwydo yn nyddiau Dafydd.

Dafydd

² Fel braster wedi ei wahanu oddi wrth
yr heddoffrwm,
felly y neilltuwyd Dafydd oddi wrth
feibion Israel.
³ Chwaraeodd â llewod fel pe baent yn
fynnod
ac ag eirth fel pe baent yn ŵyn o'r
praidd.
⁴ Yn ei ieuenctid oni laddodd ef gawr,
a symud eu gwaradwydd oddi ar y
bobl
trwy godi ei law i fwrw carreg â'i ffon
dafl

a darostwng trahauster Goliath?
⁵ Oherwydd galwodd ar yr Arglwydd
Goruchaf,
a rhoes yntau nerth i'w ddeheulaw
i daro i lawr y rhyfelwr cadarn hwnnw
a chodi ei bobl i fuddugoliaeth.
⁶ Felly clodforwyd ef am y myrddiynau
a drechodd,
a'i ganmol am gael bendithion yr
Arglwydd,
pan wisgwyd ef â choron ogoneddus.
⁷ Oherwydd difaodd y gelynion ar bob
tu,
a diddymu'r Philistiaid a'i
gwrthsafodd;
drylliodd eu grym hyd y dydd hwn.
⁸ Yn ei holl weithgarwch rhoes ddiolch
i'r Un Sanctaidd a Goruchel, a datgan
ei ogoniant;
â'i holl galon canodd fawl,
a mynegi ei gariad at ei Greawdwr.
⁹ Gosododd gantorion gerbron yr allor
i felysu'r gân â'i hyfrydlais.
¹⁰ Rhoes wedduster i'w gwyliau,
a threfnu cylch cyflawn yr amserau
i foliannu enw sanctaidd yr Arglwydd,
a llenwi'r cysegr â sŵn mawl o'r bore
bach.
¹¹ Dileodd yr Arglwydd ei bechodau
a'i ddyrchafu i awdurdod tragwyddol;
gwnaeth gyfamod ag ef, i'w godi yn
frenin
a'i osod ar orsedd ogoneddus Israel.

Solomon

¹² Ar ei ôl ef cododd ei fab, gŵr doeth,
a gafodd, trwy ymdrech ei dad,
ehangder i drigo ynddo.
¹³ Teyrnasodd Solomon mewn dyddiau o
heddwch,
a rhoes Duw lonyddwch o'i amgylch ar
bob tu,
er mwyn iddo godi tŷ er gogoniant i'w
enw ef,
a darparu cysegr i bara am byth.
¹⁴ Mor ddoeth fuost, Solomon, yn dy
ieuenctid,
a'th ddealltwriaeth fel afon yn gorlifo!
¹⁵ Ymledodd dy ddylanwad dros y
ddaear
a'i llenwi â diarhebion a dirgelion.
¹⁶ Daeth dy enw'n hysbys yn yr ynysoedd
pell,
a daethpwyd i'th garu am heddwch dy
deyrnasiad.
¹⁷ Daeth dy gerddi, dy gyffelybiaethau,
dy ddiarhebion

a'th ddehongliadau yn rhyfeddod yng
ngolwg y gwledydd.
[18] Yn enw'r Arglwydd Dduw,
a adwaenir fel Duw Israel,
cesglaist aur fel casglu alcam,
a phentyrru arian fel petai'n blwm.
[19] Gollyngaist dy hun i gydorwedd â
gwragedd,
a rhoi iddynt hawl ar dy gorff.
[20] Difwynaist dy enw da
a halogi dy hiliogaeth;
dygaist ddigofaint ar dy blant,
a gofid iddynt am dy ffolineb:
[21] rhannwyd y frenhiniaeth;
ac o Effraim cododd teyrnas
wrthryfelgar.
[22] Ond nid yw'r Arglwydd byth yn
ymwadu â'i drugaredd
nac yn torri'r un o'i addewidion;
ac nid yw am ddileu llinach ei
etholedig
na difodi hiliogaeth yr un a'i carodd
ef;
felly rhoes weddill i Jacob,
ac i Ddafydd un gwreiddyn o'i gyff.

Rehoboam a Jeroboam

[23] Yna gorttwysodd Solomon gyda'i
dadau,
gan adael i'w olynu un o'i feibion,
ynfytyn y genedl, a'r gwannaf ei
ddeall,
Rehoboam, y gyrrodd ei amcanion y
bobl i wrthryfela.
Wedyn daeth Jeroboam fab Nebat, a
wnaeth i Israel bechu
ac a osododd Effraim ar lwybr
pechod.
[24] Amlhaodd eu pechodau yn ddirfawr,
nes eu gyrru'n alltud o'u gwlad.
[25] Rhoesant gynnig ar bob math o
ddrygioni,
nes i'r farnedigaeth ddisgyn arnynt.

Elias

48 Yna cododd Elias, proffwyd a
oedd fel tân,
a'i air yn llosgi fel ffagl.
[2] Daeth â newyn arnynt,
a thrwy ei sêl fe'u gwnaeth yn ychydig.
[3] Trwy air yr Arglwydd fe gaeodd y
nefoedd,
a'r un modd daeth â thân i lawr
deirgwaith.

[4] Mor ogoneddus fuost, Elias, yn dy
weithredoedd rhyfeddol!
Gan bwy y mae hawl i ymffrostio fel
tydi?
[5] Ti, yr hwn a gododd gelain o
farwolaeth,
ie, o Drigfan y Meirw, trwy air y
Goruchaf;
[6] a fwriodd frenhinoedd i ddistryw,
a gwŷr o fri o'u gwelyau i'w tranc;
[7] a glywodd geryddu yn Sinai
a dyfarnu dial yn Horeb;
[8] a eneiniodd frenhinoedd i dalu'r
pwyth,
a phroffwydi i fod yn olynwyr iddo;
[9] a gymerwyd i fyny mewn corwynt o
dân,
mewn cerbyd a'i geffylau yn wenfflam;
[10] ie, yr hwn yr ysgrifennwyd amdano y
daw â'i geryddon yn eu priod
amserau,
i ostegu'r llid cyn dyfod y digofaint,
i gymodi tad â'i fab
ac i adfer llwythau Jacob.
[11] Gwyn eu byd y rhai a'th welodd
ac a hunodd yn dy[h] gariad;
oherwydd fe gawn ni fyw yn ddiau.[i]

Eliseus

[12] Wedi i Elias ddiflannu yn y corwynt,
llanwyd Eliseus â'i ysbryd ef.
Trwy gydol ei ddyddiau ni tharfwyd
arno gan lywodraethwr,
ac ni allodd neb gael y trechaf arno.
[13] Ni bu dim y tu hwnt iddo,
ac wedi iddo huno, proffwydodd ei
gorff.
[14] Yn ei fywyd gwnaeth ryfeddodau,
ac yn ei farwolaeth weithredoedd i
synnu atynt.

Cosbi'r Genedl Anffyddlon

[15] Er hyn i gyd, nid edifarhaodd y bobl,
na chefnu ar eu pechodau,
nes eu dwyn yn ysbail o'u gwlad
a'u gwasgaru ar hyd a lled y ddaear.
Gadawyd y genedl yn fechan iawn
dan lywodraethwr o dŷ Dafydd,
[16] rhai ohonynt a'u gweithredoedd yn
gymeradwy,
ac eraill yn pentyrru pechodau.

Heseceia

[17] Gwnaeth Heseceia ei ddinas yn
gadarnle,

[h] Yn ôl darlleniad arall, *a addunedwyd â'th*.
[i] Felly Groeg; y mae'r Fersiynau yn gadael allan *oherwydd ... yn ddiau*.

a dwyn dŵr i mewn i'w chanol hi;
tyllodd drwy'r graig ag offer o haearn
a llunio cronfeydd i'r dyfroedd.
[18] Yn ei ddyddiau ef daeth Senacherib i
ymosod ar y wlad,
ac anfonodd Rabsace o Lachis[1];
cododd ei law yn erbyn Seion,
gan ymffrostio'n drahaus.
[19] Yna, a'u calonnau a'u dwylo yn
gryndod i gyd,
ac mewn gwewyr fel gwragedd yn
esgor,
[20] galwasant ar yr Arglwydd trugarog,
gan estyn eu dwylo tuag ato;
a buan y gwrandawodd yr Un
Sanctaidd o'r nef arnynt,
a'u gwaredu trwy law Eseia.
[21] Trawodd wersyll yr Asyriaid,
a'u difa trwy ei angel.

Eseia

[22] Oherwydd gwnaeth Heseceia yr hyn a
ryngai fodd yr Arglwydd,
a chadw'n ddiysgog at ffyrdd Dafydd
ei gyndad,
yn unol â gorchymyn Eseia,
y proffwyd mawr y gellid ymddiried yn
ei weledigaeth.
[23] Yn ei ddyddiau ef fe drowyd yr haul
yn ei ôl,
ac estynnodd ef einioes y brenin.
[24] Trwy ysbrydoliaeth fawr rhagwelodd y
pethau olaf,
a rhoes gysur i'r galarwyr yn Seion.
[25] Datguddiodd y pethau oedd i ddod
hyd ddiwedd amser,
a'r pethau dirgel, cyn iddynt
ddigwydd.

Joseia

49 Y mae coffadwriaeth Joseia fel
arogldarth
wedi ei weithio'n fedrus a'i ddarparu
gan beraroglydd;
y mae ei felyster fel mêl i bob genau,
neu fel cerddoriaeth mewn gwledd o
win.
[2] Gweithredodd ef yn uniawn er
tröedigaeth y bobl,
gan fwrw ymaith bob ffieiddbeth
anghyfreithlon.
[3] Cyfeiriodd ei galon yn union at yr
Arglwydd,
ac yn nyddiau gwrthod y gyfraith bu'n
gadarn ei ymlyniad wrth wir
grefydd.

[1] Yn ôl darlleniad arall, *Rabsace, ac aeth ymaith.*

Jeremeia

[4] Ac eithrio Dafydd a Heseceia a
Joseia,
pentyrru trosedd ar drosedd a wnaeth
pob brenin;
cefnasant ar gyfraith y Goruchaf.
Ac felly y darfu am frenhinoedd Jwda,
[5] oherwydd ildiasant eu gallu i eraill
a'u gogoniant i genedl estron.
[6] Llosgwyd y ddinas etholedig, cartref y
cysegr,
a gadael ei heolydd yn ddiffeithwch,
[7] fel y proffwydodd Jeremeia, y gŵr
hwnnw a gamdriniwyd,
ac yntau wedi ei gysegru'n broffwyd
yn y groth,
i ddiwreiddio, i ddrygu ac i ddinistrio,
a hefyd i adeiladu ac i blannu.

Eseciel

[8] Gwelodd Eseciel yntau weledigaeth
o'r gogoniant
a ddatguddiwyd iddo uwchlaw cerbyd
y cerwbiaid.
[9] Oherwydd cofiodd Duw am ei elynion
â chawod ei ddigofaint,
a'r rhai union eu llwybrau â'i
fendithion.

Y Deuddeg Proffwyd

[10] Bydded i esgyrn y deuddeg proffwyd,
felly,
egino eto o'r ddaear lle'u claddwyd,
oherwydd rhoesant gysur i Jacob
a gwaredu'r bobl â'u gobaith ffyddiog.

Sorobabel a Josua

[11] Sut y mae datgan mawredd
Sorobabel?
Yr oedd ef fel sêl-fodrwy ar law dde'r
Arglwydd.
[12] A'r un modd Josua fab Josedec.
Dyma'r ddau yn eu dydd a adeiladodd
y tŷ
a chodi i'r Arglwydd deml sanctaidd,
wedi ei darparu i ogoniant
tragwyddol.

Nehemeia

[13] Rhagorol hefyd yw coffadwriaeth
Nehemeia,
a gododd i ni y muriau a syrthiasai,
ac atgyweirio'r pyrth a'r barrau
ac ailadeiladu ein tai.

Y Patriarchiaid

[14] Ni chrewyd neb ar y ddaear i'w
gymharu ag Enoch,
oherwydd cymerwyd ef i fyny oddi ar y
ddaear.
[15] Ni anwyd chwaith neb tebyg i Joseff,
llywodraethwr ei frodyr a chadernid ei
bobl;
y mae ei esgyrn ef wedi eu cadw'n
ddiogel.
[16] Cafodd Sem a Seth fri ymhlith dynion,
ond goruwch pob peth byw yn y
greadigaeth y mae Adda.

Simon fab Onias

50 Yr archoffeiriad Simon fab Onias,
dyma'r gŵr a atgyweiriodd y
deml yn ystod ei fywyd,
a chadarnhau'r cysegr yn ei ddydd.
[2] Ganddo ef hefyd y gosodwyd sylfeini'r
mur o ddau uchdwr,
y mur uchel o amgylch mangre'r deml.
[3] Yn ei ddydd ef y cloddiwyd[ll] y gronfa
ddŵr,
yn bwll tebyg i'r môr yn ei ehangder.
[4] Dyma'r gŵr a roes ei fryd ar arbed ei
bobl rhag cwympo,
ac a gryfhaodd amddiffynfeydd y
ddinas yn erbyn gwarchae.
[5] Mor ogoneddus ydoedd, a'r bobl yn
tyrru o'i gwmpas
wrth iddo ddod allan trwy len y deml!
[6] Yr oedd fel seren y bore yn disgleirio
rhwng y cymylau,
neu fel y lleuad ar ei hamserau llawn;
[7] fel yr haul yn llewyrchu ar deml y
Goruchaf,
fel yr enfys yn pelydru'n amryliw yn y
cymylau,
[8] fel rhosyn yn blodeuo yn y gwanwyn,
fel lili ger ffynnon o ddŵr,
fel pren thus yn yr haf,
[9] fel arogldarth yn llosgi mewn thuser,
fel llestr o aur coeth
wedi ei addurno â meini gwerthfawr o
bob rhyw fath,
[10] fel olewydden yn llwythog â ffrwyth,
ac fel cypreswydden a'i phen yn y
cymylau.
[11] Pan roddai amdano ei fantell
ogoneddus,
ac ymwisgo yn ei gyflawn ysblander,
wrth fynd i fyny at yr allor sanctaidd
byddai'n tywynnu gogoniant ar
fangre'r cysegr.

[12] Wrth gymryd darnau'r aberth o
ddwylo'r offeiriaid,
ac yntau'n sefyll wrth le tân yr allor,
a'i frodyr yn dorch o'i amgylch,
yr oedd fel cedrwydden ifanc yn
Libanus
yng nghanol coedlan o balmwydd.
[13] A holl feibion Aaron yn eu gwychder,
ac offrymau'r Arglwydd yn eu dwylo,
yn sefyll o flaen cynulleidfa gyflawn
Israel,
[14] byddai yntau'n cwblhau defodau'r
allorau,
a rhoi trefn ar yr offrwm i'r Goruchaf
a'r Hollalluog:
[15] yn estyn ei law at gwpan y
diodoffrwm
ac yn arllwys ohono waed y grawnwin,
gan ei dywallt wrth droed yr allor,
yn berarogl i'r Goruchaf, Brenin
pawb.
[16] Yna gwaeddai meibion Aaron
a chanu eu hutgyrn o fetel coeth,
nes bod y sŵn yn atseinio'n hyglyw
i'w hatgoffa gerbron y Goruchaf.
[17] Ar hyn, yn ddiymdroi, byddai'r holl
bobl gyda'i gilydd
yn syrthio ar eu hwynebau ar y ddaear
i addoli eu Harglwydd,
yr Hollalluog, y Duw Goruchaf.
[18] Codai'r cantorion eu lleisiau mewn
mawl,
gan felysu'r gân ag amryfal seiniau;
[19] a'r bobl hwythau'n ymbil ar yr
Arglwydd Hollalluog,
mewn gweddi gerbron y Duw
Trugarog,
nes cwblhau trefn addoliad yr
Arglwydd
a dirwyn y gwasanaeth i ben.
[20] Wedyn dôi Simon i lawr a chodi ei
ddwylo
dros gynulleidfa gyfan Israel,
i gyhoeddi bendith yr Arglwydd â'i
wefusau,
gan orfoleddu yn ei enw ef.
[21] A byddai'r bobl yn ymgrymu eilwaith
mewn addoliad,
i dderbyn y fendith gan y Goruchaf.

Bendithio Duw

[22] Ac yn awr, bendithiwch Dduw'r
cyfanfyd,
sy'n cyflawni ei fawrion weithredoedd
ym mhobman,

[ll] Cywiriad o destun Groeg llwgr sy'n golygu *lleihawyd.*

sy'n mawrhau ein dyddiau o'n geni,
ac yn ymwneud â ni yn ôl ei
drugaredd.
[23] Rhoed ef inni lawenydd calon,
a llenwi ein dyddiau ni â heddwch,
a dyddiau Israel hefyd am byth.
[24] Rhoed inni sicrwydd o'i drugaredd
a gwaredigaeth yn ein dyddiau[m].

Cenhedloedd Atgas

[25] Y mae dwy genedl sy'n gas gennyf,
a thrydedd, nad yw'n genedl o gwbl:
[26] preswylwyr Mynydd Seir[n], a'r
Philistiaid,
a'r bobl ynfyd sy'n trigo yn Sichem.

Doethineb Iesu Fab Sirach

[27] Hyfforddiant mewn deall a
gwybodaeth
a ysgrifennwyd yn y llyfr hwn
gennyf fi, Iesu fab Sirach, o
Jerwsalem;
ynddo yr arllwysais y ddoethineb a
darddodd o'm meddwl.
[28] Gwyn ei fyd y gŵr sy'n ymdroi gyda'r
pethau hyn;
o'u trysori yn ei galon fe ddaw'n
ddoeth;
o'u gweithredu, caiff nerth ar bob
gofyn.
Oherwydd bydd goleuni'r Arglwydd
ar ei lwybr.

Emyn o Fawl

51 Diolchaf i ti, fy Arglwydd a'm
Brenin,
a moliannaf di, O Dduw, fy
Ngwaredwr;
diolchaf i'th enw di.
[2] Oherwydd buost yn amddiffynnydd ac
yn gynorthwywr imi,
a gwaredaist fy nghorff rhag distryw,
rhag y fagl a osododd tafod enllibus,
a rhag y gwefusau sy'n taenu celwydd;
yng ngŵydd fy ngwrthwynebwyr
buost yn gynorthwywr imi; gwaredaist
fi.
[3] yn unol â mawredd dy drugaredd a'th
enw,
rhag ysgyrnygu'r dannedd oedd yn
barod i'm bwyta,
ac o law'r rhai oedd yn ceisio fy
mywyd.
[4] Gwaredaist fi o'r blinderau lawer a
ddioddefais,
o fwg taglyd y fflamau a'm

hamgylchynai,
o ganol y tân nad oeddwn wedi ei
gynnau,
[5] o ddyfnder crombil Trigfan y Meirw,
a rhag tafod aflan a'i eiriau
celwyddog—
[6] y tafod anghyfiawn a'm henllibiodd
wrth y brenin.
Deuthum innau'n agos i farwolaeth,
a disgynnais bron hyd at Drigfan y
Meirw.
[7] Yr oeddent yn f'amgylchu ar bob tu,
ac nid oedd neb i'm helpu;
yr oeddwn yn chwilio am gymorth gan
ddynion, ond nid oedd neb ar
gael.
[8] Yna cofiais am dy drugaredd di,
Arglwydd,
ac am dy weithredoedd o'r dechrau
cyntaf:
dy fod yn gwaredu'r rhai sy'n dal i
ddisgwyl wrthyt,
ac yn eu hachub o law eu gelynion.
[9] Dyrchefais f'erfyniad o'r ddaear,
a gweddïais am gael fy arbed rhag
marw.
[10] Gelwais ar yr Arglwydd, tad fy
arglwydd,
i beidio â chefnu arnaf mewn dyddiau
o gyfyngder,
a minnau'n ddiymgeledd yn amser
traha.
Moliannaf dy enw yn ddi-baid,
a chanaf emynau mewn diolchgarwch.
[11] Gwrandawyd fy ngweddi,
oherwydd achubaist fi rhag
marwolaeth
a'm gwaredu o'r amser drwg.
[12] Am hynny diolchaf iti a'th folianñu,
a bendithiaf dy enw, O Arglwydd.

Cais am Ddoethineb

[13] Pan oeddwn eto'n ifanc, cyn cychwyn
ar fy nheithiau,
ar goedd yn fy ngweddi gwneuthum
gais am ddoethineb.
[14] Yng nghyntedd y cysegr fe'i hawliais
imi,
a daliaf i'w cheisio hyd y diwedd.
[15] O'i blodau cyntaf hyd y grawnwin
aeddfed,
ynddi hi yr ymhyfrydodd fy nghalon.
Cedwais fy nhroed ar lwybr union
wrth imi ei chanlyn o'm hieuenctid.
[16] Ar y gwrandawiad cyntaf, fe'i cefais,
ac ennill i mi fy hun lawer o addysg;

---

[m] Yn ôl darlleniad arall, *yn ei ddyddiau.*   [n] Felly Hebraeg. Groeg, *Samaria.*

¹⁷cynnydd fu fy rhan trwyddi hi.
I'r hwn a roes imi ddoethineb y rhof
    ogoniant.
¹⁸Oherwydd penderfynais gyflawni ei
    gofynion,
a bûm yn llawn sêl dros y da; felly ni
    chywilyddir mohonof.
¹⁹Yr wyf fi wedi brwydro amdani hi,
gan fod yn fanwl gywir wrth gadw'r
    gyfraith.
Estynnais fy nwylo i fyny tua'r nef,
gan alaru oblegid fy anwybodaeth
    ohoni.
²⁰Cyfeiriais fy mywyd tuag ati,
ac ar gyfrif fy nglanhad, fe'i cefais;
cydiais fy nghalon wrthi hi o'r
    cychwyn,
ac am hynny ni'm gadewir yn
    amddifad byth.
²¹Cynhyrfwyd ynof chwant i'w cheisio,
ac am hynny enillais feddiant ar drysor
    da.
²²Rhoes yr Arglwydd imi dafod yn
    wobr,
ac â hwnnw fe'i moliannaf ef.

²³Nesewch ataf, chwi'r rhai diaddysg,
a cheisiwch le yn fy ysgol i.
²⁴Pam yr addefwch eich bod yn brin o'r
    pethau hyn,
a chwithau'n sychedu gymaint
    amdanynt?
²⁵Agorais fy ngenau a llefaru:
"Prynwch i chwi eich hunain heb
    arian.
²⁶Plygwch eich gwar dan yr iau,
a derbyniwch addysg;
y mae hi wrth law ac yn hawdd ei
    chael.
²⁷Gwelwch â'ch llygaid gyn lleied y
    llafuriais
i ennill imi orffwystra mor fawr.
²⁸Gwariwch arian mawr ar gael addysg,
a mawr fydd yr aur a gewch drwyddi.
²⁹Llawenhewch yn nhrugaredd yr
    Arglwydd,
ac na fydded cywilydd arnoch ei
    foliannu ef.
³⁰Cyflawnwch eich gwaith mewn pryd,
ac yn ei amser ei hun rhydd Duw ichwi
    eich gwobr."

LLYFR

BARUCH

Rhagarweiniad

1 Dyma eiriau'r llyfr a ysgrifennodd Baruch fab Nereia, fab Maaseia, fab Sedeceia, fab Asadeia, fab Chelcias, ym Mabilon ²yn y bumed flwyddyn, a'r seithfed dydd o'r mis, yr adeg y goresgynnodd y Caldeaid Jerwsalem a'i llosgi. ³Darllenodd Baruch eiriau'r llyfr hwn yng nghlyw Jechoneia, mab Joachim brenin Jwda, ac yng nghlyw pawb o'r bobl a ddaeth i'w glywed: ⁴y gwŷr mawr, y gwŷr o linach frenhinol, yr henuriaid, a phawb o'r bobl, o'r lleiaf hyd y mwyaf —pawb yn wir oedd yn byw ar lan Afon Swd ym Mabilon. ⁵Mewn galar ac ympryd, ymroesant i weddïo gerbron yr Arglwydd; ⁶casglasant arian hefyd, pob un yn ôl ei allu, ⁷a'i anfon i Jerwsalem at yr offeiriad Joachim fab Chelcias, fab Salum, ac at yr offeiriaid eraill, ac at yr holl bobl a gafwyd gydag ef yn Jerwsalem. ⁸Dyma'r pryd y cymerodd Baruch lestri tŷ'r Arglwydd, a oedd wedi eu dwyn o'r deml, i'w dychwelyd i wlad Jwda, ar y degfed dydd o fis Sifan. ⁹Y rhain oedd y llestri arian yr oedd Sedeceia fab Joseia brenin Jwda wedi eu gwneud ar ôl i Nebuchadnesar brenin Babilon gaethgludo Jechoneia, a'r tywysogion a'r carcharorion a'r gwŷr mawr a phobl y wlad, o Jerwsalem, a'u dwyn i Fabilon.

Y Neges i Jerwsalem

10 Dywedasant: "Dyma ni'n anfon atoch arian. Prynwch â'r arian boethoffrymau ac aberthau dros bechod, ac arogldarth; darparwch offrwm o rawn a'i offrymu ar allor yr Arglwydd ein Duw ni. ¹¹A gweddïwch dros fywyd Nebuchadnesar brenin Babilon, a thros fywyd Belsassar ei fab ef, ar i'w dyddiau fod fel dyddiau'r nefoedd ar y ddaear. ¹²Yna fe rydd yr Arglwydd i ni nerth, a golau i'n llygaid, a chawn fyw dan nawdd Nebuchadnesar brenin Babilon a than nawdd Belsassar ei fab. Rhown iddynt wasanaeth am gyfnod maith, a chael ffafr yn eu golwg. ¹³Gweddïwch hefyd ar yr Arglwydd ein Duw drosom ni, oherwydd i ni bechu yn ei erbyn; ac nid yw llid yr Arglwydd a'i ddicter wedi troi ymaith oddi wrthym hyd y dydd hwn.

14 "Yr ydych i ddarllen y llyfr hwn a anfonwn atoch, a gwneud eich cyffes yn nhŷ'r Arglwydd ar ddydd gŵyl ac ar ddyddiau penodedig, ¹⁵a dweud: 'I'r Arglwydd ein Duw y perthyn cyfiawnder, ond i ni gywilydd wyneb hyd y dydd hwn, i bobl Jwda a thrigolion Jerwsalem, ¹⁶i'n brenhinoedd a'n llywodraethwyr a'n hoffeiriaid a'n proffwydi, ac i'n tadau. ¹⁷Oherwydd pechasom yn erbyn yr Arglwydd, ¹⁸a buom yn anufudd iddo; ni wrandawsom ar lais yr Arglwydd ein Duw, i rodio yn ôl y gorchmynion a osododd yr Arglwydd ger ein bron. ¹⁹O'r dydd y dygodd yr Arglwydd ein tadau allan o'r Aifft hyd heddiw, buom yn anufudd i'r Arglwydd ein Duw ac yn esgeulus, heb wrando ar ei lais. ²⁰A glynodd wrthym hyd heddiw y drygau a'r felltith y gorchmynnodd yr Arglwydd i'w was Moses eu cyhoeddi ar y dydd y dygodd ein tadau allan o'r Aifft er mwyn rhoi i ni wlad yn llifeirio o laeth a mêl. ²¹Ni wrandawsom chwaith ar lais yr Arglwydd ein Duw, a glywir yn holl eiriau'r proffwydi a anfonodd atom; ²²ond dilyn a wnaethom bob un ei ffordd ei hun, yn ôl mympwy ei galon ddrygionus, a gwasanaethu duwiau eraill, a gwneud yr hyn oedd ddrwg yng ngolwg yr Arglwydd ein Duw.

2 "'Am hynny cadarnhaodd yr Arglwydd ei air, a lefarodd yn ein herbyn ac yn erbyn ein barnwyr a farnodd Israel, ac yn erbyn ein brenhinoedd a'n llywodraethwyr, ac yn erbyn pobl Israel a Jwda. ²Ni wnaed yn unlle dan y nefoedd y fath bethau ag a wnaeth ef yn Jerwsalem, yn unol â'r geiriau a ysgrifennwyd yng nghyfraith Moses, ³y byddem yn bwyta cnawd ein plant, un dyn ei fab, ac un arall ei ferch. ⁴Gosod-

odd yr Arglwydd ein pobl dan lywodraeth yr holl deyrnasoedd sydd o'n hamgylch, i fod yn gyff gwawd, a'u gwlad yn anghyfannedd yng ngolwg yr holl bobloedd o'n hamgylch, lle y gwasgarodd yr Arglwydd hwy. ⁵Eu darostwng a gawsant yn hytrach na'u dyrchafu, am bechod ein pobl yn erbyn yr Arglwydd ein Duw, yn gymaint ag i ni wrthod gwrando ar ei lais. ⁶I'r Arglwydd ein Duw y perthyn cyfiawnder, ond i ni ac i'n tadau gywilydd wyneb hyd y dydd hwn. ⁷Y mae'r holl ddrygau hyn, a lefarodd yr Arglwydd yn ein herbyn, wedi disgyn arnom. ⁸Eto ni weddïasom gerbron yr Arglwydd, ar i bob un droi oddi wrth feddyliau ei galon ddrygionus. ⁹Cadwodd yr Arglwydd wyliadwriaeth arnom, a dwyn arnom y drygau hyn, oherwydd cyfiawn yw'r Arglwydd yn yr holl ofynion y gorchmynnodd i ni eu cadw. ¹⁰Ond ni wrandawsom ar ei lais ef, i fyw yn ôl y gorchmynion a roes yr Arglwydd ger ein bron.

11 "'Ac yn awr, Arglwydd Dduw Israel, a ddygodd dy bobl allan o'r Aifft â llaw gadarn, ag arwyddion a rhyfeddodau a gallu mawr, ac â braich ddyrchafedig, ac a wnaeth enw mawr i ti dy hun, hyd y dydd hwn—¹²O Arglwydd ein Duw, pechasom a buom annuwiol ac anghyfiawn, yn groes i'th holl orchmynion di. ¹³Troer dy lid oddi wrthym, oherwydd fe'n gadawyd yn ychydig ymysg y cenhedloedd lle y gwasgeraist ni. ¹⁴Gwrando, Arglwydd, ar ein gweddi a'n deisyfiad, a gwared ni er dy fwyn dy hun, a phâr i ni ennill ffafr y rhai a'n caethgludodd, ¹⁵er mwyn i'r holl ddaear wybod mai ti, Arglwydd, yw ein Duw ni, ac mai wrth dy enw di y gelwir Israel a'i genedl. ¹⁶Arglwydd, edrych i lawr o'th breswylfod sanctaidd ac ystyria; Gostwng dy glust, Arglwydd, a gwrando; ¹⁷agor dy lygaid, Arglwydd, a gwêl. Y meirwon yn Nhrigfan y Meirw, y rhai y mae eu hanadl wedi ei gymryd allan o'u cyrff, ni allant hwy gydnabod gogoniant a chyfiawnder yr Arglwydd. ¹⁸Y byw, yn hytrach, y rhai sydd yn drist o golli eu mawredd, yn cerdded yn wargrwm a llesg, a'u llygaid yn pallu a'u henaid yn newynog—hwynthwy fydd yn cydnabod dy ogoniant a'th gyfiawnder, Arglwydd.

19 "'Nid ar gyfrif gweithredoedd cyfiawn ein tadau a'n brenhinoedd yr ydym yn tywallt ein hymbil am drugaredd ger

dy fron di, O Arglwydd ein Duw. ²⁰Anfonaist arnom dy lid a'th ddigofaint, fel y lleferaist trwy dy weision y proffwydi: ²¹"Fel hyn y dywed yr Arglwydd: plygwch eich ysgwyddau a gwasanaethwch frenin Babilon, ac fe gewch aros yn y wlad a roddais i'ch tadau. ²²Ond os na wrandewch ar lais yr Arglwydd a gwasanaethu brenin Babilon, ²³gwnaf i lais gorfoledd a llais llawenydd, llais priodfab a llais priodferch, dewi yn nhrefi Jwda ac yn Jerwsalem; bydd yr holl wlad yn ddiffeithwch anghyfannedd." ²⁴Ond ni wrandawsom ar dy lais a gwasanaethu brenin Babilon. Felly cyflawnaist y geiriau a leferaist trwy dy weision y proffwydi: bod esgyrn ein brenhinoedd ac esgyrn ein tadau i'w dwyn allan o'u beddau. ²⁵A dyna lle maent, wedi eu taflu allan i wres y dydd ac i rew y nos, ar ôl marw mewn poenau dygn, trwy newyn, trwy gleddyf a thrwy haint. ²⁶Ac ar gyfrif drygioni tŷ Israel a thŷ Jwda, peraist i'r tŷ a alwyd wrth dy enw fod fel y mae hyd y dydd hwn.

27 "'Eto, O Arglwydd ein Duw, gweithredaist tuag atom yn ôl eithaf dy dynerwch ac yn ôl eithaf dy drugaredd fawr. ²⁸Fel y lleferaist trwy dy was Moses yn y dydd y gorchmynnaist iddo ysgrifennu dy gyfraith gerbron meibion Israel: ²⁹"Os na wrandewch ar fy llais, fe droir yr haid enfawr a lluosog hon yn ddyrnaid bach ymhlith y cenhedloedd lle y gwasgaraf hwy. ³⁰Oherwydd gwn na wrandawant arnaf byth, gan mai pobl wargaled ydynt. Ond yng ngwlad eu caethglud fe ddônt atynt eu hunain, ³¹a gwybod mai myfi yw'r Arglwydd eu Duw. A rhoddaf iddynt galon a chlustiau i wrando, ³²a byddant yn fy moliannu yng ngwlad eu caethglud ac yn cofio fy enw. ³³Cefnant ar eu hystyfnigrwydd a'u gweithredoedd pechadurus, oherwydd fe gofiant ffordd eu tadau, a bechodd gerbron yr Arglwydd. ³⁴Yna fe'u dygaf yn ôl i'r wlad a addewais trwy lw i'w tadau, i Abraham ac Isaac a Jacob, a byddant yn feistri arni. ³⁵Amlhaf eu rhifedi hwy, ac ni chânt eu lleihau byth mwy. Gwnaf â hwy gyfamod tragwyddol, y byddaf fi yn Dduw iddynt hwy, a hwythau yn bobl i mi. Ni symudaf byth eto fy mhobl Israel o'r wlad a roddais iddynt."

3 "'O Arglwydd hollalluog, Duw Israel, enaid trallodus ac ysbryd

llesg sy'n galw arnat. [2]Gwrando, Arglwydd, a thrugarha, oherwydd pechasom yn dy erbyn. [3]Yr wyt ti ar dy orsedd dragwyddol, a ninnau ar lwybr distryw tragwyddol. [4]O Arglwydd hollalluog, Duw Israel, gwrando ar weddi meirwon Israel a meibion y rhai a bechodd yn dy erbyn heb wrando ar lais yr Arglwydd eu Duw. Dyna pam y glynodd y drygau hyn wrthym ni. [5]Paid â chofio troseddau ein tadau, ond cofia yr awr hon dy allu a'th enw dy hun; [6]oherwydd ti yw'r Arglwydd ein Duw ni, a thydi, Arglwydd, a foliannwn. [7]Er mwyn hyn y gosodaist dy ofn yn ein calon, i beri inni alw ar dy enw. Moliannwn di yn ein halltudiaeth, am inni droi oddi wrthym holl droseddau ein tadau, a bechodd yn dy erbyn. [8]Dyma ni heddiw yn ein halltudiaeth, lle y gwasgeraist ni, i fod yn gyff gwawd a melltith, ac i dderbyn y gosb am holl bechodau ein tadau, a gefnodd ar yr Arglwydd ein Duw.' "

Mawl i Ddoethineb

[9] Gwrando, Israel, ar orchmynion y bywyd. Clyw, a dysg ddeall. [10]Pam, Israel, pam yr wyt ti yng ngwlad dy elynion, yn heneiddio mewn gwlad estron, wedi dy halogi gan y meirw, [11]a'th gyfrif gyda'r rhai sydd yn Nhrigfan y Meirw? [12]Am i ti gefnu ar ffynnon doethineb. [13]Pe bait wedi rhodio yn ffordd Duw, byddit yn byw mewn heddwch am byth. [14]Dysg pa le y mae deall, pa le y mae nerth, pa le y mae amgyffred, er mwyn dysgu hefyd pa le y mae hir oes a bywyd, pa le y mae goleuni i'r llygaid, a thangnefedd. [15]Pwy sydd wedi cael hyd i drigle doethineb? Pwy sydd wedi mynd i mewn i'w thrysorfa hi? [16]Pa le y mae llywodraethwyr y cenhedloedd, a'r rhai sy'n dofi anifeiliaid gwyllt y ddaear, a'r rhai sy'n hudo adar yr awyr? [17]Pa le y mae'r rhai sy'n pentyrru'r arian a'r aur y mae dynion yn ymddiried ynddynt, ac yn ymgiprys amdanynt yn ddiddiwedd? [18]Pa le y mae'r gofaint arian, a'u gofal mawr a chyfrinion eu crefft? [19]Y maent wedi diflannu a disgyn i Drigfan y Meirw, ac eraill wedi codi i gymryd eu lle. [20]Daeth cenhedlaeth newydd i weld golau dydd ac i breswylio ar y ddaear, ond heb ddysgu ffordd gwybodaeth, [21]na darganfod ei llwybrau na chael gafael arni; ac y mae eu plant hwythau wedi crwydro ymhell oddi ar eu ffordd. [22]Ni chlywyd sôn amdani yng

Nghanaan, ac ni welwyd mohoni yn Teman. [23]Nid yw meibion Hagar chwaith, sy'n chwilio am ddeall ar y ddaear, na masnachwyr Merran a Teman, na dyfeiswyr chwedlau na chwilotwyr am ddeall, wedi dysgu ffordd doethineb na chofio'i llwybrau hi.

[24] O Israel, mor fawr yw tŷ Dduw, mor helaeth y fangre a fedd. [25]Mawr ydyw, a diderfyn, uchel a difesur. [26]Yno y ganed y cewri enwog gynt, mawr o gorff a medrus mewn rhyfel. [27]Ond nid y rhain a ddewisodd Duw, ac nid iddynt hwy y datguddiodd ffordd gwybodaeth. [28]Darfu amdanynt, felly, am nad oedd ganddynt ddeall; darfu amdanynt oherwydd eu diffyg synnwyr.

[29] Pwy a ddringodd i'r nefoedd i gael gafael ynddi a'i dwyn i lawr o'r cymylau? [30]Pwy a groesodd y môr i gael hyd iddi, a'i phrynu ag aur pur? [31]Nid oes neb sy'n gwybod ei ffordd nac yn adnabod ei llwybr. [32]Ond yr Un sy'n gwybod pob peth, y mae ef yn ei hadnabod hi; darganfu ef hi trwy ei ddeall. Ef a sefydlodd y ddaear am byth, a'i llenwi â phedwarcarnolion. [33]Ef sy'n anfon allan y goleuni, ac y mae'n mynd; yn galw arno, ac y mae'n ufuddhau iddo mewn dychryn. [34]Llewyrchodd y sêr yn llawen yn eu gwyliadwriaethau; a phan alwodd ef arnynt, dywedasant, "Dyma ni", a llewyrchu'n llawen i'w creawdwr. [35]Ef yw ein Duw ni, ac nid oes arall i'w gyffelybu iddo. [36]Darganfu holl ffordd gwybodaeth, a'i rhoi i Jacob ei was ac i Israel ei anwylyd. [37]Wedi hynny ymddangosodd doethineb ar y ddaear, a phreswyliodd ymhlith dynion.

4 Hi yw llyfr gorchmynion Duw, a'r gyfraith sy'n aros yn dragwyddol. Bywyd fydd rhan pawb sy'n glynu wrthi, ond marw a wna'r rhai a gefna arni. [2]Dychwel, Jacob, ac ymafael ynddi. Rhodia i gyfeiriad ei hysblander yn llygad ei goleuni hi. [3]Paid â rhoi dy ogoniant i arall, na'th freintiau i genedl estron. [4]Gwyn ein byd, Israel, am ein bod yn gwybod y pethau sydd wrth fodd Duw.

Cysur i Jerwsalem

[5] Codwch eich calon, fy mhobl, chwi sy'n cadw coffadwriaeth Israel. [6]Nid i'ch difetha y gwerthwyd chwi i'r cenhedloedd, ond am i chwi gynhyrfu dicter Duw y'ch traddodwyd i ddwylo eich gelynion. [7]Cythruddo'ch Creawdwr a wnaethoch

trwy offrymu i gythreuliaid ac nid i Dduw. ⁸Anghofiasoch y Duw tragwyddol a'ch maethodd, a thristáu Jerwsalem, a'ch meithrinodd. ⁹Oherwydd gwelodd hi'r dicter a ddaeth arnoch oddi wrth Dduw, a dywedodd, "Gwrandewch, chwi gymdogion Seion; dygodd Duw dristwch mawr arnaf. ¹⁰Gwelais y caethiwed a ddug y Duw tragwyddol ar fy meibion a'm merched. ¹¹Meithrinais hwy mewn llawenydd, ond anfonais hwy i ffwrdd â dagrau a thristwch. ¹²Peidied neb â llawenhau o'm gweld yn weddw ac yn amddifad o gymaint ohonynt. Gadawyd fi'n unig o achos pechodau fy mhlant, am iddynt droi oddi wrth gyfraith Duw. ¹³Ni ddysgasant ei ddeddfau, na rhodio yn ffyrdd ei orchmynion, na throedio llwybrau dysg yn unol â'i gyfiawnder ef."

14 Dewch, gymdogion Seion. Cofiwch y caethiwed a ddug y Duw tragwyddol ar fy meibion a'm merched. ¹⁵Oherwydd fe gododd yn eu herbyn genedl o wlad bell, cenedl ddidostur ac anghyfiaith, heb na pharch i hynafgwr na thosturi at blentyn. ¹⁶Dygasant ymaith blant annwyl y weddw, a'i gadael hi'n unig, yn amddifad o'i merched. ¹⁷A myfi, pa gymorth a allaf ei roi i chwi? ¹⁸Fe'ch gwaredir o ddwylo eich gelynion gan yr Un a ddug y drygau hyn arnoch. ¹⁹Ewch ymaith, fy mhlant, ewch ymaith, oherwydd gadawyd fi'n amddifad. ²⁰Diosgais wisg tangnefedd, a rhoi amdanaf sachliain ymbiliwr. Galwaf ar yr Arglwydd tragwyddol tra byddaf byw.

21 Codwch eich calon, fy mhlant. Llefwch ar Dduw, ac fe'ch gwared o ormes ac o ddwylo'ch gelynion. ²²Oherwydd ar y Duw tragwyddol y seiliais fy ngobaith am eich gwaredigaeth, a daeth i mi lawenydd oddi wrth yr Un Sanctaidd ar gyfrif y drugaredd a ddaw yn fuan atoch oddi wrth eich gwaredwr tragwyddol. ²³Anfonais chwi allan â thristwch a dagrau, ond fe rydd Duw chwi'n ôl i mi â sirioldeb a llawenydd am byth. ²⁴Fel y mae cymdogion Seion yn awr wedi gweld eich caethiwed, yn fuan fe gânt weld y waredigaeth a ddaw arnoch oddi wrth eich Duw, y Duw tragwyddol, â gogoniant mawr ac ysblander. ²⁵Fy mhlant, dioddefwch yn amyneddgar y dicter a ddaeth arnoch oddi wrth Dduw. Y mae dy elyn wedi dy erlid, ond yn fuan cei weld ei ddinistr ef, a gosod dy droed ar ei wddf. ²⁶Y mae fy mhlant anwes wedi

rhodio ar hyd llwybrau garw; fe'u cipiwyd i ffwrdd fel praidd a aeth yn ysglyfaeth gelynion. 27 Codwch eich calon, fy mhlant. Llefwch ar Dduw, oherwydd bydd yr Un a ddug y pethau hyn arnoch yn cofio amdanoch. ²⁸Fel y bu eich bryd ar fynd ar gyfeiliorn oddi wrth Dduw, trowch yn eich ôl a'i geisio ef ddengwaith mwy. ²⁹Bydd yr Un a ddug y drygau hyn arnoch yn dwyn ichwi lawenydd tragwyddol ynghyd â'ch iachawdwriaeth.

Addo Cymorth i Jerwsalem

30 Cod dy galon, Jerwsalem. Bydd yr Un a'th enwodd di yn dy gysuro. ³¹Gwae y rhai a wnaeth niwed iti a llawenhau yn dy gwymp. ³²Gwae'r dinasoedd lle bu dy blant yn gaethweision; gwae'r ddinas a dderbyniodd dy feibion. ³³Fel y bu lawen ganddi dy gwymp di, a hyfryd ganddi dy anffawd, felly y bydd yn athrist ganddi ei chyflwr diffaith ei hun. ³⁴Torraf ymaith y tyrfaoedd y gorfoleddai ynddynt, a throi ei balchder yn dristwch. ³⁵Fe ddaw tân arni oddi wrth y Tragwyddol dros lawer o ddyddiau, a bydd cythreuliaid yn preswylio ynddi am amser maith. ³⁶Edrych tua'r dwyrain, O Jerwsalem, a gwêl y llawenydd sy'n dod iti oddi wrth Dduw. ³⁷Dyma'r meibion a anfonaist ymaith yn dod, wedi eu casglu ynghyd o'r dwyrain i'r gorllewin gan orchymyn yr Un Sanctaidd, ac yn llawenhau yng ngogoniant Duw.

5 Diosg, O Jerwsalem, wisg dy alar a'th adfyd, a gwisg am byth harddwch y gogoniant sy'n tarddu o Dduw. ²Rho amdanat fantell y cyfiawnder sydd o Dduw, a gosod ar dy ben goron gogoniant y Tragwyddol. ³Oherwydd fe ddengys Duw dy ddisgleirdeb i bob gwlad dan y nefoedd. ⁴Derbynni enw wrth Dduw am byth yr enw "Heddwch cyfiawn", a "Gogoniant duwiol". ⁵Cod, Jerwsalem, a saf ar le uchel, ac edrych tua'r dwyrain, a gwêl dy blant wedi eu casglu ynghyd o'r gorllewin hyd at y dwyrain, ar orchymyn yr Un Sanctaidd, yn llawenhau am fod Duw wedi eu cofio. ⁶Aethant i ffwrdd oddi wrthyt ar droed, a'u gelynion yn eu harwain ymaith. Ond y mae Duw yn eu harwain yn ôl atat mewn gogoniant, yn cael eu cludo fel brenin ar ei orsedd. ⁷Gorchmynnodd Duw lefelu pob mynydd uchel a'r bryniau tragwyddol, a llenwi'r ceunentydd, i

wneud y ddaear yn wastad, er mwyn i Israel rodio'n ddiogel yng ngogoniant Duw. ⁸Ar orchymyn Duw, aeth y coedlannau a phob pren peraroglus yn gysgod i Israel. ⁹Oherwydd bydd Duw'n arwain Israel mewn llawenydd yng ngoleuni ei ogoniant, ynghyd â'r drugaredd a'r cyfiawnder sy'n tarddu ohono ef.

LLYTHYR JEREMEIA

NODIAD. Yn yr hen Fersiwn Cymraeg cysylltir y llythyr hwn â Llyfr Baruch, a'i rifo'n Bennod 6 yn y llyfr hwnnw.

Cyflwyniad

1 Dyma gopi o lythyr a anfonodd Jeremeia at y carcharorion oedd i gael eu dwyn i Fabilon gan frenin y Babiloniaid, i fynegi iddynt neges a roddwyd iddo gan Dduw.

Wynebu ar Gyfnod Maith o Gaethiwed

2 Oherwydd y pechodau a wnaethoch ger bron Duw, y mae Nebuchadnesar brenin y Babiloniaid yn eich dwyn yn garcharorion i Fabilon. ³Pan ddewch i Fabilon fe fyddwch yno am lawer o flynyddoedd, am amser maith, hyd at saith genhedlaeth. Ar ôl hynny, fe'ch dygaf chwi allan oddi yno mewn heddwch. ⁴Yn awr fe welwch ym Mabilon dduwiau arian ac aur a phren, yn cael eu cludo ar ysgwyddau dynion ac yn codi arswyd ar y cenhedloedd. ⁵Byddwch yn ofalus felly rhag i chwithau efelychu'r cenhedloedd dieithr. Peidiwch â gadael i arswyd rhag eu duwiau afael ynoch chwi pan welwch, o'u blaen ac o'u hôl, dyrfa yn eu haddoli. ⁶Ond dywedwch yn eich calon: "Ti, Arglwydd, sydd i'w addoli." ⁷Oherwydd y mae fy angel gyda chwi, a'i ofal ef am eich bywydau.

Diymadferthedd Delwau

8 Tafod wedi ei naddu gan saer sydd gan y duwiau hyn, ac er eu gorchuddio ag aur ac arian, pethau gau ydynt, heb allu i siarad. ⁹Y mae'r bobl yn cymryd aur a gwneud coronau i osod ar bennau eu duwiau, fel y gwneir i ferch sy'n hoff o dlysau. ¹⁰Ac weithiau y mae'r offeiriaid yn dwyn aur ac arian oddi ar eu duwiau ac yn eu treulio i'w dibenion eu hunain, ¹¹gan roi ohonynt hyd yn oed i'r puteiniaid yn yr ystafell fewnol. Gwisgant â dillad dynion y duwiau hyn o arian ac aur a phren; ¹²ond ni all y rheini eu hachub eu hunain rhag y rhwd a'r pryfed. Er eu gwisgo mewn porffor, ¹³rhaid sychu eu hwynebau'n lân o achos llwch y tŷ, sy'n drwch drostynt. ¹⁴Fel dyn yn barnu gwlad, y mae gan y duw deyrnwialen yn ei law, ond ni all ladd neb sy'n pechu yn ei erbyn. ¹⁵Yn ei law dde y mae ganddo ddagr a bwyell, ond ni all ei waredu ei hun rhag rhyfel na lladron. ¹⁶Y mae'n amlwg wrth hyn nad duwiau mohonynt. Felly peidiwch â'u hofni.

17 Fel y mae llestr wedi ei dorri yn ddiwerth i ddyn, felly y mae eu duwiau hwy, wedi iddynt gael eu gosod yn eu temlau. Llenwir eu llygaid â llwch o draed y rhai a ddaw i mewn. ¹⁸Fel y caeir pyrth yn wyneb dyn sy'n euog o deyrnfradwriaeth, fel dyn dan ddedfryd marwolaeth, felly y mae'r offeiriaid yn diogelu temlau'r duwiau â drysau a bolltau a chloeau, rhag i ladron eu hysbeilio. ¹⁹Y maent yn cynnau lampau o'u blaen, mwy hyd yn oed nag o'u blaen eu hunain, er na all y duwiau weld yr un ohonynt. ²⁰Y maent fel un o drawstiau'r deml, ac eto y maent yn cael eu llyfu, megis, o'r tu mewn, wrth i greaduriaid o'r ddaear eu difa hwy a'u gwisgoedd heb yn wybod iddynt. ²¹Y mae mwg o'r deml wedi duo eu hwynebau. ²²Bydd ystlumod a gwenoliaid ac adar o bob math yn clwydo ar eu cyrff a'u pennau, a chathod hefyd yn dringo arnynt. ²³Wrth hyn bydd yn amlwg

i chwi nad duwiau mohonynt. Felly peidiwch â'u hofni. 24 Er bod aur yn addurn amdanynt, ni ddisgleiriant byth heb i rywun eu sychu'n lân. Ni theimlasant ddim wrth gael eu toddi i'w llunio. [25] Er nad oes ynddynt anadl, fe'u prynwyd am bris mawr. [26] A hwythau heb draed, rhaid wrth ysgwyddau i'w cludo, a dengys hynny i ddynion bethau mor wael ydynt. [27] Y mae cywilydd hyd yn oed ar y rhai sy'n eu gwasanaethu, oherwydd os digwydd i un o'u duwiau syrthio i'r llawr, ni all godi ohono'i hun. Ac o'i osod i sefyll yn syth, ni all symud ohono'i hun; neu o'i osod ar ogwydd, ni all ei unioni ei hun. Y mae offrymu iddynt fel offrymu i gyrff meirw. [28] Y mae'r offeiriaid yn gwerthu aberthau'r duwiau, ac yn defnyddio'r elw i'w dibenion eu hunain, a'u gwragedd yr un modd yn cymryd rhannau o'r aberthau ac yn eu halltu, heb roi dim i'r tlawd a'r methedig. [29] Cyffyrddir â'u haberthau gan wragedd misglwyfus a chan rai sydd newydd esgor. Gwybyddwch wrth hyn nad duwiau mohonynt, a pheidiwch â'u hofni.

30 Pa fodd y gellir eu galw'n dduwiau? Oherwydd gwragedd sy'n offrymu i'r duwiau hyn o arian ac aur a phren. [31] Y mae'r offeiriaid yn eistedd yn eu templau â'u gwisgoedd wedi eu rhwygo, a'u pennau a'u barfau wedi eu heillio, a heb benwisg, [32] gan weiddi a bloeddio gerbron eu duwiau, fel rhai mewn gwledd angladd. [33] Y mae'r offeiriaid yn dwyn oddi ar y duwiau eu dillad, i wisgo eu gwragedd a'u plant eu hunain. [34] Os gwneir drwg neu dda i'r duwiau hyn, ni allant dalu'r pwyth. Ni allant osod brenin ar ei orsedd, na'i ddiorseddu chwaith. Yn yr un modd, ni allant roi cyfoeth nac arian. [35] Os adduneda rhywun iddynt a methu talu, ni hawliant dâl byth. [36] Ni allant waredu dyn oddi wrth angau, na rhyddhau'r gwan o law'r cadarn. [37] Ni allant roi ei olwg i'r dall, na chymorth i'r anghenus. [38] Ni ddangosant drugaredd i'r weddw na gwneud daioni i'r amddifad. [39] Tebyg i gerrig o'r mynydd yw'r pethau pren hyn, gyda'u gorchudd o aur ac arian; a'u gwaradwyddo a gaiff y rhai sy'n eu gwasanaethu. [40] Pa fodd y gellir eu cyfrif neu eu galw yn dduwiau?

Ffolineb Addoli Delwau

Yn wir, y mae'r Caldeaid eu hunain yn dibrisio'r pethau hyn. [41] Oherwydd, pan welant fudan na all siarad, dônt ag ef at Bel a gwneud iddo alw arno, fel petai hwnnw'n meddu ar synhwyrau. Ac nid oes ganddynt hwythau ddigon o grebwyll i gefnu'n llwyr arnynt, gan mor ddisynnwyr ydynt. [42] Y mae'r gwragedd hefyd yn eistedd yn y strydoedd â rheffynnau amdanynt, yn llosgi eisin. [43] Ac os tynnir un ohonynt allan gan rywun sy'n mynd heibio, a hithau'n gorwedd gydag ef, y mae hi'n edliw i'w chymdoges na chafodd honno ei chyfrif mor ddeniadol â hi ei hunan, ac na thorrwyd ei rheffynnau hithau. [44] Y mae popeth sy'n ymwneud â'r delwau hyn yn gelwydd. Pa fodd y gellir eu cyfrif neu eu galw yn dduwiau?

45 Gwaith seiri a gofaint aur ydynt. Ni allant fod yn ddim amgen nag y dymuna'r crefftwyr iddynt fod. [46] Ni chaiff y rheini a'u lluniodd fyth fyw yn hir iawn. [47] Pa fodd, felly, y gellir disgwyl i'r pethau a luniwyd ganddynt fod yn dduwiau? Gadawsant i'w disgynyddion gelwydd a gwaradwydd. [48] Pan ddaw rhyfel a drygau ar eu gwarthaf, y mae'r offeiriaid yn ymgynghori am le i ymguddio gyda'u duwiau. [49] Pa fodd nad oes ganddynt synnwyr i weld nad duwiau yw'r rhai sydd heb allu i'w hachub eu hunain rhag rhyfel a drygau? [50] Gan mai pethau pren ydynt, wedi eu gorchuddio ag aur ac arian, gwybyddir wedi hynny mai ffug ydynt. [51] A bydd yn amlwg i'r holl genhedloedd a'r brenhinoedd nad duwiau mohonynt, ond gwaith dwylo dynion, heb ddim o waith Duw ynddynt o gwbl. [52] Pwy, felly, sydd heb wybod nad duwiau mohonynt?

53 Ni allant fyth osod brenin ar wlad, na rhoi glaw i ddynion. [54] Ni allant fyth ddyfarnu mewn llys, nac achub dyn dan gam. Y maent mor ddiymadferth â brain i fyny yn yr awyr. [55] Pan syrth tân ar deml y duwiau pren hyn, gyda'u gorchudd o aur neu arian, bydd eu hoffeiriaid yn ffoi i ddiogelwch, ond llosgir y duwiau eu hunain fel trawstiau yng nghanol y tân. [56] Ni allant fyth wrthsefyll na brenin na gelynion. Pa fodd y gellir derbyn neu gyfrif eu bod yn dduwiau? [57] Ni all y duwiau pren hyn, gyda'u gorchudd o arian ac aur, fyth eu diogelu eu hunain rhag lladron ac ysbeilwyr. [58] Bydd y cryfion yn dwyn oddi arnynt yr aur a'r arian a'r dillad sydd amdanynt, ac yn mynd â'r cwbl ymaith gyda hwy, heb

iddynt fedru gwneud dim i'w diogelu eu hunain. ⁵⁹Gwell brenin yn dangos ei wrhydri, neu lestr mewn tŷ, y gall ei berchennog ei ddefnyddio fel y myn, na'r duwiau gau hyn. Gwell drws ar dŷ, sy'n cadw'n ddiogel y pethau o'i fewn, na'r duwiau gau hyn. Gwell colofn bren yn nhŷ'r brenin na'r duwiau gau hyn. ⁶⁰Y mae'r haul a'r lloer a'r sêr disglair wedi eu hanfon i bwrpas, ac y maent yn ufudd. ⁶¹Felly hefyd y mae'r fellten, pan oleua, yn hawdd ei gweld. ⁶²A'r un modd y mae'r gwynt yn chwythu ym mhob gwlad. A phan fydd Duw yn gorchymyn i'r cymylau dramwyo dros yr holl fyd, byddant yn cyflawni'r hyn a orchmynnwyd iddynt. ⁶³Felly hefyd y tân, pan fydd Duw'n ei anfon i ddifa mynyddoedd a choed, bydd yntau'n gwneud yr hyn a orchmynnwyd. Ond nid yw'r delwau i'w cymharu â'r rhain o ran eu gwedd na'u grym. ⁶⁴Ni ellir felly eu cyfrif na'u galw yn dduwiau, gan na allant roi barn mewn llys na gwneud lles i ddynion. ⁶⁵Gwybyddwch, felly, nad duwiau mohonynt, a pheidiwch â'u hofni.

66 Ni allant fyth felltithio na bendithio brenhinoedd. ⁶⁷Ni allant ddangos arwyddion yn y nefoedd i'r cenhedloedd, gan nad ydynt yn goleuo fel yr haul nac yn llewyrchu fel y lloer. ⁶⁸Y mae'r anifeiliaid gwyllt yn rhagori arnynt, gan eu bod yn medru ffoi a'u diogelu eu hunain mewn lloches. ⁶⁹Gan hynny, nid oes gennym unrhyw fath o dystiolaeth eu bod yn dduwiau. Felly peidiwch â'u hofni. ⁷⁰Fel bwgan brain nad yw'n amddiffyn dim mewn gardd lysiau, felly y mae'r duwiau pren hyn o'r eiddynt, gyda'u gorchudd o aur ac arian. ⁷¹Tebyg i lwyn drain mewn gardd, a phob aderyn yn disgyn arno, a thebyg i gorff wedi ei daflu allan yn y tywyllwch, yw eu duwiau pren gyda'u gorchudd o aur ac arian. ⁷²Wrth y porffor a'r lliain mainª sy'n pydru arnynt gwybyddwch nad duwiau mohonynt. Fe'u hysir hwy eu hunain yn y diwedd, a byddant yn waradwydd yn y wlad. ⁷³Felly gwell yw'r gŵr cyfiawn nad oes ganddo ddelwau; pell fydd ef oddi wrth waradwydd.

ª Groeg, *a'r marmor.*

CÂN Y TRI LLANC

NODIAD. Ychwanegiad, a gêir yn y Fersiwn Groeg, at destun gwreiddiol Llyfr Daniel. Gosodir ef rhwng 3:23 a 3:24. Yn y Groeg y mae'r adnodau a rifir 1-68 isod wedi eu rhifo'n 24-90, ac adnodau 24-30 yn 91-97.

Gweddi Asarias

1 Rhodiodd y tri yng nghanol y fflam gan ganu mawl i Dduw a bendithio'r Arglwydd. ²Safodd Asarias, a chan agor ei enau yng nghanol y tân gweddïodd fel hyn:
³"Bendigedig a moliannus wyt ti, O
    Arglwydd, Duw ein tadau;
gogoneddus yw dy enw dros byth.
⁴Oherwydd cyfiawn wyt ym mhob peth
    a wnaethost i ni;

y mae dy holl weithredoedd yn gywir,
    a'th ffyrdd yn uniawn,
    a'th holl farnau yn wir.
⁵Barnedigaethau gwir a wnaethost ym
    mhob peth a ddygaist arnom,
ac ar Jerwsalem, dinas sanctaidd ein
    tadau,
oherwydd mewn gwirionedd a barn y
    dygaist hyn oll arnom ar gyfrif ein
    pechodau.
⁶Do, pechasom, a thorasom dy gyfraith

trwy gefnu arnat.

[7] Ym mhob peth pechasom, ac ni
wrandawsom ar dy orchmynion,
na'u cadw hwy, na gweithredu
fel y gorchmynnaist inni er ein lles.

[8] A phob peth a ddygaist arnom, a phob
peth a wnaethost inni,
mewn barn gywir y gwnaethost y cwbl.

[9] Traddodaist ni i ddwylo gelynion
digyfraith, yr atgasaf o'r di-gred,
ac i frenin anghyfiawn, y mwyaf
drygionus ar wyneb yr holl
ddaear.

[10] Ac yn awr ni allwn agor ein genau;
cywilydd a gwaradwydd a ddaeth i ran
dy weision a'th addolwyr di.

[11] Er mwyn dy enw, paid â'n bwrw
ymaith yn llwyr;
paid â diddymu dy gyfamod,

[12] na throi ymaith dy drugaredd oddi
wrthym,
er mwyn Abraham dy anwylyd,
ac er mwyn Isaac dy was,
ac er mwyn Israel dy sanct.

[13] Lleferaist wrthynt gan addo iddynt
y byddit yn amlhau eu had fel sêr y nef
ac fel y tywod ar lan y môr.

[14] Ond yn awr, Arglwydd, fe'n gwnaed
ni'n lleiaf o'r holl genhedloedd;
nyni heddiw yw'r rhai distadlaf ar yr
holl ddaear, ar gyfrif ein
pechodau.

[15] Nid oes yn y cyfwng hwn na
phennaeth na phroffwyd nac
arweinydd,
na phoethoffrwm nac aberth nac
offrwm nac arogldarth,
na man i aberthu ger dy fron di, a
chael trugaredd.

[16] Eto, wrth inni ddod â'n henaid
drylliedig a'n hysbryd
gostyngedig, derbynier ni

[17] fel pe baem yn dod â phoethoffrymau
o hyrddod a theirw,
ac â miloedd ar filoedd o ŵyn breision.
Ie, bydded ein haberth ger dy fron di
heddiw,
a chaniatâ inni ganlyn ar dy ôl,
oherwydd ni bydd gwaradwydd i'r rhai
sy'n ymddiried ynot ti.

[18] Bellach yr ydym yn dy ganlyn â'n holl
galon, ac yn dy ofni,

[19] ac yn ceisio dy ffafr. Paid â'n
gwaradwyddo;
ond ymwna â ni yn ôl dy addfwynder,
ac yn ôl amlder dy drugaredd.

[20] Gwared ni yn ôl dy ryfeddodau,

a dyro ogoniant i'th enw, O
Arglwydd.

[21] Cywilyddier pawb sy'n peri niwed i'th
weision;
gwaradwydder hwy nes iddynt golli
pob gallu ac arglwyddiaeth,
a dryllier eu nerth hwy.

[22] Gad iddynt wybod mai tydi yw'r
Arglwydd, yr unig Dduw,
a'th ogoniant yn ymledu dros yr holl
fyd.''

Cân y Tri Llanc

23 Yr oedd gweision y brenin, y rheini
a'u taflodd i mewn, yn dal i boethi'r
ffwrnais â nafftha a phyg ac â ffaglau a
choed tân, [24] nes i'r fflam neidio naw
cufydd a deugain uwchlaw'r ffwrnais. [25] A
lledaenodd y fflam, a llosgi'r Caldeaid a
ddaliwyd yn sefyll o gwmpas y ffwrnais.
[26] Ond daeth angel yr Arglwydd i lawr i'r
ffwrnais i fod gydag Asarias a'i gyfeillion,
a gyrrodd fflam y tân allan o'r ffwrnais, [27] a
gwnaeth i ganol y ffwrnais fod fel petai
cawod o leithder yn chwyrlïo trwyddo; ac
ni chyffyrddodd y tân â hwy o gwbl, na
pheri iddynt unrhyw boen na gofid.

28 Yna, ag un llais, dechreuodd y tri yn
y ffwrnais ganu mawl, a gogoneddu a
bendithio Duw fel hyn:

[29] "Bendigedig wyt ti, O Arglwydd,
Duw ein tadau;
moliannus a thra dyrchafedig wyt dros
byth.

[30] Bendigedig yw dy enw gogoneddus a
sanctaidd;
tra moliannus a thra dyrchafedig yw
dros byth.

[31] Bendigedig wyt ti yn dy deml
sanctaidd a gogoneddus;
tra theilwng wyt i'th foliannu a'th
glodfori dros byth.

[32] Bendigedig wyt ti, sy'n gwylio'r
dyfnderoedd o'th eisteddle
uwchben y cerwbiaid;
moliannus a thra dyrchafedig wyt dros
byth.

[33] Bendigedig wyt ti ar orsedd dy
frenhiniaeth;
tra theilwng wyt i'th foliannu a'th
ddyrchafu dros byth.

[34] Bendigedig wyt ti yn ffurfafen y nef;
teilwng wyt i'th foliannu a'th
ogoneddu dros byth.

[35] Bendithiwch yr Arglwydd, holl
weithredoedd yr Arglwydd;

molwch ef, a'i dra-dyrchafu dros
byth.
[36] Bendithiwch yr Arglwydd, chwi'r
nefoedd;
molwch ef, a'i dra-dyrchafu dros byth.
[37] Bendithiwch yr Arglwydd, chwi
angylion yr Arglwydd;
molwch ef, a'i dra-dyrchafu dros byth.
[38] Bendithiwch yr Arglwydd, chwi'r
dyfroedd oll sydd uwchben y
ffurfafen;
molwch ef a'i dra-dyrchafu dros byth.
[39] Bendithiwch yr Arglwydd, ei holl
luoedd;
molwch ef a'i dra-dyrchafu dros byth.
[40] Bendithiwch yr Arglwydd, chwi haul a
lleuad;
molwch ef a'i dra-dyrchafu dros byth.
[41] Bendithiwch yr Arglwydd, chwi sêr y
nefoedd;
molwch ef, a'i dra-dyrchafu dros byth.
[42] Bendithiwch yr Arglwydd, bob cawod
a gwlith;
molwch ef, a'i dra-dyrchafu dros byth.
[43] Bendithiwch yr Arglwydd, yr holl
wyntoedd;
molwch ef, a'i dra-dyrchafu dros
byth.
[44] Bendithiwch yr Arglwydd, chwi dân a
gwres;
molwch ef, a'i dra-dyrchafu dros
byth.
[45] Bendithiwch yr Arglwydd, chwi aeaf a
haf;
molwch ef, a'i dra-dyrchafu dros
byth.
[46] Bendithiwch yr Arglwydd, chwi
wlithoedd a chawodydd eira;
molwch ef, a'i dra-dyrchafu dros
byth.
[47] Bendithiwch yr Arglwydd, chwi nosau
a dyddiau;
molwch ef, a'i dra-dyrchafu dros byth.
[48] Bendithiwch yr Arglwydd, chwi oleuni
a thywyllwch;
molwch ef, a'i dra-dyrchafu dros byth.
[49] Bendithiwch yr Arglwydd, chwi rew
ac oerfel;
molwch ef, a'i dra-dyrchafu dros
byth.
[50] Bendithiwch yr Arglwydd, chwi
lwydrew ac eira;
molwch ef, a'i dra-dyrchafu dros byth.
[51] Bendithiwch yr Arglwydd, chwi fellt a
chymylau;
molwch ef, a'i dra-dyrchafu dros byth.
[52] Bendithied y ddaear yr Arglwydd;

moled ef a'i dra-dyrchafu dros byth.
[53] Bendithiwch yr Arglwydd, chwi
fynyddoedd a bryniau;
molwch ef, a'i dra-dyrchafu dros byth.
[54] Bendithiwch yr Arglwydd, bopeth
sy'n tyfu ar y ddaear;
molwch ef, a'i dra-dyrchafu dros byth.
[55] Bendithiwch yr Arglwydd, chwi
foroedd ac afonydd;
molwch ef, a'i dra-dyrchafu dros byth.
[56] Bendithiwch yr Arglwydd, chwi
ffynhonnau;
molwch ef, a'i dra-dyrchafu dros byth.
[57] Bendithiwch yr Arglwydd, chwi
forfilod, a phob creadur sy'n
symud yn y dyfroedd;
molwch ef, a'i dra-dyrchafu dros byth.
[58] Bendithiwch yr Arglwydd, holl adar yr
awyr;
molwch ef, a'i dra-dyrchafu dros byth.
[59] Bendithiwch yr Arglwydd, yr holl
fwystfilod ac anifeiliaid;
molwch ef, a'i dra-dyrchafu dros byth.
[60] Bendithiwch yr Arglwydd, chwi
feibion dynion;
molwch ef, a'i dra-dyrchafu dros byth.
[61] Bendithiwch yr Arglwydd, O Israel;
molwch ef, a'i dra-dyrchafu dros byth.
[62] Bendithiwch yr Arglwydd, chwi
offeiriaid yr Arglwydd;
molwch ef, a'i dra-dyrchafu dros byth.
[63] Bendithiwch yr Arglwydd, chwi
weision yr Arglwydd;
molwch ef, a'i dra-dyrchafu dros byth.
[64] Bendithiwch yr Arglwydd, chwi
ysbrydoedd ac eneidiau'r cyfiawn;
molwch ef, a'i dra-dyrchafu dros byth.
[65] Bendithiwch yr Arglwydd, chwi'r rhai
sanctaidd a gostyngedig eu calon;
molwch ef, a'i dra-dyrchafu dros byth.
[66] Bendithiwch yr Arglwydd, Ananias,
Asarias, a Misael;
molwch ef, a'i dra-dyrchafu dros byth.
Oherwydd gwaredodd ni o Drigfan y
Meirw a'n hachub o afael
marwolaeth;
gollyngodd ni'n rhydd o ganol y
ffwrnais a'i gwenfflam,
a'n gwaredu o ganol y tân.
[67] Clodforwch yr Arglwydd, oherwydd
da yw;
oherwydd y mae ei drugaredd ef dros
byth.
[68] Chwi oll sydd yn addoli'r Arglwydd,
bendithiwch Dduw y duwiau;
molwch a chlodforwch ef, oherwydd y
mae ei drugaredd ef dros byth."

SWSANNA

NODIAD. Stori yw hon a ychwanegwyd at Fersiwn Groeg Llyfr Daniel.

Prydferthwch Swsanna yn Denu'r Ddau Henuriad

1 Yr oedd gŵr yn byw ym Mabilon o'r enw Joacim. ²Priododd wraig o'r enw Swsanna, merch i Hilceia, gwraig brydferth iawn, ac un oedd yn ofni'r Arglwydd. ³Pobl gyfiawn oedd ei rhieni, ac wedi dysgu eu merch yn ôl cyfraith Moses. ⁴Yr oedd Joacim yn gyfoethog iawn, a chanddo ardd ysblennydd yn ffinio â'i dŷ, ac arferai'r Iddewon fynd ato am ei fod yn uwch ei fri na neb.

5 Y flwyddyn honno fe benodwyd dau henuriad o blith y bobl i fod yn farnwyr —dau y cyfeiriodd yr Arglwydd atynt pan ddywedodd: "Daeth camwedd allan o Fabilon, o blith yr henuriaid oedd yn farnwyr, rhai y tybid eu bod yn arwain y bobl." ⁶Byddai'r rhain yn treulio'u hamser yn nhŷ Joacim, ac atynt y deuai pawb oedd ag achos i'w farnu. ⁷Wedi i'r bobl ymadael ganol dydd, byddai Swsanna yn mynd am dro yng ngardd ei gŵr. ⁸Bob dydd byddai'r ddau henuriad yn ei gwylio hi'n mynd am dro, a daeth blys amdani arnynt. ⁹Wedi gwyrdroi eu synnwyr a throi eu llygaid rhag edrych i gyfeiriad y nefoedd a rhag dwyn i gof gyfiawnder barn, ¹⁰yr oedd y ddau wedi gwirioni arni; ond ni chyfaddefodd y naill ei wewyr wrth y llall, ¹¹am fod arnynt gywilydd cyfaddef eu blys a'u chwant am orwedd gyda hi. ¹²Ddydd ar ôl dydd disgwylient yn awchus am gyfle i'w gweld.

Yr Henuriaid yn Ceisio Hudo Swsanna

13 "Gadewch inni fynd adref," meddai un wrth y llall, "y mae'n amser cinio." ¹⁴Aethant i ffwrdd ac ymwahanu, ond troesant yn ôl a dod i'r un lle eto. Wrth groesholi ei gilydd, daethant i gyfaddef eu blys. Yna trefnasant gyda'i gilydd ar amser cyfleus i allu ei chael hi ar ei phen ei hun. ¹⁵A hwythau'n disgwyl am ddydd ffafriol, dyma hithau'n mynd, yn ôl ei harfer beunyddiol, i'r ardd gyda dwy forwyn yn unig, a daeth arni awydd ymdrochi yno, gan fod yr hin yn boeth. ¹⁶Nid oedd neb yno ond y ddau henuriad, yn ei gwylio o'u cuddfan. ¹⁷"Dewch ag olew a sebon imi," meddai hi wrth y morynion, "a chaewch ddrysau'r ardd, imi gael ymdrochi." ¹⁸Gwnaethant fel y gorchmynnodd, a chau drysau'r ardd a mynd allan trwy ddrysau'r ochr i nôl y pethau a orchmynnwyd, heb weld yr henuriaid yn eu cuddfan. ¹⁹Wedi i'r morynion fynd allan, cododd y ddau henuriad a rhedeg ati. ²⁰"Edrych," meddent, "y mae drysau'r ardd wedi eu cau ac ni all neb ein gweld, ac yr ydym yn llawn blys amdanat; felly cytuna i orwedd gyda ni. ²¹Os na wnei, fe rown dystiolaeth yn dy erbyn fod dyn ifanc gyda thi, ac mai dyna pam yr anfonaist y morynion oddi wrthyt." ²²Dywedodd Swsanna ag ochenaid, "Y mae'n gyfyng arnaf o bob tu. Oherwydd os gwnaf hyn, bydd yn angau i mi, ac os na wnaf, ni allaf ddianc o'ch dwylo. ²³Gwell gennyf wrthod, a syrthio i'ch dwylo chwi, na phechu yn erbyn yr Arglwydd." ²⁴Yna gwaeddodd Swsanna â llef uchel, a'r un pryd gwaeddodd y ddau henuriad yn uwch na hi. ²⁵Rhedodd un ohonynt ac agorodd ddrysau'r ardd. ²⁶Pan glywsant y gweiddi yn yr ardd, rhuthrodd gweision y tŷ i mewn trwy ddrws yr ochr i weld beth oedd wedi digwydd iddi. ²⁷Ar ôl i'r henuriaid adrodd eu stori, cododd cywilydd mawr ar y gweision, oherwydd ni chlywyd erioed o'r blaen y fath beth am Swsanna.

Yr Henuriaid yn Tystio yn erbyn Swsanna

28 Trannoeth, pan ddaeth y bobl ynghyd i dŷ Joacim, ei gŵr, daeth y ddau henuriad, yn llawn o'u bwriad camweddus i roi Swsanna i farwolaeth. ²⁹Dywedasant gerbron y bobl: "Anfonwch am Swsanna ferch Hilceia, sy'n wraig i Joacim." Anfonwyd amdani. ³⁰Daeth hithau gyda'i rhieni a'i phlant a'i holl berthnasau. ³¹Yr oedd Swsanna yn wraig hynod o lednais a phrydferth ei

golwg. ³²Yr oedd ei hwyneb wedi ei orchuddio, a gorchmynnodd y dihirod dynnu ymaith ei gorchudd, er mwyn iddynt wledda ar ei phrydferthwch. ³³Dechreuodd ei theulu wylo, a phawb a'i gwelodd. ³⁴Yna cododd y ddau henuriad yng nghanol y bobl, a gosod eu dwylo ar ei phen. ³⁵Edrychodd hithau, gan wylo, tua'r nefoedd, am fod ei chalon yn ymddiried yn yr Arglwydd. ³⁶Meddai'r henuriaid: "Yr oeddem yn cerdded yn yr ardd wrthym ein hunain, pan ddaeth hon i mewn gyda dwy forwyn. Fe gaeodd hi ddrysau'r ardd ac anfon y morynion i ffwrdd. ³⁷Yna daeth ati ddyn ifanc oedd wedi bod yn ymguddio, a gorweddodd gyda hi. ³⁸Yr oeddem ni mewn congl o'r ardd, a phan welsom y camwedd hwn rhedasom atynt. ³⁹Gwelsom hwy'n cydorwedd, ond ni allem gael y trechaf ar y dyn—yr oedd yn gryfach na ni, ac agorodd y drysau a neidio allan. ⁴⁰Ond cawsom afael ynddi hi a'i holi pwy oedd y dyn ifanc, ⁴¹ond gwrthododd ein hateb. Yr ydym yn tystio i hyn."

Daniel yn Arbed Bywyd Swsanna

Fe gredodd y cynulliad hwy, gan eu bod yn henuriaid y bobl ac yn farnwyr. A chondemniwyd hi i farwolaeth. ⁴²Yna gwaeddodd Swsanna â llef uchel: "O Dduw tragwyddol, sydd yn gwybod dirgelion ac yn gweld pob peth cyn iddo ddigwydd, ⁴³fe wyddost ti mai celwydd yw eu tystiolaeth yn fy erbyn. A dyma fi'n mynd i farw er nad wyf wedi gwneud dim o'r pethau y mae'r dynion hyn wedi eu cynllwynio yn fy erbyn."

44 A gwrandawodd yr Arglwydd ar ei chri. ⁴⁵Wrth iddi gael ei harwain i ffwrdd i'w lladd, cyffrôdd Duw ysbryd sanctaidd llanc ifanc o'r enw Daniel i weiddi â llef uchel: ⁴⁶"Dieuog wyf fi o waed y wraig hon." ⁴⁷Troes y bobl i gyd ato a gofyn, "Beth wyt ti'n ei feddwl wrth ddweud hyn?" ⁴⁸Safodd yn eu canol a dweud, "A ydych chwi mor ffôl, feibion Israel, â chondemnio un o ferched Israel heb ymchwilio'n ofalus a dod o hyd i'r gwir? Trowch yn ôl i'r llys barn, ⁴⁹oherwydd celwydd yw tystiolaeth y dynion hyn yn ei herbyn." ⁵⁰Troes y bobl i gyd yn ôl ar frys, a dywedodd yr henuriaid eraill wrtho, "Tyrd i eistedd yn ein plith ni, ac

esbonia'r mater inni, oherwydd y mae Duw wedi rhoi i ti safle henuriad." ⁵¹Atebodd Daniel: "Gosodwch y ddau ar wahân, ymhell oddi wrth ei gilydd, ac yna fe'u holaf." ⁵²Wedi eu gosod ar wahân, galwodd Daniel un ohonynt a dweud wrtho, "Ti sydd yn hen law mewn drygioni, y mae'r pechodau a wnaethost gynt bellach wedi dod i olau dydd: ⁵³barnu'n anghyfiawn, condemnio'r dieuog, gollwng yn rhydd yr euog, er i'r Arglwydd ddweud, 'Na ladd y dieuog a'r cyfiawn.' ⁵⁴Yn awr, os yn wir y gwelaist y wraig hon, dywed o dan ba goeden y gwelaist hwy'n cydorwedd." Atebodd yntau, "O dan gollen." ⁵⁵"Yn hollol," meddai Daniel, "dywedaist gelwydd yn dy erbyn dy hun, oherwydd y mae angel Duw eisoes wedi derbyn collfarn Duw i'th hollti'n ddau." ⁵⁶Troes ef o'r neilltu, a gorchymyn dwyn yr henuriad arall gerbron. Meddai wrth hwnnw, "Nid had Jwda mohonot, tydi epil Canaan; y mae prydferthwch wedi dy hudo, a blys wedi gwyrdroi dy galon. ⁵⁷Dyna eich dull o drin merched Israel, a'u cael i gydorwedd â chwi trwy ofn. Ond ni oddefodd merch Jwda eich camwedd. ⁵⁸Yn awr, dywed wrthyf, o dan ba goeden y deliaist hwy'n cydorwedd?" Atebodd yntau, "O dan goeden dderw." ⁵⁹"Yn hollol," meddai Daniel wrtho, "dywedaist tithau gelwydd yn dy erbyn dy hun, oherwydd y mae angel Duw yn aros â'i gledd yn ei law, ac fe'th dery yn dy ganol, ac fe'ch llwyr ddifetha chwi."

60 Yna gwaeddodd yr holl gynulliad â llef uchel a bendithio Duw, gwaredwr y rhai sy'n gobeithio ynddo. ⁶¹Codasant yn erbyn y ddau henuriad, oherwydd yr oedd Daniel wedi profi drwy eu geiriau eu hunain fod eu tystiolaeth yn gelwydd. Gwnaethant iddynt hwy yr un modd ag yr oeddent hwy wedi cynllwynio yn erbyn eu cymydog. ⁶²Gan weithredu yn ôl cyfraith Moses, lladdasant hwy. Felly arbedwyd bywyd y dieuog y dydd hwnnw. ⁶³Am hynny, moli Duw a wnaeth Hilceia a'i wraig am eu merch Swsanna. Felly hefyd y gwnaeth Joacim ei gŵr, a'i holl berthnasau, am na chafwyd ynddi ddim anweddus. ⁶⁴O'r dydd hwnnw ymlaen, daeth Daniel yn ŵr mawr ei fri yng ngolwg y bobl.

BEL A'R DDRAIG

NODIAD. Dwy stori yw'r rhain a ychwanegwyd at Fersiwn Groeg Llyfr Daniel.

Daniel ac Offeiriaid Bel

1 Wedi marw'r Brenin Astyages, fe gymerodd Cyrus y Persiad ei orsedd. [2]Yr oedd Daniel yn byw gyda'r brenin, ac yn uwch ei anrhydedd na neb arall o Gyfeillion y Brenin. [3]Yr oedd gan y Babiloniaid eilun o'r enw Bel, a byddent yn darparu iddo bob dydd ddeuddeng mesur o beilliaid, deugain dafad, a chwe mesur o win. [4]Byddai'r brenin yn ei addoli, ac yn mynd bob dydd i ymgrymu iddo. Ond i'w Dduw ei hun y byddai Daniel yn ymgrymu. [5]Gofynnodd y brenin iddo, "Pam nad wyt yn ymgrymu i Bel?" Dywedodd yntau, "Nid eilunod o waith dwylo dynion yr wyf fi'n eu haddoli ond y Duw byw, Creawdwr nef a daear, ac Arglwydd pob peth byw." [6]Meddai'r brenin, "Onid wyt yn credu bod Bel yn dduw byw? Oni weli di gymaint y mae'n ei fwyta ac yfed bob dydd?" [7]Atebodd Daniel dan chwerthin, "Paid â chymryd dy dwyllo, frenin. Clai yw hwn oddi mewn, a phres oddi allan; nid yw wedi bwyta nac yfed erioed." [8]Yna, yn llawn dicter, galwodd y brenin ei offeiriaid a dweud wrthynt: "Os na ddywedwch wrthyf pwy sydd yn bwyta'r bwyd hwn, byddwch farw. Ond os gallwch ddangos mai Bel sydd yn ei fwyta, caiff Daniel farw am ddweud cabledd yn erbyn Bel." [9]Yna dywedodd Daniel wrth y brenin, "Boed felly."

10 Yr oedd gan Bel ddeg a thrigain o offeiriaid, heblaw eu gwragedd a'u plant. Aeth y brenin gyda Daniel i deml Bel. [11]Dywedodd offeiriaid Bel, "Fe awn ni allan yn awr. Fe gei di, frenin, osod y bwydydd yn eu lle, a chymysgu'r gwin a gosod hwnnw. Cau'r drws wedyn, a'i selio â'th fodrwy dy hun. Tyrd yn ôl yn y bore, ac os na fyddi'n gweld bod Bel wedi bwyta'r cwbl, fe gei ein lladd. Onid e, caiff Daniel ei ladd, am iddo ddweud celwydd yn ein herbyn ni." [12]Ond siarad

yn ddirmygus yr oeddent, gan eu bod wedi gwneud ffordd gudd dan y bwrdd; byddent yn mynd yn ôl a blaen ar hyddi, ac yn bwyta'r cwbl. [13]Wedi i'r offeiriaid fynd allan, gosododd y brenin y bwyd gerbron Bel. [14]Gorchmynnodd Daniel i'w weision ddod â lludw a'i daenu dros yr holl deml yng ngŵydd y brenin yn unig. Ac aethant allan a chloi'r drws a'i selio â modrwy'r brenin, a mynd i ffwrdd. [15]Aeth yr offeiriaid liw nos, yn ôl eu harfer, gyda'u gwragedd a'u plant, a bwyta ac yfed y cwbl.

16 Cododd y brenin yn fore iawn, a daeth â Daniel gydag ef. [17]Dyma'r brenin yn gofyn, "A yw'r seliau'n gyfan, Daniel?" "Ydynt, frenin," atebodd ef. [18]A chyn gynted ag yr agorwyd y drws, edrychodd y brenin tua'r bwrdd, a gwaeddodd â llais uchel, "Mawr wyt ti, Bel. Nid oes dim twyll ynot, dim o gwbl." [19]Ond chwerthin a wnaeth Daniel, ac atal y brenin rhag mynd i mewn. "Edrych ar y llawr," meddai, "ac ystyria. Ôl traed pwy yw'r rhain?" [20]"Gwelaf ôl traed dynion a gwragedd a phlant," atebodd y brenin. [21]Yn ei gynddaredd galwodd y brenin yr offeiriaid a'u gwragedd a'u plant ynghyd. A dyma hwythau'n dangos iddo'r drysau cudd y daethant i mewn drwyddynt i fwyta'r pethau oedd ar y bwrdd. [22]Yna lladdodd y brenin hwy, a rhoi Bel yn llaw Daniel. Dinistriodd yntau y duw a'i deml.

Daniel yn Lladd y Ddraig

23 Yr oedd hefyd ddraig fawr a addolid gan y Babiloniaid. [24]Dywedodd y brenin wrth Daniel, "Ni fedri wadu nad yw hon yn dduw byw. Felly ymgryma iddi." [25]Atebodd Daniel, "I'r Arglwydd fy Nuw yr ymgrymaf. Duw byw yw ef. [26]Ond dyro i mi awdurdod, frenin, ac mi laddaf y ddraig heb na chleddyf na ffon." Dywedodd y brenin, "Yr wyf yn ei roi iti."

[27] Cymerodd Daniel byg a saim a blew, a'u berwi gyda'i gilydd a gwneud teisennau ohonynt; ac fe'u gosododd yng ngheg y ddraig. Bwytaodd hithau hwy, ac fe ffrwydrodd. [28] Dywedodd Daniel, "Edrychwch ar y pethau yr ydych yn eu haddoli." Pan glywodd y Babiloniaid hyn, aethant yn ddig, a throi yn erbyn y brenin a dweud, "Y mae'r brenin wedi troi'n Iddew. Y mae wedi distrywio Bel, a lladd y ddraig, a rhoi'r offeiriaid i farwolaeth." [29] Daethant at y brenin a dweud, "Traddoda Daniel i ni. Os na wnei, fe'th laddwn di a'th deulu." [30] Pan welodd y brenin eu bod yn gwasgu'n daer arno, a'i fod mewn argyfwng, traddododd Daniel iddynt. [31] Taflasant hwythau ef i ffau'r llewod, ac yno y bu am chwe diwrnod. [32] Yr oedd saith llew yn y ffau, a rhoddid iddynt bob dydd ddau ddyn a dwy ddafad. Ond y tro hwn ni roddwyd dim iddynt, er mwyn sicrhau eu bod yn traflyncu Daniel.

Achub Daniel o Ffau'r Llewod

[33] Yr oedd y proffwyd Habacuc yn Jwdea. Yr oedd wedi berwi cawl, a malu briwsion bara yn y cawg, ac yr oedd ar ei ffordd i'r maes i'w ddwyn i'r medelwyr. [34] Dywedodd angel yr Arglwydd wrth Habacuc, "Dos â'r bwyd sydd gennyt i Fabilon, at Daniel yn ffau'r llewod." [35] "F'arglwydd," meddai Habacuc, "ni welais i Fabilon erioed, ac ni wn ble mae'r ffau." [36] Ond cymerodd angel yr Arglwydd ef gerfydd ei gorun, gan afael yng ngwallt ei ben, a thrwy nerth ei anadl gosododd ef ym Mabilon uwchben y ffau. [37] "Daniel, Daniel," gwaeddodd Habacuc, "cymer y bwyd a anfonodd Duw iti." [38] Atebodd Daniel, "Cofiaist amdanaf, O Dduw. Ni chefnaist ar y sawl sy'n dy garu." [39] Cododd Daniel a bwyta. Yna aeth angel yr Arglwydd â Habacuc yn ôl ar unwaith i'w le ei hun.

[40] Daeth y brenin ar y seithfed dydd i alaru am Daniel. Wedi dod at y ffau ac edrych i mewn, dyna lle'r oedd Daniel yn eistedd. [41] Gwaeddodd y brenin â llais uchel, "Mawr wyt ti, O Arglwydd Dduw Daniel! Nid oes Duw arall ond tydi." [42] Yna tynnodd ef i fyny, a thaflodd i'r ffau y rhai oedd wedi ceisio achos i'w ladd. Ac ar unwaith fe'u traflyncwyd hwy o flaen ei lygaid.

GWEDDI MANASSE

NODIAD. Priodolir y weddi hon i'r Brenin Manasse ar yr achlysur y ceir hanes amdano yn 2 Cron. 33:12-20.

¹Arglwydd hollalluog,
Duw ein tadau ni,
Duw Abraham, Isaac a Jacob,
a'u hiliogaeth gyfiawn hwy;
²ti a wnaeth nef a daear a holl
ysblander eu trefn,
³ti a rwymodd y môr â gair dy
orchymyn,
ti a glodd y dyfnder a'i selio â'th enw
ofnadwy a gogoneddus;
⁴y mae pob peth yn crynu ac yn
dychrynu gerbron dy allu di.
⁵Oherwydd ni ellir goddef gorwychder
dy ogoniant,
nac ymddál dan ddicter dy fygwth ar
bechaduriaid;
⁶ond difesur a diamgyffred yw'r
drugaredd a addewaist.
⁷Ti yw'r Arglwydd goruchaf,
tosturiol, hirymarhous, a mawr dy
drugaredd,
yn ymatal rhag cosbi drygioni dynion. ᵃ
⁸Tydi, felly, Arglwydd Dduw y
cyfiawn,
nid i rai cyfiawn yr ordeiniaist
edifeirwch,
nid i Abraham, Isaac a Jacob, na
phechasant yn dy erbyn;
ond ordeiniaist edifeirwch i mi, sy'n
bechadur,
⁹oherwydd lluosocach na thywod y môr
yw nifer fy mhechodau i.
Amlhaodd fy nhroseddau,
O Arglwydd; amlhau a
wnaethant,
fel nad wyf deilwng i edrych i fyny a

syllu ar uchder y nefoedd,
gan mor niferus yw fy nghamweddau.
¹⁰'Rwy'n wargrwm dan gadwyn drom o
haearn,
fel na allaf godi fy mhen ar gyfrif fy
mhechodau;
nid oes imi ymwared,
gan imi gyffroi dy ddicter di
a gwneud yr hyn sy'n ddrwg yn dy
olwg,
trwy godi eilunod ffiaidd a phentyrru
pethau atgas.
¹¹Ac yn awr 'rwy'n darostwng fy
nghalon, gan ddeisyf dy
diriondeb.
¹²Pechadur wyf, O Arglwydd,
pechadur,
ac yr wyf yn cydnabod fy nhroseddau.
¹³Gofyn yr wyf, a deisyf arnat,
arbed fi, O Arglwydd, arbed fi.
Paid â'm difetha i gyda'm troseddau;
paid â llidio'n dragwyddol wrthyf, na
chadw drygioni mewn stôr imi;
paid â'm condemnio i barthau isaf y
ddaear;
oherwydd Duw yr edifeiriol wyt ti,
O Arglwydd.
¹⁴Ynof fi y dangosi dy ddaioni;
er mor annheilwng wyf, fe'm hachubi
yn ôl dy drugaredd fawr.
¹⁵Clodforaf di yn wastad holl ddyddiau
fy mywyd.
Oherwydd y mae holl lu'r nefoedd yn
dy foliannu di,
ac eiddot ti yw'r gogoniant am byth.
Amen.

ᵃYn ôl darlleniad arall ychwanegir: *Yn ôl amlder dy drugaredd, Arglwydd, addewaist edifeirwch a maddeuant i'r rhai a bechodd yn dy erbyn, ac yn dy drugaredd anfeidrol ordeiniaist edifeirwch i bechaduriaid, i'w dwyn i iachawdwriaeth.*

MACABEAID

Alexander Fawr

1 Ar ôl i Alexander y Macedoniad, mab Philip, ddod allan o wlad Chittim, a threchu Dareius brenin y Persiaid a'r Mediaid, teyrnasodd yn ei le; yr oedd eisoes yn frenin gwlad Groeg. ²Ymladdodd frwydrau lawer, gan feddiannu ceyrydd a lladd brenhinoedd y ddaear. ³Tramwyodd hyd eithafoedd y ddaear a chymryd ysbail oddi wrth lawer o genhedloedd. Ar ôl i'r byd dawelu dan ei lywodraeth, ymddyrchafodd ac aeth yn drahaus. ⁴Casglodd fyddin eithriadol gref a llywodraethodd ar diroedd a chenhedloedd a thywysogion, a hwythau'n talu trethi iddo. ⁵Ar ôl hyn trawyd ef yn glaf, a deallodd ei fod yn marw. ⁶Felly galwodd ei gadfridogion, y rheini oedd wedi eu magu gydag ef o'i ieuenctid, a rhannodd ei deyrnas rhyngddynt tra oedd eto'n fyw. ⁷Bu Alexander yn teyrnasu am ddeuddeng mlynedd cyn iddo farw. ⁸Yna dechreuodd ei gadfridogion lywodraethu, pob un yn ei dalaith ei hun. ⁹Ar ôl ei farwolaeth ef, mynnodd pob un goron brenin, ac felly hefyd eu meibion ar eu hôl hwy am flynyddoedd lawer, a daethant â mwy a mwy o drallodion i'r byd. ¹⁰O'u plith hwy y daeth y gwreiddyn pechadurus Antiochus Epiffanes, mab i'r Brenin Antiochus, a fuasai'n wystl yn Rhufain. Daeth ef i'r orsedd yn y flwyddyn 137ᵃ o deyrnasiad y Groegiaid.

Yr Iddewon a Wrthgiliodd
(2 Mac. 4:7-17)

11 Yn y dyddiau hynny cododd yn Israel ddynion oedd wedi gwrthgilio oddi wrth y gyfraith, a chawsant berswâd ar lawer trwy ddweud, "Gadewch i ni fynd a gwneud cyfamod â'r Cenhedloedd sydd o'n hamgylch, oherwydd o'r amser y bu i ni ymwahanu oddi wrthynt, daeth llawer o drallodion ar ein gwarthaf." ¹²Yr oedd y cyngor hwn yn dderbyniol yng ngolwg y bobl, ac aeth rhai ohonynt yn eiddgar at y brenin. ¹³Rhoddodd ef ganiatâd iddynt i ddilyn arferion y Cenhedloedd, ¹⁴ac adeiladasant yn Jerwsalem gampfa chwaraeon yn null y Cenhedloedd. ¹⁵Cuddiasant eu cyflwr enwaededig, a gwrthgilio oddi wrth y cyfamod sanctaidd; ymunasant â'r Cenhedloedd, a'u gwerthu eu hunain i wneud drygioni.

Antiochus Epiffanes yn Ymosod ar yr Aifft

16 Pan farnodd Antiochus fod ei deyrnas yn ddiogel, penderfynodd ddod yn frenin ar wlad yr Aifft, er mwyn bod yn frenin ar y ddwy deyrnas. ¹⁷Ymosododd ar yr Aifft gyda byddin enfawr, yn cynnwys cerbydau rhyfel ac eliffantod a gwŷr meirch a llynges fawr, ¹⁸a dechrau rhyfela yn erbyn Ptolemeus brenin yr Aifft. ¹⁸Trodd Ptolemeus yn ôl oddi wrtho a ffoi, a lladdwyd llawer o'i filwyr. ¹⁹Cymerwyd meddiant o'r trefi caerog yng ngwlad yr Aifft, ac ysbeiliodd Antiochus y wlad.

Erlid yr Iddewon

20 Wedi iddo oresgyn yr Aifft, yn y flwyddyn 143ᵇ, dychwelodd Antiochus ac aeth i fyny yn erbyn Israel a mynd i Jerwsalem gyda byddin gref. ²¹Yn ei ryfyg aeth i mewn i'r deml a dwyn ymaith yr allor aur, a'r ganhwyllbren gyda'i holl offer, ²²a bwrdd y bara cysegredig a'r cwpanau a'r cawgiau a'r thuserau aur a'r llen a'r coronau. Rhwygodd ymaith yr holl addurn aur oedd ar wyneb y deml. ²³Cymerodd hefyd yr arian a'r aur a'r llestri gwerthfawr, a hefyd y trysorau cuddiedig y daeth o hyd iddynt. ²⁴Gan gymryd y cyfan gydag ef, dychwelodd i'w wlad ei hun. Gwnaeth gyflafan fawr a llefarodd yn dra rhyfygus. ²⁵Bu galar mawr yn Israel ym mhobman;

ᵃH.y., 175 C.C.   ᵇH.y., 169 C.C.

²⁶ griddfanodd llywodraethwyr a
henuriaid,
llesgaodd genethod a llanciau,
gwywodd tegwch y gwragedd.
²⁷ Ymunodd pob priodfab yn y galar,
ac wylai'r briodferch yn yr ystafell
briodas.
²⁸ Crynodd y tir ei hun dros ei drigolion,
a gwisgwyd holl dŷ Jacob â chywilydd.
²⁹ Ar ôl dwy flynedd, anfonodd y brenin
brif gasglwr trethi i drefi Jwdea, a daeth ef
i Jerwsalem gyda byddin gref. ³⁰ Llefarodd
ef eiriau heddychlon wrthynt yn ddichell-
gar, a chredodd y bobl ef. Yna yn
ddisymwth ymosododd ar y ddinas a'i
tharo ag ergyd galed, a lladdodd lawer o
bobl Israel. ³¹ Ysbeiliodd y ddinas a'i rhoi
ar dân, a thynnu i lawr ei thai a'r muriau
o'i hamgylch. ³² Cymerasant y gwragedd
a'r plant yn gaethion a meddiannu'r gwar-
theg.

33 Yna gwnaethant Ddinas Dafydd yn
gaerog, gyda mur uchel a chryf a thyrau
cedyrn, a daeth yn amddiffynfa iddynt.
³⁴ Gosodasant yno bobl bechadurus, dyn-
ion digyfraith, a'i gwneud yn gadarnle.
³⁵ Cynullasant stôr o arfau a bwyd, ac wedi
casglu ynghyd ysbail Jerwsalem fe'i
rhoesant yno, a daethant yn berygl enbyd.
³⁶ Yr oedd y lle yn fan cynllwynio yn erbyn
y cysegr ac yn fygythiad dieflig i Israel yn
barhaus.
³⁷ Tywalltasant waed y dieuog o amgylch
y cysegr,
a halogi'r cysegr ei hun.
³⁸ O'u plegid hwy, ffodd trigolion
Jerwsalem,
a daeth y ddinas yn breswylfa i
estroniaid;
daeth yn ddieithr i'w hiliogaeth ei hun,
a gadawyd hi gan ei phlant.
³⁹ Gwnaethpwyd ei chysegr yn
anghyfannedd fel anialwch;
trowyd ei gwyliau yn alar
a'i Sabothau yn waradwydd,
a'i hanrhydedd yn ddirmyg.
⁴⁰ Mawr y gogoniant a fu iddi gynt,
a mawr yr amarch a ddaeth iddi yn
awr;
a throwyd ei gwychder yn dristwch.
⁴¹ Yna rhoddodd y brenin orchymyn i'w
holl deyrnas fod pawb ohonynt i ddod
yn un bobl, a phob un i ymwrthod â'i
arferion crefyddol ei hun. ⁴² Cyd-
ymffurfiodd y cenhedloedd i gyd â gorch-

ymyn y brenin, ⁴³ ac yr oedd llawer hyd
yn oed yn Israel yn cytuno â'i grefydd ef,
gan aberthu i eilunod a halogi'r Saboth.
⁴⁴ Anfonodd y brenin lythyrau trwy ei
negeswyr i Jerwsalem a threfi Jwdea, yn
eu gorchymyn i ddilyn arferion oedd yn
ddieithr i'r wlad. ⁴⁵ Yr oeddent i wahardd
poethoffrymau ac aberthau a diodoffrwm
yn y cysegr, ac i halogi'r Sabothau a'r
gwyliau, ⁴⁶ a digysegru'r deml a'r offeir-
iaid. ⁴⁷ Yr oeddent i adeiladu allorau a
chysegrleoedd a themlau i eilunod, ac i
aberthu moch ac anifeiliaid halogedig, a
gadael eu meibion yn ddienwaededig; ⁴⁸ yr
oeddent i'w halogi eu hunain â phob math
o aflendid a llygredd, ⁴⁹ ac felly i anghofio'r
gyfraith a newid yr holl ddeddfau. ⁵⁰ Cosb
anufudd-dod i orchymyn y brenin fyddai
marwolaeth.

51 Gyda'r gorchmynion hyn i gyd
ysgrifennodd y brenin at ei holl deyrnas, a
phenododd arolygwyr dros y bobl i gyd,
gan orchymyn i drefi Jwdea offrymu
aberthau fesul un. ⁵² Ymunodd llawer o'r
bobl â hwy, sef pawb oedd am ymwrthod
â'r gyfraith, a chyflawni drygioni yn y
wlad, ⁵³ a gyrru Israel i guddio mewn
lleoedd dirgel, ym mhob lloches oedd
ganddynt.

54 Ar y pymthegfed dydd o fis Cislef,
yn y flwyddyn 145ᶜ, bu iddynt adeiladu
ffieiddbeth diffeithiol ar yr allor, a chodi
allorau i eilunod yn y trefi o amgylch
Jwdea, ⁵⁵ ac arogldarthu wrth ddrysau'r
tai ac yn yr heolydd. ⁵⁶ Torrwyd yn
ddarnau lyfrau'r gyfraith a ddargan-
fuwyd, a'u llosgi â thân. ⁵⁷ A phan gaed
llyfr y cyfamod ym meddiant rhywun,
neu os byddai rhywun yn cydymffurfio
â'r gyfraith, fe'i lleddid yn unol â gorch-
ymyn y brenin. ⁵⁸ Fis ar ôl mis yr oeddent
yn defnyddio'u grym yn erbyn yr Israel-
iaid a gafwyd yn y trefi. ⁵⁹ Ac ar y pumed
dydd ar hugain o'r mis, offrymasant
aberthau ar yr allor yr oeddent wedi ei
chodi ar ben allor yr Arglwydd. ⁶⁰ Yn unol
â'r gorchymyn, lladdasant y gwragedd
oedd wedi enwaedu ar eu plant, ⁶¹ gan
grogi'r babanod wrth yddfau eu mamau;
lladdasant hefyd eu teuluoedd, a'r sawl
oedd yn enwaededig. ⁶² Er hynny, safodd
llawer yn Israel yn gadarn, yn gwbl
benderfynol na fynnent fwyta dim halog-
edig. ⁶³ Yr oedd yn well ganddynt farw yn
hytrach na chael eu llygru â bwydydd a

halogi'r cyfamod sanctaidd; a marw a wnaethant. ⁶⁴A bu digofaint mawr iawn ar Israel.

Teyrngarwch Matathias

2 Yn y dyddiau hynny, symudodd Matathias fab Ioan, fab Simeon, offeiriad o deulu Joarib, o Jerwsalem ac ymsefydlu yn Modin. ²Yr oedd ganddo bump o feibion: Ioan a elwid Gadi, ³Simon a elwid Thasi, ⁴Jwdas a elwid Macabeus, ⁵Eleasar a elwid Abaran, a Jonathan a elwid Apffws. ⁶Pan welodd Matathias y pethau cableddus oedd yn digwydd yn Jwda ac yn Jerwsalem, ⁷dywedodd:

"Gwae fi! Pam y'm ganwyd i weld
dinistr fy mhobl a dinistr y ddinas
    sanctaidd,
ac i drigo yno pan roddwyd hi yn
    nwylo gelynion,
a'i chysegr yn nwylo estroniaid?
⁸Aeth ei theml fel dyn a
    ddianrhydeddwyd,
⁹a dygwyd ymaith ei llestri gogoneddus
    yn ysbail;
lladdwyd ei babanod yn ei heolydd,
a'i gwŷr ifainc gan gleddyf y gelyn.
¹⁰Pa genedl na feddiannodd ei phalasau
    hi,
ac na wnaeth hi'n ysbail?
¹¹Anrheithiwyd ei holl harddwch hi,
ac o fod yn rhydd, aeth yn gaethferch.
¹²Ac wele, ein cysegr a'n ceinder
a'n gogoniant wedi eu troi'n
    ddiffeithwch;
y Cenhedloedd a'u halogodd.
¹³Pa fudd yw i ni bellach ddal yn fyw?"
¹⁴A rhwygodd Matathias a'i feibion eu dillad; gwisgasant sachliain a galaru'n chwerw.

15 Yna daeth swyddogion y brenin, a oedd yn gorfodi'r bobl i gefnu ar eu crefydd, i dref Modin i beri iddynt aberthu. ¹⁶Aeth llawer o bobl Israel atynt; a daeth Matathias a'i feibion ynghyd hefyd. ¹⁷Dywedodd swyddogion y brenin wrth Matathias: "Yr wyt ti'n arweinydd ac yn ddyn o fri a dylanwad yn y dref hon, a'th feibion a'th frodyr yn gefn iti. ¹⁸Yn awr, tyrd dithau yn gyntaf, ac ufuddha i orchymyn y brenin, fel y gwnaeth yr holl genhedloedd, a gwŷr Jwdea, a'r rhai a adawyd ar ôl yn Jerwsalem. Yna cei di a'th feibion eich cyfrif yn Gyfeillion y Brenin; cei di a'th feibion eich anrhydeddu ag arian ac aur a llawer o anrhegion." ¹⁹Ond atebodd Matathias â llais uchel: "Er bod yr holl genhedloedd sydd dan lywodraeth y brenin yn gwrando arno, ac yn cefnu bob un ar grefydd eu tadau, ac yn cytuno â'i orchmynion, ²⁰eto yr wyf fi a'm brodyr am ddilyn llwybr cyfamod ein tadau. ²¹Na ato Duw i ni gefnu ar y gyfraith a'i hordeiniadau. ²²Nid ydym ni am ufuddhau i orchmynion y brenin, trwy wyro oddi wrth ein crefydd i'r dde nac i'r chwith." ²³Cyn gynted ag y peidiodd â llefaru'r geiriau hyn, daeth rhyw Iddew ymlaen yng ngolwg pawb, i aberthu ar yr allor yn Modin, yn ôl gorchymyn y brenin. ²⁴Pan welodd Matathias ef, fe'i llanwyd â sêl digllon a chynhyrfwyd ef drwyddo. Wedi ei danio gan ddicter cyfiawn fe redodd at y dyn a'i ladd ar yr allor, ²⁵a'r un pryd lladdodd swyddog y brenin a oedd yn gorfodi'r aberthu, a dymchwelodd yr allor. ²⁶Felly dangosodd ei sêl dros y gyfraith, fel y gwnaeth Phinees pan laddodd Sambri fab Salom. ²⁷Yna gwaeddodd Matathias yn y dref â llais uchel: "Pob un sydd â sêl ganddo dros y gyfraith ac sydd am gadw'r cyfamod, deued ar fy ôl i." ²⁸A ffodd ef a'i feibion i'r mynyddoedd, gan adael eu meddiannau yn y dref.

Gwrthryfel Matathias

29 Yna aeth llawer oedd yn ceisio cyfiawnder a barn i lawr i'r anialwch i aros yno, gyda'u meibion a'u gwragedd a'u hanifeiliaid, ³⁰oherwydd bod trallodion wedi gwasgu'n galed arnynt. ³¹Ac adroddwyd wrth swyddogion y brenin a'r lluoedd oedd yn Jerwsalem, dinas Dafydd, bod dynion a dorrodd orchymyn y brenin wedi mynd i lawr i'r llochesau yn yr anialwch. ³²Rhuthrodd llawer ohonynt ar eu hôl a'u goddiweddyd, a gwersyllu gyferbyn â hwy, a pharatoi cyrch yn eu herbyn ar y Saboth. ³³A dywedasant wrthynt: "Dyna ddigon! Dewch allan ac ufuddhewch i orchymyn y brenin, a chewch fyw." ³⁴Ond atebasant: "Ni ddown ni allan, ac ni chyflawnwn orchymyn y brenin i halogi'r Saboth." ³⁵Yna prysurodd y gelyn i ymosod arnynt. ³⁶Ond ni wnaethant hwy ddim mewn ymateb iddynt, na lluchio carreg atynt, na chau'r llochesau rhagddynt. ³⁷Dywedasant: "Gadewch i ni i gyd farw â chydwybod lân; y mae nef a daear yn tystiolaethu drosom mai'n anghyfiawn yr

ydych yn ein lladd." ³⁸ A gwnaed cyrch ar yr Israeliaid ar y Saboth, a buont farw, ynghyd â'u gwragedd a'u plant a'u hanifeiliaid, hyd at fil o eneidiau.

39 Pan glywodd Matathias a'i gyfeillion am hyn, mawr fu eu galar drostynt.

⁴⁰ A dywedodd pob un wrth ei gilydd: "Os gwnawn ni i gyd fel y gwnaeth ein brodyr, a gwrthod ymladd yn erbyn y Cenhedloedd dros ein bywydau a'n hordeiniadau, yna yn fuan byddant yn ein dileu oddi ar y ddaear." ⁴¹ Felly, y diwrnod hwnnw, gwnaethant y penderfyniad hwn: "Os daw unrhyw un i ymosod arnom ar y Saboth, gadewch i ni ryfela yn ei erbyn; nid ydym ni am farw i gyd, fel y bu farw ein brodyr yn y llochesau."

42 A'r pryd hwnnw daeth cwmni o Hasideaid i ymuno â hwy, gwŷr cadarn o Israeliaid, a phob un ohonynt wedi gwirfoddoli i amddiffyn y gyfraith. ⁴³ Daeth pawb oedd wedi ffoi rhag yr erledigaethau i ymuno â hwy, a buont yn atgyfnerthiad iddynt. ⁴⁴ Ffurfiasant fyddin, a tharo i lawr bechaduriaid yn eu dicter, a dynion digyfraith yn eu llid; yna ffodd y rhai oedd ar ôl at y Cenhedloedd, er mwyn bod yn ddiogel. ⁴⁵ Aeth Matathias a'i gyfeillion oddi amgylch, gan dynnu'r allorau i lawr, ⁴⁶ a gorfodi enwaediad ar y plant dienwaededig a gawsant o fewn ffiniau Israel. ⁴⁷ Erlidiasant y dynion ffroenuchel, a llwyddodd y gwaith hwnnw yn eu dwylo. ⁴⁸ Felly gwaredasant y gyfraith o law y Cenhedloedd a'u brenhinoedd, ac ni roesant gyfle i'r pechadur gael y trechaf.

Marw Matathias

49 Pan nesaodd y dyddiau i Matathias farw, dywedodd wrth ei feibion: "Yn awr aeth balchder a gwaradwydd yn gadarn; amser dinistr a dicter chwyrn yw hwn. ⁵⁰ Felly, fy mhlant, byddwch selog dros y gyfraith a rhowch eich bywydau dros gyfamod ein tadau. ⁵¹ Cofiwch weithredoedd ein tadau, a gyflawnwyd ganddynt yn eu cenedlaethau, a derbyniwch ogoniant mawr a chlod tragwyddol. ⁵² Oni chafwyd Abraham yn ffyddlon dan ei brawf, ac oni chyfrifwyd hynny yn gyfiawnder iddo? ⁵³ Cadwodd Joseff y gorchymyn yn amser ei gyfyngder, a daeth yn arglwydd ar yr Aifft. ⁵⁴ Yn ei sêl ysol derbyniodd Phinees ein cyndad gyfamod offeiriadaeth dragwyddol.

⁵⁵ Wrth gyflawni'r gorchymyn, daeth Josua yn farnwr yn Israel. ⁵⁶ Cafodd Caleb, am iddo ddwyn tystiolaeth yn y gynulleidfa, y tir yn etifeddiaeth. ⁵⁷ Etifeddodd Dafydd, ar gyfrif ei drugaredd, orsedd teyrnas dragwyddol. ⁵⁸ Oherwydd ei fawr sêl dros y gyfraith cymerwyd Elias i fyny i'r nef. ⁵⁹ Oherwydd eu ffydd, achubwyd Ananias, Asarias a Misael o'r tân. ⁶⁰ Gwaredwyd Daniel, ar gyfrif ei unplygrwydd, o safn y llewod. ⁶¹ Ac felly ystyriwch, genhedlaeth ar ôl cenhedlaeth, nad yw neb sy'n ymddiried ynddo ef yn diffygio. ⁶² Peidiwch ag ofni geiriau dyn pechadurus, oherwydd fe dry ei ogoniant yn dom ac yn bryfed. ⁶³ Heddiw fe'i dyrchefir, ond yfory ni bydd sôn amdano, am iddo ddychwelyd i'r llwch, a'i gynlluniau wedi darfod. ⁶⁴ Fy mhlant, ymwrolwch a byddwch gadarn dros y gyfraith, oherwydd trwyddi hi y'ch gogoneddir. ⁶⁵ A dyma Simon eich brawd; gwn ei fod yn ŵr o gyngor. Gwrandewch arno er bob amser, a bydd ef yn dad i chwi. ⁶⁶ A Jwdas Macabeus yntau, a fu'n ŵr cadarn o'i ieuenctid, bydd ef yn gapten ar eich byddin ac yn arwain y frwydr yn erbyn y bobloedd. ⁶⁷ A chwithau, casglwch o'ch amgylch bawb sy'n cadw'r gyfraith, a mynnwch ddial am gamwri eich pobl. ⁶⁸ Talwch yn ôl i'r Cenhedloedd hyd yr eithaf, ac ufuddhewch i ordinhad y gyfraith."

69 Yna bendithiodd Matathias hwy, a chasglwyd ef at ei dadau. ⁷⁰ Bu farw yn y flwyddyn 146ᶜʰ, a chladdwyd ef ym medd ei hynafiaid yn Modin, a galarodd Israel gyfan yn ddirfawr amdano.

Buddugoliaethau Cyntaf Jwdas
(2 Mac. 8:1-7)

3 Yna cododd ei fab Jwdas, a elwid Macabeus, yn lle ei dad. ² Rhoddodd ei holl frodyr gymorth iddo, ac felly hefyd bawb a fu'n ganlynwyr i'w dad, a daliasant ati â llawenydd i ymladd y frwydr dros Israel.

³ Helaethodd ogoniant ei bobl.
Gwisgodd ddwyfronneg fel cawr,
ac ymwregysu â'i arfau rhyfel.
Cynlluniodd frwydrau,
gan amddiffyn ei fyddin â'i gleddyf.
⁴ Yr oedd fel llew yn ei gampau,
fel cenau llew yn rhuo am ysglyfaeth.

ᶜʰ H.y., 166 C.C.

⁵Chwiliodd am y rhai digyfraith a'u
    herlid,
a difa'r rhai a darfai ar ei bobl.
⁶Ciliodd y digyfraith rhagddo mewn
    braw,
a thrallodwyd holl weithredwyr
    drygioni.
Ffynnodd achos gwaredigaeth dan ei
    law ef.
⁷Parodd ddicter i frenhinoedd lawer
ond rhoes lawenydd i Jacob drwy ei
    weithredoedd.
Bendigedig fydd ei goffadwriaeth am
    byth.
⁸Tramwyodd drwy drefi Jwda
gan lwyr ddinistrio'r annuwiol o'r tir.
Trodd ymaith y digofaint oddi wrth
    Israel.
⁹Daeth yn enwog hyd at derfynau'r
    ddaear,
a chasglodd ynghyd y rhai oedd ar
    ddarfod amdanynt.

10 Casglodd Apolonius rai o blith y
Cenhedloedd, a byddin gref o Samaria, i
ryfela yn erbyn Israel. Pan glywodd Jwdas
am hyn, aeth allan i'w gyfarfod.
¹¹Trawodd ef a'i ladd; archollwyd a
lladdwyd llawer o filwyr y gelyn, a ffodd y
gweddill. ¹²Cymerwyd eu hysbail hwy, a
Jwdas yn cymryd cleddyf Apolonius; â
hwnnw yr ymladdodd wedyn holl
ddyddiau ei fywyd.

13 Pan glywodd Seron, capten byddin
Syria, fod Jwdas wedi casglu ato lu mawr,
a chwmni o ffyddloniaid ac o rai a arferai
fynd i ryfel, ¹⁴dywedodd, "Gwnaf enw i mi
fy hun, ac enillaf ogoniant yn y deyrnas
trwy ryfela yn erbyn Jwdas a'i ganlynwyr,
sy'n diystyru gorchymyn y brenin." ¹⁵Aeth
i fyny â chwmni cryf o ddynion annuwiol
gydag ef yn gymorth, i ddial ar feibion
Israel. ¹⁶Nesaodd at fwlch Beth-horon, lle
daeth Jwdas i'w gyfarfod gyda chwmni
bychan. ¹⁷Pan welodd ei ganlynwyr y
fyddin yn dod i'w cyfarfod, dywedasant
wrth Jwdas, "Sut y gallwn ni, a ninnau'n
gwmni bychan, frwydro yn erbyn y fath
dyrfa gref â hon? Ac at hynny, yr ydym yn
diffygio, gan na chawsom fwyd heddiw."
¹⁸Atebodd Jwdas, "Y mae'n ddigon
hawdd i lawer gael eu cau i mewn gan
ychydig, ac nid oes gwahaniaeth yng
ngolwg y nef prun ai trwy lawer neu trwy
ychydig y daw gwaredigaeth. ¹⁹Nid yw
buddugoliaeth mewn rhyfel yn dibynnu ar
luosogrwydd byddin; o'r nef yn hytrach y

daw nerth. ²⁰Y maent yn ymosod arnom,
yn llawn traha ac anghyfraith, i'n dinistrio
ni a'n gwragedd a'n plant, ac i'n hysbeilio,
²¹ond yr ydym ninnau'n brwydro dros ein
bywydau a'n cyfreithiau. ²²Bydd ef yn eu
dryllio o flaen ein llygaid; felly peidiwch
chwi â'u hofni." ²³Wedi iddo orffen
siarad, gwnaeth ymosodiad sydyn ar y
gelyn, a drylliwyd Seron a'i fyddin o'i
flaen. ²⁴Ymlidiasant Seron i lawr trwy
fwlch Beth-horon hyd at y gwastadedd, a
lladd tua wyth gant o'r gelyn; ffodd y
gweddill i wlad y Philistiaid. ²⁵Yna
dechreuwyd ofni Jwdas a'i frodyr, a
syrthiodd braw ar y cenhedloedd o'u
hamgylch. ²⁶Daeth ei fri i glustiau'r
brenin, ac yr oedd sôn ymhlith y
cenhedloedd am frwydrau Jwdas.

Penodi Lysias yn Llywodraethwr

27 Pan glywodd y Brenin Antiochus y
newydd yma, aeth yn ddig dros ben, a
gorchmynnodd gasglu ynghyd holl luoedd
ei deyrnas, yn fyddin gref iawn.
²⁸Agorodd ei drysorfa, a rhoi cyflog
blwyddyn i'w filwyr, a gorchymyn iddynt
fod yn barod ar gyfer unrhyw anghenraid.
²⁹Ond gwelodd fod yr arian yn ei drysorfa
wedi pallu, am fod y trethi a gesglid o'r
dalaith yn fach, ac gyfrif yr ymraniad a'r
trychineb yr oedd ef wedi eu dwyn ar y
wlad trwy ddiddymu'r cyfreithiau a oedd
mewn bod er y dyddiau cynharaf. ³⁰Aeth i
ofni hefyd na fyddai ganddo ddigon o
arian—fel y digwyddodd unwaith neu
ddwy o'r blaen—ar gyfer ei dreuliau, ac ar
gyfer yr anrhegion yr arferai eu rhoi mor
hael, yn helaethach hyd yn oed nau'r
brenhinoedd a fu o'i flaen. ³¹Yr oedd
mewn penbleth mawr; yna penderfynodd
fynd i Persia i gasglu trethi'r taleithiau a
chodi swm mawr o arian. ³²Gadawodd
ar ei ôl Lysias, gŵr enwog o linach
brenhinol, i fod yn gyfrifol am
fuddiannau'r brenin o Afon Ewffrates
hyd at ffiniau'r Aifft, ³³ac i ofalu am
Antiochus ei fab hyd nes y byddai ef ei
hun yn dychwelyd. ³⁴Trosglwyddodd
hanner ei fyddinoedd iddo, ynghyd â'r
eliffantod, a rhoddodd gyfarwyddyd iddo
ynglŷn â'r cwbl yr oedd am iddo'i wneud,
yn enwedig ynglŷn â thrigolion Jwdea a
Jerwsalem. ³⁵Yr oedd i anfon byddin yn
erbyn y rhain, i ddryllio a dinistrio cryfder
Israel a gweddill Jerwsalem, a dileu'r cof
amdanynt o'r lle. ³⁶Yr oedd hefyd i osod
estroniaid yn eu holl diriogaeth, a rhannu

eu gwlad i'r rheini drwy goelbrennau. [37] Yna cymerodd y brenin yr hanner o'i fyddin a oedd yn weddill, ac ymadawodd o Antiochia, ei brif ddinas, yn y flwyddyn 147 [d]. Croesodd Afon Ewffrates ac aeth trwy daleithiau'r dwyrain.

Buddugoliaethau Pellach Jwdas
(2 Mac. 8:8-29, 34-36)

38 Dewisodd Lysias ddynion cryf o blith Cyfeillion y Brenin, sef Ptolemeus fab Dorymenes, a Nicanor a Gorgias, [39] ac anfonodd gyda hwy ddeugain mil o wŷr traed a saith mil o wŷr meirch i fynd i wlad Jwdea i'w dinistrio hi yn ôl gorchymyn y brenin. [40] Ymadawsant felly gyda'u holl lu, a daethant a gwersyllu ger Emaus, ar y gwastatir. [41] A phan glywodd masnachwyr y dalaith y sôn amdanynt, cymerasant swm enfawr o arian ac aur, ynghyd â llyffetheiriau [dd], a daethant i'r gwersyll i brynu meibion Israel yn gaethweision. Ymunodd byddin o Syria ac o wlad y Philistiaid â hwy.

42 Pan welodd Jwdas a'i frodyr fod pethau'n mynd o ddrwg i waeth, a bod byddinoedd yn gwersyllu y tu mewn i ffiniau eu gwlad, a hwythau'n gwybod am orchmynion y brenin i ddinistrio'r genedl yn llwyr, [43] dywedasant wrth ei gilydd, "Gadewch i ni ailgodi adfeilion ein pobl, ac ymladd dros ein pobl a'n cysegr." [44] Daeth y gynulleidfa ynghyd i baratoi at ryfel ac i weddïo a deisyf am drugaredd a thosturi.

[45] Yr oedd Jerwsalem yn anghyfannedd
    fel anialwch,
heb neb o'i phlant yn mynd i mewn
    nac allan,
a'i chysegr yn cael ei sathru dan draed.
Estroniaid oedd yn ei chaer,
a hwthau'n llety i'r cenhedloedd.
Amddifadwyd Jacob o'i lawenydd,
a distawodd y ffliwt a'r delyn.
[46] Daethant ynghyd i Mispa, gyferbyn â Jerwsalem, oherwydd yno bu lle gweddi gynt i Israel. [47] Y diwrnod hwnnw ymprydiodd y bobl, gan wisgo sachliain a rhoi lludw ar eu pennau a rhwygo'u dillad. [48] Agorasant sgrôl y gyfraith, i chwilio am yr hyn yr oedd y Cenhedloedd yn ei gael gan ddelwau eu duwiau. [49] Daethant â dillad yr offeiriaid hefyd, a'r blaenffrwythau a'r degymau, a chyflwyno'r Nasireaid a oedd wedi cyflawni eu haddunedau. [50] Gwaeddasant yn uchel i'r nefoedd gan ddweud, "Beth a wnawn â'r dynion hyn, ac i ble yr awn â hwy? [51] Y mae dy gysegr di wedi ei sathru a'i halogi, a'th offeiriaid mewn galar a darostyngiad. [52] A dyma'r Cenhedloedd wedi dod ynghyd yn ein herbyn i'n dinistrio, ac fe wyddost ti beth yw eu cynlluniau yn ein herbyn. [53] Sut y gallwn ni eu gwrthsefyll os na fydd i ti ein cynorthwyo?" [54] Yna canasant yr utgyrn, a gweiddi â llef uchel.

55 Wedi hyn, penododd Jwdas lywodraethwyr ar y bobl, swyddogion dros fil, dros gant, dros hanner cant a thros ddeg. [56] A dywedodd wrth y rhai oedd yn adeiladu tai, a'r rhai oedd wedi eu dyweddïo, a'r rhai oedd yn plannu gwinllannoedd, a'r rhai ofnus, am ddychwelyd bob un i'w gartref, yn unol â'r gyfraith. [57] Ac ymadawodd y fyddin, a gwersyllu i'r de o Emaus. [58] Ac meddai Jwdas, "Ymwregyswch a byddwch yn filwyr gwrol, a byddwch yn barod ben bore yfory i ymladd y Cenhedloedd hyn sydd wedi ymgasglu yn ein herbyn i'n dinistrio ni a'n cysegr. [59] Oherwydd y mae'n well inni farw mewn brwydr na gwylio trychineb yn disgyn ar ein cenedl a'i chysegr. [60] Ond fel yr ewyllysir yn y net, felly y bydd."

4 Yna cymerodd Gorgias bum mil o wŷr traed a mil o wŷr meirch dethol, ac ymadawodd y fyddin liw nos [2] fel y gallai ymosod ar fyddin yr Iddewon a'u taro'n ddisymwth. Yr oedd ganddo ddynion o'r gaer i ddangos y ffordd iddo. [3] Ond clywodd Jwdas am hyn ac ymadawodd ef a'i wŷr arfog i daro llu'r brenin yn Emaus [4] tra oedd ei finteioedd eto ar wasgar allan o'u gwersyll. [5] Pan aeth Gorgias i mewn i wersyll Jwdas liw nos ni chafodd neb yno; aeth i chwilio amdanynt yn y mynyddoedd, gan ddweud wrtho'i hun, "Y mae'r gwŷr hyn ar ffo oddi wrthym."

6 Gyda'r wawr gwelwyd Jwdas yn y gwastadedd gyda thair mil o wŷr; ond nid oedd ganddynt gymaint o arfwisgoedd a chleddyfau ag y dymunent. [7] Gwelsant wersyll y Cenhedloedd, yn gadarn yn ei gloddiau amddiffynnol, gyda gwŷr meirch yn gylch amdano, a'r rheini'n rhyfelwyr hyddysg. [8] Dywedodd Jwdas wrth y gwŷr oedd gydag ef, "Peidiwch ag ofni eu rhifedi nac arswydo rhag eu cyrch. [9] Cofiwch pa fodd yr achubwyd ein tadau wrth y Môr Coch, pan oedd Pharo a'i lu

[d] H.y., 165 C.C.   [dd] Yn ôl darlleniad arall, gweision.

yn eu hymlid. [10] Yn awr, felly, gadewch inni godi ein llef i'r nef, i weld a gymer Duw ein plaid a chofio'r cyfamod â'n tadau, a dryllio'r fyddin hon o'n blaen heddiw. [11] Caiff yr holl Genhedloedd wybod wedyn fod yna un sy'n gwaredu ac yn achub Israel." [12] Pan edrychodd yr estroniaid, a'u gweld yn dod yn eu herbyn, [13] aethant allan o'r gwersyll i'r frwydr. Canodd gwŷr Jwdas eu hutgyrn [14] a mynd i'r afael â hwy. Drylliwyd y Cenhedloedd a ffoesant i'r gwastadedd, [15] a syrthiodd y rhengoedd ôl i gyd wedi eu trywanu â'r cleddyf. Ymlidiasant hwy hyd at Gasara, a hyd at wastadeddau Idwmea, Asotus a Jamnia, a syrthiodd tua thair mil o'u gwŷr. [16] Dychwelodd Jwdas a'i lu o'u hymlid, [17] a dywedodd wrth y bobl, "Peidiwch â chwennych ysbail, oherwydd y mae rhagor o ryfela o'n blaen. [18] Y mae Gorgias a'i lu yn y mynydd ar ein cyfyl. Yn hytrach, dyma'r amser i wynebu ein gelynion ac ymladd; wedi hynny cewch gymryd yr ysbail yn hyderus."

19 A Jwdas ar fin gorffen y geiriau hyn, gwelwyd mintai yn edrych allan o gyfeiriad y mynydd. [20] Gwelsant fod eu byddin ar ffo, a bod eu gwersyll ar dân, oherwydd yr oedd y mwg a welid yn dangos beth oedd wedi digwydd. [21] O ganfod hyn dychrynasant yn ddirfawr, a phan welsant hefyd fyddin Jwdas yn y gwastadedd yn barod i'r frwydr, [22] ffoesant oll i dir y Philistiaid. [23] Yna dychwelodd Jwdas i ysbeilio'r gwersyll, a chymerasant lawer o aur ac arian a sidan glas a phorffor o liw'r môr, a golud mawr. [24] Dychwelsant dan ganu mawl a bendithio'r nef, oherwydd ei fod yn dda a'i drugaredd dros byth. [25] A'r dydd hwnnw bu ymwared mawr i Israel.

Gorchfygu Lysias
(2 Mac. 11:1-12)

26 A dyma'r rheini o'r estroniaid oedd wedi dianc yn mynd a mynegi i Lysias y cwbl oedd wedi digwydd. [27] Pan glywodd yntau, bwriwyd ef i ddryswch a digalondid, am nad oedd Israel wedi dioddef yn unol â'i fwriad ef, ac am iddo fethu dwyn i ben yr hyn yr oedd y brenin wedi ei orchymyn iddo. [28] Ond yn y flwyddyn ganlynol casglodd ynghyd drigain mil o wŷr traed dethol a phum mil o wŷr meirch, i barhau'r rhyfel yn erbyn yr Iddewon. [29] Daethant hyd at Idwmea a gwersyllu yn Bethswra, ac aeth Jwdas i'w cyfarfod â deng mil o wŷr.

30 Pan welodd y fyddin gref gweddïodd fel hyn: "Bendigedig wyt ti, O Waredwr Israel, yr hwn a ddrylliodd gyrch y cawr nerthol trwy law Dafydd dy was, ac a draddododd fyddin y Philistiaid i ddwylo Jonathan fab Saul a'i gludydd arfau. [31] Yn yr un modd cau'r fyddin hon yn llaw dy bobl Israel, a bydded arnynt gywilydd o'u llu arfog ac o'u gwŷr meirch. [32] Gwna hwy'n llwfr a difa eu haerllugrwydd trahaus; pâr iddynt grynu yn eu dinistr. [33] Bwrw hwy i lawr â chleddyf y rhai sy'n dy garu, a boed i bawb sy'n adnabod dy enw dy glodfori ag emynau."

34 Aethant i'r afael â'i gilydd, a syrthiodd tua phum mil o wŷr byddin Lysias yn y brwydro clòs. [35] Pan welodd Lysias ei lu ar ffo, a dewrder milwyr Jwdas, mor barod oeddent i fyw neu i farw'n anrhydeddus, aeth ymaith i Antiochia, a chasglu ynghyd filwyr cyflog, er mwyn ymosod ar Jwdea â byddin gryfach fyth.

Puro'r Cysegr
(2 Mac. 10:1-8)

36 Yna dywedodd Jwdas a'i frodyr, "Dyna'n gelynion wedi eu dryllio; awn i fyny i lanhau'r cysegr a'i ailgysegru." [37] Felly ymgynullodd yr holl fyddin ac aethant i fyny i Fynydd Seion. [38] Gwelsant y cysegr wedi ei ddifrodi, yr allor wedi ei halogi, y pyrth wedi eu llosgi, a llwyni'n tyfu yn y cynteddau fel mewn cwm coediog neu ar ochr mynydd. Yr oedd ystafelloedd yr offeiriaid hefyd yn adfeilion. [39] Rhwygasant eu dillad, gan alaru'n ddwys, a thaenu lludw ar eu pennau; [40] ac yn swn utgyrn y defodau syrthiasant ar eu hwynebau ar y ddaear a chodi eu llef i'r nef. [41] Yna gosododd Jwdas wŷr i ymladd yn erbyn y rhai oedd yn y gaer, tra byddai ef yn glanhau'r cysegr.

42 Dewisodd offeiriaid dilychwin, ymroddedig i'r gyfraith, [43] i lanhau'r cysegr a symud y cerrig a'i halogai i le aflan. [44] Wedi ymgynghori beth i'w wneud ag allor y poethoffrwm a oedd wedi ei difwyno, [45] penderfynasant yn gwbl gywir ei thynnu i lawr rhag iddi ddwyn gwaradwydd arnynt, oherwydd yr oedd y Cenhedloedd wedi ei halogi. Felly tynasant yr allor i lawr, [46] a chasglu'r cerrig i gadw

mewn man cyfleus yng nghyffiniau bryn y deml, hyd oni chyfodai proffwyd i ddyfarnu arnynt. ⁴⁷Yna cymerasant gerrig heb eu naddu, yn unol â gofynion y gyfraith, ac adeiladu allor newydd ar batrwm y gyntaf. ⁴⁸Adeiladasant y cysegr hefyd, o'r tu mewn a'r tu allan, a chysegru'r cynteddau. ⁴⁹Gwnaethant lestri sanctaidd newydd, a dwyn y canhwyllbren ac allor yr arogldarth a'r bwrdd i mewn i'r deml. ⁵⁰Yna arogldarthasant ar yr allor a chynnau'r canhwyllau oedd ar y canhwyllbren i oleuo yn y deml. ⁵¹Gosodasant y torthau cysegredig ar y bwrdd, a lledu'r llenni. Felly cwblhasant yr holl orchwylion a oedd mewn llaw.

52 Ar y pumed dydd ar hugain o'r nawfed mis, sef y mis Cislef, yn y flwyddyn 148ᵉ codasant yn y bore bach ⁵³ac offrymu aberth yn unol â gofynion y gyfraith ar allor newydd yr oeddent wedi ei hadeiladu i'r poethoffrymau. ⁵⁴Ar yr union adeg a'r union ddydd yr oedd y Cenhedloedd wedi ei halogi hi, fe ailgysegrwyd yr allor â chaniadau, â thelynau a phibau a symbalau. ⁵⁵Syrthiodd yr holl bobl ar eu hwynebau gan addoli a bendithio'r nef, a barodd lwyddiant iddynt. ⁵⁶Buont yn dathlu ailgysegru'r allor am wyth diwrnod, ac yn offrymu poethoffrymau mewn llawenydd, ac yn aberthu aberth gwaredigaeth a mawl. ⁵⁷Addurnasant dalcen y deml â thorchau euraid ac â tharianau, ac adnewyddu'r pyrth ac ystafelloedd yr offeiriaid a rhoi drysau arnynt. ⁵⁸Bu llawenydd mawr iawn ymhlith y bobl, a dilëwyd y gwaradwydd a ddygasai'r Cenhedloedd arnynt.

59 Ordeiniodd Jwdas a'i frodyr a holl gynulleidfa Israel fod dathlu dyddiau ailgysegru'r allor yn eu hamserau priod bob blwyddyn am wyth diwrnod â llawenydd a gorfoledd, gan ddechrau ar y pumed dydd ar hugain o'r mis Cislef.

60 Yn yr amser hwnnw amgylchynasant Fynydd Seion â muriau uchel ac â thyrau cadarn, rhag i'r Cenhedloedd ddod a'u sathru i lawr fel yr oeddent wedi gwneud o'r blaen. ⁶¹Yna gosododd Jwdas lu arfog yno i'w warchod, a chadarnhaodd Bethswra fel y byddai gan y bobl gaer gadarn gyferbyn ag Idwmea.

Rhyfela yn erbyn y Cenhedloedd Oddi Amgylch

(2 Mac. 10:14-33; 12:10-45)

5 Pan glywodd y Cenhedloedd oddi amgylch fod yr allor wedi ei hailgodi a'r deml wedi ei hailgysegru i fod fel yr oeddent o'r blaen, aethant yn gynddeiriog ²a phenderfynu difodi pawb o hil Jacob a oedd yn eu plith. A dyna ddechrau lladd a dinistrio ymhlith y bobl. ³Ar hyn aeth Jwdas i ryfel yn erbyn meibion Esau yn Idwmea, gan ymosod ar Acrabattene, oherwydd yr oeddent yn dal i warchae ar Israel. Trawodd hwy ag ergyd drom a'u darostwng a'u hysbeilio. ⁴Cofiodd hefyd ddrygioni meibion Baian, iddynt fod yn rhwyd ac yn fagl i'r bobl wrth ymosod o'u cuddfannau arnynt ar y priffyrdd. ⁵Wedi eu cau i mewn yn eu tyrau, gwersyllodd yn eu herbyn, a chan ymdynghedu i'w llwyr ddifetha llosgodd eu tyrau â thân ynghyd â phawb oedd o'u mewn. ⁶Aeth drosodd hefyd at feibion Ammon a'u cael yn fintai gref ac yn bobl niferus, a Timotheus yn ben arnynt. ⁷Ymladdodd yn eu herbyn frwydrau lawer; drylliodd hwy o'i flaen a'u difrodi. ⁸Meddiannodd Jaser hefyd a'i phentrefi; yna dychwelodd i Jwdea.

9 A dyma'r Cenhedloedd a oedd yn Gilead yn ymgasglu yn erbyn yr Israeliaid a drigai yn eu tiroedd gyda'r bwriad o'u dinistrio. Ffoesant hwythau i gaer Dathema, ¹⁰ac anfon y llythyr hwn at Jwdas a'i frodyr: "Y mae'r Cenhedloedd sydd o'n cwmpas wedi ymgasglu i'n dinistrio ni. ¹¹Y maent yn paratoi i ddod a meddiannu'r gaer y ffoesom iddi, a Timotheus sy'n arwain eu llu. ¹²Tyrd gan hynny yn awr i'n gwaredu ni o'u dwylo, oherwydd y mae llawer ohonom wedi syrthio, ¹³a'n holl gyd-Iddewon yn nhiroedd Twbias wedi eu lladd, eu gwragedd a'u plant a'u heiddo wedi eu cymryd yn ysbail ganddynt, a thua mil o wŷr wedi eu lladd yno."

14 Yr oeddent wrthi'n darllen y llythyr hwn pan ddaeth cenhadon eraill o Galilea, a'u dillad wedi eu rhwygo, gan ddwyn y neges hon: ¹⁵"Y mae gwŷr o Ptolemais a Tyrus a Sidon," meddent, "a holl Galilea'r Cenhedloedd, wedi ymgasglu yn ein herbyn i'n difa ni'n llwyr." ¹⁶Pan glywodd Jwdas a'r bobl y geiriau hyn, galwyd cynulliad llawn i ystyried beth a

allent ei wneud dros eu cydwladwyr a oedd mewn gorthrymder, dan bwys ymosodiad eu gelynion. ¹⁷Yna dywedodd Jwdas wrth Simon ei frawd, "Dewis dy wŷr a dos, achub dy frodyr sydd yn Galilea; mi af fi a Jonathan fy mrawd i Gilead." ¹⁸Ond gadawodd ef Joseff fab Sacharias ac Asarias, llywodraethwr y bobl, ynghyd â gweddill y fyddin yn Jwdea i'w gwarchod hi; ¹⁹a gorchmynnodd iddynt fel hyn: "Gwyliwch dros y bobl hyn, ond peidiwch â mynd i ryfel yn erbyn y Cenhedloedd hyd nes i ni ddychwelyd." ²⁰Yna dosbarthwyd tair mil o wŷr i Simon i fynd i Galilea, ac wyth mil i Jwdas i fynd i Gilead.

21 Aeth Simon i Galilea ac ymladd brwydrau lawer yn erbyn y Cenhedloedd, a drylliwyd y Cenhedloedd o'i flaen. ²²Erlidiodd hwy hyd at borth Ptolemais, a syrthiodd ynghylch tair mil o wŷr y Cenhedloedd, ac fe'u hysbeiliwyd. ²³Yna cymerodd Iddewon Galilea ac Arbatta, ynghyd â'u gwragedd a'u plant a'u holl eiddo, a'u dwyn yn ôl i Jwdea â llawenydd mawr.

24 Croesodd Jwdas Macabeus a Jonathan ei frawd yr Iorddonen a mynd ar daith dridiau i'r anialwch. ²⁵Cyfarfuasant â'r Nabateaid, a ddaeth atynt yn heddychlon gan fynegi iddynt y cyfan a oedd wedi digwydd i'w cyd-genedl yn Gilead: ²⁶bod llawer ohonynt yn garcharorion yn Bosra a Bosor, yn Alema a Chasffo, Maced a Carnaim—trefi mawr caerog yw'r rhain i gyd—²⁷a bod rhai'n garcharorion yn y gweddill o drefi Gilead; a bod y gelyn yn ymbaratoi i ymosod ar y ceyrydd drannoeth a'u meddiannu, a dinistrio mewn un diwrnod yr holl Iddewon oedd ynddynt.

28 Ar hyn troes Jwdas a'i fyddin yn ôl ar frys ar hyd ffordd yr anialwch tua Bosra; meddiannodd y dref, ac lladd pob gwryw â min y cledd ysbeiliodd hwy, a'i llosgi hi â thân. ²⁹Ciliodd oddi yno liw nos a dod hyd at gaer Dathema[f]. ³⁰Ar doriad gwawr edrychasant a gweld llu mawr na ellid ei rifo yn dwyn ysgolion a pheiriannau rhyfel i feddiannu'r gaer; ac yr oeddent ar ymosod ar y rhai o'i mewn. ³¹Gwelodd Jwdas fod y frwydr wedi dechrau, a bod cri'r dref yn esgyn i'r nef â sain utgyrn a bloedd uchel. ³²Dywedodd wrth wŷr ei fyddin, "Ymladdwch heddiw

dros ein brodyr." ³³Yna cychwynasant yn dair mintai i ymosod arnynt o'r tu ôl. Seiniasant yr utgyrn a chodi llef mewn gweddi. ³⁴Pan wybu byddin Timotheus mai Macabeus ydoedd, ffoesant rhagddo; trawodd hwy ag ergyd drom, a syrthiodd y dydd hwnnw ynghylch wyth mil o'u gwŷr.

35 Troes wedyn o'r neilltu tuag Alema. Ymladdodd yn ei herbyn a'i meddiannu, a lladd pob gwryw ynddi. Ysbeiliodd hi a'i llosgi â thân. ³⁶Teithiodd oddi yno a meddiannu Chasffo, Maced, Bosor, a gweddill trefi Gilead.

37 Wedi'r digwyddiadau hyn casglodd Timotheus fyddin arall a gwersyllu gyferbyn â Raffon, yr ochr draw i'r nant. ³⁸Anfonodd Jwdas rai i ysbïo'r gwersyll, a daethant â'r adroddiad hwn iddo: "Y mae'r holl Genhedloedd o'n cwmpas wedi ymgynnull ato, yn llu mawr iawn. ³⁹Y maent hefyd wedi cyflogi Arabiaid i'w cynorthwyo, ac y maent yn gwersyllu yr ochr draw i'r nant, yn barod i ddod i'th erbyn i ryfel." Yna aeth Jwdas allan i'w cyfarfod.

40 Wrth i Jwdas a'i fyddin nesáu at ddyfroedd y nant, meddai Timotheus wrth gapteiniaid ei lu, "Os daw ef drosodd yn gyntaf atom ni, ni fyddwn yn gallu ei wrthsefyll, oherwydd bydd ef yn drech o lawer na ni. ⁴¹Ond os bydd yn ofnus a gwersyllu yr ochr draw i'r afon, fe awn ni drosodd ato ef a'i drechu." ⁴²Pan nesaodd Jwdas at ddyfroedd y nant, gosododd swyddogion y fyddin ar lan y nant a gorchymyn iddynt fel hyn: "Peidiwch â chaniatáu i neb wersyllu, ond eled pawb yn ei flaen i'r gad." ⁴³Yna achubodd y blaen i groesi atynt hwy, a'r holl fyddin ar ei ôl. Drylliwyd yr holl Genhedloedd o'i flaen; taflasant ymaith eu harfau a ffoi i gysegrle Carnaim. ⁴⁴Yna meddiannodd y dref a llosgi'r cysegrle â thân, ynghyd â phawb a oedd ynddo. Felly dymchwelwyd Carnaim; ni allai mwyach wrthsefyll Jwdas.

45 Casglodd Jwdas ynghyd bawb o wŷr Israel a oedd yn Gilead, o'r lleiaf i'r mwyaf, gyda'u gwragedd a'u plant a'u heiddo, tyrfa luosog iawn, i ddod â hwy i wlad Jwdea. ⁴⁶Daethant hyd at Effron, tref gaerog fawr iawn ar y briffordd. Nid oedd modd mynd heibio iddi i'r dde nac i'r chwith; rhaid oedd teithio drwy ei

[f]Groeg, *at y gaer.*

chanol. ⁴⁷Ond caeodd gwŷr y dref hwy
allan a llenwi'r pyrth â cherrig. ⁴⁸Anfon-
odd Jwdas atynt neges heddychlon: "Yr
ydym ar fynd drwy eich gwlad er mwyn
cyrraedd ein gwlad ein hunain, ac ni wna
neb ddrwg i chwi. Cerdded trwodd yn
unig y byddwn." Ond ni fynnent agor
iddo. ⁴⁹Yna gorchmynnodd Jwdas
gyhoeddi yn y fyddin fod pob un i
wersyllu yn y man lle'r oedd. ⁵⁰Gwers-
yllodd gwŷr y llu, ac ymladdodd ef yn
erbyn y dref y diwrnod hwnnw ar ei hyd,
a'r nos hefyd, nes i'r dref ildio i'w
ddwylo. ⁵¹Lladdodd bob gwryw â min y
cledd, a dymchwelyd y dref hyd at ei
sylfeini, a'i hysbeilio. Yna tramwyodd
drwyddi ar draws y celaneddau.

52 Croesasant yr Iorddonen i mewn i'r
gwastadedd eang gyferbyn â Bethsan, ⁵³a
Jwdas yn cyrchu'r rhai oedd yn dilyn o
hirbell ac yn calonogi'r bobl yr holl ffordd
nes iddo ddod i wlad Jwdea. ⁵⁴Aethant i
fyny i Fynydd Seion â llawenydd a
gorfoledd, ac offrymu poethoffrymau,
am iddynt ddychwelyd mewn heddwch
heb golli'r un o'u plith.

55 Yn ystod y dyddiau pan oedd Jwdas
a Jonathan yng ngwlad Gilead, a Simon
ei frawd yng Ngalilea gyferbyn â Ptole-
mais, ⁵⁶clywodd Joseff fab Sacharias ac
Asarias, capteiniaid y llu arfog, am eu
gorchestion arwrol mewn rhyfel. ⁵⁷Yna
dywedasant, "Gadewch i ninnau hefyd
wneud enw i ni'n hunain, a mynd i ryfela
yn erbyn y Cenhedloedd o'n cwmpas."
⁵⁸Rhoesant orchymyn i aelodau'r llu
arfog a oedd gyda hwy, ac aethant i
ymosod ar Jamnia. ⁵⁹Daeth Gorgias a'i
wŷr allan o'r dref i'w hwynebu mewn
brwydr. ⁶⁰Gyrrwyd Joseff ac Asarias ar
ffo a'u hymlid hyd at gyrion Jwdea, a
syrthiodd y dydd hwnnw ynghylch dwy fil
o bobl Israel. ⁶¹Daeth trychineb mawr i
ran y bobl, am iddynt, yn eu bwriad i
wneud gwrhydri, beidio â gwrando ar
Jwdas a'i frodyr. ⁶²Nid oeddent hwy o
linach y gwŷr hynny yr oedd gwaredu
Israel wedi ei ymddiried i'w dwylo.

63 Mawr oedd clod y gŵr Jwdas a'i
frodyr drwy holl Israel a thrwy'r holl
Genhedloedd, ple bynnag y clywid eu
henw. ⁶⁴Byddai pobl yn tyrru atynt a'u
hanrhydeddu.

65 Yna aeth Jwdas a'i frodyr allan a
dechrau rhyfela yn erbyn meibion Esau
yn y diriogaeth tua'r de. Trawodd Hebron
a'i phentrefi, a difrodi ei cheyrydd a llosgi

y tyrau o'i hamgylch. ⁶⁶Ymadawodd
wedyn i fynd i wlad y Philistiaid, a
thramwyodd drwy Marisa. ⁶⁷Y dydd
hwnnw syrthiodd nifer o offeiriaid mewn
brwydr wrth iddynt yn eu byrbwylldra
fentro i'r gad gan fwriadu gwneud gwr-
hydri. ⁶⁸Ond troes Jwdas o'r neilltu i
Asotus yng ngwlad y Philistiaid; difrod-
odd eu hallorau, a llosgi delwau cerfiedig
eu duwiau â thân, ac ysbeilio'r trefi; yna
dychwelodd i wlad Jwdea.

Marw Antiochus IV
(2 Mac. 1:11-17; 9:1-29; 10:9-11)

6 Wrth i'r Brenin Antiochus deithio
drwy daleithiau'r dwyrain clywodd
am Elymais, dinas yn Persia, ei bod yn
enwog am ei golud mewn arian ac aur.
²Yr oedd ei theml yn oludog iawn, gyda'r
llenni euraid, a'r llurigau, a'r arfau a
adawyd ar ôl gan Alexander fab Philip,
brenin Macedonia, y cyntaf i fod yn
frenin ar y Groegiaid. ³Daeth Antiochus
yno, a cheisio meddiannu'r ddinas a'i
hysbeilio, ond ni lwyddodd, am i'w gyn-
llwyn ddod yn hysbys i'r dinaswyr.
⁴Codasant i ryfela yn ei erbyn, a ffoes
yntau ac ymadael oddi yno wedi ei
siomi'n fawr, i ddychwelyd i Fabilon.

5 Daeth negesydd ato i Persia ac
adrodd fod y byddinoedd a ddaethai i
wlad Jwdea wedi eu gyrru ar ffo. ⁶Yr
oedd Lysias, er iddo ymosod yn gyntaf â
llu arfog cryf, wedi ei ymlid ymaith gan yr
Iddewon, a hwythau wedi ymgryfhau
trwy'r arfau a'r adnoddau a'r ysbail lawer
a ddygasant oddi ar y byddinoedd yr
oeddent wedi eu trechu. ⁷Yr oeddent
wedi dymchwelyd y ffieiddbeth yr oedd
Antiochus wedi ei adeiladu ar yr allor yn
Jerwsalem, ac wedi amgylchu'r cysegr â
muriau uchel fel o'r blaen, a'r un modd
Bethswra, ei ddinas ef.

8 Pan glywodd y brenin y geiriau hyn
syfrdanwyd ef, a'i sigo gymaint nes iddo
fynd a chadw i'w wely a chlafychu o'r
gofid, o beidio â chael yr hyn y rhoes ei
fryd arno. ⁹Bu yno am ddyddiau lawer,
oherwydd bod y gofid mawr yn dod yn
donnau drosto o hyd ac o hyd, a barnodd
ei fod ar fin marw. ¹⁰Galwodd ei holl
Gyfeillion a dweud wrthynt, "Y mae
cwsg wedi cilio o'm llygaid, a'm calon
wedi llesgáu gan bryder. ¹¹A dyma fi'n fy
holi fy hun, 'Beth yw'r gorthrymder hwn
y deuthum iddo, a'r don fawr yr wyf
ynddi yn awr?' Oherwydd caredig

oeddwn yn nydd fy awdurdod, ac annwyl gan bawb. ¹²Ond yn awr daw i'm cof y drygau a wneuthum yn Jerwsalem, sef dwyn ymaith yr holl lestri arian ac aur oedd ynddi, a gorchymyn distrywio trigolion Jwdea heb achos. ¹³Gwn mai ar gyfrif hynny y daeth y drygu hyn arnaf; a dyma fi'n trengi o ofid mawr mewn gwlad estron."

14 Yna galwodd am Philip, un o'i Gyfeillion, a'i osod yn llywodraethwr ar ei holl deyrnas. ¹⁵Rhoes iddo ei goron a'i fantell a'i fodrwy, fel y gallai hyfforddi ei fab Antiochus, a'i feithrin i fod yn frenin. ¹⁶Felly bu farw'r Brenin Antiochus yno yn y flwyddyn 149ᶠᶠ. ¹⁷Pan glywodd Lysias am farw'r brenin, gosododd Antiochus, y mab yr oedd wedi ei feithrin o'i fachgendod, i ddilyn ei dad ar yr orsedd, a galwodd ef Ewpator.

Ymgyrch Antiochus V a Lysias
(2 Mac. 13:1-26; 11:22-26)

18 Yn y cyfamser yr oedd gwŷr y gaer yn cau i mewn ar Israel o amgylch y cysegr ac yn ceisio'u drygu ym mhob modd, ac atgyfnerthu'r Cenhedloedd. ¹⁹Penderfynodd Jwdas eu distrywio, a chynullodd yr holl bobl i warchae arnynt. ²⁰Ymgasglasant ynghyd a gwarchae ar y gaer yn y flwyddyn 150ᵍ. Cododd Jwdas lwyfannau-saethu ynghyd â'u peiriannau yn eu herbyn. ²¹Dihangodd rhai o warchodlu'r gaer o'r gwarchae, ac ymunodd rhai o'r gwrthgilwyr o Israel â hwy. ²²Aethant at y brenin a dweud, "Pa hyd y byddi heb wneud barn a dial ar ein brodyr? ²³Yr oeddem ni'n fodlon gwasanaethu dy dad, gan ddilyn ei gyfarwyddiadau ac ufuddhau i'w orchmynion, ²⁴ac o achos hyn y mae ein pobl ein hunain wedi gwarchae ar y gaer a mynd yn elynion i ni; lladdasant hefyd gynifer ohonom ag a ddaliasant, a chymryd ein heiddo yn anrhaith. ²⁵Ac nid yn ein herbyn ni yn unig yr estynasant eu dwylo, ond hefyd yn erbyn eu holl gymdogion. ²⁶A dyma hwy heddiw wedi gwersyllu yn erbyn y gaer yn Jerwsalem, i'w meddiannu hi; y maent wedi cadarnhau'r cysegr a Bethswra hefyd; ²⁷ac oni achubi di y blaen arnynt ar fyrder, fe wnânt bethau gwaeth na hynny, ac ni fydd modd iti eu hatal."

28 Aeth y brenin yn ddig pan glywodd hyn. Casglodd ynghyd ei holl Gyfeillion,

capteiniaid ei lu a swyddogion ei wŷr meirch. ²⁹Daeth lluoedd o filwyr cyflog o deyrnasoedd eraill ac o ynysoedd y moroedd i ymuno ag ef. ³⁰A rhifedi ei luoedd oedd can mil o wŷr traed, ugain mil o wŷr meirch, a deuddeg ar hugain o eliffantod wedi arfer â rhyfel. ³¹Daethant drwy Idwmea a gwersyllu yn erbyn Bethswra, ac ymladd dros ddyddiau lawer; codasant beiriannau rhyfel, ond gwnaeth yr Iddewon gyrch arnynt a'u llosgi â thân, ac ymladd yn wrol.

32 Ymadawodd Jwdas â'r gaer a gwersyllu yn Bethsacharia, gyferbyn â gwersyll y brenin. ³³Cododd y brenin yn fore iawn a dwyn ei fyddin ar garlam ar hyd ffordd Bethsacharia. ³⁴Ymbaratôdd ei luoedd i ryfel, a chanu'r utgyrn. Dangosasant i'r eliffantod sudd grawnwin a mwyar i'w cyffroi i ryfel. ³⁵Yna rhanasant yr anifeiliaid rhwng y minteioedd, gan osod i bob eliffant fil o wŷr traed, yn arfog mewn llurigau, a helmau pres ar eu pennau, ynghyd â phum cant o wŷr meirch dethol ar gyfer pob anifail. ³⁶Byddai'r rhain yno ymlaen llaw lle bynnag y byddai safle'r anifail, ac i ble bynnag y byddai'n mynd byddent hwythau'n mynd gydag ef, heb ymadael ag ef. ³⁷Ar gefn pob eliffant yr oedd tŵr cadarn o bren i lochesu ynddo, wedi ei rwymo wrth bob anifail ag offer arbennig, ac ym mhob un ohonynt yr oedd pedwarⁿᵍ o wŷr arfog parod i ryfel, ynghyd â'r Indiad o yrrwr. ³⁸Gosododd Lysias weddill y gwŷr meirch ar bob ochr, ar ddwy ystlys y fyddin, er mwyn iddynt aflonyddu ar y gelyn yng nghysgod y minteioedd. ³⁹Pan ddisgleiriai'r haul ar y tarianau aur a phres, fe ddisgleiriai'r mynyddoedd ganddynt, a goleuo fel ffaglau ar dân. ⁴⁰Yr oedd un rhan o fyddin y brenin wedi ei threfnu'n rhengoedd ar ben y mynyddoedd uchel, a'r rhan arall ar y gwastadeddau, ac yr oeddent yn symud ymlaen yn hyderus mewn trefn. ⁴¹Crynai pawb a glywai drwst eu niferoedd ac ymdaith y dorf a chlonc arfau, oherwydd yr oedd y fyddin yn fawr iawn a chadarn.

42 Ond nesaodd Jwdas a'i fyddin i'r frwydr, a syrthiodd chwe chant o wŷr byddin y brenin. ⁴³Gwelodd Eleasar, a elwid Afaran, fod un o'r anifeiliaid wedi ei wisgo â'r llurig frenhinol, a'i fod yn dalach na'r holl anifeiliaid eraill, a thybiodd mai ar hwnnw yr oedd y brenin.

⁴⁴Felly rhoes ei fywyd i achub ei bobl ac i ennill iddo'i hun enw tragwyddol. ⁴⁵Rhedodd yn ddewr ato i ganol y fintai, gan ladd ar y dde ac ar y chwith, a'r gelyn yn ymrannu o'r ddeutu o'i flaen. ⁴⁶Aeth o dan yr eliffant a'i drywanu oddi yno a'i ladd; ond syrthiodd yr anifail i lawr ar ei ben yntau, a bu farw yno. ⁴⁷Pan welodd yr Iddewon gryfder byddin y brenin a rhuthr ei luoedd, ffoesant rhagddynt.

48 Teithiodd rhan o fyddin y brenin i fyny i Jerwsalem ar gyrch, a gwarchaeodd y brenin ar Jwdea ac ar Fynydd Seion. ⁴⁹Gwnaeth heddwch â thrigolion Bethswra; ymadawsant hwy â'r ddinas am nad oedd ganddynt luniaeth yno i wrthsefyll y gwarchae arni, oherwydd yr oedd yn flwyddyn sabothol i'r tir. ⁵⁰Meddiannodd y brenin Bethswra a gosod gwarchodlu yno i'w gwylio. ⁵¹Yna gwarchaeodd ar y deml am ddyddiau lawer, gan osod yno lwyfannau-saethu, a pheiriannau rhyfel i boeri tân a cherrig, ac offer i saethu taflegrau, a chatapwltau. ⁵²Adeiladodd yr Iddewon hwythau beiriannau rhyfel i wynebu eu peiriannau hwy, ac ymladdasant am ddyddiau lawer. ⁵³Ond nid oedd ganddynt ymborth yn y stordai, am mai'r seithfed flwyddyn ydoedd; ac yr oedd y ffoaduriaid o blith y Cenhedloedd, a oedd wedi dod i Jwdea, wedi bwyta hynny oedd yn weddill o'r stôr. ⁵⁴Ychydig o wŷr a adawyd ar ôl yn y cysegr; yr oedd newyn wedi eu goddiweddyd, a phob un wedi mynd ar wasgar i'w le ei hun.

55 Clywodd Lysias fod Philip, hwnnw a benodwyd gan y Brenin Antiochus cyn ei farw i feithrin ei fab Antiochus i fod yn frenin, ⁵⁶wedi dychwelyd o Persia a Media, a chydag ef y lluoedd oedd wedi mynd ar ymgyrch gyda'r brenin, a'i fod yn ceisio cipio awenau'r llywodraeth. ⁵⁷Brysiodd Lysias i orchymyn iddynt ymadael, a dywedodd wrth y brenin ac arweinwyr y lluoedd a'r gwŷr, "Yr ydym yn mynd yn wannach bob dydd, yn brin o luniaeth, a'r lle yr ydym yn ymladd yn ei erbyn yn gadarn, ac y mae materion y deyrnas yn gwasgu arnom. ⁵⁸Yn awr gan hynny gadewch inni gynnig telerau i'r dynion hyn a gwneud heddwch â hwy ac â'u holl genedl, ⁵⁹a gadewch inni ganiatáu iddynt rodio yn ôl eu cyfreithiau fel cynt; oherwydd ein gwaith ni yn diddymu eu cyfreithiau a barodd iddynt ddigio a gwneud yr holl bethau hyn." 60 Bu'r cyngor hwn yn dderbyniol gan y brenin a'r capteiniaid; anfonwyd at yr Iddewon delerau heddwch, a derbyniasant hwythau hwy. ⁶¹Tyngodd y brenin a'i gapteiniaid lw iddynt; ac ar hynny daethant allan o'r gaer. ⁶²Ond pan aeth y brenin i Fynydd Seion a gweld mor gadarn oedd y lle, torrodd y llw yr oedd wedi ei dyngu, a gorchmynnodd ddymchwel y mur o'i gwmpas. ⁶³Yna ymadawodd ar frys a dychwelyd i Antiochia. Cafodd Philip yn arglwyddiaethu ar y ddinas, ond ymladdodd yn ei erbyn a meddiannu'r ddinas trwy drais.

Yr Archoffeiriad Alcimus ac Ymgyrch Nicanor
(2 Mac. 14:1-36; 15:1-36)

7 Yn y flwyddyn 151ʰ ymadawodd Demetrius fab Selewcus â Rhufain a dod, ynghyd ag ychydig wŷr, i dref ar lan y môr, a theyrnasu yno. ²Fel yr oedd ar ei ffordd i lys brenhinol ei dadau daliodd ei fyddin Antiochus a Lysias, gyda'r bwriad o'u dwyn ger ei fron. ³Ond pan glywodd am hyn dywedodd, "Peidiwch â dangos eu hwynebau i mi." ⁴Felly lladdodd ei fyddin hwy, ac eisteddodd Demetrius ar orsedd ei deyrnas.

5 Daeth ato holl wŷr digyfraith ac annuwiol Israel, ac Alcimus, gŵr oedd â'i fryd ar fod yn archoffeiriad, yn eu harwain. ⁶Cyhuddasant y bobl gerbron y brenin fel hyn: "Y mae Jwdas a'i frodyr wedi lladd dy holl gyfeillion, ac wedi ein gyrru ninnau allan o'n gwlad. ⁷Gan hynny anfon yn awr ŵr yr wyt yn ymddiried ynddo, i fynd a gweld yr holl ddifrod a wnaeth Jwdas i ni ac i diriogaeth y brenin, a boed iddo'u cosbi hwy a phawb sydd yn eu helpu." ⁸Dewisodd y brenin Bacchides, un o'i Gyfeillion, a oedd yn llywodraethu talaith Tu-hwnt-i'r-afon, gŵr mawr yn y deyrnas a theyrngar i'r brenin. ⁹Anfonodd ef, ynghyd â'r annuwiol Alcimus yr oedd wedi ei benodi'n archoffeiriad, a gorchymyn iddo ddial ar feibion Israel. ¹⁰Ymadawsant a dod i wlad Jwdea gyda llu mawr. Anfonodd Bacchides negeswyr at Jwdas a'i frodyr â geiriau heddychlon ond dichellgar. ¹¹Ond ni wnaethant ddim sylw o'u geiriau, oherwydd gwelsant eu bod wedi dod gyda llu mawr.

12 Yna ymgasglodd nifer o ysgrifen-yddion at Alcimus a Bacchides i geisio telerau cyfiawn. ¹³ Y rhai cyntaf o blith meibion Israel i geisio heddwch ganddynt oedd yr Hasideaid; ¹⁴ oherwydd dywed-asant, "Daeth offeiriad o linach Aaron gyda'r fyddin, ac ni wna ef ddim niwed i ni." ¹⁵ A llefarodd Alcimus eiriau hedd-ychlon wrthynt a thyngu llw: "Ni fwriadwn ni ddim niwed i chwi nac i'ch cyfeillion." ¹⁶ Wedi ennill eu hymddiried-aeth, cymerodd ef drigain gŵr ohonynt a'u lladd mewn un diwrnod, yn unol â gair yr Ysgrythur:

¹⁷ "Cnawd dy saint a'u gwaed,
    fe'u taenaist o amgylch Jerwsalem,
    ac nid oedd neb i'w claddu."

¹⁸ Dechreuodd yr holl bobl eu hofni ac arswydo rhagddynt, gan ddweud, "Nid oes na gwirionedd na barn ganddynt, oherwydd y maent wedi torri'r cytundeb a'r llw a dyngasant."

19 Ymadawodd Bacchides â Jerw-salem a gwersyllu yn Bethsaith. Rhoes orchymyn i ddal llawer o'r gwŷr oedd wedi gwrthgilio ato, ynghyd â rhai o'r bobl, a'u lladd a'u taflu i'r pydew mawr. ²⁰ Gosododd y diriogaeth yng ngofal Alcimus, a gadael byddin gydag ef i'w gynorthwyo. Yna dychwelodd Bacchides at y brenin.

21 Ymdrechodd Alcimus yn galed i sicrhau'r archoffeiriadaeth iddo'i hun, ²² a heidiodd holl aflonyddwyr y bobl ato. Darostyngasant wlad Jwdea, a gwneud difrod mawr yn Israel. ²³ Pan welodd Jwdas yr holl ddrygioni yr oedd Alcimus a'i ganlynwyr wedi ei ddwyn ar feibion Israel—yr oedd yn waeth na dim oddi ar law'r Cenhedloedd—²⁴ aeth ar gyrch o amgylch holl derfynau Jwdea, gan ddial ar y gwŷr oedd wedi gwrthgilio, a'u rhwystro rhag dianc i diriogaeth y brenin. ²⁵ Pan welodd Alcimus fod Jwdas a'i ganlynwyr wedi magu cryfder, a syl-weddoli na fedrai eu gwrthsefyll, dych-welodd at y brenin a'u cyhuddo o weith-redoedd anfad.

26 Anfonodd y brenin un o'i gadfrid-ogion enwocaf, Nicanor, gelyn cas i Israel, a gorchymyn iddo ddinistrio'r bobl. ²⁷ Felly daeth Nicanor i Jerwsalem gyda byddin fawr, ac anfon yn ddichellgar at Jwdas a'i frodyr y neges heddychlon hon: ²⁸ "Na fydded ymladd rhyngof fi a chwi; 'rwyf am ddod gydag ychydig wŷr i'ch gweld wyneb yn wyneb mewn heddwch." ²⁹ Daeth at Jwdas, a chyf-archodd y ddau ei gilydd yn heddychlon; yr oedd y gelynion, er hynny, yn barod i gipio Jwdas. ³⁰ Pan fynegwyd i Jwdas mai dichell oedd bwriad Nicanor wrth ddod ato, dychrynodd rhagddo a gwrthod ei gyfarfod eto. ³¹ Pan ddeallodd Nicanor fod ei gynllwyn wedi ei ddinoethi, aeth ar gyrch i wynebu Jwdas gerllaw Caffar-salama. ³² Syrthiodd tua phum mil o wŷr byddin Nicanor, a ffoes y gweddill i Ddinas Dafydd.

33 Wedi'r pethau hyn aeth Nicanor i fyny i Fynydd Seion. Daeth rhai o'r offeiriaid allan o'r cysegr, a rhai o henur-iaid y bobl, i'w gyfarch yn heddychlon ac i ddangos iddo y poethoffrwm oedd yn cael ei offrymu dros y brenin. ³⁴ Ond gwawdiodd hwy a'u gwatwar a'u halogi, gan frolio ³⁵ a thyngu llw yn ei ddicter: "Os na thraddodir Jwdas a'i fyddin i'm dwylo ar unwaith, yna pan ddychwelaf yn fuddugoliaethus, fe losgaf y tŷ yma." ³⁶ Ac ymaith ag ef mewn dicter mawr. Yna aeth yr offeiriaid i mewn a sefyll gerbron yr allor a'r cysegr, gan wylo a dweud:

³⁷ "Dewisaist ti y tŷ hwn i ddwyn dy enw,
    i fod yn dŷ gweddi a deisyfiad i'th
        bobl.

³⁸ Tâl ddialedd i'r dyn hwn a'i fyddin,
    a phâr iddynt syrthio gan gleddyf;
    cofia'u cableddau,
    a phaid â gadael iddynt fyw."

39 Aeth Nicanor allan o Jerwsalem a gwersyllu yn Beth-horon, ac ymgynull-odd byddin Syria ato. ⁴⁰ Gwersyllodd Jwdas yn Adasa gyda thair mil o wŷr. ⁴¹ Yna gweddïodd Jwdas fel hyn: "Pan gablodd negeswyr y brenin, aeth dy angel i'r frwydr a tharo cant wyth deg a phump o filoedd o'r Asyriaid. ⁴² Maluria yn yr un modd y fyddin hon o'n blaen heddiw, a gwybydded pawb i Nicanor lefaru'n enllibus am dy gysegr, a barna ef yn ôl ei ddrygioni."

43 Daeth y byddinoedd ynghyd i frwydr ar y trydydd dydd ar ddeg o'r mis Adar. Maluriwyd byddin Nicanor, ac ef ei hun oedd y cyntaf i syrthio yn y frwydr. ⁴⁴ Pan welodd ei fyddin fod Nicanor wedi syrthio, taflasant eu harfau i ffwrdd a ffoi. ⁴⁵ Ond erlidiodd yr Iddewon hwy daith diwrnod o Adasa hyd at Casara, gan seinio'r alwad i'r gad ar eu hutgyrn o'r tu ôl iddynt. ⁴⁶ Daeth gwŷr allan o holl

bentrefi Jwdea yn y cylch, ac amgylchynu'r gelyn, a'u troi'n ôl at eu hymlidwyr. Syrthiodd pawb gan gleddyf, ac ni adawyd cymaint ag un ohonynt. [47]Cymerodd yr Iddewon yr ysbail a'r anrhaith, a thorasant i ffwrdd ben Nicanor a'i law dde, honno yr oedd wedi ei hestyn allan mor falch, a'u dwyn a'u harddangos ar gyrion Jerwsalem. [48]Gorfoleddodd y bobl yn fawr, a dathlu'r dydd hwnnw yn ddydd o orfoledd mawr. [49]Ordeiniasant gadw'r dydd hwnnw yn ŵyl flynyddol ar y trydydd dydd ar ddeg o'r mis Adar. [50]Felly cafodd gwlad Jwdea heddwch dros ychydig ddyddiau.

Cynghrair â'r Rhufeiniaid

8 Clywodd Jwdas am fri'r Rhufeiniaid, eu bod yn gadarn a chryf, yn ffafriol tuag at bawb a ddôi i gynghrair â hwy, ac yn addunedu eu cyfcillgarwch i bwy bynnag a ymunai â hwy. [2]Ie, cadarn a chryf ocddent. Mynegwyd iddo am eu rhyfeloedd: y gwrhydri a ddangosent ymhlith y Galiaid[i]—iddynt eu concro a'u gorfodi i dalu treth; [3]a'r hyn a wnaethant yn Sbaen trwy feddiannu'r mwyngloddiau arian ac aur oedd yno—[4]yr oeddent, trwy eu penderfyniad a'u dyfalbarhad, wedi concro'r holl wlad, er bod y lle ymhell iawn oddi wrthynt. Felly hefyd y brenhinoedd a oedd wedi dod o eithaf y ddaear i ymosod arnynt—yr oeddent wcdi eu distrywio a'u taro â dinistr enfawr. Talai'r gweddill dreth flynyddol iddynt. [5]Philip a Pherseus brenin y Macedoniaid, a'r rhai a gododd yn eu herbyn—distrywiasant hwythau hefyd, a'u concro. [6]Yr oedd Antiochus Fawr brenin Asia, a oedd wedi mynd i ryfela yn eu herbyn gyda chant ac ugain o eliffantod a gwŷr meirch a cherbydau a llu mawr iawn, wedi ei ddryllio ganddynt hefyd. [7]Daliasant ef yn fyw, a gorchymyn iddo ef, ac i'r sawl a deyrnasai ar ei ôl, dalu treth drom, a rhoi gwystlon, [8]ac ildio gwlad India a Media a Lydia o blith eu tiriogaethau gorau. Cymerasant y rhain oddi wrtho a'u rhoi i'r Brenin Ewmenes.

9 Cynlluniodd y Groegiaid i ddod a'u difetha, [10]ond daeth hyn yn hysbys iddynt, ac anfonasant un cadfridog yn eu herbyn. Ymosodasant arnynt, a syrthiodd llawer o'r Groegiaid wedi eu clwyfo, a chaethgludodd y Rhufeiniaid eu gwragedd a'u plant. Ysbeiliasant hwy a meddiannu'r tir, dymchwel eu ceyrydd, a chaethiwo'u pobl hyd y dydd hwn. [11]Am y gweddill o'r teyrnasoedd a'r ynysoedd, cynifer ag a gododd yn eu herbyn erioed, difrodasant hwy a chaethiwo'u pobl. [12]Ond cadwasant gyfeillgarwch â'u cyfeillion ac â'r sawl oedd yn dibynnu arnynt. Felly gorchfygasant frenhinoedd agos a phell, ac yr oedd pawb a glywai am eu bri yn eu hofni. [13]Pwy bynnag y maent yn ewyllysio eu helpu i fod yn frenhinoedd, fe'u gwnant yn frenhinoedd; a phwy bynnag y maent yn ewyllysio eu diorseddu, fe wnant hynny. Y maent wedi eu dyrchafu'n uchel iawn. [14]Er hyn i gyd ni fyddai'r un ohonynt yn gwisgo coron nac yn ymddilladu â phorffor, i gael ei fawrhau trwy hynny; [15]ond adeiladasant gynghordy iddynt eu hunain, a byddai tri chant ac ugain o gynghorwyr beunydd yn ymgynghori'n gyson ynghylch y bobl, gyda golwg ar eu llywodraethu'n dda. [16]Y maent yn ymddiried bob blwyddyn mewn un dyn i reoli drostynt a bod yn feistr ar eu holl dir; y maent oll yn gwrando ar yr un dyn hwn, heb na chenfigen nac eiddigedd yn eu plith.

17 Felly dewisodd Jwdas Ewpolemus fab Ioan, fab Accos, a Jason fab Eleasar, a'u hanfon i Rufain er mwyn sefydlu cyfeillgarwch a chynghrair, [18]a'u cael i godi'r iau oddi arnynt; oherwydd gwelsant fod teyrnas y Groegiaid yn llwyr-gaethiwo Israel. [19]Teithiasant i Rufain, taith bell iawn, a mynd i mewn i'r cynghordy a llefaru fel hyn: [20]"Jwdas, a elwir hefyd Macabeus, a'i frodyr a phobl yr Iddewon a'n hanfonodd ni atoch i sefydlu cynghrair a heddwch gyda chwi, er mwyn cael ein cofrestru'n gynghreiriaid a chyfeillion ichwi." [21]Yr oedd yr awgrym yn dderbyniol ganddynt, [22]a dyma gopi o'r llythyr a ysgrifenasant yn ateb, ar lechi pres, a'i anfon i Jerwsalem i fod gyda'r Iddewon yno yn goffâd o heddwch a chynghrair:

23 "Pob llwyddiant i'r Rhufeiniaid ac i genedl yr Iddewon ar fôr a thir yn dragywydd, a phell y bo cleddyf a gelyn oddi wrthynt. [24]Os daw rhyfel yn gyntaf i Rufain neu i un o'u cynghreiriaid o fewn eu holl ymerodraeth, [25]bydd cenedl yr Iddewon yn eu cefnogi fel cynghreiriaid o lwyrfryd calon, fel y bydd yr achlysur

[i]Groeg, Galatiaid.

yn gofyn ganddynt. [26]Nid ydynt i roi na darparu ymborth, arfau, arian, na llongau i neb fydd yn mynd i ryfel yn eu herbyn; felly yr ordeiniodd Rhufain. Y maent i gadw rhwymedigaethau heb dderbyn unrhyw iawndal. [27]Yn yr un modd os digwydd rhyfel yn gyntaf yn erbyn cenedl yr Iddewon, y mae'r Rhufeiniaid i'w cefnogi fel cynghreiriaid yn ewyllysgar, fel y bydd yr achlysur yn gofyn ganddynt. [28]Ni roddir ymborth, arfau, arian, na llongau i'r gelynion; felly yr ordeiniodd Rhufain. Cedwir y rhwymedigaethau hyn heb ddim twyll.

29 "Ar yr amodau hyn felly y mae'r Rhufeiniaid wedi gwneud cytundeb â phobl yr Iddewon. [30]Ond heblaw'r amodau hyn, os bydd y naill neu'r llall yn dymuno ychwanegu neu ddirymu rhyw-beth, cânt wneud hynny o'u gwirfodd; bydd unrhyw ychwanegiad neu ddirym-iad yn ddilys.

31 "Ynglŷn â'r drygau y mae'r Brenin Demetrius yn eu gwneud i'r Iddewon, yr ydym wedi ysgrifennu ato fel hyn: 'Pam y gosodaist dy iau mor drwm ar ein cyfeillion a'n cynghreiriaid yr Iddewon? [32]Yn awr, os achwynant arnat eto, byddwn ni'n achub eu cam, ac yn ymladd yn dy erbyn ar fôr a thir.'"

Marw Jwdas

9 Pan glywodd Demetrius fod Nicanor a'i lu wedi syrthio mewn brwydr, anfonodd Bacchides ac Alcimus eilwaith i wlad Jwda, ac asgell dde ei fyddin gyda hwy. [2]Teithiasant ar hyd y ffordd sy'n arwain i Gilgal a gwersyllu gyferbyn â Mesaloth yn Arbela. Cipiasant hi a lladd llawer o wŷr. [3]Ym mis cyntaf y flwyddyn 152[1] gwersyllasant gyferbyn â Jerwsalem, [4]a mynd yn eu blaen oddi yno i Berea gydag ugain mil o wŷr traed a dwy fil o wŷr meirch. [5]Yr oedd Jwdas eisoes yn gwersyllu yn Elasa, a thair mil o wŷr dethol gydag ef. [6]Pan welsant rifedi lluoedd y gelyn, eu bod yn lluosog, dychrynasant yn ddirfawr; a gwrthgiliodd llawer o'r gwersyll, heb adael dim ond wyth cant o'u gwŷr.

7 Pan welodd Jwdas fod ei fyddin wedi gwrthgilio, dan bwysau'r brwydro yn ei erbyn, aeth yn drallodus ei galon, oherwydd nid oedd ganddo amser i'w hailgynnull. [8]Yn ei anobaith dywedodd wrth y rhai oedd ar ôl, "Gadewch inni godi a mynd i fyny yn erbyn ein gelynion; siawns na fedrwn ymladd â hwy." [9]Ond yr oeddent am ei atal, gan ddweud, "Na fedrwn byth; yn hytrach gadewch inni achub ein bywydau ein hunain yn awr; yna dod yn ôl, a'n brodyr gyda ni, i ymladd â hwy. Ychydig ydym ni." [10]Ond dywedodd Jwdas, "Na ato Duw inni wneud y fath beth â ffoi oddi wrthynt! Os yw ein hamser wedi dod gadewch inni farw'n wrol dros ein brodyr, heb adael ar ein hôl unrhyw achos i amau ein hanrhydedd."

11 Aeth llu Bacchides allan o'r gwersyll a chymryd eu safle i fynd i'r afael â'r Iddewon. Yr oedd y gwŷr meirch wedi eu rhannu'n ddwy adran, a'r ffon-daflwyr a'r saethwyr yn mynd o flaen y llu. Yr oedd gwŷr y rheng flaenaf oll yn rhai nerthol, ac yr oedd Bacchides ar yr asgell dde. [12]Nesaodd y fyddin yn ddwy adran gan seinio'r utgyrn. Canodd gwŷr Jwdas hwythau hefyd eu hutgyrn. [13]Ysgydwyd y ddaear gan sŵn y byddinoedd, a bu brwydro clòs o fore hyd hwyr.

14 Pan welodd Jwdas fod Bacchides a grym ei fyddin ar y dde, casglodd ato yr holl wirfoddolwyr o galon. [15]Drylliwyd adran dde y gelyn ganddynt, ac erlidiodd Jwdas hwy hyd at Fynydd Asotus. [16]Pan welodd gwŷr yr asgell chwith fod yr asgell dde wedi dryllio, troesant i ymlid Jwdas a'i wŷr o'r tu ôl iddynt. [17]Poethodd y frwydr, a syrthiodd llawer wedi eu clwyfo o'r naill ochr a'r llall. [18]Syrthiodd Jwdas yntau, ond ffoes y lleill. [19]Cymerodd Jonathan a Simon eu brawd Jwdas a'i gladdu ym meddrod ei dadau yn Modin. [20]Wylasant ar ei ôl; gwnaeth holl Israel alar mawr amdano, a buont yn galarnadu am ddyddiau lawer, gan ddweud,

[21]"Pa fodd y cwympodd y cadarn,
    gwaredwr Israel!"

[22]Am weddill gweithredoedd Jwdas —y rhyfeloedd, a'r gorchestion a wnaeth, a'i fawredd—ni chroniclwyd mohonynt, oherwydd tra lluosog oeddent.

Jonathan yn Olynydd i Jwdas

23 Wedi marwolaeth Jwdas daeth y rhai digyfraith yn holl derfynau Israel allan i'r amlwg, ac ailymddangosodd yr holl weithredwyr anghyfiawnder. [24]Yn y dyddiau hynny bu newyn mawr iawn, a

gwrthgiliodd y wlad gyda hwy. ²⁵Dewisodd Bacchides y gŵyr annuwiol a'u gosod i lywodraethu'r wlad. ²⁶Buont yn ceisio ac yn chwilio am gyfeillion Jwdas, a'u dwyn at Bacchides. Dialodd yntau arnynt a'u sarhau. ²⁷Daeth gorthrymder mawr ar Israel, y fath na fu er y dydd pan beidiodd proffwyd ag ymddangos yn eu plith.

²⁸Yna ymgasglodd holl gyfeillion Jwdas a dweud wrth Jonathan, ²⁹"Er pan fu farw dy frawd Jwdas ni fu gŵr tebyg iddo i fynd i mewn ac allan yn erbyn ein gelynion ac yn erbyn Bacchides, ac i ddelio â'r gelynion o blith ein cenedl ni. ³⁰Yn awr gan hynny yr ydym ni heddiw wedi dy ddewis di i fod yn llywodraethwr ac yn arweinydd i ni yn ei le ef, i ymladd ein rhyfel." ³¹A derbyniodd Jonathan yr adeg honno yr arweinyddiaeth, a chymryd lle Jwdas ei frawd.

Ymgyrchoedd Jonathan

32 Pan ddeallodd Bacchides hyn ceisiodd ei ladd. ³³Cafodd Jonathan a'i frawd Simon a phawb oedd gydag ef wybod am hyn, a ffoesant i anialwch Tecoa, a gwersyllu ar lan llyn Asffar. ³⁴Clywodd Bacchides am hyn ar y Saboth, ac aeth ef a'i holl fyddin dros yr Iorddonen. ³⁵Anfonodd Jonathan ei frawd yn arweinydd y dyrfa, i ddeisyf ar ei gyfeillion y Nabateaid am gael gadael yn eu gofal hwy yr eiddo sylweddol oedd ganddynt. ³⁶Ond dyma feibion Jambri, brodorion o Medaba, yn dod allan a chipio Ioan a'r cyfan oedd ganddo, a'i ddwyn i ffwrdd gyda hwy.

37 Wedi'r pethau hyn mynegwyd i Jonathan a'i frawd Simon, "Y mae meibion Jambri yn dathlu priodas fawr, ac yn hebrwng y briodferch, merch un o brif benaethiaid Canaan, allan o Nadabath gyda gosgordd fawr." ³⁸Yna cofiasant am lofruddiaeth Ioan eu brawd, ac aethant i fyny ac ymguddio yng nghysgod y mynydd. ³⁹Codasant eu llygaid ac edrych, a dyna dyrfa drystiog a darpariaeth helaeth; a'r priodfab a'i gyfeillion a'i frodyr yn dod allan i'w cyfarfod, gyda thympanau ac offerynnau cerdd ac arfau lawer. ⁴⁰Rhuthrasant hwythau allan o'u cuddfan arnynt i'w lladd. Syrthiodd llawer wedi eu clwyfo, a ffoes y gweddill i'r mynydd; a dygwyd eu holl eiddo yn ysbail. ⁴¹Trowyd y briodas

yn alar, a sŵn yr offerynnau cerdd yn alarnad. ⁴²Wedi iddynt lwyr-ddial gwaed eu brawd, dychwelsant at gors yr Iorddonen.

43 Clywodd Bacchides am hyn, a daeth â llu mawr ar y Saboth hyd at lannau'r Iorddonen. ⁴⁴Dywedodd Jonathan wrth ei wŷr, "Gadewch inni ymosod yn awr ac ymladd am ein bywydau, oherwydd nid yw arnom heddiw fel y bu o'r blaen. ⁴⁵Oherwydd edrychwch, mae hi'n frwydr arnom o'r tu blaen ac o'r tu ôl; y mae dyfroedd yr Iorddonen o boptu, a chors a drysni; nid oes ffordd allan. ⁴⁶Gan hynny llefwch yn awr ar y Nefoedd am gael eich achub o law ein gelynion." ⁴⁷Dechreuodd y frwydr; estynnodd Jonathan ei law i daro Bacchides, ond camodd ef yn ôl oddi wrtho. ⁴⁸Yna neidiodd Jonathan a'i wŷr i'r Iorddonen a nofio i'r lan arall; ond ni chroesodd y gelyn yr Iorddonen ar eu hôl. ⁴⁹Syrthiodd tua mil o wŷr Bacchides y diwrnod hwnnw.

50 Dychwelodd Bacchides i Jerwsalem, ac adeiladodd drefi caerog, ac iddynt furiau uchel a phyrth a barrau, yn Jwdea: y gaer sydd yn Jericho, ynghyd ag Emaus, Beth-horon, Bethel, Timnoth Pharathon a Teffon. ⁵¹Gosododd warchodlu ynddynt i aflonyddu ar Israel. ⁵²Cadarnhaodd hefyd drefi Bethswra a Gasara a'r gaer yn Jerwsalem, a gosod ynddynt luoedd a chyflenwad o fwyd. ⁵³Cymerodd feibion penaethiaid y wlad yn wystlon, a'u gosod dan warchodaeth yn y gaer.

54 Yn y flwyddyn 153ᴵᴵ, yn yr ail fis, gorchmynnodd Alcimus dynnu i lawr fur cyntedd mewnol y deml. Distrywiodd felly waith y proffwydi. Ond yr union adeg y dechreuodd ei dynnu i lawr, ⁵⁵cafodd Alcimus drawiad a rhwystrwyd ei weithgarwch. Amharwyd ar ei leferydd, aeth yn ddiffrwyth, ac ni fedrai mwy lefaru gair na rhoi gorchmynion ynghylch ei stâd. ⁵⁶A bu farw Alcimus y pryd hwnnw mewn poen dirdynnol. ⁵⁷Pan welodd Bacchides fod Alcimus wedi marw dychwelodd at y brenin, a chafodd gwlad Jwda lonydd am ddwy flynedd.

58 Yna ymgynghorodd yr holl rai digyfraith gan ddweud, "Edrychwch, y mae Jonathan a'i wŷr yn llawn hyder ac yn trigo mewn llonyddwch; yn awr felly

gadewch i ni gael Bacchides yn ôl, ac fe'u deil ef hwy i gyd mewn un noson." ⁵⁹Yna aethant a chydymgynghori ag ef. ⁶⁰Cychwynnodd yntau ar ei ffordd gyda llu mawr, a gyrrodd lythyrau yn ddirgel at ei holl gefnogwyr yn Jwdea, yn eu hannog i ddal Jonathan a'i wŷr. Ond ni lwyddasant, oherwydd daeth eu bwriad yn hysbys. ⁶¹Daliwyd tua hanner cant o wŷr y wlad a fu'n flaenllaw yn yr anfadwaith, a lladdwyd hwy.

62 Enciliodd Jonathan a Simon a'i wŷr i Bethbasi yn yr anialwch; ailgododd y rhannau adfeiliedig ohoni, a'i chadarnhau. ⁶³Pan ddeallodd Bacchides hyn cynullodd ei holl fyddin ynghyd ac anfonodd wŷs at wŷr Jwdea. ⁶⁴Yna daeth a gwersyllu gyferbyn â Bethbasi; ymladdodd yn ei herbyn am ddyddiau lawer, gan godi peiriannau rhyfel.

65 Ond gadawodd Jonathan ei frawd Simon yn y dref, a mynd allan i'r wlad, heb ond ychydig o wŷr i'w ganlyn. ⁶⁶Trawodd Odomera a'i frodyr a meibion Phasiron yn eu pabell, a dechreusant ymosod a mynd i'r gad gyda'u lluoedd. ⁶⁷Daeth Simon a'i wŷr hwythau allan o'r ddinas a rhoi'r peiriannau rhyfel ar dân. Ymladdasant yn erbyn Bacchides a'i orchfygu. ⁶⁸Buont yn achos gofid mawr iddo, oherwydd fod ei gynllun a'i gyrch bellach yn ofer. ⁶⁹Yn ei ddicter mawr tuag at y gwŷr digyfraith hynny a gawsai berswâd arno i ddod i'r wlad, lladdodd lawer ohonynt. Yna penderfynodd Bacchides ddychwelyd i'w wlad ei hun.

70 Pan ddeallodd Jonathan hyn anfonodd lysgenhadon ato i drefnu telerau heddwch ag ef, ac iddo roi'r carcharorion yn ôl iddynt. Cytunodd yntau, a gwnaeth yn unol â geiriau Jonathan. ⁷¹Aeth ar ei lw hefyd na fyddai'n ceisio niwed iddo holl ddyddiau ei fywyd. ⁷²Rhoes yn ôl iddo y carcharorion hynny yr oedd wedi eu caethgludo o wlad Jwda o'r blaen; wedyn ymadawodd a dychwelyd i'w wlad ei hun, ac ni ddaeth i'w cyffiniau byth eto. ⁷³Felly peidiodd y cleddyf yn Israel. Aeth Jonathan i fyw yn Michmas, a dechrau llywodraethu'r bobl, gan beri i'r annuwiol ddiflannu allan o Israel.

10 Yn y flwyddyn 160ᵐ daeth Alexander Epiffanes, mab Antiochus, a meddiannu Ptolemais. Derbyniasant ef, a gwnaeth ei hun yn frenin yno. ²Pan

glywodd y Brenin Demetrius am hyn casglodd ynghyd lu mawr iawn, ac aeth allan i'w gyfarfod ef mewn rhyfel. ³Hefyd anfonodd Demetrius lythyrau at Jonathan yn ei gyfarch yn gymodlon a gwenieithus; ⁴oherwydd dywedodd, "Gadewch inni achub y blaen i gymodi â hwy cyn i Jonathan gymodi ag Alexander yn ein herbyn ni. ⁵Oherwydd bydd ef yn cofio'r holl ddrygau a wnaethom iddo, ac i'w frodyr, ac i'r genedl." ⁶Felly rhoes Demetrius awdurdod i Jonathan i gasglu byddin, i ddarparu arfau, ac i weithredu fel cynghreiriaid iddo. Gorchmynnodd hefyd drosglwyddo iddo y gwystlon oedd yn y gaer. ⁷Daeth Jonathan i Jerwsalem a darllen y llythyrau yng nghlyw'r holl bobl a'r gwŷr o'r gaer. ⁸Daeth ofn mawr arnynt pan glywsant fod y brenin wedi rhoi awdurdod iddo i gasglu llu. ⁹Ond trosglwyddodd y gwŷr o'r gaer y gwystlon i Jonathan, a rhoes ef hwy i'w rhieni.

10 Gwnaeth Jonathan ei drigle yn Jerwsalem a dechrau adeiladu ac adnewyddu'r ddinas, ¹¹gan orchymyn i'r gweithwyr adeiladu muriau'r ddinas, ac amgylchu Mynydd Seion â cherrig sgwâr er mwyn ei gadarnhau; a gwnaethant felly. ¹²Yna ffoes yr estroniaid a oedd yn y caerau yr oedd Bacchides wedi eu hadeiladu; ¹³gadawodd pob un ei le a dychwelyd i'w wlad ei hun. ¹⁴Eto gadawyd ar ôl yn Bethswra rai o'r sawl a oedd wedi ymwrthod â'r gyfraith ac â'r ordinhadau; oherwydd yr oedd yn ddinas noddfa iddynt.

15 Clywodd y Brenin Alexander am yr addewidion a anfonodd Demetrius at Jonathan, a mynegwyd iddo am y rhyfeloedd, a'r gwrhydri a wnaethai Jonathan a'i frodyr, ac am y caledi a ddioddefasant. ¹⁶Dywedodd, "A gawn ni fyth undyn tebyg i hwn? ¹⁷Gwnawn ef felly yn awr yn gyfaill a chynghreiriad inni." Ysgrifennodd lythyrau a'u hanfon ato fel a ganlyn:

18 "Y Brenin Alexander at y brawd Jonathan, cyfarchion. ¹⁹Clywsom amdanat, dy fod yn ŵr cadarn, nerthol; a theilwng wyt i fod yn gyfaill inni. ²⁰Yn awr, felly, yr ydym wedi dy benodi heddiw yn archoffeiriad dy genedl, ac yn un i gael dy alw yn Gyfaill y Brenin" (ac anfonodd iddo wisg borffor a choron aur)

ᵐH.y., 152 C.C.

"ac yr wyt i gymryd ein plaid a meithrin cyfeillgarwch â ni."
21 Gwisgodd Jonathan y wisg sanctaidd amdano yn y seithfed mis o'r flwyddyn 160[n], ar ŵyl y Pebyll; a chasglodd ynghyd luoedd a darparu arfau lawer.
22 Pan glywodd Demetrius am y pethau hyn bu'n ofid iddo, [23] a dywedodd, "Beth yw hyn a wnaethom, bod Alexander wedi achub y blaen arnom i ffurfio cyfeillgarwch â'r Iddewon, er mwyn ei gadarnhau ei hun? [24] Ysgrifennaf finnau hefyd atynt neges galonogol, ac addo iddynt anrhydeddau a rhoddion, er mwyn iddynt fod yn gymorth i mi." [25] Anfonodd atynt y neges ganlynol: "Y Brenin Demetrius at genedl yr Iddewon, cyfarchion. [26] Gan i chwi gadw eich cytundebau â ni, ac aros mewn cyfeillgarwch â ni, heb fynd drosodd at ein gelynion—clywsom am hyn, a llawenhau. [27] Bellach, arhoswch mwy mewn ffyddlondeb i ni, ac fe dalwn ni'n ôl i chwi ddaioni am yr hyn yr ydych yn ei wneud drosom. [28] Maddeuwn i chwi lawer o ddyledion, a rhown anrhegion i chwi.
29 "Yn awr yr wyf yn eich gollwng yn rhydd, ac yn rhyddhau'r holl Iddewon o dollau, ac o dreth yr halen, ac o arian y goron; [30] ac yn lle casglu traean y grawn, a hanner ffrwyth y coed sydd yn ddyledus i mi, yr wyf yn cu rhyddhau o heddiw ymlaen. Ni chasglaf hwy o wlad Jwda nac o'r tair rhandir o Samaria a Galilea a ychwanegwyd ati, o heddiw ymlaen a hyd byth. [31] Bydded Jerwsalem a'i chyffiniau, ei degymau a'i thollau, yn sanctaidd a di-dreth. [32] Yr wyf yn gollwng fy ngafael a'm hawdurdod ar y gaer sydd yn Jerwsalem hefyd, ac yn ei rhoi i'r archoffeiriad, iddo ef osod ynddi ŵr o'i ddewis ei hun i'w gwarchod hi. [33] Pob Iddew byw a gaethgludwyd o wlad Jwda i unrhyw ran o'm teyrnas, yr wyf yn ei ryddhau am ddim; ac y mae fy holl swyddogion i ddiddymu'r tollau ar wartheg yr Iddewon. [34] Yr holl wyliau a'r Sabothau a'r newydd-loerau, a'r dyddiau penodedig eraill, a'r tridiau o flaen ac ar ôl gŵyl—bydded y cyfan yn ddyddiau gollyngdod a maddeuant i'r holl Iddewon sydd yn fy nheyrnas. [35] Ni chaiff neb awdurdod i hawlio dim ganddynt nac i aflonyddu arnynt ar unrhyw fater.
36 "Bydded i tua deng mil ar hugain o

Iddewon ymrestru yn lluoedd y brenin, a rhoddir iddynt y gynhaliaeth sy'n gweddu i holl luoedd y brenin. [37] Caiff rhai ohonynt eu gosod yng ngheyrydd cedyrn y brenin, ac eraill mewn swyddi o gyfrifoldeb yn y deyrnas. Bydd eu swyddogion a'u harweinwyr o'u plith hwy eu hunain, ac y maent i fyw yn ôl eu cyfreithiau eu hunain, fel y gorchmynnodd y brenin yng ngwlad Jwda.
38 "Am y tair rhandir a ychwanegwyd at Jwdea o wlad Samaria, boed iddynt gael eu hychwanegu at Jwdea mewn modd i'w hystyried o dan un llywodraethwr, heb orfod arnynt ufuddhau i unrhyw awdurdod ond yr archoffeiriad.
39 "Yr wyf yn rhoi Ptolemais a'r wlad o'i hamgylch yn rhodd i'r cysegr yn Jerwsalem, i gyfarfod â threuliau angenrheidiol y cysegr. [40] Yr wyf hefyd yn rhoi pymtheng mil o siclau arian yn flynyddol o gyllid y brenin allan o'r mannau priodol. [41] Am y gweddill, yr hyn na thalodd y swyddogion i mewn fel y gwnaethant yn y blynyddoedd cyntaf, o hyn ymlaen cânt ei roi at wasanaeth y deml. [42] Heblaw hyn y mae'r pum mil o siclau arian hynny a dderbynient yn flynyddol allan o gyfrifon angenrheidiau'r cysegr i'w maddau hefyd, oherwydd eiddo'r offeiriad sy'n gwasanaethu yno ydynt. [43] A phawb fydd yn ffoi i'r deml yn Jerwsalem, neu i unrhyw ran o'i chyffiniau, am fod arnynt ddyled i'r brenin, neu unrhyw ddyled arall, y maent i'w gollwng yn rhydd ynghyd â phob eiddo sydd ganddynt yn fy nheyrnas. [44] Y mae treuliau codi ac adnewyddu adeiladau'r cysegr i'w talu o gyfrif y brenin; [45] ac o gyfrif y brenin hefyd y mae talu treuliau adeiladu muriau Jerwsalem, ei chadarnhau hi o amgylch, ac adeiladu'r muriau yn Jwdea."
46 Pan glywodd Jonathan a'r bobl y geiriau hyn, ni chredasant hwy na'u derbyn, oherwydd cofiasant y mawr ddrwg yr oedd Demetrius wedi ei gyflawni yn Israel, a'r modd yr oedd wedi eu gormesu'n ddirfawr. [47] Alexander a gafodd eu ffafr, oherwydd ef oedd y cyntaf i lefaru geiriau heddychlon wrthynt, a buont yn gynghreiriaid iddo dros ei holl ddyddiau.
48 Casglodd y Brenin Alexander lu mawr a gwersyllu gyferbyn â Demetrius. [49] Daeth y ddau frenin ynghyd i ryfel;

ffoes byddin Demetrius ac ymlidiodd Alexander ef, a'i drechu. ⁵⁰Ymladdodd yn galed hyd fachlud haul, a syrthiodd Demetrius y dydd hwnnw.

51 Yna anfonodd Alexander lysgenhadau at Ptolemeus brenin yr Aifft gyda'r neges ganlynol: ⁵²"Gan i mi ddychwelyd i'm teyrnas i eistedd ar orsedd fy nhadau a chipio'r llywodraeth trwy orchfygu Demetrius ac adfeddiannu ein gwlad— ⁵³euthum i ryfel yn ei erbyn, a gorchfygwyd ef a'i fyddin gennym, ac eisteddasom ar orsedd ei deyrnas—⁵⁴gan hynny gadewch inni yn awr wneud cynghrair â'n gilydd; rho di dy ferch yn awr yn wraig i mi, a byddaf finnau'n fab-yng-nghyfraith i ti, a rhoddaf i ti ac iddi hithau anrhegion teilwng ohonot."

55 Atebodd y Brenin Ptolemeus fel hyn: "O ddedwydd ddydd pan ddychwelaist i wlad dy dadau ac eistedd ar orsedd eu teyrnas! ⁵⁶Fe wnaf i ti yn awr yn unol â'r hyn a ysgrifennaist, ond tyrd i'm cyfarfod yn Ptolemais, er mwyn inni weld ein gilydd, ac imi ddod yn dad-yng-nghyfraith i ti, fel yr wyt wedi dweud."

57 Ymadawodd Ptolemeus â'r Aifft, ef a'i ferch Cleopatra, a dod i Ptolemais yn y flwyddyn 162°. ⁵⁸Cyfarfu'r Brenin Alexander ag ef; rhoddodd yntau ei ferch Cleopatra yn briod iddo, a dathlodd ei phriodas mewn rhwysg mawr, fel y mae arfer brenhinoedd.

59 Ysgrifennodd y Brenin Alexander at Jonathan iddo ddod i'w gyfarfod. ⁶⁰Aeth yntau mewn rhwysg i Ptolemais a chyfarfod y ddau frenin. Rhoes iddynt ac i'w Cyfeillion arian ac aur ac anrhegion lawer, a chafodd ffafr yn eu golwg. ⁶¹Ond ymgasglodd gwŷr ysgeler o Israel yn ei erbyn, gwŷr digyfraith, i achwyn arno; ond ni chymerodd y brenin sylw ohonynt. ⁶²Gorchmynnodd y brenin ddiosg dillad Jonathan oddi amdano a'i wisgo â phorffor, a gwnaethant felly. ⁶³Gwnaeth y brenin iddo eistedd yn ei ymyl, a dweud wrth ei swyddogion: "Ewch gydag ef i ganol y ddinas, a chyhoeddwch nad oes neb i achwyn arno ynghylch unrhyw fater, nac i aflonyddu arno ynghylch unrhyw achos." ⁶⁴Pan welodd y rhai oedd yn achwyn arno ei rwysg, ac yntau yn ei wisg borffor, yn unol â'r gorchymyn, ffoesant i gyd. ⁶⁵Felly yr anrhydeddodd y brenin ef: ei restru ymhlith ei

Gyfeillion pennaf, a'i benodi'n gadlywydd ac yn llywodraethwr talaith. ⁶⁶A dychwelodd Jonathan i Jerwsalem mewn heddwch a gorfoledd.

67 Yn y flwyddyn 165ᴾ daeth Demetrius, mab Demetrius, o Creta i wlad ei dadau. ⁶⁸Pan glywodd y Brenin Alexander am hyn, bu'n ofid mawr iddo, a dychwelodd i Antiochia. ⁶⁹Penododd Demetrius Apolonius, llywodraethwr Coele Syria, yn gadfridog, a chasglodd yntau lu mawr a gwersyllu ger Jamnia. Anfonodd y neges hon at Jonathan yr archoffeiriad:

70 "Ti yw'r unig un i godi yn ein herbyn; euthum innau yn gyff gwawd a gwatwar o'th achos di. Pam wyt ti yn honni awdurdod arnom yn y mynyddoedd? ⁷¹Yn awr, gan hynny, os oes gennyt gymaint o hyder yn dy luoedd tyrd i lawr atom i'r gwastatir, a gadawer inni gystadlu â'n gilydd yno, oherwydd y mae llu'r dinasoedd o'm plaid i. ⁷²Hola, iti gael dysgu pwy wyf fi a phwy yw'r lleill sydd yn ein cynorthwyo; ac fe ddywedir wrthyt, 'Nid oes i chwi led troed wyneb yn wyneb â ni', oherwydd gyrrwyd dy dadau ar ffo ddwywaith yn eu gwlad eu hunain. ⁷³Yn awr gan hynny ni fedri wrthsefyll y gwŷr meirch na'r fath lu yn y gwastatir, lle nid oes na chraig na charreg, nac unrhyw le i ffoi iddo."

74 Pan glywodd Jonathan eiriau Apolonius cyffrowyd ei ysbryd. Dewisodd ddeng mil o wŷr, a chychwyn allan o Jerwsalem. Ymunodd ei frawd Simon ag ef i fod yn gymorth iddo. ⁷⁵Gwersyllodd ger Jopa, ond yr oedd y dinaswyr wedi cau'r pyrth yn ei erbyn, am fod gwarchodlu Apolonius yn Jopa. ⁷⁶Ymladdasant yn ei herbyn; ac yn eu dychryn agorodd y dinaswyr iddo, a daeth Jonathan yn arglwydd ar Jopa. ⁷⁷Pan glywodd Apolonius am hyn casglodd dair mil o wŷr meirch a llu mawr o wŷr traed, a theithio tuag Asotus, fel petai am fynd ymhellach. Yr un pryd, am fod ganddo liaws o wŷr meirch yr oedd yn ymddiried ynddynt, aeth rhagddo i'r gwastatir. ⁷⁸Ymlidiodd Jonathan ar ei ôl hyd Asotus, a daeth y byddinoedd ynghyd i ryfel. ⁷⁹Ond yr oedd Apolonius wedi gadael mil o wŷr meirch yn ddirgel y tu cefn iddynt, ⁸⁰a deallodd Jonathan fod cynllwyn y tu ôl iddo. Amgylchynasant ei fyddin a thaflu saethau

at y bobl o fore bach hyd hwyr. ⁸¹Ond
daliodd y bobl eu tir, fel yr oedd Jonathan
wedi gorchymyn, a diffygiodd gwŷr
meirch y gelyn.

⁸² Yna arweiniodd Simon ei lu allan a
dechrau ymladd â'r gatrawd o wŷr traed,
gan fod y gwŷr meirch wedi llwyr flino.
Drylliwyd hwy ganddo a ffoesant.
⁸³Gwasgarwyd y gwŷr meirch yn y gwas-
tatir; ffoesant i Asotus a chyrraedd
Bethdagon, teml eu heilun, am noddfa.
⁸⁴Llosgodd Jonathan Asotus a'r trefi o'i
hamgylch, a'u hysbeilio, gan losgi teml
Dagon hefyd, a'r ffoaduriaid o'i mewn.
⁸⁵Yr oedd y rhai a syrthiodd trwy gleddyf,
ynghyd â'r rhai a losgwyd, yn rhifo tua
wyth mil o wŷr.

86 Teithiodd Jonathan oddi yno a
gwersyllu ger Ascalon, a daeth y dinas-
wyr allan i'w gyfarfod â rhwysg mawr.
⁸⁷Dychwelodd Jonathan a'i wŷr i Jerw-
salem, a chanddynt lawer o ysbail. ⁸⁸Pan
glywodd y Brenin Alexander am y pethau
hyn aeth ati i anrhydeddu Jonathan fwy-
fwy eto. ⁸⁹Anfonodd iddo glespyn aur, fel
y mae'n arfer ei roi i berthnasau brenhin-
oedd; rhoes yn feddiant iddo hefyd
Accaron a'i holl gyffiniau.

Marw'r Brenin Alexander

11 Casglodd brenin yr Aifft luoedd
mor niferus â'r tywod sydd ar lan
y môr, a llongau lawer; a cheisiodd gipio
teyrnas Alexander trwy ddichell, a'i
hychwanegu at ei deyrnas ei hun. ²Aeth i
Syria â'i eiriau'n llawn heddwch, a dyma
drigolion y trefi yn agor iddo a mynd allan
i'w gyfarfod, oherwydd i'r Brenin Alex-
ander orchymyn mynd i'w gyfarfod am
mai ei dad-yng-nghyfraith oedd. ³Fel yr
oedd Ptolemeus yn mynd i mewn i'r trefi,
gosododd warchodlu ym mhob tref. ⁴Pan
gyrhaeddwyd Asotus dangoswyd iddo
deml Dagon wedi ei llosgi, Asotus a'i
maestrefi yn adfeilion, y cyrff wedi eu
gwasgaru ar hyd y lle, a'r rhai yr oedd
Jonathan wedi eu llosgi yn y rhyfel wedi
eu gadael yn bentyrrau ar hyd ei ffordd.
⁵Mynegwyd i'r brenin beth yr oedd
Jonathan wedi ei wneud, er mwyn bwrw'r
bai arno; ond tewi a wnaeth y brenin.
⁶Daeth Jonathan mewn rhwysg i gyfarfod
y brenin yn Jopa; cyfarchodd y ddau a'i
gilydd, a chysgu yno. ⁷Aeth Jonathan
gyda'r brenin hyd at yr afon a elwir

Elewtherus; yna dychwelodd i Jerw-
salem. ⁸Gwnaeth y Brenin Ptolemeus ei
hun yn arglwydd ar drefi'r arfordir hyd at
Selewcia ger y môr, gan fwriadu bwriad-
au drwg yn erbyn Alexander.

9 Anfonodd genhadau at y Brenin
Demetrius a dweud: "Tyrd, gad inni
wneud cyfamod â'n gilydd, a rhof i ti
fy merch, gwraig Alexander, a chei
deyrnasu ar deyrnas dy dad. ¹⁰Oherwydd
y mae'n edifar gennyf imi roi fy merch
iddo ef, ac yntau wedi ceisio fy lladd."
¹¹Cafodd fai ar Alexander fel hyn am ei
fod yn chwenychu ei deyrnas. ¹²Cym-
erodd ei ferch oddi arno a'i rhoi i
Demetrius. Ymddieithriodd oddi wrth
Alexander, a daeth yr elyniaeth rhyng-
ddynt yn amlwg. ¹³Aeth Ptolemeus i
mewn i Antiochia a gwisgo coron Asia;
felly daeth i wisgo dwy goron, un yr Aifft
ac un Asia.

14 Yr adeg honno yr oedd y Brenin
Alexander yn Cilicia, oherwydd bod trig-
olion y parthau hynny mewn gwrthryfel.
¹⁵Pan glywodd Alexander, aeth i ryfel yn
erbyn Ptolemeus, a daeth yntau allan i'w
gyfarfod â grym mawr, a'i yrru ar ffo.
¹⁶Ffoes Alexander i Arabia i geisio
nodded yno, ac yr oedd y Brenin Ptolem-
eus uwchben ei ddigon. ¹⁷Torrodd Sab-
diel yr Arabiad ben Alexander i ffwrdd,
a'i anfon at Ptolemeus. ¹⁸Ond bu farw'r
Brenin Ptolemeus yntau ymhen tridiau, a
dinistriwyd gwarchodlu ei geyrydd gan
eu trigolion. ¹⁹Felly daeth Demetrius yn
frenin yn y flwyddyn 167ᵖʰ.

Jonathan yn Ennill Ffafr Demetrius II

20 Yn y dyddiau hynny casglodd
Jonathan wŷr Jwdea ynghyd er mwyn
ymosod ar y gaer oedd yn Jerwsalem, a
chododd lawer o beiriannau rhyfel yn ei
herbyn. ²¹Yna aeth rhai gwŷr digyfraith,
a oedd yn casáu eu cenedl eu hunain, at y
brenin a dweud wrtho fod Jonathan yn
gwarchae ar y gaer. ²²Pan glywodd yntau,
enynnwyd ei ddicter; ac ar y gair aeth
ymaith yn ddi-oed a dod i Ptolemais.
Ysgrifennodd at Jonathan i godi'r
gwarchae a dod i Ptolemais ar fyrder i'w
gyfarfod ac i gydymgynghori ag ef.

23 Pan gafodd Jonathan y neges,
gorchmynnodd barhau'r gwarchae.
Dewisodd rai o blith henuriaid Israel ac
o'r offeiriaid i fynd gydag ef, ac ymdaflodd

i'r antur beryglus. ²⁴Cymerodd arian ac aur, a gwisgoedd, a llawer o anrhegion eraill, a mynd at y brenin i Ptolemais; a chafodd ffafr yn ei olwg. ²⁵Er i rai gwŷr digyfraith o'r genedl achwyn arno, ²⁶gwnaeth y brenin ag ef fel y gwnaethai ei ragflaenwyr, gan ei anrhydeddu yng ngŵydd ei holl Gyfeillion. ²⁷Cadarnhaodd ef yn ei swydd fel archoffeiriad, ac ym mhob anrhydedd arall a oedd ganddo o'r blaen, a pheri ei godi i blith ei Gyfeillion pennaf.

28 Deisyfodd Jonathan ar y brenin ryddhau Jwdea, ynghyd â'r tair talaith a Samaria, o dreth, ac addawodd iddo dri chant o dalentau. ²⁹Bodlonodd y brenin, ac ysgrifennodd lythyrau at Jonathan ynghylch y pethau hyn oll fel a ganlyn: 30 "Y Brenin Demetrius at y brawd Jonathan, ac at genedl yr Iddewon, cyfarchion. ³¹Dyma gopi o'r llythyr a ysgrifenasom at ein perthynas Lasthenes yn eich cylch, wedi ei gopïo i'w anfon atoch chwithau hefyd, er gwybodaeth i chwi: ³²'Y Brenin Demetrius at ei dad Lasthenes, cyfarchion. ³³Penderfynasom wneud cymwynas â chenedl yr Iddewon, ein cyfeillion sydd yn cadw eu cytundebau â ni, ar bwys eu hewyllys da tuag atom. ³⁴Yn lle'r trethi y byddai'r brenin yn eu derbyn ganddynt o'r blaen bob blwyddyn, o gynnyrch y ddaear ac o'r coed ffrwythau, yr ydym wedi sicrhau iddynt gyffiniau Jwdea, ynghyd â'r tair rhandir Afferema, Lyda, a Ramathaim; y mae'r rhain, a phopeth sy'n perthyn iddynt, yn awr wedi eu trosglwyddo oddi ar Samaria i Jwdea. Bydd hyn er lles pawb sydd yn aberthu yn Jerwsalem. ³⁵Am y trethi eraill sy'n eiddo i ni, o'r degymau a'r tollau sy'n eiddo i ni, a'r pyllau halen ac arian y goron sy'n eiddo i ni, o hyn ymlaen byddwn yn eu rhyddhau o'r cwbl. ³⁶Nid yw'r un o'r trefniadau hyn i'w diddymu o hyn ymlaen hyd byth. ³⁷Yn awr, felly, gofalwch am wneud copi ohonynt i'w roi i Jonathan i'w osod mewn lle amlwg yn y mynydd sanctaidd.' "

Jonathan yn Cynorthwyo Demetrius II

38 Pan welodd y Brenin Demetrius fod y wlad wedi ymdawelu dano, ac nad oedd dim gwrthryfel yn ei erbyn, gollyngodd ymaith ei holl luoedd, pob un i'w le ei hun, ac eithrio lluoedd yr estroniaid hynny yr oedd wedi eu casglu'n filwyr cyflog o ynysoedd y Cenhedloedd. Am hynny cododd gelyniaeth eto ymhlith yr holl luoedd a fu dan ei ragflaenwyr. ³⁹Pan welodd Tryffo, a oedd o'r blaen yn un o wŷr Alexander, fod yr holl luoedd yn grwgnach yn erbyn Demetrius, aeth at Imalcwe yr Arabiad, tad-maeth Antiochus, mab bychan Alexander, ⁴⁰a phwyso arno drosglwyddo'r bachgen iddo ef, i'w wneud yn frenin yn lle ei dad. Mynegodd i Imalcwe hefyd yr holl bethau a gyflawnodd Demetrius, a'r elyniaeth a oedd gan ei luoedd tuag ato. Arhosodd yno am ddyddiau lawer.

41 Anfonodd Jonathan at y Brenin Demetrius i ofyn iddo dynnu allan y gwŷr o'r gaer yn Jerwsalem a'r gwŷr oedd yn yr amddiffynfeydd, oherwydd yr oeddent yn rhyfela yn erbyn Israel. ⁴²Anfonodd Demetrius at Jonathan yr ateb hwn: "Nid y pethau hyn yn unig a wnaf er dy fwyn di a'th genedl, ond fe roddaf i ti ac i'th genedl yr anrhydedd uchaf, pan gaf amser cyfaddas. ⁴³Yn awr gan hynny byddi'n gwneud cymwynas â mi os anfoni ataf wŷr i ryfela wrth fy ochr, oherwydd y mae fy holl luoedd wedi cefnu arnaf." ⁴⁴Yna anfonodd Jonathan ato i Antiochia dair mil o wŷr cyhyrog; daethant at y brenin, a pharodd eu dyfodiad lawenydd mawr i'r brenin. ⁴⁵Ymgasglodd y dinaswyr i ganol y ddinas, tua chant ac ugain o filoedd o wŷr, â'u bryd ar ladd y brenin. ⁴⁶Ffoes y brenin i'r palas; meddiannodd y dinaswyr strydoedd y ddinas a dechrau ymladd. ⁴⁷Galwodd y brenin yr Iddewon i'w gynorthwyo; ymgasglasant i gyd ato ar unwaith, ac yna ymledu ar hyd y ddinas a lladd tua chan mil y dydd hwnnw. ⁴⁸Llosgodd yr Iddewon y ddinas a chymryd llawer o ysbail y dydd hwnnw, ac achub y brenin hefyd. ⁴⁹Pan welodd y dinaswyr fod yr Iddewon wedi dod yn feistri llwyr ar y ddinas, collasant eu hyder, ac ymbil ar y brenin gan lefain fel hyn: ⁵⁰"Estyn inni dy ddeheulaw mewn heddwch, a gad i'r Iddewon roi heibio eu cyrch yn ein herbyn ni a'n dinas." ⁵¹Taflasant ymaith eu harfau, a gwneud heddwch. Anrhydeddwyd yr Iddewon yng ngŵydd y brenin ac yng ngŵydc pawb yn ei deyrnas. Dychwelsant i Jerw-salem a chanddynt lawer o ysbail. ⁵²Felly eisteddodd y Brenin Demetrius ar orsedc ei deyrnas, a bu'r wlad yn dawel dano ⁵³Ond twyll fu ei holl addewidion; ym ddieithriodd oddi wrth Jonathan, ac y hytrach na thalu'n ôl y cymwynasau

wnaeth Jonathan ag ef, aeth rhagddo i aflonyddu'n fawr arno.

Jonathan yn Cefnogi Antiochus VI

54 Ar ôl hyn dychwelodd Tryffo, a'r bachgen ifanc Antiochus gydag ef, a choronwyd ef yn frenin. ⁵⁵Ymgasglodd ato yr holl luoedd yr oedd Demetrius wedi eu troi heibio, ac ymladdasant yn erbyn Demetrius. Enciliodd yntau, a gyrrwyd ef ar ffo. ⁵⁶Dygodd Tryffo yr eliffantod i fyny, a choncrodd Antiochia.

⁵⁷Ysgrifennodd Antiochus ifanc at Jonathan fel hyn: "Yr wyf yn dy gadarnhau yn dy swydd fel archoffeiriad, ac yn dy osod dros y pedair rhandir, ac yn dy wneud yn un o Gyfeillion y Brenin." ⁵⁸Anfonodd iddo lestri aur at ei wasanaeth, a rhoes iddo'r hawl i yfed allan o lestri aur, i ymddilladu mewn porffor a gwisgo clespyn aur. ⁵⁹Gosododd ei frawd Simon yn llywodraethwr ar y parthau o Risiau Tyrus hyd at gyffiniau'r Aifft.

60 Aeth Jonathan allan a theithio trwy'r wlad yr ochr arall i'r afon, a'r trefi yno. Ymgasglodd ato holl luoedd Syria, i fod yn gynghreiriaid iddo. Cyrhaeddodd Ascalon, a daeth y dinaswyr allan i'w dderbyn yn anrhydeddus. ⁶¹Oddi yno aeth i Gasa, ond caeodd gwŷr Gasa y pyrth yn ei erbyn. Gwarcheodd yntau arni a llosgi ei maestrefi â thân, a'u hysbeilio. ⁶²Ymbiliodd gwŷr Gasa am heddwch, a gwnaeth Jonathan delerau â hwy. Cymerodd feibion eu harweinwyr yn wystlon, a'u hanfon i ffwrdd i Jerwsalem. Yna tramwyodd trwy'r wlad hyd at Ddamascus.

63 Clywodd Jonathan fod capteiniaid Demetrius wedi cyrraedd Cedes yng Ngalilea gyda llu mawr, gan fwriadu ei atal rhag cyflawni ei amcan. ⁶⁴Aeth i'w cyfarfod, ond gadawodd ei frawd Simon yn Jwdea. ⁶⁵Gwersyllodd Simon o flaen Bethswra, ac wedi ymladd yn ei herbyn dros ddyddiau lawer, gosododd hi dan warchae. ⁶⁶Ymbiliodd y trigolion am delerau heddwch, a chydsyniodd yntau. Taflodd hwy allan oddi yno, ac wedi meddiannu'r dref gosododd warchodlu o'i mewn. ⁶⁷Gwersyllodd Jonathan a'i fyddin wrth Lyn Genesaret, a chodasant yn y bore bach i deithio hyd wastatir Asor. ⁶⁸A dyma fyddin yr estroniaid yn dod i'w gyfarfod yn y gwastatir. Yr oeddent wedi gosod mintai guddiedig yn ei erbyn yn y mynyddoedd, ond daethant

hwy eu hunain i'w gyfarfod wyneb yn wyneb. ⁶⁹Cododd y fintai guddiedig allan o'u cuddfannau ac ymuno yn yr ymladd. ⁷⁰Ffoes holl wŷr Jonathan; ni adawyd un ohonynt ond Matathias fab Absalom a Jwdas fab Chalffi, capteiniaid lluoedd y fyddin. ⁷¹Rhwygodd Jonathan ei ddillad a rhoi pridd ar ei ben, a mynd i weddi. ⁷²Yna dychwelodd i ymladd â'r gelyn; gyrrodd hwy ar ffo, ac enciliasant. ⁷³Pan welodd ffoaduriaid ei fyddin ef hyn dychwelsant ato, ac ymlid y gelyn gydag ef, hyd at eu gwersyll yn Cedes; ac yno y gwersyllasant. ⁷⁴Syrthiodd tua thair mil o wŷr yr estroniaid y dydd hwnnw, a dychwelodd Jonathan i Jerwsalem.

Cynghrair â Rhufain ac â Sparta

12 Gwelodd Jonathan fod yr amser yn ffafriol iddo, a dewisodd wŷr a'u hanfon i Rufain i gadarnhau ac adnewyddu ei gyfeillgarwch â phobl y ddinas honno. ²Anfonodd lythyrau hefyd i'r un perwyl at y Spartiaid ac i leoedd eraill. ³Daeth y cenhadau i Rufain a mynd i mewn i'r senedd-dŷ a dweud: "Anfonodd yr archoffeiriad Jonathan a chenedl yr Iddewon ni i adnewyddu'r cynghrair cyfeillgar a fu gynt rhyngoch chwi a hwy." ⁴Rhoes y Rhufeiniaid lythyrau iddynt yn gorchymyn i'r awdurdodau ym mhobman eu hebrwng yn heddychlon i dir Jwda.

5 Dyma gopi o'r llythyr a ysgrifennodd Jonathan at y Spartiaid:

6 "Yr archoffeiriad Jonathan, a henuriaid y genedl a'i offeiriaid a gweddill pobl yr Iddewon, at ein brodyr y Spartiaid, cyfarchion. ⁷Ar achlysur blaenorol anfonwyd llythyr at yr archoffeiriad Onias oddi wrth eich brenin Arius i'r perwyl eich bod yn frodyr i ni, fel y mae'r copi amgaeëdig yn tystio. ⁸Croesawodd Onias y gennad yn anrhydeddus, a derbyn ganddo y llythyr, a oedd yn egluro telerau'r cynghrair cyfeillgar. ⁹Gan hynny, er nad oes arnom ni angen cytundebau o'r fath, am fod gennym yn galondid y llyfrau sanctaidd sydd yn ein meddiant, ¹⁰yr ydym wedi ymgymryd ag anfon i adnewyddu'r brawdgarwch a'r cyfeillgarwch rhyngom a chwi, rhag bod ymddieithrio rhyngom; oherwydd aeth cryn amser heibio er pan anfonasoch lythyr atom. ¹¹Yn wir, yr ydym ni bob amser, ar y gwyliau ac ar ddyddiau cyfaddas eraill, yn eich cofio yn ddi-baid

yn yr aberthau a offrymwn ac mewn gweddïau, fel y mae'n iawn a phriodol cofio brodyr. ¹²Yr ydym yn llawenhau yn y bri sydd i chwi. ¹³Buom yng nghanol llawer o orthrymderau, a rhyfeloedd lawer; bu'r brenhinoedd o'n cwmpas yn rhyfela yn ein herbyn. ¹⁴Er hynny, nid oeddem yn ewyllysio, yn y rhyfeloedd hyn, eich trafferthu chwi na'n cynghreiriaid a'n cyfeillion eraill, ¹⁵oherwydd y mae gennym y cymorth o'r nef i'n cynorthwyo; a chawsom ein gwaredu oddi wrth ein gelynion, a chawsant hwythau eu darostwng. ¹⁶Dewisasom felly Nwmenius fab Antiochus ac Antipater fab Jason, ac yr ydym wedi eu hanfon at y Rhufeiniaid i adnewyddu'r cynghrair cyfeillgar a oedd rhyngom a hwy gynt. ¹⁷Am hynny rhoesom orchymyn iddynt ddod atoch chwithau, a'ch cyfarch, a rhoi i chwi y llythyr hwn gennym ynghylch adnewyddu ein brawdgarwch â chwi hefyd. ¹⁸Yn awr, felly, a fyddwch cystal â rhoi ateb inni i'r neges hon?''

19 Dyma gopi o'r llythyr oedd wedi ei anfon at Onias:

20 "Arius brenin y Spartiaid at yr archoffeiriad Onias, cyfarchion. ²¹Darganfuwyd mewn dogfen fod y Spartiaid a'r Iddewon yn frodyr, a'u bod fel ei gilydd o hil Abraham. ²²Gan inni ddod i wybod hyn, a fyddwch cystal yn awr ag ysgrifennu atom am eich hynt? ²³A dyma ninnau yn ein tro yn ysgrifennu atoch chwi i ddweud fod eich anifeiliaid a'r cwbl sydd gennych yn eiddo i ni, a'n heiddo ninnau'n eiddo i chwi. Yr ydym yn gorchymyn felly i'r cenhadau eich hysbysu yn y termau hyn.''

Ymgyrchoedd Jonathan a Simon

24 Clywodd Jonathan fod capteiniaid Demetrius wedi dychwelyd gyda llu mawr, mwy na'r tro cyntaf, i ryfela yn ei erbyn. ²⁵Ymadawodd â Jerwsalem a mynd i'w cyfarfod i wlad Hamath; felly ni roddodd iddynt gyfle i sengi o fewn ei wlad ei hun. ²⁶Anfonodd ysbïwyr i'w gwersyll, a adroddodd ar ôl dychwelyd fod y gelyn yn ymfyddino i ymosod arnynt liw nos. ²⁷Wedi machlud haul gorchmynnodd Jonathan i'w wŷr fod ar wyliadwriaeth a chadw eu harfau ar hyd y nos, yn barod i ryfel; yna gosododd ragwylwyr o gwmpas y gwersyll. ²⁸Pan ddeallodd yr ymosodwyr fod Jonathan a'i wŷr yn barod i ryfel, yn eu hofn a'u llwfrdra cyneuasant danau yn eu gwersyll. ²⁹Ond ni ddaeth Jonathan a'i wŷr i wybod am hyn tan y bore, er iddynt weld golau'r tanau. ³⁰Ymlidiodd Jonathan ar eu hôl ond ni oddiweddodd hwy, oherwydd yr oeddent wedi croesi Afon Elewtherus. ³¹Yna troes Jonathan o'r neilltu i ymosod ar yr Arabiaid, a elwir yn Sabadeaid, a'u trechu, a dwyn ysbail oddi arnynt. ³²Cododd ei wersyll a symud i Ddamascus, a thramwyo drwy'r holl wlad. ³³Cychwynnodd Simon allan a thramwyo hyd at Ascalon a'r ceyrydd cyfagos; yna troes o'r neilltu i Jopa a'i meddiannu hi, ³⁴oherwydd yr oedd wedi clywed bod ei thrigolion yn arfaethu trosglwyddo'r gaer i wŷr Demetrius. Felly gosododd warchodlu yno i'w chadw. ³⁵Dychwelodd Jonathan a chynnull henuriaid y bobl ynghyd, a dechrau ymgynghori â hwy ynghylch adeiladu ceyrydd yn Jwdea, ³⁶a chodi muriau Jerwsalem yn uwch, a chodi clawdd terfyn mawr rhwng y gaer a'r ddinas er mwyn ei gwahanu hi oddi wrth y ddinas, iddi fod ar ei phen ei hun, a'i gwneud yn amhosibl i'r gwarchodlu brynu a gwerthu. ³⁷Felly ymgasglasant ynghyd i adeiladu'r ddinas, oherwydd yr oedd rhan o'r mur ar hyd ochr y nant tua'r dwyrain wedi syrthio; ac atgyweiriwyd y rhan a elwir Chaffenatha. ³⁸Adeiladodd Simon hefyd Adida yn Seffela, a'i chadarnhau, a chodi pyrth a barrau.

Tryffo yn Dal Jonathan

39 Yr oedd Tryffo am ddod yn frenin dros Asia a gwisgo'r goron, a rhoes ei fryd ar wrthryfela yn erbyn y Brenin Antiochus. ⁴⁰Ond yn ei ofn na fyddai Jonathan yn cydsynio ag ef ac y byddai'n ymladd yn ei erbyn, ceisiodd fodd i ddal hwnnw a'i ladd. Cychwynnodd am Bethsan. ⁴¹Aeth Jonathan allan i'w gyfarfod gyda deugain mil o filwyr dethol, a daeth ef hefyd i Bethsan. ⁴²Pan welodd Tryffo ei fod wedi dod gyda llu mawr ofnodd ymosod arno. ⁴³Yn hytrach croesawodd ef yn anrhydeddus, a'i ganmol wrth ei holl Gyfeillion, a rhoi iddo anrhegion, a gorchymyn i'w Gyfeillion ac i'w luoedd ufuddhau i Jonathan gymaint ag iddo ef ei hun. ⁴⁴Dywedodd wrth Jonathan: "I ba bwrpas y peraist flinder i'r holl bobl hyn, heb fod rhyfel rhyngom? ⁴⁵Yn awr, felly, anfon hwy adref, a dewis

i ti dy hun ychydig wŷr i fod gyda thi, a thyrd gyda mi i Ptolemais, ac fe'i rhof hi iti, ynghyd â'r ceyrydd eraill, a gweddill y lluoedd, a'r holl swyddogion. Yna fe drof yn ôl a mynd oddi yma, oherwydd dyna pam y deuthum yma." ⁴⁶Credodd Jonathan ef, a gwnaeth fel y dywedodd. Anfonodd ei luoedd i ffwrdd, a dychwelsant i wlad Jwda. ⁴⁷Cadwodd gydag ef dair mil o wŷr; gadawodd ddwy fil ohonynt yng Ngalilea, ac aeth mil i'w ganlyn ef. ⁴⁸Pan ddaeth Jonathan i mewn i Ptolemais, caeodd y Ptolemeaid y pyrth a'i ddal, a lladdasant â'r cleddyf bawb oedd wedi dod i mewn gydag ef.

49 Anfonodd Tryffo lu o wŷr traed a gwŷr meirch i Galilea, i'r gwastatir mawr, i ddileu holl wŷr Jonathan. ⁵⁰Ond pan ddeallodd y rheini fod Jonathan a'i wŷr wedi eu dal a'u lladd, dyma hwy'n calonogi ei gilydd, ac yn dechrau symud rhagddynt yn rhengoedd clòs a pharod i ryfel. ⁵¹Pan welodd yr ymlidwyr y byddai'n frwydr hyd angau, troesant yn eu holau. ⁵²Felly daeth yr Iddewon i gyd yn ddihangol i wlad Jwda, mewn galar mawr am Jonathan a'i wŷr, a chan ofni'n ddirfawr. ⁵³Bwriwyd Israel gyfan i alar mawr. Aeth yr holl genhedloedd o'u hamgylch ati yn awr i'w difrodi, oherwydd dywedasant: "Nid oes ganddynt lywodraethwr na chynorthwywr. Dyma ein cyfle, felly, i fynd i ryfel yn eu herbyn, a dileu'r coffa amdanynt o blith dynion."

Simon yn Arweinydd yr Iddewon

13 Clywodd Simon fod Tryffo wedi casglu llu mawr gyda'r bwriad o fynd i wlad Jwda i'w difrodi hi. ²Pan welodd fod y bobl yn llawn ofn a dychryn, aeth i fyny i Jerwsalem a chynnull y bobl, ³a'u calonogi â'r geiriau hyn: "Fe wyddoch chwi gynifer o bethau a wneuthum i, a'm brodyr, a thŷ fy nhad, dros y cyfreithiau a'r cysegr; a'r rhyfeloedd a'r cyfyngderau a welsom. ⁴A dyma'r achos, achos Israel, y lladdwyd fy mrodyr oll er ei fwyn, a myfi yn unig a adawyd. ⁵Yn awr, felly, na ato Duw imi arbed fy einioes mewn unrhyw adeg o orthrymder; oherwydd nid wyf fi'n well na'm brodyr. ⁶Yn hytrach yr wyf am ddial fy nghenedl a'r cysegr, a'ch gwragedd a'ch plant; oherwydd y mae'r holl Genhedloedd yn eu gelyniaeth wedi ymgasglu ynghyd i'n difrodi ni." ⁷Adfywiodd ysbryd y bobl y foment y

clywsant y geiriau hyn, ⁸ac atebasant â llais uchel: "Ti yw ein harweinydd ni yn lle Jwdas a Jonathan dy frawd. ⁹Ymladda di ein rhyfel, a pha beth bynnag a ddywedi wrthym, fe'i gwnawn." ¹⁰Casglodd yntau yr holl wŷr cymwys i ryfela, a brysiodd i orffen muriau Jerwsalem, a'i chadarnhau o bob tu. ¹¹Anfonodd Jonathan fab Absalom, a llu mawr gydag ef, i Jopa; taflodd hwnnw y trigolion allan ac ymsefydlu yno yn y dref.

12 Symudodd Tryffo o Ptolemais gyda llu mawr i oresgyn gwlad Jwda, gan ddwyn Jonathan gydag ef yn garcharor. ¹³Gwersyllodd Simon yn Adidas gyferbyn â'r gwastatir. ¹⁴Pan ddeallodd Tryffo fod Simon wedi olynu ei frawd Jonathan, a'i fod ar fedr mynd i'r afael ag ef mewn brwydr, anfonodd genhadau ato gyda'r neges hon: ¹⁵"Yr ydym yn dal Jonathan dy frawd yn gaeth o achos y ddyled o arian oedd arno i'r trysordy brenhinol, ar gyfrif y swyddi a ddaliai. ¹⁶Felly, os anfoni yn awr gan talent o arian a dau o'i feibion yn wystlon i sicrhau na fydd yn gwrthryfela yn ein herbyn ar ôl ei ryddhau, fe'i rhyddhawn." ¹⁷Er i Simon ddeall eu bod yn llefaru'n ddichellgar wrtho, eto anfonodd i nôl yr arian a'r bechgyn, rhag iddo ennyn casineb mawr o du'r bobl, ¹⁸ac iddynt hwythau ddweud: "Am nad anfonodd Simon yr arian a'r bechgyn y llofruddiwyd Jonathan." ¹⁹Felly anfonodd y bechgyn a'r can talent; ond ei dwyllo a wnaeth Tryffo, ac ni ryddhaodd Jonathan.

20 Wedi hyn daeth Tryffo i oresgyn y wlad a'i difrodi. Aeth ar gylchdro i gyfeiriad Adora. Yr oedd Simon a'i fyddin yn tramwyo gyferbyn ag ef, i ble bynnag yr âi. ²¹Ond yr oedd gwŷr y gaer yn anfon cenhadau at Tryffo i bwyso arno i frysio atynt drwy'r anialwch ac i anfon lluniaeth iddynt. ²²Paratôdd Tryffo ei holl wŷr meirch i fynd, ond y noson honno bu eira mawr iawn, ac nid aeth oherwydd yr eira. Ciliodd a mynd i Gilead. ²³Pan nesaodd at Bascana lladdodd Jonathan, a chladdwyd ef yno. ²⁴Wedyn troes Tryffo yn ôl a dychwelyd i'w wlad ei hun.

25 Trefnodd Simon i ddwyn esgyrn ei frawd Jonathan a'i gladdu yn Modin, tref ei dadau. ²⁶Gwnaeth holl Israel alar mawr amdano; do, buont yn galarnadu amdano am ddyddiau lawer. ²⁷Ar feddrod ei dad a'i frodyr adeiladodd Simon gofadail y gallai pawb ei gweld, a'i hwyneb a'i

chefn o gerrig nadd. ²⁸Cododd hefyd saith o byramidiau, un gyferbyn â'r llall, i'w dad a'i fam a'i bedwar brawd. ²⁹Cyn-lluniodd y rhain yn gelfydd, gan osod colofnau mawr o'u hamgylch, ac ar y colofnau lluniodd arfdlysau amrywiol i fod yn goffadwriaeth dragwyddol, a chydag ymyl yr arfdlysau longau cerf-iedig y gellid eu gweld gan bawb oedd yn hwylio'r môr. ³⁰Y mae'r beddrod hwn a wnaeth ef yn Modin yn aros hyd y dydd hwn.

31 Bu Tryffo'n ddichellgar yn ei ym-wneud â'r brenin ifanc Antiochus, a lladdodd ef. ³²Gwnaeth ei hun yn frenin yn ei le, a gwisgodd goron Asia, gan ddwyn trallod mawr ar y wlad. ³³Adeil-adodd Simon geyrydd Jwdea a'u cadarn-hau â thyrau uchel ac â muriau cadarn a phyrth a barrau, a gosododd luniaeth yn y ceyrydd. ³⁴Dewisodd Simon hefyd wŷr, a'u hanfon at y Brenin Demetrius i geisio gollyngdod i'r wlad, gan mai lladrad oedd holl drethi Tryffo. ³⁵Anfonodd y Brenin Demetrius neges fel a ganlyn ato; ateb-odd ef, a dyma'r llythyr a ysgrifennodd yn ateb i'w gais:

36 "Y Brenin Demetrius at Simon, archoffeiriad a chyfaill brenhinoedd, ac at henuriaid a chenedl yr Iddewon, cyf-archion. ³⁷Yr ydym wedi derbyn y goron aur a'r gangen balmwydden a anfon-asoch, ac yr ydym yn barod i wneud heddwch parhaol â chwi, ac i ysgrifennu at ein swyddogion yn rhoi caniatâd i chwi beidio â thalu trethi. ³⁸Y mae'r holl gytundebau hynny a wnaethom â chwi wedi eu cadarnhau, ac y mae'r ceyrydd a adeiladasoch i fod yn eiddo i chwi. ³⁹Yr ydym yn maddau eich troseddau, bwr-iadol ac anfwriadol, hyd at y dydd hwn, ynghyd ag arian y goron a oedd yn ddyledus gennych; ac y mae unrhyw dreth arall a godid yn Jerwsalem i gael ei diddymu. ⁴⁰Os oes yn eich plith rai cymwys i gael eu cofrestru'n aelodau o'n gosgordd, fe gânt eu cofrestru. Boed heddwch rhyngom."

41 Yn y flwyddyn 170ʳ codwyd ymaith iau'r Cenhedloedd oddi ar war Israel. ⁴²Dechreuodd y bobl ysgrifennu yn eu cytundebau a'u cyfamodau: 'Ym mlwy-ddyn gyntaf yr archoffeiriad mawr Simon, cadlywydd ac arweinydd yr Iddewon.'

43 Yn y dyddiau hynny gwersyllodd Simon yn erbyn Gasara, a'i hamgylch-ynu hi â'i fyddinoedd. Gwnaeth beiriant gwarchae, a'i ddwyn i fyny at y dref, a tharo un tŵr a'i feddiannu. ⁴⁴Neidiodd y gwŷr a oedd yn y peiriant gwarchae allan i'r dref, a bu cynnwrf mawr yn y dref— ⁴⁵gwŷr y dref gyda'u gwragedd a'u plant yn dringo i fyny ar y mur, a rhwygo'u dillad, a gweiddi â llef uchel a deisyf ar Simon estyn ei ddeheulaw iddynt mewn heddwch. ⁴⁶"Paid â'n trin yn ôl ein drygau," meddent, "ond yn ôl dy drugaredd." ⁴⁷Cynigiodd Simon delerau heddwch iddynt, a dwyn y rhyfel i ben. Ond taflodd hwy allan o'r dref, ac wedi puro'r tai yr oedd yr eilunod ynddynt, aeth i mewn iddi dan ganu a moliannu. ⁴⁸Taflodd allan ohoni bob aflendid, a gosododd i breswylio ynddi wŷr a fydd-ai'n cadw'r gyfraith. Cadarnhaodd y dref ac adeiladu ynddi breswylfod iddo'i hun.

49 Gan fod y gwŷr a oedd yn y gaer yn Jerwsalem yn cael eu hatal rhag mynd i mewn ac allan i'r wlad i brynu a gwerthu, daeth newyn enbyd arnynt, a threngodd llawer ohonynt o'r herwydd. ⁵⁰Gwaedd-asant ar Simon i dderbyn deheulaw heddwch, a chydsyniodd yntau. Yna taflodd hwy allan oddi yno a phuro'r gaer o'i holl halogrwydd. ⁵¹Aeth i mewn iddi ar y trydydd dydd ar hugain o'r ail fis yn y flwyddyn 171ʳʰ, dan foliannu a chwifio cangau palmwydd, yn sŵn telynau, symbalau, a nablau, a than ganu emynau a cherddi, i ddathlu goruchafiaeth Israel ar ei gelyn mawr. ⁵²Gorchmynnodd Simon fod y dydd hwn i'w ddathlu mewn llawenydd bob blwyddyn; cadarnhaodd fynydd y deml gyferbyn â'r gaer, a gwneud y lle hwnnw yn breswylfod iddo'i hun a'i wŷr. ⁵³Pan welodd Simon fod ei fab Ioan wedi tyfu'n ddyn, pen-ododd ef yn arweinydd ar ei holl luoedd, a gwnaeth yntau ei breswylfod yn Gasara.

Clod Simon

14 Yn y flwyddyn 172ˢ casglodd y Brenin Demetrius ei luoedd yng-hyd a theithiodd i Media i geisio cymorth iddo'i hun, fel y gallai ryfela yn erbyn Tryffo. ²Pan glywodd Arsaces, brenin Persia a Media, fod Demetrius wedi dod i'w gyffiniau, anfonodd un o'i gapteiniaid i'w ddal yn fyw. ³Aeth hwnnw a tharo gwersyll Demetrius, a'i ddal a'i ddwyn at Arsaces; rhoddodd yntau ef yng ngharchar.

4 Cafodd gwlad Jwda heddwch holl ddyddiau Simon. Ceisiodd ef ddaioni i'w genedl, a bodlonwyd hwythau gan ei awdurdod a'i fri dros ei holl ddyddiau. [5] At yr holl fri oedd ganddo, cipiodd Jopa i fod yn borthladd, a'i wneud yn fynedfa i ynysoedd y môr. [6] Helaethodd derfynau ei genedl, a daeth y wlad dan ei awdurdod. [7] Casglodd ynghyd lawer o garcharorion rhyfel, a gwnaeth ei hun yn arglwydd dros Gasara a Bethswra, a'r gaer, a charthu allan ohoni ei holl aflendid. Nid oedd neb a'i gwrthwynebai. [8] Yr oedd y bobl yn trin eu tir mewn heddwch, a'r ddaear yn dwyn ei chnydau a choed y gwastadeddau eu ffrwyth. [9] Byddai'r hynafgwyr yn eistedd yn yr heolydd, yn ymgomio â'i gilydd am eu bendithion, a'r gwŷr ifainc yn ymwisgo'n ysblennydd yn eu lifrai milwrol. [10] Darparodd Simon gyflenwad bwyd i'r trefi, a gosod ynddynt arfau amddiffyn; ac ymledodd y sôn am ei enw anrhydeddus hyd eithaf y ddaear. [11] Sefydlodd heddwch yn y tir, a bu llawenydd Israel yn fawr dros ben. [12] Eisteddodd pob un dan ei winwydden a'i ffigysbren, heb neb i'w ddychrynu. [13] Yn y dyddiau hynny nid oedd neb ar ôl yn y wlad i ryfela yn erbyn yr Iddewon, gan fod y brenhinoedd wedi cael eu dinistrio. [14] Rhoddodd Simon nawdd i'r holl rai iselradd ymhlith ei bobl; rhoes sylw manwl i'r gyfraith, a bwriodd ymaith bob dyn digyfraith a drygionus. [15] Rhoes fri mawr ar y cysegr, ac amlhau ei lestri cysegredig.

16 Daeth y newydd am farw Jonathan i Rufain, ac i Sparta hefyd, a buont yn galaru'n fawr. [17] Pan glywsant am benodi ei frawd Simon yn archoffeiriad yn ei le, a bod y wlad a'i threfi dan ei awdurdod ef, [18] ysgrifenasant ato ar lechau pres i adnewyddu ag ef y cyfeillgarwch a'r cynghrair a wnaethant â'i frodyr Jwdas a Jonathan. [19] Darllenwyd hwn gerbron y gynulleidfa yn Jerwsalem. [20] Dyma gopi o'r llythyr a anfonodd y Spartaid:

"Llywodraethwyr a dinas y Spartaid at yr archoffeiriad Simon, ac at yr henuriaid a'r offeiriaid a gweddill pobl yr Iddewon, ein brodyr, cyfarchion. [21] Mynegwyd wrthym am eich bri a'ch anrhydedd gan y cenhadau a anfonwyd at ein pobl, a pharodd eu hymweliad lawenydd mawr inni. [22] Ysgrifenasom eu hadroddiad yn y cofnodion cyhoeddus fel a ganlyn: 'Daeth Nwmenius fab Antiochus ac Antipater fab Jason, cenhadau yr Iddewon, atom i adnewyddu cytundeb eu cyfeillgarwch â ni. [23] Bu'n dda gan y bobl groesawu'r gwŷr yn anrhydeddus, a gosod copi o'u hymadroddion yn yr archifau cyhoeddus, iddynt fod ar gof a chadw gan y Spartiaid. Ysgrifenasant hefyd gopi o'r pethau hyn i'r archoffeiriad Simon.'"

24 Wedi hyn anfonodd Simon Nwmenius i Rufain gyda tharian fawr o aur, gwerth mil o ddarnau arian, er mwyn cadarnhau'r cynghrair â hwy.

25 Pan glywodd y bobl y geiriau hyn dywedasant, "Pa ddiolch a rown i Simon ac i'w feibion? [26] Oherwydd safodd yn gadarn, ef a'i frodyr a thŷ ei dad, a gyrru ymaith elynion Israel oddi wrthynt, ac ennill ei rhyddid i'r genedl." Felly gwnaethant arysgrif ar lechau pres, a gosod y rhieni ar golofnau ar Fynydd Seion. [27] Dyma gopi o'r arysgrif: "Ar y deunawfed dydd o fis Elwl yn y flwyddyn 172, sef y drydedd flwyddyn i Simon fel archoffeiriad, yn Asaramel, [28] mewn cynulliad mawr o offeiriaid a phobl, o lywodraethwyr y genedl a henuriaid y wlad, gwnaethpwyd yn hysbys i ni yr hyn a ganlyn. [29] Yn gymaint â bod rhyfeloedd wedi eu hymladd yn aml yn y wlad, gosododd Simon fab Matathias, offeiriad o feibion Joarib, a'i frodyr, eu hunain mewn perygl, a sefyll yn erbyn gwrthwynebwyr eu cenedl, er mwyn diogelu eu cysegr a'u gyfraith, gan ddwyn bri mawr i'w cenedl. [30] Cynullodd Jonathan eu cenedl at ei gilydd, a bu'n archoffeiriad iddynt nes ei gasglu at ei bobl. [31] Cynllwyniodd eu gelynion i oresgyn eu gwlad ac i ymosod ar eu cysegr. [32] Yna cododd Simon i ymladd dros ei genedl. Gwariodd lawer o'i arian ei hun ar arfogi rhyfelwyr ei genedl a rhoi cyflog iddynt. [33] Cadarnhaodd drefi Jwdea, a Bethswra yng nghyffiniau Jwdea, lle gynt yr oedd arfau'r gelynion, a gosododd warchodlu o Iddewon yno. [34] Cadarnhaodd hefyd Jopa ar lan y môr, a Gasara yng nghyffiniau Asotus, lle gynt y trigai'r gelynion. Rhoes Iddewon i drigo yno, a gosod yn y

trefi bopeth angenrheidiol er eu hadfer.
³⁵ Pan welodd y bobl deyrngarwch Simon, a'i fwriad i ennill bri i'w genedl, penodasant ef yn arweinydd ac yn archoffeiriad iddynt, i'w gydnabod am iddo wneud yr holl bethau hyn, am iddo ymddwyn yn gyfiawn, a pharhau'n deyrngar i'w genedl, ac am iddo ym mhob modd geisio dyrchafu ei bobl. ³⁶ Yn ei ddyddiau ef bu cymaint o lwyddiant dan ei law fel y gyrrwyd y Cenhedloedd allan o'u gwlad, ynghyd â'r gwŷr yn ninas Dafydd yn Jerwsalem, a oedd wedi codi caer iddynt eu hunain. Oddi yno byddent yn mynd allan ac yn halogi popeth o amgylch y cysegr, a gwneud niwed mawr i'w burdeb. ³⁷ Rhoes Simon Iddewon i drigo yn y gaer, a'i chadarnhau er diogelwch y wlad a'r ddinas, a chodi muriau Jerwsalem yn uwch. ³⁸ O ganlyniad cadarnhaodd y Brenin Demetrius ef yn swydd yr archoffeiriad, ³⁹ a'i wneud yn un o'i Gyfeillion, gan roi anrhydedd mawr iddo. ⁴⁰ Oherwydd yr oedd wedi clywed bod y Rhufeiniaid yn cydnabod yr Iddewon fel cyfeillion a chynghreiriaid a brodyr, a'u bod wedi mynd allan mewn rhwysg i gyfarfod â chenhadau Simon.

41 "Gwelodd yr Iddewon a'r offeiriaid yn ddath benodi Simon yn arweinydd ac archoffeiriad iddynt am byth, nes y byddai proffwyd ffyddlon yn codi. ⁴² Ef oedd i fod yn gadlywydd arnynt, ac yn gyfrifol am y cysegr, yn oruchwyliwr ar eu llafur, ar y wlad, ar yr arfau ac ar yr amddiffynfeydd. ⁴³ Yr oedd i fod yn gyfrifol am y cysegr, ac yr oedd pawb i ufuddhau iddo, a phob cytundeb yn y wlad i gael ei ysgrifennu yn ei enw ef. Yr oedd i ymddilladu mewn porffor ac i wisgo aur.

44 "Ni fydd gan neb o'r bobl nac o'r offeiriaid hawl i ddiddymu un o'r gorchmynion hyn, na gwrthddweud ordeiniadau Simon, na chynnull cynulliad yn y wlad heb ei gydsyniad, nac ymddilladu mewn porffor na gwisgo clespyn aur. ⁴⁵ Bydd pwy bynnag a wna'n groes i hyn, neu a ddiddyma un o'r gorchmynion hyn, yn agored i gosb. ⁴⁶ Gwelodd yr holl bobl yn dda benodi Simon i weithredu yn unol â'r cyfarwyddiadau hyn. ⁴⁷ Derbyniodd yntau, a gweld yn dda bod yn archoffeiriad, yn gadlywydd ac yn llywodraethwr

ar yr Iddewon a'r offeiriaid, a bod yn amddiffynnwr pawb."

48 Gorchmynnwyd cerfio'r arysgrif hon ar lechau pres, a gosod y rheini o fewn cylch y cysegr mewn lle amlwg, ⁴⁹ a rhoi copi ohonynt yn y trysordy, at wasanaeth Simon a'i feibion.

Antiochus VII yn Ceisio Cefnogaeth Simon

15 Anfonodd Antiochus, mab y Brenin Demetrius, lythyr o ynysoedd y môr at Simon, offeiriad a llywodraethwr yr Iddewon, ac at yr holl genedl. ² Yr oedd ei gynnwys fel a ganlyn: "Y Brenin Antiochus at Simon, archoffeiriad a llywodraethwr, ac at genedl yr Iddewon, cyfarchion. ³ Yn gymaint ag i ryw ddihirod drawsfeddiannu teyrnas ein tadau, y mae yn fy mryd hawlio'r deyrnas yn ôl, er mwyn ei hadfer i'w chyflwr blaenorol. Cesglais fyddin luosog a darperais longau rhyfel. ⁴ Fy mwriad yw glanio yn y wlad, er mwyn ymosod ar y rheini a anrheithiodd ein gwlad a difrodi trefi lawer yn fy nheyrnas. ⁵ Gan hynny yr wyf yn awr yn cadarnhau i ti bob gollyngdod oddi wrth drethi a ganiatawyd iti gan y brehinoedd a fu o'm blaen i, ynghyd ag unrhyw daliadau eraill a ddilewyd ganddynt. ⁶ Yr wyf yn rhoi caniatâd i ti fathu dy arian priod dy hun, i fod yn arian cyfredol yn dy wlad. ⁷ Bydd Jerwsalem a'r deml yn rhydd. Caiff yr holl arfau a ddarperaist, a'r amddiffynfeydd a adeiledaist, sydd yn dy feddiant, barhau yn eiddo i ti. ⁸ Hefyd caiff pob dyled sydd, neu a fydd, yn ddyledus i'r drysorfa frenhinol ei dileu, yn awr a hyd byth. ⁹ Pan fyddwn wedi meddiannu ein teyrnas fe osodwn arnat ti a'th genedl a'r deml anrhydedd mawr iawn, fel yr amlygir eich bri dros yr holl ddaear."

10 Yn y flwyddyn 174^u aeth Antiochus i mewn i wlad ei dadau, a daeth yr holl luoedd ynghyd ato ef, fel mai ychydig oedd gyda Tryffo. ¹¹ Ymlidiodd Antiochus ef, a daeth yntau yn ffoadur i Dor, tref ar lan y môr. ¹² Oherwydd gwyddai fod drygau wedi disgyn arno, a bod y lluoedd wedi cefnu arno. ¹³ Gwersyllodd Antiochus yn erbyn Dor, a chydag ef gant ac ugain o filoedd o ryfelwyr ac wyth mil o wŷr meirch. ¹⁴ Amgylchynodd y dref, ac

---

ymunodd y llongau yn y gwarchae o'r
môr. Felly gorthrymodd y dref o'r tir a'r
môr, heb ganiatáu i neb fynd i mewn nac
allan.

Rhufain yn Cefnogi'r Iddewon

15 Daeth Nwmenius a'r gwŷr oedd
gydag ef o Rufain, gan ddwyn llythyr at
y brenhinoedd a'r gwledydd; a'r neges
ganlynol wedi ei hysgrifennu ynddo:
16 "Lwcius, Conswl y Rhufeiniaid, at
y Brenin Ptolemeus, cyfarchion. ¹⁷Daeth
cenhadau yr Iddewon atom, ein cyfeillion
a'n cynghreiriaid, wedi eu hanfon oddi
wrth Simon yr archoffeiriad ac oddi wrth
bobl yr Iddewon, i adnewyddu'r cyfeill-
garwch a'r cynghrair a fu rhyngom gynt.
¹⁸Daethant â tharian o aur, gwerth mil o
ddarnau arian. ¹⁹Gwelsom yn dda felly
ysgrifennu at y brenhinoedd a'r gwledydd
ar iddynt beidio â cheisio niwcd i'r
Iddewon, na mynd i ryfel yn eu herbyn
hwy na'u trefi na'u gwlad, na mynd i
gynghrair â'r rhai fydd yn rhyfela yn eu
herbyn. ²⁰Penderfynasom dderbyn y
darian ganddynt. ²¹Gan hynny, os bydd
rhyw ddihirod wedi ffoi o'u gwlad atoch
chwi, traddodwch hwy i Simon yr arch
offeiriad, iddo ef ddial arnynt yn ôl
cyfraith yr Iddewon."
22 Ysgrifennwyd yr un neges at
y Brenin Dcmctrius, ac at Attalus,
Ariarathes, Arsaces, ²³at Sampsames ac
at y Spartiaid, yn ogystal ag i'r holl
wledydd canlynol: Delos, Myndos,
Sicyon, Caria, Samos, Pamffylia, Lycia,
Halicarnassus, Rhodos, Phaselis, Cos,
Side, Aradus, Gortuna, Cnidus, Cyprus a
Cyrene. ²⁴Ysgrifenasant hefyd gopi o'r
pethau hyn i'r archoffeiriad Simon.

Rhwyg rhwng Antiochus VII a Simon

25 Gwersyllodd y Brenin Antiochus
yn erbyn Dor yr ail waith, a dwyn cyrch-
oedd arni yn barhaus. A chan godi peir-
iannau rhyfel gwarchaeodd ar Tryffo, fel
na ellid mynd i mewn nac allan. ²⁶Anfon-
odd Simon ddwy fil o wŷr dethol ato i'w
gynorthwyo, gydag arian ac aur ac arfau
lawer. ²⁷Ond ni fynnai eu derbyn.
Diddymodd yr holl gytundebau blaenorol
a wnaethai â Simon, ac ymddieithriodd
oddi wrtho. ²⁸Anfonodd ato Athenobius,
un o'i Gyfeillion, i ddadlau ag ef a
dweud, "Yr ydych chwi'n meddiannu
Jopa a Gasara a'r gaer yn Jerwsalem,
dinasoedd sy'n perthyn i'm teyrnas i.

²⁹Gwnaethoch eu cyffiniau yn ddiffaith;
gwnaethoch ddifrod mawr yn y tir, ac
aethoch yn arglwyddi ar lawer lle yn fy
nheyrnas. ³⁰Yn awr, felly, rhowch yn ôl y
dinasoedd a gymerasoch, ynghyd â'ch
hawl ar drethi'r lleoedd hynny y tu allan i
derfynau Jwdea yr aethoch yn arglwyddi
arnynt. ³¹Onid e, rhowch bum can talent
o arian yn eu lle; a phum can talent arall
am y dinistr a wnaethoch, ac am drethi'r
dinasoedd. Ncu fc awn i ryfel yn eich
erbyn."
32 Pan ddaeth Athenobius, Cyfaill y
Brenin, i Jerwsalem, a gweld rhwysg
Simon, a chwpwrdd yn llawn o lestri aur
ac arian, ac arlwy luosog, rhyfeddodd.
Cyflwynodd iddo neges y brenin, ³³ac
atebodd Simon ef: "Nid tir pobl eraill yr
ydym wedi ei gipio, ac nid eiddo pobl
eraill yr ydym wedi ei feddiannu, ond
treftadaeth ein tadau, a drawsfeddian-
nwyd yn anghyfiawn dros dro gan ein
gelynion. ³⁴Manteisio ar ein cyfle yr ydym
ni i gael gafael eto ar dreftadaeth ein
tadau. ³⁵Ynglŷn â Jopa a Gasara, y
lleoedd yr wyt ti yn eu hawlio, yr oedd y
rhain yn peri difrod mawr ymhlith ein
pobl ac yn ein gwlad; eto fe rown gan
talent amdanynt." ³⁶Nid atebodd
Athenobius un gair iddo. Dychwelodd at
y brenin mewn dicter, ac adrodd iddo
eiriau Simon, a disgrifio'i rwysg a'r cwbl
a welodd. Digiodd y brenin yn gynddeir-
iog.

Ioan yn Trechu Cendebeus

37 Ffoes Tryffo mewn llong i Orthosia.
³⁸Penododd y brenin Cendebeus yn
gadlywydd yr arfordir, a rhoi iddo lu o
wŷr traed ac o wŷr meirch. ³⁹Gorch-
mynnodd iddo wersyllu yn erbyn Jwdea,
ac adeiladu Cedron a chadarnhau ei
phyrth, er mwyn ymladd yn erbyn y bobl.
Ond parhau i ymlid Tryffo a wnaeth y
brenin. ⁴⁰Cyrhaeddodd Cendebeus
Jamnia a dechrau cythruddo'r bobl; gor-
esgynnodd Jwdea, caethiwo'r bobl, a'u
lladd. ⁴¹Adeiladodd Cedron a gosod gwŷr
meirch a byddin yno, er mwyn iddynt
fynd allan a gwarchod ffyrdd Jwdea, yn
unol â gorchymyn y brenin.

16 Aeth Ioan i fyny o Gasara ac
adrodd i'w dad Simon beth a
gyflawnodd Cendebeus. ²Galwodd Simon
ei ddau fab hynaf, Jwdas a Ioan, a dweud
wrthynt, "Yr wyf fi a'm brodyr a thŷ fy
nhad wedi ymladd brwydrau Israel o'n

hieuenctid hyd y dydd hwn, a ffynnodd yr achos dan ein dwylo fel y gwaredwyd Israel lawer gwaith. ³Bellach yr wyf fi wedi heneiddio, ond trwy drugaredd yr ydych chwi ym mlodau eich dyddiau.

Cymerwch chwi fy lle i a'm brawd; ewch allan ac ymladd dros ein cenedl; a boed cymorth o'r nef gyda chwi.''

4 Detholodd o'r wlad ugain mil o ryfelwyr a gwŷr meirch, ac aethant yn erbyn Cendebeus, a bwrw'r nos yn Modin. ⁵Codasant yn fore a symud i'r gwastatir; a dyma lu mawr, yn wŷr traed a gwŷr meirch, yn dod i'w cyfarfod. Yr oedd ceunant yn eu gwahanu, ⁶a gwersyllodd Ioan a'i filwyr gyferbyn â'r gelyn. Pan welodd Ioan fod y milwyr yn ofni croesi'r ceunant, croesodd ef ei hun yn gyntaf. O'i weld, croesodd ei wŷr ar ei ôl. ⁷Rhannodd Ioan ei filwyr, gyda'r gwŷr meirch yng nghanol y gwŷr traed; oherwydd yr oedd gwŷr meirch y gelyn yn lluosog iawn. ⁸Canwyd yr utgyrn, a gyrrwyd Cendebeus a'i fyddin ar ffo; syrthiodd llawer ohonynt, wedi eu clwyfo'n angheuol, a ffoes y gweddill i'r amddiffynfa. ⁹Dyna'r pryd y clwyfwyd Jwdas brawd Ioan. Ymlidiodd Ioan hwy, hyd nes i Cendebeus gyrraedd Cedron, y dref yr oedd wedi ei hadeiladu. ¹⁰Ffodd y gelyn i'r tyrau sydd ym meysydd Asotus, a llosgodd yntau'r dref â thân. Syrthiodd tua dwy fil o wŷr y gelyn; yna dychwelodd Ioan i Jwdea mewn heddwch.

Llofruddio Simon a Dau o'i Feibion

11 Yr oedd Ptolemeus fab Abwbus wedi ei benodi'n llywodraethwr ar wastatir Jericho. Yr oedd ganddo lawer o arian ac aur, ¹²oherwydd ef oedd mabyng-nghyfraith yr archoffeiriad. ¹³Ond aeth yn rhy uchelgeisiol, a chwennych

meddiannu'r wlad. Cynllwyniodd yn ddichellgar yn erbyn Simon a'i feibion, i'w lladd. ¹⁴Tra oedd Simon yn ymweld â threfi'r wlad i ofalu am eu buddiannau, daeth ef a'i feibion Matathias a Jwdas i lawr i Jericho yn y flwyddyn 177 ʷ, yn yr unfed mis ar ddeg, sef mis Sabat. ¹⁵Derbyniodd mab Abwbus hwy yn ddichellgar i'r amddiffynfa a elwir Doc, a oedd wedi ei hadeiladu ganddo, a gwnaeth wledd fawr iddynt. Cuddiodd wŷr yno, ¹⁶a phan oedd Simon a'i feibion wedi yfed yn helaeth cododd Ptolemeus a'i wŷr ac ymarfogi a mynd i mewn i neuadd y wledd, a'i ladd ef a'i ddau fab a rhai o'i weision. ¹⁷Gwnaeth anfadwaith mawr, gan dalu drwg am dda.

18 Ysgrifennodd Ptolemeus yr hanes hwn a'i anfon at y brenin, er mwyn iddo ef anfon byddin ato i'w gynorthwyo, a throsglwyddo'r wlad a'i threfi i'w ddwylo. ¹⁹Anfonodd eraill o'i wŷr i Gasara i ladd Ioan, ac anfonodd lythyrau at swyddogion y fyddin yn eu hannog i ymuno ag ef, gan gynnig iddynt arian ac aur yn anrhegion. ²⁰Anfonodd eraill i feddiannu Jerwsalem a mynydd y deml. ²¹Ond rhedodd rhywun ar y blaen i Gasara a dweud wrth Ioan am lofruddiaeth ei dad a'i frodyr, gan ychwanegu: ''Y mae wedi anfon rhai i'th ladd dithau hefyd.'' ²²Pan glywodd yntau aeth yn orffwyll. Daliodd y gwŷr a ddaeth i'w lofruddio, a'u lladd hwy, am ei fod yn gwybod eu bod yn ceisio'i lofruddio.

23 Am y gweddill o weithredoedd Ioan, ei ryfeloedd a'r gwrhydri a wnaeth, y muriau a adeiladodd, a'i orchestion, ²⁴y mae'r rhain wedi eu hysgrifennu yng nghofnodion ei archoffeiriadaeth, o'r amser y daeth yn archoffeiriad ar ôl ei dad.

ʷH.y., 134 C.C.

AIL LYFR Y

MACABEAID

Y Llythyr Cyntaf at yr Iddewon yn yr Aifft

1 "At eu brodyr, Iddewon yr Aifft, oddi wrth eu brodyr, Iddewon Jerwsalem a gwlad Jwdea, cyfarchion a thangnefedd helaeth. ²Bydded i Dduw eich llesáu chwi, a chadw mewn cof ei gyfamod â'i weision ffyddlon, Abraham, Isaac a Jacob; ³a bydded iddo osod bryd pob un ohonoch ar ei addoli ac ar wneud ei ewyllys yn frwdfrydig ac o wirfodd calon. ⁴Bydded iddo agor eich calonnau i'w gyfraith a'i orchmynion, a rhoi ichwi dangnefedd, ⁵gan ateb eich deisyfiadau ac ymgymodi â chwi a pheidio â'ch gadael yn amddifad yn amser adfyd. ⁶Yr awr hon, yn y lle hwn, yr ydym yn gweddïo drosoch chwi. ⁷Yr ydym ni'r Iddewon eisoes wedi ysgrifennu atoch yn y flwyddyn 169ᵃ, pan oedd Demetrius yn teyrnasu, yng nghyfnod anterth yr erledigaeth a ddaeth arnom yn y blynyddoedd hynny wedi i Jason a'i ddilynwyr gefnu ar achos y wlad sanctaidd a'r deyrnas, ⁸a gosod cyntedd y deml ar dân a thywallt gwaed dieuog. Yna deisyfasom ar yr Arglwydd, ac atebwyd ein gweddi. Offrymasom aberth a blawd gwenith, a chynnau'r lampau a gosod y torthau cysegredig. ⁹Ac yn awr yr ydych chwi i ddathlu dyddiau Gŵyl y Pebyll ym mis Cislef. Dyddiedig y flwyddyn 188ᵇ."

Yr Ail Lythyr, at Aristobwlus

10 "Pobl Jerwsalem a Jwdea, y senedd a Jwdas, at Aristobwlus, athro'r Brenin Ptolemeus ac aelod o linach yr offeiriaid eneiniog, ac at Iddewon yr Aifft, cyfarchion ac iechyd i chwi. ¹¹Mawr yw'r peryglon yr achubwyd ni rhagddynt gan Dduw, a mawr yw ein diolch iddo, fel byddin y mae ei rhengoedd yn barod i wrthsefyll y brenin. ¹²Ef a fwriodd allan y fyddin oedd yn barod i ymosod ar y ddinas sanctaidd. ¹³Oherwydd pan aeth eu cadfridog i Persia gyda byddin a oedd i bob golwg yn anorchfygol, fe'u torrwyd yn ddarnau yn nheml Nanaia trwy weithred ystrywgar offeiriaid Nanaia. ¹⁴Daeth Antiochus gyda'i Gyfeillion i'r deml i briodi'r dduwies, er mwyn cymryd ei chyfoeth enfawr fel gwaddol. ¹⁵Dangosodd offeiriaid teml Nanaia y trysor iddo, ac aeth ef gydag ychydig o ddilynwyr i mewn trwy'r mur oedd o amgylch y fangre. Cyn gynted ag y daeth Antiochus i mewn i'r cysegr, clodd yr offeiriaid y dorau ¹⁶ac agor drws cudd yn un o baneli'r nenfwd, a bwrw arnynt gawod o gerrig. Wedi llorio'r cadfridog fel un a drawyd gan fellten, aethant ati i'w ddarnio a thorri eu pennau i ffwrdd a'u lluchio i'r bobl y tu allan. ¹⁷Bendigedig fyddo ein Duw ym mhob peth, yr hwn a draddododd yr halogwyr i farwolaeth! ¹⁸Gan ei bod yn fwriad gennym ddathlu puro'r deml ar y pumed dydd ar hugain o fis Cislef, barnasom mai priodol fyddai eich hysbysu, er mwyn i chwithau ddathlu Gŵyl y Pebyll a chofio'r tân a losgodd pan offrymwyd aberthau gan Nehemeia, adeiladydd y deml a'r allor hefyd. ¹⁹Oherwydd pan ddygwyd ein tadau ymaith i Persia, cymerodd offeiriaid duwiol y cyfnod hwnnw dân oddi ar yr allor a'i guddio'n ddirgel yng ngheudod ffynnon oedd wedi sychu. Fe'i cadwasant ef yno mor ddiogel fel na wyddai neb am y fan. ²⁰Flynyddoedd lawer wedyn, pan benderfynodd Duw hynny, anfonwyd Nehemeia'n ôl gan frenin Persia, a gyrrodd yntau ddisgynyddion yr offeiriaid oedd wedi cuddio'r tân i'w gyrchu'n ôl. Ac wedi iddynt hwy egluro inni nad tân y cawsant hyd iddo, ond hylif trwchus, gorchmynnodd ef iddynt godi peth ohono a'i ddwyn ato. ²¹Wedi cyflwyno defnyddiau'r aberthau, gorchmynnodd Nehemeia i'r offeiriaid daenellu'r hylif dros y coed a'r hyn oedd yn gorwedd arno. ²²Gwnaethpwyd hyn, ac aeth peth amser

---

ᵃH.y., 143 C.C.   ᵇH.y., 124 C.C.

heibio. Yna disgleiriodd yr haul, a fu dan gwmwl cynt, a ffaglodd tân anferth ar yr allor er rhyfeddod i bawb. [23] A thra oedd yr aberth yn llosgi'n ulw, aeth yr offeiriaid i weddi, yr offeiriaid ynghyd â phawb arall, gyda Jonathan yn arwain a'r gweddill yn ateb gan ddilyn Nehemeia. [24] A dyma ffurf y weddi: 'O Arglwydd, Arglwydd Dduw, Creawdwr pob peth, yr hwn sydd yn ofnadwy a nerthol, yn gyfiawn a thrugarog, tydi yw'r unig frenin, yr unig un tirion, [25] yr unig ddarparwr; tydi'n unig sy'n gyfiawn a hollalluog a thragwyddol; tydi sy'n achub Israel rhag pob perygl; tydi a wnaeth ein tadau'n etholedig a'u cysegru. [26] Derbyn yr aberth hwn dros dy holl bobl Israel, gwarchod yr eiddot dy hun a chysegra hwy'n llwyr. [27] Cynnull ynghyd ein pobl ar wasgar, rhyddha'r rheini sy'n gaethweision ymhlith y Cenhedloedd, edrych yn dirion ar y rheini sy'n cael eu dirmygu a'u ffieiddio, fel y caiff y Cenhedloedd wybod mai tydi yw ein Duw. [28] Rho boenau arteithiol yn gosb ar y rhai sy'n ein gormesu a'n cam-drin yn drahaus. [29] Gwreiddia dy bobl yn dy fangre sanctaidd, fel y dywedodd Moses.'

30 "Yna canodd yr offeiriaid yr emynau. [31] Wedi llwyr-losgi'r aberthau, gorchmynnodd Nehemeia fod yr hylif oedd yn weddill hefyd i'w arllwys dros gerrig mawr. [32] Pan wnaethpwyd hynny, dyma fflam yn ffaglu; ond aeth ei llewyrch yn ddim wrth ddisgleirdeb y goleuni oddi ar yr allor. [33] Daeth y digwyddiad hwn yn hysbys, ac mewn adroddiad i frenin y Persiaid dywedwyd i'r hylif ymddangos yn y man lle cuddiwyd y tân gan yr offeiriaid a gaethgludwyd, ac i Nehemeia a'i ddilynwyr ei ddefnyddio i buro'r aberthau. [34] Wedi iddo archwilio'r mater, cododd y brenin fur o amgylch y llecyn a'i gysegru. [35] Yr oedd y rhai a ffafriwyd ganddo â gofal y lle yn cael rhan o'r incwm helaeth a dderbyniai oddi yno. [36] Galwodd Nehemeia a'i ddilynwyr yr hylif yn 'neffthar', sy'n golygu 'puredigaeth', ond ei enw cyffredin yw 'nafftha'.

2 "Y mae'n cofnodion hanesyddol yn dangos mai'r proffwyd Jeremeia a orchmynnodd i'r alltudion gymryd y tân, fel y disgrifiwyd eisoes, [2] a hefyd fod y proffwyd, ar ôl cyflwyno'r gyfraith iddynt, wedi erchi i'r alltudion beidio ag anghofio gorchmynion yr Arglwydd, na mynd ar gyfeiliorn yn eu meddyliau wrth syllu ar

ddelwau o aur ac arian a'r gwisgoedd gwych amdanynt; [3] ac â geiriau eraill cyffelyb fe'u hanogodd i beidio â throi'r gyfraith allan o'u calonnau. [4] Yr oedd y ddogfen hefyd yn adrodd bod y proffwyd o achos oracl dwyfol wedi gorchymyn fod y babell a'r arch i'w ddilyn ef; a'i fod wedi mynd allan i'r mynydd y safai Moses ar ei ben pan welodd yr etifeddiaeth a addawyd gan Dduw. [5] Wedi cyrraedd yno darganfu Jeremeia ogof gyfannedd, a dygodd y babell a'r arch ac allor yr arogldarth i mewn iddi a chau'r fynedfa. [6] Daeth rhai o'i gymdeithion yno ar ei ôl i nodi'r ffordd, ond ni lwyddasant i'w darganfod. [7] Pan ddaeth Jeremeia i wybod am hyn, fe'u ceryddodd gan ddweud, 'Anhysbys fydd y man hyd at yr amser y cynnull Duw ei bobl ynghyd a thrugarhau wrthynt; [8] y pryd hwnnw daw'r Arglwydd â'r pethau hyn i'r golwg unwaith eto, ac fe welir gogoniant yr Arglwydd a'r cwmwl, fel yr amlygwyd ef yn amser Moses, a hefyd pan weddïodd Solomon am i'r deml gael ei chysegru'n deilwng.' [9] Adroddwyd hefyd i Solomon, fel un a chanddo ddoethineb, offrymu aberth i ddathlu cysegru a chwblhau'r deml. [10] Yn union fel y gweddïodd Moses yntau ar yr Arglwydd, ac y disgynnodd tân o'r nef a llosgi'r aberthau yn ulw, felly hefyd y disgynnodd y tân a llwyr-losgi'r poethoffrymau wedi i Solomon weddïo. [11] Yr oedd Moses wedi dweud, 'Am na fwytawyd ef, llwyr-losgwyd yr offrwm dros bechod.' [12] Yn yr un modd hefyd dathlodd Solomon yr wyth diwrnod. [13] Ceir yr un hanes hefyd yng nghofnodion ac atgofion Nehemeia, ynghyd ag adroddiad am y modd y sefydlodd lyfrgell trwy gasglu ynghyd y llyfrau ynglŷn â'r brenhinoedd, llyfrau'r proffwydi, gweithiau Dafydd, a llythyrau'r brenhinoedd ynghylch rhoddion cysegredig. [14] Yn yr un modd y mae Jwdas wedi casglu ynghyd yr holl lyfrau a wasgarwyd o achos y rhyfel a ddaeth arnom, ac y maent yn ein meddiant ni; [15] felly, os oes arnoch eu hangen, anfonwch rywrai i'w cyrchu.

16 "Yr ydym yn ysgrifennu atoch am ein bod yn bwriadu dathlu Gŵyl y Buredigaeth; da o beth, gan hynny, fydd i chwi gadw ei dyddiau. [17] Y Duw a achubodd ei holl bobl ac a roes y frenhiniaeth a'r offeiriadaeth a'r cysegriad yn etifeddiaeth i bawb, [18] fel yr addawodd

trwy'r gyfraith, hwn yw'r Duw yr ydym yn gobeithio y bydd iddo drugarhau wrthym yn fuan, a'n casglu ynghyd o bob man dan y nef i'w deml sanctaidd; oherwydd fe'n hachubodd rhag drygau enbyd, ac fe burodd y deml."

Rhagarweiniad yr Awdur i'r Talfyriad Presennol

19 Dyma weithredoedd Jwdas Macabeus a'i frodyr: puro'r deml fawr a chysegru'r allor; [20] y rhyfeloedd a ddilynodd yn erbyn Antiochus Epiffanes a'i fab Ewpator; [21] y gweledigaethau nefol a gafodd y rhai oedd yn ymladd am y dewraf dros Iddewiaeth nes anrheithio'r holl wlad, er lleied eu nifer, ac ymlid ymaith luoedd y barbariaid; [22] adennill y deml sy'n enwog trwy'r byd i gyd; rhyddhau'r ddinas, ac adfer y cyfreithiau ocdd ar gael eu dirymu, trwy drugaredd a thiriondeb di-ball yr Arglwydd tuag atynt. [23] Y mae'r digwyddiadau hyn wedi cael eu disgrifio gan Jason y Cyreniad mewn pum cyfrol. Fy mwriad i yw ceisio crynhoi'r cwbl mewn un llyfr. [24] Oherwydd o ystyried y ffrwd o rifau, a'r rhwystr y mae swmp y deunydd yn ei osod ar ffordd pobl sy'n awyddus i gwmpasu storïau'r hanes, [25] ceisiais lunio gwaith a fyddai'n ddifyr i'r sawl sy'n dymuno darllen, yn hwylus i'r sawl sy'n mwynhau dysgu ar ei gof, ac yn fuddiol i bawb sy'n digwydd taro arno. [26] I mi sydd wedi ymgymryd â'r gwaith beichus hwn o grynhoi, gorchwyl anodd yw, yn gofyn chwys a cholli cwsg, [27] megis nad gorchwyl esmwyth yw paratoi gwledd a cheisio boddhau chwaeth pobl eraill. Er hynny, i ennill diolchgarwch y cyhoedd, byddaf yn dwyn y baich yn llawen. [28] Lle'r awdur gwreiddiol oedd manylu ar bob digwyddiad, ond ymdrechu y byddaf fi i ddilyn amlinelliad cryno. [29] Oherwydd yn union fel y mae'n rhaid i bensaer tŷ newydd ystyried yr holl adeiladwaith, tra mae'r dyn sy'n ceisio peintio â chŵyr poeth yn gorfod chwilio a dewis yr hyn sy'n addas at addurno, felly y barnaf ei bod hi arnaf finnau. [30] Y mae'n briodol i awdur gwreiddiol yr hanes fynd dros y maes llafur, gan ei droedio o'r naill ben i'r llall a chwilota ymhlith y manion; [31] ond rhaid caniatáu i un sy'n gwneud aralleiriad geisio mynegiant cryno, heb unrhyw

ymgais i ysgrifennu hanes cyflawn. [32] Yn awr, gan hynny, gadewch imi ddechrau adrodd yr hanes heb ychwanegu rhagor at yr hyn a ddywedwyd eisoes; oherwydd peth gwirion fyddai ymhelaethu cyn dechrau'r hanes, a thalfyrru'r hanes ei hun.

Cynnen rhwng Onias a Simon

3 Yr oedd perffaith hedd yn teyrnasu yn y ddinas sanctaidd, a'r cyfreithiau'n cael eu cadw'n ddi-fai dan ddylanwad duwioldeb Onias yr archoffeiriad a'i atgasedd at ddrygioni. [2] Ac yr oedd y brenhinoedd hwythau yn anrhydeddu'r cysegr a'r deml, ac yn eu gogoneddu â rhoddion ysblennydd iawn. [3] Yn wir, fe aeth Selewcus brenin Asia mor bell â thalu allan o'i gyllid personol holl dreuliau gweinyddu'r aberthau. [4] Ond cododd cynnen rhwng rhyw Simon, gŵr o deulu Bilga[c], goruchwyliwr y deml wrth ei swydd, a'r archoffeiriad ynghylch rheolaeth marchnadoedd y ddinas. [5] Pan fethodd Simon gael y trechaf ar Onias, aeth at Apolonius fab Tharseus, a oedd ar y pryd yn llywodraethwr ar Celo-Syria a Phenice. [6] Dywedodd wrtho fod y drysorfa yn Jerwsalem mor llawn o drysor annisgrifiadwy nes bod cyfanswm ei werth y tu hwnt i gyfrif; nid oedd yn cyfateb, meddai, i gyfrif yr aberthau, a gellid dod ag ef dan awdurdod y brenin.

Anfon Heliodorus i Jerwsalem

7 Cafodd Apolonius gyfarfod â'r brenin, a rhoes wybod iddo am yr honiadau a wnaethpwyd iddo ynghylch yr arian. Dewisodd y brenin Heliodorus, ei brif weinidog, a'i anfon dan orchymyn i drefnu symud ymaith yr arian dan sylw. [8] Cychwynnodd Heliodorus ar ei union dan esgus ymweld yn swyddogol â dinasoedd Celo-Syria a Phenice, ond ei wir amcan oedd cyflawni cynllun y brenin. [9] Wedi cyrraedd Jerwsalem a chael derbyniad croesawus gan archoffeiriad y ddinas, cyfeiriodd at yr hyn oedd wedi ei ddwyn i'r golwg, ac esboniodd bwrpas ei ymweliad, gan holi a oedd y stori'n wir. [10] Rhoes yr archoffeiriad ar ddeall mai arian wedi ei ymddiried ar gyfer gwragedd gweddw a phlant amddifad oedd yno, [11] heblaw rhywfaint o eiddo Hyrcanus fab Tobias, gŵr o gryn urddas; ac er gwaethaf ensyniadau'r Simon an-

---

[c] Felly'r Fersiynau Lladin. Groeg, *o lwyth Benjamin.*

nuwiol hwnnw, pedwar can talent o arian a dau gan talent o aur oedd y cyfanswm; [12] ac ni ellid mewn modd yn y byd wneud cam â'r bobl oedd wedi rhoi eu hymddiriedaeth yng nghysegredigrwydd y fangre ac yn urddas seintwar a theml a berchid trwy'r byd i gyd.

Heliodorus yn y Deml

13 Ond mynnai Heliodorus, ar bwys ei orchmynion gan y brenin, fod rhaid atafaelu'r arian hwn i'r drysorfa frenhinol. [14] Ar y dydd a bennodd, aeth i mewn i'r deml i wneud arolwg o'r adneuon; a gwelwyd ing pryder nid bychan trwy'r ddinas gyfan. [15] Taflodd yr offeiriaid eu hunain yn eu gwisgoedd offeiriadol ar eu hyd o flaen yr allor, gan alw i'r nef ar i awdur deddf yr adneuon gadw'r cronfeydd yn ddiogel i'r adneuwyr. [16] Yr oedd yr olwg ar yr archoffeiriad yn loes i galon dyn, a'r lliw a wibiai dros ei wyneb yn mynegi ing ei enaid; [17] oherwydd yr oedd corff y dyn, yng ngafael rhyw ofn a chryndod, yn dangos yn amlwg i'r gwylwyr y dolur oedd yn ei galon. [18] Ar ben hynny, yr oedd pobl yn rhuthro'n finteioedd allan o'u tai i wneud deisyfiadau cyhoeddus o achos y gwarth oedd ar ddod ar y deml. [19] Yr oedd y strydoedd yn llawn o wragedd mewn sachlieiniau wedi eu torchi dan eu bronnau; a'r merched ifainc a gedwid o'r neilltu, yr oedd rhai ohonynt yn rhedeg at byrth eu tai, rhai at y muriau allanol, ac eraill yn pwyso allan trwy'r ffenestri, [20] a phob un ohonynt â'i dwylo wedi eu hestyn tua'r nef mewn ymbil taer. [21] Golygfa druenus oedd gweld y dyrfa'n gorwedd blith draphlith, a'r archoffeiriad yn disgwyl yn ing mawr ei bryder.

Yr Arglwydd yn Gwarchod dros ei Deml

22 A hwythau felly'n galw ar yr Arglwydd hollalluog i gadw'r cronfeydd yn ddiogel i'w hadneuwyr, [23] dechreuodd Heliodorus ddwyn ei fwriad i ben. [24] Ond gydag iddo ef a'i osgordd arfog gyrraedd y man gerllaw'r drysorfa, dyma Benarglwydd yr ysbrydion a phob gallu yn peri gweledigaeth mor arswydus nes troi pawb a fentrodd yno gyda Heliodorus yn llipa gan ofn, wedi eu syfrdanu gan allu Duw. [25] Gwelsant farch ysblennydd iawn ei harnais, a marchog erchyll ei wedd ar ei gefn; rhuthrodd y march yn wyllt ar

Heliodorus ac ymosod arno â'i garnau blaen. Yr oedd marchog y weledigaeth yn gwisgo arfwisg gyfan o aur. [26] A heblaw hwnnw, fe ymddangosodd dau ddyn ifanc arall eithriadol eu nerth a hardd iawn eu gwedd ac ardderchog eu gwisg. Safodd y ddau hyn o boptu i Heliodorus gan ei fflangellu'n ddi-baid a bwrw arno ergydion lawer. [27] Cwympodd ef yn sydyn i'r llawr â thywyllwch dudew o'i amgylch. Fe'i codwyd yn ddiymdroi, a'i osod mewn cadair gludo. [28] A dyma'r dyn, a oedd ychydig ynghynt wedi dod i mewn i'r drysorfa honno gyda gosgordd niferus a'i holl warchodlu arfog, yn cael ei gludo allan yn ddiymadferth gan ddynion oedd yn cydnabod yn agored benarglwyddiaeth Duw.

Onias yn Gweddïo dros Adferiad Heliodorus

29 Tra oedd ef, o achos y weithred ddwyfol, yn gorwedd yn fud a heb unrhyw obaith am adferiad, [30] yr oedd yr Iddewon yn bendithio'r Arglwydd am iddo ogoneddu ei fangre gysegredig mewn ffordd mor wyrthiol. Yr oedd y deml, a fuasai ychydig ynghynt yn llawn ofn a chynnwrf, yn awr, o achos ymddangosiad yr Arglwydd hollalluog, yn gyforiog o lawenydd a gorfoledd. [31] Ac yn fuan ceisiodd rhai o gymdeithion Heliodorus gan Onias alw ar y Goruchaf, a rhoi o'i raslonrwydd ei fywyd i ddyn oedd yn ddiau ar dynnu ei anadl olaf. [32] Yr oedd yr archoffeiriad yn ofni y barnai'r brenin fod yr Iddewon wedi cyflawni rhyw ddichell yn achos Heliodorus, ac o ganlyniad fe offrymodd aberth dros adferiad y dyn. [33] Wrth iddo gyflawni'r aberth dyhuddol, ymddangosodd yr un dynion ifainc i Heliodorus drachefn, wedi eu dilladu yn yr un gwisgoedd, a sefyll yno a dweud, "Mawr y bo dy ddiolch i'r archoffeiriad Onias, oherwydd o'i achos ef y mae'r Arglwydd yn rasol wedi rhoi dy fywyd iti. [34] A thithau, a ddioddefodd fflangell y nef, rho wybod i bawb am rym nerth Duw." Ac wedi dweud hynny diflanasant.

Heliodorus yn Moliannu Duw

35 Offrymodd Heliodorus aberth i'r Arglwydd, a gwnaeth addunedau helaeth i'r un oedd wedi ei gadw'n fyw. Ac wedi ffarwelio ag Onias, arweiniodd ei fyddin yn ôl at y brenin. [36] Tystiai wrth bawb am

y gweithredoedd o eiddo'r Duw Goruchaf a welsai â'i lygaid ei hun. ³⁷Pan ofynnodd y brenin i Heliodorus sut ddyn a fyddai'n addas i'w anfon i Jerwsalem mewn ymgais arall, dywedodd ef, ³⁸"Anfon yno unrhyw elyn neu gynllwyniwr yn erbyn y llywodraeth, ac fe gei di ef yn ôl wedi ei fflangellu, os yn wir yr achubir ei fywyd o gwbl, oherwydd yn ddiau y mae rhyw allu dwyfol o amgylch y fangre; ³⁹oherwydd y mae'r hwn sydd â'i drigfan yn y nef yn gwylio dros y fangre honno ac yn ei hamddiffyn, ac yn taro a rhoi diwedd ar bwy bynnag a ddaw yno er drygioni." ⁴⁰A dyna'r hanes am Heliodorus a'r modd y cadwyd y drysorfa'n ddiogel.

Simon yn Cyhuddo Onias

4 Yr oedd y Simon y cyfeiriwyd ato uchod, hwnnw oedd wedi gwneud yr honiadau ynghylch yr arian er niwed i'w famwlad, wedi dechrau athrodi Onias, gan ddweud mai ef oedd wedi ymosod ar Heliodorus a threfnu'r helyntion; ²a beiddiodd ddweud fod hwn, cymwynaswr y ddinas, gwarcheidwad ei gyd-Iddewon a phleidiwr selog y cyfreithiau, yn cynllwynio yn erbyn y llywodraeth. ³Aeth yr elyniaeth ar gynnydd hyd at gyflawni llofruddiaethau gan un o wŷr profedig Simon. ⁴Gwelodd Onias fod y gynnen yn beryglus, a bod Apolonius fab Menestheus, llywodraethwr Celo-Syria a Phenice, yn cefnogi anfadwaith Simon. ⁵Gan hynny, aeth at y brenin, nid fel un yn cyhuddo'i gyd-ddinasyddion, ond fel un â'i olwg ar fudd ei holl bobl, yn gymdeithas ac yn unigolion. ⁶Oherwydd, heb arweiniad gan y brenin, fe welai na cheid byth fywyd cyhoeddus heddychol, nac unrhyw ball ar ffolineb Simon.

Jason yn Hyrwyddo Ffordd Helenistaidd o Fyw

7 Wedi i Selewcus ymadael â'r fuchedd hon ac i Antiochus, a gyfenwid Epiffanes, ei olynu yn y frenhiniaeth, enillodd Jason, brawd Onias, yr archoffeiriadaeth trwy lwgrwobrwyaeth. ⁸Mewn cyfarfod â'r brenin addawodd iddo dri chant chwe deg o dalentau o arian, a phedwar ugain talent allan o ryw ffynhonnell arall. ⁹Heblaw hynny, ymrwymodd, pe caniateid iddo sefydlu dan ei awdurdod ei hun gampfa ac ysgol hyfforddi llanciau, i dalu can talent a hanner yn ychwanegol ac i lunio cofrestr

o Antiochiaid yn Jerwsalem. ¹⁰Wedi i'r brenin roi ei ganiatâd, meddiannodd Jason ei swydd ac yn ddiymdroi gwnaeth i'w gydwladwyr droi i'r ffordd Helenistaidd o fyw. ¹¹Dirymodd y breintiau elusennol a roddwyd i'r Iddewon gan y brenhinoedd trwy waith Ioan, tad yr Ewpolemus hwnnw a aeth yn llysgennad i wneud cytundeb o gyfeillgarwch a chynghrair â'r Rhufeiniaid. Diddymodd y sefydliadau cyfreithlon a chreu arferion newydd anghyfreithlon. ¹²Oherwydd gwelodd yn dda sefydlu campfa wrth droed caer y ddinas, a gwneud i'r goreuon o'r llanciau wisgo het athletwyr. ¹³O achos anfadwaith diatal y ffug-archoffeiriad annuwiol Jason, cyrhaeddodd Helenistiaeth a'r cynnydd mewn arferion estron y fath bwynt ¹⁴fel y collodd yr offeiriaid eu sêl ynglŷn â gwasanaethau'r allor; aethant yn ddirmygus o'r deml ac yn ddi-hid am yr aberthau, ac ar sain y gong rhuthrent i gymryd rhan yn ymarferion anghyfreithlon yr ysgol ymgodymu. ¹⁵Nid oedd y swyddi traddodiadol yn ddim yn eu golwg; yr anrhydeddau Helenistaidd oedd ardderchocaf yn eu tyb hwy. ¹⁶Oherwydd hynny adfyd fu eu rhan, a chawsant fod yr union bobl y ceisient efelychu eu ffyrdd, ac y dymunent ymdebygu iddynt ym mhob peth, yn elynion dialgar. ¹⁷Oherwydd nid peth dibwys yw amharchu cyfreithiau Duw, fel y dengys y cyfnod dilynol yn amlwg.

Jerwsalem dan Ddylanwad Syria

18 Pan oedd y chwaraeon pen-pummlynedd yn cael eu cynnal yn Tyrus gerbron y brenin, ¹⁹anfonodd y Jason aflan hwn genhadon i gynrychioli Jerwsalem. Antiochiaid oeddent, yn dwyn gyda hwy dri chan drachma o arian yn gyfraniad at yr aberth i Hercules. Ond mynnodd cludwyr yr arian eu hunain beidio â'u defnyddio at aberth, am nad oedd hynny'n weddus, ond eu neilltuo at ryw ddiben arall. ²⁰Felly, er i'r hwn a'i hanfonodd fwriadu'r arian fel cyfraniad at yr aberth i Hercules, o achos gweithred y cludwyr fe'i neilltuwyd at adeiladu llongau rhyfel.

21 Pan anfonwyd Apolonius fab Menestheus i'r Aifft ar gyfer gorseddiad y Brenin Philometor, cafodd Antiochus wybod fod y brenin hwnnw wedi troi yn erbyn ei bolisïau, a dechreuodd ystyried ei ddiogelwch ei hun; gan hynny, aeth i

Jopa ac ymlaen i Jerwsalem. ²²Cafodd dderbyniad mawreddog gan Jason a'r ddinas, a'i dderbyn i mewn â ffaglau a banllefau. Wedi hynny, gwersyllodd ei fyddin yn Phenice.

Menelaus yn Meddiannu'r Archoffeiriadaeth

23 Tair blynedd yn ddiweddarach anfonodd Jason Menelaus, brawd y Simon y cyfeiriwyd ato uchod, i hebrwng yr arian at y brenin ac i weithredu penderfyniadau ynghylch materion o frys. ²⁴Cafodd Menelaus ei gymeradwyo i'r brenin, a gwenieithodd iddo â'i olwg awdurdodol; a llwyddodd i gael yr archoffeiriadaeth i'w afael ei hun trwy gynnig tri chan talent o arian yn fwy na Jason. ²⁵Wedi derbyn comisiwn y brenin, dychwelodd i Jerwsalem. Ni ddaeth ag unrhyw gymhwyster at yr archoffeiriadaeth gydag ef; yr oedd ei dymer yn ormesol a chreulon, a'i gynddaredd bwystfilaidd yn deilwng o farbariad. ²⁶Felly dyma Jason, dyn oedd wedi disodli ei frawd ei hun trwy lwgrwobrwyaeth, yntau wedi ei ddisodli yn yr un modd gan un arall, a'i yrru'n alltud i wlad Amon. ²⁷Ond am Menelaus, yr oedd ei afael yn y swydd, ond ni chadwodd at yr un o delerau ei addewid i'r brenin ynghylch yr arian, er i Sostratus, prif swyddog y gaer, fynnu'r taliad ²⁸yn rhinwedd ei gyfrifoldeb am gasglu'r symiau dyladwy. O ganlyniad, galwodd y brenin y ddau ato. ²⁹Gadawodd Menelaus Lysimachus, ei frawd ei hun, yn ddirprwy archoffeiriad; a dirprwy Sostratus oedd Crates, capten y Cypriaid.

Llofruddio Onias

30 Dyna oedd y sefyllfa pan wrthryfelodd pobl Tarsus a Malus oherwydd rhoi eu dinasoedd yn anrhegion i Antiochis, gordderch y brenin. ³¹Gan hynny, aeth y brenin i ffwrdd ar frys i adfer trefn, gan adael yn ddirprwy Andronicus, un o'r uchel swyddogion. ³²Tybiodd Menelaus fod hwn yn gyfle da iddo, a lladrataodd rai o lestri aur y deml a'u rhoi'n anrheg i Andronicus; yr oedd wedi gwerthu rhai eraill i Tyrus a'r dinasoedd o amgylch. ³³Pan gafodd Onias wybodaeth sicr am y gweithredoedd hyn hefyd, fe'u cyhoeddodd ar led ar ôl cilio am seintwar i Daffne ger Antiochia. ³⁴O ganlyniad, aeth Menelaus yn ddirgel at Andronicus a phwyso arno i roi taw ar Onias. Aeth yntau at Onias yn hyderus y llwyddai trwy dwyll; fe'i cyfarchodd yn gyfeillgar a chynnig iddo ei law dde dan lw, a'i berswadio, er gwaethaf ei amheuon amdano, i ddod allan o'i seintwar. Ac fe'i llofruddiodd yn y fan a'r lle, heb unrhyw barch i ofynion cyfiawnder. ³⁵Bu'r lladd anghyfiawn hwn yn achos braw a dicter, nid yn unig ymhlith yr Iddewon ond hefyd ymhlith llawer o'r cenhedloedd eraill. ³⁶Pan ddychwelodd y brenin o ranbarthau Cilicia, anfonodd Iddewon y ddinas ato ynglŷn â llofruddio disynnwyr Onias, a hynny gyda chefnogaeth y Groegiaid, a oedd hefyd yn ffieiddio'r anfadwaith. ³⁷Trallodwyd Antiochus hyd waelod ei galon, a llanwyd ef â thosturi hyd at ddagrau wrth gofio am gallineb a sobrwydd yr ymadawedig. ³⁸Ar dân gan gynddaredd, fe ddihatrodd Andronicus ar unwaith o'i wisg borffor, a rhwygo'i ddillad oddi amdano. Arweiniodd ef trwy'r ddinas gyfan i'r man lle cyflawnodd ei weithred annuwiol yn erbyn Onias, ac yno fe waredodd y byd o'r llofrudd halogedig. Felly y rhoes yr Arglwydd ei gosb haeddiannol iddo.

Lladd Lysimachus a Gosod Menelaus ar Brawf

39 Yr oedd Lysimachus, â chydsyniad Menelaus, wedi ysbeilio llawer o wrthrychau cysegredig yn y ddinas. Aeth y sôn am hyn ar led, a chasglodd y bobl ynghyd yn erbyn Lysimachus, ond nid cyn i lawer o'r llestri aur gael eu gwasgaru. ⁴⁰Gan fod y torfeydd yn ymgynhyrfu ac yn ymgynddeiriogi, arfogodd Lysimachus agos i dair mil o ddynion, a chychwynnodd gyfres o ymosodiadau gwarthus dan arweiniad rhyw Awranus, dyn yr oedd ei ffolineb lawn cymaint â'i oedran. ⁴¹Pan welodd y bobl ymosodiad Lysimachus, cipiodd rhai ohonynt gerrig, eraill flocynnau pren, ac eraill eto y lludw oedd ar lawr yno, lond eu dwylo, a'u lluchio'n wyllt ar Lysimachus a'i wŷr. ⁴²Felly, gan glwyfo llawer ohonynt, a tharo eraill i lawr, gyrasant bob un ohonynt ar ffo; ac am yr ysbeiliwr ei hun, lladdasant ef gerllaw'r drysorfa. ⁴³A dygwyd achos yn erbyn Menelaus ynglŷn â'r digwyddiadau hyn. ⁴⁴Daeth y brenin i lawr i Tyrus, a phlediwyd yr achos ger ei fron gan y tri dyn a anfonwyd gan y senedd. ⁴⁵Gwyddai Menelaus eisoes na

allai ennill, ac addawodd swm sylweddol o arian i Ptolemeus fab Dorymenes, i'w gael i ennill y brenin i'w ochr ef. ⁴⁶O ganlyniad cymerodd Ptolemeus y brenin o'r neilltu i ryw gyntedd, fel petai am awyr iach, a chafodd ganddo newid ei feddwl. ⁴⁷Cyhoeddodd fod Menelaus, achos yr holl ddrwg, yn ddieuog o'r cyhuddiadau, a dedfrydodd i farwolaeth y cyhuddwyr druain, dynion y buasai hyd yn oed y Scythiaid, o'u clywed, wedi eu rhyddhau'n ddieuog. ⁴⁸Ond gweinyddwyd y gosb anghyfiawn yn ddiymdroi ar ddynion oedd wedi pledio achos y ddinas a'i phobl a'i llestri cysegredig. ⁴⁹Ffieiddiodd y Tyriaid hefyd yr anfadwaith, ac o'r herwydd darparasant yn helaeth ar gyfer eu hangladd. ⁵⁰Ond oherwydd gwanc y rhai oedd mewn grym, parhaodd Menelaus yn ei swydd, ac aeth ei ddrygioni ar gynnydd, nes iddo ddod yn archgynllwyniwr yn erbyn ei gyddinasyddion.

Jason yn Ymosod ar Jerwsalem

5 Tua'r amser hwn paratôdd Antiochus ar gyfer ei ail ymosodiad ar yr Aifft. ²Am yn agos i ddeugain diwrnod fe welwyd gweledigaethau uwchben y ddinas gyfan: marchogion mewn dillad o frodwaith aur yn carlamu trwy'r awyr, catrodau o waywffonwyr arfog, cleddyfau'n cael eu tynnu, ³cwmnïoedd o filwyr meirch yn eu rhengoedd, dwy fyddin yn ymosod a gwrthymosod ar ei gilydd, yn ysgwyd tarianau, yn pentyrru gwaywffyn hir, yn gollwng saethau, a'u haddurniadau aur a'u llurigau gwahanol yn fflachio. ⁴O ganlyniad, yr oedd pawb yn gweddïo am i'r weledigaeth fod yn argoel o rywbeth da. ⁵A phan fu sôn, ar gam, fod Antiochus wedi ymadael â'r uchedd hon, cymerodd Jason dros fil o wŷr ac ymosod yn ddirybudd ar y ddinas; ac o weld yr amddiffynwyr wedi eu cymlid oddi ar y muriau, a'r ddinas o'r diwedd ar gael ei llwyr feddiannu, fe ffodd Menelaus i'r gaer. ⁶Ond dal ymlaen â'i laddfa ddidrugaredd ar ei gyddinasyddion a wnaeth Jason, heb styried nad oes aflwydd tebyg i lwydd dyn ar draul ei bobl ei hun; yn ei olwg ef, buddugoliaeth ar elynion, nid ar ei genedl i hun, yr oedd yn ei dathlu. ⁷Ond nethodd ddod yn ben; a diwedd ei gynnwyn fu gwarth, a ffoi'n alltud unwaith to i dir yr Amoniaid. ⁸Yn wir, ymhen

amser, daeth tro trychinebus ar ei fyd. Wedi ei gyhuddo gan Aretas, unben yr Arabiaid, bu'n ffoi o ddinas i ddinas, yn cael ei erlid gan bawb, yn atgas ganddynt fel gwrthgiliwr oddi wrth y cyfreithiau, ac yn ffiaidd ganddynt fel dienyddiwr ei wlad a'i gyd-ddinasyddion, nes o'r diwedd iddo lanio yn yr Aifft. ⁹Y gŵr oedd wedi gyrru llaweroedd o'u gwlad yn alltudion, yn alltud y darfu amdano yntau yng ngwlad y Lacedaemoniaid; oherwydd yr oedd wedi hwylio yno yn y gobaith y câi loches ganddynt ar gyfrif eu tras gyffredin. ¹⁰Ac yntau wedi lluchio llaweroedd allan i orwedd heb fedd, ni chafodd na galarwr nac angladd o unrhyw fath, na gorweddfan ym meddrod ei gyndadau.

Antiochus yn Ymosod ar Jerwsalem
(1 Mac. 1:20-63)

11 Pan ddaeth y newydd am y digwyddiadau hyn i glust y brenin, tybiodd ef fod Jwdea'n gwrthryfela. Gan hynny, ymadawodd â'i wersyll yn yr Aifft yn gynddeiriog ei lid. ¹²Cymerodd y ddinas trwy rym arfau, gan orchymyn i'w filwyr ladd yn ddiarbed bawb o fewn eu cyrraedd a tharo'n gelain bawb a gisiai ddianc i'w tai. ¹³Fe aed ati i lofruddio'r ifanc a'r hen, difa glaslanciau a gwragedd a phlant, a gwneud lladdfa o enethod dibriod a babanod. ¹⁴Yn ystod y tridiau cyfan collwyd pedwar ugain mil: deugain mil yn y drin, a gwerthwyd i gaethiwed o leiaf gynifer ag a lofruddiwyd. ¹⁵Ond ni fodlonodd y brenin ar hynny. Rhyfygodd fynd i mewn i'r deml sancteiddiaf yn yr holl fyd gyda Menelaus yn ei dywys, dyn oedd wedi troi'n fradwr i'r cyfreithiau ac i'w wlad. ¹⁶Gosododd ei ddwylo halogedig ar y llestri cysegredig, ac â'r dwylo aflan hynny ysgubodd ynghyd y rhoddion a adawyd gan frenhinoedd eraill er cynnydd gogoniant y deml a'i bri. ¹⁷Yn ymchwydd ei hunan-dyb diderfyn, ni ddeallai Antiochus mai pechodau trigolion y ddinas oedd wedi digio'r Arglwydd dros dro, ac mai hyn a barodd iddo anwybyddu'r deml. ¹⁸Onibai am eu hymddygiad tra phechadurus, buasai'r creadur hwn hefyd wedi ei fflangellu ar ei ddyfodiad, a'i gynllun rhyfygus wedi ei ddymchwel, yn union fel y digwyddodd i Heliodorus, y dyn a anfonwyd gan y Brenin Selewcus i wneud arolwg o'r drysorfa. ¹⁹Ond nid dewis y genedl er mwyn y deml a wnaeth yr Arglwydd, ond

yn hytrach y deml er mwyn y genedl.
²⁰Am hynny cafodd y deml ei hun ei rhan
o aflwydd y genedl, ac yn ddiweddarach fe
gyfranogodd o'i llwydd; wedi ei gadael yn
amddifad yn nydd digofaint yr Hollalluog,
fe'i hadferwyd drachefn â phob gogoniant
yn nydd cymod yr Arglwydd mawr.

Ymosodiad Pellach ar Jerwsalem

21 Felly, wedi iddo gymryd deunaw
can talent o'r deml, dychwelodd
Antiochus ar frys i Antiochia, gan
fwriadu yn ymchwydd trahaus ei galon
wneud y tir yn fôr i hwylio arno a'r môr
yn dir i gerdded arno. ²²Gadawodd ar ei ôl
lywodraethwyr i ddrygu'r genedl: Philip
yn Jerwsalem, Phrygiad o ran cenedl, ac
o ran ei gymeriad barbariad gwaeth na'r
un a'i penododd; ²³ac Andronicus yn
Garisim. Heblaw'r ddau hyn gadawodd
Menelaus, y mwyaf haerllug ohonynt
tuag at y dinasyddion. Ac oherwydd ei
agwedd elyniaethus tuag at y dinasydd-
ion Iddewig, ²⁴anfonodd Antiochus
Apolonius, cadfridog y Mysiaid, gyda
byddin o ddwy fil ar hugain, a gorchymyn
iddo ladd pob gŵr oedd yn ei lawn oed, a
gwerthu'r gwragedd a'r bechgyn yn
gaethweision. ²⁵Pan gyrhaeddodd hwn
Jerwsalem cymerodd arno fod yn ddyn
heddychlon. Disgwyliodd tan ddydd
sanctaidd y Saboth. Pan gafodd fod
yr Iddewon yn gorffwys o'u gwaith,
gorchymynnodd i'w filwyr orymdeithio'n
arfog. ²⁶Gwnaeth laddfa o bawb oedd
wedi dod allan i wylio, ac yna rhuthrodd
i mewn i'r ddinas gyda'i filwyr, a gadael
llaweroedd yn gelain ar lawr.

27 Ymgiliodd Jwdas Macabeus gyda
rhyw naw arall i'r anialwch, a byw fel
anifeiliaid gwyllt yn y mynyddoedd gyda'i
ddilynwyr. Ac ar hyd yr amser ym-
gadwent rhag bwyta dim ond llysiau, rhag
ofn halogiad.

Yr Iddewon dan Erledigaeth

6 Ychydig wedi hynny, anfonodd y
brenin henwr o Atheniad i orfodi'r
Iddewon i gefnu ar gyfreithiau eu tadau
ac i beidio â threfnu eu bywyd yn ôl
cyfreithiau Duw; ²yr oedd i halogi'r deml
yn Jerwsalem a'i henwi hi'n deml Zeus o
Olympus, a honno yn Garisim yn deml
Zeus Noddwr Dieithriaid, yn ôl arfer
trigolion y fro. ³Ergyd drom ac an-
nioddefol gan bawb oedd y drwg pellach
hwn. ⁴Oherwydd fe lanwyd y deml ag

anlladrwydd a rhialtwch cenedl-ddynion
yn eu difyrru eu hunain gyda phuteiniaid
ac yn cydorwedd â gwragedd oddi mewn
i'r cylch sanctaidd, ac at hynny'n dwyn
pethau gwaharddedig i mewn iddo.
⁵Pentyrrwyd ar yr allor bethau amhur a
gwaharddedig gan y cyfreithiau. ⁶Ni
chaniateid i neb na chadw'r Saboth
na pharchu'r gwyliau traddodiadol na
chymaint â chyfaddef ei fod yn Iddew.
⁷Pob mis, ar ddydd dathlu geni'r brenin,
yr oeddent dan orfod llym i fynd a bwyta
cig yr aberth, ac ar ŵyl Dionysus fe'u
gorfodid i orymdeithio ag eiddew ar eu
pennau er anrhydedd i Dionysus. ⁸Fe
ddeddfwyd yn y dinasoedd Helenistaidd
cyfagos, ar orchymyn Ptolemeus, fod yr
un drefn i'w gosod ar Iddewon y dinas-
oedd hynny: sef eu bod i fwyta cig yr
aberth, ⁹a bod y rhai a wrthodai newid
i'r ffyrdd Helenistaidd i'w dienyddio. Yr
oedd y trallod a ddaethai ar eu gwarthaf
yn amlwg i bawb. ¹⁰Er enghraifft, dyg-
wyd gerbron llys barn ddwy wraig oedd
wedi enwaedu ar eu plant. Crogwyd eu
babanod wrth eu bronnau a mynd â hwy
yn sioe o amgylch y ddinas, ac yna eu
lluchio i farwolaeth oddi ar y mur. ¹¹Ac yr
oedd eraill wedi ymgynnull yn ddirgel yn
yr ogofau gerllaw i gadw'r seithfed dydd.
Fe'u bradychwyd i Philip, ac fe'u llosg-
wyd yn fyw i gyd gyda'i gilydd am iddynt
wrthod ar egwyddor eu hamddiffyn eu
hunain, o barch tuag at y dydd mwya
cysegredig.

Yr Arglwydd yn Cosbi ac yn Trugarhau

12 Gan hynny, yr wyf yn annog dar
llenwyr y llyfr hwn i beidio â digalonni o
achos y trychinebau, ond i'w cyfrif fe
cosbau a fwriadwyd nid i ddifa'n cened
ond i'w disgyblu; ¹³ac yn wir, arwydd o
garedigrwydd mawr yw'r ffaith nad yw'
annuwiolion yn cael rhwydd hynt an
amser hir, ond bod eu haeddiant yn do
arnynt yn ddi-oed. ¹⁴Oherwydd yn acho
y cenhedloedd eraill y mae'r Arglwyd
yn disgwyl yn amyneddgar nes i'w pech
odau gyrraedd eu penllanw, ac wedyn
mae'n eu cosbi; ond nid felly y barnod
yn ein hachos ni, ¹⁵rhag iddo ddial arno
ar ôl i'n pechodau gyrraedd eu hanterth
¹⁶Gan hynny, nid yw byth yn troi
drugaredd oddi wrthym, ac wrth ddis
yblu ei bobl trwy drallod nid yw'n cefn
arnynt. Ond dylai hyn o eiriau gennyf fo
yn ddigon i'ch atgoffa o hynny; ¹⁷wedi

ychydig grwydro hwn rhaid ailgydio yn yr hanes.

Eleasar yn Marw dros ei Ffydd

18 Yr oedd Eleasar yn un o'r ysgrifen-yddion blaenllaw, yn ddyn oedd eisoes wedi cyrraedd oedran mawr, ac yn hardd iawn o ran pryd a gwedd. A dyma lle'r oedd yn cael ei orfodi i agor ei geg led ei ben ac i fwyta cig moch. ¹⁹Ond dewisach ganddo ef oedd marw'n anrhydeddus na byw'n halogedig, a dechreuodd o'i wir-fodd gerdded tuag at yr ystanc ²⁰gan boeri'r cig allan, fel y dylai pawb wneud sy'n ddigon dewr i ymwrthod â phethau nad yw'n gyfreithlon eu bwyta, pa faint bynnag y mae dyn yn caru byw. ²¹Yr oedd y dynion oedd yn goruchwylio'r pryd anghyfreithlon hwn yn hen gyf-arwydd ag Eleasar, ac am hynny cymer-asant ef o'r neilltu a'i annog i ddarparu a pharatoi ei hun gig y byddai'n rhydd iddo ei fwyta, ac i ffugio ei fod yn bwyta cig yr aberth yn unol â gorchymyn y brenin. ²²Pe gwnâi hynny, byddai'n dianc rhag angau a manteisio ar gymwynas oedd yn ddyladwy i'w hen gyfeillgarwch â hwy. ²³Ond yr oedd ei ddewis ef yn un hardd, yn deilwng o'i oedran, o urddas ei henaint, o'r penwynni a ddaeth iddo o'i lafur nodedig, o'i fuchedd lân er ei febyd, ac yn anad dim o'r gyfraith sanctaidd a sefydlwyd gan Dduw. Yn gyson â hyn atebodd ar ei union, "Anfonwch fi i Drigfan y Meirw. ²⁴Oherwydd nid yw ffugio yn deilwng i rywun o'n hoedran ni. Byddai llawer o'r bobl ifanc yn tybio fod Eleasar, yn ddeg a phedwar ugain oed, wedi troi at ffordd estron o fyw, ²⁵a chaent eu harwain ar gyfeiliorn o'm hachos i, drwy weithred a ffugiwyd gennyf fi i ennill ysbaid byr o fywyd; a'r hyn a gawn i fyddai henaint wedi ei halogi a'i lychwino. ²⁶Oherwydd hyd yn oed os achubaf fi fy hun am y tro rhag dialedd dynion, ni chaf ddianc byth o ddwylo'r Hollalluog, prun ai byw ai marw fyddaf. ²⁷Gan hynny, os ildiaf fy mywyd yn ddewr yn awr, fe'm dangosaf fy hun yn deilwng o'm henaint, ²⁸a byddaf wedi gadael i'r bobl ifanc esiampl anrhydeddus o farwolaeth ewyllysgar ac anrhydeddus dros y cyfreithiau sanctaidd a chysegr-edig." ²⁹Gyda'r geiriau hyn aeth ar ei union tuag at yr ystanc. Yr oedd yr ewyllys da a deimlai ei warcheidwaid uag ato ychydig ynghynt wedi troi'n

ewyllys drwg, am fod y geiriau yr oedd newydd eu llefaru yn wallgofrwydd yn eu golwg hwy. ³⁰A phan oedd ar drengi dan yr ergydion, meddai dan riddfan yn uchel, "Y mae'r Arglwydd yn ei wybod-aeth sanctaidd yn gweld fy mod, er y gallwn ddianc rhag angau, yn dioddef yn fy nghorff boenau creulon y fflangell, ond yn fy enaid yn goddef hynny'n llawen o barchedig ofn tuag ato ef." ³¹A dyna'r modd yr ymadawodd ef â'r fuchedd hon, gan adael yn ei farwolaeth esiampl o anrhydedd a symbyliad i rinwedd, nid yn unig i'r ifainc ond i'r mwyafrif o'i gyd-genedl.

Mam a'i Meibion yn Marw dros eu Ffydd

7 Digwyddodd hyn hefyd: yr oedd saith brawd wedi cael eu cymryd i'r ddalfa gyda'u mam, ac yr oedd y brenin yn ceisio'u gorfodi i fwyta'r cig moch anghyfreithlon trwy eu poenydio â chwipiau a chortynnau. ²A llefarodd un ohonynt ar eu rhan fel hyn: "Pam yr wyt ti am ein holi a chael ateb gennym? Yr ydym yn barod i farw yn hytrach na throseddu yn erbyn cyfreithiau ein tadau." ³Ymgynddeiriogodd y brenin, a gorchmynnodd bocthi pedyll a pheiriau, a gwnaethpwyd hynny'n ddi-oed. ⁴Wedyn gorchmynnodd dorri allan dafod y llef-arydd, a blingo'i ben a thorri i ffwrdd ei draed a'i ddwylo o flaen llygaid y brodyr eraill a'r fam. ⁵A phan oedd yn gwbl ddiymadferth ond yn dal i anadlu, archodd y brenin ei ddwyn at y tân a'i rostio ar y badell. Wrth i'r mwg o'r badell godi ar led, yr oedd y lleill ynghyd â'u mam yn annog ei gilydd i farw'n deilwng o'u tras, gan ddweud, ⁶"Y mae'r Ar-glwydd ein Duw yn gwylio drosom ac yn sicr yn tosturio wrthym, yn union fel y mynegodd Moses i wynebau'r bobl yn y gân sy'n tystio yn eu herbyn: 'A bydd ef yn tosturio wrth ei weision'."

7 Wedi ymadawiad y cyntaf yn y dull hwn, daethpwyd â'r ail ymlaen, a wneud cyff gwawd ohono. Rhwygwyd croen ei ben i ffwrdd gyda'i wallt, a gofynnwyd iddo, "A wnei di fwyta cyn inni fwrw ein llid ar dy gorff, bob un aelod ohono?" ⁸Atebodd ef yn ei famiaith, "Na wnaf." O ganlyniad dioddefodd yntau yn ei dro yr un artaith â'r cyntaf. ⁹Ac â'i anadl olaf meddai, "Yr wyt ti, ein poenydiwr, yn ein rhyddhau o'r bywyd presennol hwn, ond bydd Brenin y cyfanfyd yn ein

hatgyfodi i fywyd newydd tragwyddol am inni farw dros ei gyfreithiau ef." 10 Ar ôl hwn, aethpwyd ati i gam-drin y trydydd.

Ar eu cais estynnodd ei dafod ar unwaith, a dal ei ddwylo o'i flaen yn eofn, ¹¹gan lefaru geiriau teilwng o'i dras: "Gan Dduw'r nef y cefais i'r rhain, ac er mwyn ei gyfreithiau ef yr wyf yn eu dibrisio, a chanddo ef y disgwyliaf eu derbyn yn ôl." ¹²Syfrdanwyd y brenin a'i gymdeithion gan ysbryd y llanc a'i ddifaterwch ynglŷn â'r poenau.

13 Wedi i hwnnw ymadael â'r fuchedd hon, fe boenydiwyd ac arteithiwyd y pedwerydd yn yr un modd. ¹⁴Pan ddaeth yn agos at y diwedd meddai, "Nid oes dim rhagorach nag ymadael â'r fuchedd hon trwy ddwylo dynion, a disgwyl am ein hatgyfodi gan Dduw, gan obeithio yn ei addewidion; ond i ti ni bydd atgyfodiad i fywyd."

15 Yn nesaf daethpwyd â'r pumed ymlaen a'i boenydio. ¹⁶Edrychodd ef ar y brenin ac meddai, "Am fod gennyt awdurdod ymhlith dynion yr wyt yn gwneud fel y mynni, er mai meidrolyn wyt. Ond paid â meddwl fod Duw wedi gadael ein cenedl yn amddifad. ¹⁷Dal di ati, a chei weld mawredd ei rym yn yr arteithiau a ddaw arnat ti ac ar dy ddisgynyddion."

18 Ar ôl hwn daethpwyd â'r chweched ymlaen, a phan oedd ar farw meddai, "Paid â gwneud camsyniad ofer: nyni ein hunain, a'n pechodau yn erbyn ein Duw, yw achos y dioddef hwn a ddaeth arnom yn ei holl arswyd; ¹⁹a phaid â meddwl y cei di fynd heb dy gosbi am dy gais i ymladd yn erbyn Duw."

20 Ond tra rhyfeddol a theilwng o goffadwriaeth fendigedig oedd y fam. Er iddi weld colli ei saith mab yn ystod un diwrnod, fe ddaliodd y cwbl ag ysbryd dewr am fod ei gobaith yn yr Arglwydd. ²¹Bu wrthi'n calonogi pob un ohonynt yn eu mamiaith, ac â phenderfyniad diysgog cwbl deilwng o'i thras, ac â'i meddwl benyw wedi ei gyffroi gan wrhydri tanbaid, dywedai wrthynt, ²²"Ni wn i sut y daethoch i'm croth; nid myfi a roes anadl ac einioes i chwi, ac nid myfi a osododd yn eu trefn elfennau corff neb ohonoch. ²³Er hynny, Creawdwr y byd, Lluniwr genedigaeth dynion a Dyfeisiwr dechrau pob peth, a rydd yn ôl i chwi yn ei drugaredd eich anadl a'ch einioes, am eich bod yn awr yn eich dibrisio'ch

hunain er mwyn ei gyfreithiau ef." 24 Yr oedd Antiochus yn tybio ei fod yn cael ei fychanu, ac yn amau cerydd yn ei llais. Gan fod y mab ieuengaf yn dal yn fyw, ceisiodd nid yn unig gael perswâd arno â geiriau, ond ymrwymodd â llw y gwnâi ef yn gyfoethog ac yn dda ei fyd unwaith y cefnai ar ffyrdd ei dadau; fe'i gwnâi'n Gyfaill i'r brenin, ac ymddiried swyddi pwysig iddo. ²⁵Ond gan na chymerai'r dyn ifanc ddim sylw o gwbl ohono, galwodd y brenin y fam ato a'i chymell i gynghori'r llanc i achub ei fywyd. ²⁶Wedi hir gymell ganddo, cydsyniodd hi i berswadio'i mab; ²⁷pwysodd tuag ato, ac mewn dirmyg llwyr o'r teyrn creulon fe ddywedodd yn eu mamiaith, "Fy mab, tosturia wrthyf fi dy fam, a'th gariodd yn y groth am naw mis, a rhoi'r fron iti am dair blynedd, a'th fagu a'th ddwyn i'th oedran presennol, a'th gynnal. ²⁸Yr wyf yn deisyf arnat, fy mhlentyn, edrych ar y nef a'r ddaear a gwêl bopeth sydd ynddynt, ac ystyria mai o ddim y gwnaeth Duw hwy, a bod yr hil ddynol yn dod i fodolaeth yn yr un modd. ²⁹Paid ag ofni'r dienyddiwr hwn, ond bydd deilwng o'th frodyr. Derbyn dy farwolaeth, er mwyn i mi dy gael yn ôl gyda'th frodyr yn nydd trugaredd."

30 Ond cyn iddi orffen siarad, meddai'r dyn ifanc, "Am beth yr ydych yn aros? Nid wyf yn ymddarostwng i orchymyn y brenin; yr wyf yn ymostwng yn hytrach i orchymyn y gyfraith a roddwyd i'n tadau trwy Moses. ³¹Ond tydi, sydd wedi dyfeisio pob math o ddrygioni yn erbyn yr Iddewon, nid oes dianc i ti o ddwylo Duw. ³²Oherwydd o achos ein pechodau ein hunain yr ydym ni'n dioddef. ³³Ac os yw ein Harglwydd, y Duw byw, wedi digio am ysbaid er mwyn ein ceryddu a'n disgyblu, fe fydd yn ymgymodi eto â'i weision ei hun. ³⁴Ond tydi, y creadur aflan a'r ffieiddiaf o ddynion, paid â'th ddyrchafu dy hun yn ofer â'th obeithion ansylweddol rhyfygus, na chodi dy law yn erbyn gweision nef. ³⁵Nid wyt eto wedi dianc o gyrraedd barnedigaeth yr Hollalluog, Gwyliedydd pob peth. ³⁶Y mae ein brodyr yn awr, ar ôl dioddef ysbaid o boen er mwyn tragwyddoldeb o fywyd, wedi cwympo, yn ufudd i gyfamod Duw; ond tydi, trwy farn Duw fe gei'r gosb yr wyt yn ei haeddu am dy draha. ³⁷Amdanaf fy hun fel fy mrodyr yr wyf yn ildio fy nghorff

a'm bywyd er mwyn cyfreithiau'n tadau, ac yn galw ar Dduw am iddo dosturio'n fuan wrth ei genedl, ac am i ti gyfaddef dan artaith fflangellau mai ef yn unig sydd Dduw; [38] a bydded i lid yr Hollalluog, a ddaeth ar ein holl genedl yn unol â'i haeddiant, ddod i ben gyda mi a'm brodyr."

39 Ymgynddeiriogodd y brenin, wedi ei glwyfo i'r byw gan y sen, a gwnaeth greulonach bethau iddo ef nag i'r lleill. [40] Ac yn ddihalog yr ymadawodd y brawd hwn hefyd â'r fuchedd hon, â'i hyder yn llwyr yn yr Arglwydd.

41 Yn olaf, gan ddilyn ei meibion, bu farw'r fam.

42 Boed hyn yn ddisgrifiad digonol o'r hyn a ddigwyddodd ynghylch bwyta'r cig aberthol, ac o enbydrwydd y trais.

Gwrthryfel Jwdas Macabeus
(1 Mac. 3:1-26)

8 Dechreuodd Jwdas, a elwid hefyd Macabeus, a'i ddilynwyr lithro'n ddirgel i mewn i'r pentrefi a galw ar eu perthnasau i ymuno â hwy; a thrwy listio'r rheini oedd wedi parhau'n ffyddlon i Iddewiaeth, casglasant ynghyd tua chwe mil o wŷr. [2] Galwasant ar yr Arglwydd ar iddo edrych ar ei bobl yn eu gorthrwm dan draed pawb, a thosturio wrth y deml yn ei halogiad gan ddynion annuwiol; [3] ar iddo drugarhau wrth y ddinas yr oedd ei dinistr ar fedr ei lefelu i'r llawr, a gwrando ar y gwaed oedd yn galw arno'n daer; [4] ac ar iddo hefyd gofio'r modd y lladdwyd y plant diniwed yn groes i'r gyfraith, a'r cablu a fu ar ei enw ef ei hun, a dangos ei atgasedd o'r fath ddrygioni. [5] Unwaith y cafodd Macabeus fyddin o'i amgylch, ni allai'r Cenhedloedd ei wrthsefyll mwyach, am fod digofaint yr Arglwydd wedi troi'n drugaredd. [6] Ymosodai'n ddirybudd ar drefi a phentrefi a'u rhoi ar dân, a thrwy gymryd meddiant o'r safleoedd gorau gyrrodd laweroedd o'i elynion ar ffo. [7] Manteisiai'n arbennig ar gymorth oriau'r nos ar gyfer cyrchoedd o'r fath. Ac yr oedd sôn am ei wrhydri ym mhobman.

Ptolemeus yn Anfon Nicanor a Jwdas yn ei Orchfygu.
(1 Mac. 3:38—4:27)

8 Pan sylweddolodd Philip fod y gwron yn cyrraedd ei nod fesul tipyn,

a bod ei achos yn ffynnu fwyfwy oherwydd ei lwyddiannau, ysgrifennodd at Ptolemeus, llywodraethwr Celo-Syria a Phenice, gan ofyn iddo ddod i gynorthwyo achos y brenin. [9] Heb oedi dim dewisodd yntau Nicanor fab Patroclus, un o brif Gyfeillion y brenin, a'i anfon allan, yn ben ar fyddin o ugain mil o leiaf o ddynion o bob hil, i ddifa holl genedl yr Iddewon; a chydag ef fe benododd Gorgias, cadfridog a chanddo brofiad helaeth ar faes y gad. [10] A phenderfynodd Nicanor godi'r cyfan o dreth y brenin i'r Rhufeiniaid, swm o ddwy fil o dalentau, trwy werthu carcharorion Iddewig. [11] Anfonodd air ar ei union i drefi'r arffordir i'w gwahodd i werthiant o gaethweision Iddewig, gan addo'u trosglwyddo fesul naw deg y dalent. Ni ddisgwyliai'r gosb yr oedd yr Hollalluog am ei hanfon ar ei warthaf. [12] Daeth y newydd at Jwdas fod Nicanor yn dynesu, a rhoes yntau wybod i'w ddilynwyr fod byddin y gelyn gerllaw. [13] O ganlyniad ymwasgarodd y llyfrgwn a'r rhai heb ffydd yng nghyfiawnder Duw, a ffoi o'r fan. [14] Ond gwerthodd y lleill bopeth oedd ganddynt yn weddill, gan weddïo ag un llais ar yr Arglwydd ar iddo'u hachub rhag y Nicanor annuwiol hwn, a oedd wedi eu gwerthu cyn y frwydr; [15] ac ar iddo wneud hynny, os nad er eu mwyn hwy eu hunain, yna er mwyn y cyfamodau a wnaethai â'u tadau, ac er mwyn ei enw sanctaidd a mawreddog, yr enw a roesai arnynt. [16] Casglodd Macabeus ei wŷr ynghyd, chwe mil ohonynt, a'u hannog i beidio â chymryd eu hysigo gan arswyd o'r gelyn, nac ofni'r llu mawr o genedl-ddynion oedd yn ymosod arnynt yn anghyfiawn, ond i ymladd yn deilwng o'u tras, [17] gan gadw o flaen eu llygaid y sarhad anghyfreithlon a ddygwyd gan y gelyn ar y deml sanctaidd, y trais gwatwarus a fu ar y ddinas, ac ar ben hynny yr ymdrechion i ddileu eu harferion traddodiadol. [18] "Y maent hwy," meddai, "yn ymddiried mewn grym arfau ynghyd â gweithredoedd trahaus, a ninnau yn y Duw Hollalluog, a all fwrw i lawr ag un amnaid y rhai sy'n ymosod arnom, ac yn wir yr holl fyd." [19] Aeth yn ei flaen i sôn wrthynt am y cymorth a gawsent yn amser eu cyndadau: am hwnnw yn amser Senacherib, pan laddwyd cant a phedwar ugain a phump o filoedd; [20] ac am y frwydr a fu ym Mabilonia yn erbyn y Galatiaid, pryd y daeth cyfanswm o wyth mil i'r gad ynghyd â phedair mil o Facedoniaid. Cafodd y Macedoniaid eu hunain mewn anawsterau, ond fe laddodd yr wyth mil, trwy'r help a ddaeth iddynt o'r nef, gant ac ugain o filoedd, ac ennill ysbail sylweddol. ²¹Wedi iddo'u calonogi â'r geiriau hyn a'u gwneud yn barod i farw dros eu cyfreithiau a'u gwlad, rhannodd ei fyddin yn bedair adran. ²²Hefyd penododd ei frodyr, Simon, Joseff a Jonathan, i arwain adrannau, gyda mil a hanner o wŷr dan orchymyn pob un, ²³ac Eleasar hefyd. Wedi darllen y llyfr sanctaidd aᶜʰ rhoi'r arwyddair "Duw yw'n cymorth", fe'i gosododd ei hun ar flaen y gatrawd gyntaf ac ymosod ar Nicanor. ²⁴A'r Hollalluog yn ymladd o'u plaid, lladdasant dros naw mil o'r gelyn a chlwyfo ac anafu'r rhan fwyaf o fyddin Nicanor, a'u gorfodi oll i ffoi. ²⁵Cymerasant arian y bobl oedd wedi dod i'w prynu'n gaethweision; ac wedi eu hymlid gryn bellter rhoesant y gorau iddi am ei bod yn gyfyng arnynt o ran amser; ²⁶oherwydd y dydd cyn y Saboth oedd hi, ac felly ni allent barhau i'w herlid. ²⁷Wedi casglu arfau'r gelyn ynghyd ac ysbeilio'u meirw, aethant ati i ddathlu'r Saboth gan fendithio'r Arglwydd yn helaeth a diolch iddo am eu cadw hyd at y dydd hwnnw, a bennwyd ganddo yn ddechreuad ei dosturi tuag atynt.ᵈ ²⁸Wedi'r Saboth, rhanasant beth o'r ysbail i'r rheini oedd wedi cael eu camdrin, ac i'r gweddwon a'r plant amddifad, a'r gweddill iddynt hwy eu hunain a'u plant. ²⁹Ar ôl gwneud hynny, ymunodd pawb i ymbil ar yr Arglwydd trugarog, gan ofyn iddo ymgymodi'n llwyr â'i weision.

Jwdas yn Gorchfygu Timotheus a Bacchides

30 Yna aethant i'r afael â byddinoedd Timotheus a Bacchides. Lladdasant fwy nag ugain mil ohonynt ac ennill meddiant llwyr ar rai caerau uchel. Yr oedd yr anrhaith yn helaeth, a rhanasant ef yn gyfartal rhyngddynt hwy eu hunain, y rheini oedd wedi cael eu cam-drin, y plant amddifad a'r gweddwon, a'r hynaf-gwyr hefyd. ³¹Casglasant ynghyd yn

ofalus arfau'r gelyn, a'u storio oll mewn mannau cyfleus; cludasant weddill yr ysbail i Jerwsalem. ³²Lladdasant brif swyddog byddin Timotheus, dyn an-nuwiol iawn a oedd wedi peri llawer o drallod i'r Iddewon. ³³Wrth ddathlu'r fuddugoliaeth yn ninas eu tadau llosg-asant yn fyw y dynion oedd wedi rhoi'r pyrth sanctaidd ar dân, ac yn eu plith Calisthenes, a oedd wedi ffoi am loches i ryw dŷ bychan; cafodd hwnnw'r tâl a haeddai ei annuwioldeb.ᵈᵈ ³⁴A chafodd Nicanor, a drwythwyd mewn pechod ac a ddaeth â'r mil o fasnachwyr i brynu'r Iddewon yn gaethweision, ³⁵ei ddar-ostwng trwy gymorth yr Arglwydd gan y rhai oedd yn llai na neb yn ei olwg ef. Wedi tynnu ei wisg swyddogol oddi am-dano fe ymlwybrodd trwy'r canolbarth allan o olwg pawb, fel caethwas ar ffo, nes cyrraedd Antiochia; ac yn hynny bu'n eithriadol o ffodus, o gofio i'w fyddin gael ei dinistrio. ³⁶Yr oedd wedi addo talu'r dreth ddyledus i'r Rhufein-iaid trwy wneud trigolion Jerwsalem yn garcharorion rhyfel, ond cyhoeddi i'r byd a wnaeth fod gan yr Iddewon nodd-wr i ymladd o'u plaid, a'u bod am y rheswm hwn yn anorchfygol, am eu bod yn dilyn y cyfreithiau a osododd ef arnynt.

Yr Arglwydd yn Cosbi Antiochus
(1 Mac. 6:1-17; 2 Mac. 1:11-17)

9 Tua'r amser hwnnw digwyddai fod Antiochus wedi dychwelyd mewn anhrefn o barthau gwlad Persia. ²Yr oedd wedi mynd i mewn i'r ddinas a elwir Persepolis a cheisio ysbeilio'i themlau a'i chymryd hi i'w feddiant. Parodd hyn i'r bobl ruthro i gymryd arfau i'w ham-ddiffyn, a'r canlyniad fu i Antiochus gael ei yrru ar ffo gan y trigolion a gorfod codi ei wersyll i gilio mewn gwarth. ³Pan oedd yn ardal Ecbatana daeth y newydd ato am helynt Nicanor ac am Timotheus a'i fyddin. ⁴Yng nghynnwrf ei ddicter daeth i'w feddwl wneud i'r Iddewon dalu am y niwed a gafodd gan y rhai oedd wedi ei yrru ar ffo, a gorchmynnodd i yrrwr ei gerbyd fwrw ymlaen heb aros yn unman nes cyrraedd pen y daith. Ond yr oedd barnedigaeth y nef yn cyd-deithio ag ef

---

ᶜʰYn ôl darlleniad arall, _ac Eleasar i ddarllen y llyfr sanctaidd. Wedi._
ᵈYn ôl darlleniad arall, _am gadw hyd at y dydd hwnnw y drugaredd a ddechreuodd wlitho arnynt._
ᵈᵈYn ôl darlleniad arall, _ar dân, sef Calisthenes a rhai eraill, a oedd wedi ffoi i mewn i un tŷ bychan; cawsant y tâl a haeddai eu hannuwioldeb._

oherwydd iddo ddweud yn ei draha, "Pan gyrhaeddaf yno, fe drof Jerwsalem yn gladdfa gyffredin i'r Iddewon." ⁵A dyma'r Arglwydd sy'n gweld popeth, Duw Israel, yn ei daro â chlefyd na ellid na'i wella na'i weld.

Nid cynt y llefarodd y gair nag y cydiodd poen marwol yn ei goluddion, a chnofeydd mewnol dirdynnol, ⁶fel y gweddai'n iawn i un oedd wedi dirdynnu coluddion pobl eraill ag arteithiau aml a dieithr. ⁷Ond nid oedd dim pall ar ei haerllugrwydd; yn llawn traha, ac â'i ddicter yn erbyn yr Iddewon yn wenfflam, daliai ati i orchymyn brys. Ond wrth i'w gerbyd ruthro yn ei flaen, syrthiodd allan ohono. Yr oedd ei godwm mor drwm nes rhwygo'n dost bob aelod o'i gorff. ⁸Ac felly, hwnnw a fu gynnau'n ei gyfrif ei hun gymaint yn uwch na dyn ag i fedru rhoi gorchmynion i donnau'r môr, ac yn tybio y gallai bwyso uchelderau'r mynyddoedd mewn clorian, dyma ef yn awr, wedi cael ei fwrw i lawr, yn cael ei gludo ar elor, yn amlygiad clir i bawb o allu Duw. ⁹Yn wir, heidiodd pryfed allan o gorff y dyn annuwiol hwn, a dechreuodd ei gnawd ddadfeilio ac yntau'n dal yn fyw, gan beri poenau ingol. Llethwyd y fyddin gyfan gan ddrewdod ei gorff pydredig. ¹⁰Ie, y dyn a oedd ychydig ynghynt yn tybio y gallai gyffwrdd â sêr y nefoedd, yn awr ni allai neb ei gludo o achos bwrn annioddefol y drewdod. ¹¹Y pryd hwnnw, felly, dechreuodd y brenin drylliedig roi'r gorau i'w holl draha, a dod i wir ddealltwriaeth wrth i frathiadau fflangell Duw ddwysáu o funud i funud. ¹²Gan fethu goddef ei ddrewdod ei hun meddai, "Gweddus yw ymostwng i Dduw, a gweddus i fod meidrol yw peidio â'i gyfrif ei hun yn gydradd â Duw." ¹³Yna gweddïodd y dyn halogedig hwn ar yr Arglwydd, yr hwn na fyddai'n trugarhau wrtho mwyach, gan addo fel hyn: ¹⁴byddai'n cyhoeddi rhyddid i'r ddinas sanctaidd, y bu'n brysio iddi i'w lefelu i'r llawr a'i throi'n gladdfa gyffredin; ¹⁵byddai'n gwneud yr Iddewon yn gydradd bob un ohonynt â'r Atheniaid, er iddo benderfynu ynghynt nad oeddent yn deilwng o'u claddu, ond eu bod i'w lluchio allan, hwy a'u plant, yn fwyd i'r adar a'r bwystfilod; ¹⁶byddai'n addurno â rhoddion gwych iawn y deml sanctaidd a ysbeiliwyd ganddo gynt, ac yn dychwelyd y llestri cysegredig bob un ar raddfa lawer

helaethach; a byddai'n talu o'i gyllid personol y costau a gyfrifid i'r aberthau. ¹⁷Ar ben hynny fe ddôi yntau'n Iddew, ac ymweld â phob rhan o'r byd cyfannedd i gyhoeddi gallu Duw.

Llythyr Antiochus at yr Iddewon

18 Ond ni bu dim pall ar ei boenau, oherwydd yr oedd barnedigaeth gyfiawn Duw wedi dod arno. Felly, mewn anobaith am ei gyflwr, ysgrifennodd at yr Iddewon y llythyr a welir isod. Natur ymbil sydd iddo, a dyma'i gynnwys:

19 "At yr Iddewon, fy ninasyddion teilwng, cyfarchion lawer ac iechyd a llwyddiant oddi wrth y brenin a'r cadfridog Antiochus. ²⁰Bydded i chwi a'ch plant ffynnu ac i'ch amgylchiadau fod wrth eich bodd. ²¹Â'm gobaith yn y nef, yr wyf yn galw i gof yn serchog eich parch a'ch ewyllys da. Pan oeddwn yn dychwelyd o barthau Persia, daeth gwaeledd beichus arnaf, a bernais mai rhaid oedd ystyried diogelwch cyffredinol pawb. ²²Nid wyf yn digalonni am fy nghyflwr; i'r gwrthwyneb, yr wyf yn llawn gobaith a chaf ryddhad o'm gwaeledd. ²³Eto, yr wyf wedi ystyried y byddai fy nhad yntau, bob tro y byddai'n mynd â'i fyddin i'r taleithiau dwyreiniol, yn pennu ei olynydd, ²⁴er mwyn i drigolion y wlad, pe digwyddai rhywbeth annisgwyl neu pe cyrhaeddai rhyw adroddiad am ryw drafferth, beidio â chynhyrfu gan y byddent yn gwybod i bwy y byddai'r deyrnas wedi ei gadael. ²⁵Yr wyf hefyd wedi canfod bod rheolwyr y gwledydd cyfagos ar ffiniau fy nheyrnas yn disgwyl eu cyfle ac yn aros i weld beth a ddaw. Gan hynny, yr wyf wedi pennu fy mab Antiochus yn frenin. Yr wyf wedi ei ymddiried a'i gyflwyno fwy nag unwaith i'r rhan fwyaf ohonoch pan fyddwn yn ymweld â'r taleithiau dwyreiniol. Yr wyf yn anfon ato y llythyr a welir isod. ²⁶Gan hynny, yr wyf yn eich annog ac yn hawlio gennych ddwyn ar gof y cymwynasau a wneuthum â chwi yn y cyffredinol ac yn unigol, a chadw, bob un ohonoch, yr ewyllys da sydd gennych tuag ataf fi ac at fy mab. ²⁷Oherwydd yr wyf yn argyhoeddedig y bydd ef yn dangos pob ystyriaeth i chwi, gan ddilyn fy mwriadau yn deg ac yn garedig."

28 Felly y dioddefodd y llofrudd a'r cablwr hwn erchyllterau cynddrwg â'r rhai yr oedd ef wedi eu bwrw ar eraill; a

daeth ei yrfa i'w therfyn mewn tranc truenus ar fynydd-dir gwlad estron. [29]Cludwyd ei gorff yn ôl gan Philip, ei gyfaill mynwesol; ond oherwydd fod arno ofn mab Antiochus, ciliodd hwn draw at Ptolemeus Philometor yn yr Aifft.

Puro'r Cysegr
(1 Mac. 4:36-61)

10 Dan arweiniad yr Arglwydd adenillodd Macabeus a'i ddilynwyr y deml a'r ddinas, [2]a chwalasant yr allorau a godwyd ar y sgwâr gan yr estroniaid, ynghyd â'u llannau cysegredig. [3]Wedi puro'r cysegr codasant allor newydd, ac wedi taro gwreichion o gerrig a chymryd tân oddi wrthynt, offrymasant aberthau ar ôl bwlch o ddwy flynedd; llosgasant arogldarth, a chynnau'r lampau, a gosod allan y bara cysegredig. [4]Wedi gwneud hynny, aethant ar eu hyd ar lawr a gofyn gan yr Arglwydd am i'r fath ddrygau beidio â disgyn arnynt byth eto; ond am iddynt, petaent byth yn pechu, gael eu disgyblu'n gymesur ganddo ef yn hytrach na'u traddodi i ddwylo cenhedloedd cableddus ac anwar. [5]Purwyd y cysegr ar yr un dyddiad ag yr halogwyd ef gynt gan yr estroniaid, sef y pumed dydd ar hugain o'r un mis, mis Cislef. [6]Ac mewn gorfoledd buont yn dathlu am wyth diwrnod yn null Gŵyl y Pebyll, gan gofio sut y buont ychydig ynghynt yn treulio cyfnod yr ŵyl honno, yn byw yn y mynyddoedd mewn ogofau fel bwystfilod. [7]Felly, â gwiail wedi eu hamdorchi ag eiddew yn eu dwylo, a changhennau deiliog, ynghyd â brigau palmwydd, canent emynau i'r Un oedd wedi agor y ffordd iddynt buro'i deml ef ei hun. [8]Trwy ordinhad a phleidlais gyhoeddus deddfwyd bod holl genedl yr Iddewon i ddathlu'r dyddiau hyn yn flynyddol. [9]Ac felly y bu ar ddiwedd gyrfa Antiochus, a elwid hefyd Epiffanes.

Hunanladdiad Ptolemeus Macron

10 Ac yn awr, trown at hanes Antiochus Ewpator, mab y dyn annuwiol hwnnw. Traethaf ef ar lun crynodeb o brif drychinebau'r rhyfeloedd. [11]Pan etifeddodd hwn y frenhiniaeth, fe benododd yn bennaeth ei lywodraeth ryw Lysias, llywodraethwr a phrif ynad Celo-Syria a Phenice. [12]Yr oedd Ptolemeus Macron, fel y gelwid ef, wedi cychwyn polisi o ddelio'n gyfiawn â'r Iddewon, ac wedi ceisio gweithredu'n heddychlon tuag atynt, o achos yr anghyfiawnder a wnaethpwyd â hwy. [13]Ond o ganlyniad dygwyd cyhuddiadau yn ei erbyn at Ewpator gan Gyfeillion y Brenin, a chlywodd ei alw'n fradwr ar bob llaw am iddo gefnu ar Cyprus a chilio at Antiochus Epiffanes, er bod Philometor wedi ymddiried yr ynys i'w ofal. Am na lwyddodd i ennill y parch a berthynai i'w swydd, cymerodd wenwyn a diweddu ei fywyd.

Jwdas Macabeus yn Gorchfygu'r Idwmeaid
(1 Mac. 5:1-8)

14 Pan ddaeth Gorgias yn llywodraethwr y rhanbarthau hynny, dechreuodd gyflogi milwyr tâl ac ymosod ar yr Iddewon bob cyfle a gâi. [15]Ar yr un pryd yr oedd yr Idwmeaid hefyd, o'r caerau cyfleus a oedd yn eu meddiant, yn plagio'r Iddewon; yr oeddent wedi derbyn atynt yr alltudion o Jerwsalem, a gwnaent eu gorau i barhau'r rhyfel. [16]Cynhaliodd Macabeus a'i wŷr wasanaeth ymbil, gan ofyn i Dduw ymladd o'u plaid; ac yna rhuthrasant ar gaerau'r Idwmeaid, [17]a thrwy ymosodiadau grymus eu meddiannu. Gyrasant ymaith holl amddiffynwyr eu muriau, a lladd y rheini a gawsant ar eu ffordd, hyd at o leiaf ugain mil. [18]Dihangodd naw mil neu fwy i ddwy amddiffynfa gref iawn ag ynddynt bopeth ar gyfer gwrthsefyll gwarchae. [19]Aeth Macabeus ymaith i fannau lle'r oedd ei angen fwyaf, gan adael ar ei ôl Simon a Joseff, ynghyd â Sacheus a'i wŷr, a oedd yn ddigon niferus i warchae ar yr amddiffynfeydd. [20]Ond aeth gwŷr Simon yn ariangar, ac ildio i berswâd arian rhai o'r bobl yn yr amddiffynfeydd; am saith deng mil o drachmâu fe adawsant i rai ddianc. [21]Pan ddaeth adroddiad am y digwyddiad at Macabeus, fe gasglodd swyddogion y fyddin ynghyd, a chyhuddo'r dynion hyn o werthu eu brodyr am arian trwy ollwng eu gelynion yn rhydd i ymladd yn eu herbyn. [22]Ac felly dienyddiodd hwy am eu brad, ac yna goresgyn ar ei union y ddwy amddiffynfa. [23]Yn y frwydr bu llwyddiant ar bopeth oedd dan ei reolaeth, ac fe laddodd yn y ddwy amddiffynfa dros ugain mil o ddynion.

Jwdas yn Gorchfygu Timotheus

24 Er i Timotheus gael ei drechu o'r

blaen gan yr Iddewon, fe gasglodd ynghyd lu enfawr o filwyr o wledydd estron, a nifer mawr o feirch o Asia. Ymosododd gyda'r bwriad o feddiannu Jwdea trwy rym arfau. ²⁵Wrth iddo nesáu, taenellodd Macabeus a'i wŷr bridd ar eu pennau a chlymu sachlieiniau am eu llwynau i ymbil ar Dduw. ²⁶Taflasant eu hunain ar eu hyd ar y llwyfan gerbron yr allor, a gofyn i Dduw o'i drugaredd tuag atynt "fod yn elyn i'w gelynion ac yn wrthwynebwr i'w gwrthwynebwyr", fel y traethir yn y gyfraith. ²⁷Wedi gorffen eu gweddi, codasant eu harfau a mynd gryn bellter allan o'r ddinas nes dod gyferbyn â'r gelyn, ac ymsefydlu yno. ²⁸Cyn gynted ag y lledodd haul y bore ei oleuni, aeth y ddwy fyddin i'r afael â'i gilydd. Yr oedd gan yr Iddewon nid yn unig eu dewrder ond nodded yr Arglwydd yn warant o'u llwyddiant a'u buddugoliaeth; ond am y lleill, eu cynddaredd oedd ganddynt hwy i'w harwain yn y drin. ²⁹Yn anterth y frwydr ymddangosodd i'r gelyn bum dyn ysblennydd yn disgyn o'r nef ar gefn meirch a chanddynt ffrwynau aur. Fe'u gosodasant eu hunain ar flaen yr Iddewon, ³⁰gan amgylchynu Macabeus a'i gadw'n ddianaf dan gysgod eu harfwisgoedd. Aethant ati i anelu saethau a mellt at y gelyn nes iddynt, o'u drysu a'u dallu, dorri eu rhengoedd mewn anhrefn llwyr. ³¹Lladdwyd ugain mil a phum cant, a chwe chant o wŷr meirch. ³²Ffodd Timotheus ei hun i gaer a elwid Gasara, amddiffynfa gref iawn lle'r oedd Chaireas yn ben. ³³Yn llawen am hyn, gwarchaeodd Macabeus a'i wŷr ar yr amddiffynfa am bedwar diwrnod. ³⁴Yn eu hyder yng nghadernid eu safle, dechreuodd y garsiwn gablu'n eithafol a gweiddi ymadroddion ffiaidd. ³⁵Ar doriad gwawr y pumed dydd, a'u dicter yn wenfflam o achos y cablu, ymosododd ugain dyn ifanc o fyddin Macabeus yn wrol ar y mur; mewn dicter cynddeiriog torasant i lawr bwy bynnag a gawsant ar eu ffordd. ³⁶Yn yr un modd dringodd eraill i fyny ac ymosod ar y garsiwn tra oedd sylw'r rheini ar y lleill. Rhoesant y tyrau ar dân a chynnau coelcerthi i losgi'r cablwyr yn fyw. Torrodd eraill y pyrth i lawr, a gollwng gweddill y fyddin i mewn; ac felly fe feddiannwyd y dref. ³⁷Yr oedd Tim-

otheus wedi ymguddio mewn cronfa ddŵr danddaearol, ac fe'i lladdwyd ef ynghyd â'i frawd Chaireas ac Apoloffanes. ³⁸Wedi'r gorchestion hyn, bendithiasant ag emynau a gweddïau o ddiolchgarwch yr Arglwydd sy'n gwneud cymwynasau mor fawr ag Israel ac yn rhoi'r fuddugoliaeth iddynt.

Jwdas Macabeus yn Gorchfygu Lysias
(1 Mac. 4:26-35)

11 Yr oedd Lysias, dirprwy a châr y brenin a phrif weinidog y llywodraeth, yn ddig iawn o achos y digwyddiadau hyn, ac yn fuan iawn wedyn ²fe gasglodd ynghyd tua phedwar ugain mil o wŷr, a'r holl wŷr meirch, a chychwyn yn erbyn yr Iddewon. Ei fwriad oedd troi'r ddinas yn drigfan i Roegiaid, ³trethu'r deml yn yr un modd â holl gysegrleoedd eraill y Cenhedloedd, a gwneud yr archoffeiriadaeth yn swydd i'w gwerthu'n flynyddol. ⁴Ni wnaeth unrhyw gyfrif o nerth Duw, gan gymaint ei falchder yn ei ddegau o filoedd o wŷr traed, ei filoedd o wŷr meirch, a'i bedwar ugain eliffant. ⁵Daeth i mewn i Jwdea ac i gyffiniau Bethswra, lle caerog tuag ugain milltirᵉ o Jerwsalem, a'i osod dan warchae cyfyng. ⁶Pan glywodd Macabeus a'i wŷr fod Lysias yn gwarchae ar y caerau, dechreusant hwy a'r holl bobl alarnadu ac wylofain ac ymbil ar yr Arglwydd daionus iddo anfon angel i achub Israel. ⁷Ond Macabeus ei hun a gododd ei arfau gyntaf, a chymell y lleill i fynd gydag ef i gynorthwyo'u brodyr, er gwaethaf y peryglon ofnadwy; ac fel un dyn rhuthrasant allan yn frwd. ⁸A hwythau'n dal yno, yng nghyffiniau Jerwsalem, fe welwyd marchog mewn gwisg wen yn eu harwain ac yn chwifio arfau aur. ⁹Ag un llais bendithiodd pawb y Duw trugarog, ac ymwroli nes eu bod yn barod i ymosod, nid ar ddynion yn unig ond ar y bwystfilod ffyrnicaf ac ar furiau haearn. ¹⁰Aethant yn eu blaenau yn arfog, gyda'r marchog nefol yr oedd yr Arglwydd o'i drugaredd wedi ei anfon i ymladd â'u plaid. ¹¹Fel llewod, llamasant ar y gelyn a gadael un fil ar ddeg ohonynt yn gelain, ynghyd â mil a chwe chant o'r gwŷr meirch. Gyrasant y lleill i gyd ar ffo, ¹²y mwyafrif ohonynt wedi eu clwyfo ac yn dianc am eu bywydau heb eu

---

ᵉ Yn ôl darlleniad arall, *tua thri chwarter milltir*.

harfau; a thrwy ffoi fel llwfrgi yr achubodd Lysias yntau ei groen.

Lysias yn Gwneud Cytundeb â'r Iddewon (1 Mac. 6:56-61)

13 Ond nid oedd yn ddyn ynfyd. Wedi pwyso a mesur wrtho'i hun y darostyngiad a gawsai, a dod i'r casgliad fod yr Hebreaid yn anorchfygol am fod y Duw nerthol yn ymladd o'u plaid, ¹⁴anfonodd atynt a'u perswadio i wneud cytundeb ar delerau hollol gyfiawn; a dywedodd y byddai trwy ei berswâd yn gorfodi'r brenin i fod yn gyfaill iddynt. ¹⁵Yn ei ofal am les y bobl, derbyniodd Macabeus bob un o argymhellion Lysias; oherwydd yr oedd y brenin wedi cydsynio â phopeth a fynnodd Macabeus ar ran yr Iddewon yn ei lythyrau at Lysias.

Llythyr Lysias at yr Iddewon

16 Yr oedd cynnwys y llythyrau a ysgrifennwyd gan Lysias at yr Iddewon fel a ganlyn: "Lysias at bobl yr Iddewon, cyfarchion. ¹⁷Y mae eich cynrychiolwyr Ioan ac Absalom wedi cyflwyno imi y ddogfen a welwch isod ac wedi ceisio gennyf gymeradwyo'r hyn a fynegwyd ynddi. ¹⁸Yr wyf wedi esbonio i'r brenin bopeth yr oedd rhaid ei gyfeirio ato ef; ac y mae ef wedi cydsynio â phopeth hyd y gallai. ᶠ ¹⁹Gan hynny, os pery eich ewyllys da tuag at y llywodraeth, fe geisiaf finnau hyrwyddo eich buddiannau yn y dyfodol hefyd. ²⁰Ynglŷn â'r materion hyn a'r manylion pellachᶠᶠ: yr wyf wedi gorchymyn i'ch cynrychiolwyr chwi a minnau eu trafod gyda chwi. ²¹Ffarwel. Y pedwerydd ar hugain o fis Dioscorusᵍ yn y flwyddyn 148ⁿᵍ."

Llythyr y Brenin at Lysias

22 Dyma gynnwys llythyr y brenin: "Y Brenin Antiochus at Lysias ei frawd, cyfarchion. ²³Gan fod ein tad wedi mynd i blith y duwiau, ein dymuniad yw i ddeiliaid ein teyrnas gael dilyn eu dibenion eu hunain heb unrhyw darfu arnynt. ²⁴Yr ydym wedi clywed nad yw'r Iddewon yn dymuno newid i'r ffyrdd Helenistaidd o fyw fel y mynnai fy nhad, ond ei bod yn well ganddynt eu ffyrdd eu hunain, a'u bod yn gofyn caniatâd i ddilyn eu cyfreithiau eu hunain. ²⁵Gan hynny, yn unol â'n dewis nad oes tarfu i fod ar y genedl hon mwy na'r un arall, ein dyfarniad yw bod eu teml i gael ei hadfer iddynt a'u bod i fyw yn ôl arferion eu cyndadau. ²⁶Bydd gystal, felly, ag anfon fy nyfarniad atynt a rhoi dy law dde iddynt, fel o wybod beth yw fy mwriad y gallant godi eu calonnau a byw'n ddedwydd yn eu gofal am eu dibenion eu hunain."

Llythyr y Brenin at y Genedl

27 Yr oedd llythyr y brenin at y genedl fel a ganlyn: "Y Brenin Antiochus at senedd yr Iddewon ac at weddill yr Iddewon, cyfarchion. ²⁸Dymunwn ffyniant i chwi. Yr ydym ninnau'n iach. ²⁹Y mae Menelaus wedi ein hysbysu am eich dymuniad i ddychwelyd i'ch cartrefi eich hunain. ³⁰Gan hynny, bydd amnest i unrhyw un fydd wedi dychwelyd erbyn y degfed ar hugain o fis Xanthicus. ³¹Y mae caniatâd i'r Iddewon arfer eu bwydydd a'u cyfreithiau eu hunain megis cynt, ac ni chaiff neb ohonynt ei erlid o achos dim a wnaethpwyd mewn anwybodaeth. ³²Yr wyf hefyd yn anfon Menelaus i'ch calonogi. ³³Ffarwel. Y pymthegfed o fis Xanthicus, yn y flwyddyn 148ʰ.''

Llythyr y Rhufeiniaid at yr Iddewon

34 Anfonodd y Rhufeiniaid hefyd y llythyr canlynol atynt: "Cwintus Memius a Titus Manius, llysgenhadon y Rhufeiniaid, at bobl yr Iddewon, cyfarchion. ³⁵Ynglŷn â'r cytundebau â chwi a wnaethpwyd gan Lysias, câr y brenin, yr ydym ninnau hefyd yn eu cymeradwyo. ³⁶Ond am y materion y barnodd ef fod rhaid eu cyfeirio at y brenin, ystyriwch hwy'n ofalus ac yna anfonwch rywun atom yn ddi-oed, fel y gallwn eu cyflwyno mewn modd a fydd yn fuddiol i chwi; oherwydd yr ydym yn cychwyn am Antiochia. ³⁷Brysiwch, gan hynny, i anfon rhywrai atom, i ninnau gael gwybod beth yw eich barn. ³⁸Ffarwel. Y pymthegfed o fis Xanthicus yn y flwyddyn 148ⁱ.''

ᶠYn ôl darlleniad arall, ac yr wyf wedi cydsynio â phopeth a ddôi dan f'awdurdod i.
ᶠᶠYn ôl darlleniad arall, Ynglŷn â'r manylion hyn.   ᵍGroeg, Dioscorinthius.
ⁿᵍH.y., 164 C.C.   ʰH.y., 164 C.C.   ⁱH.y., 164 C.C.

Llofruddio Iddewon Jopa

12 Wedi gwneud y cytundeb hwn, aeth Lysias ymaith at y brenin, ac aeth yr Iddewon ati i drin y tir. [2]Ond yr oedd rhai o'r llywodraethwyr yn y gwahanol ranbarthau, Timotheus ac Apolonius fab Geneus, a hefyd Hieronymus a Demoffon, yn ogystal â Nicanor, capten y Cypriaid, yn gwrthod gadael iddynt fyw'n dawel a dilyn eu gorchwylion yn heddychlon. [3]A dyma'r anfadwaith annuwiol a gyflawnodd trigolion Jopa: heb unrhyw arwydd o elyniaeth tuag atynt, gwahoddasant yr Iddewon oedd yn byw yn eu plith i fynd, ynghyd â'u gwragedd a'u plant, i mewn i gychod oedd yn barod ganddynt, [4]yn unol â phleidlais y dref i gyd; a chan eu bod yn awyddus i fyw mewn heddwch fe gydsyniodd yr Iddewon, heb ddrwgdybio dim. Pan oeddent allan ar y môr, fe'u bwriwyd i'r dyfnder, ddau gant neu fwy ohonynt. [5]Pan glywodd Jwdas am y weithred greulon a wnaethpwyd ar ei gyd-Iddewon, rhoddodd ei orchmynion i'w wŷr, [6]ac wedi galw ar Dduw, y Barnwr cyfiawn, fe ymosododd ar lofruddion ei frodyr. Gosododd eu porthladd ar dân yn ystod y nos a llosgi eu cychod yn ulw, a thrywanu'r rheini oedd wedi ffoi yno am loches. [7]Ond o gael pyrth y dref wedi eu cloi, aeth oddi yno gan fwriadu dychwelyd a thynnu o'r gwraidd holl gymuned ddinesig Jopa. [8]A phan glywodd fod pobl Jamnia yn dymuno gwneud yr un peth i'r Iddewon oedd yn byw yn eu plith, [9]fe ymosododd arnynt hwythau liw nos a gosod eu porthladd a'u llongau ar dân, fel y gwelwyd llewyrch y fflamau o Jerwsalem, pellter o ddeng milltir ar hugain.

Buddugoliaethau Jwdas yn Gilead
(1 Mac. 5:9-54)

10 Wedi iddynt gilio tua milltir oddi yno yn eu cyrch yn erbyn Timotheus, ymosododd pum mil neu fwy o Arabiaid arno, ynghyd â phum cant o wŷr meirch. [11]Bu brwydr galed, ond trwy gymorth Duw, Jwdas a'i wŷr a orfu. Erfyniodd y nomadiaid gorchfygedig ar Jwdas iddo gynnig ei law iddynt mewn heddwch, gan addo rhoi da byw i'w bobl ef, a'u helpu mewn ffyrdd eraill. [12]Yr oedd Jwdas o'r farn y byddent yn wirioneddol ddefnydd-iol mewn llawer ffordd, a chydsyniodd i fyw mewn heddwch â hwy; ac wedi cael cynghrair aethant ymaith i'w pebyll.

13 Ymosododd hefyd ar dref oedd wedi ei chryfhau â phontydd a'i hamddiffyn o boptu â muriau. Yr oedd ei thrigolion yn gymysgedd o bob cenedl, a'i henw oedd Caspin. [14]Yr oedd nerth y muriau a'r stôr o fwydydd oedd ganddynt wedi llenwi'r amddiffynwyr â hyder, a dechreusant ddifrïo a sarhau Jwdas a'i wŷr i'r eithaf; ond yn waeth na hynny, dechreusant gablu ac yngan pethau ffiaidd. [15]Ond galwodd Jwdas a'i wŷr ar Benarglwydd mawr y byd, yr Un yn amser Josua a chwalodd i'r llawr furiau Jericho heb na thrawst taro na pheiriant rhyfel, ac yna ymosodasant yn ffyrnig ar y mur. [16]Ac wedi iddynt, trwy ewyllys Duw, oresgyn y dref, gwnaethant gyflafan y tu hwnt i bob disgrifiad, nes bod y llyn gerllaw, a oedd yn chwarter milltir o led, i'w weld fel petai wedi ei lenwi â'r gwaed oedd wedi llifo iddo.

Jwdas yn Gorchfygu Byddin Timotheus
(1 Mac. 5:37-44)

17 Wedi cilio tua naw deg a phump o filltiroedd oddi yno, daethant i ben eu taith yn Charax, cartref yr Iddewon a elwir y Twbiaid. [18]Ond ni chawsant afael ar Timotheus yn yr ardal honno; yr oedd erbyn hynny wedi mynd oddi yno heb gyflawni dim, ond nid cyn gadael garsiwn mewn un man, a hwnnw'n un cryf iawn. [19]Ac aeth Dositheus a Sosipatrus, dau o gadfridogion Macabeus, ar gyrch a difa'r gwŷr a adawyd ar ôl yn y gaer gan Timotheus, dros ddeng mil ohonynt. [20]Trefnodd Macabeus y fyddin oedd gydag ef yn gatrodau, a phenodi capteiniaid arnynt.[1] Yna cychwynnodd ar frys yn erbyn Timotheus, a oedd yn arwain byddin o gant ac ugain o filoedd o wŷr traed, a dwy fil a hanner o wŷr meirch. [21]Pan hysbyswyd iddo fod Jwdas yn ymosod, anfonodd Timotheus y gwragedd a'r plant, ynghyd â holl gyfreidiau'r fyddin, ymaith o'i flaen i le a elwir Carnaim, man anodd gwarchae arno ac anodd ei gyrraedd o achos culni'r holl fynedfeydd. [22]Ond pan ddaeth catrawd gyntaf Jwdas i'r golwg, daliwyd y gelyn gan fraw ac arswyd o achos ymddangosiad yr Un sy'n gweld popeth, a rhuthrasant ar ffo, pob un yn rhedeg i gyfeiriad

gwahanol, nes clwyfo llawer ohonynt gan eu gwŷr eu hunain, a'u trywanu gan flaenau eu cleddyfau. [23]Aeth Jwdas ati i erlid y drwgweithredwyr hynny'n galetach nag erioed, a'u gwanu'n ddi-ball, nes lladd hyd at ddeng mil ar hugain o wŷr. [24]Cwympodd Timotheus ei hun i afael gwŷr Dositheus a Sosipatrus, ond ymbiliodd yn ystrywgar iawn am gael ei arbed a'i ollwng yn rhydd am y rheswm ei fod yn dal rhieni llawer ohonynt, a brodyr rhai, ac na fyddai cyfrif amdanynt. [25]Gan iddo ymrwymo'n ddifrifol drosodd a thro yr anfonai hwy'n ôl yn ddianaf, fe'u gollyngasant yn rhydd er mwyn achub eu brodyr.

Buddugoliaethau Pellach Jwdas
(1 Mac. 5:45-54)

26 Aeth Jwdas yn ei flaen i ymosod ar Carnaim a theml Atargatis, a gwnaeth laddfa ar bum mil ar hugain o bobl. [27]Wedi troi'r rhain yn eu hôl a'u difa, arweiniodd ei fyddin yn erbyn Effron, tref gaerog lle trigai Lysias[ll] ynghyd â lluoedd o bobl o bob hil. Ond o flaen y muriau yr oedd amddiffynwyr glew, dynion ifainc cryfion, a thu mewn yr oedd cyflenwad da o beiriannau rhyfel a thaflegrau. [28]Wedi galw ar y Penarglwydd sy'n chwilfriwio â'i rym holl nerth y gelyn, cawsant y trechaf ar y dref, a gadael yn gelanedd hyd at bum mil ar hugain o'r amddiffynwyr. [29]Oddi yno aethant i ymosod ar Scythopolis, tref sy'n saith deg a phump o filltiroedd o Jerwsalem. [30]Ond tystiodd yr Iddewon oedd wedi ymsefydlu yno fod pobl Scythopolis yn llawn ewyllys da tuag atynt, a'u bod yn eu trin yn garedig yn nyddiau adfyd. [31]Wedi diolch iddynt a'u hannog yn ogystal i fod yn gyfeillgar tuag at y genedl yn y dyfodol hefyd, dychwelsant i Jerwsalem ychydig cyn Gŵyl yr Wythnosau.

Jwdas yn Gorchfygu Gorgias

32 Wedi Gŵyl y Pentecost, fel y gelwir hi, gwnaethant gyrch ar Gorgias, llywodraethwr Idwmea. [33]Daeth ef i'w cyfarfod gyda thair mil o wŷr traed a phedwar cant o wŷr meirch. [34]Cwympodd nifer bychan o'r Iddewon yn rhengoedd y frwydr. [35]Ond yr oedd dyn o'r enw Dositheus, un o'r Twbiaid[m], marchfilwr cryf, wedi cael gafael yn Gorgias; yr oedd yn ei ddal gerfydd ei fantell ac yn ei lusgo trwy nerth braich yn y bwriad o gymryd y dyn melltigedig hwnnw'n garcharor. Ond rhuthrodd un o'r gwŷr meirch o Thracia arno a thorri ei fraich gyfan i ffwrdd, a dihangodd Gorgias i Marisa. [36]Yr oedd Esdrias a'i wŷr wedi bod yn ymladd ers amser maith, ac o'u gweld yn diffygio galwodd Jwdas ar yr Arglwydd i ddangos yn amlwg ei fod yn ymladd gyda hwy ac yn eu tywys yn y rhyfel. [37]Gan dorri allan i floeddio emynau yn ei famiaith, ymosododd yn annisgwyl ar Gorgias a'i wŷr, a'u gyrru ar ffo.

Gweddïo dros y Gwŷr a Laddwyd yn y Frwydr

38 Wedi cael trefn ar ei fyddin unwaith eto, aeth Jwdas yn ei flaen nes cyrraedd tref Adulam; a chan fod y seithfed dydd ar eu gwarthaf, fe'u purasant eu hunain yn ôl eu harferiad a chadw'r Saboth yno. [39]Trannoeth, gan ei bod yn hen bryd gwneud hynny, aeth Jwdas a'i wŷr i ddwyn yn ôl gyrff y rhai oedd wedi cwympo, er mwyn eu claddu gyda'u perthnasau ym meddrodau eu cyndadau. [40]A chawsant fod gan bob un o'r meirw dan ei grys amwletau cysegredig o'r delwau yn Jamnia, pethau y mae'r gyfraith yn eu gwahardd i Iddewon; a daeth yn amlwg i bawb mai dyna pam y cwympodd y dynion hyn. [41]Gan hynny, moliannodd pawb weithredoedd yr Arglwydd, y Barnwr cyfiawn, sy'n dod â phethau cudd i'r amlwg, [42]ac aethant i weddi, gan erfyn am olchi ymaith yn llwyr y pechod a gyflawnwyd. A chymhellodd Jwdas, y dyn anrhydeddus hwnnw, y llu i'w cadw eu hunain yn ddibechod, a hwythau wedi gweld â'u llygaid eu hunain ganlyniad pechod y rhai a gwympodd. [43]Wedi gwneud casgliad o ryw ddwy fil o ddrachmâu o arian ymhlith ei wŷr[n], anfonodd y cwbl i Jerwsalem er mwyn offrymu aberth dros bechod— gweithred hardd ac anrhydeddus gan un a wnâi gyfrif o'r atgyfodiad; [44]oherwydd os nad oedd yn disgwyl atgyfodiad y rhai a gwympodd, peth afraid a diystyr fyddai gweddïo dros gyrff meirw; [45]ond os oedd

---

[ll]Yn ôl darlleniad arall, *tref gaerog lle trigai lluoedd o bobl.*
[m]Felly'r Lladin. Groeg, *un o wŷr Bacenor.*
[n]Yn ôl darlleniad arall, *trwy gyfraniad gan bob un o'i wŷr.*

â'i olwg ar y wobr ddigymar a gedwir ar
gyfer y rhai sy'n huno mewn duwioldeb,
yr oedd ei fwriad yn sanctaidd a duwiol;
a dyna pam yr offrymodd aberth pured-
igaeth dros y meirw fel y caent eu
rhyddhau o'u pechod.

Dienyddio Menelaus

13 Yn y flwyddyn 149° daeth yn
hysbys i Jwdas a'i wŷr fod Ant-
iochus Ewpator wedi dod gyda'i luoedd
i ymosod ar Jwdea, ²a bod Lysias, ei
ddirprwy a phrif weinidog ei lywodraeth,
gydag ef; yr oedd gan hwn yn ychwaneg
fyddin Roegaidd yn cynnwys un cant ar
ddeg o filoedd o wŷr traed, pum mil a
thri chant o wŷr meirch, dau eliffant ar
hugain a thri chant o gerbydau wedi
eu harfogi â phladuriau. ³Ymunodd
Menelaus hefyd â hwy, ac aeth ati yn dra
ffuantus i gymell Antiochus i fynd yn ei
flaen; ond yr oedd ei fryd nid ar achub ei
wlad ond ar gael ei gynnal yn ei swydd.
⁴Ond cyffrôdd Brenin y brenhinoedd
ddicter Antiochus yn erbyn y gŵr pech-
adurus hwnnw, ac wedi i Lysias ddod â
thystiolaeth i ddangos mai ef oedd achos
yr holl drafferthion, gorchmynnodd y
brenin ei gymryd i Berea a'i ddienyddio
yn null arferol y dref honno. ⁵Y mae yno
dŵr tua hanner can cufydd o uchder, yn
llawn lludw; ar y tŵr hwn yr oedd dyfais
ar lun cylch yn disgyn ar ei ben o bob tu i
mewn i'r lludw. ⁶Yno y maent yn codi
unrhyw un a gafwyd yn euog o ysbeilio
temlau neu o ryw ddrwgweithred ysgeler
arall, ac yn ei wthio i'w ddinistr. ⁷Dyna'r
dynged a oddiweddodd Menelaus, torrwr
y gyfraith; bu farw ond ni chafodd fedd,
⁸a hynny'n hollol gyfiawn; oherwydd am
iddo bechu llawer ynghylch yr allor y
mae ei thân a hyd yn oed ei lludw yn
ddihalog, mewn lludw y daeth i'w dranc
ei hun.

Brwydr ger Dinas Modin

9 Aeth y brenin yn ei flaen yn llawn
cynlluniau barbaraidd, gan fwriadu
dangos i'r Iddewon bethau gwaeth na
dim a ddigwyddodd yn amser ei dad.
¹⁰Pan hysbyswyd Jwdas o hyn, gorch-
mynnodd i'r bobl alw ar yr Arglwydd
ddydd a nos ar iddo estyn ei gymorth, yn
awr yn anad untro arall, i rai oedd ar gael
eu hamddifadu o'u cyfraith, o'u gwlad ac
o'u teml sanctaidd; ¹¹ac ar iddo beidio â

gadael i'w bobl, ar ôl yr ysbaid a gawsai
yn ddiweddar i gael ei hanadl ati, syrthio
dan fawd y Cenhedloedd cableddus.
¹²Yn unfryd ac ynghyd aethant ati i ymbil
ar yr Arglwydd trugarog, gan wylofain ac
ymprydio a gorwedd ar eu hyd am dri-
diau'n ddi-ball; ac yna calonogodd Jwdas
hwy a'u cymell i sefyll gydag ef. ¹³Ar ôl
cydymgynghori ar ei ben ei hun â'r
henuriaid, penderfynodd beidio ag aros
nes i fyddin y brenin ddod i mewn i Jwdea
a meddiannu'r ddinas, ond mynd allan
yn hytrach a dwyn yr ymrafael i ben trwy
gymorth Duw. ¹⁴A chan ymddiried
y dyfarniad i Greawdwr y bydysawd,
anogodd ei wŷr i ymdrechu'n wrol hyd
at angau dros y cyfreithiau, y deml,
y ddinas, eu gwlad a'u ffordd o fyw.
Gwersyllodd yn ardal Modin. ¹⁵Rhodd-
odd yr arwyddair "Duw biau'r fuddugol-
iaeth" i'w wŷr, ac wedi dethol y dynion
ifainc dewraf, ymosododd liw nos ar
bencadlys y brenin a lladd hyd at ddwy fil
o'r milwyr yn y gwersyll. Yn ogystal,
trywanodd i farwolaeth yr eliffant
blaenaf, ynghyd â'i ofalwr. ¹⁶Erbyn y
diwedd yr oeddent wedi llenwi'r gwersyll
â braw a chynnwrf, ac aethant oddi yno
yn fuddugoliaethus. ¹⁷Ar doriad dydd yr
oedd y gwaith wedi ei gwblhau, trwy
gymorth ac amddiffyniad yr Arglwydd.

Y Brenin yn Gwneud Cytundeb â'r Iddewon
(1 Mac. 6:48-63)

18 Wedi'r profiad hwn o feiddgarwch
yr Iddewon, rhoes y brenin gynnig
ar gymryd eu hamddiffynfeydd trwy
ystrywiau. ¹⁹Aeth allan yn erbyn Beth-
swra, un o gaerau cryfaf yr Iddewon, ac
fe'i bwriwyd yn ôl; ymosododd, ac fe'i
trechwyd; ²⁰derbyniodd y garsiwn eu holl
anghenion gan Jwdas. ²¹Ond bradychodd
Rhodocus, un o filwyr yr Iddewon, eu
cyfrinachau i'r gelyn; chwiliwyd am-
dano, ei ddal a'i roi o'r neilltu. ²²Am yr ail
waith bu trafod rhwng y brenin ac am-
ddiffynwyr Bethswra; rhoddodd a der-
byniodd ddeheulaw, ac aeth ymaith.
²³Ymosododd ar Jwdas a'i wŷr, a chael
ei drechu. Daeth y newydd ato fod Philip,
y dyn a adawsai yn Antiochia yn brif
weinidog y llywodraeth, wedi colli arno'i
hun. Mewn dryswch llwyr galwodd yr
Iddewon ato, ildiodd i'w gofynion, a
mynd ar ei lw i barchu pob hawl gyfiawn;

°H.y., 163 C.C.

gwnaeth gytundeb â hwy ac offrymu aberth; anrhydeddodd y deml a chyflwyno rhoddion hael i'r fangre. ²⁴Derbyniodd Macabeus i'w bresenoldeb a gadael Hegemonides yn llywodraethwr o Ptolemais hyd at Gerra. ²⁵Yna daeth i Ptolemais. Yr oedd y cyfamod wedi digio trigolion y dref honno, ac yn eu cynnwrf yr oeddent o blaid dirymu rhai o'r amodau. ²⁶Dringodd Lysias i'r areithfa, amddiffynnodd y weithred gystal ag y medrai, darbwyllodd, lliniarodd, enillodd y bobl o'i blaid, ac aeth ymaith i Antiochia. Fel hyn y bu cwrs ymgyrch ac ymgiliad y brenin.

Alcimus yn Siarad yn erbyn Jwdas (1 Mac. 7:1-21)

14 Ymhen ysbaid o dair blynedd, daeth yn hysbys i Jwdas a'i wŷr fod Demetrius fab Selewcus wedi hwylio i mewn i borthladd Tripolis gyda byddin gref a llynges, ²a'i fod wedi meddiannu'r wlad ar ôl lladd Antiochus a'i ddirprwy Lysias. ³Yn awr yr oedd dyn o'r enw Alcimus, a fu gynt yn archoffeiriad ond a'i halogodd ei hun o'i wirfodd yn amser y gwrthryfel. Sylweddolodd hwn nad oedd ffordd yn y byd iddo'i achub ei hun na chyrchu'r allor sanctaidd bellach, ⁴a thua'r flwyddyn 151ᵖ aeth at y Brenin Demetrius, gan ddwyn iddo goron aur a changen palmwydden, yn ogystal â rhai o'r canghennau olewydd arferol o'r deml. Bu'n ddistaw y dydd hwnnw, ⁵ond cafodd gyfle i hybu ei amcan ynfyd ei hun pan alwyd ef gerbron ei gyngor gan Demetrius a'i holi am agwedd a bwriad yr Iddewon. Ei ateb oedd: ⁶"Y mae'r Iddewon hynny a elwir yn Hasideaid, sydd dan arweiniad Jwdas Macabeus, yn porthi ysbryd rhyfel a therfysg ac yn gwrthod gadael i'r deyrnas gael llonyddwch. ⁷O ganlyniad, a minnau wedi f'amddifadu o fraint fy nhras (yr wyf yn cyfeirio, wrth gwrs, at yr archoffeiriadaeth), yr wyf wedi dod yma'n awr, ⁸yn gyntaf, fel un sy'n wir awyddus i amddiffyn hawliau'r brenin, ac yn ail, fel un sy'n amcanu at les ei gyd-ddinasyddion; oherwydd o ganlyniad i fyrbwylltra'r rheini y cyfeiriais atynt y mae ein hil gyfan yn dioddef yn enbyd. ⁹Ystyria dithau, O frenin, bob un o'r pethau hyn yn fanwl, a gwna ddarpariaeth ar gyfer ein gwlad a'n hil warchaeëdig, yn unol

â'r caredigrwydd a'r hynawsedd sydd ynot tuag at bawb; ¹⁰oherwydd tra bydd Jwdas ar dir y byw, ni all fod heddwch yn y deyrnas." ¹¹Wedi hyn o araith gan y dyn hwnnw, buan iawn y llwyddodd y Cyfeillion eraill, a oedd yn elynion i achos Jwdas, i chwythu dicter Demetrius yn wenfflam. ¹²Ar ei union dewisodd Nicanor, cyn-gapten catrawd yr eliffantod, a'i benodi'n llywodraethwr Jwdea; anfonodd ef ymaith ¹³dan orchymyn i ladd Jwdas ei hun, i wasgaru ei ddilynwyr ac i sefydlu Alcimus yn archoffeiriad yn y deml fawr. ¹⁴Chwyddwyd byddin Nicanor gan heidiau o ffoaduriaid cenhedlig o Jwdea a oedd wedi dianc rhag Jwdas; tybient mai elw iddynt hwy fyddai trychinebau a thrallodion yr Iddewon.

Cytundeb rhwng Nicanor a Jwdas

15 Pan glywodd yr Iddewon am ymgyrch Nicanor ac ymosodiad y cenedl-ddynion, aethant ati i daenellu pridd ar eu pennau eu hunain ac i ymbil ar yr Un a sefydlodd ei bobl am byth a sydd bob amser yn barod i'w amlygu ei hun er cymorth i'w genedl etholedig. ¹⁶Ar orchymyn eu harweinydd cychwynasant oddi yno ar eu hunion a tharo ar y gelyn ger pentref Adasaᵖʰ. ¹⁷Simon, brawd Jwdas, oedd yr un a aeth i'r afael â Nicanor, ond o achos dyfodiad disymwth y gelyn fe gollodd dir o ryw gymaint; ¹⁸er hynny, pan glywodd Nicanor am wrhydri Jwdas a'i wŷr, ac am eu dewrder wrth frwydro dros eu gwlad, dechreuodd ofni nad tywallt gwaed oedd y ffordd i ddwyn yr ymrafael i ben. ¹⁹Gan hynny, anfonodd Posidonius, Theodotus a Matathias i roi a derbyn deheulaw mewn heddwch. ²⁰Fe astudiwyd eu cynigion yn fanwl, ac o'u hysbysu i'r dynion gan eu harweinydd a chael pleidlais unfrydol, derbyniwyd y cytundeb. ²¹Yna pennwyd dydd i'r arweinwyr gyfarfod ar wahân; daeth cerbyd yn ei flaen o'r naill ochr ac o'r llall, a gosodwyd seddau. ²²Yr oedd Jwdas wedi gosod gwŷr arfog yn barod yn y mannau manteisiol, rhag ofn rhyw ddichell sydyn gan y gelyn; ond cawsant drafodaeth bwrpasol. ²³Bu Nicanor yn aros yn Jerwsalem, ac ni wnaeth ddim o'i le; yn wir, fe ollyngodd ymaith yr heidiau o ddynion oedd wedi ymgynnull ato.

24 Cadwodd Jwdas wrth ei ochr yr holl amser; yr oedd wedi cymryd at y dyn. 25 Anogodd ef i briodi ac i fagu plant; priododd yntau, cafodd lonyddwch a phrofi bywyd cyffredin.

Nicanor yn Troi yn erbyn Jwdas

26 Pan welodd Alcimus y cyfeill-garwch oedd rhyngddynt, cymerodd gopi o'r cytundeb a wnaethpwyd, a mynd at Demetrius a haeru bod bwriadau Nicanor yn groes i rai'r llywodraeth; oherwydd yr oedd wedi penodi Jwdas yn ddarpar-Gyfaill, ac yntau'n gynllwyniwr yn erbyn y deyrnas. 27 Enynnwyd dicter y brenin, a chythruddwyd ef gymaint gan athrodau'r dyn cwbl ddrygionus hwnnw nes iddo ysgrifennu at Nicanor gan ddweud ei fod yn anfodlon iawn ar y cytundeb, a'i orchymyn i anfon Macabeus yn garcharor i Antiochia ar unwaith. Parodd y tro hwn ar bethau ddryswch i Nicanor; 28 yr oedd yn wrthun ganddo ddiddymu cytundebau pendant â dyn oedd heb wneud unrhyw gamwedd. 29 Ond gan na allai weithredu'n groes i'r brenin, gwyliodd am gyfle i gyflawni'r cyfarwyddyd trwy ystryw. 30 Ond sylwodd Macabeus fod Nicanor yn fwy garw yn ei ymwneud ag ef a bod ei agwedd arferol yn llai cwrtais, a chan farnu nad oedd y garwedd hwn yn ar-goeli'n dda, casglodd nifer helaeth o'i ddilynwyr ynghyd ac ymguddio o olwg Nicanor. 31 Pan ddarganfu hwnnw fod Jwdas wedi cael y blaen yn deg arno, aeth i'r deml fawr a sanctaidd ar yr awr pan oedd yr offeiriaid yn offrymu'r aberthau arferol, a gorchymyn iddynt dros-glwyddo'r dyn iddo. 32 Pan aethant hwy ar eu llw na wyddent lle'n y byd yr oedd y dyn a geisiai, 33 estynnodd ef ei law dde tua'r deml a thyngodd fel hyn: "Os na throsglwyddwch Jwdas imi yn garcharor, fe dynnaf i'r llawr y cysegr yma o'r eiddo eich Duw, dymchwelaf yr allor a chodaf yn y man hwn deml i Dionysus a fydd yn tynnu llygaid pawb." 34 Ac â'r geiriau hynny aeth ymaith; ond estynnodd yr offeiriaid eu dwylo i'r nef a galw â'r geiriau hyn ar yr Un sydd bob amser yn brwydro dros ein cenedl: 35 "Ti Arglwydd, nad wyt yn amddifad o ddim, gwelaist yn dda osod teml dy breswylfod yn ein plith ni; 36 yr awr hon hefyd, Arglwydd sanctaidd pob sancteidd-rwydd, cadw'n ddihalog am byth y tŷ hwn a burwyd mor ddiweddar."

Rasis yn Marw dros ei Wlad

37 Yn awr, dygwyd cyhuddiadau at Nicanor yn erbyn gŵr o'r enw Rasis, un o henuriaid Jerwsalem. Yr oedd yn wlad-garwr, dyn â gair da iawn iddo ac a elwid yn "Dad yr Iddewon", ar gyfrif ei gefn-ogaeth iddynt. 38 Oherwydd yn nyddiau cynnar y gwrthryfel yr oedd wedi cael ei gyhuddo o arfer Iddewiaeth, ac yr oedd wedi peryglu ei gorff a'i einioes trwy ei sêl ddiflino dros y grefydd honno. 39 Yn ei awydd i wneud ei elyniaeth tuag at yr Iddewon yn amlwg, anfonodd Nicanor dros bum cant o filwyr i'w gymryd i'r ddalfa; 40 oherwydd credai y byddai trwy ei gymryd yno yn taro ergyd galed yn erbyn yr Iddewon. 41 Yr oedd y fyddin hon ar fedr cipio'r tŵr ac wrthi'n ceisio gwthio'i ffordd trwy'r porth allanol, gan alw am ffaglau i danio'r drysau. Gan ei fod wedi ei amgylchynu, trodd Rasis ei gleddyf arno'i hun; 42 fel dyn o dras, dewisach oedd ganddo farw na chwympo i ddwylo'r pechaduriaid hynny, i'w sarhau a'i ddiraddio ganddynt. 43 Ond gwyrodd ei ergyd ym mrys yr ymdrech, ac wrth i'r milwyr dorri i mewn trwy'r pyrth rhedodd y dyn anrhydeddus hwn i ben mur y tŵr a'i luchio'i hun yn ddi-ofn i lawr i'w canol. 44 Ond camasant hwy'n ôl yn gyflym, a gadael bwlch, a disgynnodd ef i ganol y lle gwag. 45 Ond yr oedd yn dal yn fyw, ac â'i ysbryd ar dân fe gododd ar ei draed; ac er bod ei waed yn pistyllu allan a'i glwyfau'n erchyll, fe redodd heibio i'r milwyr a sefyll ar ben craig serth. 46 Yr oedd erbyn hyn wedi colli pob diferyn o waed, ond tynnodd ei goluddion allan, a chan gydio ynddynt â'i ddwylaw, lluchiodd hwy at y milwyr. Yna, gan alw ar Benarglwydd einioes ac anadl i'w hadfer yn ôl iddo eto, ym-adawodd â'r fuchedd hon yn y ffordd a ddisgrifiwyd.

Bwriad Anfad Nicanor

15 Rhoddwyd gwybod i Nicanor fod Jwdas a'i wŷr yng nghyffiniau Samaria, a gwnaeth ef gynllun i ymosod arnynt ar eu dydd gorffwys heb ddim perygl iddo'i hun. 2 Ond yr oedd yn ei fyddin Iddewon a oedd wedi eu gorfodi i'w ganlyn, a dywedodd y rhain wrtho, "Paid ar unrhyw gyfrif â chyflawni'r fath laddfa greulon ac anwar, ond anrhyd-edda'r dydd y rhoddwyd arno barch arbennig ynghyd â sancteiddrwydd yr Un sy'n gweld pob peth." ³Ond dyma'r dyn hwn a drwythwyd mewn pechod yn gofyn ai yn y nef yr oedd y Penarglwydd oedd wedi gorchymyn cadw dydd y Saboth. ⁴Atebasant hwythau yn groyw, "Ie yn wir, hwnnw sydd yn y nef, yr Arglwydd byw, yw'r Penarglwydd a ordeiniodd barchu'r seithfed dydd." ⁵"A myfi," meddai yntau, "yw'r penarglwydd ar y ddaear, sy'n gorchymyn cymryd arfau a chyflawni dyletswyddau i'r brenin." Er hynny, ni lwyddodd i gyflawni ei fwriad anfad.

Jwdas yn Calonogi ei Wŷr

6 Yn ei ymffrost di-ben-draw a'i rodres, penderfynodd Nicanor wneud cofeb o'r holl ysbail o fyddin Jwdas. ⁷Ond nid oedd pall ar argyhoeddiad Macabeus nac ar ei obaith y câi gymorth gan yr Arglwydd. ⁸Daliai i annog ei wŷr i beidio â llwfrhau er gwaethaf ymosodiad y Cenhedloedd, ond i gadw yn eu meddyliau y cymorth a gawsent gynt o'r nef, ac i ddisgwyl y tro hwn hefyd am y fuddugoliaeth yr oedd yr Hollalluog am ei rhoi iddynt. ⁹A thrwy eu calonogi â geiriau o'r gyfraith a'r proffwydi, a'u hatgoffa hefyd am y campau yr oeddent wedi eu cyflawni, fe'u cafodd i gyflwr mwy brwd. ¹⁰Ac wedi deffro eu hysbryd, fe'u calonogodd trwy ddangos yn ogystal ffalster y Cenhedloedd a'u hanffyddlondeb i'w llwon. ¹¹Arfogodd bob un ohonynt, nid â diogelwch tarianau a gwaywffyn, ond â'r calondid sydd mewn geiriau dewr; ac fe'u llonnodd i gyd trwy adrodd breuddwyd gwbl argyhoeddiadol a gawsai, math o weledigaeth ddilys. ¹²Dyma'r profiad a gafodd: gwelodd Onias yr archoffeiriad gynt, dyn da a rhinweddol, gwylaidd ei ffordd, addfwyn ei gymeriad, gweddus ei air, dyn a oedd o'i blentyndod wedi ymarfer yn ddi-nam bopeth a berthyn i rinwedd. Gwelodd hwn yn estyn ei ddwylo ac yn gweddïo dros holl gorff yr Iddewon. ¹³Wedyn yn yr un modd fe ymddangosodd dyn o oedran ac urddas nodedig, yn meddu ar ryw awdurdod rhyfeddol a mawreddog iawn. ¹⁴Ac meddai Onias, "Dyma ddyn sy'n caru ei frodyr, dyn sy'n gweddïo llawer dros y bobl a'r ddinas sanctaidd. Jeremeia, proffwyd Duw, yw ef." ¹⁵Estynnodd Jeremeia ei law dde a chyflwyno i Jwdas gleddyf aur, ac wrth ei roi cyfarchodd ef

ᵣYn ôl darlleniad arall, wedi mynd i'r afael.

fel hyn: ¹⁶"Cymer y cleddyf sanctaidd yn rhodd gan Dduw, iti ddarnio'r gelyn yn gandryll ag ef."

17 Codwyd eu calon gan araith odidog Jwdas. Yr oedd ynddi rym i symbylu eu dewrder ac i wroli ysbryd y dynion ifainc. Penderfynasant beidio â chodi gwersyll, ond ymosod yn deilwng o'u tras ac ymladd law wrth law â'u holl wroldeb nes dwyn yr ymrafael i ben; oherwydd yr oedd y ddinas, y mannau sanctaidd a'r deml mewn perygl. ¹⁸Eilbeth ganddynt oedd eu hofn am eu gwragedd a'u plant, a hefyd am eu brodyr a'u perthnasau; yr oedd eu hofn mwyaf a blaenaf am y deml gysegredig. ¹⁹Nid oedd ing y rheini a adawyd yn y ddinas yn ddim llai, yng nghynnwrf eu pryder am frwydr ar faes agored. ²⁰Yn awr yr oedd pawb yn disgwyl y dyfarniad a geid; yr oedd y gelyn eisoes wedi ymgasglu ᵣ, a'u byddin wedi ei threfnu'n rhengoedd, yr eliffantod wedi eu gosod mewn safle manteisiol, a'r gwŷr meirch yn eu lle ar yr asgell. ²¹Pan welodd Macabeus y lluoedd o'i flaen, a'r amrywiaeth o arfau a ddarparwyd iddynt, a ffyrnigrwydd yr eliffantod, estynnodd ei ddwylo tua'r nef a galw ar yr Arglwydd, gwneuthurwr rhyfeddodau; oherwydd gwyddai nad grym arfau, ond dyfarniad yr Arglwydd ei hun sy'n sicrhau'r fuddugoliaeth i'r rhai sy'n ei haeddu. ²²A galwodd arno â'r geiriau hyn: "Tydi Benarglwydd, anfonaist dy angel at Heseceia brenin Jwdea, a lladdodd ef hyd at gant wyth deg a phump o filoedd o lu Senacherib. ²³Yr awr hon hefyd, Benarglwydd y nefoedd, anfon angel da o'n blaenau i daenu arswyd a braw; ²⁴bydded i'th fraich nerthol daro i lawr y cablwyr hyn sy'n ymosod ar dy bobl sanctaidd." Ac â'r geiriau hynny fe dawodd.

Gorchfygu a Lladd Nicanor

25 Dechreuodd Nicanor a'i fyddin symud yn eu blaenau gyda sain utgyrn a chaneuon rhyfel. ²⁶Aeth Jwdas a'i fyddin i'r afael â'r gelyn dan alw ar Dduw a gweddïo. ²⁷Â'u dwylo yr oeddent yn ymladd, ond yn eu calonnau yr oeddent yn gweddïo ar Dduw; gadawsant yn gelanedd gymaint â phymtheng mil ar hugain, a mawr oedd eu llawenydd o weld Duw yn ei amlygu ei hun fel hyn. ²⁸Wedi'r brwydro, wrth iddynt ymadael

yn eu llawenydd, daethant ar draws Nicanor, yn gorwedd yn farw a'i holl arfwisg amdano. [29] Â bloeddiadau cynhyrfus bendithiasant y Penarglwydd yn eu mamiaith. [30] A dyma'r gŵr a oedd wedi ymladd yn gyson yn y rheng flaenaf, gorff ac enaid, dros ei gydwladwyr, ac a oedd wedi cadw trwy'r blynyddoedd gariad ei ieuenctid tuag at ei genedl, yn gorchymyn iddynt dorri pen Nicanor i ffwrdd, a hefyd ei fraich gyfan, a'u dwyn i Jerwsalem. [31] Wedi cyrraedd yno, cynullodd ei gydgenedl ynghyd, a'r offeiriaid, a chan sefyll gerbron yr allor, anfonodd am y garsiwn o gaer y ddinas. [32] Dangosodd iddynt ben y Nicanor halogedig hwnnw, a braich y cablwr hwnnw, y fraich yr oedd yn ei ymffrost wedi ei hestyn yn erbyn teml yr Hollalluog. [33] Torrodd allan dafod Nicanor, y dyn annuwiol hwnnw, a dywedodd ei fod am ei roi i'r adar fesul tamaid, a chrogi gwobr ei ynfydrwydd gyferbyn â'r cysegr. [34] Yna cododd pawb eu lleisiau tua'r nef i fendithio'r Arglwydd am iddo ei amlygu ei hun, gan ddweud, "Bendigedig fyddo'r hwn a gadwodd ei fangre'i hun yn ddihalog." [35] Clymodd ben Nicanor wrth fur y gaer, yn arwydd eglur a gweladwy gan bawb o gymorth yr Arglwydd. [36] Trwy bleidlais gyhoeddus penderfynwyd yn unfrydol beidio ar unrhyw gyfrif â gadael i'r dydd hwn fod heb ei goffâd, ond cadw gŵyl ar y trydydd dydd ar ddeg o'r deuddegfed mis— Adar yn yr iaith Aramaeg—un dydd cyn Gŵyl Mordecai.

Diweddglo

37 Dyna, gan hynny, gwrs helynt Nicanor, a chan fod y ddinas er y dyddiau hynny wedi bod ym meddiant yr Iddewon, fe derfynaf finnau fy llyfr yma. [38] Os cyfansoddwyd ef yn goeth ac yn gymen, dyna oedd fy nymuniad i; ond os yn wael ac yn sathredig, dyna eithaf fy ngallu. [39] Oherwydd fel y mae yfed gwin ar ei ben ei hun yn atgas, ac yfed dŵr yr un modd hefyd, tra mae gwin yn gymysg â dŵr yn felys ac yn rhoi mwynhad hyfryd, felly hefyd y mae amrywiaeth grefftus yn yr ymadrodd yn hyfrydwch i glust y darllenydd. Ac ar hynny fe ddibennaf.

Y
TESTAMENT NEWYDD

RHAGARWEINIAD
I'R TESTAMENT NEWYDD

Fel yr eglurwyd yn y Rhagarweiniad i argraffiad 1975 o Destament Newydd *Y Beibl Cymraeg Newydd*, penderfynodd aelodau y Panel Cyfieithu beidio â cheisio ffurfio'u testun Groeg eclectig eu hunain, fel y gwnaeth cyfieithwyr *The New English Bible*, ond yn hytrach ddilyn testun cydnabyddedig a chyfarwydd a fyddai o fewn cyrraedd unrhyw ddarllenydd a fynnai wybod yn union pa destun Groeg oedd cynsail y cyfieithiad. Y testun a ddewiswyd oedd hwnnw a gyhoeddwyd yn 1966 dan nawdd y Cymdeithasau Beiblaidd Unedig: *The Greek New Testament*.

Yn 1983 cafwyd argraffiad newydd a chywiredig o'r testun hwnnw, a rhaid oedd dwyn y cyfieithiad Cymraeg i gysondeb â'r argraffiad yma. Felly, y testun Groeg sy'n sail i'r fersiwn diwygiedig o Destament 1975 a gyflwynir yn y gyfrol bresennol yw *The Greek New Testament*, edited by Kurt Aland, Matthew Black, Carlo M. Martini, Bruce M. Metzger, and Allen Wikgren in co-operation with the Institute for New Testament Textual Research, Münster/Westphalia under the direction of Kurt Aland and Barbara Aland, Third Edition (Corrected), United Bible Societies, 1983. Hwn bellach yw'r testun a ddefnyddir yn gyffredinol gan fwyafrif mawr ysgolheigion cyfoes.

Y mae tri pheth y dylid eu nodi yn y cyswllt hwn: (i) Er iddynt ddilyn *geiriad* y testun Groeg, nid yw'r cyfieithwyr yn ddieithriad wedi dilyn y *brawddegu* a'r *atalnodi* a geir ynddo. Nid yw'r atalnodau yn rhan o'r llawysgrifau cynnar, a rhaid i bob golygydd arfer ei synnwyr a'i reddf ei hun yn hyn o beth. O ran hyd brawddegau, a'r defnydd o atalnodau, y mae eglurder mynegiant yn y Gymraeg yn gofyn weithiau am driniaeth wahanol i'r hyn a geir yn y Roeg. (ii) Mewn mannau lle gosodir geiriau mewn bachau petryal yn y testun Groeg, gan fod hynny'n arwyddo ansicrwydd ar ran golygyddion y testun hwnnw ynglŷn â chynnwys y geiriau ai peidio, teimlodd y Panel fod ganddo ryddid i benderfynu drosto'i hun a ddylid cyfieithu'r geiriau oddi mewn i'r bachau ai peidio. Yn yr achosion hyn, fodd bynnag, os oedd y darlleniad a wrthodwyd yn golygu gwahaniaeth pwysig o ran ystyr, gofalwyd ei gynnwys mewn nodyn ar odre'r tudalen. (iii) Yn y mannau a ganlyn, penderfynodd y Panel, am resymau digonol yn ei dyb ei hun, ddilyn darlleniad a geir fel amrywiad yn *apparatus criticus The Greek New Testament* yn hytrach na'r darlleniad a welir yn nhestun y gwaith hwnnw: Marc 6:22; Ioan 5:2; Actau 12:25; 2 Corinthiaid 12:7; 1 Thesaloniaid 2:7; Iago 1:12; 2 Pedr 3:10. Yn yr achosion hyn, gall y cyfarwydd, trwy chwilio *apparatus criticus* y testun Groeg, ddarganfod y darlleniad a ddilynwyd yn y cyfieithiad, ac fe gaiff fod darlleniad y testun ei hun wedi ei gyfieithu mewn nodyn godre yn y cyfieithiad.

Y mae rhaniadau'r testun, a'r penawdau uwch eu pen, yn cyfateb yn union i'r hyn a geir yn *The Greek New Testament;* felly hefyd y darnau a argreffir ar ffurf barddoniaeth. Barnodd y Panel y byddai dilyn patrymau'r testun Groeg yn y pethau hyn yn hwyluso'r ffordd i'r darllenydd a fyn gyfeirio at y gwreiddiol, a hynny heb beri unrhyw anhwylustod i ddarllenwyr eraill. Mewn rhai mannau, yn enwedig yn yr Efengylau Cyfolwg, cynhwysir o dan y penawdau groes-gyfeiriadau at adrannau cyfochrog mewn rhannau eraill o'r Testament Newydd. Ac eithrio'r rhain, ni chynhwyswyd unrhyw groes-gyfeiriadau at adrannau eraill o'r Beibl a ddyfynnir, neu y ceir adlais ohonynt, yn y testun; penderfynwyd, yn yr argraffiad hwn o leiaf, beidio â gorlwytho godre'r tudalennau â llu o gyfeiriadau felly.

Y mae'r nodiadau godre a gynhwysir yn ymrannu'n dri dosbarth: (i) *Amrywiadau darlleniad*. Lle y ceir tystiolaeth sylweddol o blaid darlleniad gwahanol i'r hyn a gyfieithwyd yn y testun, a phan yw'r amrywiad yn golygu cyfnewidiad pwysig o ran ystyr, rhoddir cyfieithiad ohono, gyda'r cyflwyniad, "Yn ôl darlleniad arall". Ceisiwyd gofalu gwneud hyn lle bynnag y mae'r cyfieithiad newydd yn dilyn darlleniad sy'n drawiadol o wahanol i ffurf draddodiadol a chyfarwydd y Beibl Cymraeg (e.e., yn Mathew 27:16-17 a 1 Corinthiaid 13:3). (ii) *Amrywiadau cyfieithiad*. Lle y mae ystyr y gwreiddiol yn ansicr a dau gyfieithiad (neu ragor) yr un mor bosibl â'i gilydd, a phan yw'r gwahaniaeth ystyr yn bwysig neu o ddiddordeb arbennig, rhoddir yn y testun y cyfieithiad oedd yn fwyaf cymeradwy gan fwyafrif aelodau'r Panel, a'r cyfieithiad(au) posibl arall (eraill) ar odre'r tudalen gyda'r cyflwyniad, "Neu". (iii) *Nodiadau eglurhaol*, er mwyn tynnu sylw at ryw ystyr sy'n amlwg yn yr iaith wreiddiol ond na ellir ei gyfleu mewn cyfieithiad (e.e., yn Ioan 3:8 a Philemon 11); neu er mwyn egluro ystyr ymadrodd Aramaeg a gadwyd heb ei gyfieithu yn y Groeg ac a gedwir felly hefyd yn y cyfieithiad Cymraeg (e.e., yn 1 Corinthiaid 16:22). Y mae'r enghreifftiau o'r math hwn o nodiadau yn brin, a hynny'n fwriadol, gan fod aelodau'r Panel Cyfieithu yn gryf o'r farn mai cyfieithu, ac nid esbonio, oedd y dasg a ymddiriedwyd iddynt.

Am yr un rheswm ceisiodd y Panel, hyd y gallai, ymgadw rhag unrhyw duedd i aralleirio y gwreiddiol yn hytrach na'i gyfieithu (gweler y Rhagarweiniad Cyffredinol ar ddechrau'r gyfrol hon). Gyda golwg ar dermau diwinyddol "technegol", barnodd y Panel mai gwell ar y cyfan oedd cadw'r ffurfiau Cymraeg traddodiadol, sydd fel rheol yn drosiadau llythrennol o'r termau gwreiddiol, yn hytrach na gwisgo mantell yr esboniwr ac aralleirio'r termau er ceisio esbonio'u hystyron. Am y rheswm hwn cadwyd termau fel "teyrnas Dduw", "bywyd tragwyddol", "yng Nghrist", "cnawd", "cyfiawn-cyfiawnhau-cyfiawnhad-cyfiawnder", "sant-sanctaidd-sancteiddio-sancteiddhad", etc. Weithiau, fodd bynnag, pan yw'r cyfieithiad llythrennol a thraddodiadol yn gamarweiniol a lle y mae cytundeb gweddol gyffredinol ymhlith esbonwyr cyfoes ynglŷn ag ystyr y term gwreiddiol, mentrwyd ar gyfieithiad newydd. Felly, er enghraifft, yn Rhufeiniaid 3:25 aeth "gwaed" yn "marw aberthol" a "iawn" yn "moddion puredigaeth".

Yn yr argraffiad presennol diwygiwyd fersiwn gwreiddiol *Y Beibl Cymraeg Newydd* o'r Testament Newydd (1975) mewn tair ffordd: (i) fel yr eglurwyd eisoes, cysonwyd y cyfieithiad â ffurf ddiweddaraf y testun Groeg. Golyga hyn, mewn rhai mannau (e.e., Marc 6:20), fod darlleniad a welwyd ar odre'r tudalen yn 1975 erbyn hyn wedi ei ddyrchafu i destun y cyfieithiad. Golyga hefyd fod nifer yr amrywiadau darlleniad a nodir ar odre'r tudalennau wedi cynyddu, er mwyn i'r rheswm dros y gwahaniaeth rhwng 1988 a 1975 ddod yn amlwg i'r darllenydd. (ii) Yn y dyfyniadau o'r Hen Destament sy'n britho'r Testament Newydd, ceisiwyd sicrhau'r mesur llawnaf sy'n bosibl o gyfatebiaeth rhwng y dyfyniad a ffynhonnell y dyfyniad, fel y gwelir hwnnw yn fersiwn *Y Beibl Cymraeg Newydd* o'r Hen Destament. Golygodd hynny newidiadau yn y modd y troswyd nifer o'r dyfyniadau hyn. Yn y cyswllt hwn, rhaid pwysleisio nad yw cyfatebiaeth gyflawn rhwng dyfyniad a'i ffynhonnell bob amser yn bosibl, na chwaith yn briodol, gan nad yw'r darn fel y dyfynnir ef yng Ngroeg y Testament Newydd bob amser yn cyfateb yn union i'r darn fel y ceir ef yn Hebraeg yr Hen Destament. Byddai awduron y Testament Newydd fel arfer yn dyfynnu o'r LXX, neu ryw Fersiwn arall, ac nid o'r Hebraeg gwreiddiol; byddent hefyd, yn aml, yn dyfynnu'n rhydd ac yn addasu'r dyfyniad i'w pwrpas eu hunain. Barnwyd, er hynny, y dylai'r dyfyniad a'r ffynhonnell, oddi mewn i'r un Fersiwn Cymraeg o'r Beibl cyflawn, fod mor debyg i'w gilydd, o ran geirfa, cystrawen a ffurf, ag a ganiateir gan y rheidrwydd i gyfleu'n ffyddlon yr ystyr a berthyn i'r dyfyniad yn y cyd-destun y ceir ef ynddo yn y Testament Newydd. (iii) Rhoddwyd ystyriaeth ofalus i'r holl sylwadau, beirniadaethau, ac awgrymiadau a gynigiwyd mewn adolygiadau a thrafodaethau a gyhoeddwyd er pan ymddangosodd argraffiad 1975, a hefyd mewn llythyrau a dderbyniwyd mewn ymateb i'r gwahoddiad a estynnwyd yn y Rhagair i'r argraffiad hwnnw. Dymunir cydnabod yn ddiolchgar yr holl sylwadau hyn. Mabwysiadwyd cryn nifer ohonynt wrth ddiwygio'r cyfieithiad ar gyfer yr ail argraffiad presennol; caiff pob adolygydd a gohebydd chwilio drosto'i hun i weld a fabwysiadwyd ei welliannau ef ei hun ai peidio! Teg yw ychwanegu i'r cyfieithwyr eu hunain, heb eu hysgogi gan farn neb arall, ailfeddwl ynghylch amryw o'u trosiadau gwreiddiol, ac i hynny weithiau esgor ar ddiwygio. Gwir y dywedyd mai proses ddiderfyn yw'r dasg o gyfieithu'r Ysgrythurau.

MATHEW

Llinach Iesu Grist
(Lc. 3:23-38)

1 Dyma restr achau Iesu Grist, Mab Dafydd, mab Abraham.

2 Yr oedd Abraham yn dad i Isaac, Isaac yn dad i Jacob, a Jacob yn dad i Jwda a'i frodyr. ³Yr oedd Jwda yn dad i Peres a Sera, a Tamar yn fam iddynt; yr oedd Peres yn dad i Hesron, Hesron i Ram, ⁴Ram i Amminadab, Amminadab i Nahson, Nahson i Salmon; ⁵yr oedd Salmon yn dad i Boas, a Rahab yn fam iddo, Boas yn dad i Obed, a Ruth yn fam iddo, Obed yn dad i Jesse, ⁶a Jesse yn dad i'r Brenin Dafydd.

Yr oedd Dafydd yn dad i Solomon, a gwraig Ureia yn fam iddo, ⁷yr oedd Solomon yn dad i Rehoboam, Rehoboam yn dad i Abeia, ac Abeia'n dad i Asa. ⁸Yr oedd Asa'n dad i Jehosaffat, Jehosaffat i Joram, Joram i Usseia, ⁹Usseia i Jotham, Jotham i Ahas, Ahas i Heseceia, ¹⁰Heseceia i Manasse, Manasse i Amon, ac Amon i Joseia. ¹¹Yr oedd Joseia yn dad i Jechoneia a'i frodyr yng nghyfnod y gaethglud i Fabilon.

12 Ar ôl y gaethglud i Fabilon, yr oedd Jechoneia yn dad i Salathiel, Salathiel i Sorobabel, ¹³Sorobabel i Abiwd, Abiwd i Eliacim, Eliacim i Asor, ¹⁴Asor i Sadoc, Sadoc i Achim, Achim i Eliwd, ¹⁵Eliwd i Eleasar, Eleasar i Mathan, a Mathan i Jacob. ¹⁶Yr oedd Jacob yn dad i Joseff, gŵr Mair, a hi a roddodd enedigaeth i Iesu, a elwid y Meseia.

17 Felly, pedair ar ddeg yw cyfanrif y cenedlaethau o Abraham hyd Ddafydd, a phedair ar ddeg o Ddafydd hyd y gaethglud i Fabilon, a phedair ar ddeg hefyd o'r gaethglud i Fabilon hyd y Meseia.

Genedigaeth Iesu Grist
(Lc. 2:1-7)

18 Fel hyn y bu genedigaeth Iesu Grist. Pan oedd Mair ei fam wedi ei dyweddïo i Joseff, cyn iddynt briodi fe gafwyd ei bod hi'n feichiog o'r Ysbryd Glân. ¹⁹A chan ei fod yn ddyn cyfiawn, ond heb ddymuno ei chywilyddio'n gyhoeddus, penderfynodd Joseff, ei gŵr, ei gollwng ymaith yn ddirgel. ²⁰Ond wedi iddo gynllunio felly, dyma angel yr Arglwydd yn ymddangos iddo mewn breuddwyd, a dweud, "Joseff fab Dafydd, paid ag ofni cymryd Mair yn wraig i ti, oherwydd y mae'r hyn a genhedlwyd ynddi yn deillio o'r Ysbryd Glân. ²¹Bydd yn esgor ar fab, a gelwi ef Iesu, am mai ef a wareda ei bobl oddi wrth eu pechodau." ²²A digwyddodd hyn oll fel y cyflawnid y gair a lefarwyd gan yr Arglwydd trwy'r proffwyd:
23 "Wele, bydd y wyryf yn beichiogi, ac
   yn esgor ar fab,
   a gelwir ef Immanuel",
hynny yw, o'i gyfieithu, "Y mae Duw gyda ni". ²⁴A phan ddeffrôdd Joseff o'i gwsg, gwnaeth fel yr oedd angel yr Arglwydd wedi gorchymyn, a chymryd Mair yn wraig iddo. ²⁵Ond ni chafodd gyfathrach â hi hyd nes iddi esgor ar fab; a galwodd ef Iesu.

Ymweliad y Sêr-ddewiniaid

2 Wedi i Iesu gael ei eni ym Methlehem Jwdea yn nyddiau'r Brenin Herod, daeth sêr-ddewiniaid o'r dwyrain i Jerwsalem ²a holi, "Ble mae'r hwn a anwyd i fod yn frenin yr Iddewon? Oherwydd gwelsom ei seren ef ar ei chyfodiad, a daethom i'w addoli." ³A phan glywodd y Brenin Herod hyn, cythruddwyd ef, a Jerwsalem i gyd gydag ef. ⁴Galwodd ynghyd yr holl brif offeiriaid ac ysgrifenyddion y bobl, a holi ganddynt ble yr oedd y Meseia i gael ei eni. ⁵Eu hateb oedd, "Ym Methlehem Jwdea, oherwydd felly yr ysgrifennwyd gan y proffwyd:
⁶ "A thithau Bethlehem yng ngwlad Jwda,
   nid y lleiaf wyt ti o lawer ymysg
   tywysogion Jwda,
canys ohonot ti y daw allan arweinydd
a fydd yn fugail ar fy mhobl Israel.'"

7 Yna galwodd Herod y sêr-ddewiniaid yn ddirgel ato, a holodd hwy'n fanwl pa bryd yr oedd y seren wedi ymddangos. [8]Anfonodd hwy i Fethlehem gan ddweud, "Ewch, a chwiliwch yn fanwl am y plentyn, a phan fyddwch wedi dod o hyd iddo, rhowch wybod i mi er mwyn i minnau hefyd fynd a'i addoli." [9]Wedi gwrando ar y brenin aethant ar eu taith, a dyma'r seren a welsent ar ei chyfodiad yn mynd o'u blaen hyd nes iddi ddod ac aros uwchlaw'r man lle'r oedd y plentyn. [10]A phan welsant y seren, yr oeddent yn llawen dros ben. [11]Daethant i'r tŷ a gweld y plentyn gyda Mair ei fam; syrthiasant i lawr a'i addoli, ac wedi agor eu trysorau offrymasant iddo anrhegion, aur a thus a myrr. [12]Yna, ar ôl cael eu rhybuddio mewn breuddwyd i beidio â dychwelyd at Herod, aethant yn ôl i'w gwlad ar hyd ffordd arall.

Ffoi i'r Aifft

13 Wedi iddynt ymadael, dyma angel yr Arglwydd yn ymddangos i Joseff mewn breuddwyd, a dweud, "Cod, a chymer y plentyn a'i fam gyda thi, a ffo i'r Aifft, ac aros yno hyd nes y dywedaf wrthyt, oherwydd y mae Herod yn mynd i chwilio am y plentyn er mwyn ei ladd." [14]Yna cododd Joseff, a chymerodd y plentyn a'i fam gydag ef liw nos, ac ymadael i'r Aifft. [15]Arhosodd yno hyd farwolaeth Herod, fel y cyflawnid y gair a lefarwyd gan yr Arglwydd trwy'r proffwyd: "O'r Aifft y gelwais fy mab."

Lladd y Plant

16 Yna, pan ddeallodd Herod iddo gael ei dwyllo gan y sêr-ddewiniaid, aeth yn gynddeiriog, a rhoddodd orchymyn i ladd pob un o'r plant ym Methlehem a'r holl gyffiniau oedd yn ddwyflwydd oed neu lai, gan gyfrif o'r amser a hysbyswyd iddo gan y sêr-ddewiniaid. [17]Felly y cyflawnwyd y gair a lefarwyd trwy Jeremeia'r proffwyd:

[18]"Clywyd llef yn Rama,
   wylofain a galaru dwys;
Rachel yn wylo am ei phlant,
   ac ni fynnai ei chysuro, am nad
      oeddent mwy."

Dychwelyd o'r Aifft

19 Ar ôl i Herod farw, dyma angel yr Arglwydd yn ymddangos mewn breu-

[a]Neu, *i dynnu ei.*

ddwyd i Joseff yn yr Aifft, [20]gan ddweud, "Cod, a chymer y plentyn a'i fam gyda thi, a dos i wlad Israel, oherwydd bu farw y rhai oedd yn ceisio bywyd y plentyn." [21]Yna cododd Joseff, a chymerodd y plentyn a'i fam gydag ef, a mynd i wlad Israel. [22]Ond wedi clywed bod Archelaus yn teyrnasu dros Jwdea yn lle ei dad Herod, daeth ofn ar Joseff fynd yno. Cafodd ei rybuddio mewn breuddwyd, ac ymadawodd i barthau Galilea, [23]ac ymsefydlodd mewn tref a elwid Nasareth, fel y cyflawnid y gair a lefarwyd trwy'r proffwydi: "Gelwir ef yn Nasaread."

Pregethu Ioan Fedyddiwr
(Mc. 1:1-8; Lc. 3:1-9, 15-17; In. 1:19-28)

3 Yn y dyddiau hynny daeth Ioan Fedyddiwr, gan bregethu'r genadwri hon yn anialwch Jwdea: [2]"Edifarhewch, oherwydd y mae teyrnas nefoedd wedi dod yn agos." [3]Dyma'r hwn y soniwyd amdano gan y proffwyd Eseia pan ddywedodd:

"Llais un yn galw yn yr anialwch,
'Paratowch ffordd yr Arglwydd,
unionwch y llwybrau iddo.' "

4 Yr oedd dillad Ioan o flew camel, a gwregys o groen am ei ganol, a'i fwyd oedd locustiaid a mêl gwyllt. [5]Yr oedd trigolion Jerwsalem a Jwdea i gyd, a'r holl wlad o amgylch yr Iorddonen, [6]yn mynd allan ato, ac yn cael eu bedyddio ganddo yn Afon Iorddonen, gan gyffesu eu pechodau.

7 A phan welodd Ioan lawer o'r Phariseaid a'r Sadwceaid yn dod i'w bedyddio ganddo, dywedodd wrthynt: "Chwi epil gwiberod, pwy a'ch rhybuddiodd i ffoi rhag y digofaint sydd i ddod? [8]Dygwch ffrwyth gan hynny a fydd yn deilwng o'ch edifeirwch. [9]A pheidiwch â meddwl dweud wrthych eich hunain, 'Y mae gennym Abraham yn dad', oherwydd 'rwy'n dweud wrthych y gall Duw godi plant i Abraham o'r cerrig hyn. [10]Ac y mae'r fwyell eisoes wrth wraidd y coed; felly, y mae pob coeden nad yw'n dwyn ffrwyth da yn cael ei thorri i lawr a'i bwrw i'r tân. [11]Yr wyf fi yn eich bedyddio â dŵr i edifeirwch; ond y mae'r hwn sydd yn dod ar f'ôl i yn gryfach na mi, un nad wyf fi'n deilwng i gario'i[a] sandalau. Bydd ef yn eich bedyddio â'r Ysbryd Glân ac â thân. [12]Y mae ei wyntyll yn barod yn ei law, a bydd yn nithio'n lân yr hyn a

ddyrnwyd, ac yn casglu ei rawn i'r ysgubor. Ond am yr us, bydd yn llosgi hwnnw â thân anniffoddadwy."

Bedydd Iesu
(Mc. 1:9-11; Lc. 3:21-22)

13 Yna daeth Iesu o Galilea i'r Iorddonen at Ioan i'w fedyddio ganddo. ¹⁴Ceisiodd Ioan ei rwystro, gan ddweud, "Myfi sydd ag angen fy medyddio gennyt ti, ac a wyt ti yn dod ataf fi?" ¹⁵Meddai Iesu wrtho, "Gad imi ddod yn awr, oherwydd fel hyn y mae'n weddus i ni gyflawni popeth y mae cyfiawnder yn ei ofyn." Yna gadodd Ioan iddo ddod. ¹⁶Bedyddiwyd Iesu, ac yna, pan gododd allan o'r dŵr, dyma'r nefoedd yn agor iddo, a gwelodd Ysbryd Duw yn disgyn fel colomen ac yn dod arno. ¹⁷A dyma lais o'r nefoedd yn dweud, "Hwn yw fy Mab, yr Anwylyd; ynddo ef yr wyf yn ymhyfrydu."

Temtiad Iesu
(Mc. 1:12-13; Lc. 4:1-13)

4 Yna arweiniwyd Iesu i'r anialwch gan yr Ysbryd, i gael ei demtio gan y diafol. ²Wedi iddo ymprydio am ddeugain dydd a deugain nos daeth arno eisiau bwyd. ³A daeth y temtiwr a dweud wrtho, "Os Mab Duw wyt ti, dywed wrth y cerrig hyn am droi'n fara." ⁴Ond atebodd Iesu ef, "Y mae'n ysgrifenedig: 'Nid ar fara yn unig y bydd dyn fyw, ond ar bob gair sy'n dod allan o enau Duw.'"

⁵Yna cymerodd y diafol ef i'r ddinas sanctaidd, a'i osod ar dŵr uchaf y deml, ⁶a dweud wrtho, "Os Mab Duw wyt ti, bwrw dy hun i lawr; oherwydd y mae'n ysgrifenedig:
'Rhydd orchymyn i'w angylion amdanat;
byddant yn dy godi ar eu dwylo rhag iti daro dy droed yn erbyn carreg.'"

⁷Dywedodd Iesu wrtho, "Y mae'n ysgrifenedig drachefn: 'Paid â gosod yr Arglwydd dy Dduw ar ei brawf.'" ⁸Unwaith eto cymerodd y diafol ef i fynydd uchel iawn, a dangos iddo holl deyrnasoedd y byd a'u gogoniant, ⁹a dweud wrtho, "Y rhain i gyd a roddaf i ti, os syrthi i lawr a'm haddoli." ¹⁰Yna dywedodd Iesu wrtho, "Dos ymaith, Satan; oherwydd y mae'n ysgrifenedig:
'Yr Arglwydd dy Dduw a addoli,

ac ef yn unig a wasanaethi.'"
¹¹Yna gadawodd y diafol ef, a daeth angylion a gweini arno.

Dechrau'r Weinidogaeth yng Ngalilea
(Mc. 1:14-15; Lc. 4:14-15)

12 Ar ôl iddo glywed bod Ioan wedi ei garcharu, aeth Iesu ymaith i Galilea. ¹³A chan adael Nasareth aeth i fyw i Gapernaum, tref ar lan y môr yng nghyffiniau Sabulon a Nafftali, ¹⁴fel y cyflawnid y gair a lefarwyd trwy Eseia'r proffwyd:
¹⁵"Gwlad Sabulon a gwlad Nafftali, ar y ffordd i'r môr, tu hwnt i'r Iorddonen, Galilea'r Cenhedloedd;
¹⁶y bobl oedd yn trigo mewn tywyllwch a welodd oleuni mawr, ac ar drigolion tir cysgod angau y gwawriodd goleuni."

17 O'r amser hwnnw y dechreuodd Iesu bregethu'r genadwri hon: "Edifarhewch, oherwydd y mae teyrnas nefoedd wedi dod yn agos."

Galw Pedwar Pysgotwr
(Mc. 1:16-20; Lc. 5:1-11)

18 Wrth gerdded ar lan Môr Galilea gwelodd Iesu ddau frawd, Simon, a elwid Pedr, ac Andreas ei frawd, yn bwrw rhwyd i'r môr; pysgotwyr oeddent. ¹⁹A dywedodd wrthynt, "Dewch ar fy ôl i, ac fe'ch gwnaf yn bysgotwyr dynion." ²⁰Gadawsant eu rhwydau ar unwaith a'i ganlyn ef. ²¹Ac wedi iddo fynd ymlaen oddi yno gwelodd ddau frawd arall, Iago fab Sebedeus ac Ioan ei frawd, yn y cwch gyda Sebedeus eu tad yn cyweirio eu rhwydau. Galwodd hwythau, ²²ac ar unwaith, gan adael y cwch a'u tad, canlynasant ef.

Gweinidogaethu i Dyrfa Fawr
(Lc. 6:17-19)

23 Yr oedd yn mynd o amgylch Galilea gyfan, dan ddysgu yn eu synagogau hwy a phregethu efengyl y deyrnas, ac iacháu pob afiechyd a phob llesgedd ymhlith y bobl. ²⁴Aeth y sôn amdano trwy Syria gyfan; dygasant ato yr holl gleifion oedd yn dioddef dan amrywiol afiechydon, y rhai oedd yn cael eu llethu gan boenau, y rhai oedd wedi eu meddiannu gan gythreuliaid, y rhai lloerig, a'r rhai oedd wedi eu parlysu; ac fe iachaodd ef hwy. ²⁵A dilynwyd ef gan dyrfaoedd mawr o Gal-

ilea a'r Decapolis, a Jerwsalem a Jwdea, a'r tu hwnt i'r Iorddonen.

Y Bregeth ar y Mynydd
(Mth. 5—7)

5 Pan welodd Iesu y tyrfaoedd, aeth i fyny'r mynydd, ac wedi iddo eistedd i lawr daeth ei ddisgyblion ato. [2]Dechreuodd eu hannerch a'u dysgu fel hyn:

Y Gwynfydau
(Lc. 6:20-23)

[3]"Gwyn eu byd y rhai sy'n dlodion yn yr ysbryd, oherwydd eiddynt hwy yw teyrnas nefoedd.
[4]Gwyn eu byd y rhai sy'n galaru, oherwydd cânt hwy eu cysuro.
[5]Gwyn eu byd y rhai addfwyn, oherwydd cânt hwy etifeddu'r ddaear.
[6]Gwyn eu byd y rhai sy'n newynu a sychedu am gyfiawnder, oherwydd cânt hwy eu digon.
[7]Gwyn eu byd y rhai trugarog, oherwydd cânt hwy dderbyn trugaredd.
[8]Gwyn eu byd y rhai pur eu calon, oherwydd cânt hwy weld Duw.
[9]Gwyn eu byd y tangnefeddwyr, oherwydd cânt hwy eu galw'n feibion Duw.
[10]Gwyn eu byd y rhai a erlidiwyd yn achos cyfiawnder, oherwydd eiddynt hwy yw teyrnas nefoedd.
[11]Gwyn eich byd pan fydd dynion yn eich gwaradwyddo a'ch erlid, ac yn dweud pob math o ddrygair celwyddog yn eich erbyn, o'm hachos i. [12]Llawenhewch a gorfoleddwch, oherwydd y mae eich gwobr yn fawr yn y nefoedd; felly yn wir yr erlidiodd dynion y proffwydi oedd o'ch blaen chwi.

Halen a Goleuni
(Mc. 9:50; Lc. 14:34-35)

13 "Chwi yw halen y ddaear; ond os cyll yr halen ei flas, â pha beth yr helltir ef? Nid yw'n dda i ddim bellach ond i'w luchio allan a'i sathru dan draed gan ddynion. [14]Chwi yw goleuni'r byd. Ni ellir cuddio dinas a osodir ar fryn. [15]Ac nid yw pobl yn cynnau cannwyll ac yn ei dodi dan lestr, ond yn hytrach ar ganhwyllbren, a bydd yn rhoi golau i bawb sydd yn y tŷ. [16]Felly boed i'ch goleuni

[b]Yn ôl darlleniad arall ychwanegir yn ddiachos.

chwithau lewyrchu gerbron dynion, nes iddynt weld eich gweithredoedd da chwi a gogoneddu eich Tad, yr hwn sydd yn y nefoedd.

Dysgeidiaeth ar y Gyfraith

17 "Peidiwch â thybio i mi ddod i ddileu'r Gyfraith na'r proffwydi; ni ddeuthum i ddileu ond i gyflawni. [18]Yn wir, 'rwy'n dweud wrthych, hyd nes i nef a daear ddarfod, ni dderfydd yr un llythyren na'r un manylyn lleiaf o'r Gyfraith nes i'r cwbl ddigwydd. [19]Am hynny pwy bynnag fydd yn dirymu un o'r gorchmynion lleiaf hyn ac yn dysgu i ddynion wneud felly, gelwir ef y lleiaf yn nheyrnas nefoedd. Ond pwy bynnag a'i ceidw ac a'i dysg i eraill, gelwir hwnnw'n fawr yn nheyrnas nefoedd. [20]'Rwy'n dweud wrthych, oni fydd eich cyfiawnder chwi yn rhagori llawer ar eiddo'r ysgrifenyddion a'r Phariseaid, nid ewch byth i mewn i deyrnas nefoedd.

Dysgeidiaeth ar Ddicter

21 "Clywsoch fel y dywedwyd wrth y rhai gynt, 'Na ladd; pwy bynnag sy'n lladd, bydd yn atebol i farn.' [22]Ond 'rwyf fi'n dweud wrthych y bydd pob un sy'n ddig wrth ei frawd[b] yn atebol i farn. Pwy bynnag sy'n sarhau ei frawd[c], bydd yn atebol i'r llys, a phwy bynnag sy'n dweud wrtho, 'Yr ynfytyn', bydd yn ateb am hynny yn nhân uffern. [23]Felly os wyt yn cyflwyno dy offrwm wrth yr allor, ac yno'n cofio bod gan dy frawd rywbeth yn dy erbyn, [24]gad dy offrwm yno o flaen yr allor, a dos ymaith; myn gymod yn gyntaf â'th frawd, ac yna tyrd a chyflwyno dy offrwm. [25]Os bydd rhywun yn dy gymryd i'r llys, bydd barod i ddod i gytundeb buan ag ef tra byddi gydag ef ar y ffordd yno, rhag iddo dy draddodi i'r barnwr, ac i'r barnwr dy roi i'r swyddog, ac i ti gael dy fwrw i garchar. [26]Yn wir, 'rwy'n dweud wrthyt, ni ddoi di byth allan oddi yno cyn talu'n ôl y ddimai olaf.

Dysgeidiaeth ar Odineb

27 "Clywsoch fel y dywedwyd, 'Na odineba.' [28]Ond 'rwyf fi'n dweud wrthych fod pob un sy'n edrych mewn blys ar wraig eisoes wedi cyflawni godineb â hi yn ei galon. [29]Os yw dy lygad de yn achos cwymp iti, tyn ef allan a'i daflu oddi wrthyt; y mae'n fwy buddiol iti golli un

[c]Neu, sy'n dweud wrth ei frawd, 'Raca'.

o'th aelodau na bod dy gorff cyfan yn cael ei daflu i uffern. ³⁰Ac os yw dy law dde yn achos cwymp iti, tor hi ymaith a'i thaflu oddi wrthyt; y mae'n fwy buddiol iti golli un o'th aelodau na bod dy gorff cyfan yn mynd i uffern.

Dysgeidiaeth ar Ysgariad
(Mth. 19:9; Mc. 10:11-12; Lc. 16:18)

31 "Dywedwyd hefyd, 'Pwy bynnag sy'n ysgaru ei wraig, rhodded iddi lythyr ysgar.' ³²Ond 'rwyf fi'n dweud wrthych fod pob un sy'n ysgaru ei wraig, ar wahân i achos o buteindra, yn peri iddi hi odinebu, ac y mae'r sawl sy'n priodi gwraig a ysgarwyd yn godinebu.

Dysgeidiaeth ar Lwon

33 "Clywsoch hefyd fel y dywedwyd wrth y rhai gynt, 'Na thynga lw twyllodrus', a 'Rhaid iti gadw pob llw a roist i'r Arglwydd.' ³⁴Ond 'rwyf fi'n dweud wrthych: peidiwch â thyngu llw o gwbl; nac i'r nef, gan mai gorsedd Duw ydyw; ³⁵nac i'r ddaear, gan mai ei droedfainc ef ydyw; nac i Jerwsalem, gan mai dinas y Brenin mawr ydyw. ³⁶Paid â thyngu chwaith i'th ben, oherwydd ni elli wneud un blewyn yn wyn nac yn ddu. ³⁷Ond boed 'ie' eich ymadrodd chwi yn 'ie' yn unig, a'ch 'nage' yn 'nage' yn unig; o'r Un drwg y mae popeth dros ben y rhain.

Dysgeidiaeth ar Ddial
(Lc. 6:29-30)

38 "Clywsoch fel y dywedwyd, 'Llygad am lygad, a dant am ddant.' ³⁹Ond 'rwyf fi'n dweud wrthych: peidiwch â gwrthsefyll y sawl sy'n gwneud drwg i chwi. Os bydd rhywun yn dy daro ar dy foch dde, tro'r llall ato hefyd. ⁴⁰Ac os bydd rhywun am fynd â thi i gyfraith a chymryd dy grys, gad iddo gael dy fantell hefyd. ⁴¹Ac os bydd rhywun yn dy orfodi i'w ddanfon am un filltir, dos gydag ef ddwy. ⁴²Rho i'r sawl sy'n gofyn gennyt, a phaid â throi i ffwrdd oddi wrth y dyn sydd am fenthyca gennyt.

Caru Gelynion
(Lc. 6:27-28, 32-36)

43 "Clywsoch fel y dywedwyd, 'Câr dy gymydog, a chasâ dy elyn.' ⁴⁴Ond 'rwyf fi'n dweud wrthych: carwch eich gelynion,ᶜʰ a gweddïwch dros y rhai sy'n eich erlid; ⁴⁵felly fe fyddwch yn feibion i'ch Tad sydd yn y nefoedd, oherwydd y mae ef yn peri i'w haul godi ar y drwg a'r da, ac yn rhoi glaw i'r cyfiawn a'r anghyfiawn. ⁴⁶Os carwch y rhai sy'n eich caru chwi, pa wobr sydd i chwi? Onid yw hyd yn oed y casglwyr trethi yn gwneud cymaint â hynny? ⁴⁷Ac os cyfarchwch eich brodyr yn unig, pa ragoriaeth sydd yn hynny? Onid yw'r paganiaid hyd yn oed yn gwneud cymaint â hynny? ⁴⁸Felly byddwch chwi'n berffaith fel y mae eich Tad nefol yn berffaith.

Dysgeidiaeth ar Elusennau

6 "Cymerwch ofal i beidio â chyflawni eich dyletswyddau crefyddol o flaen dynion, er mwyn cael eich gweld ganddynt; os gwnewch, nid oes gwobr i chwi gan eich Tad, yr hwn sydd yn y nefoedd.

2 "Felly, pan fyddi'n rhoi elusen, paid â chanu utgorn o'th flaen, fel y mae'r rhagrithwyr yn gwneud yn y synagogau ac yn yr heolydd, er mwyn cael eu canmol gan ddynion. Yn wir, 'rwy'n dweud wrthych, y mae eu gwobr ganddynt eisoes. ³Ond pan fyddi di'n rhoi elusen, paid â gadael i'th law chwith wybod beth y mae dy law dde yn ei wneud. ⁴Felly bydd dy elusen di yn y dirgel, a bydd dy Dad, sydd yn gweld yn y dirgel, yn dy wobrwyo.

Dysgeidiaeth ar Weddi
(Lc. 11:2-4)

5 "A phan fyddwch yn gweddïo, peidiwch â bod fel y rhagrithwyr; oherwydd y maent hwy'n hoffi gweddïo ar eu sefyll yn y synagogau ac ar gonglau'r heolydd, er mwyn cael eu gweld gan ddynion. Yn wir, 'rwy'n dweud wrthych, y mae eu gwobr ganddynt eisoes. ⁶Ond pan fyddi di'n gweddïo, dos i mewn i'th ystafell, ac wedi cau dy ddrws gweddïa ar dy Dad sydd yn y dirgel, a bydd dy Dad sydd yn gweld yn y dirgel yn dy wobrwyo. ⁷Ac wrth weddïo, peidiwch â phentyrru geiriau fel y mae'r paganiaid yn gwneud; y maent hwy'n tybied y cânt eu gwrando am eu haml eiriau. ⁸Peidiwch felly â bod yn debyg iddynt hwy, oherwydd y mae eich Tad yn gwybod cyn i chwi ofyn iddo beth yw eich anghenion. ⁹Felly, gweddïwch chwi fel hyn:

ᶜʰYn ôl darlleniad arall ychwanegir *bendithiwch y rhai sy'n eich melltithio, gwnewch ddaioni i'r rhai sy'n eich casáu.*

'Ein Tad yn y nefoedd,
sancteiddier dy enw;
¹⁰deled dy deyrnas;
gwneler dy ewyllys,
ar y ddaear fel yn y nef.
¹¹Dyro inni heddiw ein bara
beunyddiol^d;
¹²a maddau inni ein troseddau,
fel yr ŷm ni wedi maddau i'r rhai a
droseddodd yn ein herbyn;
¹³a phaid â'n dwyn i brawf,
ond gwared ni rhag yr Un drwg^{dd}.^e'
¹⁴Oherwydd os maddeuwch i ddynion eu
camweddau, bydd eich Tad nefol hefyd
yn maddau i chwi. ¹⁵Ond os na faddeu-
wch i ddynion eu camweddau, ni fydd
eich Tad chwaith yn maddau eich cam-
weddau chwi.

Dysgeidiaeth ar Ymprydio

16 "A phan fyddwch yn ymprydio,
peidiwch â bod yn wynepdrist fel y
rhagrithwyr; y maent hwy'n anffurfio eu
hwynebau er mwyn i ddynion gael gweld
eu bod yn ymprydio. Yn wir, 'rwy'n
dweud wrthych, y mae eu gwobr gan-
ddynt eisoes. ¹⁷Ond pan fyddi di'n ym-
prydio, eneinia dy ben a golch dy wyneb,
¹⁸fel nad dynion a gaiff weld dy fod yn
ymprydio, ond yn hytrach dy Dad sydd
yn y dirgel; a bydd dy Dad, sydd yn gweld
yn y dirgel, yn dy wobrwyo.

Trysor yn y Nef
(Lc. 12:33-34)

19 "Peidiwch â chasglu ichwi drysorau
ar y ddaear, lle mae gwyfyn a rhwd yn
difa, a lle mae lladron yn torri trwodd ac
yn lladrata. ²⁰Casglwch ichwi drysorau
yn y nef, lle nad yw gwyfyn na rhwd yn
difa, a lle nad yw lladron yn torri trwodd
nac yn lladrata. ²¹Oherwydd lle mae dy
drysor, yno hefyd y bydd dy galon.

Goleuni'r Corff
(Lc. 11:34-36)

22 "Y llygad yw cannwyll y corff; felly
os bydd dy lygad yn iach, bydd dy gorff
yn llawn goleuni. ²³Ond os bydd dy lygad
yn sâl, bydd dy gorff yn llawn tywyllwch.
Ac os yw'r goleuni sydd ynot yn dywyll-
wch, mor fawr yw'r tywyllwch!

Duw ac Arian
(Lc. 16:13)

24 "Ni all neb wasanaethu dau feistr;
oherwydd bydd un ai'n casáu'r naill ac yn
caru'r llall, neu'n deyrngar i'r naill ac yn
dirmygu'r llall. Ni allwch wasanaethu
Duw ac Arian.

Gofal a Phryder
(Lc. 12:22-34)

25 "Am hynny 'rwy'n dweud wrthych,
peidiwch â phryderu am eich einioes,
beth i'w fwyta na'i yfed, nac am eich
corff, beth i'w wisgo; onid oes rhagor i
einioes dyn na lluniaeth, a rhagor i'w
gorff na dillad? ²⁶Edrychwch ar adar yr
awyr: nid ydynt yn hau nac yn medi nac
yn casglu i ysguboriau, ac eto y mae eich
Tad nefol yn eu bwydo. Onid ydych chwi
yn llawer mwy gwerthfawr na hwy?
²⁷Prun ohonoch a all ychwanegu un funud
at ei oes^f trwy bryderu? ²⁸A pham yr
ydych yn pryderu am ddillad? Ystyr-
iwch lili'r maes, pa fodd y maent yn tyfu;
nid ydynt yn llafurio nac yn nyddu. ²⁹Ond
'rwy'n dweud wrthych, nid oedd gan hyd
yn oed Solomon yn ei holl ogoniant wisg
i'w chymharu ag un o'r rhain. ³⁰Os yw
Duw yn dilladu felly laswellt y maes,
sydd yno heddiw ac yfory yn cael ei daflu
i'r ffwrn, onid llawer mwy y dillada chwi,
chwi o ychydig ffydd? ³¹Peidiwch felly â
phryderu a dweud, 'Beth yr ydym i'w
fwyta?' neu 'Beth yr ydym i'w yfed?'
neu 'Beth yr ydym i'w wisgo?' ³²Dyna'r
holl bethau y mae'r Cenhedloedd yn eu
ceisio; y mae eich Tad nefol yn gwybod
fod arnoch angen y rhain i gyd. ³³Ond
ceisiwch yn gyntaf deyrnas Dduw a'i
gyfiawnder ef, a rhoir y pethau hyn i gyd
yn ychwaneg i chwi. ³⁴Peidiwch felly â
phryderu am yfory, oherwydd bydd gan
yfory ei bryder ei hun. Digon i'r diwrnod
ei drafferth ei hun.

Barnu Eraill
(Lc. 6:37-38, 41-42)

7 "Peidiwch â barnu, rhag ichwi gael
eich barnu; ²oherwydd fel y bydd-
wch chwi'n barnu y cewch chwithau eich
barnu, ac â'r mesur a rowch y rhoir i
chwithau. ³Pam yr wyt yn edrych ar y
brycheuyn sydd yn llygad dy frawd, a

---

^dNeu, *ein bara at yfory*. Neu, *y bara sy'n ein cynnal*.   ^{dd}Neu, *rhag y drwg*.
^eYn ôl darlleniad arall ychwanegir *Oherwydd eiddot ti yw'r deyrnas a'r gallu a'r gogoniant am byth. Amen.*
^fNeu, *un fodfedd at ei daldra*.

thithau heb sylwi ar y trawst sydd yn dy lygad dy hun? ⁴Neu sut y dywedi wrth dy frawd, 'Gad imi dynnu allan y brycheuyn o'th lygad di', a dyna drawst yn dy lygad dy hun? ⁵Ragrithiwr, yn gyntaf tyn y trawst allan o'th lygad dy hun, ac yna fe weli yn ddigon eglur i dynnu'r brycheuyn o lygad dy frawd. ⁶Peidiwch â rhoi'r hyn sy'n sanctaidd i'r cŵn, na thaflu eich perlau o flaen y moch, rhag iddynt eu sathru dan eu traed, a throi arnoch a'ch rhwygo.

Gofynnwch, Chwiliwch, Curwch
(Lc. 11:9-13)

7 "Gofynnwch, ac fe roddir i chwi; chwiliwch, ac fe gewch; curwch, ac fe agorir i chwi. ⁸Oherwydd y mae pawb sy'n gofyn yn derbyn, a'r hwn sy'n chwilio yn cael, ac i'r hwn sy'n curo agorir y drws. ⁹Pa ddyn ohonoch, os bydd ei fab yn gofyn iddo am fara, a rydd iddo garreg? ¹⁰Neu os bydd yn gofyn am bysgodyn, a rydd iddo sarff? ¹¹Am hynny, os ydych chwi, sy'n ddynion drwg, yn medru rhoi rhoddion da i'ch plant, gymaint mwy y rhydd eich Tad sydd yn y nefoedd bethau da i'r rhai sy'n gofyn ganddo! ¹²Pa beth bynnag y dymunwch i ddynion ei wneud i chwi, gwnewch chwithau felly iddynt hwy; hyn yw'r Gyfraith a'r proffwydi.

Y Porth Cyfyng
(Lc. 13:24)

13 "Ewch i mewn trwy'r porth cyfyng; oherwydd llydan yw'r porth ac eang yw'r ffordd sy'n arwain i ddistryw, a llawer yw'r rhai sy'n mynd ar hyd-ddi. ¹⁴Ond cyfyng yw'r porth a chul yw'r ffordd sy'n arwain i fywyd, ac ychydig yw'r rhai sy'n ei chael.

Adnabod Coeden wrth ei Ffrwyth
(Lc. 6:43-44)

15 "Gochelwch rhag gau-broffwydi, sy'n dod atoch yng ngwisg defaid, ond sydd o'u mewn yn fleiddiaid rheibus. ¹⁶Wrth eu ffrwythau yr adnabyddwch hwy. Ai oddi ar ddrain y mae casglu grawnwin neu oddi ar ysgall ffigys? ¹⁷Felly y mae pob coeden dda yn dwyn ffrwyth da, a choeden wael yn dwyn ffrwyth drwg. ¹⁸Ni all coeden dda ddwyn ffrwyth drwg, na choeden wael ffrwyth da. ¹⁹Y mae pob coeden nad yw'n dwyn ffrwyth da yn cael ei thorri i lawr a'i bwrw i'r tân. ²⁰Felly, wrth eu ffrwythau yr adnabyddwch hwy.

Nid Adnabûm Erioed Mohonoch
(Lc. 13:25-27)

21 "Nid pawb sy'n dweud wrthyf, 'Arglwydd, Arglwydd', fydd yn mynd i mewn i deyrnas nefoedd, ond y sawl sy'n gwneud ewyllys fy Nhad, yr hwn sydd yn y nefoedd. ²²Bydd llawer yn dweud wrthyf yn y dydd hwnnw, 'Arglwydd, Arglwydd, oni fuom yn proffwydo yn dy enw di, ac yn dy enw di yn bwrw allan gythreuliaid, ac yn dy enw di yn cyflawni gwyrthiau lawer?' ²³Ac yna dywedaf wrthynt yn eu hwynebau, 'Nid adnabûm erioed mohonoch; ewch ymaith oddi wrthyf, chwi ddrwgweithredwyr.'

Y Ddwy Sylfaen
(Lc. 6:47-49)

24 "Pob un felly sy'n gwrando ar y geiriau hyn o'r eiddof ac yn eu gwncud, fe'i cyffelybir i ddyn call, a adeiladodd ei dŷ ar y graig. ²⁵Disgynnodd y glaw a daeth y llifogydd, a chwythodd y gwyntoedd a tharo yn erbyn y tŷ hwnnw, ond ni syrthiodd, am ei fod wedi ei sylfaenu ar y graig. ²⁶A phob un sy'n gwrando ar y geiriau hyn o'r eiddof a heb eu gwneud, fe'i cyffelybir i ddyn ffôl, a adeiladodd ei dŷ ar y tywod. ²⁷A disgynnodd y glaw a daeth y llifogydd, a chwythodd y gwyntoedd a tharo yn erbyn y tŷ hwnnw, ac fc syrthiodd, a dirfawr oedd ei gwymp."

28 Pan orffennodd Iesu lefaru'r geiriau hyn, synnodd y tyrfaoedd at yr hyn yr oedd yn ei ddysgu; ²⁹oherwydd yr oedd yn eu dysgu fel un ag awdurdod ganddo, ac nid fel eu hysgrifenyddion.

Glanhau Dyn Gwahanglwyfus
(Mc. 1:40-45; Lc. 5:12-16)

8 Wedi iddo ddod i lawr o'r mynydd dilynodd tyrfaoedd mawr ef. ²A dyma ddyn gwahanglwyfus yn dod ato ac yn syrthio o'i flaen a dweud, "Syr, os mynni, gelli fy nglanhau." ³Estynnodd Iesu ei law a chyffwrdd ag ef gan ddweud, "Yr wyf yn mynnu, glanhaer di." Ac ar unwaith glanhawyd ei wahanglwyf. ⁴Meddai Iesu wrtho, "Gwylia na ddywedi wrth neb, ond dos a dangos dy hun i'r offeiriad, ac offryma'r rhodd a orchmynnodd Moses, yn dystiolaeth i'r bobl."

Iacháu Gwas Canwriad
(Lc. 7:1-10; In. 4:43-54)

5 Ar ôl iddo fynd i mewn i Gapernaum daeth canwriad ato ac erfyn arno: ⁶"Syr, y mae fy ngwas yn gorwedd yn y tŷ wedi ei barlysu, mewn poenau enbyd." ⁷Dywedodd Iesu wrtho, "Fe ddof fi i'w iacháu." ⁸Atebodd y canwriad, "Syr, nid wyf yn deilwng i ti ddod dan fy nho; ond dywed air yn unig, a chaiff fy ngwas ei iacháu. ⁹Oherwydd dyn sydd dan awdurdod wyf finnau, a chennyf filwyr danaf; byddaf yn dweud wrth hwn, 'Dos', ac fe â, ac wrth un arall, 'Tyrd', ac fe ddaw, ac wrth fy ngwas, 'Gwna hyn', ac fe'i gwna." ¹⁰Pan glywodd Iesu hyn, fe ryfeddodd, a dywedodd wrth y rhai oedd yn ei ddilyn, "Yn wir, 'rwy'n dweud wrthych, ni chefais gan neb yn Israel ffydd mor fawr. ¹¹'Rwy'n dweud wrthych y daw llawer o'r dwyrain a'r gorllewin a chymryd eu lle wrth y wledd gydag Abraham ac Isaac a Jacob yn nheyrnas nefoedd. ¹²Ond caiff meibion y deyrnas eu bwrw allan i'r tywyllwch eithaf; bydd yno wylo a rhincian dannedd." ¹³A dywedodd Iesu wrth y canwriad, "Dos ymaith; boed iti fel y credaist." Ac fe iachawyd ei was y munud hwnnw.

Iacháu Llawer
(Mc. 1:29-34; Lc. 4:38-41)

14 Pan ddaeth i dŷ Pedr, gwelodd Iesu ei fam-yng-nghyfraith ef yn gorwedd yn wael dan dwymyn. ¹⁵Fe gyffyrddodd â'i llaw, a gadawodd y dwymyn hi, ac fe gododd a dechrau gweini arno. ¹⁶Gyda'r nos daethant â llawer oedd wedi eu meddiannu gan gythreuliaid ato, ac fe fwriodd allan yr ysbrydion â'i air, ac iacháu pawb oedd yn glaf; ¹⁷fel y cyflawnid y gair a lefarwyd trwy Eseia'r proffwyd:
"Ef a gymerodd ein gwendidau ac a ddug ymaith ein clefydau."

Rhai yn Dymuno Canlyn Iesu
(Lc. 9:57-62)

18 Pan welodd Iesu dyrfa o'i amgylch, rhoddodd orchymyn i groesi i'r ochr draw. ¹⁹Daeth un o'r ysgrifenyddion a dweud wrtho, "Athro, canlynaf di lle bynnag yr ei." ²⁰Meddai Iesu wrtho, "Y mae gan y llwynogod ffeuau, a chan adar yr awyr nythod, ond gan Fab y Dyn nid oes lle i roi ei ben i lawr." ²¹Dywedodd un arall o'i ddisgyblion wrtho, "Arglwydd, caniatâ imi yn gyntaf fynd a chladdu fy nhad." ²²Ond meddai Iesu wrtho, "Canlyn fi, a gad i'r meirw gladdu eu meirw eu hunain."

Gostegu Storm
(Mc. 4:35-41; Lc. 8:22-25)

23 Aeth Iesu i mewn i'r cwch, a chanlynodd ei ddisgyblion ef. ²⁴A dyma storm fawr yn codi ar y môr, nes bod y cwch yn cael ei guddio gan y tonnau; ond yr oedd ef yn cysgu. ²⁵Daethant ato a'i ddeffro a dweud, "Arglwydd, achub ni, y mae ar ben arnom." ²⁶A dywedodd wrthynt, "Pam y mae arnoch ofn, chwi o ychydig ffydd?" Yna cododd a cheryddodd y gwyntoedd a'r môr, a bu tawelwch mawr. ²⁷Synnodd y dynion a dweud, "Pa fath ddyn yw hwn? Y mae hyd yn oed y gwyntoedd a'r môr yn ufuddhau iddo."

Iacháu'r Dynion oedd ym meddiant Cythreuliaid yn Gadara
(Mc. 5:1-20; Lc. 8:26-39)

28 Wedi iddo fynd i'r ochr draw, i wlad y Gadareniaidᶠᶠ, daeth i'w gyfarfod ddau ddyn oedd wedi eu meddiannu gan gythreuliaid, yn dod allan o blith y beddau; yr oeddent mor ffyrnig fel na allai neb fynd heibio'r ffordd honno. ²⁹A dyma hwy'n gweiddi, "Beth sydd a fynni di â ni, Fab Duw? A ddaethost yma cyn yr amser i'n poenydio ni?" ³⁰Cryn bellter oddi wrthynt yr oedd cenfaint fawr o foch yn pori. ³¹Ymbiliodd y cythreuliaid arno, "Os wyt yn ein bwrw ni allan, anfon ni i'r genfaint moch." ³²Meddai ef wrthynt, "Ewch." Ac fe aethant allan o'r dynion a mynd i mewn i'r moch. A dyma'r genfaint i gyd yn rhuthro dros y dibyn i'r môr, a threngi yn y dyfroedd. ³³Ffodd eu bugeiliaid, a mynd am y dref i adrodd yr holl hanes, a'r hyn oedd wedi digwydd i'r dynion a fu ym meddiant cythreuliaid. ³⁴A dyma'r holl dref yn mynd allan i gyfarfod â Iesu, ac wedi ei weld yn erfyn arno symud o'u gororau.

Iacháu Dyn wedi ei Barlysu
(Mc. 2:1-12; Lc. 5:17-26)

9 Aeth Iesu i mewn i gwch a chroesi'r môr a dod i'w dref ei hun. ²A dyma hwy'n dod â dyn wedi ei barlysu ato, yn

---

ᶠᶠYn ôl darlleniadau eraill, *Gergeseniaid*, neu, *Geraseniaid*.

gorwedd ar wely. Pan welodd Iesu eu ffydd hwy dywedodd wrth y claf, "Cod dy galon, fy mab; maddeuwyd dy bechodau." [3] A dyma rai o'r ysgrifenyddion yn dweud ynddynt eu hunain, "Y mae hwn yn cablu." [4] Deallodd Iesu eu meddyliau ac meddai, "Pam yr ydych yn meddwl pethau drwg yn eich calonnau? [5] Oherwydd prun sydd hawsaf, ai dweud, 'Maddeuwyd dy bechodau', ai ynteu dweud, 'Cod a cherdda'? [6] Ond er mwyn i chwi wybod fod gan Fab y Dyn awdurdod i faddau pechodau ar y ddaear"—yna meddai wrth y claf, "Cod, a chymer dy wely a dos adref." [7] A chododd ac aeth ymaith i'w gartref. [8] Pan welodd y tyrfaoedd hyn daeth ofn arnynt a rhoesant ogoniant i Dduw, yr hwn a roddodd y fath awdurdod i ddynion.

Galw Mathew
(Mc. 2:13-17; Lc. 5:27-32)

9 Wrth fynd heibio oddi yno gwelodd Iesu ddyn a elwid Mathew yn eistedd wrth y dollfa, a dywedodd wrtho, "Canlyn fi." Cododd yntau a chanlynodd ef. [10] Ac yr oedd wrth bryd bwyd yn ei dŷ, a dyma lawer o gasglwyr trethi ac o bechaduriaid yn dod a chydfwyta gyda Iesu a'i ddisgyblion. [11] A phan welodd y Phariseaid, dywedasant wrth ei ddisgyblion, "Pam y mae eich athro yn bwyta gyda chasglwyr trethi a phechaduriaid?" [12] Clywodd Iesu, a dywedodd, "Nid ar y cryfion ond ar y cleifion y mae angen meddyg. [13] Ond ewch a dysgwch beth yw ystyr hyn, 'Trugaredd a ddymunaf, nid aberth'. Oherwydd i alw pechaduriaid, nid rhai cyfiawn, yr wyf fi wedi dod."

Holi ynglŷn ag Ymprydio
(Mc. 2:18-22; Lc. 5:33-39)

14 Yna daeth disgyblion Ioan ato a dweud, "Pam yr ydym ni a'r Phariseaid yn ymprydio llawer, ond dy ddisgyblion di ddim yn ymprydio?" [15] Dywedodd Iesu wrthynt, "A all gwesteion priodas alaru cyhyd ag y mae'r priodfab gyda hwy? Ond fe ddaw dyddiau pan ddygir y priodfab oddi wrthynt, ac yna yr ymprydiant. [16] Ni fydd neb yn gwnïo clwt o frethyn heb ei bannu ar hen ddilledyn; oherwydd fe dýn y clwt wrth y dilledyn, ac fe â'r rhwyg yn waeth. [17] Ni fydd pobl chwaith yn tywallt gwin newydd i hen grwyn; os gwnânt, fe rwygir y crwyn, fe gollir y gwin a difethir y crwyn. Ond byddant yn tywallt gwin newydd i grwyn newydd, ac fe gedwir y ddau."

Merch y Llywodraethwr, a'r Wraig a Gyffyrddodd â Mantell Iesu
(Mc. 5:21-43; Lc. 8:40-56)

18 Tra oedd ef yn siarad fel hyn â hwy, dyma ryw lywodraethwr yn dod ato ac ymgrymu iddo a dweud, "Y mae fy merch newydd farw; ond tyrd a rho dy law arni, ac fe fydd fyw." [19] A chododd Iesu a dilynodd ef gyda'i ddisgyblion. [20] A dyma wraig ac arni waedlif ers deuddeng mlynedd yn dod ato o'r tu ôl ac yn cyffwrdd ag ymyl ei fantell. [21] Oherwydd yr oedd hi wedi dweud ynddi ei hun, "Dim ond imi gyffwrdd â'i fantell, fe gaf fy iacháu." [22] A throes Iesu, a gwelodd hi, ac meddai, "Cod dy galon, fy merch; y mae dy ffydd wedi dy iacháu di." Ac iachawyd y wraig o'r munud hwnnw. [23] Pan ddaeth Iesu i dŷ'r llywodraethwr, a gweld y pibyddion a'r dyrfa mewn cynnwrf, [24] dywedodd, "Ewch ymaith, oherwydd nid yw'r eneth wedi marw; cysgu y mae." Dechreusant chwerthin am ei ben. [25] Ac wedi i'r dyrfa gael ei gyrru allan, aeth ef i mewn a gafael yn ei llaw, a chododd yr eneth. [26] Ac aeth yr hanes am hyn allan i'r holl ardal honno.

Iacháu Dau Ddyn Dall

27 Wrth i Iesu fynd oddi yno dilynodd dau ddyn dall ef gan weiddi, "Trugarha wrthym ni, Fab Dafydd." [28] Wedi iddo ddod i'r tŷ daeth y deillion ato, a gofynnodd Iesu iddynt, "A ydych yn credu y gallaf wneud hyn?" Dywedasant wrtho, "Ydym, syr." [29] Yna cyffyrddodd â'u llygaid a dweud, "Yn ôl eich ffydd boed i chwi." [30] Agorwyd eu llygaid, a rhybuddiodd Iesu hwy yn llym, "Gofalwch na chaiff neb wybod." [31] Ond aethant allan a thaenu'r hanes amdano yn yr holl ardal honno.

Iacháu Dyn Mud

32 Fel yr oeddent yn mynd ymaith, dyma rywrai'n dwyn ato ddyn mud wedi ei feddiannu gan gythraul. [33] Wedi i'r cythraul gael ei fwrw allan, llefarodd y mudan; a rhyfeddodd y tyrfaoedd gan ddweud, "Ni welwyd erioed y fath beth yn Israel." [34] Ond dywedodd y Phariseaid, "Trwy bennaeth y cythreuliaid y mae'n bwrw allan gythreuliaid."

Tosturi Iesu

35 Yr oedd Iesu'n mynd o amgylch yr holl drefi a'r pentrefi, dan ddysgu yn eu synagogau hwy, a phregethu efengyl y deyrnas, ac iacháu pob afiechyd a phob llesgedd. ³⁶A phan welodd ef y tyrfaoedd tosturiodd wrthynt am eu bod yn flinderus a diymadferth fel defaid heb fugail. ³⁷Yna meddai wrth ei ddisgyblion, "Y mae'r cynhaeaf yn fawr ond y gweithwyr yn brin; ³⁸deisyfwch felly ar Arglwydd y cynhaeaf anfon gweithwyr i'w gynhaeaf."

Cenhadaeth y Deuddeg
(Mc. 3:13-19; Lc. 6:12-16)

10 Wedi galw ato ei ddeuddeg disgybl rhoddodd Iesu iddynt awdurdod dros ysbrydion aflan, i'w bwrw allan, ac i iacháu pob afiechyd a phob llesgedd. ²A dyma enwau'r deuddeg apostol: yn gyntaf Simon, a elwir Pedr, ac Andreas ei frawd, ac Iago fab Sebedeus, ac Ioan ei frawd, ³Philip a Bartholomeus, Thomas a Mathew'r casglwr trethi, Iago fab Alffeus, a Thadeus⁸, ⁴Simon y Selot, a Jwdas Iscariot, yr un a'i bradychodd ef.

Rhoi Comisiwn i'r Deuddeg
(Mc. 6:7-13; Lc. 9:1-6)

5 Y deuddeg hyn a anfonodd Iesu allan wedi rhoi'r gorchmynion yma iddynt: "Peidiwch â mynd i gyfeiriad y Cenhedloedd, a pheidiwch â mynd i mewn i un o drefi'r Samariaid. ⁶Ewch yn hytrach at ddefaid colledig tŷ Israel. ⁷Ac wrth fynd cyhoeddwch y genadwri: 'Y mae teyrnas nefoedd wedi dod yn agos.' ⁸Iachewch y cleifion, cyfodwch y meirw, glanhewch y gwahanglwyfus, bwriwch allan gythreuliaid; derbyniasoch heb ddâl, rhowch heb ddâl. ⁹Peidiwch â chymryd aur nac arian na phres yn eich gwregys, ¹⁰na chod i'r daith nac ail got na sandalau na ffon. Y mae'r gweithiwr yn haeddu ei fwyd. ¹¹I ba dref neu bentref bynnag yr ewch, holwch pwy sy'n deilwng yno, ac arhoswch yno hyd nes y byddwch yn ymadael â'r ardal. ¹²A phan fyddwch yn mynd i mewn i dŷ, cyfarchwch y tŷ. ¹³Ac os bydd y tŷ yn deilwng, doed eich tangnefedd arno. Ond os na fydd y tŷ yn deilwng, dychweled eich tangnefedd atoch. ¹⁴Ac os bydd rhywun yn gwrthod eich derbyn a gwrthod gwrando ar eich

geiriau, ewch allan o'r tŷ hwnnw neu'r dref honno ac ysgydwch y llwch oddi ar eich traed. ¹⁵Yn wir, 'rwy'n dweud wrthych y caiff tir Sodom a Gomorra lai i'w ddioddef yn Nydd y Farn na'r dref honno.

Erledigaethau i Ddod
(Mc. 13:9-13; Lc. 21:12-17)

16 "Dyma fi yn eich anfon allan fel defaid i blith bleiddiaid; felly byddwch yn gall fel seirff ac yn ddiniwed fel colomennod. ¹⁷Gochelwch rhag dynion; oherwydd fe'ch traddodant chwi i lysoedd, ac fe'ch fflangellant yn eu synagogau. ¹⁸Cewch eich dwyn o flaen llywodraethwyr a brenhinoedd o'm hachos i, i ddwyn tystiolaeth iddynt ac i'r Cenhedloedd. ¹⁹Pan draddodant chwi, peidiwch â phryderu pa fodd na pha beth i lefaru, oherwydd fe roddir i chwi y pryd hwnnw eiriau i'w llefaru. ²⁰Nid chwi sydd yn llefaru, ond Ysbryd eich Tad sy'n llefaru ynoch chwi. ²¹Bradycha brawd ei frawd i farwolaeth, a thad ei blentyn, a chyfyd plant yn erbyn eu rhieni a pheri eu lladd. ²²A chas fyddwch gan bawb o achos fy enw i; ond y sawl sy'n dyfalbarhau i'r diwedd a gaiff ei achub. ²³Pan erlidiant chwi mewn un dref, ffowch i un arall. Yn wir, 'rwy'n dweud wrthych, ni fyddwch wedi cwblhau trefi Israel cyn dyfod Mab y Dyn.

24 "Nid yw disgybl yn well na'i athro na gwas yn well na'i feistr. ²⁵Digon i'r disgybl yw bod fel ei athro, a'r gwas fel ei feistr. Os galwasant feistr y tŷ yn Beelsebwl, pa faint mwy ei deulu?

Pwy i'w Ofni
(Lc. 12:2-7)

26 "Peidiwch â'u hofni hwy. Oherwydd nid oes dim wedi ei guddio na ddatguddir, na dim yn guddiedig na cheir ei wybod. ²⁷Yr hyn a ddywedaf wrthych yn y tywyllwch, dywedwch ef yng ngolau dydd; a'r hyn a sibrydir i'ch clust, cyhoeddwch ef ar bennau'r tai. ²⁸A pheidiwch ag ofni'r rhai sy'n lladd y corff, ond na allant ladd yr enaid; ofnwch yn hytrach yr hwn sy'n gallu dinistrio'r enaid a'r corff yn uffern. ²⁹Oni werthir dau aderyn y to am geiniog? Eto nid oes un ohonynt yn syrthio i'r ddaear heb eich Tad. ³⁰Amdanoch chwi, y mae hyd yn

---

⁸Yn ôl darlleniad arall, *Lebeus.*

oed pob blewyn o wallt eich pen wedi ei rifo. ³¹ Peidiwch ag ofni felly; yr ydych chwi'n werth mwy na llawer o adar y to.

Cyffesu Crist gerbron Dynion
(Lc. 12:8-9)

32 "Pob un fydd yn fy arddel i gerbron dynion, byddaf finnau hefyd yn ei arddel ef gerbron fy Nhad, yr hwn sydd yn y nefoedd. ³³ Ond pwy bynnag fydd yn fy ngwadu i gerbron dynion, byddaf finnau hefyd yn ei wadu ef gerbron fy Nhad, yr hwn sydd yn y nefoedd.

Nid Heddwch, ond Cleddyf
(Lc. 12:51-53; 14:26-27)

34 "Peidiwch â meddwl mai i ddwyn heddwch i'r ddaear y deuthum; nid i ddwyn heddwch y deuthum ond cleddyf. ³⁵ Oherwydd deuthum i rannu
'dyn yn erbyn ei dad,
a merch yn erbyn ei mam,
a merch-yng-nghyfraith yn erbyn ei mam-yng-nghyfraith,
³⁶ a gelynion dyn fydd ei deulu ei hun'.

³⁷ Nid yw'r sawl sy'n caru tad neu fam yn fwy na myfi yn deilwng ohonof fi; ac nid yw'r sawl sy'n caru mab neu ferch yn fwy na myfi yn deilwng ohonof fi. ³⁸ A'r hwn nad yw'n cymryd ei groes ac yn canlyn ar fy ôl i, nid yw'n deilwng ohonof fi. ³⁹ Y dyn sy'n ennill ei fywyd a'i cyll, a'r dyn sy'n colli ei fywyd er fy mwyn i a'i hennill.

Gwobrau
(Mc. 9:41)

40 "Y mae'r hwn sy'n eich derbyn chwi yn fy nerbyn i, a'r hwn sy'n fy nerbyn i yn derbyn yr hwn a'm hanfonodd i. ⁴¹ Yr hwn sy'n derbyn proffwyd am ei fod yn broffwyd, fe gaiff wobr proffwyd, a'r hwn sy'n derbyn dyn cyfiawn am ei fod yn ddyn cyfiawn, fe gaiff wobr dyn cyfiawn. ⁴² A phwy bynnag a rydd gymaint â chwpanaid o ddŵr oer i un o'r rhai bychain hyn am ei fod yn ddisgybl, yn wir, 'rwy'n dweud wrthych, ni chyll hwnnw mo'i wobr."

11 Pan orffennodd Iesu roi cynghorion i'w ddeuddeg disgybl, symudodd oddi yno er mwyn dysgu a phregethu yn eu trefi hwy.

Negesyddion Ioan Fedyddiwr
(Lc. 7:18-35)

2 Pan glywodd Ioan yn y carchar am weithredoedd Crist, anfonodd trwy ei ddisgyblion ³ a gofyn iddo, "Ai ti yw'r hwn sydd i ddod, ai am rywun arall yr ydym i ddisgwyl?" ⁴ Ac atebodd Iesu hwy, "Ewch a dywedwch wrth Ioan yr hyn yr ydych yn ei glywed ac yn ei weld. ⁵ Y mae'r deillion yn cael eu golwg yn ôl, y cloffion yn cerdded, y gwahangleifion yn cael eu glanhau a'r byddariaid yn clywed, y meirw yn codi, y tlodion yn cael clywed y newydd da. ⁶ Gwyn ei fyd y sawl na ddaw cwymp iddo o'm hachos i."

⁷ Wrth i ddisgyblion Ioan fynd ymaith, dechreuodd Iesu sôn am Ioan wrth y tyrfaoedd. "Beth yr aethoch allan i'r anialwch i edrych arno? Ai brwynen yn siglo yn y gwynt? ⁸ Beth yr aethoch allan i'w weld? Ai dyn wedi ei wisgo mewn dillad esmwyth? Yn nhai brenhinoedd y mae'r rhai sy'n gwisgo dillad esmwyth. ⁹ Beth yr aethoch allan i'w weld? Ai proffwyd? Ie, meddaf wrthych, a mwy na phroffwyd. ¹⁰ Dyma'r un y mae'n ysgrifenedig amdano:
'Wele fi'n anfon fy nghennad o'th flaen,
i baratoi'r ffordd ar dy gyfer.'
¹¹ Yn wir, 'rwy'n dweud wrthych, ni chododd ymhlith meibion gwragedd neb mwy na Ioan Fedyddiwr; ac eto y mae'r lleiaf yn nheyrnas nefoedd yn fwy nag ef. ¹² O ddyddiau Ioan Fedyddiwr hyd yn awr y mae teyrnas nefoedd yn cael ei threisio, a threiswyr sy'n ei chipio hi. ¹³ Hyd at Ioan y proffwydodd yr holl broffwydi a'r Gyfraith; ¹⁴ ac os mynnwch dderbyn hynny, ef yw Elias sydd ar ddod. ¹⁵ Yr hwn sydd ganddo glustiau, gwrandawed.

16 "Â phwy y cymharaf y genhedlaeth hon? Y mae'n debyg i blant yn eistedd yn y marchnadoedd ac yn galw ar ei gilydd:
¹⁷ 'Canasom ffliwt i chwi, ac ni ddawnsiasoch;
canasom alarnad, ac nid wylasoch.'
¹⁸ Oherwydd daeth Ioan, un nad yw'n bwyta nac yn yfed, ac y maent yn dweud, 'Y mae cythraul ynddo.' ¹⁹ Daeth Mab y Dyn, un sy'n bwyta ac yn yfed, ac y maent yn dweud, 'Dyma feddwyn glwth, cyfaill i gasglwyr trethi a phechaduriaid.' Ac eto profir gan ei gweithredoedd fod doethineb Duw yn iawn."

Gwae'r Trefi Di-edifar
(Lc. 10:13-15)

20 Yna dechreuodd geryddu'r trefi lle y gwnaed y rhan fwyaf o'i wyrthiau, am

nad oeddent wedi edifarhau. ²¹"Gwae di, Chorasin! Gwae di, Bethsaida! Oherwydd petai'r gwyrthiau a wnaed ynoch chwi wedi eu gwneud yn Tyrus a Sidon, buasent wedi edifarhau erstalwm mewn sachliain a lludw. ²²Ond 'rwy'n dweud wrthych, caiff Tyrus a Sidon lai i'w ddioddef yn Nydd y Farn na chwi. ²³A thithau, Capernaum,
   'A ddyrchefir di hyd nef?
   Byddi'n disgyn hyd uffern.'
Oherwydd petai'r gwyrthiau a wnaed ynot ti wedi eu gwneud yn Sodom, buasai'n sefyll hyd heddiw. ²⁴Ond 'rwy'n dweud wrthych y caiff tir Sodom lai i'w ddioddef yn Nydd y Farn na thi."

Dewch ataf Fi am Orffwystra
(Lc. 10:21-22)

25 Yr amser hwnnw dywedodd Iesu, "Yr wyf yn dy foliannu di, O Dad, Arglwydd nef a daear, am iti guddio'r pethau hyn rhag y doethion a'r deallusion, a'u datguddio i rai bychain; ²⁶ie, O Dad, oherwydd felly y rhyngodd dy fodd di. ²⁷Traddodwyd i mi bob peth gan fy Nhad. Nid oes neb yn adnabod y Mab, ond y Tad, ac nid oes neb yn adnabod y Tad, ond y Mab a phwy bynnag y mae'r Mab yn dewis ei ddatguddio iddo. ²⁸Dewch ataf fi, bawb sy'n flinedig ac yn llwythog, ac fe roddaf fi orffwystra i chwi. ²⁹Cymerwch fy iau arnoch a dysgwch gennyf, oherwydd addfwyn ydwyf a gostyngedig o galon, ac fe gewch orffwystra i'ch eneidiau. ³⁰Y mae fy iau i yn hawdd ei dwyn, a'm baich i yn ysgafn."

Tynnu Tywysennau ar y Saboth
(Mc. 2:23-28; Lc. 6:1-5)

12 Yr amser hwnnw aeth Iesu drwy'r caeau ŷd ar y Saboth; yr oedd eisiau bwyd ar ei ddisgyblion, a dechreusant dynnu tywysennau a'u bwyta. ²Pan welodd y Phariseaid hynny, meddent wrtho, "Edrych, y mae dy ddisgyblion yn gwneud peth sy'n groes i'r Gyfraith ar y Saboth." ³Dywedodd yntau wrthynt, "Onid ydych wedi darllen beth a wnaeth Dafydd, pan oedd eisiau bwyd arno ef a'r rhai oedd gydag ef? ⁴Sut yr aeth i mewn i dŷ Dduw a sut y bwytasant y torthau cysegredig, nad oedd yn gyfreithlon iddo ef na'r rhai oedd gydag ef eu bwyta, ond i'r offeiriaid yn unig? ⁵Neu onid ydych wedi darllen yn y Gyfraith fod yr offeiriaid ar y Saboth yn y deml yn halogi'r Saboth ond eu bod yn ddieuog? ⁶'Rwy'n dweud wrthych fod rhywbeth mwy na'r deml yma. ⁷Pe buasech wedi deall beth yw ystyr y dywediad, 'Trugaredd a ddymunaf, nid aberth', ni fuasech wedi condemnio'r dieuog. ⁸Oherwydd y mae Mab y Dyn yn arglwydd ar y Saboth."

Y Dyn â'r Llaw Ddiffrwyth
(Mc. 3:1-6; Lc. 6:6-11)

9 Symudodd oddi yno a daeth i'w synagog hwy. ¹⁰Yno yr oedd dyn a chanddo law ddiffrwyth. Gofynasant i Iesu, er mwyn cael cyhuddiad i'w ddwyn yn ei erbyn, "A yw'n gyfreithlon iacháu ar y Saboth?" ¹¹Dywedodd yntau wrthynt, "Pa ddyn ohonoch a chanddo un ddafad, os syrth honno i bydew ar y Saboth, na fydd yn gafael ynddi a'i chodi? ¹²Gymaint mwy gwerthfawr yw dyn na dafad. Am hynny y mae'n gyfreithlon gwneud da ar y Saboth." ¹³Yna dywedodd wrth y dyn, "Estyn dy law." Estynnodd yntau hi, a gwnaed ei law yn holliach fel y llall. ¹⁴Ac fe aeth y Phariseaid allan a chynllwyn yn ei erbyn, sut i'w ladd.

Y Gwas Dewisedig

15 Ond daeth Iesu i wybod hyn, ac aeth ymaith oddi yno. Dilynodd llawer ef, ac fe iachaodd bawb ohonynt, ¹⁶a rhybuddiodd hwy i beidio â'i wneud yn hysbys, ¹⁷fel y cyflawnid y gair a lefarwyd trwy Eseia'r proffwyd:
   ¹⁸"Dyma fy ngwas, yr un a ddewisais,
      fy anwylyd, yr ymhyfrydodd fy enaid
      ynddo.
   Rhoddaf fy Ysbryd arno,
      a bydd yn cyhoeddi barn i'r
      Cenhedloedd.
   ¹⁹Ni fydd yn ymrafael nac yn gweiddi,
      ac ni chlyw neb ei lais ef yn yr heolydd.
   ²⁰Ni fydd yn mathru corsen doredig,
      nac yn diffodd cannwyll sy'n mygu,
      nes iddo ddwyn barn i fuddugoliaeth.
   ²¹Ac yn ei enw ef y bydd gobaith y
      Cenhedloedd."

Iesu a Beelsebwl
(Mc. 3:20-30; Lc. 11:14-23; 12:10)

22 Yna dygwyd ato ddyn â chythraul ynddo, yn ddall a mud; iachaodd Iesu ef, nes bod y mudan yn llefaru a gweld. ²³A synnodd yr holl dyrfaoedd a dweud, "A yw'n bosibl mai hwn yw Mab Dafydd?"

²⁴Ond pan glywodd y Phariseaid dywedasant, "Nid yw hwn yn bwrw allan gythreuliaid ond trwy Beelsebwl, pennaeth y cythreuliaid." ²⁵Deallodd Iesu eu meddyliau a dywedodd wrthynt, "Caiff pob teyrnas a ymrannodd yn ei herbyn ei hun ei difrodi, ac ni bydd yr un dref na thŷ a ymrannodd yn ei erbyn ei hun yn sefyll. ²⁶Ac os yw Satan yn bwrw allan Satan, y mae wedi ymrannu yn ei erbyn ei hun; sut felly y saif ei deyrnas? ²⁷Ac os trwy Beelsebwl yr wyf fi'n bwrw allan gythreuliaid, trwy bwy y mae eich disgyblion chwi yn eu bwrw allan? Am hynny hwy fydd yn eich barnu. ²⁸Ond os trwy Ysbryd Duw yr wyf fi'n bwrw allan gythreuliaid, yna y mae teyrnas Dduw wedi cyrraedd atoch. ²⁹Neu sut y gall rhywun fynd i mewn i dŷ dyn cryf ac ysbeilio'i ddodrefn heb iddo'n gyntaf rwymo'r dyn cryf? Wedyn caiff ysbeilio'i dŷ ef. ³⁰Os nad yw dyn gyda mi, yn fy erbyn i y mae, ac os nad yw'n casglu gyda mi, gwasgaru y mae. ³¹Am hynny 'rwy'n dweud wrthych, maddeuir pob pechod a chabledd i ddynion, ond y cabledd yn erbyn yr Ysbryd ni faddeuir mohono. ³²A phwy bynnag a ddywed air yn erbyn Mab y Dyn, maddeuir iddo; ond pwy bynnag a'i dywed yn erbyn yr Ysbryd Glân, ni faddeuir iddo nac yn yr oes hon nac yn yr oes sydd i ddod.

Coeden a'i Ffrwyth
(Lc. 6:43-45)

33 "Naill ai cyfrifwch y goeden yn dda a'i ffrwyth yn dda, neu cyfrifwch y goeden yn wael a'i ffrwyth yn wael. Wrth ei ffrwyth y mae'r goeden yn cael ei hadnabod. ³⁴Chwi epil gwiberod, sut y gallwch lefaru pethau da, a chwi eich hunain yn ddrwg? Oherwydd yn ôl yr hyn sy'n llenwi'r galon y mae'r genau'n llefaru. ³⁵Y mae'r dyn da o'i drysor da yn dwyn allan bethau da, a'r dyn drwg o'i drysor drwg yn dwyn allan bethau drwg. ³⁶'Rwy'n dweud wrthych am bob gair difudd a lefara dynion, fe roddant gyfrif amdano yn Nydd y Farn. ³⁷Oherwydd wrth dy eiriau y cei dy gyfiawnhau, ac wrth dy eiriau y cei dy gondemnio."

Ceisio Arwydd
(Mc. 8:11-12; Lc. 11:29-32)

38 Yna dywedodd rhai o'r ysgrifenyddion a'r Phariseaid wrtho, "Athro, fe

ⁿᵍYn ôl darlleniad arall gadewir allan adn. 47.

garem weld arwydd gennyt." ³⁹Atebodd yntau, "Cenhedlaeth ddrygionus ac annuwiol sy'n ceisio arwydd, eto ni roddir arwydd iddi ond arwydd y proffwyd Jona. ⁴⁰Oherwydd fel y bu Jona ym mol y morfil am dri diwrnod a thair nos, felly y bydd Mab y Dyn yn nyfnder y ddaear am dri diwrnod a thair nos. ⁴¹Bydd gwŷr Ninefe yn codi yn y Farn gyda'r genhedlaeth hon ac yn ei chondemnio hi; oherwydd edifarhasant hwy dan genadwri Jona, ac yr ydych chwi'n gweld yma beth mwy na Jona. ⁴²Bydd Brenhines y De yn codi yn y Farn gyda'r genhedlaeth hon ac yn ei chondemnio; oherwydd daeth hi o eithafoedd y ddaear i glywed doethineb Solomon, ac yr ydych chwi'n gweld yma beth mwy na Solomon.

Yr Ysbryd Aflan yn Dychwelyd
(Lc. 11:24-26)

43 "Pan fydd ysbryd aflan yn mynd allan o ddyn, bydd yn rhodio trwy fannau sychion gan geisio gorffwysfa, ac nid yw yn ei gael. ⁴⁴Yna y mae'n dweud, 'Mi ddychwelaf i'm cartref, y lle y deuthum ohono.' Wedi cyrraedd, y mae'n ei gael yn wag, wedi ei ysgubo a'i osod mewn trefn. ⁴⁵Yna y mae'n mynd ac yn cymryd gydag ef saith ysbryd arall mwy drygionus nag ef ei hun; y maent yn dod i mewn ac yn ymgartrefu yno; ac y mae cyflwr olaf y dyn hwnnw yn waeth na'r cyntaf. Felly hefyd y bydd i'r genhedlaeth ddrwg hon."

Mam a Brodyr Iesu
(Mc. 3:31-35; Lc. 8:19-21)

46 Tra oedd ef yn dal i siarad â'r tyrfaoedd, yr oedd ei fam a'i frodyr yn sefyll y tu allan yn ceisio siarad ag ef. ⁴⁷Dywedodd rhywun wrtho, "Dacw dy fam a'th frodyr yn sefyll y tu allan yn ceisio siarad â thi."ⁿᵍ ⁴⁸Atebodd Iesu ef, "Pwy yw fy mam, a phwy yw fy mrodyr?" ⁴⁹A chan estyn ei law at ei ddisgyblion dywedodd, "Dyma fy mam a'm brodyr i. ⁵⁰Oherwydd pwy bynnag sy'n gwneud ewyllys fy Nhad, yr hwn sydd yn y nefoedd, y mae hwnnw'n frawd i mi, ac yn chwaer, ac yn fam."

Dameg yr Heuwr
(Mc. 4:1-9; Lc. 8:4-8)

13 Y diwrnod hwnnw aeth Iesu allan o'r tŷ ac eisteddodd ar lan y môr.

²Daeth tyrfaoedd mawr ynghyd ato, nes iddo fynd ac eistedd mewn cwch, ac yr oedd yr holl dyrfa yn sefyll ar y traeth. ³Fe lefarodd lawer wrthynt ar ddamhegion, gan ddweud: "Aeth heuwr allan i hau. ⁴Ac wrth iddo hau, syrthiodd peth had ar hyd y llwybr, a daeth yr adar a'i fwyta. ⁵Syrthiodd peth arall ar leoedd creigiog, lle ni chafodd fawr o bridd, a thyfodd yn gyflym am nad oedd iddo ddyfnder daear. ⁶Ond wedi i'r haul godi fe'i llosgwyd, ac am nad oedd iddo wreiddyn fe wywodd. ⁷Syrthiodd hadau eraill ymhlith y drain, a thyfodd y drain a'u tagu. ⁸A syrthiodd eraill ar dir da a ffrwytho, peth ganwaith cymaint, a pheth drigain, a pheth ddeg ar hugain. ⁹Yr hwn sydd ganddo glustiau, gwrandawed."

Pwrpas y Damhegion
(Mc. 4:10-12; Lc. 8:9-10)

10 Daeth y disgyblion a dweud wrtho, "Pam yr wyt yn siarad wrthynt ar ddamhegion?" ¹¹Atebodd yntau, "I chwi y mae gwybod cyfrinachau teyrnas Dduw wedi ei roi, ond iddynt hwy nis rhoddwyd. ¹²Oherwydd i'r hwn y mae ganddo y rhoir, a bydd ganddo fwy na digon; ond oddi ar yr hwn nad oes ganddo y dygir hyd yn oed hynny sydd ganddo. ¹³Am hynny yr wyf yn siarad wrthynt ar ddamhegion; oherwydd er iddynt edrych nid ydynt yn gweld, ac er iddynt wrando nid ydynt yn clywed nac yn deall. ¹⁴A chyflawnir ynddynt hwy y broffwydoliaeth gan Eseia sy'n dweud:
'Er gwrando a gwrando, ni ddeallwch ddim;
er edrych ac edrych, ni welwch ddim.
¹⁵Canys brasawyd deall y bobl yma,
y mae eu clyw yn drwm,
a'u llygaid wedi cau;
rhag iddynt weld â'u llygaid,
a chlywed â'u clustiau,
a deall â'u meddwl, a throi'n ôl,
i mi eu hiacháu.'
¹⁶Ond gwyn eu byd eich llygaid chwi am eu bod yn gweld, a'ch clustiau chwi am eu bod yn clywed. ¹⁷Yn wir, 'rwy'n dweud wrthych fod llawer o broffwydi a rhai cyfiawn wedi dyheu am weld y pethau yr ydych chwi yn eu gweld, ac nis gwelsant, a chlywed y pethau yr ydych chwi yn eu clywed, ac nis clywsant.

Egluro Dameg yr Heuwr
(Mc. 4:13-20; Lc. 8:11-15)

18 "Gwrandewch chwithau felly ar ddameg yr heuwr. ¹⁹Pan fydd unrhyw un yn clywed gair y deyrnas heb ei ddeall, daw'r Un drwg a chipio'r hyn a heuwyd yn ei galon. Dyma'r un sy'n derbyn yr had ar hyd y llwybr. ²⁰A'r un sy'n derbyn yr had ar leoedd creigiog, dyma'r un sy'n clywed y gair ac yn ei dderbyn ar ei union yn llawen. ²¹Ond nid oes ganddo wreiddyn ynddo'i hunan, a thros dro y mae'n para; pan ddaw gorthrymder neu erlid o achos y gair, fe gwymp ar unwaith. ²²Yr un sy'n derbyn yr had ymhlith y drain, dyma'r un sy'n clywed y gair, ond y mae gofal y byd hwn a hudoliaeth golud yn tagu'r gair, ac y mae'n mynd yn ddiffrwyth. ²³A'r un sy'n derbyn yr had ar dir da, dyma'r un sy'n clywed y gair ac yn ei ddeall, ac yn dwyn ffrwyth ac yn rhoi peth ganwaith cymaint, a pheth drigain, a pheth ddeg ar hugain."

Dameg yr Efrau ymysg yr Ŷd

24 Cyflwynodd Iesu ddameg arall iddynt: "Y mae teyrnas nefoedd yn debyg i ddyn a heuodd had da yn ei faes. ²⁵Ond pan oedd pawb yn cysgu, daeth ei elyn a hau efrau ymysg yr ŷd a mynd ymaith. ²⁶Pan eginodd y cnwd a dwyn ffrwyth, yna ymddangosodd yr efrau hefyd. ²⁷Daeth gweision gŵr y tŷ a dweud wrtho, 'Syr, onid had da a heuaist yn dy faes? O ble felly y daeth efrau iddo?' ²⁸Atebodd yntau, 'Gelyn a wnaeth hyn.' Meddai'r gweision wrtho, 'A wyt am i ni fynd allan a chasglu'r efrau?' ²⁹'Na,' meddai ef, 'wrth gasglu'r efrau fe allwch ddiwreiddio'r ŷd gyda hwy. ³⁰Gadewch i'r ddau dyfu gyda'i gilydd hyd y cynhaeaf, ac yn amser y cynhaeaf dywedaf wrth y medelwyr, "Casglwch yr efrau yn gyntaf, a rhwymwch hwy'n sypynnau i'w llosgi, ond crynhowch yr ŷd i'm hysgubor." ' "

Damhegion yr Hedyn Mwstard a'r Lefain
(Mc. 4:30-32; Lc. 13:18-21)

31 A dyma ddameg arall a gyflwynodd iddynt: "Y mae teyrnas nefoedd yn debyg i hedyn mwstard, a gymerodd dyn a'i hau yn ei faes. ³²Dyma'r lleiaf o'r holl hadau, ond wedi iddo dyfu, ef yw'r mwyaf o'r holl lysiau, a daw yn goeden,

fel bod adar yr awyr yn dod ac yn nythu yn ei changhennau."

33 Llefarodd ddameg arall wrthynt: "Y mae teyrnas nefoedd yn debyg i lefain; y mae gwraig yn ei gymryd, ac yn ei gymysgu â thri mesur o flawd gwenith, nes lefeinio'r cwbl."

Arfer Damhegion
(Mc. 4:33-34)

34 Dywedodd Iesu'r holl bethau hyn ar ddamhegion wrth y tyrfaoedd; heb ddameg ni fyddai'n llefaru dim wrthynt, [35]fel y cyflawnid y gair a lefarwyd trwy'r proffwyd:
"Agoraf fy ngenau ar ddamhegion, traethaf bethau sy'n guddiedig er seiliad y byd."

Egluro Dameg yr Efrau

36 Yna, wedi gollwng y tyrfaoedd, daeth i'r tŷ. A daeth ei ddisgyblion ato a dweud, "Eglura i ni ddameg yr efrau yn y maes." [37]Dywedodd yntau, "Yr un sy'n hau'r had da yw Mab y Dyn. [38]Y maes yw'r byd. Yr had da yw meibion y deyrnas; yr efrau yw meibion yr Un drwg, [39]a'r gelyn a'u heuodd yw'r diafol; y cynhaeaf yw diwedd y byd, a'r medelwyr yw'r angylion. [40]Yn union fel y cesglir yr efrau a'u llosgi yn y tân, felly y bydd yn niwedd y byd. [41]Bydd Mab y Dyn an anfon ei angylion, a byddant yn casglu allan o'i deyrnas ef bopeth sy'n peri tramgwydd, a'r rhai sy'n gwneud anghyfraith, [42]a byddant yn eu taflu i'r ffwrnais danllyd; bydd yno wylo a rhincian dannedd. [43]Yna bydd y rhai cyfiawn yn disgleirio fel yr haul yn nheyrnas eu Tad. Yr hwn sydd ganddo glustiau, gwrandawed.

Tair Dameg

44 "Y mae teyrnas nefoedd yn debyg i drysor wedi ei guddio mewn maes; pan ddaeth dyn o hyd iddo, fe'i cuddiodd, ac yn ei lawenydd y mae'n mynd ac yn gwerthu'r cwbl sydd ganddo, ac yn prynu'r maes hwnnw.

45 "Eto y mae teyrnas nefoedd yn debyg i fasnachwr sy'n chwilio am berlau gwych. [46]Wedi iddo ddarganfod un perl gwerthfawr, aeth i ffwrdd a gwerthu'r cwbl oedd ganddo, a'i brynu.

47 "Eto y mae teyrnas nefoedd yn debyg i rwyd a fwriwyd i'r môr ac a ddaliodd bysgod o bob math. [48]Pan oedd

yn llawn, tynnodd dynion hi i'r lan ac eistedd i lawr a chasglu'r rhai da i lestri a thaflu'r rhai gwael i ffwrdd. [49]Felly y bydd yn niwedd y byd; bydd yr angylion yn mynd allan ac yn gwahanu'r drwg o blith y cyfiawn, [50]ac yn eu taflu i'r ffwrnais danllyd; bydd yno wylo a rhincian dannedd.

Trysorau Newydd a Hen

51 "A ydych wedi deall yr holl bethau hyn?" Dywedasant wrtho, "Ydym." [52]"Am hynny," meddai ef wrthynt, "y mae pob ysgrifennydd a ddaeth yn ddisgybl yn nheyrnas nefoedd yn debyg i berchen tŷ sydd yn dwyn allan o'i drysorfa bethau newydd a hen."

Gwrthod Iesu yn Nasareth
(Mc. 6:1-6; Lc. 4:16-30)

53 Pan orffennodd Iesu'r damhegion hyn, aeth oddi yno. [54]Ac wedi dod i fro ei febyd, yr oedd yn dysgu yn eu synagog hwy, nes iddynt synnu a dweud, "O ble y cafodd hwn y ddoethineb hon a'r grymusterau hyn? [55]Onid mab y saer yw hwn? Onid Mair yw enw ei fam ef, ac Iago a Joseff a Simon a Jwdas yn frodyr iddo? [56]Ac onid yw ei chwiorydd i gyd yma gyda ni? O ble felly y cafodd hwn yr holl bethau hyn?" [57]Yr oedd ef yn peri tramgwydd iddynt. Dywedodd Iesu wrthynt, "Nid yw proffwyd heb anrhydedd ond yn ei fro ei hun ac yn ei gartref." [58]Ac ni wnaeth lawer o wyrthiau yno o achos eu hanghrediniaeth.

Marwolaeth Ioan Fedyddiwr
(Mc. 6:14-29; Lc. 9:7-9)

14 Yr amser hwnnw clywodd y Tywysog Herod y sôn am Iesu, [2]a dywedodd wrth ei weision, "Ioan Fedyddiwr yw hwn; y mae ef wedi ei godi oddi wrth y meirw, a dyna pam y mae'r grymusterau ar waith ynddo ef." [3]Oherwydd yr oedd Herod wedi dal Ioan a'i roi yn rhwym yng ngharchar o achos Herodias, gwraig Philip ei frawd. [4]Yr oedd Ioan wedi dweud wrtho, "Nid yw'n gyfreithlon i ti ei chael hi." [5]Ac er bod Herod yn dymuno ei ladd, yr oedd arno ofn y bobl, am eu bod yn ystyried Ioan yn broffwyd. [6]Pan oedd Herod yn dathlu ei benblwydd, dawnsiodd merch Herodias gerbron y cwmni a phlesio Herod [7]gymaint nes iddo addo ar ei lw roi iddi beth bynnag a ofynnai. [8]Ar gyfarwyddyd ei mam, dywedodd hi, "Rho i mi, yma ar ddysgl, ben Ioan Fedyddiwr." ⁹Aeth y brenin yn drist, ond oherwydd ei lw ac oherwydd ei westeion gorchmynnodd ei roi iddi, ¹⁰ac anfonodd i dorri pen Ioan yn y carchar. ¹¹Daethpwyd â'i ben ef ar ddysgl a'i roi i'r eneth, ac aeth hi ag ef i'w mam. ¹²Yna daeth ei ddisgyblion a mynd â'r corff ymaith a'i gladdu, ac aethant ac adrodd yr hanes wrth Iesu.

Porthi'r Pum Mil
(Mc. 6:30-44; Lc. 9:10-17; In. 6:1-14)

13 Pan glywodd Iesu, aeth oddi yno mewn cwch i le unig o'r neilltu. Ond clywodd y tyrfaoedd, a dilynasant ef dros y tir o'r trefi. ¹⁴Pan laniodd Iesu, gwelodd dyrfa fawr, a thosturiodd wrthynt ac iacháu eu cleifion hwy. ¹⁵Gyda'r nos daeth ei ddisgyblion ato a dweud, "Y mae'r lle yma'n unig ac y mae hi eisoes yn hwyr. Gollwng y tyrfaoedd, iddynt fynd i'r pentrefi i brynu bwyd iddynt eu hunain." ¹⁶Meddai Iesu wrthynt, "Nid oes rhaid iddynt fynd ymaith. Rhowch chwi rywbeth i'w fwyta iddynt." ¹⁷Meddent hwy wrtho, "Nid oes gennym yma ond pum torth a dau bysgodyn." ¹⁸Meddai yntau, "Dewch â hwy yma i mi." ¹⁹Ac wedi gorchymyn i'r tyrfaoedd eistedd ar y glaswellt, cymerodd y pum torth a'r ddau bysgodyn, a chan edrych i fyny i'r nef a bendithio, torrodd y torthau a rhoddodd hwy i'r disgyblion, a'r disgyblion i'r tyrfaoedd. ²⁰Bwytasant oll a chael digon, a chodasant ddeuddeg basgedaid lawn o'r tameidiau oedd dros ben. ²¹Ac yr oedd y rhai oedd yn bwyta tua phum mil o wŷr, heblaw gwragedd a phlant.

Cerdded ar y Dŵr
(Mc. 6:45-52; In. 6:15-21)

22 Yna'n ddi-oed gwnaeth i'r disgyblion fynd i'r cwch a hwylio o'i flaen i'r ochr draw, tra byddai ef yn gollwng y tyrfaoedd. ²³Wedi eu gollwng aeth i fyny'r mynydd o'r neilltu i weddïo, a phan aeth hi'n hwyr yr oedd yno ar ei ben ei hun. ²⁴Yr oedd y cwch eisoes gryn bellter oddi wrth y tir, ac mewn helbul gan y tonnau, oherwydd yr oedd y gwynt yn ei erbyn. ²⁵Rhwng tri a chwech o'r gloch y bore daeth ef atynt dan gerdded ar y môr. ²⁶Pan welodd y disgyblion ef yn cerdded ar y môr, dychrynwyd hwy nes dweud, "Drychiolaeth yw", a gweiddi gan ofn.

ʰYn ôl darlleniad arall ychwanegir *neu ei fam.*

²⁷Ond ar unwaith siaradodd Iesu â hwy. "Codwch eich calon," meddai, "myfi yw; peidiwch ag ofni." ²⁸Atebodd Pedr ef, "Arglwydd, os tydi yw, gorchymyn i mi ddod atat ar y tonnau." ²⁹Meddai Iesu, "Tyrd." Disgynnodd Pedr o'r cwch a cherddodd ar y tonnau, a daeth at Iesu. ³⁰Ond pan welodd rym y gwynt brawychodd, ac wrth ddechrau suddo gwaeddodd, "Arglwydd, achub fi." ³¹Estynnodd Iesu ei law ar unwaith a gafael ynddo gan ddweud, "Ti o ychydig ffydd, pam y petrusaist?" ³²Ac wedi iddynt ddringo i'r cwch, gostegodd y gwynt. ³³Yna addolodd y rhai oedd yn y cwch ef, gan ddweud, "Yn wir, Mab Duw wyt ti."

Iacháu'r Cleifion yn Genesaret
(Mc. 6:53-56)

34 Wedi croesi'r môr daethant i dir yn Genesaret. ³⁵Adnabu dynion y lle hwnnw ef, ac anfonasant i'r holl gymdogaeth honno, a daethant â'r cleifion i gyd ato, ³⁶ac erfyn arno am iddynt gael yn unig gyffwrdd ag ymyl ei fantell. A llwyr iachawyd pawb a gyffyrddodd ag ef.

Traddodiad yr Hynafiaid
(Mc. 7:1-23)

15 Yna daeth Phariseaid ac ysgrifenyddion o Jerwsalem at Iesu a dweud, ²"Pam y mae dy ddisgyblion di yn troseddu yn erbyn traddodiad yr hynafiaid? Oherwydd nid ydynt yn golchi eu dwylo pan fyddant yn bwyta'u bwyd." ³Atebodd yntau hwy, "A pham yr ydych chwithau yn troseddu yn erbyn gorchymyn Duw er mwyn eich traddodiad? ⁴Oherwydd dywedodd Duw, 'Anrhydedda dy dad a'th fam', a 'Bydded farw'n gelain y dyn a felltithia ei dad neu ei fam.' ⁵Ond yr ydych chwi'n dweud, 'Os dywed dyn wrth ei dad neu ei fam, "Offrwm i Dduw yw beth bynnag y gallasit ei dderbyn yn gymorth gennyf fi", ni chaiff anrhydeddu ei dadʰ.' ⁶Ac yr ydych wedi dirymu gair Duw er mwyn eich traddodiad chwi. ⁷Ragrithwyr, da y proffwydodd Eseia amdanoch:
⁸'Y mae'r bobl hyn yn fy anrhydeddu
    â'u gwefusau,
ond y mae eu calon ymhell oddi
    wrthyf;
⁹yn ofer y maent yn fy addoli,
gan ddysgu gorchmynion dynol fel
    athrawiaethau.'"

10 Galwodd y dyrfa ato a dywedodd wrthynt, "Gwrandewch a deallwch. [11] Nid yr hyn sy'n mynd i mewn i enau dyn sy'n ei halogi, ond yr hyn sy'n dod allan o'i enau, dyna sy'n halogi dyn." [12] Yna daeth ei ddisgyblion a dweud wrtho, "A wyddost fod y Phariseaid wedi eu tramgwyddo wrth glywed dy eiriau?" [13] Atebodd yntau, "Pob planhigyn na phlannodd fy Nhad nefol, fe'i diwreiddir. [14] Gadewch iddynt; arweinwyr dall i ddeillion ydynt. Os bydd dyn dall yn arwain dyn dall, bydd y ddau yn syrthio i bydew." [15] Dywedodd Pedr wrtho, "Eglura'r ddameg hon inni." [16] Meddai Iesu, "A ydych chwithau'n dal mor ddiddeall? [17] Oni welwch fod popeth sy'n mynd i mewn i'r genau yn mynd i'r cylla ac yn cael ei yrru allan i'r geudy? [18] Ond y mae'r pethau sy'n dod allan o'r genau yn dod o'r galon, a dyna'r pethau sy'n halogi dyn. [19] Oherwydd o'r galon y daw cynllunio drygionus, llofruddio, godinebu, puteinio, lladrata, camdystiolaethu, a chablu. [20] Dyma'r pethau sy'n halogi dyn; ond bwyta â dwylo heb eu golchi, nid yw hynny'n halogi neb."

Ffydd y Gananees
(Mc. 7:24-30)

21 Aeth Iesu allan oddi yno ac ymadawodd i barthau Tyrus a Sidon. [22] A dyma wraig oedd yn Gananees o'r cyffiniau hynny yn dod ymlaen a gweiddi, "Syr, trugarha wrthyf, Fab Dafydd; y mae fy merch wedi ei meddiannu gan gythraul ac yn dioddef yn enbyd." [23] Ond nid atebodd ef un gair iddi. A daeth ei ddisgyblion ato a gofyn iddo, "Gyr hi i ffwrdd, oherwydd y mae'n gweiddi ar ein hôl." [24] Atebodd yntau, "Ni'm hanfonwyd at neb ond at ddefaid colledig tŷ Israel." [25] Ond daeth hithau ac ymgrymu iddo gan ddweud, "Syr, helpa fi." [26] Atebodd Iesu, "Nid yw'n deg cymryd bara'r plant a'i daflu i'r cŵn." [27] Dywedodd hithau, "Gwir, syr, ond y mae hyd yn oed y cŵn yn bwyta o'r briwsion sy'n syrthio oddi ar fwrdd eu meistri." [28] Yna atebodd Iesu hi, "Wraig, mawr yw dy ffydd; boed iti fel y mynni." Ac fe iachawyd ei merch o'r munud hwnnw.

Iacháu Llawer

29 Symudodd Iesu oddi yno ac aeth gerllaw Môr Galilea, ac i fyny'r mynydd.

Eisteddodd yno, [30] a daeth tyrfaoedd mawr ato yn dwyn gyda hwy y cloff a'r dall, yr anafus a'r mud, a llawer eraill; gosodasant hwy wrth ei draed, ac iachaodd ef hwy, [31] er syndod i'r dyrfa wrth weld y mud yn llefaru, yr anafus yn holliach, y cloff yn cerdded a'r dall yn gweld; a rhoesant ogoniant i Dduw Israel.

Porthi'r Pedair Mil
(Mc. 8:1-10)

32 Galwodd Iesu ei ddisgyblion ato, ac meddai, "Yr wyf yn tosturio wrth y dyrfa, oherwydd y maent wedi bod gyda mi dridiau erbyn hyn, ac nid oes ganddynt ddim i'w fwyta. Ac ni fynnaf eu hanfon ymaith ar eu cythlwng, rhag iddynt lewygu ar y ffordd." [33] Dywedodd y disgyblion wrtho, "O ble, mewn lle anial, y cawn ddigon o fara i fwydo tyrfa mor fawr?" [34] Gofynnodd Iesu iddynt, "Pa sawl torth sydd gennych?" "Saith," meddent hwythau, "ac ychydig bysgod bychain." [35] Gorchmynnodd i'r dyrfa eistedd ar y ddaear. [36] Yna cymerodd y saith torth a'r pysgod, ac wedi diolch fe'u torrodd a'u rhoi i'r disgyblion, a'r disgyblion i'r tyrfaoedd. [37] Bwytasant oll a chael digon, a chodasant saith fasgedaid lawn o'r tameidiau oedd dros ben. [38] Yr oedd y rhai oedd yn bwyta yn bedair mil o wŷr, heblaw gwragedd a phlant. [39] Wedi gollwng y tyrfaoedd aeth Iesu i mewn i'r cwch a daeth i gyffiniau Magadan.

Ceisio Arwydd
(Mc. 8:11-13; Lc. 12:54-56)

16 Daeth y Phariseaid a'r Sadwceaid ato, ac i roi prawf arno gofynasant iddo ddangos iddynt arwydd o'r nef. [2] Ond atebodd ef hwy, "Gyda'r nos fe ddywedwch, 'Bydd yn dywydd teg, oherwydd y mae'r wybren yn goch.' [3] Ac yn y bore, 'Bydd yn stormus heddiw, oherwydd y mae'r wybren yn goch ac yn gymylog.' Gwyddoch sut i ddehongli golwg y ffurfafen, ond ni allwch ddehongli arwyddion yr amserau.[i] [4] Cenhedlaeth ddrygionus ac annuwiol sy'n ceisio arwydd, eto ni roddir arwydd iddi ond arwydd Jona." A gadawodd hwy a mynd ymaith.

Surdoes y Phariseaid a'r Sadwceaid
(Mc. 8:14-21)

5 Pan ddaeth y disgyblion i'r ochr draw

---

[i] Yn ôl darlleniad arall gadewir allan *Gyda'r nos...amserau.*

yr oeddent wedi anghofio dod â bara. ⁶Meddai Iesu wrthynt, "Gwyliwch a gochelwch rhag surdoes y Phariseaid a'r Sadwceaid." ⁷Ac yr oeddent hwy'n trafod ymhlith ei gilydd gan ddweud, "Ni ddaethom â bara." ⁸Deallodd Iesu a dywedodd, "Chwi o ychydig ffydd, pam yr ydych yn trafod ymhlith eich gilydd nad oes gennych fara? A ydych eto heb weld? ⁹Onid ydych yn cofio'r pum torth i'r pum mil a pha sawl basgedaid a gymerasoch i fyny? ¹⁰Nac ychwaith y saith torth i'r pedair mil a pha sawl basgedaid a gymerasoch? ¹¹Sut na welwch nad ynglŷn â bara y dywedais wrthych? Gochelwch, meddaf, rhag surdoes y Phariseaid a'r Sadwceaid." ¹²Yna y deallasant iddo lefaru nid am ochel rhag surdoes y torthau, ond rhag yr hyn a ddysgai'r Phariseaid a'r Sadwceaid.

Datganiad Pedr ynglŷn â Iesu
(Mc. 8:27-30; Lc. 9:18-21)

13 Daeth Iesu i barthau Cesarea Philipi, a holodd ei ddisgyblion: "Pwy y mae dynion yn dweud yw Mab y Dyn¹?" ¹⁴Dywedasant hwythau, "Mae rhai'n dweud Ioan Fedyddiwr, ac eraill Elias, ac eraill drachefn, Jeremeia neu un o'r proffwydi." ¹⁵"A chwithau," meddai wrthynt, "pwy meddwch chwi ydwyf fi?" ¹⁶Atebodd Simon Pedr, "Ti yw'r Meseia, Mab y Duw byw." ¹⁷Dywedodd Iesu wrtho, "Gwyn dy fyd, Simon fab Jona, oherwydd nid cig a gwaed a ddatguddiodd hyn iti ond fy Nhad, sydd yn y nefoedd. ¹⁸Ac 'rwyf fi'n dweud wrthyt mai ti yw Pedr, ac ar y graig hon yr adeiladaf fy eglwys, ac ni chaiff holl bwerau angau y trechaf arni. ¹⁹Rhoddaf iti allweddau teyrnas nefoedd, a beth bynnag a waherddi ar y ddaear a waherddir yn y nefoedd, a beth bynnag a ganiatei ar y ddaear a ganiateir yn y nefoedd." ²⁰Yna gorchmynnodd i'w ddisgyblion beidio â dweud wrth neb mai ef oedd y Meseia.

Iesu'n Rhagfynegi ei Farwolaeth a'i Atgyfodiad
(Mc. 8:31—9:1; Lc. 9:22-27)

21 O'r amser hwnnw y dechreuodd Iesu ddangos i'w ddisgyblion fod yn rhaid iddo fynd i Jerwsalem, a dioddef llawer gan yr henuriaid a'r prif offeiriaid a'r ysgrifenyddion, a'i ladd, a'r trydydd dydd

¹Yn ôl darlleniad arall, *ydwyf fi, Mab y Dyn*.

ei gyfodi. ²²A chymerodd Pedr ef a dechrau ei geryddu gan ddweud, "Na ato Duw, Arglwydd. Ni chaiff hyn ddigwydd i ti." ²³Troes yntau, a dywedodd wrth Pedr, "Dos ymaith o'm golwg, Satan; rhwystr ydwyt imi, oherwydd nid ar bethau Duw y mae dy fryd ond ar bethau dynion." ²⁴Yna dywedodd Iesu wrth ei ddisgyblion, "Os myn neb ddod ar fy ôl i, rhaid iddo ymwadu ag ef ei hun a chodi ei groes a'm canlyn i. ²⁵Oherwydd pwy bynnag a fyn gadw ei fywyd, fe'i cyll, ond pwy bynnag a gyll ei fywyd er fy mwyn i, fe'i caiff. ²⁶Pa elw a gaiff dyn os ennill yr holl fyd a fforffedu ei fywyd? Neu beth a rydd dyn yn gyfnewid am ei fywyd? ²⁷Oherwydd y mae Mab y Dyn ar ddyfod yng ngogoniant ei Dad gyda'i angylion, ac yna fe dâl i bob un yn ôl ei ymddygiad. ²⁸Yn wir, 'rwy'n dweud wrthych, y mae rhai o'r sawl sy'n sefyll yma na phrofant flas marwolaeth nes iddynt weld Mab y Dyn yn dyfod yn ei deyrnas."

Gweddnewidiad Iesu
(Mc. 9:2-13; Lc. 9:28-36)

17 Ymhen chwe diwrnod dyma Iesu'n cymryd Pedr ac Iago ac Ioan ei frawd a mynd â hwy i fynydd uchel o'r neilltu. ²A gweddnewidiwyd ef yn eu gŵydd hwy, a disgleiriodd ei wyneb fel yr haul, ac aeth ei ddillad yn wyn fel y goleuni. ³A dyma Moses ac Elias yn ymddangos iddynt, yn ymddiddan ag ef. ⁴A dywedodd Pedr wrth Iesu, "Arglwydd, y mae'n dda i ni fod yma; os mynni, gwnaf yma dair pabell, un i ti ac un i Moses ac un i Elias." ⁵Tra oedd ef yn dal i siarad, dyma gwmwl golau yn cysgodi drostynt, a llais o'r cwmwl yn dweud, "Hwn yw fy Mab, yr Anwylyd; ynddo ef yr wyf yn ymhyfrydu; gwrandewch arno." ⁶A phan glywodd y disgyblion hyn syrthiasant ar eu hwynebau a chydiodd ofn mawr ynddynt. ⁷Daeth Iesu atynt a chyffwrdd â hwy gan ddweud, "Codwch, a pheidiwch ag ofni." ⁸Ac wedi edrych i fyny ni welsant neb ond Iesu'n unig.

9 Wrth iddynt ddod i lawr o'r mynydd gorchmynnodd Iesu iddynt, "Peidiwch â dweud wrth neb am y weledigaeth nes y bydd Mab y Dyn wedi ei gyfodi oddi wrth y meirw." ¹⁰Gofynnodd y disgyblion iddo, "Pam y mae'r ysgrifenyddion yn dweud bod yn rhaid i Elias ddod yn

gyntaf?" [11] Atebodd yntau, "Bydd Elias yn dod ac yn adfer pob peth. [12] Ond 'rwy'n dweud wrthych fod Elias eisoes wedi dod, ond iddynt fethu ei adnabod, a gwneud iddo beth bynnag a fynnent; felly hefyd y mae Mab y Dyn yn mynd i ddioddef ar eu llaw." [13] Yna deallodd y disgyblion mai am Ioan Fedyddiwr y bu'n sôn wrthynt.

Iacháu Bachgen â Chythraul ynddo
(Mc. 9:14-29; Lc. 9:37-43a)

14 Pan ddaethant at y dyrfa, daeth dyn at Iesu gan benlinio o'i flaen a dweud, [15] "Syr, tosturia wrth fy mab, oherwydd y mae'n lloerig ac yn dioddef yn enbyd, yn cwympo'n aml i'r tân ac yn aml i'r dŵr. [16] Deuthum ag ef at dy ddisgyblion di, ac ni allasant hwy ei iacháu." [17] Atebodd Iesu, "O genhedlaeth ddi-ffydd a gwyrgam, pa hyd y byddaf gyda chwi? Pa hyd y goddefaf chwi? Dewch ag ef yma ataf fi." [18] Ceryddodd Iesu ef, ac aeth y cythraul allan ohono, ac fe iachawyd y bachgen o'r munud hwnnw. [19] Yna daeth y disgyblion at Iesu o'r neilltu a dweud, "Pam na allem ni ei fwrw ef allan?" [20] Meddai ef wrthynt, "Am fod eich ffydd chwi mor wan. Yn wir, 'rwy'n dweud wrthych, os bydd gennych ffydd gymaint â hedyn mwstard, fe ddywedwch wrth y mynydd hwn, 'Symud oddi yma draw', a symud a wna. Ac ni fydd dim yn amhosibl i chwi. [ll]"

Iesu Eilwaith yn Rhagfynegi ei Farwolaeth a'i Atgyfodiad
(Mc. 9:30-32; Lc. 9:43b-45)

22 Pan oeddent gyda'i gilydd yng Ngalilea dywedodd Iesu wrthynt, "Y mae Mab y Dyn i'w ddraddodi i ddwylo dynion, [23] ac fe'i lladdant ef, a'r trydydd dydd fe'i cyfodir." Ac aethant yn drist iawn.

Talu Treth y Deml

24 Wedi iddynt ddod i Gapernaum, daeth y rhai oedd yn casglu treth y deml at Pedr a gofyn, "Onid yw eich athro yn talu treth y deml?" [25] "Ydyw," meddai Pedr. Pan aeth i'r tŷ, achubodd Iesu'r blaen arno trwy ofyn, "Simon, beth yw dy farn di? Gan bwy y mae brenhinoedd y byd yn derbyn tollau a threthi? Ai gan eu dinasyddion eu hunain ynteu

gan estroniaid?" [26] "Gan estroniaid," meddai Pedr. Dywedodd Iesu wrtho, "Felly y mae'r dinasyddion yn rhydd o'r dreth. [27] Ond rhag i ni beri tramgwydd iddynt, dos at y môr a bwrw fachyn iddo, a chymer y pysgodyn cyntaf a ddaw i fyny. Agor ei geg ac fe gei ddarn o arian. Cymer hwnnw a rho ef iddynt drosof fi a thithau."

Y Mwyaf yn y Deyrnas
(Mc. 9:33-37; Lc. 9:46-48)

18 Yr amser hwnnw daeth y disgyblion at Iesu a gofyn, "Pwy sydd fwyaf yn nheyrnas nefoedd?" [2] Galwodd Iesu blentyn ato, a'i osod yn eu canol hwy, [3] a dywedodd, "Yn wir, 'rwy'n dweud wrthych, heb gymryd eich troi a dod fel plant, nid ewch fyth i mewn i deyrnas nefoedd. [4] Pwy bynnag, felly, fydd yn ei ddarostwng ei hun i fod fel y plentyn hwn, dyma'r un sydd fwyaf yn nheyrnas nefoedd. [5] A phwy bynnag sy'n derbyn un plentyn fel hwn yn fy enw i, y mae'n fy nerbyn i.

Achosion Cwymp
(Mc. 9:42-48; Lc. 17:1-2)

6 "Ond pwy bynnag sy'n achos cwymp i un o'r rhai bychain hyn sy'n credu ynof fi, byddai'n well iddo pe crogid maen melin mawr am ei wddf a'i foddi yn eigion y môr. [7] Gwae'r byd oherwydd achosion cwymp; y maent yn rhwym o ddod, ond gwae'r dyn sy'n gyfrifol am achos cwymp. [8] Os yw dy law neu dy droed yn achos cwymp i ti, tor hi ymaith a'i thaflu oddi wrthyt; y mae'n well iti fynd i mewn i'r bywyd yn anafus neu'n gloff, na chael dy daflu, a dwy law neu ddau droed gennyt, i'r tân tragwyddol. [9] Ac os yw dy lygad yn achos cwymp i ti, tyn ef allan a'i daflu oddi wrthyt; y mae'n well iti fynd i mewn i'r bywyd yn unllygeidiog na chael dy daflu, a dau lygad gennyt, i dân uffern.

Dameg y Ddafad Golledig
(Lc. 15:3-7)

10 "Gwyliwch rhag i chwi ddirmygu un o'r rhai bychain hyn; oherwydd 'rwy'n dweud wrthych fod eu hangylion hwy yn y nefoedd bob amser yn edrych ar wyneb fy Nhad sydd yn y nefoedd. [m] [12] Beth yw eich barn chwi? Os bydd gan ryw ddyn

---

[ll] Yn ôl darlleniad arall ychwanegir adn. 21: *Nid â'r math hwn allan ond trwy weddi ac ympryd.*

[m] Yn ôl darlleniad arall ychwanegir adn. 11: *Oherwydd daeth Mab y Dyn i achub y colledig.*

gant o ddefaid a bod un ohonynt yn mynd ar grwydr, oni fydd yn gadael y naw deg a naw ar y mynyddoedd ac yn mynd i chwilio am yr un sydd ar grwydr? [13] Ac os daw o hyd iddi, yn wir, 'rwy'n dweud wrthych, y mae'n llawenhau mwy amdani nag am y naw deg a naw nad aethant ar grwydr. [14] Felly nid ewyllys eich Tad, yr hwn sydd yn y nefoedd, yw bod un o'r rhai bychain hyn ar goll.

Brawd Sy'n Pechu
(Lc. 17:3)

15 "Os pecha dy frawd yn dy erbyn, dos a dangos ei fai iddo, o'r neilltu rhyngot ti ac ef. Os bydd yn gwrando arnat, fe enillaist dy frawd. [16] Ond os na fydd yn gwrando, cymer gyda thi un neu ddau arall, er mwyn i bob peth sefyll ar air dau neu dri o dystion. [17] Os bydd yn gwrthod gwrando arnynt hwy, dywed wrth yr eglwys; ac os bydd yn gwrthod gwrando ar yr eglwys, cyfrifa ef fel y pagan a'r casglwr trethi.

18 "Yn wir, 'rwy'n dweud wrthych, pa bethau bynnag a waharddwch ar y ddaear, fe'u gwaherddir yn y nef, a pha bethau bynnag a ganiatewch ar y ddaear, fe'u caniateir yn y nef. [19] A thrachefn 'rwy'n dweud wrthych, os bydd dau ohonoch yn cytuno ar y ddaear i ofyn am unrhyw beth, fe'i rhoddir iddynt gan fy Nhad, yr hwn sydd yn y nefoedd. [20] Oherwydd lle y mae dau neu dri wedi dod ynghyd yn fy enw i, yr wyf yno yn eu canol."

Dameg y Gwas Anfaddeugar

21 Yna daeth Pedr a gofyn iddo, "Arglwydd, pa sawl gwaith y mae fy mrawd i bechu yn fy erbyn a minnau i faddau iddo? Ai hyd seithwaith?" [22] Meddai Iesu wrtho, "Nid hyd seithwaith a ddywedaf wrthyt, ond hyd saith deg seithwaith. [23] Am hynny y mae teyrnas nefoedd yn debyg i frenin a benderfynodd adolygu cyfrifon ei weision. [24] Dechreuodd ar y gwaith, a dygwyd ato was oedd yn ei ddyled o ddeng mil o godau o arian[n]. [25] A chan na allai dalu gorchmynnodd ei feistr iddo gael ei werthu, ynghyd â'i wraig a'i blant a phopeth a feddai, er mwyn talu'r ddyled. [26] Syrthiodd y gwas ar ei liniau o flaen ei feistr a dweud, 'Bydd

yn amyneddgar wrthyf, ac fe dalaf y cwbl iti.' [27] A thosturiodd meistr y gwas hwnnw wrtho; gollyngodd ef yn rhydd a maddau'r ddyled iddo. [28] Aeth y gwas hwnnw allan a daeth o hyd i un o'i gydweision a oedd yn ei ddyled ef o gant o ddarnau arian[o]; ymaflodd ynddo gerfydd ei wddf gan ddweud, 'Tâl dy ddyled.' [29] Syrthiodd ei gydwas i lawr a chrefodd arno, 'Bydd yn amyneddgar wrthyf, ac fe dalaf iti.' [30] Ond gwrthododd; yn hytrach fe aeth a'i fwrw i garchar hyd nes y talai'r ddyled. [31] Pan welodd ei gydweision beth oedd wedi digwydd, fe'u blinwyd yn fawr iawn, ac aethant ac adrodd yr holl hanes wrth eu meistr. [32] Yna galwodd ei feistr ef ato, ac meddai, 'Y gwas drwg, fe faddeuais i yr holl ddyled honno i ti, am iti grefu arnaf. [33] Oni ddylit tithau fod wedi trugarhau wrth dy gydwas, fel y gwneuthum i wrthyt ti?' [34] Ac yn ei ddicter traddododd ei feistr ef i'r poenydwyr hyd nes y talai'r ddyled yn llawn. [35] Felly hefyd y gwna fy Nhad nefol i chwithau os na faddeuwch bob un i'w frawd o'ch calon."

Dysgeidiaeth ar Ysgariad
(Mc. 10:1-12)

19 Pan orffennodd Iesu lefaru'r geiriau hyn, ymadawodd â Galilea a daeth i diriogaeth Jwdea y tu hwnt i'r Iorddonen. [2] Dilynodd tyrfaoedd mawr ef, ac iachaodd hwy yno.

3 Daeth Phariseaid ato i roi prawf arno gan ofyn, "A yw'n gyfreithlon i ddyn ysgaru ei wraig am unrhyw reswm a fyn?" [4] Atebodd yntau gan ofyn, "Onid ydych wedi darllen mai yn wryw a benyw y gwnaeth y Creawdwr hwy o'r dechreuad?" [5] A dywedodd, "Dyna pam y bydd dyn yn gadael ei dad a'i fam ac yn glynu wrth ei wraig, a bydd y ddau yn un cnawd. [6] Gan hynny nid dau mohonynt mwyach, ond un cnawd. Felly, yr hyn a gysylltodd Duw, ni ddylai dyn ei wahanu." [7] Meddent hwy wrtho, "Pam felly y gorchmynnodd Moses roi llythyr ysgar iddi a'i hysgaru?" [8] Atebodd ef hwy, "Oherwydd eich bod mor anhydrin y rhoddodd Moses ganiatâd ichwi i ysgaru eich gwragedd, ond nid felly yr oedd o'r dechreuad. [9] 'Rwy'n dweud wrthych, pwy bynnag sy'n ysgaru ei wraig, ond am buteindra, ac yn priodi un

---

[n] Neu, *o dalentau.*

[o] Neu, *o gan denarius. Darn arian oedd denarius. Un denarius oedd y cyflog arferol am ddiwrnod o waith ar y tir. Cymh. Mth 20:1-16; Dat 6:6.*

arall, y mae'n godinebu. ᵖ" ¹⁰Dywedodd ei ddisgyblion wrtho, "Os dyma'r sefyllfa rhwng dyn a'i wraig, y mae'n well peidio â phriodi." ¹¹Atebodd yntau, "Nid peth i bawb yw derbyn y gair hwn, dim ond i'r rhai a ddoniwyd felly. ¹²Y mae rhai eunuchiaid sydd felly o groth eu mam, eraill sydd wedi eu gwneud yn eunuchiaid gan ddynion, ac eraill eto sydd wedi eu gwneud eu hunain yn eunuchiaid er mwyn teyrnas ncfocdd. Boed i'r sawl sy'n gallu derbyn hyn ei dderbyn."

Bendithio Plant Bach
(Mc. 10:13-16; Lc. 18:15-17)

13 Yna daethpwyd â phlant ato, iddo roi ei ddwylo arnynt a gweddïo. Ceryddodd y disgyblion hwy, ¹⁴ond dywedodd Iesu, "Gadewch i'r plant ddod ataf fi a pheidiwch â'u rhwystro, oherwydd i rai fel hwy y mae teyrnas nefoedd yn perthyn." ¹⁵Ac wedi rhoi ei ddwylo arnynt, aeth oddi yno.

Y Dyn Ifanc Cyfoethog
(Mc. 10:17-31; Lc. 18:18-30)

16 Dyma ddyn yn dod ato ac yn gofyn, "Athro, pa beth da a wnaf i gael bywyd tragwyddol?" ¹⁷A dywedodd Iesu wrtho, "Pam yr wyt yn fy holi am yr hyn sy'n dda? Un yn unig sy'n dda. Ond os mynni fynd i mewn i'r bywyd, cadw'r gorchmynion." ¹⁸Meddai yntau wrtho, "Pa rai?" Atebodd Iesu, " 'Na ladd, na odineba, na ladrata, na chamdystiolaetha, ¹⁹anrhydedda dy dad a'th fam', a 'Câr dy gymydog fel ti dy hun.' " ²⁰Dywedodd y dyn ifanc wrtho, "Yr wyf wedi cadw'r rhain i gyd. Beth sy'n eisiau ynof eto?" ²¹Meddai Iesu wrtho, "Os mynni fod yn berffaith, dos, gwerth dy eiddo a dyro i'r tlodion, a chei drysor yn y nefoedd; a thyrd, canlyn fi." ²²Ond pan glywodd y dyn ifanc y gair hwn, aeth ymaith yn drist; yr oedd yn berchen meddiannau lawer.

23 Dywedodd Iesu wrth ei ddisgyblion, "Yn wir, 'rwy'n dweud wrthych mai anodd fydd hi i'r dyn cyfoethog fynd i mewn i deyrnas nefoedd. ²⁴'Rwy'n dweud wrthych eto, y mae'n haws i gamel fynd trwy grau nodwydd nag i ddyn cyfoethog fynd i mewn i deyrnas Dduw." ²⁵Pan glywodd y disgyblion hyn, synasant yn fawr ac meddent, "Pwy felly all gael ei

achub?" ²⁶Edrychodd Iesu arnynt a dywedodd wrthynt, "Gyda dynion y mae hyn yn amhosibl, ond gyda Duw y mae pob peth yn bosibl." ²⁷Yna atebodd Pedr ef, "Dyma ni wedi gadael pob peth a'th ganlyn di. Beth felly a gawn ni?" ²⁸Dywedodd Iesu wrthynt, "Yn wir, 'rwy'n dweud wrthych, pan enir yr oes newydd, pan fydd Mab y Dyn yn eistedd ar ei orsedd ogoneddus, byddwch chwi a'm canlynodd i hefyd yn eistedd ar ddeuddeg gorsedd gan farnu deuddeg llwyth Israel. ²⁹A phob un a adawodd dai neu frodyr neu chwiorydd neu dad neu fam neu blant neu diroedd er mwyn fy enw i, caiff dderbyn ganwaith cymaint ac etifeddu bywyd tragwyddol. ³⁰Ond bydd llawer o'r rhai blaenaf yn olaf, ac o'r rhai olaf yn flaenaf.

Y Gweithwyr yn y Winllan

20 "Y mae teyrnas nefoedd yn debyg i berchen tŷ a aeth allan gyda'r bore bach i gyflogi gweithwyr i'w winllan. ²Cytunodd â'r gweithwyr am dâl o un darn arianᵖʰ y dydd ac anfonodd hwy i'w winllan. ³Aeth allan eilwaith tua naw o'r gloch y bore, a gwelodd eraill yn sefyll yn segur yn y farchnad. ⁴Dywedodd wrthynt hwythau, 'Ewch chwi hefyd i'r winllan, ac fe dalaf i chwi beth bynnag fydd yn deg'; ⁵ac aethant yno. Yna fe aeth allan eto tua chanol dydd, a thua thri o'r gloch y prynhawn, a gwneud fel o'r blaen. ⁶Tua phump o'r gloch aeth allan a dod o hyd i eraill yn sefyll yno, ac meddai wrthynt, 'Pam yr ydych yn sefyll yma drwy'r dydd yn segur?' ⁷'Am na chyflogodd neb ni,' oedd eu hateb. 'Ewch chwi hefyd i'r winllan,' meddai ef. ⁸Gyda'r nos dyma berchen y winllan yn dweud wrth ei oruchwyliwr, 'Galw'r gweithwyr, a thâl eu cyflog iddynt, gan ddechrau gyda'r rhai diwethaf a dibennu gyda'r cyntaf.' ⁹Daeth y rhai a gyflogwyd tua phump o'r gloch, a derbyniasant un darn arian yr un. ¹⁰A phan ddaeth y rhai a gyflogwyd gyntaf, tybiasant y caent fwy, ond un darn arian yr un a gawsant hwythau hefyd. ¹¹Ac wedi eu cael dechreuasant rwgnach yn erbyn y perchen tŷ ¹²gan ddweud, 'Dim ond un awr y gweithiodd y rhai diwethaf yma, a gwnaethost hwy'n gyfartal â ni, sydd wedi llafurio drwy'r dydd yn y gwres tanbaid.' ¹³Ond atebodd

---

ᵖYn ôl darlleniad arall ychwanegir *Ac y mae'r dyn sy'n priodi gwraig a ysgarwyd yn godinebu.*
ᵖʰNeu, *o ddenarius.* Gw. nodyn ᵒ ar Mth 18:28. Felly hefyd yn adn. 9, 10 a 13.

y meistr: 'Gyfaill,' meddai wrth un ohonynt, 'nid wyf yn gwneud cam â thi. Onid am ddenarius y cytunaist â mi? [14]Cymer yr hyn sydd i ti a dos ymaith. 'Rwy'n dewis rhoi i'r olaf yma fel i tithau. [15]Onid yw'n gyfreithlon imi wneud fel 'rwy'n dewis â'm heiddo fy hun? Neu ai cenfigen yw dy ymateb i'm haelioni? [16]Felly bydd y rhai olaf yn flaenaf a'r rhai blaenaf yn olaf.' "

Iesu y Drydedd Waith yn Rhagfynegi ei Farwolaeth a'i Atgyfodiad
(Mc. 10:32-34; Lc. 18:31-34)

17 Wrth fynd i fyny i Jerwsalem cymerodd Iesu'r deuddeg disgybl ar wahân, ac ar y ffordd dywedodd wrthynt, [18]"Dyma ni'n mynd i fyny i Jerwsalem; fe gaiff Mab y Dyn ei ddraddodi i'r prif offeiriaid a'r ysgrifenyddion; condemniant ef i farwolaeth, [19]a'i drosglwyddo i'r estroniaid i'w watwar a'i fflangellu a'i groeshoelio; ac ar y trydydd dydd fe'i cyfodir."

Cais Iago ac Ioan
(Mc. 10:35-45)

20 Yna daeth mam meibion Sebedeus ato gyda'i meibion, gan ymgrymu a gofyn ffafr ganddo. [21]Meddai ef wrthi, "Beth a fynni?" Atebodd, "Gorchymyn fod i'm dau fab hyn gael eistedd, un ar dy law dde ac un ar dy law chwith yn dy deyrnas." [22]Atebodd Iesu, "Ni wyddoch beth yr ydych yn ei ofyn. A allwch chwi yfed y cwpan yr wyf fi i'w yfed?" "Gallwn," meddent. [23]Dywedodd wrthynt, "Cewch yfed fy nghwpan i, ond eistedd ar fy llaw dde ac ar fy llaw chwith, nid gennyf fi y mae'r hawl i roi hynny; y mae'n perthyn i'r rhai y mae wedi ei ddarparu ar eu cyfer gan fy Nhad." [24]Pan glywodd y deg, aethant yn ddig wrth y ddau frawd. [25]Galwodd Iesu hwy ato ac meddai, "Gwyddoch fod llywodraethwyr y Cenhedloedd yn arglwyddiaethu arnynt, a'u gwŷr mawr yn dangos eu hawdurdod drostynt. [26]Ond nid felly y mae i fod yn eich plith chwi; yn hytrach, pwy bynnag sydd am fod yn fawr yn eich plith, rhaid iddo fod yn was i chwi, [27]a phwy bynnag sydd am fod yn flaenaf yn eich plith, rhaid iddo fod yn gaethwas i chwi, [28]fel Mab y Dyn, na ddaeth i gael ei wasanaethu ond i wasanaethu, ac i roi ei einioes yn bridwerth dros lawer."

Iacháu Dau Ddyn Dall
(Mc. 10:46-52; Lc. 18:35-43)

29 Fel yr oeddent yn mynd allan o Jericho, dilynodd tyrfa fawr ef. [30]Yr oedd dau ddyn dall yn eistedd ar fin y ffordd, a phan glywsant fod Iesu yn mynd heibio, gwaeddasant, "Syr, trugarha wrthym, Fab Dafydd." [31]Ceryddodd y dyrfa hwy a dweud wrthynt am dewi, ond gweiddi'n fwy byth a wnaethant, "Syr, trugarha wrthym, Fab Dafydd." [32]Safodd Iesu, a'u galw a dweud, "Beth yr ydych am i mi ei wneud i chwi?" [33]Meddent hwy wrtho, "Syr, mae arnom eisiau i'n llygaid gael eu hagor." [34]Tosturiodd Iesu wrthynt a chyffyrddodd â'u llygaid, a chawsant eu golwg yn ôl yn y fan, a chanlynasant ef.

Yr Ymdaith Fuddugoliaethus i mewn i Jerwsalem
(Mc. 11:1-11; Lc. 19:28-40; In. 12:12-19)

21 Pan ddaethant yn agos i Jerwsalem a chyrraedd Bethffage a Mynydd yr Olewydd, yna anfonodd Iesu ddau ddisgybl [2]gan ddweud wrthynt, "Ewch i'r pentref sydd gyferbyn â chwi, ac yn syth fe gewch asen wedi ei rhwymo, ac ebol gyda hi. Gollyngwch hi a dewch â hi ataf. [3]Ac os dywed rhywun rywbeth wrthych, dywedwch, 'Y mae ar y Meistr eu hangen'; a bydd yn eu rhoi ar unwaith." [4]Digwyddodd hyn fel y cyflawnid y gair a lefarwyd trwy'r proffwyd:
[5]"Dywedwch wrth ferch Seion,
'Wele dy frenin yn dod atat,
yn ostyngedig ac yn marchogaeth ar asyn,
ac ar ebol, llwdn anifail gwaith.'
[6]Aeth y disgyblion a gwneud fel y gorchmynnodd Iesu iddynt; [7]daethant â'r asen a'r ebol ato, a rhoesant eu mentyll ar eu cefn, ac eisteddodd Iesu arnynt. [8]Taenodd tyrfa fawr iawn eu mentyll ar y ffordd, ac yr oedd eraill yn torri canghennau o'r coed ac yn eu taenu ar y ffordd. [9]Ac yr oedd y tyrfaoedd ar y blaen iddo a'r rhai o'r tu ôl yn gweiddi:
"Hosanna i Fab Dafydd!
Bendigedig yw'r un sy'n dod yn enw'r Arglwydd.
Hosanna yn y goruchaf!"
[10]Pan ddaeth ef i mewn i Jerwsalem cynhyrfwyd y ddinas drwyddi. Yr oedd pobl yn gofyn, "Pwy yw hwn?", [11]a'r tyrfaoedd yn ateb, "Y proffwyd Iesu yw hwn, o Nasareth yng Ngalilea."

Glanhau'r Deml
(Mc. 11:15-19; Lc. 19:45-48; In. 2:13-22)

12 Aeth Iesu i mewn i'r deml, a bwriodd allan bawb oedd yn prynu a gwerthu yn y deml; taflodd i lawr fyrddau'r cyfnewidwyr arian a chadeiriau'r rhai oedd yn gwerthu colomennod, ¹³a dywedodd wrthynt, "Y mae'n ysgrifenedig:
'Gelwir fy nhŷ i yn dŷ gweddi,
ond yr ydych chwi yn ei wneud yn ogof lladron.'"

14 A daeth deillion a chloffion ato yn y deml, ac iachaodd hwy. ¹⁵Ond pan welodd y prif offeiriaid a'r ysgrifenyddion y rhyfeddodau a wnaeth, a'r plant yn gweiddi yn y deml, "Hosanna i Fab Dafydd!", aethant yn ddig, ¹⁶a dywedasant wrtho, "A wyt yn clywed beth y mae'r rhain yn ei ddweud?" Atebodd Iesu, "Ydwyf. Onid ydych erioed wedi darllen: 'O enau babanod a phlant sugno y darperaist fawl i ti dy hun'?" ¹⁷Yna gadawodd Iesu hwy ac aeth allan o'r ddinas i Fethania, a threuliodd y nos yno.

Melltithio'r Ffigysbren
(Mc. 11:12-14, 20-24)

18 Yn y bore, wrth iddo ddychwelyd i'r ddinas, daeth chwant bwyd arno. ¹⁹A phan welodd ffigysbren ar fin y ffordd aeth ato, ond ni chafodd ddim arno ond dail yn unig. Dywedodd wrtho, "Na ddeled ffrwyth arnat ti byth mwy." Ac ar unwaith crinodd y ffigysbren. ²⁰Pan welodd y disgyblion hyn, fe ryfeddasant a dweud, "Sut y crinodd y ffigysbren ar unwaith?" ²¹Atebodd Iesu hwy, "Yn wir, 'rwy'n dweud wrthych, os bydd gennych ffydd, heb amau dim, nid yn unig fe wnewch yr hyn a wnaed i'r ffigysbren, ond hyd yn oed os dywedwch wrth y mynydd hwn, 'Coder di a bwrier di i'r môr', hynny a fydd. ²²A beth bynnag oll y gofynnwch amdano mewn gweddi, os ydych yn credu, fe'i cewch."

Amau Awdurdod Iesu
(Mc. 11:27-33; Lc. 20:1-8)

23 Daeth Iesu i'r deml, a phan oedd yn dysgu yno daeth y prif offeiriaid a henuriaid y bobl ato a gofyn, "Trwy ba awdurdod yr wyt ti'n gwneud y pethau hyn? Pwy roddodd i ti'r awdurdod hwn?" ²⁴Atebodd Iesu hwy, "Fe ofynnaf finnau un peth i chwi, ac os atebwch hwnnw, fe ddywedaf finnau wrthych trwy ba awdurdod yr wyf yn gwneud y pethau hyn. ²⁵Bedydd Ioan, o ble yr oedd? Ai o'r nef ai o ddynion?" Dechreusant ddadlau â'i gilydd a dweud, "Os dywedwn, 'O'r nef', fe ddywed wrthym, 'Pam, ynteu, na chredasoch ef?' ²⁶Ond os dywedwn, 'O ddynion', y mae arnom ofn y dyrfa, oherwydd y mae pawb yn dal fod Ioan yn broffwyd." ²⁷Atebasant Iesu, "Ni wyddom ni ddim." Ac meddai yntau wrthynt, "Ni ddywedaf finnau chwaith wrthych chwi trwy ba awdurdod yr wyf yn gwneud y pethau hyn.

Dameg y Ddau Fab

28 "Ond beth yw eich barn chwi ar hyn? Yr oedd dyn a chanddo ddau fab. Aeth at y cyntaf a dweud, 'Fy mab, dos heddiw a gweithia yn y winllan.' ²⁹Atebodd yntau, 'Na wnaf'; ond yn ddiweddarach newidiodd ei feddwl a mynd. ³⁰Yna fe aeth y tad at y mab arall a gofyn yr un modd. Atebodd hwnnw, 'Fe af fi, syr'; ond nid aeth. ³¹Prun o'r ddau a gyflawnodd ewyllys y tad?" "Y cyntaf," meddent. Dywedodd Iesu wrthynt, "Yn wir, 'rwy'n dweud wrthych fod y casglwyr trethi a'r puteiniaid yn mynd i mewn i deyrnas Dduw o'ch blaen chwi. ³²Oherwydd daeth Ioan atoch yn dangos ffordd cyfiawnder, ac ni chredasoch ef. Ond fe gredodd y casglwyr trethi a'r puteiniaid ef. A chwithau, ar ôl ichwi weld hynny, ni newidiasoch eich meddwl a dod i'w gredu.

Dameg y Winllan a'r Tenantiaid
(Mc. 12:1-12; Lc. 20:9-19)

33 "Gwrandewch ar ddameg arall. Yr oedd rhyw berchen tŷ a blannodd winllan; cododd glawdd o'i hamgylch, a chloddio cafn i'r gwinwryf ynddi, ac adeiladu tŵr. Gosododd hi i denantiaid, ac aeth oddi cartref. ³⁴A phan ddaeth amser y cynhaeaf yn agos, anfonodd ei weision at y tenantiaid i dderbyn ei ffrwythau. ³⁵Daliodd y tenantiaid ei weision; curasant un, a lladd un arall a llabyddio un arall. ³⁶Anfonodd drachefn weision eraill, mwy ohonynt na'r rhai cyntaf, a gwnaeth y tenantiaid yr un modd â hwy. ³⁷Yn y diwedd anfonodd atynt ei fab, gan ddweud, 'Fe barchant fy mab.' ³⁸Ond pan welodd y tenantiaid y mab dywedasant wrth ei gilydd, 'Hwn yw'r etifedd; dewch, lladdwn ef, a meddiannwn ei etifeddiaeth.' ³⁹A chymerasant

ef, a'i fwrw allan o'r winllan, a'i ladd. [40]Felly pan ddaw perchen y winllan, beth a wna i'r tenantiaid hynny?" [41]"Fe lwyr ddifetha'r dyhirod," meddent wrtho, "a gosod y winllan i denantiaid eraill, rhai fydd yn rhoi'r ffrwythau iddo yn eu tymhorau." [42]Dywedodd Iesu wrthynt, "Onid ydych erioed wedi darllen yn yr Ysgrythurau:

'Y maen a wrthododd yr adeiladwyr, hwn a ddaeth yn faen y gongl; gan yr Arglwydd y gwnaethpwyd hyn, ac y mae'n rhyfeddol yn ein golwg ni'?

[43]Am hynny 'rwy'n dweud wrthych y cymerir teyrnas Dduw oddi wrthych chwi, ac fe'i rhoddir i genedl sy'n dwyn ei ffrwythau hi. [44]A'r sawl sy'n syrthio ar y maen hwn, fe'i dryllir; pwy bynnag y syrth y maen arno, fe'i maluria.'"

45 Pan glywodd y prif offeiriaid a'r Phariseaid ei ddamhegion, gwyddent mai amdanynt hwy yr oedd yn sôn. [46]Yr oeddent yn ceisio ei ddal, ond yr oedd arnynt ofn y tyrfaoedd, am eu bod hwy yn ei gyfrif ef yn broffwyd.

Dameg y Wledd Briodas
(Lc. 14:15-24)

22 A llefarodd Iesu drachefn wrthynt ar ddamhegion. [2]"Y mae teyrnas nefoedd," meddai, "yn debyg i frenin, a drefnodd wledd briodas i'w fab. [3]Anfonodd ei weision i alw'r gwahoddedigion i'r neithior, ond nid oeddent am ddod. [4]Anfonodd eilwaith weision eraill gan ddweud, 'Dywedwch wrth y gwahoddedigion, "Dyma fi wedi paratoi fy ngwledd, y mae fy mustych a'm llydnod pasgedig wedi eu lladd, a phopeth yn barod; dewch i'r neithior."' [5]Ond ni chymerodd y gwahoddedigion sylw, ac aethant ymaith, un i'w faes, ac un arall i'w fasnach. [6]A gafaelodd y lleill yn ei weision a'u camdrin yn warthus a'u lladd. [7]Digiodd y brenin, ac anfonodd ei filwyr i ddifetha'r llofruddion hynny a llosgi eu tref. [8]Yna meddai wrth ei weision, 'Y mae'r wledd briodas yn barod, ond nid oedd y gwahoddedigion yn deilwng. [9]Ewch felly i bennau'r strydoedd, a gwahoddwch bwy bynnag a gewch yno i'r wledd briodas.' [10]Ac fe aeth y gweision hynny allan i'r ffyrdd a chasglu ynghyd bawb a gawsant yno, yn ddrwg a da. A llanwyd neuadd y wledd briodas gan westeion. [11]Aeth y brenin i mewn i gael golwg ar y gwesteion

a gwelodd yno ddyn heb wisg briodas amdano. [12]Meddai wrtho, 'Gyfaill, sut y daethost i mewn yma heb wisg briodas?' A thrawyd y dyn yn fud. [13]Yna dywedodd y brenin wrth ei wasanaethyddion, 'Rhwymwch ei draed a'i ddwylo a bwriwch ef i'r tywyllwch eithaf; bydd yno wylo a rhincian dannedd.' [14]Y mae llawer, yn wir, wedi eu gwahodd, ond ychydig wedi eu hethol."

Talu Trethi i Gesar
(Mc. 12:13-17; Lc. 20:20-26)

15 Yna fe aeth y Phariseaid a chynllwynio sut i'w rwydo ar air. [16]A dyma hwy'n anfon eu disgyblion ato gyda'r Herodianiaid i ddweud, "Athro, gwyddom dy fod yn ddiffuant, ac yn dysgu ffordd Duw yn gwbl ddiffuant; ni waeth gennyt am neb, ac yr wyt yn ddi-dderbynwyneb. [17]Dywed wrthym, felly, beth yw dy farn: a yw'n gyfreithlon talu treth i Gesar, ai nid yw?" [18]Deallodd Iesu eu dichell a dywedodd, "Pam yr ydych yn rhoi prawf arnaf, ragrithwyr? [19]Dangoswch i mi ddarn arian y dreth." Daethant â denarius[th] iddo, [20]ac meddai ef wrthynt, "Llun ac arysgrif pwy sydd yma?" [21]Dywedasant wrtho, "Cesar." Yna meddai ef wrthynt, "Talwch felly bethau Cesar i Gesar, a phethau Duw i Dduw." [22]Pan glywsant hyn rhyfeddasant, a gadawsant ef a mynd ymaith.

Holi ynglŷn â'r Atgyfodiad
(Mc. 12:18-27; Lc. 20:27-40)

23 Yr un diwrnod daeth ato Sadwceaid yn dweud nad oes dim atgyfodiad. [24]Gofynnasant iddo, "Athro, dywedodd Moses, 'Os bydd rhywun farw heb blant ganddo, y mae ei frawd i briodi'r wraig ac i godi plant i'w frawd.' [25]Yr oedd saith o frodyr yn ein plith; priododd y cyntaf, a bu farw, a chan nad oedd plant ganddo gadawodd ei wraig i'w frawd. [26]A'r un modd yr ail a'r trydydd, hyd at y seithfed. [27]Yn olaf oll bu farw'r wraig. [28]Yn yr atgyfodiad, felly, gwraig prun o'r saith fydd hi? Oherwydd cafodd pob un hi'n wraig." [29]Atebodd Iesu hwy, "Yr ydych yn cyfeiliorni am nad ydych yn deall na'r Ysgrythurau na gallu Duw. [30]Oherwydd yn yr atgyfodiad ni phriodant ac ni phriodir hwy; y maent fel angylion yn y nef. [31]Ond ynglŷn ag atgyfodiad y meirw, onid ydych wedi darllen y gair a lefarwyd

---

[r]Yn ôl darlleniad arall gadewir allan A'r sawl...maluria.　　　[th]Gw. nodyn [o] ar Mth 18:28.

wrthych gan Dduw, ³²'Myfi, Duw Abraham a Duw Isaac a Duw Jacob ydwyf'? Nid Duw'r meirw yw ef, ond y rhai byw." ³³A phan glywodd y tyrfaoedd yr oeddent yn synnu at yr hyn yr oedd yn ei ddysgu.

Y Gorchymyn Mawr
(Mc. 12:28-34; Lc. 10:25-38)

34 Clywodd y Phariseaid iddo roi taw ar y Sadwccaid, a dacthant at ei gilydd. ³⁵Ac i roi prawf arno, gofynnodd un ohonynt, ac yntau'n athro'r Gyfraith, ³⁶"Athro, pa orchymyn yw'r mwyaf yn y Gyfraith?" ³⁷Dywedodd Iesu wrtho, "'Câr yr Arglwydd dy Dduw â'th holl galon ac â'th holl enaid ac â'th holl feddwl.' ³⁸Dyma'r gorchymyn mwyaf a'r cyntaf. ³⁹Ac y mae'r ail yn debyg iddo: 'Câr dy gymydog fel ti dy hun.' ⁴⁰Ar y ddau orchymyn hyn y mae'r holl Gyfraith a'r proffwydi yn dibynnu."

Holi ynglŷn â Mab Dafydd
(Mc. 12:35-37; Lc. 20:41-44)

41 Yr oedd y Phariseaid wedi ymgynnull, a gofynnodd Iesu iddynt, ⁴²"Beth yw eich barn chwi ynglŷn â'r Meseia? Mab pwy ydyw?" "Mab Dafydd," meddent wrtho. ⁴³"Sut felly," gofynnodd Iesu, "y mae Dafydd trwy'r Ysbryd yn ei alw'n Arglwydd, pan ddywed: ⁴⁴'Dywedodd yr Arglwydd wrth fy Arglwydd i,
"Eistedd ar fy neheulaw
nes imi osod dy elynion dan dy draed"'?
⁴⁵Os yw Dafydd felly yn ei alw'n Arglwydd, sut y mae'n fab iddo?" ⁴⁶Ac nid oedd neb yn gallu ateb gair iddo, ac o'r diwrnod hwnnw ni feiddiodd neb ei holi ddim mwy.

Cyhuddo'r Ysgrifenyddion a'r Phariseaid
(Mc. 12:38-40; Lc. 11:37-52, 20:45-47)

23 Yna llefarodd Iesu wrth y tyrfaoedd a'i ddisgyblion. ²Dywedodd: "Y mae'r ysgrifenyddion a'r Phariseaid yn eistedd yng nghadair Moses. ³Felly gwnewch a chadwch bopeth a ddywedant wrthych, ond peidiwch â dilyn eu hymddygiad, oherwydd siarad y maent, heb weithredu. ⁴Y maent yn

rhwymo beichiau trymion ac anodd eu dwyn^s, a'u gosod ar ysgwyddau dynion, ond nid ydynt hwy eu hunain yn fodlon codi bys i'w symud. ⁵Cyflawnant eu holl weithredoedd er mwyn cael eu gweld gan ddynion. Y maent yn gwneud eu phylacterau'n llydan ac ymylon eu mentyll yn llaes; ⁶y maent yn hoffi cael y seddau anrhydedd mewn gwleddoedd a'r prif gadeiriau yn y synagogau, ⁷a chael cyfarchiadau yn y marchnadoedd a'u galw gan ddynion yn 'Rabbi'. ⁸Ond peidiwch chwi â chymryd eich galw yn 'Rabbi', oherwydd un athro sydd gennych, a brodyr ydych chwi i gyd. ⁹A pheidiwch â galw neb yn dad ichwi ar y ddaear, oherwydd un tad sydd gennych chwi, sef eich Tad nefol. ¹⁰A pheidiwch â chymryd eich galw'n arweinwyr chwaith, oherwydd un arweinydd sydd gennych, sef y Meseia. ¹¹Rhaid i'r un mwyaf ohonoch fod yn was i chwi. ¹²Darostyngir pwy bynnag fydd yn ei ddyrchafu ei hun, a dyrchefir pwy bynnag fydd yn ei ddarostwng ei hun.

13 "Gwae chwi, ysgrifenyddion a Phariseaid, ragrithwyr, oherwydd yr ydych yn cau drws teyrnas nefoedd yn wyneb dynion; nid ydych yn mynd i mewn eich hunain, nac yn gadael i'r rhai sydd am fynd i mewn wneud hynny.^t

15 "Gwae chwi, ysgrifenyddion a Phariseaid, ragrithwyr, oherwydd yr ydych yn cwmpasu môr a thir i wneud un proselyt, ac wedi ei gael fe'i gwnewch ef yn ddwywaith cymaint o blentyn uffern ag yr ydych chwi.

16 "Gwae chwi, arweinwyr dall sy'n dweud, 'Os bydd dyn yn tyngu llw i'r deml, nid yw hynny'n golygu dim; ond os bydd yn tyngu i'r aur sydd yn y deml, y mae rhwymedigaeth arno.' ¹⁷Ffyliaid a deillion, prun sydd fwyaf, yr aur ynteu'r deml, sy'n gwneud yr aur yn gysegredig? ¹⁸A thrachefn fe ddywedwch, 'Os bydd dyn yn tyngu llw i'r allor, nid yw hynny'n golygu dim; ond os bydd yn tyngu i'r offrwm sydd ar yr allor, y mae rhwymedigaeth arno.' ¹⁹Ddeillion, prun sydd fwyaf, yr offrwm ynteu'r allor, sy'n gwneud yr offrwm yn gysegredig? ²⁰Felly y mae'r sawl sy'n tyngu llw i'r allor yn tyngu iddi hi ac i bopeth sydd

---

^sYn ôl darlleniad arall gadewir allan *ac anodd eu dwyn.*
^tYn ôl darllenaid arall ychwanegir adn. 14: *Gwae chwi, ysgrifenyddion a Phariseaid, ragrithwyr, oherwydd yr ydych yn difa cartrefi gwragedd gweddwon, ac mewn rhagrith yn gweddïo'n faith; am hynny fe dderbyniwch drymach dedfryd.*

arni, [21]ac y mae'r sawl sy'n tyngu llw i'r deml yn tyngu iddi hi ac i'r hwn sy'n preswylio ynddi. [22]Ac y mae'r sawl sy'n tyngu llw i'r nef yn tyngu i orsedd Duw ac i'r hwn sy'n eistedd arni.

[23]"Gwae chwi, ysgrifenyddion a Phariseaid, ragrithwyr, oherwydd yr ydych yn talu degwm o fintys ac anis a chwmin, ond gadawsoch heibio bethau trymach y Gyfraith, cyfiawnder a thrugaredd a ffyddlondeb, yr union bethau y dylasech ofalu amdanynt, heb adael heibio'r lleill. [24]Arweinwyr dall! Yr ydych yn hidlo'r gwybedyn ac yn llyncu'r camel.

[25]"Gwae chwi, ysgrifenyddion a Phariseaid, ragrithwyr, oherwydd yr ydych yn glanhau'r tu allan i'r cwpan a'r ddysgl, ond y tu mewn y maent yn llawn anrhaith ac anghymedroldeb. [26]Y Pharisead dall, glanha'n gyntaf y tu mewn i'r cwpan, fel y bydd y tu allan iddo hefyd yn lân.

[27]"Gwae chwi, ysgrifenyddion a Phariseaid, ragrithwyr, oherwydd yr ydych yn debyg i feddau wedi eu gwyngalchu, sydd o'r tu allan yn ymddangos yn hardd, ond y tu mewn y maent yn llawn o esgyrn y meirw a phob aflendid. [28]Felly hefyd yn allanol yr ydych chwithau yn ymddangos i ddynion yn gyfiawn, ond oddi mewn yr ydych yn llawn rhagrith ac anghyfraith.

[29]"Gwae chwi, ysgrifenyddion a Phariseaid, ragrithwyr, oherwydd yr ydych yn adeiladu beddau'r proffwydi ac yn addurno beddfeini'r rhai cyfiawn, [30]ac yn dweud, 'Pe baem ni'n byw yn nyddiau ein tadau, ni fyddem wedi ymuno gyda hwy i ladd y proffwydi.' [31]Felly yr ydych yn tystio yn eich erbyn eich hunain eich bod yn feibion i'r rhai a lofruddiodd y proffwydi. [32]Ewch chwithau ymlaen i orffen yr hyn a ddechreuodd eich tadau. [33]Chwi seirff ac epil gwiberod, sut y dihangwch rhag barn uffern? [34]Am hynny dyma fi'n anfon atoch broffwydi a dynion doeth a dynion dysgedig; byddwch yn lladd ac yn croeshoelio rhai ohonynt, ac yn fflangellu eraill yn eich synagogau, a'u herlid o un dref i'r llall. [35]Felly, ar eich pen chwi y bydd yr holl waed diniwed a dywalltwyd ar y ddaear, o waed Abel gyfiawn hyd at waed Sechareia fab Beracheia, a lofruddiasoch rhwng y cysegr a'r allor. [36]Yn wir, 'rwy'n dweud wrthych, ar ben y genhedlaeth hon y bydd yr holl bethau hyn.

Y Galarnad dros Jerwsalem
(Lc. 13:34-35)

[37]"Jerwsalem, Jerwsalem, tydi sy'n lladd y proffwydi ac yn llabyddio'r rhai a anfonwyd atat, mor aml y dymunais gasglu dy blant ynghyd, fel y mae iâr yn casglu ei chywion dan ei hadenydd, ond gwrthod a wnaethoch. [38]Wele, y mae eich tŷ yn cael ei adael yn anghyfannedd. [39]Oherwydd 'rwy'n dweud wrthych, ni chewch fy ngweld o hyn allan hyd y dydd pan ddywedwch, 'Bendigedig yw'r un sy'n dod yn enw'r Arglwydd.'"

Rhagfynegi Dinistr y Deml
(Mc. 13:1-2; Lc. 21:5-6)

24 Aeth Iesu allan o'r deml, a phan oedd ar ei ffordd oddi yno daeth ei ddisgyblion ato i dynnu ei sylw at adeiladau'r deml. [2]Dywedodd yntau wrthynt, "Oni welwch yr holl bethau hyn? Yn wir, 'rwy'n dweud wrthych, ni adewir yma faen ar faen; ni bydd yr un heb ei fwrw i lawr."

Dechrau'r Gwewyr
(Mc. 13:3-13; Lc. 21:7-19)

3 Fel yr oedd yn eistedd ar Fynydd yr Olewydd daeth y disgyblion ato o'r neilltu a gofyn, "Dywed wrthym pa bryd y bydd hyn, a beth fydd yr arwydd o'th ddyfodiad ac o ddiwedd y byd?" [4]Atebodd Iesu hwy, "Gwyliwch na fydd i neb eich twyllo. [5]Oherwydd fe ddaw llawer yn fy enw i gan ddweud, 'Myfi yw'r Meseia', ac fe dwyllant lawer. [6]Byddwch yn clywed am ryfeloedd a sôn am ryfeloedd; gofalwch beidio â chyffroi, oherwydd rhaid i hyn ddigwydd, ond nid yw'r diwedd eto. [7]Oblegid cyfyd cenedl yn erbyn cenedl, a theyrnas yn erbyn teyrnas, a bydd adegau o newyn a daeargrynfâu mewn mannau. [8]Ond dechrau'r gwewyr fydd hyn oll. [9]Yna fe'ch traddodir i gael eich cosbi a'ch lladd, a chas fyddwch gan bob cenedl o achos fy enw i. [10]A'r pryd hwnnw bydd llawer yn cwympo ymaith; byddant yn bradychu ei gilydd a chasáu ei gilydd. [11]Fe gyfyd llawer o broffwydi gau a thwyllant lawer. [12]Ac am fod drygioni yn amlhau bydd cariad llawer iawn yn oeri. [13]Ond y sawl sy'n dyfalbarhau i'r diwedd a gaiff ei achub. [14]Ac fe gyhoeddir yr Efengyl hon am y deyrnas drwy'r byd i gyd fel tystiolaeth i'r holl genhedloedd, ac yna y daw'r diwedd.

Y Gorthrymder Mawr
(Mc. 13:14-23; Lc. 21:20-24)

15 "Felly, pan welwch 'y ffeiddbeth diffeithiol', y soniodd y proffwyd Daniel amdano, yn sefyll yn y lle sanctaidd" (dealled y darllenydd) ¹⁶"yna ffoed y rhai sydd yn Jwdea i'r mynyddoedd. ¹⁷Yr hwn sydd ar ben y tŷ, peidied â mynd i lawr i gipio'i bethau o'i dŷ; ¹⁸a'r hwn sydd yn y cae, peidied â throi yn ei ôl i gymryd ei fantell. ¹⁹Gwae'r gwragedd beichiog a'r rhai sy'n rhoi'r fron yn y dyddiau hynny! ²⁰A gweddïwch na fyddwch yn gorfod ffoi yn y gaeaf nac ar y Saboth, ²¹oblegid y pryd hwnnw bydd gorthrymder mawr na fu ei debyg o ddechrau'r byd hyd yn awr, ac na fydd byth chwaith. ²²Ac oni bai fod y dyddiau hynny wedi eu byrhau, ni fuasai undyn byw wedi ei achub; ond er mwyn yr etholedigion fe fyrheir y dyddiau hynny. ²³Yna, os dywed rhywun wrthych, 'Edrych, dyma'r Meseia', neu 'Dacw ef', peidiwch â'i gredu. ²⁴Oherwydd fe gyfyd gau-feseiâu a gau-broffwydi, a rhoddant arwyddion mawr a rhyfeddodau nes arwain ar gyfeiliorn hyd yn oed yr etholedigion, petai hynny'n bosibl. ²⁵Yn awr yr wyf wedi dweud wrthych ymlaen llaw. ²⁶Felly, os dywedant wrthych, 'Dyma ef yn yr anialwch', peidiwch â mynd allan; neu os dywedant, 'Dyma ef mewn ystafelloedd o'r neilltu', peidiwch â'u credu. ²⁷Oherwydd fel y mae'r fellten yn dod o'r dwyrain ac yn goleuo hyd at y gorllewin, felly y bydd dyfodiad Mab y Dyn. ²⁸Lle bynnag y bydd y gelain, yno yr heidia'r eryrod.

Dyfodiad Mab y Dyn
(Mc. 13:24-27; Lc. 21:25-28)

29 "Yn union ar ôl gorthrymder y dyddiau hynny,
'Tywyllir yr haul,
ni rydd y lloer ei llewyrch,
syrth y sêr o'r nef,
ac ysgydwir nerthoedd y nefoedd.'
³⁰A'r pryd hwnnw ymddengys arwydd Mab y Dyn yn y nef; y pryd hwnnw bydd holl lwythau'r ddaear yn galaru, a gwelant Fab y Dyn yn dyfod ar gymylau'r nef gyda nerth a gogoniant mawr. ³¹Ac fe anfona ei angylion wrth sain utgorn mawr, a byddant yn cynnull ei etholedigion o'r pedwar gwynt, o un eithaf i'r nefoedd hyd at y llall.

Gwers y Ffigysbren
(Mc. 13:28-31; Lc. 21:29-33)

32 "Dysgwch wers oddi wrth y ffigysbren. Pan fydd ei gangen yn ir ac yn dechrau deilio, gwyddoch fod yr haf yn agos. ³³Felly chwithau, pan welwch yr holl bethau hyn, byddwch yn gwybod ei fod yn agos, wrth y drws. ³⁴Yn wir, 'rwy'n dweud wrthych, nid â'r genhedlaeth hon heibio nes i'r holl bethau hyn ddigwydd. ³⁵Y nef a'r ddaear, ânt heibio, ond fy ngeiriau i, nid ânt heibio ddim.

Y Dydd a'r Awr Anhysbys
(Mc. 13:32-37; Lc. 17:26-30, 34-36)

36 "Ond am y dydd hwnnw a'r awr ni ŵyr neb, nac angylion y nef, na'r Mab, neb ond y Tad yn unig. ³⁷Fel y bu yn nyddiau Noa, felly hefyd y bydd yn nyfodiad Mab y Dyn. ³⁸Fel yr oedd pobl yn y dyddiau cyn y dilyw yn bwyta ac yn yfed, yn cymryd gwragedd ac yn cael gwŷr, hyd y dydd yr aeth Noa i mewn i'r arch, ³⁹ac ni wyddent ddim hyd nes y daeth y dilyw a'u hysgubo ymaith i gyd; felly hefyd y bydd yn nyfodiad Mab y Dyn. ⁴⁰Y pryd hwnnw bydd dau yn y cae; cymerir un a gadewir y llall. ⁴¹Bydd dwy wraig yn malu yn y felin; cymerir un a gadewir y llall. ⁴²Byddwch wyliadwrus gan hynny; oherwydd ni wyddoch pa ddydd y daw eich Arglwydd. ⁴³Ond gwybyddwch hyn: pe buasai meistr y tŷ yn gwybod pa amser y byddai'r lleidr yn dod, buasai ar ei wyliadwriaeth ac ni fuasai wedi caniatáu iddo dorri i mewn i'w dŷ. ⁴⁴Am hynny chwithau hefyd, byddwch barod, oherwydd pryd na thybiwch y daw Mab y Dyn.

Y Gwas Ffyddlon neu Anffyddlon
(Lc. 12:41-48)

45 "Pwy ynteu yw'r gwas ffyddlon a chall a osodwyd gan ei feistr dros weision y tŷ, i roi eu bwyd iddynt yn ei bryd? ⁴⁶Gwyn ei fyd y gwas hwnnw a geir yn gwneud felly gan ei feistr pan ddaw; ⁴⁷yn wir, 'rwy'n dweud wrthych y gesyd ef dros ei holl eiddo. ⁴⁸Ond os yw'r gwas hwnnw'n ddrwg, ac os dywed yn ei galon, 'Y mae fy meistr yn oedi', ⁴⁹a dechrau curo'i gydweision, a bwyta ac yfed gyda'r meddwon, ⁵⁰yna bydd meistr y gwas hwnnw yn cyrraedd ar ddiwrnod annisgwyl iddo ef ac ar awr nas gŵyr; ⁵¹ac

fe'i cosba yn llym, a gosod ei le gyda'r rhagrithwyr; bydd yno wylo a rhincian dannedd.

Dameg y Deg Geneth

25 "Y pryd hwnnw bydd teyrnas nefoedd yn debyg i ddeg o eneth-od a gymerodd eu lampau a mynd allan i gyfarfod â'r priodfab. ²Yr oedd pump ohonynt yn ffôl a phump yn gall. ³Cym-erodd y rhai ffôl eu lampau ond heb gymryd olew gyda hwy, ⁴ond cymerodd y rhai call, gyda'u lampau, olew mewn llestri. ⁵Gan fod y priodfab yn hwyr yn dod aethant i gyd i hepian a chysgu. ⁶Ac ar ganol nos daeth gwaedd: 'Dyma'r priodfab, ewch allan i'w gyfarfod.' ⁷Yna cododd y genethod hynny i gyd a pharatoi eu lampau. ⁸Dywedodd y rhai ffôl wrth y rhai call, 'Rhowch i ni beth o'ch olew, oherwydd y mae'n lampau ni yn diffodd.' ⁹Atebodd y rhai call, 'Na yn wir, ni fydd digon i ni ac i chwithau. Gwell i chwi fynd at y gwerthwyr a phrynu peth i chwi eich hunain.' ¹⁰A thra oeddent yn mynd i brynu'r olew, cyrhaeddodd y priodfab, ac aeth y rhai oedd yn barod i mewn gydag ef i'r wledd briodas, a chlowyd y drws. ¹¹Yn ddiweddarach dyma'r genethod eraill yn dod ac yn dweud, 'Syr, syr, agor y drws i ni.' ¹²Atebodd yntau, 'Yn wir, 'rwy'n dweud wrthych, nid wyf yn eich adnabod.' ¹³Byddwch wyliadwrus gan hynny, oherwydd ni wyddoch na'r dydd na'r awr.

Dameg y Codau o Arian
(Lc. 19:11-27)

14 "Y mae fel dyn a oedd yn mynd oddi cartref ac a alwodd ei weision a rhoi ei eiddo yn eu gofal. ¹⁵I un fe roddodd bum cod o arian^th, i un arall ddwy, i un arall un, i bob un yn ôl ei allu, ac fe aeth oddi cartref. ¹⁶Ar unwaith aeth yr un a dderbyniodd bum cod a masnachu â hwy, ac fe enillodd atynt bump arall. ¹⁷Felly hefyd enillodd yr un a gafodd ddwy god ddwy arall atynt. ¹⁸Ond y sawl a dder-byniodd un god, aeth ef ymaith a chloddio twll yn y ddaear a chuddio arian ei feistr. ¹⁹Ymhen cryn dipyn o amser daeth meistr y gweision hynny yn ôl ac fe adolygodd eu cyfrifon hwy. ²⁰Daeth yr un a dder-byniodd bum cod a chyflwyno iddo bump arall. 'Meistr,' meddai, 'rhoddaist bum cod o arian yn fy ngofal; dyma bum cod

arall a enillais i atynt.' ²¹'Ardderchog, fy ngwas da a ffyddlon,' meddai ei feistr wrtho, 'buost yn ffyddlon wrth ofalu am ychydig, fe osodaf lawer yn dy ofal; tyrd i ymuno yn llawenydd dy feistr.' ²²Yna daeth y dyn â'r ddwy god, a dywedodd, 'Meistr, rhoddaist ddwy god o arian yn fy ngofal; dyma ddwy god arall a enillais i atynt.' ²³Meddai ei feistr wrtho, 'Ar-dderchog, fy ngwas da a ffyddlon; buost yn ffyddlon wrth ofalu am ychydig, fe osodaf lawer yn dy ofal; tyrd i ymuno yn llawenydd dy feistr.' ²⁴Yna daeth y dyn oedd wedi derbyn un god, a dywedodd, 'Meistr, gwyddwn dy fod yn ddyn caled, yn medi lle heuodd eraill ac yn casglu lle gwasgarodd eraill. ²⁵Yn fy ofn euthum a chuddio dy god o arian yn y ddaear. Dyma i ti dy eiddo yn ôl.' ²⁶Atebodd ei feistr ef, 'Y gwas drwg a diog, yr oeddit yn gwybod, meddi, fy mod yn medi lle heuodd eraill ac yn casglu lle gwasgarodd eraill. ²⁷Dylit felly fod wedi gosod fy arian yn y banc, a buasai fy eiddo wedi ennill llog erbyn i mi ddod i'w hawlio. ²⁸Felly cymerwch y god o arian oddi arno a rhowch hi i'r un a chanddo ddeg cod. ²⁹Oherwydd i bawb y mae ganddo y rhoddir, a bydd ar ben ei ddigon, ond oddi ar yr hwn nad oes ganddo fe gymerir hyd yn oed hynny sydd ganddo. ³⁰A bwriwch y gwas diwerth i'r tywyllwch eithaf; bydd yno wylo a rhincian dannedd.'

Barnu'r Cenhedloedd

31 "Pan ddaw Mab y Dyn yn ei ogon-iant, a'r holl angylion gydag ef, yna bydd yn eistedd ar orsedd ei ogoniant. ³²Fe gesglir yr holl genhedloedd ger ei fron, a bydd ef yn eu didoli oddi wrth ei gilydd, fel y mae bugail yn didoli'r defaid oddi wrth y geifr, ³³ac fe esyd y defaid ar ei law dde a'r geifr ar y chwith. ³⁴Yna fe ddywed y Brenin wrth y rhai ar y dde iddo, 'Dewch, chwi sydd dan fendith fy Nhad, i etifeddu'r deyrnas a baratowyd ichwi er seiliad y byd. ³⁵Oherwydd bûm yn newynog a rhoesoch fwyd imi, bûm yn sychedig a rhoesoch ddiod imi, bûm yn ddieithr a chymerasoch fi i'ch cartref; ³⁶bûm yn noeth a rhoesoch ddillad am-danaf, bûm yn glaf ac ymwelsoch â mi, bûm yng ngharchar a daethoch ataf.' ³⁷Yna bydd y rhai cyfiawn yn ei ateb: 'Arglwydd,' gofynnant, 'pryd y'th welsom di'n newynog a'th borthi, neu'n

th Neu, *bum talent.* Felly hefyd trwy'r ddameg hon.

sychedig a rhoi diod iti?' [38]A phryd y'th welsom di'n ddieithr a'th gymryd i'n cartref, neu'n noeth a rhoi dillad amdanat? [39]Pryd y'th welsom di'n glaf neu yng ngharchar ac ymweld â thi?' [40]A bydd y Brenin yn eu hateb, 'Yn wir, 'rwy'n dweud wrthych, yn gymaint ag ichwi ei wneud i un o'r lleiaf o'r rhain, fy mrodyr, i mi y gwnaethoch.'

41 "Yna fe ddywed wrth y rhai ar y chwith, 'Ewch oddi wrthyf, chwi sydd dan felltith, i'r tân tragwyddol a baratowyd i'r diafol a'i angylion. [42]Bûm yn newynog ac ni roesoch fwyd imi, bûm yn sychedig ac ni roesoch ddiod imi; [43]bûm yn ddieithr ac ni chymerasoch fi i'ch cartref, yn noeth ac ni roesoch ddillad amdanaf, yn glaf ac yng ngharchar ac nid ymwelsoch â mi.' [44]Yna atebant hwythau: 'Arglwydd,' gofynnant, 'pryd y'th welsom di'n newynog neu'n sychedig neu'n ddieithr neu'n noeth neu'n glaf neu yng ngharchar heb weini arnat?' [45]A bydd ef yn eu hateb, 'Yn wir, 'rwy'n dweud wrthych, yn gymaint ag ichwi beidio â'i wneud i un o'r rhai lleiaf hyn, nis gwnaethoch i minnau chwaith.' [46]Ac fe â'r rhain ymaith i gosb diagwyddol, ond y rhai cyfiawn i fywyd tragwyddol."

Y Cynllwyn i Ladd Iesu
(Mc. 14:1-2; Lc. 22:1-2; In. 11:45-53)

26 Pan orffennodd Iesu lefaru'r holl eiriau hyn, dywedodd wrth ei ddisgyblion, [2]"Gwyddoch fod y Pasg yn dod ymhen deuddydd, ac fe draddodir Mab y Dyn i'w groeshoelio." [3]Yna daeth y prif offeiriaid a henuriaid y bobl ynghyd yng nghyntedd yr archoffeiriad, a elwid Caiaffas, [4]a chynllwyn i ddal Iesu trwy ddichell a'i ladd. [5]Ond dweud yr oeddent, "Nid yn ystod yr ŵyl, rhag digwydd cynnwrf ymhlith y bobl."

Yr Eneinio ym Methania
(Mc. 14:3-9; In. 12:1-8)

6 Pan oedd Iesu ym Methania yn nhŷ Simon y gwahanglwyfus, [7]daeth gwraig ato a chanddi ffiol alabaster o ennaint gwerthfawr, a thywalltodd yr ennaint ar ei ben tra oedd ef wrth bryd bwyd. [8]Pan welodd y disgyblion hyn, aethant yn ddig a dweud, "I ba beth y bu'r gwastraff hwn? [9]Oherwydd gallesid gwerthu'r ennaint hwn am lawer o arian a'i roi i'r tlodion." [10]Sylwodd Iesu ar hyn a dywedodd wrthynt, "Pam yr ydych yn poeni'r wraig? Oherwydd gweithred brydferth a wnaeth hi i mi. [11]Bydd y tlodion gyda chwi bob amser, ond ni fyddaf fi gyda chwi bob amser. [12]Wrth dywallt yr ennaint hwn ar fy nghorff, fy mharatoi yr oedd hi ar gyfer fy nghladdu. [13]Yn wir, 'rwy'n dweud wrthych, pa le bynnag y pregethir yr Efengyl yma yn yr holl fyd, adroddir hefyd yr hyn a wnaeth hon, er cof amdani."

Jwdas yn Cydsynio i Fradychu Iesu
(Mc. 14:10-11; Lc. 22:3-6)

14 Yna aeth un o'r Deuddeg, hwnnw a elwid Jwdas Iscariot, at y prif offeiriaid [15]a dweud, "Beth a rowch imi os bradychaf ef i chwi?" Talasant iddo ddeg ar hugain o ddarnau arian; [16]ac o'r pryd hwnnw dechreuodd geisio cyfle i'w fradychu ef.

Gwledd y Pasg gyda'r Disgyblion
(Mc. 14:12-21; Lc. 22:7-14, 21-23; In. 13:21-30)

17 Ar ddydd cyntaf gŵyl y Bara Croyw daeth y disgyblion at Iesu a gofyn, "Ble yr wyt ti am inni baratoi i ti fwyta gwledd y Pasg?". [18]Dywedodd yntau, "Ewch i'r ddinas at ddyn arbennig a dywedwch wrtho, 'Y mae'r Athro'n dweud, "Y mae fy amser i'n agos; yn dy dŷ di yr wyf am gadw'r Pasg gyda'm disgyblion."'" [19]A gwnaeth y disgyblion fel y gorchmynnodd Iesu iddynt, a pharatoesant wledd y Pasg. [20]Gyda'r nos yr oedd wrth y bwrdd gyda'r Deuddeg. [21]Ac fel yr oeddent yn bwyta, dywedodd Iesu, "Yn wir, 'rwy'n dweud wrthych y bydd i un ohonoch fy mradychu i." [22]A chan dristáu yn fawr dechreusant ddweud wrtho, bob un ohonynt, "Nid myfi yw, Arglwydd?" [23]Atebodd yntau, "Un a wlychodd ei law gyda mi yn y ddysgl, hwnnw a'm bradycha i. [24]Y mae Mab y Dyn yn wir yn ymadael, fel y mae'n ysgrifenedig amdano, ond gwae'r dyn hwnnw y bradychir Mab y Dyn ganddo! Da fuasai i'r dyn hwnnw petai heb ei eni." [25]Dywedodd Jwdas ei fradychwr, "Nid myfi yw, Rabbi?" Meddai Iesu wrtho, "Ti a ddywedodd hynny.[u]"

---

[u]Neu, *Fe ddywedaist y gwir*.

Sefydlu Swper yr Arglwydd
(Mc. 14:22-26; Lc. 22:15-20;
1 Cor. 11:23-25)

26 Ac wrth iddynt fwyta, cymerodd Iesu fara, ac wedi bendithio fe'i torrodd a'i roi i'r disgyblion, a dywedodd, "Cymerwch, bwytewch; hwn yw fy nghorff." [27] A chymerodd gwpan, ac wedi diolch fe'i rhoddodd iddynt gan ddweud, "Yfwch ohono, bawb, [28] oherwydd hwn yw fy ngwaed i, gwaed y cyfamod, a dywelltir dros lawer er maddeuant pechodau. [29] 'Rwy'n dweud wrthych nad yfaf o hyn allan o hwn, ffrwyth y winwydden, hyd y dydd hwnnw pan yfaf ef yn newydd gyda chwi yn nheyrnas fy Nhad." [30] Ac wedi iddynt ganu emyn aethant allan i Fynydd yr Olewydd.

Rhagfynegi Gwadiad Pedr
(Mc. 14:27-31; Lc. 22:31-34;
In. 13:36-38)

31 Yna dywedodd Iesu wrthynt, "Fe ddaw cwymp i bob un ohonoch chwi o'm hachos i heno, oherwydd y mae'n ysgrifenedig:
'Trawaf y bugail,
a gwasgerir defaid y praidd.'
[32] Ond wedi i mi gael fy nghyfodi af o'ch blaen chwi i Galilea." [33] Atebodd Pedr ef, "Er iddynt gwympo bob un o'th achos di, ni chwympaf fi byth." [34] Meddai Iesu wrtho, "Yn wir, 'rwy'n dweud wrthyt y bydd i ti heno, cyn i'r ceiliog ganu, fy ngwadu i deirgwaith." [35] "Hyd yn oed petai'n rhaid imi farw gyda thi," meddai Pedr wrtho, "ni'th wadaf byth." Ac felly y dywedodd y disgyblion i gyd.

Y Weddi yn Gethsemane
(Mc. 14:32-42; Lc. 22:39-46)

36 Yna daeth Iesu gyda hwy i le a elwir Gethsemane, ac meddai wrth y disgyblion, "Eisteddwch yma tra byddaf fi'n mynd fan draw i weddïo." [37] Ac fe gymerodd gydag ef Pedr a dau fab Sebedeus; a dechreuodd deimlo tristwch a thrallod dwys. [38] Yna meddai wrthynt, "Y mae f'enaid yn drist iawn hyd at farw. Arhoswch yma a gwyliwch gyda mi." [39] Aeth ymlaen ychydig, a syrthiodd ar ei wyneb gan weddïo, "Fy Nhad, os yw'n bosibl, boed i'r cwpan hwn fynd heibio i mi; ond nid fel y mynnaf fi, ond fel y mynni di." [40] Daeth yn ôl at y disgyblion

a'u cael hwy'n cysgu, ac meddai wrth Pedr, "Felly! Oni allech wylio am un awr gyda mi? [41] Gwyliwch, a gweddïwch na ddewch i gael eich profi. Y mae'r ysbryd yn barod ond y cnawd yn wan." [42] Aeth ymaith drachefn yr ail waith a gweddïo, "Fy Nhad, os nad yw'n bosibl i'r cwpan hwn fynd heibio heb i mi ei yfed, gwneler dy ewyllys di." [43] A phan ddaeth yn ôl fe'u cafodd hwy'n cysgu eto, oherwydd yr oedd eu llygaid yn drwm. [44] Ac fe'u gadawodd eto a mynd ymaith i weddïo y drydedd waith, gan lefaru'r un geiriau drachefn. [45] Yna daeth at y disgyblion a dweud wrthynt, "A ydych yn dal i gysgu a gorffwys?[w] Dyma'r awr yn agos, a Mab y Dyn yn cael ei fradychu i ddwylo dynion pechadurus. [46] Codwch ac awn. Dyma fy mradychwr yn agosáu."

Bradychu a Dal Iesu
(Mc. 14:43-50; Lc. 22:47-53;
In. 18:3-12)

47 Yna, tra oedd yn dal i siarad, dyma Jwdas, un o'r Deuddeg, yn dod, a chydag ef dyrfa fawr yn dwyn cleddyfau a phastynau, wedi eu hanfon gan y prif offeiriaid a henuriaid y bobl. [48] Rhoddodd ei fradychwr arwydd iddynt gan ddweud, "Yr un a gusanaf yw'r dyn; daliwch ef." [49] Ac yn union aeth at Iesu a dweud, "Henffych well, Rabbi", a chusanodd ef. [50] Dywedodd Iesu wrtho, "Gyfaill, gwna'r hyn yr wyt yma i'w wneud.[y]" Yna daethant a rhoi eu dwylo ar Iesu a'i ddal. [51] A dyma un o'r rhai oedd gyda Iesu yn estyn ei law ac yn tynnu ei gleddyf a tharo gwas yr archoffeiriad a thorri ei glust i ffwrdd. [52] Yna dywedodd Iesu wrtho, "Rho dy gleddyf yn ôl yn ei le, oherwydd bydd pawb sy'n cymryd y cleddyf yn marw trwy'r cleddyf. [53] A wyt yn tybio na allwn ddeisyf ar fy Nhad, ac na roddai i mi yn awr fwy na deuddeg lleng o angylion? [54] Ond sut felly y cyflawnid yr Ysgrythurau sy'n dweud mai fel hyn y mae'n rhaid iddi ddigwydd?" [55] A'r pryd hwnnw dywedodd Iesu wrth y dyrfa, "Ai fel at leidr, â chleddyfau a phastynau, y daethoch allan i'm dal i? Yr oeddwn yn eistedd beunydd yn y deml yn dysgu, ac ni ddaliasoch fi. [56] Ond digwyddodd hyn oll fel y cyflawnid yr hyn a ysgrifennodd y proffwydi." Yna gadawodd y disgyblion ef bob un, a ffoi.

[w] Neu, *Cysgwch bellach a gorffwyswch.*   [y] Neu, *Gyfaill, beth yr wyt yma i'w wneud?*

Iesu gerbron y Sanhedrin
(Mc. 14:53-65; Lc. 22:54-55, 63-71; In. 18:12-14, 19-24)

57 Aeth y rhai oedd wedi dal Iesu ag ef ymaith i dŷ Caiaffas yr archoffeiriad, lle'r oedd yr ysgrifenyddion a'r henuriaid wedi dod ynghyd. [58]Canlynodd Pedr ef o hirbell hyd at gyntedd yr archoffeiriad, ac wedi mynd i mewn eisteddodd gyda'r gwasanaethwyr, i weld y diwedd. [59]Yr oedd y prif offeiriad a'r holl Sanhedrin yn ceisio camdystiolaeth yn erbyn Iesu, er mwyn ei roi i farwolaeth, [60]ond ni chawsant ddim, er i lawer o dystion gau ddod ymlaen. Yn y diwedd daeth dau ymlaen [61]a dweud, "Dywedodd hwn, 'Gallaf fwrw i lawr deml Duw, ac ymhen tridiau ei hadeiladu.'" [62]Yna cododd yr archoffeiriad ar ei draed a dweud wrtho, "Onid atebi ddim? Beth am dystiolaeth y rhain yn dy erbyn?" [63]Parhaodd Iesu'n fud; a dywedodd yr archoffeiriad wrtho, "Yr wyf yn rhoi siars i ti dyngu yn enw'r Duw byw a dweud wrthym ai ti yw'r Meseia, Mab Duw." [64]Dywedodd Iesu wrtho, "Ti a ddywedodd hynny[a]; ond 'rwy'n dweud wrthych:

'O hyn allan fe welwch Fab y Dyn yn eistedd ar ddeheulaw'r Gallu ac yn dyfod ar gymylau'r nef.'"
[65]Yna rhwygodd yr archoffeiriad ei ddillad a dweud, "Cabledd! Pa raid i ni wrth dystion bellach? Yr ydych newydd glywed ei gabledd. [66]Sut y barnwch chwi?" Atebasant, "Y mae'n haeddu marwolaeth." [67]Yna poerasant ar ei wyneb a'i gernodio; trawodd rhai ef [68]a dweud, "Proffwyda i ni, Feseia! Pwy a'th drawodd?"

Pedr yn Gwadu Iesu
(Mc. 14:66-72; Lc. 22:56-62; In. 18:15-18, 25-27)

69 Yr oedd Pedr yn eistedd y tu allan yn y cyntedd. A daeth un o'r morynion ato a dweud, "Yr oeddit tithau hefyd gyda Iesu'r Galilead." [70]Ond gwadodd ef o flaen pawb a dweud, "Nid wyf yn gwybod am beth yr wyt ti'n sôn." [71]Ac wedi iddo fynd allan i'r porth, gwelodd morwyn arall ef a dweud wrth y rhai oedd yno, "Yr oedd hwn gyda Iesu'r Nasaread." [72]Gwadodd yntau drachefn â llw, "Nid wyf yn adnabod y dyn." [73]Ymhen ychydig, dyma'r rhai oedd yn sefyll yno

yn dod at Pedr a dweud wrtho, "Yn wir yr wyt ti hefyd yn un ohonynt, achos y mae dy acen yn dy fradychu." [74]Yna dechreuodd yntau regi a thyngu, "Nid wyf yn adnabod y dyn." Ac ar unwaith fe ganodd y ceiliog. [75]Cofiodd Pedr y gair a lefarodd Iesu, "Cyn i'r ceiliog ganu, fe'm gwedi i deirgwaith." Aeth allan ac wylo'n chwerw.

Dod â Iesu gerbron Pilat
(Mc. 15:1; Lc. 23:1-2; In. 18:28-32)

27 Pan ddaeth yn ddydd, cynllwyniodd yr holl brif offeiriaid a henuriaid y bobl yn erbyn Iesu i'w roi i farwolaeth. [2]Rhwymasant ef a mynd ag ef ymaith a'i drosglwyddo i Pilat, y rhaglaw.

Marwolaeth Jwdas
(Act. 1:18-19)

3 Yna pan welodd Jwdas, ei fradychwr, fod Iesu wedi ei gondemnio, bu'n edifar ganddo ac aeth â'r deg darn arian ar hugain yn ôl at y prif offeiriaid a'r henuriaid. [4]Dywedodd, "Pechais trwy fradychu dyn dieuog." "Beth yw hynny i ni?" meddent hwy, "rhyngot ti a hynny." [5]A thaflodd Jwdas yr arian i lawr yn y deml ac ymadael; aeth ymaith, ac fe'i crogodd ei hun. [6]Wedi iddynt dderbyn yr arian, dywedodd y prif offeiriaid, "Nid yw'n gyfreithlon ei roi yn nhrysorfa'r deml, gan mai pris gwaed ydyw." [7]Ac wedi ymgynghori, prynasant Faes y Crochenydd â'r arian, fel mynwent i ddieithriaid. [8]Dyna pam y gelwir y maes hwnnw hyd heddiw yn Faes y Gwaed. [9]Felly y cyflawnwyd y gair a lefarwyd trwy Jeremeia'r proffwyd: "Cymerasant y deg darn arian ar hugain, pris y sawl y rhoddodd rhai o blant Israel bris arno, [10]a'u gwario i brynu maes y crochenydd, fel y gorchmynnodd yr Arglwydd i mi."

Pilat yn Holi Iesu
(Mc. 15:2-5; Lc. 23:3-5; In. 18:33-38)

11 Safodd Iesu gerbron y rhaglaw; a holodd y rhaglaw ef: "Ai ti yw Brenin yr Iddewon?" Atebodd Iesu, "Ti sy'n dweud hynny.[b]" [12]A phan gyhuddwyd ef gan y prif offeiriaid a'r henuriaid, nid atebodd ddim. [13]Yna meddai Pilat wrtho, "Onid wyt yn clywed faint o dystiolaeth y maent yn ei dwyn yn dy erbyn?" [14]Ond

[a]Neu, *Fe ddywedaist y gwir.*   [b]Neu, *Yr wyt yn dweud y gwir.*

ni roes ef iddo ateb i gymaint ag un cyhuddiad, er syndod mawr i'r rhaglaw.

Dedfrydu Iesu i Farwolaeth
(Mc. 15:6-15; Lc. 23:13-25; In. 18:39—19:16)

15 Ar yr ŵyl yr oedd y rhaglaw yn arfer rhyddhau i'r dyrfa un carcharor o'u dewis hwy. [16]A'r pryd hwnnw yr oedd carcharor adnabyddus yn y ddalfa, o'r enw Iesu Barabbas[c]. [17]Felly, wedi iddynt ymgynnull, gofynnodd Pilat iddynt, "Pwy a fynnwch i mi ei ryddhau i chwi, Iesu Barabbas[ch] ynteu Iesu a elwir y Meseia?" [18]Oherwydd gwyddai mai o genfigen y traddodasant ef. [19]A thra oedd Pilat yn eistedd ar y brawdle anfonodd ei wraig neges ato, yn dweud, "Paid ag ymyrryd â'r dyn cyfiawn yna, oherwydd cefais lawer o ofid mewn breuddwyd neithiwr o'i achos ef." [20]Ond perswadiodd y prif offeiriaid a'r henuriaid y tyrfaoedd i ofyn am ryddhau Barabbas a rhoi Iesu i farwolaeth. [21]Atebodd y rhaglaw gan ofyn iddynt, "Prun o'r ddau a fynnwch i mi ei ryddhau i chwi?" [22]"Barabbas," meddent hwy. "Beth, ynteu, a wnaf â Iesu a elwir y Meseia?" gofynnodd Pilat iddynt. Atebasant i gyd, "Croeshoelier ef." [23]"Ond pa ddrwg a wnaeth ef?" meddai yntau. Gwaeddasant hwythau yn uwch byth, "Croeshoelier ef." [24]Pan welodd Pilat nad oedd dim yn tycio ond yn hytrach bod cynnwrf yn codi, cymerodd ddŵr, a golchodd ei ddwylo o flaen y dyrfa, a dweud, "Yr wyf fi'n ddieuog o waed y dyn hwn; chwi fydd yn gyfrifol." [25]Ac atebodd yr holl bobl, "Boed ei waed arnom ni ac ar ein plant." [26]Yna rhyddhaodd Pilat iddynt Barabbas, a thraddododd Iesu, ar ôl ei fflangellu, i'w groeshoelio.

Y Milwyr yn Gwatwar Iesu
(Mc. 15:16-20; In. 19:2-3)

27 Yna cymerodd milwyr y rhaglaw Iesu i'r Praetoriwm a chynnull yr holl fintai o'i gwmpas. [28]Wedi diosg ei ddillad, rhoesant glogyn ysgarlad amdano; [29]plethasant goron o ddrain a'i gosod ar ei ben, a gwialen yn ei law dde. Aethant ar eu gliniau o'i flaen a'i watwar: "Henffych well, Frenin yr Iddewon!" [30]Poerasant arno, a chymryd y wialen a'i guro ar ei ben. [31]Ac wedi iddynt ei watwar, tynasant y clogyn oddi amdano a'i wisgo ef

â'i ddillad ei hun, a mynd ag ef ymaith i'w groeshoelio.

Croeshoelio Iesu
(Mc. 15:21-32; Lc. 23:26-43; In. 19:17-27)

32 Wrth fynd allan daethant ar draws dyn o Cyrene o'r enw Simon, a gorfodi hwnnw i gario ei groes ef. [33]Daethant i le a elwir Golgotha, hynny yw, "Lle Penglog", [34]ac yno rhoesant iddo i'w yfed win wedi ei gymysgu â bustl, ond ar ôl iddo ei brofi, gwrthododd ei yfed. [35]Croeshoeliasant ef, ac yna rhanasant ei ddillad, gan fwrw coelbren, [36]ac eisteddasant yno i'w wylio. [37]Uwch ei ben gosodwyd y cyhuddiad yn ei erbyn mewn ysgrifen: "Hwn yw Iesu, Brenin yr Iddewon." [38]Yna croeshoeliwyd gydag ef ddau leidr, un ar y dde ac un ar y chwith. [39]Yr oedd y rhai oedd yn mynd heibio yn ei gablu ef, yn ysgwyd eu pennau [40]a dweud, "Ti sydd am fwrw'r deml i lawr a'i hadeiladu mewn tridiau, achub dy hun, os Mab Duw wyt ti, a disgyn oddi ar y groes." [41]A'r un modd yr oedd y prif offeiriaid hefyd, ynghyd â'r ysgrifenyddion a'r henuriaid, yn ei watwar ac yn dweud, [42]"Fe achubodd eraill; ni all ei achub ei hun. Brenin Israel yn wir! Disgynned yn awr oddi ar y groes ac fe gredwn ynddo. [43]Ymddiriedodd yn Nuw; boed i Dduw ei waredu yn awr, os yw â'i fryd arno, oherwydd dywedodd, 'Mab Duw ydwyf.'" [44]Yr un modd, yr oedd hyd yn oed y lladron a groeshoeliwyd gydag ef yn ei wawdio.

Marwolaeth Iesu
(Mc. 15:33-41; Lc. 23:44-49; In. 19:28-30)

45 O ganol dydd, daeth tywyllwch dros yr holl wlad hyd dri o'r gloch y prynhawn. [46]A thua thri o'r gloch gwaeddodd Iesu â llef uchel, "Eli, Eli, lema sabachthani", hynny yw, "Fy Nuw, fy Nuw, pam yr wyt wedi fy ngadael?" [47]O glywed hyn, meddai rhai o'r sawl oedd yn sefyll yno, "Y mae hwn yn galw ar Elias." [48]Ac ar unwaith fe redodd un ohonynt a chymryd ysbwng a'i lenwi â gwin sur a'i ddodi ar flaen gwialen a'i gynnig iddo i'w yfed. [49]Ond yr oedd y lleill yn dweud, "Gadewch inni weld a ddaw Elias i'w achub." [50]Gwaeddodd Iesu drachefn â llef uchel, a bu farw. [51]A dyma len y deml yn cael ei rhwygo yn ddwy o'r pen i'r gwaelod. Siglwyd y

---

[c]Yn ôl darlleniad arall, *o'r enw Barabbas.* [ch]Yn ôl darlleniad arall, *i chwi, Barabbas.*

ddaear a holltwyd y creigiau; ⁵²agorwyd y beddau a chyfodwyd cyrff llawer o'r saint oedd wedi huno. ⁵³Ac ar ôl atgyfodiad Iesu, daethant allan o'u beddau a mynd i mewn i'r ddinas sanctaidd, ac fe'u gwelwyd gan lawer. ⁵⁴Ond pan welodd y canwriad, a'r rhai oedd gydag ef yn gwylio Iesu, y daeargryn a'r cwbl oedd yn digwydd, daeth ofn mawr arnynt a dywedasant, "Yn wir, Mab Duwᵈ oedd hwn." ⁵⁵Yr oedd yno lawer o wragedd yn edrych o hirbell, rhai oedd wedi canlyn Iesu o Galilea i weini arno; ⁵⁶yn eu plith yr oedd Mair Magdalen, Mair mam Iago a Joseff, a mam meibion Sebedeus.

Claddu Iesu
(Mc. 15:42-47; Lc. 23:50-56; In. 19:38-42)

57 Pan acth yn hwyr, daeth dyn cyfoethog o Arimathea o'r enw Joseff, a oedd yntau wedi dod yn ddisgybl i Iesu. ⁵⁸Aeth hwn at Pilat a gofyn am gorff Iesu; yna gorchmynnodd Pilat ei roi iddo. ⁵⁹Cymerodd Joseff y corff a'i amdói mewn lliain glân, ⁶⁰a'i osod yn ei fedd newydd ef ei hun, yr oedd wedi ei naddu yn y graig. Yna treiglodd faen mawr wrth ddrws y bedd ac acth ymaith. ⁶¹Ac yr oedd Mair Magdalen a'r Fair arall yno yn eistedd gyferbyn â'r bedd.

Y Gwarchodlu wrth y Bedd

62 Trannoeth, y dydd ar ôl y Paratoad, daeth y prif offeiriaid a'r Phariseaid ynghyd at Pilat ⁶³a dweud, "Syr, daeth i'n cof fod y twyllwr yna, pan oedd eto'n fyw, wedi dweud, 'Ar ôl tridiau fe'm cyfodir.' ⁶⁴Felly rho orchymyn i'r bedd gael ei warchod yn ddiogel hyd y trydydd dydd, rhag i'w ddisgyblion ddod a'i ladrata a dweud wrth y bobl, 'Y mae wedi ei gyfodi oddi wrth y meirw', ac felly bod y twyll olaf yn waeth na'r cyntaf." ⁶⁵Dywedodd Pilat wrthynt, "Cymerwch warchodlu; ewch a gwnewch y bedd mor ddiogel ag y gallwch." ⁶⁶Aethant hwythau a diogelu'r bedd trwy selio'r maen, a gosod y gwarchodlu wrth law.

Atgyfodiad Iesu
(Mc. 16:1-8; Lc. 24:1-12; In. 20:1-10)

28 Ar ôl y Saboth, a dydd cyntaf yr wythnos ar wawrio, daeth Mair Magdalen a'r Fair arall i edrych ar y bedd. ²A bu daeargryn mawr; daeth angel yr Arglwydd i lawr o'r nef, ac aeth at y maen a'i dreiglo i ffwrdd ac eistedd arno.

ᵈNeu, mab i Dduw.

³Yr oedd ei wedd fel mellten a'i wisg yn wyn fel eira. ⁴Yn eu dychryn o'i weld, crynodd y gwarchodwyr, ac aethant fel dynion marw. ⁵Ond llefarodd yr angel wrth y gwragedd: "Peidiwch chwi ag ofni," meddai. "Gwn mai ceisio Iesu, a groeshoeliwyd, yr ydych. ⁶Nid yw ef yma, oherwydd y mae wedi ei gyfodi, fel y dywedodd y byddai; dewch i weld y man lle y bu'n gorwedd. ⁷Ac yna ewch ar frys i ddweud wrth ei ddisgyblion, 'Y mae wedi ei gyfodi oddi wrth y meirw, ac yn awr y mae'n mynd o'ch blaen chwi i Galilea; yno y gwelwch ef.' Dyna fy neges i chwi." ⁸Aethant ymaith ar frys oddi wrth y bedd, mewn ofn a llawenydd mawr, a rhedeg i ddweud wrth ei ddisgyblion. ⁹A dyma Iesu'n cyfarfod â hwy a dweud, "Henffych well!" Aethant ato a gafael yn ei draed a'i addoli. ¹⁰Yna meddai Iesu wrthynt, "Peidiwch ag ofni; ewch a dywedwch wrth fy mrodyr am fynd i Galilea, ac yno fe'm gwelant i."

Adroddiad y Gwarchodlu

11 Tra oedd y gwragedd ar eu ffordd, dyma rai o'r gwarchodlu yn mynd i'r ddinas ac yn dweud wrth y prif offeiriaid am yr holl bethau a ddigwyddodd. ¹²Ac wedi iddynt ymgynnull gyda'r henuriaid ac ymgynghori, rhoesant swm sylweddol o arian i'r milwyr, ¹³gan ddweud wrthynt, "Dywedwch fod ei ddisgyblion ef wedi dod yn y nos, a'i ladrata tra oeddech chwi'n cysgu. ¹⁴Ac os daw hyn i glyw y rhaglaw, fe'i perswadiwn ni ef a sicrhau na fydd raid ichwi bryderu." ¹⁵Cymerodd y milwyr yr arian a gwneud fel y cawsant eu cyfarwyddo. Taenwyd y stori hon ar led ymysg Iddewon hyd y dydd heddiw.

Rhoi Comisiwn i'r Disgyblion
(Mc. 16:14-18; Lc. 24:36-49; In. 20:19-23; Act. 1:9-11)

16 Aeth yr un disgybl ar ddeg i Galilea i'r mynydd lle y trefnodd Iesu iddynt fod; ¹⁷a phan welsant ef addolasant ef, er bod rhai yn amau. ¹⁸Daeth Iesu atynt a llefaru wrthynt: "Rhoddwyd i mi," meddai, "bob awdurdod yn y nef ac ar y ddaear. ¹⁹Ewch, gan hynny, a gwnewch ddisgyblion o'r holl genhedloedd, gan eu bedyddio hwy yn enw'r Tad a'r Mab a'r Ysbryd Glân, ²⁰a dysgu iddynt gadw'r holl orchmynion a roddais i chwi. Ac yn awr, yr wyf fi gyda chwi bob amser hyd ddiwedd y byd."

YR EFENGYL YN ÔL
MARC

Pregethu Ioan Fedyddiwr
(Mth. 3:1-12; Lc. 3:1-9, 15-17; In. 1:19-28)

1 Dechrau Efengyl Iesu Grist, Mab Duw[a].

2 Fel y mae'n ysgrifenedig yn y proffwyd Eseia[b]:
"Wele fi'n anfon fy nghennad o'th flaen
i baratoi dy ffordd.
3 Llais un yn galw yn yr anialwch,
'Paratowch ffordd yr Arglwydd,
unionwch y llwybrau iddo'"—
4 ymddangosodd Ioan Fedyddiwr yn yr anialwch, yn[c] cyhoeddi bedydd edifeirwch yn foddion maddeuant pechodau. 5 Ac yr oedd holl wlad Jwdea, a holl drigolion Jerwsalem, yn mynd allan ato, ac yn cael eu bedyddio ganddo yn Afon Iorddonen, gan gyffesu eu pechodau. 6 Yr oedd Ioan wedi ei wisgo mewn dillad o flew camel a gwregys o groen am ei ganol, a locustiaid a mêl gwyllt oedd ei fwyd. 7 A dyma'i genadwri: "Y mae un cryfach na mi yn dod ar f'ôl i. Nid wyf fi'n deilwng i blygu a datod carrai ei sandalau ef. 8 Â dŵr y bedyddiais i chwi, ond â'r Ysbryd Glân y bydd ef yn eich bedyddio."

Bedydd Iesu
(Mth. 3:13-17; Lc. 3:21-22)

9 Yn y dyddiau hynny daeth Iesu o Nasareth Galilea, a bedyddiwyd ef yn Afon Iorddonen gan Ioan. 10 Ac yna, wrth iddo godi allan o'r dŵr, gwelodd y nefoedd yn rhwygo'n agored a'r Ysbryd fel colomen yn disgyn arno. 11 A daeth llais o'r nefoedd: "Ti yw fy Mab, yr Anwylyd; ynot ti yr wyf yn ymhyfrydu."

Temtiad Iesu
(Mth. 4:1-11; Lc. 4:1-13)

12 Ac yna gyrrodd yr Ysbryd ef ymaith i'r anialwch, 13 a bu yn yr anialwch am ddeugain diwrnod yn cael ei demtio gan Satan. Yr oedd yng nghanol yr anifeiliaid

gwylltion, a'r angylion oedd yn gweini arno.

Dechrau'r Weinidogaeth yng Ngalilea
(Mth. 4:12-17; Lc. 4:14-15)

14 Wedi i Ioan gael ei garcharu daeth Iesu i Galilea gan gyhoeddi Efengyl Duw a dweud: 15 "Y mae'r amser wedi ei gyflawni ac y mae teyrnas Dduw wedi dod yn agos. Edifarhewch a chredwch yr Efengyl."

Galw Pedwar Pysgotwr
(Mth. 4:18-22; Lc. 5:1-11)

16 Wrth gerdded ar lan Môr Galilea gwelodd Iesu Simon a'i frawd Andreas yn bwrw rhwyd i'r môr; pysgotwyr oeddent. 17 Dywedodd Iesu wrthynt, "Dewch ar fy ôl i, ac fe'ch gwnaf yn bysgotwyr dynion." 18 A gadawsant eu rhwydau ar unwaith a'i ganlyn ef. 19 Wedi iddo fynd ymlaen ychydig gwelodd Iago fab Sebedeus ac Ioan ei frawd; yr oeddent wrthi'n cyweirio'r rhwydau yn y cwch. 20 Galwodd hwythau ar unwaith, a chan adael eu tad Sebedeus yn y cwch gyda'r gweision aethant ymaith ar ei ôl ef.

Y Dyn ag Ysbryd Aflan ynddo
(Lc. 4:31-37)

21 Daethant i Gapernaum, ac yna, ar y Saboth, aeth ef i mewn i'r synagog a dechrau dysgu. 22 Yr oedd y bobl yn synnu at yr hyn yr oedd yn ei ddysgu, oherwydd yr oedd yn eu dysgu fel un ag awdurdod ganddo, ac nid fel yr ysgrifenyddion. 23 Yn eu synagog yr oedd dyn ag ysbryd aflan ynddo. Gwaeddodd hwnnw, 24 gan ddweud, "Beth sydd a fynni di â ni, Iesu o Nasareth? A wyt ti wedi dod i'n difetha ni? Mi wn pwy wyt ti—Sanct Duw." 25 Ceryddodd Iesu ef â'r geiriau: "Taw, a dos allan ohono." 26 A chan ei gynhyrfu ef a rhoi bloedd uchel, aeth yr ysbryd aflan allan ohono. 27 Syfrdanwyd

pawb, nes troi a holi ei gilydd, "Beth yw hyn? Dyma ddysgeidiaeth newydd ac iddi awdurdod! Y mae hwn yn gorchymyn hyd yn oed yr ysbrydion aflan, a hwythau'n ufuddhau iddo." ²⁸Ac aeth y sôn amdano ar led ar unwaith trwy holl gymdogaeth Galilea.

Iacháu Llawer
(Mth. 8:14-17; Lc. 4:38-41)

29 Ac yna, wedi dod allan o'r synagog, aethant i dŷ Simon ac Andreas gydag Iago ac Ioan. ³⁰Ac yr oedd mam-yng-nghyfraith Simon yn gorwedd yn wael dan dwymyn. Dywedasant wrtho amdani yn ddi-oed; ³¹aeth yntau ati a gafael yn ei llaw a'i chodi. Gadawodd y dwymyn hi, a dechreuodd hithau weini arnynt. ³²Gyda'r nos, a'r haul wedi machlud, yr oeddent yn dwyn ato yr holl gleifion a'r rhai oedd wedi eu meddiannu gan gythreuliaid. ³³Ac yr oedd yr holl dref wedi ymgynnull wrth y drws. ³⁴Iachaodd ef lawer oedd yn glaf dan amrywiol afiechydon, a bwriodd allan lawer o gythreuliaid, ac ni adawai i'r cythreuliaid ddweud gair, oherwydd eu bod yn ei adnabod.

Taith Bregethu
(Lc. 4:42-44)

35 Bore trannoeth yn gynnar iawn, cododd ef ac aeth allan. Aeth ymaith i le unig, ac yno yr oedd yn gweddïo. ³⁶Aeth Simon a'i gymdeithion i chwilio amdano; ³⁷ac wedi dod o hyd iddo dywedasant wrtho, "Y mae pawb yn dy geisio di." ³⁸Dywedodd yntau wrthynt, "Awn ymlaen i'r trefi nesaf, imi gael pregethu yno hefyd; oherwydd i hynny y deuthum allan." ³⁹Ac fe aeth drwy holl Galilea gan bregethu yn eu synagogau hwy a bwrw allan gythreuliaid.

Glanhau Dyn Gwahanglwyfus
(Mth. 8:1-4; Lc. 5:12-16)

40 Daeth dyn gwahanglwyfus ato ac erfyn arno ar ei liniau a dweud, "Os mynni, gelli fy nglanhau." ⁴¹A chan dosturio^ch estynnodd ef ei law a chyffwrdd ag ef a dweud wrtho, "Yr wyf yn mynnu, glanhaer di." ⁴²Ymadawodd y gwahanglwyf ag ef ar unwaith, a glanhawyd ef. ⁴³Ac wedi ei rybuddio'n llym gyrrodd Iesu ef ymaith ar ei union, ⁴⁴ac meddai wrtho, "Gwylia na ddywedi ddim wrth neb, ond dos a dangos dy hun i'r

^ch Yn ôl darlleniad arall, *Ac mewn dicter.*

offeiriad, ac offryma dros dy lanhad yr hyn a orchmynnodd Moses, yn dystiolaeth i'r bobl." ⁴⁵Ond aeth yntau allan a dechreuodd roi'r hanes i gyd ar goedd a'i daenu ar led, fel na allai Iesu mwyach fynd i mewn yn agored i unrhyw dref. Yr oedd yn aros y tu allan, mewn lleoedd unig, ac eto yr oedd pobl yn dod ato o bob cyfeiriad.

Iacháu Dyn wedi ei Barlysu
(Mth. 9:1-8; Lc. 5:17-26)

2 Pan ddychwelodd ymhen rhai dyddiau i Gapernaum, aeth y newydd ar led ei fod gartref. ²Daeth cynifer ynghyd fel nad oedd mwyach le i neb hyd yn oed wrth y drws. Ac yr oedd yn llefaru'r gair wrthynt. ³Daethant â dyn wedi ei barlysu ato, a phedwar yn ei gario. ⁴A chan eu bod yn methu dod â'r claf ato oherwydd y dyrfa, agorasant do'r tŷ lle'r oedd, ac wedi iddynt dorri trwodd dyma hwy'n gollwng i lawr y fatras yr oedd y claf yn gorwedd arni. ⁵Pan welodd Iesu eu ffydd hwy dywedodd wrth y claf, "Fy mab, maddeuwyd dy bechodau." ⁶Ac yr oedd rhai o'r ysgrifenyddion yn eistedd yno ac yn meddwl ynddynt eu hunain, ⁷"Pam y mae hwn yn siarad fel hyn? Y mae'n cablu. Pwy ond Duw yn unig a all faddau pechodau?" ⁸Deallodd Iesu ar unwaith yn ei ysbryd eu bod yn meddwl felly ynddynt eu hunain, ac meddai wrthynt, "Pam yr ydych yn meddwl pethau fel hyn ynoch eich hunain? ⁹Prun sydd hawsaf, ai dweud wrth y claf, 'Maddeuwyd dy bechodau', ai ynteu dweud, 'Cod, a chymer dy fatras a cherdda'? ¹⁰Ond er mwyn i chwi wybod fod gan Fab y Dyn awdurdod i faddau pechodau ar y ddaear"—meddai wrth y claf, ¹¹"Dyma fi'n dweud wrthyt, cod, a chymer dy fatras a dos adref." ¹²A chododd y dyn, cymerodd ei fatras ar ei union ac aeth allan yn eu gŵydd hwy oll, nes bod pawb yn synnu a gogoneddu Duw gan ddweud, "Ni welsom erioed y fath beth."

Galw Lefi
(Mth. 9:9-13; Lc. 5:27-32)

13 Aeth allan eto i lan y môr; ac yr oedd yr holl dyrfa'n dod ato, ac yntau'n eu dysgu hwy. ¹⁴Ac wrth fynd heibio gwelodd Lefi fab Alffeus yn eistedd wrth y dollfa, a dywedodd wrtho, "Canlyn fi." Cododd yntau a chanlynodd ef. ¹⁵Ac yr

oedd wrth bryd bwyd yn ei dŷ, ac yr oedd llawer o gasglwyr trethi ac o bechaduriaid yn cydfwyta gyda Iesu a'i ddisgyblion— oherwydd yr oedd llawer ohonynt yn ei ganlyn ef. [16] A phan welodd yr ysgrifenyddion o blith y Phariseaid ei fod yn bwyta gyda'r pechaduriaid a'r casglwyr trethi, dywedasant wrth ei ddisgyblion, "Pam y mae ef yn bwyta gyda chasglwyr trethi a phechaduriaid?" [17] Clywodd Iesu, a dywedodd wrthynt, "Nid ar y cryfion, ond ar y cleifion, y mae angen meddyg; i alw pechaduriaid, nid rhai cyfiawn, yr wyf fi wedi dod."

Holi ynglŷn ag Ymprydio
(Mth. 9:14-17; Lc. 5:33-39)

18 Yr oedd disgyblion Ioan a'r Phariseaid yn ymprydio. A daeth rhywrai ato a gofyn iddo, "Pam y mae disgyblion Ioan a disgyblion y Phariseaid yn ymprydio, ond dy ddisgyblion di ddim yn ymprydio?" [19] Dywedodd Iesu wrthynt, "A all gwesteion priodas ymprydio tra bydd y priodfab gyda hwy? Cyhyd ag y mae ganddynt y priodfab gyda hwy, ni allant ymprydio. [20] Ond fe ddaw dyddiau pan ddygir y priodfab oddi wrthynt, ac yna fe ymprydiant y diwrnod hwnnw. 21 "Ni fydd neb yn gwnïo clwt o frethyn heb ei bannu ar hen ddilledyn; os gwna, fe dýn y clwt wrth y dilledyn, y newydd wrth yr hen, ac fe â'r rhwyg yn waeth. [22] Ac ni fydd neb yn tywallt gwin newydd i hen grwyn; os gwna, fe rwyga'r gwin y crwyn ac fe gollir y gwin a'r crwyn hefyd. Ond y maent yn rhoi gwin newydd mewn crwyn newydd."

Tynnu Tywysennau ar y Saboth
(Mth. 12:1-8; Lc. 6:1-5)

23 Un Saboth yr oedd yn mynd trwy'r caeau ŷd, a dechreuodd ei ddisgyblion dynnu'r tywysennau wrth fynd. [24] Ac meddai'r Phariseaid wrtho, "Edrych, pam y maent yn gwneud peth sy'n groes i'r Gyfraith ar y Saboth?" [25] Dywedodd yntau wrthynt, "Onid ydych chwi erioed wedi darllen beth a wnaeth Dafydd, pan oedd mewn angen, ac eisiau bwyd arno ef a'r rhai oedd gydag ef? [26] Sut yr aeth i mewn i dŷ Dduw, yn amser Abiathar yr archoffeiriad, a bwyta'r torthau cysegredig nad yw'n gyfreithlon i neb eu bwyta ond yr offeiriaid; ac fe'u rhoddodd hefyd i'r rhai oedd gydag ef?" [27] Dywedodd

wrthynt hefyd, "Y Saboth a wnaethpwyd er mwyn dyn, ac nid dyn er mwyn y Saboth. [28] Felly y mae Mab y Dyn yn arglwydd hyd yn oed ar y Saboth."

Y Dyn â'r Llaw Ddiffrwyth
(Mth. 12:9-14; Lc. 6:6-11)

3 Aeth i mewn eto i'r synagog, ac yno yr oedd dyn a chanddo law wedi gwywo. [2] Ac yr oeddent â'u llygaid arno i weld a fyddai'n iacháu'r dyn ar y Saboth, er mwyn cael cyhuddiad i'w ddwyn yn ei erbyn. [3] A dywedodd wrth y dyn â'r llaw ddiffrwyth, "Saf yn y canol." [4] Yna dywedodd wrthynt, "A yw'n gyfreithlon gwneud da ar y Saboth, ynteu gwneud drwg, achub bywyd, ynteu lladd?" Yr oeddent yn fud. [5] Yna edrychodd o gwmpas arnynt mewn dicter, yn drist oherwydd dallineb eu meddwl, a dywedodd wrth y dyn, "Estyn dy law." Estynnodd yntau hi, a gwnaed ei law yn iach. [6] Ac fe aeth y Phariseaid allan ar eu hunion a chynllwyn â'r Herodianiaid yn ei erbyn, sut i'w ladd.

Tyrfa ar Lan y Môr

7 Aeth Iesu ymaith gyda'i ddisgyblion i lan y môr, ac fe ddilynodd tyrfa fawr o Galilea. [8] Ac o Jwdea a Jerwsalem, o Idwmea a'r tu hwnt i'r Iorddonen a chylch Tyrus a Sidon, daeth tyrfa fawr ato, wedi iddynt glywed y fath bethau mawr yr oedd ef yn eu gwneud. [9] A dywedodd wrth ei ddisgyblion am gael cwch yn barod iddo rhag i'r dyrfa ei lethu. [10] Oherwydd yr oedd wedi iacháu llawer, ac felly yr oedd yr holl gleifion yn ymwthio ato i gyffwrdd ag ef. [11] Pan fyddai'r ysbrydion aflan yn ei weld, byddent yn syrthio o'i flaen a gweiddi, "Ti yw Mab Duw." [12] A byddai yntau yn eu rhybuddio hwy yn bendant i beidio â'i wneud yn hysbys.

Dewis y Deuddeg
(Mth. 10:1-4; Lc. 6:12-16)

13 Aeth i fyny i'r mynydd a galwodd ato y rhai a fynnai ef, ac aethant ato. [14] Penododd ddeuddeg[d] er mwyn iddynt fod gydag ef, ac er mwyn eu hanfon hwy i bregethu [15] ac i feddu awdurdod i fwrw allan gythreuliaid. [16] Felly y penododd y Deuddeg, ac ar Simon rhoes yr enw Pedr, [17] yna Iago fab Sebedeus, ac Ioan brawd Iago, a rhoes arnynt hwy yr enw Boaner-

[d] Yn ôl darlleniad arall ychwanegir *a rhoi'r enw apostolion iddynt.*

ges, hynny yw, "Meibion y Daran"; [18]ac Andreas a Philip a Bartholomeus a Mathew a Thomas, ac Iago fab Alffeus, a Thadeus, a Simon y Selot, [19]a Jwdas Iscariot, yr un a'i bradychodd ef.

Iesu a Beelsebwl
(Mth. 12:22-32; Lc. 11:14-23, 12:10)

20 Daeth i'r tŷ; a dyma'r dyrfa'n ymgasglu unwaith eto, nes eu bod yn methu cymryd pryd o fwyd hyd yn oed. [21]A phan glywodd ei deulu, aethant allan i'w atal ef, oherwydd dweud yr oeddent, "Y mae wedi colli arno'i hun." [22]A'r ysgrifenyddion hefyd, a oedd wedi dod i lawr o Jerwsalem, yr oeddent hwythau'n dweud, "Y mae Beelsebwl ynddo", a, "Trwy bennaeth y cythreuliaid y mae'n bwrw allan gythreuliaid." [23]Galwodd hwy ato ac meddai wrthynt ar ddamhegion: "Pa fodd y gall Satan fwrw allan Satan? [24]Os bydd teyrnas yn ymrannu yn ei herbyn ei hun, ni all y deyrnas honno sefyll. [25]Ac os bydd tŷ yn ymrannu yn ei erbyn ei hun, ni all y tŷ hwnnw fyth sefyll. [26]Ac os yw Satan wedi codi yn ei erbyn ei hun ac ymrannu, ni all yntau sefyll; y mae ar ben arno. [27]Eithr ni all neb fynd i mewn i dŷ'r dyn cryf ac ysbeilio'i ddodrefn heb iddo'n gyntaf rwymo'r dyn cryf; wedyn caiff ysbeilio'i dŷ ef. [28]Yn wir, 'rwy'n dweud wrthych, maddeuir popeth i feibion dynion, eu pechodau a'u cableddau, beth bynnag fyddant; [29]ond pwy bynnag a gabla yn erbyn yr Ysbryd Glân, ni chaiff faddeuant byth; y mae'n euog o bechod oesol." [30]Dywedodd hyn oherwydd iddynt ddweud, "Y mae ysbryd aflan ynddo."

Mam a Brodyr Iesu
(Mth. 12:46-50; Lc. 8:19-21)

31 A daeth ei fam ef a'i frodyr, a chan sefyll y tu allan anfonasant ato i'w alw. [32]Yr oedd tyrfa'n eistedd o'i amgylch, ac meddent wrtho, "Dacw dy fam a'th frodyr a'th chwiorydd[dd] y tu allan yn dy geisio." [33]Atebodd hwy, "Pwy yw fy mam i a'm brodyr?" [34]A chan edrych ar y rhai oedd yn eistedd yn gylch o'i gwmpas, dywedodd, "Dyma fy mam a'm brodyr i. [35]Pwy bynnag sy'n gwneud ewyllys Duw, y mae hwnnw'n frawd i mi, ac yn chwaer, ac yn fam."

[dd]Yn ôl darlleniad arall gadewir allan a'th chwiorydd.

Dameg yr Heuwr
(Mth. 13:1-9; Lc. 8:4-8)

4 Dechreuodd ddysgu eto ar lan y môr. A daeth tyrfa mor fawr ynghyd ato nes iddo fynd ac eistedd mewn cwch ar y môr; ac yr oedd yr holl dyrfa ar y tir wrth ymyl y môr. [2]Yr oedd yn dysgu llawer iddynt ar ddamhegion, ac wrth eu dysgu meddai: [3]"Gwrandewch! Aeth heuwr allan i hau. [4]Ac wrth iddo hau, syrthiodd peth had ar hyd y llwybr, a daeth yr adar a'i fwyta. [5]Syrthiodd peth arall ar dir creigiog, lle ni chafodd fawr o bridd, a thyfodd yn gyflym am nad oedd iddo ddyfnder daear; [6]a phan gododd yr haul fe'i llosgwyd, ac am nad oedd iddo wreiddyn fe wywodd. [7]Syrthiodd peth arall ymhlith y drain, a thyfodd y drain a'i dagu, ac ni roddodd ffrwyth. [8]A syrthiodd hadau eraill ar dir da, a chan dyfu a chynyddu yr oeddent yn ffrwytho a chnydio hyd ddeg ar hugain a hyd drigain a hyd ganwaith cymaint." [9]Ac meddai, "Yr hwn sydd ganddo glustiau i wrando, gwrandawed."

Pwrpas y Damhegion
(Mth. 13:10-17; Lc. 8:9-10)

10 Pan oedd wrtho'i hun, dechreuodd y rhai oedd o'i gwmpas gyda'r Deuddeg ei holi am y damhegion. [11]Ac meddai wrthynt, "I chwi y mae cyfrinach teyrnas Dduw wedi ei rhoi; ond i'r rheini sydd oddi allan y mae popeth ar ddamhegion, [12]fel

'er edrych ac edrych, na welant, ac er clywed a chlywed, na ddeallant, rhag iddynt droi'n ôl a derbyn maddeuant.'"

Egluro Dameg yr Heuwr
(Mth. 13:18-23; Lc. 8:11-15)

13 Ac meddai wrthynt, "Nid ydych yn deall y ddameg hon? Sut ynteu yr ydych yn mynd i ddeall yr holl ddamhegion? [14]Y mae'r heuwr yn hau y gair. [15]Dyma'r rhai ar hyd y llwybr lle'r heuir y gair: cyn gynted ag y clywant, daw Satan ar unwaith a chipio'r gair sydd wedi ei hau ynddynt. [16]A dyma'r rhai sy'n derbyn yr had ar dir creigiog: pan glywant hwy'r gair, derbyniant ef ar eu hunion yn llawen; [17]ond nid oes ganddynt wreiddyn ynddynt eu hunain, a thros dro y maent yn para. Yna pan ddaw gorthrymder neu erlid o achos y gair, fe gwympant ar

unwaith. ¹⁸ Ac y mae eraill sy'n derbyn yr had ymhlith y drain: dyma'r rhai sydd wedi clywed y gair, ¹⁹ ond y mae gofalon y byd hwn a hudoliaeth golud a chwantau am bopeth o'r fath yn dod i mewn ac yn tagu'r gair, ac y mae'n mynd yn ddiffrwyth. ²⁰ A dyma'r rheini a dderbyniodd yr had ar dir da: y maent hwy'n clywed y gair ac yn ei groesawu, ac yn dwyn ffrwyth hyd ddeg ar hugain a hyd drigain a hyd ganwaith cymaint."

Goleuni dan Lestr
(Lc. 8:16-18)

21 Dywedodd wrthynt, "A fydd rhywun yn dod â channwyll i'w dodi dan lestr neu dan wely? Onid yn hytrach i'w dodi ar ganhwyllbren? ²² Oherwydd nid oes dim yn guddiedig os nad yw i gael ei amlygu, ac ni bu dim dan gêl os nad yw i ddod i'r amlwg. ²³ Os oes gan rywun glustiau i wrando, gwrandawed."
24 Dywedodd wrthynt hefyd, "Ystyriwch yr hyn a glywch. Â'r mesur y rhowch y rhoir i chwithau, a rhagor a roir ichwi. ²⁵ Oherwydd i'r hwn y mae ganddo y rhoir, ac oddi ar yr hwn nad oes ganddo y cymerir hyd yn oed hynny sydd ganddo."

Dameg yr Had yn Tyfu

26 Ac meddai, "Fel hyn y mae teyrnas Dduw: bydd dyn yn bwrw yr had ar y ddaear ²⁷ ac yna'n cysgu'r nos a chodi'r dydd, a'r had yn egino ac yn tyfu mewn modd nas gŵyr ef. ²⁸ Ohoni ei hun y mae'r ddaear yn dwyn ffrwyth, eginyn yn gyntaf, yna tywysen, yna ŷd llawn yn y dywysen. ²⁹ A phan fydd y cnwd wedi aeddfedu, y mae'r dyn yn bwrw iddi ar unwaith â'r cryman, gan fod y cynhaeaf wedi dod."

Dameg yr Hedyn Mwstard
(Mth. 13:31-32; Lc. 13:18-19)

30 Meddai eto, "Pa fodd y cyffelybwn deyrnas Dduw, neu ar ba ddameg y cyflwynwn hi? ³¹ Y mae'n debyg i hedyn mwstard; pan heuir ef ar y ddaear, hwn yw'r lleiaf o'r holl hadau sydd ar y ddaear, ³² ond wedi ei hau, y mae'n tyfu ac yn mynd yn fwy na'r holl lysiau, ac yn dwyn canghennau mor fawr nes bod adar yr awyr yn gallu nythu dan ei gysgod."

Arfer Damhegion
(Mth. 13:34-35)

33 Ar lawer o'r fath ddamhegion yr oedd ef yn llefaru'r gair wrthynt, yn ôl fel y gallent wrando; ³⁴ heb ddameg ni fyddai'n llefaru dim wrthynt. Ond o'r neilltu byddai'n egluro popeth i'w ddisgyblion ei hun.

Gostegu Storm
(Mth. 8:23-27; Lc. 8:22-25)

35 A'r diwrnod hwnnw, gyda'r nos, dywedodd wrthynt, "Awn drosodd i'r ochr draw." ³⁶ A gadawsant y dyrfa, a mynd ag ef yn y cwch fel yr oedd; yr oedd cychod eraill hefyd gydag ef. ³⁷ Cododd tymestl fawr o wynt, ac yr oedd y tonnau'n ymdaflu i'r cwch, nes ei fod erbyn hyn yn llenwi. ³⁸ Yr oedd ef yn starn y cwch yn cysgu ar glustog. Deffroesant ef a dweud wrtho, "Athro, a wyt ti heb hidio dim ei bod ar ben arnom?" ³⁹ Ac fe ddeffrôdd a cheryddodd y gwynt a dywedodd wrth y môr, "Bydd ddistaw! Bydd dawel!" Gostegodd y gwynt, a bu tawelwch mawr. ⁴⁰ A dywedodd wrthynt, "Pam y mae arnoch ofn? Sut yr ydych heb ffydd o hyd?" ⁴¹ Daeth ofn dirfawr arnynt, ac meddent wrth ei gilydd, "Pwy ynteu yw hwn? Y mae hyd yn oed y gwynt a'r môr yn ufuddhau iddo."

Iacháu'r Dyn oedd ym meddiant Cythreuliaid yn Gerasa
(Mth. 8:28-34; Lc. 8:26-39)

5 Daethant i'r ochr draw i'r môr i wlad y Geraseniaidᵉ. ² A phan ddaeth allan o'r cwch, ar unwaith daeth i'w gyfarfod o blith y beddau ddyn ag ysbryd aflan ynddo. ³ Yr oedd hwn yn cartrefu ymhlith y beddau, ac ni allai neb mwyach ei rwymo hyd yn oed â chadwyn, ⁴ oherwydd yr oedd wedi cael ei rwymo'n fynych â llyffetheiriau ac â chadwynau, ond yr oedd y cadwynau wedi eu rhwygo ganddo a'r llyffetheiriau wedi eu dryllio; ac ni fedrai neb ei ddofi. ⁵ Ac yn wastad, nos a dydd, ymhlith y beddau ac ar y mynyddoedd, byddai'n gweiddi ac yn ei anafu ei hun â cherrig. ⁶ A phan welodd Iesu o bell, rhedodd ac ymgrymu iddo, ⁷ a gwaeddodd â llais uchel, "Beth sydd a fynni di â mi, Iesu, Mab y Duw Goruchaf? Yn enw Duw, paid â'm poenydio." ⁸ Oherwydd yr oedd Iesu wedi

---

ᵉ Yn ôl darlleniadau eraill, *Gadareniaid*, neu, *Gergeseniaid*.

dweud wrtho, "Dos allan, ysbryd aflan, o'r dyn." [9]A gofynnodd iddo, "Beth yw dy enw?" Meddai yntau wrtho, "Lleng yw fy enw, oherwydd y mae llawer ohonom." [10]Ac yr oedd yn ymbil yn daer arno beidio â'u gyrru allan o'r wlad. 11 Yr oedd yno ar lethr y mynydd genfaint fawr o foch yn pori. [12]Ac ymbiliodd yr ysbrydion aflan arno, "Anfon ni i'r moch; gad i ni fynd i mewn iddynt hwy." [13]Ac fe ganiataodd iddynt. Aeth yr ysbrydion aflan allan o'r dyn ac i mewn i'r moch; a rhuthrodd y genfaint dros y dibyn i'r môr, tua dwy fil ohonynt, a boddi yn y môr. [14]Ffodd bugeiliaid y moch ac adrodd yr hanes yn y dref ac yn y wlad, a daeth y bobl i weld beth oedd wedi digwydd. [15]Daethant at Iesu a gweld y dyn, hwnnw yr oedd y lleng cythreuliaid wedi bod ynddo, yn eistedd a'i ddillad amdano ac yn ei iawn bwyll; a daeth arnynt ofn. [16]Adroddwyd wrthynt gan y rhai oedd wedi gweld y peth sut yr oedd wedi bod ar y dyn hwnnw, a'r hanes am y moch hefyd. [17]A dechreusant erfyn arno fynd ymaith o'u gororau. [18]Ac wrth iddo fynd i mewn i'r cwch, yr oedd y dyn a oedd wedi bod ym meddiant y cythreuliaid yn erfyn arno am gael bod gydag ef. [19]Ni adawodd iddo, ond meddai wrtho, "Dos adref at dy bobl dy hun a mynega iddynt gymaint y mae'r Arglwydd wedi ei wneud drosot, a'r modd y tosturiodd wrthyt." [20]Aeth yntau ymaith a dechrau cyhoeddi yn y Decapolis gymaint yr oedd Iesu wedi ei wneud drosto; ac yr oedd pawb yn rhyfeddu.

Merch Jairus, a'r Wraig a Gyffyrddodd â Mantell Iesu
(Mth. 9:18-26; Lc. 8:40-56)

21 Wedi i Iesu groesi'n ôl yn y cwch[f] i'r ochr arall, daeth tyrfa fawr ynghyd ato, ac yr oedd ar lan y môr. [22]Daeth un o arweinwyr y synagog, o'r enw Jairus, a phan welodd ef syrthiodd wrth ei draed [23]ac ymbil yn daer arno: "Y mae fy merch fach," meddai, "ar fin marw. Tyrd a rho dy ddwylo arni, iddi gael ei gwella a byw." [24]Ac aeth Iesu ymaith gydag ef. Yr oedd tyrfa fawr yn ei ganlyn ac yn gwasgu arno. [25]Ac yr oedd yno wraig ac arni waedlif ers deuddeng mlynedd. [26]Yr oedd wedi dioddef yn enbyd dan driniaeth llawer o feddygon, ac wedi gwario'r cwbl oedd ganddi, a heb gael dim lles ond yn hytrach mynd yn waeth. [27]Yr oedd hon wedi clywed am Iesu, a daeth o'r tu ôl iddo yn y dyrfa a chyffwrdd â'i fantell, [28]oherwydd yr oedd hi wedi dweud, "Os cyffyrddaf hyd yn oed â'i ddillad ef, fe gaf fy iacháu." [29]A sychodd llif ei gwaed hi yn y fan, a daeth hithau i wybod yn ei chorff ei bod wedi ei hiacháu o'i chlwyf. [30]Ac ar unwaith deallodd Iesu ynddo'i hun fod y nerth oedd yn tarddu ynddo wedi mynd allan, a throes yng nghanol y dyrfa, a gofyn, "Pwy gyffyrddodd â'm dillad?" [31]Meddai ei ddisgyblion wrtho, "Yr wyt yn gweld y dyrfa'n gwasgu arnat ac eto'n gofyn, 'Pwy gyffyrddodd â mi?'" [32]Ond daliodd ef i edrych o'i gwmpas i weld yr un oedd wedi gwneud hyn. [33]Daeth y wraig, dan grynu yn ei braw, yn gwybod beth oedd wedi digwydd iddi, a syrthiodd o'i flaen ef a dywedodd wrtho'r holl wir. [34]Dywedodd yntau wrthi hi, "Ferch, y mae dy ffydd wedi dy iacháu di. Dos mewn tangnefedd, a bydd iach o'th glwyf."

35 Tra oedd ef yn llefaru, daeth rhywrai o dŷ arweinydd y synagog a dweud, "Y mae dy ferch wedi marw; pam yr wyt yn poeni'r Athro bellach?" [36]Ond anwybyddodd Iesu y neges, a dywedodd wrth arweinydd y synagog, "Paid ag ofni; yn unig cred." [37]Ac ni adawodd i neb ganlyn gydag ef ond Pedr ac Iago ac Ioan, brawd Iago. [38]Daethant i dŷ arweinydd y synagog, a gwelodd gynnwrf, a phobl yn wylo ac yn dolefain yn uchel. [39]Ac wedi mynd i mewn dywedodd wrthynt, "Pam yr ydych yn llawn cynnwrf ac yn wylo? Nid yw'r plentyn wedi marw, cysgu y mae." [40]Dechreusant chwerthin am ei ben. Gyrrodd yntau bawb allan, a chymryd tad y plentyn a'i mam a'r rhai oedd gydag ef, a mynd i mewn lle'r oedd y plentyn. [41]Ac wedi gafael am law'r plentyn dyma fe'n dweud wrthi, "Talitha cŵm", hynny yw, wedi ei gyfieithu, "Fy ngeneth, 'rwy'n dweud wrthyt, cod." [42]Cododd yr eneth ar unwaith a dechrau cerdded, oherwydd yr oedd yn ddeuddeng mlwydd oed. A thrawyd hwy yn y fan â syndod mawr. [43]A rhoddodd ef orchymyn pendant iddynt nad oedd neb i gael gwybod hyn, a dywedodd am roi iddi rywbeth i'w fwyta.

[f]Yn ôl darlleniad arall gadewir allan *yn y cwch.*

Gwrthod Iesu yn Nasareth
(Mth. 13:53-58; Lc. 4:16-30)

6 Aeth oddi yno a daeth i fro ei febyd, a'i ddisgyblion yn ei ganlyn. [2]A phan ddaeth y Saboth dechreuodd ddysgu yn y synagog. Yr oedd llawer yn synnu wrth wrando, ac meddent, "O ble y cafodd hwn y pethau hyn? A beth yw'r ddoethineb a roed i hwn, a'r fath rymusterau sy'n cael[ff] eu gwneud trwyddo ef? [3]Onid hwn yw'r saer, mab Mair a brawd Iago a Joses a Jwdas a Simon? Ac onid yw ei chwiorydd yma gyda ni?" Yr oedd ef yn peri tramgwydd iddynt. [4]Meddai Iesu wrthynt, "Nid yw proffwyd heb anrhydedd ond yn ei fro ei hun ac ymhlith ei geraint ac yn ei gartref." [5]Ac ni allai wneud unrhyw wyrth yno, ond rhoi ei ddwylo ar ychydig gleifion a'u hiacháu. [6]Rhyfeddodd at eu hanghrediniaeth.

Cenhadaeth y Deuddeg
(Mth. 10:1, 5-15; Lc. 9:1-6)

Yr oedd yn mynd o amgylch y pentrefi dan ddysgu. [7]A galwodd y Deuddeg ato a dechrau eu hanfon allan bob yn ddau. Rhoddodd iddynt awdurdod dros ysbrydion aflan, [8]a gorchmynnodd iddynt beidio â chymryd dim ar gyfer y daith ond ffon yn unig; dim bara, dim cod, dim pres yn eu gwregys; [9]sandalau am eu traed, ond heb wisgo ail got. [10]Ac meddai wrthynt, "Lle bynnag yr ewch i mewn i dŷ, arhoswch yno nes y byddwch yn ymadael â'r ardal. [11]Ac os bydd unrhyw le yn gwrthod eich derbyn, a phobl yn gwrthod gwrando arnoch, ewch allan oddi yno ac ysgydwch ymaith y llwch fydd dan eich traed, yn rhybudd iddynt." [12]Felly aethant allan a phregethu ar i ddynion edifarhau, [13]ac yr oeddent yn bwrw allan gythreuliaid lawer, ac yn iro llawer o gleifion ag olew a'u hiacháu.

Marwolaeth Ioan Fedyddiwr
(Mth. 14:1-12; Lc. 9:7-9)

14 Clywodd y Brenin Herod am hyn, oherwydd yr oedd enw Iesu wedi dod yn hysbys. Yr oedd pobl yn dweud, "Ioan Fedyddiwr sydd wedi ei godi oddi wrth y meirw, a dyna pam y mae'r grymusterau ar waith ynddo ef." [15]Yr oedd eraill yn dweud, "Elias ydyw"; ac eraill wedyn,

"Proffwyd yw, fel un o'r proffwydi gynt." [16]Ond pan glywodd Herod, dywedodd, "Ioan, yr un y torrais i ei ben, sydd wedi ei gyfodi." [17]Oherwydd yr oedd Herod wedi anfon a dal Ioan, a'i roi yn rhwym yng ngharchar o achos Herodias, gwraig Philip ei frawd, am ei fod wedi ei phriodi. [18]Yr oedd Ioan wedi dweud wrth Herod, "Nid yw'n gyfreithlon iti gael gwraig dy frawd." [19]Ac yr oedd Herodias yn dal dig wrtho ac yn dymuno ei ladd, ond ni allai, [20]oherwydd yr oedd ar Herod ofn Ioan, am ei fod yn gwybod mai gŵr cyfiawn a sanctaidd ydoedd. Yr oedd yn ei gadw dan warchodaeth; a byddai'n gwrando arno'n llawen, er ei fod, ar ôl gwrando, mewn penbleth fawr.[g] [21]Daeth cyfle un diwrnod, pan wnaeth Herod wledd ar ei ben-blwydd i'w bendefigion a'i gadfridogion a gwŷr blaenllaw Galilea. [22]Daeth merch[ng] Herodias i mewn, a dawnsio a phlesio Herod a'i westeion. Dywedodd y brenin wrth yr eneth, "Gofyn imi am y peth a fynni, ac fe'i rhof iti." [23]A gwnaeth lw difrifol iddi, "Beth bynnag a ofynni gennyf, rhof ef iti, hyd at hanner fy nheyrnas." [24]Aeth allan a dywedodd wrth ei mam, "Am beth y caf ofyn?" Dywedodd hithau, "Pen Ioan Fedyddiwr." [25]A brysiodd yr eneth ar unwaith i mewn at y brenin a gofyn, "Yr wyf am iti roi imi, y munud yma, ben Ioan Fedyddiwr ar ddysgl." [26]Aeth y brenin yn drist iawn, ond oherwydd ei lw ac oherwydd y gwesteion penderfynodd beidio â thorri ei air iddi. [27]Ac yna anfonodd y brenin ddienyddiwr a gorchymyn iddo ddod â phen Ioan. Fe aeth hwnnw, a thorrodd ei ben ef yn y carchar, [28]a dod ag ef ar ddysgl a'i roi i'r eneth; a rhoddodd yr eneth ef i'w mam. [29]A phan glywodd ei ddisgyblion, daethant, a mynd â'i gorff ymaith a'i ddodi mewn bedd.

Porthi'r Pum Mil
(Mth. 14:13-21; Lc. 9:10-17; In. 6:1-14)

30 Daeth yr apostolion ynghyd at Iesu a dweud wrtho am yr holl bethau yr oeddent wedi eu gwneud a'u dysgu. [31]A dywedodd wrthynt, "Dewch chwi eich hunain o'r neilltu i le unig a gorffwyswch am dipyn." Oherwydd yr oedd llawer yn mynd a dod, ac nid oedd cyfle iddynt hyd

[ff]Yn ôl darlleniad arall, *i hwn, bod gwyrthiau hyd yn oed yn cael.*
[g]Yn ôl darlleniad arall, *ac wedi gwrando arno, byddai'n gwneud llawer o bethau, a pharhau i wrando arno'n llawen.*
[ng]Yn ôl darlleniad arall, *ei ferch.*

yn oed i fwyta. [32]Ac aethant ymaith yn y cwch i le unig o'r neilltu. [33]Gwelodd llawer hwy'n mynd, a'u hadnabod, a rhedasant ynghyd i'r fan, dros y tir o'r holl drefi, a chyrraedd o'u blaen. [34]Pan laniodd Iesu gwelodd dyrfa fawr, a thosturiodd wrthynt am eu bod fel defaid heb fugail; a dechreuodd ddysgu llawer iddynt. [35]Pan oedd hi eisoes wedi mynd yn hwyr ar y dydd daeth ei ddisgyblion ato a dweud, "Y mae'r lle yma'n unig ac y mae hi eisoes yn hwyr. [36]Gollwng hwy, iddynt fynd i'r wlad a'r pentrefi o amgylch i brynu tipyn o fwyd iddynt eu hunain." [37]Atebodd yntau hwy, "Rhowch chwi rywbeth i'w fwyta iddynt." Meddent wrtho, "A ydym i fynd i brynu bara gwerth dau gant o ddarnau arian[h], a'i roi iddynt i'w fwyta?" [38]Meddai yntau wrthynt, "Pa sawl torth sydd gennych? Ewch i edrych." Ac wedi cael gwybod dywedasant, "Pump, a dau bysgodyn." [39]Gorchmynnodd iddynt beri i bawb eistedd yn gwmnïoedd ar y glaswellt. [40]Ac eisteddasant yn rhesi, bob yn gant a hanner cant. [41]Yna cymerodd y pum torth a'r ddau bysgodyn, a chan edrych i fyny i'r nef a bendithio, torrodd y torthau a'u rhoi i'w ddisgyblion i'w gosod gerbron y bobl; rhannodd hefyd y ddau bysgodyn rhwng pawb. [42]Bwytasant oll a chael digon. [43]A chodasant ddeuddeg basgedaid o dameidiau bara, a pheth o'r pysgod. [44]Ac yr oedd y rhai oedd wedi bwyta'r torthau yn bum mil o wŷr.

Cerdded ar y Dŵr
(Mth. 14:22-33; In. 6:15-21)

[45]Yna'n ddi-oed gwnaeth i'w ddisgyblion fynd i'r cwch a hwylio o'i flaen i'r ochr draw, i Bethsaida, tra byddai ef yn gollwng y dyrfa. [46]Ac wedi canu'n iach iddynt aeth ymaith i'r mynydd i weddïo. [47]Pan aeth hi'n hwyr yr oedd y cwch ar ganol y môr, ac yntau ar ei ben ei hun ar y tir. [48]A gwelodd hwy mewn helbul wrth rwyfo, oherwydd yr oedd y gwynt yn eu herbyn, a rhywbryd rhwng tri a chwech o'r gloch y bore daeth ef atynt dan gerdded ar y môr. Yr oedd am fynd heibio iddynt; [49]ond pan welsant ef yn cerdded ar y môr tybiasant mai drychiolaeth ydoedd, a gwaeddasant, [50]oherwydd gwelodd pawb ef, a dychrynwyd hwy.

Siaradodd yntau â hwy ar unwaith a dweud wrthynt, "Codwch eich calon; myfi yw; peidiwch ag ofni." [51]Dringodd i'r cwch atynt, a gostegodd y gwynt. Yr oedd eu syndod yn fawr dros ben, [52]oblegid nid oeddent wedi deall ynglŷn â'r torthau; yr oedd eu meddwl wedi ei ddallu.

Iacháu'r Cleifion yn Genesaret
(Mth. 14:34-36)

53 Wedi croesi at y tir daethant i Genesaret ac angori wrth y lan. [54]Pan ddaethant allan o'r cwch, adnabu'r bobl ef ar unwaith, [55]a dyma redeg o amgylch yr holl fro honno a dechrau cludo'r cleifion ar fatresi i ble bynnag y clywent ei fod ef. [56]A phle bynnag y byddai'n mynd, i bentrefi neu i drefi neu i'r wlad, yr oeddent yn gosod y rhai oedd yn wael yn y marchnadleoedd, ac yn erfyn arno am iddynt gael dim ond cyffwrdd ag ymyl ei fantell. A phawb a gyffyrddodd ag ef, iachawyd hwy.

Traddodiad yr Hynafiaid
(Mth. 15:1-20)

7 Ymgasglodd y Phariseaid ato, a rhai ysgrifenyddion oedd wedi dod o Jerwsalem. [2]A gwelsant fod rhai o'i ddisgyblion ef yn bwyta'u bwyd â dwylo halogedig, hynny yw, heb eu golchi. [3](Oherwydd nid yw'r Phariseaid, na neb o'r Iddewon, yn bwyta heb olchi eu dwylo hyd yr arddwrn[i], gan lynu wrth draddodiad yr hynafiaid; [4]ac ni fyddant byth yn bwyta, ar ôl dod o'r farchnad, heb ymolchi; ac y mae llawer o bethau eraill a etifeddwyd ganddynt i'w cadw, megis golchi cwpanau ac ystenau a llestri pres[l].) [5]Gofynnodd y Phariseaid a'r ysgrifenyddion iddo, "Pam nad yw dy ddisgyblion di'n dilyn traddodiad yr hynafiaid, ond yn bwyta'u bwyd â dwylo halogedig?" [6]Dywedodd yntau wrthynt, "Da y proffwydodd Eseia amdanoch chwi ragrithwyr, fel y mae'n ysgrifenedig:
'Y mae'r bobl hyn yn fy anrhydeddu
â'u gwefusau,
ond y mae eu calon ymhell oddi
wrthyf;
[7]yn ofer y maent yn fy addoli,
gan ddysgu gorchmynion dynol fel
athrawiaethau.'

---

[h]Neu, *dau gan denarius*. Gw. nodyn ° ar Mth. 18:28.
[i]Yn llythrennol, *â'r dwrn*. Yr ystyr yn ansicr. Yn ôl darlleniad arall, *yn fynych*.
[l]Yn ôl darlleniad arall ychwanegir *a gwelyau*.

⁸Yr ydych yn anwybyddu gorchymyn Duw ac yn glynu wrth ddraddodiad dynion." ⁹Meddai hefyd wrthynt, "Rhai da ydych chwi am wrthod gorchymyn Duw er mwyn cadarnhau eich traddodiad eich hunain. ¹⁰Oherwydd dywedodd Moses, 'Anrhydedda dy dad a'th fam', a, 'Bydded farw'n gelain y dyn a felltithia ei dad neu ei fam.' ¹¹Ond yr ydych chwi'n dweud, 'Os dywed dyn wrth ei dad neu ei fam, "Corban (hynny yw, Offrwm i Dduw) yw beth bynnag y gallasit ei dderbyn yn gymorth gennyf fi",' ¹²ni adewch iddo mwyach wneud dim i'w dad neu i'w fam. ¹³Yr ydych yn dirymu gair Duw trwy'r traddodiad a drosglwyddir gennych. Ac yr ydych yn gwneud llawer o bethau cyffelyb i hynny."

14 Galwodd y dyrfa ato drachefn ac meddai wrthynt, "Gwrandewch arnaf bawb, a deallwch. ¹⁵Nid oes dim sy'n mynd i mewn i ddyn o'r tu allan iddo yn gallu ei halogi; ond y pethau sy'n dod allan o ddyn, dyna sy'n halogi dyn."ᴵᴵ ¹⁷Ac wedi iddo fynd i'r tŷ oddi wrth y dyrfa, dechreuodd ei ddisgyblion ei holi am y ddameg. ¹⁸Meddai yntau wrthynt, "A ydych chwithau hefyd yr un mor ddiddeall? Oni welwch na all dim sy'n mynd i mewn i ddyn o'r tu allan ei halogi, ¹⁹oherwydd nid yw'n mynd i'w galon ond i'w gylla, ac yna y mae'n mynd allan i'r geudy?" Felly y cyhoeddodd ef yr holl fwydydd yn lân. ²⁰Ac meddai, "Yr hyn sy'n dod allan o ddyn, dyna sy'n halogi dyn. ²¹Oherwydd o'r tu mewn, o galon dynion, y daw allan gynllunio drygionus, puteinio, lladrata, llofruddio, ²²godinebu, trachwantu, anfadwaith, twyll, anlladrwydd, cenfigen, cabledd, balchder, ynfydrwydd; ²³o'r tu mewn y mae'r holl ddrygau hyn yn dod ac yn halogi dyn."

Ffydd y Wraig o Syroffenicia
(Mth. 15:21-28)

24 Cychwynnodd oddi yno ac aeth ymaith i gyffiniau Tyrus. Aeth i dŷ, ac ni fynnai i neb wybod; ond ni lwyddodd i ymguddio. ²⁵Ar unwaith clywodd gwraig amdano, gwraig yr oedd gan ei merch fach ysbryd aflan, a daeth a syrthiodd wrth ei draed ef. ²⁶Groeges oedd y wraig, Syroffeniciad o genedl; ac yr oedd yn gofyn iddo fwrw'r cythraul allan o'i merch. ²⁷Meddai yntau wrthi, "Gad i'r plant gael digon yn gyntaf; nid yw'n deg

cymryd bara'r plant a'i daflu i'r cŵn." ²⁸Atebodd hithau ef, "Syr, y mae hyd yn oed y cŵn o dan y bwrdd yn bwyta o friwsion y plant." ²⁹"Am iti ddweud hynyna," ebe yntau, "dos adref; y mae'r cythraul wedi mynd allan o'th ferch." ³⁰Aeth hithau adref a chafodd y plentyn yn gorwedd ar y gwely, a'r cythraul wedi mynd ymaith.

Iacháu Dyn Mud a Byddar

31 Dychwelodd drachefn o gyffiniau Tyrus, a daeth drwy Sidon at Fôr Galilea trwy ganol bro'r Decapolis. ³²Dygasant ato ddyn byddar ac atal dweud arno, a cheisio ganddo roi ei law arno. ³³Cymerodd yntau ef o'r neilltu oddi wrth y dyrfa ar ei ben ei hun; rhoes ei fysedd yn ei glustiau, poerodd, a chyffyrddodd â'i dafod; ³⁴a chan edrych i fyny i'r nef ochneidiodd a dweud wrtho, "Ephphatha", hynny yw, "Agorer di". ³⁵Agorwyd ei glustiau ar unwaith, a datodwyd rhwym ei dafod a dechreuodd lefaru'n eglur. ³⁶A gorchmynnodd iddynt beidio â dweud wrth neb; ond po fwyaf yr oedd ef yn gorchymyn iddynt, mwyaf yn y byd yr oeddent hwy'n cyhoeddi'r peth. ³⁷Yr oeddent yn synnu'n fawr dros ben, gan ddweud, "Da y gwnaeth ef bob peth; y mae'n gwneud hyd yn oed i fyddariaid glywed ac i fudion lefaru."

Porthi'r Pedair Mil
(Mth. 15:32-39)

8 Yn y dyddiau hynny, a'r dyrfa unwaith eto'n fawr a heb ddim i'w fwyta, galwodd ei ddisgyblion ato, ac meddai wrthynt, ²"Yr wyf yn tosturio wrth y dyrfa, oherwydd y maent wedi bod gyda mi dridiau erbyn hyn, ac nid oes ganddynt ddim i'w fwyta. ³Ac os anfonaf hwy adref ar eu cythlwng, llewygant ar y ffordd; y mae rhai ohonynt wedi dod o bell." ⁴Atebodd ei ddisgyblion ef, "Sut y gall neb gael digon o fara i fwydo'r rhain i gyd mewn lle anial fel hyn?" ⁵Gofynnodd iddynt, "Pa sawl torth sydd gennych?" "Saith," meddent hwythau. ⁶Gorchmynnodd i'r dyrfa eistedd ar y ddaear. Yna cymerodd y saith torth, ac wedi diolch fe'u torrodd a'u rhoi i'w ddisgyblion i'w gosod gerbron; ac fe'u gosodasant gerbron y dyrfa. ⁷Ac yr oedd ganddynt ychydig o bysgod bychain; ac wedi eu bendithio, dywedodd am osod y

---

ᴵᴵYn ôl darlleniad arall ychwanegir adn. 16: *Os oes gan rywun glustiau i wrando, gwrandawed.*

rhain hefyd ger eu bron. ⁸Bwytasant a chael digon, a chodasant y tameidiau oedd yn weddill, saith fasgedaid. ⁹Yr oedd tua phedair mil ohonynt. Gollyngodd hwy ymaith. ¹⁰Ac yna aeth i mewn i'r cwch gyda'i ddisgyblion, a daeth i ardal Dalmanwtha.

Ceisio Arwydd
(Mth. 16:1-4)

11 Daeth y Phariseaid allan a dechrau dadlau ag ef. Yr oeddent yn ceisio ganddo arwydd o'r nef, i roi prawf arno. ¹²Ochneidiodd yn ddwys ynddo'i hun. "Pam," meddai, "y mae'r genhedlaeth hon yn ceisio arwydd? Yn wir, 'rwy'n dweud wrthych, ni roddir arwydd i'r genhedlaeth hon." ¹³A gadawodd hwy a mynd i'r cwch drachefn a hwylio ymaith i'r ochr draw.

Surdoes y Phariseaid a Herod
(Mth. 16:5-12)

14 Yr oeddent wedi anghofio dod â bara, ac nid oedd ganddynt ond un dorth gyda hwy yn y cwch. ¹⁵A dechreuodd eu siarsio, gan ddweud, "Gwyliwch, ymogelwch rhag surdoes y Phariseaid a surdoes Herod." ¹⁶Ac yr oeddent yn trafod ymhlith ei gilydd y ffaith nad oedd ganddynt fara.ᵐ ¹⁷Deallodd yntau hyn, ac meddai wrthynt, "Pam yr ydych yn trafod nad oes gennych fara? A ydych eto heb weld na deall? A yw eich meddwl wedi ei ddallu? ¹⁸A llygaid gennych, onid ydych yn gweld, ac a chlustiau gennych, onid ydych yn clywed? Onid ydych yn cofio? ¹⁹Pan dorrais y pum torth i'r pum mil, pa sawl basgedaid lawn o damcidiau a godasoch?" Meddent wrtho, "Deuddeg." ²⁰"Pan dorrais y saith i'r pedair mil, llond pa sawl basged o dameidiau a godasoch?" "Saith," meddent. ²¹Ac meddai ef wrthynt, "Onid ydych eto'n deall?"

Iacháu Dyn Dall yn Bethsaida

22 Daethant i Bethsaida. A dyma hwy'n dod â dyn dall ato, ac erfyn arno gyffwrdd ag ef. ²³Gafaelodd yn llaw'r dyn dall a mynd ag ef allan o'r pentref, ac wedi poeri ar ei lygaid rhoes ei ddwylo arno a gofynnodd iddo, "A elli di weld rhywbeth?" ²⁴Edrychodd i fyny,ⁿ ac

meddai, "Gallaf weld dynion, oherwydd yr wyf yn gweld rhywbeth fel coed yn cerdded oddi amgylch." ²⁵Yna rhoes ei ddwylo drachefn ar ei lygaid ef. Craffodd yntau, ac adferwyd ef; yr oedd yn gweld popeth yn eglur o bell. ²⁶Anfonodd ef adref, gan ddweud, "Paid â mynd i mewn i'r pentref."ᵒ

Datganiad Pedr ynglŷn â Iesu
(Mth. 16:13-20; Lc. 9:18-21)

27 Aeth Iesu a'i ddisgyblion allan i bentrefi Cesarea Philipi, ac ar y ffordd holodd ei ddisgyblion: "Pwy," meddai wrthynt, "y mae dynion yn dweud ydwyf fi?" ²⁸Dywedasant hwythau wrtho, "Mae rhai'n dweud Ioan Fedyddiwr, ac eraill Elias, ac eraill drachefn, un o'r proffwydi." ²⁹Gofynnodd ef iddynt, "A chwithau, pwy meddwch chwi ydwyf fi?" Atebodd Pedr ef, "Ti yw'r Meseia." ³⁰Rhybuddiodd hwy i beidio â dweud wrth neb amdano.

Iesu'n Rhagfynegi Ei Farwolaeth a'i Atgyfodiad
(Mth. 16:21-28; Lc. 9:22-27)

31 Dechreuodd eu dysgu bod yn rhaid i Fab y Dyn ddioddef llawer, a chael ei wrthod gan yr henuriaid a'r prif offeiriaid a'r ysgrifenyddion, a'i ladd, ac ymhen tridiau atgyfodi. ³²Yr oedd yn llefaru'r gair hwn yn gwbl agored. A chymerodd Pedr ef ato a dechrau ei geryddu. ³³Troes yntau, ac wedi edrych ar ei ddisgyblion ceryddodd Pedr. "Dos ymaith o'm golwg, Satan," meddai, "oherwydd nid ar bethau Duw y mae dy fryd ond ar bethau dynion." ³⁴Galwodd ato'r dyrfa ynghyd â'i ddisgyblion a dywedodd wrthynt, "Os myn neb ddod ar fy ôl i, rhaid iddo ymwadu ag ef ei hun a chodi ei groes a'm canlyn i. ³⁵Oherwydd pwy bynnag a fyn gadw ei fywyd, fe'i cyll, ond pwy bynnag a gyll ei fywyd er fy mwyn i a'r Efengyl, fe'i ceidw. ³⁶Pa elw a gaiff dyn o ennill yr holl fyd a fforffedu ei fywyd? ³⁷Oherwydd beth a all dyn ei roi'n gyfnewid am ei fywyd? ³⁸Pwy bynnag y bydd arno gywilydd ohonof fi ac o'm geiriau yn y genhedlaeth annuwiol a phechadurus hon, bydd ar Fab y Dyn hefyd gywilydd ohono yntau, pan ddaw

ᵐYn ôl darlleniad arall, *ei gilydd gan ddweud, "Nid oes gennym fara."*
ⁿNeu, *Dechreuodd gael ei olwg yn ôl.*
ᵒYn ôl darlleniad arall, *"Paid â dweud wrth neb yn y pentref."*

yng ngogoniant ei Dad gyda'r angylion sanctaidd."

9 Meddai hefyd wrthynt, "Yn wir, 'rwy'n dweud wrthych, y mae rhai o'r sawl sy'n sefyll yma na phrofant flas marwolaeth nes iddynt weld teyrnas Dduw wedi dyfod mewn nerth."

Gweddnewidiad Iesu
(Mth. 17:1-13; Lc. 9:28-36)

2 Ymhen chwe diwrnod dyma Iesu'n cymryd Pedr ac Iago ac Ioan a mynd â hwy i fynydd uchel o'r neilltu ar eu pennau eu hunain. A gweddnewidiwyd ef yn eu gŵydd hwy, ³ac aeth ei ddillad i ddisgleirio'n glaer-wyn, y modd na allai unrhyw bannwr ar y ddaear eu gwynnu. ⁴Ymddangosodd Elias iddynt ynghyd â Moses; ymddiddan yr oeddent â Iesu. ⁵A dywedodd Pedr wrth Iesu, "Rabbi, y mae'n dda i ni fod yma; gwnawn dair pabell, un i ti ac un i Moses ac un i Elias." ⁶Oherwydd ni wyddai beth i'w ddweud; yr oeddent wedi dychryn. ⁷A daeth cwmwl yn cysgodi drostynt; a dyma lais o'r cwmwl, "Hwn yw fy Mab, yr Anwylyd; gwrandewch arno." ⁸Ac yn ddisymwth, pan edrychasant o amgylch, ni welsant neb mwyach ond Iesu yn unig gyda hwy.

9 Wrth iddynt ddod i lawr o'r mynydd rhoddodd orchymyn iddynt beidio â dweud wrth neb am y pethau a welsant, nes y byddai Mab y Dyn wedi atgyfodi oddi wrth y meirw. ¹⁰Daliasant ar y gair, gan holi yn eu plith eu hunain beth oedd ystyr atgyfodi oddi wrth y meirw. ¹¹A gofynnasant iddo, "Pam y mae'r ysgrifenyddion yn dweud bod yn rhaid i Elias ddod yn gyntaf?" ¹²Meddai yntau wrthynt, "Y mae Elias yn dod yn gyntaf ac yn adfer pob peth. Ond sut y mae'n ysgrifenedig am Fab y Dyn, ei fod i ddioddef llawer a chael ei ddirmygu? ¹³Ond 'rwy'n dweud wrthych fod Elias eisoes wedi dod, a gwnaethant iddo beth bynnag a fynnent, fel y mae'n ysgrifenedig amdano."

Iacháu Bachgen ag Ysbryd Aflan ynddo
(Mth. 17:14-20; Lc. 9:37-43a)

14 Pan ddaethant at y disgyblion gwelsant dyrfa fawr o'u cwmpas, ac ysgrifenyddion yn dadlau â hwy. ¹⁵Ac unwaith y gwelodd yr holl dyrfa ef fe'u syfrdanwyd, a rhedasant ato a'i gyfarch.

ᴾYn ôl darlleniad arall ychwanegir *ac ympryd.*

¹⁶Gofynnodd yntau iddynt, "Am beth yr ydych yn dadlau â'ch gilydd?" ¹⁷Atebodd un o'r dyrfa ef, "Athro, mi ddois i â'm mab atat; y mae wedi ei feddiannu gan ysbryd mud, ¹⁸a pha bryd bynnag y mae hwnnw'n gafael ynddo y mae'n ei fwrw ar lawr, ac y mae yntau'n malu ewyn ac yn ysgyrnygu ei ddannedd ac yn mynd yn ddiymadferth. A dywedais wrth dy ddisgyblion am ei fwrw allan, ac ni allasant." ¹⁹Atebodd Iesu hwy: "O genhedlaeth ddi-ffydd, pa hyd y byddaf gyda chwi? Pa hyd y goddefaf chwi? Dewch ag ef ataf fi." ²⁰A daethant â'r bachgen ato. Pan welodd ef Iesu, ar unwaith cynhyrfodd yr ysbryd ef a syrthiodd ar y llawr a rholio o gwmpas dan falu ewyn. ²¹Gofynnodd Iesu i'w dad, "Faint sydd er pan ddaeth hyn arno?" Dywedodd yntau, "O'i blentyndod; ²²llawer gwaith fe'i taflodd i'r tân neu i'r dŵr, i geisio'i ladd. Os yw'n bosibl iti wneud rhywbeth, tosturia wrthym a helpa ni." ²³Dywedodd Iesu wrtho, "Os yw'n bosibl! Y mae popeth yn bosibl i'r hwn sydd â ffydd ganddo." ²⁴Ar unwaith gwaeddodd tad y plentyn, "Y mae gennyf fi ffydd; helpa di fy niffyg ffydd." ²⁵A phan welodd Iesu fod tyrfa'n rhedeg ynghyd, ceryddodd yr ysbryd aflan. "Ysbryd mud a byddar," meddai wrtho, "yr wyf fi yn gorchymyn iti, tyrd allan ohono a phaid â mynd i mewn iddo eto." ²⁶A chan weiddi a'i gynhyrfu'n enbyd, aeth yr ysbryd allan. Aeth y bachgen fel corff, nes i lawer ddweud ei fod wedi marw. ²⁷Ond gafaelodd Iesu yn ei law ef a'i godi, a safodd ar ei draed. ²⁸Ac wedi iddo fynd i'r tŷ gofynnodd ei ddisgyblion iddo o'r neilltu, "Pam na allem ni ei fwrw ef allan?" ²⁹Ac meddai wrthynt, "Dim ond trwy weddiᴾ y gall y math hwn fynd allan."

Iesu Eilwaith yn Rhagfynegi ei Farwolaeth a'i Atgyfodiad
(Mth. 17:22-23; Lc. 9:43b-45)

30 Wedi iddynt adael y lle hwnnw, yr oeddent yn teithio trwy Galilea. Ni fynnai Iesu i neb wybod hynny, ³¹oherwydd yr oedd yn dysgu ei ddisgyblion ac yn dweud wrthynt, "Y mae Mab y Dyn yn cael ei draddodi i ddwylo dynion, ac fe'i lladdant ef, ac wedi cael ei ladd, ymhen tri diwrnod fe atgyfoda." ³²Ond nid oeddent hwy'n deall ei eiriau, ac yr oedd arnynt ofn ei holi.

Pwy yw'r Mwyaf?
(Mth. 18:1-5; Lc. 9:46-48)

33 Daethant i Gapernaum, ac wedi cyrraedd y tŷ gofynnodd iddynt, "Beth oeddech chwi'n ei drafod ar y ffordd?" ³⁴Ond tewi a wnaethant, oherwydd ar y ffordd buont yn dadlau â'i gilydd pwy oedd y mwyaf. ³⁵Eisteddodd i lawr a galwodd y Deuddeg, a dweud wrthynt, "Pwy bynnag sydd am fod yn flaenaf, rhaid iddo fod yn olaf o bawb ac yn was i bawb." ³⁶A chymerodd blentyn, a'i osod yn eu canol hwy; cymerodd ef i'w freichiau, a dywedodd wrthynt, ³⁷"Pwy bynnag sy'n derbyn un plentyn fel hwn yn fy enw i, y mae'n fy nerbyn i, a phwy bynnag sy'n fy nerbyn i, nid myfi y mae'n ei dderbyn, ond yr hwn a'm hanfonodd i."

Yr Hwn nid yw yn ein Herbyn, Drosom Ni y Mae
(Lc. 9:49-50)

38 Meddai Ioan wrtho, "Athro, gwelsom un yn bwrw allan gythreuliaid yn dy enw di, a buom yn ei wahardd, am nad oedd yn ein dilyn ni." ³⁹Ond dywedodd Iesu, "Peidiwch â'i wahardd, oherwydd ni all neb sy'n gwncud gwyrth yn fy enw i roi drygair imi yn fuan wedyn. ⁴⁰Yr hwn nid yw yn ein herbyn, drosom ni y mae. ⁴¹Oherwydd pwy bynnag a rydd gwpanaid o ddŵr i chwi i'w yfed o achos eich bod yn perthyn i'r Meseia, yn wir, 'rwy'n dweud wrthych, ni chyll hwnnw mo'i wobr.

Achosion Cwymp
(Mth. 18:6-9; Lc. 17:1-2)

42 "A phwy bynnag sy'n achos cwymp i un o'r rhai bychain hyn sy'n credu ynof fi, byddai'n well iddo fod wedi ei daflu i'r môr â maen melin mawr ynghrog am ei wddf. ⁴³Os bydd dy law yn achos cwymp iti, tor hi ymaith; y mae'n well iti fynd i mewn i'r bywyd yn anafus na mynd, a'r ddwy law gennyt, i uffern, i'r tân anniffoddadwy. ᵖʰ ⁴⁵Ac os bydd dy droed yn achos cwymp iti, tor ef ymaith; y mae'n well iti fynd i mewn i'r bywyd yn gloff na chael dy daflu, a'r ddau droed gennyt, i uffern. ʳ ⁴⁷Ac os bydd dy lygad yn achos cwymp iti, tyn ef allan; y mae'n well iti fynd i mewn i deyrnas Dduw yn unllygeidiog na chael dy daflu, a

dau lygad gennyt, i uffern, ⁴⁸lle nid yw eu pryf yn marw na'r tân yn diffodd. ⁴⁹Oblegid fe helltir pob un â thân. ⁵⁰Da yw'r halen, ond os paid yr halen â bod yn hallt, â pha beth y rhowch flas arno? Bydded gennych halen ynoch eich hunain, a byddwch heddychlon tuag at eich gilydd."

Dysgeidiaeth ar Ysgariad
(Mth. 19:1-12)

10 Cychwynnodd oddi yno a daeth i diriogaeth Jwdea a'r tu hwnt i'r Iorddonen. Daeth tyrfaoedd ynghyd ato drachefn, a thrachefn yn ôl ei arfer dechreuodd eu dysgu. ²A daeth Phariseaid ato a gofyn iddo a oedd yn gyfreithlon i ddyn ysgaru ei wraig; rhoi prawf arno yr oeddent. ³Atebodd yntau hwy gan ofyn, "Beth a orchmynnodd Moses i chwi?" ⁴Dywedasant hwythau, "Rhoddodd Moses ganiatâd i ysgrifennu llythyr ysgar a'i hysgaru." ⁵Ond meddai Iesu wrthynt, "Oherwydd eich bod mor anhydrin yr ysgrifennodd ef y gorchymyn hwn ichwi. ⁶Ond o ddechreuad y greadigaeth, yn wryw a benyw y gwnaeth Duw hwy. ⁷Dyna pam y bydd dyn yn gadael ei dad a'i fam ac yn glynu wrth ci wraig, ⁸a bydd y ddau yn un cnawd. Gan hynny nid dau mohonynt mwyach, ond un cnawd. ⁹Felly, yr hyn a gysylltodd Duw, ni ddylai dyn ei wahanu." ¹⁰Wedi mynd yn ôl i'r tŷ, holodd ei ddisgyblion ef ynghylch hyn. ¹¹Ac meddai wrthynt, "Pwy bynnag sy'n ysgaru ei wraig ac yn priodi un arall, y mae'n godinebu yn ei herbyn hi; ¹²ac os bydd iddi hithau ysgaru ei gŵr a phriodi un arall, y mae hi'n godinebu."

Bendithio Plant Bach
(Mth. 19:13-15; Lc. 18:15-17)

13 Yr oeddent yn dod â phlant ato, iddo gyffwrdd â hwy. Ceryddodd y disgyblion hwy, ¹⁴ond pan welodd Iesu hyn aeth yn ddig, a dywedodd wrthynt, "Gadewch i'r plant ddod ataf fi; peidiwch â'u rhwystro, oherwydd i rai fel hwy y mae teyrnas Dduw yn perthyn. ¹⁵Yn wir, 'rwy'n dweud wrthych, pwy bynnag nad yw'n derbyn teyrnas Dduw yn null plentyn, nid â byth i mewn iddi." ¹⁶A chymerodd hwy yn ei freichiau a'u bendithio, gan roi ei ddwylo arnynt.

ᵖʰYn ôl darlleniad arall, *anniffoddadwy,* ⁴⁴*lle nid yw eu pryf yn marw na'r tân yn diffodd.*
ʳYn ôl darlleniad arall, *i uffern,* ⁴⁶*lle nid yw eu pryf yn marw na'r tân yn diffodd.*

Y Dyn Cyfoethog
(Mth. 19:16-30; Lc. 18:18-30)

17 Wrth iddo fynd i'w daith, rhedodd rhyw ddyn ato a phenlinio o'i flaen a gofyn iddo, "Athro da, beth a wnaf i etifeddu bywyd tragwyddol?" [18] A dywedodd Iesu wrtho, "Pam yr wyt yn fy ngalw i yn dda? Nid oes neb da ond un, sef Duw. [19] Gwyddost y gorchmynion: 'Na ladd, na odineba, na ladrata, na chamdystiolaetha, na chamgolleda, anrhydedda dy dad a'th fam.'" [20] Meddai yntau wrtho, "Athro, yr wyf wedi cadw'r rhain i gyd o'm hieuenctid." [21] Edrychodd Iesu arno ac fe'i hoffodd, a dywedodd wrtho, "Un peth sy'n eisiau ynot; dos, gwerth y cwbl sydd gennyt a dyro i'r tlodion, a chei drysor yn y nef; a thyrd, canlyn fi." [22] Cymylodd ei wedd ar y gair, ac aeth ymaith yn drist; yr oedd yn berchen meddiannau lawer. 23 Edrychodd Iesu o'i gwmpas ac meddai wrth ei ddisgyblion, "Mor anodd fydd hi i'r rhai goludog fynd i mewn i deyrnas Dduw!" [24] Syfrdanwyd y disgyblion gan ei eiriau, ond meddai Iesu wrthynt drachefn, "Blant, mor anodd yw mynd[rh] i mewn i deyrnas Dduw! [25] Y mae'n haws i gamel fynd trwy grau nodwydd nag i ddyn cyfoethog fynd i mewn i deyrnas Dduw." [26] Synasant yn fwy byth, ac meddent wrth ei gilydd, "Pwy ynteu all gael ei achub?" [27] Edrychodd Iesu arnynt a dywedodd, "Gyda dynion y mae'n amhosibl, ond nid gyda Duw. Y mae pob peth yn bosibl gyda Duw." [28] Dechreuodd Pedr ddweud wrtho, "Dyma ni wedi gadael pob peth ac wedi dy ganlyn di." [29] Meddai Iesu, "Yn wir, 'rwy'n dweud wrthych, nid oes neb a adawodd dŷ neu frodyr neu chwiorydd neu fam neu dad neu blant neu diroedd er fy mwyn i ac er mwyn yr Efengyl, [30] na chaiff dderbyn ganwaith cymaint yn awr yn yr amser hwn, yn dai a brodyr a chwiorydd a mamau a phlant a thiroedd, ynghyd ag erledigaethau, ac yn yr oes sy'n dod fywyd tragwyddol. [31] Ond bydd llawer sy'n flaenaf yn olaf, a'r rhai olaf yn flaenaf."

Iesu y Drydedd Waith yn Rhagfynegi ei Farwolaeth a'i Atgyfodiad
(Mth. 20:17-19; Lc. 18:31-34)

32 Yr oeddent ar y ffordd yn mynd i fyny i Jerwsalem, ac Iesu'n mynd o'u blaen. Yr oedd arswyd arnynt, ac ofn ar y rhai oedd yn canlyn. Cymerodd y Deuddeg ato drachefn a dechreuodd sôn wrthynt am yr hyn oedd i ddigwydd iddo: [33] "Dyma ni'n mynd i fyny i Jerwsalem; fe gaiff Mab y Dyn ei draddodi i'r prif offeiriaid a'r ysgrifenyddion; condemniant ef i farwolaeth, a'i drosglwyddo i'r estroniaid; [34] a gwatwarant ef, a phoeri arno a'i fflangellu a'i ladd, ac wedi tridiau fe atgyfoda."

Cais Iago ac Ioan
(Mth. 20:20-28)

35 Daeth Iago ac Ioan, meibion Sebedeus, ato a dweud wrtho, "Athro, yr ydym am iti wneud i ni y peth a ofynnwn gennyt." [36] Meddai yntau wrthynt, "Beth yr ydych am imi ei wneud i chwi?" [37] A dywedasant wrtho, "Dyro i ni gael eistedd, un ar dy law dde ac un ar dy law chwith yn dy ogoniant." [38] Ac meddai Iesu wrthynt, "Ni wyddoch beth yr ydych yn ei ofyn. A allwch chwi yfed y cwpan yr wyf fi yn ei yfed, neu gael eich bedyddio â'r bedydd y bedyddir fi ag ef?" [39] Dywedasant hwythau wrtho, "Gallwn." Ac meddai Iesu wrthynt, "Cewch yfed y cwpan yr wyf fi yn ei yfed, a bedyddir chwi â'r bedydd y bedyddir fi ag ef, [40] ond eistedd ar fy llaw dde neu ar fy llaw chwith, nid gennyf fi y mae'r hawl i'w roi; y mae'n perthyn i'r rhai y mae wedi ei ddarparu ar eu cyfer." [41] Pan glywodd y deg, aethant yn ddig wrth Iago ac Ioan. [42] Galwodd Iesu hwy ato ac meddai wrthynt, "Gwyddoch fod y rhai a ystyrir yn llywodraethwyr ar y Cenhedloedd yn arglwyddiaethu arnynt, a'u gwŷr mawr hwy yn dangos eu hawdurdod drostynt. [43] Ond nid felly y mae yn eich plith chwi; yn hytrach, pwy bynnag sydd am fod yn fawr yn eich plith, rhaid iddo fod yn was i chwi, [44] a phwy bynnag sydd am fod yn flaenaf yn eich plith, rhaid iddo fod yn gaethwas i bawb. [45] Oherwydd Mab y Dyn, yntau, ni ddaeth i gael ei wasanaethu ond i wasanaethu, ac i roi ei einioes yn bridwerth dros lawer."

Iacháu Bartimeus Ddall
(Mth. 20:29-34; Lc. 18:35-43)

46 Daethant i Jericho. Ac fel yr oedd yn mynd allan o Jericho gyda'i ddisgyblion a chryn dyrfa, yr oedd mab Timeus,

---

[rh] Yn ôl darlleniad arall, *mor anodd yw i'r rhai sy'n ymddiried mewn golud fynd.*

Bartimeus, cardotyn dall, yn eistedd ar fin y ffordd.[s] [47] A phan glywodd mai Iesu o Nasareth ydoedd, dechreuodd weiddi a dweud, "Iesu, Fab Dafydd, trugarha wrthyf." [48] Ac yr oedd llawer yn ei geryddu ac yn dweud wrtho am dewi; ond yr oedd yntau'n gweiddi'n uwch fyth, "Fab Dafydd, trugarha wrthyf." [49] Safodd Iesu, a dywedodd, "Galwch arno." A dyma hwy'n galw ar y dyn dall a dweud wrtho, "Cod dy galon a saf ar dy draed; y mae'n galw arnat." [50] Taflodd yntau ei fantell oddi arno, llamodd ar ei draed a daeth at Iesu. [51] Cyfarchodd Iesu ef a dweud, "Beth yr wyt ti am i mi ei wneud iti?" Ac meddai'r dyn dall wrtho, "Rabbwni, y mae arnaf eisiau cael fy ngolwg yn ôl." [52] Dywedodd Iesu wrtho, "Dos, y mae dy ffydd wedi dy iacháu di." A chafodd ei olwg yn ôl yn y fan, a dechreuodd ei ganlyn ef ar hyd y ffordd.

Yr Ymdaith Fuddugoliaethus i mewn i Jerwsalem
(Mth. 21:1-11; Lc. 19:28-40; In. 12:12-19)

11 Pan ddaethant yn agos i Jerwsalem, at Bethffage a Bethania, ger Mynydd yr Olewydd, anfonodd ddau o'i ddisgyblion, [2] ac meddai wrthynt, "Ewch i'r pentref sydd gyferbyn â chwi, ac yn syth wrth ichwi fynd i mewn iddo, cewch ebol wedi ei rwymo, un nad oes neb wedi bod ar ei gefn erioed. Gollyngwch ef a dewch ag ef yma. [3] Ac os dywed rhywun wrthych, 'Pam yr ydych yn gwneud hyn?', dywedwch, 'Y mae ar y Meistr ei angen, a bydd yn ei anfon yn ôl yma yn union deg.'" [4] Aethant ymaith a chawsant ebol wedi ei rwymo wrth ddrws y tu allan ar yr heol, a gollyngasant ef. [5] Ac meddai rhai o'r sawl oedd yn sefyll yno wrthynt, "Beth ydych yn ei wneud, yn gollwng yr ebol?" [6] Atebasant hwythau fel yr oedd Iesu wedi dweud, a gadawyd iddynt fynd. [7] Daethant â'r ebol at Iesu a bwrw eu mentyll arno, ac eisteddodd yntau ar ei gefn. [8] Taenodd llawer eu mentyll ar y ffordd, ac eraill ganghennau deiliog yr oeddent wedi eu torri o'r meysydd. [9] Ac yr oedd y rhai ar y blaen a'r rhai o'r tu ôl yn gweiddi: "Hosanna! Bendigedig yw'r un sy'n dod yn enw'r Arglwydd. [10] Bendigedig yw'r deyrnas sy'n dod, teyrnas ein tad Dafydd; Hosanna yn y goruchaf!"

[11] Aeth i mewn i Jerwsalem ac i'r deml, ac wedi edrych o'i gwmpas ar bopeth, gan ei bod eisoes yn hwyr, aeth allan i Fethania gyda'r Deuddeg.

Melltithio'r Ffigysbren
(Mth. 21:18-19)

12 Trannoeth, wedi iddynt ddod allan o Fethania, daeth chwant bwyd arno. [13] A phan welodd o bell ffigysbren ac arno ddail, aeth i edrych tybed a gâi rywbeth arno. A phan ddaeth ato ni chafodd ddim ond dail, oblegid nid oedd yn dymor ffigys. [14] Dywedodd wrtho, "Na fwytaed neb ffrwyth ohonot ti byth mwy!" Ac yr oedd ei ddisgyblion yn gwrando.

Glanhau'r Deml
(Mth. 21:12-17; Lc. 19:45-48; In. 2:13-22)

15 Daethant i Jerwsalem. Aeth i mewn i'r deml a dechreuodd fwrw allan y rhai oedd yn gwerthu a'r rhai oedd yn prynu yn y deml; taflodd i lawr fyrddau'r cyfnewidwyr arian a chadeiriau'r rhai oedd yn gwerthu colomennod, [16] ac ni adawai i neb gludo dim trwy'r deml. [17] A dechreuodd eu dysgu a dweud wrthynt, "Onid yw'n ysgrifenedig: 'Gelwir fy nhŷ i yn dŷ gweddi i'r holl genhedloedd, ond yr ydych chwi wedi ei wneud yn ogof lladron'?" [18] Clywodd y prif offeiriad a'r ysgrifenyddion am hyn, a dechreuasant geisio ffordd i'w ladd ef, achos yr oedd arnynt ei ofn, gan fod yr holl dyrfa wedi ei syfrdanu gan ei ddysgeidiaeth. [19] A phan aeth hi'n hwyr aethant allan o'r ddinas.

Gwers y Ffigysbren Crin
(Mth. 21:20-22)

20 Yn y bore, wrth fynd heibio gwelsant y ffigysbren wedi crino o'r gwraidd. [21] Cofiodd Pedr, a dywedodd wrtho, "Rabbi, edrych, y mae'r ffigysbren a felltithiaist wedi crino." [22] Atebodd Iesu hwy: "Bydded gennych[t] ffydd yn Nuw; [23] yn wir, 'rwy'n dweud wrthych, pwy bynnag a ddywed wrth y mynydd hwn, 'Coder di a bwrier di i'r môr', heb amau yn ei galon, ond credu y digwydd yr hyn a ddywed, fe'i rhoddir iddo. [24] Gan hynny 'rwy'n dweud wrthych, beth bynnag oll

---

[s] Yn ôl darlleniad arall, *Bartimeus, dyn dall, yn eistedd ar fin y ffordd yn cardota.*
[t] Yn ôl darlleniad arall, *Os oes gennych.*

yr ydych yn gweddïo ac yn gofyn amdano, credwch eich bod wedi ei dderbyn, ac fe'i rhoddir i chwi. ²⁵A phan fyddwch ar eich traed yn gweddïo, os bydd gennych rywbeth yn erbyn unrhyw un, maddeuwch iddo, er mwyn i'ch Tad sydd yn y nefoedd faddau i chwithau eich camweddau. ᵗʰ''

Amau Awdurdod Iesu
(Mth. 21:23-27; Lc. 20:1-8)

27 Daethant drachefn i Jerwsalem. Ac wrth ei fod yn cerdded yn y deml, dyma'r prif offeiriaid a'r ysgrifenyddion a'r henuriaid yn dod ato, ²⁸ac meddent wrtho, "Trwy ba awdurdod yr wyt ti'n gwneud y pethau hyn? Pwy roddodd i ti'r awdurdod hwn i wneud y pethau hyn?" ²⁹Dywedodd Iesu wrthynt, "Fe ofynnaf un peth i chwi; atebwch fi, ac fe ddywedaf wrthych trwy ba awdurdod yr wyf yn gwneud y pethau hyn. ³⁰Bedydd Ioan, ai o'r nef yr oedd, ai o ddynion? Atebwch fi." ³¹Dechreusant ddadlau â'i gilydd a dweud, "Os dywedwn, 'O'r nef', fe ddywed, 'Pam, ynteu, na chredasoch ef?' ³²Eithr a ddywedwn, 'O ddynion'?"—yr oedd arnynt ofn y dyrfa, oherwydd yr oedd pawb yn dal fod Ioan yn broffwyd mewn gwirionedd. ³³Atebasant Iesu, "Ni wyddom ni ddim." Ac meddai Iesu wrthynt, "Ni ddywedaf finnau chwaith wrthych chwi trwy ba awdurdod yr wyf yn gwneud y pethau hyn."

Dameg y Winllan a'r Tenantiaid
(Mth. 21:33-46; Lc. 20:9-19)

12 Dechreuodd lefaru wrthynt ar ddamhegion. "Fe blannodd dyn winllan, a chododd glawdd o'i hamgylch, a chloddio cafn i'r gwinwryf, ac adeiladu tŵr. Gosododd hi i denantiaid, ac aeth oddi cartref. ²Pan ddaeth yn amser, anfonodd was at y tenantiaid i dderbyn ganddynt gyfran o ffrwyth y winllan. ³Daliasant hwythau ef, a'i guro, a'i yrru i ffwrdd yn waglaw. ⁴Anfonodd drachefn was arall atynt; trawsant hwnnw ar ei ben a'i amharchu. ⁵Ac anfonodd un arall; lladdasant hwnnw. A llawer eraill yr un fath: curo rhai a lladd y lleill. ⁶Yr oedd ganddo un eto, mab annwyl; anfonodd ef atynt yn olaf, gan ddweud, 'Fe barchant fy mab'. ⁷Ond dywedodd y tenantiaid

hynny wrth ei gilydd, 'Hwn yw'r etifedd; dewch, lladdwn ef, a bydd yr etifeddiaeth yn eiddo i ni.' ⁸A chymerasant ef, a'i ladd, a'i fwrw allan o'r winllan. ⁹Beth ynteu a wna perchen y winllan? Fe ddaw ac fe ddifetha'r tenantiaid, ac fe rydd y winllan i eraill. ¹⁰Onid ydych wedi darllen yr Ysgrythur hon:
'Y maen a wrthododd yr adeiladwyr, hwn a ddaeth yn faen y gongl; ¹¹gan yr Arglwydd y gwnaethpwyd hyn, ac y mae'n rhyfeddol yn ein golwg ni'?"

12 Ceisiasant ei ddal ef, ond yr oedd arnynt ofn y dyrfa, oherwydd gwyddent mai yn eu herbyn hwy y dywedodd y ddameg. A gadawsant ef a mynd ymaith.

Talu Trethi i Gesar
(Mth. 22:15-22; Lc. 20:20-26)

13 Anfonwyd ato rai o'r Phariseaid ac o'r Herodianiaid i'w faglu ar air. ¹⁴Daethant, ac meddent wrtho, "Athro, gwyddom dy fod yn ddiffuant, ac na waeth gennyt am neb; yr wyt yn ddi-dderbyn-wyneb, ac yn dysgu ffordd Duw yn gwbl ddiffuant. A yw'n gyfreithlon talu treth i Gesar, ai nid yw? A ydym i dalu, neu beidio â thalu?" ¹⁵Deallodd yntau eu rhagrith, ac meddai wrthynt, "Pam yr ydych yn rhoi prawf arnaf? Dewch â denarius ᵘ yma, imi gael golwg arno." ¹⁶A daethant ag un, ac meddai ef wrthynt, "Llun ac arysgrif pwy sydd yma?" Dywedasant hwythau wrtho, "Cesar." ¹⁷A dywedodd Iesu wrthynt, "Talwch bethau Cesar i Gesar, a phethau Duw i Dduw." Ac yr oeddent yn rhyfeddu ato.

Holi ynglŷn â'r Atgyfodiad
(Mth. 22:23-33; Lc. 20:27-40)

18 Daeth ato Sadwceaid, y bobl sy'n dweud nad oes dim atgyfodiad, a dechreusant ei holi. ¹⁹"Athro," meddent, "ysgrifennodd Moses ar ein cyfer, 'Os bydd rhywun farw, a gadael gwraig, ond heb adael plentyn, y mae ei frawd i gymryd y wraig ac i godi plant i'w frawd.' ²⁰Yr oedd saith o frodyr. Cymerodd y cyntaf wraig, a phan fu ef farw ni adawodd blant. ²¹A chymerodd yr ail hi, a bu farw heb adael plant; a'r trydydd yr un modd. ²²Ac ni adawodd yr un o'r saith

---

ᵗʰYn ôl darlleniad arall ychwanegir adn. 26: *Ond os na faddeuwch chwi, ni faddeua chwaith eich Tad sydd yn y nefoedd eich camweddau chwi.* ᵘGw. nodyn º ar Mth 18:28.

blant. Yn olaf oll bu farw'r wraig hithau. ²³Yn yr atgyfodiad, pan atgyfodant, gwraig prun ohonynt fydd hi? Oherwydd cafodd y saith hi'n wraig." ²⁴Meddai Iesu wrthynt, "Onid dyma achos eich cyfeiliorni, eich bod heb ddeall na'r Ysgrythurau na gallu Duw? ²⁵Oherwydd pan atgyfodant oddi wrth y meirw, ni phriodant ac ni phriodir hwy; y maent fel angylion yn y nefoedd. ²⁶Ond ynglŷn â bod y meirw yn codi, onid ydych wedi darllen yn llyfr Moses, yn hanes y Berth, sut y dywedodd Duw wrtho, 'Myfi, Duw Abraham a Duw Isaac a Duw Jacob ydwyf'? ²⁷Nid Duw'r meirw yw ef, ond y rhai byw. Yr ydych ymhell ar gyfeiliorn."

Y Gorchymyn Mawr
(Mth. 22:34-40; Lc. 10:25-28)

28 Daeth un o'r ysgrifenyddion ato, wedi eu clywed yn dadlau, ac yn gweld ei fod wedi eu hateb yn dda, a gofynnodd iddo, "Prun yw'r gorchymyn cyntaf o'r cwbl?" ²⁹Atebodd Iesu, "Y cyntaf yw, 'Gwrando, O Israel, y mae'r Arglwydd ein Duw yn un Arglwydd, ³⁰a châr yr Arglwydd dy Dduw â'th holl galon ac â'th holl enaid ac â'th holl feddwl ac â'th holl nerth.' ³¹Yr ail yw hwn, 'Câr dy gymydog fel ti dy hun.' Nid oes gorchymyn arall mwy na'r rhain." ³²Dywedodd yr ysgrifennydd wrtho, "Da y dywedaist, Athro; gwir mai un Duw ydyw, ac nad oes arall ond ef. ³³Ac y mae ei garu ef â'r holl galon ac â'r holl ddeall ac â'r holl nerth, a charu dy gymydog fel ti dy hun, yn rhagorach na'r holl boethoffrymau a'r aberthau." ³⁴A phan welodd Iesu ei fod wedi ateb yn feddylgar, dywedodd wrtho, "Nid wyt ymhell oddi wrth deyrnas Dduw." Ac ni feiddiai neb ei holi ddim mwy.

Holi ynglŷn â Mab Dafydd
(Mth. 22:41-46; Lc. 20:41-44)

35 Wrth ddysgu yn y deml dywedodd Iesu, "Sut y mae'r ysgrifenyddion yn gallu dweud bod y Meseia yn Fab Dafydd? ³⁶Dywedodd Dafydd ei hun, trwy'r Ysbryd Glân :
'Dywedodd yr Arglwydd wrth fy
    Arglwydd i,
"Eistedd ar fy neheulaw
  nes imi osod dy elynion dan dy
    draed."'
³⁷Y mae Dafydd ei hun yn ei alw'n Arglwydd; sut felly y mae'n fab iddo?"

Yr oedd y dyrfa fawr yn gwrando arno'n llawen.

Cyhuddo'r Ysgrifenyddion
(Mth. 23:1-36; Lc. 20:45-47)

38 Ac wrth eu dysgu meddai, "Ymogelwch rhag yr ysgrifenyddion sy'n hoffi rhodianna mewn gwisgoedd llaes, a chael cyfarchiadau yn y marchnadoedd, ³⁹a'r prif gadeiriau yn y synagogau, a'r seddau anrhydedd mewn gwleddoedd. ⁴⁰Dyma'r rhai sy'n difa cartrefi gwragedd gweddwon, ac mewn rhagrith yn gweddïo'n faith; fe dderbyn y rhain drymach dedfryd."

Offrwm y Weddw
(Lc. 21:1-4)

41 Eisteddodd i lawr gyferbyn â chist y drysorfa, ac yr oedd yn sylwi ar y modd yr oedd y dyrfa yn rhoi arian i mewn yn y gist. Yr oedd llawer o bobl gyfoethog yn rhoi yn helaeth. ⁴²A daeth gweddw dlawd a rhoi dwy hatling, hynny yw, ffyrling. ⁴³Galwodd ei ddisgyblion ato a dywedodd wrthynt, "Yn wir, 'rwy'n dweud wrthych fod y weddw dlawd hon wedi rhoi mwy na phawb arall sy'n rhoi i'r drysorfa. ⁴⁴Oherwydd rhoi a wnaethant hwy i gyd o'r mwy na digon sydd ganddynt, ond rhoddodd hon o'i phrinder y cwbl oedd ganddi i fyw arno."

Rhagfynegi Dinistr y Deml
(Mth. 24:1-2; Lc. 21:5-6)

13 Wrth iddo fynd allan o'r deml, dyma un o'i ddisgyblion yn dweud wrtho, "Edrych, Athro, y fath feini enfawr a'r fath adeiladau gwych!" ²A dywedodd Iesu wrtho, "A weli di'r adeiladau mawr yma? Ni adewir yma faen ar faen; ni bydd yr un heb ei fwrw i lawr."

Dechrau'r Gwewyr
(Mth. 24:3-14; Lc. 21:7-19)

3 Fel yr oedd yn eistedd ar Fynydd yr Olewydd gyferbyn â'r deml, gofynnodd Pedr ac Iago ac Ioan ac Andreas iddo, o'r neilltu, ⁴"Dywed wrthym pa bryd y bydd hyn, a beth fydd yr arwydd pan fydd hyn oll ar ddod i ben?" ⁵A dechreuodd Iesu ddweud wrthynt, "Gwyliwch na fydd i neb eich twyllo. ⁶Fe ddaw llawer yn fy enw i gan ddweud, 'Myfi yw', ac fe dwyllant lawer. ⁷A phan glywch am ryfeloedd a sôn am ryfeloedd, peidiwch â

chyffroi. Rhaid i hyn ddigwydd, ond nid yw'r diwedd eto. [8]Oblegid cyfyd cenedl yn erbyn cenedl, a theyrnas yn erbyn teyrnas. Bydd daeargrynfâu mewn mannau. Bydd adegau o newyn. [9]Dechrau'r gwewyr fydd hyn. A chwithau, gwyliwch eich hunain; fe'ch traddodir chwi i lysoedd, a chewch eich fflangellu mewn synagogau a'ch gosod i sefyll gerbron llywodraethwyr a brenhinoedd o'm hachos i, i ddwyn tystiolaeth yn eu gŵydd. [10]Ond yn gyntaf rhaid i'r Efengyl gael ei chyhoeddi i'r holl genhedloedd. [11]A phan ânt â chwi i'ch traddodi, peidiwch â phryderu ymlaen llaw beth i'w ddweud, ond pa beth bynnag a roddir i chwi y pryd hwnnw, dywedwch hynny; oblegid nid chwi sydd yn llefaru, ond yr Ysbryd Glân. [12]Bradycha brawd ei frawd i farwolaeth, a thad ei blentyn, a chyfyd plant yn erbyn eu rhieni a pheri eu lladd. [13]A chas fyddwch gan bawb o achos fy enw i; ond y sawl sy'n dyfalbarhau i'r diwedd a gaiff ei achub.

Y Gorthrymder Mawr
(Mth. 24:15-28; Lc. 21:20-24)

14 "Ond pan welwch 'y ffieiddbeth diffeithiol' yn sefyll lle na ddylai fod" (dealled y darllenydd) "yna ffoed y rhai sydd yn Jwdea i'r mynyddoedd. [15]Yr hwn sydd ar ben y tŷ, peidied â dod i lawr i fynd i mewn i gipio dim o'i dŷ; [16]a'r hwn sydd yn y cae, peidied â throi yn ei ôl i gymryd ei fantell. [17]Gwae'r gwragedd beichiog a'r rhai sy'n rhoi'r fron yn y dyddiau hynny! [18]A gweddïwch na ddigwydd hyn yn y gaeaf, [19]oblegid bydd y dyddiau hynny yn orthrymder na fu ei debyg o ddechrau'r greadigaeth a greodd Duw hyd yn awr, ac na fydd byth. [20]Ac oni bai fod yr Arglwydd wedi byrhau'r dyddiau ni fuasai undyn byw wedi ei achub; ond er mwyn yr etholedigion a etholodd, fe fyrhaodd y dyddiau. [21]Ac yna, os dywed rhywun wrthych, 'Edrych, dyma'r Meseia', neu, 'Edrych, dacw ef', peidiwch â'i gredu. [22]Oherwydd fe gyfyd gau-feseiâu a gau-broffwydi, a rhoddant arwyddion a rhyfeddodau i arwain ar gyfeiliorn yr etholedigion, petai hynny'n bosibl. [23]Ond gwyliwch chwi; yr wyf wedi dweud y cwbl wrthych ymlaen llaw.

Dyfodiad Mab y Dyn
(Mth. 24:29-31; Lc. 21:25-28)

24 "Ond yn y dyddiau hynny, ar ôl y

gorthrymder hwnnw,
    'Tywyllir yr haul,
    ni rydd y lloer ei llewyrch,
[25]syrth y sêr o'r nef,
    ac ysgydwir y nerthoedd sydd yn y
    nefoedd.'
[26]A'r pryd hwnnw gwelant Fab y Dyn yn dyfod yn y cymylau gyda nerth mawr a gogoniant. [27]Ac yna'r anfona ei angylion a chynnull ei etholedigion o'r pedwar gwynt, o eithaf y ddaear hyd at eithaf y nef.

Gwers y Ffigysbren
(Mth. 24:32-35; Lc. 21:29-33)

28 "Dysgwch wers oddi wrth y ffigysbren. Pan fydd ei gangen yn ir ac yn dechrau deilio, gwyddoch fod yr haf yn agos. [29]Felly chwithau, pan welwch y pethau hyn yn digwydd, byddwch yn gwybod ei fod yn agos, wrth y drws. [30]Yn wir, 'rwy'n dweud wrthych, nid â'r genhedlaeth hon heibio nes i'r holl bethau hyn ddigwydd. [31]Y nef a'r ddaear, ânt heibio, ond fy ngeiriau i, nid ânt heibio ddim.

Y Dydd a'r Awr Anhysbys
(Mth. 24:36-44)

32 "Ond am y dydd hwnnw neu'r awr ni ŵyr neb, na'r angylion yn y nef, na'r Mab, neb ond y Tad. [33]Gwyliwch, byddwch effro; oherwydd ni wyddoch pa bryd y bydd yr amser. [34]Y mae fel dyn a aeth oddi cartref, gan adael ei dŷ a rhoi awdurdod i'w weision, i bob un ei waith, a gorchymyn i'r porthor wylio. [35]Byddwch wyliadwrus gan hynny—oherwydd ni wyddoch pa bryd y daw meistr y tŷ, ai gyda'r hwyr, ai ar hanner nos, ai ar ganiad y ceiliog, ai yn fore—[36]rhag ofn iddo ddod yn ddisymwth a'ch cael chwi'n cysgu. [37]A'r hyn yr wyf yn ei ddweud wrthych chwi, yr wyf yn ei ddweud wrth bawb: byddwch wyliadwrus."

Y Cynllwyn i Ladd Iesu
(Mth. 26:1-5; Lc. 22:1-2; In. 11:45-53)

14 Yr oedd y Pasg a gŵyl y Bara Croyw ymhen deuddydd. Ac yr oedd y prif offeiriaid a'r ysgrifenyddion yn ceisio modd i'w ddal trwy ddichell, a'i ladd. [2]Oherwydd dweud yr oeddent, "Nid yn ystod yr ŵyl, rhag bod cynnwrf ymhlith y bobl."

Yr Eneinio ym Methania
(Mth. 26:6-13; In. 12:1-8)

3 A phan oedd ef ym Methania, wrth bryd bwyd yn nhŷ Simon y gwahanglwyfus, daeth gwraig a chanddi ffiol alabaster o ennaint drudfawr, nard pur; torrodd y ffiol a thywalltodd yr ennaint ar ei ben ef. [4] Ac yr oedd rhai yn ddig ac yn dweud wrth ei gilydd, "I ba beth y bu'r gwastraff hwn ar yr ennaint? [5] Oherwydd gallesid gwerthu'r ennaint hwn am fwy na thri chant o ddarnau arian[w] a'i roi i'r tlodion." Ac yr oeddent yn ffromi wrthi. [6] Ond dywedodd Iesu, "Gadewch iddi; pam yr ydych yn ei phoeni? Gweithred brydferth a wnaeth hi i mi. [7] Bydd y tlodion gyda chwi bob amser, a gallwch wneud cymwynas â hwy pa bryd bynnag y mynnwch; ond ni fyddaf fi gyda chwi bob amser. [8] A allodd hi, fe'i gwnaeth; achubodd y blaen i eneinio fy nghorff erbyn y gladdedigaeth. [9] Yn wir, 'rwy'n dweud wrthych, pa le bynnag y pregethir yr Efengyl yn yr holl fyd, adroddir hefyd yr hyn a wnaeth hon, er cof amdani."

Jwdas yn Cydsynio i Fradychu Iesu
(Mth. 26:14-16; Lc. 22:3-6)

10 Yna aeth Jwdas Iscariot, hwnnw oedd yn un o'r Deuddeg, at y prif offeiriaid i'w fradychu ef iddynt. [11] Pan glywsant, yr oeddent yn llawen ac addawsant roi arian iddo. A dechreuodd geisio cyfle i'w fradychu ef.

Gwledd y Pasg gyda'r Disgyblion
(Mth. 26:17-25; Lc. 22:7-14, 21-23; In. 13:21-30)

12 Ar ddydd cyntaf gŵyl y Bara Croyw, pan leddid oen y Pasg, dywedodd ei ddisgyblion wrtho, "I ble yr wyt ti am inni fynd i baratoi i ti i fwyta gwledd y Pasg?" [13] Ac anfonodd ddau o'i ddisgyblion, ac meddai wrthynt, "Ewch i'r ddinas, ac fe ddaw dyn i'ch cyfarfod, yn cario stenaid o ddŵr. Dilynwch ef, [14] a dywedwch wrth ŵr y tŷ lle'r â i mewn, 'Y mae'r Athro'n gofyn, "Ble mae f'ystafell, lle yr wyf i fwyta gwledd y Pasg gyda'm disgyblion?"' [15] Ac fe ddengys ef i chwi oruwchystafell fawr wedi ei threfnu'n barod; yno paratowch i ni." [16] Aeth y disgyblion ymaith, a daethant i'r ddinas a chael fel yr oedd ef wedi dweud wrthynt, a pharatoesant wledd y Pasg. [17] Gyda'r

nos daeth yno gyda'r Deuddeg. [18] Ac fel yr oeddent wrth y bwrdd yn bwyta, dywedodd Iesu, "Yn wir, 'rwy'n dweud wrthych y bydd i un ohonoch fy mradychu i, un sy'n bwyta gyda mi." [19] Dechreusant dristáu a dweud wrtho y naill ar ôl y llall, "Nid myfi?" [20] Dywedodd yntau wrthynt, "Un o'r Deuddeg, un sy'n gwlychu ei fara gyda mi yn y ddysgl. [21] Y mae Mab y Dyn yn wir yn ymadael, fel y mae'n ysgrifenedig amdano, ond gwae'r dyn hwnnw y bradychir Mab y Dyn ganddo! Da fuasai i'r dyn hwnnw petai heb ei eni."

Sefydlu Swper yr Arglwydd
(Mth. 26:26-30; Lc. 22:15-20; 1 Cor. 11:23-25)

22 Ac wrth iddynt fwyta, cymerodd fara, ac wedi bendithio fe'i torrodd a'i roi iddynt, a dywedodd, "Cymerwch; hwn yw fy nghorff." [23] A chymerodd gwpan, ac wedi diolch fe'i rhoddodd iddynt, ac yfodd pawb ohono. [24] A dywedodd wrthynt, "Hwn yw fy ngwaed i, gwaed y cyfamod, sy'n cael ei dywallt er mwyn llawer. [25] Yn wir, 'rwy'n dweud wrthych nad yfaf byth mwy o ffrwyth y winwydden hyd y dydd hwnnw pan yfaf ef yn newydd yn nheyrnas Dduw." [26] Ac wedi iddynt ganu emyn, aethant allan i Fynydd yr Olewydd.

Rhagfynegi Gwadiad Pedr
(Mth. 26:31-35; Lc. 22:31-34; In. 13:36-38)

27 A dywedodd Iesu wrthynt, "Fe ddaw cwymp i bob un ohonoch. Oherwydd y mae'n ysgrifenedig :
'Trawaf y bugail,
a gwasgerir y defaid.'
[28] Ond wedi i mi gael fy nghyfodi af o'ch blaen chwi i Galilea." [29] Meddai Pedr wrtho, "Er iddynt gwympo bob un, ni wnaf fi." [30] Ac meddai Iesu wrtho, "Yn wir, 'rwy'n dweud wrthyt y bydd i ti heno nesaf, cyn i'r ceiliog ganu ddwywaith, fy ngwadu i deirgwaith." [31] Ond taerai yntau'n fwy byth, "Petai'n rhaid imi farw gyda thi, ni'th wadaf byth." A'r un modd yr oeddent yn dweud i gyd.

Y Weddi yn Gethsemane
(Mth. 26:36-46; Lc. 22:39-46)

32 Daethant i le o'r enw Gethsemane,

[w] Neu, *thri chan denarius*. Gw. nodyn ° ar Mth 18:28.

ac meddai ef wrth ei ddisgyblion, "Eisteddwch yma tra byddaf yn gweddïo."
[33] Ac fe gymerodd gydag ef Pedr ac Iago ac Ioan, a dechreuodd deimlo arswyd a thrallod dwys, [34] ac meddai wrthynt, "Y mae f'enaid yn drist iawn hyd at farw. Arhoswch yma a gwyliwch." [35] Aeth ymlaen ychydig, a syrthiodd ar y ddaear a gweddïo ar i'r awr, petai'n bosibl, fynd heibio iddo. [36] "Abba! Dad!" meddai, "y mae pob peth yn bosibl i ti. Cymer y cwpan hwn oddi wrthyf. Eithr nid yr hyn a fynnaf fi, ond yr hyn a fynni di." [37] Daeth yn ôl a'u cael hwy'n cysgu, ac meddai wrth Pedr, "Simon, ai cysgu yr wyt ti? Oni ellaist wylio am un awr? [38] Gwyliwch, a gweddïwch na ddewch i gael eich profi. Y mae'r ysbryd yn barod ond y cnawd yn wan." [39] Aeth ymaith drachefn a gweddïo, gan lefaru'r un geiriau. [40] A phan ddaeth yn ôl fe'u cafodd hwy'n cysgu eto, oherwydd yr oedd eu llygaid yn drwm; ac ni wyddent beth i'w ddweud wrtho. [41] Daeth y drydedd waith, a dweud wrthynt, "A ydych yn dal i gysgu a gorffwys?[y] Dyna ddigon.[a] Daeth yr awr; dyma Fab y Dyn yn cael ei fradychu i ddwylo dynion pechadurus. [42] Codwch ac awn. Dyma fy mradychwr yn agosáu."

Bradychu a Dal Iesu
(Mth. 26:47-56; Lc. 22:47-53; In. 18:2-12)

43 Ac yna, tra oedd yn dal i siarad, dyma Jwdas, un o'r Deuddeg, yn cyrraedd, a chydag ef dyrfa yn dwyn cleddyfau a phastynau, wedi eu hanfon gan y prif offeiriaid a'r ysgrifenyddion a'r henuriaid. [44] Yr oedd ei fradychwr wedi rhoi arwydd iddynt gan ddweud, "Yr un a gusanaf yw'r dyn; daliwch ef a mynd ag ef ymaith yn ddiogel." [45] Ac yn union wedi cyrraedd, aeth ato ef a dweud, "Rabbi," a chusanodd ef. [46] Rhoesant hwythau eu dwylo arno a'i ddal. [47] Tynnodd rhywun o blith y rhai oedd yn sefyll gerllaw gleddyf, a thrawodd was yr archoffeiriad a thorri ei glust i ffwrdd. [48] A dywedodd Iesu wrthynt, "Ai fel at leidr, â chleddyfau a phastynau, y daethoch allan i'm dal i? [49] Yr oeddwn gyda chwi beunydd, yn dysgu yn y deml, ac ni ddaliasoch fi. Ond cyflawner yr Ysgrythurau." [50] A gadawodd y disgyblion ef bob un, a ffoi.

Y Dyn Ifanc a Ffodd

51 Ac yr oedd rhyw ddyn ifanc yn ei ganlyn ef, yn gwisgo darn o liain dros ei gorff noeth. Cydiasant ynddo ef, [52] ond dihangodd, gan adael y lliain a ffoi'n noeth.

Iesu gerbron y Sanhedrin
(Mth. 26:57-68; Lc. 22:54-55, 63-71; In. 18:12-14, 19-24)

53 Aethant â Iesu ymaith at yr archoffeiriad, a daeth y prif offeiriaid oll a'r henuriaid a'r ysgrifenyddion ynghyd. [54] Canlynodd Pedr ef o hirbell, bob cam i mewn i gyntedd yr archoffeiriad, ac yr oedd yn eistedd gyda'r gwasanaethwyr, yn ymdwymo wrth y tân. [55] Yr oedd y prif offeiriaid a'r holl Sanhedrin yn ceisio tystiolaeth yn erbyn Iesu, i'w roi i farwolaeth, ond yn methu cael dim. [56] Oherwydd yr oedd llawer yn rhoi camdystiolaeth yn ei erbyn, ond nid oedd eu tystiolaeth yn gyson. [57] Cododd rhai a chamdystio yn ei erbyn, [58] "Clywsom ni ef yn dweud, 'Mi fwriaf i lawr y deml hon o waith llaw, ac mewn tridiau mi adeiladaf un arall heb fod o waith llaw.'" [59] Ond hyd yn oed felly nid oedd eu tystiolaeth yn gyson. [60] Yna cododd yr archoffeiriad ar ei draed yn y canol, a holodd Iesu: "Onid atebi ddim? Beth am dystiolaeth y rhain yn dy erbyn?" [61] Parhaodd yntau'n fud, heb ateb dim. Holodd yr archoffeiriad ef drachefn, ac meddai wrtho, "Ai ti yw'r Meseia, Mab y Bendigedig?" [62] Dywedodd Iesu, "Myfi yw, ac

'fe welwch Fab y Dyn
yn eistedd ar ddeheulaw'r Gallu
ac yn dyfod gyda chymylau'r nef.'"

[63] Yna rhwygodd yr archoffeiriad ei ddillad a dweud, "Pa raid i ni wrth dystion bellach? [64] Clywsoch ei gabledd; sut y barnwch chwi?" A'u dedfryd gytûn arno oedd ei fod yn haeddu marwolaeth. [65] A dechreuodd rhai boeri arno a rhoi gorchudd ar ei wyneb, a'i gernodio a dweud wrtho, "Proffwyda." Ac ymosododd y gwasanaethwyr arno â dyrnodiau.

Pedr yn Gwadu Iesu
(Mth. 26:69-75; Lc. 22:56-62; In. 18:15-18, 25-27)

66 Yr oedd Pedr islaw yn y cyntedd.

---

[y] Neu, *Cysgwch bellach a gorffwyswch.*
[a] Neu, *Fe gafodd ei dâl.* Yn ôl darlleniad arall, *A yw'r diwedd yn bell?*

Daeth un o forynion yr archoffeiriad, [67]a phan welodd Pedr yn ymdwymo edrychodd arno ac meddai, "Yr oeddit tithau hefyd gyda'r Nasaread, Iesu." [68]Ond gwadodd ef a dweud, "Nid wyf yn gwybod nac yn deall am beth yr wyt ti'n sôn." Ac aeth allan i'r porth.[b] [69]Gwelodd y forwyn ef, a dechreuodd ddweud wedyn wrth y rhai oedd yn sefyll yn ymyl, "Y mae hwn yn un ohonynt." [70]Gwadodd yntau drachefn. Ymhen ychydig, dyma'r rhai oedd yn sefyll yn ymyl yn dweud wrth Pedr, "Yr wyt yn wir yn un ohonynt, achos Galilead wyt ti." [71]Dechreuodd yntau regi a thyngu: "Nid wyf yn adnabod y dyn hwn yr ydych yn sôn amdano." [72]Ac yna canodd y ceiliog yr ail waith. Cofiodd Pedr ymadrodd Iesu wrtho, fel y dywedodd, "Cyn i'r ceiliog ganu ddwywaith, fe'm gwedi i deirgwaith." A thorrodd i wylo.

Iesu gerbron Pilat
(Mth. 27:1-2, 11-14; Lc. 23:1-5; In. 18:28-38)

15 Cyn gynted ag y daeth hi'n ddydd, ymgynghorodd y prif offeiriaid â'r[c] henuriaid a'r ysgrifenyddion a'r holl Sanhedrin; yna rhwymasant Iesu a mynd ag ef ymaith a'i drosglwyddo i Pilat. [2]Holodd Pilat ef: "Ai ti yw Brenin yr Iddewon?" Atebodd yntau ef: "Ti sy'n dweud hynny."[ch] [3]Ac yr oedd y prif offeiriaid yn dwyn llawer o gyhuddiadau yn ei erbyn. [4]Holodd Pilat ef wedyn: "Onid atebi ddim? Edrych faint o gyhuddiadau y maent yn eu dwyn yn dy erbyn." [5]Ond nid atebodd Iesu ddim mwy, er syndod i Pilat.

Dedfrydu Iesu i Farwolaeth
(Mth. 27:15-26; Lc. 23:13-25; In. 18:39—19:16)

6 Ar yr ŵyl yr oedd Pilat yn arfer rhyddhau iddynt un carcharor y gofynnent amdano. [7]Ac yr oedd y dyn a elwid Barabbas yn y carchar gyda'r gwrthryfelwyr hynny oedd wedi llofruddio yn ystod y gwrthryfel. [8]Daeth y dyrfa i fyny a dechrau gofyn i Pilat wneud yn ôl ei arfer iddynt. [9]Atebodd Pilat hwy: "A fynnwch i mi ryddhau i chwi Frenin yr Iddewon?" [10]Oherwydd gwyddai mai o genfigen yr oedd y prif offeiriaid wedi ei draddodi ef. [11]Ond cyffrôdd y prif offeiriaid y dyrfa i geisio ganddo yn hytrach ryddhau Barabbas iddynt. [12]Atebodd Pilat drachefn, ac meddai wrthynt, "Beth, ynteu, a wnaf â hwn yr ydych yn ei alw yn Frenin yr Iddewon?" [13]Gwaeddasant hwythau yn ôl, "Croeshoelia ef." [14]Meddai Pilat wrthynt, "Ond pa ddrwg a wnaeth ef?" Gwaeddasant hwythau yn uwch byth, "Croeshoelia ef." [15]A chan ei fod yn awyddus i fodloni'r dyrfa, rhyddhaodd Pilat Barabbas iddynt a thraddododd Iesu, ar ôl ei fflangellu, i'w groeshoelio.

Y Milwyr yn Gwatwar Iesu
(Mth. 27:27-31; In. 19:2-3)

16 Aeth y milwyr ag ef ymaith i mewn i'r cyntedd, hynny yw, i'r Praetoriwm, a galw ynghyd yr holl fintai. [17]A gwisgasant ef â phorffor, a phlethu coron ddrain a'i gosod am ei ben. [18]A dechreusant ei gyfarch: "Henffych well, Frenin yr Iddewon!" [19]Curasant ei ben â gwialen, a phoeri arno, a phlygu eu gliniau ac ymgrymu iddo. [20]Ac wedi iddynt ei watwar, tynasant y porffor oddi amdano a'i wisgo ef â'i ddillad ei hun. Yna aethant ag ef allan i'w groeshoelio.

Croeshoelio Iesu
(Mth. 27:32-44; Lc. 23:26-43; In. 19:17-27)

21 Gorfodasant un oedd yn mynd heibio ar ei ffordd o'r wlad, Simon o Cyrene, tad Alexander a Rwffus, i gario ei groes ef. [22]Daethant ag ef i'r lle a elwir Golgotha, hynny yw, o'i gyfieithu, "Lle Penglog." [23]Cynigiasant iddo win a myrr ynddo, ond ni chymerodd ef. [24]A chroeshoeliasant ef, a rhanasant ei ddillad, gan fwrw coelbren arnynt i benderfynu beth a gâi pob un. [25]Naw o'r gloch y bore oedd hi pan groeshoeliasant ef. [26]Ac yr oedd arysgrif y cyhuddiad yn ei erbyn yn dweud: "Brenin yr Iddewon." [27]A chydag ef croeshoeliasant ddau leidr, un ar y dde ac un ar y chwith iddo.[d] [29]Yr oedd y rhai

---

[b] Yn ôl darlleniad arall ychwanegir A chanodd y ceiliog.
[c] Yn ôl darlleniad arall, ffurfiodd y prif offeiriaid gynllwyn gyda'r.
[ch] Neu, Yr wyt yn dweud y gwir.
[d] Yn ôl darlleniad arall ychwanegir adn. 28: A chyflawnwyd yr Ysgrythur sy'n dweud, "A chyfrifwyd ef gyda'r troseddwyr."

oedd yn mynd heibio yn ei gablu ef, yn ysgwyd eu pennau a dweud, "Oho, ti sydd am fwrw'r deml i lawr a'i hadeiladu mewn tridiau, [30]disgyn oddi ar y groes ac achub dy hun." [31]A'r un modd yr oedd y prif offeiriaid hefyd, ynghyd â'r ysgrifenyddion, yn ei watwar wrth ei gilydd, ac yn dweud, "Fe achubodd eraill; ni all ei achub ei hun. [32]Disgynned y Meseia, Brenin Israel, yn awr oddi ar y groes, er mwyn inni weld a chredu." Yr oedd hyd yn oed y rhai a groeshoeliwyd gydag ef yn ei wawdio.

Marwolaeth Iesu
(Mth. 27:45-56; Lc. 23:44-49; In. 19:28-30)

33 A phan ddaeth yn hanner dydd, bu tywyllwch dros yr holl wlad hyd dri o'r gloch y prynhawn. [34]Ac am dri o'r gloch gwaeddodd Iesu â llef uchel, "Eloï, Eloï, lema sabachthani", hynny yw, o'i gyfieithu, "Fy Nuw, fy Nuw, pam yr wyt wedi fy ngadael?" [35]O glywed hyn, meddai rhai o'r sawl oedd yn sefyll gerllaw, "Clywch, y mae'n galw ar Elias." [36]Rhedodd rhywun a llenwi ysbwng â gwin sur a'i ddodi ar flaen gwialen a'i gynnig iddo i'w yfed. "Gadewch inni weld," meddai, "a ddaw Elias i'w dynnu ef i lawr." [37]Ond rhoes Iesu lef uchel, a bu farw. [38]A rhwygwyd llen y deml yn ddwy o'r pen i'r gwaelod. [39]Pan welodd y canwriad, a oedd yn sefyll gyferbyn ag ef, mai gyda gwaedd felly y bu farw, dywedodd, "Yn wir, Mab Duw[dd] oedd y dyn hwn." [40]Yr oedd gwragedd hefyd yn edrych o hirbell; yn eu plith yr oedd Mair Magdalen, a Mair mam Iago Fychan. a Joses, a Salome, [41]gwragedd a fu'n ei ganlyn a gweini arno pan oedd yng Ngalilea, a llawer o wragedd eraill oedd wedi dod i fyny gydag ef i Jerwsalem.

Claddu Iesu
(Mth. 27:57-61; Lc. 23:50-56; In. 19:38-42)

42 Yr oedd hi eisoes yn hwyr, a chan ei bod yn ddydd Paratoad, hynny yw, y dydd cyn y Saboth, [43]daeth Joseff o Arimathea, cynghorwr uchel ei barch a oedd yntau'n disgwyl am deyrnas Dduw, a mentrodd fynd i mewn at Pilat a gofyn

am gorff Iesu. [44]Rhyfeddodd Pilat ei fod eisoes wedi marw, a galwodd y canwriad ato a gofyn iddo a oedd wedi marw ers meitin. [45]Ac wedi cael gwybod gan y canwriad, rhoddodd y corff i Joseff. [46]Prynodd yntau liain, ac wedi ei dynnu ef i lawr, a'i amdói yn y lliain, gosododd ef mewn bedd oedd wedi ei naddu o'r graig; a threiglodd faen ar ddrws y bedd. [47]Ac yr oedd Mair Magdalen a Mair mam Joses yn edrych ym mhle y gosodwyd ef.

Atgyfodiad Iesu
(Mth. 28:1-8; Lc. 24:1-12; In. 20:1-10)

16 Wedi i'r Saboth fynd heibio, prynodd Mair Magdalen, a Mair mam Iago, a Salome, beraroglau, er mwyn mynd i'w eneinio ef. [2]Ac yn fore iawn ar y dydd cyntaf o'r wythnos, a'r haul newydd godi, dyma hwy'n dod at y bedd. [3]Ac meddent wrth ei gilydd, "Pwy a dreigla'r maen i ffwrdd i ni oddi wrth ddrws y bedd?" [4]Ond wedi edrych i fyny, gwelsant fod y maen wedi ei dreiglo i ffwrdd; oherwydd yr oedd yn un mawr iawn. [5]Aethant i mewn i'r bedd, a gwelsant ddyn ifanc yn eistedd ar yr ochr dde, a gwisg laes wen amdano, a daeth arswyd arnynt. [6]Meddai yntau wrthynt, "Peidiwch ag arswydo. Yr ydych yn ceisio Iesu, y gŵr o Nasareth a groeshoeliwyd. Y mae wedi ei gyfodi; nid yw yma; dyma'r man lle gosodasant ef. [7]Ond ewch, dywedwch wrth ei ddisgyblion ac wrth Pedr. 'Y mae'n mynd o'ch blaen chwi i Galilea; yno y gwelwch ef, fel y dywedodd wrthych.'" [8]Daethant allan, a ffoi oddi wrth y bedd, oherwydd yr oeddent yn crynu o arswyd. Ac ni ddywedasant ddim wrth neb, oherwydd yr oedd ofn arnynt.[e]

Ymddangos i Fair Magdalen
(Mth. 28:9-10; In. 20:11-18)

9 *Ar ôl atgyfodi yn fore ar y dydd cyntaf o'r wythnos, ymddangosodd yn gyntaf i Fair Magdalen, gwraig yr oedd wedi bwrw saith gythraul ohoni.* [10]*Aeth hi a dweud y newydd wrth ei ganlynwyr yn eu galar a'u dagrau.* [11]*A'r rheini, pan glywsant ei fod yn fyw ac wedi ei weld ganddi hi, ni chredasant.*

[dd]Neu, *mab i Dduw.*
[e]Dyma ddiwedd Efengyl Marc yn ôl darlleniad y llawysgrifau gorau, ond ychwanega llawysgrifau eraill adnodau 9-20, a argreffir isod mewn llythrennau italaidd.

Ymddangos i Ddau Ddisgybl
(Lc. 24:13-35)

12 Ar ôl hynny, ymddangosodd mewn ffurf arall i ddau ohonynt fel yr oeddent yn cerdded ar eu ffordd i'r wlad; ¹³ac aethant hwy ymaith a dweud y newydd wrth y lleill. Ond ni chredodd y rheini chwaith.

Rhoi Comisiwn i'r Disgyblion
(Mth. 28:16-20; Lc. 24:36-49; In. 20:19-23; Act. 1:6-8)

14 Yn ddiweddarach, ymddangosodd i'r un ar ddeg pan oeddent wrth bryd bwyd, ac edliw iddynt eu hanghrediniaeth a'u dallineb meddwl, am iddynt beidio â chredu y rhai oedd wedi ei weld ef ar ôl ei gyfodi. ¹⁵A dywedodd wrthynt, "Ewch i'r holl fyd a phregethwch yr

Efengyl i'r greadigaeth i gyd. ¹⁶Yr hwn a gred ac a fedyddir, fe gaiff ei achub, ond yr hwn ni chred, fe'i condemnir. ¹⁷A bydd yr arwyddion hyn yn dilyn i'r sawl a gredodd: bwriant allan gythreuliaid yn fy enw i, llefarant â thafodau newydd, ¹⁸gafaelant mewn seirff, ac os yfant wenwyn marwol ni wna ddim niwed iddynt; rhoddant eu dwylo ar gleifion, ac iach fyddant."

Esgyniad Iesu
(Lc. 24:50-53; Act. 1:9-11)

19 Felly, wedi iddo lefaru wrthynt, cymerwyd yr Arglwydd Iesu i fyny i'r nef ac eisteddodd ar ddeheulaw Duw. ²⁰Ac aethant hwy allan a phregethu ym mhob man, a'r Arglwydd yn cydweithio â hwy ac yn cadarnhau'r gair trwy'r arwyddion oedd yn dilyn.ᶠ

ᶠYn lle, neu'n ychwanegol at, adn. 9-20, rhydd rhai llawysgrifau y diweddglo a ganlyn: Adroddasant yn gryno y cwbl a orchmynnwyd iddynt wrth Pedr a'r rhai oedd gydag ef. Wedi hynny, anfonodd Iesu ei hunan allan trwyddynt hwy, o'r dwyrain hyd at y gorllewin, genadwri sanctaidd ac anllygradwy iachawdwriaeth dragwyddol. Amen.

YR EFENGYL YN ÔL

LUC

Cyflwyniad i Theoffilus

1 Yn gymaint â bod llawer wedi ymgymryd ag ysgrifennu hanes y pethau a gyflawnwyd yn ein plith, ²fel y traddodwyd hwy inni gan y rhai a fu o'r dechreuad yn llygad-dystion ac yn weision y gair, ³penderfynais innau, gan fy mod wedi ymchwilio yn fanwl i bopeth o'r dechreuad, eu hysgrifennu i ti yn eu trefn, ardderchocaf Theoffilus, ⁴er mwyn iti gael sicrwydd am y wybodaeth a dderbyniaist.

Rhagfynegi Genedigaeth Ioan Fedyddiwr

5 Yn nyddiau Herod brenin Jwdea yr oedd offeiriad o adran Abia, o'r enw Sachareias, a chanddo wraig o blith merched Aaron; ei henw hi oedd Elisabeth. ⁶Yr oeddent ill dau yn gyfiawn gerbron Duw, yn ymddwyn yn ddi-fai yn

ôl holl orchmynion ac ordeiniadau'r Arglwydd. ⁷Nid oedd ganddynt blant, oherwydd yr oedd Elisabeth yn ddiffrwyth, ac yr oeddent ill dau wedi cyrraedd oedran mawr. ⁸Ond pan oedd Sachareias a'i adran, yn eu tro, yn gweinyddu fel offeiriaid gerbron Duw, ⁹yn ôl arferiad y swydd daeth i'w ran fynd i mewn i gysegr yr Arglwydd ac offrymu'r arogldarth; ¹⁰ac ar awr yr offrymu yr oedd holl dyrfa'r bobl y tu allan yn gweddïo. ¹¹A dyma angel yr Arglwydd yn ymddangos iddo, yn sefyll ar yr ochr dde i allor yr arogldarth; ¹²a phan welodd Sachareias ef, fe'i cythryblwyd a daeth ofn arno. ¹³Ond dywedodd yr angel wrtho, "Paid ag ofni, Sachareias, oherwydd y mae dy ddeisyfiad wedi ei wrando; bydd dy wraig Elisabeth yn esgor ar fab i ti, a gelwi ef Ioan. ¹⁴Fe gei lawenydd a gorfoledd, a bydd llawer yn llawenychu o achos ei enedigaeth ef; ¹⁵oherwydd mawr fydd ef gerbron yr Arglwydd, ac nid yf win na diod gadarn byth; llenwir ef â'r Ysbryd Glân, ie, yng nghroth ei fam, ¹⁶ac fe dry lawer o feibion Israel yn ôl at yr Arglwydd eu Duw. ¹⁷Bydd yn cerdded o flaen yr Arglwydd yn ysbryd a nerth Elias, i droi calonnau tadau at eu plant, ac i droi'r anufudd i feddylfryd y cyfiawn, er mwyn darparu i'r Arglwydd bobl wedi eu paratoi." ¹⁸Meddai Sachareias wrth yr angel, "Sut y caf sicrwydd o hyn? Oherwydd yr wyf fi yn hen, a'm gwraig wedi cyrraedd oedran mawr." ¹⁹Atebodd yr angel ef, "Myfi yw Gabriel, sydd yn sefyll gerbron Duw, ac anfonwyd fi i lefaru wrthyt ac i gyhoeddi iti y newydd da hwn; ²⁰ac wele, byddi yn fud a heb allu llefaru hyd y dydd y digwydd hyn, am iti beidio â chredu fy ngeiriau, geiriau a gyflawnir yn eu hamser priodol."

21 Yr oedd y bobl yn disgwyl am Sachareias, ac yn synnu ei fod yn oedi yn y cysegr. ²²A phan ddaeth allan, ni allai lefaru wrthynt, a deallasant iddo gael gweledigaeth yn y cysegr; yr oedd yntau yn amneidio arnynt ac yn parhau yn fud. ²³Pan ddaeth dyddiau ei wasanaeth i ben, dychwelodd adref. ²⁴Ond wedi'r dyddiau hynny beichiogodd Elisabeth ei wraig; ac fe'i cuddiodd ei hun am bum mis, gan ddweud, ²⁵"Fel hyn y gwnaeth yr Arglwydd i mi yn y dyddiau yr edrychodd arnaf i dynnu ymaith fy ngwarth ymhlith dynion."

Rhagfynegi Genedigaeth Iesu

26 Yn y chweched mis anfonwyd yr angel Gabriel gan Dduw i dref yng Ngalilea o'r enw Nasareth, ²⁷at wyryf oedd wedi ei dyweddïo i ŵr o'r enw Joseff, o dŷ Dafydd; Mair oedd enw'r wyryf. ²⁸Aeth yr angel ati a dweud, "Henffych well, tydi, yr un y rhoddodd Duw ei ffafr iddi! Y mae'r Arglwydd gyda thi." ²⁹Ond cythryblwyd hi drwyddi gan ei eiriau, a cheisiodd ddirnad pa fath gyfarchiad a allai hwn fod. ³⁰Meddai'r angel wrthi, "Paid ag ofni, Mair, oherwydd cefaist ffafr gyda Duw; ³¹ac wele, byddi'n beichiogi yn dy groth ac yn esgor ar fab, a gelwi ef Iesu. ³²Bydd hwn yn fawr, a Mab y Goruchaf y gelwir ef; rhydd yr Arglwydd Dduw iddo orsedd Dafydd ei dad, ³³ac fe deyrnasa ar dŷ Jacob am byth, ac ar ei deyrnas ni bydd

diwedd." ³⁴Meddai Mair wrth yr angel, "Sut y digwydd hyn, gan nad wyf yn cael cyfathrach â gŵr?" ³⁵Atebodd yr angel hi, "Daw'r Ysbryd Glân arnat, a bydd nerth y Goruchaf yn dy gysgodi; am hynny, gelwir y plentyn a genhedlir yn sanctaidd, Mab Duw. ³⁶Ac wele, y mae Elisabeth dy berthynas hithau wedi beichiogi ar fab yn ei henaint, a dyma'r chweched mis i'r hon a elwir yn ddiffrwyth; ³⁷oherwydd ni bydd dim yn amhosibl gyda Duw." ³⁸Dywedodd Mair, "Dyma lawforwyn yr Arglwydd; bydded i mi yn ôl dy air di." Ac aeth yr angel i ffwrdd oddi wrthi.

Mair yn Ymweld ag Elisabeth

39 Ar hynny cychwynnodd Mair ac aeth ar frys i'r mynydd-dir, i un o drefi Jwda; ⁴⁰aeth i dŷ Sachareias a chyfarch Elisabeth. ⁴¹Pan glywodd hi gyfarchiad Mair, llamodd y plentyn yn ei chroth a llanwyd Elisabeth â'r Ysbryd Glân; ⁴²a llefodd â llais uchel, "Bendigedig wyt ti ymhlith gwragedd, a bendigedig yw ffrwyth dy groth. ⁴³Sut y daeth i'm rhan i fod mam fy Arglwydd yn dod ataf? ⁴⁴Pan glywais dy lais yn fy nghyfarch, dyma'r plentyn yn fy nghroth yn llamu o orfoledd. ⁴⁵Gwyn ei byd yr hon a gredodd y cyflawnid yr hyn a lefarwyd wrthi gan yr Arglwydd."

Emyn Mawl Mair

46 Ac meddai Mair:
"Y mae fy enaid yn mawrygu yr Arglwydd,
⁴⁷a gorfoleddodd fy ysbryd yn Nuw, fy ngwaredwr,
⁴⁸am iddo ystyried distadledd ei lawforwyn.
Oherwydd wele, o hyn allan fe'm gelwir yn wynfydedig gan yr holl genedlaethau,
⁴⁹oherwydd gwnaeth yr hwn sydd nerthol bethau mawr i mi,
a sanctaidd yw ei enw ef;
⁵⁰y mae ei drugaredd o genhedlaeth i genhedlaeth
i'r rhai sydd yn ei ofni ef.
⁵¹Gwnaeth rymuster â'i fraich,
gwasgarodd ddynion balch eu calon;
⁵²tynnodd dywysogion oddi ar eu gorseddau,
a dyrchafodd y rhai distadl;
⁵³llwythodd y newynog â rhoddion,
ac anfonodd y cyfoethogion ymaith yn

waglaw.
⁵⁴Cynorthwyodd ef Israel ei was,
gan ddwyn i'w gof ei drugaredd—
⁵⁵fel y llefarodd wrth ein tadau—
ei drugaredd wrth Abraham a'i had yn
dragywydd."

56 Ac arhosodd Mair gyda hi tua thri
mis, ac yna dychwelodd adref.

Genedigaeth Ioan Fedyddiwr

57 Am Elisabeth, cyflawnwyd yr amser
iddi esgor, a ganwyd iddi fab. ⁵⁸Clywodd
ei chymdogion a'i pherthnasau am drug-
aredd fawr yr Arglwydd iddi, ac yr
oeddent yn llawenychu gyda hi. ⁵⁹A'r
wythfed dydd daethant i enwaedu ar y
plentyn, ac yr oeddent am ei enwi ar ôl ei
dad, Sachareias. ⁶⁰Ond atebodd ei fam,
"Nage, Ioan yw ei enw i fod." ⁶¹Meddent
wrthi, "Nid oes neb o'th deulu â'r enw
hwnnw arno." ⁶²Yna gofynasant drwy
arwyddion i'w dad sut y dymunai ef ei
enwi. ⁶³Galwodd yntau am lechen fach
ac ysgrifennodd, "Ioan yw ei enw." A
synnodd pawb. ⁶⁴Ar unwaith rhydd-
hawyd ei enau a'i dafod, a dechreuodd
lefaru a bendithio Duw. ⁶⁵Daeth ofn ar eu
holl gymdogion, a bu trafod ar yr holl
ddigwyddiadau hyn trwy fynydd-dir
Jwdea i gyd; ⁶⁶a chadwyd hwy ar gof gan
bawb a glywodd amdanynt. "Beth gan
hynny fydd y plentyn hwn?" meddent.
Ac yn wir yr oedd llaw'r Arglwydd gydag
ef.

Proffwydoliaeth Sachareias

67 Llanwyd Sachareias ei dad ef â'r
Ysbryd Glân, a phroffwydodd fel hyn:
⁶⁸"Bendigedig fyddo Arglwydd Dduw
Israel
am iddo ymweld â'i bobl a'u prynu i
ryddid;
⁶⁹cododd waredigaeth gadarn i ni
yn nhŷ Dafydd ei was—
⁷⁰fel y llefarodd trwy enau ei broffwydi
sanctaidd yn yr oesoedd a fu—
⁷¹gwaredigaeth rhag ein gelynion ac o
afael pawb sydd yn ein casáu;
⁷²fel hyn y cymerodd drugaredd ar ein
tadau,
a chofio ei gyfamod sanctaidd,
⁷³y llw a dyngodd wrth Abraham ein
tad,
y rhoddai inni ⁷⁴gael ein hachub o afael
gelynion,

a'i addoli yn ddi-ofn ⁷⁵mewn
sancteiddrwydd a chyfiawnder
ger ei fron ef holl ddyddiau ein bywyd.
⁷⁶A thithau, fy mhlentyn, gelwir di yn
broffwyd y Goruchaf,
oherwydd byddi'n cerdded o flaen yr
Arglwydd i baratoi ei lwybrau,
⁷⁷i roi i'w bobl wybodaeth am
waredigaeth
trwy faddeuant eu pechodau.
⁷⁸Hyn yw trugaredd calon ein Duw—
fe ddawª â'r wawrddydd oddi uchod
i'n plith,
⁷⁹i lewyrchu ar y rhai sy'n eistedd yn
nhywyllwch cysgod angau,
a chyfeirio ein traed i ffordd
tangnefedd."

80 Yr oedd y plentyn yn tyfu ac yn
cryfhau yn ei ysbryd; a bu yn yr anialwch
hyd y dydd y dangoswyd ef i Israel.

Genedigaeth Iesu
(Mth. 1:18-25)

2 Yn y dyddiau hynny aeth gor-
chymyn allan oddi wrth Cesar
Awgwstus i gofrestru'r holl Ymerod-
raeth. ⁷Digwyddodd y cofrestru cyntaf
hwn pan oedd Cyrenius yn llywodraethu
ar Syria. ³Aeth pawb felly i'w gof-
restru, pob un i'w dref ei hun. ⁴Oherwydd
ei fod yn perthyn i dŷ a theulu Dafydd,
aeth Joseff i fyny o dref Nasareth yng
Ngalilea i Jwdea, i dref Dafydd a elwir
Bethlehem, ⁵i ymgofrestru ynghyd â Mair
ei ddyweddi; ac yr oedd hi'n feichiog.
⁶Pan oeddent yno, cyflawnwyd yr amser
iddi esgor, ⁷ac esgorodd ar ei mab cyntaf-
anedig; a rhwymodd ef mewn dillad
baban a'i osod mewn preseb, am nad
oedd lle iddynt yn y gwesty.

Y Bugeiliaid a'r Angylion

8 Yn yr un ardal yr oedd bugeiliaid
allan yn y wlad yn gwarchod eu praidd liw
nos. ⁹A safodd angel yr Arglwydd yn eu
hymyl a disgleiriodd gogoniant yr Ar-
glwydd o'u hamgylch; a daeth arswyd
arnynt. ¹⁰Yna dywedodd yr angel wrth-
ynt, "Peidiwch ag ofni, oherwydd wele,
yr wyf yn cyhoeddi i chwi y newydd da
am lawenydd mawr a ddaw i'r holl bobl:
¹¹ganwyd i chwi heddiw yn nhref Dafydd
waredwr, yr hwn yw'r Meseia, yr Ar-
glwydd; ¹²a dyma'r arwydd i chwi: cewch
hyd i'r un bach wedi ei rwymo mewn

ªYn ôl darlleniad arall, *fe ddaeth.*

dillad baban ac yn gorwedd mewn preseb." [13]Yn sydyn ymddangosodd gyda'r angel dyrfa o'r llu nefol, yn moli Duw gan ddweud: [14]"Gogoniant yn y goruchaf i Dduw, ac ar y ddaear tangnefedd ymhlith dynion sydd wrth ei fodd.[b]"

15 Wedi i'r angylion fynd ymaith oddi wrthynt i'r nef, dechreuodd y bugeiliaid ddweud wrth ei gilydd, "Gadewch inni fynd i Fethlehem a gweld yr hyn sydd wedi digwydd, y peth yr hysbysodd yr Arglwydd ni amdano." [16]Aethant ar frys, a chawsant hyd i Fair a Joseff, a'r baban yn gorwedd yn y preseb; [17]ac wedi ei weld mynegasant yr hyn oedd wedi ei lefaru wrthynt am y plentyn hwn. [18]Rhyf-eddodd pawb a'u clywodd at y pethau a ddywedodd y bugeiliaid wrthynt; [19]ond yr oedd Mair yn cadw'r holl bethau hyn yn ddiogel yn ei chalon ac yn myfyrio arnynt. [20]Dychwelodd y bugeiliaid gan ogoneddu a moli Duw am yr holl bethau a glywsant ac a welsant, yn union fel y llefarwyd wrthynt.

21 Pan ddaeth yr amser i enwaedu arno ymhen wyth diwrnod, galwyd ef Iesu, yr enw a roddwyd iddo gan yr angel cyn i'w fam feichiogi arno.

Cyflwyno Iesu yn y Deml

22 Pan ddaeth amser eu puredigaeth yn ôl Cyfraith Moses, cymerodd ei rieni ef i fyny i Jerwsalem i'w gyflwyno i'r Ar-glwydd, [23]yn unol â'r hyn sydd wedi ei ysgrifennu yng Nghyfraith yr Arglwydd: "Pob gwryw cyntafanedig, fe'i gelwir yn sanctaidd i'r Arglwydd"; [24]ac i roi offrwm yn unol â'r hyn sydd wedi ei ddweud yng Nghyfraith yr Arglwydd: "Pâr o durturod neu ddau gyw colomen."

25 Yn awr yr oedd dyn yn Jerwsalem o'r enw Simeon; dyn cyfiawn a duwiol oedd hwn, yn disgwyl am ddiddanwch Israel; ac yr oedd yr Ysbryd Glân arno. [26]Yr oedd wedi cael datguddiad gan yr Ysbryd Glân na welai farwolaeth cyn gweld Meseia'r Arglwydd. [27]Daeth i'r deml dan arweiniad yr Ysbryd; a phan ddaeth y rhieni â'r plentyn Iesu i mewn, i wneud ynglŷn ag ef yn unol ag arfer y Gyfraith, [28]cymerodd Simeon ef i'w freichiau a bendithiodd Dduw gan ddweud: [29]"Yn awr yr wyt yn gollwng dy was yn rhydd, O Arglwydd, mewn tangnefedd yn unol â'th air; [30]oherwydd y mae fy llygaid wedi gweld dy iachawdwriaeth, [31]a ddarperaist yng ngŵydd yr holl bobloedd: [32]goleuni i fod yn ddatguddiad i'r Cenhedloedd ac yn ogoniant i'th bobl Israel."

[33]Yr oedd ei dad a'i fam yn rhyfeddu at y pethau oedd yn cael eu dweud amdano. [34]Yna bendithiodd Simeon hwy, a dywedodd wrth Fair ei fam, "Wele, gosodwyd hwn er cwymp a chyfodiad llawer yn Israel, ac i fod yn arwydd a wrthwynebir; [35]a thithau, trywenir dy enaid di gan gleddyf; felly y datguddir meddyliau calonnau lawer."

36 Yr oedd proffwydes hefyd, Anna merch Phanuel o lwyth Aser. Yr oedd hon yn oedrannus iawn, wedi byw saith mlynedd gyda'i gŵr ar ôl priodi, [37]ac wedi parhau'n weddw nes ei bod yn awr yn bedair a phedwar ugain oed. Ni byddai byth yn ymadael â'r deml, ond yn addoli gan ymprydio a gweddïo ddydd a nos. [38]A'r awr honno safodd hi gerllaw a moli Duw, a llefaru am y plentyn wrth bawb oedd yn disgwyl rhyddhad Jerwsalem.

Dychwelyd i Nasareth

39 Wedi iddynt gyflawni popeth yn unol â Chyfraith yr Arglwydd, dychwel-sant i Galilea, i Nasareth eu tref eu hunain. [40]Yr oedd y plentyn yn tyfu yn gryf ac yn llawn doethineb; ac yr oedd ffafr Duw arno.

Y Bachgen Iesu yn y Deml

41 Byddai ei rieni yn teithio i Jerw-salem bob blwyddyn ar gyfer gŵyl y Pasg. [42]Pan oedd ef yn ddeudeng mlwydd oed, aethant i fyny yn unol â'r arfer ar yr ŵyl, [43]a chadw ei ddyddiau yn gyflawn. Ond pan oeddent yn dychwelyd, arhosodd y bachgen Iesu yn Jerwsalem yn ddiarwybod i'w rieni. [44]Gan dybio ei fod gyda'u cyd-deithwyr, gwnaethant daith diwrnod cyn dechrau chwilio am-dano ymhlith eu perthnasau a'u cyd-nabod. [45]Wedi methu cael hyd iddo, dychwelsant i Jerwsalem gan chwilio amdano. [46]Ymhen tridiau daethant o hyd iddo yn y deml, yn eistedd yng nghanol yr athrawon, yn gwrando arnynt a'u holi; [47]ac yr oedd pawb a'i clywodd yn rhy-

[b]Yn ôl darlleniad arall, *tangnefedd; ymhlith dynion, ewyllys da.*

feddu mor ddeallus oedd ei atebion. [48]Pan welodd ei rieni ef, fe'u syfrdanwyd, ac meddai ei fam wrtho, "Fy mhlentyn, pam y gwnaethost hyn inni? Dyma dy dad a minnau yn llawn pryder wedi bod yn chwilio amdanat." [49]Meddai ef wrthynt, "Pam y buoch yn chwilio amdanaf? Onid oeddech yn gwybod mai yn nhŷ fy Nhad y mae'n rhaid i mi fod?" [50]Ond ni ddeallasant hwy y peth a ddywedodd wrthynt. [51]Yna aeth ef i lawr gyda hwy yn ôl i Nasareth, a bu'n ufudd iddynt. Cadwodd ei fam y cyfan yn ddiogel yn ei chalon. [52]Ac yr oedd Iesu yn cynyddu mewn doethineb, a maintioli, a ffafr gyda Duw a dynion.

Pregethu Ioan Fedyddiwr
(Mth. 3:1-12; Mc. 1:1-8; In. 1:19-28)

3 Yn y bymthegfed flwyddyn o deyrn-asiad Tiberius Cesar, pan oedd Pontius Pilat yn llywodraethu ar Jwdea, a Herod yn dywysog Galilea, a phan oedd Philip ei frawd yn dywysog tiriogaeth Itwrea a Trachonitis, a Lysanias yn dywysog Abilene, [2]ac yn amser arch-offeiriadaeth Annas a Caiaffas, daeth gair Duw at Ioan fab Sachareias yn yr anialwch. [3]Aeth ef drwy'r holl wlad oddi amgylch yr Iorddonen gan gyhoeddi bedydd edifeirwch yn foddion maddeuant pechodau, [4]fel y mae'n ysgrifenedig yn llyfr geiriau'r proffwyd Eseia:
"Llais un yn galw yn yr anialwch,
'Paratowch ffordd yr Arglwydd,
unionwch y llwybrau iddo.
[5]Caiff pob ceulan ei llenwi,
a phob mynydd a bryn ei lefelu;
gwneir y llwybrau troellog yn union,
a'r ffyrdd garw yn llyfn;
[6]a bydd y ddynolryw oll yn gweld iachawdwriaeth Duw.'"

7 Dywedai wrth y tyrfaoedd oedd yn dod allan i'w bedyddio ganddo: "Chwi epil gwiberod, pwy a'ch rhybuddiodd i ffoi rhag y digofaint sydd i ddod? [8]Dygwch ffrwythau gan hynny a fydd yn deilwng o'ch edifeirwch. Peidiwch â dechrau dweud wrthych eich hunain, 'Y mae gennym Abraham yn dad', oher-wydd 'rwy'n dweud wrthych y gall Duw godi plant i Abraham o'r cerrig hyn. [9]Ac y mae'r fwyell eisoes wrth wraidd y coed; felly, y mae pob coeden nad yw'n dwyn ffrwyth da yn cael ei thorri i lawr a'i bwrw

i'r tân." [10]Gofynnai'r tyrfaoedd iddo, "Beth a wnawn ni felly?" [11]Atebai yntau, "Rhaid i ddyn a chanddo ddau grys eu rhannu â dyn heb yr un crys, a rhaid i ddyn a chanddo fwyd wneud yr un peth." [12]Daeth casglwyr trethi hefyd i'w bedyddio, ac meddent wrtho, "Athro, beth a wnawn ni?" [13]Meddai yntau wrthynt, "Peidiwch â mynnu dim mwy na'r swm a bennwyd ichwi." [14]Byddai dynion ar wasanaeth milwrol hefyd yn gofyn iddo, "Beth a wnawn ninnau?" Meddai wrthynt, "Peidiwch ag ysbeilio neb trwy drais neu gam-gyhuddiad, ond byddwch fodlon ar eich cyflog."

15 Gan fod y bobl yn disgwyl, a phawb yn ystyried yn ei galon tybed ai Ioan oedd y Meseia, [16]dywedodd ef wrth bawb: "Yr wyf fi yn eich bedyddio â dŵr; ond y mae un cryfach na mi yn dod. Nid wyf fi'n deilwng i ddatod carrai ei sandalau ef. Bydd ef yn eich bedyddio â'r Ysbryd Glân ac â thân. [17]Y mae ei wyntyll yn barod yn ei law, i nithio'n lân yr hyn a ddyrnwyd, ac i gasglu'r grawn i'w ysgub-or. Ond am yr us, bydd yn llosgi hwnnw â thân anniffoddadwy." [18]Fel hyn, a chyda llawer anogaeth arall hefyd, yr oedd yn cyhoeddi'r newydd da i'r bobl. [19]Ond gan ei fod yn ceryddu'r Tywysog Herod ynglŷn â Herodias, gwraig ei frawd, ac ynglŷn â'i holl weithredoedd drygionus, [20]ychwanegodd Herod ddryg-ioni arall at y cwbl, a chloi Ioan yng ngharchar.

Bedydd Iesu
(Mth. 3:13-17; Mc. 1:9-11)

21 Pan oedd yr holl bobl yn cael eu bedyddio, yr oedd Iesu, ar ôl ei fedydd ef, yn gweddïo. Agorwyd y nef, [22]a disgyn-nodd yr Ysbryd Glân arno mewn ffurf gorfforol fel colomen; a daeth llais o'r nef: "Ti yw fy Mab, yr Anwylyd; ynot ti yr wyf yn ymhyfrydu."[c]

Llinach Iesu
(Mth. 1:1-17)

23 Tua deng mlwydd ar hugain oed oedd Iesu ar ddechrau ei weinidogaeth. Yr oedd yn fab, yn ôl y dybiaeth gyff-redin, i Joseff fab Eli, [24]fab Mathat, fab Lefi, fab Melchi, fab Jannai, fab Joseff, [25]fab Matathias, fab Amos, fab Nahum, fab Esli, fab Nagai, [26]fab Maath, fab Matathias, fab Semein, fab Josech,

---

[c]Yn ôl darlleniad arall, *"Fy Mab wyt ti; myfi a'th genhedlodd di heddiw."*

fab Joda, [27]fab Joanan, fab Rhesa, fab Sorobabel, fab Salathiel, fab Neri, [28]fab Melchi, fab Adi, fab Cosam, fab Elmadam, fab Er, [29]fab Josua, fab Elieser, fab Jorim, fab Mathat, fab Lefi, [30]fab Simeon, fab Jwda, fab Joseff, fab Jonam, fab Eliacim, [31]fab Melea, fab Menna, fab Matatha, fab Nathan, fab Dafydd, [32]fab Jesse, fab Obed, fab Boas, fab Salmon, fab Nahson, [33]fab Amminadab, fab Admin, fab Arni, fab Hesron, fab Peres, fab Jwda, [34]fab Jacob, fab Isaac, fab Abraham, fab Tera, fab Nachor, [35]fab Serug, fab Reu, fab Peleg, fab Heber, fab Sela, [36]fab Cenan, fab Arffaxad, fab Sem, fab Noa, fab Lamech, [37]fab Methwsela, fab Enoch, fab Jered, fab Maleleel, fab Cenan, [38]fab Enos, fab Seth, fab Adda, fab Duw.

Temtiad Iesu
(Mth. 4:1-11; Mc. 1:12-13)

4 Dychwelodd Iesu, yn llawn o'r Ysbryd Glân, o'r Iorddonen, ac arweiniwyd ef gan yr Ysbryd yn yr anialwch [2]am ddeugain diwrnod, a'r diafol yn ei demtio. Ni fwytaodd ddim yn ystod y dyddiau hynny, ac ar eu diwedd daeth arno eisiau bwyd. [3]Meddai'r diafol wrtho, "Os Mab Duw wyt ti, dywed wrth y garreg hon am droi'n fara." [4]Atebodd Iesu ef, "Y mae'n ysgrifenedig: 'Nid ar fara yn unig y bydd dyn fyw.' " [5]Yna aeth y diafol ag ef i fyny a dangos iddo ar amrantiad holl deyrnasoedd y byd, [6]a dywedodd wrtho, "I ti y rhof yr holl awdurdod ar y rhain a'u gogoniant hwy; oherwydd i mi y mae wedi ei draddodi, ac yr wyf yn ei roi i bwy bynnag a fynnaf. [7]Felly, os addoli di fi, dy eiddo di fydd y cyfan." [8]Atebodd Iesu ef, "Y mae'n ysgrifenedig:
'Yr Arglwydd dy Dduw a addoli,
ac ef yn unig a wasanaethi.' "
[9]Ond aeth y diafol ag ef i Jerwsalem, a'i osod ar dŵr uchaf y deml, a dweud wrtho, "Os Mab Duw wyt ti, bwrw dy hun i lawr oddi yma; [10]oherwydd y mae'n ysgrifenedig:
'Rhydd orchymyn i'w angylion amdanat,
i'th warchod di rhag pob perygl',
[11]a hefyd:
'Byddant yn dy godi ar eu dwylo
rhag iti daro dy droed yn erbyn carreg.' "
[12]Yna atebodd Iesu ef, "Y mae'r Ysg-

rythur yn dweud: 'Paid â gosod yr Arglwydd dy Dduw ar ei brawf.' " [13]Ac ar ôl iddo ei demtio ym mhob modd ymadawodd y diafol ag ef, gan aros ei gyfle.

Dechrau'r Weinidogaeth yng Ngalilea
(Mth. 4:12-17; Mc. 1:14-15)

14 Dychwelodd Iesu yn nerth yr Ysbryd i Galilea. Aeth y sôn amdano ar hyd a lled y gymdogaeth. [15]Yr oedd yn dysgu yn eu synagogau ac yn cael clod gan bawb.

Gwrthod Iesu yn Nasareth
(Mth. 13:53-58; Mc. 6:1-6)

16 Daeth i Nasareth, lle yr oedd wedi ei fagu. Yn ôl ei arfer aeth i'r synagog ar y dydd Saboth, a chododd i ddarllen. [17]Rhoddwyd iddo lyfr y proffwyd Eseia, ac agorodd y sgrôl a chael y man lle'r oedd yn ysgrifenedig:
[18]"Y mae Ysbryd yr Arglwydd arnaf,
oherwydd iddo f'eneinio
i bregethu'r newydd da i dlodion.
Y mae wedi f'anfon i gyhoeddi
rhyddhad i garcharorion,
ac adferiad golwg i ddeillion,
i beri i'r gorthrymedig gerdded yn rhydd,
[19]i gyhoeddi blwyddyn ffafr yr Arglwydd."
[20]Wedi cau'r sgrôl a'i rhoi'n ôl i'r swyddog, fe eisteddodd; ac yr oedd llygaid pawb yn y synagog yn syllu arno. [21]A'i eiriau cyntaf wrthynt oedd: "Heddiw yn eich clyw chwi y mae'r Ysgrythur hon wedi ei chyflawni." [22]Yr oedd pawb yn ei gymeradwyo ac yn rhyfeddu at y geiriau grasusol oedd yn dod o'i enau ef, gan ddweud, "Onid mab Joseff yw hwn?" [23]Ac meddai wrthynt, "Diau yr adroddwch wrthyf y ddihareb, 'Feddyg, iachâ dy hun', a dweud, 'Yr holl bethau y clywsom iddynt ddigwydd yng Nghapernaum, gwna hwy yma hefyd ym mro dy febyd.' " [24]Ond meddai, "Yn wir, 'rwy'n dweud wrthych nad oes dim croeso i'r un proffwyd ym mro ei febyd. [25]Ar fy ngwir 'rwy'n dweud wrthych, yr oedd llawer o wragedd gweddw yn Israel yn nyddiau Elias pan gaewyd y ffurfafen am dair blynedd a chwe mis, ac y bu newyn mawr ar yr holl wlad. [26]Ond nid at un ohonynt hwy yr anfonwyd Elias, ond yn hytrach at wraig weddw yn Sarepta yng ngwlad Sidon. [27]Ac yr oedd llawer o wahangleifion yn Israel yn amser y proffwyd

Eliseus, ac ni lanhawyd yr un ohonynt hwy, ond yn hytrach Naaman y Syriad."

²⁸Wrth glywed hyn llanwyd pawb yn y synagog â dicter; ²⁹codasant, a bwriasant ef allan o'r dref a mynd ag ef hyd at ael y bryn yr oedd eu tref wedi ei hadeiladu arno, i'w luchio o'r clogwyn. ³⁰Ond aeth ef drwy eu canol hwy, ac ymaith ar ei daith.

Y Dyn ag Ysbryd Aflan ynddo
(Mc. 1:21-28)

31 Aeth i lawr i Gapernaum, tref yng Ngalilea, a bu'n dysgu'r bobl ar y Saboth. ³²Yr oeddent yn synnu at yr hyn yr oedd yn ei ddysgu, oherwydd yr oedd ei air yn llawn awdurdod. ³³Yn y synagog yr oedd dyn a chanddo ysbryd cythraul aflan. Gwaeddodd hwnnw â llais uchel, ³⁴"Och, beth sydd a fynni di â ni, Iesu o Nasareth? A wyt ti wedi dod i'n difetha ni? Mi wn pwy wyt ti—Sanct Duw." ³⁵Ceryddodd Iesu ef â'r geiriau, "Taw, a dos allan ohono." Lluchiodd y cythraul y dyn i'w canol ac aeth allan ohono heb niweidio dim arno. ³⁶Aeth pawb yn syn a dechreusant siarad â'i gilydd, gan ddweud, "Pa air yw hwn? Y mae ef yn gorchymyn yr ysbrydion aflan ag awdurdod ac â nerth, ac y maent yn mynd allan." ³⁷Yr oedd sôn amdano yn mynd ar hyd a lled y gymdogaeth.

Iacháu Llawer
(Mth. 8:14-17; Mc. 1:29-34)

38 Ymadawodd Iesu â'r synagog ac aeth i dŷ Simon. Yr oedd mam-yng-nghyfraith Simon yn dioddef dan dwymyn lem, a deisyfasant ar Iesu ar ei rhan. ³⁹Safodd ef uwch ei phen a cheryddu'r dwymyn, a gadawodd y dwymyn hi; ac ar unwaith cododd a dechrau gweini arnynt. ⁴⁰Ac ar fachlud haul, pawb oedd â chleifion yn dioddef dan amrywiol afiechydon, daethant â hwy ato; a gosododd yntau ei ddwylo ar bob un ohonynt a'u hiacháu. ⁴¹Yr oedd cythreuliaid yn ymadael â llawer o bobl gan floeddio, "Mab Duw wyt ti." Ond eu ceryddu a wnai ef, a gwahardd iddynt ddweud gair, am eu bod yn gwybod mai'r Meseia oedd ef.

Taith Bregethu
(Mc. 1:35-39)

42 Pan ddaeth hi'n ddydd aeth allan a theithio i le unig. Yr oedd y tyrfaoedd yn chwilio amdano, a daethant hyd ato a cheisio ei rwystro rhag mynd ymaith oddi wrthynt. ⁴³Ond dywedodd ef wrthynt, "Y mae'n rhaid imi gyhoeddi'r newydd da am deyrnas Dduw i'r trefi eraill yn ogystal, oherwydd i hynny y'm hanfonwyd i." ⁴⁴Ac yr oedd yn pregethu yn synagogau Jwdea.

Galw'r Disgyblion Cyntaf
(Mth. 4:18-22; Mc. 1:16-20)

5 Unwaith pan oedd y dyrfa'n gwasgu ato ac yn gwrando ar air Duw, ac ef ei hun yn sefyll ar lan Llyn Genesaret, ²gwelodd ddau gwch yn sefyll wrth y lan. Yr oedd y pysgotwyr wedi dod allan ohonynt, ac yr oeddent yn golchi eu rhwydau. ³Aeth ef i mewn i un o'r cychod, eiddo Simon, a gofyn iddo wthio allan ychydig o'r tir; yna eisteddodd, a dechrau dysgu'r tyrfaoedd o'r cwch. ⁴Pan orffennodd lefaru dywedodd wrth Simon, "Dos allan i'r dŵr dwfn, a gollyngwch eich rhwydau am ddalfa." ⁵Atebodd Simon, "Meistr, drwy gydol y nos buom yn llafurio heb ddal dim, ond ar dy air di mi ollyngaf y rhwydau." ⁶Gwnaethant hyn, a daliasant nifer enfawr o bysgod, nes bod eu rhwydau bron â rhwygo. ⁷Amneidiasant ar eu partneriaid yn y cwch arall i ddod i'w cynorthwyo. Daethant hwy, a llwythasant y ddau gwch nes eu bod ar suddo. ⁸Pan welodd Simon Pedr hyn syrthiodd wrth liniau Iesu gan ddweud, "Dos ymaith oddi wrthyf, oherwydd dyn pechadurus wyf fi, Arglwydd." ⁹Yr oedd ef, a phawb oedd gydag ef, wedi eu syfrdanu o weld y llwyth pysgod yr oeddent wedi eu dal; ¹⁰a'r un modd Iago ac Ioan, meibion Sebedeus, a oedd yn bartneriaid i Simon. Ac meddai Iesu wrth Simon, "Paid ag ofni; o hyn allan dal dynion y byddi di." ¹¹Yna daethant â'r cychod yn ôl i'r lan, a gadael popeth, a'i ganlyn ef.

Glanhau Dyn Gwahanglwyfus
(Mth. 8:1-4; Mc. 1:40-45)

12 Pan oedd Iesu yn un o'r trefi, dyma ddyn yn llawn o'r gwahanglwyf yn ei weld ac yn syrthio ar ei wyneb ac yn ymbil arno, "Syr, os mynni, gelli fy nglanhau." ¹³Estynnodd Iesu ei law a chyffwrdd ag ef gan ddweud, "Yr wyf yn mynnu, glanhaer di." Ac ymadawodd y gwahanglwyf ag ef ar unwaith. ¹⁴Gorchmynnodd Iesu iddo beidio â dweud wrth neb: "Dos ymaith," meddai, "a dangos

dy hun i'r offeiriad, ac offryma dros dy lanhad fel y gorchmynnodd Moses, yn dystiolaeth i'r bobl." ¹⁵ Ond yr oedd y sôn amdano yn ymledu fwyfwy, ac yr oedd tyrfaoedd lawer yn ymgynnull i wrando ac i gael eu hiacháu oddi wrth eu clefydau. ¹⁶ Ond byddai ef yn encilio i'r mannau unig ac yn gweddïo.

Iacháu Dyn wedi ei Barlysu
(Mth. 9:1-8; Mc. 2:1-12)

17 Un diwrnod yr oedd ef yn dysgu, ac yn eistedd yno yr oedd Phariseaid ac athrawon y Gyfraith oedd wedi dod o bob pentref yng Ngalilea ac o Jwdea ac o Jerwsalem; ac yr oedd nerth yr Arglwydd gydag ef i iacháu. ¹⁸ A dyma wŷr yn cario ar wely ddyn wedi ei barlysu; ceisio yr oeddent ddod ag ef i mewn a'i osod o flaen Iesu. ¹⁹ Wedi methu cael ffordd i ddod ag ef i mewn oherwydd y dyrfa, dringasant ar y to a'i ollwng drwy'r priddlechi, ynghyd â'i wely, i'r canol o flaen Iesu. ²⁰ Wrth weld eu ffydd hwy dywedodd ef, "Ddyn, y mae dy bechodau wedi eu maddau iti." ²¹ A dechreuodd yr ysgrifenyddion a'r Phariseaid feddwl, "Pwy yw hwn sy'n llefaru cabledd? Pwy ond Duw yn unig a all faddau pechodau?" ²² Ond synhwyrodd Iesu eu meddyliau, ac meddai wrthynt, "Pam yr ydych yn dadlau ynoch eich hunain? ²³ Prun sydd hawsaf, ai dweud, 'Y mae dy bechodau wedi eu maddau iti', ai ynteu dweud, 'Cod a cherdda'? ²⁴ Ond er mwyn i chwi wybod fod gan Fab y Dyn awdurdod ar y ddaear i faddau pechodau"—meddai wrth y claf, "Dyma fi'n dweud wrthyt, cod a chymer dy wely a dos adref." ²⁵ Ac ar unwaith cododd yntau yn eu gŵydd, cymerodd y gwely y bu'n gorwedd arno, ac aeth adref gan ogoneddu Duw. ²⁶ Daeth syndod dros bawb a dechreusant ogoneddu Duw; llanwyd hwy ag ofn, ac meddent, "Yr ydym wedi gweld pethau anhygoel heddiw."

Galw Lefi
(Mth. 9:9-13; Mc. 2:13-17)

27 Wedi hyn aeth allan ac edrychodd ar gasglwr trethi o'r enw Lefi, a oedd yn eistedd wrth y dollfa, ac meddai wrtho, "Canlyn fi." ²⁸ A chan adael popeth cododd yntau a'i ganlyn. ²⁹ Yna gwnaeth Lefi wledd fawr iddo yn ei dŷ; ac yr oedd tyrfa niferus o gasglwyr trethi ac eraill yn

cydfwyta gyda hwy. ³⁰ Yr oedd y Phariseaid a'u hysgrifenyddion yn grwgnach wrth ei ddisgyblion gan ddweud, "Pam yr ydych yn bwyta ac yn yfed gyda chasglwyr trethi a phechaduriaid?" ³¹ Atebodd Iesu hwy, "Nid ar rai iach, ond ar y cleifion y mae angen meddyg; ³² i alw pechaduriaid i edifeirwch, nid rhai cyfiawn, yr wyf fi wedi dod."

Holi ynglŷn ag Ymprydio
(Mth. 9:14-17; Mc. 2:18-22)

33 Ond meddent hwythau wrtho, "Y mae disgyblion Ioan yn ymprydio yn aml ac yn adrodd eu gweddïau, a rhai'r Phariseaid yr un modd, ond bwyta ac yfed y mae dy ddisgyblion di." ³⁴ Meddai Iesu wrthynt, "A allwch wneud i westeion priodas ymprydio tra bydd y priodfab gyda hwy? ³⁵ Ond fe ddaw dyddiau pan ddygir y priodfab oddi wrthynt; yna fe ymprydiant yn y dyddiau hynny." ³⁶ Adroddodd hefyd ddameg wrthynt: "Ni fydd neb yn rhwygo clwt allan o ddilledyn newydd a'i roi ar hen ddilledyn; os gwna, nid yn unig fe fydd yn rhwygo'r newydd, ond ni fydd y clwt o'r newydd yn gweddu i'r hen. ³⁷ Ac ni fydd neb yn tywallt gwin newydd i hen grwyn; os gwna, bydd y gwin newydd yn rhwygo'r crwyn, a heblaw colli'r gwin fe ddifethir y crwyn. ³⁸ I grwyn newydd y mae tywallt gwin newydd. ³⁹ Ac ni fydd neb sydd wedi yfed hen win yn dymuno gwin newydd; oherwydd y mae'n dweud, 'Yr hen sydd dda.' "

Tynnu Tywysennau ar y Saboth
(Mth. 12:1-8; Mc. 2:23-28)

6 Un Saboth yr oedd yn mynd trwy gaeau ŷd, ac yr oedd ei ddisgyblion yn tynnu tywysennau ac yn eu bwyta, gan eu rhwbio yn eu dwylo. ² Ond dywedodd rhai o'r Phariseaid, "Pam yr ydych yn gwneud peth sy'n groes i'r Gyfraith ar y Saboth?" ³ Atebodd Iesu hwy, "Onid ydych wedi darllen am y peth hwnnw a wnaeth Dafydd pan oedd eisiau bwyd arno ef a'r rhai oedd gydag ef? ⁴ Sut yr aeth i mewn i dŷ Dduw a chymryd y torthau cysegredig a'u bwyta a'u rhoi i'r rhai oedd gydag ef, torthau nad yw'n gyfreithlon i neb eu bwyta ond yr offeiriaid yn unig?" ⁵ Ac meddai wrthynt, "Y mae Mab y Dyn yn arglwydd ar y Saboth."

Y Dyn â'r Llaw Ddiffrwyth
(Mth. 12:9-14; Mc. 3:1-6)

6 Ar Saboth arall aeth i mewn i'r synagog a dysgu. Yr oedd yno ddyn â'i law dde yn ddiffrwyth. [7]Yr oedd yr ysgrifenyddion a'r Phariseaid â'u llygaid arno i weld a oedd yn iacháu ar y Saboth, er mwyn cael hyd i gyhuddiad yn ei erbyn. [8]Ond yr oedd ef yn deall eu meddyliau, ac meddai wrth y dyn â'r llaw ddiffrwyth, "Cod a saf yn y canol"; a chododd yntau ar ei draed. [9]Meddai Iesu wrthynt, "Yr wyf yn gofyn i chwi, a yw'n gyfreithlon gwneud da ar y Saboth, ynteu gwneud drwg, achub bywyd, ynteu ei ddifetha?" [10]Yna edrychodd o gwmpas arnynt oll; dywedodd wrth y dyn, "Estyn dy law." Estynnodd yntau hi, a gwnaed ei law yn iach. [11]Ond llanwyd hwy â gorffwylledd, a dechreusant drafod â'i gilydd beth i'w wneud i Iesu.

Dewis y Deuddeg
(Mth. 10:1-4; Mc. 3:13-19)

12 Un o'r dyddiau hynny aeth allan i'r mynydd i weddïo, a bu ar hyd y nos yn gweddïo ar Dduw. [13]Pan ddaeth hi'n ddydd galwodd ei ddisgyblion ato. Dewisodd o'u plith ddeuddeg, a rhoi'r enw apostolion iddynt: [14]Simon, a enwodd hefyd yn Pedr; Andreas ei frawd; Iago, Ioan, Philip a Bartholomeus; [15]Mathew, Thomas, Iago fab Alffeus, a Simon, a elwid y Selot; [16]Jwdas fab Iago, a Jwdas Iscariot, a droes yn fradwr.

Gweinidogaethu i Dyrfa Fawr
(Mth. 4:23-25)

17 Aeth i lawr gyda hwy a sefyll ar dir gwastad, gyda thyrfa fawr o'i ddisgyblion, a llu niferus o bobl o Jwdea gyfan a Jerwsalem ac o arfordir Tyrus a Sidon, a oedd wedi dod i wrando arno ac i'w hiacháu o'u clefydau; [18]yr oedd y rhai a flinid gan ysbrydion aflan hefyd yn cael eu gwella. [19]Ac yr oedd yr holl dyrfa'n ceisio cyffwrdd ag ef, oherwydd yr oedd nerth yn mynd allan ohono ac yn iacháu pawb.

Gwynfydau a Gwaeau
(Mth. 5:1-12)

20 Yna cododd ef ei lygaid ar ei ddisgyblion a dweud:
"Gwyn eich byd chwi'r tlodion,
oherwydd eiddoch chwi yw teyrnas Dduw.
[21]Gwyn eich byd chwi sydd yn awr yn newynog,
oherwydd cewch eich digon.
Gwyn eich byd chwi sydd yn awr yn wylo,
oherwydd cewch chwerthin.
[22]Gwyn eich byd pan fydd dynion yn eich casáu a'ch ysgymuno a'ch gwaradwyddo, a dirmygu eich enw fel peth drwg, o achos Mab y Dyn. [23]Byddwch lawen y dydd hwnnw a llamwch o orfoledd, oherwydd, ystyriwch, y mae eich gwobr yn fawr yn y nef. Oherwydd felly'n union y gwnaeth eu tadau i'r proffwydi.

[24]"Ond gwae chwi'r cyfoethogion,
oherwydd yr ydych wedi cael eich diddanwch.
[25]Gwae chwi sydd yn awr wedi eich llenwi,
oherwydd daw arnoch newyn.
Gwae chwi sydd yn awr yn chwerthin,
oherwydd cewch ofid a dagrau.

[26]Gwae chwi pan fydd pob dyn yn eich canmol, oherwydd felly'n union y gwnaeth eu tadau i'r gau-broffwydi.

Caru Gelynion
(Mth. 5:38-48; 7:12a)

27 "Ond wrthych chwi sy'n gwrando 'rwy'n dweud: carwch eich gelynion, gwnewch ddaioni i'r rhai sy'n eich casáu, [28]bendithiwch y rhai sy'n eich melltithio, gweddïwch dros y rhai sy'n eich camdrin. [29]Pan fydd dyn yn dy daro di ar dy foch, cynigia'r llall iddo hefyd; pan fydd dyn yn cymryd dy fantell, paid â'i rwystro rhag cymryd dy grys hefyd. [30]Rho i bawb sy'n gofyn gennyt, ac os bydd rhywun yn cymryd dy eiddo, paid â gofyn amdano'n ôl. [31]Fel y dymunwch i ddynion wneud i chwi, gwnewch chwithau yr un fath iddynt hwy. [32]Os ydych yn caru'r rhai sy'n eich caru chwi, pa ddiolch fydd i chwi? Y mae hyd yn oed y pechaduriaid yn caru'r rhai sy'n eu caru hwy. [33]Ac os gwnewch ddaioni i'r rhai sy'n gwneud daioni i chwi, pa ddiolch fydd i chwi? Y mae hyd yn oed y pechaduriaid yn gwneud cymaint â hynny. [34]Os rhowch fenthyg i'r rhai yr ydych yn disgwyl derbyn ganddynt, pa ddiolch fydd i chwi? Y mae hyd yn oed bechaduriaid yn rhoi benthyg i bechaduriaid dim ond iddynt gael yr un faint yn ôl. [35]Nage, carwch eich gelynion a gwnewch ddaioni a rhowch fenthyg heb ddisgwyl

dim yn ôl^{ch}. Bydd eich gwobr yn fawr a byddwch yn feibion y Goruchaf, oherwydd y mae ef yn garedig wrth yr anniolchgar a'r drygionus. ³⁶Byddwch yn drugarog fel y mae eich Tad yn drugarog.

Barnu Eraill
(Mth. 7:1-5)

37 "Peidiwch â barnu, ac ni chewch eich barnu. Peidiwch â chondemnio, ac ni chewch eich condemnio. Maddeuwch, ac fe faddeuir i chwi. ³⁸Rhowch, ac fe roir i chwi; rhoir yn eich côl fesur da, wedi ei wasgu i lawr a'i ysgwyd ynghyd nes gorlifo; oherwydd â'r mesur y rhowch y rhoir i chwi yn ôl." ³⁹Adroddodd hefyd ddameg wrthynt: "A fedr dyn dall arwain dyn dall? Onid syrthio i bydew a wna'r ddau? ⁴⁰Nid yw disgybl yn well na'i athro; ond wedi ei lwyr gymhwyso bydd pob un fel ei athro. ⁴¹Pam yr wyt yn edrych ar y brycheuyn sydd yn llygad dy frawd, a thithau heb sylwi ar y trawst sydd yn dy lygad dy hun? ⁴²Sut y gelli ddweud wrth dy frawd, 'Frawd, gad imi dynnu allan y brycheuyn sydd yn dy lygad di', a thi dy hun heb weld y trawst sydd yn dy lygad di? Ragrithiwr, yn gyntaf tyn y trawst allan o'th lygad dy hun, ac yna fe weli yn ddigon eglur i dynnu'r brycheuyn sydd yn llygad dy frawd.

Adnabod Coeden wrth ei Ffrwyth
(Mth. 7:17-20; 12:34b-35)

43 "Oherwydd nid yw coeden dda yn dwyn ffrwyth gwael, ac nid yw coeden wael chwaith yn dwyn ffrwyth da. ⁴⁴Wrth ei ffrwyth ei hun y mae pob coeden yn cael ei hadnabod; nid oddi ar ddrain y mae casglu ffigys, ac nid oddi ar lwyni mieri y mae tynnu grawnwin. ⁴⁵Y mae'r dyn da yn dwyn daioni o drysor daionus ei galon, a'r dyn drwg yn dwyn drygioni o'i ddrygioni; oherwydd yn ôl yr hyn sy'n llenwi ei galon y mae ei enau yn llefaru.

Y Ddwy Sylfaen
(Mth. 7:24-27)

46 "Pam yr ydych yn galw 'Arglwydd, Arglwydd' arnaf, a heb wneud yr hyn yr wyf yn ei ofyn? ⁴⁷Pob un sy'n dod ataf ac yn gwrando ar fy ngeiriau ac yn eu gwneud, dangosaf i chwi i bwy y mae'n debyg: ⁴⁸y mae'n debyg i ddyn yn adeiladu tŷ ac wedi cloddio yn ddwfn a gosod

sylfaen ar y graig; a phan ddaeth llifogydd, ffrwydrodd yr afon yn erbyn y tŷ hwnnw, ond ni allodd ei syflyd, gan iddo gael ei adeiladu yn gadarn. ⁴⁹Ond y mae'r dyn sy'n clywed, ond heb wneud, yn debyg i ddyn a adeiladodd dŷ ar bridd, heb sylfaen; ffrwydrodd yr afon yn ei erbyn a chwalodd y tŷ hwnnw ar unwaith, a dirfawr fu ei gwymp."

Iacháu Gwas Canwriad
(Mth. 8:5-13; In. 4:43-54)

7 Wedi iddo orffen llefaru'r holl eiriau hyn wrth y bobl aeth i mewn i Gapernaum. ²Yr oedd canwriad ac iddo was, gwerthfawr yn ei olwg, a oedd yn glaf ac ar fin marw. ³Pan glywodd y canwriad am Iesu anfonodd ato henuriaid o Iddewon, i ofyn iddo ddod ac achub bywyd ei was. ⁴Daethant hwy at Iesu ac ymbil yn daer arno: "Y mae'n haeddu iti wneud hyn drosto, ⁵oherwydd y mae'n caru ein cenedl, ac ef a adeiladodd ein synagog i ni." ⁶Pan oedd Iesu ar ei ffordd gyda hwy ac eisoes heb fod ymhell o'r tŷ, anfonodd y canwriad rai o'i gyfeillion i ddweud wrtho, "Paid â thrafferthu, syr, oherwydd nid wyf yn deilwng i ti ddod dan fy nho. ⁷Am hynny bernais nad oeddwn i fy hun yn deilwng i ddod atat; ond dywed air, a chaffed^d fy ngwas ei iacháu. ⁸Oherwydd dyn sy'n cael ei osod dan awdurdod wyf finnau, a chennyf filwyr danaf; byddaf yn dweud wrth hwn, 'Dos', ac fe â, ac wrth un arall, 'Tyrd', ac fe ddaw, ac wrth fy ngwas, 'Gwna hyn', ac fe'i gwna." ⁹Pan glywodd Iesu hyn fe ryfeddodd at y dyn, a chan droi at y dyrfa oedd yn ei ddilyn meddai, "Rwy'n dweud wrthych, ni chefais hyd yn oed yn Israel ffydd mor fawr." ¹⁰Ac wedi i'r rhai a anfonwyd ddychwelyd i'r tŷ, cawsant y gwas yn holliach.

Cyfodi Mab y Weddw yn Nain

11 Yn fuan wedyn aeth Iesu i dref a elwir Nain. Gydag ef ar y daith yr oedd ei ddisgyblion a thyrfa fawr. ¹²Pan gyrhaeddodd yn agos at borth y dref, dyma gynhebrwng yn dod allan; unig fab ei fam oedd y marw, a hithau'n wraig weddw. Yr oedd tyrfa niferus o'r dref gyda hi. ¹³Pan welodd yr Arglwydd hi, tosturiodd wrthi a dweud, "Paid ag wylo." ¹⁴Yna aeth ymlaen a chyffwrdd â'r elor. Safodd y cludwyr, ac meddai ef, "Fy machgen,

^{ch}Yn ôl darlleniad arall, *heb anobeithio am neb.*

^dYn ôl darlleniad arall, *a chaiff.*

LUC 7

'rwy'n dweud wrthyt, cod." ¹⁵Cododd y marw ar ei eistedd a dechrau siarad, a rhoes Iesu ef i'w fam. ¹⁶Cydiodd ofn ym mhawb a dechreusant ogoneddu Duw, gan ddweud, "Y mae proffwyd mawr wedi codi yn ein plith", ac, "Y mae Duw wedi ymweld â'i bobl." ¹⁷Ac aeth yr hanes hwn amdano drwy Jwdea gyfan a'r holl gymdogaeth.

Negesyddion Ioan Fedyddiwr
(Mth. 11:2-19)

18 Rhoes disgyblion Ioan adroddiad iddo ynglŷn â hyn oll. ¹⁹Galwodd yntau ddau o'i ddisgyblion ato a'u hanfon at yr Arglwydd, gan ofyn, "Ai ti yw'r hwn sydd i ddod, ai am rywun arall yr ydym i ddisgwyl?" ²⁰Daeth y dynion ato a dweud, "Anfonodd Ioan Fedyddiwr ni atat, gan ofyn, 'Ai ti yw'r hwn sydd i ddod, ai am rywun arall yr ydym i ddisgwyl?'" ²¹Y pryd hwnnw iachaodd ef lawer o afael afiechydon a phlâu ac ysbrydion drwg, a rhoes eu golwg i lawer o ddeillion. ²²Ac atebodd ef hwy, "Ewch a dywedwch wrth Ioan yr hyn yr ydych wedi ei weld ac wedi ei glywed. Y mae'r deillion yn cael eu golwg yn ôl, y cloffion yn cerdded, y gwahangleifion yn cael eu glanhau a'r byddariaid yn clywed, y meirw yn codi, y tlodion yn cael clywed y newydd da. ²³Gwyn ei fyd y sawl na ddaw cwymp iddo o'm hachos i." ²⁴Wedi i negesyddion Ioan ymadael, dechreuodd Iesu sôn am Ioan wrth y tyrfaoedd. "Beth yr aethoch allan i'r anialwch i edrych arno? Ai brwynen yn siglo yn y gwynt? ²⁵Beth yr aethoch allan i'w weld? Ai dyn wedi ei wisgo mewn dillad esmwyth? Ym mhlasau brenhinoedd y mae gweld dynion moethus mewn gwisgoedd ysblennydd. ²⁶Beth yr aethoch allan i'w weld? Ai proffwyd? Ie, meddaf wrthych, a mwy na phroffwyd. ²⁷Dyma'r un y mae'n ysgrifenedig amdano:
'Wele fi'n anfon fy nghennad o'th flaen,
i baratoi'r ffordd ar dy gyfer.'
²⁸'Rwy'n dweud wrthych, nid oes ymhlith meibion gwragedd neb mwy na Ioan; ac eto y mae'r lleiaf yn nheyrnas Dduw yn fwy nag ef." ²⁹(A chydnabod cyfiawnder Duw a wnaeth yr holl bobl a glywodd, a'r casglwyr trethi hefyd, oherwydd yr oeddent wedi derbyn bedydd Ioan; ³⁰ond troi heibio fwriad Duw ar eu cyfer a wnaeth y Phariseaid ac athrawon y Gyfraith, oherwydd yr oeddent hwy wedi gwrthod cael eu bedyddio ganddo.)

31 "Â phwy gan hynny y cymharaf ddynion y genhedlaeth hon? I bwy y maent yn debyg? ³²Y maent yn debyg i'r plant sy'n eistedd yn y farchnad ac yn galw ar ei gilydd fel hyn:
'Canasom ffliwt i chwi, ac ni ddawnsiasoch;
canasom alarnad, ac nid wylasoch.'
³³Oherwydd y mae Ioan Fedyddiwr wedi dod, un nad yw'n bwyta bara nac yn yfed gwin, ac yr ydych yn dweud, 'Y mae cythraul ynddo.' ³⁴Y mae Mab y Dyn wedi dod, un sy'n bwyta ac yn yfed, ac yr ydych yn dweud, 'Dyma feddwyn glwth, cyfaill i gasglwyr trethi a phechaduriaid.' ³⁵Ac eto profir gan bawb o'i phlant fod doethineb Duw yn iawn."

Maddau i Wraig Bechadurus

36 Gwahoddodd un o'r Phariseaid Iesu i bryd o fwyd gydag ef. Aeth ef i dŷ'r Pharisead a chymryd ei le wrth y bwrdd. ³⁷A dyma wraig o'r dref oedd yn bechadures yn dod i wybod ei fod wrth bryd bwyd yn nhŷ'r Pharisead. Daeth â ffiol alabaster o ennaint, ³⁸a sefyll i tu ôl iddo wrth ei draed gan wylo. Yna dechreuodd wlychu ei draed â'i dagrau a'u sychu â gwallt ei phen; ac yr oedd yn cusanu ei draed ac yn eu hiro â'r ennaint. ³⁹Pan welodd hyn dywedodd y Pharisead oedd wedi ei wahodd wrtho'i hun, "Pe bai'r dyn yma'n broffwyd, byddai'n gwybod pwy yw'r wraig sy'n cyffwrdd ag ef, a sut un yw hi. Pechadures yw hi." ⁴⁰Atebodd Iesu ef, "Simon, y mae gennyf rywbeth i'w ddweud wrthyt." Meddai yntau, "Dywed, Athro." ⁴¹"Yr oedd gan fenthyciwr arian ddau ddyledwr," meddai Iesu. "Pum cant o ddarnau arian ᵈᵈ oedd dyled un, a hanner cant oedd ar y llall. ⁴²Gan nad oeddent yn gallu talu'n ôl, diddymodd y benthyciwr eu dyled i'r ddau. Prun ohonynt, gan hynny, fydd yn ei garu fwyaf?" ⁴³Atebodd Simon, "Fe dybiwn i mai'r un y diddymwyd y ddyled fwyaf iddo." "Bernaist yn gywir," meddai ef wrtho. ⁴⁴A chan droi at y wraig, meddai wrth Simon, "A weli di'r wraig hon? Deuthum i mewn i'th dŷ, ac ni roddaist ddŵr imi at fy nhraed; ond hon, gwlychodd hi fy nhraed â'i dagrau a'u sychu â'i gwallt. ⁴⁵Ni roddaist gusan

ᵈᵈGw. nodyn º ar Mth 18:28.

imi; ond nid yw hon wedi peidio â chusanu fy nhraed byth er pan ddeuthum i mewn. [46]Nid iraist fy mhen ag olew; ond irodd hon fy nhraed ag ennaint. [47]Am hynny 'rwy'n dweud wrthyt, y mae ei phechodau, er cynifer ydynt, wedi eu maddau; oherwydd y mae ei chariad yn fawr. Yr hwn y mae ychydig wedi ei faddau iddo, ychydig yw ei gariad." [48]Ac wrth y wraig meddai, "Y mae dy bechodau wedi eu maddau." [49]Yna dechreuodd y gwesteion eraill ddweud wrthynt eu hunain, "Pwy yw hwn sydd hyd yn oed yn maddau pechodau?" [50]Ac meddai ef wrth y wraig, "Y mae dy ffydd wedi dy achub di; dos mewn tangnefedd."

Gwragedd yn Cyd-deithio â Iesu

8 Wedi hynny bu ef yn teithio trwy dref a phentref gan bregethu a chyhoeddi'r newydd da am deyrnas Dduw. Yr oedd y Deuddeg gydag ef, [2]ynghyd â rhai gwragedd oedd wedi eu hiacháu oddi wrth ysbrydion drwg ac afiechydon: Mair a elwid Magdalen, yr un yr oedd saith gythraul wedi dod allan ohoni; [3]Joanna gwraig Chwsa, goruchwyliwr Herod; Swsanna, a llawer eraill; yr oedd y rhain yn gweini arnynt o'u hadnoddau eu hunain.

Dameg yr Heuwr
(Mth. 13:1-9; Mc. 4:1-9)

4 Yr oedd tyrfa fawr yn ymgynnull, a phobl o bob tref yn dod ato. Dywedodd ef ar ddameg: [5]"Aeth heuwr allan i hau ei had. Wrth iddo hau, syrthiodd peth had ar hyd y llwybr; sathrwyd arno, a bwytaodd adar yr awyr ef. [6]Syrthiodd peth arall ar y graig; tyfodd, ond gwywodd am nad oedd iddo wlybaniaeth. [7]Syrthiodd peth arall i ganol y drain; tyfodd y drain gydag ef a'i dagu. [8]A syrthiodd peth arall ar dir da; tyfodd, a chnydiodd hyd ganwaith cymaint." Wrth ddweud hyn fe waeddodd, "Yr hwn sydd ganddo glustiau i wrando, gwrandawed."

Pwrpas y Damhegion
(Mth. 13:10-17; Mc. 4:10-12)

9 Gofynnodd ei ddisgyblion iddo beth oedd ystyr y ddameg hon. [10]Meddai ef, "I chwi y mae gwybod cyfrinachau teyrnas Dduw wedi ei roi, ond i bawb arall y maent ar ddamhegion, fel
    'er edrych, na welant,
    ac er clywed, na ddeallant'.

Egluro Dameg yr Heuwr
(Mth. 13:18-23; Mc. 4:13-20)

11 "Dyma ystyr y ddameg. Yr had yw gair Duw. [12]Y rhai ar hyd y llwybr yw'r sawl sy'n clywed, ac yna daw'r diafol a chipio'r gair o'u calonnau, rhag iddynt gredu a chael eu hachub. [13]Y rhai ar y graig yw'r sawl sydd, pan glywant, yn croesawu'r gair yn llawen. Ond gan y rhain nid oes gwreiddyn; dros dro y credant, ac mewn awr o brawf fe wrthgiliant. [14]Yr hyn a syrthiodd ymhlith y drain, dyma'r sawl sy'n clywed, ond wrth iddynt fynd ar eu hynt cânt eu tagu gan ofalon a golud a phleserau bywyd, ac ni ddygant eu ffrwyth i aeddfedrwydd. [15]Ond hwnnw yn y tir da, dyna'r sawl sy'n clywed y gair â chalon dda rinweddol, ac yn dal eu gafael ynddo a dwyn ffrwyth trwy ddyfalbarhad.

Goleuni dan Lestr
(Mc. 4:21-25)

16 "Ni bydd neb yn cynnau cannwyll a'i chuddio â llestr neu ei dodi dan y gwely. Nage, ar ganhwyllbren y dodir hi, er mwyn i'r rhai sy'n dod i mewn weld ei goleuni. [17]Oherwydd nid oes dim yn guddiedig na ddaw'n amlwg, na dim dan gêl na cheir ei wybod ac na ddaw i'r amlwg. [18]Ystyriwch gan hynny sut yr ydych yn gwrando, oherwydd i bwy bynnag y mae ganddo y rhoir, ac oddi ar yr hwn nad oes ganddo y cymerir hyd yn oed hynny y mae ef yn tybio ei fod ganddo."

Mam a Brodyr Iesu
(Mth. 12:46-50; Mc. 3:31-35)

19 Daeth ei fam a'i frodyr i edrych amdano, ond ni allent gyrraedd ato o achos y dyrfa. [20]Hysbyswyd ef, "Y mae dy fam a'th frodyr yn sefyll y tu allan ac yn dymuno dy weld." [21]Atebodd yntau hwy, "Fy mam a'm brodyr i yw'r rhain sy'n gwrando ar air Duw ac yn ei weithredu."

Gostegu Storm
(Mth. 8:23-27; Mc. 4:35-41)

22 Un diwrnod, aeth ef i mewn i gwch, a'i ddisgyblion hefyd, ac meddai wrthynt, "Awn drosodd i ochr draw'r llyn", a hwyliasant ymaith. [23]Tra oeddent ar y dŵr, aeth Iesu i gysgu. A disgynnodd tymestl o wynt ar y llyn; yr oedd y cwch yn llenwi, a hwythau mewn perygl.

²⁴Aethant ato a'i ddeffro, a dweud, "Meistr, meistr, mae hi ar ben arnom!" Deffrôdd ef, a cheryddodd y gwynt a'r dyfroedd tymhestlog; darfu'r dymestl a bu tawelwch. ²⁵Yna meddai ef wrthynt, "Ble mae eich ffydd?" Daeth ofn a syndod arnynt, ac meddent wrth ei gilydd, "Pwy ynteu yw hwn? Y mae'n gorchymyn hyd yn oed y gwyntoedd a'r dyfroedd, a hwythau'n ufuddhau iddo."

Iacháu'r Dyn oedd ym meddiant Cythreuliaid yn Gerasa
(Mth. 8:28-34; Mc. 5:1-20)

26 Daethant i'r lan i wlad y Geraseniaidᵉ, sydd gyferbyn â Galilea. ²⁷Pan laniodd ef, daeth i'w gyfarfod ddyn o'r dref â chythreuliaid ynddo. Ers amser maith nid oedd wedi gwisgo dilledyn, ac nid mewn tŷ yr oedd yn byw ond ymhlith y beddau. ²⁸Pan welodd ef Iesu, rhoes floedd a syrthio o'i flaen, gan weiddi â llais uchel, "Beth sydd a fynni di â mi, Iesu Fab y Duw Goruchaf? Yr wyf yn erfyn arnat, paid â'm poenydio." ²⁹Oherwydd yr oedd ef wedi gorchymyn i'r ysbryd aflan fynd allan o'r dyn. Aml i dro yr oedd yr ysbryd wedi cydio ynddo, ac er ei rwymo â chadwynau a llyffetheiriau a'i warchod, byddai'n dryllio'r rhwymau, a'r cythraul yn ei yrru i'r unigeddau. ³⁰Yna gofynnodd Iesu iddo, "Beth yw dy enw?" "Lleng," meddai yntau, oherwydd yr oedd llawer o gythreuliaid wedi mynd i mewn iddo. ³¹Dechreusant ymbil ar Iesu beidio â gorchymyn iddynt fynd ymaith i'r pwll diwaelod. 32 Yr oedd yno genfaint fawr o foch yn pori ar y mynydd. Ymbiliodd y cythreuliaid arno ganiatáu iddynt fynd i mewn i'r moch; ac fe ganiataodd iddynt. ³³Aeth y cythreuliaid allan o'r dyn ac i mewn i'r moch, a rhuthrodd y genfaint dros y dibyn i'r llyn a boddi. ³⁴Pan welodd bugeiliaid y moch beth oedd wedi digwydd fe ffoesant, ac adrodd yr hanes yn y dref ac yn y wlad. ³⁵Daeth pobl allan i weld beth oedd wedi digwydd. Daethant at Iesu, a chael y dyn yr oedd y cythreuliaid wedi mynd allan ohono yn eistedd wrth draed Iesu, â'i ddillad amdano ac yn ei iawn bwyll; a daeth arnynt ofn. ³⁶Adroddwyd yr hanes wrthynt gan y rhai oedd wedi gweld sut yr iachawyd y dyn oedd wedi bod ym meddiant cythreuliaid. ³⁷Yna gofynnodd holl boblogaeth gwlad y Geraseniaid iddo fynd ymaith oddi wrthynt, am fod ofn mawr wedi cydio ynddynt; ac aeth ef i mewn i'r cwch i ddychwelyd. ³⁸Yr oedd y dyn yr oedd y cythreuliaid wedi mynd allan ohono yn erfyn am gael bod gydag ef; ond anfonodd Iesu ef yn ei ôl, gan ddweud, ³⁹"Dychwel adref, ac adrodd gymaint y mae Duw wedi ei wneud drosot." Ac aeth ef ymaith trwy'r holl dref gan gyhoeddi gymaint yr oedd Iesu wedi ei wneud drosto.

Merch Jairus, a'r Wraig a Gyffyrddodd â Mantell Iesu
(Mth. 9:18-26; Mc. 5:21-43)

40 Pan ddychwelodd Iesu croesawyd ef gan y dyrfa, oherwydd yr oedd pawb yn disgwyl amdano. ⁴¹A dyma ddyn o'r enw Jairus yn dod, ac yr oedd ef yn arweinydd yn y synagog; syrthiodd hwn wrth draed Iesu ac ymbil arno ddod i'w gartref, ⁴²am fod ganddo unig ferch, ynghylch deuddeng mlwydd oed, a'i bod hi yn marw. Tra oedd ef ar ei ffordd yr oedd y tyrfaoedd yn ei lethu. ⁴³Yr oedd yno wraig ac arni waedlif ers deuddeng mlynedd. Er iddi wario ar feddygon y cwbl oedd ganddi i fyw arno, nid oedd wedi llwyddo i gael gwellhad gan neb. ⁴⁴Daeth hon ato o'r tu ôl a chyffwrdd ag ymyl ei fantell; ar unwaith peidiodd llif ei gwaed hi. ⁴⁵Ac meddai Iesu, "Pwy gyffyrddodd â mi?" Gwadodd pawb, ac meddai Pedr, "Meistr, y tyrfaoedd sy'n pwyso ac yn gwasgu arnat." ⁴⁶Ond meddai Iesu, "Fe gyffyrddodd rhywun â mi, oherwydd fe synhwyrais i fod nerth wedi mynd allan ohonof." ⁴⁷Pan ganfu'r wraig nad oedd hi ddim wedi osgoi sylw, daeth ymlaen dan grynu; syrthiodd wrth ei draed a mynegi gerbron yr holl bobl pam yr oedd hi wedi cyffwrdd ag ef, a sut yr oedd wedi gwella ar unwaith. ⁴⁸Ac meddai ef wrthi, "Fy merch, dy ffydd sydd wedi dy iacháu di; dos mewn tangnefedd."

49 Tra oedd ef yn llefaru, daeth rhywun o dŷ arweinydd y synagog a dweud, "Y mae dy ferch wedi marw; paid â phoeni'r Athro bellach." ⁵⁰Ond clywodd Iesu, ac meddai wrtho, "Paid ag ofni; yn unig cred, ac fe'i hachubir." ⁵¹Pan gyrhaeddodd y tŷ, ni adawodd i neb fynd i mewn gydag ef ond Pedr ac Ioan ac Iago, ynghyd â thad y ferch a'i mam. ⁵²Yr oedd

---

ᵉYn ôl darlleniadau eraill, *Gergeseniaid* neu *Gadareniaid*. Felly hefyd yn adn. 37.

pawb yn wylo ac yn galaru drosti. Ond meddai ef, "Peidiwch ag wylo; nid yw hi wedi marw, cysgu y mae." [53] Dechreusant chwerthin am ei ben, am eu bod yn sicr ei bod wedi marw. [54] Gafaelodd ef yn ei llaw a dweud yn uchel, "Fy ngeneth, cod." [55] Yna dychwelodd ei hysbryd, a chododd ar unwaith. Gorchmynnodd ef roi iddi rywbeth i'w fwyta. [56] Syfrdanwyd ei rhieni, ond rhybuddiodd ef hwy i beidio â sôn gair wrth neb am yr hyn oedd wedi digwydd.

Cenhadaeth y Deuddeg
(Mth. 10:5-15; Mc. 6:7-13)

9 Galwodd Iesu y Deuddeg ynghyd a rhoddodd iddynt nerth ac awdurdod i fwrw allan gythreuliaid o bob math ac i wella clefydau. [2] Yna anfonodd hwy allan i gyhoeddi teyrnas Dduw ac i iacháu'r cleifion. [3] Meddai wrthynt, "Peidiwch â chymryd dim ar gyfer y daith, na ffon na chod na bara nac arian, na bod â dwy got yr un. [4] I ba dŷ bynnag yr ewch, arhoswch yno nes y byddwch yn ymadael â'r ardal; [5] a phwy bynnag fydd yn gwrthod eich derbyn, ewch allan o'r dref honno ac ysgydwch ymaith y llwch oddi ar eich traed, yn rhybudd iddynt." [6] Aethant allan a theithio o bentref i bentref, gan gyhoeddi'r newydd da ac iacháu ym mhob man.

Pryder Herod
(Mth. 14:1-12; Mc. 6:14-29)

7 Clywodd y Tywysog Herod am yr holl bethau oedd yn digwydd. Yr oedd mewn cyfyng-gyngor am fod rhai yn dweud fod Ioan wedi ei godi oddi wrth y meirw, [8] ac eraill fod Elias wedi ymddangos, ac eraill wedyn fod un o'r hen broffwydi wedi atgyfodi. [9] Ond meddai Herod, "Fe dorrais i ben Ioan; ond pwy yw hwn yr wyf yn clywed y fath bethau amdano?" Ac yr oedd yn ceisio cael ei weld ef.

Porthi'r Pum Mil
(Mth. 14:13-21; Mc. 6:30-44; In. 6:1-14)

10 Dychwelodd yr apostolion a dywedasant wrth Iesu yr holl bethau yr oeddent wedi eu gwneud. Cymerodd hwy gydag ef ac encilio o'r neilltu i dref a elwir Bethsaida. [11] Ond pan glywodd y tyrfaoedd hyn aethant ar ei ôl. Croesawodd ef hwy, a dechrau llefaru wrthynt am deyr-

nas Dduw ac iacháu'r rhai ag angen gwellhad arnynt. [12] Yn awr yr oedd y dydd yn dechrau dirwyn i ben, a daeth y Deuddeg ato a dweud, "Gollwng y dyrfa, iddynt fynd i'r pentrefi a'r wlad o amgylch a chael llety a bwyd, oherwydd yr ydym mewn lle unig yma." [13] Meddai ef wrthynt, "Rhowch chwi rywbeth i'w fwyta iddynt." Meddent hwy, "Nid oes gennym ddim ond pum torth a dau bysgodyn, heb inni fynd a phrynu bwyd i'r holl bobl hyn." [14] Yr oeddent ynghylch pum mil o wŷr. Ac meddai ef wrth ei ddisgyblion, "Parwch iddynt eistedd yn gwmnïoedd o ryw hanner cant yr un." [15] Gwnaethant felly, a pheri i bawb eistedd. [16] Cymerodd yntau y pum torth a'r ddau bysgodyn, a chan edrych i fyny i'r nef fe'u bendithiodd, a'u torri, a'u rhoi i'w ddisgyblion i'w gosod gerbron y dyrfa. [17] Bwytasant a chafodd pawb ddigon. A chodwyd deuddeg basgedaid o dameidiau o'r hyn oedd dros ben ganddynt.

Datganiad Pedr ynglŷn â Iesu
(Mth. 16:13-19; Mc. 8:27-29)

18 Pan oedd Iesu yn gweddïo o'r neilltu yng nghwmni'r disgyblion, gofynnodd iddynt, "Pwy y mae'r tyrfaoedd yn dweud ydwyf fi?" [19] Atebasant hwythau, "Mae rhai'n dweud Ioan Fedyddiwr, ac eraill Elias, ac eraill drachefn fod un o'r hen broffwydi wedi atgyfodi." [20] "A chwithau," gofynnodd iddynt, "pwy meddwch chwi ydwyf fi?" Atebodd Pedr, "Meseia Duw."

Iesu'n Rhagfynegi Ei Farwolaeth a'i Atgyfodiad
(Mth. 16:20-28; Mc. 8:30—9.1)

21 Rhybuddiodd ef hwy, a'u gwahardd rhag dweud hyn wrth neb. [22] "Y mae'n rhaid i Fab y Dyn," meddai, "ddioddef llawer a chael ei wrthod gan yr henuriaid a'r prif offeiriaid a'r ysgrifenyddion, a'i ladd, a'r trydydd dydd ei gyfodi." [23] A dywedodd wrth bawb, "Os myn neb ddod ar fy ôl i, rhaid iddo ymwadu ag ef ei hun a chodi ei groes bob dydd a'm canlyn i. [24] Oherwydd pwy bynnag a fyn gadw ei fywyd, fe'i cyll, ond pwy bynnag a gyll ei fywyd er fy mwyn i, fe'i ceidw. [25] Pa elw a gaiff dyn o ennill yr holl fyd a'i ddifetha neu ei fforffedu ei hun? [26] Oherwydd pwy bynnag y bydd arno gywilydd

ohonof fi ac o'm geiriau, bydd ar Fab y Dyn gywilydd ohono yntau, pan ddaw yn ei ogoniant ef a'i Dad a'r angylion sanctaidd. [27] Yn wir, 'rwy'n dweud wrthych, y mae rhai o'r sawl sy'n sefyll yma na phrofant flas marwolaeth nes iddynt weld teyrnas Dduw."

Gweddnewidiad Iesu
(Mth. 17:1-8; Mc. 9:2-8)

28 Ynghylch wyth diwrnod wedi iddo ddweud hyn, cymerodd Pedr ac Ioan ac Iago gydag ef a mynd i fyny'r mynydd i weddïo. [29] Tra oedd ef yn gweddïo, newidiodd gwedd ei wyneb a disgleiriodd ei wisg yn llachar wyn. [30] A dyma ddau ddyn yn ymddiddan ag ef; Moses ac Elias oeddent, [31] wedi ymddangos mewn gogoniant ac yn siarad am ei ymadawiad, y weithred yr oedd i'w chyflawni yn Jerwsalem. [32] Yr oedd Pedr a'r rhai oedd gydag ef wedi eu llethu gan gwsg; ond deffrocsant a gweld ei ogoniant ef, a'r ddau ddyn oedd yn sefyll gydag ef. [33] Wrth i'r rheini ymadael â Iesu, dywedodd Pedr wrtho, "Meistr, y mae'n dda i ni fod yma; gwnawn dair pabell, un i ti ac un i Moses ac un i Elias." Ni wyddai beth yr oedd yn ei ddweud. [34] Tra oedd yn dweud hyn, daeth cwmwl a chysgodi drostynt, a chydiodd ofn ynddynt wrth iddynt fynd i mewn i'r cwmwl. [35] Yna daeth llais o'r cwmwl yn dweud, "Hwn yw fy Mab, yr Etholedig; gwrandewch arno." [36] Ac wedi i'r llais lefaru cafwyd Iesu wrtho'i hun. A bu'r disgyblion yn ddistaw, heb ddweud wrth neb y pryd hwnnw am yr hyn yr oeddent wedi ei weld.

Iacháu Bachgen ag Ysbryd Aflan ynddo
(Mth. 17:14-18; Mc. 9:14-27)

37 Trannoeth, wedi iddynt ddod i lawr o'r mynydd, daeth tyrfa fawr i'w gyfarfod. [38] A dyma ddyn yn gweiddi o'r dyrfa, "Athro, 'rwy'n erfyn arnat edrych ar fy mab, gan mai ef yw fy unig fab. [39] Y mae ysbryd yn gafael ynddo ac â bloedd sydyn yn ei gynhyrfu nes ei fod yn malu ewyn; ac y mae'n dal i'w ddirdynnu yn ddiollwng bron. [40] Erfyniais ar dy ddisgyblion ei fwrw allan, ac ni allasant." [41] Atebodd Iesu, "O genhedlaeth ddiffydd a gwyrgam, pa hyd y byddaf gyda chwi a'ch goddef? Tyrd â'th fab yma." [42] Wrth iddo ddod ymlaen bwriodd y cythraul ef ar lawr a'i gynhyrfu; ond

ceryddodd Iesu yr ysbryd aflan, ac iacháu'r plentyn a'i roi yn ôl i'w dad. [43] Ac yr oedd pawb yn rhyfeddu at fawredd Duw.

Iesu Eilwaith yn Rhagfynegi ei Farwolaeth
(Mth. 17:22-23; Mc. 9:30-32)

A thra oedd pawb yn synnu at ei holl weithredoedd, meddai ef wrth ei ddisgyblion, [44] "Clywch, a chofiwch chwi y geiriau hyn: y mae Mab y Dyn i'w ddraddodi i ddwylo dynion." [45] Ond nid oeddent yn deall yr ymadrodd hwn; yr oedd ei ystyr wedi ei guddio oddi wrthynt, fel nad oeddent yn ei ganfod, ac yr oedd arnynt ofn ei holi ynglŷn â'r ymadrodd hwn.

Pwy yw'r Mwyaf?
(Mth. 18:1-5; Mc. 9:33-37)

46 Cododd trafodaeth yn eu plith, prun ohonynt oedd y mwyaf? [47] Ond gwyddai Iesu am feddyliau eu calonnau. Cymerodd blentyn, a'i osod wrth ei ochr, [48] ac meddai wrthynt, "Pwy bynnag sy'n derbyn y plentyn hwn yn fy enw i, y mae'n fy nerbyn i; a phwy bynnag sy'n fy nerbyn i, y mae'n derbyn yr hwn a'm hanfonodd i. Oherwydd y lleiaf yn eich plith chwi oll, hwnnw sydd fawr."

Yr Hwn nid yw yn eich Erbyn, Drosoch Chwi y Mae
(Mc. 9:38-40)

49 Atebodd Ioan, "Meistr, gwelsom un yn bwrw allan gythreuliaid yn dy enw di, a buom yn ei wahardd am nad yw'n dy ddilyn gyda ni." [50] Ond meddai Iesu wrtho, "Peidiwch â gwahardd, oherwydd yr hwn nid yw yn eich erbyn, drosoch chwi y mae."

Pentref yn Samaria yn Gwrthod Derbyn Iesu

51 Pan oedd y dyddiau cyn ei gymryd i fyny yn dirwyn i ben, troes ef ei wyneb i fynd i Jerwsalem, [52] ac anfonodd allan negesyddion o'i flaen. Cychwynasant, a mynd i mewn i bentref yn Samaria i baratoi ar ei gyfer. [53] Ond gwrthododd y bobl ei dderbyn am ei fod ar ei ffordd i Jerwsalem. [54] Pan welodd ei ddisgyblion, Iago ac Ioan, hyn, meddent, "Arglwydd, a fynni di inni alw tân i lawr o'r nef a'u

dinistrio?'" ⁵⁵Ond troes ef a'u ceryddu. ᶠᶠ ⁵⁶Ac aethant i bentref arall.

Rhai yn Dymuno Canlyn Iesu
(Mth. 8:19-22)

57 Pan oeddent ar y ffordd yn teithio, meddai rhywun wrtho, "Canlynaf di lle bynnag yr ei." ⁵⁸Meddai Iesu wrtho, "Y mae gan y llwynogod ffeuau, a chan adar yr awyr nythod, ond gan Fab y Dyn nid oes lle i roi ei ben i lawr." ⁵⁹Ac meddai wrth un arall, "Canlyn fi." Meddai yntau, "Arglwydd, caniatâ imi yn gyntaf fynd a chladdu fy nhad." ⁶⁰Ond meddai ef wrtho, "Gad i'r meirw gladdu eu meirw eu hunain; dos di a chyhoedda deyrnas Dduw." ⁶¹Ac meddai un arall, "Canlynaf di, Arglwydd; ond yn gyntaf caniatâ imi ffarwelio â'm teulu." ⁶²Ond meddai Iesu wrtho, "Nid yw'r sawl a osododd ei law ar yr aradr, ac sy'n edrych yn ôl, yn addas i deyrnas Dduw."

Cenhadaeth y Deuddeg a Thrigain

10 Wedi hynny penododd yr Arglwydd ddeuddegᵍ a thrigain arall, a'u hanfon allan o'i flaen, bob yn ddau, i bob tref a man yr oedd ef ei hun am fynd iddynt. ²Dywedodd wrthynt, "Y mae'r cynhaeaf yn fawr ond y gweithwyr yn brin; deisyfwch felly ar arglwydd y cynhaeaf anfon gweithwyr i'w gynhaeaf. ³Ewch; dyma fi'n eich anfon allan fel ŵyn i blith bleiddiaid. ⁴Peidiwch â chario na phwrs na chod na sandalau, a pheidiwch â chyfarch neb ar y ffordd. ⁵Pa dŷ bynnag yr ewch i mewn iddo, dywedwch yn gyntaf, 'Tangnefedd i'r teulu hwn.' ⁶Os bydd yno fab tangnefedd, bydd eich tangnefedd yn gorffwys arno ef; onid e, bydd yn dychwelyd atoch chwi. ⁷Arhoswch yn y tŷ hwnnw, a bwyta ac yfed yr hyn a gewch ganddynt, oherwydd y mae'r gweithiwr yn haeddu ei gyflog. Peidiwch â symud o dŷ i dŷ. ⁸Ac i ba dref bynnag yr ewch, a chael derbyniad, bwytewch yr hyn a osodir o'ch blaen. ⁹Iachewch y cleifion yno, a dywedwch wrthynt, 'Y mae teyrnas Dduw wedi dod yn agos atoch.' ¹⁰Pa dref bynnag yr ewch iddi a chael eich gwrthod, ewch allan i'w strydoedd a dywedwch, ¹¹'Yn eich erbyn chwi, yr ydym yn sychu ymaith hyd yn oed y llwch o'ch tref a lynodd wrth ein traed. Eto gwybyddwch hyn: y mae teyrnas Dduw wedi dod yn agos.' ¹²'Rwy'n dweud wrthych y caiff Sodom ar y Dydd hwnnw lai i'w ddioddef na'r dref honno.

Gwae'r Trefi Di-edifar
(Mth. 11:20-24)

13 "Gwae di, Chorasin! Gwae di, Bethsaida! Oherwydd petai'r gwyrthiau a wnaethpwyd ynoch chwi wedi eu gwneud yn Tyrus a Sidon, buasent wedi edifarhau erstalwm, gan eistedd mewn sachliain a lludw. ¹⁴Eto, caiff Tyrus a Sidon lai i'w ddioddef yn y Farn na chwi. ¹⁵A thithau, Capernaum,
'A ddyrchefir di hyd nef?
Byddi'n disgyn ⁿᵍ hyd uffern.'
¹⁶Y mae'r hwn sy'n gwrando arnoch chwi yn gwrando arnaf fi, a'r hwn sy'n eich anwybyddu chwi yn f'anwybyddu i; ac y mae'r hwn sy'n f'anwybyddu i yn anwybyddu'r hwn a'm hanfonodd i."

Y Deuddeg a Thrigain yn Dychwelyd

17 Dychwelodd y deuddeg a thrigain yn llawen, gan ddweud, "Arglwydd, y mae hyd yn oed y cythreuliaid yn ymddarostwng inni yn dy enw di." ¹⁸Meddai wrthynt, "Yr oeddwn yn gweld Satan fel mellten yn syrthio o'r nef. ¹⁹Dyma fi wedi rhoi i chwi yr awdurdod i sathru ar seirff ac ysgorpionau, ac i drechu holl nerth y gelyn; ac ni'ch niweidir chwi gan ddim. ²⁰Eto, peidiwch â llawenhau yn hyn, fod yr ysbrydion yn ymddarostwng i chwi; llawenhewch oherwydd fod eich enwau wedi eu hysgrifennu yn y nefoedd."

Iesu'n Gorfoleddu
(Mth. 11:25-27; 13:16-17)

21 Yr awr honno gorfoleddodd yn yr Ysbryd Glân, ac meddai, "Yr wyf yn dy foliannu di, O Dad, Arglwydd nef a daear, am iti guddio'r pethau hyn rhag y doethion a'r deallusion, a'u datguddio i rai bychain; ie, O Dad, oherwydd felly y rhyngodd dy fodd di. ²²Traddodwyd i mi bob peth gan fy Nhad. Ni ŵyr neb pwy yw'r Mab ond y Tad, na phwy yw'r Tad

---

ᶠYn ôl darlleniad arall ychwanegir *fel y gwnaeth Elias.*
ᶠᶠYn ôl darlleniad arall ychwanegir: *"Ni wyddoch," meddai, "o ba ysbryd yr ydych.* ⁵⁶*Oherwydd ni ddaeth Mab y Dyn i ddinistrio bywydau dynion ond i'w hachub."*
ᵍYn ôl darlleniad arall, *ddeg.* Felly hefyd yn adn. 17.
ⁿᵍYn ôl darlleniad arall, *Fe'th ddymchwelir.*

ond y Mab a phwy bynnag y mae'r Mab yn dewis ei ddatguddio iddo." ²³Yna troes at ei ddisgyblion ac meddai wrthynt o'r neilltu, "Gwyn eu byd y llygaid sy'n gweld y pethau yr ydych chwi yn eu gweld. ²⁴Oherwydd 'rwy'n dweud wrthych fod llawer o broffwydi a brenhinoedd wedi dymuno gweld y pethau yr ydych chwi yn eu gweld, ac nis gwelsant, a chlywed y pethau yr ydych chwi yn eu clywed, ac nis clywsant."

Y Samariad Trugarog

25 Dyma un o athrawon y Gyfraith yn codi i roi prawf arno, gan ddweud, "Athro, beth a wnaf i etifeddu bywyd tragwyddol?" ²⁶Meddai ef wrtho, "Beth sy'n ysgrifenedig yn y Gyfraith? Beth a ddarlleni di yno?" ²⁷Atebodd yntau, "'Câr yr Arglwydd dy Dduw â'th holl galon ac â'th holl enaid ac â'th holl nerth ac â'th holl feddwl, a châr dy gymydog fel ti dy hun.'" ²⁸Meddai ef wrtho, "Atebaist yn gywir; gwna hynny, a byw fyddi." ²⁹Ond yr oedd ef am ei gyfiawnhau ei hun, ac meddai wrth Iesu, "A phwy yw fy nghymydog?" ³⁰Atebodd Iesu, "Yr oedd dyn yn mynd i lawr o Jerwsalem i Jericho, a syrthiodd i blith lladron. Wedi tynnu ei ddillad oddi amdano a'i guro, aethant ymaith, a'i adael yn hanner marw. ³¹Fel y digwyddodd, yr oedd offeiriad yn mynd i lawr ar hyd y ffordd honno; pan welodd ef, aeth heibio o'r ochr arall. ³²Yr un modd daeth Lefiad hefyd at y man; gwelodd ef, ac aeth heibio o'r ochr arall. ³³Ond daeth teithiwr o Samariad ato; pan welodd hwn ef, tosturiodd wrtho. ³⁴Aeth ato a rhwymo ei glwyfau, gan arllwys olew a gwin arnynt; gosododd ef ar ei anifail ei hun, a'i arwain i lety, a'i ymgeleddu. ³⁵Trannoeth tynnodd ddau ddarn arianʰ allan a'u rhoi i'r gwesteiwr, gan ddweud, 'Gofala amdano. Os byddi wedi gwario rhywbeth dros ben, fe dalaf fi yn ôl iti pan ddychwelaf.' ³⁶Prun o'r tri hyn, dybi di, fu'n gymydog i'r dyn a syrthiodd i blith lladron?" ³⁷Meddai ef, "Yr un a gymerodd drugaredd arno." Ac meddai Iesu wrtho, "Dos, a gwna dithau yr un modd."

Ymweld â Martha a Mair

38 Pan oeddent ar daith, aeth Iesu i mewn i bentref, a chroesawyd ef i'w chartref gan wraig o'r enw Martha. ³⁹Yr oedd ganddi hi chwaer a elwid Mair; eisteddodd hi wrth draed yr Arglwydd a gwrando ar ei air. ⁴⁰Ond yr oedd Martha mewn dryswch oherwydd yr holl waith gweini, a daeth ato a dweud, "Arglwydd, a wyt ti heb hidio dim fod fy chwaer wedi fy ngadael i weini ar fy mhen fy hun? Dywed wrthi, felly, am fy nghynorthwyo." ⁴¹Atebodd yr Arglwydd hi, "Martha, Martha, yr wyt yn pryderu ac yn trafferthu am lawer o bethau, ⁴²ond un peth sy'n angenrheidiol. Y mae Mair wedi dewis y rhan orau, ac nis dygir oddi arni."

Dysgeidiaeth ar Weddi
(Mth. 6:9-15; 7:7-11)

11 Yr oedd ef yn gweddïo mewn rhyw fan, ac wedi iddo orffen dywedodd un o'i ddisgyblion wrtho, "Arglwydd, dysg i ni weddïo, fel y dysgodd Ioan yntau i'w ddisgyblion ef." ²Ac meddai wrthynt, "Pan weddïwch, dywedwch:

'Dadⁱ, sancteiddier dy enw;
    deled dy deyrnas;ˡ
³dyro inni o ddydd i ddydd ein bara
    beunyddiolˡˡ;
⁴a maddau inni ein pechodau,
    oherwydd yr ydym ninnau yn maddau
    i bob un sy'n troseddu yn ein
    herbyn;
    a phaid â'n dwyn i brawfᵐ.'"

5 Yna meddai wrthynt, "Pe bai un ohonoch yn mynd at gyfaill ganol nos a dweud wrtho, 'Gyfaill, rho fenthyg tair torth imi, ⁶oherwydd y mae cyfaill imi wedi cyrraedd acw ar ôl taith, ac nid oes gennyf ddim i'w osod o'i flaen'; ⁷a phe bai yntau yn ateb o'r tu mewn, 'Paid â'm blino; y mae'r drws erbyn hyn wedi ei folltio, a'm plant gyda mi yn y gwely; ni allaf godi i roi dim iti', ⁸'rwy'n dweud wrthych, hyd yn oed os gwrthyd ef godi a rhoi rhywbeth iddo o achos eu cyfeillgarwch, eto oherwydd ei daerni digywilydd fe fydd yn codi a rhoi iddo

---

ʰNeu, *ddau ddenarius*. Gw. nodyn ° ar Mth. 18:28.
ⁱYn ôl darlleniad arall, *Ein Tad yn y nefoedd.*
ˡYn ôl darlleniad arall ychwanegir *gwneler dy ewyllys, ar y ddaear fel yn y nef.*
ˡˡNeu, *ein bara at yfory.* Neu, *y bara sy'n ein cynnal.*
ᵐYn ôl darlleniad arall ychwanegir *ond gwared ni rhag yr Un drwg.*

gymaint ag sydd arno ei eisiau. ⁹Ac yr wyf fi'n dweud wrthych: gofynnwch, ac fe roddir i chwi; chwiliwch, ac fe gewch; curwch, ac fe agorir i chwi. ¹⁰Oherwydd y mae pawb sy'n gofyn yn derbyn, a'r hwn sy'n chwilio yn cael, ac i'r hwn sy'n curo agorir y drws. ¹¹Os bydd mab un ohonoch yn gofyn i'w dad am bysgodyn, a rydd ef iddo sarff yn lle pysgodyn? ¹²Neu os bydd yn gofyn am wy, a rydd ef iddo ysgorpion? ¹³Am hynny, os ydych chwi, sy'n ddynion drwg, yn medru rhoi rhoddion da i'ch plant, gymaint mwy y rhydd y Tad nefol yr Ysbryd Glân i'r rhai sy'n gofyn ganddo."

Iesu a Beelsebwl
(Mth. 12:22-30; Mc. 3:20-27)

14 Yr oedd yn bwrw allan gythraul, a hwnnw'n un mud. Ac wedi i'r cythraul fynd allan, llefarodd y mudan. Synnodd y tyrfaoedd, ¹⁵ond meddai rhai ohonynt, "Trwy Beelsebwl, pennaeth y cythreuliaid, y mae'n bwrw allan gythreuliaid." ¹⁶Yr oedd eraill am ei brofi, a gofynasant am arwydd ganddo o'r nef. ¹⁷Ond yr oedd ef yn deall eu meddyliau hwy, ac meddai wrthynt, "Caiff pob teyrnas a ymrannodd yn ei herbyn ei hun ei difrodi, a'r tai yn cwympo ar ben ei gilydd.ⁿ ¹⁸Ac os yw Satan yntau wedi ymrannu yn ei erbyn ei hun, sut y saif ei deyrnas?—gan eich bod chwi'n dweud mai trwy Beelsebwl yr wyf yn bwrw allan gythreuliaid. ¹⁹Ac os trwy Beelsebwl yr wyf fi'n bwrw allan gythreuliaid, trwy bwy y mae eich disgyblion chwi yn eu bwrw allan? Am hynny hwy fydd yn eich barnu. ²⁰Ond os trwy fys Duw yr wyf fi'n bwrw allan gythreuliaid, yna y mae teyrnas Dduw wedi cyrraedd atoch. ²¹Pan fydd dyn cryf yn ei arfwisg yn gwarchod ei blasty ei hun, bydd ei eiddo yn cael llonydd; ²²ond pan fydd un cryfach nag ef yn ymosod arno ac yn ei drechu, bydd hwnnw'n cymryd yr arfwisg yr oedd ef wedi ymddiried ynddi, ac yn rhannu'r ysbail. ²³Os nad yw dyn gyda mi, yn fy erbyn i y mae, ac os nad yw'n casglu gyda mi, gwasgaru y mae.

Yr Ysbryd Aflan yn Dychwelyd
(Mth. 12:43-45)

24 "Pan fydd ysbryd aflan yn mynd allan o ddyn, bydd yn rhodio trwy fannau sychion gan geisio gorffwysfa, ond heb ei

gael. Yna y mae'n dweud, 'Mi ddychwelaf i'm cartref, y lle y deuthum ohono.' ²⁵Wedi cyrraedd, y mae'n ei gael wedi ei ysgubo a'i osod mewn trefn. ²⁶Yna y mae'n mynd ac yn cymryd ato saith ysbryd arall mwy drygionus nag ef ei hun; y maent yn mynd i mewn ac yn ymgartrefu yno; ac y mae cyflwr olaf y dyn hwnnw yn waeth na'r cyntaf."

Gwynfyd Gwirioneddol

27 Wrth iddo ddweud hyn, cododd gwraig o'r dyrfa ei llais ac meddai wrtho, "Gwyn eu byd y groth a'th gariodd di a'r bronnau a sugnaist." ²⁸"Nage," meddai ef, "gwyn eu byd y rhai sy'n clywed gair Duw ac yn ei gadw."

Ceisio Arwydd
(Mth. 12:38-42; Mc. 8:12)

29 Wrth i'r tyrfaoedd gynyddu, dechreuodd lefaru: "Y mae'r genhedlaeth hon yn genhedlaeth ddrygionus; y mae'n ceisio arwydd. Eto ni roddir arwydd iddi ond arwydd Jona. ³⁰Oherwydd fel y bu Jona yn arwydd i bobl Ninefe, felly y bydd Mab y Dyn yntau i'r genhedlaeth hon. ³¹Bydd Brenhines y De yn codi yn y Farn gyda gwŷr y genhedlaeth hon, ac yn eu condemnio hwy; oherwydd daeth hi o eithafoedd y ddaear i glywed doethineb Solomon, ac yr ydych chwi'n gweld yma beth mwy na Solomon. ³²Bydd gwŷr Ninefe yn codi yn y Farn gyda'r genhedlaeth hon, ac yn ei chondemnio hi; oherwydd edifarhasant hwy dan genadwri Jona, ac yr ydych chwi'n gweld yma beth mwy na Jona.

Goleuni'r Corff
(Mth 5:15; 6:22-23)

33 "Ni bydd neb yn cynnau cannwyll a'i rhoi mewn man cudd neu dan lestr, ond ar ganhwyllbren, er mwyn i'r rhai sy'n dod i mewn weld ei goleuni. ³⁴Dy lygad yw cannwyll dy gorff. Pan fydd dy lygad yn iach, y mae dy gorff hefyd yn llawn goleuni; ond pan fydd yn sâl, y mae dy gorff hefyd yn llawn tywyllwch. ³⁵Ystyria gan hynny ai tywyllwch yw'r goleuni sydd ynot ti. ³⁶Felly, os yw dy gorff yn llawn goleuni, heb unrhyw ran ohono mewn tywyllwch, bydd yn llawn goleuni, fel pan fydd cannwyll yn dy oleuo â'i llewyrch."

ⁿNeu, *ei difrodi, ac y mae tŷ a ymrannodd yn ei erbyn ei hun yn syrthio.*

Cyhuddo'r Phariseaid ac Athrawon y Gyfraith
(Mth. 23:1-36; Mc. 12:38-40; Lc. 20:45-47)

37 Pan orffennodd Iefaru, gwahoddodd Pharisead ef i bryd o fwyd yn ei dŷ. Aeth i mewn a chymryd ei le wrth y bwrdd. 38 Pan welodd y Pharisead nad oedd wedi ymolchi yn gyntaf cyn bwyta, fe synnodd. 39 Ond meddai'r Arglwydd wrtho, "Yr ydych chwi'r Phariseaid yn wir yn glanhau tu allan y cwpan a'r ddysgl, ond o'ch mewn yr ydych yn llawn anrhaith a drygioni. 40 Ynfydion, onid yr hwn a wnaeth y tu allan a wnaeth y tu mewn hefyd? 41 Ond rhowch yn elusen y pethau sydd y tu mewn i'r cwpan, a dyna bopeth yn lân ichwi. 42 Ond gwae chwi'r Phariseaid, oherwydd yr ydych yn talu degwm o fintys a rhyw a phob llysieuyn, ond yn diystyru cyfiawnder a chariad Duw, yr union bethau y dylasech ofalu amdanynt, ond heb esgeuluso'r llcill. 43 Gwae chwi'r Phariseaid, oherwydd yr ydych yn caru'r prif gadeiriau yn y synagogau a'r cyfarchiadau yn y marchnadoedd. 44 Gwae chwi, oherwydd yr ydych fel beddau heb eu nodi, a dynion yn cerdded drostynt yn ddiarwybod."

45 Atebodd un o athrawon y Gyfraith ef, "Athro, wrth ddweud hyn yr wyt yn ein sarhau ninnau." 46 Meddai ef, "Gwae chwithau athrawon y Gyfraith, oherwydd yr ydych yn beichio dynion â beichiau anodd eu dwyn, beichiau nad yw un o'ch bysedd chwi byth yn cyffwrdd â hwy. 47 Gwae chwi, oherwydd yr ydych yn codi beddfeini i'r proffwydi, ond eich tadau chwi a'u lladdodd. 48 Gan hynny, yn ôl eich tystiolaeth eich hunain, yr ydych yn cymeradwyo gweithredoedd eich tadau, oherwydd hwy a'u lladdodd, a chwi sy'n codi'r beddfeini. 49 Am hynny hefyd y dywedodd Doethineb Duw, 'Anfonaf atynt broffwydi ac apostolion, a byddant yn lladd ac yn erlid rhai ohonynt'; 50 ac felly gelwir y genhedlaeth hon i gyfrif am waed yr holl broffwydi a dywalltwyd er seiliad y byd, 51 o waed Abel hyd at waed Sechareia, a drengodd rhwng yr allor a'r cysegr. Ie, 'rwy'n dweud wrthych, fe elwir y genhedlaeth hon i gyfrif amdano. 52 Gwae chwi athrawon y Gyfraith, oherwydd ichwi gymryd ymaith allwedd gwybodaeth; nid aethoch i mewn eich hunain, a'r rhai oedd am fynd i mewn, eu rhwystro a wnaethoch." 53 Wedi iddo fynd allan oddi yno dechreuodd yr ysgrifenyddion a'r Phariseaid fagu dig tuag ato, a'i holi yn fanwl ynghylch llawer o bethau, 54 gan aros fel helwyr i'w faglu ar ryw air o'i enau.

Rhybudd rhag Rhagrith

12 Yn y cyfamser yr oedd y dyrfa wedi ymgynnull yn ei miloedd, nes eu bod yn sathru ei gilydd dan draed. Dechreuodd ef ddweud wrth ei ddisgyblion yn gyntaf, "Gochelwch rhag surdoes y Phariseaid, hynny yw, eu rhagrith. 2 Nid oes dim wedi ei guddio nas datguddir, na dim yn guddiedig na cheir ei wybod. 3 Am hyn, popeth y buoch yn ei ddweud yn y tywyllwch, fe'i clywir yng ngolau dydd; a'r hyn y buoch yn ei sibrwd yn y glust mewn ystafelloedd o'r neilltu, fe'i cyhoeddir ar bennau'r tai.

Pwy i'w Ofni
(Mth. 10:28-31)

4 "Rwy'n dweud wrthych chwi fy nghyfeillion, peidiwch ag ofni'r rhai sy'n lladd y corff, ac sydd wedi hynny heb allu i wneud dim pellach. 5 Ond dangosaf i chwi pwy i'w ofni: ofnwch yr hwn sydd ag awdurdod ganddo i fwrw i uffern wedi'r lladd; ie, 'rwy'n dweud wrthych, ofnwch hwnnw. 6 Oni werthir pump aderyn y to am ddwy geiniog? Eto nid yw un ohonynt yn angof gan Dduw. 7 Yn wir, y mae hyd yn oed pob blewyn o wallt eich pen wedi ei rifo. Peidiwch ag ofni; yr ydych yn werth mwy na llawer o adar y to.

Cyffesu Crist gerbron Dynion
(Mth. 10:32-33; 12:32; 10:19-20)

8 "Rwy'n dweud wrthych, pwy bynnag a'm harddel i gerbron dynion, bydd Mab y Dyn hefyd yn ei arddel yntau gerbron angylion Duw; 9 ond yr hwn sydd yn fy ngwadu i gerbron dynion, fe'i gwedir ef gerbron angylion Duw. 10 A phwy bynnag a ddywed air yn erbyn Mab y Dyn, maddeuir iddo; ond ni faddeuir i'r hwn sy'n cablu yn erbyn yr Ysbryd Glân. 11 Pan ddygant chwi gerbron y synagogau a'r ynadon a'r awdurdodau, peidiwch â phryderu am ddull nac am gynnwys eich amddiffyniad, nac am eich ymadrodd; 12 oherwydd bydd yr Ysbryd Glân yn eich dysgu chwi ar y pryd beth fydd yn rhaid ei ddweud."

Dameg yr Ynfytyn Cyfoethog

13 Meddai rhywun o'r dyrfa wrtho, "Athro, dywed wrth fy mrawd am roi i mi fy nghyfran o'n hetifeddiaeth." ¹⁴Ond meddai ef wrtho, "Ddyn, pwy a'm penododd i yn farnwr neu yn gymrodeddwr rhyngoch?" ¹⁵A dywedodd wrthynt, "Gofalwch ymgadw rhag trachwant o bob math, oherwydd, er cymaint ei gyfoeth, nid yw bywyd neb yn dibynnu ar ei feddiannau." ¹⁶Ac adroddodd ddameg wrthynt: "Yr oedd tir rhyw ŵr cyfoethog wedi dwyn cnwd da. ¹⁷A dechreuodd feddwl a dweud wrtho'i hun, 'Beth a wnaf fi, oherwydd nid oes gennyf unman i gasglu fy nghnydau iddo?' ¹⁸Ac meddai, 'Dyma beth a wnaf fi: tynnaf f'ysguboriau i lawr ac adeiladu rhai mwy, a chasglaf yno fy holl ŷd a'm heiddo. ¹⁹Yna dywedaf wrthyf fy hun, "Ddyn, y mae gennyt stôr o lawer o bethau ar gyfer blynyddoedd lawer; gorffwys, bwyta, yf, bydd lawen."' ²⁰Ond meddai Duw wrtho, 'Yr ynfytyn, heno y mynnir dy einioes yn ôl gennyt, a phwy gaiff y pethau a baratoaist?' ²¹Felly y bydd hi ar yr hwn sy'n casglu trysor iddo'i hun a heb fod yn gyfoethog ym mhethau Duw."

Gofal a Phryder
(Mth. 6:25-34, 19-21)

22 Meddai wrth ei ddisgyblion, "Am hynny 'rwy'n dweud wrthych, peidiwch â phryderu am eich einioes nac am eich corff, beth i'w fwyta na beth i'w wisgo. ²³Oherwydd y mae rhagor i einioes dyn na lluniaeth, a rhagor i'w gorff na dillad. ²⁴Ystyriwch y brain: nid ydynt yn hau nac yn medi, nid oes ganddynt ystordy nac ysgubor, ac eto y mae Duw yn eu bwydo. Gymaint mwy gwerthfawr ydych chwi na'r adar! ²⁵A phrun ohonoch a all ychwanegu munud at ei oes° trwy bryderu? ²⁶Felly os yw hyd yn oed y peth lleiaf y tu hwnt i'ch gallu, pam yr ydych yn pryderu am y gweddill? ²⁷Ystyriwch y lili, pa fodd y maent yn tyfu: nid ydynt yn llafurio nac yn nyddu; ond 'rwy'n dweud wrthych, nid oedd gan hyd yn oed Solomon yn ei holl ogoniant wisg i'w chymharu ag un o'r rhain. ²⁸Os yw Duw yn dilladu felly y glaswellt sydd heddiw yn y meysydd ac yfory yn cael ei daflu i'r ffwrn, gymaint mwy y dillada chwi, chwi o ychydig ffydd! ²⁹A chwith-

au, peidiwch â rhoi eich bryd ar beth i'w fwyta a beth i'w yfed, a pheidiwch â byw mewn pryder; ³⁰oherwydd dyna'r holl bethau y mae cenhedloedd y byd yn eu ceisio, ond y mae gennych chwi Dad sy'n gwybod fod arnoch eu hangen. ³¹Ceisiwch yn hytrach ei deyrnas ef, a rhoir y pethau hyn yn ychwaneg i chwi. ³²Peidiwch ag ofni, fy mhraidd bychan, oherwydd gwelodd eich Tad yn dda roi i chwi'r deyrnas. ³³Gwerthwch eich eiddo a rhowch ef yn elusen; gwnewch i chwi eich hunain byrsau nad ydynt yn treulio, trysor dihysbydd yn y nefoedd, lle nad yw lleidr yn dod ar y cyfyl, na gwyfyn yn difa. ³⁴Oherwydd lle mae eich trysor, yno hefyd y bydd eich calon.

Gweision Gwyliadwrus
(Mth. 24:45-51)

35 "Bydded eich gwisg wedi ei thorchi a'ch canhwyllau ynghynn. ³⁶Byddwch chwithau fel dynion yn disgwyl dychweliad eu meistr o briodas, i agor iddo cyn gynted ag y daw a churo. ³⁷Gwyn eu byd y gweision hynny a geir ar ddihun gan eu meistr pan ddaw; yn wir, 'rwy'n dweud wrthych y bydd ef yn torchi ei wisg, ac yn eu gosod wrth y bwrdd, ac yn dod ac yn gweini arnynt. ³⁸Ac os daw ef ar hanner nos neu yn yr oriau mân, a'u cael felly, gwyn eu byd. ³⁹A gwybyddwch hyn: pe buasai meistr y tŷ yn gwybod pa bryd y byddai'r lleidr yn dod, ni fuasai wedi gadael iddo dorri i mewn i'w dŷ. ⁴⁰Chwithau hefyd, byddwch barod, oherwydd pryd na thybiwch y daw Mab y Dyn."

41 Meddai Pedr, "Arglwydd, ai i ni yr wyt yn adrodd y ddameg hon, ai i bawb yn ogystal?" ⁴²Dywedodd yr Arglwydd, "Pwy ynteu yw'r goruchwyliwr ffyddlon a chall a osodir gan ei feistr dros ei weision, i roi eu dogn bwyd iddynt yn ei bryd? ⁴³Gwyn ei fyd y gwas hwnnw a geir yn gwneud felly gan ei feistr pan ddaw; ⁴⁴yn wir, 'rwy'n dweud wrthych y gesyd ef dros ei holl eiddo. ⁴⁵Ond os dywed y gwas hwnnw yn ei galon, 'Y mae fy meistr yn oedi dod', a dechrau curo'r gweision a'r morynion, a bwyta ac yfed a meddwi, ⁴⁶yna bydd meistr y gwas hwnnw yn cyrraedd ar ddiwrnod annisgwyl iddo ef ac ar awr nas gŵyr; ac fe'i cosba yn llym, a gosod ei le gyda'r anffyddloniaid. ⁴⁷Bydd y gwas hwnnw

°Neu, *modfedd at ei daldra.*

sy'n gwybod ewyllys ei feistr, ac eto heb ddarparu na gwneud dim yn ôl ei ewyllys, yn cael curfa dost; ⁴⁸ond bydd y gwas nad yw'n gwybod, ond sydd wedi haeddu curfa, yn cael un ysgafn. A phob un y mae llawer wedi ei roi iddo, llawer a geisir ganddo; a'r hwn y mae llawer wedi ei ymddiried iddo, mwy fyth a ofynnir ganddo.

Iesu'n Achos Ymraniad
(Mth. 10:34-36)

49 "Yr wyf fi wedi dod i fwrw tân ar y ddaear, ac O na fyddai eisoes wedi ei gynnau! ⁵⁰Y mae bedydd y mae'n rhaid fy medyddio ag ef, a chymaint yw fy nghyfyngder hyd nes y cyflawnir ef! ⁵¹A ydych chwi'n tybio mai i roi heddwch i'r ddaear yr wyf fi wedi dod? Nage, meddaf wrthych, ond ymraniad. ⁵²Oherwydd o hyn allan bydd un teulu o bump wedi ymrannu, tri yn erbyn dau a dau yn erbyn tri:
⁵³'Ymranna'r tad yn erbyn y mab a'r mab yn erbyn y tad,
y fam yn erbyn ei merch a'r ferch yn erbyn ei mam,
y fam yng nghyfraith yn erbyn y ferch yng-nghyfraith
a'r ferch-yng-nghyfraith yn erbyn ei mam-yng-nghyfraith.' "

Dehongli'r Amser
(Mth. 16:2-3)

54 Dywedodd wrth y tyrfaoedd hefyd, "Pan welwch gwmwl yn codi yn y gorllewin, yn y ydych yn dweud ar unwaith, 'Daw yn law', ac felly y bydd; ⁵⁵a phan welwch wynt y de yn chwythu, yr ydych yn dweud, 'Daw yn wres', a hynny fydd. ⁵⁶Chwi ragrithwyr, medrwch ddehongli'r olwg ar y ddaear a'r ffurfafen, ond sut na fedrwch ddehongli'r amser hwn?

Cymodi â'th Wrthwynebwr
(Mth. 5:25-26)

57 "A pham nad ydych ohonoch eich hunain yn barnu beth sydd yn iawn? ⁵⁸Pan wyt yn mynd gyda'th wrthwynebwr at yr ynad, gwna dy orau ar y ffordd yno i gymodi ag ef, rhag iddo dy lusgo gerbron y barnwr, ac i'r barnwr dy draddodi i'r cwnstabl, ac i'r cwnstabl dy fwrw i garchar. ⁵⁹Rwy'n dweud wrthyt, ni ddoi di byth allan oddi yno cyn talu'n ôl yr hatling olaf."

Edifarhau neu Ddarfod Amdanoch

13 Yr un adeg, daeth rhywrai a mynegi iddo am y Galileaid y cymysgodd Pilat eu gwaed â'u hebyrth. ²Atebodd ef hwy, "A ydych chwi'n tybio fod y rhain yn waeth pechaduriaid na'r holl Galileaid eraill, am iddynt ddioddef hyn? ³Nac oeddent, meddaf wrthych; eto, os nad edifarhewch, fe dderfydd amdanoch oll yn yr un modd. ⁴Neu'r deunaw hynny y syrthiodd y tŵr arnynt yn Siloam a'u lladd, a ydych chwi'n tybio fod y rhain yn waeth troseddwyr na holl drigolion eraill Jerwsalem? ⁵Nac oeddent, meddaf wrthych; eto, os nad edifarhewch, fe dderfydd amdanoch oll yn yr un modd."

Dameg y Ffigysbren Diffrwyth

6 Adroddodd y ddameg hon: "Yr oedd gan ddyn ffigysbren wedi ei blannu yn ei winllan. Daeth i chwilio am ffrwyth arno, ac ni chafodd ddim. ⁷Ac meddai wrth y gwinllannydd, 'Ers tair blynedd bellach yr wyf wedi bod yn dod i geisio ffrwyth ar y ffigysbren hwn, a heb gael dim. Am hynny tor ef i lawr; pam y caiff dynnu maeth o'r pridd?' ⁸Ond atebodd ef, 'Meistr, gad iddo eleni eto, imi balu o'i gwmpas a'i wrteithio. ⁹Ac os daw â ffrwyth o flwyddyn nesaf, popeth yn iawn; onid e, cei ei dorri i lawr.' "

Iacháu Gwraig Wargrwm ar y Saboth

10 Yr oedd yn dysgu yn un o'r synagogau ar y Saboth. ¹¹Yr oedd yno wraig oedd ers deunaw mlynedd yng ngafael ysbryd oedd wedi bod yn ei gwanychu nes ei bod yn wargrwm ac yn hollol analluog i sefyll yn syth. ¹²Pan welodd Iesu hi galwodd arni, "Wraig, yr wyt wedi dy waredu o'th wendid." ¹³Yna dododd ei ddwylo arni, ac ar unwaith ymunionodd drachefn, a dechrau gogoneddu Duw. ¹⁴Ond yr oedd arweinydd y synagog yn ddig fod Iesu wedi iacháu ar y Saboth, ac meddai wrth y dyrfa, "Y mae chwe diwrnod gwaith; dewch i'ch iacháu ar y dyddiau hynny, ac nid ar y dydd Saboth." ¹⁵Atebodd yr Arglwydd ef, "Chwi ragrithwyr, onid yw pob un ohonoch ar y Saboth yn gollwng ei ych neu ei asyn o'r preseb ac yn mynd ag ef allan i'r dŵr? ¹⁶Ond dyma un o ferched Abraham, a fu yn rhwymau Satan ers deunaw mlynedd; a ddywedwch na ddylasid ei rhyddhau hi o'r rhwymyn hwn ar y

dydd Saboth?" [17] Wrth iddo ddweud hyn, codwyd cywilydd ar ei holl wrthwynebwyr, a llawenychodd y dyrfa i gyd oherwydd ei holl weithredoedd gogoneddus.

Damhegion yr Hedyn Mwstard a'r Lefain
(Mth. 13:31-33; Mc. 4:30-32)

18 Meddai gan hynny, "I beth y mae teyrnas Dduw yn debyg, ac i beth y cyffelybaf hi? [19] Y mae'n debyg i hedyn mwstard; y mae dyn yn ei gymryd a'i fwrw i'w ardd, ac y mae'n tyfu ac yn dod yn goeden, ac y mae adar yr awyr yn nythu yn ei changhennau."

20 Ac meddai eto, "I beth y cyffelybaf deyrnas Dduw? [21] Y mae'n debyg i lefain; y mae gwraig yn ei gymryd, ac yn ei gymysgu â thri mesur o flawd gwenith, nes lefeinio'r cwbl."

Y Drws Cul
(Mth. 7:13-14; 21-23)

22 Yr oedd yn mynd trwy'r trefi a'r pentrefi gan ddysgu, ar ei ffordd i Jerwsalem. [23] Meddai rhywun wrtho, "Arglwydd, ai ychydig yw'r rhai sy'n cael eu hachub?" Ac meddai ef wrthynt, [24] "Ymegnïwch i fynd i mewn trwy'r drws cul, oherwydd 'rwy'n dweud wrthych y bydd llawer yn ceisio mynd i mewn ac yn methu. [25] Unwaith y bydd meistr y tŷ wedi codi a chau'r drws, gallwch chwithau sefyll y tu allan a churo ar y drws, gan ddweud, 'Arglwydd, agor inni'; ond bydd ef yn eich ateb, 'Ni wn o ble'r ydych.' [26] Yna dechreuwch ddweud, 'Buom yn bwyta ac yn yfed gyda thi, a buost ti yn dysgu yn ein strydoedd ni.' [27] A dywed ef wrthych, 'Ni wn o ble'r ydych. Ewch ymaith oddi wrthyf, chwi ddrwgweithredwyr oll.' [28] Bydd yno wylo a rhincian dannedd, pan welwch Abraham ac Isaac a Jacob a'r holl broffwydi yn nheyrnas Dduw, a chwithau'n cael eich bwrw allan. [29] A daw dynion o'r dwyrain a'r gorllewin ac o'r gogledd a'r de, a chymryd eu lle yn y wledd yn nheyrnas Dduw. [30] Ac yn wir, bydd rhai sy'n olaf yn flaenaf, a rhai sy'n flaenaf yn olaf."

Y Galarnad dros Jerwsalem
(Mth. 23:37-39)

31 Y pryd hwnnw, daeth rhai Phariseaid ato a dweud wrtho, "Dos i ffwrdd

[p] Yn ôl darlleniad arall, *asyn.*

oddi yma, oherwydd y mae Herod â'i fryd ar dy ladd di." [32] Meddai ef wrthynt, "Ewch a dywedwch wrth y cadno hwnnw, 'Heddiw ac yfory byddaf yn bwrw allan gythreuliaid ac yn iacháu, a'r trydydd dydd cyrhaeddaf gyflawniad fy ngwaith.' [33] Eto, heddiw ac yfory a thrennydd y mae'n rhaid imi fynd ar fy nhaith, oherwydd ni ddichon i broffwyd farw y tu allan i Jerwsalem. [34] Jerwsalem, Jerwsalem, tydi sy'n lladd y proffwydi ac yn llabyddio'r rhai a anfonwyd atat, mor aml y dymunais gasglu dy blant ynghyd, fel y mae iâr yn casglu ei chywion dan ei hadenydd, ond gwrthod a wnaethoch. [35] Wele, y mae eich tŷ yn cael ei adael yn amddifad. Ac 'rwy'n dweud wrthych, ni chewch fy ngweld hyd y dydd pan ddywedwch, 'Bendigedig yw'r un sy'n dod yn enw'r Arglwydd.'"

Iacháu'r Dyn â Dropsi arno

14 Aeth i mewn i dŷ un o arweinwyr y Phariseaid ar y Saboth am bryd o fwyd; ac yr oeddent hwy â'u llygaid arno. [2] Ac yno ger ei fron yr oedd dyn â'r dropsi arno. [3] A llefarodd Iesu wrth athrawon y Gyfraith a'r Phariseaid, gan ddweud, "A yw'n gyfreithlon iacháu ar y Saboth, ai nid yw?" [4] Ond ni ddywedasant hwy ddim. Yna cymerodd y claf a'i iacháu a'i anfon ymaith. [5] Ac meddai wrthynt, "Pe bai mab[p] neu ych unrhyw un ohonoch yn syrthio i bydew, oni fyddech yn ei dynnu allan ar unwaith, hyd yn oed ar y dydd Saboth?" [6] Ni allent gynnig unrhyw ateb i hyn.

Gwers i'r Gwesteion ac i Wahoddwr

7 Yna adroddodd ddameg wrth y gwesteion, wrth iddo sylwi sut yr oeddent yn dewis y seddau anrhydedd: [8] "Pan wahoddir di gan rywun i wledd briodas, paid â chymryd y lle anrhydedd, rhag ofn ei fod wedi gwahodd rhywun amlycach na thi; [9] oherwydd os felly, daw'r hwn a'ch gwahoddodd chwi'ch dau a dweud wrthyt, 'Rho dy le i hwn', ac yna byddi dithau mewn cywilydd yn cymryd y lle isaf. [10] Yn hytrach, pan wahoddir di, dos a chymer y lle isaf, fel pan ddaw'r gwahoddwr a dywed wrthyt, 'Gyfaill, tyrd yn uwch'; yna dangosir parch iti yng ngŵydd dy holl gyd-westeion. [11] Oherwydd darostyngir pob un sy'n ei ddyrchafu ei hun, a dyrchefir pob un sy'n ei ddarostwng ei

hun." ¹²Meddai hefyd wrth ei wahoddwr, "Pan fyddi'n trefnu cinio neu swper, paid â gwahodd dy gyfeillion na'th frodyr na'th berthnasau na'th gymdogion cyfoethog, rhag ofn iddynt hwythau yn eu tro dy wahodd di, ac iti gael dy wobr felly. ¹³Pan fyddi'n trefnu gwledd, gwahodd yn hytrach y tlodion, yr anafusion, y cloffion, a'r deillion; ¹⁴a gwyn fydd dy fyd, am nad oes ganddynt fodd i dalu'n ôl iti; cei dy dalu'n ôl yn atgyfodiad y cyfiawn."

Dameg y Wledd Fawr
(Mth. 22:1-10)

15 Clywodd un o'i gyd-westeion hyn ac meddai wrtho, "Gwyn ei fyd yr hwn a gaiff gyfran yn y wledd yn nheyrnas Dduw." ¹⁶Ond meddai ef wrtho, "Yr oedd dyn yn trefnu gwledd fawr. Gwahoddodd lawer o bobl, ¹⁷ac anfonodd ei was ar awr y wledd i ddweud wrth y gwahoddedigion, 'Dewch, y mae popeth yn barod yn awr.' ¹⁸Ond dechreuodd pawb ymesgusodi yn unfryd. Meddai'r cyntaf wrtho, ''Rwyf wedi prynu cae, ac y mae'n rhaid imi fynd allan i gael golwg arno; a wnei di fy esgusodi, os gweli di'n dda?' ¹⁹Meddai un arall, ''Rwyf wedi prynu pum pâr o ychen, ac 'rwyf ar fy ffordd i roi prawf arnynt; a wnei di fy esgusodi, os gweli di'n dda?' ²⁰Ac meddai un arall, ''Rwyf newydd briodi, ac am hynny ni allaf ddod.' ²¹Aeth y gwas at ei feistr a rhoi gwybod iddo. Yna digiodd meistr y tŷ, ac meddai wrth ei was, 'Dos allan ar unwaith i strydoedd a heolydd y dref, a thyrd â'r tlodion a'r anafusion a'r deillion a'r cloffion i mewn yma.' ²²Pan ddywedodd y gwas, 'Meistr, y mae dy orchymyn wedi ei gyflawni, ond y mae lle o hyd', ²³meddai ei feistr wrtho, 'Dos allan i'r ffyrdd ac i'r cloddiau, a myn ganddynt hwy ddod i mewn, fel y llenwir fy nhŷ; ²⁴oherwydd 'rwy'n dweud wrthych na chaiff dim un o'r dynion hynny oedd wedi eu gwahodd brofi fy ngwledd.'"

Cost Bod yn Ddisgybl

25 Yr oedd tyrfaoedd niferus yn teithio gydag ef, a throes a dweud wrthynt, ²⁶"Os daw rhywun ataf fi heb gasáu ei dad ei hun, a'i fam a'i wraig a'i blant a'i frodyr a'i chwiorydd, a hyd yn oed ei fywyd ei hun, ni all fod yn ddisgybl imi. ²⁷Pwy bynnag nad yw'n cario ei groes ei

hun ac yn dod ar fy ôl i, ni all fod yn ddisgybl imi. ²⁸Oherwydd os bydd un ohonoch chwi yn dymuno adeiladu tŵr, oni fydd yn gyntaf yn eistedd i lawr i gyfrif y gost, er mwyn gweld a oes ganddo ddigon i gwblhau'r gwaith? ²⁹Onid e, fe all ddigwydd iddo osod y sylfaen ac wedyn fethu gorffen, nes bod pawb sy'n gwylio yn mynd ati i'w watwar ³⁰gan ddweud, 'Dyma ddyn a ddechreuodd adeiladu ac a fethodd orffen.' ³¹Neu os bydd brenin ar ei ffordd i ryfela yn erbyn brenin arall, oni fydd yn gyntaf yn eistedd i lawr i ystyried a all ef, â deng mil o filwyr, wrthsefyll un sy'n ymosod arno ag ugain mil? ³²Os na all, bydd yn anfon llysgenhadon i geisio telerau heddwch tra mae'r llall o hyd ymhell i ffwrdd. ³³Yr un modd, gan hynny, ni all neb ohonoch nad yw'n ymwrthod â'i holl feddiannau fod yn ddisgybl i mi.

Halen Di-flas
(Mth. 5:13; Mc. 9:50)

34 "Peth da yw halen. Ond os cyll yr halen ei hun ei flas, â pha beth y rhoddir blas arno? ³⁵Nid yw'n dda i'r pridd nac i'r domen; lluchir ef allan. Yr hwn sydd ganddo glustiau i wrando, gwrandawed."

Dameg y Ddafad Golledig
(Mth. 18:12-14)

15 Yr oedd yr holl gasglwyr trethi a'r pechaduriaid yn nesáu ato i wrando arno. ²Ond yr oedd y Phariseaid a'r ysgrifenyddion yn grwgnach ymhlith ei gilydd, gan ddweud, "Y mae hwn yn croesawu pechaduriaid ac yn cydfwyta â hwy." ³A dywedodd ef y ddameg hon wrthynt: ⁴"Bwriwch fod gan un ohonoch chwi gant o ddefaid, a digwydd iddo golli un ohonynt; onid yw'n gadael y naw deg a naw ar eu porfa ac yn mynd ar ôl y ddafad golledig nes dod o hyd iddi? ⁵Wedi dod o hyd iddi y mae'n ei gosod ar ei ysgwyddau yn llawen, ⁶yn mynd adref, ac yn gwahodd ei gyfeillion a'i gymdogion ynghyd, gan ddweud wrthynt, 'Llawenhewch gyda mi, oherwydd yr wyf wedi cael hyd i'm dafad golledig.' ⁷'Rwy'n dweud wrthych, yr un modd bydd mwy o lawenydd yn y nef am un pechadur sy'n edifarhau nag am naw deg a naw o ddynion cyfiawn nad oes arnynt angen edifeirwch.

Dameg y Darn Arian Colledig

8 "Neu bwriwch fod gan wraig ddeg darn arian, a digwydd iddi golli un darn; onid yw hi'n cynnau cannwyll ac yn ysgubo'r tŷ ac yn chwilio'n ddyfal nes dod o hyd iddo? ⁹Ac wedi dod o hyd iddo, y mae'n gwahodd ei chyfeillesau a'i chymdogion ynghyd, gan ddweud, 'Llawenhewch gyda mi, oherwydd yr wyf wedi cael hyd i'r darn arian a gollais.' ¹⁰Yr un modd, 'rwy'n dweud wrthych, y mae llawenydd ymhlith angylion Duw am un pechadur sy'n edifarhau."

Dameg y Mab Colledig

11 Ac meddai, "Yr oedd dyn a chanddo ddau fab. ¹²Dywedodd yr ieuengaf ohonynt wrth ei dad, 'Fy nhad, dyro imi'r gyfran o'th ystad sydd i ddod imi.' A rhannodd yntau ei eiddo rhyngddynt. ¹³Ychydig ddyddiau yn ddiweddarach, wedi newid y cwbl am arian, ymfudodd y mab ieuengaf i wlad bell, ac yno gwastraffodd ei eiddo ar fyw'n afradlon. ¹⁴Pan oedd wedi gwario'r cyfan, daeth newyn enbyd ar y wlad honno, a dechreuodd yntau fod mewn eisiau. ¹⁵Aeth un weithiwr cyflog i un o ddinasyddion y wlad, ac anfonodd hwnnw ef i'w gaeau i ofalu am y moch. ¹⁶Buasai'n falch o wneud pryd o'r plisg yr oedd y moch yn eu bwyta; ond nid oedd neb yn cynnig dim iddo. ¹⁷Yna daeth ato'i hun a dweud, 'Faint o weision cyflog sydd gan fy nhad, a phob un ohonynt yn cael mwy na digon o fara, a minnau yma yn marw o newyn? ¹⁸Fe godaf, ac fe af at fy nhad a dweud wrtho, "Fy nhad, pechais yn erbyn y nef ac yn dy erbyn di. ¹⁹Nid wyf mwyach yn haeddu fy ngalw'n fab iti; cymer fi fel un o'th weision cyflog."' ²⁰Yna cododd a mynd at ei dad. A phan oedd eto ymhell i ffwrdd, gwelodd ei dad ef. Tosturiodd wrtho, rhedodd ato, a rhoes ei freichiau am ei wddf a'i gusanu. ²¹Ac meddai ei fab wrtho, 'Fy nhad, pechais yn erbyn y nef ac yn dy erbyn di. Nid wyf mwyach yn haeddu fy ngalw'n fab iti.' ²²Ond meddai ei dad wrth ei weision, 'Brysiwch! Dewch â gwisg allan, yr orau, a'i gosod amdano. Rhowch fodrwy ar ei fys a sandalau ar ei draed. ²³Dewch â'r llo sydd wedi ei besgi, a lladdwch ef. Gadewch inni wledda a llawenhau, ²⁴oherwydd yr oedd hwn, fy mab, wedi marw, a daeth yn fyw eto; yr oedd ar goll, a chafwyd hyd iddo.' Yna dechreusant wledda yn llawen.

²⁵"Yr oedd ei fab hynaf yn y caeau. Pan nesaodd at y tŷ ar ei ffordd adref, clywodd sŵn cerddoriaeth a dawnsio. ²⁶Galwodd un o'r gweision ato a gofyn beth oedd ystyr hyn. ²⁷'Dy frawd sydd wedi dychwelyd,' meddai ef wrtho, 'ac am iddo ei gael yn ôl yn holliach, y mae dy dad wedi lladd y llo oedd wedi ei besgi.' ²⁸Digiodd ef, a gwrthod mynd i mewn. Daeth ei dad allan a'i gymell yn daer i'r tŷ, ²⁹ond atebodd ef, 'Yr holl flynyddoedd hyn bûm yn was bach iti, heb anufuddhau erioed i'th orchymyn. Ni roddaist erioed i mi gymaint â myn gafr, imi gael gwledda gyda'm cyfeillion. ³⁰Ond pan ddychwelodd hwn, dy fab sydd wedi difa dy eiddo gyda phuteiniaid, lleddaist iddo ef y llo oedd wedi ei besgi.' ³¹'Fy mhlentyn,' meddai'r tad wrtho, 'yr wyt ti bob amser gyda mi, ac y mae'r cwbl sydd gennyf yn eiddo i ti. ³²Yr oedd yn rhaid gwledda a llawenhau, oherwydd yr oedd hwn, dy frawd, wedi marw, a daeth yn fyw; yr oedd ar goll, a chafwyd hyd iddo.'"

Dameg y Goruchwyliwr Anonest

16 Dywedodd wrth ei ddisgyblion hefyd, "Yr oedd dyn cyfoethog a chanddo oruchwyliwr. Achwynwyd wrth ei feistr fod hwn yn gwastraffu ei eiddo ef. ²Galwodd ef ato a dweud wrtho, 'Beth yw'r hanes hwn amdanat? Dyro imi gyfrifon dy oruchwyliaeth, oherwydd ni elli gadw dy swydd bellach.' ³Yna meddai'r goruchwyliwr wrtho'i hun, 'Beth a wnaf fi? Y mae fy meistr yn cymryd fy swydd oddi arnaf. Nid oes gennyf mo'r nerth i labro, ac y mae arnaf gywilydd cardota. ⁴Fe wn i beth a wnaf i gael croeso i gartrefi pobl pan ddiswyddir fi.' ⁵Galwodd ato bob un o ddyledwyr ei feistr, ac meddai wrth y cyntaf, 'Faint sydd arnat i'm meistr?' ⁶Atebodd yntau, 'Mil o alwyni o olew olewydd.' 'Cymer dy gyfrif,' meddai ef, 'eistedd i lawr, ac ysgrifenna ar unwaith "bum cant."' ⁷Yna meddai wrth un arall, 'A thithau, faint sydd arnat ti?' Atebodd yntau, 'Mil o fwsieli o rawn.' 'Cymer dy gyfrif,' meddai ef, 'ac ysgrifenna "wyth gant."' ⁸Cymeradwyodd y meistr y goruchwyliwr anonest am iddo weithredu yn gall; oherwydd y mae meibion y byd hwn yn gallach na meibion y goleuni yn eu hymwneud â'u tebyg. ⁹Ac 'rwyf fi'n dweud wrthych, gwnewch gyfeillion i

chwi eich hunain ag arian, sy'n gynnyrch anonestrwydd, er mwyn i chwi gael croeso i'r tragwyddol bebyll pan ddaw dydd arian i ben. ¹⁰Y mae dyn sy'n gywir yn y pethau lleiaf yn gywir yn y pethau mawr hefyd, a'r dyn sy'n anonest yn y pethau lleiaf yn anonest yn y pethau mawr hefyd. ¹¹Gan hynny, os na fuoch yn gywir wrth drin arian, cynnyrch anonestrwydd, pwy a ymddirieda i chwi y gwir olud? ¹²Ac os na fuoch yn gywir wrth drin eiddo pobl eraill, pwy a rydd i chwi eich eiddo eich hunain? ¹³Ni all unrhyw was wasanaethu dau feistr; oherwydd bydd un ai'n casáu'r naill ac yn caru'r llall, neu'n deyrngar i'r naill ac yn dirmygu'r llall. Ni allwch wasanaethu Duw ac Arian."

Y Gyfraith a Theyrnas Dduw

14 Yr oedd y Phariseaid, sy'n ddynion ariangar, yn gwrando ar hyn oll ac yn ei watwar. ¹⁵Ac meddai wrthynt, "Chwi yw'r rhai sy'n ceisio eu cyfiawnhau eu hunain yng ngolwg dynion, ond y mae Duw yn adnabod eich calonnau; oherwydd yr hyn sydd aruchel ymhlith dynion, ffieiddbeth yw yng ngolwg Duw. ¹⁶Y Gyfraith a'r proffwydi ocdd mewn grym hyd at Ioan; oddi ar hynny, y mae'r newydd da am deyrnas Dduw yn cael ei gyhoeddi, a phawb yn ceisio mynediad iddi trwy drais. ¹⁷Ond byddai'n haws i'r nef a'r ddaear ddarfod nag i fanylyn lleiaf y Gyfraith golli ei rym. ¹⁸Y mae pob un sy'n ysgaru ei wraig ac yn priodi un arall yn godinebu, ac y mae'r dyn sy'n priodi gwraig a ysgarwyd gan ei gŵr yn godinebu.

Y Dyn Cyfoethog a Lasarus

19 "Yr oedd dyn cyfoethog oedd yn arfer gwisgo porffor a lliain main, ac yn gwledda'n wych bob dydd. ²⁰Wrth ei ddrws gorweddai dyn tlawd, o'r enw Lasarus, yn llawn cornwydydd, ²¹ac yn dyheu am wneud pryd o'r hyn a syrthiai oddi ar fwrdd y dyn cyfoethog; ac yn wir byddai'r cŵn yn dod i lyfu ei gornwydydd. ²²Bu farw'r dyn tlawd, a dygwyd ef ymaith gan yr angylion i wledda wrth ochr Abraham. Bu farw'r dyn cyfoethog yntau, a chladdwyd ef. ²³Yn Nhrigfan y Meirw, ac yntau mewn poen arteithiol, cododd ei lygaid a gwelodd Abraham o bell, a Lasarus wrth ei ochr. ²⁴A galwodd,

ᵖʰNeu, *cryfha ein*.

'Abraham, fy nhad, trugarha wrthyf; anfon Lasarus i wlychu blaen ei fys mewn dŵr ac i oeri fy nhafod, oherwydd yr wyf mewn ingoedd yn y tân hwn.' ²⁵'Fy mhlentyn,' meddai Abraham, 'cofia iti dderbyn dy wynfyd yn ystod dy fywyd, a Lasarus yr un modd ei adfyd; yn awr y mae ef yma yn cael ei ddiddanu, a thithau yn dioddef mewn ingoedd. ²⁶Heblaw hyn oll, rhyngom ni a chwi y mae agendor llydan wedi ei osod, rhag i neb a ddymunai hynny groesi oddi yma atoch chwi, neu gyrraedd oddi yna atom ni.' ²⁷Atebodd ef, 'Os felly, fy nhad, 'rwy'n erfyn arnat ei anfon ef i dŷ fy nhad, ²⁸at y pum brawd sydd gennyf, i dystiolaethu wrthynt am y cyfan, rhag iddynt hwythau ddod i'w harteithio yn y lle hwn.' ²⁹Ond dywedodd Abraham, 'Y mae Moses a'r proffwydi ganddynt; dylent wrando arnynt hwy.' ³⁰'Nage, Abraham, fy nhad,' atebodd ef, 'ond os â rhywun atynt oddi wrth y meirw, fe edifarhânt.' ³¹Ond meddai ef wrtho, 'Os nad ydynt yn gwrando ar Moses a'r proffwydi, yna ni chânt eu hargyhoeddi hyd yn oed os atgyfoda rhywun o blith y meirw.'"

Rhai o Ddywediadau Iesu
(Mth. 18:6-7, 21-22; Mc. 9:42)

17 Dywedodd wrth ei ddisgyblion, "Y mae achosion cwymp yn rhwym o ddod, ond gwae'r hwn sy'n gyfrifol amdanynt; ²byddai'n well iddo fod wedi ei daflu i'r môr â maen melin ynghrog am ei wddf, nag iddo fod yn achos cwymp i un o'r rhai bychain hyn. ³Cymerwch ofal. Os pecha dy frawd, cerydda ef; os edifarha, maddau iddo; ⁴os pecha yn dy erbyn saith gwaith mewn diwrnod, ac eto troi'n ôl atat saith gwaith gan ddweud, 'Y mae'n edifar gennyf', maddau iddo."

5 Meddai'r apostolion wrth yr Arglwydd, "Dyro i niᵖʰ ffydd." ⁶Ac meddai'r Arglwydd, "Pe bai gennych ffydd gymaint â hedyn mwstard, fe allech ddweud wrth y forwydden hon, 'Coder dy wreiddiau a phlanner di yn y môr', byddai'n ufuddhau i chwi.

7 "Os oes gan un ohonoch was sy'n aredig neu'n bugeilio, a fydd yn dweud wrtho pan ddaw i mewn o'r caeau, 'Tyrd yma ar unwaith a chymer dy le wrth y bwrdd'? ⁸Na, yr hyn a ddywed fydd, 'Paratoa swper imi; torcha dy wisg a

gweina arnaf nes imi orffen bwyta ac yfed; ac wedyn cei fwyta ac yfed dy hun.' ⁹A yw'n diolch i'w was am gyflawni'r gorchmynion a gafodd? ¹⁰Felly chwithau; pan fyddwch wedi cyflawni'r holl orchmynion a gawsoch, dywedwch, 'Gweision ydym, heb unrhyw deilyngdod; cyflawni ein dyletswydd a wnaethom.'"

Glanhau Deg o Ddynion Gwahanglwyfus

11 Yr oedd ef, ar ei ffordd i Jerwsalem, yn mynd trwy'r wlad rhwng Samaria a Galilea, ¹²ac yn mynd i mewn i ryw bentref, pan ddaeth deg o ddynion gwahanglwyfus i gyfarfod ag ef. Safasant bellter oddi wrtho ¹³a chodi eu lleisiau arno: "Iesu, feistr, trugarha wrthym." ¹⁴Gwelodd ef hwy ac meddai wrthynt, "Ewch i'ch dangos eich hunain i'r offeiriaid." Ac ar eu ffordd yno, fe'u glanhawyd hwy. ¹⁵Ac un ohonynt, pan welodd ei fod wedi ei iacháu, dychwelodd gan ogoneddu Duw â llais uchel. ¹⁶Syrthiodd ar ei wyneb wrth draed Iesu gan ddiolch iddo; a Samariad oedd ef. ¹⁷Atebodd Iesu, "Oni lanhawyd y deg? Ble mae'r naw? ¹⁸Ai'r estron hwn yn unig a gafwyd i ddychwelyd ac i roi gogoniant i Dduw?" ¹⁹Yna meddai wrtho, "Cod, a dos ar dy hynt; dy ffydd sydd wedi dy iacháu di."

Dyfodiad y Deyrnas
(Mth. 24:23-28, 37-41)

20 Gofynnwyd iddo gan y Phariseaid pryd y deuai teyrnas Dduw. Atebodd hwy, "Nid rhywbeth i wylio amdano yw dyfodiad teyrnas Dduw. ²¹Ni bydd dynion yn dweud, 'Dyma hi', neu 'Dacw hi'; edrychwch, y mae teyrnas Dduw yn eich plithʳ chwi." ²²Ac meddai wrth ei ddisgyblion, "Daw dyddiau pan fyddwch yn dyheu am gael gweld un o ddyddiau Mab y Dyn, ac ni welwch mohono. ²³Dywedant wrthych, 'Dacw ef', neu 'Dyma ef'; peidiwch â mynd, peidiwch â rhedeg ar eu hôl. ²⁴Oherwydd fel y fellten sy'n fflachio o'r naill gwr o'r nef hyd y llall, felly y bydd Mab y Dyn yn ei ddydd ef. ²⁵Ond yn gyntaf y mae'n rhaid iddo ddioddef llawer, a chael ei wrthod gan y genhedlaeth hon. ²⁶Ac fel y bu hi yn nyddiau Noa, felly hefyd y bydd hi yn nyddiau Mab y Dyn: ²⁷yr oedd pobl yn bwyta, yn yfed, yn cymryd gwragedd, yn cael gwŷr, hyd y dydd yr aeth Noa i mewn i'r arch ac y daeth y dilyw a difa pawb. ²⁸Fel y bu hi yn nyddiau Lot: yr oedd dynion yn bwyta, yn yfed, yn prynu, yn gwerthu, yn plannu, yn adeiladu; ²⁹ond y dydd yr aeth Lot allan o Sodom, fe lawiodd dân a brwmstan o'r nef a difa pawb. ³⁰Yn union felly y bydd hi yn y dydd y datguddir Mab y Dyn. ³¹Y dydd hwnnw, os bydd rhywun ar y to, a'i bethau yn y tŷ, peidied â mynd i lawr i'w cipio; a'r un modd peidied neb fydd yn y cae â throi yn ei ôl. ³²Cofiwch wraig Lot. ³³Pwy bynnag a gais gadw ei fywyd ei hun, fe'i cyll, a phwy bynnag a'i cyll, fe'i ceidw yn fyw. ³⁴'Rwy'n dweud wrthych, y nos honno bydd dau mewn un gwely; cymerir y naill a gadewir y llall. ³⁵Bydd dwy wraig yn malu yn yr un lle; cymerir y naill a gadewir y llall.ʳʰ" ³⁷Ac atebasant hwythau ef, "Ble, Arglwydd?" Meddai ef wrthynt, "Lle bydd y gelain, yno yr heidia'r eryrod."

Dameg y Weddw a'r Barnwr

18 Dywedodd ddameg wrthynt i ddangos fod yn rhaid iddynt weddïo bob amser yn ddiflino: ²"Mewn rhyw dref yr oedd barnwr. Nid oedd yn ofni Duw nac yn parchu dynion. ³Yn y dref honno yr oedd hefyd wraig weddw a fyddai'n mynd ger ei fron ac dweud, 'Rho imi ddedfryd gyfiawn yn erbyn fy ngwrthwynebwr.' ⁴Am hir amser daliodd i'w gwrthod, ond yn y diwedd meddai wrtho'i hun, 'Er nad wyf yn ofni Duw nac yn parchu dynion, ⁵eto, am fod y wraig weddw yma yn fy mhoeni o hyd, fe roddaf iddi'r ddedfryd, rhag iddi ddal i ddod a'm plagio i farwolaeth.'" ⁶Ac meddai'r Arglwydd, "Clywch eiriau'r barnwr anghyfiawn. ⁷A fydd Duw yn gwrthod cyfiawnder i'w etholedigion, sy'n galw'n daer arno ddydd a nos? A fydd ef yn oedi yn eu hachos hwy? ⁸'Rwy'n dweud wrthych y rhydd ef gyfiawnder iddynt yn ebrwydd. Ond eto, pan ddaw Mab y Dyn, a gaiff ef ffydd ar y ddaear?"

Dameg y Pharisead a'r Casglwr Trethi

9 Dywedodd hefyd y ddameg hon wrth

ʳNeu, *y mae teyrnas Dduw o'ch mewn.* Neu, *y mae teyrnas Dduw o fewn eich cyrraedd.* Neu, *daw teyrnas Dduw yn sydyn i'ch plith.*

ʳʰYn ôl darlleniad arall ychwanegir adn. 36: *Bydd dau yn y cae; cymerir y naill a gadewir y llall.*

rai oedd yn sicr eu bod hwy eu hunain yn gyfiawn, ac yn dirmygu pawb arall: [10]"Aeth dau ddyn i fyny i'r deml i weddïo, y naill yn Pharisead a'r llall yn gasglwr trethi. [11]Safodd y Pharisead wrtho'i hun a gweddïodd fel hyn: 'O Dduw, yr wyf yn diolch iti am nad wyf fi fel pawb arall, yn rheibus, yn anghyfiawn, yn odinebus, na chwaith fel y casglwr trethi yma. [12]Yr wyf yn ymprydio ddwywaith yr wythnos, ac yn talu degwm ar bopeth a gaf.' [13]Ond yr oedd y casglwr trethi yn sefyll ymhell i ffwrdd, heb geisio cymaint â chodi ei lygaid tua'r nef; yr oedd yn curo ei fron gan ddweud, 'O Dduw, bydd drugarog wrthyf fi, bechadur.' [14]'Rwy'n dweud wrthych, dyma'r dyn a aeth adref wedi ei gyfiawnhau, nid y llall; oherwydd darostyngir pob un sy'n ei ddyrchafu ei hun, a dyrchefir pob un sy'n ei ddarostwng ei hun."

Bendithio Plant Bach
(Mth. 19:13-15; Mc. 10:13-16)

15 Yr oeddent yn dod â'u babanod hefyd ato, iddo gyffwrdd â hwy, ond wrth weld hyn dechreuodd y disgyblion eu ceryddu. [16]Ond galwodd Iesu'r plant ato gan ddweud, "Gadewch i'r plant ddod ataf fi a pheidiwch â'u rhwystro, oherwydd i rai fel hwy y mae teyrnas Dduw yn perthyn. [17]Yn wir, 'rwy'n dweud wrthych, pwy bynnag nad yw'n derbyn teyrnas Dduw yn null plentyn, nid â byth i mewn iddi."

Y Llywodraethwr Ifanc Cyfoethog
(Mth. 19:16-30; Mc. 10:17-31)

18 Gofynnodd aelod o'r Cyngor iddo, "Athro da, beth a wnaf.i etifeddu bywyd tragwyddol?" [19]Dywedodd Iesu wrtho, "Pam yr wyt yn fy ngalw i yn dda? Nid oes neb da ond un, sef Duw. [20]Gwyddost y gorchmynion: 'Na odineba, na ladd, na ladrata, na chamdystiolaetha, anrhydedda dy dad a'th fam.' " [21]Meddai yntau, "Yr wyf wedi cadw'r rhain i gyd o'm hieuenctid." [22]Pan glywodd Iesu hyn, dywedodd wrtho, "Un peth sydd ar ôl i ti ei wneud: gwerth y cwbl sydd gennyt, a rhanna ef ymhlith y tlodion, a chei drysor yn y nefoedd; a thyrd, canlyn fi." [23]Ond pan glywodd ef hyn, aeth yn drist iawn, oherwydd yr oedd yn gyfoethog dros ben.

24 Pan welodd Iesu ef wedi tristáu, meddai, "Mor anodd yw hi i'r rhai goludog fynd i mewn i deyrnas Dduw! [25]Oherwydd y mae'n haws i gamel fynd i mewn trwy grau nodwydd nag i ddyn cyfoethog fynd i mewn i deyrnas Dduw." [26]Ac meddai'r gwrandawyr, "Pwy ynteu all gael ei achub?" [27]Atebodd yntau, "Y mae'r hyn sy'n amhosibl gyda dynion yn bosibl gyda Duw." [28]Yna dywedodd Pedr, "Dyma ni wedi gadael ein heiddo a'th ganlyn di." [29]Ond meddai ef wrthynt, "Yn wir, 'rwy'n dweud wrthych nad oes neb a adawodd dŷ neu wraig neu frodyr neu rieni neu blant, er mwyn teyrnas Dduw, [30]na chaiff dderbyn yn ôl lawer gwaith cymaint yn yr amser hwn, ac yn yr oes sy'n dod fywyd tragwyddol."

Iesu Unwaith Eto yn Rhagfynegi ei Farwolaeth a'i Atgyfodiad
(Mth. 20:17-19; Mc. 10:32-34)

31 Cymerodd y Deuddeg gydag ef a dweud wrthynt, "Dyma ni'n mynd i fyny i Jerwsalem, a chyflawnir ar Fab y Dyn bob peth sydd wedi ei ysgrifennu trwy'r proffwydi; [32]oherwydd caiff ei drosglwyddo i'r estroniaid, a'i watwar a'i gam-drin, a phoeri arno; [33]ac wedi ei fflangellu lladdant ef, a'r trydydd dydd fe atgyfoda." Nid oeddent hwy yn deall dim o hyn; [34]yr oedd y peth hwn wedi ei guddio rhagddynt, a'i eiriau y tu hwnt i'w hamgyffred.

Iacháu Cardotyn Dall ger Jericho
(Mth. 20:29-34; Mc. 10:46-52)

35 Wrth iddo nesáu at Jericho, yr oedd dyn dall yn eistedd ar fin y ffordd yn cardota. [36]Pan glywodd y dyrfa yn dod gofynnodd beth oedd hynny, [37]a mynegwyd iddo fod Iesu o Nasareth yn mynd heibio. [38]Bloeddiodd yntau, "Iesu, Fab Dafydd, trugarha wrthyf." [39]Yr oedd y rhai ar y blaen yn ei geryddu ac yn dweud wrtho am dewi; ond yr oedd ef yn gweiddi'n uwch fyth, "Fab Dafydd, trugarha wrthyf." [40]Safodd Iesu, a gorchymyn dod ag ef ato. Wedi i'r dyn nesáu gofynnodd Iesu iddo, [41]"Beth yr wyt ti am i mi ei wneud iti?" Meddai ef, "Syr, mae arnaf eisiau cael fy ngolwg yn ôl." [42]Dywedodd Iesu wrtho, "Derbyn dy olwg yn ôl; dy ffydd sydd wedi dy iacháu di." [43]Cafodd ei olwg yn ôl ar unwaith, a dechreuodd ei ganlyn ef gan ogoneddu Duw. Ac o weld hyn rhoddodd yr holl bobl foliant i Dduw.

Iesu a Sacheus

19 Yr oedd wedi dod i mewn i Jericho, ac yn mynd trwy'r dref. ²Dyma ddyn o'r enw Sacheus, un oedd yn brif gasglwr trethi ac yn ŵr cyfoethog, ³yn ceisio gweld prun oedd Iesu; ond yr oedd yno ormod o dyrfa, ac yntau'n ddyn byr. ⁴Rhedodd ymlaen a dringo sycamorwydden er mwyn gweld Iesu, oherwydd yr oedd ar fynd heibio y ffordd honno. ⁵Pan ddaeth Iesu at y fan, edrychodd i fyny a dweud wrtho, "Sacheus, tyrd i lawr ar dy union; y mae'n rhaid imi aros yn dy dŷ di heddiw." ⁶Daeth ef i lawr ar ei union a'i groesawu yn llawen. ⁷Pan welsant hyn, dechreuodd pawb rwgnach ymhlith ei gilydd gan ddweud, "Y mae wedi mynd i letya at ddyn pechadurus." ⁸Ond safodd Sacheus yno, ac meddai wrth yr Arglwydd, "Dyma hanner fy eiddo, syr, yn rhodd i'r tlodion; os mynnais arian ar gam gan neb, fe'i talaf yn ôl bedair gwaith." ⁹"Heddiw," meddai Iesu wrtho, "daeth iachawdwriaeth i'r tŷ hwn, oherwydd mab i Abraham yw'r gŵr hwn yntau. ¹⁰Daeth Mab y Dyn i geisio ac i achub y colledig."

Dameg y Deg Darn Aur
(Mth. 25:14-30)

11 Tra oeddent yn gwrando ar hyn, fe aeth ymlaen i ddweud dameg, am ei fod yn agos i Jerwsalem a hwythau'n tybied fod teyrnas Dduw i ymddangos ar unwaith. ¹²Meddai gan hynny, "Aeth dyn o uchel dras i wlad bell i gael ei wneud yn frenin, ac yna dychwelyd i'w deyrnas. ¹³Galwodd ato ddeg o'i weision a rhoi darn aur bob un iddynt, gan ddweud wrthynt, 'Ewch i fasnachu nes imi ddychwelyd.' ¹⁴Ond yr oedd ei ddeiliaid yn ei gasáu, ac anfonasant lysgenhadon ar ei ôl i ddatgan: 'Ni fynnwn hwn yn frenin arnom.' ¹⁵Ond dychwelodd ef wedi ei wneud yn frenin, a gorchmynnodd alw ato y gweision hynny yr oedd wedi rhoi'r arian iddynt, i gael gwybod pa lwyddiant yr oeddent wedi ei gael. ¹⁶Daeth y cyntaf ato gan dddweud, 'Meistr, y mae dy ddarn aur wedi ennill ato ddeg darn arall.' ¹⁷'Ardderchog, fy ngwas da,' meddai yntau wrtho, 'am iti fod yn ffyddlon yn y pethau lleiaf, yr wyf yn dy benodi yn llywodraethwr ar ddeg tref.' ¹⁸Daeth yr ail gan ddweud, 'Y mae dy ddarn aur, Meistr, wedi gwneud pum darn.' ¹⁹'Tithau hefyd,' meddai wrth hwn yn ei

dro, 'bydd yn bennaeth ar bum tref.' ²⁰Yna daeth y trydydd gan ddweud, 'Meistr, dyma dy ddarn aur. Fe'i cedwais yn ddiogel mewn cadach. ²¹Yr oedd arnaf dy ofn di. Yr wyt yn ddyn caled, yn cymryd yr hyn a ystoriodd eraill ac yn medi'r hyn a heuodd eraill.' ²²'Â'th eiriau dy hun,' atebodd ef, 'y'th gondemniaf, y gwas drwg. Yr oeddit yn gwybod, meddi, fy mod yn ddyn caled, yn cymryd yr hyn a ystoriodd eraill ac yn medi'r hyn a heuodd eraill. ²³Pam felly na roddaist fy arian mewn banc? Buasai wedi ennill llog erbyn imi ddod i'w godi.' ²⁴Yna meddai wrth y rhai oedd yno, 'Cymerwch y darn aur oddi arno a rhowch ef i'r un a chanddo ddeg darn.' ²⁵'Meistr,' meddent hwy wrtho, 'y mae ganddo ddeg darn yn barod.' ²⁶'Rwy'n dweud wrthych, i bawb y mae ganddo y rhoddir, ond oddi ar yr hwn nad oes ganddo fe gymerir hyd yn oed hynny sydd ganddo. ²⁷A'm gelynion, y rheini na fynnent fi yn frenin arnynt, dewch â hwy yma a lladdwch hwy yn fy ngŵydd."

Yr Ymdaith Fuddugoliaethus i mewn i Jerwsalem
(Mth. 21:1-11; Mc. 11:1-11; In. 12:12-19)

28 Wedi dweud hyn aeth rhagddo ar ei ffordd i fyny i Jerwsalem, gan gerdded ar y blaen. ²⁹Pan gyrhaeddodd yn agos i Bethffage a Bethania, ger y mynydd a elwir Olewydd, anfonodd ddau o'i ddisgyblion ³⁰gan ddweud, "Ewch i'r pentref gyferbyn. Wrth ichwi ddod i mewn iddo cewch yno ebol wedi ei rwymo, un nad oes neb wedi bod ar ei gefn erioed. Gollyngwch ef a dewch ag ef yma. ³¹Ac os bydd rhywun yn gofyn i chwi, 'Pam yr ydych yn ei ollwng?', dywedwch fel hyn: 'Y mae ar y Meistr ei angen.'" ³²Aeth y rhai a anfonwyd, a chael yr ebol, fel yr oedd ef wedi dweud wrthynt. ³³Pan oeddent yn gollwng yr ebol, meddai ei berchenogion wrthynt, "Pam yr ydych yn gollwng yr ebol?" ³⁴Atebasant hwythau, "Y mae ar y Meistr ei angen", ³⁵a daethant ag ef at Iesu. Yna taflasant eu mentyll ar yr ebol, a gosod Iesu ar ei gefn. ³⁶Wrth iddo fynd yn ei flaen, yr oedd pobl yn taenu eu mentyll ar y ffordd.

37 Pan ddaeth yn nesáu at y ffordd sy'n disgyn o Fynydd yr Olewydd, dechreuodd holl dyrfa ei ddisgyblion yn eu llawenydd foli Duw â llais uchel am yr holl wyrthiau yr oeddent wedi eu gweld,

³⁸ gan ddweud:
"Bendigedig yw'r un sy'n dod
yn frenin yn enw'r Arglwydd;
yn y nef, tangnefedd,
a gogoniant yn y goruchaf."
³⁹ Ac meddai rhai o'r Phariseaid wrtho o'r dyrfa, "Athro, cerydda dy ddisgyblion."
⁴⁰ Atebodd yntau, "'Rwy'n dweud wrthych, os bydd y rhain yn tewi, bydd y cerrig yn gweiddi."
41 Pan ddaeth yn agos a gweld y ddinas, wylodd drosti ⁴² gan ddweud, "Pe bait tithau, y dydd hwn, wedi adnabod ffordd tangnefedd—ond na, fe'i cuddiwyd rhag dy lygaid. ⁴³ Oherwydd daw arnat ddyddiau pan fydd dy elynion yn codi clawdd yn dy erbyn, a'th amgylchynu a gwasgu arnat o bob tu. ⁴⁴ Fe'th ddymchwelant hyd dy seiliau, ti a'th blant o'th fewn; ni adawant faen ar faen ynot ti, oherwydd dy fod heb adnabod yr amser pan ymwelwyd â thi."

Glanhau'r Deml
(Mth. 21:12-17; Mc. 11:15-19; In. 2:13-22)

45 Aeth i mewn i'r deml a dechreuodd fwrw allan y rhai oedd yn gwerthu, ⁴⁶ gan ddweud wrthynt, "Y mae'n ysgrifenedig:
'A bydd fy nhŷ i yn dŷ gweddi,
ond gwnaethoch chwi ef yn ogof lladron.'"

47 Yr oedd yn dysgu o ddydd i ddydd yn y deml. Yr oedd y prif offeiriaid a'r ysgrifenyddion, ynghyd â gwŷr blaenaf y bobl, yn ceisio modd i'w ladd, ⁴⁸ ond heb daro ar ffordd i wneud hynny, oherwydd fod yr holl bobl yn gwrando arno ac yn dal ar ei eiriau.

Amau Awdurdod Iesu
(Mth. 21:23-27; Mc. 11:27-33)

20 Un o'r dyddiau pan oedd ef yn dysgu'r bobl yn y deml ac yn cyhoeddi'r newydd da, daeth y prif offeiriaid a'r ysgrifenyddion, ynghyd â'r henuriaid, ato, ² ac meddent wrtho, "Dywed wrthym trwy ba awdurdod yr wyt ti'n gwneud y pethau hyn, neu pwy roddodd i ti'r awdurdod hwn." ³ Atebodd ef hwy, "Fe ofynnaf finnau rywbeth i chwi. Dywedwch wrthyf: ⁴ bedydd Ioan, ai o'r nef yr oedd, ai o ddynion?" ⁵ Dadleusant â'i gilydd gan ddweud, "Os dywedwn, 'O'r nef', fe ddywed, 'Pam na chredasoch ef?' ⁶ Ond os dywedwn, 'O ddynion', bydd yr holl bobl yn ein llabyddio, oher-

wydd y maent yn argyhoeddedig fod Ioan yn broffwyd." ⁷ Ac atebasant nad oeddent yn gwybod o ble'r oedd. ⁸ Meddai Iesu wrthynt, "Ni ddywedaf finnau chwaith wrthych chwi trwy ba awdurdod yr wyf yn gwneud y pethau hyn."

Dameg y Winllan a'r Tenantiaid
(Mth. 21:33-46; Mc. 12:1-12)

9 Dechreuodd ddweud y ddameg hon wrth y bobl: "Fe blannodd dyn winllan, ac wedi iddo ei gosod hi i denantiaid, aeth oddi cartref am amser hir. ¹⁰ Pan ddaeth yn amser, anfonodd was at y tenantiaid iddynt roi iddo gyfran o ffrwyth y winllan. Ond ei guro a wnaeth y tenantiaid, a'i yrru i ffwrdd yn waglaw. ¹¹ Anfonodd ef was arall, ond curasant hwn hefyd a'i amharchu, a'i yrru i ffwrdd yn waglaw. ¹² Anfonodd ef drachefn drydydd, ond clwyfasant hwn hefyd a'i fwrw allan. ¹³ Yna meddai perchen y winllan, 'Beth a wnaf fi? Fe anfonaf fy mab, yr anwylyd; efallai y parchant ef.' ¹⁴ Ond pan welodd y tenantiaid hwn, dechreusant drafod ymhlith ei gilydd gan ddweud, 'Hwn yw'r etifedd; lladdwn ef, er mwyn i'r etifeddiaeth ddod yn eiddo i ni.' ¹⁵ A bwriasant ef allan o'r winllan a'i ladd. Beth ynteu a wna perchen y winllan iddynt? ¹⁶ Fe ddaw ac fe ddifetha'r tenantiaid hynny, ac fe rydd y winllan i eraill." Pan glywsant hyn meddent, "Na ato Duw!" ¹⁷ Edrychodd ef arnynt a dweud, "Beth felly yw ystyr yr Ysgrythur hon:
'Y maen a wrthododd yr adeiladwyr,
hwn a ddaeth yn faen y gongl'?
¹⁸ Pawb sy'n syrthio ar y maen hwn, fe'i dryllir; pwy bynnag y syrth y maen arno, fe'i maluria." ¹⁹ Ceisiodd yr ysgrifenyddion a'r prif offeiriaid osod dwylo arno y pryd hwnnw, ond yr oedd arnynt ofn y bobl, oherwydd gwyddent mai yn eu herbyn hwy y dywedodd y ddameg hon.

Talu Trethi i Gesar
(Mth. 22:15-22; Mc. 12:13-17)

20 Gwyliasant eu cyfle ac anfon ysbïwyr, yn rhith dynion gonest, i'w ddal ef ar air, er mwyn ei draddodi i awdurdod brawdlys y rhaglaw. ²¹ Gofynasant iddo, "Athro, gwyddom fod dy eiriau a'th ddysgeidiaeth yn gywir; yr wyt yn ddi-dderbyn-wyneb, ac yn dysgu ffordd Duw yn gwbl ddiffuant. ²² A yw'n gyfreithlon inni dalu treth i Gesar, ai nid yw?" ²³ Ond deallodd ef eu hystryw, ac

meddai wrthynt, [24]"Dangoswch imi ddenarius[s]. Llun ac arysgrif pwy sydd arno?" "Cesar," meddent hwy. [25]Dywedodd ef wrthynt, "Gan hynny, talwch bethau Cesar i Gesar, a phethau Duw i Dduw." [26]Yr oeddent wedi methu ei ddal ar air o flaen y bobl, a chan ryfeddu at ei ateb aethant yn fud.

Holi ynglŷn â'r Atgyfodiad
(Mth. 22:23-33; Mc. 12:18-27)

27 Daeth ato rai o'r Sadwceaid, y bobl sy'n dal nad oes dim atgyfodiad. Gofynasant iddo, [28]"Athro, ysgrifennodd Moses ar ein cyfer, os bydd rhywun farw yn ŵr priod, ond yn ddi-blant, fod ei frawd i gymryd y wraig ac i godi plant i'w frawd. [29]Yn awr, yr oedd saith o frodyr. Cymerodd y cyntaf wraig, a bu farw'n ddi-blant. [30]Cymerodd yr ail [31]a'r trydydd hi, ac yn yr un modd bu'r saith farw heb adael plant. [32]Yn ddiweddarach bu farw'r wraig hithau. [33]Beth am y wraig felly? Yn yr atgyfodiad, gwraig prun ohonynt fydd hi? Oherwydd cafodd y saith hi'n wraig." [34]Meddai Iesu wrthynt, "Y mae plant y byd hwn yn priodi ac yn cael eu priodi; [35]ond y rhai a gafwyd yn deilwng i gyrraedd y byd hwnnw a'r atgyfodiad oddi wrth y meirw, ni phriodant ac ni phriodir hwy. [36]Ni allant farw mwyach, oherwydd y maent fel angylion. Plant Duw ydynt, am eu bod yn blant yr atgyfodiad. [37]Ond bod y meirw yn codi, mae Moses yntau wedi dangos hynny yn hanes y Berth, pan ddywed, 'Arglwydd Dduw Abraham a Duw Isaac a Duw Jacob'. [38]Nid Duw'r meirw yw ef, ond y rhai byw, oherwydd y mae pawb yn fyw iddo ef." [39]Atebodd rhai o'r ysgrifenyddion, "Athro, da y dywedaist", [40]oherwydd ni feiddient mwyach ei holi am ddim.

Holi ynglŷn â Mab Dafydd
(Mth. 22:41-46; Mc. 12:35-37)

41 A dywedodd wrthynt, "Sut y mae pobl yn gallu dweud fod y Meseia yn Fab Dafydd? [42]Oherwydd y mae Dafydd ei hun yn dweud yn llyfr y Salmau:
'Dywedodd yr Arglwydd wrth fy
Arglwydd i,
"Eistedd ar fy neheulaw
[43]nes imi osod dy elynion yn droedfainc
i'th draed." '

[s]Gw. nodyn ° ar Mth. 18:28.

[44]Yn awr, y mae Dafydd yn ei alw'n Arglwydd; sut felly y mae'n fab iddo?"

Cyhuddo'r Ysgrifenyddion
(Mth. 23:1-36; Mc. 12:38-40;
Lc. 11:37-54)

45 A'r holl bobl yn gwrando, meddai wrth ei ddisgyblion, [46]"Gochelwch rhag yr ysgrifenyddion sy'n hoffi rhodianna mewn gwisgoedd llaes, sy'n caru cael cyfarchiadau yn y marchnadoedd, a'r prif gadeiriau yn y synagogau, a'r seddau anrhydedd mewn gwleddoedd, [47]ac sy'n difa cartrefi gwragedd gweddwon, ac mewn rhagrith yn gweddïo'n faith; fe dderbyn y rhain drymach dedfryd."

Offrwm y Weddw
(Mc. 12:41-44)

21 Cododd ei lygaid a gwelodd bobl gyfoethog yn rhoi eu rhoddion i mewn yng nghist y drysorfa. [2]Yna gwelodd wraig weddw dlawd yn rhoi dwy hatling ynddi, [3]ac meddai, "Yn wir, 'rwy'n dweud wrthych fod y weddw dlawd hon wedi rhoi mwy na phawb. [4]Oherwydd cyfrannodd y rhain i gyd o'r mwy na digon sydd ganddynt, ond rhoddodd hon o'i phrinder y cwbl oedd ganddi i fyw arno."

Rhagfynegi Dinistr y Deml
(Mth. 24:1-2; Mc. 13:1-2)

5 Wrth i rywrai sôn am y deml, ei bod wedi ei haddurno â meini gwych a rhoddion cysegredig, meddai ef, [6]"Am y pethau hyn yr ydych yn syllu arnynt, fe ddaw dyddiau pryd ni adewir maen ar faen; ni bydd yr un heb ei fwrw i lawr."

Arwyddion ac Erledigaethau
(Mth. 24:3-14; Mc. 13:3-13)

7 Gofynasant iddo, "Athro, pa bryd y bydd hyn? Beth fydd yr arwydd pan fydd hyn ar ddigwydd?" [8]Meddai yntau, "Gwyliwch na chewch eich twyllo. Oherwydd fe ddaw llawer yn fy enw i gan ddweud, 'Myfi yw', ac, 'Y mae'r amser wedi dod yn agos'. Peidiwch â mynd i'w canlyn. [9]A phan glywch am ryfeloedd a gwrthryfeloedd, peidiwch â chymryd eich dychrynu. Rhaid i hyn ddigwydd yn gyntaf, ond nid yw'r diwedd i fod ar unwaith." [10]Y pryd hwnnw dywedodd wrthynt, "Cyfyd cenedl yn erbyn cenedl,

a theyrnas yn erbyn teyrnas. ¹¹Bydd daeargrynfâu dirfawr, a newyn a phlâu mewn mannau. Bydd argoelion arswydus ac arwyddion enfawr o'r nef. ¹²Ond cyn hyn oll byddant yn gosod dwylo arnoch ac yn eich erlid. Fe'ch traddodir i'r synagogau ac i garchar, fe'ch dygir gerbron brenhinoedd a llywodraethwyr o achos fy enw i; ¹³hyn fydd eich cyfle i dystiolaethu. ¹⁴Penderfynwch beidio â phryderu ymlaen llaw ynglŷn â'ch amddiffyniad; ¹⁵fe roddaf fi i chwi huodledd, a doethineb na all eich holl wrthwynebwyr ei wrthsefyll na'i wrth-ddweud. ¹⁶Fe'ch bradychir gan eich rhieni a'ch brodyr a'ch perthnasau a'ch cyfeillion, a pharant ladd rhai ohonoch. ¹⁷A chas fyddwch gan bawb o achos fy enw i. ¹⁸Ond ni chollir yr un blewyn o wallt eich pen. ¹⁹Trwy eich dyfalbarhad meddiannwch fywyd i chwi eich hunain.

Rhagfynegi Dinistr Jerwsalem
(Mth. 24:15-21; Mc. 13:14-19)

20 "Ond pan welwch Jerwsalem wedi ei hamgylchynu gan fyddinoedd, yna byddwch yn gwybod fod awr ei diffeithio wedi dod yn agos ²¹Y pryd hwnnw, ffoed y rhai sydd yn Jwdea i'r mynyddoedd. Pob un sydd yng nghanol y ddinas, aed allan ohoni; a phob un sydd yn y wlad, peidied â mynd i mewn iddi. ²²Oherwydd dyddiau dial fydd y rhain, pan fydd pob peth sy'n ysgrifenedig yn cael ei gyflawni. ²³Gwae'r gwragedd beichiog a'r rhai sy'n rhoi'r fron yn y dyddiau hynny! Daw cyfyngder dirfawr ar y wlad, a digofaint ar y bobl hon. ²⁴Byddant yn cwympo dan fin y cleddyf, ac fe'u dygir yn garcharorion i'r holl genhedloedd. Caiff Jerwsalem ei mathru dan draed estroniaid nes cyflawni eu hamserau hwy.

Dyfodiad Mab y Dyn
(Mth. 24:29-31; Mc. 13:24-27)

25 "Bydd arwyddion yn yr haul a'r lloer a'r sêr. Ar y ddaear bydd cenhedloedd mewn cyfyngder yn eu pryder rhag trymru ac ymchwydd y môr. ²⁶Bydd dynion yn llewygu gan ofn wrth ddisgwyl y pethau sy'n dod ar y byd; oherwydd ysgydwir nerthoedd y nefoedd. ²⁷A'r pryd hwnnw gwelant Fab y Dyn yn dyfod mewn cwmwl gyda nerth a gogoniant

mawr. ²⁸Pan ddechreua'r pethau hyn ddigwydd, ymunionwch a chodwch eich pennau, oherwydd y mae eich rhyddhad yn agosáu."

Gwers y Ffigysbren
(Mth. 24:32-35; Mc. 13:28-31)

29 Adroddodd ddameg wrthynt: "Edrychwch ar y ffigysbren a'r holl goed. ³⁰Pan fyddant yn dechrau deilio, fe wyddoch eich hunain o'u gweld fod yr haf bellach yn agos. ³¹Felly chwithau, pan welwch y pethau hyn yn digwydd, byddwch yn gwybod fod teyrnas Dduw yn agos. ³²Yn wir, 'rwy'n dweud wrthych, nid â'r genhedlaeth hon heibio nes i'r cwbl ddigwydd. ³³Y nef a'r ddaear, ânt heibio, ond fy ngeiriau i, nid ânt heibio ddim.

Anogaeth i Fod yn Effro

34 "Cymerwch ofal, rhag i'ch meddyliau gael eu pylu gan ddiota a meddwi a gofalon bydol, ac i'r dydd hwnnw ddod arnoch yn ddisymwth ³⁵fel magl; oherwydd fe ddaw¹ ar bawb sy'n trigo ar wyneb y ddaear gyfan. ³⁶Byddwch effro bob amser, gan ddeisyf am nerth i ddianc rhag yr holl bethau hyn sydd ar ddigwydd, ac i sefyll yng ngŵydd Mab y Dyn."

37 Yn ystod y dydd byddai'n dysgu yn y deml, ond byddai'n mynd allan ac yn treulio'r nos ar y mynydd a elwir Olewydd. ³⁸Yn y bore bach deuai'r holl bobl ato yn y deml i wrando arno.ᵗʰ

Y Cynllwyn i Ladd Iesu
(Mth. 26:1-5, 14-16; Mc. 14:1-2, 10-11; In. 11:45-53)

22 Yr oedd gŵyl y Bara Croyw, y Pasg fel y'i gelwir, yn agosáu. ²Yr oedd y prif offeiriaid a'r ysgrifenyddion yn ceisio modd i'w ladd, oherwydd yr oedd arnynt ofn y bobl. ³Ac aeth Satan i mewn i Jwdas, a elwid Iscariot, hwnnw oedd yn un o'r Deuddeg. ⁴Aeth ef a thrafod gyda'r prif offeiriaid a swyddogion gwarchodlu'r deml sut i fradychu Iesu iddynt. ⁵Cytunasant yn llawen iawn i dalu arian iddo. ⁶Cydsyniodd yntau, a dechreuodd geisio cyfle i'w fradychu ef iddynt heb i'r dyrfa wybod.

ᵗYn ôl darlleniad arall, *yn ddisymwth*. ³⁵ *Fel magl y daw*.
ᵗʰYn ôl darlleniad arall ychwanegir yr adran a welir yn In 7:53—8:11.

Paratoi Gwledd y Pasg

(Mth. 26:17-25; Mc. 14:12-21;
In. 13:21-30)

7 Daeth dydd gŵyl y Bara Croyw, pryd yr oedd yn rhaid lladd oen y Pasg. ⁸Anfonodd ef Pedr ac Ioan gan ddweud, "Ewch a pharatowch inni gael bwyta gwledd y Pasg." ⁹Meddent hwy wrtho, "Ble yr wyt ti am inni ei pharatoi?" ¹⁰Atebodd hwy, "Wedi i chwi fynd i mewn i'r ddinas fe ddaw dyn i'ch cyfarfod, yn cario stenaid o ddŵr. Dilynwch ef i'r tŷ yr â i mewn iddo, ¹¹a dywedwch wrth ŵr y tŷ, 'Y mae'r Athro yn gofyn i ti, "Ble mae f'ystafell, lle yr wyf i fwyta gwledd y Pasg gyda'm disgyblion?"' ¹²Ac fe ddengys ef i chwi oruwchystafell fawr wedi ei threfnu; yno paratowch." ¹³Aethant ymaith, a chael fel yr oedd ef wedi dweud wrthynt, a pharatoesant wledd y Pasg.

Sefydlu Swper yr Arglwydd

(Mth. 26:26-30; Mc. 14:22-26;
1 Cor. 11:23-25)

14 Pan ddaeth yr awr, cymerodd ei le wrth y bwrdd, a'r apostolion gydag ef. ¹⁵Meddai wrthynt, "Mor daer y bûm yn dyheu am gael bwyta gwledd y Pasg hwn gyda chwi cyn imi ddioddef! ¹⁶Oherwydd 'rwy'n dweud wrthych na fwytâf hi byth hyd nes y cyflawnir hi yn nheyrnas Dduw." ¹⁷Derbyniodd gwpan, ac wedi diolch meddai, "Cymerwch hwn a rhannwch ef ymhlith eich gilydd. ¹⁸Oherwydd 'rwy'n dweud wrthych nad yfaf o hyn allan o ffrwyth y winwydden hyd nes y daw teyrnas Dduw." ¹⁹Cymerodd fara, ac wedi diolch fe'i torrodd a'i roi iddynt gan ddweud, "Hwn yw fy nghorff, sy'n cael ei roi er eich mwyn chwi; gwnewch hyn er cof amdanaf." ²⁰Yr un modd hefyd fe gymerodd y cwpan ar ôl swper gan ddweud, "Y cwpan hwn yw'r cyfamod newydd yn fy ngwaed i, sy'n cael ei dywallt er eich mwyn chwi. ᵘ ²¹Ond dyma law fy mradychwr gyda'm llaw i ar y bwrdd. ²²Oherwydd y mae Mab y Dyn yn wir yn mynd ymaith, yn ôl yr hyn sydd wedi ei bennu, ond gwae'r dyn hwnnw y bradychir ef ganddo!" ²³A dechreuasant ofyn ymhlith ei gilydd prun ohonynt oedd yr un oedd am wneud hynny.

Y Ddadl ynglŷn â Mawredd

24 Cododd cweryl hefyd yn eu plith: prun ohonynt oedd i'w gyfrif y mwyaf? ²⁵Meddai ef wrthynt, "Y mae brenhinoedd y Cenhedloedd yn arglwyddiaethu arnynt, a'r rhai sydd ag awdurdod drostynt yn cael eu galw yn gymwynaswyr. ²⁶Ond peidiwch chwi â gwneud felly. Yn hytrach, bydded y mwyaf yn eich plith fel yr ieuengaf, a'r arweinydd fel un sy'n gweini. ²⁷Pwy sydd fwyaf, yr hwn sy'n eistedd wrth v bwrdd neu'r hwn sy'n gweini? Onid yr hwn sy'n eistedd? Ond yr wyf fi yn eich plith fel un sy'n gweini. ²⁸Chwi yw'r rhai sydd wedi dal gyda mi trwy gydol fy nhreialon. ²⁹Ac fel y cyflwynodd fy Nhad deyrnas i mi, yr wyf finnau yn cyflwyno un i chwi; ³⁰cewch fwyta ac yfed wrth fy mwrdd i yn fy nheyrnas i, ac eistedd ar orseddau gan farnu deuddeg llwyth Israel.

Rhagfynegi Gwadiad Pedr

(Mth. 26:31-35; Mc. 14:27-31;
In. 13:36-38)

31 "Simon, Simon, dyma Satan wedi eich hawlio chwi, i'ch gogrwn fel ŷd; ³²ond yr wyf fi wedi deisyf drosot ti na fydd dy ffydd yn pallu. A thithau, pan fyddi wedi dychwelyd ataf, cadarnha dy frodyr." ³³Meddai ef wrtho, "Arglwydd, gyda thi 'rwy'n barod i fynd i garchar ac i farwolaeth." ³⁴"'Rwy'n dweud wrthyt, Pedr," atebodd ef, "ni chân y ceiliog heddiw cyn y byddi wedi gwadu deirgwaith dy fod yn fy adnabod i."

Pwrs, Cod a Chleddyf

35 Dywedodd wrthynt, "Pan anfonais chwi allan heb bwrs na chod na sandalau, a fuoch yn brin o ddim?" "Naddo," atebasant. ³⁶Meddai yntau, "Ond yn awr, bydded i'r hwn sydd â phwrs ganddo fynd ag ef i'w ganlyn, a'i god yr un modd; a'r hwn nid oes ganddo gleddyf, bydded iddo werthu ei fantell a phrynu un. ³⁷'Rwy'n dweud wrthych fod yn rhaid cyflawni ynof fi yr Ysgrythur sy'n dweud: 'A chyfrifwyd ef gyda throseddwyr.' Oherwydd y mae'r hyn a ragddywedwyd amdanaf fi yn dod i ben." ³⁸"Arglwydd," atebasant hwy, "dyma ddau gleddyf." Meddai yntau wrthynt, "Dyna ddigon."

ᵘYn ôl darlleniad arall gadewir allan *sy'n cael ei roi...ei dywallt er eich mwyn chwi.* Yn adn. 20 gellir cyfieithu: *Y cwpan hwn, sy'n cael ei dywallt er eich mwyn chwi, yw'r cyfamod newydd yn fy ngwaed i.*

Y Weddi ar Fynydd yr Olewydd
(Mth. 26:36-46; Mc. 14:32-42)

39 Yna aeth allan, a cherdded yn ôl ei arfer i Fynydd yr Olewydd, a'i ddisgyblion hefyd yn ei ddilyn. ⁴⁰Pan gyrhaeddodd y fan, meddai wrthynt, "Gweddïwch na ddewch i gael eich profi." ⁴¹Yna ymneilltuodd Iesu oddi wrthynt tuag ergyd carreg, a chan benlinio dechreuodd weddïo ⁴²gan ddweud, "O Dad, os wyt ti'n fodlon, cymer y cwpan hwn oddi wrthyf. Ond gwneler dy ewyllys di, nid fy ewyllys i." ⁴³Ac ymddangosodd angel o'r nef iddo, a'i gyfnerthu. ⁴⁴Gan gymaint ei ing yr oedd yn gweddïo'n ddwysach, ac yr oedd ei chwŷs fel dafnau o waed yn diferu ar y ddaear.ʷ ⁴⁵Cododd o'i weddi a mynd at ei ddisgyblion a'u cael yn cysgu o achos eu gofid. ⁴⁶Meddai wrthynt, "Pam yr ydych yn cysgu? Codwch, a gweddïwch na ddewch i gael eich profi."

Bradychu a Dal Iesu
(Mth. 26:47-56; Mc. 14:43-50; In. 18:3-11)

47 Tra oedd yn dal i siarad, fe ymddangosodd tyrfa, a Jwdas, fel y'i gelwid, un o'r Deuddeg, ar ei blaen. Nesaodd ef at Iesu i'w gusanu. ⁴⁸Meddai Iesu wrtho, "Jwdas, ai â chusan yr wyt yn bradychu Mab y Dyn?" ⁴⁹Pan welodd ei ddilynwyr beth oedd ar ddigwydd, meddent, "Arglwydd, a gawn ni daro â'n cleddyfau?" ⁵⁰Trawodd un ohonynt was yr archoffeiriad a thorri ei glust dde i ffwrdd. ⁵¹Atebodd Iesu, "Peidiwch! Dyna ddigon!" Cyffyrddodd â'r glust a'i hadfer. ⁵²Yna meddai Iesu wrth y rhai oedd wedi dod yn ei erbyn, y prif offeiriaid a swyddogion gwarchodlu'r deml a'r henuriaid, "Ai fel at leidr, â chleddyfau a phastynau, y daethoch allan? ⁵³Er fy mod gyda chwi beunydd yn y deml, ni wnaethoch ddim i'm dal. Ond eich awr chwi yw hon, a'r tywyllwch biau'r awdurdod."

Pedr yn Gwadu Iesu
(Mth. 26:57-58, 69-75; Mc. 14:53-54, 66-72; In. 18:12-18, 25-27)

54 Daliasant ef, a mynd ag ef ymaith i mewn i dŷ'r archoffeiriad. Yr oedd Pedr yn canlyn o hirbell. ⁵⁵Cynnodd rhai dân yng nghanol y cyntedd, ac eistedd gyda'i gilydd. Eisteddodd Pedr yn eu plith. ⁵⁶Gwelodd morwyn ef yn eistedd wrth y tân, ac wedi syllu arno meddai, "Yr oedd hwn hefyd gydag ef." ⁵⁷Ond gwadodd ef a dweud, "Nid wyf fi'n ei adnabod, ferch." ⁵⁸Yn fuan wedi hynny gwelodd un arall ef, ac meddai, "Yr wyt tithau yn un ohonynt." Ond meddai Pedr, "Nac ydwyf, ddyn." ⁵⁹Ymhen rhyw awr, dechreuodd un arall daeru, "Yn wir yr oedd hwn hefyd gydag ef, oherwydd Galilead ydyw." ⁶⁰Meddai Pedr, "Ddyn, nid wyf yn gwybod am beth yr wyt ti'n sôn." Ac ar unwaith, tra oedd yn dal i siarad, canodd y ceiliog. ⁶¹Troes yr Arglwydd ac edrych ar Pedr, a chofiodd ef air yr Arglwydd wrtho, "Cyn i'r ceiliog ganu heddiw, fe'm gwedi i deirgwaith." ⁶²Aeth allan ac wylo'n chwerw.ʸ

Gwatwar a Churo Iesu
(Mth. 26:67-68; Mc. 14:65)

63 Yr oedd gwarcheidwaid Iesu yn ei watwar a'i guro. ⁶⁴Rhoesant orchudd amdano, a dechrau ei holi gan ddweud, "Proffwyda! Pwy a'th drawodd?" ⁶⁵A dywedasant lawer o bethau cableddus eraill wrtho.

Iesu gerbron y Sanhedrin
(Mth. 26:59-66; Mc. 14:55-64; In. 18:19-24)

66 Pan ddaeth yn ddydd, cyfarfu Cyngor henuriaid y bobl, y prif offeiriaid a'r ysgrifenyddion. Daethant ag ef gerbron eu brawdlys ⁶⁷gan ddweud, "Os ti yw'r Meseia, dywed hynny wrthym." Meddai yntau wrthynt, "Os dywedaf hynny wrthych, fe wrthodwch gredu; ⁶⁸ac os holaf chwi, fe wrthodwch ateb. ⁶⁹O hyn allan bydd Mab y Dyn yn eistedd ar ddeheulaw Gallu Duw." ⁷⁰Meddent oll, "Ti felly yw Mab Duw?" Atebodd hwy, "Chwi sy'n dweud mai myfi yw.ᵃ" ⁷¹Yna meddent, "Pa raid inni wrth dystiolaeth bellach? Oherwydd clywsom ein hunain y geiriau o'i enau ef."

Dod â Iesu gerbron Pilat
(Mth. 27:1-2, 11-14; Mc. 15:1-5; In. 18:28-38)

23 Codasant oll yn dyrfa a dod ag ef gerbron Pilat. ²Dechreusant ei

---

ʷYn ôl darlleniad arall gadewir allan *Ac ymddangosodd...ar y ddaear.*
ʸYn ôl darlleniad arall gadewir allan *Aeth allan...chwerw.*
ᵃNeu, *Yr ydych yn dweud y gwir; myfi yw.*

gyhuddo gan ddweud, "Cawsom y dyn hwn yn arwain ein cenedl ar gyfeiliorn, yn gwahardd talu trethi i Gesar, ac yn honni mai ef yw'r Meseia, sef y brenin." [3] Holodd Pilat ef: "Ai ti yw Brenin yr Iddewon?" Atebodd yntau ef, "Ti sy'n dweud hynny.[b]" [4] Ac meddai Pilat wrth y prif offeiriaid a'r tyrfaoedd, "Nid wyf yn cael dim trosedd yn achos y dyn hwn." [5] Ond dal i daeru yr oeddent: "Y mae'n cyffroi'r bobl â'i ddysgeidiaeth, trwy Jwdea gyfan. Dechreuodd yng Ngalilea, ac y mae wedi cyrraedd hyd yma."

Iesu gerbron Herod

6 Pan glywodd Pilat hyn, gofynnodd ai Galilead oedd y dyn; [7] ac wedi deall ei fod dan awdurdod Herod, cyfeiriodd yr achos ato, gan fod Herod yntau yn Jerwsalem y dyddiau hynny. [8] Pan welodd Herod Iesu, mawr oedd ei lawenydd; bu'n awyddus ers amser hir i'w weld, gan iddo glywed amdano, ac yr oedd yn gobeithio ei weld yn cyflawni rhyw wyrth. [9] Bu'n ei holi'n faith, ond nid atebodd Iesu iddo yr un gair. [10] Yr oedd y prif offeiriaid a'r ysgrifenyddion yno, yn ei gyhuddo yn ffyrnig. [11] A'i drin yn sarhaus a wnaeth Herod hefyd, ynghyd â'i filwyr. Fe'i gwatwarodd, a gosododd wisg ysblennydd amdano, cyn cyfeirio'r achos yn ôl at Pilat. [12] Daeth Herod a Philat yn gyfeillion i'w gilydd y dydd hwnnw; cyn hynny yr oedd gelyniaeth rhyngddynt.

Dedfrydu Iesu i Farwolaeth
(Mth. 27:15-26; Mc. 15:6-15; In. 18:39—19:16)

13 Galwodd Pilat y prif offeiriaid ac aelodau'r Cyngor a'r bobl ynghyd, [14] ac meddai wrthynt, "Daethoch â'r dyn hwn ger fy mron fel un sy'n arwain y bobl ar gyfeiliorn. Yn awr, yr wyf fi wedi holi'r dyn hwn yn eich gŵydd chwi, a heb gael ei fod yn euog o unrhyw un o'ch cyhuddiadau yn ei erbyn; [15] ac ni chafodd Herod chwaith, oherwydd cyfeirodd ef ei achos yn ôl atom ni. Fe welwch nad yw wedi gwneud dim sy'n haeddu marwolaeth. [16] Gan hynny, mi ddysgaf wers iddo â'r chwip a'i ollwng yn rhydd."[c] [18] Ond gwaeddasant ag un llais, "Ymaith â hwn, rhyddha Barabbas inni." [19] Dyn oedd hwnnw wedi ei fwrw i garchar o achos gwrthryfel a llofruddiaeth oedd wedi digwydd yn y ddinas. [20] Drachefn anerchodd Pilat hwy, yn ei awydd i ryddhau Iesu, [21] ond bloeddiasant hwy, "Croeshoelia ef, croeshoelia ef." [22] Y drydedd waith meddai wrthynt, "Ond pa ddrwg a wnaeth ef? Ni chefais unrhyw achos i'w ddedfrydu i farwolaeth. Gan hynny, mi ddysgaf wers iddo â'r chwip a'i ollwng yn rhydd." [23] Ond yr oeddent yn pwyso arno â'u crochlefain byddarol, gan fynnu ei groeshoelio ef, ac yr oedd eu bonllefau yn ennill y dydd. [24] Yna penderfynodd Pilat ganiatáu eu cais; [25] rhyddhaodd yr hwn yr oeddent yn gofyn amdano, y dyn oedd wedi ei fwrw i garchar am wrthryfela a llofruddio, a thraddododd Iesu i'w hewyllys hwy.

Croeshoelio Iesu
(Mth. 27:32-44; Mc. 15:21-32; In. 19:17-27)

26 Wedi mynd ag ef ymaith gafaelsant yn Simon, dyn o Cyrene, a oedd ar ei ffordd o'r wlad, a gosod y groes ar ei gefn, iddo ei chario y tu ôl i Iesu. [27] Yr oedd tyrfa fawr o'r bobl yn ei ddilyn, ac yn eu plith wragedd yn galaru ac yn wylofain drosto. [28] Troes Iesu atynt a dwedd, "Ferched Jerwsalem, peidiwch ag wylo amdanaf fi; wylwch yn hytrach amdanoch eich hunain ac am eich plant. [29] Oherwydd dyma ddyddiau yn dod pan fydd pobl yn dweud, 'Gwyn eu byd y gwragedd diffrwyth a'r crothau nad esgorasant a'r bronnau na roesant sugn.' [30] Y pryd hwnnw bydd dynion yn dechrau 'Dweud wrth y mynyddoedd, "Syrthiwch arnom", ac wrth y bryniau, "Gorchuddiwch ni."' [31] Oherwydd os gwneir hyn i'r pren glas, pa beth a ddigwydd i'r pren crin?"

32 Daethpwyd ag eraill hefyd, dau droseddwr, i'w dienyddio gydag ef. [33] Pan ddaethant i'r lle a elwir Y Benglog, yno croeshoeliwyd ef a'r troseddwyr, y naill ar y dde a'r llall ar y chwith iddo. [34] Ac meddai Iesu, "O Dad, maddau iddynt, oherwydd ni wyddant beth y maent yn ei wneud."[ch] A bwriasant goelbrennau i rannu ei ddillad. [35] Yr oedd y bobl yn sefyll yno, yn gwylio. Yr oedd aelodau'r Cyngor hwythau yn ei wawdio gan

---

[b] Neu, *Yr wyt yn dweud y gwir.*

[c] Yn ôl darlleniad arall ychwanegir adn. 17: *Yr oedd yn rhaid iddo ryddhau un carcharor iddynt ar y Pasg.*

[ch] Yn ôl darlleniad arall gadewir allan *Ac meddai...yn ei wneud."*

ddweud, "Fe achubodd eraill; achubed ei hun, os ef yw Meseia Duw, yr Etholedig." ³⁶Daeth y milwyr hefyd ato a'i watwar, gan gynnig gwin sur iddo, ³⁷a chan ddweud, "Os ti yw Brenin yr Iddewon, achub dy hun." ³⁸Yr oedd hefyd arysgrif uwch ei ben: "Hwn yw Brenin yr Iddewon."

39 Yr oedd un o'r troseddwyr ar ei groes yn ei gablu gan ddweud, "Onid ti yw'r Meseia? Achub dy hun a ninnau." ⁴⁰Ond atebodd y llall, a'i geryddu: "Onid oes arnat ofn Duw, a thithau dan yr un ddedfryd? ⁴¹I ni, y mae hynny'n gyfiawn, oherwydd haeddiant ein gweithredoedd sy'n dod inni. Ond ni wnaeth hwn ddim o'i le." ⁴²Yna dywedodd, "Iesu, cofia fi pan ddoi i'th deyrnasᵈ." ⁴³Atebodd yntau, "Yn wir, 'rwy'n dweud wrthyt, heddiw byddi gyda mi ym Mharadwys."

Marwolaeth Iesu
(Mth. 27:45-56; Mc. 15:33-41; In. 19:28-30)

44 Erbyn hyn yr oedd hi tua hanner dydd. Daeth tywyllwch dros yr holl wlad hyd dri o'r gloch y prynhawn, ⁴⁵a'r haul wedi diffodd. Rhwygwyd llen y deml yn ei chanol. ⁴⁶Llefodd Iesu â llef uchel, "O Dad, i'th ddwylo di yr wyf yn cyflwyno fy ysbryd." A chan ddweud hyn bu farw. ⁴⁷Pan welodd y canwriad yr hyn oedd wedi digwydd, dechreuodd ogoneddu Duw gan ddweud, "Yn wir, dyn cyfiawn oedd hwn." ⁴⁸Ac wedi gweld yr hyn a ddigwyddodd, troes yr holl dyrfaoedd, a oedd wedi ymgynnull i wylio'r olygfa, tuag adref gan guro eu bronnau. ⁴⁹Yr oedd ei holl gyfeillion, ynghyd â'r gwragedd oedd wedi ei ddilyn ef o Galilea, yn sefyll yn y pellter ac yn gweld y pethau hyn.

Claddu Iesu
(Mth. 27:57-61; Mc. 15:42-47; In. 19:38-42)

50 Yr oedd dyn o'r enw Joseff, aelod o'r Cyngor a dyn da a chyfiawn, ⁵¹nad oedd wedi cydsynio â'u penderfyniad a'u gweithred hwy. Yr oedd yn hanu o Arimathea, un o drefi'r Iddewon, ac yn disgwyl am deyrnas Dduw. ⁵²Aeth hwn at Pilat a gofyn am gorff Iesu. ⁵³Wedi ei

dynnu ef i lawr a'i amdói mewn lliain, gosododd ef mewn bedd wedi ei naddu, lle nad oedd neb hyd hynny wedi gorwedd. ⁵⁴Dydd y Paratoad oedd hi, ac yr oedd y Saboth ar ddechrau. ⁵⁵Fe ddilynodd y gwragedd oedd wedi dod gyda Iesu o Galilea, a gwelsant y bedd a'r modd y gosodwyd ei gorff. ⁵⁶Yna aethant yn eu holau i baratoi peraroglau ac eneiniau.

Atgyfodiad Iesu
(Mth. 28:1-10; Mc. 16:1-8; In. 20:1-10)

Ar y Saboth buont yn gorffwys yn ôl y gorchymyn.

24 Ar y dydd cyntaf o'r wythnos, ar doriad gwawr, daethant at y bedd gan ddwyn y peraroglau yr oeddent wedi eu paratoi. ²Cawsant y maen wedi ei dreiglo i ffwrdd oddi wrth y bedd, ³ond pan aethant i mewn ni chawsant gorff yr Arglwydd Iesu.ᵈᵈ ⁴Yna, a hwythau mewn penbleth ynglŷn â hyn, dyma ddau ddyn yn ymddangos iddynt mewn gwisgoedd llachar. ⁵Daeth ofn arnynt, a phlygasant eu hwynebau tua'r ddaear. Meddai'r dynion wrthynt, "Pam yr ydych yn ceisio ymhlith y meirw yr hwn sy'n fyw? ⁶Nid yw ef yma; y mae wedi ei gyfodi.ᵉ Cofiwch fel y llefarodd wrthych tra oedd eto yng Ngalilea, ⁷gan ddweud ei bod yn rhaid i Fab y Dyn gael ei draddodi i ddwylo dynion pechadurus, a'i groeshoelio, a'r trydydd dydd atgyfodi." ⁸A daeth ei eiriau ef i'w cof. ⁹Dychwelsant o'r bedd, ac adrodd yr holl bethau hyn wrth yr un ar ddeg ac wrth y lleill i gyd. ¹⁰Mair Magdalen a Joanna a Mair mam Iago oedd y gwragedd hyn; a'r un pethau a ddywedodd y gwragedd eraill hefyd, oedd gyda hwy, wrth yr apostolion. ¹¹Ond i'w tyb hwy, lol oedd yr hanesion hyn, a gwrthodasant gredu'r gwragedd. ¹²Ond cododd Pedr a rhedeg at y bedd; plygodd i edrych, ac ni welodd ddim ond y llieiniau. Ac aeth ymaith, gan ryfeddu wrtho'i hun at yr hyn oedd wedi digwydd.ᶠ

Cerdded i Emaus
(Mc. 16:12-13)

13 Yn awr, yr un dydd, yr oedd dau ohonynt ar eu ffordd i bentref, saith milltir a hanner o Jerwsalem, o'r enw Emaus. ¹⁴Yr oeddent yn ymddiddan â'i

---

ᵈYn ôl darlleniad arall, *ddoi i deyrnasu.*   ᵈᵈYn ôl darlleniad arall, *ni chawsant y corff.*
ᵉYn ôl darlleniad arall gadewir allan *Nid yw ef yma; y mae wedi ei gyfodi.*
ᶠYn ôl darlleniad arall gadewir allan *Ond cododd Pedr...wedi digwydd.*

gilydd am yr holl ddigwyddiadau hyn. [15]Yn ystod yr ymddiddan a'r trafod, nesaodd Iesu ei hun atynt a dechrau cerdded gyda hwy, [16]ond rhwystrwyd eu llygaid rhag ei adnabod ef. [17]Meddai wrthynt, "Beth yw'r sylwadau hyn yr ydych yn eu cyfnewid wrth gerdded?" Safasant hwy, a'u digalondid yn eu hwynebau. [18]Atebodd yr un o'r enw Cleopas, "Rhaid mai ti yw'r unig ymwelydd â Jerwsalem nad yw'n gwybod am y pethau sydd wedi digwydd yno y dyddiau diwethaf hyn." [19]"Pa bethau?" meddai wrthynt. Atebasant hwythau, "Y pethau sydd wedi digwydd i Iesu o Nasareth, dyn oedd yn broffwyd nerthol ei weithredoedd a'i eiriau yng ngŵydd Duw a'r holl bobl. [20]Traddododd ein prif offeiriaid ac aelodau ein Cyngor ef i'w ddedfrydu i farwolaeth, ac fe'i croeshoeliasant. [21]Ein gobaith ni oedd mai ef oedd yr un oedd yn mynd i brynu Israel i ryddid, ond at hyn oll, heddiw yw'r trydydd dydd er pan ddigwyddodd y pethau hyn. [22]Er hynny, fe'n syfrdanwyd gan rai gwragedd o'n plith; aethant yn y bore bach at y bedd, [23]a methasant gael ei gorff, ond dychwelsant gan daeru eu bod wedi gweld angylion yn ymddangos, a bod y rheini yn dweud ei fod ef yn fyw. [24]Aeth rhai o'n cwmni allan at y bedd, a'i gael yn union fel y dywedodd y gwragedd, ond ni welsant mohono ef." [25]Meddai Iesu wrthynt, "Mor ddiddeall ydych, a mor araf yw eich calonnau i gredu'r cwbl a lefarodd y proffwydi! [26]Onid oedd yn rhaid i'r Meseia ddioddef y pethau hyn, a mynd i mewn i'w ogoniant?" [27]A chan ddechrau gyda Moses a'r holl broffwydi, dehonglodd iddynt y pethau a ysgrifennwyd amdano ef ei hun yn yr holl Ysgrythurau.

28 Wedi iddynt nesáu at y pentref yr oeddent ar eu ffordd iddo, cymerodd ef arno ei fod yn mynd ymhellach. [29]Ond meddent wrtho, gan bwyso arno, "Aros gyda ni, oherwydd y mae hi'n nosi, a'r dydd yn dirwyn i ben." Yna aeth i mewn i aros gyda hwy. [30]Wedi cymryd ei le wrth y bwrdd gyda hwy, cymerodd y bara a bendithio, a'i dorri a'i roi iddynt. [31]Agorwyd eu llygaid hwy, ac adnabuasant ef. A diflannodd ef o'u golwg. [32]Meddent wrth ei gilydd, "Onid oedd ein calonnau ar dân ynom wrth iddo siarad â ni ar y ffordd, pan oedd yn egluro'r Ysgrythurau inni?" [33]Codasant ar unwaith a dychwelyd i Jerwsalem. Cawsant yr un ar ddeg a'u dilynwyr wedi ymgynnull ynghyd [34]ac yn dweud fod yr Arglwydd yn wir wedi ei gyfodi, ac wedi ymddangos i Simon. [35]Adroddasant hwythau yr hanes am eu taith, ac fel yr oeddent wedi ei adnabod ef ar doriad y bara.

Ymddangos i'r Disgyblion
(Mth. 28:16-20; Mc. 16:14-18; In. 20:19-23; Act. 1:6-8)

36 Wrth iddynt ddweud hyn, ymddangosodd ef yn eu plith, ac meddai wrthynt, "Tangnefedd i chwi."[ff] [37]O achos eu dychryn a'u hofn, yr oeddent yn tybied eu bod yn gweld ysbryd. [38]Gofynnodd iddynt, "Pam yr ydych wedi cynhyrfu? Pam y mae amheuon yn codi yn eich meddyliau? [39]Gwelwch fy nwylo a'm traed; myfi yw, myfi fy hun. Cyffyrddwch â mi a gwelwch, oherwydd nid oes gan ysbryd gnawd ac esgyrn fel y canfyddwch fod gennyf fi." [40]Wrth ddweud hyn dangosodd iddynt ei ddwylo a'i draed.[g] [41]A chan eu bod yn eu llawenydd yn dal i wrthod credu ac yn rhyfeddu, meddai wrthynt, "A oes gennych rywbeth i'w fwyta yma?" [42]Rhoesant iddo ddarn o bysgodyn wedi ei rostio. [43]Cymerodd ef, a bwyta yn eu gŵydd.

44 Dywedodd wrthynt, "Dyma ystyr fy ngeiriau a leferais wrthych pan oeddwn eto gyda chwi: ei bod yn rhaid i bob peth gael ei gyflawni sy'n ysgrifenedig amdanaf yng Nghyfraith Moses a'r proffwydi a'r salmau." [45]Yna agorodd eu meddyliau, iddynt ddeall yr Ysgrythurau. [46]Meddai wrthynt, "Fel hyn y mae'n ysgrifenedig: fod y Meseia i ddioddef, ac i atgyfodi oddi wrth y meirw ar y trydydd dydd, [47]a bod edifeirwch, yn foddion maddeuant pechodau, i'w gyhoeddi[ng] yn ei enw ef i'r holl genhedloedd, gan ddechrau yn Jerwsalem. [48]Chwi yw'r tystion i'r pethau hyn. [49]Ac yn awr yr wyf fi'n anfon arnoch yr yn a addawodd fy Nhad; chwithau, arhoswch yn y ddinas nes eich gwisgo chwi oddi uchod â nerth."

[ff]Yn ôl darlleniad arall gadewir allan *ac meddai...i chwi."*
[g]Yn ôl darlleniad arall gadewir allan *Wrth ddweud...a'i draed.*
[ng]Yn ôl darlleniad arall, *edifeirwch a maddeuant pechodau i'w cyhoeddi.*

Esgyniad Iesu
(Mc. 16:19-20; Act. 1:9-11)
50 Aeth â hwy allan i gyffiniau Bethania. Yna cododd ei ddwylo a'u bendithio. [51] Wrth iddo eu bendithio, fe

ymadawodd â hwy ac fe'i dygwyd i fyny i'r nef. [h] [52] Wedi iddynt ei addoli ar eu gliniau,[i] dychwelsant yn llawen iawn i Jerwsalem. [53] Ac yr oeddent yn y deml yn ddi-baid, yn bendithio Duw.

[h] Yn ôl darlleniad arall gadewir allan *ac fe'i...i'r nef.*
[i] Yn ôl darlleniad arall gadewir allan *Wedi...ar eu gliniau.*

YR EFENGYL YN ÔL

IOAN

Daeth y Gair yn Gnawd

1 Yn y dechreuad yr oedd y Gair; yr oedd y Gair gyda Duw, a Duw oedd y Gair. [2] Yr oedd ef yn y dechreuad gyda Duw. [3] Daeth pob peth i fod trwyddo ef; hebddo ef ni ddaeth un dim i fod. Yr hyn a ddaeth i fod, [4] ynddo ef bywyd ydoedd,[a] a'r bywyd, goleuni dynion ydoedd. [5] Y mae'r goleuni yn llewyrchu yn y tywyllwch, ac nid yw'r tywyllwch wedi ei drechu[b] ef.
6 Daeth dyn wedi ei anfon oddi wrth Dduw, a'i enw Ioan. [7] Daeth hwn yn dyst, i dystiolaethu am y goleuni, er mwyn i bawb ddod i gredu trwyddo. [8] Nid ef oedd y goleuni, ond daeth i dystiolaethu am y goleuni. [9] Yr oedd y gwir oleuni, sy'n goleuo pob dyn, eisoes yn dod i'r byd.[c] [10] Yr oedd yn y byd, a daeth y byd i fod trwyddo, ac nid adnabu'r byd mohono. [11] Daeth i'w gartref ei hun, ac ni dderbyniodd ei bobl ei hun mohono. [12] Ond cynifer ag a'i derbyniodd, rhoes iddynt hwy, y rhai sy'n credu yn ei enw, hawl i ddod yn blant Duw, [13] plant wedi eu geni nid o waed nac o ewyllys cnawd nac o ewyllys gŵr, ond o Dduw.
14 A daeth y Gair yn gnawd a phreswylio yn ein plith, yn llawn gras a gwirionedd; gwelsom ei ogoniant ef, ei ogoniant fel y mae Fab yn dod oddi wrth y Tad.[ch] [15] Y mae Ioan yn tystio amdano

ac yn cyhoeddi: "Hwn oedd yr un y dywedais amdano, 'Y mae'r hwn sy'n dod ar f'ôl i wedi fy mlaenori i, oherwydd yr oedd yn bod o'm blaen i.'" [16] O'i gyflawnder ef yr ydym ni oll wedi derbyn gras ar ôl gras. [17] Oherwydd trwy Moses y rhoddwyd y Gyfraith, ond gras a gwirionedd, trwy Iesu Grist y dacthant. [18] Nid oes neb wedi gweld Duw erioed; yr unig Un, ac yntau'n Dduw[d], yr hwn sydd ym mynwes y Tad, hwnnw a'i gwnaeth yn hysbys.

Tystiolaeth Ioan Fedyddiwr
(Mth. 3:1-12; Mc. 1:2-8; Lc. 3:1-9, 15-17)

19 Dyma dystiolaeth Ioan, pan anfonodd yr Iddewon o Jerwsalem offeiriaid a Lefiaid ato i ofyn iddo, "Pwy wyt ti?" [20] Addefodd ac ni wadodd, a dyma a addefodd: "Nid myfi yw'r Meseia." [21] Yna gofynasant iddo: "Beth, ynteu? Ai ti yw Elias?" "Nage," meddai. "Ai ti yw'r Proffwyd?" "Nage," atebodd eto. [22] Ar hynny dywedasant wrtho, "Pwy wyt ti? Rhaid i ni roi ateb i'r rhai a'n hanfonodd ni. Beth sydd gennyt i'w ddweud amdanat dy hun?" [23] "Myfi," meddai, "yw
'Llais un yn galw yn yr anialwch:
"Unionwch ffordd yr Arglwydd"'—
fel y dywedodd y proffwyd Eseia." [24] Yr oeddent wedi eu hanfon gan y Phariseaid,

[a] Neu, *ni ddaeth un dim sydd mewn bod. Ynddo ef yr oedd bywyd.*
[c] Neu, *Ef oedd y gwir oleuni, sy'n goleuo pob dyn sy'n dod i'r byd.*
[ch] Neu, *yn ein plith; gwelsom...y Tad, yn llawn gras a gwirionedd.*
[d] Yn ôl darlleniad arall, *yr unig Fab.*

[b] Neu, *ei amgyffred.*

²⁵a holasant ef a gofyn iddo, "Pam, ynteu, yr wyt yn bedyddio, os nad wyt ti na'r Meseia nac Elias na'r Proffwyd?" ²⁶Atebodd Ioan hwy: "Yr wyf fi'n bedyddio â dŵr, ond y mae yn sefyll yn eich plith un nad ydych chwi'n ei adnabod, ²⁷yr un sy'n dod ar f'ôl i, nad wyf fi'n deilwng i ddatod carrai ei sandal." ²⁸Digwyddodd hyn ym Methania ᵈᵈ, y tu hwnt i'r Iorddonen, lle'r oedd Ioan yn bedyddio.

Dyma Oen Duw

29 Trannoeth gwelodd Iesu'n dod tuag ato, a dywedodd, "Dyma Oen Duw, sy'n cymryd ymaith bechod y byd. ³⁰Hwn yw'r un y dywedais i amdano, 'Ar f'ôl i y mae gŵr yn dod sydd wedi fy mlaenori i, oherwydd yr oedd yn bod o'm blaen i.' ³¹Nid oeddwn innau'n ei adnabod, ond deuthum i yn bedyddio â dŵr er mwyn hyn, iddo ef gael ei amlygu i Israel." ³²A thystiodd Ioan fel hyn: "Gwelais yr Ysbryd yn disgyn o'r nef fel colomen, ac fe arhosodd arno ef. ³³Nid oeddwn innau'n ei adnabod, ond yr un a'm hanfonodd i fedyddio â dŵr, dywedodd ef wrthyf, 'Pwy bynnag y gweli di'r Ysbryd yn disgyn ac yn aros arno, hwn yw'r un sy'n bedyddio â'r Ysbryd Glân.' ³⁴Yr wyf finnau wedi gweld ac wedi dwyn tystiolaeth mai Mabᵉ Duw yw hwn."

Y Disgyblion Cyntaf

35 Trannoeth yr oedd Ioan yn sefyll eto gyda dau o'i ddisgyblion, ³⁶ac wrth wylio Iesu'n cerdded heibio meddai, "Dyma Oen Duw." ³⁷Clywodd ei ddau ddisgybl ef yn dweud hyn, ac aethant i ganlyn Iesu. ³⁸Troes Iesu, ac wrth eu gweld yn canlyn, dywedodd wrthynt, "Beth yr ydych yn ei geisio?" Dywedasant wrtho, "Rabbi," (ystyr hyn, o'i gyfieithu, yw Athro) "ble'r wyt ti'n aros?" ³⁹Dywedodd wrthynt, "Dewch i weld." Felly aethant a gweld lle'r oedd yn aros; a'r diwrnod hwnnw arosasant gydag ef. Yr oedd hi tua phedwar o'r gloch y prynhawn. ⁴⁰Andreas, brawd Simon Pedr, oedd un o'r ddau a aeth i ganlyn Iesu ar ôl gwrando ar Ioan. ⁴¹Y peth cyntaf a wnaeth hwn oedd cael hyd i'w frawd, Simon, a dweud wrtho, "Yr ydym wedi darganfod y Meseia" (hynny yw, o'i gyfieithu, Crist). ⁴²Daeth ag ef at Iesu. Edrychodd Iesu arno a dywedodd,

"Ti yw Simon fab Ioan; dy enw fydd Ceffas" (enw a gyfieithir Pedr).

Galw Philip a Nathanael

43 Trannoeth, penderfynodd Iesu ymadael a mynd i Galilea. Cafodd hyd i Philip, ac meddai wrtho, "Canlyn fi." ⁴⁴Gŵr o Bethsaida, tref Andreas a Pedr, oedd Philip. ⁴⁵Cafodd Philip hyd i Nathanael a dweud wrtho, "Yr ydym wedi darganfod y gŵr yr ysgrifennodd Moses yn y Gyfraith amdano, a'r proffwydi hefyd, Iesu fab Joseff o Nasareth." ⁴⁶Dywedodd Nathanael wrtho, "A all dim da ddod o Nasareth?" "Tyrd i weld," ebe Philip wrtho. ⁴⁷Gwelodd Iesu Nathanael yn dod tuag ato, ac meddai amdano, "Dyma Israeliad gwerth yr enw, heb ddim twyll ynddo." ⁴⁸Gofynnodd Nathanael iddo, "Sut yr wyt yn f'adnabod i?" Atebodd Iesu ef: "Gwelais di cyn i Philip alw arnat, pan oeddit dan y ffigysbren." ⁴⁹"Rabbi," meddai Nathanael wrtho, "ti yw Mab Duw, ti yw Brenin Israel." ⁵⁰Atebodd Iesu ef: "A wyt yn credu oherwydd i mi ddweud wrthyt fy mod wedi dy weld dan y ffigysbren? Cei weld pethau mwy na hyn." ⁵¹Ac meddai wrtho, "Yn wir, yn wir, 'rwy'n dweud wrthych, cewch weld y nef wedi agor, ac angylion Duw yn esgyn ac yn disgyn ar Fab y Dyn."

Y Briodas yng Nghana

2 Y trydydd dydd yr oedd priodas yng Nghana Galilea, ac yr oedd mam Iesu yno. ²Gwahoddwyd Iesu hefyd, a'i ddisgyblion, i'r briodas. ³Pallodd y gwin, ac meddai mam Iesu wrtho ef, "Nid oes ganddynt win." ⁴Dywedodd Iesu wrthi hi, "Wraig, pam yr wyt ti yn ymyrryd â mi? Nid yw f'awr i wedi dod eto." ⁵Dywedodd ei fam wrth y gwasanaethyddion, "Gwnewch beth bynnag a ddywed wrthych." ⁶Yr oedd yno chwech o lestri carreg i ddal dŵr, wedi eu gosod ar gyfer defod glanhad yr Iddewon, a phob un yn dal ugain neu ddeg ar hugain o alwyni. ⁷Dywedodd Iesu wrthynt, "Llanwch y llestri â dŵr", a llanwasant hwy hyd yr ymyl. ⁸Yna meddai wrthynt, "Yn awr tynnwch beth allan ac ewch ag ef i lywydd y wledd." A gwnaethant felly. ⁹Profodd llywydd y wledd y dŵr, a oedd bellach yn win, heb wybod o ble'r oedd wedi dod, er bod y gwasanaethyddion

---

ᵈᵈYn ôl darlleniad arall, *yn Bethabara.*   ᵉYn ôl darlleniad arall, *Etholedig.*

a fu'n tynnu'r dŵr yn gwybod. Yna galwodd llywydd y wledd ar y priodfab [10]ac meddai wrtho, "Bydd pawb yn rhoi'r gwin da yn gyntaf, ac yna, pan fydd pobl wedi meddwi, y gwin salach; ond yr wyt ti wedi cadw'r gwin da hyd yn awr." [11]Gwnaeth Iesu hyn, y cyntaf o'i arwyddion, yng Nghana Galilea; amlygodd felly ei ogoniant, a chredodd ei ddisgyblion ynddo.

12 Wedi hyn aeth ef a'i fam a'i frodyr a'i ddisgyblion i lawr i Gapernaum, ac aros yno am ychydig ddyddiau.

Glanhau'r Deml
(Mth. 21:12-13; Mc. 11:15-18; Lc. 19:45-46)

13 Yr oedd Pasg yr Iddewon yn ymyl, ac aeth Iesu i fyny i Jerwsalem. [14]A chafodd yn y deml y rhai oedd yn gwerthu ychen a defaid a cholomennod, a'r cyfnewidwyr arian wrth eu byrddau. [15]Gwnaeth chwip o gordenni, a gyrrodd hwy oll allan o'r deml, y defaid a'r ychen hefyd. Taflodd arian mân y cyfnewidwyr ar chwâl, a bwrw eu byrddau wyneb i waered. [16]Ac meddai wrth y rhai oedd yn gwerthu colomennod, "Ewch â'r rhain oddi yma. Peidiwch â gwneud tŷ fy Nhad i yn dŷ masnach." [17]Cofiodd ei ddisgyblion eiriau'r Ysgrythur: "Y mae sêl dros dy dŷ di yn fy ysu." [18]Yna heriodd yr Iddewon ef a gofyn, "Pa arwydd sydd gennyt i'w ddangos i ni, yn awdurdod dros wneud y pethau hyn?" [19]Atebodd Iesu hwy: "Dinistriwch y deml hon, ac mewn tridiau fe'i codaf hi." [20]Dywedodd yr Iddewon, "Chwe blynedd a deugain y bu'r deml hon yn cael ei hadeiladu, ac a wyt ti'n mynd i'w chodi mewn tridiau?" [21]Ond sôn yr oedd ef am deml ei gorff. [22]Felly, wedi iddo gael ei gyfodi oddi wrth y meirw, cofiodd ei ddisgyblion iddo ddweud hyn, a chredasant yr Ysgrythur, a'r gair yr oedd Iesu wedi ei lefaru.

Iesu'n Adnabod Pob Dyn

23 Tra oedd yn Jerwsalem yn dathlu gŵyl y Pasg, credodd llawer yn ei enw ef wrth weld yr arwyddion yr oedd yn eu gwneud. [24]Ond nid oedd Iesu yn ei ymddiried ei hun iddynt, oherwydd yr oedd yn adnabod pob dyn. [25]Nid oedd arno angen tystiolaeth neb ynglŷn â dyn;

yr oedd ef ei hun yn gwybod beth oedd mewn dyn.

Iesu a Nicodemus

3 Yr oedd dyn o blith y Phariseaid, o'r enw Nicodemus, aelod o Gyngor yr Iddewon. [2]Daeth hwn at Iesu liw nos a dweud wrtho, "Rabbi, fe wyddom iti ddod atom yn athro oddi wrth Dduw; ni allai neb wneud yr arwyddion hyn yr wyt ti'n eu gwneud oni bai fod Duw gydag ef." [3]Atebodd Iesu ef: "Yn wir, yn wir, 'rwy'n dweud wrthyt, oni chaiff dyn ei eni o'r newydd[f] ni all weld teyrnas Dduw." [4]Meddai Nicodemus wrtho, "Sut y gall dyn gael ei eni ac yntau'n hynafgwr? A yw'n bosibl, tybed, iddo fynd i mewn eilwaith i groth ei fam a chael ei eni?" [5]Atebodd Iesu: "Yn wir, yn wir, 'rwy'n dweud wrthyt, oni chaiff dyn ei eni o ddŵr a'r Ysbryd ni all fynd i mewn i deyrnas Dduw. [6]Yr hyn sydd wedi ei eni o'r cnawd, cnawd yw, a'r hyn sydd wedi ei eni o'r Ysbryd, ysbryd yw. [7]Paid â rhyfeddu imi ddweud wrthyt, 'Y mae'n rhaid eich geni chwi o'r newydd.' [8]Y mae'r gwynt yn chwythu lle y myn, ac yr wyt yn clywed ei sŵn, ond ni wyddost o ble y mae'n dod nac i ble y mae'n mynd. Felly y mae gyda phob un sydd wedi ei eni o'r Ysbryd."[ff] [9]Dywedodd Nicodemus wrtho, "Sut y gall hyn fod?" [10]Atebodd Iesu ef: "A thithau yw athro Israel, a wyt heb ddeall y pethau hyn? [11]Yn wir, yn wir, 'rwy'n dweud wrthyt mai am yr hyn a wyddom yr ydym yn siarad ac am yr hyn a welsom yr ydym yn tystiolaethu; ac eto nid ydych yn derbyn ein tystiolaeth. [12]Os nad ydych yn credu ar ôl imi lefaru wrthych am bethau'r ddaear, sut y credwch os llefaraf wrthych am bethau'r nef? [13]Nid oes neb wedi esgyn i'r nef ond yr un a ddisgynnodd o'r nef, Mab y Dyn[g]. [14]Ac fel y dyrchafodd Moses y sarff yn yr anialwch, felly y mae'n rhaid i Fab y Dyn gael ei ddyrchafu, [15]er mwyn i bob un sy'n credu gael bywyd tragwyddol ynddo ef."

16 Do, carodd Duw y byd gymaint nes iddo roi ei unig Fab, er mwyn i bob un sy'n credu ynddo ef beidio â mynd i ddistryw ond cael bywyd tragwyddol. [17]Oherwydd nid i gondemnio'r byd yr anfonodd Duw ei Fab i'r byd, ond er

---

[f]Neu, *oddi uchod*. Felly hefyd yn adn. 7.
[ff]Yr un gair Groeg sydd wedi ei gyfieithu *gwynt* ar ddechrau adn. 8 ac *Ysbryd* ar ei ddiwedd. Perthyn y ddau ystyr i'r gair.   [g]Yn ôl darlleniad arall ychwanegir *yr hwn sydd yn y nef.*

mwyn i'r byd gael ei achub trwyddo ef. [18]Nid yw neb sy'n credu ynddo ef yn cael ei gondemnio, ond y mae'r hwn nad yw'n credu wedi ei gondemnio eisoes, oherwydd ei fod heb gredu yn enw unig Fab Duw. [19]A dyma'r condemniad, i'r goleuni ddod i'r byd ond i ddynion garu'r tywyllwch yn hytrach na'r goleuni, am fod eu gweithredoedd yn ddrwg. [20]Oherwydd y mae pob un sy'n gwneud drwg yn casáu'r goleuni, ac nid yw'n dod at y goleuni rhag ofn i'w weithredoedd gael eu dadlennu. [21]Ond y mae'r hwn sy'n gwneud y gwirionedd yn dod at y goleuni, fel yr amlygir mai yn Nuw y mae ei weithredoedd ef wedi eu cyflawni.

Rhaid iddo Ef Gynyddu ac i Minnau Leihau

22 Ar ôl hyn aeth Iesu a'i ddisgyblion i wlad Jwdea, a bu'n aros yno gyda hwy ac yn bedyddio. [23]Yr oedd Ioan yntau yn bedyddio yn Ainon, yn agos i Salim, am fod digonedd o ddŵr yno; ac yr oedd pobl yn dod yno ac yn cael eu bedyddio. [24]Nid oedd Ioan eto wedi ei garcharu. [25]Yna cododd dadl rhwng rhai o ddisgyblion Ioan a rhyw Iddew[ng] ynghylch defod glanhad. [26]Daethant at Ioan a dweud wrtho, "Rabbi, y dyn hwnnw oedd gyda thi y tu hwnt i'r Iorddonen, yr un yr wyt ti wedi dwyn tystiolaeth iddo, edrych, y mae ef yn bedyddio a phawb yn dod ato ef." [27]Atebodd Ioan: "Ni all dyn dderbyn un dim os nad yw wedi ei roi iddo o'r nef. [28]Yr ydych chwi eich hunain yn dystion i mi, imi ddweud, 'Nid myfi yw'r Meseia; un wedi ei anfon o'i flaen ef wyf fi.' [29]Y priodfab yw'r hwn y mae'r briodferch ganddo; y mae cyfaill y priodfab, sydd wrth ei ochr ac yn gwrando arno, yn fawr ei lawenydd wrth glywed llais y priodfab. Dyma'r llawenydd, ynteu, sy'n eiddo i mi yn ei gyflawnder. [30]Y mae'n rhaid iddo ef gynyddu ac i minnau leihau."

Yr Hwn sy'n Dod o'r Nef

31 Y mae'r hwn sy'n dod oddi uchod goruwch pawb; y mae'r hwn sydd o'r ddaear yn ddaearol ei anian ac yn ddaearol ei iaith. Y mae'r hwn sy'n dod o'r nef goruwch pawb; [32]y mae'n tystiolaethu am yr hyn a welodd ac a glywodd, ond nid yw neb yn derbyn ei dystiolaeth. [33]Y mae'r hwn sydd yn derbyn ei dystiolaeth yn rhoi ei sêl ar fod Duw yn eirwir. [34]Oherwydd y

mae'r hwn a anfonodd Duw yn llefaru geiriau Duw; nid wrth fesur y bydd Duw yn rhoi'r Ysbryd. [35]Y mae'r Tad yn caru'r Mab, ac y mae wedi rhoi pob peth yn ei ddwylo ef. [36]Yr hwn sy'n credu yn y Mab, y mae bywyd tragwyddol ganddo; yr hwn sy'n anufudd i'r Mab, ni wêl fywyd, ond y mae digofaint Duw yn aros arno ef.

Iesu a'r Wraig o Samaria

4 Pan ddeallodd Iesu fod y Phariseaid wedi clywed ei fod ef yn ennill ac yn bedyddio mwy o ddisgyblion nag Ioan [2](er nad Iesu ei hun, ond ei ddisgyblion, fyddai'n bedyddio), [3]gadawodd Jwdea ac aeth yn ôl i Galilea. [4]Ac yr oedd yn rhaid iddo fynd trwy Samaria. [5]Felly daeth i ddref yn Samaria o'r enw Sychar, yn agos i'r darn tir a roddodd Jacob i'w fab Joseff. [6]Yno yr oedd ffynnon Jacob, a chan fod Iesu wedi blino ar ôl ei daith eisteddodd i lawr wrth y ffynnon. Yr oedd hi tua hanner dydd.

7 Dyma wraig o Samaria yn dod yno i ddynnu dŵr. Meddai Iesu wrthi, "Rho i mi beth i'w yfed." [8]Yr oedd ei ddisgyblion wedi mynd i'r dref i brynu bwyd. [9]A dyma'r wraig o Samaria yn dweud wrtho. "Sut yr wyt ti, a thi yn Iddew, yn gofyn am rywbeth i'w yfed gennyf fi, a minnau'n wraig o Samaria?" (Wrth gwrs, ni bydd yr Iddewon yn rhannu'r un llestri[h] â'r Samariaid). [10]Atebodd Iesu hi, "Pe bait yn gwybod beth yw rhodd Duw, a phwy sy'n gofyn iti, 'Rho i mi beth i'w yfed', ti fyddai wedi gofyn iddo ef a byddai ef wedi rhoi i ti ddŵr bywiol." [11]"Syr," meddai'r wraig wrtho, "nid oes gennyt ddim i ddynnu dŵr, ac y mae'r pydew'n ddwfn. O ble, felly, y mae gennyt y 'dŵr bywiol' yma? [12]A wyt ti'n fwy na Jacob, ein tad ni, a roddodd y pydew inni, ac a yfodd ohono, ef ei hun a'i feibion a'i anifeiliaid?" [13]Atebodd Iesu hi, "Bydd pawb sy'n yfed o'r dŵr hwn yn profi syched eto; [14]ond pwy bynnag sy'n yfed o'r dŵr a roddaf fi iddo, ni bydd arno syched byth. Bydd y dŵr a roddaf iddo yn troi yn ffynnon o ddŵr o'i fewn, yn ffrydio i fywyd tragwyddol." [15]"Syr," meddai'r wraig wrtho, "rho'r dŵr hwn i mi, i'm cadw rhag sychedu a dal i ddod yma i ddynnu dŵr."

16 Dywedodd Iesu wrthi, "Dos adref,

---

galw dy ŵr a thyrd yn ôl yma." ¹⁷"Nid
oes gennyf ŵr," atebodd y wraig. Meddai
Iesu wrthi, "Dywedaist y gwir wrth
ddweud, 'Nid oes gennyf ŵr.' ¹⁸Oher-
wydd fe gefaist bump o wŷr, ac nid gŵr i
ti yw'r dyn sydd gennyt yn awr. Yr wyt
wedi dweud y gwir am hyn." ¹⁹"Syr,"
meddai'r wraig wrtho, "'rwy'n gweld dy
fod ti'n broffwyd. ²⁰Yr oedd ein tadau yn
addoli ar y mynydd hwn. Ond yr ydych
chwi'r Iddewon yn dweud mai yn Jerw-
salem y mae'r man lle dylid addoli."
²¹"Cred fi, wraig," meddai Iesu wrthi, "y
mae amser yn dod pan na fyddwch yn
addoli'r Tad nac ar y mynydd hwn nac yn
Jerwsalem. ²²Yr ydych chwi'r Samariaid
yn addoli heb wybod beth yr ydych yn ei
addoli. Yr ydym ni'n gwybod beth yr
ydym yn ei addoli, oherwydd oddi wrth
yr Iddewon y mae iachawdwraeth yn
dod. ²³Ond y mae amser yn dod, yn wir y
mae yma eisoes, pan fydd y gwir addol-
wyr yn addoli'r Tad mewn ysbryd a
gwirionedd, oherwydd rhai felly y mae'r
Tad yn eu ceisio i fod yn addolwyr iddo.
²⁴Ysbryd yw Duw, a rhaid i'w addolwyr
ef addoli mewn ysbryd a gwirionedd."
²⁵Meddai'r wraig wrtho, "Mi wn fod y
Meseia" (ystyr hyn yw Crist) "yn dod.
Pan ddaw ef, bydd yn dweud pob peth
wrthym." ²⁶Dywedodd Iesu wrthi, "Myfi
yw, sef yr un sy'n siarad â thi."

27 Ar hyn daeth ei ddisgyblion yn ôl.
Yr oeddent yn synnu ei fod yn siarad â
gwraig, ac eto ni ofynnodd neb, "Beth
wyt ti'n ei geisio?" neu "Pam yr wyt yn
siarad â hi?" ²⁸Gadawodd y wraig ei
hystên ac aeth i ffwrdd i'r dref, ac meddai
wrth y bobl yno, ²⁹"Dewch i weld dyn a
ddywedodd wrthyf bopeth yr wyf wedi ei
wneud. A yw'n bosibl mai hwn yw'r
Meseia?" ³⁰Daethant allan o'r dref a
chychwyn tuag ato ef.

31 Yn y cyfamser yr oedd y disgyblion
yn ei gymell, gan ddweud, "Rabbi, cymer
fwyd." ³²Dywedodd ef wrthynt, "Y mae
gennyf fi fwyd i'w fwyta na wyddoch
chwi ddim amdano." ³³Ar hynny, dech-
reuodd y disgyblion ofyn i'w gilydd, "A
oes rhywun, tybed, wedi dod â bwyd
iddo?" ³⁴Meddai Iesu wrthynt, "Fy
mwyd i yw gwneud ewyllys yr hwn a'm
hanfonodd, a gorffen y gwaith a osododd
ef arnaf. ³⁵Oni fyddwch chwi'n dweud,
'Pedwar mis eto', ac yna daw'r cyn-
haeaf'? Ond dyma fi'n dweud wrthych,
codwch eich llygaid ac edrychwch ar y

meysydd, oherwydd y maent yn wyn ac
yn barod i'w cynaeafu. ³⁶Eisoes y mae'r
medelwr yn derbyn ei dâl ac yn casglu
ffrwyth i fywyd tragwyddol, ac felly bydd
yr heuwr a'r medelwr yn cydlawenhau.
³⁷Yn hyn o beth y mae'r dywediad yn wir:
'Y mae un yn hau ac un arall yn medi.'
³⁸Anfonais chwi i fedi cynhaeaf nad
ydych wedi llafurio amdano. Eraill sydd
wedi llafurio, a chwithau wedi cerdded i
mewn i'w llafur."

39 Daeth llawer o'r Samariaid o'r dref
honno i gredu yn Iesu drwy air y wraig a
dystiodd: "Dywedodd wrthyf bopeth yr
wyf wedi ei wneud." ⁴⁰Felly pan ddaeth y
Samariaid hyn ato ef gofynasant iddo aros
gyda hwy; ac fe arhosodd yno am ddau
ddiwrnod. ⁴¹A daeth llawer mwy i gredu
ynddo trwy ei air ei hun. ⁴²Meddent wrth
y wraig, "Nid trwy'r hyn a ddywedaist ti
yr ydym yn credu mwyach, oherwydd yr
ydym wedi ei glywed drosom ein hunain,
ac fe wyddom mai hwn yn wir yw
Gwaredwr y byd."

Iacháu Mab y Swyddog
(Mth. 8:5-13; Lc. 7:1-10)

43 Ymhen y ddau ddiwrnod ymadaw-
odd Iesu a mynd oddi yno i Galilea.
⁴⁴Oherwydd Iesu ei hun a dystiodd nad
oes i broffwyd anrhydedd yn ei wlad ei
hun. ⁴⁵Pan gyrhaeddodd Galilea croes-
awodd y Galileaid ef, oherwydd yr oedd-
ent hwythau wedi bod yn yr ŵyl ac wedi
gweld y cwbl a wnaeth ef yn Jerwsalem
yn ystod yr ŵyl.

46 Daeth Iesu unwaith eto i Gana
Galilea, lle'r oedd wedi troi'r dŵr yn win.
Yr oedd rhyw swyddog i'r brenin â mab
ganddo yn glaf yng Nghapernaum. ⁴⁷Pan
glywodd hwn fod Iesu wedi dod i Galilea
o Jwdea, aeth ato a gofyn iddo ddod i lawr
i iacháu ei fab, oherwydd ei fod ar fin
marw. ⁴⁸Dywedodd Iesu wrtho, "Heb
ichwi weld arwyddion a rhyfeddodau,
ni chredwch chwi byth." ⁴⁹Meddai'r
swyddog wrtho, "Tyrd i lawr, syr, cyn
i'm plentyn farw." ⁵⁰"Dos adref,"
meddai Iesu wrtho, "y mae dy fab yn
fyw." Credodd y dyn y gair a ddywedodd
Iesu wrtho, a chychwynnodd ar ei daith.
⁵¹Pan oedd ar ei ffordd i lawr, daeth ei
weision i'w gyfarfod a dweud bod ei
fachgen yn fyw. ⁵²Holodd hwy felly am yr
amser pan fu i'r bachgen droi ar wella, ac
atebasant ef, "Am un o'r gloch brynhawn
ddoe y gadawodd y dwymyn ef." ⁵³Yna

sylweddolodd y tad mai dyna'r union awr y dywedodd Iesu wrtho, "Y mae dy fab yn fyw." Ac fe gredodd, ef a'i deulu i gyd. [54] Hwn felly oedd yr ail arwydd i Iesu ei wneud, wedi iddo ddod o Jwdea i Galilea.

Iacháu wrth y Pwll

5 Ar ôl hyn aeth Iesu i fyny i Jerwsalem i ddathlu un o wyliau'r Iddewon. [2] Y mae yn Jerwsalem, wrth Borth y Defaid, bwll a elwir Bethesda[i] yn iaith yr Iddewon, a phum cyntedd colofnog yn arwain iddo. [3] Yn y cynteddau hyn byddai tyrfa o gleifion yn gorwedd, yn ddeillion a chloffion a phobi wedi eu parlysu.[15] Yn eu plith yr oedd dyn a fu'n wael ers deunaw mlynedd ar hugain. [6] Pan welodd Iesu ef yn gorwedd yno, a deall ei fod fel hyn ers amser maith, dywedodd wrtho, "A wyt ti'n dymuno cael dy wella?" [7] Atebodd y claf ef, "Syr, nid oes gennyf neb i'm gosod yn y pwll pan ddaw cynnwrf i'r dŵr, a thra byddaf fi ar fy ffordd bydd rhywun arall yn mynd i mewn o'm blaen i." [8] Meddai Iesu wrtho, "Cod, cymer dy fatras a cherdda." [9] Ac ar unwaith yr oedd y dyn wedi gwella, a chymerodd ei fatras a dechrau cerdded.

Yr oedd yn Saboth y dydd hwnnw. [10] Dywedodd yr Iddewon felly wrth y dyn oedd wedi ei iacháu, "Y Saboth yw hi; nid yw'n gyfreithlon iti gario dy fatras." [11] Atebodd yntau hwy, "Y dyn hwnnw a'm gwellodd a ddywedodd wrthyf, 'Cymer dy fatras a cherdda.'" [12] Gofynasant iddo, "Pwy yw'r dyn a ddywedodd wrthyt, 'Cymer dy fatras a cherdda'?" [13] Ond nid oedd y dyn a iachawyd yn gwybod pwy oedd ef, oherwydd yr oedd Iesu wedi troi oddi yno, am fod tyrfa yn y lle. [14] Maes o law daeth Iesu o hyd i'r dyn yn y deml, ac meddai wrtho, "Dyma ti wedi gwella. Paid â phechu mwyach, rhag i rywbeth gwaeth ddigwydd iti." [15] Aeth y dyn i ffwrdd a dywedodd wrth yr Iddewon mai Iesu oedd y dyn a'i gwellodd. [16] A dyna pam y dechreuodd yr Iddewon erlid Iesu, am ei fod yn gwneud y pethau hyn ar y Saboth. [17] Ond atebodd Iesu hwy, "Y mae fy Nhad yn dal i weithio hyd y foment hon, ac yr wyf finnau'n gweithio hefyd." [18] Parodd hyn i'r Iddewon geisio'n fwy byth ei ladd ef, oherwydd nid yn unig yr oedd yn torri'r Saboth, ond yr oedd hefyd yn galw Duw yn dad iddo ef ei hun, ac yn ei wneud ei hun felly yn gydradd â Duw.

Awdurdod y Mab

19 Felly atebodd Iesu hwy, "Yn wir, yn wir, 'rwy'n dweud wrthych, nid yw'r Mab yn gallu gwneud dim ohono ei hun, dim ond yr hyn y mae'n gweld y Tad yn ei wneud. Beth bynnag y mae'r Tad yn ei wneud, hyn y mae'r Mab yntau yn ei wneud yr un modd. [20] Oherwydd y mae'r Tad yn caru'r Mab ac yn dangos iddo'r holl bethau y mae ef ei hun yn eu gwneud. Ac fe ddengys iddo weithredoedd mwy na'r rhain, i beri i chwi ryfeddu. [21] Oherwydd fel y mae'r Tad yn codi'r meirw ac yn rhoi bywyd iddynt, felly hefyd y mae'r Mab yntau yn rhoi bywyd i'r sawl a fyn. [22] Nid yw'r Tad chwaith yn barnu neb, ond y mae wedi rhoi pob hawl i farnu i'r Mab, [23] er mwyn i bawb roi i'r Mab yr un parch ag a rônt i'r Tad. O beidio â pharchu'r Mab, y mae dyn yn peidio â pharchu'r Tad a'i hanfonodd ef. [24] Yn wir, yn wir, 'rwy'n dweud wrthych fod y sawl sy'n gwrando ar fy ngair i ac yn credu'r hwn a'm hanfonodd i yn meddu ar fywyd tragwyddol. Nid yw'n dod dan gondemniad; i'r gwrthwyneb, y mae wedi croesi o farwolaeth i fywyd. [25] Yn wir, yn wir, 'rwy'n dweud wrthych fod amser yn dod, yn wir y mae yma eisoes, pan fydd y meirw yn clywed llais Mab Duw, a'r rhai sy'n clywed yn cael bywyd. [26] Oherwydd fel y mae gan y Tad fywyd ynddo ef ei hun, felly hefyd rhoddodd i'r Mab gael bywyd ynddo ef ei hun. [27] Rhoddodd iddo hefyd awdurdod i weinyddu barn, am mai Mab y Dyn yw ef. [28] Peidiwch â rhyfeddu at hyn, oherwydd y mae amser yn dod pan fydd pawb sydd yn eu beddau yn clywed ei lais ef [29] ac yn dod allan; bydd y rhai a wnaeth ddaioni yn codi i fywyd, a'r rhai a wnaeth ddrygioni yn codi i farn.

30 "Nid wyf fi'n gallu gwneud dim ohonof fy hun. Fel yr wyf yn clywed, felly yr wyf yn barnu, ac y mae fy marn i yn gyfiawn, oherwydd nid fy ewyllys i fy

---

[i] Yn ôl darlleniadau eraill, *Bethsatha* neu *Bethsaida*.
[1] Yn ôl darlleniad arall, *wedi eu parlysu, yn disgwyl cynnwrf yn y dŵr,* [4] *oherwydd byddai angel yr Arglwydd o bryd i'w gilydd yn dod i lawr i'r pwll ac yn cynhyrfu'r dŵr, ac yna byddai'r cyntaf i fynd i mewn i'r pwll ar ôl i'r dŵr gael ei gynhyrfu yn dod yn iach o'r afiechyd, beth bynnag ydoedd, yr oedd yn dioddef oddi wrtho.*

hun yr wyf yn ei cheisio, ond ewyllys yr hwn a'm hanfonodd i.

Tystion i Iesu

31 "Os wyf fi'n tystiolaethu amdanaf fy hun, nid yw fy nhystiolaeth yn wir. ³²Y mae un arall sydd yn tystiolaethu amdanaf fi, ac mi wn mai gwir yw'r dystiolaeth y mae ef yn ei thystio amdanaf. ³³Yr ydych chwi wedi anfon at Ioan, ac y mae gennych dystiolaeth ganddo ef i'r gwirionedd. ³⁴Nid oddi wrth ddyn, yn wir, y mae'r dystiolaeth sydd i mi, ond 'rwy'n dweud hyn er mwyn i chwi gael eich achub. ³⁵Cannwyll oedd Ioan, yn llosgi ac yn llewyrchu, a buoch chwi'n fodlon gorfoleddu dros dro yn ei oleuni ef. ³⁶Ond y mae gennyf fi dystiolaeth fwy na'r eiddo Ioan, oherwydd y gweithredoedd a roes y Tad i mi i'w cyflawni, yr union weithredoedd yr wyf yn eu gwneud, y rhain sy'n tystiolaethu amdanaf fi mai'r Tad sydd wedi fy anfon. ³⁷A'r Tad a'm hanfonodd i, y mae ef ei hun wedi tystiolaethu amdanaf fi. Nid ydych chwi erioed wedi clywed ei lais na gweld ei wedd, ³⁸ac nid oes gennych mo'i air ef yn aros ynoch, oherwydd nid ydych chwi'n credu'r hwn a anfonodd ef. ³⁹Yr ydych yn chwilio'r Ysgrythurau oherwydd tybio yr ydych fod ichwi fywyd tragwyddol ynddynt hwy. Ond tystiolaethu amdanaf fi y mae'r rhain; ⁴⁰cto ni fynnwch ddod ataf fi i gael bywyd.

41 "Nid oddi wrth ddynion y mae'r clod sydd i mi. ⁴²Ond mi wn i amdanoch chwi, nad oes gennych ddim cariad tuag at Dduw ynoch eich hunain. ⁴³Yr wyf fi wedi dod yn enw fy Nhad, ac nid ydych yn fy nerbyn i; os daw rhywun arall yn ei enw ei hun, fe dderbyniwch hwnnw. ⁴⁴Sut y gallwch gredu, a chwithau yn derbyn clod gan eich gilydd a heb geisio'r clod sydd gan yr unig Dduw i'w roi? ⁴⁵Peidiwch â meddwl mai myfi fydd yn dwyn cyhuddiad yn eich erbyn gerbron y Tad. Moses yw'r un sydd yn eich cyhuddo, hwnnw yr ydych chwi wedi rhoi eich gobaith arno. ⁴⁶Pe baech yn credu Moses byddech yn fy nghredu i, oherwydd amdanaf fi yr ysgrifennodd ef. ⁴⁷Ond os nad ydych yn credu'r hyn a ysgrifennodd ef, sut yr ydych i gredu'r hyn yr wyf fi'n ei ddweud?"

Porthi'r Pum Mil
(Mth. 14:13-21; Mc. 6:30-44; Lc. 9:10-17)

6 Ar ôl hyn aeth Iesu ymaith ar draws Môr Galilea (hynny yw, Môr Tiberias). ²Ac yr oedd tyrfa fawr yn ei ganlyn, oherwydd yr oeddent wedi gweld yr arwyddion yr oedd wedi eu gwneud ar y cleifion. ³Aeth Iesu i fyny'r mynydd ac eistedd yno gyda'i ddisgyblion. ⁴Yr oedd y Pasg, gŵyl yr Iddewon, yn ymyl. ⁵Yna cododd Iesu ei lygaid a gwelodd fod tyrfa fawr yn dod tuag ato, ac meddai wrth Philip, "Ble y gallwn brynu bara i'r rhain gael bwyta?" ⁶Dweud hyn yr oedd i roi prawf arno, oherwydd gwyddai ef ei hun beth yr oedd yn mynd i'w wneud. ⁷Atebodd Philip ef, "Ni byddai bara gwerth dau gant o ddarnau arian" yn ddigon i roi tamaid bach i bob un ohonynt." ⁸A dyma un o'i ddisgyblion, Andreas, brawd Simon Pedr, yn dweud wrtho, ⁹"Y mae bachgen yma â phum torth haidd a dau bysgodyn ganddo, ond beth yw hynny rhwng cynifer?" ¹⁰Dywedodd Iesu, "Gwnewch i'r bobl eistedd i lawr." Yr oedd llawer o laswellt yn y lle, ac eisteddodd y dynion i lawr, rhyw bum mil ohonynt. ¹¹Yna cymerodd Iesu y torthau, ac wedi diolch fe'u rhannodd i'r rhai oedd yn eistedd. Gwnaeth yr un peth hefyd â'r pysgod, gan roi i bob un faint a fynnai. ¹²A phan oeddent wedi cael digon, meddai wrth ei ddisgyblion, "Casglwch y tameidiau sy'n weddill, rhag i ddim fynd yn wastraff." ¹³Fe'u casglasant, felly, a llenwi deuddeg basged â'r tameidiau yr oedd o bwytawyr wedi eu gadael yn weddill o'r pum torth haidd. ¹⁴Pan welodd y bobl yr arwydd hwn yr oedd Iesu wedi ei wneud, dywedasant, "Hwn yn wir yw'r Proffwyd sy'n dod i'r byd." ¹⁵Yna synhwyrodd Iesu eu bod am ddod a'i gipio ymaith i'w wneud yn frenin, a chiliodd i'r mynydd eto ar ei ben ei hun.

Cerdded ar y Dŵr
(Mth. 14:22-27; Mc. 6:45-52)

16 Pan aeth hi'n hwyr, aeth ei ddisgyblion i lawr at y môr ¹⁷ac i mewn i gwch, a dechrau croesi'r môr i Gapernaum. Yr oedd hi eisoes yn dywyll, ac nid oedd Iesu wedi dod atynt hyd yn hyn. ¹⁸Yr oedd gwynt cryf yn chwythu a'r môr yn arw. ¹⁹Yna, wedi iddynt rwyfo am ryw dair neu bedair milltir, dyma hwy'n gweld

---

ⁿNeu, *dau gan denarius*. Gw. nodyn ° ar Mth. 18:28.

Iesu yn cerdded ar y môr ac yn nesu at y cwch, a daeth ofn arnynt. ²⁰Ond meddai ef wrthynt, "Myfi yw; peidiwch ag ofni." ²¹Yr oeddent am ei gymryd ef i'r cwch, ond ar unwaith cyrhaeddodd y cwch i'r lan yr oeddent yn hwylio ati.

Iesu, Bara'r Bywyd

22 Trannoeth, sylwodd y dyrfa oedd wedi aros ar yr ochr arall i'r môr na fu ond un cwch yno. Gwyddent nad oedd Iesu wedi mynd i'r cwch gyda'i ddisgyblion, ond eu bod wedi hwylio ymaith ar eu pennau eu hunain. ²³Ond yr oedd cychod eraill o Tiberias wedi dod yn agos i'r fan lle'r oeddent wedi bwyta'r bara ar ôl i'r Arglwydd roi diolch. ²⁴Felly, pan welodd y dyrfa nad oedd Iesu yno, na'i ddisgyblion chwaith, aethant hwythau i'r cychod hyn a hwylio i Gapernaum i chwilio am Iesu. ²⁵Fe'i cawsant ef yr ochr draw i'r môr, ac meddent wrtho, "Rabbi, pryd y daethost ti yma?" ²⁶Atebodd Iesu hwy, "Yn wir, yn wir, 'rwy'n dweud wrthych, yr ydych yn fy ngheisio i, nid am ichwi weld arwyddion, ond am chwi fwyta'r bara a chael digon. ²⁷Gweithiwch, nid am y bwyd sy'n darfod, ond am y bwyd sy'n para i fywyd tragwyddol. Mab y Dyn a rydd hwn ichwi, oherwydd arno ef y mae Duw y Tad wedi gosod sêl ei awdurdod." ²⁸Yna gofynasant iddo, "Beth sydd raid inni ei wneud i gyflawni'r gweithredoedd a fyn Duw?" ²⁹Atebodd Iesu, "Dyma'r gwaith a fyn Duw: eich bod yn credu yn yr un y mae ef wedi ei anfon." ³⁰"Os felly," meddent wrtho, "pa arwydd a wnei di, i ni gael gweld a chredu ynot? Beth fedri di ei wneud? ³¹Cafodd ein tadau fanna i'w fwyta yn yr anialwch, fel y mae'n ysgrifenedig, 'Rhoddodd iddynt fara o'r nef i'w fwyta.'" ³²Yna dywedodd Iesu wrthynt, "Yn wir, yn wir, 'rwy'n dweud wrthych, nid Moses sydd wedi rhoi'r bara o'r nef ichwi, ond fy Nhad sydd yn rhoi ichwi y gwir fara o'r nef. ³³Oherwydd y bara y mae Duw yn ei roi yw'r hwn sy'n disgyn o'r nef ac yn rhoi bywyd i'r byd."

34 Dywedasant wrtho ef, "Syr, rho'r bara hwn inni bob amser." ³⁵Meddai Iesu wrthynt, "Myfi yw bara'r bywyd. Ni bydd eisiau bwyd byth ar y sawl sy'n dod ataf fi, ac ni bydd syched byth ar y sawl sy'n credu ynof fi. ³⁶Ond fel y dywedais wrthych, yr ydych chwi wedi fy ngweld, ac eto nid ydych yn credu. ³⁷Bydd pob un y mae'r Tad yn ei roi i mi yn dod ataf fi, ac ni fwriaf allan byth mo'r sawl sy'n dod ataf fi. ³⁸Oherwydd yr wyf wedi disgyn o'r nef nid i wneud fy ewyllys fy hun ond ewyllys yr hwn a'm hanfonodd i. ³⁹Ac ewyllys yr hwn a'm hanfonodd i yw hyn: nad wyf i golli neb o'r rhai y mae ef wedi eu rhoi imi, ond fy mod i'w hatgyfodi yn y dydd olaf. ⁴⁰Oherwydd ewyllys fy Nhad yw hyn: fod pob un sy'n gweld y Mab ac yn credu ynddo i gael bywyd tragwyddol. A byddaf fi'n ei atgyfodi ef yn y dydd olaf."

41 Yna dechreuodd yr Iddewon rwgnach amdano oherwydd iddo ddweud, "Myfi yw'r bara a ddisgynnodd o'r nef." ⁴²"Onid hwn," meddent, "yw Iesu fab Joseff? Yr ydym ni'n adnabod ei dad a'i fam. Sut y gall ef ddweud yn awr, 'Yr wyf wedi disgyn o'r nef'?" ⁴³Atebodd Iesu hwy, "Peidiwch â grwgnach ymhlith eich gilydd. ⁴⁴Ni all neb ddod ataf fi heb i'r Tad a'm hanfonodd i ei dynnu ef; a byddaf fi'n ei atgyfodi ef yn y dydd olaf. ⁴⁵Y mae'n ysgrifenedig yn y proffwydi: 'Fe gânt oll eu dysgu gan Dduw.' Y mae pob un a wrandawodd ar y Tad ac a ddysgodd ganddo yn dod ataf fi. ⁴⁶Nid bod neb wedi gweld y Tad, ac eithrio'r hwn sydd oddi wrth Dduw; y mae hwnnw wedi gweld y Tad. ⁴⁷Yn wir, yn wir, 'rwy'n dweud wrthych, y mae gan yr hwn sy'n credu fywyd tragwyddol yn ei feddiant. ⁴⁸Myfi yw bara'r bywyd. ⁴⁹Bwytaodd ein tadau y manna yn yr anialwch, ac eto buont farw. ⁵⁰Ond dyma'r bara sy'n disgyn o'r nef, er mwyn i ddyn gael bwyta ohono a pheidio â marw. ⁵¹Myfi yw'r bara bywiol hwn a ddisgynnodd o'r nef. Caiff pwy bynnag sy'n bwyta o'r bara hwn fyw am byth. A'r bara sydd gennyf fi i'w roi yw fy nghnawd; a'i roi a wnaf dros fywyd y byd."

52 Yna dechreuodd yr Iddewon ddadlau'n daer â'i gilydd, gan ddweud, "Sut y gall hwn roi ei gnawd i ni i'w fwyta?" ⁵³Felly dywedodd Iesu wrthynt, "Yn wir, yn wir, 'rwy'n dweud wrthych, oni fwytewch gnawd Mab y Dyn ac yfed ei waed, ni bydd gennych fywyd ynoch. ⁵⁴Y mae gan yr hwn sy'n bwyta fy nghnawd i ac yn yfed fy ngwaed i fywyd tragwyddol yn ei feddiant, a byddaf fi'n ei atgyfodi ef yn y dydd olaf. ⁵⁵Oherwydd fy nghnawd i yw'r gwir fwyd, a'm gwaed i yw'r wir ddiod. ⁵⁶Y mae'r hwn sy'n bwyta fy nghnawd i ac yn yfed fy ngwaed i yn aros ynof fi, a

minnau ynddo yntau. [57]Y Tad byw a'm hanfonodd i, ac yr wyf fi'n byw oherwydd y Tad; felly'n union bydd hwnnw sy'n fy mwyta i yn byw o'm herwydd innau. [58]Dyma'r bara a ddisgynnodd o'r nef. Nid yw hwn fel y bara a fwytaodd y tadau; buont hwy farw. Caiff yr hwn sy'n bwyta'r bara hwn fyw am byth." [59]Dywedodd Iesu y pethau hyn wrth ddysgu yn y synagog yng Nghapernaum.

Geiriau Bywyd Tragwyddol

60 Wedi iddynt ei glywed, meddai llawer o'i ddisgyblion, "Geiriau caled yw'r rhain. Pwy all wrando arnynt?" [61]Gwyddai Iesu ynddo'i hun fod ei ddisgyblion yn grwgnach am ei eiriau, ac meddai wrthynt, "A yw hyn yn peri tramgwydd i chwi? [62]Beth ynteu os gwelwch Fab y Dyn yn esgyn i'r lle'r oedd o'r blaen? [63]Yr Ysbryd sy'n rhoi bywyd; nid yw'r cnawd yn tycio dim. Y mae'r geiriau yr wyf fi wedi eu llefaru wrthych yn ysbryd ac yn fywyd. [64]Ac eto y mae rhai ohonoch sydd heb gredu." Yr oedd Iesu, yn wir, yn gwybod o'r cychwyn pwy oedd y rhai oedd heb gredu, a phwy oedd yr un a'i bradychai. [65]"Dyna pam," meddai, "y dywedais wrthych na allai neb ddod ataf fi heb i'r Tad beri iddo wneud hynny."

66 O'r amser hwn trodd llawer o'i ddisgyblion yn eu holau a pheidio mwyach â mynd o gwmpas gydag ef. [67]Yna gofynnodd Iesu i'r Deuddeg, "A ydych chwithau hefyd, efallai, am fy ngadael?" [68]Atebodd Simon Pedr ef, "Arglwydd, at bwy yr awn ni? Y mae geiriau bywyd tragwyddol gennyt ti, [69]ac yr ydym ni wedi dod i gredu a gwybod mai ti yw Sanct Duw." [70]Atebodd Iesu hwy, "Onid myfi a'ch dewisodd chwi'r Deuddeg? Ac eto, onid diafol yw un ohonoch?" [71]Yr oedd yn siarad am Jwdas fab Simon Iscariot, oherwydd yr oedd hwn, ac yntau'n un o'r Deuddeg, yn mynd i'w fradychu ef.

Anghrediniaeth Brodyr Iesu

7 Ar ôl hyn bu Iesu'n teithio o amgylch yng Ngalilea. Ni fynnai fynd o amgylch yn Jwdea, oherwydd yr oedd yr Iddewon yn chwilio amdano i'w ladd. [2]Yr oedd gŵyl yr Iddewon, gŵyl y Pebyll, yn ymyl, [3]ac felly dywedodd ei frodyr wrtho, "Dylit adael y lle hwn a mynd i

Jwdea, er mwyn i'th ddisgyblion hefyd weld y gweithredoedd yr wyt ti'n eu gwneud. [4]Oherwydd nid yw neb sy'n ceisio bod yn yr amlwg yn gwneud dim yn y dirgel. Os wyt yn gwneud y pethau hyn, dangos dy hun i'r byd." [5]Nid oedd hyd yn oed ei frodyr yn credu ynddo. [6]Felly dyma Iesu'n dweud wrthynt, "Nid yw'r amser yn aeddfed i mi eto, ond i chwi y mae unrhyw amser yn addas. [7]Ni all y byd eich casáu chwi, ond y mae'n fy nghasáu i am fy mod i'n tystio amdano fod ei weithredoedd yn ddrwg. [8]Ewch chwi i fyny i'r ŵyl. Nid wyf fi'n mynd[m] i fyny i'r ŵyl hon, oherwydd nid yw fy amser i wedi dod i'w gyflawniad eto." [9]Wedi dweud hyn fe arhosodd ef yng Ngalilea.

Iesu yng Ngŵyl y Pebyll

10 Ond pan oedd ei frodyr wedi mynd i fyny i'r ŵyl, yna fe aeth yntau hefyd i fyny, nid yn agored ond yn ddirgel, fel petai. [11]Yr oedd yr Iddewon yn chwilio amdano yn yr ŵyl ac yn dweud, "Ble mae ef?" [12]Yr oedd llawer o sibrwd amdano ymhlith y tyrfaoedd: rhai yn dweud, "Dyn da yw ef", ond "Na," meddai eraill, "twyllo'r bobl y mae." [13]Er hynny, nid oedd neb yn siarad yn agored amdano, rhag ofn yr Iddewon.

14 Pan oedd yr ŵyl eisoes ar ei hanner, aeth Iesu i fyny i'r deml a dechrau dysgu. [15]Yr oedd yr Iddewon yn rhyfeddu ac yn gofyn, "Sut y mae gan hwn y fath ddysg, ac yntau heb gael hyfforddiant?" [16]Atebodd Iesu hwy, "Nid eiddof fi yw'r hyn yr wyf yn ei ddysgu, ond eiddo'r hwn a'm hanfonodd i. [17]Pwy bynnag sy'n ewyllysio gwneud ei ewyllys ef, caiff hwnnw wybod a yw'r hyn yr wyf yn ei ddysgu yn dod oddi wrth Dduw, ai ynteu siarad ohonof fy hunan yr wyf. [18]Y mae'r dyn sy'n siarad ohono'i hun yn ceisio anrhydedd iddo'i hun; ond y dyn sy'n ceisio anrhydedd i'r hwn a'i hanfonodd, y mae hwn yn ddiffuant, heb ddim dichell ynddo. [19]Onid yw Moses wedi rhoi'r Gyfraith i chwi? Ac eto nid oes neb ohonoch yn cadw'r Gyfraith. Pam yr ydych yn ceisio fy lladd i?" [20]Atebodd y dyrfa, "Y mae cythraul ynot. Pwy sy'n ceisio dy ladd di?" [21]Meddai Iesu wrthynt, "Un weithred a wneuthum ar y Saboth, ac yr ydych oll yn rhyfeddu o'r herwydd. [22]Rhoddodd

[m]Yn ôl darlleniad arall, *Nid wyf fi eto'n mynd.*

Moses i chwi ddefod enwaediad—er nad gyda Moses y cychwynnodd ond gyda'r patriarchiaid—ac yr ydych yn enwaedu ar ddyn ar y Saboth. ²³Os enwaedir ar ddyn ar y Saboth rhag torri Cyfraith Moses, a ydych yn ddig wrthyf fi am imi iacháu holl gorff dyn ar y Saboth? ²⁴Peidiwch â barnu yn ôl yr olwg, ond yn ôl safonau barn gyfiawn.''

Ai Hwn yw'r Meseia?

25 Yna dechreuodd rhai o drigolion Jerwsalem ddweud, "Onid hwn yw'r dyn y maent yn ceisio ei ladd? ²⁶A dyma fe'n siarad yn agored heb i neb ddweud dim yn ei erbyn. Tybed a yw'r llywodraethwyr wedi dod i wybod i sicrwydd mai hwn yw'r Meseia? ²⁷Ac eto, fe wyddom ni o ble y mae'r dyn yma'n dod; ond pan ddaw'r Meseia, ni bydd neb yn gwybod o ble y mae'n dod.'' ²⁸Ar hynny, gwaeddodd Iesu, wrth ddysgu yn y deml, "Yr ydych yn f'adnabod i ac yn gwybod o ble 'rwy'n dod. Ond nid wyf wedi dod ohonof fy hun. Y mae'r hwn a'm hanfonodd i â'i hanfod yn wirionedd, ond nid ydych chwi'n ei adnabod ef. ²⁹Yr wyf fi'n ei adnabod ef, oherwydd oddi wrtho ef y deuthum, ac ef a'm hanfonodd.'' ³⁰Am hynny ceisiasant ei ddal, ond ni osododd neb law arno, oherwydd nid oedd ei awr ef wedi dod eto. ³¹Credodd llawer o blith y dyrfa ynddo, ac meddent, "A fydd y Meseia, pan ddaw, yn gwneud mwy o arwyddion nag a wnaeth y dyn hwn?''

Anfon Swyddogion i Ddal Iesu

32 Clywodd y Phariseaid y dyrfa'n sibrwd y pethau hyn amdano. Ac fe anfonodd y prif offeiriaid a'r Phariseaid swyddogion i'w ddal ef. ³³Felly dywedodd Iesu, "Am ychydig amser eto y byddaf gyda chwi, ac yna af at yr hwn a'm hanfonodd i. ³⁴Fe chwiliwch amdanaf fi, ond ni chewch hyd imi; lle yr wyf fi ni allwch chwi ddod.'' ³⁵Meddai'r Iddewon wrth ei gilydd, "I ble mae hwn ar fynd, fel na bydd i ni gael hyd iddo? A yw ar fynd, tybed, at y rhai sydd ar wasgar ymhlith y Groegiaid, a dysgu'r Groegiaid? ³⁶Beth

yw ystyr y gair hwn a ddywedodd, 'Fe chwiliwch amdanaf fi, ond ni chewch hyd i mi; lle yr wyf fi, ni allwch chwi ddod'?''

Ffrydiau o Ddŵr Bywiol

37 Ar ddydd olaf yr ŵyl, y dydd mawr, safodd Iesu a chyhoeddi'n uchel: "Pwy bynnag sy'n sychedig, deued ataf fi ac yfed. ³⁸Y dyn sy'n credu ynof fi, allan ohono ef,ⁿ fel y dywedodd yr Ysgrythur, y bydd ffrydiau o ddŵr bywiol yn llifo.'' ³⁹Sôn yr oedd am yr Ysbryd yr oedd y rhai a gredodd ynddo ef yn mynd i'w dderbyn. Oherwydd nid oedd yr Ysbryd ganddynt eto, am nad oedd Iesu wedi cael ei ogoneddu eto.

Ymraniad ymhlith y Dyrfa

40 Ar ôl ei glywed yn dweud hyn, meddai rhai o blith y dyrfa, "Hwn yn wir yw'r Proffwyd.'' ⁴¹Meddai eraill, "Hwn yw'r Meseia.'' Ond meddai rhai, "'Does bosibl mai o Galilea y mae'r Meseia yn dod? ⁴²Onid yw'r Ysgrythur yn dweud mai o linach Dafydd ac o Fethlehem, y pentref lle'r oedd Dafydd yn byw, y daw'r Meseia?'' ⁴³Felly bu ymraniad ymhlith y dyrfa o'i achos ef. ⁴⁴Yr oedd rhai ohonynt yn awyddus i'w ddal, ond ni osododd neb ddwylo arno.

Anghrediniaeth y Llywodraethwyr

45 Daeth y swyddogion yn ôl at y prif offeiriaid a'r Phariseaid, a gofynnodd y rheini iddynt, "Pam na ddaethoch ag ef yma?'' ⁴⁶Atebodd y swyddogion, "Ni lefarodd dyn erioed fel hyn.'' ⁴⁷Yna dywedodd y Phariseaid, "A ydych chwithau hefyd wedi eich twyllo? ⁴⁸A oes unrhyw un o'r llywodraethwyr wedi credu ynddo, neu o'r Phariseaid? ⁴⁹Ond y dyrfa yma nad yw'n gwybod dim am y Gyfraith, dan felltith y maent.'' ⁵⁰Yr oedd Nicodemus, y dyn oedd wedi dod ato o'r blaen, yn un ohonynt; meddai ef wrthynt, ⁵¹"A yw ein Cyfraith ni yn barnu dyn heb roi gwrandawiad iddo yn gyntaf, a chael gwybod beth y mae'n ei wneud?'' ⁵²Atebasant ef, "A wyt tithau hefyd yn dod o Galilea? Chwilia'r Ysgrythurau, a chei weld nad yw proffwyd byth yn codi o Galilea.''ᵒ

ⁿNeu, deued ataf fi, ac yfed y dyn sy'n credu ynof fi. Allan ohono ef.

ᵒYn ôl darlleniad arall ychwanegir 7:53—8:11 fel a ganlyn:

Y Wraig oedd wedi ei Dal mewn Godineb

53 Ac aethant adref bob un. ¹Ond aeth Iesu i Fynydd yr Olewydd. ²Yn y bore bach daeth eto i'r deml, ac yr oedd y bobl i gyd yn dod ato. Wedi iddo eistedd a dechrau eu dysgu, ³dyma'r ysgrifenyddion a'r

Iesu, Goleuni'r Byd

8 ¹²Yna llefarodd Iesu wrthynt eto. "Myfi yw goleuni'r byd," meddai. "Ni bydd neb sy'n fy nghanlyn i byth yn rhodio yn y tywyllwch, ond bydd ganddo oleuni'r bywyd." ¹³Meddai'r Phariseaid wrtho, "Tystiolaethu amdanat dy hun yr wyt ti; nid yw dy dystiolaeth yn wir." ¹⁴Atebodd Iesu hwy, "Er mai myfi sydd yn tystiolaethu amdanaf fy hun, y mae fy nhystiolaeth yn wir am fy mod yn gwybod o ble y deuthum ac i ble'r wyf yn mynd. Ond ni wyddoch chwi o ble'r wyf yn dod nac i ble'r wyf yn mynd. ¹⁵Yr ydych chwi'n barnu yn ôl safonau dynion. Minnau, nid wyf yn barnu neb, ¹⁶ac os byddaf yn barnu y mae'r farn a roddaf yn ddilys, oherwydd nid myfi yn unig sy'n barnu, ond myfi a'r Tad a'm hanfonodd i. ¹⁷Y mae'n ysgrifenedig yn eich Cyfraith chwi fod tystiolaeth dau ddyn yn wir. ¹⁸Myfi yw'r un sydd yn tystiolaethu amdanaf fy hun, ac y mae'r Tad a'm hanfonodd i hefyd yn tystiolaethu amdanaf." ¹⁹Yna meddent wrtho, "Ble mae dy Dad di?" Atebodd Iesu, "Nid ydych yn fy adnabod i na'm Tad; pe baech yn fy adnabod i, byddech yn adnabod fy Nhad hefyd." ²⁰Llefarodd y geiriau hyn yn y trysordy, wrth ddysgu yn y deml. Ond ni afaelodd neb ynddo, oherwydd nid oedd ei awr wedi dod eto.

Lle'r Wyf Fi'n Mynd, Ni Allwch Chwi Ddod

21 Dywedodd wrthynt wedyn, "Yr wyf fi'n ymadael â chwi. Fe chwiliwch amdanaf fi, ond byddwch farw yn eich pechod. Lle'r wyf fi'n mynd, ni allwch chwi ddod." ²²Meddai'r Iddewon felly, "A yw'n mynd i'w ladd ei hun, gan ei fod yn dweud, 'Lle'r wyf fi'n mynd, ni allwch chwi ddod'?" ²³Meddai Iesu wrthynt, "Yr ydych chwi oddi isod, yr wyf fi oddi uchod. Yr ydych chwi o'r byd hwn, nid wyf fi o'r byd hwn. ²⁴Dyna pam y dywedais wrthych y byddwch farw yn eich pechodau; oherwydd marw yn eich pechodau a wnewch, os na chredwch mai myfi yw." ²⁵Gofynasant iddo felly, "Pwy wyt ti?" Atebodd Iesu hwy, "Yr wyf o'r dechrau yr hyn yr wyf yn ei ddweud wrthych.ᴾ ²⁶Gallwn ddweud llawer amdanoch, a hynny mewn barn. Ond y mae'r hwn a'm hanfonodd i yn eirwir, a'r hyn a glywais ganddo ef yw'r hyn yr wyf yn ei gyhoeddi i'r byd." ²⁷Nid oeddent hwy'n deall mai am y Tad yr oedd yn llefaru wrthynt. ²⁸Felly dywedodd Iesu wrthynt, "Pan fyddwch wedi dyrchafu Mab y Dyn byddwch yn gwybod mai myfi yw, ac nad wyf yn gwneud dim ohonof fy hun, ond fy mod yn dweud yr union bethau y mae'r Tad wedi eu dysgu imi. ²⁹Ac y mae'r hwn a'm hanfonodd i gyda mi; nid yw wedi fy ngadael ar fy mhen fy hun, oherwydd yr wyf bob amser yn gwneud y pethau sydd wrth ei fodd ef." ³⁰Wrth iddo ddweud hyn, daeth llawer i gredu ynddo.

Bydd y Gwirionedd yn eich Rhyddhau

31 Yna dywedodd Iesu wrth yr Iddewon oedd wedi credu ynddo, "Os arhoswch chwi yn fy ngair i, yr ydych mewn gwirionedd yn ddisgyblion i mi. ³²Cewch wybod y gwirionedd, a bydd y gwirionedd yn eich rhyddhau." ³³Atebasant ef, "Plant Abraham ydym ni, ac ni buom erioed yn gaethweision i neb. Sut y gelli di ddweud, 'Fe'ch gwneir yn ddynion rhydd'?" ³⁴Atebodd Iesu hwy, "Yn wir, yn wir, 'rwy'n dweud wrthych fod pob un sy'n cyflawni pechod yn gaethwas i bechod. ³⁵Ac nid oes gan y caethwas le arhosol yn y tŷ, ond y mae'r mab yn aros am byth. ³⁶Felly os yw'r mab yn eich rhyddhau chwi, byddwch yn rhydd mewn gwirionedd. ³⁷'Rwy'n gwybod mai plant Abraham ydych. Ond yr ydych yn ceisio fy lladd i am nad yw fy ngair i yn cael lle ynoch. ³⁸Yr wyf fi'n siarad am y pethau

---

Phariseaid yn dod â gwraig ato oedd wedi ei dal mewn godineb, a'i rhoi i sefyll yn y canol. ⁴"Athro," meddent wrtho, "y mae'r wraig hon wedi ei dal yn y weithred o odinebu. ⁵Gorchmynnodd Moses yn y Gyfraith i ni labyddio gwragedd o'r fath. Beth sydd gennyt ti i'w ddweud?" ⁶Dweud hyn yr oeddent er mwyn rhoi prawf arno, a chael cyhuddiad i'w ddwyn yn ei erbyn. Plygodd Iesu i lawr ac ysgrifennu ar y llawr â'i fys. ⁷Ond gan eu bod yn dal ati i ofyn y cwestiwn iddo, ymsythodd ac meddai wrthynt, "Pwy bynnag ohonoch sy'n ddibechod, gadewch i hwnnw fod yn gyntaf i daflu carreg ati." ⁸Yna plygodd eto ac ysgrifennu ar y llawr. ⁹A dechreuodd y rhai oedd wedi clywed fynd allan, un ar ôl y llall, y rhai hynaf yn gyntaf, nes i Iesu gael ei adael ar ei ben ei hun, a'r wraig yno yn y canol. ¹⁰Ymsythodd Iesu a gofyn iddi, "Wraig, ble maent? Onid oes neb wedi dy gondemnio?" ¹¹Meddai hithau, "Neb, syr." Ac meddai Iesu, "Nid wyf finnau'n dy gondemnio chwaith. Dos, ac o hyn allan paid â phechu mwyach."

ᴾNeu, *Pam yr wyf yn siarad o gwbl â chwi?*

yr wyf wedi eu gweld gyda'm Tad, ac yr ydych chwi'n gwneud y pethau a glywsoch gan eich tad."

Eich Tad y Diafol

39 Atebasant ef, "Abraham yw ein tad ni." Meddai Iesu wrthynt, "Pe baech yn blant i Abraham, byddech yn gwneud[ph] yr un gweithredoedd ag Abraham. ⁴⁰Ond dyma chwi yn awr yn ceisio fy lladd i, dyn sydd wedi llefaru wrthych y gwirionedd a glywais gan Dduw. Ni wnaeth Abraham mo hynny. ⁴¹Gwneud gweithredoedd eich tad eich hunain yr ydych chwi." "Nid plant puteindra mohonom ni," meddent wrtho. "Un Tad sydd gennym, sef Duw." ⁴²Meddai Iesu wrthynt, "Petai Duw yn dad i chwi, byddech yn fy ngharu i, oherwydd oddi wrth Dduw y deuthum allan a dod yma. Nid wyf wedi dod ohonof fy hun, ond ef a'm hanfonodd. ⁴³Pam nad ydych yn deall yr hyn yr wyf yn ei ddweud? Am nad ydych yn gallu gwrando ar fy ngair i. ⁴⁴Plant ydych chwi i'ch tad, y diafol, ac yr ydych â'ch bryd ar gyflawni dymuniadau eich tad. Lladdwr dynion oedd ef o'r cychwyn; nid yw'n sefyll yn y gwirionedd, oherwydd nid oes dim gwirionedd ynddo. Pan fydd yn dweud celwydd, datguddio'i natur ei hun y mae, oherwydd un celwyddog yw ef, a thad pob celwydd. ⁴⁵Ond yr wyf fi'n dweud y gwirionedd, ac am hynny nid ydych yn fy nghredu. ⁴⁶Pwy ohonoch chwi sydd am brofi fy mod i'n euog o bechod? Os wyf yn dweud y gwir, pam nad ydych chwi yn fy nghredu? ⁴⁷Y mae'r hwn sydd o Dduw yn gwrando geiriau Duw. Nid ydych chwi o Dduw, a dyna pam nad ydych yn gwrando."

Cyn Geni Abraham, yr Wyf Fi

48 Atebodd yr Iddewon ef, "Onid ydym ni'n iawn wrth ddweud, 'Samariad wyt ti, ac y mae cythraul ynot'?" ⁴⁹Atebodd Iesu, "Nid oes cythraul ynof; parchu fy Nhad yr wyf fi, a chwithau'n fy amharchu i. ⁵⁰Nid wyf fi'n ceisio fy ngogoniant fy hun, ond y mae un sydd yn ei geisio, ac ef sy'n barnu. ⁵¹Yn wir, yn wir, 'rwy'n dweud wrthych, os bydd dyn yn cadw fy ngair i, ni wêl hwnnw farwolaeth byth." ⁵²Meddai'r Iddewon wrtho, "Yr ydym yn gwybod yn awr fod cythraul ynot. Bu Abraham farw, a'r proff-

wydi hefyd, a dyma ti'n dweud, 'Os bydd dyn yn cadw fy ngair i, ni chaiff hwnnw brofi blas marwolaeth byth.' ⁵³A wyt ti'n fwy na'n tad ni, Abraham? Bu ef farw, a bu'r proffwydi farw. Pwy yr wyt ti'n dy gyfrif dy hun?" ⁵⁴Atebodd Iesu, "Os fy ngogoneddu fy hun yr wyf fi, nid yw fy ngogoniant yn ddim. Fy Nhad sydd yn fy ngogoneddu, yr un yr ydych chwi'n dweud amdano, 'Ef yw ein Duw ni.' ⁵⁵Nid ydych yn ei adnabod, ond yr wyf fi'n ei adnabod. Pe bawn yn dweud nad wyf yn ei adnabod, byddwn yn gelwyddog fel chwithau. Ond yr wyf yn ei adnabod, ac yr wyf yn cadw ei air ef. ⁵⁶Gorfoleddu a wnaeth eich tad Abraham o weld fy nydd i; fe'i gwelodd, a llawenhau." ⁵⁷Yna meddai'r Iddewon wrtho, "Nid wyt ti'n hanner cant oed eto. A wyt ti wedi gweld Abraham?" ⁵⁸Dywedodd Iesu wrthynt, "Yn wir, yn wir, 'rwy'n dweud wrthych, cyn geni Abraham, yr wyf fi." ⁵⁹Yna codasant gerrig i'w taflu ato. Ond aeth Iesu o'u golwg, ac allan o'r deml.

Iacháu Dyn Dall o'i Enedigaeth

9 Wrth fynd ar ei daith, gwelodd Iesu ddyn dall o'i enedigaeth. ²Gofynnodd ei ddisgyblion iddo, "Rabbi, pwy bechodd, ai hwn ynteu ei rieni, i beri iddo gael ei eni'n ddall?" ³Atebodd Iesu, "Ni phechodd hwn na'i rieni chwaith, ond ynddo ef yr amlygir gweithredoedd Duw. ⁴Y mae'n rhaid i ni[r] gyflawni gweithredoedd yr hwn a'm hanfonodd i tra mae hi'n ddydd. Y mae'r nos yn dod, pan na all neb weithio. ⁵Tra byddaf yn y byd, goleuni'r byd ydwyf." ⁶Wedi dweud hyn poerodd ar y llawr a gwneud clai o'r poeryn; yna irodd lygaid y dyn â'r clai, ⁷ac meddai wrtho, "Dos i ymolchi ym mhwll Siloam" (enw a gyfieithir Anfonedig). Aeth y dyn yno ac ymolchi, a phan ddaeth yn ôl yr oedd yn gweld. ⁸Dyma'i gymdogion, felly, a'r bobl oedd wedi arfer o'r blaen ei weld fel cardotyn, yn dweud, "Onid hwn yw'r dyn fyddai'n eistedd i gardota?" ⁹Meddai rhai, "Hwn yw ef." "Na," meddai eraill, "ond y mae'n debyg iddo." Ac meddai'r dyn ei hun, "Myfi yw ef." ¹⁰Gofynasant iddo felly, "Sut yr agorwyd dy lygaid di?" ¹¹Atebodd yntau, "Y dyn a elwir Iesu a wnaeth glai ac iro fy llygaid a dweud

---

ph Yn ôl darlleniad arall, *Os ydych yn blant i Abraham, gwnewch.*
r Yn ôl darlleniad arall, *i mi.*

wrthyf, 'Dos i Siloam i ymolchi.' Ac wedi imi fynd yno ac ymolchi, cefais fy ngolwg." ¹²Gofynasant iddo, "Ble mae ef?" "Ni wn i," meddai yntau.

Y Phariseaid yn Archwilio'r Iachâd

13 Aethant â'r dyn oedd wedi bod gynt yn ddall at y Phariseaid. ¹⁴Yr oedd yn Saboth y dydd hwnnw pan wnaeth Iesu glai ac agor llygaid y dyn. ¹⁵A dyma'r Phariseaid yn gofyn iddo eto sut yr oedd wedi cael ei olwg. Ac meddai wrthynt, "Rhoddodd glai ar fy llygaid ac ymolchais, a dyma fi'n gweld." ¹⁶Felly dywedodd rhai o'r Phariseaid, "Nid yw'r dyn hwn o Dduw; nid yw'n cadw'r Saboth." Ond meddai eraill, "Sut y gall dyn sy'n bechadur wneud y fath arwyddion?" Ac yr oedd ymraniad yn eu plith, ¹⁷a dyma hwy'n gofyn eto i'r dyn dall, "Beth sydd gennyt ti i'w ddweud amdano ef, gan iddo agor dy lygaid di?" Atebodd yntau, "Proffwyd yw ef."

18 Gwrthododd yr Iddewon gredu amdano iddo fod yn ddall a derbyn ei olwg, nes iddynt alw rhieni'r dyn ¹⁹a'u holi hwy: "Ai hwn yw eich mab chwi? A ydych chwi'n dweud ci fod wcdi ci cni'n ddall? Sut felly y mae'n gweld yn awr?" ²⁰Atebodd ei rieni, "Fe wyddom mai hwn yw ein mab a'i fod wedi ei eni'n ddall. ²¹Ond ni wyddom sut y mae'n gweld yn awr, ac ni wyddom pwy a agorodd ei lygaid. Gofynnwch iddo ef. Y mae'n ddigon hen. Caiff ateb drosto'i hun." ²²Atebodd ei rieni fel hyn am fod arnynt ofn yr Iddewon, oherwydd yr oedd yr Iddewon eisoes wedi cytuno bod unrhyw un a fyddai'n cyffesu Iesu fel Meseia i gael ei dorri allan o'r synagog. ²³Dyna pam y dywedodd ei rieni, "Y mae'n ddigon hen. Gofynnwch iddo ef."

24 Yna galwasant atynt am yr ail waith y dyn a fu'n ddall, ac meddent wrtho, "Dywed y gwir gerbron Duw. Fe wyddom ni mai pechadur yw'r dyn hwn." ²⁵Atebodd yntau, "Ni wn i a yw'n bechadur ai peidio. Un peth a wn i: 'roeddwn i'n ddall, ac yn awr 'rwyf yn gweld." ²⁶Meddent wrtho, "Beth wnaeth ef iti? Sut yr agorodd ef dy lygaid di?" ²⁷Atebodd hwy, "Rwyf wedi dweud wrthych eisoes, ond nid ydych wedi gwrando. Pam yr ydych mor awyddus i glywed y peth eto? 'Does bosibl eich bod chwi hefyd yn awyddus i fod yn ddisgyblion

ʳʰYn ôl darlleniad arall, *Mab Duw.*

iddo?" ²⁸Ar hyn, dyma hwy'n ei ddifrïo a dweud wrtho, "Ti sy'n ddisgybl i'r dyn. Disgyblion Moses ydym ni. ²⁹Fe wyddom fod Duw wedi llefaru wrth Moses, ond am y dyn hwn, ni wyddom o ble y mae wedi dod." ³⁰Atebodd y dyn hwy, "Y peth rhyfedd yw hyn, na wyddoch chwi o ble y mae wedi dod, ac eto fe agorodd ef fy llygaid i. ³¹Fe wyddom nad yw Duw yn gwrando ar bechaduriaid, ond ei fod yn gwrando ar unrhyw ddyn sy'n dduwiol ac yn gwneud ei ewyllys ef. ³²Ni chlywyd erioed fod neb wedi agor llygaid dyn oedd wedi ei eni'n ddall. ³³Oni bai fod y dyn hwn o Dduw, ni allai wneud dim." ³⁴Atebodd y Phariseaid ef, "Fe'th aned di yn gyfan gwbl mewn pechod, ac a wyt ti yn ein dysgu ni?" Yna taflasant ef allan.

Dallineb Ysbrydol

35 Clywodd Iesu eu bod wedi ei daflu allan, a phan gafodd hyd iddo gofynnodd iddo, "A wyt ti'n credu ym Mab y Dynʳʰ?" ³⁶Atebodd yntau, "Pwy yw ef, syr, er mwyn imi gredu ynddo?" ³⁷Meddai Iesu wrtho, "Yr wyt wedi ei weld ef. Yr un sy'n siarad â thi, hwnnw yw ef." ³⁸"Yr wyf yn credu, Arglwydd," meddai'r dyn, gan ymgrymu o'i flaen. ³⁹A dywedodd Iesu, "I farnu y deuthum i i'r byd hwn, er mwyn i'r rhai nad ydynt yn gweld gael gweld, ac i'r rhai sydd yn gweld fynd yn ddall."

40 Clywodd rhai o'r Phariseaid oedd yno gydag ef hyn, ac meddent wrtho, "A ydym ni hefyd yn ddall?" ⁴¹Atebodd Iesu hwy: "Pe baech yn ddall, ni byddai gennych bechod. Ond am eich bod yn awr yn dweud, 'Yr ydym yn gweld', y mae eich pechod yn aros.

Dameg Corlan y Defaid

10 "Yn wir, yn wir, 'rwy'n dweud wrthych, lleidr ac ysbeiliwr yw'r dyn hwnnw nad yw'n mynd i mewn trwy'r drws i gorlan y defaid, ond sy'n dringo i mewn rywle arall. ²Y dyn sy'n mynd i mewn trwy'r drws yw bugail y defaid. ³Y mae ceidwad y drws yn agor i hwn, ac y mae'r defaid yn clywed ei lais, ac yntau'n galw ei ddefaid ei hun wrth eu henwau ac yn eu harwain hwy allan. ⁴Pan fydd wedi dod â'i ddefaid ei hun i gyd allan, bydd yn cerdded ar y blaen, a'r defaid yn ei ganlyn oherwydd eu bod yn adnabod ei lais ef. ⁵Ni chanlynant neb dieithr byth, ond ffoi oddi wrtho, oherwydd nid ydynt yn adnabod llais dieithriaid." ⁶Dywedodd Iesu hyn wrthynt ar ddameg, ond nid oeddent hwy'n deall ystyr yr hyn yr oedd yn ei lefaru wrthynt.

Iesu, y Bugail Da

7 Felly dywedodd Iesu eto, "Yn wir, yn wir, 'rwy'n dweud wrthych, myfi yw drws y defaid. ⁸Lladron ac ysbeilwyr oedd pawb a ddaeth o'm blaen i; ond ni wrandawodd y defaid arnynt hwy. ⁹Myfi yw'r drws; os daw rhywun i mewn trwof fi, caiff ei gadw'n ddiogel, caiff fynd i mewn ac allan, a dod o hyd i borfa. ¹⁰Ni ddaw'r lleidr ond i ladrata ac i ladd ac i ddinistrio. Yr wyf fi wedi dod er mwyn i ddynion gael bywyd, a'i gael yn ei holl gyflawnder. ¹¹Myfi yw'r bugail da. Y mae'r bugail da yn rhoi ei einioes dros y defaid. ¹²Y mae'r gwas cyflog, nad yw'n fugail nac yn berchen y defaid, yn gweld y blaidd yn dod ac yn gadael y defaid ac yn ffoi; ac y mae'r blaidd yn eu hysglyfio ac yn eu gyrru ar chwâl. ¹³Y mae'n ffoi am mai gwas cyflog yw, ac am nad oes ofal arno am y defaid. ¹⁴Myfi yw'r bugail da; yr wyf yn adnabod fy nefaid, a'm defaid yn f'adnabod i, ¹⁵yn union fel y mae'r Tad yn f'adnabod i, a minnau'n adnabod y Tad. Ac yr wyf yn rhoi fy einioes dros y defaid. ¹⁶Y mae gennyf ddefaid eraill hefyd, nad ydynt yn perthyn i'r gorlan hon. Rhaid imi ddod â'r rheini i mewn, ac fe wrandawant ar fy llais. Yna bydd un praidd ac un bugail. ¹⁷Y mae'r Tad yn fy ngharu i oherwydd fy mod yn rhoi fy einioes, i'w derbyn eilwaith. ¹⁸Nid yw neb yn ei dwyn oddi arnaf, ond myfi ohonof fy hun sy'n ei rhoi. Y mae gennyf hawl i'w rhoi, ac y mae gennyf hawl i'w derbyn eilwaith. Hyn a gefais yn orchymyn gan fy Nhad."

19 Bu ymraniad eto ymhlith yr Iddewon o achos y geiriau hyn. ²⁰Yr oedd llawer ohonynt yn dweud, "Y mae cythraul ynddo, y mae'n wallgof. Pam yr ydych yn gwrando arno?" ²¹Ond yr oedd eraill yn dweud, "Nid geiriau dyn â chythraul ynddo yw'r rhain. A yw cythraul yn gallu agor llygaid y deillion?"

Yr Iddewon yn Gwrthod Iesu

22 Yna daeth amser dathlu gŵyl y Cysegru yn Jerwsalem. Yr oedd yn aeaf, ²³ac yr oedd Iesu'n cerdded yn y deml, yng Nghloestr Solomon. ²⁴Daeth yr Iddewon o'i amgylch a gofyn iddo, "Am ba hyd yr wyt ti am ein cadw ni mewn ansicrwydd? Os tydi yw'r Meseia, dywed hynny wrthym yn blaen." ²⁵Atebodd Iesu hwy, "Yr wyf wedi dweud wrthych, ond nid ydych yn credu. Y mae'r gweithredoedd hyn yr wyf fi yn eu gwneud yn enw fy Nhad yn tystiolaethu amdanaf fi. ²⁶Ond nid ydych chwi'n credu, am nad ydych yn perthyn i'm defaid i. ²⁷Y mae fy nefaid i yn gwrando ar fy llais i, ac yr wyf fi'n eu hadnabod, a hwythau'n fy nghanlyn i. ²⁸Yr wyf fi'n rhoi bywyd tragwyddol iddynt; nid ânt byth i ddistryw, ac ni chaiff neb eu cipio hwy allan o'm llaw i. ²⁹Hwy yw rhodd fy Nhad i mi, rhodd sy'n fwy na dim oll,ˢ ac ni all neb eu cipio allan o law fy Nhad. ³⁰Myfi a'r Tad, un ydym."

31 Unwaith eto casglodd yr Iddewon gerrig i'w labyddio ef. ³²Dywedodd Iesu wrthynt, "Yr wyf wedi dangos i chwi lawer o weithredoedd da trwy rym y Tad. O achos prun ohonynt yr ydych am fy llabyddio?" ³³Atebodd yr Iddewon ef, "Nid am weithred dda yr ydym am dy labyddio, ond am gabledd, oherwydd dy fod ti, a thithau'n ddyn, yn dy wneud dy hun yn Dduw." ³⁴Atebodd Iesu hwythau, "Onid yw'n ysgrifenedig yn eich Cyfraith chwi, 'Fe ddywedais i, "Duwiau ydych."'? ³⁵Os galwodd ef y rhai hynny y daeth gair Duw atynt yn dduwiau—ac ni ellir diddymu'r Ysgrythur—³⁶sut yr ydych chwi yn dweud, 'Yr wyt yn cablu', oherwydd fy mod i, yr un y mae Duw wedi ei gysegru a'i anfon i'r byd, wedi dweud, 'Mab Duw ydwyf'? ³⁷Os nad wyf yn gwneud gweithredoedd fy Nhad, peidiwch â'm credu. ³⁸Ond os wyf yn eu gwneud, credwch y gweithredoedd, hyd yn oed os na chredwch fi, er mwyn ichwi ganfod a gwybod bod y Tad ynof fi, a minnau yn y Tad." ³⁹Gwnaethant gais eto i'w ddal ef, ond llithrodd trwy eu dwylo hwy.

40 Aeth Iesu i ffwrdd eto dros yr Iorddonen i'r lle yr oedd Ioan yn gynt wedi bod yn bedyddio, ac arhosodd yno. ⁴¹Daeth llawer ato yno, ac yr oeddent yn dweud, "Ni wnaeth Ioan unrhyw arwydd, ond yr oedd popeth a ddywedodd Ioan am y dyn hwn yn wir." ⁴²A daeth llawer i gredu ynddo yn y lle hwnnw.

ˢYn ôl darlleniad arall, *Y mae fy Nhad, a'u rhoddodd hwy i mi, yn fwy na phawb.*

Marwolaeth Lasarus

11 Yr oedd rhyw ddyn o'r enw Lasarus yn wael. Yr oedd yn byw ym Methania, pentref Mair a'i chwaer Martha. ²Mair oedd y ferch a eneiniodd yr Arglwydd ag ennaint, a sychu ei draed â'i gwallt; a'i brawd hi, Lasarus, oedd yn wael. ³Anfonodd y chwiorydd, felly, neges at Iesu: "Y mae dy gyfaill, syr, yma'n wael." ⁴Pan glywodd Iesu, meddai, "Nid yw'r gwaeledd hwn i fod yn angau i Lasarus, ond yn ogoniant i Dduw; bydd yn gyfrwng i Fab Duw gael ei ogoneddu drwyddo." ⁵Yn awr yr oedd Iesu'n caru Martha a'i chwaer a Lasarus. ⁶Ac wedi clywed ei fod ef yn wael, arhosodd am ddau ddiwrnod yn y fan lle'r oedd. ⁷Ac wedyn, dywedodd wrth ei ddisgyblion, "Gadewch inni fynd yn ôl i Jwdea." ⁸"Rabbi," meddai'r disgyblion wrtho, "gynnau yr oedd yr Iddewon yn ceisio dy labyddio. Sut y gelli fynd yn ôl yno?" ⁹Atebodd Iesu: "Onid oes deuddeg awr mewn diwrnod? Os yw dyn yn cerdded yng ngolau dydd, nid yw'n baglu, oherwydd y mae'n gweld golau'r byd hwn ¹⁰Ond os yw dyn yn cerdded yn y nos, y mae'n baglu, am nad oes golau ganddo." ¹¹Ar ôl dweud hyn meddai wrthynt, "Y mae ein cyfaill Lasarus yn huno, ond yr wyf yn mynd yno i'w ddeffro." ¹²Dywedodd y disgyblion wrtho, "Arglwydd, os yw'n huno fe gaiff ei wella." ¹³Ond at ei farwolaeth ef yr oedd Iesu wedi cyfeirio, a hwythau'n meddwl mai siarad am hun cwsg yr oedd. ¹⁴Felly dywedodd Iesu wrthynt yn blaen, "Y mae Lasarus wedi marw. ¹⁵Ac er eich mwyn chwi yr wyf yn falch nad oeddwn yno, er mwyn ichwi gredu. Ond gadewch inni fynd ato." ¹⁶Ac meddai Thomas, a elwir Didymus, wrth ei gyd-ddisgyblion, "Gadewch i ninnau fynd hefyd, i farw gydag ef."

Iesu, yr Atgyfodiad a'r Bywyd

17 Pan gyrhaeddodd yno, cafodd Iesu fod Lasarus eisoes yn ei fedd ers pedwar diwrnod. ¹⁸Yr oedd Bethania yn ymyl Jerwsalem, ryw ddwy filltir oddi yno. ¹⁹Ac yr oedd llawer o'r Iddewon wedi dod at Martha a Mair i'w cysuro ar golli eu brawd. ²⁰Pan glywodd Martha fod Iesu yn dod, aeth i'w gyfarfod; ond eisteddodd Mair yn y tŷ. ²¹Dywedodd Martha wrth Iesu, "Pe buasit ti yma, syr, ni buasai fy mrawd wedi marw. ²²A hyd yn oed yn awr, mi wn y rhydd Duw i ti beth bynnag a ofynni ganddo." ²³Dywedodd Iesu wrthi, "Fe atgyfoda dy frawd." ²⁴"Mi wn," meddai Martha wrtho, "y bydd yn atgyfodi yn yr atgyfodiad ar y dydd olaf." ²⁵Dywedodd Iesu wrthi, "Myfi yw'r atgyfodiad a'r bywyd. Pwy bynnag sy'n credu ynof fi, er iddo farw, fe fydd byw; ²⁶a phob un sy'n byw ac yn credu ynof fi, ni bydd marw byth. A wyt ti'n credu hyn?" ²⁷"Ydwyf, Arglwydd," atebodd hithau, "yr wyf fi'n credu mai tydi yw'r Meseia, Mab Duw, yr Un sy'n dod i'r byd."

Iesu'n Wylo

28 Wedi iddi ddweud hyn, aeth ymaith a galw ei chwaer Mair a dweud wrthi o'r neilltu, "Y mae'r Athro wedi cyrraedd, ac y mae am dy weld." ²⁹Pan glywodd Mair hyn, cododd ar frys a mynd ato ef. ³⁰Nid oedd Iesu wedi dod i mewn i'r pentref eto, ond yr oedd yn dal yn y fan lle'r oedd Martha wedi ei gyfarfod. ³¹Pan welodd yr Iddewon, a oedd gyda hi yn y tŷ yn ei chysuro, fod Mair wedi codi ar frys a mynd allan, aethant ar ei hôl gan dybio ei bod hi'n mynd at y bedd, i wylo yno. ³²A phan ddaeth Mair i'r fan lle'r oedd Iesu, a'i weld, syrthiodd wrth ei draed ac meddai wrtho, "Pe buasit ti yma, syr, ni buasai fy mrawd wedi marw." ³³Wrth ei gweld hi'n wylo, a'r Iddewon oedd wedi dod gyda hi hwythau'n wylo, cynhyrfwyd ysbryd Iesu gan ddeimlad dwys. ³⁴"Ble'r ydych wedi ei roi i orwedd?" gofynnodd. "Tyrd i weld, syr," meddant wrtho. ³⁵Torrodd Iesu i wylo. ³⁶Yna dywedodd yr Iddewon, "Gwelwch gymaint yr oedd yn ei garu ef." ³⁷Ond dywedodd rhai ohonynt, "Oni allai hwn, a agorodd lygaid y dall, gadw'r dyn yma hefyd rhag marw?"

Galw Lasarus o'r Bedd

38 Dan deimlad dwys drachefn, daeth Iesu at y bedd. Ogof ydoedd, a maen yn gorwedd ar ei thraws. ³⁹"Symudwch y maen," meddai Iesu. A dyma Martha, chwaer y dyn oedd wedi marw, yn dweud wrtho, "Erbyn hyn, syr, y mae'n drewi; y mae yma ers pedwar diwrnod." ⁴⁰"Oni ddywedais wrthyt," meddai Iesu wrthi, "y cait weld gogoniant Duw, dim ond iti gredu?" ⁴¹Felly symudasant y maen. A chododd Iesu ei lygaid i fyny a dweud, "O Dad, 'rwy'n diolch i ti am wrando

arnaf. ⁴²'Roeddwn i'n gwybod dy fod bob amser yn gwrando arnaf, ond dywedais hyn o achos y dyrfa sy'n sefyll o gwmpas, er mwyn iddynt gredu mai tydi a'm hanfonodd." ⁴³Ac wedi dweud hyn, gwaeddodd â llais uchel, "Lasarus, tyrd allan." ⁴⁴Daeth y dyn a fu farw allan, a'i draed a'i ddwylo wedi eu rhwymo â llieiniau, a chadach am ei wyneb. Dywedodd Iesu wrthynt, "Datodwch ei rwymau, a gadewch iddo fynd."

Y Cynllwyn i Ladd Iesu
(Mth. 26:1-5; Mc. 14:1-2; Lc. 22:1-2)

45 Felly daeth llawer o'r Iddewon, y rhai oedd wedi dod at Mair a gweld beth yr oedd Iesu wedi ei wneud, i gredu ynddo. ⁴⁶Ond aeth rhai ohonynt i ffwrdd at y Phariseaid a dweud wrthynt beth yr oedd Iesu wedi ei wneud. ⁴⁷Am hynny galwodd y prif offeiriaid a'r Phariseaid gyfarfod o'r Sanhedrin, a dywedasant: "Beth yr ydym am ei wneud? Y mae'r dyn yma'n gwneud llawer o arwyddion. ⁴⁸Os gadawn iddo barhau fel hyn, bydd pawb yn credu ynddo, ac fe ddaw'r Rhufeiniaid a chymryd oddi wrthym ein teml a'n cenedl hefyd." ⁴⁹Ond dyma un ohonynt, Caiaffas, a oedd yn archoffeiriad y flwyddyn honno, yn dweud wrthynt: "Nid ydych chwi'n deall dim. ⁵⁰Nid ydych yn sylweddoli mai mantais i chwi fydd i un dyn farw dros y bobl, yn hytrach na bod y genedl gyfan yn cael ei difodi." ⁵¹Nid ohono'i hun y dywedodd hyn, ond proffwydo yr oedd, ac yntau'n archoffeiriad y flwyddyn honno, fod Iesu'n mynd i farw dros y genedl, ⁵²ac nid dros y genedl yn unig ond hefyd er mwyn casglu plant Duw oedd ar wasgar, a'u gwneud yn un. ⁵³O'r diwrnod hwnnw, felly, gwnaethant gynllwyn i'w ladd ef.

54 Am hynny, peidiodd Iesu mwyach â mynd oddi amgylch yn agored ymhlith yr Iddewon. Aeth i ffwrdd oddi yno i'r wlad sydd yn ymyl yr anialwch, i dref a elwir Effraim, ac arhosodd yno gyda'i ddisgyblion.

55 Yn awr yr oedd Pasg yr Iddewon yn ymyl, ac aeth llawer i fyny i Jerwsalem o'r wlad cyn y Pasg, ar gyfer defod eu puredigaeth. ⁵⁶Ac yr oeddent yn chwilio am Iesu, ac yn sefyll yn y deml a dweud wrth ei gilydd, "Beth dybiwch chwi? Nad yw ef ddim yn dod i'r ŵyl?" ⁵⁷Ac er mwyn iddynt ei ddal, yr oedd y prif offeiriaid a'r Phariseaid wedi rhoi gorchmynion, os oedd rhywun yn gwybod lle'r oedd ef, ei fod i'w hysbysu hwy.

Yr Eneinio ym Methania
(Mth. 26:6-13; Mc. 14:3-9)

12 Chwe diwrnod cyn y Pasg, daeth Iesu i Fethania, lle'r oedd Lasarus yn byw, y dyn yr oedd wedi ei godi oddi wrth y meirw. ²Yno gwnaethpwyd iddo swper; yr oedd Martha yn gweini, a Lasarus yn un o'r rhai oedd gydag ef wrth y bwrdd. ³A chymerodd Mair bwys o ennaint costfawr, nard pur, ac eneiniodd draed Iesu a'u sychu â'i gwallt. A llanwyd y tŷ gan bersawr yr ennaint. ⁴A dyma Jwdas Iscariot, un o'i ddisgyblion, yr un oedd yn mynd i'w fradychu, yn dweud, ⁵"Pam na werthwyd yr ennaint hwn am dri chant o ddarnau arian¹, a'i roi i'r tlodion?" ⁶Ond fe ddywedodd hyn, nid am fod gofal ganddo am y tlodion, ond am mai lleidr ydoedd, yn cymryd o'r cyfraniadau yn y god arian oedd yn ei ofal. ⁷"Gad lonydd iddi," meddai Iesu, "er mwyn iddi gadw'r ddefod ar gyfer dydd fy nghladdedigaeth. ⁸Y mae'r tlodion gyda chwi bob amser, ond nid wyf fi gyda chwi bob amser."

Y Cynllwyn yn erbyn Lasarus

9 Daeth tyrfa fawr o'r Iddewon i wybod ei fod yno, a daethant ato, nid o achos Iesu yn unig, ond er mwyn gweld Lasarus hefyd, y dyn yr oedd ef wedi ei godi oddi wrth y meirw. ¹⁰Ond gwnaeth y prif offeiriaid gynllwyn i ladd Lasarus hefyd, ¹¹gan fod llawer o'r Iddewon, o'i achos ef, yn gwrthgilio ac yn credu yn Iesu.

Yr Ymdaith Fuddugoliaethus i mewn i Jerwsalem
(Mth. 21:1-11; Mc. 11:1-11; Lc. 19:28-40)

12 Trannoeth, clywodd y dyrfa fawr, a oedd wedi dod i'r ŵyl, fod Iesu'n dod i Jerwsalem. ¹³Cymerasant ganghennau o'r palmwydd ac aethant allan i'w gyfarfod, gan weiddi:
"Hosanna!
Bendigedig yw'r un sy'n dod yn enw'r
    Arglwydd,
yn Frenin Israel."
¹⁴Cafodd Iesu hyd i asyn ac eistedd arno, fel y mae'n ysgrifenedig:
¹⁵"Paid ag ofni, ferch Seion;

¹Neu, *dri chan denarius*. Gw. nodyn ° ar Mth. 18:28.

wele dy frenin yn dod,
yn eistedd ar ebol asen."
¹⁶Ar y cyntaf ni ddeallodd y disgyblion ystyr y pethau hyn, ond wedi i Iesu gael ei ogoneddu, yna cofiasant fod y pethau hyn yn ysgrifenedig amdano, ac iddynt eu gwneud iddo. ¹⁷Yr oedd y dyrfa, a oedd gydag ef pan alwodd Lasarus o'r bedd a'i godi o blith y meirw, yn tystiolaethu am hynny. ¹⁸Dyna pam yr aeth tyrfa'r ŵyl i'w gyfarfod—yr oeddent wedi clywed am yr arwydd yma yr oedd wedi ei wneud. ¹⁹Gan hynny dywedodd y Phariseaid wrth ei gilydd, "Edrychwch, nid ydych yn llwyddo o gwbl. Aeth y byd i gyd ar ei ôl ef."

Groegiaid yn Ceisio Iesu

20 Ymhlith y bobl oedd yn dod i fyny i addoli ar yr ŵyl, yr oedd rhyw Roegiaid. ²¹Daeth y rhain at Philip, a oedd o Bethsaida yng Ngalilea, a gofyn iddo, "Syr, fe hoffem weld Iesu." ²²Aeth Philip i ddweud wrth Andreas; ac aeth Andreas a Philip i ddweud wrth Iesu. ²³A dyma Iesu'n eu hateb. "Y mae'r awr wedi dod," meddai, "i Fab y Dyn gael ei ogoneddu. ²⁴Yn wir, yn wir, 'rwy'n dweud wrthych, os nad yw'r gronyn gwenith yn syrthio i'r ddaear ac yn marw, y mae'n aros ar ei ben ei hun; ond os yw'n marw, y mae'n dwyn llawer o ffrwyth. ²⁵Y mae'r sawl sy'n caru ei fywyd yn ei golli; a'r sawl sy'n casáu ei fywyd yn y byd hwn, bydd yn ei gadw i fywyd tragwyddol. ²⁶Os yw dyn am fy ngwasanaethu i, rhaid iddo fy nghanlyn i; lle bynnag yr wyf fi, yno hefyd y bydd fy ngwasanaethwr. Os yw dyn yn fy ngwasanaethu i, fe gaiff ei anrhydeddu gan y Tad.

Rhaid i Fab y Dyn gael Ei Ddyrchafu

27 "Yn awr y mae fy enaid mewn cynnwrf. Beth a ddywedaf? 'O Dad, gwared fi rhag yr awr hon'? Na, i'r diben hwn y deuthum i'r awr hon. ²⁸O Dad, gogonedda dy enw." Yna daeth llais o'r nef: "Yr wyf wedi ei ogoneddu, ac fe'i gogoneddaf eto." ²⁹Pan glywodd y dyrfa oedd yn sefyll gerllaw, dechreuasant ddweud mai taran oedd; dywedodd eraill, "Angel sydd wedi llefaru wrtho." ³⁰Atebodd Iesu, "Nid er fy mwyn i, ond er eich mwyn chwi, y daeth y llais hwn. ³¹Dyma awr barnu'r byd hwn; yn awr y mae Tywysog y byd hwn i gael ei fwrw

allan. ³²A minnau, os caf fy nyrchafu oddi ar y ddaear, fe dynnaf bawb ataf fy hun." ³³Dywedodd hyn i ddangos beth fyddai dull y farwolaeth oedd yn ei aros. ³⁴Yna atebodd y dyrfa ef: "Yr ydym ni wedi dysgu o'r Gyfraith fod y Meseia i aros am byth. Sut yr wyt ti'n dweud, felly, bod yn rhaid i Fab y Dyn gael ei ddyrchafu? Pwy yw'r Mab y Dyn yma?" ³⁵Dywedodd Iesu wrthynt, "Am ychydig amser eto y bydd y goleuni yn eich plith. Rhodiwch tra mae'r goleuni gennych, rhag i'r tywyllwch eich goddiweddyd. Nid yw'r dyn sy'n rhodio yn y tywyllwch yn gwybod lle y mae'n mynd. ³⁶Tra mae'r goleuni gennych, credwch yn y goleuni, ac felly meibion y goleuni fyddwch."

Anghrediniaeth yr Iddewon

Wedi iddo lefaru'r geiriau hyn, aeth Iesu i ffwrdd ac ymguddio rhagddynt. ³⁷Er iddo wneud cynifer o arwyddion yng ngŵydd y bobl, nid ocddcnt yn credu ynddo. ³⁸Cyflawnwyd felly y gair a ddywedodd y proffwyd Eseia:
"Arglwydd, pwy a gredodd yr hyn a
glywsant gennym?
I bwy y datguddiwyd braich yr
Arglwydd?"
³⁹O achos hyn ni allent gredu, oherwydd dywedodd Eseia beth arall:
⁴⁰"Y mae ef wedi dallu eu llygaid,
ac wedi tywyllu eu deall,
rhag iddynt weld â'u llygaid,
a deall â'u meddwl, a throi'n ôl,
i mi eu hiacháu."
⁴¹Dywedodd Eseia hyn am iddo weld gogoniant Iesu; amdano ef yr oedd yn llefaru. ⁴²Eto i gyd fe gredodd llawer hyd yn oed o'r llywodraethwyr ynddo ef; ond o achos y Phariseaid ni fynnent ei arddel, rhag iddynt gael eu torri allan o'r synagog. ⁴³Dewisach oedd ganddynt glod gan ddynion na chlod gan Dduw.

Gair Iesu yn Barnu

44 Cododd Iesu ei leferydd a chyhoeddi: "Y mae'r sawl sy'n credu ynof fi yn credu nid ynof fi ond yn yr un a'm hanfonodd i. ⁴⁵Ac y mae'r sawl sy'n fy ngweld i yn gweld yr un a'm hanfonodd i. ⁴⁶Yr wyf fi wedi dod i'r byd yn oleuni, ac felly nid yw neb sy'n credu ynof fi yn aros yn y tywyllwch. ⁴⁷Os yw dyn yn clywed fy ngeiriau i ac yn gwrthod eu cadw, nid myfi sy'n ei farnu, oherwydd ni ddeuthum i farnu'r byd ond i achub y byd. ⁴⁸Y mae

gan y dyn sy'n fy ngwrthod i, ac yn peidio â derbyn fy ngeiriau, un sydd yn ei farnu. Bydd y gair hwnnw a leferais i yn ei farnu ef yn y dydd olaf. [49]Oherwydd nid ohonof fy hunan y lleferais, ond y Tad ei hun, hwnnw a'm hanfonodd i, sydd wedi rhoi gorchymyn i mi beth a ddywedaf a beth a lefaraf. [50]A gwn fod ei orchymyn ef yn fywyd tragwyddol. Yr hyn yr wyf fi'n ei lefaru, felly, 'rwy'n ei lefaru yn union fel y mae'r Tad wedi dweud wrthyf."

Golchi Traed y Disgyblion

13 Ar drothwy gŵyl y Pasg, yr oedd Iesu'n gwybod bod ei awr wedi dod, iddo ymadael â'r byd hwn a mynd at y Tad. Yr oedd wedi caru'r rhai oedd yn eiddo iddo yn y byd, ac fe'u carodd hyd yr eithaf[th]. [2]Yn ystod swper, pan oedd y diafol eisoes wedi gosod yng nghalon Jwdas fab Simon Iscariot y bwriad i'w fradychu ef, [3]dyma Iesu, ac yntau'n gwybod bod y Tad wedi rhoi pob peth yn ei ddwylo ef, a'i fod wedi dod oddi wrth Dduw a'i fod yn mynd at Dduw, [4]yn codi o'r swper ac yn rhoi ei ddillad o'r neilltu, a chymryd tywel a'i glymu am ei ganol. [5]Yna tywalltodd ddŵr i'r badell, a dechreuodd olchi traed y disgyblion, a'u sychu â'r tywel oedd am ei ganol. [6]Daeth at Simon Pedr yn ei dro, ac meddai ef wrtho, "Arglwydd, a wyt ti am olchi fy nhraed i?" [7]Atebodd Iesu ef: "Ni wyddost ti ar hyn o bryd beth yr wyf fi am ei wneud, ond fe ddoi i wybod ar ôl hyn." [8]Meddai Pedr wrtho, "Ni chei di olchi fy nhraed i byth." Atebodd Iesu ef, "Os na chaf dy olchi di, nid oes lle iti gyda mi." [9]"Arglwydd," meddai Simon Pedr wrtho, "nid fy nhraed yn unig, ond golch fy nwylo a'm pen hefyd." [10]Dywedodd Iesu wrtho, "Y mae'r dyn sydd wedi ymolchi drosto yn lân i gyd, ac nid oes arno angen golchi dim ond ei draed.[u] Ac yr ydych chwi yn lân, ond nid pawb ohonoch." [11]Oherwydd gwyddai pwy oedd am ei fradychu. Dyna pam y dywedodd, "Nid yw pawb ohonoch yn lân."

12 Wedi iddo olchi eu traed, ac ymwisgo a chymryd ei le unwaith eto, gofynnodd iddynt, "A ydych yn deall beth yr wyf wedi ei wneud i chwi? [13]Yr ydych chwi'n fy ngalw i yn 'Athro' ac yn 'Arglwydd', a hynny'n gwbl briodol, oherwydd dyna wyf fi. [14]Os wyf fi, felly, a

minnau'n Arglwydd ac yn Athro, wedi golchi eich traed chwi, fe ddylech chwithau hefyd olchi traed eich gilydd. [15]Yr wyf wedi rhoi esiampl i chwi; yr ydych chwithau i wneud yn union fel yr wyf fi wedi gwneud i chwi. [16]Yn wir, yn wir, 'rwy'n dweud wrthych, nid yw gwas yn fwy na'i feistr, ac nid yw'r hwn a anfonwyd yn fwy na'r hwn a'i hanfonodd. [17]Os gwyddoch y pethau hyn, gwyn eich byd os gweithredwch arnynt. [18]Nid wyf yn siarad amdanoch i gyd. Yr wyf fi'n gwybod pwy a ddewisais. Ond y mae'n rhaid i'r Ysgrythur gael ei chyflawni: 'Y mae'r dyn sy'n bwyta fy mara i wedi codi ei sawdl yn f'erbyn.' [19]Yr wyf fi'n dweud wrthych yn awr, cyn i'r peth ddigwydd, er mwyn ichwi gredu, pan ddigwydd, mai myfi yw. [20]Yn wir, yn wir, 'rwy'n dweud wrthych, y mae'r sawl sy'n derbyn unrhyw un a anfonaf fi yn fy nerbyn i, ac y mae'r sawl sy'n fy nerbyn i yn derbyn yr hwn a'm hanfonodd i."

Iesu'n Rhagfynegi ei Fradychu
(Mth. 26:20-25; Mc. 14:17-21; Lc. 22:21-23)

21 Wedi iddo ddweud hyn, cynhyrfwyd ysbryd Iesu a thystiodd fel hyn: "Yn wir, yn wir, 'rwy'n dweud wrthych fod un ohonoch yn mynd i'm bradychu i." [22]Dechreuodd y disgyblion edrych ar ei gilydd, yn methu dyfalu am bwy yr oedd yn sôn. [23]Yr oedd un o'i ddisgyblion, yr un yr oedd Iesu'n ei garu, yn nesaf ato ef wrth y bwrdd. [24]A dyma Simon Pedr yn rhoi arwydd i hwn i holi Iesu am bwy yr oedd yn sôn. [25]A dyma'r disgybl hwnnw yn pwyso'n ôl ar fynwes Iesu ac yn gofyn iddo, "Pwy yw ef, Arglwydd?" [26]Atebodd Iesu, "Yr un y gwlychaf y tamaid yma o fara a'i roi iddo, hwnnw yw ef." Yna gwlychodd y tamaid a'i roi i Jwdas fab Simon Iscariot. [27]Ac yn dilyn ar hyn, aeth Satan i mewn i hwnnw. Meddai Iesu wrtho, "Yr hyn yr wyt yn ei wneud, brysia i'w gyflawni." [28]Nid oedd neb o'r cwmni wrth y bwrdd yn deall pam y dywedodd hynny wrtho. [29]Gan mai yng ngofal Jwdas yr oedd y god arian, tybiodd rhai fod Iesu wedi dweud wrtho, "Pryn y pethau y mae arnom eu heisiau at yr ŵyl", neu am roi rhodd i'r tlodion. [30]Yn union wedi cymryd y tamaid bara aeth Jwdas allan. Yr oedd hi'n nos.

[th]Neu, *hyd y diwedd*. [u]Yn ôl darlleniad arall, *angen ymolchi eto*.

Y Gorchymyn Newydd

31 Ar ôl i Jwdas fynd allan dywedodd Iesu, "Yn awr y mae Mab y Dyn wedi ei ogoneddu, a Duw wedi ei ogoneddu ynddo ef. ³²Ac os yw Duw wedi ei ogoneddu ynddo ef, bydd Duw yntau yn ei ogoneddu ef ynddo'i hun, ac yn ei ogoneddu ar unwaith. ³³Fy mhlant, am ychydig amser eto y byddaf gyda chwi; fe chwiliwch amdanaf, a'r hyn a ddywedais wrth yr Iddewon, yr wyf yn awr yn ei ddweud wrthych chwi hefyd, 'Ni allwch chwi ddod lle'r wyf fi'n mynd.' ³⁴Yr wyf yn rhoi i chwi orchymyn newydd: carwch eich gilydd. Fel y cerais i chwi, felly yr ydych chwithau i garu'ch gilydd. ³⁵Os bydd gennych gariad tuag at eich gilydd, wrth hynny bydd pawb yn gwybod mai disgyblion i mi ydych."

Rhagfynegi Gwadiad Pedr
(Mth. 26:31-35; Mc. 14:27-31; Lc. 22:31-34)

36 Meddai Simon Pedr wrtho, "Arglwydd, i ble'r wyt ti'n mynd?" Atebodd Iesu ef, "Lle'r wyf fi'n mynd, ni elli di ar hyn o bryd fy nghanlyn, ond fe fyddi'n fy nghanlyn maes o law." ³⁷"Arglwydd," gofynnodd Pedr iddo, "pam na allaf dy ganlyn yn awr? Fe roddaf fy einioes drosot." ³⁸Atebodd Iesu, "A roddi dy einioes drosof? Yn wir, yn wir, 'rwy'n dweud wrthyt, ni chân y ceiliog cyn iti fy ngwadu i dair gwaith.

Iesu, y Ffordd at y Tad

14 "Peidiwch â gadael i ddim gynhyrfu'ch calon. Credwch yn Nuw, a chredwch ynof finnau. ²Yn nhŷ fy Nhad y mae llawer o drigfannau; pe na byddai felly, a fyddwn i wedi dweud wrthych fy mod yn mynd i baratoi lle i chwi?ʷ ³Ac os af a pharatoi lle i chwi, fe ddof yn ôl, a'ch cymryd chwi ataf fy hun, er mwyn i chwithau fod lle'r wyf fi. ⁴Fe wyddoch y ffordd i'r lle'r wyf fi'n mynd.ʸ" ⁵Meddai Thomas wrtho, "Arglwydd, ni wyddom i ble'r wyt yn mynd. Sut y gallwn wybod y ffordd?" ⁶Dywedodd Iesu wrtho, "Myfi yw'r ffordd a'r gwirionedd a'r bywyd. Nid yw neb yn dod at y Tad ond trwof fi. ⁷Os ydych wedi

f'adnabod i, byddwchª yn adnabod y Tad hefyd. Yn wir, yr ydych bellach yn ei adnabod ef ac wedi ei weld ef." ⁸Meddai Philip wrtho, "Arglwydd, dangos i ni y Tad, a bydd hynny'n ddigon inni." ⁹Atebodd Iesu ef, "A wyf wedi bod gyda chwi cyhyd heb i ti fy adnabod, Philip? Y mae'r sawl sydd wedi fy ngweld i wedi gweld y Tad. Sut y medri di ddweud, 'Dangos i ni y Tad'? ¹⁰Onid wyt yn credu fy mod i yn y Tad, a'r Tad ynof fi? Y geiriau yr wyf fi'n eu dweud wrthych, nid ohonof fy hun yr wyf yn eu llefaru; y Tad sy'n aros ynof fi sydd yn gwneud ei weithredoedd ei hun. ¹¹Credwch fi pan ddywedaf fy mod i yn y Tad, a'r Tad ynof fi; neu ynteu credwch ar sail y gweithredoedd eu hunain. ¹²Yn wir, yn wir, 'rwy'n dweud wrthych, bydd yr hwn sy'n credu ynof fi yntau hefyd yn gwneud y gweithredoedd yr wyf fi'n eu gwneud; yn wir, bydd yn gwneud rhai mwy na'r rheini, oherwydd fy mod i'n mynd at y Tad. ¹³Beth bynnag a ofynnwch yn fy enw i, fe'i gwnaf, er mwyn i'r Tad gael ei ogoneddu yn y Mab. ¹⁴Os gofynnwch unrhyw beth i miᵇ yn fy enw i, fe'i gwnaf.

Addo'r Ysbryd

15 "Os ydych yn fy ngharu i, fe gadwch fy ngorchmynion i. ¹⁶Ac fe ofynnaf finnau i'm Tad, ac fe rydd ef i chwi Eiriolwrᶜ arall i fod gyda chwi am byth, ¹⁷Ysbryd y Gwirionedd. Ni all y byd ei dderbyn ef, am nad yw'r byd yn ei weld nac yn ei adnabod ef; yr ydych chwi yn ei adnabod, oherwydd gyda chwi y mae'n aros ac ynoch chwi y bydd. ¹⁸Ni adawaf chwi'n amddifad; fe ddof yn ôl atoch chwi. ¹⁹Ymhen ychydig amser, ni bydd y byd yn fy ngweld i ddim mwy, ond byddwch chwi'n fy ngweld, fy mod yn fyw; a byw fyddwch chwithau hefyd. ²⁰Yn y dydd hwnnw byddwch chwi'n gwybod fy mod i yn fy Nhad, a'ch bod chwi ynof fi, a minnau ynoch chwithau. ²¹Yr un y mae fy ngorchmynion i ganddo ac sy'n eu cadw hwy, hwnnw yw'r un sy'n fy ngharu i. A'r un sy'n fy ngharu i, fe'i cerir gan fy Nhad, ac fe'i caraf finnau ef, a'm hamlygu fy hun iddo." ²²Meddai Jwdas wrtho (nid Jwdas Iscariot), "Ar-

---

ʷNeu, felly, byddwn wedi dweud wrthych. Oherwydd yr wyf yn mynd i baratoi lle i chwi.
ʸYn ôl darlleniad arall, Fe wyddoch lle'r wyf fi'n mynd, ac fe wyddoch y ffordd yno.
ªYn ôl darlleniad arall, Pe byddech yn f'adnabod i, byddech.
ᵇYn ôl darlleniad arall gadewir allan i mi.
ᶜNeu, Gyfnerthwr; neu, Ddiddanydd. Felly hefyd yn 14:26; 15:26; a 16:7.

glwydd, beth sydd wedi digwydd i beri dy fod yn mynd i'th amlygu dy hun i ni, ac nid i'r byd?" ²³Atebodd Iesu ef: "Os yw dyn yn fy ngharu, bydd yn cadw fy ngair i, a bydd fy Nhad yn ei garu ef, ac fe ddown ato ef a gwneud ein trigfa gydag ef. ²⁴Nid yw'r dyn nad yw'n fy ngharu i yn cadw fy ngeiriau i. A'r gair hwn yr ydych chwi yn ei glywed, nid fy ngair i ydyw, ond gair y Tad a'm hanfonodd i. 25 "Yr wyf wedi dweud hyn wrthych tra wyf yn aros gyda chwi. ²⁶Ond bydd yr Eiriolwr, yr Ysbryd Glân, a anfona'r Tad yn fy enw i, yn dysgu popeth ichwi, ac yn dwyn ar gof ichwi y cwbl a ddywedais i wrthych. ²⁷Yr wyf yn gadael i chwi dangnefedd; yr wyf yn rhoi i chwi fy nhangnefedd i fy hun. Nid fel y mae'r byd yn rhoi yr wyf fi'n rhoi i chwi. Peidiwch â gadael i ddim gynhyrfu'ch calon, a pheidiwch ag ofni. ²⁸Clywsoch beth a ddywedais i wrthych, 'Yr wyf fi yn ymadael â chwi, ac fe ddof atoch chwi.' Pe baech yn fy ngharu i, byddech yn llawenhau fy mod yn mynd at y Tad, oherwydd y mae'r Tad yn fwy na mi. ²⁹Yr wyf fi wedi dweud wrthych yn awr, cyn i'r peth ddigwydd, er mwyn ichwi gredu pan ddigwydd. ³⁰Ni byddaf yn siarad llawer gyda chwi eto, oherwydd y mae Tywysog y byd hwn yn dod. Nid oes ganddo ddim gafael arnaf fi, ³¹ond rhaid i'r byd wybod fy mod i'n caru'r Tad ac yn gwneud yn union fel y mae'r Tad wedi gorchymyn imi. Codwch, ac awn oddi yma.

Iesu, y Wir Winwydden

15 "Myfi yw'r wir winwydden, a'm Tad yw'r gwinllannwr. ²Y mae ef yn torri i ffwrdd bob cangen ynof fi nad yw'n dwyn ffrwyth, ac yn glanhau pob un sydd yn dwyn ffrwyth, er mwyn iddi ddwyn mwy o ffrwyth. ³Yr ydych chwi eisoes yn lân trwy'r gair yr wyf wedi ei lefaru wrthych. ⁴Arhoswch ynof fi, a minnau ynoch chwi. Ni all y gangen ddwyn ffrwyth ohoni ei hun, heb iddi aros yn y winwydden; ac felly'n union ni allwch chwithau heb i chwi aros ynof fi. ⁵Myfi yw'r winwydden; chwi yw'r canghennau. Y mae'r hwn sydd yn aros ynof fi, a minnau ynddo ef, yn dwyn llawer o ffrwyth, oherwydd ar wahân i mi ni allwch wneud dim. ⁶Os na fydd dyn yn aros ynof fi, caiff ei daflu i ffwrdd fel y gangen ddiffrwyth, ac fe wywa; dyma'r canghennau a gesglir, i'w taflu i'r tân a'u

llosgi. ⁷Os arhoswch ynof fi, ac os erys fy ngeiriau ynoch chwi, gofynnwch am beth a fynnwch, ac fe'i rhoddir ichwi. ⁸Dyma sut y gogoneddir fy Nhad: trwy i chwi ddwyn llawer o ffrwyth a bod yn ddisgyblion i mi. ⁹Fel y mae'r Tad wedi fy ngharu i, yr wyf finnau wedi eich caru chwi. Arhoswch yn fy nghariad i. ¹⁰Os cadwch fy ngorchmynion fe arhoswch yn fy nghariad, yn union fel yr wyf fi wedi cadw gorchmynion fy Nhad, ac yr wyf yn aros yn ei gariad ef.

11 "Yr wyf wedi dweud hyn wrthych er mwyn i'm llawenydd i fod ynoch, ac i'ch llawenydd chwi fod yn gyflawn. ¹²Dyma fy ngorchymyn i: carwch eich gilydd fel y cerais i chwi. ¹³Nid oes gan neb gariad mwy na hyn, sef bod dyn yn rhoi ei einioes dros ei gyfeillion. ¹⁴Yr ydych chwi'n gyfeillion i mi os gwnewch yr hyn yr wyf fi'n ei orchymyn ichwi. ¹⁵Nid wyf mwyach yn eich galw yn weision, oherwydd nid yw'r gwas yn gwybod beth y mae ei feistr yn ei wneud. Yr wyf wedi eich galw yn gyfeillion, oherwydd yr wyf wedi gwneud yn hysbys i chwi bob peth a glywais gan fy Nhad. ¹⁶Nid chwi a'm dewisodd i, ond myfi a'ch dewisodd chwi, a'ch penodi i fynd allan a dwyn ffrwyth, ffrwyth sy'n aros. Ac yna, fe rydd y Tad i chwi beth bynnag a ofynnwch ganddo yn fy enw i. ¹⁷Dyma'r gorchymyn yr wyf yn ei roi i chwi: carwch eich gilydd.

Casineb y Byd

18 "Os yw'r byd yn eich casáu chwi, fe wyddoch ei fod wedi fy nghasáu i o'ch blaen chwi. ¹⁹Pe baech yn perthyn i'r byd, byddai'r byd yn caru'r eiddo'i hun. Ond gan nad ydych yn perthyn i'r byd, oherwydd i mi eich dewis chwi allan o'r byd, y mae'r byd yn eich casáu chwi. ²⁰Cofiwch y gair a ddywedais i wrthych: 'Nid yw gwas yn fwy na'i feistr.' Os erlidiasant fi, fe'ch erlidiant chwithau; os cadwasant fy ngair i, fe gadwant yr eiddoch chwithau. ²¹Fe wnânt hyn oll i chwi o achos fy enw i, am nad ydynt yn adnabod yr hwn a'm hanfonodd i. ²²Pe buaswn i heb ddod a llefaru wrthynt, ni buasai ganddynt bechod. Ond yn awr nid oes ganddynt esgus am eu pechod. ²³Y mae'r hwn sy'n fy nghasáu i casáu fy Nhad hefyd. ²⁴Pe buaswn i heb wneud gweithredoedd yn eu plith na wnaeth neb arall, ni buasai ganddynt bechod. Ond y

awr y maent wedi gweld, ac wedi casáu fy Nhad a minnau. ²⁵Ond rhaid oedd cyflawni'r gair sy'n ysgrifenedig yn eu Cyfraith hwy: 'Y maent wedi fy nghasáu heb achos.'

26 "Pan ddaw'r Eiriolwr a anfonaf fi atoch oddi wrth y Tad, sef Ysbryd y Gwirionedd, sy'n dod oddi wrth y Tad, bydd ef yn tystiolaethu amdanaf fi. ²⁷Ac yr ydych chwi hefyd yn tystiolaethu, am eich bod gyda mi o'r dechrau.

16 "Yr wyf wedi dweud y pethau hyn wrthych i'ch cadw rhag cwympo. ²Fe'ch torrant chwi allan o'r synagogau; yn wir y mae'r amser yn dod pan fydd pawb fydd yn eich lladd chwi yn meddwl ei fod yn offrymu gwasanaeth i Dduw. ³Fe wnânt hyn am nad ydynt wedi adnabod na'r Tad na myfi. ⁴Ond yr wyf wedi dweud y pethau hyn wrthych er mwyn ichwi gofio, pan ddaw'r amser iddynt ddigwydd, fy mod i wedi eu dweud wrthych.

Gwaith yr Ysbryd

"Ni ddywedais hyn wrthych o'r dechrau, oherwydd yr oeddwn i gyda chwi. ⁵Ond yn awr, yr wyf yn mynd at yr hwn a'm hanfonodd i, ac eto nid yw neb ohonoch yn gofyn i mi, 'Ble'r wyt ti'n mynd?' ⁶Ond am fy mod wedi dweud hyn wrthych, daeth tristwch i lenwi cich calon. ⁷Yr wyf fi'n dweud y gwir wrthych: y mae'n fuddiol i chwi fy mod i'n mynd ymaith. Oherwydd os nad af, ni ddaw'r Eiriolwr atoch chwi. Ond os af, fe'i hanfonaf ef atoch. ⁸A phan ddaw, fe argyhoedda ef y byd ynglŷn â phechod, a chyfiawnder, a barn; ⁹ynglŷn â phechod am nad ydynt yn credu ynof fi; ¹⁰ynglŷn â chyfiawnder oherwydd fy mod i'n mynd at y Tad, ac na chewch fy ngweld ddim mwy; ¹¹ynglŷn â barn am fod Tywysog y byd hwn wedi cael ei farnu.

12 "Y mae gennyf lawer eto i'w ddweud wrthych, ond ni allwch ddal y baich ar hyn o bryd. ¹³Ond pan ddaw ef, Ysbryd y Gwirionedd, fe'ch arwain chwi yn^{ch} yr holl wirionedd. Oherwydd nid ohono'i hun y bydd yn llefaru; ond yr hyn a glyw y bydd yn ei lefaru, a'r hyn sy'n dod y bydd yn ei fynegi i chwi. ¹⁴Bydd ef yn fy ngogoneddu i, oherwydd bydd yn cymryd o'r hyn sy'n eiddo i mi ac yn ei ynegi i chwi. ¹⁵Y mae pob peth sydd gan

y Tad yn eiddo i mi. Dyna pam y dywedais ei fod yn cymryd o'r hyn sy'n eiddo i mi ac yn ei fynegi i chwi.

Troi Tristwch yn Llawenydd

16 "Ymhen ychydig amser, ni byddwch yn fy ngweld i ddim mwy, ac ymhen ychydig wedyn, fe fyddwch yn fy ngweld." ¹⁷Yna meddai rhai o'i ddisgyblion wrth ei gilydd, "Beth yw hyn y mae'n ei ddweud wrthym, 'Ymhen ychydig amser, ni byddwch yn fy ngweld i, ac ymhen ychydig amser wedyn, fe fyddwch yn fy ngweld', ac 'Oherwydd fy mod i'n mynd at y Tad'? ¹⁸Beth," meddent, "yw'r 'ychydig amser' yma y mae'n sôn amdano? Nid ydym yn deall am beth y mae'n siarad." ¹⁹Sylweddolodd Iesu eu bod yn awyddus i'w holi, ac meddai wrthynt, "Ai dyma'r hyn yr ydych yn ei drafod gyda'ch gilydd, fy mod i wedi dweud, 'Ymhen ychydig amser, ni byddwch yn fy ngweld i, ac ymhen ychydig amser wedyn, fe fyddwch yn fy ngweld'? ²⁰Yn wir, yn wir, 'rwy'n dweud wrthych y byddwch chwi'n wylo a galaru, ac y bydd y byd yn llawenhau. Byddwch chwi'n drist, ond fe droir eich tristwch yn llawenydd. ²¹Y mae gwraig wrth esgor mewn poen, gan fod ei hamser wedi dod. Ond pan fydd y plentyn wedi ei eni, nid yw hi'n cofio'r gwewyr ddim mwy gan gymaint ei llawenydd fod dyn wedi ei eni i'r byd. ²²Felly chwithau, yr ydych yn awr mewn tristwch. Ond fe'ch gwelaf chwi eto, ac fe lawenha eich calon, ac ni chaiff neb ddwyn eich llawenydd oddi arnoch. ²³Y dydd hwnnw ni byddwch yn holi dim arnaf. Yn wir, yn wir, 'rwy'n dweud wrthych, beth bynnag a ofynnwch gan y Tad yn fy enw i, bydd ef yn ei roi ichwi. ²⁴Hyd yn hyn nid ydych wedi gofyn dim yn fy enw i. Gofynnwch, ac fe gewch, ac felly bydd eich llawenydd yn gyflawn.

Yr Wyf Fi wedi Gorchfygu'r Byd

25 "Yr wyf wedi dweud y pethau hyn wrthych ar ddamhegion. Y mae amser yn dod pan na fyddaf yn siarad wrthych ar ddamhegion ddim mwy, ond yn llefaru wrthych yn gwbl eglur am y Tad. ²⁶Yn y dydd hwnnw, byddwch yn gofyn yn fy enw i; nid wyf yn dweud wrthych y byddaf fi'n gweddïo ar y Tad drosoch chwi. ²⁷Oherwydd y mae'r Tad ei hun yn

Yn ôl darlleniad arall, at.

eich caru chwi, am i chwi fy ngharu i a chredu fy mod i wedi dod oddi wrth Dduw. ²⁸Deuthum oddi wrth y Tad, ac yr wyf wedi dod i'r byd; bellach yr wyf yn gadael y byd eto ac yn mynd at y Tad." ²⁹Meddai ei ddisgyblion ef, "Dyma ti yn awr yn siarad yn gwbl eglur; nid ar ddameg yr wyt yn llefaru mwyach. ³⁰Yn awr fe wyddom dy fod yn gwybod pob peth, ac nad oes arnat angen i neb dy holi. Dyna pam yr ydym yn credu dy fod wedi dod oddi wrth Dduw." ³¹Atebodd Iesu hwy, "A ydych yn credu yn awr? ³²Edrychwch, y mae amser yn dod, yn wir y mae wedi dod, pan gewch eich gwasgaru bob un i'w le ei hun, a'm gadael i ar fy mhen fy hun. Ac eto, nid wyf ar fy mhen fy hun, oherwydd y mae'r Tad gyda mi. ³³Yr wyf wedi dweud hyn wrthych er mwyn i chwi, ynof fi, gael tangnefedd. Yn y byd fe gewch orthrymder, ond codwch eich calon, yr wyf fi wedi gorchfygu'r byd."

Gweddi Iesu

17 Wedi iddo lefaru'r geiriau hyn, cododd Iesu ei lygaid i'r nef a dywedodd: "O Dad, y mae'r awr wedi dod. Gogonedda dy Fab, er mwyn i'r Mab dy ogoneddu di. ²Oherwydd rhoddaist iddo ef awdurdod ar bob dyn, awdurdod i roi bywyd tragwyddol i bawb yr wyt ti wedi eu rhoi iddo ef. ³A hyn yw bywyd tragwyddol: dy adnabod di, yr unig wir Dduw, a'r hwn a anfonaist ti, Iesu Grist. ⁴Yr wyf fi wedi dy ogoneddu ar y ddaear trwy orffen y gwaith a roddaist imi i'w wneud. ⁵Yn awr, O Dad, gogonedda di fyfi ger dy fron dy hun â'r gogoniant oedd i mi ger dy fron cyn bod y byd.

6 "Yr wyf wedi amlygu dy enw i'r dynion a roddaist imi allan o'r byd. Eiddot ti oeddent, ac fe'u rhoddaist i mi. Y maent wedi cadw dy air di. ⁷Y maent yn gwybod yn awr mai oddi wrthyt ti y mae popeth a roddaist i mi. ⁸Oherwydd yr wyf wedi rhoi iddynt hwy y geiriau a roddaist ti i mi, a hwythau wedi eu derbyn, a chanfod mewn gwirionedd mai oddi wrthyt ti y deuthum, a chredu mai ti a'm hanfonodd i. ⁹Drostynt hwy yr wyf fi'n gweddïo. Nid dros y byd yr wyf yn gweddïo, ond dros y rhai a roddaist imi, oherwydd eiddot ti ydynt. ¹⁰Y mae popeth sy'n eiddof fi yn eiddot ti, a'r eiddot ti yn eiddof fi. Ac yr wyf fi wedi fy

ngogoneddu ynddynt hwy. ¹¹Nid wyf fi mwyach yn y byd, ond y maent hwy yn y byd. Yr wyf fi'n dod atat ti. O Dad sanctaidd, cadw hwy'n ddiogel trwy dy enw, yr enw a roddaistᵈ i mi, er mwyn iddynt fod yn un fel yr ydym ni yn un. ¹²Pan oeddwn gyda hwy, yr oeddwn i'n eu cadw'n ddiogel trwy dy enw, yr enw a roddaist i mi. Gwyliais drostynt, ac ni chollwyd yr un ohonynt, ar wahân i fab colledigaeth, i'r Ysgrythur gael ei chyflawni. ¹³Ond yn awr yr wyf yn dod atat ti, ac yr wyf yn llefaru'r geiriau hyn yn y byd er mwyn i'm llawenydd i fod ganddynt yn gyflawn ynddynt hwy eu hunain. ¹⁴Yr wyf fi wedi rhoi iddynt dy air di, ac y mae'r byd wedi eu casáu hwy, am nad ydynt yn perthyn i'r byd, fel nad wyf finnau'n perthyn i'r byd. ¹⁵Nid wyf yn gweddïo ar i ti eu cymryd allan o'r byd, ond ar i ti eu cadw'n ddiogel rhag yr Un drwg. ¹⁶Nid ydynt yn perthyn i'r byd, fel nad wyf finnau'n perthyn i'r byd. ¹⁷Cysegra hwy yn y gwirionedd. Dy air di yw'r gwirionedd. ¹⁸Fel yr anfonaist ti fi i'r byd, yr wyf fi'n eu hanfon hwy i'r byd. ¹⁹Ac er eu mwyn hwy yr wyf fi'n fy nghysegru fy hun, er mwyn iddynt hwythau fod wedi eu cysegru yn y gwirionedd.

20 "Ond nid dros y rhain yn unig yr wyf yn gweddïo, ond hefyd dros y rhai fydd yn credu ynof fi trwy eu gair hwy. ²¹'Rwy'n gweddïo ar iddynt oll fod yn un, ie, fel yr wyt ti, O Dad, ynof fi a minnau ynot ti, iddynt hwy hefyd fod ynom ni, er mwyn i'r byd gredu mai tydi a'm hanfonodd i. ²²Yr wyf fi wedi rhoi iddynt hwy y gogoniant a roddaist ti i mi, er mwyn iddynt fod yn un fel yr ydym ni yn un: ²³myfi ynddynt hwy, a thydi ynof fi, a hwythau felly wedi eu dwyn i undod perffaith, er mwyn i'r byd wybod mai tydi a'm hanfonodd i, ac i ti eu caru hwy fel y ceraist fi. ²⁴O Dad, am y rhai yr wyt ti wedi eu rhoi i mi, fy nymuniad yw iddynt hwy fod gyda mi lle'r wyf fi, er mwyn iddynt weld fy ngogoniant, y gogoniant a roddaist i mi oherwydd i ti fy ngharu cyn seilio'r byd. ²⁵O Dad cyfiawn, nid yw'r byd yn dy adnabod, ond yr wyf fi'n dy adnabod, ac y mae'r rhain yn gwybod mai tydi a'm hanfonodd i. ²⁶Yr wyf wedi gwneud dy enw di yn hysbys iddynt, ac fe wnaf hynny eto, er mwyn i'r cariad â'r hwn yr wyt wedi fy ngharu i fod ynddyn hwy, ac i minnau fod ynddynt hwy."

ᵈYn ôl darlleniad arall, *y rhai a roddaist.* Felly hefyd yn adn. 12.

Bradychu a Dal Iesu
(Mth. 26:47-56; Mc. 14:43-50;
Lc. 22:47-53)

18 Wedi iddo ddweud hyn, aeth Iesu allan gyda'i ddisgyblion a chroesi nant Cidron. Yr oedd gardd yno, ac iddi hi yr aeth ef a'i ddisgyblion. ²Yr oedd Jwdas hefyd, ei fradychwr, yn gwybod am y lle, oherwydd yr oedd Iesu lawer gwaith wedi cyfarfod â'i ddisgyblion yno. ³Cymerodd Jwdas felly fintai o filwyr, a swyddogion oddi wrth y prif offeiriaid a'r Phariseaid, ac aeth yno gyda llusernau a ffaglau ac arfau. ⁴Gan fod Iesu'n gwybod pob peth oedd ar fin digwydd iddo, aeth allan atynt a gofyn, "Pwy yr ydych yn ei geisio?" ⁵Atebasant ef, "Iesu o Nasareth." "Myfi yw," meddai yntau wrthynt. Ac yr oedd Jwdas, ei fradychwr, yn sefyll yno gyda hwy. ⁶Pan ddywedodd Iesu wrthynt, "Myfi yw", ciliasant yn ôl a syrthio i'r llawr. ⁷Felly gofynnodd iddynt eilwaith, "Pwy yr ydych yn ei geisio?" "Iesu o Nasareth," meddent hwythau. ⁸Atebodd Iesu, "Dywedais wrthych mai myfi yw. Os myfi yr ydych yn ei geisio, gadewch i'r rhain fynd." ⁹Felly cyflawnwyd y gair yr oedd wedi ei lefaru: "Ni chollais yr un o'r rhai a roddaist imi." ¹⁰Yna tynnodd Simon Pedr y cleddyf oedd ganddo, a tharo gwas yr archoffeiriad a thorri ei glust dde i ffwrdd. Enw'r gwas oedd Malchus. ¹¹Ac meddai Iesu wrth Pedr, "Rho dy gleddyf yn ôl yn y wain. Onid wyf am yfed y cwpan y mae'r Tad wedi ei roi imi?"

Iesu gerbron yr Archoffeiriad
(Mth. 26:57-58; Mc. 14:53-54; Lc. 22:54)

12 Yna cymerodd y fintai a'i chapten, a swyddogion yr Iddewon, afael yn Iesu a'i rwymo. ¹³Aethant ag ef at Annas yn gyntaf. Ef oedd tad-yng-nghyfraith Caiaffas, a oedd yn archoffeiriad y flwyddyn honno. ¹⁴Caiaffas oedd y dyn a gynghorodd yr Iddewon mai mantais fyddai i un dyn farw dros y bobl.

Pedr yn Gwadu Iesu
(Mth. 26:69-70; Mc. 14:66-68; Lc. 22:55-57)

15 Yr oedd Simon Pedr yn canlyn Iesu, a disgybl arall hefyd. Yr oedd y disgybl hwn yn adnabyddus i'r archoffeiriad, ac fe aeth i mewn gyda Iesu i gyntedd yr archoffeiriad, ¹⁶ond safodd Pedr wrth y drws y tu allan. Felly aeth y disgybl arall,

yr un oedd yn adnabyddus i'r archoffeiriad, allan a siarad â'r forwyn oedd yn cadw'r drws, a daeth â Pedr i mewn. ¹⁷A dyma'r forwyn oedd yn cadw'r drws yn dweud wrth Pedr, "Tybed a wyt tithau'n un o ddisgyblion y dyn yma?" "Nac ydwyf," atebodd yntau. ¹⁸A chan ei bod yn oer, yr oedd y gweision a'r swyddogion wedi gwneud tân golosg, ac yr oeddent yn sefyll yn ymdwymo wrtho. Ac yr oedd Pedr yntau yn sefyll gyda hwy yn ymdwymo.

Yr Archoffeiriad yn Holi Iesu
(Mth. 26:59-66; Mc. 14:55-64; Lc. 22:66-71)

19 Yna holodd yr archoffeiriad Iesu am ei ddisgyblion ac am ei ddysgeidiaeth. ²⁰Atebodd Iesu ef: "Yr wyf fi wedi siarad yn agored wrth y byd. Yr oeddwn i bob amser yn dysgu yn y synagog ac yn y deml, lle y bydd yr Iddewon i gyd yn ymgynnull; nid wyf wedi siarad dim yn y dirgel. ²¹Pam yr wyt yn fy holi i? Hola'r rhai sydd wedi clywed yr hyn a leferais wrthynt. Dyma'r sawl sy'n gwybod beth a ddywedais i." ²²Pan ddywedodd hyn, rhoddodd un o'r swyddogion oedd yn sefyll yn ymyl gernod i Iesu, gan ddweud, "Ai felly yr wyt yn ateb yr archoffeiriad?" ²³Atebodd Iesu, "Os dywedais rywbeth o'i le, rho dystiolaeth ynglŷn â hynny. Ond os oeddwn yn fy lle, pam yr wyt yn fy nharo?" ²⁴Yna anfonodd Annas ef, wedi ei rwymo, at Caiaffas, yr archoffeiriad.

Pedr yn Gwadu Iesu Eto
(Mth. 26:71-75; Mc. 14:69-72; Lc. 22:58-62)

25 Yr oedd Simon Pedr yn sefyll yno yn ymdwymo. Meddent wrtho felly, "Tybed a wyt tithau'n un o'i ddisgyblion?" Gwadodd yntau: "Nac ydwyf," meddai. ²⁶Dyma un o weision yr archoffeiriad, perthynas i'r un y torrodd Pedr ei glust i ffwrdd, yn gofyn iddo, "Oni welais i di yn yr ardd gydag ef?" ²⁷Yna gwadodd Pedr eto. Ac ar hynny, canodd y ceiliog.

Iesu gerbron Pilat
(Mth. 27:1-2,11-14; Mc. 15:1-5; Lc. 23:1-5)

28 Aethant â Iesu oddi wrth Caiaffas i'r Praetoriwm. Yr oedd yn fore. Nid aeth yr Iddewon eu hunain i mewn i'r Praetor-

iwm, rhag iddynt gael eu halogi, er mwyn gallu bwyta gwledd y Pasg. ²⁹Am hynny, daeth Pilat allan atynt hwy, ac meddai, "Beth yw'r cyhuddiad yr ydych yn ei ddwyn yn erbyn y dyn hwn?" ³⁰Atebasant ef, "Oni bai fod hwn yn droseddwr, ni buasem wedi ei drosglwyddo i ti." ³¹Yna dywedodd Pilat wrthynt, "Cymerwch chwi ef, a barnwch ef yn ôl eich Cyfraith eich hunain." Meddai'r Iddewon wrtho, "Nid yw'n gyfreithlon i ni roi neb i farwolaeth." ³²Felly cyflawnwyd y gair yr oedd Iesu wedi ei lefaru i ddangos beth fyddai dull y farwolaeth oedd yn ei aros. ³³Yna, aeth Pilat i mewn i'r Praetoriwm eto. Galwodd Iesu, ac meddai wrtho, "Ai ti yw Brenin yr Iddewon?" ³⁴Atebodd Iesu, "Ai ohonot dy hun yr wyt ti'n dweud hyn, ai ynteu eraill a ddywedodd hyn wrthyt amdanaf fi?" ³⁵Atebodd Pilat, "Ai Iddew wyf fi? Dy genedl dy hun a'i phrif offeiriaid sydd wedi dy drosglwyddo di i mi. Beth wnaethost ti?" ³⁶Atebodd Iesu, "Nid yw fy nheyrnas i o'r byd hwn. Pe bai fy nheyrnas i o'r byd hwn, byddai fy ngwasanaethwyr i yn ymladd, rhag imi gael fy nhrosglwyddo i'r Iddewon. Ond y gwir yw, nid dyma darddle fy nheyrnas i." ³⁷Yna meddai Pilat wrtho, "Yr wyt ti yn frenin, ynteu?" "Ti sy'n dweud fy mod yn frenin," atebodd Iesu. "Er mwyn hyn yr wyf fi wedi cael fy ngeni, ac er mwyn hyn y deuthum i'r byd, i dystiolaethu i'r gwirionedd. Y mae pawb sy'n perthyn i'r gwirionedd yn gwrando ar fy llais i." ³⁸Meddai Pilat wrtho, "Beth yw gwirionedd?"

Dedfrydu Iesu i Farwolaeth
(Mth. 27:15-31; Mc. 15:6-20; Lc. 23:13-25)

Wedi iddo ddweud hyn, daeth allan eto at yr Iddewon ac meddai wrthynt, "Nid wyf fi'n cael unrhyw achos yn ei erbyn. ³⁹Ond y mae'n arfer gennych i mi ryddhau un carcharor ichwi ar y Pasg. A ydych yn dymuno, felly, imi ryddhau ichwi Frenin yr Iddewon?" ⁴⁰Yna gwaeddasant yn ôl, "Na, nid hwnnw, ond Barabbas." Lleidr oedd Barabbas.

19 Yna cymerodd Pilat Iesu, a'i fflangellu. ²A phlethodd y milwyr goron o ddrain a'i gosod ar ei ben ef, a rhoi mantell borffor amdano. ³Ac yr oeddent yn dod ato ac yn dweud, "Henffych well, Frenin yr Iddewon!", ac yn ei gernodio. ⁴Daeth Pilat allan eto, ac meddai wrthynt, "Edrychwch, 'rwy'n dod ag ef allan atoch, er mwyn ichwi wybod nad wyf yn cael unrhyw achos yn ei erbyn." ⁵Daeth Iesu allan, felly, yn gwisgo'r goron ddrain a'r fantell borffor. A dywedodd Pilat wrthynt, "Dyma'r dyn." ⁶Pan welodd y prif offeiriaid a'r swyddogion ef, gwaeddasant, "Croeshoelia, croeshoelia." "Cymerwch ef eich hunain a chroeshoeliwch," meddai Pilat wrthynt, "oherwydd nid wyf fi'n cael achos yn ei erbyn." ⁷Atebodd yr Iddewon ef, "Y mae gennym ni Gyfraith, ac yn ôl y Gyfraith honno fe ddylai farw, oherwydd fe'i gwnaeth ei hun yn Fab Duw."

8 Pan glywodd Pilat y gair hwn, ofnodd yn fwy byth. ⁹Aeth yn ei ôl i mewn i'r Praetoriwm, a gofynnodd i Iesu, "O ble'r wyt ti'n dod?" Ond ni roddodd Iesu ateb iddo. ¹⁰Dyma Pilat felly yn gofyn iddo, "Onid wyt ti am siarad â mi? Oni wyddost fod gennyf awdurdod i'th ryddhau di, a bod gennyf awdurdod hefyd i'th groeshoelio di?" ¹¹Atebodd Iesu ef, "Ni fyddai gennyt ddim awdurdod arnaf fi oni bai ei fod wedi ei roi iti oddi uchod. Gan hynny, y mae'r hwn a'm trosglwyddodd i ti yn euog o bechod mwy." ¹²O hyn allan, ceisiodd Pilat ei ryddhau ef. Ond gwaeddodd yr Iddewon: "Os wyt yn rhyddhau'r dyn hwn, nid wyt yn gyfaill i Gesar. Y mae pob un sy'n ei wneud ei hun yn frenin yn gwrthryfela yn erbyn Cesar."

13 Pan glywodd Pilat y geiriau hyn, daeth â Iesu allan, ac eisteddodd ar y brawdle yn y lle a elwir Y Palmant (yn iaith yr Iddewon, Gabbatha). ¹⁴Dydd Paratoad y Pasg oedd hi, tua hanner dydd. A dywedodd Pilat wrth yr Iddewon, "Dyma eich brenin." ¹⁵Gwaeddasant hwythau, "Ymaith ag ef, ymaith ag ef, croeshoelia ef." Meddai Pilat wrthynt, "A wyf i groeshoelio eich brenin chwi?" Atebodd y prif offeiriaid, "Nid oes gennym frenin ond Cesar." ¹⁶Yna traddododd Pilat Iesu iddynt i'w groeshoelio.

Croeshoelio Iesu
(Mth. 27:32-44; Mc. 15:21-32; Lc. 23:26-43)

Felly cymerasant Iesu. ¹⁷Ac aeth allan, gan gario'i groes ei hun, i'r man a elwir Lle Penglog (yn iaith yr Iddewon fe'i gelwir Golgotha). ¹⁸Yno croeshoeliasant ef, a dau arall gydag ef, un ar bob ochr a Iesu yn y canol. [19]Ysgrifennodd Pilat deitl, a'i osod ar y groes; dyma'r hyn a ysgrifennwyd: "Iesu o Nasareth, Brenin yr Iddewon." [20]Darllenodd llawer o'r Iddewon y teitl hwn, oherwydd yr oedd y fan lle croeshoeliwyd Iesu yn agos i'r ddinas. Yr oedd y teitl wedi ei ysgrifennu yn iaith yr Iddewon, ac mewn Lladin a Groeg. [21]Yna meddai prif offeiriaid yr Iddewon wrth Pilat, "Paid ag ysgrifennu, 'Brenin yr Iddewon', ond yn hytrach, 'Dywedodd ef, "Brenin yr Iddewon wyf fi."'" [22]Atebodd Pilat, "Yr hyn a ysgrifennais a ysgrifennais."

23 Wedi iddynt groeshoelio Iesu, cymerodd y milwyr ei ddillad ef a'u rhannu'n bedair rhan, un i bob milwr. Cymerasant ei got hefyd; yr oedd hon yn ddiwnïad, wedi ei gweu o'r pen yn un darn. [24]"Peidiwn â'i rhwygo hi," meddai'r milwyr wrth ei gilydd, "gadewch inni fwrw coelbren amdani, i benderfynu pwy gaiff hi." Felly cyflawnwyd yr Ysgrythur sy'n dweud:
"Rhanasant fy nillad yn eu mysg,
a bwrw coelbren ar fy ngwisg."
Felly y gwnaeth y milwyr. [25]Ond yn ymyl croes Iesu yr oedd ei fam ef yn sefyll gyda'i chwaer, Mair gwraig Clopas, a Mair Magdalen. [26]Pan welodd Iesu ei fam, felly, a'r disgybl yr oedd yn ei garu yn sefyll yn ei hymyl, meddai wrth ei fam, "Wraig, dyma dy fab di." [27]Yna dywedodd wrth y disgybl, "Dyma dy fam di." Ac o'r awr honno, cymerodd y disgybl hi i mewn i'w gartref.

Marwolaeth Iesu
(Mth. 27:45-56; Mc. 15:33-41; Lc. 23:44-49)

28 Ar ôl hyn yr oedd Iesu'n gwybod bod pob peth bellach wedi ei orffen, ac er mwyn i'r Ysgrythur gael ei chyflawni dywedodd, "Y mae arnaf syched." [29]Yr oedd llestr ar lawr yno, yn llawn o win sur, a dyma hwy'n dodi ysbwng, wedi ei lenwi â'r gwin yma, ar ddarn o isop, a'i godi at ei wefusau. [30]Yna, wedi iddo gymryd y gwin, dywedodd Iesu, "Gorffennwyd." Gwyrodd ei ben, a rhoi i fyny ei ysbryd.

Trywanu Ystlys Iesu

31 Yna, gan ei bod yn ddydd Paratoad, gofynnodd yr Iddewon i Pilat am gael torri coesau'r rhai a groeshoeliwyd, a chymryd y cyrff i lawr, rhag iddynt ddal i fod ar y groes ar y Saboth, oherwydd yr oedd y Saboth hwnnw'n uchel-ŵyl. [32]Felly daeth y milwyr, a thorri coesau'r naill a'r llall a groeshoeliwyd gyda Iesu. [33]Ond pan ddaethant at Iesu a gweld ei fod ef eisoes yn farw, ni thorasant ei goesau. [34]Ond fe drywanodd un o'r milwyr ei ystlys ef â phicell, ac ar unwaith dyma waed a dŵr yn llifo allan. [35]Y mae'r un a welodd y peth wedi dwyn tystiolaeth i hyn, ac y mae ei dystiolaeth ef yn wir. Y mae hwnnw'n gwybod ei fod yn dweud y gwir, a gallwch chwithau felly gredu. [36]Digwyddodd hyn er mwyn i'r Ysgrythur gael ei chyflawni: "Ni thorrir asgwrn ohono." [37]Ac y mae'r Ysgrythur hefyd yn dweud mewn lle arall: "Edrychant ar yr hwn a drywanwyd ganddynt."

Claddu Iesu
(Mth. 27:57-61; Mc. 15:42-47; Lc. 23:50-56)

38 Ar ôl hyn, gofynnodd Joseff o Arimathea ganiatâd gan Pilat i gymryd corff Iesu i lawr. Yr oedd Joseff yn ddisgybl i Iesu, ond yn ddisgybl cudd, gan fod ofn yr Iddewon arno. Rhoddodd Pilat ganiatâd, ac felly aeth Joseff i gymryd y corff i lawr. [39]Aeth Nicodemus hefyd, y dyn oedd wedi dod at Iesu y tro cyntaf liw nos, a daeth ef â thua chan pwys o fyrr ac aloes yn gymysg. [40]Cymerasant gorff Iesu, a'i rwymo, ynghyd â'r peraroglau, mewn llieiniau, yn unol ag arferion claddu'r Iddewon. [41]Yn y fan lle croeshoeliwyd ef yr oedd gardd, ac yn yr ardd yr oedd bedd newydd nad oedd neb erioed wedi ei roi i orwedd ynddo. [42]Felly, gan ei bod yn ddydd Paratoad i'r Iddewon, a chan fod y bedd hwn yn ymyl, rhoesant Iesu i orwedd ynddo.

Atgyfodiad Iesu
(Mth. 28:1-10; Mc. 16:1-8; Lc. 24:1-12)

20 Ar y dydd cyntaf o'r wythnos, yn fore, tra oedd hi eto'n dywyll, dyma Mair Magdalen yn dod at y bedd, ac yn gweld bod y maen wedi ei dynnu oddi wrth y bedd. [2]Rhedodd, felly, nes dod at Simon Pedr a'r disgybl arall, yr un yr oedd Iesu'n ei garu. Ac meddai wrthynt, "Y maent wedi cymryd yr Arglwydd allan o'r bedd, ac ni wyddom lle y maent wedi ei roi i orwedd." [3]Yna cychwynnodd Pedr a'r disgybl arall allan, a mynd at y bedd. [4]Yr oedd y ddau'n cydredeg, ond rhedodd y disgybl arall ymlaen yn gynt na Pedr, a chyrraedd y bedd yn gyntaf. [5]Plygodd i edrych, a gwelodd y llieiniau yn gorwedd yno, ond nid aeth i mewn. [6]Yna daeth Simon Pedr ar ei ôl, a mynd i mewn i'r bedd. Gwelodd y llieiniau yn gorwedd yno, [7]a hefyd y cadach oedd wedi bod am ei ben ef; nid oedd hwn yn gorwedd gyda'r llieiniau, ond ar wahân, wedi ei blygu ynghyd. [8]Yna aeth y disgybl arall, y cyntaf i ddod at y bedd, yntau i mewn. Gwelodd, ac fe gredodd. [9]Oherwydd nid oeddent eto wedi deall yr hyn a ddywed yr Ysgrythur, fod yn rhaid iddo atgyfodi oddi wrth y meirw. [10]Yna aeth y disgyblion yn ôl adref.

Iesu'n Ymddangos i Fair Magdalen
(Mc. 16:9-11)

11 Ond yr oedd Mair yn dal i sefyll y tu allan i'r bedd, yn wylo. Wrth iddi wylo felly, plygodd i edrych i mewn i'r bedd, [12]a gwelodd ddau angel mewn dillad gwyn yn eistedd lle'r oedd corff Iesu wedi bod yn gorwedd, un wrth y pen a'r llall wrth y traed. [13]Ac meddai'r rhain wrthi, "Wraig, pam yr wyt ti'n wylo?" Atebodd hwy, "Y maent wedi cymryd fy Arglwydd i ffwrdd, ac ni wn i lle y maent wedi ei roi i orwedd." [14]Wedi iddi ddweud hyn, troes yn ei hôl, a gwelodd Iesu yn sefyll yno, ond heb sylweddoli mai Iesu ydoedd. [15]"Wraig," meddai Iesu wrthi, "pam yr wyt ti'n wylo? Pwy yr wyt yn ei geisio?" Gan feddwl mai'r garddwr ydoedd, dywedodd hithau wrtho, "Os mai ti, syr, a'i cymerodd ef, dywed wrthyf lle y rhoddaist ef i orwedd, ac fe'i cymeraf fi ef i'm gofal." [16]Meddai Iesu wrthi, "Mair." Troes hithau, ac meddai wrtho yn iaith yr Iddewon, "Rabbwni" (hynny yw, Athro). [17]Meddai Iesu wrthi, "Paid â glynu wrthyf, oherwydd nid wyf eto wedi esgyn at y Tad. Ond dos at fy mrodyr, a dywed wrthynt, 'Yr wyf yn esgyn at fy Nhad i a'ch Tad chwi, fy Nuw i a'ch Duw chwi.'" [18]Ac aeth Mair Magdalen i gyhoeddi'r newydd i'r disgyblion. "Yr wyf wedi gweld yr Arglwydd," meddai, ac eglurodd ei fod wedi dweud y geiriau hyn wrthi.

Iesu'n Ymddangos i'r Disgyblion
(Mth. 28:16-20; Mc. 16:14-18; Lc. 24:36-49)

19 Gyda'r nos ar y dydd cyntaf hwnnw

[dd]Yn ôl darlleniad atall, *i chwi barhau i gredu*.

o'r wythnos, yr oedd y drysau wedi eu cloi lle'r oedd y disgyblion, oherwydd eu bod yn ofni'r Iddewon. A dyma Iesu'n dod ac yn sefyll yn eu canol, ac yn dweud wrthynt, "Tangnefedd i chwi!" [20]Wedi dweud hyn, dangosodd ei ddwylo a'i ystlys iddynt. Pan welsant yr Arglwydd, llawenychodd y disgyblion. [21]Meddai Iesu wrthynt eilwaith, "Tangnefedd i chwi! Fel y mae'r Tad wedi fy anfon i, yr wyf fi hefyd yn eich anfon chwi." [22]Ac wedi dweud hyn, anadlodd arnynt a dweud: "Derbyniwch yr Ysbryd Glân. [23]Os maddeuwch bechodau rhywun, y maent wedi eu maddau iddo; os peidiwch â'u maddau, y maent heb eu maddau."

Anghrediniaeth Thomas

24 Nid oedd Thomas, a elwir Didymus, un o'r Deuddeg, gyda hwy pan ddaeth Iesu atynt. [25]Ac felly dywedodd y disgyblion eraill wrtho, "Yr ydym wedi gweld yr Arglwydd." Ond meddai ef wrthynt, "Os na welaf ôl yr hoelion yn ei ddwylo, a rhoi fy mys yn ôl yr hoelion, a'm llaw yn ei ystlys, ni chredaf fi byth." [26]Ac ymhen wythnos, yr oedd y disgyblion unwaith eto yn y tŷ, a Thomas gyda hwy. A dyma Iesu'n dod, er bod y drysau wedi eu cloi, ac yn sefyll yn y canol a dweud, "Tangnefedd i chwi!" [27]Yna meddai wrth Thomas, "Estyn dy fys yma. Edrych ar fy nwylo. Estyn dy law a'i rhoi yn fy ystlys. A phaid â bod yn anghredadun, bydd yn gredadun." [28]Atebodd Thomas ef, "Fy Arglwydd a'm Duw!" [29]Dywedodd Iesu wrtho, "Ai am i ti fy ngweld i yr wyt ti wedi credu? Gwyn eu byd y rhai a gredodd heb iddynt weld."

Amcan y Llyfr

30 Yr oedd llawer o arwyddion eraill, yn wir, a wnaeth Iesu yng ngŵydd ei ddisgyblion, nad ydynt wedi eu cofnodi yn y llyfr hwn. [31]Ond y mae'r rhain wedi eu cofnodi er mwyn i chwi gredu[dd] mai Iesu yw'r Meseia, Mab Duw, ac er mwyn i chwi trwy gredu gael bywyd yn ei enw ef.

Iesu'n Ymddangos i'r Saith Disgybl

21 Ar ôl hyn, amlygodd Iesu ei hun unwaith eto i'w ddisgyblion, ar lan Môr Tiberias. A dyma sut y gwnaeth hynny. [2]Yr oedd Simon Pedr, a Thomas, a elwir Didymus, a Nathanael o Gana Galilea, a meibion Sebedeus, a dau arall o'i ddisgyblion, i gyd gyda'i gilydd. ³A dyma Simon Pedr yn dweud wrth y lleill, '"Rwy'n mynd i bysgota." Atebasant ef, '"Rydym ninnau yn dod gyda thi." Aethant allan, a mynd i mewn i'r cwch. Ond ni ddaliasant ddim y noson honno. ⁴Pan ddaeth y bore, safodd Iesu ar y traeth, ond nid oedd y disgyblion yn gwybod mai Iesu ydoedd. ⁵Dyma Iesu felly'n gofyn iddynt, '"Does gennych ddim pysgod, fechgyn?" "Nac oes," atebasant ef. ⁶Meddai yntau wrthynt, "Bwriwch y rhwyd i'r ochr dde i'r cwch, ac fe gewch helfa." Gwnaethant felly, ac ni allent dynnu'r rhwyd i mewn gan gymaint y pysgod oedd ynddi. ⁷A dyma'r disgybl hwnnw yr oedd Iesu'n ei garu yn dweud wrth Pedr, "Yr Arglwydd yw." Yna, pan glywodd Simon Pedr mai'r Arglwydd ydoedd, clymodd ei wisg uchaf amdano (oherwydd yr oedd wedi tynnu ei ddillad), a neidiodd i mewn i'r môr. ⁸Daeth y disgyblion eraill yn y cwch, gan lusgo'r rhwyd yn llawn o bysgod; nid oeddent ymhell o'r lan, dim ond rhyw gan llath. ⁹Wedi iddynt lanio, gwelsant dân golosg wedi ei wneud, a physgod arno, a bara. ¹⁰Meddai Iesu wrthynt, "Dewch â rhai o'r pysgod yr ydych newydd eu dal." ¹¹Dringodd Simon Pedr i'r cwch, a thynnu'r rhwyd i'r lan yn llawn o bysgod braf, cant pum deg a thri ohonynt. Ac er bod cymaint ohonynt, ni thorrodd y rhwyd. ¹²"Dewch," meddai Iesu wrthynt, "cymerwch frecwast." Ond nid oedd neb o'r disgyblion yn beiddio gofyn iddo, "Pwy wyt ti?" Yr oeddent yn gwybod mai ŷr Arglwydd ydoedd. ¹³Daeth Iesu atynt, a chymerodd y bara a'i roi iddynt, a'r pysgod yr un modd. ¹⁴Dyma, yn awr, y drydedd waith i Iesu ymddangos i'w ddisgyblion ar ôl iddo gael ei gyfodi oddi wrth y meirw.

Portha Fy Nefaid

15 Yna, wedi iddynt gael brecwast, gofynnodd Iesu i Simon Pedr, "Simon fab Ioan, a wyt ti'n fy ngharu i yn fwy na'r rhain?" Atebodd ef, "Ydwyf, Arglwydd, fe wyddost ti fy mod yn dy garu dic." Meddai Iesu wrtho, "Portha fy ŵyn." ¹⁶Wedyn gofynnodd iddo yr ail waith, "Simon fab Ioan, a wyt ti'n fy ngharu i?" "Ydwyf, Arglwydd," meddai Pedr wrtho, "fe wyddost ti fy mod yn dy garu di." Meddai Iesu wrtho, "Bugeilia fy nefaid." ¹⁷Gofynnodd iddo y drydedd waith, "Simon fab Ioan, a wyt ti'n fy ngharu i?" Aeth Pedr yn drist am ei fod wedi gofyn iddo y drydedd waith, "A wyt ti'n fy ngharu i?" Ac meddai wrtho, "Arglwydd, fe wyddost ti bob peth, ac 'rwyt yn gwybod fy mod yn dy garu di." Dywedodd Iesu wrtho, "Portha fy nefaid. ¹⁸Yn wir, yn wir, 'rwy'n dweud wrthyt, pan oeddit yn ifanc, yr oeddit yn dy wregysu dy hunan, ac yn mynd lle bynnag y mynnit. Ond pan fyddi'n hen, byddi'n estyn dy ddwylo i rywun arall dy wregysu, a mynd â thi lle nad wyt yn mynnu." ¹⁹Dywedodd hyn i ddangos beth fyddai dull y farwolaeth yr oedd Pedr i ogoneddu Duw trwyddi. Ac wedi iddo ddweud hyn, meddai wrth Pedr, "Canlyn fi."

Y Disgybl Annwyl

20 Trodd Pedr, a gwelodd y disgybl yr oedd Iesu'n ei garu yn eu canlyn—yr un oedd wedi pwyso'n ôl ar fynwes Iesu yn ystod y swper, ac wedi gofyn iddo, "Arglwydd, pwy yw'r un sy'n mynd i'th fradychu di?" ²¹Pan welodd Pedr hwn, felly, gofynnodd i Iesu, "Arglwydd, beth am hwn?" ²²Atebodd Iesu ef, "Os byddaf yn dymuno iddo ef aros hyd nes y dof fi, beth yw hynny i ti? Canlyn di fi." ²³Aeth y gair yma ar led ymhlith y brodyr, a thybiwyd nad oedd y disgybl hwnnw i farw. Ond ni ddywedodd Iesu wrtho nad oedd i farw, ond, "Os byddaf yn dymuno iddo aros hyd nes y dof fi, beth yw hynny i ti?"

24 Hwn yw'r disgybl sydd yn tystiolaethu am y pethau hyn, ac sydd wedi ysgrifennu'r pethau hyn. Ac fe wyddom ni fod ei dystiolaeth ef yn wir.

25 Y mae hefyd lawer o bethau eraill a wnaeth Iesu. Petai pob un o'r rhain yn cael ei gofnodi, ni byddai'r byd, i'm tyb i, yn ddigon mawr i ddal y llyfrau fyddai'n cael eu hysgrifennu. ᶠᶠ

ᶜNeu, *yn gyfaill i ti.* Felly hefyd yn adn. 16 a 17.
ᶠNeu, *A wyt ti'n gyfaill i mi?* Felly hefyd yn y frawddeg nesaf.
ᶠᶠYn ôl darlleniad arall ychwanegir yr adran a welir yn In 7.53—8.11.

ACTAU'R APOSTOLION

Addo'r Ysbryd Glân

1 Ysgrifennais y llyfr cyntaf, Theo-
ffilus, am yr holl bethau y dechreu-
odd Iesu eu gwneud a'u dysgu[a] [2]hyd y
dydd y cymerwyd ef i fyny, wedi iddo roi
gorchmynion trwy'r Ysbryd Glân i'r
apostolion yr oedd wedi eu dewis.
[3]Dangosodd ei hun hefyd iddynt yn fyw,
wedi ei ddioddefaint, drwy lawer o ar-
wyddion, gan fod yn weledig iddynt
yn ystod deugain diwrnod a llefaru am
deyrnas Dduw. [4]Ac wrth fod gyda hwy,
gorchmynnodd iddynt beidio ag ymadael
o Jerwsalem, ond disgwyl am yr hyn a
addawodd y Tad. "Fe glywsoch am
hyn," meddai, "gennyf fi. [5]Oherwydd â
dŵr y bedyddiodd Ioan, ond fe'ch bed-
yddir chwi â'r Ysbryd Glân ymhen
ychydig ddyddiau."

Esgyniad Iesu

6 Felly, wedi iddynt ddod ynghyd, fe
ofynasant iddo, "Arglwydd, ai dyma'r
adeg yr wyt ti am adfer y deyrnas i
Israel?" [7]Dywedodd yntau wrthynt,
"Nid chwi sydd i wybod amseroedd neu
brydiau; y mae'r Tad wedi gosod y rhain
o fewn ei awdurdod ef ei hun. [8]Ond fe
dderbyniwch nerth wedi i'r Ysbryd Glân
ddod arnoch, a byddwch yn dystion i mi
yn Jerwsalem, ac yn holl Jwdea a Sam-
aria, a hyd eithaf y ddaear." [9]Wedi iddo
ddweud hyn, a hwythau'n edrych, fe'i
dyrchafwyd, a chipiodd cwmwl ef o'u
golwg. [10]Fel yr oeddent yn syllu tua'r nef,
ac yntau'n mynd, dyma ddau ŵr yn sefyll
yn eu hymyl mewn dillad gwyn, [11]ac
meddai'r rhain, "Wŷr Galilea, pam yr
ydych yn sefyll yn edrych tua'r nef? Yr
Iesu hwn, sydd wedi ei gymryd i fyny
oddi wrthych i'r nef, bydd yn dod yn yr
un modd ag y gwelsoch ef yn mynd i'r
nef."

Dewis Olynydd Jwdas

12 Yna dychwelsant i Jerwsalem o'r
mynydd a elwir Olewydd, sydd yn agos

i Jerwsalem, daith Saboth oddi yno.
[13]Wedi cyrraedd, aethant i fyny i'r or-
uwchystafell, lle'r oeddent yn aros: Pedr
ac Ioan ac Iago ac Andreas, Philip a
Thomas, Bartholomeus a Mathew, Iago
fab Alffeus a Simon y Selot a Jwdas fab
Iago. [14]Yr oedd y rhain oll yn dyfalbarhau
yn unfryd mewn gweddi, ynghyd â rhai
gwragedd a Mair, mam Iesu, a chyda'i
frodyr.
15 Un o'r dyddiau hynny cododd Pedr
ymysg y brodyr—yr oedd tyrfa o bobl yn
yr un lle, rhyw gant ac ugain ohonynt—
ac meddai, [16]"Frodyr, rhaid oedd cyf-
lawni'r Ysgrythur a ragddywedodd yr
Ysbryd Glân trwy enau Dafydd am
Jwdas, yr un a ddangosodd y ffordd i'r
rhai a ddaliodd Iesu; [17]oherwydd fe'i
cyfrifid yn un ohonom ni, a chafodd ei ran
yn y weinidogaeth hon." [18](Fe brynodd
hwn faes â'r tâl am ei ddrygwaith, ac wedi
syrthio ar ei wyneb fe rwygodd yn ei
ganol, a thywalltwyd ei berfedd i gyd
allan. [19]A daeth hyn yn hysbys i holl
drigolion Jerwsalem, ac felly galwyd y
maes hwnnw yn eu hiaith hwy eu hunain
yn Aceldama, hynny yw, Maes y
Gwaed.) [20]"Oherwydd y mae'n ysgrif-
enedig yn Llyfr y Salmau:
'Aed ei gartrefle yn anghyfannedd,
    heb neb yn byw ynddo',
a hefyd:
'Cymered arall ei oruchwyliaeth.'
[21]Felly, o'r gwŷr a fu yn ein cwmni ni yr
holl amser y bu'r Arglwydd Iesu yn
mynd i mewn ac allan yn ein plith ni, [22]o
fedydd Ioan hyd y dydd y cymerwyd ef i
fyny oddi wrthym, rhaid i un o'r rhain
ddod yn dyst gyda ni o'i atgyfodiad ef."
[23]Ystyriwyd dau: Joseff, a elwid Bar-
sabas ac a gyfenwid Jwstus, a Mathias.
[24]Yna aethant i weddi: "Adwaenost ti,
Arglwydd, galonnau pawb. Amlyga prun
o'r ddau hyn a ddewisaist [25]i gymryd ei le
yn y weinidogaeth a'r apostolaeth hon, y
gwrthgiliodd Jwdas ohoni i fynd i'w le ei
hun." [26]Bwriasant goelbrennau arnynt,

---

[a]Neu, *bethau a wnaeth ac a ddysgodd Iesu o'r dechrau.*

a syrthiodd y coelbren ar Mathias, a chafodd ef ei restru gyda'r un apostol ar ddeg.

Dyfodiad yr Ysbryd Glân

2 Ar ddydd cyflawni cyfnod y Pentecost yr oeddent oll ynghyd yn yr un lle, ²ac yn sydyn fe ddaeth o'r nef sŵn fel gwynt grymus yn rhuthro, ac fe lanwodd yr holl dŷ lle'r oeddent yn eistedd. ³Ymddangosodd iddynt dafodau fel o dân yn ymrannu ac yn eistedd un ar bob un ohonynt; ⁴a llanwyd hwy oll â'r Ysbryd Glân, a dechreusant lefaru â thafodau dieithr, fel yr oedd yr Ysbryd yn rhoi lleferydd iddynt.

5 Yr oedd yn preswylio yn Jerwsalem Iddewon, gwŷr duwiol o bob cenedl dan y nef; ⁶ac wrth glywed y sŵn hwn fe ymgynullodd y dyrfa, ac yr oeddent wedi drysu'n lân am fod pob un ohonynt yn eu clywed hwy yn siarad yn ei iaith ei hun. ⁷Yr oeddent yn synnu a rhyfeddu, ac meddent, "Onid Galileaid yw'r rhain oll sy'n llefaru? ⁸A sut yr ydym ni yn eu clywed bob un ohonom yn ei iaith ei hun, iaith ei fam? ⁹Parthiaid a Mediaid ac Elamitiaid, a thrigolion Mesopotamia, Jwdea a Capadocia, Pontus ac Asia, ¹⁰Phrygia a Pamffylia, yr Aifft a pharthau Libya tua Cyrene, a'r ymwelwyr o Rufain, yn Iddewon a phroselytiaid, ¹¹Cretiaid ac Arabiaid, yr ydym yn eu clywed hwy yn llefaru yn ein hieithoedd ni am fawrion weithredoedd Duw." ¹²Yr oedd pawb yn synnu mewn penbleth, gan ddweud y naill wrth y llall, "Beth yw ystyr hyn?" ¹³Ond yr oedd eraill yn dweud yn wawdlyd, "Wedi meddwi y maent."

Araith Pedr ar y Pentecost

14 Safodd Pedr ynghyd â'r un ar ddeg, a chododd ei lais a'u hannerch: "Wŷr o Iddewon a thrigolion Jerwsalem oll, bydded hyn yn hysbys i chwi; gwrandewch ar fy ngeiriau. ¹⁵Nid yw'r rhain wedi meddwi, fel yr ydych chwi'n tybio, oherwydd dim ond naw o'r gloch y bore yw hi. ¹⁶Eithr dyma'r hyn a ddywedwyd drwy'r proffwyd Joel:
¹⁷'A hyn a fydd yn y dyddiau olaf, medd Duw:
tywalltaf o'm Hysbryd ar bob dyn;
a bydd eich meibion a'ch merched yn proffwydo;

bydd eich gwŷr ifainc yn cael gweledigaethau,
a'ch hynafgwyr yn gweld breuddwydion;
¹⁸hyd yn oed ar fy nghaethweision a'm caethforynion,
yn y dyddiau hynny, fe dywalltaf o'm Hysbryd,
ac fe broffwydant.
¹⁹A rhof ryfeddodau yn y nef uchod
ac arwyddion ar y ddaear isod,
gwaed a thân a tharth mwg;
²⁰troir yr haul yn dywyllwch,
a'r lleuad yn waed,
cyn i ddydd mawr a disglair yr Arglwydd ddod;
²¹a bydd pob un sy'n galw ar enw'r Arglwydd yn cael ei achub.'

22 "Wŷr Israel, clywch hyn: sôn yr wyf am Iesu o Nasareth, gŵr y mae ei benodi gan Dduw wedi ei amlygu i chwi trwy wyrthiau a rhyfeddodau ac arwyddion a gyflawnodd Duw trwyddo ef yn eich mysg chwi, fel y gwyddoch chwi eich hunain. ²³Yr oedd hwn wedi ei draddodi trwy fwriad penodedig a rhagwybodaeth Duw, ac fe groeshoeliasoch chwi ef drwy law estroniaid, a'i ladd. ²⁴Ond cyfododd Duw ef, gan ei ryddhau o wewyr angau, oherwydd nid oedd dichon i angau ei ddal yn ei afael. ²⁵Oherwydd y mae Dafydd yn dweud amdano:
'Yr ocddwn yn gweld yr Arglwydd o'm blaen yn wastad,
canys ar fy neheulaw y mae, fel na'm hysgydwer.
²⁶Am hynny llawenychodd fy nghalon a gorfoleddodd fy nhafod,
ie, a bydd fy nghnawd hefyd yn ymgartrefu mewn gobaith;
²⁷oherwydd ni fyddi'n gadael fy enaid yn Nhrigfan y Meirw,
nac yn gadael i'th Sanct weld llygredigaeth.
²⁸Hysbysaist imi ffyrdd bywyd;
byddi'n fy llenwi â llawenydd yn dy bresenoldeb.'

29 "Frodyr, gallaf siarad yn hy wrthych am y patriarch Dafydd, iddo farw a chael ei gladdu, ac y mae ei fedd gyda ni hyd y dydd hwn. ³⁰Felly, ac yntau'n broffwyd ac yn gwybod i Dduw dyngu iddo ar lw y gosodai un o'i linach ar ei orsedd, ³¹rhagweld atgyfodiad y Meseia

yr oedd pan ddywedodd:[b]
'Ni adawyd ef yn Nhrigfan y Meirw,
ac ni welodd ei gnawd lygredigaeth.'
[32] Yr Iesu hwn, fe gyfododd Duw ef, peth
yr ydym ni oll yn dystion ohono. [33] Felly,
wedi iddo gael ei ddyrchafu trwy[c] dde-
heulaw Duw, a derbyn gan y Tad ei
addewid am yr Ysbryd Glân, fe dywallt-
odd y peth hwn yr ydych chwi yn ei weld
a'i glywed. [34] Canys nid Dafydd a esgyn-
nodd i'r nefoedd; y mae ef ei hun yn
dweud:
'Dywedodd yr Arglwydd wrth fy
Arglwydd i,
"Eistedd ar fy neheulaw,
[35] nes imi osod dy elynion yn droedfainc
i'th draed."'
[36] Felly gwybydded holl dŷ Israel yn sicr
fod Duw wedi ei wneud ef yn Arglwydd
ac yn Feseia, yr Iesu hwn a groeshoel-
iasoch chwi."

37 Pan glywsant hyn, fe'u dwysbigwyd
yn eu calon, a dywedasant wrth Pedr a'r
apostolion eraill, "Beth a wnawn ni,
frodyr?" [38] Meddai Pedr wrthynt,
"Edifarhewch, a bedyddier pob un
ohonoch yn enw Iesu Grist er maddeuant
eich pechodau, ac fe dderbyniwch yr
Ysbryd Glân yn rhodd. [39] Oherwydd i
chwi y mae'r addewid, ac i'ch plant ac i
bawb sydd ymhell, pob un y bydd i'r
Arglwydd ein Duw ni ei alw ato." [40] Ac â
geiriau eraill lawer y pwysodd arnynt, a'u
hannog, "Dihangwch rhag y genhedlaeth
wyrgam hon." [41] Felly bedyddiwyd y rhai
a dderbyniodd ei air, ac ychwanegwyd
atynt y diwrnod hwnnw tua thair mil o
bersonau. [42] Yr oeddent yn dyfalbarhau
yn nysgeidiaeth yr apostolion ac yn y
gymdeithas, yn y torri bara ac yn y
gweddïau.

Bywyd y Credinwyr

43 Yr oedd ofn ar bob enaid; yr oedd
rhyfeddodau ac arwyddion lawer yn cael
eu gwneud drwy'r apostolion. [44] Yr oedd
yr holl gredinwyr ynghyd yn dal pob peth
yn gyffredin. [45] Byddent yn gwerthu eu
heiddo a'u meddiannau, a'u rhannu
rhwng pawb yn ôl fel y byddai angen pob
un. [46] A chan ddyfalbarhau beunydd yn
unfryd yn y deml, a thorri bara yn eu tai,
yr oeddent yn cydgyfranogi o'r lluniaeth
mewn llawenydd a symledd calon, [47] dan
foli Duw a chael ewyllys da'r holl bobl.
Ac yr oedd yr Arglwydd yn ychwanegu

beunydd at y gynulleidfa y rhai oedd yn
cael eu hachub.

Iacháu'r Dyn Cloff wrth Borth y Deml

3 Yr oedd Pedr ac Ioan yn mynd i fyny
i'r deml erbyn yr awr weddi, sef tri
o'r gloch y prynhawn. [2] Ac yr oedd
rhywrai'n dod â dyn oedd yn gloff o'i
enedigaeth, ac yn ei osod beunydd wrth
borth y deml, yr un a elwid Y Porth
Prydferth, i erfyn am gardod gan y rhai a
fyddai'n mynd i mewn i'r deml. [3] Pan
welodd hwn Pedr ac Ioan ar fynd i mewn
i'r deml, gofynnodd am gael cardod. [4] A
syllodd Pedr arno, ac Ioan yntau, a
dywedodd, "Edrych arnom." [5] Gwyliodd
yntau hwy, gan ddisgwyl cael rhywbeth
ganddynt. [6] Dywedodd Pedr, "Arian ac
aur nid oes gennyf; ond yr hyn sydd
gennyf, hynny yr wyf yn ei roi iti; yn enw
Iesu Grist o Nasareth, cod a cherdda."
[7] A gafaelodd ynddo gerfydd ei law dde, a
chododd ef. Ac yn y fan cryfhaodd ei
draed a'i fferau; [8] neidiodd i fyny, safodd,
a dechreuodd gerdded, ac aeth i mewn
gyda hwy i'r deml dan gerdded a neidio a
moli Duw. [9] Gwelodd yr holl bobl ef yn
cerdded ac yn moli Duw. [10] Yr oeddent yn
sylweddoli mai hwn oedd y dyn a fydd-
ai'n eistedd i gardota wrth Borth Pryd-
ferth y deml, a llanwyd hwy â braw a
syndod am yr hyn oedd wedi digwydd
iddo.

Araith Pedr yng Nghloestr Solomon

11 Tra oedd ef yn gafael yn Pedr ac
Ioan, rhedodd yr holl bobl ynghyd atynt
i'r fan a elwir yn Gloestr Solomon, wedi
eu syfrdanu. [12] A phan welodd Pedr hyn,
fe anerchodd y bobl: "Wŷr Israel, pam yr
ydych yn rhyfeddu at hyn? Pam yr
ydych yn syllu arnom ni, fel petaem wedi
peri iddo gerdded trwy ein nerth neu ein
duwioldeb ni ein hunain? [13] Duw Abra-
ham a Duw Isaac a Duw Jacob, Duw ein
tadau ni, sydd wedi gogoneddu ei Was
Iesu, yr hwn a draddodasoch chwi a'i
wadu gerbron Pilat, wedi i hwnnw ben-
derfynu ei ryddhau. [14] Eithr chwi, gwad-
asoch yr Un sanctaidd a chyfiawn, a
deisyf, fel ffafr i chwi, ryddhau llofrudd.
[15] Lladdasoch Awdur bywyd, ond cyf-
ododd Duw ef oddi wrth y meirw. O hyn
yr ydym ni'n dystion. [16] Ar sail ffydd yn ei
enw ef y cyfnerthwyd y dyn yma yr
ydych yn ei weld a'i adnabod, a'r ffydd

sydd drwyddo ef a roddodd iddo'r llwyr wellhad hwn yn eich gŵydd chwi i gyd. [17]Yn awr, frodyr, gwn mai gweithredu mewn anwybodaeth a wnaethoch, fel eich llywodraethwyr hwythau. [18]Ond fel hyn y cyflawnodd Duw yr hyn a ragfynegodd drwy enau'r holl broffwydi, sef dioddefaint ei Feseia. [19]Edifarhewch, ynteu, a throwch at Dduw, er mwyn dileu eich pechodau. Felly y daw oddi wrth yr Arglwydd dymhorau adnewyddiad, [20]ac yr anfona ef y Meseia a benodwyd i chwi, sef Iesu, [21]yr hwn y mae'n rhaid i'r nef ei dderbyn hyd amseroedd cyflawni pob peth a lefarodd Duw trwy enau ei broffwydi sanctaidd erioed. [22]Dywedodd Moses, 'Bydd yr Arglwydd eich Duw yn codi i chwi o blith eich brodyr broffwyd, fel y cododd fi[ch]. Arno ef yr ydych i wrando ym mhob peth a lefara wrthych. [23]A phob enaid na wrendy ar y proffwyd hwnnw, fe'i llwyr ddifodir o blith y bobl.' [24]A'r holl broffwydi o Samuel a'i olynwyr, cynifer ag a lefarodd, cyhoeddasant hwythau y dyddiau hyn. [25]Chwi yw meibion y proffwydi, a phlant y cyfamod a wnaeth Duw â'ch tadau pan ddywedodd wrth Abraham, 'Yn dy ddisgynyddion di y bendithir holl dylwythau'r ddaear.' [26]Wedi i Dduw gyfodi ei Was, anfonodd ef atoch chwi yn gyntaf, i'ch bendithio chwi trwy eich troi bob un oddi wrth eich drygioni.''

Pedr ac Ioan gerbron y Cyngor

4 Tra oeddent yn llefaru wrth y bobl, daeth yr offeiriaid a phrif swyddog gwarchodlu'r deml a'r Sadwceaid ar eu gwarthaf, [2]yn flin am eu bod hwy'n dysgu'r bobl ac yn cyhoeddi ynglŷn â Iesu yr atgyfodiad oddi wrth y meirw. [3]Cymerasant afael arnynt a'u rhoi mewn dalfa hyd drannoeth, oherwydd yr oedd hi'n hwyr eisoes. [4]Ond daeth llawer o'r rhai oedd wedi clywed y gair yn gredinwyr, ac aeth y nifer i gyd yn rhyw bum mil.

5 Trannoeth bu cyfarfod o lywodraethwyr a henuriaid ac ysgrifenyddion yr Iddewon yn Jerwsalem. [6]Yr oedd Annas yr archoffeiriad yno, a Caiaffas ac Ioan ac Alexander a phawb oedd o deulu archoffeiriadol. [7]Rhoesant y carcharorion i sefyll gerbron, a dechrau eu holi, ''Trwy ba nerth neu drwy ba enw y gwnaethoch chwi hyn?'' [8]Yna, wedi ei lenwi â'r

Ysbryd Glân, dywedodd Pedr wrthynt: ''Lywodraethwyr y bobl, a henuriaid, [9]os ydym ni heddiw yn cael ein croesholi am gymwynas i ddyn claf, a sut y mae wedi cael ei iacháu, [10]bydded hysbys i chwi i gyd ac i holl bobl Israel mai trwy enw Iesu Grist o Nasareth, a groeshoeliasoch chwi ac a gyfododd Duw oddi wrth y meirw, trwy hwnnw y mae hwn yn sefyll ger eich bron yn iach. [11]Iesu yw

'Y maen a ddiystyrwyd gennych chwi
yr adeiladwyr,
ac a ddaeth yn faen y gongl.'

[12]Ac nid oes iachawdwriaeth yn neb arall, oblegid nid oes enw arall dan y nef, wedi ei roi i ddynion, y mae i ni gael ein hachub drwyddo.'' [13]Wrth weld hyder Pedr ac Ioan, a sylweddoli mai lleygwyr annysgedig oeddent, yr oeddent yn rhyfeddu. Yr oeddent yn sylweddoli hefyd eu bod hwy wedi bod gydag Iesu. [14]Ac wrth weld y dyn oedd wedi ei iacháu yn sefyll gyda hwy, nid oedd ganddynt ddim ateb. [15]Ac wedi gorchymyn iddynt fynd allan o'r llys, dechreusant ymgynghori â'i gilydd. [16]''Beth a wnawn,'' meddent, ''â'r dynion hyn? Oherwydd y mae'n amlwg i bawb sy'n preswylio yn Jerwsalem fod gwyrth hynod wedi digwydd trwyddynt hwy, ac ni allwn ni wadu hynny. [17]Ond rhag taenu'r peth ymhellach ymhlith y bobl, gadewch inni eu rhybuddio nad ydynt i lefaru mwyach yn yr enw hwn wrth neb o gwbl.'' [18]Galwasant hwy i mewn, a gorchymyn nad oeddent i siarad na dysgu o gwbl yn enw Iesu. [19]Ond atebodd Pedr ac Ioan hwy: ''A yw'n iawn yng ngolwg Duw wrando arnoch chwi yn hytrach nag ar Dduw? Barnwch chwi. [20]Ni allwn ni dewi â sôn am y pethau yr ydym wedi eu gweld a'u clywed.'' [21]Ar ôl eu rhybuddio ymhellach gollyngodd y llys hwy'n rhydd, heb gael dim modd i'w cosbi, oherwydd y bobl; oblegid yr oedd pawb yn gogoneddu Duw am yr hyn oedd wedi digwydd. [22]Yr oedd y dyn y gwnaethpwyd y wyrth iachaol hon arno dros ddeugain mlwydd oed.

Y Credinwyr yn Gweddïo am Hyder

23 Wedi eu gollwng, aethant at eu pobl eu hunain ac adrodd y cyfan yr oedd y prif offeiriaid a'r henuriaid wedi ei ddweud wrthynt. [24]Wedi clywed, codasant hwythau eu llef yn unfryd at Dduw: ''O Benllywydd, tydi a wnaeth y nef a'r

ddaear a'r môr a phob peth sydd ynddynt, 25 ac a ddywedodd drwy'r Ysbryd Glân yng ngenau Dafydd dy was, ein tad ni: 'Pam y terfysgodd y Cenhedloedd ac y cynlluniodd y bobloedd bethau ofer? 26 Safodd brenhinoedd y ddaear, ac ymgasglodd y llywodraethwyr ynghyd yn erbyn yr Arglwydd ac yn erbyn ei Feseia ef.' 27 Canys ymgasglodd yn wir yn y ddinas hon yn erbyn dy Was sanctaidd, Iesu, yr hwn a eneiniaist, Herod a Pontius Pilat ynghyd â'r Cenhedloedd a phobloedd Israel, 28 i wneud yr holl bethau y rhagluniodd dy law a'th gyngor di iddynt ddod. 29 Ac yn awr, Arglwydd, edrych ar eu bygythion, a dyro i'th weision lefaru dy air â phob hyder, 30 a thithau yn estyn dy law i beri iachâd ac arwyddion a rhyfeddodau drwy enw dy Was sanctaidd, Iesu.'' 31 Ac wedi iddynt weddïo, ysgydwyd y lle yr oeddent wedi ymgynnull ynddo, a llanwyd hwy oll â'r Ysbryd Glân, a llefarasant air Duw yn hy.

Popeth yn Gyffredin

32 Yr oedd y lliaws credinwyr o un galon ac enaid, ac ni fyddai neb yn dweud am ddim o'i feddiannau mai ei eiddo ef ei hun ydoedd, ond yr oedd ganddynt bopeth yn gyffredin. 33 Â nerth mawr yr oedd yr apostolion yn rhoi eu tystiolaeth am atgyfodiad yr Arglwydd Iesu, a gras mawr oedd arnynt oll. 34 Yn wir, nid oedd neb anghenus yn eu plith, oherwydd byddai pawb oedd yn berchenogion tiroedd neu dai yn eu gwerthu, a dod â'r tâl am y pethau a werthid, 35 a'i roi wrth draed yr apostolion; a rhennid i bawb yn ôl fel y byddai angen pob un. 36 Yr oedd Joseff, a gyfenwid Barnabas gan yr apostolion (sef, o'i gyfieithu, Mab Anogaeth), Lefiad, Cypriad o enedigaeth, 37 yn berchen darn o dir, a gwerthodd ef, a daeth â'r arian a'i roi wrth draed yr apostolion.

Ananias a Saffeira

5 Ond yr oedd rhyw ddyn o'r enw Ananias, ynghyd â'i wraig Saffeira, wedi gwerthu eiddo. 2 Cadwodd ef beth o'r tâl yn ôl, a'i wraig hithau'n gwybod, a daeth â rhyw gyfran a'i osod wrth draed yr apostolion. 3 Ond meddai Pedr, "Ananias, sut y bu i Satan lenwi dy galon i ddweud celwydd wrth yr Ysbryd Glân, a chadw'n ôl beth o'r tâl am y tir? 4 Tra oedd yn aros heb ei werthu, onid yn dy feddiant di yr oedd yn aros? Ac wedi ei werthu, onid gennyt ti yr oedd yr hawl ar yr arian? Sut y rhoddaist le yn dy feddwl i'r fath weithred? Nid wrth ddynion y dywedaist gelwydd, ond wrth Dduw.'' 5 Wrth glywed y geiriau hyn syrthiodd Ananias yn farw, a daeth ofn mawr ar bawb a glywodd. 6 A chododd y dynion ifainc, a rhoi amdo amdano, a mynd ag ef allan a'i gladdu.

7 Aeth rhyw deirawr heibio, a daeth ei wraig i mewn, heb wybod beth oedd wedi digwydd. 8 Dywedodd Pedr wrthi, "Dywed i mi, ai am hyn a hyn y gwerthasoch y tir?'' "Ie,'' meddai hithau, "am hyn a hyn.'' 9 Ac meddai Pedr wrthi, "Sut y bu ichwi gytuno i roi prawf ar Ysbryd yr Arglwydd? Dyma wrth y drws sŵn traed y rhai a fu'n claddu dy ŵr, ac fe ânt â thithau allan hefyd.'' 10 A syrthiodd hithau yn y fan wrth ei draed, a bu farw. Daeth y dynion ifainc i mewn a'i chael hi'n gorff, ac aethant â hi allan, a'i chladdu gyda'i gŵr. 11 Daeth ofn mawr ar yr holl eglwys ac ar bawb a glywodd am hyn.

Gwneud Arwyddion a Rhyfeddodau Lawer

12 Trwy ddwylo'r apostolion gwnaed arwyddion a rhyfeddodau lawer ymhlith y bobl. Yr oeddent bawb yn arfer dod ynghyd yng Nghloestr Solomon. 13 Nid oedd neb arall yn meiddio ymlynu wrthynt, ond yr oedd y bobl yn eu mawrygu, 14 ac yr oedd credinwyr yn cael eu chwanegu fwyfwy at yr Arglwydd, luoedd o wŷr a gwragedd. 15 Yn wir, yr oeddent hyd yn oed yn dod â'r cleifion allan i'r heolydd, a'u gosod ar welyau a matresi, fel pan fyddai Pedr yn mynd heibio y câi ei gysgod o leiaf ddisgyn ar ambell un ohonynt. 16 Byddai'r dyrfa'n ymgynnull hefyd o'r trefi o amgylch Jerwsalem, gan ddod â chleifion a rhai oedd yn cael eu blino gan ysbrydion aflan; ac yr oeddent yn cael eu hiacháu bob un.

Erlid yr Apostolion

17 Ond llanwyd yr archoffeiriad ag eiddigedd, a'r holl rai hynny oedd gydag ef, sef plaid y Sadwceaid. 18 Cymerasant afael yn yr apostolion, a'u rhoi mewn dalfa gyhoeddus. 19 Ond yn ystod y nos

agorodd angel yr Arglwydd ddrysau'r carchar a dod â hwy allan; ²⁰a dywedodd, "Ewch, safwch yn y deml a llefarwch wrth y bobl bob peth ynglŷn â'r Bywyd hwn." ²¹Wedi iddynt glywed hyn, aethant ar doriad dydd i mewn i'r deml, a dechreusant ddysgu.

Wedi i'r archoffeiriad a'r rhai oedd gydag ef gyrraedd, galwasant ynghyd y Sanhedrin, sef senedd gyflawn cenedl Israel, ac anfonasant i'r carchar i gyrchu'r apostolion. ²²Ond ni chafodd y swyddogion a ddaeth yno hyd iddynt yn y carchar. Daethant yn eu holau, ac adrodd, ²³"Cawsom y carchar wedi ei gloi yn gwbl ddiogel a'r gwylwyr yn sefyll wrth y drysau, ond wedi agor ni chawsom neb oddi mewn." ²⁴A phan glywodd prif swyddog gwarchodlu'r deml, a'r prif offeiriaid, y geiriau hyn, yr oeddent mewn penbleth yn eu cylch, beth a allai hyn ei olygu. ²⁵Ond daeth rhywun a dweud wrthynt, "Y mae'r dynion a roesoch yn y carchar yn sefyll yn y deml ac yn dysgu'r bobl." ²⁶Yna aeth y swyddog gyda'i filwyr i'w nôl, ond heb drais, am eu bod yn ofni cael eu llabyddio gan y bobl.

²⁷ Wedi dod â hwy yno, gwnaethant iddynt sefyll gerbron y Sanhedrin. Holodd yr archoffeiriad hwy, ²⁸a dweud, "Rhoesom orchymyn pendant i chwi beidio â dysgu yn yr enw hwn, a^d dyma chwi wedi llenwi Jerwsalem â'ch dysgeidiaeth, a'ch bwriad yw rhoi'r bai arnom ni am farwolaeth y dyn hwn." ²⁹Atebodd Pedr a'r apostolion, "Rhaid ufuddhau i Dduw yn hytrach nag i ddynion. ³⁰Y mae Duw ein tadau ni wedi cyfodi Iesu, yr hwn yr oeddech chwi wedi ei lofruddio trwy ei grogi ar groesbren. ³¹Hwn a ddyrchafodd Duw â'i^{dd} law dde yn Bentywysog a Gwaredwr, i roi edifeirwch i Israel a maddeuant pechodau. ³²Ac yr ydym ni'n dystion o'r pethau hyn, ni a'r Ysbryd Glân a roddodd Duw i'r rhai sy'n ufuddhau iddo."

33 Pan glywsant hwy hyn, aethant yn ffyrnig ac ewyllysio eu lladd^e. ³⁴Ond fe gododd yn y Sanhedrin ryw Pharisead o'r enw Gamaliel, athro'r Gyfraith, gŵr a berchid gan yr holl bobl, ac archodd anfon y dynion allan am ychydig. ³⁵"Wŷr Israel," meddai, "cymerwch ofal beth yr ydych am ei wneud â'r dynion hyn. ³⁶Oherwydd dro'n ôl cododd Theudas,

gan honni ei fod yn rhywun, ac ymunodd nifer o ddynion ag ef, ynghylch pedwar cant. Lladdwyd ef, a chwalwyd pawb oedd yn ei ganlyn, ac aethant yn ddim. ³⁷Ar ôl hwn, cododd Jwdas y Galilead yn nyddiau'r cofrestru, a thynnodd bobl i'w ganlyn. Ond darfu amdano yntau hefyd, a gwasgarwyd pawb o'i ganlynwyr. ³⁸Ac yn yr achos hwn, 'rwy'n dweud wrthych, ymogelwch rhag y dynion hyn; gadewch lonydd iddynt. Oherwydd os o ddynion y mae'r bwriad hwn neu'r weithred hon, fe'i dymchwelir; ³⁹ond os o Dduw y mae, ni fyddwch yn abl i'w ddymchwelyd. Fe all y'ch ceir chwi yn ymladd yn erbyn Duw." ⁴⁰Ac fe'u perswadiwyd ganddo. Galwasant yr apostolion atynt, ac wedi eu fflangellu a gorchymyn iddynt beidio â llefaru yn enw Iesu, gollyngasant hwy'n rhydd. ⁴¹Aethant hwythau ar eu taith o ŵydd y Sanhedrin, yn llawen am iddynt gael eu cyfrif yn deilwng i dderbyn amarch er mwyn yr Enw. ⁴²A phob dydd, yn y deml ac yn eu tai, nid oeddent yn peidio â dysgu a chyhoeddi'r newydd da am y Meseia, Iesu.

Ethol y Saith

6 Yn y dyddiau hynny, pan oedd y disgyblion yn amlhau, bu grwgnach gan yr Helenistiaid yn erbyn yr Hebreaid, am fod eu gweddwon hwy yn cael eu hesgeuluso yn y ddarpariaeth feunyddiol. ²Galwodd y Deuddeg gynulleidfa'r disgyblion atynt, a dweud, "Nid yw'n addas ein bod ni'n gadael Gair Duw, i weini wrth fyrddau. ³Dewiswch, frodyr, saith o wŷr o'ch plith ac iddynt air da, llawn o'r Ysbryd ac o ddoethineb, ac fe'u gosodwn hwy ar hyn o orchwyl. ⁴Fe barhawn ni yn ddyfal yn y weddïo ac yng ngwasanaeth y Gair." ⁵A bu eu geiriau yn gymeradwy gan yr holl gynulleidfa, ac etholasant Steffan, gŵr llawn o ffydd ac o'r Ysbryd Glân, a Philip a Prochorus a Nicanor a Timon a Parmenas a Nicolaus, proselyt o Antiochia. ⁶Gosodasant y rhain gerbron yr apostolion, ac wedi gweddïo rhoesant hwythau eu dwylo arnynt.

7 Yr oedd Gair Duw'n mynd ar gynnydd. Yr oedd nifer y disgyblion yn Jerwsalem yn lluosogi'n ddirfawr, a thyrfa fawr o'r offeiriaid hefyd yn ufuddhau i'r ffydd.

^dYn ôl darlleniad arall, *"Oni roesom orchymyn...yr enw hwn? A...*   ^{dd}Neu, *at ei.*
^eYn ôl darlleniad arall, *a chynllwynio i'w lladd.*

Dal Steffan

8 Yr oedd Steffan, yn llawn gras a nerth, yn gwneud rhyfeddodau ac arwyddion mawr ymhlith y bobl. ⁹Ond daeth rhai o aelodau'r synagog a elwid yn Synagog y Libertiniaid a'r Cyreniaid a'r Alexandriaid, a rhai o wŷr Cilicia ac Asia, a dadlau â Steffan, ¹⁰ond ni allent wrthsefyll y ddoethineb a'r Ysbryd yr oedd yn llefaru drwyddynt. ¹¹Yna annos dynion a wnaethant i ddweud, "Clywsom ef yn llefaru pethau cableddus yn erbyn Moses a Duw." ¹²A chynyrfasant y bobl a'r henuriaid a'r ysgrifenyddion, ac ymosod arno a'i gipio a dod ag ef gerbron y Sanhedrin, ¹³a gosod gau-dystion i ddweud, "Y mae'r dyn yma byth a hefyd yn llefaru pethau yn erbyn y lle sanctaidd hwn a'r Gyfraith; ¹⁴oherwydd clywsom ef yn dweud y bydd Iesu'r Nasaread yma yn distrywio'r lle hwn, ac yn newid y defodau a draddododd Moses i ni." ¹⁵A syllodd pawb oedd yn eistedd yn y Sanhedrin arno, a gwelsant ei wyneb ef fel wyneb angel.

Araith Steffan

7 Gofynnodd yr archoffeiriad: "Ai felly y mae?" ²Meddai yntau: "Frodyr a thadau, clywch. Ymddangosodd Duw'r gogoniant i'n tad ni, Abraham, ac yntau yn Mesopotamia cyn iddo ymsefydlu yn Charan, ³a dywedodd wrtho, 'Dos allan o'th wlad ac oddi wrth dy berthnasau, a thyrd i'r wlad a ddangosaf iti.' ⁴Yna fe aeth allan o wlad y Chaldeaid, ac ymsefydlodd yn Charan. Oddi yno, wedi i'w dad farw, fe symudodd Duw ef i'r wlad hon, lle'r ydych chwi'n preswylio yn awr. ⁵Eto ni roes iddo etifeddiaeth ynddi, naddo, ddim troedfedd. Addo a wnaeth ei rhoi iddo ef i'w feddiannu, ac i'w ddisgynyddion ar ei ôl, ac yntau heb blentyn. ⁶Llefarodd Duw fel hyn: 'Bydd ei ddisgynyddion yn alltudion mewn gwlad ddieithr, a chânt eu caethiwo a'u cam-drin am bedwar can mlynedd. ⁷Ac fe ddof fi â barn ar y genedl y byddant yn ei gwasanaethu,' meddai Duw, 'ac wedi hynny dônt allan, ac addolant fi yn y lle hwn.' ⁸A rhoddodd iddo gyfamod enwaediad. Felly, wedi geni iddo Isaac enwaedodd arno yr wythfed dydd. Ac i Isaac ganwyd Jacob, ac i Jacob y deuddeg patriarch.

9 "Cenfigennodd y patriarchiaid wrth Joseff a'i werthu i'r Aifft. Ond yr oedd Duw gydag ef, ¹⁰ac achubodd ef o'i holl gyfyngderau, a rhoddodd iddo ffafr a doethineb yng ngolwg Pharo brenin yr Aifft, a gosododd yntau ef yn llywodraethwr dros yr Aifft a thros ei holl dŷ. ¹¹Daeth newyn ar yr Aifft i gyd ac ar Ganaan; yr oedd yn gyfyngder mawr, ac ni allai ein tadau gael lluniaeth. ¹²Ond clywodd Jacob fod bwyd yn yr Aifft, ac anfonodd ein tadau yno y tro cyntaf. ¹³Yr ail dro fe adnabuwyd Joseff gan ei frodyr, a daeth tylwyth Joseff yn hysbys i Pharo. ¹⁴Anfonodd Joseff, a galw Jacob ei dad ato, a'i holl berthnasau, yn bymtheg a thrigain o bersonau. ¹⁵Ac aeth Jacob i lawr i'r Aifft. Bu farw ef a'n tadau, ¹⁶a throsglwyddwyd hwy i Sichem, a'u claddu yn y bedd yr oedd Abraham wedi ei brynu am arian gan feibion Emor yn Sichem.

17 "Fel yr oedd yr amser yn agosáu i gyflawni'r addewid yr oedd Duw wedi ei rhoi i Abraham, cynyddodd y bobl a lluosogi yn yr Aifft, ¹⁸nes i frenin gwahanol godi ar yr Aifft, un na wyddai ddim am Joseff. ¹⁹Bu hwn yn ddichellgar wrth ein cenedl ni, gan gam-drin ein tadau, a pheri bwrw eu babanod allan fel na chedwid mohonynt yn fyw. ²⁰Y pryd hwnnw y ganwyd Moses, ac yr oedd yn blentyn hoff yng ngolwg Duw. Magwyd ef am dri mis yn nhŷ ei dad, ²¹a phan fwriwyd ef allan, cymerodd merch Pharo ef ati, a'i fagu yn fab iddi hi ei hun. ²²Hyfforddwyd Moses yn holl ddoethineb yr Eifftwyr, ac yr oedd yn nerthol yn ei eiriau a'i weithredoedd.

23 "Yn ystod ei ddeugeinfed flwyddyn, clywodd ar ei galon ymweld â'i frodyr, meibion Israel. ²⁴Pan welodd un ohonynt yn cael cam, fe'i hamddiffynnodd, a dialodd gam y dyn oedd dan orthrwm trwy daro'r Eifftiwr. ²⁵Yr oedd yn tybio y byddai ei frodyr yn deall fod Duw trwyddo ef yn rhoi gwaredigaeth iddynt. Ond nid oeddent yn deall. ²⁶Trannoeth daeth ar eu traws pan oeddent yn ymladd, a cheisiodd eu cymodi a chael heddwch, gan ddweud, 'Ddynion, brodyr ydych; pam y gwnewch gam â'ch gilydd?' ²⁷Ond dyma'r un oedd yn gwneud cam â'i gymydog yn ei wthio i ffwrdd, gan ddweud, 'Pwy a'th benododd di yn llywodraethwr ac yn farnwr arnom ni? ²⁸A wyt ti am fy lladd i fel y lleddaist yr Eifftiwr ddoe?' ²⁹A ffodd Moses ar y gair hwn, ac aeth yn alltud yn nhir

Midian, lle y ganwyd iddo ddau fab. 30 "Ymhen deugain mlynedd, fe ymddangosodd iddo yn anialwch Mynydd Sinai angel mewn fflam dân mewn perth. ³¹Pan welodd Moses ef, bu ryfedd ganddo'r olygfa. Wrth iddo nesu i edrych yn fanwl, daeth llais yr Arglwydd: ³²'Myfi yw Duw dy dadau, Duw Abraham a Duw Isaac a Duw Jacob.' Cafodd Moses fraw, ac ni feiddiai edrych. ³³Yna dywedodd yr Arglwydd wrtho, 'Datod dy sandalau oddi am dy draed, oherwydd y mae'r lle'r wyt yn sefyll arno yn dir sanctaidd. ³⁴Gwelais, do, gwelais sut y mae fy mhobl sydd yn yr Aifft yn cael eu cam-drin, a chlywais eu griddfan, a deuthum i lawr i'w gwaredu. Yn awr tyrd, imi gael dy anfon di i'r Aifft.' ³⁵Y Moses hwn, y gŵr a wrthodasant gan ddweud, 'Pwy a'th benododd di yn llywodraethwr ac yn farnwr?'—hwnnw a anfonodd Duw yn llywodraethwr ac yn rhyddhawr, trwy law'r angel a ymddangosodd iddo yn y berth. ³⁶Hwn a'u harweiniodd hwy allan, gan wneud rhyfeddodau ac arwyddion yng ngwlad yr Aifft ac yn y Môr Coch, ac am ddeugain mlynedd yn yr anialwch. ³⁷Hwn yw'r Moses a ddywedodd wrth feibion Israel, 'Bydd Duw yn codi i chwi o blith eich brodyr broffwyd, fel y cododd fi^f.' ³⁸Hwn a fu yn y gynulleidfa yn yr anialwch, gyda'r angel a lefarodd wrtho ar Fynydd Sinai a chyda'n tadau ni. Derbyniodd ef oraclau byw i'w rhoi i chwi. ³⁹Eithr ni fynnodd ein tadau ymddarostwng iddo, ond ei wthio o'r ffordd a wnaethant, a throi'n ôl yn eu calonnau at yr Aifft, ⁴⁰gan ddweud wrth Aaron, 'Gwna inni dduwiau i fynd o'n blaen; oherwydd y Moses yma, a ddaeth â ni allan o wlad yr Aifft, ni wyddom beth a ddigwyddodd iddo.' ⁴¹Gwnaethant lo y pryd hwnnw, ac offrymu aberth i'r eilun, ac ymlawenhau yng nghynnyrch eu dwylo eu hunain. ⁴²A throes Duw ymaith, a'u rhoi i fyny i addoli sêr a nef, fel y mae'n ysgrifenedig yn llyfr y proffwydi:
'A offrymasoch i mi laddedigion ac aberthau
am ddeugain mlynedd yn yr anialwch,
dŷ Israel?
⁴³Na yn wir, dyrchafasoch babell Moloch,
a seren eich duw Raiffan,
y delwau a wnaethoch i'w haddoli.
Alltudiaf chwi y tu hwnt i Fabilon.'

44 "Yr oedd pabell y dystiolaeth gan ein tadau yn yr anialwch, fel y gorchmynnodd yr hwn a lefarodd wrth Moses ei fod i'w gwneud yn ôl y patrwm yr oedd wedi ei weld. ⁴⁵Daeth ein tadau yn eu tro â hi yma gyda Josua, wrth iddynt oresgyn y cenhedloedd a yrrodd Duw allan o'u blaenau. Ac felly y bu hyd ddyddiau Dafydd. ⁴⁶Cafodd ef ffafr gerbron Duw, a deisyfodd am gael tabernacl i dŷ^{ff} Jacob. ⁴⁷Eithr Solomon oedd yr un a adeiladodd dŷ iddo. ⁴⁸Ond nid yw'r Goruchaf yn trigo mewn tai o waith llaw; fel y mae'r proffwyd yn dweud:
⁴⁹'Y nefoedd yw fy ngorsedd,
a'r ddaear yw troedfainc fy nhraed.
Pa fath dŷ a adeiladwch imi, medd yr Arglwydd;
ble fydd fy ngorffwysfa?
⁵⁰Onid fy llaw i a wnaeth y pethau hyn oll?'

51 "Chwi rai gwargaled a dienwaededig o galon a chlust, yr ydych chwi yn wastad yn gwrthwynebu'r Ysbryd Glân; fel eich tadau, felly chwithau. ⁵²Prun o'r proffwydi na fu'ch tadau yn ei erlid? Ie, lladdasant y rhai a ragfynegodd ddyfodiad yr Un Cyfiawn. A chwithau yn awr, bradwyr a llofruddion fuoch iddo ef, ⁵³chwi y rhai a dderbyniodd y Gyfraith yn ôl cyfarwyddyd angylion, ac eto ni chadwasoch mohoni."

Llabyddio Steffan

54 Wrth glywed y pethau hyn aethant yn ffyrnig yn eu calonnau, ac ysgyrnygu eu dannedd arno. ⁵⁵Yn llawn o'r Ysbryd Glân, syllodd Steffan tua'r nef a gwelodd ogoniant Duw, ac Iesu'n sefyll ar ddeheulaw Duw, ⁵⁶a dywedodd, "Edrychwch, 'rwy'n gweld y nefoedd yn agored, a Mab y Dyn yn sefyll ar ddeheulaw Duw." ⁵⁷Rhoesant hwythau waedd uchel, a chau eu clustiau, a rhuthro'n unfryd arno, ⁵⁸a'i fwrw allan o'r ddinas, a mynd ati i'w labyddio. Dododd y tystion eu dillad wrth draed dyn ifanc o'r enw Saul. ⁵⁹Ac wrth iddynt ei labyddio, yr oedd Steffan yn galw, "Arglwydd Iesu, derbyn fy ysbryd." ⁶⁰Yna penliniodd, a gwaeddodd â llais uchel, "Arglwydd, paid â dal y pechod hwn yn eu herbyn." Ac wedi dweud hynny, fe hunodd.

^fNeu, *fel fi.*　　^{ff}Yn ôl darlleniad arall, *i Dduw.*

8 Yr oedd Saul yn cydsynio â'i lofruddio.

Saul yn Erlid yr Eglwys

Y diwrnod hwnnw dechreuodd erlid mawr ar yr eglwys yn Jerwsalem. Gwasgarwyd hwy oll, oddieithr yr apostolion, trwy barthau Jwdea a Samaria. ²Claddwyd Steffan gan wŷr duwiol, ac yr oeddent yn galarnadu'n uchel amdano. ³Ond anrheithio'r eglwys yr oedd Saul: mynd i mewn i dŷ ar ôl tŷ, a llusgo allan wŷr a gwragedd, a'u traddodi i garchar.

Pregethu'r Efengyl yn Samaria

4 Am y rhai a wasgarwyd, teithiasant gan bregethu'r Gair. ⁵Aeth Philip i lawr i'r ddinas^g yn Samaria, a dechreuodd gyhoeddi'r Meseia iddynt. ⁶Yr oedd y tyrfaoedd yn dal yn unfryd ar eiriau Philip, wrth glywed a gweld yr arwyddion yr oedd yn eu gwneud; ⁷oherwydd yr oedd ysbrydion aflan yn dod allan o lawer oedd wedi eu meddiannu ganddynt, gan weiddi â llais uchel, ac iachawyd llawer o rai wedi eu parlysu ac o rai cloff. ⁸A bu llawenydd mawr yn y ddinas honno.

9 Yr oedd rhyw ŵr o'r enw Simon eisoes yn y ddinas yn dewinio ac yn synnu cenedl Samaria. Yr oedd yn dweud ei fod yn rhywun mawr, ¹⁰ac yr oedd pawb, o fawr i fân, yn dal sylw arno ac yn dweud, "Hwn yw'r gallu dwyfol a elwir Y Gallu Mawr." ¹¹Yr oeddent yn dal sylw arno am ei fod erstalwm yn eu synnu â'i ddewiniaeth. ¹²Ond wedi iddynt gredu Philip a'i newydd da am deyrnas Dduw ac enw Iesu Grist, dechreuwyd eu bedyddio hwy, yn wŷr a gwragedd. ¹³Credodd Simon ei hun hefyd, ac wedi ei fedyddio yr oedd yn glynu'n ddyfal wrth Philip; wrth weld arwyddion a grymusterau mawr yn cael eu cyflawni, yr oedd yn synnu.

14 Pan glywodd yr apostolion yn Jerwsalem fod Samaria wedi derbyn Gair Duw, anfonasant atynt Pedr ac Ioan, ¹⁵ac wedi iddynt hwy ddod i lawr yno, gweddïasant drostynt ar iddynt dderbyn yr Ysbryd Glân, ¹⁶oherwydd nid oedd eto wedi disgyn ar neb ohonynt, dim ond eu bod wedi eu bedyddio i enw yr Arglwydd Iesu. ¹⁷Yna rhoes Pedr ac Ioan eu dwylo arnynt, a derbyniasant yr Ysbryd Glân. ¹⁸Pan welodd Simon mai trwy arddodiad dwylo'r apostolion y rhoddid yr Ysbryd,

^gYn ôl darlleniad arall, *i ddinas*.

daeth ag arian iddynt, ¹⁹a dywedodd, "Rhowch yr awdurdod yma i minnau, fel y bydd i bwy bynnag y rhof fy nwylo arno dderbyn yr Ysbryd Glân." ²⁰Ond dywedodd Pedr wrtho, "Melltith arnat ti a'th arian, am iti feddwl meddiannu rhodd Duw trwy dalu amdani! ²¹Nid oes iti ran na chyfran yn hyn o beth, oblegid nid yw dy galon yn uniawn yng ngolwg Duw. ²²Felly edifarha am y drygioni hwn o'r eiddot, ac erfyn ar yr Arglwydd, i weld a faddeuir i ti feddylfryd dy galon, ²³oherwydd 'rwy'n gweld dy fod yn llawn chwerwder ac yn gaeth i anwiredd." ²⁴Atebodd Simon, "Gweddïwch chwi drosof fi ar yr Arglwydd, fel na ddaw arnaf ddim o'r pethau a ddywedsoch."

25 Hwythau, wedi iddynt dystiolaethu a llefaru gair yr Arglwydd, cychwynasant yn ôl i Jerwsalem, a chyhoeddi'r newydd da i lawer o bentrefi'r Samariaid.

Philip a'r Eunuch o Ethiopia

26 Llefarodd angel yr Arglwydd wrth Philip: "Cod," meddai, "a chymer daith tua'r de, i'r ffordd sy'n mynd i lawr o Jerwsalem i Gasa." Ffordd anial yw hon. ²⁷Cododd yntau ac aeth. A dyma ŵr o Ethiop, eunuch, swyddog uchel i Candace brenhines yr Ethiopiaid, ac yn ben ar ei holl drysor hi; yr oedd hwn wedi dod i Jerwsalem i addoli, ²⁸ac yr oedd yn dychwelyd ac yn eistedd yn ei gerbyd, yn darllen y proffwyd Eseia. ²⁹Dywedodd yr Ysbryd wrth Philip, "Dos a glŷn wrth y cerbyd yna." ³⁰Rhedodd Philip ato a chlywodd ef yn darllen y proffwyd Eseia, ac meddai, "A wyt ti'n deall, tybed, beth yr wyt yn ei ddarllen?" ³¹Meddai yntau, "Wel, sut y gallwn i, heb i rywun fy nghyfarwyddo?" Gwahoddodd Philip i ddod i fyny ato ac eistedd gydag ef. ³²A hon oedd yr adran o'r Ysgrythur yr oedd yn ei darllen:

"Arweiniwyd ef fel dafad i'r lladdfa,
ac fel y bydd yn oen yn ddistaw yn llaw ei gneifiwr,
felly nid yw'n agor ei enau.
³³Yn ei ddarostyngiad gomeddwyd iddo farn.
Pwy a draetha ei genhedlaeth?
Canys cipir ei fywyd oddi ar y ddaear."

34 Meddai'r eunuch wrth Philip, "Dywed i mi, am bwy y mae'r proffwyd

yn dweud hyn? Ai amdano'i hun, ai am rywun arall?" [35] Yna agorodd Philip ei enau, a chan ddechrau o'r rhan hon o'r Ysgrythur traethodd y newydd da am Iesu iddo. [36] Fel yr oeddent yn mynd rhagddynt ar eu ffordd, daethant at ryw ddŵr, ac ebe'r eunuch, "Dyma ddŵr; beth sy'n rhwystro imi gael fy medyddio?" [ng] [38] A gorchmynnodd i'r cerbyd sefyll, ac aethant i lawr ill dau i'r dŵr, Philip a'r eunuch, ac fe'i bedyddiodd ef. [39] Pan ddaethant i fyny o'r dŵr, cipiwyd Philip ymaith gan Ysbryd yr Arglwydd, ac ni welodd yr eunuch mohono mwyach; aeth hwnnw ymlaen ar ei ffordd yn llawen. [40] Cafodd Philip ei hun yn Asotus, ac aeth o gwmpas dan gyhoeddi'r newydd da yn yr holl ddinasoedd nes iddo ddod i Gesarea.

Tröedigaeth Saul
(Act. 22:6-16; 26:12-18)

9 Yr oedd Saul yn dal i chwythu bygythion angheuol yn erbyn disgyblion yr Arglwydd, ac fe aeth at yr archoffeiriad [2] a gofyn iddo am lythyrau at y synagogau yn Namascus, fel os byddai'n cael hyd i rywrai o bobl y Ffordd, yn wŷr neu'n wragedd, y gallai eu dal a dod â hwy i Jerwsalem. [3] Pan oedd ar ei daith ac yn agosáu at Ddamascus, yn sydyn fflachiodd o'i amgylch oleuni o'r nef. [4] Syrthiodd ar lawr, a chlywodd lais yn dweud wrtho, "Saul, Saul, pam yr wyt yn fy erlid i?" [5] Dywedodd yntau, "Pwy wyt ti, Arglwydd?" Ac ebe'r llais, "Iesu wyf fi, yr hwn yr wyt ti yn ei erlid. [6] Ond cod, a dos i mewn i'r ddinas, ac fe ddywedir wrthyt beth sy raid iti ei wneud." [7] Yr oedd y dynion oedd yn cyd-deithio ag ef yn sefyll yn fud, yn clywed y llais ond heb weld neb. [8] Cododd Saul oddi ar lawr, ond er bod ei lygaid yn agored ni allai weld dim. Arweiniasant ef gerfydd ei law i mewn i Ddamascus. [9] Bu am dridiau heb weld, ac ni chymerodd na bwyd na diod.

10 Yr oedd rhyw ddisgybl yn Namascus o'r enw Ananias, a dywedodd yr Arglwydd wrtho ef mewn gweledigaeth, "Ananias." Dywedodd yntau, "Dyma fi, Arglwydd." [11] Ac meddai'r Arglwydd wrtho, "Cod, a dos i'r stryd a elwir Y Stryd Union, a gofyn yn nhŷ Jwdas am ddyn o Darsus o'r enw Saul; cei hyd iddo yno, yn gweddïo; [12] ac y mae wedi gweld mewn gweledigaeth ddyn o'r enw Ananias yn dod i mewn ac yn rhoi ei ddwylo arno i roi ei olwg yn ôl iddo." [13] Atebodd Ananias, "Arglwydd, yr wyf wedi clywed gan lawer am y dyn hwn, faint o ddrwg y mae wedi ei wneud i'th saint di yn Jerwsalem. [14] Yma hefyd y mae ganddo awdurdod oddi wrth y prif offeiriaid i ddal pawb sy'n galw ar dy enw di." [15] Ond dywedodd yr Arglwydd wrtho, "Dos di; llestr dewis i mi yw hwn, i ddwyn fy enw gerbron y Cenhedloedd a'u brenhinoedd, a cherbron meibion Israel. [16] Dangosaf fi iddo faint sy raid iddo'i ddioddef dros fy enw i." [17] Aeth Ananias ymaith ac i mewn i'r tŷ, a rhoddodd ei ddwylo arno a dweud, "Y brawd Saul, yr Arglwydd sydd wedi fy anfon—sef Iesu, yr un a ymddangosodd iti ar dy ffordd yma—er mwyn iti gael dy olwg yn ôl, a'th lenwi â'r Ysbryd Glân." [18] Yn y fan syrthiodd rhywbeth fel cen oddi ar ei lygaid, a chafodd ei olwg yn ôl. Cododd, ac fe'i bedyddiwyd, [19] a chymerodd luniaeth ac ymgryfhaodd.

Saul yn Pregethu yn Namascus

Bu gyda'r disgyblion oedd yn Namascus am rai dyddiau, [20] ac ar unwaith dechreuodd bregethu Iesu yn y synagogau, a chyhoeddi mai Mab Duw oedd ef. [21] Yr oedd pawb oedd yn ei glywed yn rhyfeddu. "Onid dyma'r dyn," meddent, "a wnaeth ddifrod yn Jerwsalem ar y rhai sy'n galw ar yr enw hwn? Ac onid i hyn yr oedd wedi dod yma, sef i fynd â hwy yn rhwym at y prif offeiriaid?" [22] Ond yr oedd Saul yn ymrymuso fwyfwy, ac yn drysu'r Iddewon oedd yn byw yn Namascus wrth brofi mai Iesu oedd y Meseia.

Saul yn Dianc rhag yr Iddewon

23 Fel yr oedd dyddiau lawer yn mynd heibio, cynllwyniodd yr Iddewon i'w ladd. [24] Ond daeth eu cynllwyn yn hysbys i Saul. Yr oeddent hefyd yn gwylio'r pyrth ddydd a nos er mwyn ei ladd ef. [25] Ond cymerodd ei ddisgyblion ef yn y nos a'i ollwng i lawr y mur, gan ei ostwng mewn basged.

Saul yn Jerwsalem

26 Wedi iddo gyrraedd Jerwsalem ceisiodd ymuno â'r disgyblion; ond yr oedd ar bawb ei ofn, gan nad oeddent yn credu ei

---

[ng] Yn ôl darlleniad arall ychwanegir adn.37: *Dywedodd Philip, "Os wyt yn credu â'th holl galon, fe elli." Atebodd yntau, "Yr wyf yn credu mai Mab Duw yw Iesu Grist."*

fod yn ddisgybl. ²⁷Ond cymerodd Barnabas ef a mynd ag ef at yr apostolion, ac adroddodd wrthynt fel yr oedd wedi gweld yr Arglwydd ar y ffordd, ac iddo siarad ag ef, ac fel yr oedd wedi llefaru yn hy yn Namascus yn enw Iesu. ²⁸Bu gyda hwy, yn mynd i mewn ac allan yn Jerwsalem, ²⁹gan lefaru'n hy yn enw yr Arglwydd; byddai'n siarad ac yn dadlau gyda'r Helenistiaid, ond yr oeddent hwy'n ceisio'i ladd ef. ³⁰Pan ddaeth y brodyr i wybod, aethant ag ef i lawr i Gesarea, a'i anfon ymaith i Darsus.

31 Yr oedd yr eglwys yn awr, drwy holl Jwdea a Galilea a Samaria, yn cael heddwch. Yr oedd yn ymgyfnerthu, a thrwy rodio yn ofn yr Arglwydd ac yn niddanwch yr Ysbryd Glân yn mynd ar gynnydd.

Iacháu Aeneas

32 Pan oedd Pedr yn mynd ar daith ac yn galw heibio i bawb, fe ddaeth i lawr at y saint oedd yn trigo yn Lyda. ³³Yno cafodd ryw ddyn o'r enw Aeneas, a oedd yn gorwedd ers wyth mlynedd ar ei fatras, wedi ei barlysu. ³⁴Dywedodd Pedr wrtho, "Aeneas, y mae Iesu Grist yn dy iacháu di; cod, a chyweiria dy wely." Ac yn y fan fe gododd. ³⁵Gwelodd holl drigolion Lyda a Saron ef, a throesant at yr Arglwydd.

Adfer Bywyd Dorcas

36 Yr oedd yn Jopa ryw ddisgybl o'r enw Tabitha; ystyr hyn, o'i gyfieithu, yw Dorcas ʰ. Yr oedd hon yn llawn o weithredoedd da ac o elusennau. ³⁷Yr adeg honno fe glafychodd, a bu farw. Golchasant ei chorff a'i roi i orwedd mewn ystafell ar y llofft. ³⁸A chan fod Lyda yn agos i Jopa, pan glywodd y disgyblion fod Pedr yno, anfonasant ddau ddyn ato i ddeisyf arno, "Tyrd drosodd atom heb oedi." ³⁹Cododd Pedr ac aeth gyda hwy. Wedi iddo gyrraedd, aethant ag ef i fyny i'r ystafell, a safodd yr holl wragedd gweddwon yn ei ymyl dan wylo a dangos y crysau a'r holl ddillad yr oedd Dorcas wedi eu gwneud pan oedd gyda hwy. ⁴⁰Ond trodd Pedr bawb allan, a phenlin-iodd a gweddïo, a chan droi at y corff meddai, "Tabitha, cod." Agorodd hithau ei llygaid, a phan welodd Pedr, cododd ar ei heistedd. ⁴¹Rhoddodd yntau ei law iddi a'i chodi, a galwodd y saint a'r gwragedd

ʰEnw Groeg yn golygu *Gafrewig.*

gweddwon, a'i chyflwyno iddynt yn fyw. ⁴²Aeth y peth yn hysbys drwy Jopa i gyd, a daeth llawer i gredu yn yr Arglwydd. ⁴³Arhosodd Pedr am beth amser yn Jopa gyda rhyw farcer o'r enw Simon.

Pedr a Cornelius

10 Yr oedd rhyw ŵr yng Nghesarea o'r enw Cornelius, canwriad o'r fintai Italaidd, fel y gelwid hi; ²gŵr defosiynol ydoedd, yn ofni Duw, ef a'i holl deulu. Byddai'n rhoi elusennau lawer i'r bobl Iddewig, ac yn gweddïo ar Dduw yn gyson. ³Tua thri o'r gloch y prynhawn, gwelodd yn eglur mewn gweledigaeth angel Duw yn dod i mewn ato ac yn dweud wrtho, "Cornelius." ⁴Syllodd yntau arno a brawychodd, ac meddai, "Beth sydd, f'arglwydd?" Dywedodd yr angel wrtho, "Y mae dy weddïau a'th elusennau wedi esgyn yn offrwm coffa gerbron Duw. ⁵Ac yn awr anfon ddynion i Jopa i gyrchu dyn o'r enw Simon, a gyfenwir Pedr. ⁶Y mae hwn yn lletya gyda rhyw farcer o'r enw Simon, sydd â'i dŷ wrth y môr." ⁷Wedi i'r angel oedd yn llefaru wrtho ymadael, galwodd ddau o'r gweision tŷ a milwr defosiynol, un o'i weision agos, ⁸ac adroddodd y cwbl wrthynt a'u hanfon i Jopa.

9 Trannoeth, pan oedd y rhain ar eu taith ac yn agosáu at y ddinas, aeth Pedr i fyny ar y to i weddïo, tua chanol dydd. ¹⁰Daeth chwant bwyd arno ac eisiau cael pryd; a thra oeddent yn ei baratoi, aeth i lesmair. ¹¹Gwelodd y nef yn agored, a rhywbeth fel hwyl fawr yn disgyn ac yn cael ei gollwng wrth bedair congl tua'r ddaear. ¹²O'i mewn yr oedd holl bedwar-carnolion ac ymlusgiaid y ddaear ac ehediaid y nef. ¹³A daeth llais ato, "Cod, Pedr, lladd a bwyta." ¹⁴Dywedodd Pedr, "Na, na, Arglwydd; nid wyf fi erioed wedi bwyta dim halogedig nac aflan." ¹⁵A thrachefn eilwaith meddai'r llais wrtho, "Yr hyn y mae Duw wedi ei lanhau, paid ti â'i alw'n halogedig." ¹⁶Digwyddodd hyn deirgwaith; yna yn sydyn cymerwyd y peth i fyny i'r nef.

17 Tra oedd Pedr yn amau ynddo'i hun beth allai ystyr y weledigaeth fod, dyma'r dynion oedd wedi eu hanfon gan Cornelius, wedi iddynt holi am dŷ Simon, yn dod a sefyll wrth y drws. ¹⁸Galwasant a gofyn, "A yw Simon, a gyfenwir Pedr, yn lletya yma?" ¹⁹Tra oedd Pedr yn syn-

fyfyrio ynghylch y weledigaeth, dywed-odd yr Ysbryd, "Y mae yma dri dyn[i] yn chwilio amdanat. [20]Cod, dos i lawr, a dos gyda hwy heb amau dim, oherwydd myfi sydd wedi eu hanfon." [21]Aeth Pedr i lawr at y dynion, ac meddai, "Dyma fi, y dyn yr ydych yn chwilio amdano. Pam y daethoch yma?" [22]Meddent hwythau, "Y canwriad Cornelius, gŵr cyfiawn sy'n ofni Duw ac sydd â gair da iddo gan holl genedl yr Iddewon, a rybuddiwyd gan angel sanctaidd i anfon amdanat i'w dŷ, ac i glywed y pethau sydd gennyt i'w dweud." [23]Felly gwahoddodd hwy i mewn a rhoi llety iddynt.

Trannoeth, cododd ac aeth ymaith gyda hwy, ac aeth rhai o'r brodyr oedd yn Jopa gydag ef. [24]A thrannoeth, cyrhaedd-odd Gesarea. Yr oedd Cornelius yn eu disgwyl, ac wedi galw ynghyd ei berth-nasau a'i gyfeillion agos. [25]Wedi i Pedr ddod i mewn, aeth Cornelius i'w gyfar-fod, a syrthiodd wrth ei draed a'i addoli. [26]Ond cododd Pedr ef ar ei draed, gan ddweud, "Cod; dyn wyf finnau hefyd." [27]A than ymddiddan ag ef aeth i mewn, a chael llawer wedi ymgynnull, [28]ac meddai wrthynt, "Fe wyddoch chwi ei bod yn anghyfreithlon i ŵr o Iddew gadw cwmni gydag estron neu ymweld ag ef; eto dangosodd Duw i mi na ddylwn alw'r un dyn yn halogedig neu'n aflan. [29]Dyna pam y deuthum, heb wrthwynebu o gwbl, pan anfonwyd amdanaf. 'Rwy'n gofyn, felly, pam yr anfonasoch amdanaf.'" [30]Ac ebe Cornelius, "Pedwar diwrnod i'r awr hon, yr oeddwn ar weddi am dri o'r gloch y prynhawn yn fy nhŷ, a dyma ŵr yn sefyll o'm blaen mewn gwisg ddisglair, [31]ac meddai, 'Cornelius, y mae Duw wedi clywed dy weddi di ac wedi cofio am dy elusennau. [32]Anfon, felly, i Jopa a gwahodd atat Simon, a gyfenwir Pedr; y mae hwn yn lletya yn nhŷ Simon y barcer, wrth y môr.' [33]Anfonais atat, felly, ar unwaith, a gwelaist tithau yn dda ddod. Yn awr, ynteu, yr ydym ni bawb yma gerbron Duw i glywed popeth a orchmynnwyd i ti gan yr Arglwydd."

Araith Pedr yn Nhŷ Cornelius

34 A dechreuodd Pedr lefaru: "Ar fy ngwir," meddai, "'rwy'n deall nad yw Duw yn dangos ffafriaeth, [35]ond bod y sawl ym mhob cenedl sy'n ei ofni ac yn gweithredu cyfiawnder yn dderbyniol

ganddo ef. [36]Y gair hwn a anfonodd i feibion Israel, gan gyhoeddi Efengyl tangnefedd drwy Iesu Grist; hwn yw Arglwydd pawb. [37]Gwyddoch chwi'r peth a fu drwy holl Jwdea, gan ddechrau yng Ngalilea wedi'r bedydd a gyhoedd-odd Ioan—Iesu o Nasareth, [38]y modd yr eneiniodd Duw ef â'r Ysbryd Glân ac â nerth. Aeth ef oddi amgylch gan wneud daioni ac iacháu pawb oedd dan ormes y diafol, am fod Duw gydag ef. [39]Ac yr ydym ni'n dystion o'r holl bethau a wnaeth yng ngwlad yr Iddewon ac yn Jerwsalem. A lladdasant ef, gan ei grogi ar groesbren. [40]Ond cyfododd Duw ef ar y trydydd dydd, a pheri iddo ddod yn weledig, [41]nid i'r holl bobl, ond i dystion oedd wedi eu rhagethol gan Dduw, sef i ni, y rhai a fu'n cydfwyta ac yn cydyfed ag ef wedi iddo atgyfodi oddi wrth y meirw. [42]Gorchmynnodd i ni bregethu i'r bobl, a thystiolaethu mai hwn yw'r un a benodwyd gan Dduw yn farnwr y byw a'r meirw. [43]I hwn y mae'r holl broffwydi'n tystio, y bydd pawb sy'n credu ynddo ef yn derbyn maddeuant pechodau trwy ei enw."

Y Cenhedloedd yn Derbyn yr Ysbryd Glân

44 Tra oedd Pedr yn dal i lefaru'r pethau hyn, syrthiodd yr Ysbryd Glân ar bawb oedd yn gwrando'r gair. [45]Synnodd y credinwyr Iddewig, cynifer ag oedd wedi dod gyda Pedr, am fod dawn yr Ysbryd Glân wedi ei dywallt hyd yn oed ar y Cenhedloedd; [46]oherwydd yr oedd-ent yn eu clywed yn llefaru â thafodau ac yn mawrygu Duw. Yna dywedodd Pedr, [47]"A all unrhyw un wrthod y dŵr i fedyddio'r rhain, a hwythau wedi derbyn yr Ysbryd Glân fel ninnau?" [48]A gorch-mynnodd eu bedyddio hwy yn enw Iesu Grist. Yna gofynasant iddo aros am rai dyddiau.

Adroddiad Pedr i'r Eglwys yn Jerwsalem

11 Clywodd yr apostolion a'r brodyr oedd yn Jwdea fod y Cenhed-loedd hefyd wedi derbyn Gair Duw. [2]Pan ddaeth Pedr i fyny i Jerwsalem, dechreu-odd plaid yr enwaediad ddadlau ag ef, [3]a dweud, "Buost yn ymweld â dynion dienwaededig, ac yn cydfwyta â hwy." [4]Dechreuodd Pedr adrodd yr hanes wrthynt yn ei drefn. [5]"Yr oeddwn i,"

[i]Yn ôl darlleniadau eraill, *ddau ddyn*, neu, *rai dynion*.

meddai, "yn nhref Jopa yn gweddïo, a gwelais mewn llesmair weledigaeth: yr oedd rhywbeth fel hwyl fawr yn disgyn ac yn cael ei gollwng o'r nef wrth bedair congl, a daeth hyd ataf. ⁶Syllais arni a cheisio amgyffred; gwelais bedwarcarnolion y ddaear a'r bwystfilod a'r ymlusgiaid ac ehediaid y nef. ⁷A chlywais lais yn dweud wrthyf, 'Cod, Pedr, lladd a bwyta.' ⁸Ond dywedais, 'Na, na, Arglwydd; nid aeth dim halogedig neu aflan erioed i'm genau.' ⁹Atebodd llais o'r nef eilwaith, 'Yr hyn y mae Duw wedi ei lanhau, paid ti â'i alw'n halogedig.' ¹⁰Digwyddodd hyn deirgwaith, ac yna tynnwyd y cyfan i fyny yn ôl i'r nef. ¹¹Ac yn union dyma dri dyn yn dod a sefyll wrth y tŷ lle'r oeddem¹, wedi eu hanfon ataf o Gesarea. ¹²A dywedodd yr Ysbryd wrthyf am fynd gyda hwy heb amau dim. Daeth y chwe brawd hyn gyda mi, ac aethom i mewn i dŷ'r dyn hwnnw. ¹³Mynegodd yntau i ni fel yr oedd wedi gweld yr angel yn sefyll yn ei dŷ ac yn dweud, 'Anfon i Jopa i gyrchu Simon, a gyfenwir Pedr; ¹⁴fe lefara ef eiriau wrthyt, a thrwyddynt hwy achubir di a'th holl deulu.' ¹⁵Ac nid cynt y dechreuais lefaru nag y syrthiodd yr Ysbryd Glân arnynt hwy fel yr oedd wedi syrthio arnom ninnau ar y cyntaf. ¹⁶Cofiais air yr Arglwydd, fel yr oedd wedi dweud, 'Â dŵr y bedyddiodd Ioan, ond fe'ch bedyddir chwi â'r Ysbryd Glân.' ¹⁷Os rhoddodd Duw, ynteu, yr un rhodd iddynt hwy ag i ninnau pan gredasom yn yr Arglwydd Iesu Grist, pwy oeddwn i i allu lluddias Duw?" ¹⁸Ac wedi iddynt glywed hyn, fe dawsant, a gogoneddu Duw gan ddweud, "Felly rhoddodd Duw i'r Cenhedloedd hefyd yr edifeirwch a rydd fywyd."

Yr Eglwys yn Antiochia

19 Yn awr yr oedd y rhai a wasgarwyd oherwydd yr erlid a gododd o achos Steffan wedi teithio cyn belled â Phenice a Cyprus ac Antiochia, heb lefaru'r Gair wrth neb ond Iddewon yn unig. ²⁰Ond yr oedd rhai ohonynt yn wŷr o Cyprus a Cyrene a dechreusant hwy, wedi iddynt ddod i Antiochia, lefaru wrth yr Helenistiaidᴵᴵ hefyd, gan gyhoeddi'r newydd da am yr Arglwydd Iesu. ²¹Yr oedd llaw'r Arglwydd gyda hwy, a mawr oedd y nifer a ddaeth i gredu a throi at yr Arglwydd. ²²Daeth yr hanes amdanynt i glustiau'r eglwys oedd yn Jerwsalem ac anfonasant Barnabas allan i fynd i Antiochia. ²³Wedi iddo gyrraedd, a gweld gras Duw, yr oedd yn llawen, a bu'n annog pawb i lynu wrth yr Arglwydd o wir fwriad calon; ²⁴achos yr oedd yn ddyn da, yn llawn o'r Ysbryd Glân ac o ffydd. A chwanegwyd cryn dyrfa i'r Arglwydd. ²⁵Yna fe aeth ymaith i Darsus i geisio Saul, ac wedi ei gael daeth ag ef i Antiochia. ²⁶Am flwyddyn gyfan cawsant gydymgynnull gyda'r eglwys a dysgu cryn dyrfa; ac yn Antiochia y cafodd y disgyblion yr enw Cristionogion gyntaf.

27 Yn y dyddiau hynny daeth proffwydi i lawr o Jerwsalem i Antiochia, ²⁸a chododd un ohonynt, o'r enw Agabus, a rhoi arwydd trwy'r Ysbryd fod newyn mawr ar ddod dros yr holl fyd; ac felly y bu yn amser Clawdius. ²⁹Penderfynodd y disgyblion, bob un ohonynt, gyfrannu, yn ôl fel y gallai fforddio, at gynhaliaeth y brodyr oedd yn trigo yn Jwdea. ³⁰Gwnaethant hynny, ac anfon eu cyfraniad at yr henuriaid trwy law Barnabas a Saul.

Lladd Iago a Charcharu Pedr

12 Tua'r amser hwnnw, fe gymerodd y Brenin Herod afael ar rai o aelodau'r eglwys i'w drygu. ²Fe laddodd Iago, brawd Ioan, â'r cleddyf. ³Pan welodd fod hyn yn gymeradwy gan yr Iddewon, aeth ymlaen i ddal Pedr hefyd. Yn ystod dyddiau gŵyl y Bara Croyw y bu hyn. ⁴Wedi dal Pedr, fe'i rhoddodd yng ngharchar, a'i draddodi i bedwar pedwariad o filwyr i'w warchod, gan fwriadu dod ag ef gerbron, ar ôl y Pasg, yng ngŵydd y bobl. ⁵Felly yr oedd Pedr dan warchodaeth yn y carchar. Ond yr oedd yr eglwys yn gweddïo'n daer ar Dduw ar ei ran.

Rhyddhau Pedr o'r Carchar

6 Pan oedd Herod ar fin ei ddwyn gerbron, y nos honno yr oedd Pedr yn cysgu rhwng dau filwr, wedi ei rwymo â dwy gadwyn, a gwylwyr o flaen y drws yn gwarchod y carchar. ⁷A dyma angel yr Arglwydd yn sefyll yno, a goleuni yn disgleirio yn y gell. Trawodd yr angel Pedr ar ei ystlys, a'i ddeffro a dweud, "Cod ar unwaith." A syrthiodd ei gadwynau oddi ar ei ddwylo. ⁸Meddai'r angel wrtho, "Rho dy wregys a gwisg dy sandalau." Ac felly y gwnaeth. Meddai

---

¹Yn ôl darlleniad arall, *oeddwn.*   ᴵᴵYn ôl darlleniad arall, *y Groegiaid.*

wrtho wedyn, "Rho dy fantell amdanat, a chanlyn fi." ⁹Ac fe'i canlynodd oddi yno. Ni wyddai fod yr hyn oedd yn cael ei gyflawni drwy'r angel yn digwydd mewn gwirionedd, ond yr oedd yn tybio mai gweld gweledigaeth yr oedd. ¹⁰Aethant heibio i'r wyliadwriaeth gyntaf a'r ail, a daethant at y porth haearn oedd yn arwain i'r ddinas; agorodd hwn iddynt ohono'i hun, ac aethant allan a mynd rhagddynt hyd un heol. Yna'n ebrwydd ymadawodd yr angel ag ef. ¹¹Wedi i Pedr ddod ato'i hun, fe ddywedodd, "Yn awr mi wn yn wir i'r Arglwydd anfon ei angel a'm gwared i o law Herod a rhag popeth yr oedd yr Iddewon yn ei ddisgwyl." ¹²Wedi iddo sylweddoli hyn, aeth i dŷ Mair, mam Ioan a gyfenwid Marc, lle'r oedd cryn nifer wedi ymgasglu ac yn gweddïo. ¹³Curodd wrth ddrws y cyntedd, a daeth morwyn, o'r enw Rhoda, i'w ateb. ¹⁴Pan adnabu hi lais Pedr nid agorodd y drws gan lawenydd, ond rhedodd i mewn a mynegodd fod Pedr yn sefyll wrth ddrws y cyntedd. ¹⁵Dywedasant wrthi, "'Rwyt ti'n wallgof." Ond taerodd hithau mai felly yr oedd. Meddent hwythau, "Ei angel ydyw." ¹⁶Yr oedd Pedr yn dal i guro, ac wedi iddynt agor a'i weld, fe'u syfrdanwyd. ¹⁷Amneidiodd yntau arnynt â'i law i fod yn ddistaw, ac adroddodd wrthynt sut yr oedd yr Arglwydd wedi dod ag ef allan o'r carchar. Dywedodd hefyd, "Mynegwch hyn i Iago a'r brodyr." Yna ymadawodd, ac aeth ymaith i le arall.

18 Wedi iddi ddyddio, yr oedd cynnwrf nid bychan ymhlith y milwyr: beth allai fod wedi digwydd i Pedr? ¹⁹Wedi i Herod chwilio amdano a methu ei gael, holodd y gwylwyr a gorchmynnodd eu dienyddio. Yna aeth i lawr o Jwdea i Gesarea, ac aros yno.

Marwolaeth Herod

20 Yr oedd Herod yn gynddeiriog yn erbyn gwŷr Tyrus a Sidon. Ond daethant hwy yn unfryd ato, ac wedi ennill Blastus, siambrlen y brenin, o'u plaid, deisyfasant heddwch, am fod eu gwlad hwy yn cael ei chynhaliaeth o wlad y brenin. ²¹Ar ddiwrnod penodedig, a'i wisg frenhinol amdano, eisteddodd Herod ar ei orsedd a dechrau gwneud araith iddynt; ²²a bloeddiodd y bobl, "Llais Duw ydyw, nid llais dyn!" ²³Yn y fan trawodd angel yr

Arglwydd ef, am nad oedd wedi rhoi'r gogoniant i Dduw; ac fe'i hyswyd gan bryfed, a threngodd. 24 Yr oedd Gair yr Arglwydd yn cynyddu ac yn mynd ar led. ²⁵Dychwelodd Barnabas a Saul oᵐ Jerwsalem wedi iddynt gyflawni eu gwaith, a chymryd gyda hwy Ioan, a gyfenwid Marc.

Rhoi Comisiwn i Barnabas a Saul

13 Yr oedd yn yr eglwys oedd yn Antiochia broffwydi ac athrawon —Barnabas a Simeon, a elwid Niger, a Lwcius o Cyrene, a Manaen, un o wŷr llys y Tywysog Herod, a Saul. ²Tra oeddent hwy'n offrymu addoliad i'r Arglwydd ac yn ymprydio, dywedodd yr Ysbryd Glân, "Neilltuwch yn awr i mi Barnabas a Saul, i'r gwaith yr wyf wedi eu galw iddo." ³Yna, wedi ymprydio a gweddïo a rhoi eu dwylo arnynt, gollyngasant hwy.

Yr Apostolion yn Pregethu yn Cyprus

4 Felly, wedi eu hanfon allan gan yr Ysbryd Glân, daeth y rhain i lawr i Selewcia, ac oddi yno hwylio i Cyprus. ⁵Wedi cyrraedd Salamis, cyhoeddasant air Duw yn synagogau'r Iddewon. Yr oedd ganddynt Ioan hefyd yn gynorthwywr. ⁶Aethant drwy'r holl ynys hyd Paffos, a chael yno ryw ddewin, gaubroffwyd o Iddew, o'r enw Bar-Iesu; ⁷yr oedd hwn gyda'r rhaglaw, Sergius Paulus, gŵr deallus. Galwodd hwnnw Barnabas a Saul ato, a cheisio cael clywed gair Duw. ⁸Ond yr oedd Elymas y dewin (felly y cyfieithir ei enw) yn eu gwrthwynebu, a cheisio gwyrdroi'r rhaglaw oddi wrth y ffydd. ⁹Ond dyma Saul (a elwir hefyd yn Paul), wedi ei lenwi â'r Ysbryd Glân, yn syllu arno ¹⁰a dweud, "Ti, sy'n llawn o bob twyll a phob dichell, fab diafol, gelyn pob cyfiawnder, oni pheidi di â gwyrdroi union ffyrdd yr Arglwydd? ¹¹Yn awr dyma law'r Arglwydd arnat, ac fe fyddi'n ddall, heb weld yr haul, am beth amser." Ac yn y fan syrthiodd arno niwl a thywyllwch, a dyna lle'r oedd yn ymbalfalu am rywun i estyn llaw iddo. ¹²Yna pan welodd y rhaglaw beth oedd wedi digwydd, daeth i gredu, wedi ei synnu'n fawr gan y ddysgeidiaeth am yr Arglwydd.

ᵐ Yn ôl darlleniad arall, *i.*

Paul a Barnabas yn Antiochia Pisidia

13 Wedi hwylio o Paffos, daeth Paul a'i gymdeithion i Perga yn Pamffylia. Ond cefnodd Ioan arnynt, a dychwelyd i Jerwsalem. [14] Aethant hwythau yn eu blaenau o Perga a chyrraedd Antiochia Pisidia, ac aethant i'r synagog ar y dydd Saboth, ac eistedd yno. [15] Ar ôl y darllen o'r Gyfraith a'r proffwydi, anfonodd arweinwyr y synagog atynt a gofyn, "Frodyr, os oes gennych air o anogaeth i'r bobl, traethwch." [16] Cododd Paul, ac wedi amneidio â'i law dywedodd: "Wŷr Israel, a chwi sy'n ofni Duw, gwrandewch. [17] Duw'r bobl hyn, Israel, fe ddewisodd hwn ein tadau ni, a dyrchafodd y bobl pan oeddent yn estroniaid yng ngwlad yr Aifft, ac â braich estynedig fe ddaeth â hwy allan oddi yno. [18] Am ryw ddeugain mlynedd bu'n cydymddwyn â hwy[n] yn yr anialwch. [19] Yna dinistriodd saith genedl yng ngwlad Canaan, a rhoi eu tir hwy yn etifeddiaeth iddynt [20] am ryw bedwar can mlynedd a hanner. Ac wedi hynny rhoddodd iddynt farnwyr hyd at y proffwyd Samuel. [21] Ar ôl hyn gofynasant am gael brenin, a rhoddodd Duw iddynt Saul fab Cis, gŵr o lwyth Benjamin, am ddeugain mlynedd. [22] Yna fe'i diorseddodd ef, a chodi Dafydd yn frenin iddynt, a thystiolaethu iddo gan ddweud, 'Cefais Ddafydd fab Jesse yn ŵr wrth fodd fy nghalon, un sy'n gwneud popeth yr wyf yn ei ddymuno.' [23] O blith disgynyddion hwn y daeth Duw, yn ôl ei addewid, â Gwaredwr i Israel, sef Iesu. [24] Yr oedd Ioan eisoes, cyn iddo ef ddod, wedi cyhoeddi bedydd edifeirwch i holl bobl Israel. [25] Ac wrth ei fod yn cwblhau ei yrfa, dywedodd Ioan, 'Beth yr ydych chwi'n tybio fy mod? Nid hynny wyf fi. Na, dyma un yn dod ar f'ôl i nad wyf fi'n deilwng i ddatod y sandalau am ei draed.'

26 Frodyr, meibion cenedl Abraham a'r rhai yn eich plith sy'n ofni Duw, i ni yr anfonwyd gair yr iachawdwriaeth hon. [27] Oherwydd nid adnabu trigolion Jerwsalem a'u llywodraethwyr mo hwn; ni ddeallasant chwaith eiriau'r proffwydi a ddarllenir bob Saboth, ond eu cyflawni trwy ei gondemnio ef. [28] Er na chawsant ddim rheswm dros ei roi i farwolaeth, ceisiasant gan Pilat ei ladd; [29] ac wedi iddynt ddwyn i ben bopeth oedd wedi ei ysgrifennu amdano, tynasant ef i lawr oddi ar y croesbren a'i roi mewn bedd. [30] Ond cyfododd Duw ef oddi wrth y meirw; [31] ac fe ymddangosodd dros ddyddiau lawer i'r rhai oedd wedi dod i fyny gydag ef o Galilea i Jerwsalem, ac y mae'r rhain yn awr yn dystion iddo i'r bobl. [32] Yr ydym ninnau yn cyhoeddi i chwi newydd da am yr addewid a wnaed i'r tadau, fod Duw wedi ei llwyr gyflawni hi i ni eu plant[o] trwy atgyfodi Iesu, [33] fel y mae'n ysgrifenedig hefyd yn yr ail Salm: 'Fy mab wyt ti; myfi a'th genhedlodd di heddiw.' [34] Ac ynglŷn â'i fod wedi ei atgyfodi ef oddi wrth y meirw, byth i ddychwelyd mwy i lygredigaeth, y mae wedi dweud fel hyn: 'Rhoddaf i chwi y pethau sanctaidd sy'n perthyn i Ddafydd, y pethau sicr.' [35] Oherwydd mewn lle arall eto y mae'n dweud: 'Ni adewi i'th Sanct weld llygredigaeth.' [36] Canys Dafydd, wedi iddo yn ei genhedlaeth ei hun wasanaethu ewyllys Duw, fe hunodd ef, ac fe'i rhoddwyd i orffwys gyda'i dadau, a gwelodd lygredigaeth; [37] ond yr hwn a gyfododd Duw, ni welodd hwnnw lygredigaeth. [38] Felly bydded hysbys i chwi, frodyr, mai trwy hwn y cyhoeddir i chwi faddeuant pechodau, [39] a thrwy hwn y rhyddheir pawb sy'n credu oddi wrth yr holl bethau nad oedd modd eich rhyddhau oddi wrthynt trwy Gyfraith Moses. [40] Gwyliwch, ynteu, na ddaw arnoch yr hyn a ddywedwyd yn y proffwydi:

[41] 'Gwelwch, chwi ddirmygwyr, a rhyfeddwch, a diflannwch, oherwydd yr wyf fi'n cyflawni gweithred yn eich dyddiau chwi, gweithred na chredwch ynddi byth, er ei hadrodd yn llawn ichwi.' "

42 Wrth iddynt fynd allan, yr oedd y bobl yn deisyf arnynt lefaru'r pethau hyn wrthynt y Saboth wedyn. [43] Wedi i'r gynulleidfa gael ei gollwng, aeth llawer o'r Iddewon, ac o'r proselytiaid oedd yn addolwyr Duw, ar ôl Paul a Barnabas, a buont hwythau yn llefaru wrthynt a'u hannog i lynu wrth ras Duw. 44 Y Saboth dilynol, daeth yr holl ddinas bron ynghyd i glywed gair yr

---

[n] Yn ôl darlleniad arall, *bu'n eu meithrin.*

[o] Yn ôl darlleniad arall, *i'n plant.*

Arglwydd. ⁴⁵Pan welodd yr Iddewon y tyrfaoedd fe'u llanwyd â chenfigen, ac yr oeddent yn gwrthddweud y pethau yr oedd Paul yn eu llefaru, gan ei ddifenwi. ⁴⁶Yna llefarodd Paul a Barnabas yn hy: "I chwi," meddent, "yr oedd yn rhaid llefaru gair Duw yn gyntaf. Ond gan eich bod yn ei wrthod, ac yn eich dyfarnu eich hunain yn annheilwng o'r bywyd tragwyddol, dyma ni'n troi at y Cenhedloedd. ⁴⁷Oblegid hyn yw gorchymyn yr Arglwydd i ni:
'Gosodais di yn oleuni'r Cenhedloedd, iti fod yn gyfrwng iachawdwriaeth hyd eithaf y ddaear.' "
⁴⁸Wrth glywed hyn, yr oedd y Cenhedloedd yn llawenychu a gogoneddu gair yr Arglwydd, a chredodd cynifer ag oedd wedi eu penodi i fywyd tragwyddol. ⁴⁹Yr oedd gair yr Arglwydd yn ymdaenu drwy'r holl fro. ⁵⁰Ond fe gyffrôdd yr Iddewon y gwragedd bonheddig oedd yn addolwyr Duw, a phrif wŷr y ddinas, a chodasant erlid yn erbyn Paul a Barnabas, a'u bwrw allan o'u hardal. ¹⁵Ysgydwasant hwythau'r llwch oddi ar eu traed yn eu herbyn, a daethant i Iconium. ⁵²A llanwyd y disgyblion â llawenydd ac â'r Ysbryd Glân.

Paul a Barnabas yn Iconium

14 Yn Iconium eto, aethantᴾ i mewn i synagog yr Iddewon a llefaru yn y fath fodd nes i liaws mawr o Iddewon a Groegiaid gredu. ²Ond dyma'r Iddewon a wrthododd gredu yn cyffroi meddyliau'r Cenhedloedd, a'u gwyrdroi yn erbyn y brodyr. ³Treuliasant, felly, gryn amser yn llefaru'n hy yn yr Arglwydd, a thystiodd yntau i air ei ras trwy beri gwneud arwyddion a rhyfeddodau trwy eu llaw. ⁴Rhannwyd pobl y ddinas; yr oedd rhai gyda'r Iddewon, a rhai gyda'r apostolion. ⁵Pan wnaed cynnig gan y Cenhedloedd a'r Iddewon, ynghyd â'u harweinwyr, i'w cam-drin a'u llabyddio, ⁶wedi cael achlust o'r peth ffoesant i Lystra a Derbe, dinasoedd Lycaonia, ac i'r wlad o amgylch, ⁷ac yno yr oeddent yn cyhoeddi'r newydd da.

Paul a Barnabas yn Lystra

8 Ac yn Lystra yr oedd yn eistedd ryw ddyn â'i draed yn ddiffrwyth, un cloff o'i enedigaeth, nad oedd erioed wedi cerdded. ⁹Yr oedd hwn yn gwrando ar

ᴾNeu, *aethant ynghyd.*

Paul yn llefaru. Syllodd yntau arno, a gwelodd fod ganddo ffydd i gael ei iacháu, ¹⁰a dywedodd â llais uchel, "Saf yn unionsyth ar dy draed." Neidiodd yntau i fyny a dechrau cerdded. ¹¹Pan welodd y tyrfaoedd yr hyn yr oedd Paul wedi ei wneud, gwaeddasant yn iaith Lycaonia: "Y duwiau a ddaeth i lawr atom ar lun dynion"; ¹²a galwasant Barnabas yn Zeus, a Paul yn Hermes, gan mai ef oedd y siaradwr blaenaf. ¹³Yr oedd teml Zeus y tu allan i'r ddinas, a daeth yr offeiriad â theirw a thorchau at y pyrth gan fwriadu offrymu aberth gyda'r tyrfaoedd. ¹⁴Pan glywodd yr apostolion, Barnabas a Paul, am hyn, rhwygasant eu dillad, a neidio allan i blith y dyrfa dan weiddi, ¹⁵"Ddynion, pam yr ydych yn gwneud hyn? Bodau dynol ydym ninnau, o'r un anian â chwi. Cyhoeddi newydd da i chwi yr ydym, i'ch troi oddi wrth y pethau ofer hyn at y Duw byw a wnaeth y nef a'r ddaear a'r môr a phopeth sydd ynddynt. ¹⁶Yn yr oesoedd a fu, goddefodd ef i'r holl genhedloedd rodio yn eu ffyrdd eu hunain. ¹⁷Ac eto ni adawodd ei hun heb dyst, gan iddo gyfrannu bendithion: rhoi glaw ichwi o'r nef, a thymhorau ffrwythlon, a chyflawnder calon o luniaeth a llawenydd." ¹⁸Ond er dweud hyn, o'r braidd yr ataliasant y tyrfaoedd rhag offrymu aberth iddynt.

19 Daeth Iddewon yno o Antiochia ac Iconium; ac wedi iddynt berswadio'r tyrfaoedd, lluchiasant gerrig at Paul, a'i lusgo allan o'r ddinas, gan dybio ei fod wedi marw. ²⁰Ond ffurfiodd y disgyblion gylch o'i gwmpas, a chododd yntau ac aeth i mewn i'r ddinas. Trannoeth, aeth ymaith gyda Barnabas i Derbe.

Dychwelyd i Antiochia yn Syria

21 Buont yn cyhoeddi'r newydd da i'r ddinas honno, ac wedi gwneud disgyblion lawer, dychwelsant i Lystra ac i Iconium ac i Antiochia, ²²a chadarnhau eneidiau'r disgyblion a'u hannog i lynu wrth y ffydd, gan ddweud, "Trwy lawer o gyfyngderau yr ydym i fynd i mewn i deyrnas Dduw." ²³Penodasant iddynt henuriaid ym mhob eglwys, a'u cyflwyno, ar ôl gweddïo ac ymprydio, i'r Arglwydd yr oeddent wedi credu ynddo. ²⁴Wedi iddynt deithio trwy Pisidia, daethant i Pamffylia; ²⁵ac wedi llefaru'r gair yn Perga, aethant i lawr i Atalia, ²⁶ac oddi yno hwyliasant i Anti-

ochia, i'r fan lle'r oeddent wedi eu cyflwyno i ras Duw at y gwaith yr oeddent wedi ei gyflawni. [27] Wedi iddynt gyrraedd, cynullasant yr eglwys ynghyd ac adrodd gymaint yr oedd Duw wedi ei wneud gyda hwy, ac fel yr oedd wedi agor drws ffydd i'r Cenhedloedd. [28] A threuliasant gryn dipyn o amser gyda'r disgyblion.

Y Cyngor yn Jerwsalem

15 Yna daeth rhai i lawr o Jwdea a dysgu'r brodyr: "Os nad enwaedir arnoch yn ôl defod Moses, ni ellir eich achub." [2] A chododd ymryson ac ymddadlau nid bychan rhyngddynt a Paul a Barnabas, a threfnwyd bod Paul a Barnabas, a rhai eraill o'u plith, yn mynd i fyny at yr apostolion a'r henuriaid yn Jerwsalem ynglŷn â'r cwestiwn yma. [3] Felly anfonwyd hwy gan yr eglwys, ac ar eu taith trwy Phenice a Samaria buont yn adrodd yr hanes am dröedigaeth y Cenhedloedd, a pharasant lawenydd mawr i'r holl frodyr. [4] Wedi iddynt gyrraedd Jerwsalem, fe'u derbyniwyd gan yr eglwys a'r[1] apostolion a'r henuriaid, a mynegasant gymaint yr oedd Duw wedi ei wneud. [5] Ond cododd rhai credinwyr oedd o sect y Phariseaid, a dweud, "Y mae'n rhaid enwaedu arnynt, a gorchymyn iddynt gadw Cyfraith Moses."

6 Ymgynullodd yr apostolion a'r henuriaid i ystyried y mater yma. [7] Ar ôl llawer o ddadlau, cododd Pedr a dywedodd wrthynt: "Frodyr, gwyddoch chwi fod Duw yn y dyddiau cynnar yn eich plith wedi dewis bod y Cenhedloedd, trwy fy ngenau i, yn cael clywed gair yr Efengyl, a chredu. [8] Ac y mae Duw, yr adnabod calonnau, wedi dwyn tystiolaeth iddynt trwy roi iddynt hwy yr Ysbryd Glân yr un fath ag i ninnau; [9] ac ni wnaeth ddim gwahaniaeth rhyngom ni a hwythau, gan iddo lanhau eu calonnau hwy drwy ffydd. [10] Yn awr, ynteu, pam yr ydych yn rhoi prawf ar Dduw trwy osod iau ar war y disgyblion, na allodd ein tadau na ninnau mo'i dwyn? [11] Ond yr ydym ni'n credu mai trwy ras yr Arglwydd Iesu yr achubir ni, a hwythau yr un modd."

12 Tawodd yr holl gynulliad, a gwrando ar Barnabas a Paul yn adrodd am yr holl arwyddion a rhyfeddodau yr oedd Duw wedi eu gwneud ymhlith y Cenhedloedd drwyddynt hwy. [13] Wedi iddynt dewi, dywedodd Iago, "Frodyr, gwrandewch arnaf fi. [14] Y mae Simeon wedi dweud sut y gofalodd Duw gyntaf am gael o blith y Cenhedloedd bobl yn dwyn ei enw. [15] Ac y mae geiriau'r proffwydi yn cytuno â hyn, fel y mae'n ysgrifenedig:

[16] ' "Ar ôl hyn dychwelaf,
    ac ailadeiladaf babell syrthiedig
        Dafydd,
    ailadeiladaf ei hadfeilion,
    a'i hatgyweirio,
[17] fel y ceisier yr Arglwydd gan y
        gweddill o ddynion,
    a chan yr holl Genhedloedd y galwyd
        fy enw arnynt,"
    medd yr Arglwydd, sy'n gwneud y
        pethau hyn [18] yn hysbys erioed.'

[19] Felly fy marn i yw na ddylem boeni'r rhai o blith y Cenhedloedd sy'n troi at Dduw, [20] ond ysgrifennu atynt am iddynt ymgadw rhag bwyta pethau sydd wedi eu halogi gan eilunod, a rhag anlladrwydd,[ph] a rhag bwyta na'r hyn sydd wedi ei dagu, na gwaed.[r] [21] Oherwydd y mae gan Moses, er yn oesau cyntaf, rai sy'n ei bregethu ym mhob tref, ac fe'i darllenir yn y synagogau bob Saboth."

Y Cyngor yn Ateb

22 Yna penderfynodd yr apostolion a'r henuriaid, ynghyd â'r holl eglwys, ddewis gwŷr o'u plith a'u hanfon i Antiochia gyda Paul a Barnabas, sef Jwdas, a elwid Barsabas, a Silas, gwŷr blaenllaw ymhlith y brodyr. [23] Rhoesant y llythyr hwn iddynt i fynd yno: "Y brodyr, yn apostolion a henuriaid, at y brodyr sydd o blith y Cenhedloedd yn Antiochia a Syria a Cilicia, cyfarchion. [24] Oherwydd inni glywed fod rhai ohonom ni wedi'ch tarfu â'u geiriau, ac ansefydlu eich meddyliau, heb i ni eu gorchymyn, [25] yr ydym wedi penderfynu'n unfryd ddewis gwŷr a'u hanfon atoch gyda'n cyfeillion annwyl, Barnabas a Paul, [26] dynion sydd wedi cysegru eu bywydau dros enw ein Harglwydd Iesu Grist. [27] Felly yr ydym yn anfon Jwdas a Silas, a byddant hwy'n mynegi yr un neges ar lafar. [28] Penderfynwyd gan yr Ysbryd Glân a chennym ninnau beidio â gosod arnoch ddim mwy o faich na'r pethau angenrheidiol hyn:

[ph] Yn ôl darlleniad arall gadewir allan *a rhag anlladrwydd.*
[r] Yn ôl darlleniad arall, *rhag bwyta pethau sydd wedi eu halogi gan eilunod, a rhag anlladrwydd, a rhag gwaed, ac i beidio â gwneud i eraill yr hyn na hoffent iddo ddigwydd iddynt eu hunain.*

[29] ymgadw rhag bwyta yr hyn sydd wedi ei aberthu i eilunod, neu waed, neu'r hyn sydd wedi ei dagu, a rhag anlladrwydd.[rh] Os cadwch rhag y pethau hyn, fe wnewch yn dda. Ffarwel."

30 Anfonwyd hwy, felly, a daethant i lawr i Antiochia, ac wedi galw'r gynulleidfa ynghyd, cyflwynwyd y llythyr. [31] Wedi ei ddarllen, yr oeddent yn llawen ar gyfrif yr anogaeth yr oedd yn ei rhoi. [32] Gan fod Jwdas a Silas hwythau'n broffwydi, dywedasant lawer i annog y brodyr a'u cadarnhau. [33] Wedi iddynt dreulio peth amser fe'u hanfonwyd mewn tangnefedd oddi wrth y brodyr yn ôl at y rhai a'u hanfonodd.[s] [35] Arhosodd Paul a Barnabas yn Antiochia, gan ddysgu a phregethu gair yr Arglwydd, ynghyd â llawer eraill.

Paul a Barnabas yn Ymwahanu

36 Wedi rhai dyddiau, dywedodd Paul wrth Barnabas, "Gadewch inni ddychwelyd yn awr, ac ymweld â'r brodyr ym mhob un o'r dinasoedd y buom yn cyhoeddi gair yr Arglwydd ynddynt, i weld sut y mae hi arnynt." [37] Yr oedd Barnabas yn dymuno cymryd Ioan, a elwid Marc, gyda hwy; [38] ond yr oedd Paul yn barnu na ddylent gymryd yn gydymaith un oedd wedi cefnu arnynt yn Pamffylia, a heb gydweithio â hwy. [39] Bu cymaint cynnen rhyngddynt nes iddynt ymwahanu. Cymerodd Barnabas Marc, a hwylio i Cyprus; [40] ond dewisodd Paul Silas, ac aeth i ffwrdd, wedi ei gyflwyno gan y brodyr i ras yr Arglwydd. [41] A bu'n teithio drwy Syria a Cilicia, gan gadarnhau'r eglwysi.

Timotheus yn Mynd gyda Paul a Silas

16 Cyrhaeddodd Derbe ac yna Lystra. Yno yr oedd disgybl o'r enw Timotheus, mab i wraig grediniol o Iddewes, a'i dad yn Roegwr. [2] Yr oedd gair da iddo gan y brodyr yn Lystra ac Iconium. [3] Yr oedd Paul am i hwn fynd ymaith gydag ef, a chymerodd ef ac enwaedu arno, o achos yr Iddewon oedd yn y lleoedd hynny, oherwydd yr oeddent i gyd yn gwybod mai Groegwr oedd ei

dad. [4] Fel yr oeddent yn teithio trwy'r dinasoedd, yr oeddent yn traddodi iddynt, er mwyn iddynt eu cadw, y gorchmynion a ddyfarnwyd gan yr apostolion a'r henuriaid oedd yn Jerwsalem. [5] Felly yr oedd yr eglwysi yn ymgadarnhau yn y ffydd, ac yn amlhau mewn rhif beunydd.

Y Gŵr o Facedonia yn Ymddangos i Paul

6 Aethant trwy ranbarth Phrygia a Galatia, ar ôl i'r Ysbryd Glân eu rhwystro rhag llefaru'r gair yn Asia. [7] Wedi iddynt ddod hyd at Mysia, yr oeddent yn ceisio mynd i Bithynia, ond ni chaniataodd ysbryd Iesu iddynt. [8] Ac aethant heibio i Mysia, a dod i lawr i Troas. [9] Ymddangosodd gweledigaeth i Paul un noson— gŵr o Facedonia yn sefyll ac yn ymbil arno a dweud, "Tyrd drosodd i Facedonia, a chymorth ni." [10] Pan gafodd ef y weledigaeth, rhoesom gynnig ar fynd i Facedonia ar ein hunion, gan gasglu mai Duw oedd wedi ein galw i gyhoeddi'r newydd da iddynt hwy.

Tröedigaeth Lydia

11 Ac wedi hwylio o Troas, aethom ar union hynt i Samothrace, a thrannoeth i Neapolis, [12] ac oddi yno i Philipi; dinas yw hon yn rhanbarth gyntaf Macedonia,[t] ac y mae'n drefedigaeth Rufeinig. Buom yn treulio rhai dyddiau yn y ddinas hon. [13] Ar y dydd Saboth aethom y tu allan i'r porth at lan afon, gan dybio fod yno le gweddi. Wedi eistedd, dechreusom lefaru wrth y gwragedd oedd wedi dod ynghyd. [14] Ac yn gwrando yr oedd gwraig o'r enw Lydia, un oedd yn gwerthu porffor, o ddinas Thyatira, ac un oedd yn addoli Duw. Agorodd yr Arglwydd ei chalon hi i ddal ar y pethau yr oedd Paul yn eu dweud. [15] Fe'i bedyddiwyd hi a'i theulu, ac yna deisyfodd arnom, gan ddweud, "Os ydych yn barnu fy mod yn credu yn yr Arglwydd, dewch i mewn ac arhoswch yn fy nhŷ." A mynnodd ein cael yno.

I'r Carchar yn Philipi

16 Rhyw dro pan oeddem ar ein ffordd i'r lle gweddi, daeth rhyw eneth a chanddi

---

[rh] Yn ôl un darlleniad arall gadewir allan *a rhag anlladrwydd*. Yn ôl un arall, *rhag bwyta yr hyn sydd wedi ei aberthu i eilunod, a rhag gwaed, a rhag anlladrwydd, ac i beidio â gwneud i eraill yr hyn na hoffech iddo ddigwydd i chwi eich hunain.*
[s] Yn ôl un darlleniad arall ychwanegir adn. 34: *Ond penderfynodd Silas aros yno.*
[t] Yn ôl un darlleniad arall, *hon yw prif ddinas rhanbarth Macedonia*, neu, *dinas flaenllaw yw hon yn rhanbarth Macedonia.*

ysbryd dewiniaeth i'n cyfarfod, un oedd yn dwyn elw mawr i'w meistri trwy ragfynegi pethau. ¹⁷Dilynodd hon Paul a ninnau, a gweiddi: "Gweision y Duw Goruchaf yw'r dynion hyn, ac y maent yn cyhoeddi i chwi ffordd iachawdwriaeth." ¹⁸Gwnaeth hyn am ddyddiau lawer. Blinodd Paul arni, a throes ar yr ysbryd a dweud, "'Rwy'n gorchymyn i ti, yn enw Iesu Grist, ddod allan ohoni." Ac allan y daeth, y munud hwnnw. ¹⁹Pan welodd ei meistri hi fod eu gobaith am elw wedi diflannu, daliasant Paul a Silas, a'u llusgo i'r farchnadfa o flaen yr awdurdodau, ²⁰ac wedi dod â hwy gerbron yr ynadon, meddent, "Y mae'r dynion yma'n cythryblu ein dinas ni; Iddewon ydynt, ²¹ac y maent yn cyhoeddi defodau nad yw gyfreithlon i ni, sy'n Rhufeinwyr, eu derbyn na'u harfer." ²²Yna ymunodd y dyrfa yn yr ymosod arnynt. Rhwygodd yr ynadon y dillad oddi amdanynt, a gorchymyn eu curo â gwialennod. ²³Ac wedi rhoi curfa dost iddynt bwriasant hwy i garchar, gan rybuddio ceidwad y carchar i'w cadw yn ddiogel. ²⁴Gan iddo gael y fath rybudd, bwriodd yntau hwy i'r carchar mewnol, a rhwymo'u traed yn y cyffion.

25 Tua hanner nos, yr oedd Paul a Silas yn gweddïo ac yn canu mawl i Dduw, a'r carcharorion yn gwrando arnynt. ²⁶Ac yn sydyn bu daeargryn mawr, nes siglo seiliau'r carchar. Agorwyd yr holl ddrysau yn y fan, a datodwyd rhwymau pawb. ²⁷Deffrôdd ceidwad y carchar, a phan welodd ddrysau'r carchar yn agored, tynnodd ei gleddyf ac yr oedd ar fin ei ladd ei hun, gan dybio fod ei garcharorion wedi dianc, ²⁸pan waeddodd Paul yn uchel, "Paid â gwneud dim niwed i ti dy hun; yr ydym yma i gyd." ²⁹Galwodd ef am oleuadau, a rhuthrodd i mewn; daeth cryndod arno, a syrthiodd o flaen Paul a Silas. ³⁰Yna daeth â hwy allan a dweud, "Foneddigion, beth sy raid imi ei wneud i gael fy achub?" ³¹Dywedasant hwythau, "Cred yn yr Arglwydd Iesu, ac fe gei dy achub, ti a'th deulu." ³²A thraethasant air yr Arglwydd wrtho ef ac wrth bawb oedd yn ei dŷ. ³³Er ei bod yn hwyr y nos, aeth ef â hwy a golchi eu briwiau; ac yn union wedyn fe'i bedyddiwyd ef a phawb o'i deulu. ³⁴Yna, wedi dod â hwy i'w dŷ, gosododd bryd o fwyd o'u blaen, a gorfoleddodd gyda'i holl deulu am ei fod wedi credu yn Nuw.

35 Pan ddaeth yn ddydd, anfonodd yr ynadon y rhingylliaid â'r neges: "Gollwng y dynion hynny yn rhydd." ³⁶Adroddodd ceidwad y carchar y neges hon wrth Paul: "Y mae'r ynadon wedi anfon gair i'ch gollwng yn rhydd. Felly, dewch allan yn awr, ac ewch mewn tangnefedd." ³⁷Ond atebodd Paul hwy, "Cyn ein bwrw ni i garchar, fflangellasant ni ar goedd, heb farnu ein hachos, er ein bod yn ddinasyddion Rhufain. A ydynt yn awr i gael ein bwrw ni allan yn ddirgel? Nac ydynt, yn wir! Gadewch iddynt ddod eu hunain a'n tywys ni allan." ³⁸Adroddodd y rhingylliaid y neges hon wrth yr ynadon, a chawsant hwy fraw pan glywsant mai Rhufeinwyr oedd Paul a Silas. ³⁹Aethant i ymddiheuro iddynt, ac wedi eu tywys hwy allan, gofynasant iddynt fynd i ffwrdd o'r ddinas. ⁴⁰Wedi dod allan o'r carchar, aethant i dŷ Lydia, a gwelsant y brodyr, a'u calonogi. Yna aethant ymaith.

Y Cyffro yn Thesalonica

17 Aethant ar hyd y ffordd trwy Amffipolis ac Apolonia, a chyrraedd Thesalonica, lle yr oedd synagog gan yr Iddewon. ²Ac yn ôl ei arfer aeth Paul i mewn atynt, ac am dri Saboth bu'n ymresymu â hwy ar sail yr Ysgrythurau, ³gan esbonio a phrofi fod yn rhaid i'r Meseia ddioddef a chyfodi oddi wrth y meirw. Byddai'n dweud, "Hwn yw'r Meseia—Iesu, yr hwn yr wyf fi'n ei gyhoeddi i chwi." ⁴Credodd rhai ohonynt, ac ymuno â Paul a Silas; ac felly hefyd y gwnaeth lliaws mawr o'r Groegiaid oedd yn addoli Duw, ac nid ychydig o'r gwragedd blaenaf. ⁵Ond cenfigennodd yr Iddewon, ac wedi cael gafael ar rai dihirod o blith segurwyr y sgwâr, a'u casglu'n dorf, dechreusant greu terfysg yn y ddinas. Ymosodasant ar dŷ Jason, a cheisio dod â Paul a Silas allan gerbron y dinasyddion. ⁶Ond wedi methu dod o hyd iddynt hwy, llusgasant Jason a rhai brodyr o flaen llywodraethwyr y ddinas, gan weiddi, "Y mae aflonyddwyr yr Ymerodraeth wedi dod yma hefyd, ⁷ac y mae Jason wedi rhoi croeso iddynt; y mae'r bobl hyn i gyd yn troseddu yn erbyn ordeiniadau Cesar trwy ddweud fod ymerawdwr arall, sef Iesu." ⁸Cyffrowyd y dyrfa a'r llywodraethwyr pan glywsant hyn, ⁹ond ar ôl cael gwystl gan Jason a'r lleill, gollyngasant hwy'n rhydd.

Yr Apostolion yn Berea

10 Ar unwaith, anfonodd y brodyr Paul a Silas yn ystod y nos i Berea, ac wedi iddynt gyrraedd aethant i synagog yr Iddewon. ¹¹Yr oedd y rhain yn fwy eangfrydig na'r rhai yn Thesalonica, gan iddynt dderbyn y gair â phob eiddgarwch, gan chwilio'r Ysgrythurau beunydd i weld a oedd pethau fel yr oeddent hwy yn dweud. ¹²Gan hynny, credodd llawer ohonynt, ac nid ychydig o'r Groegiaid, yn wragedd bonheddig ac yn wŷr. ¹³Ond pan ddaeth Iddewon Thesalonica i wybod fod gair Duw wedi ei gyhoeddi gan Paul yn Berea hefyd, daethant i godi terfysg a chythryblu'r tyrfaoedd yno hefyd. ¹⁴Yna anfonodd y brodyr Paul ymaith yn ddioed i fynd hyd at y môr, ond arhosodd Silas a Timotheus yno. ¹⁵Daeth hebryngwyr Paul ag ef i Athen, ac aethant oddi yno gyda gorchymyn i Silas a Timotheus ddod ato cyn gynted ag y gallent.

Paul yn Athen

16 Tra bu Paul yn eu disgwyl yn Athen, cythruddid ei ysbryd ynddo wrth weld y ddinas yn llawn eilunod. ¹⁷Gan hynny, ymresymodd yn y synagog â'r Iddewon ac â'r rhai oedd yn addoli Duw, ac yn y sgwâr bob dydd â phwy bynnag a fyddai yno. ¹⁸Yr oedd rhai o'r athronwyr, yn Epicwriaid a Stoiciaid, yn dadlau ag ef hefyd, a rhai'n dweud, "Beth yn y byd y mae'r clebryn yma yn mynnu ei ddweud?" Meddai eraill, "Y mae'n ymddangos ei fod yn cyhoeddi duwiau dieithr." Oherwydd cyhoeddi'r newydd da am Iesu a'r atgyfodiad yr oedd. ¹⁹Cymerasant afael ynddo, a mynd ag ef at yr Areopagus, gan ddweud, "A gawn ni wybod beth yw'r ddysgeidiaeth newydd yma a draethir gennyt ti? ²⁰Oherwydd yr wyt yn dwyn i'n clyw ni ryw bethau dieithr. Yr ydym yn dymuno cael gwybod, felly, beth yw ystyr y pethau hyn." ²¹Nid oedd gan neb o'r Atheniaid, na'r dieithriaid oedd ar ymweliad â'r lle, hamdden i ddim arall ond i adrodd neu glywed y peth diweddaraf.

22 Safodd Paul yng nghanol yr Areopagus, ac meddai: "Wŷr Athen, yr wyf yn gweld ar bob llaw eich bod yn dra chrefyddgar. ²³Oherwydd wrth fynd o gwmpas ac edrych ar eich pethau cysegredig, cefais yn eu plith allor ac arni'n

ysgrifenedig, 'I Dduw nid adwaenir'. Yr hyn, ynteu, yr ydych chwi'n ei addoli heb ei adnabod, dyna'r hyn yr wyf fi'n ei gyhoeddi i chwi. ²⁴Y Duw a wnaeth y byd a phopeth sydd ynddo, nid yw ef, ac yntau'n Arglwydd nef a daear, yn preswylio mewn temlau o waith llaw. ²⁵Ni wasanaethir ef chwaith â dwylo dynol, fel pe bai arno angen rhywbeth, gan mai ef ei hun sy'n rhoi i bawb fywyd ac anadl a'r cwbl oll. ²⁶Gwnaeth ef hefyd o un dynᵗʰ bob cenedl o ddynion, i breswylio ar holl wyneb y ddaear, gan bennu cyfnodau ordeiniedig a therfynau eu preswylfod. ²⁷Yr oeddent i geisio Duw, yn y gobaith y gallent rywfodd ymbalfalu amdano a'i ddarganfod; ac eto nid yw ef nepell oddi wrth yr un ohonom. ²⁸'Oherwydd ynddo ef yr ydym yn byw
    ac yn symud ac yn bod',
fel, yn wir, y dywedodd rhai o'ch beirdd chwi:
    'Canys ei hiliogaeth ef hefyd ydym ni.'
²⁹Os ydym ni, felly, yn hiliogaeth Duw, ni ddylem dybio fod y Duwdod yn debyg i aur neu arian neu faen, gwaith nadd celfyddyd a dychymyg dyn. ³⁰Edrychodd Duw heibio, yn wir, i amserau anwybodaeth; ond yn awr y mae'n gorchymyn i ddynion fod pawb ym mhob man i edifarhau, ³¹oblegid gosododd ddiwrnod pryd y bydd yn barnu'r byd mewn cyfiawnder, trwy ŵr a benododd, ac fe roes sicrwydd o hyn i bawb trwy ei atgyfodi ef oddi wrth y meirw."

32 Pan glywsant am atgyfodiad y meirw, dechreuodd rhai wawdio, ond dywedodd eraill, "Cawn dy wrando ar y pwnc hwn rywdro eto." ³³Felly aeth Paul allan o'u mysg. ³⁴Ond ymlynodd rhai gwŷr wrtho, a chredu, ac yn eu plith Dionysius, aelod o lys yr Areopagus, a gwraig o'r enw Damaris, ac eraill gyda hwy.

Paul yng Nghorinth

18 Wedi hynny fe ymadawodd ag Athen, a dod i Gorinth. ²A daeth o hyd i Iddew o'r enw Acwila, brodor o Pontus, gŵr oedd newydd ddod o'r Eidal gyda'i wraig, Priscila, o achos gorchymyn Clawdius i'r holl Iddewon ymadael â Rhufain. Aeth atynt, ³ac am ei fod o'r un grefft, arhosodd gyda hwy, a gweithio; gwneuthurwyr pebyll oeddent wrth eu crefft. ⁴Byddai'n ymresymu yn y synagog

---

ᵗʰ Neu, *o un cyff.* Yn ôl darlleniad arall, *o un gwaed.*

bob Saboth, a cheisio argyhoeddi Iddewon a Groegiaid.

5 Pan ddaeth Silas a Timotheus i lawr o Facedonia, dechreuodd Paul ymroi yn llwyr i bregethu'r Gair, gan dystiolaethu wrth yr Iddewon mai Iesu oedd y Meseia. [6]Ond yr oeddent hwy'n dal i'w wrthwynebu a'i ddifenwi, ac felly fe ysgydwodd ei ddillad a dweud wrthynt, "Ar eich pen chwi y bo'ch gwaed! Nid oes bai arnaf fi; o hyn allan mi af at y Cenhedloedd." [7]Symudodd oddi yno ac aeth i dŷ dyn o'r enw Titius Jwstus, un oedd yn addoli Duw; yr oedd ei dŷ y drws nesaf i'r synagog. [8]Credodd Crispus, arweinydd y synagog, yn yr Arglwydd, ynghyd â'i holl deulu. Ac wrth glywed, credodd llawer o'r Corinthiaid a chael eu bedyddio. [9]Dywedodd yr Arglwydd wrth Paul un noson, trwy weledigaeth, "Paid ag ofni, ond dal ati i lefaru, a phaid â thewi; [10]oherwydd yr wyf fi gyda thi, ac ni fydd i neb ymosod arnat ti i wneud niwed iti, oblegid y mae gennyf lawer o bobl yn y ddinas hon." [11]Ac fe arhosodd flwyddyn a chwe mis, gan ddysgu gair Duw yn eu plith.

12 Pan oedd Galio yn rhaglaw Achaia, cododd yr Iddewon yn unfryd yn erbyn Paul, a dod ag ef gerbron y llys barn, [13]gan ddweud, "Y mae hwn yn annog dynion i addoli Duw yn groes i'r Gyfraith." [14]Pan oedd Paul ar agor ei enau, dywedodd Galio wrth yr Iddewon, "Pe bai yn fater o drosedd neu gamwedd ysgeler, byddwn wrth reswm yn rhoi gwrandawiad i chwi, Iddewon; [15]ond gan mai dadleuon yw'r rhain ynghylch geiriau ac enwau a'ch Cyfraith arbennig chwi, cymerwch y cyfrifoldeb eich hunain. Nid oes arnaf fi eisiau bod yn farnwr ar y pethau hyn." [16]A gyrrodd hwy allan o'r llys. [17]Yna gafaelodd pawb ohonynt yn Sosthenes, arweinydd y synagog, a'i guro yng ngŵydd y llys. Ond nid oedd Galio yn poeni dim am hynny.

Paul yn Dychwelyd i Antiochia

18 Arhosodd Paul yno eto gryn ddyddiau, ac wedi ffarwelio â'r brodyr fe hwyliodd ymaith i Syria, a Priscila ac Acwila gydag ef. Eilliodd ei ben yn Cenchreae, am fod adduned arno. [19]Pan gyraeddasant Effesus, gadawodd hwy yno, a mynd ei hun i mewn i'r synagog ac ymresymu â'r Iddewon. [20]A phan ofyn-

asant iddo aros am amser hwy, ni chydsyniodd. [21]Ond wedi ffarwelio gan ddweud, "Dychwelaf atoch eto, os Duw a'i myn", hwyliodd o Effesus. [22]Wedi glanio yng Nghesarea, aeth i fyny a chyfarchodd yr eglwys. Yna aeth i lawr i Antiochia, [23]ac wedi treulio peth amser yno, aeth ymaith, a theithio o le i le trwy wlad Galatia a Phrygia, gan gadarnhau'r holl ddisgyblion.

Apolos yn Pregethu yn Effesus

24 Daeth rhyw Iddew o'r enw Apolos i Effesus. Brodor o Alexandria ydoedd, a gŵr huawdl, cadarn yn yr Ysgrythurau. [25]Yr oedd hwn wedi ei addysgu yn Ffordd yr Arglwydd, ac yn frwd ei ysbryd yr oedd yn llefaru ac yn dysgu yn fanwl y ffeithiau am Iesu, er mai am fedydd Ioan yn unig y gwyddai. [26]Dechreuodd hwn hefyd lefaru'n hy yn y synagog, a phan glywodd Priscila ac Acwila ef, cymerasant ef atynt, ac esbonio iddo Ffordd Duw[u] yn fanylach. [27]A chan ei fod yn dymuno mynd drosodd i Achaia, cefnogodd y brodyr ef, ac ysgrifennu at y disgyblion, ar iddynt ei groesawu. Ac wedi iddo gyrraedd, bu'n gynhorthwy mawr i'r rhai oedd trwy ras wedi credu, [28]oherwydd yr oedd yn ymegnïo i ddymchwelyd dadleuon yr Iddewon yn llwyr, gan brofi ar goedd trwy'r Ysgrythurau mai Iesu oedd y Meseia.

Paul yn Effesus

19 Tra oedd Apolos yng Nghorinth, teithiodd Paul drwy'r parthau uchaf, a daeth i Effesus. Yno daeth o hyd i rai disgyblion, [2]a gofynnodd iddynt, "A dderbyniasoch yr Ysbryd Glân pan gredasoch?" Meddent hwythau wrtho, "Naddo; ni chlywsom hyd yn oed fod yna Ysbryd Glân." [3]Dywedodd yntau, "Â pha fedydd, ynteu, y bedyddiwyd chwi?" Atebasant hwythau, "Â bedydd Ioan." [4]Ac meddai Paul, "Bedydd edifeirwch oedd bedydd Ioan, ac fe ddywedodd wrth y bobl am gredu yn yr hwn oedd yn dod ar ei ôl ef, hynny yw, yn Iesu." [5]Pan glywsant hyn, fe'u bedyddiwyd hwy i enw'r Arglwydd Iesu, [6]a phan roddodd Paul ei ddwylo arnynt daeth yr Ysbryd Glân arnynt, a dechreusant lefaru â thafodau a phroffwydo. [7]Tua deuddeg gŵr oeddent i gyd.

8 Aeth i mewn i'r synagog, ac am dri

[u]Yn ôl darlleniad arall, *iddo y Ffordd*.

mis bu'n llefaru'n hy yno, gan ymres-
ymu a cheisio eu hargyhoeddi ynghylch
teyrnas Dduw. ⁹Ond gan fod rhai yn
ymgaledu ac yn gwrthod credu, ac yn
difenwi'r Ffordd yng ngŵydd y gynull-
eidfa, ymneilltuodd oddi wrthynt gan
gymryd ei ddisgyblion oddi yno, a phar-
hau i ymresymu bob dydd yn neuadd
Tyranus. ¹⁰Parhaodd hyn am ddwy
flynedd, nes i holl drigolion Asia, yn
Iddewon a Groegiaid, glywed gair yr
Arglwydd.

Meibion Scefa

11 Gan mor rhyfeddol oedd y gwyrth-
iau yr oedd Duw'n eu gwneud trwy
ddwylo Paul, ¹²byddai pobl yn dod â
chadachau a llieiniau oedd wedi cyffwrdd
â'i groen ef, ac yn eu gosod ar y cleifion, a
byddai eu clefydau yn eu gadael, a'r
ysbrydion drwg yn mynd allan ohonynt.
¹³A dyma rai o'r Iddewon a fyddai'n
mynd o amgylch gan fwrw allan gythreul-
iaid, hwythau'n ceisio enwi enw'r Ar-
glwydd Iesu uwch ben y rhai oedd ag
ysbrydion drwg ganddynt, gan ddweud,
"Yn enw Iesu, yr un y mae Paul yn ei
bregethu!" ¹⁴Ac yr oedd gan ryw Scefa,
prif offeiriad Iddewig, saith mab oedd yn
gwneud hyn. ¹⁵Ond atebodd yr ysbryd
drwg hwy, "Iesu, yr wyf yn ei adnabod
ef; a Paul, gwn amdano yntau; ond chwi,
pwy ydych?" ¹⁶Yna llamodd y dyn a
chanddo'r ysbryd drwg arnynt, a'u trechu
i gyd, a'u maeddu nes iddynt ffoi o'r tŷ
yn noeth a chlwyfedig. ¹⁷Daeth hyn yn
hysbys i'r holl Iddewon a Groegiaid oedd
yn byw yn Effesus, a dychrynodd pawb;
a chafodd enw'r Arglwydd Iesu ei fawr-
ygu. ¹⁸Daeth llawer o'r rhai oedd bellach
yn gredinwyr, a chyffesu eu dewiniaeth ar
goedd. ¹⁹Casglodd llawer o'r rhai a fu'n
ymarfer â swynion eu llyfrau ynghyd,
a'u llosgi yng ngŵydd pawb; cyfrifwyd
gwerth y rhain, a'i gael yn hanner can mil
o ddarnau arian. ²⁰Felly, yn ôl nerth yr
Arglwydd, yr oedd y Gairʷ yn cynyddu a
chryfhau.

Y Cynnwrf yn Effesus

21 Wedi i'r pethau hyn gael eu cwbl-
hau, rhoddodd Paul ei fryd arʸ deithio
trwy Facedonia ac Achaia, ac yna mynd i
Jerwsalem. "Wedi imi fod yno," meddai,
"rhaid imi weld Rhufain hefyd."
²²Anfonodd i Facedonia ddau o'r rhai
oedd yn gweini arno, Timotheus ac
Erastus, ond arhosodd ef ei hun am amser
yn Asia.

23 Yn ystod y cyfnod hwnnw, bu
cynnwrf nid bychan ynglŷn â'r Ffordd.
²⁴Yr oedd gof arian o'r enw Demetrius,
un oedd yn gwneud cysegrau arian i
Artemisᵃ, ac felly yn cael llawer o waith
i'w grefftwyr. ²⁵Casglodd y rhain ynghyd,
gyda'r gweithwyr o grefftau cyffelyb, a
dywedodd: "Ddynion, fe wyddoch mai
o'r fasnach hon y daw ein ffyniant ni.
²⁶Yr ydych hefyd yn gweld ac yn clywed
fod y Paul yma wedi argyhoeddi tyrfa
fawr, nid yn Effesus yn unig ond drwy
Asia gyfan bron, a'u camarwain drwy
ddweud nad duwiau mo'r duwiau o waith
llaw. ²⁷Yn awr, y mae perygl nid yn unig
y daw anfri ar ein crefft, ond hefyd y
cyfrifir teml y dduwies fawr Artemis yn
ddiddim, a hyd yn oed y bydd hi, y
dduwies y mae Asia gyfan a'r byd yn ei
haddoli, yn cael ei hamddifadu o'i mawr-
hydi."

28 Pan glywsant hyn, llanwyd hwy â
dicter, a dechreusant weiddi, "Mawr yw
Artemis yr Effesiaid." ²⁹Llanwyd y
ddinas â'u cynnwrf, a rhuthrasant yn
unfryd i'r theatr, gan lusgo gyda hwy
Gaius ac Aristarchus, Macedoniaid, a
chyd-deithwyr Paul. ³⁰Yr oedd Paul yn
dymuno cael mynd gerbron y dinasydd-
ion, ond ni adawai'r disgyblion iddo; ³¹a
hefyd anfonodd rhai o'r Asiarchiaid, a
oedd yn gyfeillgar ag ef, neges ato i erfyn
arno beidio â mentro i'r theatr. ³²Yn y
cyfamser, yr oedd rhai yn gweiddi un
peth ac eraill beth arall, oherwydd yr
oedd y cyfarfod mewn cynnwrf, ac ni
wyddai'r han fwyaf i beth yr oeddent
wedi dod ynghyd. ³³Ond tybiodd rhai o'r
dyrfa mai Alexander oedd yr achos,ᵇ gan
i'r Iddewon ei wthio ef i'r blaen. Gwnaeth
yntau arwydd â'i law, gan ddymuno ei
amddiffyn ei hun wrth y dinasyddion.
³⁴Ond pan ddeallwyd mai Iddew ydoedd,
cododd un llef oddi wrthynt oll, a buont
yn gweiddi am tua dwy awr, "Mawr yw
Artemis yr Effesiaid." ³⁵Ond tawelodd
clerc y ddinas y dyrfa, a dweud, "Wŷr

ʷNeu, *Felly, mor gadarn yr oedd gair yr Arglwydd.*
ʸNeu, *penderfynodd Paul dan arweiniad yr Ysbryd.*
ᵃNeu, *Diana.* Felly hefyd yn adn. 27, 28, 34 a 35.
ᵇNeu, *Ond eglurodd rhai o'r dyrfa y mater i Alexander.*

Effesus, pa ddyn nad yw'n gwybod fod dinas yr Effesiaid yn geidwad teml Artemis fawr, a'r maen a syrthiodd o'r nef? ³⁶ Felly, gan na all neb wadu hyn, rhaid i chwithau fod yn dawel a pheidio â gwneud dim yn fyrbwyll. ³⁷ Yr ydych wedi dod â'r dynion hyn gerbron, er nad ydynt yn ysbeilwyr temlau nac yn cablu ein duwies ni. ³⁸ Gan hynny, os oes gan Demetrius a'i gyd-grefftwyr achos yn erbyn rhywun, y mae'r llysoedd barn yn cael eu cynnal ac y mae rhaglawiaid yno; gadewch i'r ddwy ochr gyhuddo ei gilydd yn ffurfiol. ³⁹ Ond os ydych am fynd â'r peth ymhellach, mewn cyfarfod rheolaidd o'r dinasyddion y mae i gael ei benderfynu. ⁴⁰ Yn wir, y mae perygl y cyhuddir ninnau o derfysg ynglŷn â'r cyfarfod heddiw, gan nad oes dim achos amdano, ac am hynny ni allwn roi cyfrif am y cynnwrf yma." ⁴¹ Ac â'r geiriau hyn daeth â'r cyfarfod i ben.

Taith Paul i Facedonia a Gwlad Groeg

20 Pan beidiodd y cynnwrf, anfonodd Paul am y disgyblion, ac wedi eu hannog, ffarweliodd â hwy ac aeth ymaith ar ei ffordd i Facedonia. ² Wedi teithio trwy'r parthau hynny ac annog llawer ar y disgyblion yno, daeth i wlad Groeg. ³ Treuliodd dri mis yno, a phan oedd ar hwylio i Syria, gwnaeth yr Iddewon gynllwyn yn ei erbyn, a phenderfynodd ddychwelyd trwy Facedonia. ⁴ Ei gyd-deithwyr oedd Sopater o Berea, mab Pyrrhus, y Thesaloniaid Aristarchus a Secwndus, Gaius o Derbeᶜ, a Timotheus, a'r Asiaid Tychicus a Troffimus. ⁵ Yr oedd y rhain wedi mynd o'n blaen, ac yn aros amdanom yn Troas. ⁶ Hwyliasom ninnau, wedi dyddiau'r Bara Croyw, o Philipi, a chyrraedd atynt yn Troas ymhen pum diwrnod; ac yno y buom am saith diwrnod.

Ymweliad Olaf Paul â Troas

7 Ar ddydd cyntaf yr wythnos, daethom ynghyd i dorri bara. Dechreuodd Paul, a oedd i fynd ymaith drannoeth, eu hannerch, a daliodd i draethu hyd hanner nos. ⁸ Yr oedd llawer o lampau yn yr oruwchystafell lle'r oeddem wedi ymgynnull, ⁹ ac yr oedd dyn ifanc o'r enw Eutychus yn eistedd wrth y ffenestr. Yr oedd hwn yn mynd yn fwy a mwy

cysglyd, wrth i Paul ddal i ymhelaethu. Pan drechwyd ef yn llwyr gan gwsg, syrthiodd o'r trydydd llawr, a chodwyd ef fel pe wedi marw. ¹⁰ Ond aeth Paul i lawr; syrthiodd arno a'i gofleidio, a dywedodd, "Peidiwch â chynhyrfu; y mae bywyd ynddo." ¹¹ Yna aeth i fyny, a thorri'r bara a bwyta. Yna, wedi ymddiddan am amser hir hyd doriad dydd, aeth ymaith. ¹² Ond aethant â'r llanc adref yn fyw, ac fe'u calonogwyd yn anghyffredin.

Y Fordaith o Troas i Miletus

13 Ninnau, aethom o flaen Paul i'r llong, a hwylio i gyfeiriad Asos, gan fwriadu ei gymryd i'r llong yno; oblegid dyma'r cyfarwyddyd a roesai ef, gan fwriadu mynd ei hun dros y tir. ¹⁴ Pan gyfarfu â ni yn Asos, cymerasom ef i'r llong a mynd ymlaen i Mitylene. ¹⁵ Wedi hwylio oddi yno drannoeth, cyraeddasom gyferbyn â Chios, a'r ail ddiwrnod croesi i Samos, a'r dyddᶜʰ wedyn dod i Miletus. ¹⁶ Oherwydd yr oedd Paul wedi penderfynu hwylio heibio i Effesus, rhag iddo orfod colli amser yn Asia, gan ei fod yn brysio er mwyn bod yn Jerwsalem, pe bai modd, erbyn dydd y Pentecost.

Araith Paul i Henuriaid Effesus

17 Anfonodd o Miletus i Effesus a galw ato henuriaid yr eglwys. ¹⁸ Pan gyraeddasant ato, dywedodd wrthynt, "Fe wyddoch fel y bûm i gyda chwi yr holl amser, er y diwrnod cyntaf y rhois fy nhroed yn Asia, ¹⁹ yn gwasanaethu'r Arglwydd â phob gostyngeiddrwydd, ac â dagrau a threialon a ddaeth i'm rhan trwy gynllwynion yr Iddewon. ²⁰ Gwyddoch nad ymateliais rhag cyhoeddi i chwi ddim o'r hyn sydd fuddiol, na rhag eich dysgu chwi yn gyhoeddus ac yn eich cartrefi, ²¹ gan dystiolaethu i Iddewon a Groegiaid am edifeirwch tuag at Dduw a ffydd yn ein Harglwydd Iesu. ²² Ac yn awr dyma fi, dan orfodaeth yr Ysbryd, ar fy ffordd i Jerwsalem, heb wybod beth a ddigwydd imi yno, ²³ ond bod yr Ysbryd Glân o dref i dref yn tystiolaethu imi fod rhwymau a gorthrymderau yn fy aros. ²⁴ Ond yr wyf yn cyfrif nad yw fy mywyd o unrhyw werth imi, dim ond imi allu cwblhau fy ngyrfa, a'r weinidogaeth a gefais gan yr Arglwydd Iesu, i dystiolaethu i Efengyl gras Duw.

ᶜ Yn ôl darlleniad arall, *o Doberius.*
ᶜʰ Yn ôl darlleniad arall, *ac ar ôl aros yn Trogylium, y dydd.*

25 "Ac yn awr, 'rwy'n gwybod na chewch weld fy wyneb mwyach, chwi oll y bûm i'n teithio yn eich plith gan gyhoeddi'r Deyrnas. ²⁶Gan hynny, yr wyf yn tystio i chwi y dydd hwn fy mod yn ddieuog o waed neb; ²⁷oblegid nid ymateliais rhag cyhoeddi holl arfaeth Duw i chwi. ²⁸Gofalwch amdanoch eich hunan ac am yr holl braidd, y gosododd yr Ysbryd Glân chwi yn esgobion^d drosto, i fugeilio eglwys Dduw^{dd}, yr hon a enillodd ef â gwaed ei briod un^e. ²⁹Mi wn i y daw i'ch plith, wedi fy ymadawiad i, fleiddiaid mileinig nad arbedant y praidd, ³⁰ac y cyfyd o'ch plith chwi eich hunain ddynion yn llefaru pethau llygredig, i ddenu'r disgyblion ymaith ar eu hôl. ³¹Gan hynny, byddwch yn wyliadwrus, gan gofio na pheidiais i, na nos na dydd dros dair blynedd, â rhybuddio pob un ohonoch â dagrau. ³²Ac yn awr yr wyf yn eich cyflwyno i Dduw ac i air ei ras, sydd â'r gallu ganddo i'ch adeiladu, ac i roi i chwi eich etifeddiaeth ymhlith yr holl rai a sancteiddiwyd. ³³Ni chwenychais arian nac aur na gwisgoedd neb. ³⁴Fe wyddoch eich hunain mai'r dwylo hyn a fu'n gweini i'm hanghenion i ac eiddo'r rhai ocdd gyda mi. ³⁵Ym mhopeth, dangosais i chwi mai wrth lafurio felly y mae'n rhaid cynorthwyo'r rhai gwan, a dwyn ar gof y geiriau a lefarodd yr Arglwydd Iesu ei hun: 'Dedwyddach yw rhoi na derbyn.'"

36 Wedi dweud hyn, fe benliniodd gyda hwy oll a gweddïo. ³⁷Torrodd pawb i wylo'n hidl, a syrthio ar wddf Paul a'i gusanu, ³⁸gan ofidio yn bennaf am iddo ddweud nad oeddent mwyach i weld ei wyneb. Yna aethant i'w hebrwng ef i'r llong.

Taith Paul i Jerwsalem

21 Wedi i ni ymadael â hwy a chodi angor, daethom ar union hynt i Cos, a thrannoeth i Rhodos, ac oddi yno i Patara. ²Cawsom long yn croesi i Phenice, ac aethom arni a hwylio ymaith. ³Wedi dod i olwg Cyprus, a'i gadael ar y chwith, hwyliasom ymlaen i Syria, a glanio yn Tyrus, oherwydd yno yr oedd y llong yn dadlwytho. ⁴Daethom o hyd i'r disgyblion, ac aros yno saith diwrnod; a dywedodd y rhain wrth Paul trwy'r Ysbryd am beidio â mynd ymlaen i Jerwsalem. ⁵Ond pan ddaeth ein dyddiau

yno i ben, ymadawsom ar ein taith, a phawb ohonynt, ynghyd â'u gwragedd a'u plant, yn ein hebrwng i'r tu allan i'r ddinas. Aethom ar ein gliniau ar y traeth, a gweddïo, ⁶a ffarwelio â'n gilydd. Yna dringasom ar fwrdd y llong, a dychwelsant hwythau adref.

7 Daeth ein mordaith o Tyrus i ben wrth inni gyrraedd Ptolemais. Cyfarchasom y brodyr yno ac aros un diwrnod gyda hwy. ⁸Trannoeth, aethom ymaith a dod i Gesarea; ac aethom i mewn i dŷ Philip yr efengylwr, un o'r Saith, ac aros gydag ef. ⁹Yr oedd gan hwn bedair merch ddibriod, a dawn proffwydo ganddynt. ¹⁰Yn ystod y dyddiau lawer y buom gydag ef, daeth dyn i lawr o Jwdea, proffwyd o'r enw Agabus. ¹¹Daeth atom, a chymryd gwregys Paul, a rhwymo'i draed a'i ddwylo ei hun, a dywedodd, "Dyma eiriau'r Ysbryd Glân: 'Y gŵr biau'r gwregys hwn, fel hyn y rhwyma'r Iddewon ef yn Jerwsalem, a'i draddodi i ddwylo'r Cenhedloedd.'" ¹²Pan glywsom hyn, dechreusom ni a phobl y lle erfyn arno beidio â mynd i fyny i Jerwsalem. ¹³Yna atebodd Paul, "Beth yr ydych yn ei wneud, yn wylo ac yn torri fy nghalon? Oherwydd yr wyf fi'n barod, nid yn unig i gael fy rhwymo, ond hyd yn oed i farw, yn Jerwsalem, er mwyn enw'r Arglwydd Iesu." ¹⁴A chan nad oedd perswâd arno, tawsom gan ddweud, "Gwneler ewyllys yr Arglwydd."

15 Wedi'r dyddiau hyn, gwnaethom ein paratoadau a chychwyn i fyny i Jerwsalem; ¹⁶ac fe ddaeth rhai o'r disgyblion o Gesarea gyda ni, gan ddod â'r gŵr^f yr oeddem i letya gydag ef, Mnason o Cyprus, un oedd wedi bod yn ddisgybl o'r dechrau.

Paul yn Ymweld â Iago

17 Wedi inni gyrraedd Jerwsalem, cawsom groeso llawen gan y brodyr. ¹⁸A thrannoeth, aeth Paul gyda ni at Iago, ac yr oedd yr henuriaid i gyd yno. ¹⁹Ar ôl eu cyfarch, adroddodd yn fanwl y pethau yr oedd Duw wedi eu gwneud ymhlith y Cenhedloedd trwy ei weinidogaeth. ²⁰O glywed hyn, dechreuodd y brodyr ogoneddu Duw, a dywedasant wrtho, "Yr wyt yn gweld, frawd, fod credinwyr dirifedi ymhlith yr Iddewon, ac y maent i gyd yn selog dros y Gyfraith; ²¹a

---

^dNeu, *arolygwyr.*   ^{dd}Yn ôl darlleniad arall, *eglwys yr Arglwydd.*
^eNeu, *â'i waed ei hun.*   ^fNeu, *ddod â ni i dŷ'r gŵr.*

chawsant wybodaeth amdanat ti, dy fod yn dysgu'r holl Iddewon sydd ymysg y Cenhedloedd i wrthgilio oddi wrth Moses, gan ddweud wrthynt am beidio ag enwaedu ar eu plant na byw yn ôl ein defodau. ²²Beth sydd i'w wneud, felly? Y maent yn siŵr o glywed dy fod wedi dod. ²³Felly, gwna'r hyn a ddywedwn wrthyt. Y mae gennym bedwar dyn sydd dan lw. ²⁴Cymer y rhain, a dos di gyda hwy trwy ddefod y pureiddio, a thâl y gost drostynt, iddynt gael eillio eu pennau; yna fe wêl pawb nad oes dim yn y wybodaeth a gawsant amdanat, ond dy fod tithau hefyd yn dilyn ac yn cadw'r Gyfraith. ²⁵Ond am y credinwyr o blith y Cenhedloedd, yr ydym ni wedi ysgrifennu atynt a rhoi ein dyfarniad, eu bod i ymgadw rhag bwyta yr hyn a aberthwyd i eilunod, neu waed, neu'r hyn a dagwyd, a rhag anlladrwydd.ᶠᶠ" ²⁶Yna fe gymerodd Paul y gwŷr, a thrannoeth aeth trwy ddefod y pureiddio gyda hwy, ac aeth i mewn i'r deml, i roi rhybudd pa bryd y cyflawnid dyddiau'r pureiddio ac yr offrymid yr offrwm dros bob un ohonynt.

Dal Paul yn y Deml

27 Ond pan oedd y saith diwrnod bron ar ben, gwelodd yr Iddewon o Asia ef yn y deml. Codasant gynnwrf yn yr holl dyrfa, a chymryd gafael ynddo, ²⁸gan weiddi, "Wŷr Israel, rhowch gymorth. Hwn yw'r dyn sy'n dysgu pawb ym mhob man yn erbyn ein pobl a'r Gyfraith a'r lle hwn, ac sydd hefyd wedi dod â Groegiaid i mewn i'r deml, a halogi'r lle sanctaidd hwn." ²⁹Oherwydd yr oeddent cyn hynny wedi gweld Troffimus yr Effesiad yn y ddinas gydag ef, ac yr oeddent yn meddwl fod Paul wedi dod ag ef i mewn i'r deml. ³⁰Cyffrowyd yr holl ddinas, a rhuthrodd y bobl ynghyd. Cymerasant afael yn Paul, a'i lusgo allan o'r deml, a chaewyd y drysau ar unwaith. ³¹Fel yr oeddent yn ceisio'i ladd ef, aeth neges i fyny at gapten y fintai fod Jerwsalem i gyd mewn cynnwrf. ³²Cymerodd yntau ar unwaith filwyr a chanwriaid, a rhedeg i lawr atynt; a phan welsant hwy'r capten a'r milwyr, rhoesant y gorau i guro Paul. ³³Yna daeth y capten atynt, a chymryd gafael yn Paul, a gorchymyn ei rwymo â dwy gadwyn. Dechreuodd holi pwy oedd, a beth yr oedd wedi ei wneud. ³⁴Yr oedd rhai yn y dyrfa yn bloeddio un peth, ac eraill beth

arall. A chan na allai ddod o hyd i'r gwir oherwydd y dwndwr, gorchmynnodd ei ddwyn i'r pencadlys. ³⁵A phan ddaeth at y grisiau, bu raid i'r milwyr ei gario oherwydd ffyrnigrwydd y dyrfa, ³⁶oblegid yr oedd tyrfa o bobl yn canlyn dan weiddi, "Ymaith ag ef!"

Paul yn ei Amddiffyn ei Hun

37 Pan oedd ar fin cael ei ddwyn i mewn i'r pencadlys, dyma Paul yn dweud wrth y capten, "A gaf fi ddweud gair wrthyt?" Meddai yntau, "A wyt ti yn medru Groeg? ³⁸Nid tydi felly yw'r Eifftiwr a gododd derfysg beth amser yn ôl ac a arweiniodd allan i'r anialwch y pedair mil o derfysgwyr arfog?" ³⁹Dywedodd Paul, "Iddew wyf fi, o Darsus yn Cilicia, dinesydd o ddinas nid dinod; ac 'rwy'n erfyn arnat, caniatâ imi lefaru wrth y bobl." ⁴⁰Ac wedi iddo gael caniatâd, safodd Paul ar y grisiau, a gwnaeth arwydd â'i law ar y bobl, ac ar ôl cael distawrwydd llwyr anerchodd hwy yn iaith yr Iddewon, gan ddweud:

22 "Frodyr a thadau, gwrandewch ar f'amddiffyniad ger eich bron yn awr." ²Pan glywsant mai yn iaith yr Iddewon yr oedd yn eu hannerch, rhoesant wrandawiad tawelach iddo. Ac meddai, ³"Iddew wyf fi, wedi fy ngeni yn Nharsus yn Cilicia, ac wedi fy nghodi yn y ddinas hon. Cefais fy addysg wrth draed Gamaliel yn ôl llythyren Cyfraith ein tadau, ac yr wyf yn selog dros Dduw, fel yr ydych chwithau oll heddiw. ⁴Erlidiais y Ffordd hon hyd at ladd, gan rwymo a rhoi yng ngharchar wŷr a gwragedd, ⁵fel y mae'r archoffeiriad a holl Gyngor yr henuriaid yn dystion i mi; oddi wrthynt hwy yn wir y derbyniais lythyrau at y brodyr yn Namascus, a chychwyn ar daith i ddod â'r rhai oedd yno hefyd yn rhwym i Jerwsalem i'w cosbi.

Paul yn Sôn am ei Dröedigaeth
(Act. 9:1-19; 26:12-18)

6 "Ond pan oeddwn ar fy nhaith ac yn agosáu at Ddamascus, yn sydyn tua chanol dydd fe fflachiodd goleuni mawr o'r nef o'm hamgylch. ⁷Syrthiais ar y ddaear, a chlywais lais yn dweud wrthyf, 'Saul, Saul, pam yr wyt yn fy erlid i?' ⁸Atebais innau, 'Pwy wyt ti, Arglwydd?' A dywedodd wrthyf, 'Iesu o Nasareth wyf fi, yr hwn yr wyt ti yn ei erlid.'

ᶠᶠYn ôl darlleniad arall, *rhag bwyta yr hyn a aberthwyd i eilunod, a rhag gwaed, a rhag anlladrwydd.*

[9]Gwelodd y rhai oedd gyda mi y goleuni, ond ni chlywsant lais y sawl oedd yn llefaru wrthyf. [10]A dywedais, 'Beth a wnaf, Arglwydd?' Dywedodd yr Arglwydd wrthyf, 'Cod a dos i Ddamascus, ac yno fe ddywedir wrthyt bopeth yr ordeiniwyd iti ei wneud.' [11]Gan nad oeddwn yn gweld dim oherwydd disgleirdeb y goleuni hwnnw, fe'm harweiniwyd gerfydd fy llaw gan y rhai oedd gyda mi, a deuthum i Ddamascus.

12 "Daeth rhyw Ananias ataf, gŵr duwiol yn ôl y Gyfraith, a gair da iddo gan yr holl Iddewon oedd yn byw yno. [13]Safodd hwn yn f'ymyl a dywedodd wrthyf, 'Y brawd Saul, derbyn dy olwg yn ôl.' Edrychais innau arno a derbyn fy ngolwg yn ôl y munud hwnnw. [14]A dywedodd yntau: 'Y mae Duw ein tadau wedi dy benodi di i wybod ei ewyllys, ac i weld yr Un Cyfiawn a chlywed llais o'i enau ef; [15]oherwydd fe fyddi di'n dyst iddo wrth bob dyn o'r hyn yr wyt wedi ei weld a'i glywed. [16]Ac yn awr, pam yr wyt yn oedi? Tyrd i gael dy fedyddio a chael golchi ymaith dy bechodau, gan alw ar ei enw ef.'

Anfon Paul at y Cenhedloedd

17 "Wedi imi ddychwelyd i Jerwsalem, dyma a ddigwyddodd pan oeddwn yn gweddïo yn y deml: euthum i lesmair, [18]a'i weld ef yn dweud wrthyf, 'Brysia ar unwaith allan o Jerwsalem, oherwydd ni dderbyniant dy dystiolaeth amdanaf fi.' [19]Dywedais innau, 'Arglwydd, y maent hwy'n gwybod i mi fod o synagog i synagog yn carcharu ac yn fflangellu'r rhai oedd yn credu ynot ti. [20]A phan oedd gwaed Steffan, dy dyst, yn cael ei dywallt, yr oeddwn innau hefyd yn sefyll yn ymyl, ac yn cydsynio, ac yn gwarchod dillad y rhai oedd yn ei ladd.' [21]A dywedodd wrthyf, 'Dos, oherwydd yr wyf fi am dy anfon di ymhell at y Cenhedloedd.'"

Paul a'r Capten Rhufeinig

22 Yr oeddent wedi gwrando arno hyd at y gair hwn, ond yna dechreusant weiddi, "Ymaith ag ef oddi ar y ddaear! Y mae'n warth fod y fath ddyn yn cael byw." [23]Fel yr oeddent yn gweiddi ac yn ysgwyd eu dillad ac yn taflu llwch i'r awyr, [24]gorchmynnodd y capten ei ddwyn ef i mewn i'r pencadlys, a'i holi trwy ei chwipio, er mwyn cael gwybod pam yr oeddent yn bloeddio felly yn ei erbyn. [25]Ond pan glymwyd ef i'w fflangellu, dywedodd Paul wrth y canwriad oedd yn sefyll gerllaw, "A oes gennych hawl i fflangellu dinesydd Rhufeinig, a hynny heb farnu ei achos?" [26]Pan glywodd y canwriad hyn, aeth at y capten, a rhoi adroddiad iddo, gan ddweud, "Beth yr wyt ti am ei wneud? Y mae'r dyn yma yn ddinesydd Rhufeinig." [27]Daeth y capten ato, ac meddai, "Dywed i mi, a wyt ti'n ddinesydd Rhufeinig?" "Ydwyf," meddai yntau. [28]Atebodd y capten, "Mi delais i swm mawr i gael y ddinasyddiaeth hon." Ond dywedodd Paul, "Cefais i fy ngeni iddi." [29]Ar hyn, ciliodd y rhai oedd ar fin ei holi oddi wrtho. Daeth ofn ar y capten hefyd pan ddeallodd mai dinesydd Rhufeinig ydoedd, ac yntau wedi ei rwymo ef.

Paul gerbron y Cyngor

30 Trannoeth, gan fod y capten am wybod yn sicr beth oedd cyhuddiad yr Iddewon, fe ollyngodd Paul, a gorchymyn i'r prif offeiriaid a'r holl Sanhedrin ymgynnull. Yna daeth ag ef i lawr, a'i osod ger eu bron.

23 Syllodd Paul ar y Sanhedrin, ac meddai, "Frodyr, yr wyf fi wedi byw â chydwybod lân gerbron Duw hyd y dydd hwn." [2]Ond gorchmynnodd Ananias yr archoffeiriad i'r rhai oedd yn sefyll yn ei ymyl ei daro ar ei geg. [3]Yna dywedodd Paul wrtho, "Y mae Duw yn mynd i'th daro di, tydi bared gwyngalchog. A wyt ti'n beiddio eistedd i'm barnu i yn ôl y Gyfraith, a thorri'r Gyfraith trwy orchymyn fy nharo?" [4]Ond dywedodd y rhai oedd yn sefyll yn ei ymyl, "A wyt ti'n beiddio sarhau archoffeiriad Duw?" [5]Ac meddai Paul, "Ni wyddwn, frodyr, mai'r archoffeiriad ydoedd; oherwydd y mae'n ysgrifenedig, 'Paid â dweud yn ddrwg am bennaeth dy bobl.'"

6 Sylweddolodd Paul fod y naill ran yn Sadwceaid, a'r llall yn Phariseaid, a dechreuodd lefaru'n uchel yn y Sanhedrin: "Frodyr, Pharisead wyf fi, a mab i Phariseaid. Ynglŷn â gobaith am atgyfodiad y meirw yr wyf ar fy mhrawf." [7]Wedi iddo ddweud hyn, aeth yn ddadl rhwng y Phariseaid a'r Sadwceaid, a rhannwyd y cynulliad. [8]Oherwydd y mae'r Sadwceaid yn dweud nad oes nac atgyfodiad nac angel nac ysbryd, ond y

mae'r Phariseaid yn eu cydnabod i gyd.
⁹Bu gweiddi mawr, a chododd rhai o'r ysgrifenyddion oedd yn perthyn i blaid y Phariseaid, a dadlau'n daer, gan ddweud, "Nid ydym yn cael dim drwg yn y dyn hwn; a beth os llefarodd ysbryd wrtho, neu angel?" ¹⁰Ac wrth i'r ddadl boethi, daeth ofn ar y capten rhag i Paul gael ei dynnu'n ddarnau ganddynt, a gorchymynnodd i'r milwyr ddod i lawr i'w gipio ef o'u plith hwy, a mynd ag ef i'r pencadlys.

11 Y noson honno, safodd yr Arglwydd yn ei ymyl, a dywedodd, "Cod dy galon! Oherwydd fel y tystiolaethaist amdanaf fi yn Jerwsalem, felly y mae'n rhaid iti dystiolaethu yn Rhufain hefyd."

Y Cynllwyn i Ladd Paul

12 Pan ddaeth yn ddydd, gwnaeth yr Iddewon gynllwyn: aethant ar eu llw i beidio â bwyta nac yfed dim nes y byddent wedi lladd Paul. ¹³Yr oedd mwy na deugain wedi gwneud y cydfwriad hwn. ¹⁴Aethant at y prif offeiriaid a'r henuriaid, a dweud, "Yr ydym wedi mynd ar ein llw mwyaf difrifol i beidio â phrofi dim bwyd nes y byddwn wedi lladd Paul. ¹⁵Rhowch chwi, felly, ynghyd â'r Sanhedrin, rybudd yn awr i'r capten, iddo ddod ag ef i lawr atoch, ar yr esgus eich bod am ymchwilio yn fanylach i'w achos. Ac yr ydym ninnau yn barod i'w ladd ef cyn iddo gyrraedd." ¹⁶Ond fe glywodd mab i chwaer Paul am y cynllwyn, ac aeth i'r pencadlys, a mynd i mewn ac adrodd yr hanes wrth Paul. ¹⁷Galwodd Paul un o'r canwriaid ato, ac meddai, "Dos â'r llanc yma at y capten; y mae ganddo rywbeth i'w ddweud wrtho." ¹⁸Felly cymerodd y canwriad ef, a mynd ag ef at y capten, ac meddai, "Galwodd y carcharor Paul fi, a gofyn imi ddod â'r llanc hwn atat ti, am fod ganddo rywbeth i'w ddweud wrthyt." ¹⁹Cymerodd y capten afael yn ei law, a mynd ag ef o'r neilltu a holi, "Beth yw'r hyn sydd gennyt i'w ddweud wrthyf?" ²⁰Meddai yntau, "Cytunodd yr Iddewon i ofyn i ti fynd â Paul i lawr yfory i'r Sanhedrin, ar yr esgus fod y rheini am holi yn fanylach yn ei gylch. ²¹Yn awr, paid â gwrando arnynt, oherwydd y mae mwy na deugain o'u dynion yn aros i ymosod arno; y maent wedi mynd ar eu llw i beidio â bwyta nac yfed nes y byddant wedi ei

ladd ef, ac y maent yn barod yn awr, yn disgwyl am dy ganiatâd di." ²²Yna anfonodd y capten y llanc ymaith, ar ôl gorchymyn iddo, "Paid â dweud wrth neb dy fod wedi rhoi gwybod imi am hyn."

Anfon Paul at Ffelix, y Rhaglaw

23 Yna galwodd ato ddau ganwriad arbennig, a dweud wrthynt, "Paratowch ddau gant o filwyr, i fynd i Gesarea, a saith deg o wŷr meirch a dau gan picellwr, erbyn naw o'r gloch y nos. ²⁴Darparwch hefyd anifeiliaid, iddynt osod Paul arnynt a mynd ag ef yn ddiogel at Ffelix, y rhaglaw." ²⁵Ac ysgrifennodd lythyr i'r perwyl hwn: ²⁶"Clawdius Lysias at yr Ardderchocaf Raglaw Ffelix, cyfarchion. ²⁷Daliwyd y dyn hwn gan yr Iddewon, ac yr oedd ar fin cael ei ladd ganddynt, ond deuthum ar eu gwarthaf gyda'm milwyr ac achubais ef, wedi imi ddeall ei fod yn ddinesydd Rhufeinig. ²⁸Gan fy mod yn awyddus i gael gwybod pam yr oeddent yn ei gyhuddo, euthum ag ef i lawr gerbron eu Sanhedrin. ²⁹Cefais ei fod yn cael ei gyhuddo ynglŷn â materion dadleuol yn eu Cyfraith hwy, ond nad oedd yn wynebu cyhuddiad oedd yn haeddu marwolaeth neu garchar. ³⁰A chan imi gael ar ddeall y byddai cynllwyn yn erbyn y dyn, yr wyf fi ar unwaithᵍ yn ei anfon atat ti, wedi gorchymyn i'w gyhuddwyr hefyd gyflwyno ger dy fron di eu hachos yn ei erbyn ef.ⁿᵍ"

31 Felly cymerodd y milwyr Paul, yn ôl y gorchymyn a gawsent, a mynd ag ef yn ystod y nos i Antipatris. ³²Trannoeth, dychwelsant i'r pencadlys, gan adael i'r gwŷr meirch fynd ymlaen gydag ef. ³³Wedi i'r rhain fynd i mewn i Gesarea, rhoesant y llythyr i'r rhaglaw, a throsglwyddo Paul iddo hefyd. ³⁴Darllenodd yntau'r llythyr, a holi o ba dalaith yr oedd yn dod. Pan ddeallodd ei fod o Cilicia, ³⁵dywedodd, "Gwrandawaf dy achos pan fydd dy gyhuddwyr hefyd wedi cyrraedd." A gorchmynnodd ei gadw dan warchodaeth yn Praetoriwm Herod.

Yr Achos yn erbyn Paul

24 Pum diwrnod yn ddiweddarach, daeth Ananias yr archoffeiriad i lawr gyda rhai henuriaid, a dadleuydd o'r enw Tertulus, a gosodasant gerbron y rhaglaw eu hachos yn erbyn Paul.

ᵍYn ôl darlleniad arall, cynllwyn ganddynt yn erbyn y dyn, yr wyf fi.
ⁿᵍYn ôl darlleniad arall ychwanegir Ffarwel.

²Galwyd yntau gerbron, a dechreuodd Tertulus ei erlyniad, gan ddweud: ³"Trwot ti yr ydym yn mwynhau cyflawnder o heddwch, a thrwy dy ddarbodaeth y mae gwelliannau yn dod i ran y genedl hon ym mhob modd ac ym mhob man. Yr ydym yn eu derbyn, ardderchocaf Ffelix, â phob diolchgarwch. ⁴Ond rhag i mi dy gadw di yn rhy hir, yr wyf yn deisyf arnat wrando ar ychydig eiriau gennym, os byddi mor garedig. ⁵Cawsom y dyn yma yn bla, yn codi ymrafaelion ymhlith yr holl Iddewon trwy'r byd, ac yn arweinydd yn sect y Nasareaid. ⁶Gwnaeth gynnig ar halogi'r deml hyd yn oed, ond daliasom ef.ʰ ⁸Ac os holi di ef dy hun, gelli gael sicrwydd am bob dim yr ydym yn ei gyhuddo ohono." ⁹Ymunodd yr Iddewon hefyd yn y cyhuddo, gan daeru mai felly yr oedd hi.

Paul yn ei Amddiffyn ei Hun gerbron Ffelix

10 Yna atebodd Paul, wedi i'r rhaglaw amneidio arno i lefaru: "Mi wn dy fod di ers llawer blwyddyn yn farnwr i'r genedl hon, ac am hynny yr wyf yn amddiffyn fy achos yn galonnog. ¹¹Oherwydd gelli gael sicrwydd nad oes dim mwy na deuddeg diwrnod er pan euthum i fyny i addoli yn Jerwsalem. ¹²Ni chawsant mohonof yn dadlau â neb nac yn casglu tyrfa, yn y deml nac yn y synagogau nac yn y ddinas, ¹³ac ni allant brofi i ti y cyhuddiadau y maent yn eu dwyn yn awr yn fy erbyn i. ¹⁴Ond yr wyf yn cyfaddef hyn i ti, mai yn null y Ffordd, a alwant hwy yn sect, felly yr wyf yn addoli Duw ein tadau. Yr wyf yn credu pob peth sydd yn ôl y Gyfraith ac sy'n ysgrifenedig yn y proffwydi, ¹⁵ac yn gobeithio yn Nuw—ac y maent hwy eu hunain yn derbyn y gobaith hwn, y bydd atgyfodiad i'r cyfiawn ac i'r anghyfiawn. ¹⁶Oherwydd hyn, yr wyf finnau hefyd yn ymroi i gadw cydwybod ddianaf gerbron Duw a dynion yn wastad. ¹⁷Ac ar ôl amryw flynyddoedd, deuthum i wneud elusennau i'm cenedl ac i offrymu aberthau, ¹⁸ac wrthi'n gwneud hyn y cawsant fi, wedi fy mhureiddio, yn y deml. Nid oedd yno na thyrfa na therfysg. ¹⁹Ond yr oedd yno ryw Iddewon o Asia, a hwy a ddylai fod yma ger dy fron di i'm cyhuddo i, a chaniatáu fod ganddynt rywbeth yn fy

erbyn; ²⁰neu dyweded y rhain yma pa gamwedd a gawsant ynof pan sefais gerbron y Sanhedrin, ²¹heblaw'r un ymadrodd hwnnw a waeddais pan oeddwn yn sefyll yn eu plith: 'Ynghylch atgyfodiad y meirw yr wyf ar fy mhrawf heddiw ger eich bron.'"

22 Yr oedd gan Ffelix wybodaeth led fanwl am y Ffordd, a gohiriodd yr achos, gan ddweud, "Pan ddaw Lysias y capten i lawr, rhoddaf ddyfarniad yn eich achos." ²³Gorchmynnodd i'r canwriad fod Paul i'w gadw dan warchodaeth, ac i gael peth rhyddid, ac nad oeddent i rwystro i neb o'i gyfeillion weini arno.

Dal Paul yn Garcharor

24 Rhai dyddiau wedi hynny, daeth Ffelix yno gyda'i wraig Drwsila, a oedd yn Iddewes. Fe anfonodd am Paul, a gwrandawodd ar ei ciriau ynghylch ffydd yng Nghrist Iesu. ²⁵Ond wrth iddo drafod cyfiawnder a hunan-ddisgyblaeth a'r Farn oedd i ddod, daeth ofn ar Ffelix a dywedodd, "Dyna ddigon am y tro; anfonaf amdanat eto pan gaf gyfle." ²⁶Yr un pryd, yr oedd yn gobeithio cael cil-dwrn gan Paul, ac oherwydd hynny byddai'n anfon amdano yn lled fynych, ac yn sgwrsio ag ef.

27 Aeth dwy flynedd heibio, a dilynwyd Ffelix gan Porcius Ffestus; a chan ei fod yn awyddus i cnnill ffafr yr Iddewon, gadawodd Ffelix Paul yn garcharor.

Paul yn Apelio at Gesar

25 Felly, dridiau wedi i Ffestus gyrraedd ei dalaith, aeth i fyny i Jerwsalem o Gesarea, ²a gosododd y prif offeiriaid a gwŷr blaenaf yr Iddewon eu hachos yn erbyn Paul ger ei fron. ³Yr oeddent yn ceisio gan Ffestus eu ffafrio hwy yn ei erbyn ef, yn deisyf am iddo anfon amdano i Jerwsalem, ac ar yr un pryd yn gwneud cynllwyn i'w ladd ar y ffordd. ⁴Atebodd Ffestus, fodd bynnag, fod Paul dan warchodaeth yng Nghesarea, a'i fod ef ei hun yn bwriadu cychwyn i ffwrdd yn fuan. ⁵"Felly," meddai, "gadewch i'r gwŷr sydd ag awdurdod yn eich plith ddod i lawr gyda mi a'i gyhuddo ef, os yw'r dyn wedi gwneud rhywbeth o'i le."

6 Arhosodd Ffestus gyda hwy am wyth

ʰYn ôl darlleniad arall ychwanegir: *Ac yr oeddem yn bwriadu ei farnu yn ôl ein Cyfraith ni.* ⁷*Ond daeth Lysias y capten a'i gymryd ef trwy drais mawr allan o'n dwylo ni,* ⁸*a gorchymyn i'w gyhuddwyr ddod ger dy fron di.*

neu ddeg diwrnod ar y mwyaf. Yna aeth i lawr i Gesarea, a thrannoeth cymerodd ei le yn y llys a gorchymyn dod â Paul gerbron. ⁷Pan ymddangosodd Paul, safodd yr Iddewon oedd wedi dod i lawr o Jerwsalem o'i amgylch, gan ddwyn llawer o gyhuddiadau difrifol yn ei erbyn. ⁸Ond ni allent eu profi yn wyneb amddiffyniad Paul: "Nid wyf fi wedi troseddu o gwbl, nac yn erbyn Cyfraith yr Iddewon, nac yn erbyn y deml, nac yn erbyn Cesar." ⁹Ond gan fod Ffestus yn awyddus i ennill ffafr yr Iddewon, gofynnodd i Paul, "A wyt yn dewis mynd i fyny i Jerwsalem a chael dy farnu yno ger fy mron i am y pethau hyn?" ¹⁰Dywedodd Paul, "Yr wyf fi'n sefyll gerbron llys Cesar, lle y dylid fy marnu. Ni throseddais o gwbl yn erbyn yr Iddewon, fel y gwyddost ti yn eithaf da. ¹¹Fodd bynnag, os wyf yn droseddwr, ac os wyf wedi gwneud rhywbeth sy'n haeddu marwolaeth, nid wyf yn ceisio osgoi'r ddedfryd i farw. Ond os yw cyhuddiadau'r bobl hyn yn fy erbyn yn ddi-sail, ni all neb fy nhrosglwyddo iddynt fel ffafr. Yr wyf yn apelio at Gesar." ¹²Yna, wedi iddo drafod y mater â'i gynghorwyr, atebodd Ffestus: "At Gesar yr wyt wedi apelio; at Gesar y cei fynd."

Dod â Paul gerbron Agripa a Bernice

13 Ymhen rhai dyddiau daeth y Brenin Agripa a Bernice i lawr i Gesarea i groesawu Ffestus. ¹⁴A chan eu bod yn treulio dyddiau lawer yno, cyflwynodd Ffestus achos Paul i sylw'r brenin. "Y mae yma ddyn," meddai, "wedi ei adael gan Ffelix yn garcharor, ¹⁵a phan oeddwn yn Jerwsalem gosododd y prif offeiriaid a henuriaid yr Iddewon ei achos ef ger fy mron, a gofyn am ei gondemnio. ¹⁶Atebais hwy nad oedd yn arfer gan Rufeinwyr drosglwyddo unrhyw ddyn fel ffafr cyn bod y cyhuddedig yn dod wyneb yn wyneb â'i gyhuddwyr, ac yn cael cyfle i'w amddiffyn ei hun yn erbyn y cyhuddiad. ¹⁷Felly, pan ddaethant ynghyd yma, heb oedi dim cymerais fy lle drannoeth yn y llys, a gorchymyn dod â'r dyn gerbron. ¹⁸Pan gododd ei gyhuddwyr i'w erlyn, nid oeddent yn ei gyhuddo o'r un o'r troseddau a ddisgwyliwn i. ¹⁹Ond rhyw ddadleuon oedd ganddynt ag ef ynghylch eu crefydd eu hunain, ac ynghylch rhyw Iesu oedd wedi marw, ond y mynnai Paul ei fod yn fyw. ²⁰A chan fy mod mewn

penbleth ynglŷn â'r ddadl ar y pethau hyn, gofynnais iddo a oedd yn dymuno mynd i Jerwsalem, a chael ei farnu amdanynt yno. ²¹Ond gan i Paul apelio am gael ei gadw dan warchodaeth, i gael dyfarniad gan yr Ymerawdwr, gorchmynnais ei gadw felly nes imi ei anfon at Gesar." ²²Meddai Agripa wrth Ffestus, "Mi hoffwn innau glywed y dyn." Meddai yntau, "Fe gei ei glywed yfory."

23 Trannoeth, felly, daeth Agripa a Bernice, yn fawr eu rhwysg, a mynd i mewn i'r llys ynghyd â chapteiniaid a gwŷr amlwg y ddinas; ac ar orchymyn Ffestus, daethpwyd â Paul gerbron. ²⁴Ac meddai Ffestus, "Y Brenin Agripa, a chwi wŷr oll sydd yma gyda ni, yr ydych yn gweld y dyn hwn, y gwnaeth holl liaws yr Iddewon gais gennyf yn ei gylch, yn Jerwsalem ac yma, gan weiddi na ddylai gael byw ddim mwy. ²⁵Ond gwelais i nad oedd wedi gwneud dim yn haeddu marwolaeth; a chan i'r dyn ei hun apelio at yr Ymerawdwr, penderfynais ei anfon ato. ²⁶Ond nid oes gennyf ddim byd pendant i'w ysgrifennu amdano at ein Harglwydd. Gan hynny, yr wyf wedi dod ag ef ymlaen ger eich bron chwi, ac yn enwedig ger dy fron di, y Brenin Agripa, er mwyn gwneud archwiliad, a chael rhywbeth i'w ysgrifennu. ²⁷Oherwydd, yn fy marn i, peth afresymol yw anfon carcharor ymlaen heb hyd yn oed egluro'r cyhuddiadau yn ei erbyn."

Paul yn ei Amddiffyn ei Hun gerbron Agripa

26 Meddai Agripa wrth Paul, "Y mae caniatâd iti siarad drosot dy hun." Yna fe estynnodd Paul ei law, a dechrau ei amddiffyniad: ²"Yr wyf yn f'ystyried fy hun yn ffodus, y Brenin Agripa, mai ger dy fron di yr wyf i'm hamddiffyn fy hun heddiw ynglŷn â'r holl gyhuddiadau y mae'r Iddewon yn eu dwyn yn fy erbyn, ³yn enwedig gan dy fod yn hyddysg yn yr holl arferion a dadleuon a geir ymhlith yr Iddewon. Gan hynny, 'rwy'n erfyn arnat fy ngwrando yn amyneddgar. ⁴Y mae fy muchedd i o'm mebyd, y modd y bûm yn byw o'r dechrau ymhlith fy nghenedl, a hefyd yn Jerwsalem, yn hysbys i bob Iddew. ⁵Y maent yn gwybod ers amser maith, os dymunant dystiolaethu, mai yn ôl sect fwyaf caeth ein crefydd y bûm i'n byw, yn Pharisead. ⁶Yn awr yr wyf yn sefyll fy mhrawf ar gyfrif gobaith sydd wedi ei seilio ar yr addewid a wnaed gan Dduw i'n tadau ni, [7] addewid y mae ein deuddeg llwyth ni, trwy ddwys addoli nos a dydd, yn gobeithio ei sylweddoli; ac am y gobaith hwn yr wyf yn cael fy nghyhuddo, O frenin, gan Iddewon! [8] Pam y bernir yn anghredadwy gennych chwi fod Duw yn codi'r meirw? [9] Eto, yr oeddwn i fy hun yn tybio unwaith y dylwn weithio'n ddygn yn erbyn enw Iesu o Nasareth; [10] a gwneuthum hynny yn Jerwsalem. Ar awdurdod y prif offeiriaid, caeais lawer o'r saint mewn carcharau, a phan fyddent yn cael eu lladd, rhoddais fy mhleidlais yn eu herbyn; [11] a thrwy'r holl synagogau mi geisiais lawer gwaith, trwy gosb, eu gorfodi i gablu. Yr oeddwn yn enbyd o ffyrnig yn eu herbyn, ac yn eu herlid hyd ddinasoedd estron hyd yn oed.

Paul yn Sôn am ei Dröedigaeth
(Act. 9:1-19; 22:6-16)

12 "Pan oeddwn yn teithio i Ddamascus ar y perwyl hwn gydag awdurdod a chennad y prif offeiriaid, [13] gwelais ar y ffordd ganol dydd, O frenin, oleuni mwy llachar na'r haul yn llewyrchu o'r nef o'm hamgylch i a'r rhai oedd yn teithio gyda mi. [14] Syrthiodd pob un ohonom ar y ddaear, a chlywais lais yn dweud wrthyf yn iaith yr Iddewon, 'Saul, Saul, pam yr wyt yn fy erlid i? Y mae'n galed iti wingo yn erbyn y symbylau.' [15] Dywedais innau, 'Pwy wyt ti, Arglwydd?' A dywedodd yr Arglwydd, 'Iesu wyf fi, yr hwn yr wyt ti yn ei erlid. [16] Ond cod a saf ar dy draed; oherwydd i hyn yr wyf wedi ymddangos i ti, sef i'th benodi di yn was imi, ac yn dyst o'r hyn yr wyt wedi ei weld, ac a weli eto, ohonof fi. [17] Gwaredaf di oddi wrth y bobl hyn ac oddi wrth y Cenhedloedd yr wyf yn dy anfon atynt, [18] i agor eu llygaid, a'u troi o dywyllwch i oleuni, o awdurdod Satan at Dduw, er mwyn iddynt gael maddeuant pechodau a chyfran ymhlith y rhai a sancteiddiwyd trwy ffydd ynof fi.'

Paul yn Dyst i'r Iddewon a'r Cenhedloedd

19 "O achos hyn, y Brenin Agripa, ni bûm anufudd i'r weledigaeth nefol, [20] ond bûm yn cyhoeddi i drigolion Damascus yn gyntaf, ac yn Jerwsalem, a thrwy holl wlad Jwdea, ac i'r Cenhedloedd, eu bod i edifarhau a throi at Dduw, a gweithredu yn deilwng o'u hedifeirwch. [21] Oherwydd hyn y daliodd yr Iddewon fi yn y deml, a

cheisio fy llofruddio. [22] Ond mi gefais gymorth gan Dduw hyd heddiw, ac yr wyf yn sefyll gan dystiolaethu i fawr a mân, heb ddweud dim ond y pethau y dywedodd y proffwydi, a Moses hefyd, eu bod i ddigwydd, [23] sef bod yn rhaid i'r Meseia ddioddef, a'i fod ef, y cyntaf i atgyfodi oddi wrth y meirw, i gyhoeddi goleuni i bobl Israel ac i'r Cenhedloedd."

Paul yn Apelio ar i Agripa Gredu

24 Ar ganol yr amddiffyniad hwn, dyma Ffestus yn gweiddi, "Yr wyt yn wallgof, Paul; y mae dy fawr ddysg yn dy yrru di'n wallgof." [25] Meddai Paul, "Na, nid wyf yn wallgof, ardderchocaf Ffestus; llefaru geiriau gwir a chyfrifol yr wyf. [26] Oherwydd fe ŵyr y brenin am y pethau hyn, ac yr wyf yn llefaru yn hy wrtho. Ni allaf gredu fod dim un o'r pethau hyn yn anhysbys iddo, oherwydd nid mewn rhyw gongl y gwnaed hyn. [27] A wyt ti, y Brenin Agripa, yn credu'r proffwydi? Mi wn i dy fod yn credu." [28] Ac meddai Agripa wrth Paul, "Yr wyt am fy mherswadio, mewn byr amser, i ymddwyn fel Cristion." [29] Atebodd Paul, "Byr neu hir, mi allwn i weddio ar Dduw, nid am i ti yn unig, ond am i bawb sy'n fy ngwrando heddiw fod yr un fath ag yr wyf fi, ar wahân i'r rhwymau yma."

30 Yna cododd y brenin a'r rhaglaw, a Bernice a'r rhai oedd yn eistedd gyda hwy, [31] ac wedi iddynt ymneilltuo, buont yn ymddiddan â'i gilydd gan ddweud, "Nid yw'r dyn yma yn gwneud dim oll sy'n haeddu marwolaeth na charchar." [32] Ac meddai Agripa wrth Ffestus, "Gallasai'r dyn yma fod wedi cael ei ollwng yn rhydd, onibai ei fod wedi apelio at Gesar."

Paul yn Hwylio tua Rhufain

27 Pan benderfynwyd ein bod i hwylio i'r Eidal, trosglwyddwyd Paul a rhai carcharorion eraill i ofal canwriad o'r enw Jwlius, o'r fintai Ymerodrol. [2] Aethom ar fwrdd llong o Adramytium oedd ar hwylio i'r porthladdoedd ar hyd glannau Asia, a chodi angor. Yr oedd Aristarchus, Macedoniad o Thesalonica, gyda ni. [3] Trannoeth, cyraeddasom Sidon. Bu Jwlius yn garedig wrth Paul, a rhoi caniatâd iddo fynd at ei gyfeillion, iddynt ofalu amdano. [4] Oddi yno, wedi codi angor, hwyliasom yng nghysgod Cyprus, am fod y gwyntoedd

yn ein herbyn; [5]ac wedi inni groesi'r môr sydd gyda glannau Cilicia a Pamffylia, cyraeddasom Myra yn Lycia. [6]Yno cafodd y canwriad long o Alexandria oedd yn hwylio i'r Eidal, a gosododd ni arni. [7]Buom am ddyddiau lawer yn hwylio'n araf, a chael trafferth i gyrraedd i ymyl Cnidus. Gan fod y gwynt yn dal i'n rhwystro, hwyliasom i gysgod Creta gyferbyn â Salmone, [8]a thrwy gadw gyda'i tir, daethom â chryn drafferth i le a elwid Porthladdoedd Teg, nepell o dref Lasaia.

9 Gan fod cryn amser wedi mynd heibio, a bod morio bellach yn beryglus, oherwydd yr oedd hyd yn oed Gŵyl yr Ympryd drosodd eisoes, rhoes Paul y cyngor hwn iddynt: [10]"Ddynion, 'rwy'n gweld y bydd mynd ymlaen â'r fordaith yma yn sicr o beri difrod a cholled enbyd, nid yn unig i'r llwyth ac i'r llong, ond i'n bywydau ni hefyd." [11]Ond yr oedd y canwriad yn rhoi mwy o goel ar y peilot a'r capten nag ar eiriau Paul. [12]A chan fod y porthladd yn anghymwys i fwrw'r gaeaf ynddo, yr oedd y rhan fwyaf o blaid hwylio oddi yno, yn y gobaith y gallent rywfodd gyrraedd Phenix, porthladd yn Creta yn wynebu'r de-orllewin a'r gogledd-orllewin, a bwrw'r gaeaf yno.

Y Storm ar y Môr

13 Pan gododd gwynt ysgafn o'r de, tybiasant fod eu bwriad o fewn eu cyrraedd. Codasant angor, a dechrau hwylio gyda glannau Creta, yn agos i'r tir. [14]Ond cyn hir, rhuthrodd gwynt tymhestlog, Ewraculon fel y'i gelwir, i lawr o'r tir. [15]Cipiwyd y llong ymaith, a chan na ellid dal ei thrwyn i'r gwynt, bu raid ildio, a chymryd ein gyrru o'i flaen. [16]Wedi rhedeg dan gysgod rhyw ynys fechan a elwir Cawda, llwyddasom, trwy ymdrech, i gael y bad dan reolaeth. [17]Codasant ef o'r dŵr, a mynd ati â chyfarpar i amwregysu'r llong; a chan fod arnynt ofn cael eu bwrw ar y Syrtis, tynasant y gêr hwylio i lawr, a mynd felly gyda'r lli. [18]Trannoeth, gan ei bod hi'n dal yn storm enbyd arnom, dyma ddechrau taflu'r llwyth i'r môr; [19]a'r trydydd dydd, lluchio gêr y llong i ffwrdd â'u dwylo eu hunain. [20]Ond heb na haul na sêr i'w gweld am ddyddiau lawer, a'r storm fawr yn dal i'n llethu, yr oedd pob gobaith am gael ein hachub bellach yn diflannu.

21 Yna, wedi iddynt fod heb fwyd am amser hir, cododd Paul yn eu canol hwy a dweud: "Ddynion, dylasech fod wedi gwrando arnaf fi, a pheidio â hwylio o Creta, ac arbed y difrod hwn a'r golled. [22]Ond yn awr yr wyf yn eich cynghori i godi'ch calon; oherwydd ni bydd dim colli bywyd yn eich plith chwi, dim ond colli'r llong. [23]Oherwydd neithiwr safodd yn fy ymyl angel y Duw a'm piau, yr hwn yr wyf yn ei addoli, [24]a dweud, 'Paid ag ofni, Paul; y mae'n rhaid i ti sefyll gerbron Cesar, a dyma Dduw o'i ras wedi rhoi i ti fywydau pawb o'r rhai sy'n morio gyda thi.' [25]Felly codwch eich calonnau, ddynion, oherwydd yr wyf yn credu Duw, mai felly y bydd, fel y dywedwyd wrthyf. [26]Ond y mae'n rhaid i ni gael ein bwrw ar ryw ynys."

27 Daeth a bedwaredd nos ar ddeg, a ninnau'n dal i fynd gyda'r lli ar draws Môr Adria. Tua chanol nos, dechreuodd y morwyr dybio fod tir yn agosáu. [28]Wedi plymio, cawsant ddyfnder o ugain gwryd, ac ymhen ychydig, plymio eilwaith a chael pymtheg gwryd. [29]Gan fod arnynt ofn inni efallai gael ein bwrw ar leoedd creigiog, taflasant bedair angor o'r starn, a deisyf am iddi ddyddio. [30]Dechreuodd y morwyr geisio dianc o'r llong, a gollwng y bad i'r dŵr, dan esgus mynd i osod angorion o'r pen blaen. [31]Ond dywedodd Paul wrth y canwriad a'r milwyr, "Os na fydd i'r rhain aros yn y llong, ni allwch chwi gael eich achub." [32]Yna fe dorrodd y milwyr raffau'r bad, a gadael iddo gwympo ymaith.

33 Pan oedd hi ar ddyddio, dechreuodd Paul annog pawb i gymryd bwyd, gan ddweud, "Heddiw yw'r pedwerydd dydd ar ddeg i chwi fod yn disgwyl yn bryderus, ac yn dal heb gymryd tamaid o ddim i'w fwyta. [34]Felly yr wyf yn eich annog i gymryd bwyd, oherwydd bydd hynny'n ei gwneud yn haws ichwi gael eich achub; oherwydd ni chollir blewyn oddi ar ben yr un ohonoch." [35]Wedi iddo ddweud hyn, cymerodd fara, a diolchodd i Dduw yng ngŵydd pawb, a'i dorri a dechrau bwyta. [36]Cododd pawb eu calon, a chymryd bwyd, hwythau hefyd. [37]Rhwng pawb yr oedd dau gant saith deg a chwech ohonom yn y llong. [38]Wedi iddynt gael digon o fwyd, dechreusant ysgafnhau'r llong trwy daflu'r ŷd allan i'r môr.

Y Llongddrylliad

39 Pan ddaeth hi'n ddydd, nid oeddent yn adnabod y tir, ond gwelsant gilfach ac

iddi draeth, a phenderfynwyd gyrru'r llong i'r lan yno, os oedd modd. ⁴⁰Torasant yr angorion i ffwrdd, a'u gadael yn y môr. Yr un pryd, datodwyd cyplau'r llywiau, a chodi'r hwyl flaen i'r awel, a chyfeirio tua'r traeth. ⁴¹Ond daliwyd hwy gan ddeufor-gyfarfod, a gyrasant y llong i dir. Glynodd y pen blaen, a sefyll yn ddiysgog, ond dechreuodd y starn ymddatod dan rym y tonnau. ⁴²Penderfynodd y milwyr ladd y carcharorion, rhag i neb ohonynt nofio i ffwrdd a dianc. ⁴³Ond gan fod y canwriad yn awyddus i achub Paul, rhwystrodd hwy rhag cyflawni eu bwriad, a gorchmynnodd i'r rhai a fedrai nofio neidio yn gyntaf oddi ar y llong, a chyrraedd y tir, ⁴⁴ac yna'r lleill, rhai ar ystyllod ac eraill ar ddarnau o'r llong. Ac felly y bu i bawb ddod yn ddiogel i dir.

Paul ar Ynys Melita

28 Wedi inni ddod i ddiogelwch, cawsom wybod mai Melita y gelwid yr ynys. ²Dangosodd y brodorion garedigrwydd anghyffredin tuag atom. Cyneuasant goelcerth, a'n croesawu ni bawb at y tân, oherwydd yr oedd yn dechrau glawio, ac yn oer. ³Casglodd Paul beth wmbredd o danwydd, ac wedi iddo'u rhoi ar y tân, daeth gwiber allan o'r gwres, a glynu wrth ei law. ⁴Pan welodd y brodorion y neidr ynghrog wrth ei law, meddent wrth ei gilydd, "Llofrudd, yn sicr, yw'r dyn yma, ac er ei fod wedi dianc yn ddiogel o'r môr nid yw'r dduwies Cyfiawnder wedi gadael iddo fyw." ⁵Yna, ysgydwodd ef y neidr ymaith i'r tân, heb gael dim niwed; ⁶yr oeddent hwy'n disgwyl iddo ddechrau chwyddo, neu syrthio'n farw yn sydyn. Ar ôl iddynt ddisgwyl yn hir, a gweld nad oedd dim anghyffredin yn digwydd iddo, newidiasant eu meddwl a dechrau dweud mai duw ydoedd. ⁷Yng nghyffiniau'r lle hwnnw, yr oedd tiroedd gan ŵr blaenaf yr ynys, un o'r enw Poplius. Derbyniodd hwn ni, a'n lletya yn gyfeillgar am dridiau. ⁸Yr oedd tad Poplius yn digwydd bod yn gorwedd yn glaf, yn dioddef gan byliau o dwymyn a chan ddisentri. Aeth Paul i mewn ato, a chan weddïo a rhoi ei ddwylo arno, fe'i hiachaodd. ⁹Wedi i hyn ddigwydd, daeth y lleill yn yr ynys oedd dan afiechyd ato hefyd, a chael eu hiacháu. ¹⁰Rhoddodd y bobl hyn anrhydeddau lawer inni, ac wrth inni gych-

wyn ymaith, ein llwytho â phopeth y byddai arnom ei angen.

Paul yn Cyrraedd Rhufain

11 Tri mis yn ddiweddarach, hwyliasom i ffwrdd mewn llong o Alexandria oedd wedi bwrw'r gaeaf yn yr ynys, a'r Efeilliaid Nefol yn arwydd arni. ¹²Wedi cyrraedd Syracwsa, ac aros yno dridiau, hwyliasom oddi yno a dod i Rhegium. ¹³Ar ôl diwrnod cododd gwynt o'r de, a'r ail ddydd daethom i Potioli. ¹⁴Yno cawsom frodyr yn y Ffydd, a gwahoddwyd ni i aros gyda hwy am saith diwrnod. A dyna sut y daethom i Rufain. ¹⁵Pan glywodd y brodyr amdanom, daethant allan cyn belled â Marchnad Apius a'r Tair Tafarn i'n cyfarfod. Pan welodd Paul hwy, fe ddiolchodd i Dduw, ac ymwrolodd.

16 Pan aethom i mewn i Rufain fe ganiatawyd i Paul letya ar ei ben ei hun, gyda'r milwr oedd yn ei warchod.

Paul yn Pregethu yn Rhufain

17 Ymhen tridiau, galwodd Paul ynghyd y prif ddynion ymysg yr Iddewon. Wedi iddynt ddod at ei gilydd, dywedodd wrthynt, "Er nad wyf fi, frodyr, wedi gwneud dim yn erbyn fy mhobl na defodau'r tadau, cefais fy nhraddodi yn garcharor o Jerwsalem i ddwylo'r Rhufeiniaid. ¹⁸Yr oeddent hwy, wedi iddynt fy holi, yn dymuno fy ngollwng yn rhydd, am nad oedd dim rheswm dros fy rhoi i farwolaeth. ¹⁹Ond oherwydd gwrthwynebiad yr Iddewon, cefais fy ngorfodi i apelio at Gesar; nid bod gennyf unrhyw gyhuddiad yn erbyn fy nghenedl. ²⁰Dyna'r rheswm, ynteu, fy mod wedi gofyn am eich gweld a chael ymddiddan â chwi; oherwydd o achos gobaith Israel y mae gennyf y gadwyn hon amdanaf." ²¹Dywedasant hwythau wrtho, "Nid ydym wedi derbyn unrhyw lythyr amdanat ti o Jwdea, ac ni ddaeth neb o'r brodyr yma chwaith i adrodd na llefaru dim drwg amdanat ti. ²²Ond fe garem glywed gennyt ti beth yw dy ddaliadau; oherwydd fe wyddom ni am y sect hon, ei bod yn cael ei gwrthwynebu ym mhobman."

23 Penasant ddiwrnod iddo, a daethant ato i'w lety yn dyrfa. O fore tan nos, bu yntau yn esbonio iddynt, gan dystiolaethu am deyrnas Dduw, a cheisio eu hargyhoeddi ynghylch Iesu ar sail Cyfraith Moses a'r proffwydi. ²⁴Yr oedd rhai yn

credu ei eiriau, ac eraill heb fod yn credu; ²⁵ ac yr oeddent yn dechrau ymwahanu, mewn anghytundeb â'i gilydd, pan ddywedodd Paul un gair ymhellach: "Da y llefarodd yr Ysbryd Glân, trwy'r proffwyd Eseia, wrth eich tadau chwi, gan ddweud:

²⁶ 'Dos at y bobl yma a dywed,
"Er clywed a chlywed, ni ddeallwch ddim;
er edrych ac edrych, ni welwch ddim."
²⁷ Canys brasawyd deall y bobl yma,
y mae eu clyw yn drwm,
a'u llygaid wedi cau;

rhag iddynt weld â'u llygaid,
a chlywed â'u clustiau,
a deall â'u meddwl a throi'n ôl,
i mi eu hiacháu.'
²⁸ Bydded hysbys, felly, i chwi fod yr iachawdwriaeth hon, sydd oddi wrth Dduw, wedi ei hanfon at y Cenhedloedd; fe wrandawant hwy."[i]

30 Arhosodd Paul ddwy flynedd gyfan yno ar ei gost ei hun, a byddai'n derbyn pawb a ddôi i mewn ato, ³¹ gan gyhoeddi teyrnas Dduw a dysgu am yr Arglwydd Iesu Grist yn gwbl agored, heb neb yn ei wahardd.

[i] Yn ôl darlleniad arall ychwanegir adn. 29: *Ac wedi iddo ddweud hyn, ymadawodd yr Iddewon, gan ddadlau'n frwd â'i gilydd.*

LLYTHYR PAUL AT Y

RHUFEINIAID

Cyfarch

1 Paul, gwas Crist Iesu, apostol trwy alwad Duw, ac wedi ei neilltuo i wasanaeth Efengyl Duw, sy'n ysgrifennu. ² Addawodd Duw yr Efengyl hon ymlaen llaw trwy ei broffwydi yn yr Ysgrythurau sanctaidd, ³ Efengyl am ei Fab: yn nhrefn y cnawd, ganwyd ef yn llinach Dafydd; ⁴ ond yn nhrefn sanctaidd yr Ysbryd, cyhoeddwyd ef yn Fab Duw, â mawr allu, trwy atgyfodiad o farwolaeth. Dyma Iesu Grist ein Harglwydd. ⁵ Trwyddo ef derbyniasom ras a swydd apostol, i ennill, ar ei ran, ffydd ac ufudd-dod ymhlith yr holl Genhedloedd. ⁶ Ymhlith y rhain yr ydych chwithau, yn rhai wedi eich galw ac yn eiddo i Iesu Grist. ⁷ Yr wyf yn cyfarch pawb yn Rhufain sydd[a] yn annwyl gan Dduw, a thrwy ei alwad ef yn saint. Gras a thangnefedd i chwi oddi wrth Dduw ein Tad a'r Arglwydd Iesu Grist.

Paul yn Dymuno Ymweld â Rhufain

8 Yn gyntaf oll, yr wyf yn diolch i'm Duw, trwy Iesu Grist, amdanoch chwi oll, oherwydd y mae'r sôn am eich ffydd yn cerdded trwy'r holl fyd. ⁹ Y mae Duw yn dyst imi, y Duw y mae fy ysbryd yn ei wasanaethu yn Efengyl ei Fab, mor ddibaid y byddaf bob amser yn eich galw i gof yn fy ngweddïau ¹⁰ wrth ofyn ganddo, os dyna'i ewyllys, a gaf fi yn awr o'r diwedd, rywsut neu'i gilydd, rwydd hynt i ddod atoch. ¹¹ Oherwydd y mae hiraeth arnaf am eich gweld, er mwyn eich cynysgaeddu â rhyw ddawn ysbrydol i'ch cadarnhau; ¹² neu'n hytrach, os caf esbonio, i mi, yn eich cymdeithas, gael fy nghalonogi ynghyd â chwi trwy'r ffydd sy'n gyffredin i'r naill a'r llall ohonom. ¹³ Yr wyf am i chwi wybod, fy mrodyr, imi fwriadu lawer gwaith ddod atoch, er mwyn cael peth ffrwyth yn eich plith chwi fel y cefais ymhlith y rhelyw o'r Cenhedloedd, ond hyd yma yr wyf wedi fy rhwystro. ¹⁴ Groegiaid a barbariaid, doethion ac annoethion—yr wyf dan rwymedigaeth iddynt oll. ¹⁵ A dyma'r rheswm fy mod i mor eiddgar i bregethu'r Efengyl i chwithau sydd yn Rhufain.[b]

[a] Yn ôl darlleniad arall, *pawb sydd.*   [b] Yn ôl darlleniad arall, *i chwithau.*

Gallu'r Efengyl

16 Nid oes arnaf gywilydd o'r Efengyl, oherwydd gallu Duw yw hi ar waith er iachawdwriaeth i bob un sy'n credu, yr Iddew yn gyntaf a hefyd y Groegwr. [17]Ynddi hi y datguddir cyfiawnder Duw, a hynny trwy ffydd o'r dechrau i'r diwedd, fel y mae'n ysgrifenedig: "Y sawl sydd trwy ffydd yn gyfiawn a gaiff fyw."

Euogrwydd y Ddynolryw

18 Y mae digofaint Duw yn cael ei ddatguddio o'r nef yn erbyn holl annuwioldeb ac anghyfiawnder y dynion sydd, trwy eu hanghyfiawnder, yn atal y gwirionedd. [19]Oherwydd y mae'r hyn y gellir ei wybod am Dduw yn amlwg iddynt, a Duw sydd wedi ei amlygu iddynt. [20]Yn wir, er pan greodd Duw y byd, y mae ei briodoleddau anweledig ef, ei dragwyddol allu a'i dduwdod, i'w gweld yn eglur gan y deall yn y pethau a greodd. Am hynny, y maent yn ddiesgus. [21]Oherwydd, er iddynt wybod am Dduw, nid ydynt wedi rhoi gogoniant na diolch iddo fel Duw, ond, yn hytrach, troi eu meddyliau at bethau cwbl ofer; ac y mae wedi mynd yn dywyllwch arnynt yn eu calon ddiddeall. [22]Er honni eu bod yn ddoeth, y maent wedi eu gwneud eu hunain yn ffyliaid. [23]Y maent wedi ffeirio gogoniant yr anfarwol Dduw am ddelw ar lun dyn marwol, neu adar neu anifeiliaid neu seirff.

24 Am hynny, y mae Duw wedi eu traddodi, trwy chwantau eu calonnau, i gaethiwed aflendid, i'w cyrff gael eu hamharchu ganddynt hwy eu hunain.[c] [25]Dyma'u tynged, gan iddynt ffeirio gwirionedd Duw am anwiredd, ac addoli a gwasanaethu'r hyn a grewyd yn lle'r Creawdwr. Bendigedig yw ef am byth! Amen. [26]Felly y mae Duw wedi eu traddodi i gaethiwed nwydau gwarthus. Y mae eu merched wedi cefnu ar arfer naturiol eu rhyw, a throi at arferion annaturiol; [27]a'r meibion yr un modd, y maent wedi gadael heibio gyfathrach naturiol â merch, gan losgi yn eu blys am ei gilydd, meibion yn cyflawni bryntni ar feibion, ac yn derbyn ynddynt eu hunain y tâl anochel am eu camwedd. [28]Am iddynt wrthod cydnabod Duw, y mae Duw wedi eu traddodi i gaethiwed meddwl llygredig, ac am hynny y mae eu gweithredoedd yn wrthun, [29]a hwythau yn gyforiog o bob math o anghyfiawnder a drygioni a thrachwant ac anfadwaith. Y maent yn llawn cenfigen, llofruddiaeth, cynnen, cynllwyn a malais. [30]Clepgwn ydynt, a difenwyr, casddynion Duw[ch], dynion rhyfygus a thrahaus ac ymffrostgar, dyfeiswyr drygioni, heb barch i'w rhieni, [31]heb ddeall, heb deyrngarwch, heb serch, heb dosturi. [32]Yr oedd gorchymyn cyfiawn Duw, fod y sawl sy'n cyflawni'r fath droseddau yn teilyngu marwolaeth, yn gwbl hysbys i'r dynion hyn; ond y maent, nid yn unig yn dal i'w gwneud, ond hefyd yn cymeradwyo'r sawl sydd yn eu cyflawni.

Barn Gyfiawn Duw

2 Yn wyneb hyn, yr wyt ti, y dyn, pwy bynnag wyt, sy'n eistedd mewn barn, yn ddiesgus. Oherwydd, wrth farnu dy gyd-ddyn, yr wyt yn dy gollfarnu dy hun, gan dy fod ti, y barnwr, yn cyflawni'r un troseddau. [2]Fe wyddom fod barn Duw ar y sawl sy'n cyflawni'r fath droseddau yn gwbl gywir. [3]Ond a wyt ti, y dyn sy'n eistedd mewn barn ar y rhai sy'n cyflawni'r fath droseddau, ac yn eu gwneud dy hun, a wyt ti'n tybied y cei di ddianc rhag barn Duw? [4]Neu, ai dibris gennyt yw cyfoeth ei diriondeb a'i ymatal a'i amynedd? A fynni di beidio â gweld mai amcan tiriondeb Duw yw dy ddwyn i edifeirwch? [5]Wrth ddilyn ystyfnigrwydd dy galon ddiedifar, yr wyt yn casglu i ti dy hunan stôr o ddigofaint yn Nydd digofaint, Dydd datguddio barn gyfiawn Duw. [6]Bydd ef yn talu i bob un yn ôl ei weithredoedd: [7]bywyd tragwyddol i'r rhai sy'n dal ati i wneud daioni, gan geisio gogoniant, anrhydedd ac anfarwoldeb; [8]ond digofaint a dicter i'r rheini a ysgogir gan gymhellion hunanol i fod yn ufudd, nid i'r gwirionedd, ond i anghyfiawnder. [9]Gorthrymder ac ing fydd i bob bod dynol sy'n gwneud drygioni, i'r Iddew yn gyntaf a hefyd i'r Groegwr; [10]ond gogoniant ac anrhydedd a thangnefedd fydd i bob un sy'n gwneud daioni, i'r Iddew yn gyntaf a hefyd i'r Groegwr. [11]Nid oes ffafriaeth gerbron Duw. [12]Caiff pawb a bechodd heb y Gyfraith drengi hefyd heb y Gyfraith, a chaiff pawb a bechodd a'r Gyfraith ganddo ei farnu trwy'r Gyfraith. [13]Nid gwrandawyr y Gyfraith a geir yn gyfiawn gerbron Duw. Na, gwneuthurwyr

---

[c] neu, aflendid, nes eu bod yn amharchu eu cyrff yn eu plith eu hunain.
[ch] Neu, yn gas ganddynt Dduw.

y Gyfraith a ddyfernir yn gyfiawn ganddo ef. ¹⁴Pan yw Cenhedloedd sydd heb y Gyfraith yn cadw gofynion y Gyfraith wrth reddf, y maent, gan eu bod heb y Gyfraith, yn gyfraith iddynt eu hunain. ¹⁵Y maent yn dangos bod yr hyn a ofynnir gan y Gyfraith wedi ei ysgrifennu yn eu calonnau, gan fod eu cydwybod yn cyd-dystiolaethu â'r Gyfraith, a'u meddyliau weithiau'n cyhuddo ac weithiau, hefyd, yn amddiffyn. ¹⁶Felly, yn ôl yr Efengyl yr wyf fi'n ei phregethu, y bydd yn y Dydd pan fydd Duw yn barnu meddyliau cudd-iedig dynion trwy Grist Iesu.

Yr Iddewon a'r Gyfraith

17 Amdanat ti, fe ddichon dy fod yn cario'r enw "Iddew", yn pwyso ar y Gyfraith, yn ymffrostio yn Nuw, ¹⁸yn gwybod ei ewyllys, ac oherwydd dy hyfforddi yn y Gyfraith yn gallu canfod yr hyn sy'n rhagori. ¹⁹Fe ddichon dy fod yn argyhoeddedig dy fod yn arweinydd i'r dall, yn oleuni i'r rhai sydd mewn tywyll-wch, ²⁰yn ddisgyblwr y ffôl, yn athro i'r ifanc, a hynny am fod gennyt yn y Gyfraith holl gynnwys gwybodaeth a gwirionedd. ²¹Os felly, ti sy'n dysgu dy gyd-ddyn, oni'th ddysgi dy hun? A wyt ti, sy'n pregethu yn erbyn lladrata, yn lleidr? ²²A wyt ti, sy'n llefaru yn erbyn godinebu, yn odinebwr? A wyt ti, sy'n ffieiddio eilunod, yn ysbeilio temlau? ²³A wyt ti, sy'n ymffrostio yn y Gyfraith, yn dwyn gwarth ar Dduw trwy dorri ei Gyfraith? ²⁴Fel y mae'r Ysgrythur yn dweud, "O'ch achos chwi, ceblir enw Duw ymhlith y Cenhedloedd." ²⁵Yn ddiau y mae gwerth i enwaediad, os wyt yn cadw'r Gyfraith. Ond os torri'r Gyf-raith yr wyt ti, y mae dy enwaediad wedi mynd yn ddienwaediad. ²⁶Os yw'r sawl nad enwaedwyd arno yn cadw gorch-mynion y Gyfraith, oni fydd Duw yn cyfrif ei ddienwaediad yn enwaediad? ²⁷Bydd y dienwaededig ei gorff, os yw'n cyflawni'r Gyfraith, yn farnwr arnat ti, sydd yn droseddwr y Gyfraith er bod gennyt holl freintiau cyfraith ysgrifenedig a'r enwaediad. ²⁸Nid Iddew mo'r Iddew sydd yn y golwg. Nid enwaediad chwaith mo'r enwaediad sydd yn y golwg yn y cnawd. ²⁹Y gwir Iddew yw'r Iddew cudd-iedig, a'r gwir enwaediad yw enwaediad y galon, peth ysbrydol, nid llythrennol. Dyma'r dyn sy'n cael ei glod, nid gan ddynion, ond gan Dduw.

3 Yn wyneb hyn, pa ragorfraint sydd i'r Iddew? Pa werth sydd i'r en-waediad? ²Y mae llawer, ym mhob modd. Yn y lle cyntaf, i'r Iddewon yr ymddiriedwyd oraclau Duw. ³Ond beth os bu rhai yn anffyddlon? A all eu han-ffyddlondeb hwy ddileu ffyddlondeb Duw? ⁴Ddim ar unrhyw gyfrif! Rhaid bod Duw yn eirwir, er i bob dyn fod yn gelwyddog. Fel y mae'n ysgrifenedig:
"Fel y'th geir yn gywir yn dy eiriau,
a gorchfygu wrth gael dy farnu."
⁵Ond os yw'n hanghyfiawnder ni yn dwyn i'r golau gyfiawnder Duw, beth a ddywedwn? Mai anghyfiawn yw'r Duw sy'n bwrw ei ddigofaint arnom? (Siarad fel dyn yr wyf.) ⁶Ddim ar unrhyw gyfrif! Os nad yw Duw yn gyfiawn, sut y gall farnu'r byd? ⁷Ie, ondᵈ os yw fy anwir-edd i yn foddion i ddangos helaethrwydd gwirionedd Duw, a dwyn gogoniant iddo, pam y wyf fi o hyd dan farn fel pech-adur? ⁸"Gadewch i ni wneud drygioni er mwyn i ddaioni ddilyn"—ai dyna yr ydym yn ei ddweud, fel y mae rhai o'n henllibwyr yn mynnu? Y mae'r rheini'n llawn haeddu'r gosb a gânt.

Nid oes Neb Cyfiawn

9 Wel, ynteu, a ydym ni'r Iddewon yn rhagori? Ddim o gwbl!ᵈᵈ Yr ydym eisoes wedi cyhuddo Iddewon a Groegiaid, fel ei gilydd, o fod dan lywodraeth pechod. ¹⁰Fel y mae'n ysgrifenedig:
"Nid oes neb cyfiawn, nid oes un,
¹¹neb sydd yn deall,
neb yn ceisio Duw.
¹²Y mae pawb wedi gwyro, yn ddi-fudd ynghyd;
nid oes un a wna ddaioni,
nac oes, dim un.
¹³Bedd agored yw eu llwnc,
a'u tafodau'n traethu twyll;
gwenwyn nadredd dan eu gwefusau.
¹⁴a'u genau'n llawn melltith a chwerwedd.
¹⁵Cyflym eu traed i dywallt gwaed,
¹⁶distryw a thrallod sydd ar eu ffyrdd;
¹⁷nid ydynt yn adnabod ffordd tangnefedd;
¹⁸nid oes ofn Duw ar eu cyfyl."
¹⁹Fe wyddom mai wrth bobl y Gyfraith y mae'r Gyfraith yn llefaru pob dim a ddywed. Felly dyna daw ar bob ceg, a'r byd i gyd wedi ei osod dan farn Duw.

ᵈYn ôl darlleniad arall, Oherwydd.   ᵈᵈNeu, yn waeth ein cyflwr? Ddim yn hollol.

²⁰Oherwydd, yng ngeiriau'r Ysgrythur, "gerbron Duw ni chyfiawnheir undyn meidrol" trwy gadw gofynion cyfraith. Y cwbl a geir trwy'r Gyfraith yw ymwybyddiaeth o bechod.

Cyfiawnder Trwy Ffydd

21 Ond yn awr, yn annibynnol ar gyfraith, y mae cyfiawnder Duw wedi ei amlygu. Y mae'r Gyfraith a'r proffwydi, yn wir, yn dwyn tystiolaeth iddo, ²²ond cyfiawnder Duw ydyw, sy'n gweithredu trwy ffydd yn Iesu Grist er mwyn pawb sy'n credu. ²³Ie, pawb yn ddiwahaniaeth, oherwydd y maent oll wedi pechu, ac yn amddifad o ogoniant Duw. ²⁴Gan ras Duw, ac am ddim, y maent yn cael eu cyfiawnhau, trwy'r prynedigaeth sydd yng Nghrist Iesu, ²⁵yr hwn a osododd Duw gerbron y byd, yn ei farw aberthol, yn foddion puredigaeth^e trwy ffydd. Gwnaeth Duw hyn i ddangos ei gyfiawnder yn ddiymwad, yn wyneb yr anwybyddu a fu ar bechodau'r gorffennol yn amser ymatal Duw; ²⁶ie, i ddangos ei gyfiawnder yn ddiymwad yn yr amser presennol hwn, sef, ei fod ef ei hun yn gyfiawn a hefyd yn cyfiawnhau'r sawl sy'n pwyso ar ffydd yn Iesu.

27 A oes lle, felly, i'n hymffrost? Nac oes! Y mae wedi ei gau allan. Ar ba egwyddor? Ai egwyddor cadw gofynion cyfraith? Nage'n wir, ond ar egwyddor ffydd. ²⁸Ein dadl yw y cyfiawnheir dyn trwy gyfrwng ffydd heb iddo gadw gofynion cyfraith. ²⁹Ai Duw'r Iddewon yn unig yw Duw? Onid yw'n Dduw Cenedl-ddynion hefyd. ³⁰Ydyw, yn wir, oherwydd un yw Duw, a bydd yn cyfiawnhau'r enwaededig ar sail ffydd, a'r dienwaededig trwy ffydd. ³¹A ydym, ynteu, yn dileu'r Gyfraith â'n ffydd? Nac ydym, ddim o gwbl! Cadarnhau'r Gyfraith yr ydym.

Abraham yn Esiampl

4 Beth, gan hynny, a ddywedwn am Abraham, hendad ein llinach? Beth a ddarganfu ef? ²Oherwydd os cafodd Abraham ei gyfiawnhau ar gyfrif cadw gofynion cyfraith, y mae ganddo rywbeth i ymffrostio o'i herwydd. Ond na, gerbron Duw nid oes ganddo ddim. ³Oherwydd beth y mae'r Ysgrythur yn ei ddweud? "Rhoes Abraham ei ffydd yn Nuw, ac fe'i cyfrifwyd iddo yn gyfiawnder." ⁴Pan

fydd dyn yn cyflawni gofynion ei waith, nid fel rhodd y cyfrifir ei dâl iddo, ond fel peth sy'n ddyledus. ⁵Pan na fydd dyn yn cyflawni gofynion ei waith, ond yn rhoi ei ffydd yn yr hwn sy'n cyfiawnhau'r annuwiol, cyfrifir ei ffydd iddo ef yn gyfiawnder. ⁶Dyna ystyr yr hyn y mae Dafydd yn ei ddweud am wynfyd y gŵr y mae Duw yn cyfrif cyfiawnder iddo, heb iddo gadw gofynion cyfraith:

⁷"Gwyn eu byd y rhai y maddeuwyd eu troseddau,
    ac y cuddiwyd eu pechodau;
⁸gwyn ei fyd y dyn na fydd yr Arglwydd yn cyfrif ei bechod yn ei erbyn."

⁹Y gwynfyd hwn, ai braint yn dilyn ar enwaediad yw? Oni cheir ef heb enwaediad hefyd? Ceir yn wir, oherwydd ein hymadrodd yw, "cyfrifwyd ei ffydd i Abraham yn gyfiawnder". ¹⁰Ond sut y bu'r cyfrif? Ai ar ôl enwaedu arno, ynteu cyn hynny? Cyn yr enwaedu, nid ar ei ôl. ¹¹Ac wedyn, derbyniodd arwydd yr enwaediad, yn sêl o'r cyfiawnder oedd eisoes yn eiddo iddo trwy ffydd, heb enwaediad. O achos hyn, y mae yn dad i bawb y mae cyfiawnder yn cael ei gyfrif iddynt am fod ganddynt ffydd, heb enwacdiad. ¹²Y mae yn dad hefyd i'r enwaededig sydd, nid yn unig yn enwaededig, ond hefyd yn dilyn camre'r ffydd oedd yn eiddo i Abraham ein tad cyn enwaedu arno.

Cyflawni'r Addewid Trwy Ffydd

13 Y mae'r addewid i Abraham, neu i'w ddisgynyddion, y byddai yn etifedd y byd, wedi ei rhoi nid trwy'r Gyfraith, ond trwy'r cyfiawnder a geir trwy ffydd. ¹⁴Oherwydd, os y rhai sy'n pwyso ar y Gyfraith yw'r etifeddion, yna gwagedd yw ffydd, a diddim yw'r addewid. ¹⁵Digofaint yw cynnyrch y Gyfraith, ond lle nad oes cyfraith, nid oes trosedd yn ei herbyn chwaith. ¹⁶Am hynny, y mae trefn Duw yn gofyn am ffydd, er mwyn gweithredu trwy ras a sicrhau bod yr addewid yn dal i bawb o ddisgynyddion Abraham, nid yn unig i'r rhai sy'n pwyso ar y Gyfraith, ond hefyd i'r rhai sy'n pwyso ar ffydd Abraham. Y mae Abraham yn dad i ni i gyd; ¹⁷fel y mae'n ysgrifenedig: "Yr wyf yn dy benodi yn dad cenhedloedd lawer." Dyma drefn y Duw y credodd Abraham ynddo, y Duw sy'n gwneud y meirw'n fyw, ac yn galw i

^eNeu, *yn drugareddfa.* Neu *yn ddyhuddiant.* Neu, *yn iawn.*

fod yr hyn nad yw'n bod. [18]A'r credu hwn, â gobaith y tu hwnt i obaith, a'i gwnaeth yn dad cenhedloedd lawer, yn ôl yr hyn a lefarwyd: "Felly y bydd dy ddisgynyddion." [19]Er ei fod tua chant oed, ni wanychodd yn ei ffydd, wrth ystyried cyflwr marw ei gorff ei hun a marweidd-dra croth Sara. [20]Nid amheuodd ddim ynglŷn ag addewid Duw, na diffygio mewn ffydd, ond yn hytrach grymusodd yn ei ffydd a rhoi gogoniant i Dduw, [21]yn llawn hyder fod Duw yn abl i gyflawni'r hyn yr oedd wedi ei addo. [22]Dyma pam y cyfrifwyd ei ffydd iddo yn gyfiawnder. [23]Ond ysgrifennwyd y geiriau, "fe'i cyfrifwyd iddo", nid ar gyfer Abraham yn unig, [24]ond ar ein cyfer ni hefyd. Y mae cyfiawnder i'w gyfrif i ni, sydd â ffydd gennym yn yr hwn a gyfododd Iesu ein Harglwydd oddi wrth y meirw. [25]Cafodd Iesu ei draddodi i farwolaeth am ein camweddau, a'i gyfodi i'n cyfiawnhau ni.

Canlyniadau Cyfiawnhad

5 Am hynny, oherwydd ein bod wedi ein cyfiawnhau trwy ffydd, y mae gennym feddiant[f] ar heddwch â Duw trwy ein Harglwydd Iesu Grist. [2]Trwyddo ef, yn wir, cawsom ffordd, trwy ffydd, i ddod i'r gras hwn yr ydym yn sefyll ynddo. Yr ydym hefyd yn gorfoleddu[ff] yn y gobaith y cawn gyfranogi yng ngogoniant Duw. [3]Heblaw hynny, yr ydym hyd yn oed yn gorfoleddu[g] yn ein gorthrymderau, oherwydd fe wyddom mai o orthrymder y daw'r gallu i ymddál, [4]ac o'r gallu i ymddál y daw rhuddin cymeriad, ac o gymeriad y daw gobaith. [5]A dyma obaith na chawn ein siomi ganddo, oherwydd y mae cariad Duw eisoes wedi ei dywallt yn ein calonnau trwy'r Ysbryd Glân y mae ef wedi ei roi i ni. [6]Oherwydd y mae[ng] Crist eisoes, yn yr amser priodol, a ninnau'n ddiymadferth, wedi marw dros yr annuwiol. [7]Go brin y bydd neb yn marw dros ddyn cyfiawn. Efallai y ceir rhywun yn ddigon dewr i farw dros ddyn da. [8]Ond prawf Duw o'r cariad sydd ganddo tuag atom ni yw bod Crist wedi marw drosom pan oeddem yn dal yn bechaduriaid. [9]A ninnau yn awr wedi ein cyfiawnhau trwy ei farw aberthol ef, y mae'n sicrach fyth y cawn ein hachub trwyddo ef rhag y

digofaint. [10]Oherwydd os cymodwyd ni, pan oeddem yn elynion, â Duw trwy farwolaeth ei Fab, y mae'n sicrach fyth y cawn, ar ôl ein cymodi, ein hachub trwy ei fywyd. [11]Ond heblaw hynny, yr ydym hefyd yn gorfoleddu yn Nuw trwy ein Harglwydd Iesu Grist; trwyddo ef yr ydym yn awr wedi ein derbyn i'r cymod.

Adda a Christ

12 Ein dadl yw hyn. Daeth pechod i'r byd trwy un dyn, a thrwy bechod farwolaeth, ac yn y modd hwn ymledodd marwolaeth i'r ddynolryw i gyd, yn gymaint ag i bawb bechu. [13]Y mae'n wir fod pechod yn y byd cyn bod y Gyfraith, ond yn niffyg cyfraith, nid yw pechod yn cael ei gyfrif. [14]Er hynny, teyrnasodd marwolaeth o Adda hyd Moses, hyd yn oed ar y rhai oedd heb bechu ar batrwm trosedd Adda; ac y mae Adda yn rhaglun o'r Dyn oedd i ddod.

15 Ond nid yw'r weithred sy'n drosedd yn cyfateb yn hollol i'r weithred sy'n ras. Y mae'n wir i drosedd un dyn ddwyn y rhelyw o ddynion i farwolaeth; ond gymaint mwy sydd ar yr ochr arall: helaethrwydd gras Duw a'i rodd raslon o'r un dyn, Iesu Grist, i'r rhelyw o ddynion. [16]Ac ni ellir cymharu canlyniad pechod un dyn â chanlyniad rhodd Duw. Ar y naill law, yn dilyn ar un weithred o drosedd, y mae dedfryd gyfreithiol sy'n collfarnu; ar y llaw arall, yn dilyn ar droseddau lawer, y mae gweithred o ras sy'n diheuro. [17]Y mae'n wir i farwolaeth, trwy drosedd un dyn, deyrnasu trwy'r un dyn hwnnw; ond gymaint mwy sydd ar yr ochr arall: dynion sy'n derbyn helaethrwydd gras Duw, a'i gyfiawnder yn rhodd, yn cael byw a theyrnasu trwy un dyn, Iesu Grist. [18]Dyma'r gymhariaeth gan hynny: fel y daeth collfarn, trwy un weithred o drosedd, ar y ddynolryw i gyd, felly hefyd y daeth cyfiawnhad a bywyd, trwy un weithred o gyfiawnder, i'r ddynolryw i gyd; [19]fel y gwnaethpwyd y rhelyw yn bechaduriaid trwy anufudd-dod un dyn, felly hefyd y gweir y rhelyw yn gyfiawn trwy ufudd-dod un dyn. [20]Ond daeth y Gyfraith i mewn fel atodiad, er mwyn i drosedd amlhau; ond lle'r amlhaodd pechod, daeth gorlif helaethach o ras; [21]ac felly, fel y teyrnasodd pechod

---

[f]Yn ôl darlleniad arall, *gadewch inni ddal ein meddiant.*
[g]Neu, *gadewch inni hyd yn oed orfoleddu.*
[ng]Yn ôl darlleniad arall, *Y mae hyn cyn sicred â bod.*

[ff]Neu, *Gadewch inni orfoleddu hefyd.*

trwy farwolaeth, y mae gras i deyrnasu trwy gyfiawnder, gan ddwyn dynion i fywyd tragwyddol trwy Iesu Grist ein Harglwydd.

Yn Farw i Bechod, ond yn Fyw yng Nghrist

6 Beth, ynteu, sydd i'w ddweud? A ydym i barhau mewn pechod, er mwyn i ras amlhau? ²Ddim ar unrhyw gyfrif! Pobl ydym a fu farw i bechod; sut y gallwn ni, mwyach, fyw ynddo? ³A ydych heb ddeall fod pawb ohonom a fedyddiwyd i Grist Iesu wedi ein bedyddio i'w farwolaeth? ⁴Trwy'r bedydd hwn i farwolaeth, fe'n claddwyd gydag ef, fel, megis y cyfodwyd Crist oddi wrth y meirw mewn amlygiad o ogoniant y Tad, y byddai i ninnau gael byw ar wastad bywyd newydd. ⁵Oherwydd os daethom ni yn un ag ef trwy farwolaeth ar lun ei farwolaeth ef, fe'n ceir hefyd yn un ag ef trwy atgyfodiad ar lun ei atgyfodiad ef. ⁶Fe wyddom fod yr hen ddyn oedd ynom wedi ei groeshoelio gydag ef, er mwyn dirymu ein natur ddynol bechadurus, ac i'n cadw rhag bod, mwyach, yn gaethweision i bechod. ⁷Oherwydd y mae'r dyn sydd wedi marw wedi ei ryddhau oddi wrth bechod. ⁸Ac os buom ni farw gyda Christ, yr ydym yn credu y cawn fyw gydag ef hefyd, ⁹oherwydd y mae'n sicr na fydd marw mwyach i'r Crist sydd wedi ei gyfodi oddi wrth y meirw. Collodd marwolaeth ei harglwyddiaeth arno ef. ¹⁰Yn gymaint ag iddo farw, i bechod y bu farw, un waith am byth; yn gymaint â'i fod yn fyw, i Dduw y mae'n byw. ¹¹Felly, yr ydych chwithau i'ch cyfrif eich hunain fel rhai sy'n farw i bechod, ond sy'n fyw i Dduw, yng Nghrist Iesu.

12 Felly, nid yw pechod i deyrnasu yn eich corff marwol a'ch gorfodi i ufuddhau i'w chwantau. ¹³Peidiwch ag ildio eich cyneddfau i bechod, i'w defnyddio i amcanion drwg. Yn hytrach, ildiwch eich hunain i Dduw, yn rhai byw o blith y meirw, ac ildiwch eich cyneddfau iddo, i'w defnyddio i amcanion da. ¹⁴Nid yw pechod i arglwyddiaethu arnoch, oherwydd nid ydych mwyach dan deyrnasiad cyfraith, ond dan deyrnasiad gras.

Caethweision Cyfiawnder

15 Ond beth sy'n dilyn? A ydym i ymroi i bechu, am nad ydym dan deyrnasiad cyfraith, ond dan deyrnasiad gras? Ddim ar unrhyw gyfrif! ¹⁶Onid ydych yn gwybod, os ydych yn eich ildio eich hunain ag ufudd-dod caethwas i rywun, mai caethweision ydych i hwnnw sy'n cael eich ufudd-dod, ac mai eich dewis yw, naill ai bod yn gaethweision i bechod, a marwolaeth yn dilyn, neu bod yn gaethweision i ufudd-dod, a chyfiawnder yn dilyn? ¹⁷Ond, diolch i Dduw, yr ydych chwi, a fu'n gaethweision pechod, yn awr wedi rhoi ufudd-dod calon i'r patrwm hwnnw o athrawiaeth y traddodwyd chwi iddo. ¹⁸Cawsoch eich rhyddid oddi wrth bechod, ac aethoch yn gaethweision cyfiawnder. ¹⁹Yr wyf yn arfer ymadroddion cyfarwydd, o achos eich cyfyngiadau dynol chwi. Fel yr ildiasoch eich cyneddfau gynt i fod yn gaethweision aflendid ac anghyfraith, a phenrhyddid yn dilyn, felly ildiwch eich cyneddfau yn awr i fod yn gaethweision cyfiawnder, i gael bywyd sanctaidd i ddilyn. ²⁰Pan oeddech yn gaeth i bechod, yr oeddech yn rhydd oddi wrth gyfiawnder. ²¹Ond beth oedd ffrwyth y cyfnod hwnnw? Onid pethau sy'n codi cywilydd arnoch yn awr? Oherwydd diwedd y pethau hyn yw marwolaeth. ²²Ond, yn awr, yr ydych wedi cich rhyddhau oddi wrth bechod, a'ch gwneud yn gaethweision Duw, ac y mae ffrwyth hyn yn eich meddiant, sef bywyd sanctaidd, a'r diwedd fydd bywyd tragwyddol. ²³Y mae pechod yn talu cyflog, sef marwolaeth; ond rhoi yn rhad y mae Duw, rhoi bywyd tragwyddol yng Nghrist Iesu ein Harglwydd.

Priodas yn Enghraifft

7 A ydych heb wybod, frodyr,—ac yr wyf yn siarad â rhai sy'n gwybod y Gyfraith—fod gan gyfraith awdurdod dros ddyn cyhyd ag y bydd yn fyw? ²Er enghraifft, y mae gwraig briod wedi ei rhwymo gan y gyfraith wrth ei gŵr tra bydd ef yn fyw. Ond os bydd y gŵr farw, y mae hi wedi ei rhyddhau o'i rhwymau cyfreithiol wrtho. ³Felly, os bydd iddi, yn ystod bywyd ei gŵr, ei rhoi ei hun i ddyn arall, godinebwraig fydd yr enw arni. Ond os bydd y gŵr farw, y mae hi'n rhydd o'r gyfraith hon, ac ni bydd yn odinebwraig wrth ei rhoi ei hun i ddyn arall. ⁴Ac felly, fy mrodyr, yr ydych chwi hefyd, trwy gorff Crist, wedi eich gwneud yn farw mewn perthynas â'r Gyfraith, ac wedi eich rhoi eich hunain i rywun arall, sef yr un a gyfodwyd oddi wrth y meirw, er

mwyn i ni ddwyn ffrwyth i Dduw. ⁵Pan oeddem yn byw ym myd y cnawd, yr oedd y nwydau pechadurus, a ysgogir gan y Gyfraith, ar waith yn ein cyneddfau, yn peri i ni ddwyn ffrwyth i farwolaeth. ⁶Ond yn awr, gan ein bod wedi marw i'r Gyfraith oedd yn ein dal yn gaeth, fe'n rhyddhawyd o'i rhwymau, a gallwn roi ein gwasanaeth i'n Meistr yn ffordd newydd yr Ysbryd, ac nid yn hen ffordd cyfraith ysgrifenedig.

Problem y Pechod sy'n Cartrefu Ynom

7 Beth, ynteu, sydd i'w ddweud? Mai pechod yw'r Gyfraith? Ddim ar unrhyw gyfrif! Er hynny, trwy'r Gyfraith yn unig y deuthum i wybod am bechod, ac ni buaswn yn gwybod beth yw chwant, oni bai fod y Gyfraith yn dweud, "Na chwennych." ⁸A thrwy'r gorchymyn hwn cafodd pechod ei gyfle, a chyffroi ynof bob math o chwantau drwg. ⁹Oherwydd, heb gyfraith, peth marw yw pechod. Yr oeddwn i'n fyw, un adeg, heb gyfraith; ¹⁰yna daeth y gorchymyn, a daeth pechod yn fyw, a bûm innau farw. Y canlyniad i mi oedd i'r union orchymyn a fwriadwyd yn gyfrwng bywyd droi yn gyfrwng marwolaeth. ¹¹Oherwydd trwy'r gorchymyn cafodd pechod ei gyfle, twyllodd fi, a thrwy'r gorchymyn fe'm lladdodd. ¹²Gan hynny, y mae'r Gyfraith yn sanctaidd, a'r gorchymyn yn sanctaidd a chyfiawn a da.

13 Os felly, a drodd y peth da hwn yn farwolaeth i mi? Naddo, ddim o gwbl! Yn hytrach, y mae pechod yn defnyddio'r peth da hwn, ac yn dwyn marwolaeth i mi, er mwyn i wir natur pechod ddod i'r golwg. Mewn gair, swydd y gorchymyn yw dwyn pechod i anterth ei bechadurusrwydd. ¹⁴Gwyddom, yn wir, fod y Gyfraith yn perthyn i fyd yr Ysbryd. Ond perthyn i fyd y cnawd yr wyf fi, un sydd wedi ei werthu yn gaethwas i bechod. ¹⁵Ni allaf ddeall fy ngweithredoedd, oherwydd yr wyf yn gwneud, nid y peth yr wyf yn ei ewyllysio, ond y peth yr wyf yn ei gasáu. ¹⁶Ac os wyf yn gwneud yr union beth sy'n groes i'm hewyllys, yna yr wyf yn cytuno â'r Gyfraith, ac yn cydnabod ei bod yn dda. ¹⁷Ond y gwir yw, nid myfi sy'n gweithredu mwyach, ond y pechod sy'n cartrefu ynof fi, ¹⁸oherwydd mi wn nad oes dim da

yn cartrefu ynof fi, hynny yw, yn fy nghnawd. Y mae'r ewyllys i wneud daioni gennyf; y peth nad yw gennyf yw'r gweithredu. ¹⁹Yr wyf yn cyflawni, nid y daioni yr wyf yn ei ewyllysio, ond yr union ddrygioni sy'n groes i'm hewyllys. ²⁰Ond os wyf yn gwneud yr union beth sy'n groes i'm hewyllys, yna nid myfi sy'n gweithredu mwyach, ond y pechod sy'n cartrefu ynof fi. ²¹Yr wyf yn cael y ddeddf hon ar waith: pan wyf yn ewyllysio gwneud daioni, drygioni sy'n ei gynnig ei hun imi. ²²Y mae'r gwir ddyn sydd ynof yn ymhyfrydu yng Nghyfraith Duw. ²³Ond yr wyf yn canfod cyfraith arall yn fy nghyneddfau corfforol, yn brwydro yn erbyn y Gyfraith y mae fy neall yn ei chydnabod, ac yn fy ngwneud yn garcharor i'r gyfraith sydd yn fy nghyneddfau, sef cyfraith pechod. ²⁴Y dyn truenus ag ydwyf! Pwy a'm gwared i o'r corff hwn a'i farwolaeth? ²⁵Duw, diolch iddo, trwy Iesu Grist ein Harglwydd! Dyma, felly, sut y mae hi arnaf: yr wyf fi, y gwir fi, â'm deall yn gwasanaethu Cyfraith Duw, ond â'm cnawd yr wyf yn gwasanaethu cyfraith pechod.

Bywyd yn yr Ysbryd

8 Yn awr, felly, nid yw'r rhai sydd yng Nghrist Iesu dan gollfarn o unrhyw fath. ²Yng Nghrist Iesu, y mae cyfraith yr Ysbryd, sy'n rhoi bywyd, wedi dy ryddhauʰ o afael cyfraith pechod a marwolaeth. ³Yr hyn oedd y tu hwnt i allu'r Gyfraith, yn ei gwendid dan gyfyngiadau'r cnawd, y mae Duw wedi ei gyflawni. Wrth anfon ei Fab ei hun, mewn ffurf debyg i'n cnawd pechadurus ni, i ddelio â phechod,ⁱ y mae wedi collfarnu pechod yn y cnawd. ⁴Gwnaeth hyn er mwyn i ofynion cyfiawn y Gyfraith gael eu cyflawni ynom ni, sy'n byw, nid ar wastad y cnawd, ond ar wastad yr Ysbryd. ⁵Oherwydd y sawl sydd â'u bodolaeth ar wastad y cnawd, ar bethau'r cnawd y mae eu bryd; ond y sawl sydd ar wastad yr Ysbryd, ar bethau'r Ysbryd y mae eu bryd. ⁶Yn wir, y mae bod â'n bryd ar y cnawd yn farwolaeth, ond y mae bod â'n bryd ar yr Ysbryd yn fywyd a heddwch. ⁷Oherwydd y mae bod â'n bryd ar y cnawd yn elyniaeth tuag at Dduw, gan nad yw, a chan na all fod, yn ddarostyngiad i Gyfraith Duw. ⁸Ni all y sawl sy'n

---

ʰYn ôl darlleniadau eraill, *fy rhyddhau,* neu, *ein rhyddhau.*
ⁱNeu, *i fod yn aberth dros bechod.*

byw ym myd y cnawd foddhau Duw. [9]Ond nid ym myd y cnawd yr ydych chwi, ond yn yr Ysbryd, gan fod Ysbryd Duw yn cartrefu ynoch chwi. Pwy bynnag sydd heb Ysbryd Crist, nid eiddo Crist mo hwnnw. [10]Ond os yw Crist ynoch chwi, y mae'r corff yn beth marw o achos pechod, ond y mae'r ysbryd yn beth byw o achos cyfiawnder achubol Duw. [11]Os yw Ysbryd yr hwn a gyfododd Iesu oddi wrth y meirw yn cartrefu ynoch, bydd yr hwn a gyfododd Grist oddi wrth y meirw yn rhoi bywyd newydd hyd yn oed i'ch cyrff marwol chwi, trwy ei Ysbryd, sy'n ymgartrefu ynoch chwi. 12 Am hynny, frodyr, yr ydym dan rwymedigaeth, ond nid i'r cnawd, nac i fyw ar wastad y cnawd. [13]Oherwydd, os ar wastad y cnawd yr ydych yn byw, yr ydych yn sicr o farw; ond os ydych, trwy'r Ysbryd, yn rhoi arferion drwg y corff i farwolaeth, byw fyddwch. [14]Y mae pawb sy'n cael eu harwain gan Ysbryd Duw yn feibion Duw. [15]Oherwydd nid yw'r Ysbryd a dderbyniasoch yn eich gwneud unwaith eto yn gaethweision ofn; yn hytrach, eich gwneud yn feibion y mae, trwy falwysiad, ac yn yr Ysbryd yr ydym yn llefain, "Abba! Dad!" [16]Y mae'r Ysbryd ei hun yn cyd-dystiolaethu â'n hysbryd ni, ein bod yn blant i Dduw. [17]Ac os plant, etifeddion hefyd, etifeddion Duw a chydetifeddion â Christ, oherwydd yr ydym yn cyfranogi o'i ddioddefaint ef er mwyn cyfranogi o'i ogoniant hefyd.

Y Gogoniant sydd i Ddod

18 Yr wyf fi'n cyfrif nad yw dioddefiadau'r presennol i'w cymharu â'r gogoniant y mae'r dyfodol i'w ddatguddio i ni. [19]Yn wir, y mae'r greadigaeth yn disgwyl yn daer am i feibion Duw gael eu datguddio. [20]Oherwydd darostyngwyd y greadigaeth i oferedd, nid o'i dewis ei hun, ond trwy'r hwn a'i darostyngodd, [21]yn y gobaith y câi'r greadigaeth hithau ei rhyddhau o gaethiwed a llygredigaeth, a'i dwyn i ryddid a gogoniant plant Duw. [22]Oherwydd fe wyddom fod yr holl greadigaeth yn ochneidio, ac mewn gwewyr drwyddi, hyd heddiw. [23]Ac nid y greadigaeth yn unig, ond nyni sydd â blaenffrwyth yr Ysbryd gennym, yr ydym

ninnau'n ochneidio ynom ein hunain wrth ddisgwyl ein mabwysiad yn feibion Duw, a rhyddhad ein corff o gaethiwed. [24]Oherwydd yn y gobaith hwn y cawsom ein hachub. Ond nid gobaith mo'r gobaith sy'n gweld. Pwy sy'n gobeithio[1] am yr hyn y mae'n ei weld? [25]Yr hyn nad ydym yn ei weld yw gwrthrych gobaith, ac felly yr ydym yn dal i aros amdano mewn amynedd.

26 Yn yr un modd, y mae'r Ysbryd yn ein cynorthwyo yn ein gwendid. Oherwydd ni wyddom ni sut y dylem weddïo, ond y mae'r Ysbryd ei hun yn ymbil trosom ag ocheneidiau y tu hwnt i eiriau, [27]ac y mae Duw, sy'n chwilio calonnau dynion, yn deall bwriad yr Ysbryd, mai ymbil y mae tros saint Duw i amcanion Duw. [28]Gwyddom fod Duw, ym mhob peth, yn gweithio er daioni gyda'r[II] rhai sy'n ei garu,[m] y rhai sydd wedi eu galw yn ôl ei fwriad. [29]Oherwydd, cyn eu bod hwy, fe'u hadnabu, a'u rhagordeinio i fod yn unffurf ac unwedd â'i Fab, fel mai cyntafanedig fyddai ef ymhlith brodyr lawer. [30]A'r rhai a ragordeiniodd, fe'u galwodd hefyd; a'r rhai a alwodd, fe'u cyfiawnhaodd hefyd; a'r rhai a gyfiawnhaodd, fe'u gogoneddodd hefyd.

Cariad Duw

31 O ystyried hyn oll, beth a ddywedwn? Os yw Duw trosom, pwy sydd yn ein herbyn? [32]Nid arbedodd Duw ei Fab ei hun, ond ei draddodi i farwolaeth trosom ni oll. Ac os rhoddodd ei Fab, sut y gall beidio â rhoi pob peth i ni gydag ef? [33]Pwy sydd i ddwyn cyhuddiad yn erbyn etholedigion Duw? Duw yw'r un sy'n diheuro.[n] [34]Pwy sydd yn ein collfarnu? Crist Iesu yw'r un a fu farw, yn hytrach, a gyfodwyd, yr un sydd ar ddeheulaw Duw, yr un sydd yn ymbil trosom.[o] [35]Pwy a'n gwahana ni oddi wrth gariad Crist? Ai gorthrymder, neu ing, neu erlid, neu newyn, neu noethni, neu berygl, neu gleddyf? [36]Hyn yn wir yw ein rhan, fel y mae'n ysgrifenedig:

"Er dy fwyn di fe'n rhoddir i
    farwolaeth drwy'r dydd,
fe'n cyfrifir fel defaid i'w lladd."

[37]Ond yn y pethau hyn i gyd yr ydym yn ennill buddugoliaeth lwyr trwy'r

---

[1]Yn ôl darlleniad arall, sy'n dal i aros.   [II]Neu, o blaid y.
[m]Neu, fod pob peth yn cydweithio er daioni i'r (neu, gyda'r) rhai sy'n caru Duw.
[n]Neu, Ai Duw, ac yntau'r un sy'n diheuro?
[o]Neu, Ai Crist Iesu, ac yntau'r un a fu farw...ymbil trosom?

hwn a'n carodd ni. [38]Yr wyf yn gwbl sicr na all nac angau nac einioes, nac angylion na thywysogaethau, na'r presennol na'r dyfodol, [39]na grymusterau nac uchelderau na dyfnderau, na dim arall a grewyd, ein gwahanu ni oddi wrth gariad Duw yng Nghrist Iesu ein Harglwydd.

Ethol Israel gan Dduw

9 Ar fy ngwir yng Nghrist, heb ddim anwiredd—ac y mae fy nghydwybod, dan arweiniad yr Ysbryd Glân, yn fy ategu—[2]y mae fy ngofid yn fawr, ac y mae gennyf loes ddi-baid yn fy nghalon. [3]Gallwn ddymuno i mi fy hunan fod dan felltith, ac yn ysgymun oddi wrth Grist, pe bai hynny o les iddynt hwy, fy mrodyr i, fy mhobl i o ran cenedl. [4]Israeliaid ydynt; hwy a dderbyniwyd gan Dduw yn feibion iddo, hwy a gafodd weld ei ogoniant, ac a gafodd ganddo'r cyfamodau[p], a'r Gyfraith, a'r addoliad, a'r addewidion. [5]Iddynt hwy y mae'r tadau yn perthyn, ac oddi wrthynt hwy, yn ôl ei linach naturiol, y daeth y Meseia. I'r Duw sy'n llywodraethu'r cwbl boed bendith[ph] am byth. Amen.

6 Ond ni ellir dweud bod gair Duw wedi methu. Oherwydd nid yw pawb sydd o linach Israel yn wir Israel. [7]Ac ni ellir dweud eu bod, bawb ohonynt, yn ddisgynyddion Abraham ac yn blant iddo. Yn hytrach, yng ngeiriau'r Ysgrythur, "Trwy Isaac y gelwir dy ddisgynyddion." [8]Hynny yw, nid y plant o linach naturiol Abraham, nid y rheini sy'n blant i Dduw. Yn hytrach, plant yr addewid sy'n cael eu cyfrif yn ddisgynyddion. [9]Oherwydd dyma air yr addewid: "Mi ddof yn yr amser hwnnw, a chaiff Sara fab." [10]Ond y mae enghraifft arall hefyd. Beichiogodd Rebeca o gyfathrach a'r un dyn, ein tad Isaac. [11]Eto i gyd, er mwyn i fwriad Duw, sy'n gweithredu trwy etholedigaeth, ddal mewn grym, yn cael ei lywio nid gan weithredoedd dynion ond gan yr hwn sy'n galw, [12]dywedodd Duw wrthi, cyn geni'r plant a chyn iddynt wneud dim, na da na drwg, "Bydd yr hynaf yn gwasanaethu'r ieuengaf." [13]Fel y mae'n ysgrifenedig:

"Jacob, fe'i cerais,
ond Esau, yr oedd ef yn gas gennyf."

14 Beth, ynteu, a atebwn i hyn? Bod Duw yn coleddu anghyfiawnder? Ddim ar unrhyw gyfrif! [15]Y mae'n dweud wrth Moses:

"Trugarhaf wrth bwy bynnag y
trugarhaf wrtho,
a thosturiaf wrth bwy bynnag y
tosturiaf wrtho."

[16]Felly, nid mater o ewyllys neu o ymdrech dyn ydyw, ond o drugaredd Duw. [17]Fel y dywedir wrth Pharo yn yr Ysgrythur, "Fy unig amcan wrth dy godi di oedd dangos fy ngallu trwot ti, a chyhoeddi fy enw trwy'r holl ddaear." [18]Gwelir, felly, fod Duw yn trugarhau wrth unrhyw un a fyn, a'i fod yn gwneud unrhyw un a fyn yn wargaled.

Digofaint Duw, a'i Drugaredd

19 Ond fe ddywedi wrthyf, "Os felly, pam y mae Duw yn dal i feio dyn? Pwy a all wrthsefyll ei ewyllys?" [20]Ie, gyfaill, ond pwy wyt ti i ateb Duw yn ôl? A yw hi'n debyg y dywed y clai wrth ei luniwr, "Pam y lluniaist fi fel hyn?" [21]Onid yw'r crochenydd yn feistr ar y clai? Onid oes hawl ganddo i wneud, o'r un telpyn, un llestr i gael parch a'r llall amarch? [22]Ond beth os yw Duw, yn ei awydd i ddangos ei ddigofaint ac i amlygu ei nerth, wedi dioddef â hir amynedd y llestri hynny sy'n wrthrychau digofaint ac yn barod i'w dinistrio? [23]Ei amcan yn hyn fyddai dwyn i'r golau y cyfoeth o ogoniant oedd ganddo ar gyfer y llestri sy'n wrthrychau trugaredd, y rheini yr oedd ef wedi eu paratoi ymlaen llaw i ogoniant. [24]A ni yw'r rhain, ni sydd wedi ein galw, nid yn unig o blith yr Iddewon, ond hefyd o blith y Cenhedloedd. [25]Fel y mae'n dweud yn llyfr Hosea hefyd:

"Galwaf yn bobl i mi rai nad ydynt yn
bobl i mi,
a galwaf yn anwylyd un nad yw'n
anwylyd;
[26]ac yn y lle y dywedwyd wrthynt, 'Nid
fy mhobl ydych',
yno, fe'u gelwir yn feibion y Duw
byw."

[27]Ac y mae Eseia yn datgan am Israel: "Er i bobl Israel fod mor niferus â

[p]Yn ôl darlleniad arall, *cyfamod.*
[ph]Neu, *y Meseia, sy'n llywodraethu'r cwbl, yn Dduw bendigedig.*

thywod y môr, gweddill yn unig fydd yn cael eu hachub; [28]oherwydd llwyr a llym fydd dedfryd yr Arglwydd ar y ddaear." [29]A'r un yw neges gair blaenorol Eseia:

"Oni bai i Arglwydd y Lluoedd adael i
ni ddisgynyddion,
byddem fel Sodom,
ac yn debyg i Gomorra."

Israel a'r Efengyl

30 Beth, ynteu, a ddywedwn? Hyn, fod Cenhedloedd, nad oeddent yn chwilio am gyfiawnder, wedi dod o hyd iddo, sef y cyfiawnder sydd trwy ffydd; [31]ond bod Israel, er iddi chwilio am gyfraith a fyddai'n dod â chyfiawnder, heb ei gael. [32]Am ba reswm? Am iddynt weithredu, nid trwy ffydd, ond ar y dybiaeth mai cadw gofynion cyfraith oedd y ffordd. Syrthiasant ar y "maen i syrthio drosto" [33]y mae'r Ysgrythur yn sôn amdano:

"Wele, yr wyf yn gosod yn Seion faen
tramgwydd, a chraig rhwystr,
a'r hwn sy'n credu ynddo, ni
chywilyddir mohono."

10 Fy mrodyr, ewyllys fy nghalon, a'm gweddi ar Dduw dros fy mhobl, yw iddynt gael eu dwyn i iachawdwriaeth. [2]Gallaf dystio o'u plaid fod ganddynt sêl dros Dduw. Ond sêl heb ddeall ydyw. [3]Oherwydd, wrth iddynt anwybyddu'r cyfiawnder sy'n eiddo Duw, a cheisio sefydlu eu cyfiawnder eu hunain, y maent wedi gwrthod ymostwng i gyfiawnder Duw. [4]Oherwydd y mae Crist yn ddiwedd ar[r] y Gyfraith, ac felly, i bob un sy'n credu y daw cyfiawnder Duw.

Iachawdwriaeth i Bawb

5 Ysgrifennodd Moses am y cyfiawnder sy'n seiliedig ar y Gyfraith: "Y dyn sy'n cadw ei gofynion a gaiff fyw trwyddynt." [6]Ond fel hyn y dywed y cyfiawnder sy'n seiliedig ar ffydd: "Paid â dweud yn dy galon, 'Pwy a esgyn i'r nef?' "—hynny yw, i ddwyn Crist i lawr—[7]"neu, 'Pwy a ddisgyn i Drigfan y Meirw?' "—hynny yw, i ddwyn Crist i fyny oddi wrth y meirw. [8]Na, nid dyna iaith cyfiawnder, ond yn hytrach: "Y mae'r gair yn agos atat, yn dy enau ac yn dy galon."

A dyma'r gair yr ydym ni yn ei bregethu, gair ffydd, sef: [9]"Os cyffesi Iesu yn Arglwydd â'th enau, ac os credi yn dy galon fod Duw wedi ei gyfodi ef oddi wrth y meirw, cei dy achub." [10]Oherwydd credu â'r galon sy'n ein dwyn i gyfiawnder, a chyffesu â'r genau sy'n ein dwyn i iachawdwriaeth. [11]Y mae'r Ysgrythur yn dweud: "Pob un sy'n credu ynddo, ni chywilyddir mohono." [12]Nid oes dim gwahaniaeth rhwng Iddew a Groegwr. Yr un Arglwydd sydd i bawb, a chyfoeth ei ras i bawb sy'n galw arno. [13]Oherwydd, yng ngeiriau'r Ysgrythur, "bydd pob un sy'n galw ar enw yr Arglwydd yn cael ei achub, pwy bynnag yw."

14 Ond sut y mae dynion i alw ar rywun nad ydynt wedi credu ynddo? Sut y maent i gredu yn rhywun nad ydynt wedi ei glywed? Sut y maent i glywed, heb fod rhywun yn pregethu? [15]Sut y maent i bregethu, heb gael eu hanfon? Ond y mae'r Ysgrythur yn dweud hyn: "Mor weddaidd yw traed y rhai sy'n cyhoeddi newyddion da." [16]Eto nid pawb a ufuddhaodd i'r newydd da. Oherwydd y mae Eseia'n dweud, "Arglwydd, pwy a gredodd yr hyn a glywsant gennym?" [17]Felly, o'r hyn a glywir y daw ffydd, a daw'r clywed trwy air Crist. [18]Ond y mae'n rhaid gofyn, "A oedd dichon iddynt fethu clywed?" Nac oedd, yn wir, oherwydd:

"Aeth eu lleferydd allan i'r holl
ddaear,
a'u geiriau hyd eithafoedd byd."

[19]Ond i ofyn peth arall, "A oedd dichon i Israel fethu deall?" Ceir yr ateb yn gyntaf gan Moses:

"Fe'ch gwnaf chwi'n eiddigeddus wrth
genedl nad yw'n genedl,
a'ch gwneud yn ddig wrth genedl
ddiddeall."

[20]Ac yna, y mae Eseia'n beiddio dweud:

"Cafwyd fi gan rai nad oeddent yn fy
ngheisio;
gwelwyd fi gan rai nad oeddent yn holi
amdanaf."

[21]Ond am Israel y mae'n dweud: "Ar hyd y dydd bûm yn estyn fy nwylo at bobl anufudd a gwrthnysig."

Gweddill Israel

11 Yr wyf yn gofyn, felly, a yw'n bosibl fod Duw wedi gwrthod ei

---

[r]Neu, *Oherwydd Crist yw diben.*

bobl ei hun? Nac ydyw, ddim o gwbl! Oherwydd yr wyf fi yn Israeliad, o linach Abraham, o lwyth Benjamin. ²Nid yw Duw wedi gwrthod ei bobl, y bobl a adnabu cyn eu bod. Gwyddoch beth y mae'r Ysgrythur yn ei ddweud wrth adrodd hanes Elias yn galw ar Dduw yn erbyn Israel: ³"Arglwydd, y maent wedi lladd dy broffwydi a bwrw d'allorau i lawr; myfi'n unig sydd ar ôl, ac y maent yn ceisio f'einioes innau." ⁴Ond yr atebiad dwyfol iddo oedd: "Gadewais i mi fy hun saith mil o wŷr sydd heb blygu glin i Baal." ⁵Felly hefyd yn yr amser presennol hwn, y mae gweddill ar gael, gweddill sydd wedi ei ethol gan ras Duw. ⁶Ond os trwy ras y bu hyn, ni all fod yn tarddu o gadw gofynion cyfraith; petai felly, byddai gras yn peidio â bod yn ras. ⁷Mewn gair, y peth y mae Israel yn ei geisio, nid Israel a'i cafodd, ond yr ychydig a etholodd Duw; dallineb a gafodd y lleill, ⁸fel y mae'n ysgrifenedig: "Rhoddodd Duw iddynt ysbryd swrth, llygaid i beidio â gweld, a chlustiau i beidio â chlywed, hyd y dydd heddiw." ⁹Ac y mae Dafydd yn dweud: "Bydded eu bwrdd yn fagl i'w rhwydo, ac yn groglath i'w cosbi; ¹⁰tywyller eu llygaid iddynt beidio â gweld, a gwna hwy'n wargrwm dros byth."

Iachawdwriaeth y Cenhedloedd

11 Yr wyf yn gofyn, felly, a yw eu llithriad yn gwymp i ddinistr? Nac ydyw, ddim o gwbl! I'r gwrthwyneb, am iddynt hwy droseddu y mae iachawdwriaeth wedi dod i'r Cenhedloedd, i wneud yr Iddewon yn eiddigeddus. ¹²Ond os yw eu trosedd yn gyfrwng i gyfoethogi'r byd, a'u diffyg yn gyfrwng i gyfoethogi'r Cenhedloedd, pa faint mwy fydd y cyfoethogi pan ddônt yn eu cyflawn rif? 13 Ond i droi atoch chwi y Cenhedloedd. Yr wyf fi'n apostol y Cenhedloedd, ac fel y cyfryw rhoi bri ar fy swydd yr wyf ¹⁴wrth geisio gwneud fy mhobl yn eiddigeddus, ac achub rhai ohonynt. ¹⁵Oherwydd os bu eu bwrw hwy allan yn gymod i'r byd, bydd eu derbyn i mewn, yn sicr, yn fywyd o blith y meirw. ¹⁶Os yw'r tamaid toes a offrymir yn sanctaidd, yna y mae'r toes i gyd yn sanctaidd. Os yw'r gwreiddyn yn sanctaidd, y mae'r canghennau hefyd yn sanctaidd.

17 Os torrwyd rhai canghennau i ffwrdd, a'th impio di yn eu plith, er mai olewydden wyllt oeddit, ac os daethost felly i gael rhan o faeth gwreiddyn yr olewydden, ¹⁸paid ag ymffrostio ar draul y canghennau a dorrwyd. Os wyt am ymffrostio, cofia nad tydi sy'n cynnal y gwreiddyn, ond y gwreiddyn sy'n dy gynnal di. ¹⁹Ond fe ddywedi, "Ie, ond torrwyd y canghennau i ffwrdd er mwyn i mi gael fy impio i mewn." ²⁰Eithaf gwir; fe'u torrwyd hwy ar gyfrif eu diffyg ffydd, ac fe gefaist ti dy le trwy ffydd. Rho'r gorau i feddyliau mawreddog, a meithrin ofn Duw yn eu lle. ²¹Oherwydd os nad arbedodd Duw y canghennau naturiol, nid arbeda dithau chwaith. ²²Am hynny, ystyria'r modd y mae Duw yn dangos ei diriondeb a'i erwinder: ei erwinder i'r rhai a gwympodd i fai, ond ei diriondeb i ti, cyhyd ag y cedwi dy hun o fewn cylch ei diriondeb. Os na wnei, cei dithau dy dorri allan o'r cyff. ²³Ond amdanynt hwy, os na fynnant aros yn eu hanghrediniaeth, cânt eu himpio i mewn i'r cyff, oherwydd y mae Duw yn abl i'w himpio'n ôl. ²⁴Oherwydd, os cest ti dy dorri o olewydden oedd yn wyllt wrth natur, a'th impio i mewn, yn groes i natur, i olewydden gardd, gymaint tebycach yw y cânt hwy, sydd wrth natur yn ganghennau olewydden gardd, eu himpio i mewn i'w holewydden hwy eu hunain!

Adfer Israel

25 Oherwydd yr wyf am i chwi wybod, frodyr, am y dirgelwch hwn (bydd hynny'n eich cadw rhag bod yn ddoeth yn eich tyb eich hunain), fod dallineb rhannol wedi syrthio ar Israel, hyd nes y daw'r Cenhedloedd i mewn yn eu cyflawn rif. ²⁶Pan ddigwydd hynny, caiff Israel i gyd ei hachub. Fel y mae'n ysgrifenedig: "Daw'r Gwaredydd o Seion, a throi pob annuwioldeb oddi wrth Jacob; ²⁷a dyma'r cyfamod a wnaf fi â hwy, pan gymeraf ymaith eu pechodau." ²⁸O safbwynt yr Efengyl, gelynion Duw ydynt, ond y mae hynny'n fantais i chwi. O safbwynt eu hethol gan Dduw, y maent yn annwyl ganddo, ond y maent felly o achos y tadau. ²⁹Oherwydd nid oes tynnu'n ôl ar roddion graslon Duw, a'i alwad ef. ³⁰Buoch chwi unwaith yn anufudd i Dduw, ond yn awr, yn ateb i'w hanufudd-dod hwy, yr ydych wedi cael

trugaredd. [31]Yn yr un modd, yn ateb i'r drugaredd a gawsoch chwi, y maent hwy hefyd wedi anufuddhau yn awr, fel mai derbyn trugaredd a wnânt hwythau yn awr. [32]Y mae Duw wedi cloi pawb yng ngharchar anufudd-dod, er mwyn gwneud pawb yn wrthrychau ei drugaredd.

33 O ddyfnder cyfoeth Duw, a'i ddoethineb a'i wybodaeth! Mor anchwiliadwy ei farnedigaethau, mor anolrheiniadwy ei ffyrdd! [34]Oherwydd, "Pwy a adnabu feddwl yr Arglwydd? Pwy a fu'n gynghorwr iddo ef? [35]Pwy a achubodd y blaen arno â rhodd, i gael rhodd yn ôl ganddo?" [36]Oherwydd ef yw ffynhonnell, cyfrwng a diben pob peth. Iddo ef y bo'r gogoniant am byth! Amen.

Y Bywyd Newydd yng Nghrist

12 Am hynny, yr wyf yn ymbil arnoch, frodyr, ar sail tosturiaethau Duw, i'ch offrymu eich hunain yn aberth byw, sanctaidd a derbyniol gan Dduw. Felly y rhowch iddo addoliad ysbrydol. [rh] [2]A pheidiwch â chydymffurfio â'r byd hwn, ond gadewch i Dduw eich trawsffurfio trwy adnewyddu eich meddwl, a'ch galluogi i ganfod beth yw ei ewyllys, beth sy'n dda a derbyniol a pherffaith yn ei olwg ef.

3 Oherwydd, yn rhinwedd y gras y mae Duw wedi ei roi i mi, yr wyf yn dweud wrth bob un yn eich plith am beidio â'i gyfrif ei hun yn well nag y dylid ei gyfrif, ond bod yn gyfrifol yn ei gyfrif, ac yn gyson â'r mesur o ffydd y mae Duw wedi ei roi i bob un. [4]Yn union fel y mae gennym aelodau lawer mewn un corff, ond nad oes gan yr holl aelodau yr un gwaith, [5]felly hefyd yr ydym ni, sy'n llawer, yn un corff yng Nghrist, ac yn aelodau bob un i'w gilydd. [6]A chan fod gennym ddoniau sy'n amrywio yn ôl y gras a roddwyd i ni, dylem eu harfer yn gyson â hynny. Os proffwydoliaeth yw dy ddawn, arfer hi yn gymesur â'th ffydd. [7]Os dawn gweini ydyw, arfer hi i weini. Os athro wyt, arfer dy ddawn i addysgu, ac os pregethwr wyt, i bregethu. [8]Os wyt yn rhannu ag eraill, gwna hynny gyda haelioni; os wyt yn arweinydd, gwna'r gwaith gydag ymroddiad; os wyt yn dangos tosturi, gwna hynny gyda llawenydd.

Rheolau'r Bywyd Cristionogol

9 Bydded eich cariad yn ddiragrith. Casewch ddrygioni. Glynwch wrth ddaioni. [10]Byddwch wresog yn eich serch at eich gilydd fel brawdoliaeth. Rhowch y blaen i'ch gilydd mewn parch. [11]Yn ddiorffwys eich ymroddiad, yn frwd eich ysbryd, gwasanaethwch yr Arglwydd. [12]Llawenhewch mewn gobaith. Safwch yn gadarn dan orthrymder. Daliwch ati i weddïo. [13]Cyfrannwch at reidiau'r saint, a byddwch barod eich lletygarwch. [14]Bendithiwch y rhai sy'n eich erlid, bendithiwch heb felltithio byth. [15]Llawenhewch gyda'r rhai sy'n llawenhau, ac wylwch gyda'r rhai sy'n wylo. [16]Byddwch yn gytûn ymhlith eich gilydd. Gochelwch feddyliau mawreddog; yn hytrach, rhodiwch gyda'r distadl. Peidiwch â'ch cyfrif eich hunain yn ddoeth. [17]Peidiwch â thalu drwg am ddrwg i neb. Bydded eich amcanion yn anrhydeddus yng ngolwg pob dyn. [18]Os yw'n bosibl, ac os yw'n dibynnu arnoch chwi, daliwch mewn heddwch â phob dyn. [19]Peidiwch â mynnu dial, gyfeillion annwyl, ond rhowch ei gyfle i'r digofaint dwyfol, fel y mae'n ysgrifenedig: "'Myfi piau dial, myfi a dalaf yn ôl,' medd yr Arglwydd." [20]Yn hytrach, os bydd dy elyn yn newynu, rho fwyd iddo; os bydd yn sychedu, rho iddo beth i'w yfed. Os gwnei hyn, byddi'n pentyrru marwor poeth ar ei ben. [21]Paid â goddef dy drechu gan ddrygioni. Trecha di ddrygioni â daioni.

Ufuddhau i Lywodraethwyr

13 Y mae'n rhaid i bob dyn ymostwng i'r awdurdodau sy'n ben. Oherwydd nid oes awdurdod heb i Dduw ei sefydlu, ac y mae'r awdurdodau sydd ohoni wedi eu sefydlu gan Dduw. [2]Am hynny, y mae'r sawl sy'n gwrthsefyll y fath awdurdod yn gwrthwynebu sefydliad sydd o Dduw. Ac y mae'r cyfryw yn sicr o dynnu barn arnynt eu hunain. [3]Y mae'r llywodraethwyr yn ddychryn, nid i'r sawl sy'n gwneud daioni, ond i'r sawl sy'n gwneud drygioni. A wyt ti am fyw heb ofni'r awdurdod? Gwna ddaioni, a chei glod ganddo. [4]Oherwydd gwas Duw ydyw, yn gweini arnat ti er dy les. Ond os drygioni a wnei, dylit ofni, oherwydd nid i ddim y mae'n gwisgo'r cleddyf. Gwas

---

[rh]Neu, *addoliad bodau rhesymol.*

Duw ydyw, ie, dialydd i ddwyn digofaint dwyfol ar y drwgweithredwr. ⁵Felly, y mae rheidrwydd arnom ymostwng, nid yn unig o achos y digofaint, ond hefyd o achos cydwybod. ⁶Dyma pam hefyd yr ydych yn talu trethi, oherwydd gwasanaethu Duw y mae'r awdurdodau wrth fod yn ddyfal yn y gwaith hwn. ⁷Talwch i bob un ohonynt beth bynnag sy'n ddyledus iddo, boed dreth, boed doll, boed barch, boed anrhydedd.

Cariad Brawdol

8 Peidiwch â bod mewn dyled i neb, ar wahân i'r ddyled o garu eich gilydd. Y mae'r hwn sy'n caru ei gyd-ddyn wedi cyflawni holl ofynion y Gyfraith. ⁹Oherwydd y mae'r gorchmynion, "Na odineba, na ladd, na ladrata, na chwennych", a phob gorchymyn arall, wedi eu crynhoi yn y gorchymyn hwn: "Câr dy gymydog fel ti dy hun." ¹⁰Ni all cariad wneud cam â chymydog. Y mae cariad, felly, yn gyflawniad o holl ofynion y Gyfraith.

Dydd Crist yn Agosáu

11 Ie, gwnewch hyn oll fel rhai sy'n ymwybodol o'r amser, mai dyma'r awr ichwi i ddeffro o gwsg. Erbyn hyn, y mae'r waredigaeth yn nes atom nag oedd pan ddaethom i gredu. ¹²Y mae'r nos ar ddod i ben, a'r dydd ar wawrio. Gadewch inni, felly, roi heibio weithredoedd y tywyllwch, a gwisgo arfau'r goleuni. ¹³Gadewch inni fyw yn weddus, fel yng ngolau dydd, heb roi dim lle i loddest a meddwdod, i anniweirdeb ac anlladrwydd, i gynnen ac eiddigedd. ¹⁴Gwisgwch yr Arglwydd Iesu Grist amdanoch; a distyrwch y cnawd a galwad ei chwantau ef.

Paid â Barnu Dy Frawd

14 Derbyniwch i'ch plith y dyn sy'n wan ei ffydd, ond nid er mwyn codi dadleuon. ²Y mae gan ambell ddyn ddigon o ffydd i fwyta pob peth, ond y mae dyn arall, gan fod ei ffydd mor wan, yn bwyta llysiau yn unig. ³Rhaid i'r dyn sy'n bwyta pob peth beidio â bychanu'r dyn sy'n ymwrthod, a rhaid i'r dyn sy'n ymwrthod beidio â barnu'r dyn sy'n bwyta, oherwydd y mae Duw wedi ei dderbyn. ⁴Pwy wyt ti, i fod yn farnwr ar was rhywun arall? Gan ei Feistr y mae'r hawl i benderfynu a yw ef yn sefyll neu'n

⁵Neu, *cyffesu*.

syrthio. A sefyll a wna, oherwydd y mae'r Meistr yn abl i beri iddo sefyll. ⁵Y mae ambell ddyn yn ystyried un dydd yn well na'r llall, a dyn arall yn eu hystyried i gyd yn gyfartal. Rhaid i'r naill a'r llall fod yn gwbl argyhoeddedig yn ei feddwl ei hun. ⁶Y mae'r sawl sy'n cadw'r dydd yn ei gadw er gogoniant yr Arglwydd; a'r sawl sy'n bwyta pob peth yn gwneud hynny er gogoniant yr Arglwydd, oherwydd y mae'n rhoi diolch i Dduw. Ac y mae'r hwn sy'n ymwrthod yn ymwrthod er gogoniant yr Arglwydd; y mae yntau yn rhoi diolch i Dduw. ⁷Oherwydd nid oes neb ohonom yn byw iddo'i hun, na neb yn marw iddo'i hun. ⁸Os byw yr ydym, i'r Arglwydd yr ydym yn byw, ac os marw, i'r Arglwydd yr ydym yn marw. Prun bynnag ai byw ai marw yr ydym, eiddo'r Arglwydd ydym. ⁹Oherwydd pwrpas Crist wrth farw a dod yn fyw oedd bod yn Arglwydd ar y meirw a'r byw. ¹⁰Pam yr wyt ti yn barnu dy frawd? A thithau, pam yr wyt yn bychanu dy frawd? Oherwydd bydd rhaid inni bob un sefyll gerbron brawdle Duw. ¹¹Fel y mae'n ysgrifenedig:

"Cyn wired â'm bod i yn fyw, medd yr
   Arglwydd, i mi y bydd pob glin yn
   plygu,
a phob tafod yn moliannuˢ Duw."

¹²Am hynny, bydd rhaid i bob un ohonom roi cyfrif amdano ef ei hun i Dduw.

Paid â Bod yn Achos Cwymp i'th Frawd

13 Felly, peidiwn mwyach â barnu ein gilydd. Yn hytrach, dyfarnwch nad oes neb i roi achlysur i frawd gwympo neu faglu. ¹⁴Mi wn i sicrwydd, yn yr Arglwydd Iesu, nad oes dim yn aflan ohono'i hun. Yr unig beth yw, os bydd dyn yn ystyried rhywbeth yn aflan, i hwnnw y mae yn aflan. ¹⁵Ac felly, os yw'r math o fwyd yr wyt ti'n ei fwyta yn achos gofid i'th frawd, nid wyt ti mwyach yn ymddwyn yn ôl gofynion cariad. Paid â dwyn i ddistryw, â'th fwyd, frawd y bu Crist farw drosto. ¹⁶Peidiwch â gadael i'r peth sy'n dda yn eich golwg gael gair drwg. ¹⁷Nid bwyta ac yfed yw teyrnas Dduw, ond cyfiawnder a heddwch a llawenydd yn yr Ysbryd Glân. ¹⁸Y mae'r sawl sy'n gwasanaethu Crist yn y modd hwn yn dderbyniol gan Dduw ac yn gymeradwy gan ddynion. ¹⁹Gadewch inni, felly, geisio pethau sy'n arwain i heddwch, ac

yn adeiladu perthynas gadarn â'n gilydd.
[20]Peidiwch â thynnu i lawr, o achos
bwyd, yr hyn a wnaeth Duw. Y mae pob
bwyd yn lân, ond y mae'n beth drwg i
ddyn fwyta a thrwy hynny beri cwymp i
rywun. [21]Y peth iawn yw peidio â bwyta
cig nac yfed gwin, na gwneud dim a all
beri i'th frawd gwympo. [22]Cadw dy ffydd,
yn hyn o beth, rhyngot ti a Duw. Ded-
wydd yw'r dyn nad yw'n amau'r hyn y
mae'n ei gymeradwyo. [23]Ond os bydd
dyn, er gwaethaf ei amheuon, yn bwyta
pob peth, y mae wedi ei gollfarnu. Oher-
wydd nid o ffydd y bydd yn gweithredu.
Ac y mae popeth nad yw'n tarddu o ffydd
yn bechod.[t]

Plesio dy Gymydog, nid dy Blesio dy Hun

15 Y mae'n ddyletswydd arnom ni,
y rhai cryf, oddef gwendidau'r
rhai sy'n eiddil eu cydwybod, a pheidio
â'n plesio ein hunain. [2]Y mae pob un
ohonom i blesio ei gymydog, gan anelu at
yr hyn sydd dda er adeiladu ein gilydd.
[3]Oherwydd nid ei blesio ei hun a wnaeth
Crist. I'r gwrthwyneb, fel y mae'n ysgrif-
enedig: "Y mae gwaradwydd y rhai oedd
yn dy waradwyddo di wedi syrthio arnaf
fi." [4]Ac fe ysgrifennwyd yr Ysgrythurau
gynt er mwyn ein dysgu ni, er mwyn i ni,
trwy ddyfalbarhad a thrwy eu hanogaeth
hwy, ddal ein gafael yn ein gobaith. [5]A
rhoddod Duw, ffynhonnell pob dyfal-
barhad ac anogaeth, i chwi fod yn gytûn
eich meddwl ymhlith eich gilydd, yn ôl
cwyllys Crist Iesu, [6]er mwyn ichwi, yn
unfryd ac yn unllais, ogoneddu Duw a
Thad ein Harglwydd Iesu Grist.

**Yr Efengyl i'r Iddewon a'r Cenhedloedd
fel ei Gilydd**

7 Am hynny, derbyniwch eich gilydd,
fel y derbyniodd Crist chwi, er gogoniant
Duw. [8]Oherwydd yr wyf yn dweud bod
Crist wedi dod yn was i'r Iddewon er
mwyn dangos geirwiredd Duw, sef ei fod
yn cadarnhau'r addewidion i'r tadau, [9]a
hefyd er mwyn i'r Cenhedloedd ogon-
eddu Duw am ei drugaredd. Fel y mae'n
ysgrifenedig:
"Oherwydd hyn, clodforaf di ymysg y
Cenhedloedd,
a chanaf i'th enw."
[10]Ac y mae'n dweud eilwaith:

"Llawenhewch, Genhedloedd,
ynghyd â'i bobl ef."
[11]Ac eto:
"Molwch yr Arglwydd, yr holl
Genhedloedd,
a'r holl bobloedd yn dyblu'r mawl."
[12]Y mae Eseia hefyd yn dweud:
"Fe ddaw gwreiddyn Jesse,
y gŵr sy'n codi i lywodraethu'r
Cenhedloedd;
arno ef y bydd y Cenhedloedd yn
seilio'u gobaith."
[13]A bydded i Dduw, ffynhonnell gobaith,
eich llenwi â phob llawenydd a thang-
nefedd wrth ichwi arfer eich ffydd, nes
eich bod, trwy nerth yr Ysbryd Glân, yn
gorlifo â gobaith.

Comisiwn Cenhadol Paul

14 Yr wyf fi, o'm rhan fy hun, yn gwbl
sicr, fy mrodyr, eich bod chwithau yn
llawn daioni, yn gyforiog o bob gwybod-
aeth, ac yn alluog i hyfforddi eich gilydd.
[15]Bûm braidd yn hy arnoch, mewn man-
nau yn fy llythyr, wrth geisio deffro eich
cof. Ond gwneuthum hyn ar bwys y
gorchwyl a roddodd Duw i mi o'i ras, [16]i
fod yn weinidog Crist Iesu i'r Cenhed-
loedd, yn gweini fel offeiriad ar Efengyl
Duw, er mwyn cyflwyno'r Cenhedloedd
iddo yn offrwm cymeradwy, offrwm wedi
ei gysegru gan yr Ysbryd Glân. [17]Yng
Nghrist Iesu, felly, y mae gennyf le i
ymffrostio yn fy ngwasanaeth i Dduw,
[18]oherwydd nid wyf am feiddio sôn am
ddim ond yr hyn a gyflawnodd Crist trwof
fi, yn y dasg o ennill y Cenhedloedd i
ufuddhau iddo, mewn gair a gweithred,
[19]trwy rym arwyddion a rhyfeddodau,
trwy nerth Ysbryd Duw[th]. Ac felly, yr
wyf fi wedi cwblhau cyhoeddi Efengyl
Crist mewn cylch eang, o Jerwsalem cyn
belled ag Ilyricum. [20]Yn hyn oll fe'i
cedwais yn nod i bregethu'r Efengyl yn y
mannau hynny yn unig oedd heb glywed
sôn am enw Crist, rhag i mi fod yn
adeiladu ar sylfaen rhywun arall; [21]fel y
mae'n ysgrifenedig:
"Bydd pobl yn ei weld, na
chyhoeddwyd dim wrthynt
amdano,
ac yn ei ddeall, na chlywsant ddim
amdano."

[t]Yn ôl darlleniad arall ychwanegir yma yr adran a welir yn 16:25-27.
[th]Yn ôl darlleniad arall, *nerth yr Ysbryd*.

Bwriad Paul i Ymweld â Rhufain

22 Hwn oedd y rhwystr a'm cadwodd cyhyd o amser rhag dod atoch chwi. ²³Ond yn awr, a minnau heb faes cenhadol mwyach yn yr ardaloedd hyn, a'r awydd arnaf ers blynyddoedd lawer i ddod atoch chwi ²⁴pryd bynnag y byddaf ar fy ffordd i Sbaen, yr wyf yn gobeithio ymweld â chwi wrth fynd trwodd, a chael fy hebrwng gennych ar fy nhaith yno, ar ôl mwynhau eich cwmni am ychydig. ²⁵Ond ar hyn o bryd, yr wyf ar fy ffordd i Jerwsalem, i fynd â chymorth i'r saint yno. ²⁶Oherwydd y mae Macedonia ac Achaia wedi gweld yn dda gyfrannu i gronfa ar ran y tlodion ymhlith y saint yn Jerwsalem. ²⁷Gwelsant yn dda, do, ond yr oeddent hefyd yn ddyledwyr iddynt. Oherwydd os cafodd y Cenhedloedd gyfran o'u trysor ysbrydol hwy, y mae'n ddyled ar y Cenhedloedd weini arnynt mewn pethau tymhorol. ²⁸Felly, pan fyddaf wedi cyflawni'r gorchwyl hwn, a gosod y casgliad yn ddiogel yn eu dwylo, caf gychwyn ar y daith i Sbaen a galw heibio i chwi. ²⁹Gwn y bydd fy ymweliad â chwi dan fendith gyflawn Crist.

30 Yr wyf yn ymbil arnoch, frodyr, trwy ein Harglwydd Iesu Grist, a thrwy'r cariad sy'n ffrwyth yr Ysbryd: ymunwch â mi yn fy ymdrech, a gweddïo ar Dduw trosof, ³¹ar i mi gael fy arbed rhag yr anghredinwyr yn Jwdea, ac i'r cymorth sydd gennyf i Jerwsalem fod yn dderbyniol gan y saint; ³²ac felly i mi gael y llawenydd o ddod atoch, trwy ewyllys Duw, a'm hatgyfnerthu yn eich cwmni. ³³A Duw yr heddwch fyddo gyda chwi oll! Amen.ᵘ

Cyfarchion Personol

16 Yr wyf yn cyflwyno i chwi Phebe, ein chwaer, sydd yn gwasanaethu'r eglwys yn Cenchreae. ²Derbyniwch hi yn enw'r Arglwydd, mewn modd teilwng o'r saint, a byddwch yn gefn iddi ym mhob peth y gall fod arni angen eich cymorth, oherwydd y mae hithau wedi bod yn gefn i lawer, ac i mi yn bersonol.

3 Rhowch fy nghyfarchion i Prisca ac Acwila, fy nghydweithwyr yng Nghrist Iesu, ⁴deuddyn a fentrodd eu heinioes i arbed fy mywyd i. Nid myfi yn unig sydd yn diolch iddynt, ond holl eglwysi'r Cen-

hedloedd. ⁵Fy nghyfarchion hefyd i'r eglwys sy'n ymgynnull yn eu tŷ. Cyflwynwch fy nghyfarchion i'm cyfaill annwyl, Epainetus, y cyntaf yn Asia i ddod at Grist. ⁶Cyfarchion i Fair, a fu'n ddiflin ei llafur ar eich rhan. ⁷Cyfarchion i Andronicus a Jwnias, sydd o'r un genedl â mi, ac a fu'n gydgarcharorion â mi, gwŷr amlwg ymhlith yr apostolion, a oedd yn Gristionogion o'm blaen i. ⁸Cyfarchion i Amplias, fy nghyfaill annwyl yn yr Arglwydd. ⁹Cyfarchion i Wrbanus, ein cydweithiwr yng Nghrist, a'n cyfaill annwyl, Stachus. ¹⁰Cyfarchwch Apeles, sy'n Gristion profedig. Cyfarchwch y rhai sydd o dŷ Aristobwlus. ¹¹Cyfarchwch Herodion, sydd o'r un genedl â mi. Cyfarchwch y Cristionogion sydd o dŷ Narcisus. ¹²Cyfarchwch Tryffena a Tryffosa, chwiorydd sy'n llafurio yng ngwasanaeth yr Arglwydd. Cyfarchwch Persis, chwaer annwyl sydd wedi llafurio gymaint yn ei wasanaeth. ¹³Cyfarchwch Rwffus, sy'n Gristion dethol, a'i fam, sy'n fam i minnau. ¹⁴Cyfarchwch Asyncritus, Phlegon, Hermes, Patrobas, Hermas, a'r brodyr sydd gyda hwy. ¹⁵Cyfarchwch Philologus a Jwlia, Nereus a'i chwaer Olympas, a'r holl saint sydd gyda hwy. ¹⁶Cyfarchwch eich gilydd â chusan sanctaidd. Y mae holl eglwysi Crist yn eich cyfarch.

17 Yr wyf yn ymbil arnoch, frodyr, gwyliwch y rhai sydd yn peri rhwyg ac yn codi rhwystrau, yn groes i'r athrawiaeth a ddysgasoch chwi. Gochelwch rhagddynt, ¹⁸oherwydd nid gwasanaethu Crist ein Harglwydd y mae rhai fel hyn, ond eu chwantau eu hunain; dynion ydynt sydd, trwy eiriau teg a gweniaith, yn hudo meddyliau'r diniwed ar gyfeiliorn. ¹⁹Ond y mae eich ufudd-dod chwi yn hysbys i bawb. Dyna pam yr wyf yn llawenhau o'ch plegid; ac eto yr wyf am i chwi barhau i fod yn ddoeth mewn daioni ond yn ddiniwed mewn drygioni. ²⁰Ac felly, buan y bydd Duw yr heddwch yn malu Satan dan eich traed. Gras ein Harglwydd Iesu fyddo gyda chwi!ʷ

21 Y mae Timotheus, fy nghydweithiwr, yn eich cyfarch, a hefyd Lwcius a Jason a Sosipater, gwŷr o'r un genedl â mi. ²²(Ac yr wyf finnau, Tertius, sydd wedi ysgrifennu'r llythyr hwn, yn eich cyfarch yn yr Arglwydd.) ²³Y mae Gaius,

---

ᵘYn ôl darlleniad un llawysgrif bwysig, gadewir allan *Amen*, ac ychwanegir yma yr adran a welir yn 16:25-27. ʷYn ôl darlleniad arall gadewir allan *Gras...gyda chwi!*

a roes ei gartref yn llety i mi ac i'r holl eglwys, yn eich cyfarch. Y mae Erastus, trysorydd y ddinas, yn eich cyfarch, a hefyd y brawd Cwartus.[y]

Mawlwers

25 Iddo ef sy'n abl i'ch gwneud yn gadarn, yn ôl yr Efengyl yr wyf fi'n ei phregethu, a'r genadwri am Iesu Grist, yn ôl y datguddiad o'r dirgelwch a fu'n guddiedig ers oesoedd maith, [26]ond sydd yn awr wedi ei amlygu trwy'r ysgrythurau proffwydol, ac wedi ei hysbysu ar orchymyn y Duw tragwyddol i'r holl Genhedloedd, i'w hennill i ffydd ac ufudddod; [27]i Dduw, yr unig un doeth, y bo'r gogoniant, trwy Iesu Grist—iddo ef y bo'r gogoniant am byth! Amen.[a]

[y]Yn ôl darlleniad arall ychwanegir adn. 24: *Gras ein Harglwydd Iesu Grist fyddo gyda chwi oll! Amen.*
[a]Yn ôl darlleniad arall gadewir allan adn. 25-27 yma (gweler y nodiadau ar 14:23 a 15:33).

LLYTHYR CYNTAF PAUL AT Y

CORINTHIAID

Cyfarch a Diolch

1 Paul, apostol Crist Iesu trwy alwad a thrwy ewyllys Duw, a'r brawd Sosthenes, [2]at eglwys Dduw sydd yng Nghorinth, at y rhai a sancteiddiwyd yng Nghrist Iesu, ac sydd trwy alwad Duw yn saint, ynghyd â phawb ym mhob man sydd yn galw ar enw ein Harglwydd Iesu Grist, eu Harglwydd hwy a ninnau. [3]Gras a thangnefedd i chwi oddi wrth Dduw ein Tad a'r Arglwydd Iesu Grist.

4 Yr wyf yn diolch i'm Duw bob amser amdanoch chwi, ar gyfrif y gras dwyfol a roddwyd ichwi yng Nghrist Iesu, [5]am eich cyfoethogi trwyddo ef ym mhob peth, ym mhob ymadrodd a phob gwybodaeth, [6]fel y cadarnhawyd y dystiolaeth am Grist yn eich plith. [7]Oherwydd hyn, nid ydych yn ddiffygiol mewn unrhyw ddawn, wrth ichwi ddisgwyl am ddatguddiad ein Harglwydd Iesu Grist. [8]Bydd ef yn eich cadw'n gadarn hyd y diwedd, fel na bydd cyhuddiad yn eich erbyn yn Nydd ein Harglwydd Iesu Grist. [9]Y mae Duw'n ffyddlon, a thrwyddo ef y'ch galwyd chwi i gymdeithas ei Fab ef, Iesu Grist ein Harglwydd ni.

Ymraniadau yn yr Eglwys

10 Yr wyf yn deisyf arnoch, frodyr, yn enw ein Harglwydd Iesu Grist, ar i chwi oll fod yn gytûn; na foed ymraniadau yn eich plith, ond byddwch wedi eich cyfannu yn yr un meddwl a'r un farn. [11]Oherwydd hysbyswyd fi amdanoch, fy mrodyr, gan rai o dŷ Chlöe, fod cynhennau yn eich plith. [12]Yr hyn a olygaf yw fod pob un ohonoch yn dweud, "Yr wyf fi'n perthyn i blaid Paul", neu, "Minnau, i blaid Apolos", neu, "Minnau, i blaid Ceffas", neu, "Minnau, i blaid Crist". [13]A aeth Crist yn gyfran plaid? Ai Paul a groeshoeliwyd drosoch chwi? Neu, a fedyddiwyd chwi i enw Paul? [14]Yr wyf yn diolch i Dduw[a] na fedyddiais i neb ohonoch ond Crispus a Gaius; [15]peidied neb â dweud i chwi gael eich bedyddio i'm henw i. [16]O do, mi fedyddiais deulu Steffanas hefyd. Heblaw hynny, ni wn a fedyddiais i neb arall. [17]Nid i fedyddio yr anfonodd Crist fi, ond i bregethu'r Efengyl, a hynny nid â doethineb geiriau, rhag i groes Crist golli ei grym.

Crist, Gallu a Doethineb Duw

18 Oblegid y gair am y groes, ffolineb yw i'r rhai sydd ar lwybr colledigaeth, ond i ni sydd ar lwybr iachawdwriaeth, gallu Duw ydyw. [19]Y mae'n ysgrifenedig: "Dinistriaf ddoethineb y doethion,

[a]Yn ôl darlleniad arall, *yn ddiolchgar.*

A dileaf ddeall y deallus." ²⁰Pa le y mae'r gŵr doeth? Pa le y mae'r gŵr dysgedig? Pa le y mae ymresymydd yr oes bresennol? Oni wnaeth Duw ddoethineb y byd yn ffolineb? ²¹Oherwydd gan fod y byd, yn noethineb Duw, wedi methu adnabod Duw trwy ei ddoethineb ei hun, gwelodd Duw yn dda trwy ffolineb yr hyn yr ydym ni yn ei bregethu achub y rhai sydd yn credu. ²²Y mae'r Iddewon yn gofyn am arwyddion, a'r Groegiaid hwythau yn chwilio am ddoethineb. ²³Eithr nyni, pregethu yr ydym Grist wedi ei groeshoelio, yn dramgwydd i'r Iddewon ac yn ffolineb i'r Cenhedloedd; ²⁴ond i'r rhai a alwyd, yn Iddewon a Groegiaid, y mae'n Grist, gallu Duw a doethineb Duw. ²⁵Oherwydd y mae ffolineb Duw yn ddoethach na dynion, a gwendid Duw yn gryfach na dynion.

26 Ystyriwch sut rai ydych chwi a alwyd, frodyr: nid oes rhyw lawer ohonoch yn ddoeth yn ôl safon y byd, nid oes rhyw lawer yn wŷr o awdurdod, nid oes rhyw lawer o dras uchel. ²⁷Ond pethau ffôl y byd a ddewisodd Duw er mwyn cywilyddio'r doeth, a phethau gwan y byd a ddewisodd Duw i gywilyddio'r pethau cedyrn, ²⁸a phethau distadl y byd, a phethau dirmygedig, a ddewisodd Duw, y pethau nid ydynt, i ddiddymu'r pethau sydd. ²⁹Ac felly, ni all unrhyw ddyn ymffrostio gerbron Duw. ³⁰Ond trwy ei waith ef yr ydych chwi yng Nghrist Iesu, yr hwn a wnaed yn ddoethineb i ni oddi wrth Dduw, yn gyfiawnder a sancteiddhad a phrynedigaeth. ³¹Felly, fel y mae'n ysgrifenedig, "Y sawl sy'n ymffrostio, ymffrostied yn yr Arglwydd."

Pregethu Crist Croeshoeliedig

2 A minnau, pan ddeuthum atoch, frodyr, ni ddeuthum fel un yn rhagori mewn huodledd neu ddoethineb, wrth gyhoeddi i chwi ddirgelwch^b Duw. ²Oherwydd dewisais beidio â gwybod dim yn eich plith ond Iesu Grist, ac yntau wedi ei groeshoelio. ³Mewn gwendid ac ofn a chryndod mawr y bûm i yn eich plith; ⁴a'm hymadrodd i a'm pregeth, nid geiriau deniadol^c doethineb oeddent, ond eglur brawf yr Ysbryd a'i nerth, ⁵er

mwyn i'ch ffydd fod yn seiliedig, nid ar ddoethineb dynion, ond ar allu Duw.

6 Eto yr ydym ni yn llefaru doethineb ymhlith y rhai aeddfed, ond nid doethineb yr oes bresennol, na'r eiddo llywodraethwyr yr oes bresennol, sydd ar ddarfod amdanynt. ⁷Ond yr ydym ni'n llefaru doethineb Duw a'i dirgelwch, doethineb guddiedig, a ragordeiniodd Duw cyn yr oesoedd i'n dwyn i'n gogoniant. ⁸Nid adnabu neb o lywodraethwyr yr oes bresennol mo'r ddoethineb hon; oherwydd pe buasent wedi ei hadnabod, ni fuasent wedi croeshoelio Arglwydd y gogoniant. ⁹Ond fel y mae'n ysgrifenedig:

"Pethau na welodd llygad, ac na
　chlywodd clust,
ac na ddaeth i feddwl dyn,
y cwbl a ddarparodd Duw ar gyfer y
　rhai sy'n ei garu."

¹⁰Eithr datguddiodd Duw hwy i ni trwy'r Ysbryd. Oblegid y mae'r Ysbryd yn plymio pob peth, hyd yn oed ddyfnderoedd Duw. ¹¹Oherwydd pa ddyn sy'n gwybod natur dyn, ond ysbryd y dyn, yr hwn sydd ynddo? Yr un modd nid oes neb yn gwybod natur Duw, ond Ysbryd Duw. ¹²Ond nyni, nid ysbryd y byd a dderbyniasom, ond yr Ysbryd sydd oddi wrth Dduw, er mwyn inni wybod y pethau a roddodd Duw o'i ras i ni. ¹³Yr ydym yn mynegi'r doniau hyn mewn geiriau a ddysgwyd i ni, nid gan ddoethineb ddynol, ond gan yr Ysbryd, gan esbonio pethau ysbrydol i'r rhai sydd yn meddu'r Ysbryd.^{ch} ¹⁴Nid yw'r dyn anianol yn derbyn pethau Ysbryd Duw, oherwydd ffolineb ydynt iddo ef, ac ni all eu hamgyffred, gan mai mewn modd ysbrydol y maent yn cael eu barnu. ¹⁵Y mae'r dyn ysbrydol yn barnu pob peth, ond nid yw ef yn cael ei farnu gan neb. ¹⁶Yng ngeiriau'r Ysgrythur:

"Pwy a adnabu feddwl yr Arglwydd,
　i'w gyfarwyddo?"

Ond y mae meddwl Crist gennym ni.

Cydweithwyr dros Dduw

3 Minnau, frodyr, ni ellais lefaru wrthych fel wrth rai ysbrydol, ond fel wrth rai cnawdol, fel babanod yng Nghrist. ²Llaeth a roddais i chwi'n ymborth, ac nid bwyd, oherwydd nid oeddech eto'n barod. Ac nid ydych yn barod

---

^bYn ôl darlleniad arall, dystiolaeth.　　^cYn ôl darlleniad arall, nid perswâd.
^{ch}Neu, gan roddi iaith ysbrydol i bethau ysbrydol. Neu, gan gymharu pethau ysbrydol â phethau ysbrydol.

yn awr chwaith, ³oherwydd cnawdol
ydych o hyd. Oherwydd, tra mae cenfigen
a chynnen yn eich plith, onid cnawdol
ydych, ac yn ymddwyn yn ôl safonau
dyn? ⁴Pan yw un yn dweud, "Yr wyf fi'n
perthyn i blaid Paul", ac un arall, "Min-
nau, i blaid Apolos", onid dynol ydych?
⁵Beth ynteu yw Apolos? Neu beth yw
Paul? Dim ond gweision y daethoch
chwi i gredu drwyddynt, a phob un yn
cyflawni'r gorchwyl a gafodd gan yr Ar-
glwydd. ⁶Myfi a blannodd, Apolos a
ddyfrhaodd, ond Duw oedd yn rhoi'r
tyfiant. ⁷Felly, nid yw'r plannwr yn ddim,
na'r dyfrhawr, ond Duw, rhoddwr y
tyfiant. ⁸Y plannwr a'r dyfrhawr, un
ydynt, ac fe dderbyn y naill a'r llall ei dâl
ei hun, yn ôl ei lafur ei hun. ⁹Canys eiddo
Duw ydym ni, fel cydweithwyr; gardd
Duw, adeiladwaith Duw, ydych chwi.

10 Yn ôl y gorchwyl a roddodd Duw i
mi o'i ras, mi osodais sylfaen, fel prif-
adeiladydd celfydd, ac y mae rhywun
arall yn adeiladu arni. Gwylied pob un pa
fodd y mae'n adeiladu arni. ¹¹Ni all neb
osod sylfaen arall yn lle'r un sydd wedi ei
gosod, ac Iesu Grist yw honno. ¹²Os bydd
i neb adeiladu ar y sylfaen ag aur, arian, a
meini gwerthfawr, neu â choed, gwair, a
gwellt, ¹³daw gwaith pob un i'r amlwg,
oherwydd y Dydd a'i dengys. Canys â
thân y datguddir y Dydd hwnnw, a bydd y
tân yn profi ansawdd gwaith pob un. ¹⁴Os
bydd y gwaith a adeiladodd dyn ar y
sylfaen yn aros, caiff dâl. ¹⁵Os llosgir
gwaith dyn, caiff ddwyn y golled, ond fe'i
hachubir ef ei hun, ond dim ond megis
trwy dân. ¹⁶Oni wyddoch mai teml Duw
ydych, a bod Ysbryd Duw yn trigo
ynoch? ¹⁷Os bydd rhywun yn dinistrio
teml Duw, bydd Duw'n ei ddinistrio
yntau, oherwydd y mae teml Duw yn
sanctaidd, a chwi yw'r deml honno.

18 Peidied neb â'i dwyllo'i hunan; os
oes rhywun yn eich plith yn tybio ei fod
yn ddoeth ym mhethau'r oes hon, bydded
ffôl, er mwyn dod yn ddoeth. ¹⁹Oher-
wydd y mae doethineb y byd hwn yn
ffolineb yng ngolwg Duw. Y mae'n ysgrif-
enedig:
    "Y mae ef yn dal y doethion yn eu
         cyfrwystra",
²⁰ac eto:
    "Y mae'r Arglwydd yn gwybod
         meddyliau'r doethion,
    mai ofer ydynt."
²¹Felly peidied neb ag ymffrostio mewn

dynion. Oherwydd y mae pob peth yn
eiddo i chwi—²²Paul, Apolos, Ceffas,
y byd, bywyd, angau, y presennol, y
dyfodol—pob peth yn eiddo i chwi, ²³a
chwithau yn eiddo Crist, a Christ yn
eiddo Duw.

Gweinidogaeth yr Apostolion

4 Bydded i bob dyn ein cyfrif ni fel
gweision Crist a goruchwylwyr dir-
gelion Duw. ²Yn awr, yr hyn a ddisgwylir
mewn goruchwylwyr yw eu cael yn
ffyddlon. ³O'm rhan fy hun, peth bach
iawn yw cael fy ngosod ar brawf gennych
chwi, neu gan unrhyw lys dynol. Yn wir,
nid wyf yn eistedd mewn barn arnaf fy
hun. ⁴Nid oes gennyf ddim ar fy nghyd-
wybod, ond nid wyf drwy hynny wedi fy
nghael yn ddieuog. Yr Arglwydd yw fy
marnwr i. ⁵Felly peidiwch â barnu dim
cyn yr amser, nes i'r Arglwydd ddod;
bydd ef yn goleuo pethau cudd y tywyll-
wch a gwneud bwriadau'r galon yn
amlwg. Ac yna caiff pob dyn ei glod gan
Dduw.

6 Yr wyf wedi cymhwyso'r pethau
hyn, frodyr, ataf fi fy hun ac at Apolos er
eich mwyn chwi, ichwi ddysgu, drwom
ni, "gadw o fewn yr hyn a ysgrifen-
nwyd", rhag i neb ohonoch ymchwyddo
wrth bleidio un a gwrthod y llall. ⁷Pwy
sy'n rhoi rhagoriaeth i ti? Beth sydd
gennyt, nad wyt wedi ei dderbyn? Ac os
ei dderbyn a wnaethost, pam yr wyt yn
ymffrostio fel pe bait heb dderbyn?
⁸Dyma chwi eisoes wedi cael eich gwala;
eisoes wedi dod yn gyfoethog; wedi etif-
eddu eich teyrnas, a ninnau y tu allan!
Gwyn fyd na fyddech wedi etifeddu eich
teyrnas mewn gwirionedd, er mwyn i
ninnau hefyd gael teyrnasu gyda chwi!
⁹Oherwydd yr wyf yn tybio bod Duw
wedi rhoi i ni'r apostolion y lle olaf, fel
rhai wedi eu condemnio i farw yn yr
arena, gan ein bod wedi dod yn sioe i'r
cyfanfyd, i angylion ac i ddynion. ¹⁰Ni yn
ffyliaid er mwyn Crist, chwithau'n rhai
call yng Nghrist! Ni yn wan, chwithau'n
gryf! Chwi'n llawn anrhydedd, ninnau
heb ddim parch! ¹¹Hyd yr awr hon y mae
arnom newyn a syched, yr ydym yn
noeth, yn cael ein cernodio, yn ddi-
gartref, ¹²yn blino gan lafur ein dwylo ein
hunain. Ein hateb i'r difenwi sydd arnom
yw bendithio; i'r erlid, goddef; ¹³i'r en-
llib, geiriau caredig. Fe'n gwnaethpwyd
yn garthion y byd, yn olchion pawb, hyd

yn awr. 14 Nid i godi cywilydd arnoch yr wyf yn ysgrifennu hyn, ond i'ch rhybuddio, fel plant annwyl i mi. ¹⁵Pe byddai gennych ddeng mil o hyfforddwyr yng Nghrist, eto ni fyddai gennych fwy nag un tad, oherwydd yng Nghrist Iesu myfi a ddeuthum yn dad i chwi drwy'r Efengyl. ¹⁶Am hynny yr wyf yn erfyn arnoch, byddwch efelychwyr ohonof fi. ¹⁷Dyma pam yr anfonais Timotheus atoch; y mae ef yn fab annwyl i mi, ac yn ffyddlon yn yr Arglwydd, a bydd yn dwyn ar gof i chwi fy ffyrdd i yng Nghrist Iesu, fel y byddaf yn eu dysgu ym mhobman, ym mhob eglwys. ¹⁸Y mae rhai wedi ymchwyddo, fel pe na bawn i am ddod atoch. ¹⁹Ond yr wyf am ddod atoch ar fyrder, os caniatâ'r Arglwydd, a chaf wybod, nid am siarad y rhai sydd wedi ymchwyddo, ond am eu gallu. ²⁰Oherwydd nid mewn siarad y mae teyrnas Dduw, ond mewn gallu. ²¹Beth yw eich dewis? Ai â gwialen yr wyf i ddod atoch, ynteu â chariad, ac ysbryd addfwynder?

Barn ar Anfoesoldeb

5 Adroddir fel ffaith fod yna odineb yn eich plith, a hwnnw'r fath odineb na cheir mohono hyd yn oed ymhlith y paganiaid, bod rhyw ddyn yn gorwedd gyda gwraig ei dad. ²A dyma chwi, yn llawn ymffrost! Onid eich lle chwi oedd galaru, a bwrw allan o'ch plith yr un a wnaeth y fath beth? ³Oherwydd dyma fi, yn absennol yn y corff, ond yn bresennol yn yr ysbryd, eisoes wedi rhoi dyfarniad, fel un sy'n bresennol, ar y dyn a wnaeth y fath weithred: ⁴bod i chwi, a'm hysbryd innau, wedi ymgynnull yn enw ein Harglwydd Iesu, a gallu ein Harglwydd Iesu gyda ni, ⁵draddodi'r fath ddyn i Satan er mwyn dinistrio'r cnawd, a thrwy hynny achub ei ysbryd yn Nydd yr Arglwydd. ⁶Nid yw eich ymffrost yn weddus. Oni wyddoch fod ychydig lefain yn suro'r holl does? ⁷Glanhewch yr hen lefain allan, ichwi fod yn does newydd, croyw, fel yr ydych mewn gwirionedd. Oherwydd y mae Crist, ein Pasg ni, wedi ei aberthu. ⁸Am hynny cadwn yr ŵyl, nid â'r hen lefain, nac ychwaith â lefain drygioni a llygredd, ond â bara croyw purdeb a gwirionedd.

9 Ysgrifennais atoch yn fy llythyr, i ddweud wrthych am beidio â chymysgu â phobl odinebus. ¹⁰Ond nid am odinebwyr y byd hwn yr oeddwn yn meddwl o gwbl, na chwaith am y trachwantus, y cribddeilwyr, neu'r eilunaddolwyr; onid e, byddai'n rhaid ichwi fynd allan o'r byd. ¹¹Ond yn awr yr wyf yn ysgrifennuᵈ i ddweud wrthych am beidio â chymysgu â neb a elwir yn frawd os yw'n buteiniwr neu'n drachwantus, yn eilunaddolwr, yn ddifenwr, yn feddwyn, neu'n gribddeiliwr; peidiwch hyd yn oed â bwyta gydag un felly. ¹²Oherwydd beth sydd a wnelwyf fi â barnu'r rhai sydd oddi allan? Onid y rhai sydd oddi mewn yr ydych chwi yn eu barnu? ¹³Duw fydd yn barnu'r rhai sydd oddi allan. Taflwch y dihiryn allan o'ch mysg.

Mynd i Gyfraith gerbron Anghredinwyr

6 Os oes gan un ohonoch gŵyn yn erbyn un arall, a yw'n beiddio mynd â'i achos gerbron yr annuwiol, yn hytrach na cherbron y saint? ²Oni wyddoch mai'r saint sydd i farnu'r byd? Ac os yw'r byd yn cael ei farnu gennych chwi, a ydych yn anghymwys i farnu'r achosion lleiaf? ³Oni wyddoch y byddwn yn barnu angylion, heb sôn am bethau'r bywyd hwn? ⁴Felly, os bydd gennych achosion fel hyn, a ydych yn gosod yn farnwyr y rhai sydd isaf eu parch yng ngolwg yr eglwys? ⁵I godi cywilydd arnoch yr wyf yn dweud hyn. A yw wedi dod i hyn, nad oes un dyn doeth yn eich plith fydd yn gallu barnu rhwng brawd a brawd? ⁶A yw brawd yn mynd i gyfraith yn erbyn ei frawd, a hynny gerbron anghredinwyr? ⁷Yn gymaint â'ch bod yn ymgyfreithio o gwbl â'ch gilydd, yr ydych eisoes yn wir, wedi colli'r dydd. Pam, yn hytrach, na oddefwch gam? Pam, yn hytrach, na oddefwch golled? ⁸Ond gwneud cam yr ydych chwi, peri colled yr ydych, a hynny i frodyr. ⁹Oni wyddoch na chaiff yr anghyfiawn etifeddu teyrnas Dduw? Peidiwch â chymryd eich camarwain; ni chaiff puteinwyr, nac eilunaddolwyr, na godinebwyr, na rhai sy'n ymlygru â'u rhyw eu hunain, ¹⁰na lladron, na rhai trachwantus, na meddwon, na difenwyr, na chribddeilwyr, etifeddu teyrnas Dduw. ¹¹A dyna oedd rhai ohonoch chwi; ond yr ydych wedi ymolchi, a'ch sancteiddio, a'ch cyfiawnhau trwy enw yr Arglwydd Iesu Grist, a thrwy Ysbryd ein Duw ni.

ᵈNeu, *Yn hytrach, ysgrifennu a wneuthum.*

Gogoneddwch Dduw yn eich Corff

12 "Y mae popeth yn gyfreithlon i
mi," meddwch; ond nid yw popeth er
lles. "Y mae popeth yn gyfreithlon i mi,"
meddwch; ond ni chaiff dim fy nghaeth-
iwo i. ¹³"Y bwydydd i'r bol a'r bol i'r
bwydydd," meddwch; ac fe ddifetha
Duw y naill a'r llall. Eto, nid i odineb y
mae'r corff, ond i'r Arglwydd, a'r Ar-
glwydd i'r corff. ¹⁴Cyfododd Duw yr
Arglwydd, ac fe'n cyfyd ninnau hefyd
drwy ei allu. ¹⁵Oni wyddoch mai aelodau
Crist yw eich cyrff chwi? A gymeraf
fi, felly, aelodau Crist a'u gwneud yn
aelodau putain? Dim byth! ¹⁶Neu oni
wyddoch fod dyn sy'n ymlynu wrth
butain yn un corff â hi? Oherwydd y
mae'r Ysgrythur yn dweud, "Bydd y
ddau yn un cnawd." ¹⁷Ond y dyn sy'n
ymlynu wrth yr Arglwydd, y mae'n un
ysbryd ag ef. ¹⁸Ffowch oddi wrth odineb;
pob pechod arall a wna dyn, beth bynnag
ydyw, y tu allan i'r corff y mac, ond y
mae'r sawl sydd yn godinebu yn pechu yn
erbyn ei gorff ei hun. ¹⁹Neu, oni wyddoch
fod eich corff yn deml i'r Ysbryd Glân
sydd ynoch, yr hwn sydd gennych oddi
wrth Dduw, ac nad yr eiddoch eich
hunain mohonoch? ²⁰Oherwydd pryn-
wyd chwi am bris. Felly gogoneddwch
Dduw yn eich corff.

Problemau ynglŷn â Phriodas

7 Yn awr, ynglŷn â'r pethau yn eich
llythyr. Peth da yw i ddyn beidio â
chyffwrdd â gwraig. ²Ond oherwydd y
godinebu sy'n bod, bydded gan bob dyn
ei wraig ei hun, a chan bob gwraig ei gŵr
ei hun. ³Dylai'r gŵr roi i'r wraig yr hyn
sy'n ddyledus iddi, a'r un modd y wraig
i'r gŵr. ⁴Nid y wraig biau'r hawl ar ei
chorff ei hun, ond y gŵr. A'r un modd,
nid y gŵr biau'r hawl ar ei gorff ei hun,
ond y wraig. ⁵Peidiwch â gwrthod eich
gilydd, oddieithr, efallai, ichwi gytuno ar
hyn dros dro er mwyn ymroi i weddi, ac
yna dod ynghyd eto, rhag i Satan eich
temtio oherwydd eich diffyg ymatal.
⁶Ond fel goddefiad yr wyf yn dweud hyn,
nid fel gorchymyn. ⁷Carwn pe bai pob
dyn fel yr wyf fi fy hunan; ond y mae gan
bob un ei ddawn ei hun oddi wrth Dduw,
y naill fel hyn a'r llall fel arall.

8 Yr wyf yn dweud wrth y rhai dibriod,
a'r gwragedd gweddwon, mai peth da

fyddai iddynt aros felly, fel finnau. ⁹Ond
os na allant ymatal, dylent briodi, oher-
wydd gwell priodi nag ymlosgi. ¹⁰I'r rhai
sydd wedi priodi yr wyf fi'n gorchymyn
—na, nid fi, ond yr Arglwydd—nad yw'r
wraig i ymadael â'i gŵr; ¹¹ond os bydd
iddi ymadael, dylai aros yn ddibriod, neu
gymodi â'i gŵr. A pheidied y gŵr ag
ysgaru ei wraig. ¹²Wrth y lleill yr wyf fi,
nid yr Arglwydd, yn dweud: os bydd gan
Gristion wraig anghredadun, a hithau'n
cytuno i fyw gydag ef, ni ddylai ei
hysgaru. ¹³Ac os bydd gan wraig ŵr
anghredadun, ac yntau'n cytuno i fyw
gyda hi, ni ddylai ysgaru ei gŵr. ¹⁴Oher-
wydd y mae'r gŵr anghredadun wedi ei
gysegru trwy ei wraig, a'r wraig anghred-
adun wedi ei chysegru trwy ei gŵr o
Gristion. Onid e, byddai eich plant yn
halogedig. Ond fel y mae, y maent yn
sanctaidd. ¹⁵Ond os yw'r anghredadun
am ymadael, gadewch iddo fynd. Nid
yw'r gŵr na'r wraig o Gristion, mewn
achos felly, yn gaeth; i heddwch y mae
Duw wedi eich galw. ¹⁶Oherwydd sut y
gwyddost, wraig, a achubi di dy ŵr?
Neu sut y gwyddost, ŵr, a achubi di dy
wraig?

Bywyd yn ôl Galwad Duw

17 Beth bynnag am hynny, dalied pob
dyn i fyw yn ôl y gyfran a gafodd gan
yr Arglwydd, pob un yn ôl yr alwad
a dderbyniodd gan Dduw. Yr wyf yn
gwneud hyn yn rheol yn yr holl eglwysi.
¹⁸A gafodd rhywun ei alw ac yntau'n
enwaededig? Peidied â chuddio'i gyflwr.
A gafodd rhywun ei alw ac yntau'n
ddienwaededig? Peidied â cheisio en-
waediad. ¹⁹Nid enwaediad sy'n cyfrif, ac
nid dienwaediad sy'n cyfrif, ond cadw
gorchmynion Duw. ²⁰Dylai pob dyn aros
yn y cyflwr yr oedd ynddo pan gafodd ei
alw. ²¹Ai caethwas oeddit pan gefaist dy
alw? Paid â phoeni; ond os gelli ennill dy
ryddid, cymer dy gyfle, yn hytrach na
pheidio. ᵈᵈ ²²Oherwydd y sawl oedd yn
gaethwas pan alwyd ef i fod yn yr
Arglwydd, dyn rhydd yr Arglwydd ydyw.
Yr un modd, y sawl oedd yn rhydd pan
alwyd ef, caethwas Crist ydyw. ²³Am bris
y'ch prynwyd chwi. Peidiwch â mynd yn
gaethweision dynion. ²⁴Arhosed pob un
gerbron Duw, frodyr, yn y cyflwr hwnnw
yr oedd ynddo pan gafodd ei alw.

ᵈᵈNeu, *a hyd yn oed os gelli ennill dy ryddid, manteisia, yn hytrach, ar gyfle dy gaethiwed.*

Y Rhai Dibriod a'r Gweddwon

25 Ynglŷn â'r gwyryfon, nid oes gennyf orchymyn gan yr Arglwydd, ond yr wyf yn rhoi fy marn fel un y gellir, trwy drugaredd yr Arglwydd, ddibynnu arno. ²⁶Yn fy meddwl i, peth da, yn wyneb yr argyfwng sydd yn pwyso arnom, yw i ddyn aros fel y mae. ²⁷A wyt yn rhwym wrth wraig? Paid â cheisio dy ryddhau. A wyt yn rhydd oddi wrth wraig? Paid â cheisio gwraig. ²⁸Ond os priodi a wnei, ni fyddi wedi pechu. Ac os prioda gwyryf, ni fydd wedi pechu. Ond fe gaiff rhai felly flinder i'r cnawd, ac am eich arbed yr wyf fi. ²⁹Hyn yr wyf yn ei ddweud, frodyr: y mae'r amser wedi mynd yn brin. Am yr hyn sydd ar ôl ohono, bydded i'r rhai sydd â gwragedd ganddynt fod fel pe baent heb wragedd, ³⁰a'r rhai sy'n wylo fel pe na baent yn wylo, a'r rhai sy'n llawenhau fel pe na baent yn llawenhau, a'r rhai sy'n prynu fel rhai heb feddu dim, ³¹a'r rhai sy'n ymwneud â'r byd fel pe na baent yn ymwneud ag ef. Oherwydd mynd heibio y mae holl drefn y byd hwn. ³²Carwn ichwi fod yn ddibryder. Y mae'r dyn dibriod yn pryderu am bethau'r Arglwydd, sut i foddhau'r Arglwydd. ³³Ond y mae'r gŵr priod yn pryderu am bethau'r byd, sut i foddhau ei wraig, ³⁴ac y mae rhwng dau feddwl. A'r ferch ddibriod a'r wyryf, pryderu y maentᵉ am bethau'r Arglwydd, er mwyn bod yn sanctaidd mewn corff yn ogystal ag ysbryd. Ond y mae'r wraig briod yn pryderu am bethau'r byd, sut i foddhau ei gŵr. ³⁵Yr wyf yn dweud hyn er eich lles chwi eich hunain; nid er mwyn eich dal yn ôl, ond er mwyn gwedduster, ac ymroddiad diwyro i'r Arglwydd.

36 Os oes unrhyw un yn teimlo ei fod yn ymddwyn yn anweddaidd tuag at ei ddyweddiᶠ, os yw ei nwydau'n rhy gryfᶠᶠ ac felly y peth yn anorfod, gwnaed yn ôl ei ddymuniad; nid yw'n pechu; bydded iddynt briodi. ³⁷Ond y sawl sydd yn aros yn gadarn ei feddwl, heb fod dan orfod, ond yn cadw ei ddymuniad dan reolaeth, ac yn penderfynu yn ei feddwl gadw ei ddyweddiᵍ yn wyryf, bydd yn gwneud yn dda. ³⁸Felly bydd yr hwn sydd yn priodi ei ddyweddiⁿᵍ yn gwneud yn dda, ond bydd y dyn nad yw'n priodiʰ yn gwneud yn well.

39 Y mae gwraig yn rhwym i'w gŵr cyhyd ag y mae ef yn fyw. Ond os bydd ei gŵr farw, y mae'n rhydd i briodi pwy bynnag a fyn, dim ond iddi wneud hynny yn yr Arglwydd. ⁴⁰Ond bydd yn ddedwyddach o aros fel y mae, yn ôl fy marn i. Ac yr wyf yn meddwl bod Ysbryd Duw gennyf fi hefyd.

Bwyd wedi ei Aberthu i Eilunod

8 Ynglŷn â bwyd sydd wedi ei aberthu i eilunod, y mae'n wir, fel y dywedwch, "fod gennym i gyd wybodaeth." Y mae "gwybodaeth" yn peri i ddyn ymchwyddo, ond y mae cariad yn adeiladu. ²Os oes rhywun yn tybio iddo ddod i wybod rhywbeth, nid yw eto'n gwybod fel y dylai wybod. ³Os oes rhywun yn caru Duw,ⁱ y mae wedi ei adnabod gan Dduw. ⁴Felly, ynglŷn â bwyta'r hyn sydd wedi ei aberthu i eilunod, gwyddom nad oes "dim eilun yn y cyfanfyd", ac nad oes "dim duw ond un." ⁵Oherwydd hyd yn oed os oes rhai a elwir yn dduwiau, naill ai yn y nef neu ar y ddaear—fel yn wir y mae "duwiau" lawer ac "arglwyddi" lawer—⁶eto, i ni, un Duw sydd —y Tad, ffynhonnell pob peth, a diben ein bod; ac un Arglwydd Iesu Grist—cyfrwng pob peth, a chyfrwng ein bywyd ni.

7 Ond nid yw'r wybodaeth hon gan bawb. Y mae rhai, oherwydd eu bod hyd yma wedi arfer ag eilunod, yn dal i fwyta'r bwyd fel peth wedi ei aberthu i eilunod; ac y mae eu cydwybod, gan ei bod yn wan, yn cael ei llygru. ⁸Nid bwyd sy'n mynd i'n cymeradwyo ni i Dduw. Nid ydym ar ein colled o beidio â bwyta, nac ar ein hennill o fwyta. ⁹Ond gwyliwch rhag i'r hawl yma sydd gennych fod yn achos cwymp mewn unrhyw fodd i'r rhai gwan. ¹⁰Oherwydd os bydd i rywun dy weld di, sy'n meddu ar "wybodaeth", yn bwyta mewn teml eilunod, oni chadarnheir ei gydwybod, ac yntau'n wan, i fwyta pethau wedi eu haberthu i eilunod? ¹¹Felly, trwy dy "wybodaeth" di, fe ddinistrir yr un gwan, dy frawd y bu Crist farw drosto. ¹²Wrth bechu fel hyn yn erbyn eich brodyr, a chlwyfo eu cyd-

---

ᵉYn ôl darlleniad arall, *sut i foddhau ei wraig. Ac y mae gwahaniaeth rhwng y wraig a'r wyryf. Y mae'r ferch ddibriod yn pryderu.* ᶠNeu, *ei gymar mewn gwyryfdod.*
ᶠᶠNeu, *tuag at ei ferch sy'n wyryf, os yw hi wedi hen gyrraedd oed priodi.*
ᵍNeu, *ei gymar.* Neu, *ei ferch.* ⁿᵍNeu, *yn priodi ei gymar.* Neu, *yn rhoi ei ferch i'w phriodi.*
ʰNeu, *ei rhoi i'w phriodi..* ⁱYn ôl darlleniad arall, *Os oes rhywun yn caru.*

wybod, a hithau'n wan, yr ydych yn pechu yn erbyn Crist. ¹³Am hynny, os yw bwyd yn achos cwymp i'm brawd, ni fwytâf fi gig byth, rhag i mi achosi cwymp i'm brawd.

Hawliau Apostol

9 Onid wyf fi'n rhydd? Onid wyf yn apostol? Onid wyf wedi gweld Iesu, ein Harglwydd? Onid fy ngwaith i ydych chwi yn yr Arglwydd? ²Os nad wyf yn apostol i eraill, o leiaf yr wyf felly i chwi; oherwydd chwi yw sêl fy apostolaeth, yn yr Arglwydd.

3 Fy ateb i'r rhai sy'n eistedd mewn barn arnaf yw hyn: ⁴onid oes gennym hawl i fwyta ac yfed? ⁵Onid oes gennym hawl i fynd â gwraig sy'n Gristion o gwmpas gyda ni, fel y gwna'r apostolion eraill, a brodyr yr Arglwydd, a Ceffas? ⁶Neu ai myfi a Barnabas yn unig sydd heb yr hawl i beidio ag ennill ein bywoliaeth? ⁷Pwy yn y byd sy'n rhoi gwasanaeth milwr ar ei draul ei hun? Pwy sy'n plannu gwinllan heb fwyta o'r ffrwyth? Pwy sy'n bugeilio praidd heb yfed o'r llaeth? ⁸Ai ar awdurdod dyn yr wyf yn dweud hyn? Onid yw'r Gyfraith hefyd yn ei ddweud? ⁹Oherwydd yng Nghyfraith Moses y mae'n ysgrifenedig: "Nid wyt i roi genfa am safn ych tra bydd yn dyrnu." Ai am ychen y mae gofal Duw? ¹⁰Onid yw'n eglur mai er ein mwyn ni y mae'n ei ddweud? Ic, er ein mwyn ni yr ysgrifennwyd ef, oherwydd dylai'r arddwr aredig, a'r dyrnwr ddyrnu, mewn gobaith am gael cyfran o'r cnwd. ¹¹Os ydym ni wedi hau had ysbrydol er eich lles chwi, a yw'n ormod inni fedi cnwd materol ar eich traul chwi? ¹²Os oes gan eraill ran yn yr hawl hon arnoch, oni ddylem ni gael mwy?

Ond nid ydym wedi arfer yr hawl hon; yn hytrach, yr ydym yn goddef pob peth, rhag inni osod unrhyw rwystr ar ffordd Efengyl Crist. ¹³Oni wyddoch fod y sawl sy'n cyflawni gwasanaethau'r deml yn cael eu bwyd o'r deml, a bod y rhai sy'n gweini wrth yr allor yn cael eu cyfran o aberthau'r allor? ¹⁴Yn yr un modd hefyd, rhoddodd yr Arglwydd orchymyn i'r rhai sy'n cyhoeddi'r Efengyl, eu bod i fyw ar draul yr Efengyl. ¹⁵Ond nid wyf fi wedi manteisio ar ddim o'r hawliau hyn. Ac nid er mwyn cael dim o'r fath i mi fy hun yr wyf yn ysgrifennu hyn. Byddai'n

¹Yn ôl darlleniad arall, *i gyd gymryd.*

well gennyf farw na hynny. Ni chaiff neb droi fy ymffrost yn wagedd. ¹⁶Oherwydd os wyf yn pregethu'r Efengyl, nid yw hynny'n achos ymffrost i mi, gan fod rheidrwydd wedi ei osod arnaf. Gwae fi os na phregethaf yr Efengyl! ¹⁷Os o'm gwirfodd yr wyf yn gwneud hyn, y mae imi dâl; ond os o'm hanfodd, gorchwyl sydd wedi ei ymddiried imi. ¹⁸Beth, felly, yw fy nhâl? Hyn ydyw: fy mod, wrth bregethu, yn cyflwyno'r Efengyl am ddim, heb fanteisio o gwbl ar fy hawl yn yr Efengyl.

19 Oherwydd, er fy mod yn rhydd oddi wrth bawb, yr wyf wedi fy ngwneud fy hun yn gaethwas i bawb, er mwyn ennill rhagor ohonynt. ²⁰I'r Iddewon, euthum fel Iddew, er mwyn ennill Iddewon. I'r rhai sydd dan y Gyfraith, fel un ohonynt hwy—er nad wyf fy hunan dan y Gyfraith—er mwyn ennill y rhai sydd dan y Gyfraith. ²¹I'r rhai sydd y tu allan i'r Gyfraith, fel un ohonynt hwythau—er nad wyf y tu allan i Gyfraith Duw, gan fy mod dan Gyfraith Crist—er mwyn ennill y rhai sydd y tu allan i'r Gyfraith. ²²I'r gweiniaid, euthum yn wan, er mwyn ennill y gweiniaid. Yr wyf wedi mynd yn bob peth i bawb, er mwyn imi, mewn rhyw fodd neu'i gilydd, achub rhai. ²³Dros yr Efengyl yr wyf yn gwneud pob peth, er mwyn i mi gael fy nghyfran ynddi.

24 Oni wyddoch am y rhai sy'n rhedeg mewn ras, eu bod i gyd yn rhedeg, ond mai un sy'n derbyn y wobr? Fel hwythau, rhedwch i ennill. ²⁵Y mae pob mabolgampwr yn arfer hunanreolaeth ym mhopeth; y maent hwy, yn wir, yn gwneud hynny er mwyn ennill torch lygradwy, ond y mae gennym ni un anllygradwy. ²⁶Yr wyf fi, gan hynny, yn rhedeg fel un sydd â'r nod yn sicr o'i flaen. Yr wyf yn cwffio, nid fel un sy'n curo'r awyr â'i ddyrnau. ²⁷Yr wyf yn cernodio fy nghorff, ac yn ei gaethiwo, rhag i mi, sydd wedi pregethu i eraill, fy nghael fy hun yn wrthodedig.

Rhybudd Rhag Eilunaddoliaeth

10 Yr wyf am i chwi wybod, fy mrodyr, i'n tadau i gyd fod dan y cwmwl, iddynt i gyd fynd drwy'r môr, ²iddynt i gyd gael¹ eu bedyddio i Moses yn y cwmwl ac yn y môr, ³iddynt i gyd fwyta'r un bwyd ysbrydol ⁴ac yfed yr un ddiod ysbrydol; oherwydd yr oeddent yn yfed o'r graig ysbrydol oedd yn eu dilyn. A Christ oedd y graig honno. [5]Eto nid oedd y rhan fwyaf ohonynt wrth fodd Duw; oherwydd fe'u gwasgarwyd hwy'n gyrff yn yr anialwch. [6]Digwyddodd y pethau hyn yn esiamplau i ni, i'n rhybuddio rhag chwenychu pethau drwg, fel y gwnaethant hwy. [7]Peidiwch â bod yn eilunaddolwyr, fel rhai ohonynt hwy; fel y mae'n ysgrifenedig, "Eisteddodd y bobl i fwyta ac yfed, a chodi i ddawnsio." [8]Peidiwn chwaith â godinebu, fel y gwnaeth rhai ohonynt hwy—a syrthiodd tair mil ar hugain mewn un diwrnod. [9]Peidiwn â gosod Crist[ll] ar ei brawf, fel y gwnaeth rhai ohonynt hwy—ac fe'u difethwyd gan seirff. [10]Peidiwch â grwgnach, fel y gwnaeth rhai ohonynt hwy— ac fe'u difethwyd gan y Dinistrydd. [11]Yn awr, digwyddodd y pethau hyn iddynt hwy fel esiamplau, ac fe'u hysgrifennwyd fel rhybudd i ni, rhai y daeth terfyn yr oesoedd arnom. [12]Felly, bydded i'r sawl sy'n tybio ei fod yn sefyll, wylio rhag iddo syrthio. [13]Nid oes un prawf wedi dod ar eich gwarthaf nad yw'n gyffredin i ddynion. Gallwch ymddiried yn Nuw, ac nid yw ef am adael ichwi gael eich profi y tu hwnt i'ch gallu; yn wir, gyda'r prawf, fe rydd ef ddihangfa hefyd, a'ch galluogi i ymgynnal dano.

14 Felly, fy nghyfeillion annwyl, ffowch oddi wrth eilunaddoliaeth. [15]Yr wyf yn siarad â chwi fel dynion synhwyrol; barnwch chwi'r hyn yr wyf yn ei ddweud. [16]Cwpan y fendith yr ydym yn ei fendithio, onid cydgyfranogiad o waed Crist ydyw? A'r bara yr ydym yn ei dorri, onid cydgyfranogiad o gorff Crist ydyw? [17]Gan mai un yw'r bara, yr ydym ni, a ninnau'n llawer, yn un corff, oherwydd yr ydym i gyd yn cyfranogi o'r un bara. [18]Edrychwch ar yr Israel hanesyddol. Onid yw'r rhai sy'n bwyta'r ebyrth yn gydgyfranogion o'r allor? [19]Beth, felly, yr wyf yn ei ddweud? Bod bwyd sydd wedi ei aberthu i eilunod yn rhywbeth? Neu fod eilun yn rhywbeth? [20]Nage, ond mai i gythreuliaid, ac nid i Dduw, y maent[m] yn aberthu eu hebyrth, ac na fynnwn i chwi fod yn gydgyfranogion o gythreuliaid.[n] [21]Ni allwch yfed cwpan yr Arglwydd a chwpan cythreuliaid; ni allwch gyfranogi o fwrdd yr

Arglwydd ac o fwrdd cythreuliaid. [22]A ydym yn mynnu cyffroi eiddigedd yr Arglwydd? A ydym yn gryfach nag ef?

Gwnewch Bopeth er Gogoniant Duw

23 "Y mae popeth yn gyfreithlon," meddwch; ond nid yw popeth er lles. "Y mae popeth yn gyfreithlon," meddwch; ond nid yw popeth yn adeiladu. [24]Peidied neb â cheisio'i les ei hun, ond lles ei gymydog. [25]Bwytewch bopeth a werthir yn y farchnad gig, heb holi'n fanwl yn ei gylch ar dir cydwybod. [26]Oherwydd eiddo'r Arglwydd yw'r ddaear a'i llawnder. [27]Os cewch wahoddiad gan anghredadun, ac os oes awydd arnoch fynd, bwytewch bopeth a osodir ger eich bron, heb holi'n fanwl yn ei gylch ar dir cydwybod. [28]Ond os dywed rhywun wrthych, "Peth wedi ei offrymu yn aberth yw hwn", peidiwch â'i fwyta, er mwyn y dyn a alwodd eich sylw at y peth, ac er mwyn cydwybod; [29]nid eich cydwybod chwi yr wyf yn ei olygu, ond ei gydwybod ef. Pam, yn wir, y mae fy rhyddid i yn cael ei farnu gan gydwybod rhywun arall? [30]Os wyf fi'n cymryd fy mwyd â diolch, pam y ceir bai arnaf ar gyfrif bwyd yr wyf yn diolch i Dduw amdano? [31]Felly, beth bynnag a wnewch, prun ai bwyta, neu yfed, neu unrhyw beth arall, gwnewch bopeth er gogoniant Duw. [32]Peidiwch â bod yn achos tramgwydd i'r Iddewon na'r Groegiaid, nac i eglwys Dduw. [33]Byddwch yn debyg i minnau; yr wyf fi'n ceisio boddhau pawb ym mhob peth, heb geisio fy lles fy hun, ond lles y lliaws, iddynt gael eu hachub.

11 Byddwch yn efelychwyr ohonof fi, fel y wyf finnau o Grist.

Gorchuddio Pennau Gwragedd

2 Yr wyf yn eich canmol chwi am eich bod yn fy nghofio ym mhob peth, ac yn cadw'r traddodiadau fel y traddodais hwy ichwi. [3]Ond yr wyf am ichwi wybod mai pen pob gŵr yw Crist, ac mai pen y wraig yw'r gŵr, ac mai pen Crist yw Duw. [4]Y mae pob gŵr sy'n gweddïo neu'n proff wydo â rhywbeth am ei ben yn gwarad wyddo'i ben. [5]Ond y mae pob gwraig sy'n gweddïo neu'n proffwydo heb orchudo ar ei phen yn gwaradwyddo'i phen; y mae hi'n union fel merch sydd wedi ei heillio. [6]Oherwydd os yw gwraig heb orchuddio

[ll]Yn ôl darlleniad arall, gosod yr Arglwydd.
[n]Neu, yn gydgyfrannog â chythreuliaid.

[m]Yn ôl darlleniad arall, y mae'r paganiaid.

phen, yna fe ddylai hi dorri ei gwallt yn llwyr. Ond os yw'n waradwydd i wraig dorri ei gwallt neu eillio ei phen, fe ddylai hi wisgo gorchudd. ⁷Ni ddylai gŵr orchuddio'i ben, ac yntau ar ddelw Duw ac yn ddrych o'i ogoniant ef. Ond drych o ogoniant y gŵr yw'r wraig. ⁸Oherwydd nid y gŵr a ddaeth o'r wraig, ond y wraig o'r gŵr. ⁹Ac ni chrewyd y gŵr er mwyn y wraig, ond y wraig er mwyn y gŵr. ¹⁰Am hynny, dylai'r wraig gael arwydd awdurdod° ar ei phen, o achos yr angylion. ¹¹Beth bynnag am hynny, yn yr Arglwydd nid yw'r wraig yn ddim heb y gŵr, na'r gŵr yn ddim heb y wraig. ¹²Oherwydd fel y daeth y wraig o'r gŵr, felly hefyd y daw'r gŵr drwy'r wraig. A daw'r cwbl o Dduw. ¹³Barnwch drosoch eich hunain: a yw'n weddus i wraig weddïo ar Dduw heb orchudd ar ei phen? ¹⁴Onid yw natur ei hun yn eich dysgu mai anfri yw i ddyn dyfu ei wallt yn hir, ¹⁵ond mai gogoniant gwraig yw tyfu ei gwallt hi'n hir? Oherwydd rhoddwyd ei gwallt iddi hi i fod yn fantell iddi. ¹⁶Ond os myn neb fod yn gecrus, nid oes gennym ni unrhyw arfer o'r fath, na chan eglwysi Duw chwaith.

Difrïo Swper yr Arglwydd

17 Ond wrth eich cyfarwyddo, dyma rywbeth nad wyf yn ei ganmol ynoch, eich bod yn ymgynnull, nid er gwell, ond er gwaeth. ¹⁸Yn gyntaf, pan fyddwch yn ymgynnull fel eglwys, yr wyf yn clywed bod ymraniadau yn eich plith, ac 'rwy'n credu bod peth gwir yn hyn. ¹⁹Oherwydd y mae pleidiau yn eich plith yn anghenraid, er mwyn i'r rhai dilys yn eich mysg ddod i'r golwg. ²⁰Felly, pan fyddwch yn ymgynnull, nid i fwyta swper yr Arglwydd y byddwch yn gwneud hynny, ²¹oherwydd yn y bwyta y mae pob un yn rhuthro i gymryd ei swper ei hun, ac y mae eisiau bwyd ar un, ac un arall yn feddw. ²²Onid oes gennych dai i fwyta ac yfed ynddynt? Neu a ydych yn mynnu dirmygu eglwys Dduw, a pheri cywilydd i'r rhai sydd heb ddim? Beth a ddywedaf wrthych? A wyf i'ch canmol? Yn hyn o beth, nid wyf yn eich canmol.

Sefydlu Swper yr Arglwydd
(Mth. 26:26-29; Mc. 14:22-25; Lc. 22:14-20)

23 Oherwydd fe dderbyniais i oddi wrth yr Arglwydd yr hyn hefyd a dradd-

odais i chwi: i'r Arglwydd Iesu, y nos y bradychwyd ef, gymryd bara; ²⁴ac wedi iddo ddiolch, fe'i torrodd, a dywedodd, "Hwn yw fy nghorff, syddᴾ er eich mwyn chwi. Gwnewch hyn er cof amdanaf." ²⁵Yr un modd hefyd fe gymerodd y cwpan, ar ôl swper, gan ddweud, "Y cwpan hwn yw'r cyfamod newydd, yn fy ngwaed i. Gwnewch hyn, bob tro yr yfwch ef, er cof amdanaf." ²⁶Oherwydd bob tro y byddwch yn bwyta'r bara hwn ac yn yfed y cwpan hwn, yr ydych yn cyhoeddi marwolaeth yr Arglwydd, hyd nes y daw.

Cyfranogi o'r Swper yn Annheilwng

27 Felly, pwy bynnag fydd yn bwyta'r bara neu'n yfed cwpan yr Arglwydd yn annheilwng, bydd yn euog o halogi corff a gwaed yr Arglwydd. ²⁸Bydded i ddyn ci holi ei hunan, ac felly bwyta o'r bara ac yfed o'r cwpan. ²⁹Oherwydd y mae'r sawl sydd yn bwyta ac yn yfed, os nad yw'n dirnad y corff, yn bwyta ac yn yfed barn arno'i hun. ³⁰Dyna pam y mae llawer yn eich plith yn wan ac yn glaf, a chryn nifer wedi marw. ³¹Ond pe baem yn ein barnu ein hunain yn iawn, ni fyddem yn dod dan farn. ³²Ond pan fernir ni gan yr Arglwydd, cael ein disgyblu yr ydym, rhag i ni gael ein condemnio gyda'r byd. ³³Felly, fy mrodyr, pan fyddwch yn ymgynnull i fwyta, arhoswch am eich gilydd. ³⁴Os bydd ar rywun eisiau bwyd, bydded iddo fwyta gartref, rhag i'ch ymgynulliad arwain i farn arnoch. Ond am y pethau eraill, caf roi trefn arnynt pan ddof atoch.

Doniau Ysbrydol

12 Ynglŷn â doniau ysbrydol, frodyr, nid wyf am ichwi fod heb wybod amdanynt. ²Fe wyddoch sut y byddech yn cael eich ysgubo i ffwrdd ar eilunod mud, pan oeddech yn baganiaid. ³Am hynny, yr wyf yn eich hysbysu nad yw neb sydd yn llefaru trwy Ysbryd Duw yn dweud, "Melltith ar Iesu!" Ac ni all neb ddweud, "Iesu yw'r Arglwydd!" ond trwy yr Ysbryd Glân.

4 Y mae amrywiaeth doniau, ond yr un Ysbryd sy'n eu rhoi; ⁵ac y mae amrywiaeth gweinidogaethau, ond yr un Arglwydd sy'n eu rhoi; ⁶ac y mae amrywiaeth gweithrediadau, ond yr un Duw sydd yn gweithredu pob peth ym mhawb. ⁷Rhoddir amlygiad o'r Ysbryd i bob un,

°Yn ôl darlleniad arall, *gael gorchudd.*   ᴾYn ôl darlleniad arall, *sydd yn cael ei dorri.*

er lles pawb. ⁸Oherwydd fe roddir i un, trwy'r Ysbryd, lefaru doethineb; i un arall, lefaru gwybodaeth, yn ôl yr un Ysbryd; ⁹i un arall rhoddir ffydd, trwy'r un Ysbryd; i un arall ddoniau iacháu, yn yr un Ysbryd; ¹⁰i un arall gyflawni gwyrthiau, i un arall broffwydo, i un arall wahaniaethu rhwng ysbrydoedd, i un arall lefaru â thafodau, i un arall ddehongli tafodau. ¹¹A'r holl bethau hyn, yr un a'r unrhyw Ysbryd sydd yn eu gweithredu, gan rannu, yn ôl ei ewyllys, i bob un ar wahân.

Llawer o Aelodau mewn Un Corff

12 Oherwydd fel y mae'r corff yn un, a chanddo lawer o aelodau, a'r rheini oll, er eu bod yn llawer, yn un corff, fel hyn y mae Crist hefyd. ¹³Oherwydd mewn un Ysbryd y cawsom i gyd ein bedyddio i un corff, boed yn Iddewon neu yn Roegiaid, yn gaethweision neu yn rhyddion, a rhoddwyd i bawb ohonom un Ysbryd i'w yfed. ¹⁴Oherwydd nid un aelod yw'r corff, ond llawer. ¹⁵Os dywed y troed, "Gan nad wyf yn llaw, nid wyf yn rhan o'r corff", nid yw am hynny heb fod yn rhan o'r corff. ¹⁶Ac os dywed y glust, "Gan nad wyf yn llygad, nid wyf yn rhan o'r corff", nid yw am hynny heb fod yn rhan o'r corff. ¹⁷Petai'r holl gorff yn llygad, lle byddai'r clyw? Petai'r cwbl yn glyw, lle byddai'r arogli? ¹⁸Ond fel y mae, gosododd Duw yr aelodau, bob un ohonynt, yn y corff fel y gwelodd ef yn dda. ¹⁹Pe baent i gyd yn un aelod, lle byddai'r corff? ²⁰Ond fel y mae, llawer yw'r aelodau, ond un yw'r corff. ²¹Ni all y llygad ddweud wrth y llaw, "Nid oes arnaf dy angen di", na'r pen chwaith wrth y traed, "Nid oes arnaf eich angen chwi." ²²I'r gwrthwyneb yn hollol, y mae'r aelodau hynny o'r corff sy'n ymddangos yn wannaf yn angenrheidiol; ²³a'r rhai sydd leiaf eu parch yn ein tyb ni, yr ydym yn amgylchu'r rheini â pharch neilltuol; ac y mae ein haelodau anweddaidd yn cael gwedduster neilltuol. ²⁴Ond nid oes ar ein haelodau gweddus angen hynny. Gosododd Duw y corff wrth ei gilydd, gan roi parchusrwydd neilltuol i'r aelod oedd heb ddim parch, ²⁵rhag bod ymraniad yn y corff, ac er mwyn i'r holl aelodau gymryd yr un gofal dros ei gilydd. ²⁶Os bydd un aelod yn dioddef, y mae pob aelod yn dioddef gydag ef; neu

os bydd un aelod yn cael ei anrhydeddu, y mae pob aelod yn llawenhau gydag ef. 27 Yn awr, chwi yw corff Crist, ac y mae i bob un ohonoch ei le fel aelod. ²⁸Ymhlith y rhain y mae Duw wedi gosod yn yr eglwys, yn gyntaf apostolion, yn ail broffwydi, yn drydydd athrawon, yna cyflawni gwyrthiau, yna doniau iacháu, cynorthwyo, cyfarwyddo, llefaru â thafodau. ²⁹A yw pawb yn apostol? A yw pawb yn broffwyd? A yw pawb yn athro? A yw pawb yn gyflawnwr gwyrthiau? ³⁰A oes gan bawb ddoniau iacháu? A yw pawb yn llefaru â thafodau? A yw pawb yn dehongli? ³¹Ond rhowch eich bryd ar y doniau gorau.

Cariad

Ac yr wyf am ddangos i chwi ffordd ragorach fyth.

13 Os llefaraf â thafodau dynion ac angylion, a heb fod gennyf gariad, efydd swnllyd ydwyf, neu symbal aflafar. ²Ac os oes gennyf ddawn proffwydo, ac os wyf yn gwybod y dirgelion i gyd, a phob gwybodaeth, ac os oes gennyf gymaint o ffydd nes gallu symud mynyddoedd, a heb fod gennyf gariad, nid wyf ddim. ³Ac os rhof fy holl feddiannau i borthi eraill, ac os rhof fy nghorff yn aberth, a hynny er mwyn ymffrostio,ᵖʰ heb fod gennyf gariad, ni wna hyn ddim lles imi.

4 Y mae cariad yn hirymarhous; y mae cariad yn gymwynasgar; nid yw cariad yn cenfigennu, nid yw'n ymffrostio, nid yw'n ymchwyddo. ⁵Nid yw'n gwneud dim sy'n anweddus, nid yw'n ceisio ei ddibenion ei hun, nid yw'n gwylltio, nid yw'n cadw cyfrif o gam; ⁶nid yw'n cael llawenydd mewn anghyfiawnder, ond y mae'n cydlawenhau â'r gwirionedd. ⁷Y mae'n goddef i'r eithaf, yn credu i'r eithaf, yn gobeithio i'r eithaf, yn dal ati i'r eithaf.

8 Nid yw cariad yn darfod byth. Ond proffwydoliaethau, fe'u diddymir hwy; a thafodau, bydd taw arnynt hwy; a gwybodaeth, fe'i diddymir hithau. ⁹Oherwydd amherffaith yw ein gwybod, ac amherffaith ein proffwydo. ¹⁰Ond pan ddaw'r hyn sydd berffaith, fe ddiddymir yr hyn sydd amherffaith. ¹¹Pan oeddwn yn blentyn, fel plentyn yr oeddwn yn llefaru, fel plentyn yr oeddwn yn meddwl, fel plentyn yr oeddwn yn rhesymu. Ond

---

ᵖʰ Yn ôl darlleniad arall, *fy nghorff i'w losgi.*

wedi dod yn ddyn, yr wyf wedi rhoi heibio bethau'r plentyn. [12]Yn awr, gweld mewn drych yr ydym, a hynny'n aneglur; ond yna cawn weld wyneb yn wyneb. Yn awr, amherffaith yw fy ngwybod; ond yna, caf adnabod fel y cefais innau fy adnabod. [13]Mewn gair, y mae ffydd, gobaith, cariad, y tri hyn, yn aros. A'r mwyaf o'r rhain yw cariad.

Dawn Tafodau a Dawn Proffwydo

14 Dilynwch gariad yn daer, a rhowch eich bryd ar y doniau ysbrydol, yn enwedig dawn proffwydo. [2]Oherwydd y mae'r sawl sydd yn llefaru â thafodau yn llefaru, nid wrth ddynion, ond wrth Dduw. Nid oes unrhyw ddyn yn ei ddeall; llefaru pethau dirgel y mae, yn yr Ysbryd. [3]Ond y mae'r sawl sy'n proffwydo yn llefaru wrth ddynion bethau sy'n eu hadeiladu a'u calonogi a'u cysuro. [4]Y mae'r sawl sy'n llefaru â thafodau yn ei adeiladu ei hun, ond y mae'r sawl sy'n proffwydo yn adeiladu'r eglwys. [5]Mi hoffwn ichwi i gyd lefaru â thafodau, ond yn fwy byth ichwi broffwydo. Y mae'r dyn sy'n proffwydo yn well na'r dyn sy'n llefaru â thafodau, os na all hwnnw ddehongli'r hyn y mae'n ei ddweud, er mwyn i'r eglwys gael adeiladaeth.

6 Yn awr, frodyr, os dof atoch gan lefaru â thafodau, pa les a wnaf i chwi, os na ddywedaf rywbeth wrthych sy'n ddatguddiad, neu wybodaeth, neu broffwydoliaeth, neu hyfforddiant? [7]Ystyriwch offerynnau difywyd sy'n cynhyrchu sŵn, fel pibell neu delyn; os na seiniant eu nodau bob un ar wahân, sut y mae gwybod beth sy'n cael ei ganu arnynt? [8]Ac os yw'r utgorn yn rhoi nodyn aneglur, pwy sy'n mynd i'w arfogi ei hun i frwydr? [9]Felly chwithau: wrth lefaru â thafodau, os na thraethwch air y gellir ei ddeall, pa fodd y gall neb wybod beth a ddywedir? Malu awyr y byddwch. [10]Mor niferus yw'r mathau o leferydd a ddichon fod yn y byd! Ac nid oes dim oll heb leferydd. [11]Ond os nad wyf yn deall ystyr y lleferydd, byddaf yn farbariad aflafar i'r llefarwr, ac yntau i minnau. [12]Gan eich bod chwi, felly, yn dyheu am ddoniau'r Ysbryd, ceisiwch gyflawnder o'r rhai sy'n adeiladu'r eglwys. [13]Felly, bydded i'r sawl sy'n llefaru â thafodau weddïo am y gallu i ddehongli. [14]Oherwydd os byddaf yn gweddïo â thafodau,

y mae fy ysbryd yn gweddïo, ond y mae fy meddwl yn ddiffrwyth. [15]Beth a wnaf, felly? Mi weddïaf â'm hysbryd, ond mi weddïaf â'm deall hefyd. Mi ganaf â'r ysbryd, ond mi ganaf â'r deall hefyd. [16]Onid e, os byddi'n moliannu â'r ysbryd, pa fodd y gall rhywun sydd heb ei hyfforddi ddweud yr "Amen" i'r diolch yr wyt yn ei roi, os nad yw'n deall beth yr wyt yn ei ddweud? [17]Yr wyt ti'n wir yn rhoi'r diolch yn ddigon da, ond nid yw'r dyn arall yn cael ei adeiladu. [18]Diolch i Dduw, yr wyf fi'n llefaru â thafodau yn fwy na chwi i gyd. [19]Ond yn yr eglwys, y mae'n well gennyf lefaru pum gair â'm deall, er mwyn hyfforddi eraill, na deng mil o eiriau â thafodau.

20 Fy mrodyr, peidiwch â bod yn blantos o ran deall; byddwch yn fabanod mewn drygioni, ond yn aeddfed o ran deall. [21]Y mae'n ysgrifenedig yn y Gyfraith:

> "'Trwy ddynion o dafodau dieithr,
> ac â gwefusau estroniaid,
> y llefaraf wrth y bobl hyn,
> ac eto ni wrandawant arnaf,'

medd yr Arglwydd." [22]Arwyddion yw tafodau, felly, nid i gredinwyr, ond i anghredinwyr; ond proffwydoliaeth, nid i anghredinwyr y mae, ond i gredinwyr. [23]Felly, pan ddaw holl aelodau'r eglwys ynghyd i'r un lle, os bydd pawb yn llefaru â thafodau, a phobl heb eu hyfforddi, neu anghredinwyr, yn dod i mewn, oni ddywedant eich bod yn wallgof? [24]Ond os bydd pawb yn proffwydo, ac anghredadun neu rywun heb ei hyfforddi yn dod i mewn, fe'i hargyhoeddir gan bawb, a'i ddwyn i farn gan bawb; [25]daw pethau cuddiedig ei galon i'r amlwg, ac felly, bydd yn syrthio ar ei wyneb ac yn addoli Duw a dweud, "Y mae Duw yn wir yn eich plith."

Popeth i'w Wneud mewn Trefn

26 Beth amdani, ynteu, frodyr? Pan fyddwch yn ymgynnull, bydd gan bob un ei salm, ei air o hyfforddiant, ei ddatguddiad, ei lefaru â thafodau, ei ddehongliad. Gadewch i bob peth fod er adeiladaeth. [27]Os oes rhywun yn llefaru â thafodau, bydded i ddau yn unig, neu dri ar y mwyaf, lefaru, a phob un yn ei dro; a bydded i rywun ddehongli. [28]Os nad oes dehonglydd yn bresennol, bydded y llefarwr yn ddistaw yn y gynulleidfa, a llefaru wrtho'i hun ac wrth Dduw. [29]Dim

ond dau neu dri o'r proffwydi sydd i lefaru, a'r lleill i bwyso'r neges. ³⁰Os daw datguddiad i rywun arall sy'n eistedd gerllaw, bydded i'r proffwyd sy'n llefaru dewi. ³¹Oherwydd gall pawb ohonoch broffwydo, bob yn un, er mwyn i bawb gael addysg a chysur. ³²Ac y mae ysbryd pob proffwyd yn ddarostyngedig i'r proffwyd. ³³Nid Duw anhrefn yw Duw, ond Duw heddwch.

Yn ôl y drefn ym mhob un o eglwysi'r saint, ³⁴dylai'r gwragedd fod yn ddistaw yn yr eglwysi, oherwydd ni chaniateir iddynt lefaru. Dylent fod yn ddarostyngedig, fel y mae'r Gyfraith hefyd yn dweud. ³⁵Os ydynt am gael gwybod rhywbeth, dylent ofyn i'w gwŷr eu hunain yn y tŷ, oherwydd peth anweddus yw i wraig lefaru yn y gynulleidfa. ³⁶Ai oddi wrthych chwi y cychwynnodd gair Duw? Neu ai atoch chwi yn unig y cyrhaeddodd?

37 Os oes rhywun ohonoch yn tybio ei fod yn broffwyd, neu'n rhywun ysbrydol, dylai gydnabod mai gorchymyn yr Arglwydd yw'r hyn yr wyf yn ei ysgrifennu atoch. ³⁸Os oes rhywun nad yw'n cydnabod hynny, ni chydnabyddir mohono yntau.ʳ ³⁹Felly, fy mrodyr, rhowch eich bryd ar broffwydo, a pheidiwch â gwahardd llefaru â thafodau. ⁴⁰Dylid gwneud popeth yn weddus ac mewn trefn.

Atgyfodiad Crist

15 Ynglŷn â'r Efengyl, frodyr, a bregethais i chwi ac a dderbyniasoch chwithau, yr Efengyl sydd yn sylfaen eich bywyd ²ac yn foddion eich iachawdwriaeth, yr wyf am eich atgoffa am gynnwys yr hyn a bregethais—os ydych yn dal i lynu wrtho; onid e, yn ofer y credasoch. ³Oherwydd, yn y lle cyntaf, traddodais i chwi yr hyn a dderbyniais: i Grist farw dros ein pechodau ni, yn ôl yr Ysgrythurau; ⁴iddo gael ei gladdu, a'i gyfodi y trydydd dydd, yn ôl yr Ysgrythurau; ⁵ac iddo ymddangos i Ceffas, ac yna i'r Deuddeg. ⁶Yna, ymddangosodd i fwy na phum cant o'r brodyr ar unwaith —ac y mae'r mwyafrif ohonynt yn fyw hyd heddiw, er bod rhai wedi huno. ⁷Yna, ymddangosodd i Iago, yna i'r holl apostolion. ⁸Yn ddiwethaf oll, fe ymddangosodd i minnau hefyd, fel i ryw erthyl o apostol. ⁹Oherwydd y lleiaf o'r apostol-

ion wyf fi, un nad wyf deilwng i'm galw yn apostol, gan imi erlid eglwys Dduw. ¹⁰Ond trwy ras Duw yr wyf yr hyn ydwyf, ac ni bu ei ras ef tuag ataf yn ofer. Yn wir, mi lafuriais yn helaethach na hwy i gyd—eto nid myfi, ond gras Duw, a oedd gyda mi. ¹¹Ond prun bynnag ai myfi ai hwy, felly yr ydym yn pregethu, ac felly y credasoch chwithau.

Atgyfodiad y Meirw

12 Yn awr, os pregethir Crist, ei fod wedi ei gyfodi oddi wrth y meirw, sut y mae rhai yn eich plith yn dweud nad oes atgyfodiad y meirw? ¹³Os nad oes atgyfodiad y meirw, nid yw Crist wedi ei gyfodi chwaith. ¹⁴Ac os nad yw Crist wedi ei gyfodi, gwagedd yw ein pregethu ni, a gwagedd hefyd yw eich ffydd chwi. ¹⁵Ceir ein bod yn dystion twyllodrus i Dduw, am ein bod wedi tystiolaethu iddo gyfodi Crist—ac yntau heb wneud hynny, os yw'n wir nad yw'r meirw yn cael eu cyfodi. ¹⁶Oherwydd os nad yw'r meirw yn cael eu cyfodi, nid yw Crist wedi ei gyfodi chwaith. ¹⁷Ac os nad yw Crist wedi ei gyfodi, ofer yw eich ffydd, ac yn eich pechodau yr ydych o hyd. ¹⁸Y mae'n dilyn hefyd fod y rhai a hunodd yng Nghrist wedi darfod amdanynt. ¹⁹Os ar gyfer y bywyd hwn yn unig yr ydym wedi gobeithio yng Nghrist,ʳʰ nyni yw'r mwyaf truenus ymhlith dynion.

20 Ond y gwir yw fod Crist wedi ei gyfodi oddi wrth y meirw, yn flaenffrwyth y rhai sydd wedi huno. ²¹Gan mai trwy ddyn y daeth marwolaeth, trwy ddyn hefyd y daeth atgyfodiad y meirw. ²²Oherwydd fel y mae pawb yn marw yn Adda, felly hefyd y gwneir pawb yn fyw yng Nghrist. ²³Ond pob un yn ei briod drefn: Crist y blaenffrwyth, ac yna, ar ei ddyfodiad ef, y rhai sy'n eiddo Crist. ²⁴Yna daw'r diwedd, pan fydd Crist yn traddodi'r deyrnas i Dduw'r Tad, ar ôl iddo ddileu pob tywysogaeth, a phob awdurdod a gallu. ²⁵Oherwydd y mae'n rhaid iddo ef ddal i deyrnasu nes iddo osod ei holl elynion dan ei draed. ²⁶Y gelyn olaf a ddileir yw angau. ²⁷Oherwydd, yng ngeiriau'r Ysgrythur, "darostyngodd bob peth dan ei draed ef." Ond pan yw'r Ysgrythur yn dweud bod pob peth wedi ei ddarostwng, y mae'n amlwg nad yw hyn yn cynnwys Duw, y

ʳYn ôl darlleniad arall, *hynny, gadewch iddo beidio â'i gydnabod.*
ʳʰNeu, *bywyd hwn, yr unig beth sydd gennym yng Nghrist yw gobaith.*

un sydd wedi darostwng pob peth iddo ef. ²⁸Ond pan fydd pob peth wedi ei ddarostwng i'r Mab, yna fe ddarostyngir y Mab yntau i'r hwn a ddarostyngodd bob peth iddo ef, ac felly Duw fydd oll yn oll. 29 Os nad oes atgyfodiad, beth a wna'r rhai hynny a fedyddir dros y meirw? Os nad yw'r meirw yn cael eu cyfodi o gwbl, i ba bwrpas y bedyddir hwy drostynt? ³⁰Ac i ba ddiben yr ydym ninnau hefyd mewn perygl bob awr? ³¹Yr wyf yn marw beunydd, cyn wired â bod gennyf ymffrost ynoch, fy mrodyr, yng Nghrist Iesu ein Harglwydd. ³²Os fel dyn cyffredin yr ymleddais â bwystfilod yn Effesus,⁵ pa elw fyddai hyn imi? Os na chyfodir y meirw,

"Gadewch inni fwyta ac yfed, canys yfory byddwn farw."

³³Peidiwch â chymryd eich camarwain: "Y mae cwmni drwg yn llygru cymeriad da." ³⁴Deffrowch i'ch iawn bwyll, a chefnwch ar bechod. Oherwydd y mae rhai na wyddant ddim am Dduw. I godi cywilydd arnoch yr wyf yn dweud hyn.

Corff yr Atgyfodiad

35 Ond bydd rhywun yn dweud: "Pa fodd y mae'r meirw yn cael eu cyfodi? Â pha fath gorff y byddant yn dod?" ³⁶Ddyn ynfyd, beth am yr had yr wyt ti yn ei hau? Ni roddir bywyd iddo heb iddo farw yn gyntaf. ³⁷A'r hyn yr wyt yn ei hau, nid y corff a fydd ydyw, ond gronyn noeth, o wenith efallai, neu o ryw rawn arall. ³⁸Ond Duw, yn ôl ei ewyllys ei hun, sydd yn rhoi corff iddo, i bob un o'r hadau ei gorff ei hun. ³⁹Oherwydd nid yr un cnawd yw pob cnawd, ond un peth yw cnawd dynion, peth arall yw cnawd anifeiliaid, peth arall yw cnawd adar, a pheth arall yw cnawd pysgod. ⁴⁰Y mae hefyd gyrff nefol a chyrff daearol, ond un peth yw gogoniant y rhai nefol, a pheth gwahanol yw gogoniant y rhai daearol. ⁴¹Un peth yw gogoniant yr haul, a pheth arall yw gogoniant y lloer, a pheth arall yw gogoniant y sêr. Yn wir, y mae rhagor rhwng seren a seren mewn gogoniant. 42 Felly hefyd y bydd, gyda golwg ar atgyfodiad y meirw. Heuir mewn llygredigaeth, cyfodir mewn anllygredigaeth. ⁴³Heuir mewn gwaradwydd, cyfodir mewn gogoniant. Heuir mewn gwendid, cyfodir mewn nerth. Yn gorff anianol yr

heuir ef, yn gorff ysbrydol y cyfodir ef. ⁴⁴Os oes corff anianol, y mae hefyd gorff ysbrydol. ⁴⁵Felly, yn wir, y mae'n ysgrifenedig: "Daeth y dyn cyntaf, Adda, yn fod byw." Ond daeth yr Adda diwethaf yn ysbryd sydd yn rhoi bywyd. ⁴⁶Eithr nid yr ysbrydol sy'n dod gyntaf, ond yr anianol, ac yna'r ysbrydol. ⁴⁷Y dyn cyntaf, o'r ddaear y mae, a llwch ydyw; ond yr ail ddyn, o'r nef y mae. ⁴⁸Y mae'r rhai sydd o'r llwch yn debyg i'r dyn o'r llwch, ac y mae'r rhai sydd o'r nef yn debyg i'r dyn o'r nef. ⁴⁹Ac fel y bu delw'r dyn o'r llwch arnom, felly hefyd y bydd delw'r dyn o'r nef arnom.

50 Hyn yr wyf yn ei olygu, frodyr: ni all cig a gwaed etifeddu teyrnas Dduw, ac ni all llygredigaeth etifeddu anllygredigaeth. ⁵¹Clywch! Yr wyf yn mynegi dirgelwch ichwi: nid ydym i gyd i huno, ond yr ydym i gyd i gael ein newid, mewn eiliad, ar drawiad amrant, ar ganiad yr utgorn diwethaf. ⁵²Oherwydd bydd yr utgorn yn seinio, y meirw yn cael eu cyfodi yn anllygredig, a ninnau'n cael ein newid. ⁵³Oherwydd rhaid i'r llygradwy hwn wisgo anllygredigaeth, ac i'r marwol hwn wisgo anfarwoldeb. ⁵⁴A phan fydd y llygradwy hwn wedi gwisgo anllygredigaeth, a'r marwol hwn wedi gwisgo anfarwoldeb, yna bydd y geiriau hyn sydd yn ysgrifenedig yn dod yn wir:

"Llyncwyd angau mewn buddugoliaeth.

⁵⁵O angau, ble mae dy fuddugoliaeth? O angau, ble mae dy golyn?"

⁵⁶Colyn angau yw pechod, a grym pechod yw'r Gyfraith. ⁵⁷Ond i Dduw y bo'r diolch, yr hwn sy'n rhoi'r fuddugoliaeth i ni trwy ein Harglwydd Iesu Grist. ⁵⁸Felly, fy mrodyr annwyl, byddwch yn gadarn a diysgog, yn helaeth bob amser yng ngwaith yr Arglwydd, gan eich bod yn gwybod nad yw eich llafur yn yr Arglwydd yn ofer.

Y Casgliad i'r Saint

16 Ynglŷn â'r casgliad i'r saint, gweithredwch chwithau hefyd yn ôl y cyfarwyddiadau a roddais i eglwysi Galatia. ²Y dydd cyntaf o bob wythnos, bydded i bob un ohonoch osod cyfran o'r neilltu, yn ôl ei enillion, fel na fydd casgliadau'n cael eu gwneud pan ddof fi. ³Wedi imi gyrraedd, mi anfonaf pwy bynnag sydd yn gymeradwy yn eich

⁵Neu, *Os, yn ôl ymadrodd dynion, "ymleddais â bwystfilod" yn Effesus.*

golwg chwi, i ddwyn eich rhodd i Jerwsalem, gyda llythyrau i'w cyflwyno. [4]Neu, os bydd yn ymddangos yn iawn i minnau fynd hefyd, fe gânt deithio gyda mi.

Cynlluniau Teithio

5 Mi ddof atoch chwi ar ôl mynd trwy Facedonia, oherwydd trwy Facedonia yr wyf am deithio. [6]Ac efallai yr arhosaf gyda chwi am ysbaid, neu hyd yn oed dros y gaeaf, er mwyn i chwi fy hebrwng i ba le bynnag y byddaf yn mynd. [7]Oherwydd nid wyf am edrych amdanoch, y tro hwn, fel un yn taro heibio ar ei hynt. 'Rwy'n gobeithio cael aros gyda chwi am beth amser, os bydd yr Arglwydd yn caniatáu. [8]Ond 'rwyf am aros yn Effesus tan y Pentecost. [9]Oherwydd y mae drws wedi ei agor imi, un eang ac effeithiol, er bod llawer o wrthwynebwyr.

10 Os daw Timotheus, gofalwch ei wneud yn ddibryder yn eich plith, oherwydd y mae ef, fel minnau, yn gwneud gwaith yr Arglwydd. [11]Am hynny, peidied neb â'i ddiystyru, ond hebryngwch ef ar ei ffordd â sêl eich bendith, iddo gael dod ataf fi. Oherwydd yr wyf yn ei ddisgwyl gyda'r brodyr.

12 Am ein brawd Apolos, erfyniais yn daer arno ddod atoch gyda'r brodyr, ond nid oedd yn fodlon o gwbl ddod[t] ar hyn o bryd. Ond fe ddaw pan fydd gwell cyfle.

Cais Terfynol a Chyfarchion

13 Byddwch yn wyliadwrus, safwch yn gadarn yn y ffydd, byddwch yn wrol, ymgryfhewch. [14]Popeth a wnewch, gwnewch ef mewn cariad.

15 Gwyddoch am deulu Steffanas, mai hwy oedd Cristionogion cyntaf Achaia, a'u bod wedi ymroi i weini ar y saint. [16]Yr wyf yn erfyn arnoch, frodyr, gydnabod blaenoriaeth rhai felly, a phawb sydd yn cydweithio ac yn llafurio gyda ni. [17]Yr wyf yn llawenhau am fod Steffanas a Ffortwnatus ac Achaicus wedi dod, oherwydd y maent wedi cyflawni yr hyn oedd y tu hwnt i'ch cyrraedd chwi. [18]Y maent wedi esmwytho ar fy ysbryd i, a'ch ysbryd chwithau hefyd. Cydnabyddwch rai felly.

19 Y mae eglwysi Asia yn eich cyfarch. Y mae Acwila a Priscila, gyda'r eglwys sy'n ymgynnull yn eu tŷ, yn eich cyfarch yn gynnes yn yr Arglwydd. [20]Y mae'r brodyr i gyd yn eich cyfarch. Cyfarchwch eich gilydd â chusan sanctaidd.

21 Y mae'r cyfarchiad hwn yn fy llaw i fy hun, Paul. [22]Os oes rhywun nad yw'n caru'r Arglwydd, bydded dan felltith. [v]Marana tha[th]. [23]Gras yr Arglwydd Iesu fyddo gyda chwi! [24]Fy nghariad innau fyddo gyda chwi oll, yng Nghrist Iesu!

[t]Neu, *ond yr oedd yn gwbl groes i ewyllys Duw iddo ddod.*
[th]Ymadrodd Aramaeg sy'n golygu, *Tyrd, Arglwydd.*

AIL LYTHYR PAUL AT Y
CORINTHIAID

Cyfarch

1 Paul, apostol Crist Iesu trwy ewyllys Duw, a'r brawd Timotheus, at eglwys Dduw sydd yng Nghorinth, ynghyd â'r holl saint ar hyd a lled Achaia. [2]Gras a thangnefedd i chwi oddi wrth Dduw ein Tad, a'r Arglwydd Iesu Grist.

Paul yn Diolch ar ôl Gorthrymder

3 Bendigedig fyddo Duw a Thad ein Harglwydd Iesu Grist, y Tad sy'n trugarhau a'r Duw sy'n rhoi pob diddanwch. [4]Y mae'n ein diddanu ym mhob gorthrymder, er mwyn i ninnau, trwy'r diddanwch a gawn ganddo ef, allu diddanu'r rhai sydd dan bob math o orthrymder. [5]Oherwydd fel y mae dioddefiadau Crist yn gorlifo hyd atom ni, felly hefyd trwy Grist y mae ein diddanwch yn gorlifo. [6]Os gorthrymir ni, er mwyn eich diddanwch chwi a'ch iachawdwriaeth y mae hynny; neu os diddenir ni, er mwyn eich diddanwch chwi y mae hynny hefyd, i'ch nerthu i ymgynnal dan yr un dioddefiadau ag yr ydym ni yn eu dioddef. [7]Y mae sail sicr i'n gobaith amdanoch, oherwydd fe wyddom fod i chwi gyfran yn y diddanwch yn union fel y mae gennych gyfran yn y dioddefiadau.

8 Yr ydym am i chwi wybod, frodyr, am y gorthrymder a ddaeth i'n rhan yn Asia, iddo ein trechu a'n llethu mor llwyr nes inni anobeithio am gael byw hyd yn oed. [9]Do, teimlasom ynom ein hunain ein bod wedi derbyn dedfryd marwolaeth; yr amcan oedd ein cadw rhag ymddiried ynom ein hunain, ond yn y Duw sy'n cyfodi'r meirw. [10]Gwaredodd ef ni unwaith oddi wrth y fath berygl[a] marwol, ac fe'n gwared eto; ynddo ef y mae ein gobaith. Fe'n gwared eto, [11]os ymunwch chwithau i'n cynorthwyo â'ch gweddi, ac felly bydd ein gwaredigaeth raslon, trwy weddi llawer, yn destun diolch gan lawer ar ein rhan.

Gohirio Ymweliad Paul

12 Dyma yw ein hymffrost ni: bod ein cydwybod yn tystio bod ein hymddygiad yn y byd, a mwy byth tuag atoch chwi, wedi ei lywio gan unplygrwydd[b] a didwylledd duwiol, nid gan ddoethineb ddynol ond gan ras Duw. [13]Oherwydd nid ydym yn ysgrifennu dim atoch na allwch ei ddarllen a'i ddeall. Yr wyf yn gobeithio y dewch i ddeall yn gyflawn, [14]fel yr ydych eisoes wedi dcall yn rhannol amdanom, y byddwn ni yn destun ymffrost i chwi yn union fel y byddwch chwi i ninnau yn Nydd ein Harglwydd Iesu.

15 Am fy mod mor sicr o hyn yr oeddwn yn bwriadu dod atoch chwi'n gyntaf, er mwyn i chwi gael bendith eilwaith. [16]Fy amcan oedd ymweld â chwi ar fy ffordd i Facedonia, a dod yn ôl atoch o Facedonia, ac i chwithau fy hebrwng i Jwdea. [17]Os hyn oedd fy mwriad, a fûm yn wamal? Neu ai fel dyn bydol yr wyf yn gwneud fy nhrefniadau, nes medru dweud "Ie, ie" a "Nage, nage" ar yr un anadl? [18]Ond fel y mae Duw'n ffyddlon, nid "Ie" a "Nage" hefyd yw ein gair ni i chwi. [19]Nid oedd Mab Duw, Iesu Grist, a bregethwyd yn eich plith gennym ni, gan Silfanus a Timotheus a minnau, nid oedd ef yn "Ie" ac yn "Nage". "Ie" yw'r gair a geir ynddo ef. [20]Ynddo ef y mae'r "Ie" i holl addewidion Duw. Dyna pam mai trwyddo ef yr ydym yn dweud yr "Amen" er gogoniant Duw. [21]Ond Duw yw'r hwn sydd yn ein cadarnhau ni gyda chwi yng Nghrist, [22]ac sydd wedi ein heneinio ni, a'n selio ni, a rhoi'r Ysbryd yn ernes yn ein calonnau.

23 Yr wyf fi'n galw Duw yn dyst ar fy einioes, mai i'ch arbed chwi y penderfynais beidio â dod i Gorinth. [24]Nid ein bod yn arglwyddiaethu ar eich ffydd chwi. Cydweithio â chwi yr ydym er eich llawenydd; oherwydd yr ydych yn sefyll yn gadarn yn y ffydd.

2 Penderfynais beidio â dod atoch unwaith eto mewn tristwch. ²Oherwydd os wyf fi'n eich tristáu, pwy fydd yna i'm llonni i ond y sawl a wnaed yn drist gennyf fi? ³Ac ysgrifennais y llythyr hwnnw rhag imi ddod atoch, a chael tristwch gan y rhai a ddylai roi llawenydd imi. Y mae gennyf hyder amdanoch chwi oll, fod fy llawenydd i yn llawenydd i chwithau i gyd. ⁴Oherwydd ysgrifennais atoch o ganol gorthrymder mawr a gofid calon, ac mewn dagrau lawer, nid i'ch tristáu chwi ond er mwyn ichwi wybod mor helaeth yw'r cariad sydd gennyf tuag atoch.

Maddeuant i'r Troseddwr

5 Os yw rhywun wedi peri tristwch, nid i mi y gwnaeth hynny, ond i chwi i gyd—i raddau, beth bynnag, rhag i mi orddweud. ⁶Digon i'r fath ddyn y gosb hon a osodwyd arno gan y mwyafrif, ⁷a'ch gwaith chwi bellach yw maddau iddo a'i ddiddanu, rhag i'r dyn gael ei lethu gan ormod o dristwch. ⁸Am hynny yr wyf yn eich cymell i adfer eich cariad tuag ato. ⁹Oherwydd f'amcan wrth ysgrifennu oedd eich gosod dan brawf, i weld a ydych yn ufudd ym mhob peth. ¹⁰Y dyn yr ydych chwi'n maddau rhywbeth iddo, yr wyf fi'n maddau iddo hefyd. A'r hyn yr wyf fi wedi ei faddau, os oedd gennyf rywbeth i'w faddau, fe'i maddeuais er eich mwyn chwi yng ngolwg Crist, ¹¹rhag i Satan gael mantais arnom, oherwydd fe wyddom yn dda am ei ddichellion ef.

Pryder Paul, a'i Ryddhad

12 Pan ddeuthum i Troas i bregethu Efengyl Crist, er bod drws wedi ei agor i'm gwaith yn yr Arglwydd, ¹³ni chefais lonydd i'm hysbryd am na ddeuthum o hyd i'm brawd Titus. Felly cenais yn iach iddynt, a chychwyn am Facedonia.
14 Ond i Dduw y bo'r diolch, sydd bob amser yn ein harwain ni yng Nghrist yng ngorymdaith ei fuddugoliaeth ef, ac sydd ym mhob man, trwom ni, yn taenu ar led bersawr yr adnabyddiaeth ohono.ᶜ ¹⁵Canys perarogl Crist ydym ni i Dduw, i'r rhai sydd ar lwybr iachawdwriaeth ac i'r rhai sydd ar lwybr colledigaeth; ¹⁶i'r naill arogl marwol yn arwain i farwolaeth, i'r lleill persawr bywiol yn arwain i fywyd. Pwy sydd ddigonol i'r gwaith hwn? ¹⁷Oherwydd nid pedlera gair Duw

ᶜNeu, *y wybodaeth amdano.*

yr ydym ni fel y gwna cynifer, ond llefaru fel dynion didwyll, fel cenhadon Duw, a hynny yng ngŵydd Duw, yng Nghrist.

Gweinidogion y Cyfamod Newydd

3 A ydym unwaith eto yn dechrau ein cymeradwyo'n hunain? Neu a oes arnom angen llythyrau cymeradwyaeth atoch chwi neu oddi wrthych, fel sydd ar rai? ²Chwi yw ein llythyr ni; y mae wedi ei ysgrifennu yn ein calonnau, a gall pob dyn ei ddeall a'i ddarllen. ³Yr ydych yn dangos yn eglur mai llythyr Crist ydych, llythyr a gyflwynwyd gennym ni, wedi ei ysgrifennu nid ag inc, ond ag Ysbryd y Duw byw, nid ar lechau cerrig, ond ar lechau'r galon ddynol.
4 Dyna'r fath hyder sydd gennym trwy Grist tuag at Dduw. ⁵Nid ein bod yn ddigonol ohonom ein hunain; ni allwn briodoli dim i ni ein hunain; o Dduw y daw ein digonolrwydd ni, ⁶oherwydd ef a'n gwnaeth ni'n ddigonol i fod yn weinidogion y cyfamod newydd, nid cyfamod y gair ysgrifenedig, ond cyfamod yr Ysbryd. Oherwydd lladd y mae'r gair ysgrifenedig, ond rhoi bywyd y mae'r Ysbryd.
7 Gweini marwolaeth oedd swydd y Gyfraith a'i geiriau cerfiedig ar feini, ond gan gymaint gogoniant ei chyflwyno, ni allai'r Israeliaid syllu ar wyneb Moses o achos y gogoniant oedd arno, er mai rhywbeth i ddiflannu ydoedd. ⁸Os felly, pa faint mwy fydd gogoniant gweinidogaeth yr Ysbryd? ⁹Oherwydd os oedd gogoniant yn perthyn i weinidogaeth sy'n condemnio, rhagorach o lawer mewn gogoniant yw gweinidogaeth sy'n cyfiawnhau. ¹⁰Yn wir, gwelir yma ogoniant a fu, wedi colli ei ogoniant yn llewyrch gogoniant rhagorach. ¹¹Oherwydd os mewn gogoniant y cyflwynwyd yr hyn oedd i ddiflannu, gymaint mwy yw gogoniant yr hyn sydd i aros!
12 Gan fod gennym ni felly'r fath obaith, yr ydym yn hy iawn, ¹³ac nid yn debyg i Moses yn gosod gorchudd ar ei wyneb rhag ofn i'r Israeliaid syllu ar ddiwedd y gogoniant oedd i ddiflannu. ¹⁴Ond pylwyd eu meddyliau. Hyd y dydd hwn, pan ddarllenant yr hen gyfamod, y mae'r un gorchudd yn aros heb ei godi, gan mai yng Nghrist yn unig y symudir ef. ¹⁵Hyd y dydd hwn, pryd bynnag y darllenir Cyfraith Moses, y mae'r

gorchudd yn gorwedd ar eu meddwl. [16]Ond yng ngeiriau'r Ysgrythur, "Pryd bynnag y mae dyn yn troi at yr Arglwydd, fe dynnir ymaith y gorchudd." [17]Yr Ysbryd yw'r Arglwydd hwn. A lle y mae Ysbryd yr Arglwydd, y mae rhyddid. [18]Ac yr ydym ni i gyd, heb orchudd ar ein hwyneb, yn edrych, fel mewn drych, ar ogoniant[ch] yr Arglwydd ac yn cael ein trawsffurfio o ogoniant i ogoniant, yn wir lun ohono ef. A gwaith yr Arglwydd, yr Ysbryd, yw hyn.

Trysor mewn Llestri Pridd

4 Am hynny, gan fod y weinidogaeth hon gennym trwy drugaredd Duw, nid ydym yn digalonni. [2]Yr ydym wedi ymwrthod â ffyrdd dirgel a chywilyddus; nid ydym yn arfer cyfrwystra nac yn llurgunio gair Duw. Yn hytrach, trwy ddwyn y gwirionedd i'r amlwg yr ydym yn ein cymeradwyo'n hunain i gydwybod pob dyn gerbron Duw. [3]Os yw'n hefengyl ni dan orchudd, yn achos y rhai sydd ar lwybr colledigaeth y mae hi felly— [4]yr anghredinwyr y dallodd duw'r oes bresennol eu meddyliau, rhag iddynt weld goleuni Efengyl gogoniant Crist, delw Duw.[d] [5]Nid ein pregethu ein hunain yr ydym, ond Iesu Grist yn Arglwydd, a ninnau yn weision i chwi er mwyn Iesu. [6]Oherwydd y Duw a ddywedodd, "Llewyrched goleuni o'r tywyllwch", a lewyrchodd yn ein calonnau i roi i ni oleuni'r wybodaeth am ogoniant Duw yn wyneb Iesu Grist[dd].

7 Ond y mae'r trysor hwn gennym mewn llestri pridd, i ddangos mai eiddo Duw yw'r gallu tra rhagorol, ac nid eiddom ni. [8]Ym mhob peth yr ydym yn cael ein gorthrymu ond nid ein llethu, ein bwrw i ansicrwydd ond nid i anobaith, [9]ein herlid ond nid ein gadael yn amddifad, ein taro i lawr ond nid ein dinistrio. [10]Yr ydym bob amser yn dwyn gyda ni yn ein corff farwolaeth yr Arglwydd Iesu, er mwyn i fywyd Iesu hefyd gael ei ddwyn i'r amlwg yn ein corff ni. [11]Oherwydd yr ydym ni, a ninnau'n fyw, yn cael ein traddodi yn wastad i farwolaeth er mwyn Iesu, i fywyd Iesu hefyd gael ei ddwyn i'r amlwg yn ein cnawd marwol ni. [12]Felly y mae marwolaeth ar waith ynom ni, a bywyd ynoch chwi. [13]Gan fod gennym ni yr un ysbryd crediniol yr ysgrifennir amdano yng ngeiriau'r Ysgrythur, "Credais, ac am hynny y lleferais", yr ydym ninnau hefyd yn credu, ac am hynny yn llefaru, [14]gan wybod y bydd i'r hwn a gyfododd yr Arglwydd Iesu ein cyfodi ninnau hefyd gyda Iesu, a'n gosod ger ei fron gyda chwi. [15]Oherwydd er eich mwyn chwi y mae'r cyfan, fel y bo i ras Duw fynd ar gynnydd ymhlith mwy a mwy o bobl, ac amlhau'r diolch fwyfwy er gogoniant Duw.

Byw trwy Ffydd

16 Am hynny, nid ydym yn digalonni. Er ein bod o ran y dyn allanol yn dadfeilio, o ran y dyn mewnol fe'n hadnewyddir ddydd ar ôl dydd. [17]Oherwydd y baich ysgafn o orthrymder sydd arnom yn awr, darparu y mae, y tu hwnt i bob mesur, bwysau tragwyddol o ogoniant i ni, [18]dim ond inni gadw'n golwg, nid ar y pethau a welir, ond ar y pethau na welir. Dros amser y mae'r pethau a welir, ond y mae'r pethau na welir yn dragwyddol.

5 Gwyddom, os tynnir i lawr y babell ddaearol hon yr ydym yn byw ynddi, fod gennym adeilad oddi wrth Dduw, tŷ nad yw o waith llaw, sydd yn dragwyddol yn y nefoedd. [2]Yma yn wir yr ydym yn ochneidio, yn ein hiraeth am gael ein harwisgo â'r corff o'r nef sydd i fod yn gartref inni; [3]o'n gwisgo felly,[e] ni cheir mohonom yn noeth. [4]Oherwydd yr ydym ni sydd yn y babell hon yn ochneidio dan ein baich; nid ein bod am ymddiosg ond yn hytrach ein harwisgo, er mwyn i'r hyn sydd farwol gael ei lyncu gan fywyd. [5]Duw yn wir a'n darparodd ni ar gyfer hynyma, ac ef sydd wedi rhoi yr Ysbryd inni yn ernes.

6 Am hynny, yr ydym bob amser yn llawn hyder. Gwyddom, tra byddwn yn cartrefu yn y corff, ein bod oddi cartref oddi wrth yr Arglwydd; [7]oherwydd yn ôl ffydd yr ydym yn rhodio, nid yn ôl golwg. [8]Yr ydym yn llawn hyder, meddaf, a gwell gennym fyddai bod oddi cartref o'r corff a chartrefu gyda'r Arglwydd. [9]Y mae ein bryd, felly, gartref neu oddi cartref, ar fod yn gymeradwy ganddo ef.

[ch]Neu, *yn adlewyrchu gogoniant.*
[d]Yn ôl darlleniad arall, *rhag i oleuni Efengyl gogoniant Crist, delw Duw, lewyrchu arnynt.*
[dd]Yn ôl darlleniad arall, *wyneb Crist.*
[e]Yn ôl darlleniad arall, *hyd yn oed os byddwn heb ein gwisgo.*

¹⁰Oherwydd rhaid i fywyd pawb ohonom gael ei ddwyn i'r amlwg gerbron brawdle Crist, er mwyn i bob un dderbyn ei dâl yn ôl ei weithredoedd yn y corff, ai da ai drwg.

Gweinidogaeth y Cymod

11 Felly, o wybod beth yw ofn yr Arglwydd, yr ydym yn perswadio dynion; y mae'r hyn ydym yn hysbys i Dduw, ac 'rwy'n gobeithio ei fod yn hysbys i'ch cydwybod chwi hefyd. ¹²Nid ydym yn ein cymeradwyo ein hunain unwaith eto i chwi, ond rhoi cyfle yr ydym i chwi i ymffrostio o'n hachos ni, er mwyn ichwi gael ateb i'r rhai sy'n cymryd wyneb dyn, ac nid ei galon, fel sail eu hymffrost. ¹³Os ydym allan o'n pwyll, er mwyn Duw y mae hynny; os ydym yn ein hiawn bwyll, er eich mwyn chwi y mae hynny. ¹⁴Oherwydd y mae cariad Crist yn ein gorfodi ni, unwaith y'n hargyhoeddir o hyn: i un farw dros bawb, ac felly i bawb farw. ¹⁵A bu ef farw dros bawb er mwyn i'r byw beidio â byw iddynt eu hunain mwyach, ond i'r un a fu farw drostynt, ac a gyfodwyd.

16 O hyn allan, felly, nid ydym yn ystyried neb mewn ffordd ddynol. Hyd yn oed os buom yn ystyried Crist mewn ffordd ddynol, nid ydym yn ei ystyried felly mwyach. ¹⁷Felly, os yw dyn yng Nghrist, y mae'n greadigaeth newydd; aeth yr hen heibio, y mae'r newydd yma. ¹⁸Ond gwaith Duw yw'r cyfan—Duw, yr hwn sydd wedi ein cymodi ni ag ef ei hun trwy Grist a rhoi i ni weinidogaeth y cymod. ¹⁹Hynny yw, yr oedd Duw yng Nghrist yn cymodi'r byd ag ef ei hun, heb gyfrif troseddau dynion yn eu herbyn, ac y mae wedi ymddiried i ni neges y cymod. ²⁰Felly cenhadon yn cynrychioli Crist ydym ni, fel pe bai Duw yn apelio atoch trwom ni. Yr ydym yn deisyf arnoch, er mwyn Crist, cymoder chwi â Duw. ²¹Ni wybu Crist beth oedd pechu, ond gwnaeth Duw ef yn un â phechod‍ᶠ drosom ni, er mwyn i ni fod, ynddo ef, yn un â chyfiawnder Duw.

6 Yr ydym ni, fel cydweithwyr, yn apelio atoch i beidio â gadael i'r gras a dderbyniasoch gan Dduw fynd yn ofer. ²Oherwydd y mae Duw'n dweud:
"Yn yr amser cymeradwy y
     gwrandewais arnat,
a'th gynorthwyo ar ddydd

iachawdwriaeth."
Dyma, yn awr, yr amser cymeradwy; dyma, yn awr, ddydd iachawdwriaeth. ³Nid ydym yn gosod unrhyw faen tramgwydd ar lwybr neb, rhag cael bai ar ein gweinidogaeth. ⁴Yn hytrach, ym mhob peth yr ydym yn ein dangos ein hunain yn weinidogion Duw: yn ein dyfalbarhad mawr; yn ein gorthrymderau, ein gofidiau, a'n cyfyngderau; ⁵yn ein profiadau o'r chwip, o garchar ac o derfysg; yn ein llafur, ein hanhunedd a'n hympryd; ⁶yn ein purdeb, ein gwybodaeth, ein goddefgarwch a'n caredigrwydd; yn noniau'r Ysbryd Glân ac yn ein cariad diragrith; ⁷yng ngair y gwirionedd ac yn nerth Duw. Ie, ein dangos ein hunain yn weinidogion Duw trwy ddefnyddio arfau cyfiawnder yn y llaw dde a'r llaw chwith, ⁸doed parch, doed amarch, doed anghlod, doed clod. Twyllwyr y'n gelwir, a ninnau'n eirwir; ⁹dynion dinod, a ninnau'n adnabyddus; meirwon, ac wele, byw ydym; dynion dan gosb, ond heb gael ein lladd; ¹⁰dan dristwch, ond bob amser yn llawenhau; mewn tlodi, ond yn gwneud llawer yn gyfoethog; heb ddim gennym, ac eto'n berchen pob peth.

11 Yr ydym wedi llefaru'n gwbl rydd wrthych, Gorinthiaid; y mae'n calon yn llydan agored tuag atoch. ¹²Nid nyni sy'n cyfyngu arnoch, ond eich teimladau eich hunain. ¹³I dalu'n ôl—yr wyf yn siarad wrthych fel wrth blant—agorwch chwithau eich calonnau yn llydan.

Chwi yw Teml y Duw Byw

14 Peidiwch ag ymgysylltu'n amhriodol ag anghredinwyr, oherwydd pa gyfathrach sydd rhwng cyfiawnder ac anghyfraith? A pha gymdeithas sydd rhwng goleuni a thywyllwch? ¹⁵Pa gytgord sydd rhwng Crist a Belial? Neu pa gyfran sydd i gredadun gydag anghredadun? ¹⁶Pa gytundeb sydd rhwng teml Duw ac eilunod? Oherwydd nyni yw teml y Duw byw. Fel y dywedodd Duw:
"Trigaf ynddynt hwy, a rhodiaf yn eu
     plith,
a byddaf yn Dduw iddynt hwy,
a hwythau'n bobl i minnau.
¹⁷Am hynny, dewch allan o'u plith hwy,
ymwahanwch oddi wrthynt, medd yr
     Arglwydd,
a pheidiwch â chyffwrdd â dim byd

ᶠNeu, *yn offrwm pechod.* Neu, *yn bechod.*

aflan.
Ac fe'ch derbyniaf chwi,
[18]a byddaf i chwi yn dad,
a byddwch chwi'n feibion a merched i
mi,
medd yr Arglwydd, yr Hollalluog.''

7 Felly, gan fod gennym yr addewidion hyn, gyfeillion annwyl, ymlanhawn oddi wrth bob peth sy'n halogi cnawd ac ysbryd, gan berffeithio ein sancteiddrwydd yn ofn Duw.

Paul yn Llawenhau fod yr Eglwys wedi Edifarhau

2 Rhowch le i ni yn eich calonnau. Ni wnaethom gam â neb, na llygru neb, na chymryd mantais ar neb. [3]Nid i'ch condemnio yr wyf yn dweud hyn, oherwydd dywedais wrthych o'r blaen eich bod mor agos at ein calon, nes ein bod gyda'n gilydd, i farw ac i fyw. [4]Y mae gennyf hyder mawr ynoch, a balchder mawr o'ch herwydd. Y mae fy nghwpan yn llawn o ddiddanwch, ac yn gorlifo â llawenydd yng nghanol ein holl orthrymder.

5 Hyd yn oed pan ddaethom i Facedonia, ni chawsom ddim llonydd yn ein gwendid; yn hytrach cawsom ein gorthrymu ym mhob ffordd—cwerylon oddi allan ac ofnau oddi mewn. [6]Ond y mae Duw, yr un sydd yn diddanu'r digalon, wedi ein diddanu ninnau trwy ddyfodiad Titus; [7]ac nid yn unig trwy ei ddyfodiad ef, ond hefyd trwy'r diddanwch a gafodd ef ynoch chwi. Y mae wedi dweud wrthym am eich hiraeth amdanaf, am eich galar, ac am eich sêl drosof, nes gwneud fy llawenydd yn fwy byth. [8]Oherwydd er i mi beri loes i chwi â'm llythyr, nid yw'n flin gennyf; 'rwy'n gweld i'r llythyr hwnnw beri loes i chwi, o leiaf dros dro, [9]ac er y bu'n flin gennyf, yr wyf yn awr yn falch, nid am i chwi gael loes, ond am i'r loes droi'n edifeirwch. Oherwydd derbyniasoch eich loes yn ffordd Duw, ac felly ni chawsoch ddim colled trwom ni. [10]Canys y mae'r loes a dderbynnir yn ffordd Duw yn creu edifeirwch sydd yn arwain i iachawdwriaeth na ellir bod yn flin amdano; ond y mae'r loes a dderbynnir yn ffordd y byd yn peri marwolaeth. [11]Ystyriwch ganlyniadau derbyn eich loes yn ffordd Duw: y fath ymroddiad a barodd ynoch, ie, y fath hunan-amddiffyniad, y fath ddicter, y fath ofn, y fath

ddyhead, y fath sêl, y fath benderfyniad i gosbi'n gyfiawn. Ym mhob ffordd yr ydych wedi dangos eich bod yn ddi-fai yn y mater hwn. [12]Felly, er i mi yn wir ysgrifennu atoch, nid o achos y gŵr a wnaeth y cam, nac o achos y gŵr a'i dioddefodd, y gwneuthum hynny, ond er mwyn amlygu i chwi, yng ngŵydd Duw, gymaint yw eich ymroddiad trosom. [13]Dyna pam yr ydym yn awr wedi ein diddanu.

Ond yn ogystal â'n diddanwch ni, cawsom lawenydd mwy o lawer yn llawenydd Titus, am i chwi oll roi esmwythâd i'w ysbryd. [14]Oherwydd os wyf wedi ymffrostio rywfaint wrtho amdanoch chwi, ni chefais fy nghywilyddio, ond fel y mae popeth a ddywedais wrthych chwi yn wir, felly hefyd daeth fy ymffrost wrth Titus yn wir. [15]Y mae ei galon yn cynhesu fwyfwy tuag atoch o gofio ufudd-dod pob un ohonoch, a'r modd y derbyniasoch ef mewn ofn a dychryn. [16]Yr wyf yn llawenhau y gallaf ymddiried yn llwyr ynoch.

Rhoi Haelionus

8 Fe garem ichwi wyboul, frodyr, am y gras a roddwyd gan Dduw yn yr eglwysi ym Macedonia. [2]Er iddynt gael eu profi'n llym gan orthrymder, gorlifodd cyflawnder eu llawenydd a dyfnder eu tlodi yn gyfoeth o haelioni ynddynt. [3]Yr wyf yn dyst iddynt roi yn ôl eu gallu, a'r tu hwnt i'w gallu, a hynny o'u gwirfodd eu hunain, [4]gan ddeisyf arnom yn daer iawn am gael y fraint o gyfrannu tuag at y cymorth i'r saint—[5]ac aethant ymhellach na dim y gobeithiais amdano, gan eu rhoi eu hunain yn gyntaf i'r Arglwydd, ac i ninnau yn ôl ewyllys Duw. [6]Felly yr ydym wedi gofyn i Titus orffen y gwaith grasusol hwn yn eich plith yn union fel y dechreuodd arno. [7]Ym mhob peth yr ydych yn helaeth, yn eich ffydd a'ch ymadrodd a'ch gwybodaeth, yn eich ymroddiad llwyr ac yn y cariad a blannwyd ynoch gennym ni.[ff] Felly hefyd byddwch yn helaeth yn y gorchwyl grasusol hwn.

8 Nid fel gorchymyn yr wyf yn dweud hyn, ond i brofi didwylledd eich cariad chwi trwy sôn am ymroddiad pobl eraill. [9]Oherwydd yr ydych yn gwybod am ras ein Harglwydd Iesu Grist, fel y bu iddo,

---

[ff]Yn ôl darlleniad arall, *yn eich cariad tuag atom ni.*

ac yntau'n gyfoethog, ddod yn dlawd drosoch chwi, er mwyn i chwi ddod yn gyfoethog trwy ei dlodi ef. ¹⁰Ar y pen yma, rhoi fy marn yr wyf, a hynny sydd orau i chwi, y rhai a fu'n gyntaf nid yn unig i weithredu ond i ewyllysio gweithredu, er y llynedd. ¹¹Yn awr cyflawnwch y gweithredu, er mwyn i'r cyflawniad fod yn gymesur ag eiddgarwch eich ewyllysio; sôn yr wyf am roi yn ôl eich gallu. ¹²Oherwydd os ydych yn eiddgar i roi, y mae hynny'n dderbyniol gan Dduw, ar sail yr hyn sydd gan ddyn, nid yr hyn nad yw ganddo. ¹³Nid fy mwriad yw cael esmwythyd i eraill ar draul gorthrymder i chwi, ¹⁴ond eich gwneud yn gyfartal. Yn yr amser presennol hwn y mae'r hyn sydd dros ben gennych chwi yn cyflenwi eu diffyg hwy, fel y bydd i'r hyn sydd dros ben ganddynt hwy gyflenwi eich diffyg chwi maes o law. Cyfartaledd yw'r diben. ¹⁵Fel y mae'n ysgrifenedig:
"Nid oedd gormod gan y sawl a
	gasglodd lawer,
na phrinder gan y sawl a gasglodd
	ychydig."

Titus a'i Gymdeithion

16 Diolch i Dduw, yr hwn a roddodd yng nghalon Titus yr un ymroddiad drosoch. ¹⁷Oherwydd nid yn unig gwrandawodd ar ein hapêl, ond gymaint yw ei ymroddiad fel y mae o'i wirfodd ei hun yn ymadael i fynd atoch. ¹⁸Yr ydym yn anfon gydag ef y brawd sy'n uchel ei glod drwy'r holl eglwysi am ei waith dros yr Efengyl, ¹⁹un sydd, heblaw hyn, wedi ei benodi gan yr eglwysi i fod yn gyd-deithiwr â ni, ac i'n cynorthwyo yn y rhodd raslon yr ydym yn ei gweinyddu, i ddangos gogoniant yr Arglwydd ei hun a'n heiddgarwch ni. ²⁰Yn hyn oll yr ydym yn gofalu na chaiff neb fai ynom mewn perthynas â'r rhodd hael hon a weinyddir gennym. ²¹Oherwydd y mae ein hamcanion yn anrhydeddus, nid yn unig yng ngolwg yr Arglwydd, ond hefyd yng ngolwg dynion. ²²Yr ydym hefyd yn anfon gyda hwy ein brawd, yr un y cawsom brawf o'i ymroddiad mewn llawer modd a llawer gwaith. Y mae yn awr yn fwy ymroddgar byth oherwydd yr ymddiriedaeth lwyr sydd ganddo ynoch. ²³Os gofynnir am Titus, fy nghydymaith yw, a'm cydweithiwr yn eich gwasanaeth; neu am y brodyr, cenhadau'r eglwysi ydynt, a gogoniant Crist. ²⁴Am

hynny, dangoswch iddynt brawf o'ch cariad, ac o'n hymffrost ni amdanoch, yng ngŵydd yr eglwysi.

Y Cymorth i'r Saint

9 Nid oes dim angen i mi ysgrifennu atoch chwi ynglŷn â'r cymorth i'r saint. ²Gwn am eich eiddgarwch, a byddaf yn ymffrostio amdano ac amdanoch chwi wrth y Macedoniaid, ac yn dweud bod Achaia wedi ymbaratoi er y llynedd; a bu eich sêl yn symbyliad i'r rhan fwyaf ohonynt. ³'Rwy'n anfon y brodyr er mwyn sicrhau na cheir ein hymffrost amdanoch yn ofer yn hyn o beth, ond eich bod yn barod, fel y dywedais y byddech. ⁴Byddai'n beth chwithig pe deuai Macedoniaid gyda mi a'ch cael yn amharod, ac felly i ni—heb sôn amdanoch chwi—gael ein cywilyddio am fod mor sicr ohonoch. ⁵Dyna pam y teimlais ei bod yn angenrheidiol gofyn i'r brodyr ddod atoch o'm blaen i, a threfnu ymlaen llaw y rhodd yr oeddech wedi ei haddo o'r blaen. Felly byddai'n barod i mi, yn rhodd haelioni, nid rhodd cybydd-dod.

6 Cofiwch hyn: a heuo'n brin a fed yn brin, a heuo'n hael a fed yn hael. ⁷Rhaid i bawb roi o wirfodd ei galon, nid o anfodd neu o raid, oherwydd rhoddwr llawen y mae Duw'n ei garu. ⁸Y mae Duw yn gallu rhoi popeth da i chwi yn helaeth, er mwyn i chwi, ar ben eich digon bob amser ym mhob peth, allu rhoi yn helaeth i bob gwaith da. ⁹Fel y mae'n ysgrifenedig:
"Gwasgarodd ei roddion ymhlith y
	tlodion,
y mae ei gyfiawnder yn para am byth."
¹⁰Bydd yr hwn sydd yn rhoi had i'r heuwr a bara iddo'n ymborth yn rhoi had i chwithau ac yn ei amlhau; bydd yn peri i ffrwyth eich daioni fynd ar led. ¹¹Ym mhob peth cewch eich cyfoethogi ar gyfer pob haelioni, a bydd hynny trwom ni yn esgor ar ddiolchgarwch i Dduw. ¹²Oherwydd y mae'r cymorth a ddaw o'r gwasanaeth hwn, nid yn unig yn diwallu anghenion y saint, ond hefyd yn gorlifo mewn llawer o ddiolchgarwch i Dduw. ¹³Ar gyfrif y prawf sydd yn y cymorth hwn, byddant yn gogoneddu Duw am eich ufudd-dod i Efengyl Crist, yr Efengyl yr ydych yn ei chyffesu, ac am haelioni eich cyfraniad iddynt hwy ac i bawb. ¹⁴Byddant yn hiraethu amdanoch a gweddïo ar eich rhan, oherwydd y gras

rhagorol a roddodd Duw i chwi. ¹⁵Diolch i Dduw am ei rodd anhraethadwy.

Paul yn Amddiffyn ei Weinidogaeth

10 Yr wyf fi, Paul, fy hun yn eich annog, ar sail addfwynder a goddefgarwch Crist—myfi, y dywedir fy mod yn wylaidd wyneb yn wyneb â chwi ond yn hy arnoch pan fyddaf ymhell. ²Yr wyf yn erfyn arnoch na fydd angen imi, pan fyddaf gyda chwi, arfer yr hyfdra hwnnw yr wyf yn cyfrif y gallaf feiddio ei arfer tuag at rai sydd yn ein cyfrif ni yn ddynion sy'n byw ar wastad y cnawd. ³Oherwydd er ein bod yn byw yn y cnawd, nid ar wastad y cnawd yr ydym yn milwrio—⁴canys nid arfau gwan y cnawd yw arfau ein milwriaeth ni, ond rhai nerthol Duw sy'n dymchwel cestyll. ⁵Felly yr ydym yn dymchwel dadleuon dynion, a phob tŵr a godir yn crbyn yr adnabyddiaeth oᵍ Dduw, ac yn cymryd pob meddwl yn garcharor i fod yn ufudd i Grist. ⁶Yr ydym yn barod i gosbi pob anufudd-dod unwaith y bydd eich ufudd-dod chwi yn gyflawn.

7 Wynebwch y ffeithiau amlwg. Pwy bynnag sy'n credu yn ei galon ei fod yn perthyn i Grist, ystyried hyn yn ei galon hefyd, ein bod ninnau yn perthyn i Grist gymaint ag yntau. ⁸Hyd yn oed os wyf yn ymffrostio rywfaint yn ormod am ein hawdurdod—awdurdod a roddodd yr Arglwydd i ni er mwyn eich adeiladu, nid eich dymchwel—ni chaf fy nghywilyddio. ⁹Ni chaf fy nangos, chwaith, fel un sy'n codi dychryn arnoch â'i lythyrau, fel y myn rhai. ¹⁰"Mae ei lythyrau," meddant, "yn bwysfawr a grymus, ond pan fydd yn bresennol, dyn bach eiddil ydyw, a'i ymadrodd yn haeddu dirmyg." ¹¹Dealled y rhai sy'n siarad felly hyn: yr hyn ydym ar air mewn llythyrau pan ydym yn absennol, hynny'n union a fyddwn mewn gweithred pan fyddwn yn bresennol. 12 Oherwydd nid ydym yn beiddio cystadlu na'n cymharu ein hunain â'r rhai sydd yn eu canmol eu hunain. Pobl heb ddeall ydynt, yn eu mesur eu hunain wrthynt eu hunain a'u cymharu eu hunain â hwy eu hunain. ¹³Ond ni fydd ein hymffrost ni y tu hwnt i fesur; fe'i cedwir o fewn mesur y terfyn a bennodd Duw i ni, sy'n cyrraedd hyd atoch chwi hefyd. ¹⁴Oherwydd nid ydym yn mynd y tu hwnt i'n terfyn, fel y byddem pe na bai ein

ᵍNeu, *y wybodaeth am.*

hawdurdod yn cyrraedd atoch; ni oedd y cyntaf i ddod ag Efengyl Crist atoch chwi hefyd. ¹⁵Nid ydym yn ymffrostio y tu hwnt i fesur, hynny yw, ar bwys llafur pobl eraill. Ond gobeithio yr ydym, fel y bydd eich ffydd chwi yn mynd ar gynnydd, y bydd ein gwaith yn eich plith yn helaethu'n ddirfawr, o fewn ein terfynau. ¹⁶Ein bwriad yw pregethu'r Efengyl mewn mannau y tu hwnt i chwi, nid ymffrostio yn y gwaith sydd eisoes wedi ei wneud o fewn terfynau rhywun arall. ¹⁷Y sawl sy'n ymffrostio, ymffrostied yn yr Arglwydd. ¹⁸Nid y dyn sydd yn ei ganmol ei hunan, ond y dyn y mae'r Arglwydd yn ei ganmol, hwnnw sy'n gymeradwy.

Paul a'r Ffug Apostolion

11 O na baech yn fy ngoddef yn fy nhipyn ffolineb! Da chwi, goddefwch fi! ²Oherwydd yr wyf yn eiddigeddus drosoch ag eiddigedd Duw ei hun, gan i mi eich dyweddïo i un gŵr, eich cyflwyno yn wyryf bur i Grist. ³Ond fel y twyllodd y sarff Efa trwy ei chyfrwystra, y mae arnaf ofn y llygrir eich meddyliau chwi yn yr un modd, a'ch troi oddi wrth ddidwylledd a phurdeb eich ymlyniad wrth Grist. ⁴Oherwydd os daw rhywun a phregethu Iesu arall, na phregethasom ni, neu os ydych yn derbyn ysbryd gwahanol i'r Ysbryd a dderbyniasoch, neu efengyl wahanol i'r Efengyl a dderbyniasoch, yr ydych yn goddef y cwbl yn llawen. ⁵Nid wyf yn f'ystyried fy hun mewn dim i'r archapostolion hyn. ⁶Hyd yn oed os wyf yn anfedrus fel siaradwr, nid wyf felly mewn gwybodaeth; ym mhob ffordd ac ar bob cyfle yr ydym wedi gwneud hyn yn eglur i chwi.

7 A wneuthum drosedd wrth fy narostwng fy hun er mwyn ichwi gael eich dyrchafu, trwy bregethu ichwi Efengyl Duw yn ddi-dâl? ⁸Ysbeiliais eglwysi eraill trwy dderbyn cyflog ganddynt er mwyn eich gwasanaethu chwi. ⁹A phan oeddwn gyda chwi ac mewn angen, ni bûm yn faich ar neb, oherwydd diwallodd y brodyr a ddaeth o Facedonia fy angen. Ym mhob peth fe'm cedwais, ac fe'm cadwaf, fy hun rhag bod yn dreth arnoch. ¹⁰Cyn wired â bod gwirionedd Crist ynof, ni roddir taw ar fy ymffrost hwn yn ardaloedd Achaia. ¹¹Pam? Am nad wyf yn eich caru? Fe ŵyr Duw fy mod.

12 Daliaf i wneud yr hyn yr wyf yn ei wneud yn awr, i ddwyn eu cyfle oddi ar y rhai sy'n ceisio cyfle, yn y swydd y maent yn ymffrostio ynddi, i gael eu cyfrif ar yr un tir â ninnau. [13]Ffug apostolion yw'r fath ddynion, gweithwyr twyllodrus, yn ymrithio fel apostolion i Grist. [14]Ac nid rhyfedd, oherwydd y mae Satan yntau yn ymrithio fel angel goleuni. [15]Nid yw'n beth mawr, felly, os yw ei weision hefyd yn ymrithio fel gweision cyfiawnder. Bydd eu diwedd yn unol â'u gweithredoedd.

Dioddefiadau Paul fel Apostol

16 'Rwy'n dweud eto: na thybied neb fy mod yn ffôl. Ond os gwnewch, rhowch i mi ryddid un ffôl i ymffrostio tipyn bach. [17]Yr wyf yn siarad yn awr, yn yr hyder ymffrostgar hwn, nid fel y mynnai'r Arglwydd imi siarad, ond mewn ffolineb. [18]Gan fod llawer yn ymffrostio ar dir materol, fe ymffrostiaf finnau hefyd. [19]Oherwydd yr ydych yn goddef ffyliaid yn llawen, a chwithau mor ddoeth! [20]Os bydd rhywun yn eich caethiwo, neu yn eich ysbeilio, neu yn cymryd mantais arnoch, neu yn ymddyrchafu, neu yn eich taro ar eich wyneb, yr ydych yn goddef y cwbl. [21]'Rwy'n cydnabod, er cywilydd, i ni fod yn wan yn hyn o beth. Ond os oes rhywbeth y beiddia rhywun ymffrostio amdano, fe feiddiaf finnau hefyd—mewn ffolineb yr wyf yn siarad. [22]Ai Hebrëwyr ydynt? Minnau hefyd. Ai Israeliaid ydynt? Minnau hefyd. Ai disgynyddion Abraham ydynt? Minnau hefyd. [23]Ai gweision Crist ydynt? Yr wyf yn siarad yn wallgof, myfi yn fwy; yn fwy o lawer mewn llafur, yn amlach o lawer yng ngharchar, dan y fflangell yn fwy mynych, mewn perygl einioes dro ar ôl tro. [24]Pumwaith y cefais ar law'r Iddewon y deugain llach ond un. [25]Tair gwaith fe'm curwyd â ffyn, unwaith fe'm llabyddiwyd, tair gwaith bûm mewn llongddrylliad, ac am ddiwrnod a noson bûm yn y môr. [26]Bûm ar deithiau yn fynych, mewn peryglon gan afonydd, peryglon ar law lladron, peryglon ar law fy nghenedl fy hun ac ar law'r Cenhedloedd, peryglon yn y dref ac yn yr anialwch ac ar y môr, a pheryglon ymhlith brodyr gau. [27]Bûm mewn llafur a lludded, yn fynych heb gwsg, mewn newyn a syched, yn fynych heb luniaeth,

yn oer ac yn noeth. [28]Ar wahân i bob peth arall, y mae'r gofal dros yr holl eglwysi yn gwasgu arnaf ddydd ar ôl dydd. [29]Pan fydd rhywun yn wan, onid wyf finnau'n wan? Pan berir i rywun gwympo, onid wyf finnau'n llosgi gan ddicter?

30 Os oes rhaid ymffrostio, ymffrostiaf am y pethau sy'n perthyn i'm gwendid. [31]Y mae Duw a Thad yr Arglwydd Iesu, yr hwn sydd fendigedig am byth, yn gwybod nad wyf yn dweud celwydd. [32]Yn Namascus, yr oedd y llywodraethwr oedd dan y Brenin Aretas yn gwylio dinas Damascus er mwyn fy nal i, [33]ond cefais fy ngollwng i lawr mewn basged drwy ffenestr yn y mur, a dihengais o'i afael.

Gweledigaethau a Datguddiadau

12 Y mae'n rhaid imi ymffrostio. Ni wna ddim lles, ond af ymlaen i sôn am weledigaethau a datguddiadau a roddwyd i mi gan yr Arglwydd. [2]Gwn am ddyn yng Nghrist a gipiwyd, bedair blynedd ar ddeg yn ôl, i fyny i'r drydedd nef—ai yn y corff, ai allan o'r corff, ni wn; y mae Duw'n gwybod. [3]Gwn i'r dyn hwnnw gael ei gipio i fyny i Baradwys—ai yn y corff, ai allan o'r corff, ni wn; y mae Duw'n gwybod. [4]Ac fe glywodd draethu'r anhraethadwy, geiriau nad oes hawl gan ddyn i'w llefaru. [5]Am hwnnw yr wyf yn ymffrostio; amdanaf fy hun nid ymffrostiaf, ar wahân i'm gwendidau. [6]Ond os dewisaf ymffrostio, ni byddaf ffôl, oherwydd dweud y gwir y byddaf. Ond ymatal a wnaf, rhag i neb feddwl mwy ohonof na'r hyn y mae'n ei weld ynof neu'n ei glywed gennyf. [7]A rhag i mi ymddyrchafu o achos rhyfeddod y pethau a ddatguddiwyd imi, rhoddwyd[ng] draenen yn fy nghnawd, cennad oddi wrth Satan, i'm poeni, rhag imi ymddyrchafu. [8]Ynglŷn â hyn deisyfais ar yr Arglwydd dair gwaith ar iddo'i symud oddi wrthyf. [9]Ond dywedodd wrthyf, "Digon i ti fy ngras i; mewn gwendid y daw fy nerth i'w anterth." Felly, yn llawen iawn fe ymffrostiaf fwyfwy yn fy ngwendidau, er mwyn i nerth Crist orffwys arnaf. [10]Am hynny, yr wyf yn ymhyfrydu, er mwyn Crist, mewn gwendid, sarhad, gofid, erledigaeth, a chyfyngder. Oherwydd pan wyf wan, yna 'rwyf gryf.

[ng] Yn ôl darlleniad arall, *ei glywed gennyf, ac o achos rhyfeddod y pethau a ddatguddiwyd imi. Rhag i mi ymddyrchafu, felly, rhoddwyd.*

Gofal Paul dros Eglwys Corinth

11 Euthum yn ffôl, ond chwi a'm gyrrodd i hyn. Oherwydd dylaswn i gael fy nghanmol gennych chwi. Nid wyf fi yn ôl mewn dim i'r archapostolion hyn, hyd yn oed os nad wyf fi'n ddim. ¹²Cyflawnwyd arwyddion apostol yn eich plith gyda dyfalbarhad cyson, mewn gwyrthiau a rhyfeddodau a gweithredoedd nerthol. ¹³Ym mha beth y bu'n waeth arnoch chwi na'r eglwysi eraill, ond yn hyn, na fûm i yn faich arnoch chwi? Maddeuwch imi y camwedd hwn. ¹⁴Dyma fi'n barod i ddod atoch y drydedd waith. Ac nid wyf am fod yn faich arnoch. Oherwydd chwi yr wyf yn eu ceisio, nid eich eiddo; nid y plant a ddylai ddarparu ar gyfer eu rhieni, ond y rhieni ar gyfer eu plant. ¹⁵Fe wariaf fi fy eiddo yn llawen, ac fe'm gwariaf fy hunan i'r eithaf, dros eich eneidiau chwi. Os wyf fi'n eich caru chwi'n fwy, a wyf fi i gael fy ngharu'n llai? ¹⁶Ond, a chaniatáu na fûm i'n dreth arnoch, eto honnir imi fod yn ddigon cyfrwys i'ch dal trwy ddichell. ¹⁷A fanteisiais arnoch trwy unrhyw un o'r rhai a anfonais atoch? ¹⁸Deisyfais ar Titus fynd atoch, ac anfonais ein brawd gydag ef. A fanteisiodd Titus arnoch? Onid ymddwyn yn yr un ysbryd a wnaethom ni, ac onid dilyn yr un llwybrau?

19 A ydych yn tybio drwy'r amser mai ein hamddiffyn ein hunain i chwi yr ydym? Gerbron Duw yr ydym yn llefaru, yng Nghrist, a'r cwbl er adeiladaeth i chwi, fy nghyfeillion annwyl. ²⁰Oherwydd y mae arnaf ofn na chaf chwi, pan ddof, fel y dymunwn ichwi fod, ac na'm ceir innau chwaith fel y dymunech chwi imi fod. Yr wyf yn ofni y bydd cynnen, eiddigedd, llidio, ymgiprys, difenwi, clebran, ymchwyddo, terfysgu. ²¹Yr wyf yn ofni rhag i'm Duw, pan ddof drachefn, fy narostwng o'ch blaen, ac imi alaru dros lawer sydd gynt wedi pechu, a heb edifarhau am yr amhurdeb a'r puteindra a'r anlladrwydd a wnaethant.

Rhybuddion Terfynol a Chyfarchion

13 Dyma'r drydedd waith y dof atoch chwi. Y mae pob peth i sefyll ar air dau neu dri o dystion. ²Pan oeddwn gyda chwi yr ail waith, rhoddais rybudd i'r rhai oedd gynt wedi pechu, ac i bawb arall; yn awr, a minnau'n absennol, yr wyf yn dal i'w rhybuddio: os dof eto, nid arbedaf. ³'Rwy'n dweud hyn gan eich bod yn gofyn am brawf o'r Crist sy'n llefaru ynof fi, y Crist nad yw'n wan yn ei ymwneud â chwi, ond sydd yn nerthol yn eich plith. ⁴Oherwydd er ei groeshoelio ef mewn gwendid, eto y mae'n byw trwy nerth Duw. Ac er ein bod ninnau yn wan ynddo ef, eto fe gawn fyw gydag ef trwy nerth Duw, yn ein perthynas â chwi.

5 Profwch eich hunain i weld a ydych yn y ffydd; chwiliwch eich hunain. Onid ydych yn sylweddoli bod Iesu Grist ynoch chwi?—a chaniatáu nad ydych wedi methu'r prawf. ⁶Yr wyf yn gobeithio y dewch chwi i weld nad ydym ni wedi methu. ⁷Yr ydym yn gweddïo ar Dduw na fydd i chwi wneud dim drwg, nid er mwyn i ni ymddangos fel rhai a lwyddodd yn y prawf, ond er mwyn i chwi wneud yr hyn sydd dda, er i ni ymddangos fel rhai a fethodd. ⁸Oherwydd ni allwn wneud dim yn erbyn y gwirionedd, dim ond dros y gwirionedd. ⁹Yr ydym yn llawenhau pan fyddwn ni'n wan a chwithau'n gryf; a hyn yn wir yw ein gweddi, i chwi gael eich adfer. ¹⁰Yr wyf yn ysgrifennu'r pethau hyn, a minnau'n absennol, er mwyn i mi, pan fyddaf yn bresennol, beidio ag arfer gerwinder, yn ôl yr awdurdod a roddodd yr Arglwydd imi i adeiladu, nid i ddymchwel.

11 Bellach, frodyr, ffarwel. Mynnwch eich adfer, gwrandewch ar fy apêl, byddwch o'r un meddwl, a byw'n heddychlon; a bydd Duw'r cariad a'r tangnefedd gyda chwi. ¹²Cyfarchwch eich gilydd â chusan sanctaidd. Y mae'r saint i gyd yn eich cyfarch.

13 Gras ein Harglwydd Iesu Grist, a chariad Duw, a chymdeithas yr Ysbryd Glân fyddo gyda chwi oll!

GALATIAID

Cyfarch

1 Paul, apostol—nid o benodiad dynion, na chwaith trwy awdurdod unrhyw ddyn, ond trwy awdurdod Iesu Grist a Duw Dad, yr hwn a'i cyfododd ef oddi wrth y meirw—Paul, ²a'r brodyr oll sydd gyda mi, at eglwysi Galatia. ³Gras a thangnefedd i chwi oddi wrth Dduw ein Tad a'r Arglwydd Iesu Grist, ⁴yr hwn a'i rhoes ei hun dros ein pechodau ni, i'n gwaredu ni o'r oes ddrwg bresennol, yn ôl ewyllys Duw ein Tad, ⁵i'r hwn y bo'r gogoniant byth bythoedd! Amen.

Nid Oes Efengyl Arall

6 Yr wyf yn synnu eich bod yn cefnu mor fuan ar yr hwn a'ch galwodd chwi trwy ras Crist, ac yn troi at efengyl wahanol. ⁷Nid ei bod yn efengyl arall mewn gwirionedd, ond bod rhywrai, yn eu hawydd i wyrdroi Efengyl Crist, yn aflonyddu arnoch. ⁸Ond petai rhywun, ni ein hunain hyd yn oed, neu angel o'r nef, yn pregethu i chwi efengyl sy'n groes i'r Efengyl a bregethasom ichwi, melltith arno! ⁹Fel yr ydym wedi dweud o'r blaen, felly yr wyf yn dweud eto yn awr: os oes rhywun yn pregethu efengyl i chwi sy'n groes i'r Efengyl a dderbyniasoch, melltith arno!

10 Pwy yr wyf am ei gael o'm plaid yn awr, ai dynion, ai Duw? Ai ceisio plesio dynion yr wyf? Pe bawn â'm bryd o hyd ar blesio dynion, nid gwas i Grist fyddwn.

Paul yn Dod yn Apostol

11 Yr wyf am roi ar ddeall i chwi, frodyr, am yr Efengyl a bregethwyd gennyf fi, nad rhywbeth dynol mohoni. ¹²Oherwydd nid ei derbyn fel traddodiad gan ddyn a wneuthum, na chael fy nysgu ynddi chwaith; trwy ddatguddiad Iesu Grist y cefais hi.

13 Oherwydd fe glywsoch am fy ymarweddiad gynt yn y grefydd Iddewig, imi fod yn erlid eglwys Dduw i'r eithaf ac yn ceisio'i difrodi hi, ¹⁴ac imi gael y blaen, fel crefyddwr Iddewig, ar gyfoedion lawer yn fy nghenedl, gan gymaint fy sêl dros draddodiadau fy nhadau. ¹⁵Ond dyma Duw, a'm neilltuodd o groth fy mam ac a'm galwodd trwy ei ras, yn dewis ¹⁶datguddio ei Fab ynof fi, er mwyn i mi ei bregethu ymhlith y Cenhedloedd; ac ar unwaith, heb ymgynghori ag unrhyw ddyn, ¹⁷a heb fynd i fyny i Jerwsalem chwaith at y rhai oedd yn apostolion o'm blaen i, euthum i ffwrdd i Arabia, ac yna dychwelyd i Ddamascus.

18 Wedyn, ar ôl tair blynedd, mi euthum i fyny i Jerwsalem i ymgydnabyddu â Ceffas, ac arhosais gydag ef am bythefnos. ¹⁹Ni welais neb arall o'r apostolion, ar wahân i Iago, brawd yr Arglwydd. ²⁰Gerbron Duw, nid celwydd yr wyf yn ei ysgrifennu atoch. ²¹Wedyn euthum i diriogaethau Syria a Cilicia. ²²Nid oedd gan y cynulleidfaoedd sydd yng Nghrist yn Jwdea ddim adnabyddiaeth bersonol ohonof, ²³dim ond eu bod yn clywed rhai'n dweud, "Y mae ein herlidiwr gynt yn awr yn pregethu'r ffydd yr oedd yn ceisio'i difrodi o'r blaen." ²⁴Ac yr oeddent yn gogoneddu Duw o'm hachos i.

Yr Apostolion Eraill yn Cydnabod Paul

2 Wedyn, ymhen pedair blynedd ar ddeg, euthum unwaith eto i fyny i Jerwsalem ynghyd â Barnabas, gan gymryd Titus hefyd gyda mi. ²Euthum i fyny mewn ufudd-dod i ddatguddiad. Gosodais ger eu bron—o'r neilltu, gerbron y gwŷr a gyfrifir yn arweinwyr—yr Efengyl yr wyf yn ei phregethu ymhlith y Cenhedloedd, rhag ofn fy mod yn rhedeg, neu wedi rhedeg, yn ofer. ³Ond ni orfodwyd enwaedu ar fy nghydymaith Titus hyd yn oed, er mai Groegwr ydoedd. ⁴Codwyd y mater o achos y brodyr gau, llechgwn a oedd wedi llechian i mewn fel sbïwyr ar y rhyddid sy'n eiddo i ni yng Nghrist Iesu, gyda'r bwriad o'n caethiwo ni. ⁵Ond ni ildiasom iddynt trwy gymryd ein darostwng, naddo, ddim am foment, er mwyn i wirionedd yr Efengyl aros yn ddianaf ar eich cyfer chwi. ⁶Ond am y gwŷr a gyfrifir yn rhywbeth (nid yw o ddim gwahaniaeth i mi beth oeddent gynt; nid yw Duw yn ystyried safle dyn), nid ychwanegodd yr arweinwyr hyn ddim at yr hyn oedd gennyf. ⁷I'r gwrthwyneb, fe welsant fod yr Efengyl ar gyfer y Cenhedloedd wedi ei hymddiried i mi, yn union fel yr oedd yr Efengyl ar gyfer yr Iddewon wedi ei hymddiried i Pedr. ⁸Oherwydd yr un a weithiodd yn Pedr i'w wneud yn apostol i'r Iddewon, a weithiodd ynof finnau i'm gwneud yn apostol i'r Cenhedloedd. ⁹A dyma Iago a Ceffas ac Ioan, y gwŷr a gyfrifir yn golofnau, yn cydnabod y gras oedd wedi ei roi i mi, ac yn estyn i Barnabas a minnau ddeheulaw cymdeithas, a chytuno ein bod ni i fynd at y Cenhedloedd a hwythau at yr Iddewon. ¹⁰Eu hunig gais oedd ein bod i gofio'r tlodion; a dyna'r union beth yr oeddwn wedi ymroi i'w wneud.

Paul yn Ceryddu Pedr yn Antiochia

11 Ond pan ddaeth Ceffas i Antiochia, fe'i gwrthwynebais yn ei wyneb, gan ei fod yn amlwg ar fai. ¹²Oherwydd, cyn i rywrai ddod yno oddi wrth Iago, byddai ef yn arfer cydfwyta gyda'r Cristionogion cenhedlig, ond wedi iddynt ddod, dechreuodd gadw'n ôl ac ymbellhau, am ei fod yn ofni plaid yr enwaediad. ¹³Ymunodd yr Iddewon eraill hefyd yn ei ragrith, nes ysgubo Barnabas yntau i ragrithio gyda hwy. ¹⁴Ond pan welais nad oeddent yn cadw at lwybr gwirionedd yr Efengyl, dywedais wrth Ceffas yng ngŵydd pawb, "Os wyt ti, er dy fod yn Iddew, yn byw nid fel Iddew ond fel Cenedl-ddyn, pa hawl sydd gennyt ti i orfodi Cenedl-ddynion i fyw fel Iddewon?"

Yr Iddewon, fel y Cenhedloedd, i'w Hachub trwy Ffydd

15 Yr ydym ni wedi'n geni yn Iddewon, nid yn Genedl-ddynion pechadurus. ¹⁶Ac eto fe wyddom na chaiff dyn ei gyfiawnhau ond trwy ffydd yn Iesu Grist, nid trwy gadw gofynion cyfraith. Felly fe gredasom ninnau yng Nghrist Iesu er mwyn ein cyfiawnhau, nid trwy gadw gofynion cyfraith, ond trwy ffydd yng Nghrist, oherwydd ni chaiff undyn meidrol ei gyfiawnhau trwy gadw gofynion cyfraith. ¹⁷Ond os, wrth geisio cael

ein cyfiawnhau trwy Grist, cafwyd ninnau hefyd yn bechaduriaid, a yw hynny'n golygu bod Crist yn was pechod? Nac ydyw, ddim o gwbl! ¹⁸Oherwydd os wyf yn adeiladu drachefn y pethau a dynnais i lawr, yr wyf yn fy mhrofi fy hun yn droseddwr. ¹⁹Oherwydd trwy gyfraith bûm farw i gyfraith, er mwyn byw i Dduw. ²⁰Yr wyf wedi fy nghroeshoelio gyda Christ; a mwyach, nid myfi sy'n byw, ond Crist sy'n byw ynof fi. A'r bywyd yr wyf yn awr yn ei fyw yn y cnawd, ei fyw trwy ffydd yr wyf, ffydd ym Mab Duw, yr hwn a'm carodd i ac a'i rhoes ei hun i farw trosof fi. ²¹Nid wyf am ddirymu gras Duw; oherwydd os trwy gyfraith y daw cyfiawnder, yna bu Crist farw yn ddiachos.

Ai Cadw Gofynion Cyfraith, ynteu Ffydd?

3 Y Galatiaid dwl! Pwy sydd wedi eich rheibio chwi, chwi y darluniwyd Iesu Grist ar ei groes ar gocdd o flaen eich llygaid? ²Y cwbl yr wyf am ei wybod gennych yw hyn: ai trwy gadw gofynion cyfraith y derbyniasoch yr Ysbryd, ynteu trwy wrando mewn ffydd? ³A ydych mor ddwl a hyn? Wedi ichwi ddechrau trwy'r Ysbryd, a ydych yn ceisio pen y daith trwy'r cnawd? ⁴Ai yn ofer y cawsoch brofiadau mor fawr (os gallant, yn wir, fod yn ofer)? ⁵Beth, ynteu, am yr hwn sy'n cyfrannu ichwi yr Ysbryd ac yn gweithio gwyrthiau yn eich plith? Ai ar gyfrif cadw gofynion cyfraith, ynteu ar gyfrif gwrando mewn ffydd, y mae'n gwneud hyn oll? ⁶Y mae fel yn achos Abraham: "Rhoes ei ffydd yn Nuw, ac fe'i cyfrifwyd iddo yn gyfiawnder."

7 Gwyddoch, gan hynny, am bobl ffydd, mai hwy yw meibion Abraham. ⁸Ac y mae'r Ysgrythur, wrth ragweld mai trwy ffydd y byddai Duw yn cyfiawnhau'r Cenhedloedd, wedi pregethu'r Efengyl ymlaen llaw wrth Abraham fel hyn: "Bendithir yr holl genhedloedd ynot ti." ⁹Am hynny, y mae pobl ffydd yn cael eu bendithio ynghyd ag Abraham ffyddiog. ¹⁰Oherwydd y mae pawb sy'n dibynnu ar gadw gofynion cyfraith dan felltith, achos y mae'n ysgrifenedig: "Melltith ar bob un nad yw'n cadw at bob peth sy'n ysgrifenedig yn llyfr y Gyfraith, a'i wneud!" ¹¹Y mae'n amlwg na chaiff neb ei gyfiawnhau gerbron Duw ar dir cyfraith, oherwydd, yng ngeiriau'r Ysgrythur, "Y sawl sydd

trwy ffydd yn gyfiawn a gaiff fyw."
[12]Eithr nid "trwy ffydd" yw egwyddor y Gyfraith; dweud y mae hi yn hytrach, "Y sawl sy'n cadw ei gofynion a gaiff fyw trwyddynt hwy." [13]Prynodd Crist ryddid i ni oddi wrth felltith y Gyfraith pan ddaeth, er ein mwyn, yn wrthrych melltith, oherwydd y mae'n ysgrifenedig: "Melltith ar bob un a grogir ar bren!" [14]Y bwriad oedd cael bendith Abraham i ymledu i'r Cenhedloedd yng Nghrist Iesu, er mwyn i ni dderbyn, trwy ffydd, yr Ysbryd a addawyd.

Y Gyfraith a'r Addewid

15 Frodyr, i gymryd enghraifft o fyd dynion, pan fydd ewyllys dyn, sef ei gyfamod olaf, wedi ei chadarnhau, ni chaiff neb ei dirymu nac ychwanegu ati. [16]Yn awr, i Abraham y rhoddwyd addewidion y cyfamod, ac i'w had ef. Ni ddywedir, "ac i'th hadau", yn y lluosog, ond, "ac i'th had di", yn yr unigol, a'r un hwnnw yw Crist. [17]Dyma yr wyf yn ei olygu: yn achos cyfamod oedd eisoes wedi ei gadarnhau gan Dduw, nid yw cyfraith, sydd bedwar cant tri deg o flynyddoedd yn ddiweddarach, yn ei ddirymu, nes gwneud yr addewid yn ddiddim. [18]Oherwydd, os trwy gyfraith y mae'r etifeddiaeth, yna nid yw mwyach trwy addewid; ond trwy addewid y mae Duw o'i ras wedi ei rhoi i Abraham. [19]Beth, ynteu, am y Gyfraith? Ar gyfrif troseddau yr ychwanegwyd hi, i aros hyd nes y byddai'r had, yr un y gwnaed yr addewid iddo, yn dod. Fe'i gorchmynnwyd trwy angylion, gyda chymorth canolwr. [20]Ond nid oes angen canolwr lle nad oes mwy nag un; ac un yw Duw.

Caethweision a Meibion

21 A yw'r Gyfraith, ynteu, yn groes i addewidion Duw? Nac ydyw, ddim o gwbl! Oherwydd pe bai cyfraith wedi ei rhoi â'r gallu ganddi i gyfrannu bywyd, yna, yn wir, fe fyddai cyfiawnder trwy gyfraith. [22]Ond nid felly y mae; yn ôl dyfarniad yr Ysgrythur, y mae'r byd i gyd wedi ei gaethiwo gan bechod, er mwyn peri mai trwy ffydd yn Iesu Grist, ac i'r rhai sy'n meddu'r ffydd honno, y rhoddid yr hyn a addawyd. 23 Cyn i'r ffydd hon ddod, yr oeddem dan warchodaeth gaeth cyfraith, yn disgwyl am y ffydd oedd i gael ei dat-

guddio. [24]Felly, bu'r Gyfraith yn was i warchod trosom hyd nes i Grist ddod[a], ac inni gael ein cyfiawnhau trwy ffydd. [25]Ond gan fod y ffydd bellach wedi dod, nid ydym mwyach dan warchodaeth gwas[b].

26 Oblegid yr ydych bawb, trwy ffydd, yn feibion Duw yng Nghrist Iesu. [27]Oherwydd y mae pob un ohonoch sydd wedi ei fedyddio i Grist wedi gwisgo Crist amdano. [28]Nid oes rhagor rhwng Iddew a Groegwr, rhwng caeth a rhydd, rhwng gwryw a benyw, oherwydd un person ydych chwi oll yng Nghrist Iesu. [29]Ac os ydych yn eiddo Crist, yna had Abraham ydych, etifeddion yn ôl yr addewid.

4 Dyma yr wyf yn ei olygu: cyhyd ag y mae'r etifedd dan oed, nid oes dim gwahaniaeth rhyngddo a chaethwas, er ei fod yn berchennog ar y stad i gyd. [2]Y mae dan geidwad a goruchwylwyr hyd y dyddiad a benodwyd gan ei dad. [3]Felly ninnau, pan oeddem dan oed, yr oeddem wedi ein caethiwo dan ysbrydion elfennig y cyfanfyd. [4]Ond pan ddaeth cyflawniad yr amser, anfonodd Duw ei Fab, wedi ei eni o wraig, wedi ei eni dan y Gyfraith, [5]i brynu rhyddid i'r rhai oedd dan y Gyfraith, er mwyn i ni gael braint mabwysiad. [6]A chan eich bod yn feibion, anfonodd Duw Ysbryd ei Fab i'n calonnau, yn llefain, "Abba! Dad!" [7]Felly, nid caethwas wyt ti bellach, ond mab; ac os mab, yna etifedd, trwy weithred Duw.

Gofal Paul dros y Galatiaid

8 Gynt, yn wir, a chwithau heb adnabod Duw, caethweision oeddech i fodau nad ydynt o ran eu natur yn dduwiau. [9]Ond yn awr, a chwithau wedi adnabod Duw, neu'n hytrach, wedi eich adnabod gan Dduw, sut y gallwch droi yn ôl at yr ysbrydion elfennig llesg a thlawd, a mynnu mynd yn gaethweision iddynt hwy unwaith eto? [10]Cadw dyddiau, a misoedd, a thymhorau, a blynyddoedd, yr ydych. [11]Y mae arnaf ofn mai yn ofer yr wyf wedi llafurio ar eich rhan.

12 'Rwy'n ymbil arnoch, frodyr, byddwch fel yr wyf fi, oherwydd fe fûm i, yn wir, fel yr oeddech chwi. Ni wnaethoch ddim cam â mi. [13]Fel y gwyddoch, ar achlysur gwendid corfforol y pregethais yr Efengyl i chwi y tro cyntaf; [14]ac er i gyflwr fy nghorff fod yn demtasiwn i chwi, ni fuoch na dibris na dirmygus ohonof,

[a]Neu, yn hyfforddwr i'n tywys ni at Grist.   [b]Neu, hyfforddwr.

ond fy nerbyn a wnaethoch fel angel Duw, fel Crist Iesu ei hun. [15]Ble'r aeth y llawenydd a barodd fy nyfodiad ichwi? Oherwydd gallaf dystio amdanoch, y buasech wedi tynnu'ch llygaid allan a'u rhoi i mi, petasai hynny'n bosibl. [16]A wyf fi, felly, wedi mynd yn elyn ichwi, am imi ddweud y gwir wrthych? [17]Y mae yna bobl sy'n rhoi sylw mawr ichwi, ond nid er eich lles; ceisio eich cau chwi allan y maent, er mwyn i chwi roi sylw iddynt hwy. [18]Peth da bob amser yw ichwi gael sylw, pan fydd hynny er lles, ac nid yn unig pan fyddaf fi'n bresennol gyda chwi. [19]Fy mhlant bach, yr wyf unwaith eto mewn gwewyr esgor arnoch, hyd nes y ceir ffurf Crist ynoch. [20]Byddai'n dda gennyf fod gyda chwi yn awr, a gostegu fy llais, oherwydd yr wyf mewn penbleth yn eich cylch.

Alegori Hagar a Sara

21 Dywedwch i mi, chwi sy'n mynnu bod dan gyfraith, oni wrandewch ar y Gyfraith? [22]Y mae'n ysgrifenedig i Abraham gael dau fab, un o'i gaethferch ac un o'i wraig rydd. [23]Ganwyd mab y gaethferch yn ôl greddfau'r cnawd, ond ganwyd mab y wraig rydd trwy addewid Duw. [24]Alegori yw hyn oll. Y mae'r gwragedd yn cynrychioli dau gyfamod. Y mae un o Fynydd Sinai, yn geni plant i gaethiwed. [25]Hagar yw hon; y mae Hagar yn cynrychioli Mynydd Sinai yn Arabia,[c] ac y mae'n cyfateb i'r Jerwsalem sydd yn awr, oherwydd y mae hi, ynghyd â'i phlant, mewn caethiwed. [26]Ond y mae'r Jerwsalem sydd fry yn rhydd, a hi yw ein mam ni. [27]Oherwydd y mae'n ysgrifenedig:

"Llawenha, y wraig ddiffrwyth nad
    wyt yn dwyn plant;
bloeddia ganu, y wraig nad wyt fyth
    mewn gwewyr esgor;
oherwydd y mae plant y wraig
    ddiymgeledd yn lluosocach na
    phlant y wraig sydd â gŵr
    ganddi."

[28]Ond yr ydych chwi, frodyr, fel Isaac, yn blant addewid Duw. [29]Ond fel yr oedd plentyn y cnawd gynt yn erlid plentyn yr ysbryd, felly y mae yn awr hefyd. [30]Ond beth y mae'r Ysgrythur yn ei ddweud? "Gyrr allan y gaethferch a'i mab, oherwydd ni chaiff mab y gaethferch fyth

gydetifeddu â mab y wraig rydd." [31]Gan hynny, frodyr, nid plant i'r gaethferch ydym ni, ond plant i'r wraig rydd.

5 I ryddid y rhyddhaodd Crist ni. Safwch yn gadarn, felly, a pheidiwch â phlygu eto i iau caethiwed.

Rhyddid Cristionogol

2 Dyma fy ngeiriau i, Paul, wrthych chwi: os derbyniwch enwaediad, ni bydd Crist o ddim budd i chwi. [3]Yr wyf yn tystio unwaith eto wrth bob dyn a enwaedir, ei fod dan rwymedigaeth i gadw'r Gyfraith i gyd. [4]Chwi sy'n ceisio cyfiawnhad trwy gyfraith, y mae eich perthynas â Christ wedi ei thorri; yr ydych wedi syrthio oddi wrth ras. [5]Ond yr ydym ni, trwy'r Ysbryd, ar sail ffydd, yn disgwyl am y cyfiawnder yr ydym yn gobeithio amdano. [6]Oherwydd yng Nghrist Iesu nid enwaediad sy'n cyfrif, na dienwaediad, ond ffydd yn gweithredu trwy gariad.

7 Yr oeddech yn rhedeg yn dda. Pwy a'ch rhwystrodd chwi rhag canlyn y gwirionedd? [8]Nid oddi wrth yr hwn sy'n eich galw y daeth y perswâd yma. [9]Y mae ychydig surdoes yn suro'r holl does. [10]Yr wyf fi'n gwbl hyderus amdanoch yn yr Arglwydd, na fydd i chwi wyro yn eich barn; ond bydd rhaid i hwnnw sy'n aflonyddu arnoch ddwyn ei gosb, pwy bynnag ydyw. [11]Amdanaf fi, frodyr, os wyf yn parhau i bregethu'r enwaediad, pam y parheir i'm herlid? Petai hynny'n wir, byddai tramgwydd y groes wedi ei symud. [12]O na bai eich aflonyddwyr yn eu sbaddu eu hunain hefyd![ch]

13 Fe'ch galwyd chwi, frodyr, i ryddid. Dyma fy unig gais: peidiwch ag arfer eich rhyddid yn gyfle i'r cnawd, ond trwy gariad byddwch yn weision i'ch gilydd. [14]Oherwydd y mae'r holl Gyfraith wedi ei mynegi'n gyflawn mewn un gair, sef yn y gorchymyn, "Câr dy gymydog fel ti dy hun." [15]Ond os cnoi a darnio'ch gilydd yr ydych, gofalwch na chewch eich difa gan eich gilydd.

Ffrwyth yr Ysbryd a Gweithredoedd y Cnawd

16 Dyma yr wyf yn ei olygu: rhodiwch yn yr Ysbryd, ac ni fyddwch fyth yn cyflawni chwantau'r cnawd. [17]Oherwydd y mae chwantau'r cnawd yn erbyn yr

[c]Yn ôl darlleniad arall, Hagar yw hon; mynydd yn Arabia yw Sinai.
[ch]Neu, yn cael eu torri ymaith!

Ysbryd, a chwantau'r Ysbryd yn erbyn y cnawd. Y maent yn tynnu'n groes i'w gilydd, fel na allwch wneud yr hyn a fynnwch. ¹⁸Ond os ydych yn cael eich arwain gan yr Ysbryd, nid ydych dan gyfraith. ¹⁹Y mae gweithredoedd y cnawd yn amlwg, sef puteindra, amhurdeb, anlladrwydd, ²⁰eilunaddoliaeth, dewiniaeth, cweryla, cynnen, eiddigedd, llidio, ymgiprys, rhwygo, ymbleidio, ²¹cenfigennu,ᵈ meddwi, gloddesta, a phethau tebyg. Yr wyf yn eich rhybuddio, fel y gwneuthum o'r blaen, na chaiff y rhai sy'n gwneud y fath bethau etifeddu teyrnas Dduw.

22 Ond ffrwyth yr Ysbryd yw cariad, llawenydd, tangnefedd, goddefgarwch, caredigrwydd, daioni, ffyddlondeb, addfwynder, hunan-ddisgyblaeth. ²³Nid oes cyfraith yn erbyn rhinweddau fel y rhain. ²⁴Y mae pobl Crist Iesu wedi croeshoelio'r cnawd ynghyd â'i nwydau a'i chwantau. ²⁵Os yw ein bywyd yn yr Ysbryd, ynddo hefyd bydded ein buchedd. ²⁶Bydded inni ymgadw rhag gwag ymffrost, rhag herio ein gilydd, a rhag cenfigennu wrth ein gilydd.

Cariwch Feichiau eich Gilydd

6 Frodyr, os caiff dyn ei ddal mewn rhyw drosedd, eich gwaith chwi, y rhai ysbrydol, yw ei adfer mewn ysbryd addfwyn. Ond edrych atat dy hun, rhag ofn i tithau gael dy demtio. ²Cariwch feichiau eich gilydd, ac felly fe gyflawnwch Gyfraith Crist. ³Oherwydd, os yw rhywun yn tybio ei fod yn rhywbeth, ac yntau yn ddim, ei dwyllo ei hun y mae. ⁴Y mae pob un i roi prawf ar ei waith ei hun, ac yna fe gaiff le i ymffrostio gyda golwg arno'i hun yn unig, nid ar neb arall. ⁵Oherwydd bydd gan bob un ei bwn ei hun i'w gario. ⁶Y mae'r sawl sy'n cael ei hyfforddi yn y Gair i roi cyfran o'i holl fendithion i'w hyfforddwr. ⁷Peidiwch â chymryd eich camarwain; ni chaiff Duw mo'i watwar, oherwydd beth bynnag y mae dyn yn ei hau, hynny hefyd y bydd yn ei fedi. ⁸Bydd y sawl sy'n hau i'w gnawd ei hun yn medi o'i gnawd lygredigaeth, a'r sawl sy'n hau i'r Ysbryd yn medi o'r Ysbryd fywyd tragwyddol. ⁹Peidiwn â blino ar wneud daioni, oherwydd cawn fedi'r cynhaeaf yn ei amser, dim ond inni beidio â llaesu dwylo. ¹⁰Felly, tra bydd amser gennym, gadewch inni wneud da i bawb, ac yn enwedig i'r rhai sydd o deulu'r ffydd.

Rhybudd Terfynol a'r Fendith

11 Gwelwch mor fras yw'r llythrennau hyn yr wyf yn eu hysgrifennu atoch â'm llaw fy hun. ¹²Dynion â'u bryd ar rodres yn y cnawd yw'r rheini sy'n ceisio eich gorfodi i dderbyn enwaediad, a hynny'n unig er mwyn iddynt hwy arbed cael eu herlid o achos croes Crist. ¹³Oherwydd nid yw'r rhai a enwaedir eu hunain hyd yn oed yn cadw'r Gyfraith. Y maent am i chwi dderbyn enwaediad er mwyn iddynt hwy gael ymffrostio yn eich cnawd chwi. ¹⁴O'm rhan fy hun, cadwer fi rhag ymffrostio mewn dim ond yng nghroes ein Harglwydd Iesu Grist, y groes y mae'r byd drwyddiᵈᵈ wedi ei groeshoelio i mi, a minnau i'r byd. ¹⁵Nid enwaediad sy'n cyfrif, na dienwaediad, ond creadigaeth newydd. ¹⁶A phawb fydd yn rhodio wrth y rheol hon, tangnefedd arnynt, a thrugaredd, ie, ar Israel Duw!ᵉ

17 Peidied neb bellach â pheri blinder imi, oherwydd yr wyf yn dwyn nodau Iesu yn fy nghorff.

18 Gras ein Harglwydd Iesu Grist fyddo gyda'ch ysbryd, frodyr! Amen.

ᵈYn ôl darlleniad arall, cenfigennu, llofruddio.
ᵈᵈNeu, Iesu Grist, y mae'r byd drwyddo.
ᵉNeu, a hefyd ar Israel Duw!

LLYTHYR PAUL AT YR
EFFESIAID

Cyfarch

1 Paul, apostol Crist Iesu trwy ewyllys Duw, at y saint sydd yn Effesus, yn ffyddlon[a] yng Nghrist Iesu. [2]Gras a thangnefedd i chwi oddi wrth Dduw ein Tad a'r Arglwydd Iesu Grist.

Bendithion Ysbrydol yng Nghrist

3 Bendigedig fyddo Duw a Thad ein Harglwydd Iesu Grist! Y mae wedi'n bendithio ni yng Nghrist â phob bendith ysbrydol yn y nefoedd. [4]Cyn seilio'i byd, fe'n dewisodd yng Nghrist i fod yn sanctaidd ac yn ddi-fai ger ei fron mewn cariad. [5]O wirfodd ei ewyllys fe'n rhagordeiniodd i gael ein derbyn yn feibion iddo'i hun trwy Iesu Grist, [6]er clod i'w ras gogoneddus, ei rad rodd i ni yn yr Anwylyd. [7]Ynddo ef y mae i ni brynedigaeth trwy ei farw aberthol, sef maddeuant ein camweddau; dyma fesur cyfoeth y gras [8]a roddodd mor hael i ni, ynghyd â phob doethineb a dirnadaeth. [9]Hysbysodd i ni ddirgelwch ei ewyllys, y bwriad a arfaethodd yng Nghrist [10]yng nghynllun cyflawniad yr amseroedd, sef dwyn yr holl greadigaeth i undod yng Nghrist, gan gynnwys pob peth yn y nefoedd ac ar y ddaear. [11]Ynddo ef hefyd rhoddwyd i ni ran yn yr etifeddiaeth, yn rhinwedd ein rhagordeinio yn ôl arfaeth yr hwn sy'n gweithredu pob peth yn ôl ei fwriad a'i ewyllys ei hun. [12]A thrwy hyn yr ydym ni, y rhai cyntaf i obeithio yng Nghrist, i ddwyn clod i'w ogoniant ef. [13]A chwithau, wedi ichwi glywed gair y gwirionedd, Efengyl eich iachawdwriaeth, ac wedi ichwi gredu ynddo, gosodwyd arnoch yng Nghrist sêl yr Ysbryd Glân, yr hwn oedd wedi ei addo. [14]Yr Ysbryd hwn yw'r ernes o'n hetifeddiaeth, nes ein prynu'n rhydd i'w meddiannu'n llawn, er clod i ogoniant Duw.

Gweddi Paul

15 Am hynny, o'r pryd y clywais am y ffydd sydd gennych yn yr Arglwydd Iesu, ac am eich cariad tuag at yr holl saint, [16]nid wyf fi wedi peidio â diolch amdanoch, gan eich galw i gof yn fy ngweddïau. [17]A'm gweddi yw, ar i Dduw ein Harglwydd Iesu Grist, Tad y gogoniant, roi i chwi, yn eich adnabyddiaeth ohono ef, yr Ysbryd sy'n rhoi doethineb a datguddiad. [18]Bydded iddo oleuo llygaid eich deall, a'ch dwyn i wybod beth yw'r gobaith sy'n ymhlyg yn ei alwad, beth yw'r cyfoeth o ogoniant sydd ar gael yn yr etifeddiaeth y mae'n ei rhoi i chwi ymhlith y saint, [19]a beth yw aruthrol fawredd y gallu sydd ganddo o'n plaid ni sy'n credu, [20]y grymuster hwnnw a gyflawnodd yng ngrym ei nerth yng Nghrist pan gyfododd ef oddi wrth y meirw, a'i osod i eistedd ar ei ddeheulaw yn y nefoedd, [21]yn feistr ar bob tywysogaeth ac awdurdod a gallu ac arglwyddiaeth, a phob teitl a geir, nid yn unig yn yr oes bresennol, ond hefyd yn yr oes sydd i ddod. [22]Darostyngodd Duw bob peth dan ei draed ef, a rhoddodd ef yn ben ar bob peth i'r eglwys; [23]yr eglwys hon yw ei gorff ef, a chyflawniad yr hwn[b] sy'n cael ei gyflawni ym mhob peth a thrwy bob peth.[c]

O Farwolaeth i Fywyd

2 Bu adeg pan oeddech chwithau yn feirw o achos eich camweddau a'ch pechodau. [2]Yr oeddech yn byw yn ôl ffordd y byd hwn, mewn ufudd-dod i dywysog galluoedd yr awyr, yr ysbryd sydd yn awr ar waith yn y rhai sy'n anufudd i Dduw. [3]Ymhlith y rhai hynny yr oeddem ninnau i gyd unwaith, yn byw yn ôl ein chwantau dynol ac yn porthi dymuniadau'r cnawd a'r synhwyrau; yr oeddem wrth natur, fel pawb arall, yn gorwedd dan ddigofaint Duw. [4]Ond gan

mor gyfoethog yw Duw yn ei drugaredd, a chan fod ei gariad tuag atom mor fawr, fe'n gwnaeth ni, [5]ni oedd yn feirw yn ein camweddau, yn fyw gyda Christ; trwy ras yr ydych wedi eich achub. [6]Yng Nghrist Iesu, fe'n cyfododd gydag ef a'n gosod i eistedd gydag ef yn y nefoedd, [7]er mwyn dangos, yn yr oesoedd sy'n dod, gyfoeth difesur ei ras trwy ei diriondeb i ni yng Nghrist Iesu. [8]Trwy ras yr ydych wedi eich achub, trwy ffydd. Nid eich gwaith chwi yw hyn; rhodd Duw ydyw; [9]nid yw'n dibynnu ar weithredoedd, ac felly ni all neb ymffrostio. [10]Oherwydd ei waith ef ydym, wedi ein creu yng Nghrist Iesu i fywyd o weithredoedd da, bywyd y mae Duw wedi ei drefnu ar ein cyfer o'r dechrau.

Yn Un yng Nghrist

11 Gan hynny, chwi oedd gynt yn Genhedloedd o ran y cnawd, chwi sydd yn cael eich galw yn ddienwaededig gan y rhai a elwir yn enwaededig (ar gyfrif gwaith dwylo dynion ar y cnawd), [12]chwi, meddaf, cofiwch eich bod yr amser hwnnw heb Grist, yn ddieithriaid i ddinasyddiaeth Israel, yn estroniaid i'r cyfamodau a'u haddewid, heb obaith a heb Dduw yn y byd. [13]Ond yn awr, yng Nghrist Iesu, yr ydych chwi, a fu unwaith ymhell, wedi eich dwyn yn agos trwy farw aberthol Crist.

14 Oherwydd ef yw ein heddwch ni. Gwnaeth y ddau, yr Iddewon a'r Cenhedloedd, yn un, wedi chwalu trwy ei gnawd ei hun y canolfur o elyniaeth oedd yn eu gwahanu. [15]Dirymodd y Gyfraith, a'i gorchmynion a'i hordeiniadau. Ac felly, i wneud heddwch, creodd o'r ddau un ddynoliaeth newydd ynddo ef ei hun, [16]er mwyn cymodi'r ddau â Duw, mewn un corff, trwy'r groes; trwyddi hi fe laddodd yr elyniaeth. [17]Fe ddaeth, a phregethu heddwch i chwi y rhai pell, a heddwch hefyd i'r rhai agos. [18]Oherwydd trwyddo ef y mae gennym ni ein dau ffordd i ddod, mewn un Ysbryd, at y Tad. [19]Felly, nid estroniaid a dieithriaid ydych mwyach, ond cyd-ddinasyddion â'r saint ac aelodau o deulu Duw. [20]Yr ydych wedi eich adeiladu ar sylfaen yr apostolion a'r proffwydi, a'r conglfaen yw Crist Iesu ei hun. [21]Ynddo ef y mae pob rhan a adeiladir[ch] yn cyd-gloi yn ei gilydd ac yn

codi'n deml sanctaidd yn yr Arglwydd. [22]Ynddo ef yr ydych chwithau hefyd yn cael eich cydadeiladu i fod yn breswylfod i Dduw yn yr Ysbryd.

Gweinidogaeth Paul i'r Cenhedloedd

3 Oherwydd hyn, yr wyf fi, Paul, carcharor Crist Iesu er eich mwyn chwi'r Cenhedloedd, yn offrymu fy ngweddi. [2]Y mae'n rhaid eich bod wedi clywed am gynllun gras Duw, y gras sydd wedi ei roi i mi er eich lles chwi: [3]sef i'r dirgelwch gael ei hysbysu i mi trwy ddatguddiad. Yr wyf eisoes wedi ysgrifennu'n fyr am hyn, [4]ac o'i ddarllen gallwch weld mesur fy nirnadaeth o ddirgelwch Crist. [5]Yn y cenedlaethau gynt, ni chafodd y dirgelwch hwn mo'i hysbysu i feibion dynion, ond yn awr y mae wedi ei ddatguddio gan Ysbryd Duw i'w apostolion sanctaidd a'r proffwydi. [6]Dyma'r dirgelwch: bod y Cenhedloedd, ynghyd â'r Iddewon, yn gydetifeddion, yn gydaelodau o'r corff, ac yn gydgyfranogion o'r addewid yng Nghrist Iesu trwy'r Efengyl. [7]Dyma'r Efengyl y deuthum i yn weinidog iddi yn ôl dawn gras Duw, a roddwyd i mi trwy weithrediad ei allu ef. [8]I mi, y llai na'r lleiaf o'r holl saint, y rhoddwyd y ddawn raslon hon, i bregethu i'r Cenhedloedd anchwiliadwy olud Crist, [9]ac i ddwyn i'r golau gynllun[d] y dirgelwch a fu'n guddiedig ers oesoedd yn Nuw, Creawdwr pob peth, [10]er mwyn i ysblander amryfal ddoethineb Duw gael ei hysbysu yn awr, trwy'r eglwys, i'r tywysogaethau a'r awdurdodau yn y nefoedd. [11]Y mae hyn yn unol â'r arfaeth dragwyddol a gyflawnodd yng Nghrist Iesu ein Harglwydd. [12]Ynddo ef, a thrwy ffydd ynddo, y mae gennym hyder i ddod at Dduw yn ffyddiog. [13]Yr wyf yn erfyn, felly, ar ichwi beidio â digalonni o achos fy nioddefiadau drosoch; hwy, yn wir, yw eich gogoniant chwi.

Gwybod Cariad Crist

14 Oherwydd hyn yr wyf yn plygu fy ngliniau gerbron y Tad, [15]yr hwn y mae pob teulu yn y nefoedd ac ar y ddaear yn cymryd ei enw oddi wrtho, [16]ac yn gweddïo ar iddo ganiatáu i chwi, yn ôl cyfoeth ei ogoniant, gryfder nerthol trwy'r Ysbryd yn y dyn oddi mewn, [17]ac ar i. Grist breswylio yn eich calonnau

[ch]Yn ôl darlleniad arall, y mae'r adeilad cyfan.

[d]Yn ôl darlleniad arall, ac i oleuo pawb ynglŷn â chynllun.

drwy ffydd. [18] Boed i chwi, sydd â chariad yn wreiddyn a sylfaen eich bywyd, gael eich galluogi i amgyffred ynghyd â'r holl saint beth yw lled a hyd ac uchder a dyfnder cariad Crist, [19] a gwybod am y cariad hwnnw, er ei fod uwchlaw gwybodaeth. Felly dygir chwi i gyflawnder, hyd at holl gyflawnder Duw.

20 Iddo ef, sydd â'r gallu ganddo i wneud yn anhraethol well na dim y gallwn ni ei ddeisyfu na'i ddychmygu, trwy'r gallu sydd ar waith ynom ni, [21] iddo ef y bo'r gogoniant yn yr eglwys ac yng Nghrist Iesu, o genhedlaeth i genhedlaeth, byth bythoedd! Amen.

Undod y Corff

4 Yr wyf fi, felly, sy'n garcharor er mwyn yr Arglwydd, yn cich annog i fyw yn deilwng o'r alwad a gawsoch. [2] Byddwch yn ostyngedig ac addfwyn ym mhob peth, ac yn amyneddgar, gan oddef eich gilydd mewn cariad. [3] Ymrowch i gadw, â rhwymyn tangnefedd, yr undod y mae'r Ysbryd yn ei roi. [4] Un corff sydd, ac un Ysbryd, yn union fel mai un yw'r gobaith sy'n ymhlyg yn eich galwad; [5] un Arglwydd, un ffydd, un bedydd, [6] un Duw a Thad i bawb, yr hwn sydd goruwch pawb, a thrwy bawb, ac ym mhawb.

7 Ond i bob un ohonom rhoddwyd gras, ei ran o rodd Crist. [8] Am hynny y mae'r Ysgrythur yn dweud:
"Esgynnodd i'r uchelder, gan arwain
    ei garcharorion yn gaeth;
rhoddodd roddion i ddynion."
[9] Beth yw ystyr "esgynnodd"? Onid yw'n golygu ei fod wedi disgyn hefyd i barthau isaf y ddaear? [10] Yr un a ddisgynnodd yw'r un a esgynnodd hefyd ymhell uwchlaw'r nefoedd i gyd, i lenwi'r holl greadigaeth. [11] A dyma'i roddion: rhai i fod yn apostolion, rhai yn broffwydi, rhai yn efengylwyr, rhai yn fugeiliaid ac yn athrawon, [12] i gymhwyso'r saint i waith gweinidogaeth, i adeiladu corff Crist. [13] Felly y cyrhaeddwn oll hyd at yr undod a berthyn i'r ffydd ac i adnabyddiaeth o Fab Duw. Y nod yw dynoliaeth lawn dwf, a'r mesur yw'r aeddfedrwydd sy'n perthyn i gyflawnder Crist. [14] Nid ydym mwyach i fod yn fabanod, yn cael ein lluchio gan donnau a'n gyrru yma a thraw gan bob rhyw awel o athrawiaeth, wedi ein dal gan ystryw dynion sy'n ddyfeisgar i gynllwynio twyll. [15] Na, gadewch i ni ddilyn y gwir mewn cariad, a thyfu ym

mhob peth i Grist. Ef yw'r pen, [16] ac wrtho ef y mae'r holl gorff yn cael ei ddal ynghyd, a'i gydgysylltu drwy bob cymal sy'n rhan ohono. Felly, trwy weithgarwch cyfaddas pob un rhan, ceir prifiant yn y corff, ac y mae'n ei adeiladu ei hun mewn cariad.

Yr Hen Fywyd a'r Newydd

17 Hyn, felly, yr wyf yn ei ddweud ac yn ei argymell arnoch yn yr Arglwydd, eich bod chwi bellach i beidio â byw fel y mae'r Cenhedloedd yn byw, yn oferedd eu meddwl; [18] oherwydd tywyllwch sydd yn eu deall, a dieithriaid ydynt i'r bywyd sydd o Dduw, o achos yr anwybodaeth y maent yn ei choleddu a'r ystyfnigrwydd sydd yn eu calon. [19] Pobl ydynt sydd wedi colli pob teimlad ac wedi ymollwng i'r anlladrwydd sy'n peri i ddynion gyflawni pob math o aflendid yn ddiymatal. [20] Ond nid felly yr ydych chwi wedi dysgu Crist, [21] chwi sydd, yn wir, wedi clywed amdano ac wedi eich hyfforddi ynddo, yn union fel y mae'r gwirionedd yn Iesu. [22] Fe'ch dysgwyd eich bod i roi heibio'r hen natur ddynol oedd ac sy'n cael ei llygru gan chwantau twyllodrus, [23] a'ch bod i gael eich adnewyddu mewn ysbryd a meddwl, [24] a gwisgo amdanoch y natur ddynol newydd sydd wedi ei chreu ar ddelw Duw, yn y cyfiawnder a'r sancteiddrwydd sy'n gweddu i'r gwirionedd.

Rheolau'r Bywyd Newydd

25 Gan hynny, ymaith â chelwydd! Dywedwch y gwir bob un wrth ei gymydog, oherwydd yr ydym yn aelodau o'n gilydd. [26] Byddwch ddig, ond peidiwch â phechu; peidiwch â gadael i'r haul fachlud ar eich digofaint, [27] a pheidiwch â rhoi cyfle i'r diafol. [28] Y mae'r lleidr i beidio â lladrata mwyach; yn hytrach, dylai ymroi i weithio'n onest â'i ddwylo ei hun, er mwyn cael rhywbeth i'w rannu â'r sawl sydd mewn angen. [29] Nid oes yr un gair drwg i ddod allan o'ch genau, dim ond geiriau da, sydd er adeiladaeth yn ôl yr angen, ac felly'n dwyn bendith i'r sawl sy'n eu clywed. [30] Peidiwch â thristáu Ysbryd Glân Duw, yr Ysbryd y gosodwyd ei sêl arnoch ar gyfer dydd eich prynu'n rhydd. [31] Bwriwch ymaith oddi wrthych bob chwerwder, llid, digofaint, twrw, a sen, ynghyd â phob drwg deimlad. [32] Byddwch yn dirion wrth eich

gilydd; yn dyner eich calon, yn maddau i'ch gilydd fel y maddeuodd Duw yng Nghrist i chwi.

5 Byddwch, felly, yn efelychwyr Duw, fel plant annwyl iddo, [2]gan fyw mewn cariad, yn union fel y carodd Crist ni, a'i roi ei hun trosom, yn offrwm ac aberth i Dduw, o arogl pêr. [3]Puteindra, a phob aflendid a thrachwant, peidiwch hyd yn oed â'u henwi yn eich plith, fel y mae'n briodol i saint; [4]a'r un modd bryntni, a chleber ffôl, a siarad gwamal, pethau sy'n anweddus. Yn hytrach, geiriau diolch sy'n gweddu i chwi. [5]Gwyddoch hyn yn sicr, nad oes cyfran yn nheyrnas Crist a Duw i neb sy'n buteiniwr neu'n aflan, nac i neb sy'n drachwantus, hynny yw, yn eilunaddolwr.

Byddwch Fyw fel Plant Goleuni

6 Peidiwch â chymryd eich twyllo gan eiriau gwag neb; o achos y pethau hyn y mae digofaint Duw yn dod ar y rhai sy'n anufudd iddo. [7]Peidiwch felly â chyfathrachu â hwy; [8]tywyllwch oeddech chwi gynt, ond yn awr goleuni ydych yn yr Arglwydd. Byddwch fyw fel plant goleuni, [9]oherwydd gwelir ffrwyth y goleuni ym mhob daioni a chyfiawnder a gwirionedd. [10]Gwnewch yn siŵr beth sy'n gymeradwy gan yr Arglwydd. [11]Gwrthodwch ymgysylltu â gweithredoedd diffrwyth y tywyllwch, ond yn hytrach dadlennwch eu drygioni. [12]Gwarthus yw hyd yn oed crybwyll y pethau a wneir ganddynt yn y dirgel. [13]Ond y mae pob peth a ddadlennir gan y goleuni yn olau ac y mae pob peth sydd yn olau yn oleuni. [14]Am hynny y dywedir:

"Deffro, di sydd yn cysgu,
a chod oddi wrth y meirw,
ac fe dywynna Crist arnat."

15 Felly, gwyliwch eich ymddygiad yn ofalus, gan fyw nid fel dynion annoeth ond fel dynion doeth. [16]Daliwch ar eich cyfle, oherwydd y mae'r dyddiau'n ddrwg. [17]Am hynny, peidiwch â bod yn ffyliaid, ond ceisiwch ddeall beth yw ewyllys yr Arglwydd. [18]Peidiwch â meddwi ar win (afradlonedd yw hynny), ond llanwer chwi â'r Ysbryd. [19]Cyfarchwch eich gilydd â salmau ac emynau a chaniadau ysbrydol; canwch a phynciwch o'ch calon i'r Arglwydd. [20]Diolchwch bob amser am bob dim i Dduw y Tad yn enw ein Harglwydd Iesu Grist; [21]a byddwch ddarostyngedig i'ch gilydd, o barchedig ofn tuag at Grist.

Gwragedd a Gwŷr

22 Chwi wragedd, byddwch ddarostyngedig i'ch gwŷr fel i'r Arglwydd; [23]oherwydd y gŵr yw pen y wraig, fel y mae Crist hefyd yn ben yr eglwys; ac ef yw Gwaredwr y corff. [24]Ond fel y mae'r eglwys yn ddarostyngedig i Grist, felly y mae'n rhaid i'r gwragedd fod i'w gwŷr ym mhob peth. [25]Chwi wŷr, carwch eich gwragedd, fel y carodd Crist yntau'r eglwys a'i roi ei hun drosti, [26]i'w glanhau â'r golchiad dŵr ynghyd â'r gair, a'i sancteiddio, [27]er mwyn iddo ef ei hun ei chyflwyno iddo'i hun yn ei llawn ogoniant, heb fod arni frycheuyn na chrychni na dim byd o'r fath, iddi fod yn sanctaidd a di-fai. [28]Yn yr un modd, dylai'r gwŷr garu eu gwragedd fel eu cyrff eu hunain. Y mae'r gŵr sy'n caru ei wraig yn ei garu ei hun. [29]Ni chasaodd neb erioed ei gnawd ei hun; yn hytrach y mae'n ei feithrin a'i anwylo. Felly y gwna Crist hefyd â'r eglwys; [30]oherwydd yr ydym ni'n aelodau o'i gorff ef. [31]Yng ngeiriau'r Ysgrythur: "Dyna pam y bydd dyn yn gadael ei dad a'i fam ac yn glynu wrth ei wraig; a bydd y ddau yn un cnawd." [32]Y mae'r dirgelwch hwn yn fawr. Cyfeirio yr wyf at Grist ac at yr eglwys. [33]Ond yr ydych chwithau bob un i garu ei wraig fel ef ei hun; ac y mae'r wraig hithau i barchu ei gŵr.

Plant a Thadau

6 Chwi blant, ufuddhewch i'ch rhieni yn yr Arglwydd, oherwydd hyn sydd iawn. [2]"Anrhydedda dy dad a'th fam" —hwn yw'r gorchymyn cyntaf ac iddo addewid: [3]"er mewn iti lwyddo a chael hir ddyddiau ar y ddaear." [4]Chwi dadau, peidiwch â chythruddo'ch plant, ond eu meithrin yn nisgyblaeth a hyfforddiant yr Arglwydd.

Caethweision a Meistri

5 Chwi gaethweision, ufuddhewch i'ch meistri daearol mewn ofn a dychryn, mewn unplygrwydd calon fel i Grist, [6]nid ag esgus o wasanaeth fel rhai sy'n ceisio plesio dynion, ond fel gweision Crist yn gwneud ewyllys Duw â'ch holl galon. [7]Rhowch wasanaeth ewyllysgar fel i'r

Arglwydd, nid i ddynion, [8]oherwydd fe wyddoch y bydd pob dyn, boed gaethwas neu ddyn rhydd, yn derbyn tâl gan yr Arglwydd am ba ddaioni bynnag a wna. [9]Chwi feistri, gwnewch yr un peth iddynt hwy, gan roi'r gorau i fygwth, oherwydd fe wyddoch fod eu Meistr hwy a chwithau yn y nefoedd, ac nad yw ef yn edrych ar safle dyn.

Y Frwydr yn erbyn Drygioni

10 Yn olaf, ymgryfhewch yn yr Arglwydd ac yn nerth ei allu ef. [11]Gwisgwch amdanoch holl arfogaeth Duw, er mwyn ichwi fedru sefyll yn gadarn yn erbyn cynllwynion y diafol. [12]Nid â dynion yr ydym yn yr afael, ond â thywysogaethau ac awdurdodau, â llywodraethwyr tywyllwch y byd hwn, â phwerau ysbrydol drygionus yn y nefoedd. [13]Gan hynny, ymarfogwch â holl arfogaeth Duw, er mwyn ichwi fedru gwrthsefyll yn y dydd drwg, ac wedi cyflawni pob peth, sefyll yn gadarn. [14]Safwch, ynteu, â gwirionedd yn wregys am eich canol, a chyfiawnder yn arfwisg ar eich dwyfron, [15]a pharodrwydd i gyhoeddi Efengyl tangnefedd yn esgidiau am eich traed. [16]Heblaw hyn oll, ymarfogwch â tharian ffydd; â hon byddwch yn gallu diffodd holl saethau tanllyd yr Un drwg. [17]Derbyniwch iachawdwriaeth yn helm, a'r Ysbryd, sef gair Duw, yn gleddyf. [18]Ymrowch i weddi ac ymbil, gan weddïo bob amser yn yr Ysbryd. I'r diben hwn, byddwch yn effro, gyda dyfalbarhad ym mhob math o ymbil dros y saint i gyd, [19]a gweddïwch drosof finnau y bydd i Dduw roi i mi ymadrodd, ac agor fy ngenau, i hysbysu'n eofn ddirgelwch yr Efengyl. [20]Trosti hi yr wyf yn llysgennad mewn cadwynau. Ie, gweddïwch ar i mi lefaru'n hy amdani, fel y dylwn lefaru.

Cyfarchion Terfynol

21 Er mwyn i chwithau wybod fy hanes, a beth yr wyf yn ei wneud, fe gewch y cwbl gan Tychicus, y brawd annwyl a'r gweinidog ffyddlon yn yr Arglwydd. [22]Yr wyf yn ei anfon atoch yn unswydd ichwi gael gwybod am ein hynt, ac er mwyn iddo ef eich calonogi.

23 Tangnefedd i'r brodyr, a chariad ynghyd â ffydd oddi wrth Dduw Dad a'r Arglwydd Iesu Grist. [24]Gras fyddo gyda phawb sy'n caru ein Harglwydd Iesu Grist â chariad anfarwol!

PHILIPIAID

Cyfarch

1 Paul a Timotheus, gweision Crist Iesu, at yr holl saint yng Nghrist Iesu sydd yn Philipi, ynghyd â'r esgobion[a] a'r diaconiaid. [2] Gras a thangnefedd i chwi oddi wrth Dduw ein Tad a'r Arglwydd Iesu Grist.

Gweddi Paul dros y Philipiaid

3 Byddaf yn diolch i'm Duw bob tro y byddaf yn cofio amdanoch, [4] a phob amser ym mhob un o'm gweddïau dros bob un ohonoch, yr wyf yn gweddïo gyda llawenydd. [5] Diolch y byddaf am eich cydweithrediad o blaid yr Efengyl o'r dydd cyntaf hyd yn awr; [6] ac yr wyf yn sicr o hynyma, y bydd i'r hwn a ddechreuodd waith da ynoch ei gwblhau erbyn Dydd Crist Iesu. [7] Felly y mae'n iawn imi deimlo hyn amdanoch i gyd, am fy mod mor hoff ohonoch, ac am eich bod i gyd yn cyfranogi o'r fraint sy'n dod i'm rhan, pan fyddaf yng ngharchar yn ogystal â phan fyddaf yn amddiffyn yr Efengyl neu yn ei chadarnhau. [8] Oblegid y mae Duw'n dyst i mi, gymaint yr wyf yn hiraethu, â dyhead Crist Iesu ei hun, am bawb ohonoch. [9] Dyma fy ngweddi, ar i'ch cariad gynyddu fwyfwy eto mewn gwybodaeth a phob dirnadaeth, [10] er mwyn ichwi allu cymeradwyo'r hyn sy'n rhagori,[b] a bod yn ddidwyll a didramgwydd erbyn Dydd Crist, [11] yn gyflawn o ffrwyth y cyfiawnder sy'n dod trwy Iesu Grist, er gogoniant a mawl i Dduw.

I Mi, Crist yw Byw

12 Yr wyf am i chwi wybod, frodyr, fod y pethau a ddigwyddodd i mi wedi troi, yn hytrach, yn foddion i hyrwyddo'r Efengyl, [13] yn gymaint â'i bod wedi dod yn hysbys, trwy'r holl Praetoriwm[c] ac i bawb arall, mai er mwyn Crist yr wyf yng ngharchar, [14] a bod y mwyafrif o'r brodyr, oherwydd i mi gael fy ngharcharu, wedi dod yn hyderus yn yr Arglwydd, ac yn fwy hy o lawer i lefaru'r gair yn ddi-ofn.

15 Y mae'n wir fod rhai yn pregethu Crist o genfigen a chynnen, ac eraill o ewyllys da. [16] O gariad y mae'r rhain yn cyhoeddi Crist, gan wybod mai i amddiffyn yr Efengyl y gosodwyd fi yma, [17] ond y mae'r lleill yn gwneud hynny o gymhellion hunanol ac amhur, gan feddwl peri gofid imi yng ngharchar. [18] Ond pa waeth? Y naill ffordd neu'r llall, prun ai mewn rhith ynteu mewn gwirionedd, y mae Crist yn cael ei gyhoeddi, ac yr wyf yn gorfoleddu yn hyn. Ie, a gorfoleddu a wnaf hefyd, [19] oherwydd mi wn mai canlyniad hyn, ar bwys eich gweddi chwi a chymorth Ysbryd Iesu Grist, fydd fy ngwaredigaeth. [20] Am hyn yr wyf yn disgwyl yn eiddgar, gan obeithio na chaf fy nghywilyddio mewn dim, ond y bydd Crist, yn awr fel erioed, â phob gwroldeb yn cael ei fawrygu yn fy nghorff i, prun bynnag ai trwy fy mywyd ai trwy fy marwolaeth. [21] Oherwydd, i mi, Crist yw byw, ac elw yw marw. [22] Ond os wyf i barhau i fyw yn y cnawd, bydd hynny'n golygu y caf ffrwyth o'm llafur. Eto, ni wn beth i'w ddewis. [23] Y mae'n gyfyng arnaf o'r ddeutu; y mae arnaf awydd ymadael a bod gyda Christ, gan fod hynny'n llawer iawn gwell; [24] ond y mae aros yn fy nghnawd yn fwy angenrheidiol er eich mwyn chwi. [25] 'Rwy'n gwybod hyn i sicrwydd: aros a wnaf, a phara i aros gyda chwi oll, i hyrwyddo eich cynnydd a'ch llawenydd yn y ffydd, [26] er mwyn ichwi gael digon o le i ymffrostio, yng Nghrist Iesu, o'm hachos i pan ddof yn ôl atoch.

27 Yn anad dim, bydded eich buchedd yn deilwng o Efengyl Crist, er mwyn imi weld, os dof atoch, neu glywed amdanoch, os byddaf yn absennol, eich bod yn sefyll yn gadarn, yn un o ran ysbryd, gan gydymdrechu yn unfryd dros ffydd yr

---

[a] Neu, *arolygwyr.*   [b] Neu, *allu canfod y rhagor sydd rhwng pethau.*
[c] Neu, *trwy'r holl bencadlys.* Neu, *trwy'r holl balas.* Neu, *i'r holl warchodlu praetoraidd.*

Efengyl, ²⁸heb eich dychrynu mewn un dim gan y gwrthwynebwyr. Bydd hyn yn arwydd eglur i'r rheini o'u distryw hwy, ond o'ch iachawdwriaeth chwi, a hynny oddi wrth Dduw. ²⁹Oherwydd rhoddwyd i chwi y fraint, nid yn unig o gredu yng Nghrist, ond hefyd o ddioddef drosto, ³⁰gan ymdaflu i'r frwydr honno y gwelsoch fi ynddi, ac yr ydych yn awr yn clywed fy mod ynddi o hyd.

Gostyngeiddrwydd Cristionogol a Gostyngeiddrwydd Crist

2 Felly, os oes yng Nghrist unrhyw symbyliad, unrhyw apêl o du cariad, unrhyw gymdeithas trwy'r Ysbryd, os oes unrhyw gynhesrwydd a thosturi, ²cyflawnwch fy llawenydd trwy fod o'r un meddwl, a'r un cariad gennych at eich gilydd, yn unfryd ac yn unfarn. ³Peidiwch â gwneud dim o gymhellion hunanol nac o ymffrost gwag, ond mewn gostyngeiddrwydd bydded i bob un ohonoch gyfrif y llall yn deilyngach nag ef ei hun. ⁴Bydded gofal gennych, bob un, nid am ei fuddiannau ei hunan yn unig ond am fuddiannau pobl eraill hefyd. ⁵Amlygwch yn eich plith eich hunain yr agwedd meddwl honno sydd, yn wir, yn eiddo i chwi yng Nghrist Iesu. ⁶Er ei fod ef erioed ar ffurf Duw, ni chyfrifodd fod cydraddoldeb â Duw yn beth i ddal gafael ynddo^{ch}, ⁷ond fe'i gwacaodd ei hun, gan gymryd ffurf caethwas a dyfod ar wedd dynion. ⁸O'i gael ar ddull dyn, fe'i darostyngodd ei hun, gan fod yn ufudd hyd angau, ie, angau ar groes. ⁹Am hynny tra-dyrchafodd Duw ef, a rhoi iddo'r enw sydd goruwch pob enw, ¹⁰fel wrth enw Iesu y plygai pob glin yn y nef ac ar y ddaear a than y ddaear, ¹¹ac y cyffesai pob tafod fod Iesu Grist yn Arglwydd, er gogoniant Duw Dad.

Disgleirio fel Goleuadau yn y Byd

12 Gan hynny, fy nghyfeillion annwyl, fel y buoch bob amser yn ufudd, felly yn awr, nid yn unig fel pe bawn yn bresennol, ond yn fwy o lawer gan fy mod yn absennol, gweithredwch, mewn ofn a dychryn, yr iachawdwriaeth sy'n eiddo ichwi; ¹³oblegid Duw yw'r un sydd yn gweithio ynoch i beri ichwi ewyllysio a gweithredu i'w amcanion daionus ef. ¹⁴Gwnewch bopeth heb rwgnach nac ymryson; ¹⁵byddwch yn ddi-fai a di-

ddrwg, yn blant di-nam i Dduw yng nghanol cenhedlaeth wyrgam a gwrthnysig, yn disgleirio yn eu plith fel goleuadau yn y byd, ¹⁶yn cyflwyno gair y bywyd.^d ¹⁶Felly byddwch yn destun ymffrost i mi yn Nydd Crist, na fu imi redeg yn ofer na llafurio yn ofer. ¹⁷Hyd yn oed os tywelltir fy ngwaed ar offrwm aberthol eich ffydd chwi, yr wyf yn llawen, ac yn cydlawenhau â chwi i gyd. ¹⁸Yn yr un modd byddwch chwithau'n llawen, a chydlawenhewch â mi.

Timotheus ac Epaffroditus

19 Ond yr wyf yn gobeithio yn yr Arglwydd Iesu anfon Timotheus atoch ar fyrder, er mwyn imi gael fy nghalonogi o wybod am eich amgylchiadau chwi. ²⁰Oherwydd nid oes gennyf neb o gyffelyb ysbryd iddo ef, i gymryd gwir ofal am eich buddiannau chwi; ²¹y maent oll â'u bryd ar eu dibenion eu hunain, nid ar ddibenion Iesu Grist. ²²Gwyddoch fel y profwyd ei werth ef, gan iddo wasanaethu gyda mi, fel mab gyda'i dad, o blaid yr Efengyl. ²³Dyma'r gŵr, ynteu, yr wyf yn gobeithio ei anfon, cyn gynted byth ag y caf weld sut y bydd hi arnaf. ²⁴Ac yr wyf yn sicr, yn yr Arglwydd, y byddaf fi fy hun hefyd yn dod yn fuan.

25 Yr wyf yn credu hefyd y dylwn anfon Epaffroditus atoch, brawd a chydweithiwr a chydfilwr i mi, a'ch cennad chwi i weini ar fy anghenraid i. ²⁶Oherwydd y mae ef wedi bod yn hiraethu amdanoch oll, ac yn poeni am i chwi glywed iddo fod yn glaf. ²⁷Yn wir, fe fu'n wael, hyd at farw bron; ond fe dosturiodd Duw wrtho, ac nid wrtho ef yn unig ond wrthyf finnau hefyd, rhag imi gael gofid ar ben gofid. ²⁸Yr wyf, felly, yn fwy eiddgar i'w anfon, er mwyn i chwi lawenhau eto o'i weld, ac i minnau fod yn llai fy ngofid. ²⁹Derbyniwch ef felly yn yr Arglwydd gyda phob llawenydd; ac anrhydeddwch ddynion o'i fath ef, ³⁰oherwydd bu yn ymyl marw er mwyn gwaith Crist pan fentrodd ei fywyd i gyflawni drosof y gwasanaeth na allech chwi mo'i gyflawni.

Y Gwir Gyfiawnder

3 Bellach, fy mrodyr, llawenhewch yn yr Arglwydd. Nid yw ysgrifennu'r un pethau atoch yn drafferth i mi, ac i chwi y mae'n ddiogelwch.

2 Gwyliwch y cŵn, gwyliwch y drwg-

^{ch}Neu, *yn beth i'w gipio.*   ^dNeu, *y byd, gan ddal eich gafael yng ngair y bywyd.*

weithredwyr, gwyliwch y rhai sy ddim ond yn gwaedu'r cnawd. ³Oherwydd ni yw'r rhai gwir enwaededig, ni sy'n addoli trwy Ysbryd Duw,^{dd} ac yn ymfalchïo yng Nghrist Iesu heb ymddiried yn y cnawd—⁴er bod gennyf, o'm rhan fy hun, le i ymddiried yn y cnawd hefyd. Os oes rhywun arall yn tybio fod ganddo le i ymddiried yn y cnawd, yr wyf fi'n fwy felly: ⁵wedi enwaedu arnaf yr wythfed dydd, o hil Israel, o lwyth Benjamin, yn Hebrëwr o dras Hebrëwyr; yn ôl y Gyfraith, yn Pharisead; ⁶o ran sêl, yn erlid yr eglwys; yn ôl y cyfiawnder sy'n perthyn i'r Gyfraith, yn ddi-fai. ⁷Ond beth bynnag oedd yn ennill i mi, yr wyf, er mwyn Crist, wedi ei gyfrif yn golled. ⁸A mwy na hynny hyd yn oed, yr wyf yn dal i gyfrif pob peth yn golled, ar bwys rhagoriaeth y profiad o adnabod Crist Iesu fy Arglwydd, yr un y collais bob peth er ei fwyn. Yr wyf yn cyfrif y cwbl yn ysbwriel, er mwyn imi ennill Crist ⁹a'm cael ynddo ef, heb ddim cyfiawnder o'm heiddo fy hun yn seiliedig ar y Gyfraith, ond hwnnw sydd trwy ffydd yng Nghrist, y cyfiawnder sydd o Dduw ar sail ffydd. ¹⁰Fy nod yw ei adnabod ef, a grym ei atgyfodiad, a chymdeithas ei ddioddefiadau, wrth gael fy nghyffurfio â'i farwolaeth ef, ¹¹er mwyn i mi, os yw'n bosibl, gyrraedd yr atgyfodiad oddi wrth y meirw.

Cyflymu at y Nod

12 Nid fy mod eisoes wedi cael hyn, neu fy mod eisoes yn berffaith, ond yr wyf yn prysuro ymlaen, er mwyn meddiannu'r peth hwnnw y cefais innau er ei fwyn fy meddiannu gan Grist Iesu.^e ¹³Frodyr, nid wyf yn ystyried fy mod wedi ei feddiannu; ond un peth, gan anghofio'r hyn sydd o'r tu cefn ac ymestyn yn daer at yr hyn sydd o'r tu blaen, ¹⁴yr wyf yn cyflymu at y nod, i ennill y wobr y mae Duw yn fy ngalw i fyny ati yng Nghrist Iesu. ¹⁵Pob un ohonom, felly, sydd o nifer y rhai aeddfed, dyma sut y dylai feddwl. Ond os ydych o wahanol feddwl am rywbeth, fe ddatguddia Duw hyn hefyd ichwi. ¹⁶Ond gadewch inni ymddwyn yn unol â'r safon yr ydym wedi ei chyrraedd.

17 Byddwch yn gydefelychwyr ohonof fi, frodyr, a daliwch sylw ar y rhai sy'n byw yn ôl yr esiampl sydd gennych ynom ni. ¹⁸Oherwydd y mae llawer, yr wyf yn fynych wedi sôn wrthych amdanynt, ac yr wyf yn sôn eto yn awr gan wylo, sydd o ran eu ffordd o fyw yn elynion croes Crist. ¹⁹Distryw yw eu diwedd, chwant yw eu duw, ac yn eu cywilydd y mae eu gogoniant; dynion â'u bryd ar bethau daearol ydynt. ²⁰Oherwydd yn y nefoedd y mae ein dinasyddiaeth ni, ac oddi yno hefyd yr ydym yn disgwyl Gwaredwr, sef yr Arglwydd Iesu Grist. ²¹Bydd ef yn gweddnewid ein corff darostyngedig ni ac yn ei wneud yn unffurf â'i gorff gogoneddus ef, trwy'r nerth sydd yn ei alluogi i ddwyn pob peth dan ei awdurdod.

4 Am hynny, fy mrodyr, brodyr annwyl yr wyf yn hiraethu amdanynt, fy llawenydd a'm coron, safwch yn gadarn fel hyn yn yr Arglwydd, fy nghyfeillion annwyl.

Anogaethau

2 Yr wyf yn annog Euodia, ac yn annog Syntyche, i fyw'n gytûn yn yr Arglwydd. ³Ac yn wir y mae gennyf gais i tithau, fy nghydymaith cywir dan yr iau: rho dy gymorth i'r gwragedd hyn a gydymdrechodd â mi o blaid yr Efengyl, ynghyd â Clement a'm cydweithwyr eraill, sydd â'u henwau yn llyfr y bywyd. ⁴Llawenhewch yn yr Arglwydd bob amser; fe'i dywedaf eto, llawenhewch. ⁵Bydded eich hynawsedd yn hysbys i bob dyn. Y mae'r Arglwydd yn agos. ⁶Peidiwch â phryderu am ddim, ond ym mhob peth gwneler eich deisyfiadau yn hysbys i Dduw trwy weddi ac ymbil, ynghyd â diolchgarwch. ⁷A bydd tangnefedd Duw, sydd goruwch pob deall, yn gwarchod dros eich calonnau a'ch meddyliau yng Nghrist Iesu.

8 Bellach, frodyr, beth bynnag sydd yn wir, beth bynnag sydd yn anrhydeddus, beth bynnag sydd yn gyfiawn a phur, beth bynnag sydd yn hawddgar a chanmoladwy, pob rhinwedd a phopeth yn haeddu clod, myfyriwch ar y pethau hyn. ⁹Y pethau yr ydych wedi eu dysgu a'u derbyn, eu clywed a'u gweled, ynof fi, gwnewch y rhain; a bydd Duw'r tangnefedd gyda chwi.

Cydnabod Rhodd y Philipiaid

10 Y mae'n llawenydd mawr yn yr

---

^{dd}Yn ôl darlleniad arall, *addoli Duw yn yr ysbryd.* Yn ôl un arall, *addoli yn yr ysbryd.*
^eNeu, *er mwyn ei feddiannu, oherwydd i Grist Iesu fy meddiannu i.*

Arglwydd i mi, fod eich gofal amdanaf yn awr o'r diwedd wedi blaguro eto. O ran hynny, yr oedd y gofal gennych; yr amser cyfaddas oedd yn eisiau. [11]Nid fy mod yn dweud hyn am fod arnaf angen, oherwydd yr wyf fi wedi dysgu bod yn fodlon, beth bynnag fy amgylchiadau. [12]Gwn sut i gymryd fy narostwng, a gwn hefyd sut i fod uwchben fy nigon. Ym mhob rhyw amgylchiadau, yr wyf wedi dysgu'r gyfrinach sut i fod yn llawn neu yn newynog, sut i fod mewn helaethrwydd neu mewn prinder. [13]Y mae gennyf gryfder at bob gofyn trwy yr hwn sydd yn fy nerthu i. [14]Er hynny, da y gwnaethoch wrth rannu baich fy ngorthrymder.

15 Yr ydych chwithau, Philipiaid, yn gwybod, pan euthum allan o Facedonia ar gychwyn y genhadaeth, na fu gan yr un eglwys, ar wahân i chwi yn unig, ran gyda mi mewn rhoi a derbyn; [16]oherwydd yn Thesalonica hyd yn oed anfonasoch unwaith, ac eilwaith, i gyfarfod â'm hangen. [17]Nid ceisio'r rhodd yr wyf, ond ceisio'r elw sy'n cynyddu i'ch cyfrif chwi. [18]Yr wyf fi wedi derbyn fy nhâl yn llawn, a mwy na hynny; y mae gennyf gyflawnder ar ôl derbyn trwy law Epaffroditus yr hyn a anfonasoch chwi; y mae hynny'n arogl pêr, yn aberth cymeradwy, wrth fodd Duw. [19]A bydd fy Nuw i, o olud ei ogoniant yng Nghrist Iesu, yn cyflawni eich holl angen chwi. [20]I'n Duw a'n Tad y byddo'r gogoniant byth bythoedd! Amen.

Cyfarchion Terfynol

21 Cyfarchwch bob sant yng Nghrist Iesu. Y mae'r brodyr sydd gyda mi yn eich cyfarch chwi. [22]Y mae'r saint i gyd, ac yn arbennig y rhai sydd yng ngwasanaeth Cesar, yn eich cyfarch. [23]Gras yr Arglwydd Iesu Grist fyddo gyda'ch ysbryd!

COLOSIAID

Cyfarch

1 Paul, apostol Crist Iesu trwy ewyllys Duw, a Timotheus ein brawd, [2]at y saint yn Colosae, brodyr ffyddlon yng Nghrist. Gras a thangnefedd i chwi oddi wrth Dduw ein Tad.

Paul yn Diolch i Dduw am Gristionogion Colosae

3 Yr ydym bob amser yn ein gweddïau yn diolch amdanoch i Dduw, Tad ein Harglwydd Iesu Grist, [4]oherwydd i ni glywed am eich ffydd yng Nghrist Iesu, ac am y cariad sydd gennych tuag at yr holl saint, [5]deubeth sy'n tarddu o'r gobaith sydd ynghadw yn y nefoedd i chwi. Clywsoch eisoes am y gobaith hwn, yng ngair y gwirionedd, yr Efengyl [6]sydd wedi dod atoch. Y mae'r Efengyl yn dwyn ffrwyth ac yn cynyddu trwy'r holl

fyd, yn union fel y mae hefyd yn eich plith chwi, o'r dydd y clywsoch am ras Duw a'i amgyffred mewn gwirionedd. [7]Dysgasoch hyn oddi wrth Epaffras, ein cydwas annwyl, sy'n weinidog ffyddlon i Grist ar eich[a] rhan, [8]ac ef sydd wedi'n hysbysu ni am eich cariad yn yr Ysbryd.

Person a Gwaith Crist

9 Oherwydd hyn, o'r dydd y clywsom hynny, nid ydym yn peidio â gweddïo drosoch. Deisyf yr ydym ar ichwi gael eich llenwi, trwy bob doethineb a deall ysbrydol, ag amgyffrediad o ewyllys Duw, [10]er mwyn ichwi fyw yn dilwng o'r Arglwydd a rhyngu ei fodd yn gyfan gwbl, gan ddwyn ffrwyth mewn gweithredoedd da o bob math, a chynyddu yn eich amgyffrediad o Dduw. [11]Yr ydym yn deisyf ar ichwi gael eich grymuso â phob

[a]Yn ôl darlleniad arall, *ein*.

grymuster, yn ôl nerth ei ogoniant ef, i ddyfalbarhau a hirymaros yn llawen ym mhob dim, [12]gan ddiolch i'r Tad, yr hwn a'ch gwnaeth yn deilwng i gael cyfran o etifeddiaeth y saint yn y goleuni. [13]Gwaredodd ni o afael y tywyllwch, a'n trosglwyddo i deyrnas ei annwyl Fab, [14]yn yr hwn y mae inni brynedigaeth, sef maddeuant ein pechodau. [15]Hwn yw delw'r Duw anweledig, cyntafanedig yr holl greadigaeth; [16]oherwydd ynddo ef y crewyd pob peth yn y nefoedd ac ar y ddaear, pethau gweledig a phethau anweledig, gorseddau, arglwyddiaethau, tywysogaethau ac awdurdodau. Trwyddo ef ac er ei fwyn ef y mae pob peth wedi ei greu. [17]Y mae ef yn bod cyn pob peth, ac ynddo ef y mae pob peth yn cydsefyll. [18]Ef hefyd yw pen y corff, sef yr eglwys. Ef yw'r dechrau, y cyntafanedig o blith y meirw, i fod ei hun yn gyntaf ym mhob peth. [19]Oherwydd gwelodd Duw yn dda i'w holl gyflawnder breswylio ynddo ef, [20]a thrwyddo ef, ar ôl gwneud heddwch trwy ei farw aberthol ar y groes, i gymodi pob peth ag ef ei hun, y pethau sydd ar y ddaear a'r pethau sydd yn y nefoedd.

21 Yr oeddech chwithau ar un adeg wedi ymddieithrio, ac yn elyniaethus eich meddwl, a'ch gweithredoedd yn ddrwg. Ond yn awr fe'ch cymododd[b], [22]yng nghorff ei gnawd trwy ei farwolaeth, i'ch cyflwyno'n sanctaidd a di-fai a digerydd ger ei fron. [23]Ond y mae'n rhaid ichwi barhau yn eich ffydd, yn gadarn a diysgog, a pheidio â symud oddi wrth obaith yr Efengyl a glywsoch. Dyma'r Efengyl a bregethwyd ym mhob rhan o'r greadigaeth dan y nef, a'r Efengyl y deuthum i, Paul, yn weinidog iddi.

Gweinidogaeth Paul i'r Eglwys

24 Yr wyf yn awr yn llawen yn fy nioddefiadau drosoch, ac yn cwblhau yn fy nghnawd yr hyn sy'n ôl o gystuddiau Crist, er mwyn ei gorff, sef yr eglwys. [25]Fe ddeuthum i yn weinidog i'r eglwys yn ôl yr oruchwyliaeth a roddodd Duw i mi er eich mwyn chwi, i gyhoeddi gair Duw yn ei gyflawnder, [26]sef y dirgelwch a fu'n guddiedig ers oesoedd ac ers cenedlaethau, ond sydd yn awr wedi ei amlygu i'w saint. [27]Ewyllysiodd Duw hysbysu iddynt hwy beth yw cyfoeth gogoniant y dirgelwch hwn ymhlith y Cenhedloedd. Dyma'r dirgelwch: Crist ynoch chwi,

gobaith y gogoniant. [28]Ei gyhoeddi ef yr ydym ni, gan rybuddio pob dyn, a dysgu pob dyn ym mhob doethineb, er mwyn cyflwyno pob dyn yn aeddfed yng Nghrist. [29]I'r diben hwn yr wyf yn llafurio ac yn ymdrechu trwy ei nerth ef, y nerth sy'n gweithredu'n rymus ynof fi.

2 Oherwydd yr wyf am ichwi wybod cymaint yw fy ymdrech drosoch chwi, a thros y rhai sydd yn Laodicea, a phawb sydd heb fy ngweld wyneb yn wyneb. [2]Fy nod yw eu calonogi a'u clymu ynghyd mewn cariad, iddynt gael holl gyfoeth y sicrwydd a ddaw yn sgîl dealltwriaeth, ac iddynt amgyffred dirgelwch Duw, sef Crist. [3]Ynddo ef y mae holl drysorau doethineb a gwybodaeth yn guddiedig. [4]Yr wyf yn dweud hyn rhag i neb eich arwain ar gyfeiliorn â'u hymadrodd twyllodrus. [5]Oherwydd, er fy mod yn absennol yn y cnawd, yr wyf gyda chwi yn yr ysbryd, yn llawenhau wrth weld eich rhengoedd disgybledig a chadernid eich ffydd yng Nghrist.

Cyflawnder Bywyd yng Nghrist

6 Felly, gan eich bod wedi derbyn Crist Iesu, yr Arglwydd, dylech fyw ynddo ef. [7]Cadwch eich gwreiddiau ynddo, gan gael eich adeiladu ynddo, a'ch cadarnhau yn y ffydd fel y'ch dysgwyd, a bod yn ddibrin eich diolch. [8]Gwyliwch rhag i neb eich cipio i gaethiwed drwy athroniaeth a gwag hudoliaeth yn ôl traddodiad dynion, yn ôl ysbrydion elfennig y cyfanfyd, ac nid yn ôl Crist. [9]Oherwydd ynddo ef y mae holl gyflawnder y Duwdod yn preswylio'n gorfforol, [10]ac yr ydych chwithau wedi eich dwyn i gyflawnder ynddo ef. Y mae ef yn ben ar bob tywysogaeth ac awdurdod. [11]Ynddo ef hefyd yr enwaedwyd arnoch ag enwaediad nad yw o waith llaw, ond yn hytrach o ddiosg cnawdolrwydd y corff; hwn yw enwaediad Crist. [12]Claddwyd chwi gydag ef yn eich bedydd, ac yn y bedydd hefyd fe'ch cyfodwyd gydag ef drwy ffydd yn nerth Duw, yr hwn a'i cyfododd ef oddi wrth y meirw. [13]Ac er eich bod yn feirw o achos eich camweddau a'ch cnawd dienwaededig, fe'ch gwnaeth chwi yn fyw gydag ef. Y mae wedi maddau inni ein holl gamweddau, [14]ac wedi diddymu dogfen ein hymrwymiad i'r ordeiniadau oedd yn ein gwneud yn ddyledwyr. Y mae wedi ei bwrw hi o'r neilltu; fe'i hoeliodd ar y

---

[b] Yn ôl darlleniad arall, *cymodwyd.*

groes. [15]Dinoethodd y tywysogaethau a'r awdurdodau, a'u gwneud yn sioe gerbron y byd yng ngorymdaith ei fuddugoliaeth arnynt ar y groes.

16 Peidiwch, felly, â chymryd eich barnu gan neb ynglŷn â bwyta ac yfed, neu mewn perthynas â gŵyl neu newyddloer neu Saboth. [17]Cysgod yw'r rhain o'r pethau sy'n dod; Crist biau'r sylwedd. [18]Peidiwch â chymryd eich gwahardd gan ddyfarniad neb sydd â'i fryd ar ddiraddio'r hunan, ac ar addoli angylion ar sail ei weledigaethau. Ei feddwl cnawdol sy'n peri i ddyn felly ymchwyddo heb achos, [19]ac nid oes ganddo afael ar y pen. Ond oddi wrth y pen y mae'r holl gorff yn cael ei gynnal a'i gydgysylltu trwy'r cymalau a'r gewynnau, ac felly yn prifio â phrifiant sydd o Dduw.

Y Bywyd Newydd yng Nghrist

20 Os buoch farw gyda Christ i ysbrydion elfennig y cyfanfyd, pam yr ydych, fel petaech yn byw o hyd yn y byd, yn ymddarostwng i orchmynion: [21]"Peidiwch â chyffwrdd", "Peidiwch â blasu", "Peidiwch â thrafod"—[22]a hynny ynglŷn â phethau sydd i gyd yn darfod wrth eu defnyddio? Dilyn rheolau ac athrawiaethau dynion yr ydych. [23]Y mae i'r fath bethau enw doethineb, gyda'u crefydd wneud, eu hunanddiraddiad, a'u triniaeth lem o'r corff. Ond nid ydynt o unrhyw werth i atal cnawdolrwydd.[c]

3 Felly, os cyfodwyd chwi gyda Christ, ceisiwch y pethau sydd uchod, lle y mae Crist yn eistedd ar ddeheulaw Duw. [2]Rhowch eich bryd ar y pethau sydd uchod, nid ar y pethau sydd ar y ddaear. [3]Oherwydd buoch farw, ac y mae eich bywyd wedi ei guddio gyda Christ yn Nuw. [4]Pan amlygir Crist, eich bywyd chwi, yna fe gewch chwithau eich amlygu gyda ef mewn gogoniant.

5 Rhowch i farwolaeth, felly, y rhannau hynny ohonoch sy'n perthyn i'r ddaear: puteindra, amhurdeb, nwyd, blys, a thrachwant, hynny yw, eilunaddoliaeth. [6]O achos y pethau hyn y mae digofaint Duw yn dod ar y rhai anufudd. [7]Dyna oedd eich ffordd chwithau o ymddwyn ar un adeg, pan oeddech yn byw yn eu canol. [8]Ond yn awr, rhowch heibio'r holl bethau hyn: digofaint, llid, drygioni, cabledd a bryntni o'ch genau. [9]Peidiwch â dweud celwydd wrth eich

gilydd, gan eich bod wedi diosg yr hen natur ddynol, ynghyd â'i gweithredoedd, [10]a gwisgo amdanoch y natur ddynol newydd, sy'n cael ei hadnewyddu ar ddelw ei Chreawdwr, i adnabod Duw. [11]Nid oes yma ragor rhwng Groegwr ac Iddew, enwaediad a dienwaediad, barbariad, Scythiad, caeth, rhydd; ond Crist yw pob peth, a Christ sydd ym mhob peth.

12 Am hynny, fel etholedigion Duw, sanctaidd ac annwyl, gwisgwch amdanoch dynerwch calon, tiriondeb, gostyngeiddrwydd, addfwynder ac amynedd. [13]Goddefwch eich gilydd, a maddeuwch i'ch gilydd os bydd gan rywun gŵyn yn erbyn rhywun arall; fel y maddeuodd yr Arglwydd i chwi, felly gwnewch chwithau. [14]Tros y rhain i gyd gwisgwch gariad, sy'n rhwymyn perffeithrwydd. [15]Bydded i dangnefedd Crist lywodraethu yn eich calonnau; i hyn y cawsoch eich galw, yn un corff. A byddwch yn ddiolchgar. [16]Bydded i air Crist breswylio ynoch yn ei gyfoeth. Dysgwch a rhybuddiwch eich gilydd gyda phob doethineb. Â chalonnau diolchgar canwch i Dduw salmau ac emynau a chaniadau ysbrydol. [17]Beth bynnag yr ydych yn ei wneud, ar air neu ar weithred, gwnewch bopeth yn enw yr Arglwydd Iesu, gan roi diolch i Dduw, y Tad, drwyddo ef.

Dyletswyddau Cymdeithasol y Bywyd Newydd

18 Chwi wragedd, byddwch ddarostyngedig i'ch gwŷr; hyn yw eich dyletswydd fel pobl yr Arglwydd. [19]Chwi wŷr, carwch eich gwragedd, a pheidiwch â bod yn llym wrthynt.

20 Chwi blant, ufuddhewch i'ch rhieni ym mhob peth, oherwydd hyn sydd gymeradwy ym mhobl yr Arglwydd. [21]Chwi dadau, peidiwch â bod yn galed ar eich plant, rhag iddynt ddigalonni.

22 Chwi gaethweision, ufuddhewch ym mhob peth i'ch meistri daearol, nid ag esgus o wasanaeth fel rhai sy'n ceisio plesio dynion, ond mewn unplygrwydd calon yn ofn yr Arglwydd. [23]Beth bynnag yr ydych yn ei wneud, gweithiwch â'ch holl galon, fel i'r Arglwydd, ac nid i ddynion. [24]Gwyddoch mai oddi wrth yr Arglwydd y byddwch yn derbyn yr etifeddiaeth yn wobr. Gwasanaethwch Grist, eich Meistr chwi. [25]Oherwydd y

[c]Neu, *nid oes iddynt unrhyw werth; porthi cnawdolrwydd y maent.*

dyn sy'n gwneud cam fydd yn derbyn y cam yn ôl; nid oes ffafriaeth.

4 Chwi feistri, rhowch i'ch caethweision yr hyn sy'n gyfiawn a theg, gan wybod fod gennych chwithau hefyd Feistr yn y nef.

Anogaethau

2 Parhewch i weddïo yn ddyfal, yn effro, ac yn ddiolchgar. ³Gweddïwch yr un pryd drosom ninnau hefyd, ar i Dduw agor inni ddrws i'r gair, inni gael traethu dirgelwch Crist, y dirgelwch yr wyf yn garcharor er ei fwyn. ⁴Gweddïwch ar i mi ei amlygu, fel y mae'n ddyletswydd arnaf lefaru. ⁵Byddwch yn ddoeth eich ymddygiad tuag at y rhai di-gred; daliwch ar eich cyfle. ⁶Bydded eich gair bob amser yn rasol, wedi ei flasu â halen, ichwi fedru ateb pob dyn fel y dylid.

Cyfarchion Terfynol

7 Fe gewch yr holl hanes amdanaf gan Tychicus, y brawd annwyl a'r gweinidog ffyddlon, a'm cydwas yn yr Arglwydd. ⁸Yr wyf yn ei anfon atoch yn unswydd ichwi gael gwybod am ein hynt, ac er mwyn iddo ef eich calonogi. ⁹Daw Onesimus gydag ef, y brawd ffyddlon ac annwyl, sy'n un ohonoch chwi. Fe gewch yr holl hanes oddi yma ganddynt hwy.

10 Y mae Aristarchus, fy nghydgarcharor, yn eich cyfarch; a Marc, cefnder Barnabas (cawsoch orchmynion ynglŷn ag ef: os daw atoch, yr ydych i'w dderbyn); ¹¹a Jesws, a elwir Jwstus. Dyma'r unig gredinwyr Iddewig sy'n cydweithio â mi dros deyrnas Dduw; a buont yn gysur mawr imi. ¹²Y mae Epaffras, sy'n un ohonoch, caethwas Crist Iesu, yn eich cyfarch. Y mae ef bob amser yn gweddïo'n daer drosoch chwi, ar ichwi sefyll yn gadarn, yn gredinwyr aeddfed, ac yn gwbl argyhoeddedig ym mhob dim y mae Duw yn ei ewyllysio. ¹³Yr wyf yn tystio amdano ei fod yn llafurio'n ddygn trosoch chwi, a thros y rhai sydd yn Laodicea ac yn Hierapolis. ¹⁴Y mae Luc, y meddyg annwyl, a Demas yn eich cyfarch. ¹⁵Cyfarchwch y brodyr yn Laodicea, a Nymffa a'r eglwys sy'n ymgynnull yn ei thŷ. ¹⁶A phan fydd y llythyr hwn wedi ei ddarllen yn eich plith chwi, parwch iddo gael ei ddarllen hefyd yn eglwys y Laodiceaid. Yr ydych chwithau hefyd i ddarllen y llythyr o Laodicea. ¹⁷A dywedwch wrth Archipus, "Gofala dy fod yn cyflawni'r gwasanaeth a ymddiriedodd yr Arglwydd iti."

18 Y mae'r cyfarchiad hwn yn fy llaw i fy hun, Paul. Cofiwch fy mod yng ngharchar. Gras fyddo gyda chwi!

THESALONIAID

Cyfarch

1 Paul a Silfanus a Timotheus at eglwys y Thesaloniaid yn Nuw y Tad a'r Arglwydd Iesu Grist. Gras a thangnefedd i chwi.

Ffydd ac Esiampl y Thesaloniaid

2 Yr ydym yn diolch i Dduw bob amser amdanoch chwi oll, gan eich galw i gof yn ein gweddïau, ³a chofio'n ddi-baid gerbron ein Duw a'n Tad am weithgarwch eich ffydd, a llafur eich cariad, a'r dyfalbarhad sy'n tarddu o'ch gobaith yn ein Harglwydd Iesu Grist. ⁴Gwyddom, frodyr annwyl gan Dduw, eich bod chwi wedi eich ethol, ⁵oherwydd nid ar air yn unig y daeth yr Efengyl yr ydym ni yn ei phregethu atoch, ond mewn nerth hefyd, ac yn yr Ysbryd Glân, a chydag argyhoeddiad mawr. Fe wyddoch chwithau hefyd pa fath ddynion oeddem ni yn eich plith, ac er eich mwyn chwi. ⁶Daethoch chwi yn efelychwyr ohonom ni ac o'r Arglwydd, gan ichwi dderbyn y gair mewn gorthrymder mawr, ynghyd â llawenydd yr Ysbryd Glân. ⁷Felly daethoch yn esiampl i bawb o'r credinwyr ym Macedonia ac yn Achaia. ⁸Canys oddi wrthych chwi yr atseiniodd gair yr Arglwydd, ac nid ym Macedonia ac Achaia yn unig; y mae eich ffydd chwi yn Nuw wedi mynd ar led ym mhob man, fel nad oes angen i ni ddweud dim. ⁹Oherwydd y mae pobl ohonynt eu hunain yn sôn amdanom, y fath dderbyniad a gawsom i'ch plith, a'r modd y troesoch at Dduw oddi wrth eilunod, i wasanaethu'r gwir Dduw byw, ¹⁰ac i ddisgwyl ei Fab o'r nefoedd, y Mab a gyfododd ef oddi wrth y meirw, sef Iesu, yr un sydd yn ein gwaredu oddi wrth y digofaint sydd i ddod.

Gweinidogaeth Paul yn Thesalonica

2 Fe wyddoch eich hunain, frodyr, na fu ein dyfodiad atoch yn ofer. ²Yr oeddem eisoes wedi dioddef ac wedi cael ein sarhau, fel y gwyddoch, yn Philipi, ond buom yn hy trwy nerth ein Duw i draethu i chwi Efengyl Duw, er mor galed oedd y frwydr. ³Oherwydd nid yw ein hapêl ni yn codi o gyfeiliornad, na chwaith o amhurdeb, ac nid oes ynddi dwyll; ⁴yn hytrach, fel y cawsom ein profi'n gymeradwy gan Dduw i gael ymddiried yr Efengyl inni, yr ydym yn llefaru fel rhai sy'n boddhau, nid dynion, ond Duw, yr hwn sy'n profi ein calonnau. ⁵Oherwydd, fel y gwyddoch, ni buom un amser yn arfer geiriau gweniaith, na chwaith esgus dros drachwant—fel y mae Duw'n dyst. ⁶Ac nid oeddem yn ceisio gogoniant gan ddynion, gennych chwi na neb arall, er y gallasem, fel apostolion Crist, fod yn ddynion o bwys. ⁷Ond buom yn addfwyn yn eich plith, felª mamaeth yn meithrin ei phlant ei hun. ⁸Felly,ᵇ yn ein hoffter ohonoch, yr oedd yn dda gennym gyfrannu i chwi, nid yn unig Efengyl Duw, ond nyni ein hunain hefyd, gan i chwi ddod yn annwyl gennym. ⁹Oherwydd yr ydych yn cofio, frodyr, am ein llafur a'n lludded; yr oeddem yn gweithio nos a dydd, rhag bod yn faich ar neb ohonoch, wrth bregethu Efengyl Duw i chwi. ¹⁰Yr ydych chwi'n dystion, a Duw yn dyst hefyd, mor sanctaidd a chyfiawn a di-fai y bu ein hymddygiad tuag atoch chwi sy'n credu. ¹¹A'r un modd, fe wyddoch inni i bob un ohonoch fel tad i'w blant, ¹²gan apelio atoch, trwy eich annog a'ch rhybuddio i fyw yn deilwng o'r Duw sydd yn eich galw i'w deyrnas a'i ogoniant ei hun.

13 Yr ydym ni'n diolch i Dduw yn ddi-baid ar gyfrif hyn hefyd: eich bod chwi,

---

ªYn ôl darlleniad arall, *buom yn fabanod yn eich plith, fel petai.*
ᵇNeu, *neb arall; er y gallasem, fel apostolion Crist, fod yn ddynion o bwys,* ⁷*buom yn addfwyn yn eich plith. Fel mamaeth yn meithrin ei phlant ei hun,* ⁸*felly.*

wrth dderbyn gair Duw fel y clywsoch ef gennym ni, wedi ei groesawu, nid fel gair dynion, ond fel yr hyn ydyw mewn gwirionedd, sef gair Duw, sydd hefyd ar waith ynoch chwi sy'n gredinwyr. [14] Oherwydd daethoch chwi, frodyr, i efelychu eglwysi Duw yng Nghrist Iesu sydd yn Jwdea, oherwydd yr ydych chwi wedi dioddef yr un pethau yn union oddi ar law eich cydwladwyr ag y maent hwythau oddi ar law yr Iddewon, [15] y bobl a laddodd yr Arglwydd Iesu, a hefyd y proffwydi,[c] ac a'n herlidiodd ni. Nid ydynt yn boddhau Duw, ac y maent yn elyniaethus i bob dyn, [16] gan eu bod yn ein rhwystro ni rhag llefaru i'r Cenhedloedd er mwyn iddynt gael eu hachub. Felly y maent bob amser yn cyflenwi mesur eu pechodau. Ond y mae'r digofaint wedi dod arnynt o'r diwedd.[ch]

Awydd Paul i Ymweld eto â'r Eglwys

17 Pan oeddem ni, frodyr, wedi ein gwneud yn amddifad, o'ch colli chwi dros ychydig amser, o ran golwg ond nid o ran y galon, aethom yn fwy eiddgar, ac yn angerddol ein dymuniad am eich gweld. [18] Oherwydd buom yn awyddus i ddod atoch—myfi, Paul, dro ar ôl tro—ond rhwystrodd Satan ni. [19] Canys pwy yw ein gobaith a'n llawenydd, a'r goron yr ymffrostiwn ynddi gerbron ein Harglwydd Iesu ar ei ddyfodiad, pwy ond chwi eich hunain? [20] Ie, chwi yw ein gogoniant a'n llawenydd.

3 Felly, pan na allem ymgynnal yn hwy, buom yn fodlon aros yn Athen ar ein pen ein hunain, [2] ac anfon Timotheus, ein brawd a chydweithiwr Duw[d] yn Efengyl Crist, i'ch cadarnhau a'ch calonogi chwi yn eich ffydd, [3] rhag i neb eich siglo yn y gorthrymderau hyn. Oherwydd fe wyddoch eich hunain mai i hyn yr arfaethwyd ni; [4] yn wir, pan oeddem gyda chwi, rhagfynegasom ichwi y byddai i ni ddioddef gorthrymder; ac felly y bu, fel y gwyddoch. [5] Am hynny, gan na allwn ymgynnal yn hwy, mi anfonais i gael gwybod am eich ffydd chwi, rhag ofn i'r temtiwr rywsut fod wedi eich temtio, ac i'n llafur ni fynd yn ofer.

6 Ond y mae Timotheus newydd ddod atom oddi wrthych, a rhoi newyddion da inni ynglŷn â'ch ffydd a'ch cariad chwi. Y mae'n dweud fod gennych goffa da amdanom bob amser, a'ch bod yn hiraethu cymaint am ein gweld ni ag yr ydym ninnau am eich gweld chwi. [7] Am hynny cawsom ni, frodyr, yn ein holl angen a'n gorthrymder, ein calonogi ynglŷn â chwi, ar gyfrif eich ffydd, [8] oherwydd os ydych chwi yn awr yn sefyll yn gadarn yn yr Arglwydd, y mae hynny'n rhoi bywyd i ni. [9] Pa ddiolch a allwn ei dalu i Dduw amdanoch chwi, am yr holl lawenydd yr ydym yn ei deimlo o'ch plegid gerbron ein Duw? [10] Yr ydym yn deisyf yn angerddol, nos a dydd, am gael gweld eich wyneb a chyflenwi diffygion eich ffydd.

11 Bydded i'n Duw a'n Tad ei hun, a'n Harglwydd Iesu, gyfeirio ein ffordd yn syth atoch! [12] A chwithau, bydded i'r Arglwydd beri ichwi gynyddu, a rhagori mewn cariad tuag at eich gilydd a thuag at bawb, fel yr ydym ni tuag atoch chwi, [13] i gadarnhau eich calonnau, fel y byddwch yn ddi-fai mewn sancteiddrwydd gerbron ein Duw a'n Tad yn nyfodiad ein Harglwydd Iesu gyda'i holl saint! Amen.

Byw i Foddhau Duw

4 Bellach, frodyr, fel y cawsoch eich hyfforddi gennym ni pa fodd y dylech fyw er mwyn boddhau Duw (ac felly, yn wir, yr ydych yn byw), yr ydym yn gofyn ichwi, ac yn deisyf arnoch yn yr Arglwydd Iesu, ragori fwyfwy. [2] Oherwydd gwyddoch pa gyfarwyddyd a roddasom ichwi oddi wrth yr Arglwydd Iesu. [3] Oherwydd hyn yw ewyllys Duw, ichwi fod yn sanctaidd: yr ydych i ymgadw oddi wrth odineb; [4] y mae pob un ohonoch i wybod sut i gadw ei gorff ei hun[dd] mewn sancteiddrwydd a pharch, [5] ac nid yn nwyd trachwant, fel y paganiaid nad ydynt yn adnabod Duw; [6] nid yw neb i gam-drin ei frawd, na manteisio arno yn y peth hwn, oherwydd, fel y dywedasom wrthych o'r blaen, a'ch rhybuddio, mae'r Arglwydd yn dial am yr holl bethau hyn. [7] Oherwydd galwodd Duw ni, nid i amhurdeb, ond i sancteiddrwydd. [8] Gan hynny, y mae'r sawl sydd yn diystyru hyn yn diystyru, nid dyn, ond Duw, yr hwn sy'n rhoi ei Ysbryd Glân i chwi.

---

[c] Yn ôl darlleniad arall, *Iesu, a'u proffwydi eu hunain.*
[ch] Neu, *arnynt yn derfynol.* Neu, *arnynt am byth.*
[d] Neu, *ein brawd a'n cydweithiwr dros Dduw.* Yn ôl darlleniad arall, *ein brawd a'n cydweithiwr.*
[dd] Neu, *sut i gymryd ei wraig ei hun.*

9 Ynglŷn â chariad brawdol, nid oes arnoch angen i neb ysgrifennu atoch; oherwydd yr ydych chwi eich hunain wedi eich dysgu gan Dduw i garu eich gilydd. [10] Ac yn wir, yr ydych yn gwneud hyn i bawb o'r brodyr trwy Facedonia gyfan; ond yr ydym yn eich annog, frodyr, i ragori fwyfwy: [11] i roi eich bryd ar fyw yn dawel, a dilyn eich gorchwylion eich hunain, a gweithio â'ch dwylo eich hunain, fel y gorchmynasom ichwi. [12] Felly byddwch yn ymddwyn yn weddaidd yng ngolwg y rhai sydd y tu allan, ac ni fydd angen dim arnoch.

Dyfodiad yr Arglwydd

13 Yr ydym am ichwi wybod, frodyr, am y rhai sydd yn huno, rhag ichwi fod yn drallodus, fel y rhelyw sydd heb ddim gobaith. [14] Os ydym yn credu i Iesu farw ac atgyfodi, felly hefyd bydd Duw, gydag ef, yn dod â'r rhai a hunodd drwy Iesu. 15 Hyn yr ydym yn ei ddweud wrthych ar air yr Arglwydd: ni fyddwn ni, y rhai byw a adewir hyd ddyfodiad yr Arglwydd, yn rhagflaenu dim ar y rhai sydd wedi huno. [16] Oherwydd pan floeddir y gorchymyn, pan fydd yr archangel yn galw ac utgorn Duw yn seinio, bydd yr Arglwydd ei hun yn disgyn o'r nef; bydd y meirw yng Nghrist yn atgyfodi yn gyntaf, [17] ac yna byddwn ni, y rhai byw a fydd wedi eu gadael, yn cael ein cipio i fyny gyda hwy yn y cymylau, i gyfarfod â'r Arglwydd yn yr awyr; ac felly byddwn gyda'r Arglwydd yn barhaus. [18] Calonogwch eich gilydd, felly, â'r geiriau hyn.

5 Ynglŷn â'r amseroedd a'r prydiau, frodyr, nid oes arnoch angen i neb ysgrifennu atoch. [2] Oherwydd fe wyddoch eich hunain o'r gorau mai fel lleidr yn y nos y daw Dydd yr Arglwydd. [3] Pan fydd dynion yn dweud, "Dyma dangnefedd a diogelwch", dyna'r pryd y daw dinistr disymwth ar eu gwarthaf fel gwewyr esgor ar wraig feichiog, ac ni fydd dim dianc iddynt. [4] Ond nid ydych chwi, frodyr, mewn tywyllwch, i'r Dydd eich goddiweddyd fel lleidr; [5] pobl y goleuni, pobl y dydd, ydych chwi oll. Nid ydym yn perthyn i'r nos nac i'r tywyllwch. [6] Am hynny, rhaid inni beidio â chysgu, fel y rhelyw, ond bod yn effro a sobr. [7] Y rhai sydd yn cysgu, yn y nos y maent yn

cysgu, a'r rhai sydd yn meddwi, yn y nos y maent yn meddwi. [8] Ond gan ein bod ni'n perthyn i'r dydd, gadewch inni fod yn sobr, gan wisgo amdanom ffydd a chariad yn ddwyfronneg, a gobaith iachawdwriaeth yn helm. [9] Oherwydd nid i ddigofaint y bwriadodd Duw ni, ond i feddu iachawdwriaeth drwy ein Harglwydd Iesu Grist, [10] yr hwn a fu farw drosom, er mwyn inni gael byw gydag ef, prun bynnag ai yn effro ai yn cysgu y byddwn. [11] Am hynny, calonogwch eich gilydd, ac adeiladwch bob un ei gilydd— fel, yn wir, yr ydych yn gwneud.

Anogaethau Terfynol a Chyfarchion

12 Yr ydym yn gofyn ichwi, frodyr, barchu'r rhai sydd yn llafurio yn eich plith, yn arweinwyr arnoch yn yr Arglwydd, ac yn eich cynghori, [13] a synio'n uchel iawn amdanynt mewn cariad, ar gyfrif eu gwaith. Byddwch yn heddychlon yn eich plith eich hunain. [14] Ac yr ydym yn eich annog, frodyr, ceryddwch y segurwyr, cysurwch y gwan-galon, cynorthwywch y rhai eiddil, byddwch yn amyneddgar wrth bawb. [15] Gwyliwch na fydd neb yn talu drwg am ddrwg i neb, ond ceisiwch bob amser les eich gilydd a lles pawb.

16 Llawenhewch bob amser. [17] Gweddïwch yn ddi-baid. [18] Ym mhob dim rhowch ddiolch, oherwydd hyn yw ewyllys Duw yng Nghrist Iesu i chwi. [19] Peidiwch â diffodd yr Ysbryd; [20] peidiwch â dirmygu proffwydoliaethau. [21] Ond rhowch brawf ar bob peth, a glynwch wrth yr hyn sydd dda. [22] Ymgadwch rhag pob math o ddrygioni.

23 Bydded i Dduw'r tangnefedd ei hun eich sancteiddio chwi yn gyfan gwbl, a chadw eich ysbryd a'ch enaid a'ch corff yn gwbl iach a di-fai hyd ddyfodiad ein Harglwydd Iesu Grist! [24] Y mae'r hwn sy'n eich galw yn ffyddlon, ac fe gyflawna ef hyn.

25 Frodyr, gweddïwch drosom ninnau.

26 Cyfarchwch y brodyr i gyd â chusan sanctaidd. [27] Yn enw'r Arglwydd, parwch ddarllen y llythyr hwn i'r holl frodyr.

28 Gras ein Harglwydd Iesu Grist fyddo gyda chwi!

THESALONIAID

Cyfarch

1 Paul a Silfanus a Timotheus at eglwys y Thesaloniaid yn Nuw ein Tad a'r Arglwydd Iesu Grist. ²Gras a thangnefedd i chwi oddi wrth Dduw ein Tad a'r Arglwydd Iesu Grist.

Y Farn yn Nyfodiad Crist

3 Dylem ddiolch i Dduw bob amser amdanoch chwi, frodyr, fel y mae'n weddus, am fod eich ffydd yn cynyddu'n ddirfawr, a chariad pob un ohonoch tuag at ei gilydd yn dyfnhau, ⁴nes ein bod ninnau yn ymffrostio ynoch ymysg eglwysi Duw, o achos eich dyfalbarhad a'ch ffydd dan yr holl erledigaethau a'r gorthrymderau yr ydych yn eu dioddef. ⁵Y mae hyn yn brawf o farn gyfiawn Duw, fel y cewch eich cyfrif yn deilwng o deyrnas Dduw, y deyrnas, yn wir, yr ydych yn dioddef er ei mwyn. ⁶Cyfiawn ar ran Duw, yn sicr, yw talu gorthrymder yn ôl i'r rhai sydd yn eich gorthrymu chwi, ⁷a rhoi esmwythâd i chwi sy'n cael eich gorthrymu, ac i ninnau hefyd, pan ddatguddir yr Arglwydd Iesu o'r nef gyda'i angylion nerthol. ⁸Fe ddaw mewn fflamau tân, gan ddial ar y rhai nad ydynt yn adnabod Duw a'r rhai nad ydynt yn ufuddhau i Efengyl ein Harglwydd Iesu. ⁹Dyma'r rhai fydd yn dioddef dinistr bythol yn gosb, wedi eu cau allan o bresenoldeb yr Arglwydd ac o ogoniant ei nerth ef, ¹⁰pan ddaw, yn y Dydd hwnnw, i'w ogoneddu gan ei saint ac i fod yn destun rhyfeddod gan bawb a gredodd; oherwydd y mae'r dystiolaeth a gyhoeddwyd gennym ni i chwi wedi ei chredu. ¹¹I'r diben hwn hefyd yr ydym bob amser yn gweddïo drosoch chwi, ar i'n Duw ni eich cyfrif yn deilwng o'i alwad, a chyflawni trwy ei nerth bob awydd am ddaioni a phob gweithred o ffydd, ¹²fel y bydd enw ein Harglwydd Iesu yn cael ei ogoneddu ynoch chwi, a chwithau ynddo

yntau, yn ôl gras ein Duw a'r Arglwydd Iesu Grist.

Y Dyn Anghyfraith

2 Ynglŷn â dyfodiad ein Harglwydd Iesu Grist, a'n cydgynnull ni ato ef, yr wyf yn deisyf arnoch, frodyr, ²beidio â chymryd eich ysgwyd yn ddisymwth allan o'ch pwyll, na'ch cynhyrfu gan ddatganiad ysbryd, neu air, neu lythyr yn honni ei fod oddi wrthym ni, i'r perwyl fod Dydd yr Arglwydd eisoes wedi dod. ³Peidiwch â chymryd eich twyllo gan neb mewn unrhyw fodd; oherwydd ni ddaw'r Dydd hwnnw nes i'r gwrthgiliad ddod yn gyntaf, ac i'r dyn anghyfraithᵃ, mab colledigaeth, gael ei ddatguddio. ⁴Dyma'r gwrthwynebydd sy'n ymddyrchafu yn erbyn pob un a elwir yn dduw neu sy'n wrthrych addoliad, nes eistedd ei hunan yn nheml Duw, gan gyhoeddi ei fod ef ei hun yn dduw. ⁵Onid ydych yn cofio fy mod wedi dweud hyn wrthych pan oeddwn eto gyda chwi? ⁶Ac yn awr, gwyddoch am yr hyn sydd yn ei ddal yn ôl er mwyn sicrhau mai yn ei briod amser y datguddir ef. ⁷Oherwydd y mae grym dirgelwch anghyfraith eisoes ar waith, eithr dim ond nes y bydd yr hwn sydd yn awr yn ei ddal yn ôl wedi ei symud o'r ffordd. ⁸Ac yna fe ddatguddir y dyn anghyfraith, a bydd yr Arglwydd Iesu yn ei ladd ag anadl ei enau, a'i ddiddymu trwy ysblander ei ddyfodiad. ⁹Bydd dyfodiad y dyn anghyfraith yn digwydd trwy weithrediad Satan; fe'i nodweddir gan bob math o nerth ac arwyddion a rhyfeddodau gau, ¹⁰a chan bob twyll anghyfiawn, i ddrygu'r rhai sydd ar lwybr colledigaeth am iddynt beidio â derbyn cariad at y gwirionedd a chael eu hachub. ¹¹Oherwydd hyn y mae Duw yn anfon arnynt dwyll, i beri iddynt gredu celwydd, ¹²ac felly bydd pawb sydd heb gredu'r gwirionedd, ond wedi ymhyfrydu mewn anghyfiawnder, yn cael eu barnu.

ᵃYn ôl darlleniad arall, *dyn pechod.*

Wedi Eich Dewis i Iachawdwriaeth

13 Ond fe ddylem ni ddiolch i Dduw bob amser amdanoch chwi, frodyr annwyl gan yr Arglwydd, am i Dduw eich dewis chwi fel y rhai cyntaf i brofi[b] iachawdwriaeth trwy gael eich sancteiddio gan yr Ysbryd a thrwy gredu'r gwirionedd. ¹⁴I hyn y galwodd ef chwi, trwy'r Efengyl yr ydym ni yn ei phregethu: i feddiannu gogoniant ein Harglwydd Iesu Grist. ¹⁵Am hynny, frodyr, safwch yn gadarn, a glynwch wrth y traddodiadau yr ydych wedi eu dysgu gennym ni, naill ai ar air neu trwy lythyr. ¹⁶A bydded i'n Harglwydd Iesu Grist ei hun, a Duw ein Tad, yr hwn sydd wedi ein caru ac wedi rhoi i ni ddiddanwch bythol a gobaith da trwy ras, ¹⁷ddiddanu eich calonnau a'ch cadarnhau ym mhob gweithred a gair da!

Gweddïwch drosom Ni

3 Bellach, frodyr, gweddïwch drosom ni, ar i air yr Arglwydd fynd rhagddo a chael ei ogoneddu, fel y cafodd yn eich plith chwi, ²ac ar i ni gael ein gwaredu oddi wrth ddynion croes a drwg; ohcrwydd nid yw pawb yn meddu ar ffydd. ³Ond y mae'r Arglwydd yn ffyddlon, ac fe'ch cadarnha chwi a'ch gwarchod rhag yr Un drwg. ⁴Y mae gennym hyder yn yr Arglwydd amdanoch, eich bod yn gwneud y pethau yr ydym yn eu gorchymyn, ac y byddwch yn dal i'w gwneud. ⁵Bydded i'r Arglwydd gyfeirio eich calonnau at gariad Duw ac at amynedd Crist!

Rhybudd rhag Segura

6 Yr ydym yn gorchymyn i chwi,

[b] Yn ôl darlleniad arall, eich dewis o'r dechreuad i.

frodyr, yn enw ein Harglwydd Iesu Grist, gadw draw oddi wrth bob brawd sy'n segura yn lle byw yn ôl y traddodiad a dderbyniodd gennym ni. ⁷Gwyddoch yn iawn fel y dylech ein hefelychu ni, oherwydd nid segura y buom ni yn eich plith, ⁸na bwyta bara neb am ddim, ond yn hytrach gweithio nos a dydd mewn llafur a lludded, rhag bod yn faich ar neb ohonoch. ⁹Nid nad oes gennym hawl arnoch, ond gwnaethom hyn er mwyn ein rhoi ein hunain yn esiampl i chwi i'w hefelychu. ¹⁰Ac yn wir, pan oeddem yn eich plith, rhoesom y gorchymyn hwn i chwi: os oes rhywun sy'n anfodlon gweithio, peidied â bwyta chwaith. ¹¹Oherwydd yr ydym yn clywed bod rhai yn eich mysg yn segura, yn busnesa ym mhobman heb weithio yn unman. ¹²I'r cyfryw yr ydym yn gorchymyn, ac yn apelio yn yr Arglwydd Iesu Grist, iddynt weithio'n dawel ac ennill eu bywoliaeth eu hunain. ¹³A pheidiwch chwithau, frodyr, â blino ar wneud daioni. ¹⁴Os bydd rhywun yn gwrthod ufuddhau i'n gair ni yn y llythyr hwn, cadwch eich llygad ar y dyn hwnnw, a pheidiwch â chymdeithasu ag ef, er mwyn codi cywilydd arno. ¹⁵Eto peidiwch â'i ystyried fel gelyn, ond rhybuddiwch ef fel brawd.

Y Fendith

16 Bydded i Arglwydd tangnefedd ei hun roi tangnefedd ichwi bob amser ym mhob modd! Bydded yr Arglwydd gyda chwi oll!

17 Y mae'r cyfarchiad yn fy llaw i, Paul. Hwn yw'r arwydd ym mhob llythyr; fel hyn y byddaf yn ysgrifennu. ¹⁸Gras ein Harglwydd Iesu Grist fyddo gyda chwi oll!

TIMOTHEUS

Cyfarch

1 Paul, apostol Crist Iesu trwy orchymyn Duw, ein Gwaredwr, a Christ Iesu, ein gobaith, ²at Timotheus, ei blentyn diledryw yn y ffydd. Gras a thrugaredd a thangefedd i ti oddi wrth Dduw ein Tad a Christ Iesu ein Harglwydd.

Rhybudd rhag Athrawiaeth Gau

3 Pan oeddwn ar gychwyn i Facedonia, pwysais arnat i ddal ymlaen yn Effesus, a gorchymyn i rai pobl beidio â dysgu athrawiaethau cyfeiliornus, ⁴a rhoi'r gorau i chwedlau ac achau diddiwedd. Pethau yw'r rhain sy'n hyrwyddo dyfaliadau ofer yn hytrach na chynllun achubol Duw, a ganfyddir trwy ffydd. ⁵Diben y gorchymyn hwn yw'r cariad sy'n tarddu o galon bur a chydwybod dda a ffydd ddiffuant. ⁶Gwyro oddi wrth y safonau hyn a barodd i rai fynd ar goll mewn dadleuon diffaith. ⁷Yr oeddent â'u bryd ar fod yn athrawon y Gyfraith, ond nid oeddent yn deall dim ar y geiriau eu hunain, na chwaith ar y pynciau yr oeddent yn eu trafod mor awdurdodol.

8 Fe wyddom fod y Gyfraith yn beth ardderchog os caiff ei harfer yn briodol fel cyfraith. ⁹Gadewch inni ddeall hyn: y mae'r Gyfraith wedi ei llunio, nid ar gyfer y sawl sy'n cadw'r Gyfraith ond ar gyfer y rheini sy'n ei thorri a'i herio, set yr annuwiol a'r pechadurus, y digrefydd a'r di-dduw, y rhai sy'n lladd tad a mam, yn llofruddio, ¹⁰yn puteinio, yn ymlygru â'u rhyw eu hunain, yn cipio dynion, yn twyllo, yn tyngu ar gam, ac yn gwneud unrhyw beth arall sy'n groes i'r athrawiaeth iach ¹¹sy'n perthyn i'r Efengyl a ymddiriedwyd i mi, Efengyl ogoneddus y Duw gwynfydedig.

Diolchgarwch am Drugaredd

12 Yr wyf yn diolch i Grist Iesu ein Harglwydd, yr hwn a'm nerthodd, am iddo fy nghyfrif yn deilwng o'i ymddiriedaeth a'm penodi i'w wasanaeth; ¹³myfi, yr un oedd gynt yn ei gablu, ei erlid, a'i sarhau. Ar waethaf hynny, cefais drugaredd am mai mewn anwybodaeth ac anghrediniaeth y gwneuthum y cwbl. ¹⁴Gorlifodd gras ein Harglwydd arnaf, ynghyd â'r ffydd a'r cariad sy'n eiddo i ni yng Nghrist Iesu. ¹⁵A dyma air i'w gredu, sy'n teilyngu derbyniad llwyr: "Daeth Crist Iesu i'r byd i achub pechaduriaid." A minnau yw'r blaenaf ohonynt. ¹⁶Ond cefais drugaredd, a hynny fel y gallai Crist Iesu ddangos ei faith amynedd yn fy achos i, y blaenaf, a'm gwneud felly yn batrwm i'r rhai fyddai'n dod i gredu ynddo a chael bywyd tragwyddol. ¹⁷Ac i Frenin tragwyddoldeb, yr anfarwol a'r anweledig a'r unig Dduw, y byddo'r anrhydedd a'r gogoniant byth bythoedd! Amen.

18 Timotheus, fy mab, dyma'r siars sydd gennyf i ti, o gofio'r dystiolaeth broffwydol a roddwyd iti o'r blaen; ymddiried yn hyn a bydd lew yn y frwydr, ¹⁹gan ddal dy afael mewn ffydd a chydwybod dda. Am i rai ddiystyru cydwybod, drylliwyd llong eu ffydd. ²⁰Pobl felly yw Hymenaeus ac Alexander, dau a draddodais i Satan, i'w disgyblu a chael ganddynt beidio â chablu mwy.

Cyfarwyddiadau ynglŷn â Gweddïo

2 Yn y lle cyntaf, felly, yr wyf yn annog bod ymbiliau, gweddïau, deisyfiadau a diolchiadau yn cael eu hoffrymu dros bob dyn, ²dros frenhinoedd a phawb sydd mewn awdurdod, inni gael byw ein bywyd yn dawel a heddychlon, yn llawn duwioldeb a gwedduster. ³Peth da yw hyn, a chymeradwy gan Dduw, ein Gwaredwr, ⁴sy'n dymuno gweld pob dyn yn cael ei achub ac yn dod i ganfod y gwirionedd. ⁵Oherwydd un Duw sydd, ac un cyfryngwr hefyd rhwng Duw a dynion, sef Crist Iesu, a oedd yntau yn ddyn. ⁶Fe'i rhoes ei hun yn bridwerth dros bawb, yn dystiolaeth yn yr amser priodol i fwriad Duw. ⁷Ar fy ngwir, heb ddim anwiredd, dyma'r neges y penodwyd fi i dystio iddi fel pregethwr ac apostol, yn athro i'r Cenhedloedd yn y ffydd ac yn y gwirionedd.

8 Y mae'n ddymuniad gennyf, felly, fod y gwŷr ym mhob cynulleidfa yn gweddïo, gan ddyrchafu eu dwylo mewn sancteiddrwydd, heb na dicter na dadl; [9]a bod y gwragedd, yr un modd, yn gwisgo dillad gweddus, yn wylaidd a diwair, ac yn eu harddu eu hunain, nid â phlethiadau gwallt a thlysau aur a pherlau a gwisgoedd drud, [10]ond â gweithredoedd da, fel sy'n gweddu i wragedd sy'n honni bod yn grefyddol. [11]Rhaid i wragedd gymryd eu dysgu, yn ddistaw ac yn berffaith ufudd. [12]Ac nid wyf yn caniatáu i wragedd hyfforddi, nac awdurdodi ar y gwŷr; yn lle hwy yw bod yn ddistaw. [13]Oherwydd Adda oedd y cyntaf i gael ei greu, ac wedyn Efa. [14]Ac nid Adda a dwyllwyd; y wraig oedd yr un a dwyllwyd, a chwympo drwy hynny i drosedd. [15]Ond caiff ei hachub drwy ddwyn plant—a bwrw y bydd gwragedd yn parhau mewn ffydd a chariad a sancteiddrwydd, ynghyd â diweirdeb.

Cymwysterau Esgob

3 Dyma air i'w gredu: "Os yw dyn â'i fryd ar swydd esgob[a], y mae'n chwennych gwaith rhagorol." [2]Felly, rhaid i esgob fod heb nam ar ei gymeriad, yn ŵr i un wraig, yn ddyn sobr, disgybledig, parchus, lletygar, ac yn athro da. [3]Rhaid iddo beidio â bod yn rhy hoff o win, nac yn rhy barod i daro. I'r gwrthwyneb, dylai fod yn ystyriol a heddychlon a diariangar. [4]Dylai fod yn un a chanddo reolaeth dda ar ei dŷ ei hun, ac yn cadw ei blant yn ufudd, â phob gwedduster. [5]Os nad yw dyn yn medru rheoli ei dŷ ei hun, sut y mae'n mynd i ofalu am eglwys Dduw? [6]Rhaid iddo beidio â bod yn newydd i'r ffydd, rhag iddo droi'n falch a chwympo dan y condemniad a gafodd y diafol. [7]A dylai fod yn ddyn â gair da iddo gan y byd oddi allan, rhag iddo gwympo i waradwydd a chael ei ddal ym magl y diafol.

Cymwysterau Diacon

8 Yn yr un modd, rhaid i ddiaconiaid fod yn ddynion gweddus; nid yn ddauwynebog, nac yn drachwantus am win, nac yn chwennych elw anonest. [9]A

dylent ddal eu gafael ar ddirgelwch y ffydd gyda chydwybod bur. [10]Dylid eu rhoi hwythau ar brawf ar y cychwyn, ac yna, o'u cael yn ddi-fai, caniatáu iddynt wasanaethu. [11]Dylai eu gwragedd hefyd fod yn weddus, yn ddiwenwyn, yn sobr, ac yn ffyddlon ym mhob dim. [12]Rhaid i'r diaconiaid fod bob un yn ŵr i un wraig, a chanddo reolaeth dda ar ei blant a'i dŷ ei hun. [13]Oherwydd y mae'r rhai a gyflawnodd waith da fel diaconiaid yn ennill iddynt eu hunain safle da, a hyder mawr ynglŷn â'r ffydd sy'n eiddo i ni yng Nghrist Iesu.

Dirgelwch Ein Crefydd

14 Yr wyf yn gobeithio dod atat cyn hir, ond rhag ofn y caf fy rhwystro, yr wyf yn ysgrifennu'r llythyr hwn atat, [15]er mwyn iti gael gwybod sut y mae ymddwyn yn nheulu Duw, sef eglwys y Duw byw, colofn a sylfaen y gwirionedd. [16]A rhaid inni'n unfryd gyffesu mai mawr yw dirgelwch ein crefydd:

"Ei amlygu ef[b] mewn cnawd,
ei gyfiawnu yn yr ysbryd,
ei weld gan angylion,
ei bregethu i'r Cenhedloedd,
ei gredu drwy'r byd,
ei ddyrchafu mewn gogoniant."

Rhagfynegi Cefnu ar y Ffydd

4 Y mae'r Ysbryd yn dweud yn eglur y bydd rhai mewn amserau diweddarach yn cefnu ar y ffydd. Byddant yn troi at ysbrydion twyllodrus ac at bethau y mae cythreuliaid yn eu dysgu trwy ragrith dynion celwyddog. [2]Dynion yw'r rhain â'u cydwybod wedi ei serio, [3]yn gwahardd priodi, ac yn mynnu fod pobl yn ymwrthod â bwydydd—bwydydd y mae Duw wedi eu creu i'w derbyn â diolch gan y credinwyr sydd wedi canfod y gwirionedd. [4]Oherwydd y mae pob peth a greodd Duw yn dda, ac ni ddylid gwrthod dim yr ydym â diolch iddo ef yn ei dderbyn, [5]oherwydd y mae'n cael ei sancteiddio trwy air Duw a gweddi.

Gwas Da i Iesu Grist

6 Os dygi di'r pethau hyn i sylw'r brodyr, byddi'n was da i Grist Iesu, yn dy feithrin dy hun â geiriau'r ffydd, a'r athrawiaeth dda yr wyt wedi ei dilyn. [7]Paid â gwrando ar chwedlau bydol hen wrachod, ond ymarfer dy hun i'r bywyd

---

[a]Neu, *arolygydd.* Felly hefyd yn adn. 2.   [b]Yn ôl darlleniad arall, *Amlygu Duw.*

crefyddol. [8]Wrth gwrs, y mae i ymarfer y corff beth gwerth, ond i ymarfer y bywyd crefyddol y mae pob gwerth, gan fod ynddo addewid o fywyd yn y byd hwn a'r byd a ddaw. [9]Dyna air i'w gredu, sy'n teilyngu derbyniad llwyr. [10]I'r diben hwn yr ydym yn llafurio ac yn ymdrechu,[c] oherwydd rhoesom ein gobaith yn y Duw byw, sy'n Waredwr i bob dyn, ond i'r credinwyr yn fwy na neb.

11 Gorchymyn y pethau hyn i'th bobl, a dysg hwy iddynt. [12]Paid â gadael i neb dy ddiystyru am dy fod yn ifanc. Yn hytrach, bydd di'n batrwm i'r credinwyr mewn gair a gweithred, mewn cariad a ffydd a phurdeb. [13]Hyd nes imi ddod, rhaid i ti ymroi i'r darlleniadau a'r pregethu a'r hyfforddi. [14]Paid ag esgeuluso'r ddawn sydd ynot ac a roddwyd iti trwy eiriau proffwydol ac arddodiad dwylo'r henuriaid. [15]Gofala am y pethau hyn, ymdafla iddynt, a bydd dy gynnydd yn amlwg i bawb. [16]Cadw lygad arnat ti dy hun ac ar yr hyfforddiant a roddi, a dal ati yn y pethau hyn. Os gwnei di felly, yna fe fyddi'n dy achub dy hun a'r rhai sy'n gwrando arnat.

Dyletswyddau tuag at Eraill

5 Paid â cheryddu hynafgwr, ond ei gymell fel petai'n dad i ti, y dynion ifainc fel brodyr, [2]yr hen wragedd fel mamau, a'r merched ifainc â phob gwedduster fel chwiorydd.

3 Rho gydnabyddiaeth i'r rhai hynny sy'n weddwon mewn gwirionedd. [4]Ond os oes gan y weddw blant neu wyrion, dylai'r rheini yn gyntaf ddysgu ymarfer eu crefydd tuag at eu teulu, a thalu'n ôl i'w rhieni y ddyled sydd arnynt, oherwydd hynny sy'n gymeradwy gan Dduw. [5]Ond am yr un sy'n weddw mewn gwirionedd, yr un sydd wedi ei gadael ar ei phen ei hun, y mae hon â'i gobaith wedi ei sefydlu ar Dduw, ac y mae'n parhau nos a dydd mewn ymbiliau a gweddïau. [6]Y mae'r weddw afradlon, ar y llaw arall, gystal â marw er ei bod yn fyw. [7]Gorchymyn di y pethau hyn hefyd, er mwyn i'r gweddwon fod yn ddigerydd. [8]Ond os nad yw dyn yn darparu ar gyfer ei berthnasau, ac yn arbennig ei deulu ei hun, y mae wedi gwadu'r ffydd ac y mae'n waeth nag anghredadun. [9]Ni ddylid rhoi gwraig ar restr y gweddwon os nad yw dros drigain oed, a heb fod yn

briod fwy nag un waith. [10]A rhaid cael prawf iddi ymroi i weithredoedd da: iddi fagu plant, iddi roi llety i ddieithriaid, iddi olchi traed y saint, iddi gynorthwyo pobl mewn cyfyngder, yn wir iddi ymdaflu i bob math o weithredoedd da. [11]Ond paid â rhestru'r rhai ifainc gyda'r gweddwon, oherwydd cyn gynted ag y bydd eu nwydau yn eu dieithrio oddi wrth Grist, daw arnynt chwant priodi, [12]a chânt eu condemnio felly am dorri'r adduned a wnaethant ar y dechrau. [13]At hynny, byddant yn dysgu bod yn ddiog wrth fynd o gwmpas y tai, ac nid yn unig yn ddiog ond hefyd yn siaradus a busneslyd, yn dweud pethau na ddylid. [14]Fy nymuniad, felly, yw bod gweddwon iau yn priodi a magu plant a chadw tŷ, a pheidio â rhoi cyfle i unrhyw elyn i'n difenwi. [15]Oherwydd y mae rhai gweddwon eisoes wedi mynd ar gyfeiliorn a chanlyn Satan. [16]Dylai unrhyw wraig[ch] sy'n gredadun, a chanddi weddwon yn y teulu, ofalu amdanynt. Nid yw'r gynulleidfa i ddwyn y baich mewn achos felly, er mwyn iddynt allu gofalu am y rhai sy'n weddwon mewn gwirionedd.

17 Y mae'r henuriaid sy'n arweinwyr da yn haeddu cael dwbwl y gydnabyddiaeth, yn arbennig y rhai sydd yn llafurio ym myd pregethu a hyfforddi. [18]Oherwydd y mae'r Ysgrythur yn dweud: "Nid wyt i roi genfa am safn ych tra bydd yn dyrnu", a hefyd: "Y mae'r gweithiwr yn haeddu ei gyflog." [19]Paid â derbyn cyhuddiad yn erbyn henuriad os na fydd hyn ar air dau neu dri o dystion. [20]Y rhai ohonynt sy'n dal i bechu, cerydda hwy yng ngŵydd y cwbl, i godi ofn ar y gweddill ar un pryd. [21]Yr wyf yn dy rybuddio, yng ngŵydd Duw a Christ Iesu a'r angylion etholedig, i gadw'r rheolau hyn yn ddiragfarn, a'u gweithredu ar bob adeg yn ddiduedd. [22]Paid â bod ar frys i arddodi dwylo ar neb, a thrwy hynny gyfranogi ym mhechodau pobl eraill; cadw dy hun yn bur. [23]Bellach, paid ag yfed dŵr yn unig, ond cymer ychydig o win at dy stumog a'th aml anhwylderau.

24 Y mae pechodau rhai pobl yn eglur ddigon, ac yn eu rhagflaenu i farn, ond y mae eraill sydd â'u pechodau yn eu dilyn. [25]Yn yr un modd, y mae gweithredoedd da yn eglur ddigon, a hyd yn oed os nad ydynt mor eglur, nid oes modd eu cuddio'n hir.

---

[c]Yn ôl darlleniad arall, *ac yn cael ein gwaradwyddo.*   [ch]Yn ôl darlleniad arall, *ŵr neu wraig.*

6 Y mae'r rhai sy'n gaethweision dan yr iau i gyfrif eu meistri eu hunain yn deilwng o wir barch, fel na chaiff enw Duw, na'r athrawiaeth Gristionogol, air drwg. [2]Ac ni ddylai'r rhai sydd â'u meistri'n gredinwyr roi llai o barch iddynt am eu bod yn gydaelodau. Yn hytrach, dylent roi gwell gwasanaeth iddynt am mai credinwyr sy'n annwyl ganddynt yw'r rhai fydd yn elwa ar eu hymroddiad.

Crefydd ynghyd â Bodlonrwydd Mewnol

Dyma'r pethau yr wyt ti i'w dysgu a'u cymell. [3]Os bydd rhywun yn dysgu'n groes i hyn, ac yn gwrthod glynu wrth eiriau iachusol, geiriau ein Harglwydd Iesu Grist, ac wrth athrawiaeth sy'n gyson â gwir grefydd, [4]y mae hwnnw'n llawn balchder, heb ddeall dim, ag awydd afiach ynddo i holi cwestiynau a dadlau am eiriau. Cenfigen a chynnen ac enllib, a drwgdybio cywilyddus ac anghydweld parhaus, sy'n dod o bethau felly, [5]mewn dynion sydd â'u deall wedi dirywio ac sydd wedi eu hamddifadu o'r gwirionedd, dynion sy'n tybio mai modd i ennill cyfoeth yw crefydd. [6]Ac wrth gwrs, y mae cyfoeth mawr mewn gwir grefydd ynghyd â bodlonrwydd mewnol. [7]A'r ffaith yw, na ddaethom â dim i'r byd, a hynny am yr un rheswm[d] na allwn fynd â dim allan ohono chwaith. [8]Os oes gennym fwyd a dillad, gadewch inni fodloni ar hynny. [9]Y mae'r rhai sydd am fod yn gyfoethog yn syrthio i demtasiynau a maglau, a llu o chwantau direswm a niweidiol, sy'n hyrddio dynion i lawr i ddistryw a cholledigaeth. [10]Oherwydd gwraidd pob math o ddrwg yw cariad at arian, ac wrth geisio cael gafael ynddo crwydrodd rhai oddi wrth y ffydd, a thrywanu eu calonnau ag arteithiau lawer.

[d]Yn ôl darlleniad arall, *byd, ac y mae'n eglur.*

Ymdrech Lew y Ffydd

11 Yr wyt ti, ŵr Duw, i ffoi rhag y pethau hyn, ac i roi dy fryd ar uniondeb, duwioldeb, ffydd, cariad, dyfalbarhad ac addfwynder. [12]Ymdrecha ymdrech lew y ffydd, a chymer feddiant o'r bywyd tragwyddol. I hyn y cefaist dy alw pan wnaethost dy gyffes lew o'r ffydd o flaen tystion lawer. [13]Yng ngŵydd Duw, sy'n rhoi bywyd i bob peth, ac yng ngŵydd Crist Iesu, a dystiodd i'r un gyffes lew o flaen Pontius Pilat, yr wyf yn dy gyfarwyddo di [14]i gadw'r gorchymyn yn ddi-fai a digerydd hyd at ymddangosiad ein Harglwydd Iesu Grist, [15]a amlygir yn ei amser addas gan yr unig Bennaeth bendigedig, Brenin y brehinoedd, Arglwydd yr arglwyddi. [16]Ganddo ef yn unig y mae anfarwoldeb, ac mewn goleuni anhygyrch y mae'n preswylio. Nid oes yr un dyn a'i gwelodd, ac ni ddichon neb ei weld. Iddo Ef y byddo anrhydedd a gallu tragwyddol! Amen.

17 Gorchymyn di i gyfoethogion y byd presennol beidio â bod yn falch, ac iddynt sefydlu eu gobaith nid ar ansicrwydd cyfoeth ond ar y Duw sy'n rhoi inni yn helaeth bob peth i'w fwynhau. [18]Annog hwy i wneud daioni, i fod yn gyfoethog mewn gweithredoedd da, i fod yn hael ac yn barod i rannu, [19]ac felly i gael iddynt eu hunain drysor fydd yn sylfaen sicr ar gyfer y dyfodol, i feddiannu'r bywyd sydd yn fywyd yn wir.

20 Timotheus, cadw'n ddiogel yr hyn a ymddiriedwyd i'th ofal, a thro dy gefn ar y gwag siarad bydol, a'r gwrthddywediadau a gamenwir yn wybodaeth. [21]Y mae rhai sy'n proffesu'r wybodaeth hon wedi colli gafael ar y ffydd yn lân.

Gras fyddo gyda chwi!

TIMOTHEUS

Cyfarch

1 Paul, apostol Crist Iesu trwy ewyllys Duw, yn unol â'r addewid am y bywyd sydd yng Nghrist Iesu, [2]at Timotheus, ei blentyn annwyl. Gras a thrugaredd a thangnefedd i ti oddi wrth Dduw ein Tad a Christ Iesu ein Harglwydd.

Teyrngarwch i'r Efengyl

3 Yr wyf yn diolch i Dduw, yr hwn yr wyf yn ei wasanaethu â chydwybod bur fel y gwnaeth fy nhadau, pan fyddaf yn cofio amdanat yn fy ngweddïau, fel y gwnaf yn ddi-baid nos a dydd. [4]Wrth gofio am dy ddagrau, 'rwy'n hiraethu am dy weld a chael fy llenwi â llawenydd. [5]Daw i'm cof y ffydd ddiffuant sydd gennyt, ffydd a drigodd gynt yn Lois, dy nain, ac yn Eunice, dy fam, a gwn yn sicr ei bod ynot tithau hefyd. [6]O ganlyniad, yr wyf yn dy atgoffa i gadw ynghyn y ddawn a roddodd Duw iti, y ddawn sydd ynot trwy arddodiad fy nwylo i. [7]Oherwydd nid ysbryd sy'n creu llwfrdra a roddodd Duw i ni, ond ysbryd sy'n creu nerth a chariad a hunanddisgyblaeth. [8]Felly, na foed cywilydd arnat roi tystiolaeth i'r Arglwydd, na chywilydd ohonof fi, ei garcharor ef; ond cymer dy gyfran o ddioddefaint dros yr Efengyl, trwy'r nerth yr ydym yn ei gael gan Dduw. [9]Ef a'n hachubodd ni, a'n galw â galwedigaeth sanctaidd, nid ar sail ein gweithredoedd ond yn unol â'i arfaeth ei hun a'i ras, y gras a roddwyd inni yng Nghrist Iesu cyn dechrau'r oesoedd, [10]ond a amlygwyd yn awr drwy ymddangosiad ein Gwaredwr, Crist Iesu. Oherwydd y mae ef wedi dirymu marwolaeth, a dod â bywyd ac anfarwoldeb i'r golau trwy'r Efengyl. [11]I'r Efengyl hon yr wyf fi wedi fy mhenodi'n bregethwr, yn apostol ac yn athro. [12]Dyma'r rheswm, yn wir, fy mod yn dioddef yn awr. Ond nid oes arnaf gywilydd o'r peth, oherwydd mi wn pwy yr wyf wedi ymddiried ynddo, ac 'rwy'n gwbl sicr fod ganddo ef allu i gadw'n ddiogel hyd y Dydd hwnnw yr hyn a ymddiriedodd i'm gofal.[a] [13]Cymer fel patrwm i'w ddilyn y geiriau iachusol a glywaist gennyf fi, wrth fyw yn y ffydd a'r cariad sydd yng Nghrist Iesu. [14]Cadw'n ddiogel, trwy nerth yr Ysbryd Glân sy'n trigo ynom, y peth gwerthfawr a ymddiriedwyd i'th ofal.

15 Fel y gwyddost, y mae pawb yn Asia wedi cefnu arnaf, gan gynnwys Phygelus a Hermogenes. [16]Ond dangosed yr Arglwydd drugaredd tuag at deulu Onesifforus, oherwydd cododd ef fy nghalon droeon, ac ni bu arno gywilydd fy mod mewn cadwynau. [17]Yn wir, pan ddaeth i Rufain, aeth i drafferth fawr i chwilio amdanaf, a daeth o hyd imi. [18]Rhodded yr Arglwydd iddo dderbyn trugaredd gan yr Arglwydd yn y Dydd hwnnw. Fe wyddost ti yn dda gymaint o wasanaeth a roddodd ef yn Effesus.

Milwr Da i Iesu Grist

2 Felly ymnertha di, fy mab, yn y gras sydd yng Nghrist Iesu. [2]Cymer y geiriau a glywaist gennyf fi yng nghwmni tystion lawer, a throsglwydda hwy i ofal dynion ffyddlon a fydd yn abl i hyfforddi eraill hefyd. [3]Cymer dy gyfran o ddioddefaint, fel milwr da i Grist Iesu. [4]Nid yw milwr sydd ar ymgyrch yn ymdrafferthu â gofalon bywyd bob dydd, gan fod ei holl fryd ar ennill cymeradwyaeth ei gadfridog. [5]Ac os yw dyn yn cystadlu mewn mabolgampau, ni all ennill y dorch heb gystadlu yn ôl y rheolau. [6]Y ffermwr sy'n llafurio sydd â'r hawl gyntaf ar y cnwd. [7]Ystyria beth yr wyf yn ei ddweud, oherwydd fe rydd yr Arglwydd iti ddealltwriaeth ym mhob peth.

8 Cofia Iesu Grist: ei gyfodi oddi wrth y meirw, ei eni o linach Dafydd, yn ôl yr Efengyl yr wyf fi yn ei phregethu. [9]Yng

---

[a]Neu, *a ymddiriedais i'w ofal.*

ngwasanaeth yr Efengyl hon yr wyf yn dioddef hyd at garchar, fel rhyw droseddwr, ond nid oes carchar i ddal gair Duw. [10]Felly, yr wyf yn goddef y cyfan er mwyn ei etholedigion, iddynt hwythau hefyd gael yr iachawdwriaeth sydd yng Nghrist Iesu, ynghyd â gogoniant tragwyddol. [11]Dyma air i'w gredu:

"Os buom farw gydag ef, byddwn fyw hefyd gydag ef;
[12]os dioddefwn, cawn deyrnasu hefyd gydag ef;
os gwadwn ef, bydd ef hefyd yn ein gwadu ninnau;
[13]os ydym yn anffyddlon, y mae ef yn aros yn ffyddlon,
oherwydd ni all ef ei wadu ei hun."

Gweithiwr Cymeradwy

14 Dwg ar gof i'th bobl y pethau hyn, gan eu rhybuddio yng ngŵydd Duw i beidio â dadlau am eiriau, peth cwbl anfuddiol, ac andwyol hefyd i'r rhai sy'n gwrando. [15]Gwna dy orau i'th wneud dy hun yn gymeradwy gan Dduw, fel gweithiwr heb achos i gywilyddio am ei waith, yn ddiwyro wrth gyflwyno gair y gwirionedd. [16]Gochel siarad gwag dynion bydol, oherwydd agor y ffordd y byddant i fwy o annuwioldeb, [17]a'u hymadrodd yn ymledu fel cancr. Pobl felly yw Hymenaeus a Philetus; [18]y maent wedi gwyro oddi wrth y gwirionedd, gan honni fod ein hatgyfodiad eisoes wedi digwydd, ac y maent yn tanseilio ffydd rhai pobl. [19]Ond dal i sefyll y mae'r sylfaen gadarn a osododd Duw, a'r sêl sydd arni yw: "Y mae'r Arglwydd yn adnabod y rhai sy'n eiddo iddo", a "Pob un sy'n enwi enw'r Arglwydd, cefned ar ddrygioni". [20]Mewn tŷ mawr y mae nid yn unig lestri aur ac arian ond hefyd lestri pren a chlai, rhai i gael parch ac eraill amarch. [21]Os yw dyn yn ei lanhau ei hun oddi wrth y pethau drygionus hyn, yna llestr parch fydd ef, cysegredig, defnyddiol i'r Meistr, ac addas i bob gweithred dda. [22]Ffo oddi wrth nwydau dyn ifanc, a chanlyn cyfiawnder a ffydd a chariad a heddwch, yng nghwmni'r rhai sy'n galw ar yr Arglwydd â chalon bur. [23]Paid â gwneud dim â chwestiynau ffôl a di-ddysg; fe wyddost mai codi cwerylon a wnânt. [24]Ni ddylai gwas yr Arglwydd fod yn gwerylgar, ond yn dirion tuag at bawb, yn athro da, yn ymarhous, [25]yn addfwyn wrth ddis-

gyblu'r rhai sy'n tynnu'n groes. Oherwydd pwy a ŵyr na fydd Duw ryw ddydd yn rhoi cyfle iddynt i edifarhau a dod i ganfod y gwirionedd, [26]ac na ddônt i'w pwyll a dianc o fagl y diafol, yr un a'u rhwydodd a'u caethiwo i'w ewyllys[b]?

Cymeriad Dynion yn y Dyddiau Diwethaf

3 Rhaid iti ddeall hyn, fod amserau enbyd i ddod yn y dyddiau diwethaf. [2]Bydd dynion yn hunangar ac yn ariangar, yn ymffrostgar a balch a sarhaus, heb barch i'w rhieni, yn anniolchgar ac yn ddigrefydd. [3]Byddant yn ddi-serch a digymod, yn enllibus a dilywodraeth ac anwar, heb ddim cariad at ddaioni. [4]Bradwyr fyddant, yn ddi-hid, yn llawn balchder, yn caru pleser yn fwy na charu Duw, [5]yn cadw ffurf allanol crefydd ond yn gwadu ei grym hi. Cadw draw oddi wrth y rhain. [6]Dyma'r math o ddynion fydd yn gweithio'u ffordd i mewn i dai pobl, ac yn rhwydo gwragedd ffôl sydd dan faich o bechodau ac yng ngafael pob rhyw nwydau, [7]gwragedd sydd o hyd yn ceisio dysgu ond byth yn gallu cyrraedd at wybodaeth o'r gwirionedd. [8]Yn union fel y safodd Jannes a Jambres yn erbyn Moses, felly hefyd y mae'r dynion hyn yn gwrthsefyll y gwirionedd. Dynion llygredig eu meddwl ydynt, ac annerbyniol o ran y ffydd. [9]Ond nid ânt yn eu blaen ddim pellach, oherwydd fe ddaw eu ffolineb hwy, fel eiddo Jannes a Jambres, yn amlwg ddigon i bawb.

Siars Olaf i Timotheus

10 Ond yr wyt ti wedi dilyn yn ofalus fy athrawiaeth i a'm ffordd o fyw, fy ymroddiad, fy ffydd, fy amynedd, fy nghariad a'm dyfalbarhad, [11]yr erlid a'r dioddef a ddaeth i'm rhan yn Antiochia ac Iconium a Lystra; ie, yr holl erledigaethau a ddioddefais. A gwaredodd yr Arglwydd fi o'r cyfan i gyd. [12]Yn wir, eu herlid a gaiff pawb sydd yn ceisio byw bywyd duwiol yng Nghrist Iesu, [13]ond bydd dynion drwg a hocedwyr yn mynd o ddrwg i waeth, gan dwyllo a chael eu twyllo. [14]Ond glŷn di wrth y pethau a ddysgaist, ac y cefaist dy argyhoeddi ganddynt. Fe wyddost gan bwy y dysgaist hwy, [15]a'th fod er yn blentyn yn gyfarwydd â'r llyfrau sanctaidd, sydd yn abl i'th wneud yn ddoeth a'th ddwyn i iachawdwriaeth trwy ffydd yng Nghrist Iesu.

[b]Neu, diafol, wedi eu rhwydo gan Dduw a'u caethiwo i'w ewyllys.

¹⁶Y mae pob Ysgrythur wedi ei hysbrydoli gan Dduw ac yn fuddiol i hyfforddi, a cheryddu, a chywiro, a disgyblu mewn cyfiawnder. ¹⁷Felly y darperir dyn Duw â chyflawn ddarpariaeth ar gyfer pob math o weithredoedd da.

4 Yng ngŵydd Duw a Christ Iesu, yr hwn sydd i farnu y byw a'r meirw, yr wyf yn dy rybuddio ar gyfrif ei ymddangosiad a'i deyrnas ef: ²pregetha'r gair; bydd yn barod bob amser, boed yn gyfleus neu'n anghyfleus; argyhoedda; cerydda; calonoga; a hyn ag amynedd diball wrth hyfforddi. ³Oherwydd fe ddaw amser pan na fydd dynion yn goddef athrawiaeth iach ond yn dilyn eu chwantau eu hunain, a chrynhoi o'u cwmpas liaws o athrawon i oglais eu clustiau, ⁴gan droi oddi wrth y gwirionedd i wrando ar chwedlau. ⁵Ond yn hyn oll cadw di ddisgyblaeth arnat dy hun: goddef galedi; gwna dy waith fel pregethwr yr Efengyl; cyflawna holl ofynion dy weinidogaeth.

6 Oherwydd y mae fy mywyd i eisoes yn cael ei dywallt mewn aberth, ac y mae amser fy ymadawiad wedi dod. ⁷Yr wyf wedi ymdrechu'r ymdrech lew, yr wyf wedi rhedeg yr yrfa i'r pen, yr wyf wedi cadw'r ffydd. ⁸Bellach y mae'r dorch, a roddir am gyfiawnder, ar gadw i mi; a bydd yr Arglwydd, y Barnwr cyfiawn, yn ei chyflwyno hi imi ar y Dydd hwnnw, ac nid i mi yn unig ond i bawb fydd wedi rhoi eu serch ar ei ymddangosiad ef.

Cyfarwyddiadau Personol

9 Gwna dy orau i ddod ataf yn fuan, ¹⁰oherwydd rhoddodd Demas ei serch ar y byd hwn, a'm gadael. Aeth ef i Thesalonica, a Crescens i Galatia, a Titus i Dalmatia. ¹¹Luc yn unig sydd gyda mi. Galw am Marc, a thyrd ag ef gyda thi, gan ei fod o gymorth mawr i mi yn fy ngweinidogaeth. ¹²Anfonais Tychicus i Effesus. ¹³Pan fyddi'n dod, tyrd â'r got a adewais ar ôl gyda Carpus yn Troas, a'r llyfrau hefyd, yn arbennig y memrynau. ¹⁴Gwnaeth Alexander, y gof copr, ddrwg mawr imi. Fe dâl yr Arglwydd iddo yn ôl ei weithredoedd. ¹⁵Bydd dithau ar dy wyliadwriaeth rhagddo, oherwydd y mae wedi gwrthwynebu ein cenadwri ni i'r eithaf.

16 Yn y gwrandawiad cyntaf o'm hamddiffyniad, ni safodd neb gyda mi; aeth pawb a'm gadael; peidied Duw â chyfrif hyn yn eu herbyn. ¹⁷Ond safodd yr Arglwydd gyda mi, a rhoddodd nerth imi, er mwyn, trwof fi, i'r pregethu gael ei gyflawni ac i'r holl Genhedloedd gael ei glywed; a chefais fy ngwaredu o enau'r llew. ¹⁸A bydd yr Arglwydd eto'n fy ngwaredu i rhag pob cam, a'm dwyn yn ddiogel i'w deyrnas nefol. Iddo ef y byddo'r gogoniant byth bythoedd! Amen.

Cyfarchion Terfynol

19 Rho fy nghyfarchion i Prisca ac Acwila, a theulu Onesifforus. ²⁰Arhosodd Erastus yng Nghorinth, a gadewais Troffimus yn glaf yn Miletus. ²¹Gwna dy orau i ddod cyn y gaeaf. Y mae Eubwlus a Pwdens a Linus a Claudia, a'r brodyr oll, yn dy gyfarch. ²²Yr Arglwydd fyddo gyda'th ysbryd di! Gras fyddo gyda chwi!

TITUS

Cyfarch

1 Paul, gwas Duw ac apostol Iesu Grist, sy'n ysgrifennu, yn dwyn nod ffydd etholedigion Duw, a gwybodaeth o'r gwirionedd sydd, yn ein crefydd ni, ²yn seiliedig ar y gobaith am fywyd tragwyddol. Dyma'r bywyd a addawodd y digelwyddog Dduw cyn dechrau'r oesoedd, ³ac ef hefyd yn ci amser ei hun a ddatguddiodd ei air yn y neges a bregethir. Ymddiriedwyd y neges hon i mi ar orchymyn Duw, ein Gwaredwr. ⁴Yr wyf yn cyfarch Titus, fy mhlentyn diledryw yn y ffydd sy'n gyffredin inni. Gras a thangnefedd i ti oddi wrth Dduw ein Tad a Christ Iesu ein Gwaredwr.

Gwaith Titus yn Creta

5 Fy mwriad wrth dy adael ar ôl yn Creta oedd iti gael trefn ar y pethau oedd yn aros heb eu gwneud, a sefydlu henuriaid ym mhob tref yn ôl fy nghyfarwyddyd iti: ⁶rhaid i henuriad fod yn ddi-fai, yn ŵr i un wraig, a'i blant yn gredinwyr, heb fod wedi eu cyhuddo o afradlonedd nac yn afreolus. ⁷Oherwydd rhaid i esgobᵃ fod yn ddi-fai, ac yntau yn oruchwyliwr yng ngwasanaeth Duw. Rhaid iddo beidio â bod yn drahaus, nac yn fyr ei dymer, nac yn rhy hoff o win, nac yn rhy barod i daro, nac yn un sy'n chwennych elw anonest, ⁸ond yn lletygar, ac yn caru daioni, yn ddisgybledig, yn gyfiawn, yn sanctaidd, yn feistr arno'i hun. ⁹Dylai ddal ei afael yn dynn yn y gair sydd i'w gredu ac sy'n gyson â'r hyn a ddysgir, er mwyn iddo fedru annog eraill â'i athrawiaeth iach, a threchu ei wrthwynebwyr.

10 Oherwydd y mae llawer, ac yn arbennig y credinwyr Iddewig, yn afreolus, ac yn twyllo dynion â'u dadleuon diffaith; ¹¹ac fe ddylid rhoi taw arnynt. Pobl ydynt sydd yn tanseilio teuluoedd cyfan drwy ddysgu iddynt bethau na ddylent eu dysgu, a hynny er mwyn elw anonest. ¹²Dywedodd un ohonynt, un o'u proffwydi hwy eu hunain: "Celwyddgwn fu'r Cretiaid erioed, anifeiliaid anwar, bolrwth a diog."
¹³Y mae'r dystiolaeth hon yn wir. Am hynny, cerydda hwy'n ddidostur, er mwyn eu cael yn iach yn y ffydd ¹⁴yn lle bod â'u bryd ar chwedlau Iddewig a gorchmynion dynion sy'n troi cefn ar y gwirionedd. ¹⁵I'r pur, y mae pob peth yn bur; ond i'r rhai llygredig a di-gred, nid oes dim yn bur; y mae eu deall a'u cydwybod wedi eu llygru. ¹⁶Y maent yn proffesu eu bod yn adnabod Duw, ond ei wadu y maent â'u gweithredoedd. Y maent yn ffiaidd ac yn anufudd, ac yn anghymwys i unrhyw weithred dda.

Dysgu Athrawiaeth Iach

2 Ond yr wyt ti i lefaru'r hyn sy'n gweddu i'r athrawiaeth iach. ²Dywed wrth yr hynafgwyr am fod yn sobr, yn weddus, yn ddisgybledig, yn iach mewn ffydd a chariad a dyfalbarhad. ³Ac wrth y gwragedd hynaf yr un modd: am iddynt fod yn ddefosiynol eu hymarweddiad, yn ddiwenwyn, a heb fod yn gaeth i ormodedd o win; ⁴dylent hyfforddi'r gwragedd ifainc yn y pethau gorau, a'u cymell i garu eu gwŷr a charu eu plant, ⁵i fod yn ddisgybledig a diwair, i ofalu am eu cartrefi, ac i fod yn garedig, ac yn ddarostyngedig i'w gwŷr, fel na chaiff gair Duw enw drwg. ⁶Yn yr un modd, cymell y dynion ifainc i arfer hunanddisgyblaeth. ⁷Ym mhob peth dangos dy hun yn esiampl o weithredoedd da, ac wrth hyfforddi amlyga ddidwylledd a gwedduster ⁸a neges iachusol, a fydd uwchlaw beirniadaeth. Felly codir cywilydd ar dy wrthwynebwr, gan na fydd ganddo ddim drwg i'w ddweud amdanom. ⁹Cymell y caethweision i fod yn ddarostyngedig i'w meistri ym mhob peth, i

---

ᵃNeu, *arolygydd*.

wneud eu dymuniad, i beidio â'u hateb yn ôl [10]na lladrata oddi arnynt, ond i'w dangos eu hunain yn gwbl ffyddlon a gonest, ac felly yn addurn ym mhob peth i athrawiaeth Duw, ein Gwaredwr.

11 Oherwydd amlygwyd gras Duw i ddwyn gwaredigaeth i bob dyn, [12]gan ein hyfforddi i ymwrthod ag annuwioldeb a chwantau bydol, a byw'n ddisgybledig a chyfiawn a duwiol yn y byd presennol, [13]a disgwyl am y gwynfyd yr ydym yn gobeithio amdano yn ymddangosiad gogoniant ein Duw mawr a'n Gwaredwr, Iesu Grist. [14]Rhoddodd ef ei hun drosom ni i brynu rhyddid inni oddi wrth bob anghyfraith, a'n glanhau ni i fod yn bobl wedi ei neilltuo iddo ef ei hun ac yn llawn sêl dros weithredoedd da. [15]Dywed y pethau hyn, a chymell a cherydda â phob awdurdod. Peidied neb â'th anwybyddu.

Dal at Weithredoedd Da

3 Dwg ar gof iddynt eu bod i ymostwng i'r awdurdodau sy'n llywodraethu, i fod yn ufudd iddynt, a bod yn barod i wneud unrhyw weithred dda[b]; [2]i beidio â bwrw anfri ar neb, ond i fod yn heddychol ac yn ystyriol, gan ddangos addfwynder yn gyson tuag at bob dyn. [3]Oherwydd fe fuom ninnau hefyd un amser yn ffôl, yn anufudd, ar gyfeiliorn, yn gaethweision i amryfal chwantau a phleserau, a'n bywyd yn llawn malais a chenfigen, yn atgas gan eraill ac yn casáu ein gilydd. [4]Ond pan amlygwyd daioni Duw, ein Gwaredwr, a'i gariad tuag at ddynion, [5]fe'n hachubodd ni, nid ar sail unrhyw weithredoedd o gyfiawnder a wnaethom ni, ond o'i drugaredd ei hun. Fe'n hachubodd ni trwy olchiad yr ailenedigaeth ac adnewyddiad gan yr Ysbryd Glân, [6]a dywalltodd ef arnom ni yn helaeth drwy Iesu Grist, ein Gwaredwr. [7]Ei ddiben oedd ein cyfiawnhau drwy ei ras a'n gwneud, mewn gobaith, yn etifeddion bywyd tragwyddol.

8 Dyna air i'w gredu. Ac y mae'n ddymuniad gennyf i ti fynnu hyn: bod y rhai a ddaeth i gredu yn Nuw i ofalu eu bod yn ymroi i weithredoedd da[c]. Dyma gyngor da a buddiol i ddynion. [9]Ond gochel gwestiynau ffôl, ac achau, a chynhennau a chwerylon ynghylch y Gyfraith, oherwydd di-fudd ac ofer ydynt. [10]Am y dyn a fyn greu rhaniadau, ar ôl iddo gael ei rybuddio, a'i ailrybuddio, paid â gwneud dim mwy ag ef; [11]fe wyddost fod dyn felly wedi ei wyrdroi, ei fod yn pechu, a thrwy hynny yn ei gollfarnu ei hun.

Cyfarwyddiadau Personol a Chyfarchion

12 Pan anfonaf Artemas neu Tychicus atat, gwna dy orau i ddod ataf i Nicopolis, oherwydd yr wyf wedi penderfynu bwrw'r gaeaf yno. [13]Gwna dy orau hefyd dros y cyfreithiwr, Zenas, ac Apolos, i'w hebrwng ar eu taith, gan ofalu na fyddant yn fyr o ddim. [14]Rhaid i'n pobl ni hefyd ddysgu ymroi i waith gonest[ch] i gyfarfod ag angenrheidiau bywyd; os na wnânt, byddant yn ddi-les.

15 Y mae pawb sydd gyda mi yn dy gyfarch. Rho fy nghyfarchion i'r rhai sydd yn ein caru yn y ffydd. Gras fyddo gyda chwi oll!

[b]Neu, *i gyflawni unrhyw waith gonest.*   [c]Neu, *i waith gonest.*   [ch]Neu, *i weithredoedd da.*

PHILEMON

Cyfarch

1 Paul, carcharor Crist Iesu, a Timotheus ein brawd, at Philemon, ein cydweithiwr annwyl, [2]ac Apffia, ein chwaer, ac Archipus, ein cydfilwr; ac at yr eglwys sy'n ymgynnull yn dy dŷ. [3]Gras a thangnefedd i chwi oddi wrth Dduw ein Tad a'r Arglwydd Iesu Grist.

Cariad a Ffydd Philemon

4 Yr wyf yn diolch i'm Duw bob amser wrth gofio amdanat yn fy ngweddïau, [5]oherwydd fy mod yn clywed am dy gariad, a'r ffydd sydd gennyt tuag at yr Arglwydd Iesu ac at yr holl saint. [6]Yr wyf yn deisyf y bydd dy gyfranogiad yn ein ffydd yn hyrwyddo dirnadaeth o'r holl ddaioni sy'n eiddo i ni yng Nghrist. [7]Oherwydd cefais lawer o lawenydd a symbyliad trwy dy gariad, gan fod calonnau'r saint wedi eu llonni drwot ti, fy mrawd.

Paul yn Eiriol dros Onesimus

8 Gan hynny, er bod gennyf berffaith ryddid yng Nghrist i roi gorchymyn i ti ynglŷn â'th ddyletswydd, [9]yr wyf yn hytrach, ar sail cariad, yn apelio atat. Ie, myfi, Paul, a mi'n llysgennad Crist Iesu, ac yn awr hefyd yn garcharor drosto, [10]apelio yr wyf atat ar ran fy mhlentyn, Onesimus, un y deuthum yn dad iddo yn y carchar. [11]Bu ef gynt yn ddi-fudd i ti, ond yn awr y mae'n fuddiol iawn i ti ac i minnau.[a] [12]Yr wyf yn ei anfon yn ôl atat,

[a] Ystyr yr enw Onesimus yw *buddiol*.

ac yntau bellach yn rhan ohonof fi. [13]Mi hoffwn ei gadw gyda mi, er mwyn iddo weini arnaf yn dy le di tra byddaf yng ngharchar o achos yr Efengyl. [14]Ond ni fynnwn wneud dim heb dy gydsyniad di, rhag i'th garedigrwydd fod o orfod, nid o wirfodd. [15]Efallai, yn wir, mai dyma'r rheswm iddo gael ei wahanu oddi wrthyt dros dro, er mwyn iti ei dderbyn yn ôl am byth, [16]nid fel caethwas mwyach ond fel un sy'n fwy na chaethwas, yn frawd annwyl—annwyl iawn i mi, ond anwylach fyth i ti, fel dyn ac fel Cristion.

17 Os wyt, felly, yn fy ystyried i yn gymar, derbyn ef fel pe bait yn fy nerbyn i. [18]Os gwnaeth unrhyw gam â thi, neu os yw yn dy ddyled, cyfrif hynny arnaf fi. [19]Yr wyf fi, Paul, yn ysgrifennu â'm llaw fy hun; fe dalaf fi yn ôl, a hynny heb sôn dy fod ti'n ddyledus i mi am dy fywyd dy hun. [20]Ie, frawd, mi fynnwn gael ffafr gennyt ti yn yr Arglwydd; llonna fy nghalon i yng Nghrist.

21 Yr wyf yn ysgrifennu atat mewn sicrwydd y byddi'n ufuddhau; gwn y byddi'n gwneud mwy nag yr wyf yn ei ofyn. [22]Yr un pryd hefyd, paratoa lety imi, oherwydd 'rwy'n gobeithio y caf fy rhoi i chwi mewn ateb i'ch gweddïau.

Cyfarchion Terfynol

23 Y mae Epaffras, fy nghydgarcharor yng Nghrist Iesu, yn dy gyfarch; [24]a Marc, Aristarchus, Demas a Luc, fy nghydweithwyr. [25]Gras yr Arglwydd Iesu Grist fyddo gyda'ch ysbryd chwi!

Y LLYTHYR AT YR
HEBREAID

Duw wedi Llefaru yn Ei Fab

1 Mewn llawer dull a llawer modd y llefarodd Duw gynt wrth y tadau yn y proffwydi, ond yn y dyddiau olaf hyn llefarodd wrthym ni mewn Mab. ²Hwn yw'r un a benododd Duw yn etifedd pob peth, a'r un y gwnaeth y cyfanfyd drwyddo. ³Y mae'n adlewyrchu gogoniant Duw, ac y mae stamp ei sylwedd ef arno; ac y mae'n cynnal pob peth â'i air nerthol. Ar ôl iddo gyflawni puredigaeth pechodau, eisteddodd ar ddeheulaw'r Mawrhydi yn yr uchelder, ⁴wedi dyfod cymaint yn uwch na'r angylion ag y mae'r enw a etifeddodd yn rhagorach na'r eiddynt hwy.

Y Mab yn Uwch na'r Angylion

5 Oherwydd wrth bwy o'r angylion y dywedodd Duw erioed:
"Fy Mab wyt ti,
myfi a'th genhedlodd di heddiw"?
Ac eto:
"Byddaf fi yn dad iddo ef,
a bydd yntau yn fab i mi."
⁶A thrachefn, pan yw'n dod â'i gyntafanedig i mewn i'r byd, y mae'n dweud:
"A bydded i holl angylion Duw ei addoli."
⁷Am yr angylion y mae'n dweud:
"Yr hwn sy'n gwneud ei angylion yn wyntoedd,
a'i weinidogion yn fflam dân";
⁸ond am y Mab:
"Y mae dy orsedd di, O Dduw, yn dragwyddol,
a gwialen dy deyrnas di yw gwialen uniondeb.
⁹Ceraist gyfiawnder a chasáu anghyfraith.
Am hynny, O Dduw, y mae dy Dduw di wedi dy eneinio
ag olew gorfoledd, uwchlaw dy gymheiriaid."
¹⁰Y mae hefyd yn dweud:
"Ti, yn y dechrau, Arglwydd, a osodaist sylfeini'r ddaear,

a gwaith dy ddwylo di yw'r nefoedd.
¹¹Fe ddarfyddant hwy, ond yr wyt ti'n aros;
ânt hwy i gyd yn hen fel dilledyn;
¹²plygi hwy fel plygu mantell,
a newidir hwy fel newid dilledyn;
ond tydi, yr un ydwyt,
ac ar dy flynyddoedd ni bydd diwedd."
¹³Wrth bwy o'r angylion y dywedodd ef erioed:
"Eistedd ar fy neheulaw
nes imi osod dy elynion yn droedfainc i'th draed"?
¹⁴Onid ysbrydion gwasanaethgar ydynt oll, yn cael eu hanfon i weini, er mwyn y rhai sydd i etifeddu iachawdwriaeth?

Iachawdwriaeth mor Fawr

2 Am hynny, rhaid i ni ddal yn fwy gofalus ar y pethau a glywyd, rhag inni fynd gyda'r llif. ²Oherwydd os oedd y gair a lefarwyd drwy angylion yn sicr, ac os derbyniodd pob trosedd ac anufudd-dod ei gyfiawn dâl, ³pa fodd y dihangwn ni, os esgeuluswn iachawdwriaeth mor fawr—iachawdwriaeth a gafodd ei chyhoeddi gyntaf drwy enau'r Arglwydd, a'i chadarnhau wedyn i ni gan y rhai oedd wedi clywed, ⁴a Duw yn cyd-dystio drwy arwyddion a rhyfeddodau, a thrwy amrywiol rymusterau, a thrwy gyfraniadau'r Ysbryd Glân, yn ôl ei ewyllys ei hun?

Tywysog Iachawdwriaeth

5 Oherwydd nid i angylion y darostyngodd ef y byd a ddaw, y byd yr ydym yn sôn amdano. ⁶Tystiolaethodd rhywun yn rhywle yn y geiriau hyn:
"Beth yw dyn, iti ei gofio,
a mab dyn, iti ofalu amdano?
⁷Gwnaethost ef am ryw ychydig yn is na'r angylion;
coronaist ef â gogoniant ac anrhydedd.
⁸Darostyngaist bob peth dan ei draed ef."
Wrth ddarostwng pob peth iddo, ni adawodd ddim heb ei ddarostwng iddo.

Ond yn awr nid ydym hyd yma yn gweld pob peth wedi ei ddarostwng iddo; [9]eithr yr ydym yn gweld Iesu, yr un a wnaed am ryw ychydig yn is na'r angylion, wedi ei goroni â gogoniant ac anrhydedd oherwydd iddo ddioddef marwolaeth, er mwyn iddo, trwy ras Duw,[a] brofi marwolaeth dros bob dyn.

[10] Oherwydd yr oedd yn gweddu i Dduw, yr hwn y mae popeth yn bod er ei fwyn a phopeth yn bod drwyddo, wrth ddwyn meibion lawer i ogoniant, wneud tywysog eu hiachawdwriaeth yn berffaith trwy ddioddefiadau. [11]Canys yr hwn sydd yn sancteiddio, a'r rhai sy'n cael eu sancteiddio, o'r un cyff y maent oll. Dyna pam nad oes arno gywilydd eu galw hwy'n frodyr iddo'i hun. [12]Y mae'n dweud:

"Fe gyhoeddaf dy enw i'm brodyr,
a chanu mawl iti yng nghanol y
gynulleidfa";
[13]ac eto:
"Ynddo ef y byddaf fi'n ymddiried";
ac eto fyth:
"Wele fi a'r plant a roes Duw imi."
[14]Felly, gan fod y plant yn cydgyfranogi o'r un cig a gwaed, y mae yntau, mewn dull cyffelyb, wedi cyfranogi o'r cig a gwaed hwnnw, er mwyn iddo, trwy farwolaeth, ddiddymu'r hwn sy'n rheoli marwolaeth, sef y diafol, [15]a rhyddhau'r rheini oll oedd, trwy ofn marwolaeth, yng ngafael caethiwed ar hyd eu hoes. [16]Yn sicr, nid am angylion y mae gofal ganddo, ond am ddisgynyddion Abraham. [17]Am hynny, yr oedd yn rhaid iddo, ym mhob peth, gael ei wneud yn debyg i'w frodyr, er mwyn iddo fod yn archoffeiriad tosturiol a ffyddlon, gerbron Duw, i sicrhau puredigaeth pechodau'r bobl. [18]Oherwydd, am iddo ef ei hun ddioddef dan brawf, y mae'n gallu cynorthwyo'r rhai sydd yn cael eu profi.

Iesu'n Uwch na Moses

3 Gan hynny, frodyr sanctaidd, chwychwi sy'n cyfranogi o alwad nefol, ystyriwch Apostol ac Archoffeiriad ein cyffes ni, sef Iesu, [2]a fu'n ffyddlon i'r hwn a'i penododd, fel y bu Moses hefyd yn ffyddlon yn holl dŷ Dduw. [3]Oherwydd y mae Iesu wedi ei gyfrif yn deilwng o ogoniant mwy na Moses, yn gymaint â bod sylfaenydd tŷ yn derbyn mwy o anrhydedd na'r tŷ. [4]Y mae pob tŷ yn cael

ei sylfaenu gan rywun, ond Duw yw sylfaenydd pob peth. [5]Bu Moses yn ffyddlon yn holl dŷ Dduw fel gwas, i ddwyn tystiolaeth i'r pethau yr oedd Duw yn mynd i'w llefaru; [6]ond y mae Crist yn ffyddlon fel Mab sydd â rheolaeth ar dŷ Dduw. A ni yw ei dŷ ef, os daliwn ein gafael ar y gobaith sy'n sail ein hyder a'n balchder.

Gorffwysfa i Bobl Dduw

[7] Gan hynny, fel y mae'r Ysbryd Glân yn dweud:
"Heddiw, os gwrandewch ar ei lais,
[8]peidiwch â chaledu'ch calonnau fel yn
y gwrthryfel,
yn nydd y profi yn yr anialwch,
[9]lle y gosododd eich tadau fi ar brawf,
a'm profi,
ac y gwelsant fy ngweithredoedd am
ddeugain mlynedd.
[10]Dyna pam y digiais wrth y genhedlaeth
honno,
a dweud, 'Y maent yn wastad yn
cyfeiliorni yn eu calonnau,
ac nid ydynt yn gwybod fy ffyrdd.'
[11]Felly tyngais yn fy nig,
'Ni chânt fyth ddod i mewn i'm
gorffwysfa.'"

12 Gwyliwch, frodyr, na fydd yn neb ohonoch byth galon ddrwg anghrediniol, i beri iddo gefnu ar y Duw byw. [13]Yn hytrach, calonogwch eich gilydd bob dydd, tra mae'r "Heddiw" hwnnw'n cael ei alw felly, rhag i neb ohonoch gael ei galedu gan dwyll pechod. [14]Oherwydd yr ydym ni bellach yn gydgyfranogion â Christ,[b] os glynwn yn dynn hyd y diwedd wrth ein hyder cyntaf. [15]Dyma'r hyn y mae'r Ysgrythur yn ei ddweud:
"Heddiw, os gwrandewch ar ei lais,
peidiwch â chaledu'ch calonnau fel yn
y gwrthryfel."
[16]Pwy, felly, a glywodd, ac a wrthryfelodd wedyn? Onid pawb oedd wedi dod allan o'r Aifft dan arweiniad Moses? [17]Ac wrth bwy y digiodd ef am ddeugain mlynedd? Onid wrth y rhai a bechodd, y rhai y syrthiodd eu cyrff yn farw yn yr anialwch? [18]Wrth bwy y tyngodd na chaent fyth ddod i mewn i'w orffwysfa, os nad wrth y rhai a fu'n anufudd? [19]Ac yr ydym yn gweld mai o achos anghrediniaeth y methasant ddod i mewn.

[a]Yn ôl darlleniad arall, *iddo, wedi ei wahanu oddi wrth Dduw.*   [b]Neu, *yn gyfranogion o Grist.*

4 Gochelwn, felly, rhag i neb ohonoch, a'r addewid yn aros y cawn ddod i mewn i'w orffwysfa ef, dybio ei fod wedi ei gau allan.[c] [2]Oherwydd fe gyhoeddwyd y newyddion da, yn wir, i ni fel iddynt hwythau, ond ni bu'r gair a glywsant o unrhyw fudd iddynt hwy, am nad oeddent wedi eu huno mewn ffydd â'r sawl oedd wedi gwrando ar y gair.[ch] [3]Oblegid nyni, y rhai sydd wedi credu, sydd yn mynd i mewn i'r orffwysfa, yn unol â'r hyn a ddywedodd:

"Felly tyngais yn fy nig,
'Ni chânt fyth ddod i mewn i'm gorffwysfa.'"

Ac eto yr oedd ei waith wedi ei orffen er seiliad y byd. [4]Oherwydd y mae gair yn rhywle am y seithfed dydd fel hyn: "A gorffwysodd Duw ar y seithfed dydd oddi wrth ei holl waith." [5]Felly hefyd yma: "Ni chânt fyth ddod i mewn i'm gorffwysfa." [6]Felly, gan ei bod yn sicr y bydd rhai yn cael dod i mewn iddi, a chan fod y rhai y cyhoeddwyd y newyddion da iddynt gynt heb ddod i mewn oherwydd anufudd-dod, [7]y mae ef drachefn yn pennu dydd neilltuol, sef "Heddiw", gan lefaru trwy Ddafydd ar ôl cymaint o amser, fel y dyfynnwyd o'r blaen:

"Heddiw, os gwrandewch ar ei lais, peidiwch â chaledu'ch calonnau."

[8]Oherwydd petai Josua wedi rhoi gorffwys iddynt, ni byddai Duw wedi sôn ar ôl hynny am ddiwrnod arall. [9]Felly, y mae gorffwysfa'r Saboth yn aros yn sicr i bobl Dduw. [10]Oherwydd y sawl a ddaeth i mewn i'w orffwysfa ef, y mae hwnnw wedi gorffwys oddi wrth ei waith, fel y gorffwysodd Duw oddi wrth ei waith yntau. [11]Gadewch inni ymdrechu, felly, i fynd i mewn i'r orffwysfa honno, rhag i neb syrthio o achos yr un math o anufudd-dod.

[12] Y mae gair Duw yn fyw a grymus; y mae'n llymach na'r un cleddyf daufiniog, ac yn treiddio hyd at wahaniad yr enaid a'r ysbryd, y cymalau a'r mêr; ac y mae'n barnu bwriadau a meddyliau'r galon. [13]Nid oes dim a grewyd yn guddiedig o'i olwg, ond y mae pob peth yn agored ac wedi ei ddinoethi o flaen llygaid yr Un yr ydym ni i roi cyfrif iddo.

Iesu, yr Archoffeiriad Mawr

[14] Gan fod gennym, felly, archoffeiriad mawr sydd wedi mynd drwy'r nefoedd, sef Iesu, Mab Duw, gadewch inni lynu wrth ein cyffes. [15]Canys nid archoffeiriad heb allu cyd-ddioddef â'n gwendidau sydd gennym, ond un sydd wedi ei brofi ym mhob peth, yn yr un modd â ni,[d] ac eto heb bechod. [16]Felly, gadewch inni nesáu mewn hyder at orsedd gras, er mwyn derbyn trugaredd a chael gras yn gymorth yn ei bryd.

5 O blith dynion y bydd pob archoffeiriad yn cael ei ddewis, ac ar ran dynion y bydd yn cael ei benodi, yn y pethau a berthyn i Dduw, i offrymu rhoddion ac aberthau dros bechodau. [2]Y mae'n gallu cydymddwyn â'r rhai anwybodus a chyfeiliornus, gan ei fod yntau hefyd wedi ei amgylchu â gwendid; [3]ac oherwydd y gwendid hwn, rhaid iddo offrymu dros bechodau ar ei ran ei hun, fel ar ran y bobl. [4]Nid oes neb yn cymryd yr anrhydedd iddo'i hun; Duw sydd yn ei alw, fel y galwodd Aaron.

[5] Felly hefyd gyda Christ. Nid ei ogoneddu ei hun i fod yn archoffeiriad a wnaeth, ond Duw a ddywedodd wrtho:

"Fy Mab wyt ti,
myfi a'th genhedlodd di heddiw."

[6]Fel y mae'n dweud mewn lle arall hefyd:

"Yr wyt ti'n offeiriad am byth yn ôl urdd Melchisedec."

[7]Yn nyddiau ei gnawd, fe offrymodd Iesu weddïau ac erfyniadau, gyda llef uchel a dagrau, i'r hwn oedd yn abl i'w achub rhag marwolaeth, ac fe gafodd ei wrando o achos ei barchedig ofn.[dd] [8]Er mai Mab ydoedd, dysgodd ufudd-dod drwy'r hyn a ddioddefodd, [9]ac wedi ei berffeithio, daeth yn ffynhonnell iachawdwriaeth dragwyddol i bawb sydd yn ufuddhau iddo, [10]wedi ei enwi gan Dduw yn archoffeiriad yn ôl urdd Melchisedec.

Rhybudd rhag Syrthio Ymaith

[11] Am Melchisedec[e] y mae gennym lawer i'w ddweud sydd yn anodd ei egluro, oherwydd eich bod chwi wedi mynd yn araf i ddeall. [12]Yn wir, er y dylech erbyn hyn fod yn athrawon, y mae arnoch angen rhywun i ailddysgu ichwi

[c]Neu, ef, gael ei ddyfarnu'n wrthodedig.
[ch]Yn ôl darlleniad arall, am nad oedd wedi ei gysylltu â ffydd yn y gwrandawyr.
[d]Neu, yn ôl ei debygrwydd i ni.
[dd]Neu, marwolaeth, a chan gael gwrandawiad, fe'i rhyddhawyd o ofn. [e]Neu, Am hyn.

elfennau cyntaf oraclau Duw; angen llaeth sydd arnoch chwi, ac nid bwyd cryf. [13]Nid oes gan y sawl sy'n byw ar laeth ddim profiad o egwyddor cyfiawnder, am mai baban ydyw. [14]Pobl wedi tyfu i fyny sy'n cymryd bwyd cryf; y mae eu synhwyrau hwy, trwy ymarfer, wedi eu disgyblu i farnu rhwng da a drwg.

6 Am hynny, gadewch inni ymadael â'r athrawiaeth elfennol am Grist, a mynd ymlaen at y tyfiant llawn. Ni ddylem eilwaith osod y sylfaen, sef edifeirwch am weithredoedd meirwon, a ffydd yn Nuw, [2]dysgeidiaeth am olchiadau, arddodiad dwylo, atgyfodiad y meirw, a'r Farn dragwyddol. [3]A mynd ymlaen a wnawn, os caniatâ Duw. [4]Oherwydd y rhai a oleuwyd unwaith, ac a brofodd o'r rhodd nefol, ac a fu'n gyfrannog o'r Ysbryd Glân, [5]ac a brofodd ddaioni gair Duw a nerthoedd yr oes i ddod—[6]os yw'r rhain wedyn wedi syrthio ymaith, y mae'n amhosibl eu hadfer i edifeirwch, gan eu bod yn croeshoelio[f] Mab Duw iddynt eu hunain, ac yn ei wneud yn waradwydd. [7]Oherwydd y mae'r ddaear, sy'n yfed y glaw sy'n disgyn arni'n fynych, ac sy'n dwyn cnydau addas i'r rhai y mae'n cael ei thrin er eu mwyn, yn derbyn ei chyfran o fendith Duw. [8]Ond os yw'n dwyn drain ac ysgall, y mae'n ddiwerth ac yn agos i felltith, a'i diwedd fydd ei llosgi.

9 Er ein bod yn siarad fel hyn, yr ydym yn argyhoeddedig, gyfeillion annwyl, fod pethau gwell yn wir amdanoch chwi, pethau sy'n perthyn i iachawdwriaeth. [10]Oherwydd nid yw Duw yn anghyfiawn; nid anghofia eich gwaith, a'r cariad tuag at ei enw yr ydych wedi ei amlygu drwy weini i'r saint, a dal ati i weini. [11]Ond ein dyhead yw i bob un ohonoch ddangos yr un eiddgarwch, nes i'ch gobaith gael ei gyflawni hyd y diwedd. [12]Yr ydym am ichwi beidio â bod yn araf, ond yn efelychwyr y rhai sydd drwy ffydd a hirymaros yn etifeddu'r addewidion.

Addewid Sicr Duw

13 Pan roddodd Duw, felly, addewid i Abraham, gan nad oedd ganddo neb mwy i dyngu wrtho, fe dyngodd wrtho'i hun [14]gan ddweud: "Yn wir, bendithiaf di, ac yn ddiau, amlhaf di." [15]Ac felly, wedi hirymaros, fe gafodd y hyn a addawyd. [16]Oherwydd wrth un mwy y bydd dynion

[f]Neu, yn ailgroeshoelio.

yn tyngu; ac y mae llw yn rhoi gwarant sydd yn derfyn ar bob dadl rhyngddynt. [17]Felly, pan ewyllysiodd Duw brofi'n llwyrach i etifeddion yr addewid mor ddigyfnewid yw ei fwriad, fe roddodd warant drwy lw, [18]er mwyn i ddau beth digyfnewid, dau beth yr oedd yn amhosibl i Dduw fod yn gelwyddog ynddynt, beri i ni sydd wedi ffoi am noddfa dderbyn symbyliad cryf i ymaflyd yn y gobaith a osodwyd o'n blaen. [19]Y mae'r gobaith hwn gennym fel angor i'n bywyd, un diogel a chadarn, ac un sy'n mynd trwodd i'r tu mewn i'r llen, [20]lle y mae Iesu wedi mynd, yn rhagredegydd ar ein rhan, wedi ei wneud yn archoffeiriad am byth, yn ôl urdd Melchisedec.

Urdd Offeiriadol Melchisedec

7 Cyfarfu'r Melchisedec hwn, brenin Salem, offeiriad i'r Duw Goruchaf, ag Abraham wrth iddo ddychwelyd o daro'r brenhinoedd, a bendithiodd ef; [2]a rhannodd Abraham iddo yntau ddegwm o'r cwbl. Yn gyntaf, ystyr ei enw ef yw "brenin cyfiawnder"; ac yna, y mae'n frenin Salem, hynny yw, "brenin tangnefedd". [3]Ac yntau heb dad, heb fam, a heb achau, nid oes iddo na dechrau dyddiau na diwedd einioes; ond, wedi ei wneud yn gyffelyb i Fab Duw, y mae'n aros yn offeiriad am byth.

4 Ystyriwch pa mor fawr oedd y gŵr hwn y rhoddwyd iddo ddegwm o'r anrhaith gan Abraham y patriarch. [5]Yn awr, y mae'r rheini o blith disgynyddion Lefi sy'n cymryd swydd offeiriad dan orchymyn yn ôl y Gyfraith i gymryd degwm gan y bobl, hynny yw, eu brodyr, er mai disgynyddion Abraham ydynt. [6]Ond y mae hwn, er nad yw o'u llinach hwy, wedi cymryd degwm gan Abraham ac wedi bendithio'r hwn y mae'r addewidion ganddo. [7]A heb ddadl o gwbl, y lleiaf sy'n cael ei fendithio gan y mwyaf. [8]Yn y naill achos, dynion meidrol sydd yn derbyn degwm, ond yn y llall, un y tystiolaethir amdano ei fod yn aros yn fyw. [9]Gellir dweud hyd yn oed fod Lefi, derbyniwr y degwm, yntau wedi talu degwm drwy Abraham, [10]oblegid yr oedd ef eisoes yn llwynau ei gyndad pan gyfarfu Melchisedec â hwnnw.

11 Os oedd perffeithrwydd i'w gael, felly, trwy'r offeiriadaeth Lefiticaidd— oblegid ar sail honno y rhoddwyd y

Gyfraith i'r bobl—pa angen pellach oedd i sôn am offeiriad arall yn codi, yn ôl urdd Melchisedec ac nid yn ôl urdd Aaron? [12]Oblegid os yw'r offeiriadaeth yn cael ei newid, rhaid bod y Gyfraith hefyd yn cael ei newid. [13]Oherwydd y mae'r un y dywedir y pethau hyn amdano yn perthyn i lwyth arall, nad oes yr un aelod ohono wedi gweini wrth yr allor; [14]ac y mae'n gwbl hysbys fod ein Harglwydd ni yn hanu o lwyth Jwda, llwyth na ddywedodd Moses ddim am offeiriad mewn perthynas ag ef. [15]Y mae'r ddadl yn eglurach fyth os ar ddull Melchisedec y bydd yr offeiriad arall yn codi, [16]a'i offeiriadaeth yn dibynnu nid ar gyfraith sydd â'i gorchymyn yn ymwneud â'r cnawd, ond ar nerth bywyd annistryw. [17]Oherwydd tystir amdano:

"Yr wyt ti'n offeiriad am byth
  yn ôl urdd Melchisedec."

[18]Felly, y mae yma ddiddymu ar y gorchymyn blaenorol, am ei fod yn wan ac anfuddiol. [19]Oherwydd nid yw'r Gyfraith wedi dod â dim i berffeithrwydd. Ond yn awr cyflwynwyd i ni obaith rhagorach yr ydym drwyddo yn nesáu at Dduw.

20 Yn awr, ni ddigwyddodd hyn heb i Dduw dyngu llw. [21]Daeth y lleill, yn wir, yn offeiriaid heb i lw gael ei dyngu; ond daeth hwn trwy lw yr Un a ddywedodd wrtho:

"Tyngodd yr Arglwydd,
  ac nid â'n ôl ar ei air:
'Yr wyt ti'n offeiriad am byth.'"

[22]Yn gymaint â hynny, felly, y mae Iesu wedi dod yn feichiau cyfamod rhagorach. [23]Y mae'r lleill a ddaeth yn offeiriaid yn lluosog hefyd, am fod angau yn eu rhwystro i barhau yn eu swydd; [24]ond y mae gan hwn, am ei fod yn aros am byth, offeiriadaeth na throsglwyddir mohoni. [25]Dyna pam y mae ef hefyd yn gallu achub hyd yr eithaf y rhai sy'n agosáu at Dduw trwyddo ef, gan ei fod yn fyw bob amser i eiriol drostynt.

26 Dyma'r math o archoffeiriad sy'n addas i ni, un sanctaidd, di-fai, dihalog, wedi ei ddidoli oddi wrth bechaduriaid, ac wedi ei ddyrchafu yn uwch na'r nefoedd; [27]un nad oes rhaid iddo yn feunyddiol, fel yr archoffeiriaid, offrymu aberthau yn gyntaf dros ei bechodau ei hun, ac yna dros rai'r bobl. Oblegid fe wnaeth ef hyn un waith am byth pan fu iddo'i offrymu ei hun. [28]Oherwydd y mae'r Gyfraith yn penodi yn archoffeiriaid ddynion sy'n llawn gwendid, ond y mae geiriau'r llw, sy'n ddiweddarach na'r Gyfraith, yn penodi Mab sydd wedi ei berffeithio am byth.

Archoffeiriad Cyfamod Newydd a Gwell

8 Prif bwynt yr hyn 'rwy'n ei ddweud yw mai dyma'r math o archoffeiriad sydd gennym, un sydd wedi eistedd ar ddeheulaw gorsedd y Mawrhydi yn y nefoedd, [2]yn weinidog y cysegr, sef y gwir dabernacl a osododd yr Arglwydd, nid dyn. [3]Oherwydd y mae pob archoffeiriad yn cael ei benodi i offrymu rhoddion ac aberthau, ac felly, rhaid bod gan hwn hefyd rywbeth i'w offrymu. [4]Yn awr, pe byddai ar y ddaear, ni byddai'n offeiriad o gwbl, gan fod yma eisoes rai sy'n offrymu rhoddion yn ôl y Gyfraith. [5]Y mae'r rhain yn gweini i lun a chysgod y pethau nefol, yn ôl y gorchymyn a gafodd Moses pan oedd ar fin codi'r tabernacl. "Gofala," meddai Duw, "y byddi'n gwneud pob peth yn ôl y patrwm a ddangoswyd iti ar y mynydd." [6]Ond, fel y mae, cafodd Iesu weinidogaeth ragorach, gan ei fod yn gyfryngwr cyfamod cymaint gwell—cyfamod, yn wir, sydd wedi ei sefydlu ar addewidion gwell.

7 Oherwydd pe bai'r cyfamod cyntaf hwnnw yn ddi-fai, ni byddai lle i ail gyfamod. [8]Oblegid y mae Duw'n eu beio pan yw'n dweud:

"Y mae'r dyddiau'n dod, medd yr
    Arglwydd,
  y gwnaf gyfamod newydd
    â thŷ Israel ac â thŷ Jwda;
[9]ni fydd yn debyg i'r cyfamod a
      wneuthum â'u tadau,
  y dydd y gafaelais yn eu llaw
  i'w harwain allan o wlad yr Aifft,
  oherwydd nid arosasant hwy yn fy
      nghyfamod i.
A minnau, bûm yn ddi-hid ohonynt,
    medd yr Arglwydd.
[10]Dyma'r cyfamod a wnaf â thŷ Israel
    ar ôl y dyddiau hynny, medd yr
    Arglwydd:
  rhof fy nghyfreithiau yn eu meddwl,
  ac ysgrifennaf hwy ar eu calon.
A byddaf yn Dduw iddynt,
    a hwythau'n bobl i mi.
[11]Ac ni fyddant mwyach yn dysgu bob
      un ei gyd-ddinesydd[ff]
  a phob un ei frawd, gan ddweud,
    'Adnebydd yr Arglwydd.'

[ff]Yn ôl darlleniad arall, *ei gymydog*.

Oblegid byddant i gyd yn f'adnabod, o'r lleiaf hyd y mwyaf ohonynt. [12] Oherwydd byddaf yn drugarog wrth eu camweddau, ac ni chofiaf eu pechodau byth mwy." [13] Wrth ddweud "cyfamod newydd", y mae wedi dyfarnu'r cyntaf yn hen; ac y mae'r hyn sy'n mynd yn hen ac oedrannus ar fin diflannu.

Y Cysegr Daearol a'r Cysegr Nefol

9 Yn awr, yr oedd gan y cyfamod cyntaf hefyd ordinhadau addoliad, a chysegr, ond mai cysegr daearol oedd. [2] Oblegid codwyd pabell, y nesaf allan, ac ynddi hi yr oedd y canhwyllbren a'r bwrdd a'r bara gosod; gelwir hon yn Gysegr. [3] A'r tu ôl i'r ail len yr oedd y babell a elwir yn Gysegr Sancteiddiaf. [4] Dyma lle'r oedd y thuser aur, ac arch y cyfamod wedi ei goreuro drosti i gyd; yn honno yr oedd llestr aur yn dal y manna, a gwialen Aaron, a flagurodd unwaith, a llechau'r cyfamod; [5] ac uwch ei phen yr oedd cerwbiaid y gogoniant, yn cysgodi'r drugareddfa. Am y rhain ni ellir manylu yn awr.

6 Yn ôl y trefniadau hyn, y mae'r offeiriaid yn mynd i mewn yn barhaus i'r babell gyntaf i gyflawni'r gwasanaethau; [7] ond yr archoffeiriad yn unig sy'n mynd i'r ail, unwaith yn y flwyddyn, ac nid yw yntau'n mynd heb waed i'w offrymu drosto'i hun a thros bechodau anfwriadol y bobl. [8] Yn hyn, y mae'r Ysbryd Glân yn dangos nad oedd y ffordd i'r cysegr wedi ei hamlygu cyhyd ag yr oedd y tabernacl cyntaf yn sefyll. [9] Y mae hyn oll yn arwyddlun ar gyfer yr amser presennol. Yn ôl y drefn hon offrymir rhoddion ac aberthau na allant berffeithio'r addolwr yn ei gydwybod, [10] oherwydd y maent yn ymwneud yn unig â bwydydd a diodydd ac amrywiol olchiadau, ordinhadau allanol sydd wedi eu gosod hyd amser diwygiad. 11 Ond yn awr daeth Crist, archoffeiriad y pethau da sydd wedi dod.[g] Trwy dabernacl rhagorach a pherffeithiach, nid o waith llaw (hynny yw, nid o'r greadigaeth hon), [12] ac nid â gwaed geifr a lloi, ond â'i waed ei hun, yr aeth ef i mewn un waith am byth i'r cysegr, gan ennill gwaredigaeth dragwyddol. [13] Oblegid os yw gwaed geifr a theirw, a ludw anner, o'i daenu ar yr halogedig, yn sancteiddio

hyd at buredigaeth allanol, [14] pa faint mwy y bydd gwaed Crist, yr hwn a'i hoffrymodd ei hun trwy'r Ysbryd tragwyddol yn ddi-nam i Dduw, yn puro ein cydwybod ni oddi wrth weithredoedd meirwon, i wasanaethu'r Duw byw.

15 Am hynny, y mae ef yn gyfryngwr cyfamod newydd, er mwyn i'r rhai sydd wedi eu galw gael derbyn yr etifeddiaeth dragwyddol a addawyd, gan fod marwolaeth wedi digwydd er sicrhau rhyddhad oddi wrth y troseddau a gyflawnwyd dan y cyfamod cyntaf. [16] Oherwydd lle y mae ewyllys, y mae'n rhaid profi marwolaeth y sawl a'i gwnaeth; [17] ar farwolaeth dyn y bydd ewyllys yn dod yn effeithiol; nid yw byth mewn grym tra bydd y sawl a'i gwnaeth yn fyw. [18] Felly, ni sefydlwyd y cyfamod cyntaf, hyd yn oed, heb waed. [19] Oblegid ar ôl i Moses gyhoeddi i'r holl bobl bob gorchymyn yn ôl y Gyfraith, cymerodd waed lloi a geifr[ng], gyda dŵr a gwlân ysgarlad ac isop, a'i daenellu ar y llyfr ei hun ac ar yr holl bobl hefyd, [20] gan ddweud, "Hwn yw gwaed y cyfamod a sefydlodd Duw i chwi." [21] Ac yn yr un modd taenellodd waed ar y tabernacl hefyd, ac ar holl lestri'r gwasanaeth. [22] Yn wir, â gwaed y mae pob peth bron, yn ôl y Gyfraith, cael ei buro, a heb dywallt gwaed nid oes maddeuant.

Dileu Pechod trwy Aberth Crist

23 Gan hynny, yr oedd yn rhaid i gysgodau'r pethau nefol gael eu puro â'r pethau hyn, ond y pethau nefol eu hunain ag aberthau gwell na'r rhai hyn. [24] Oherwydd nid i gysegr o waith llaw, rhyw lun o'r cysegr gwirioneddol, yr aeth Crist i mewn, ond i'r nef ei hun, i ymddangos yn awr gerbron Duw drosom ni. [25] Ac nid i'w offrymu ei hun yn fynych y mae'n mynd, fel y bydd yr archoffeiriad yn mynd i mewn i'r cysegr bob blwyddyn â gwaed arall na'r eiddo ei hun; [26] petai felly, buasai wedi gorfod dioddef yn fynych er seiliad y byd. Ond yn awr, un waith am byth, ar ddiwedd yr oesoedd, y mae ef wedi ymddangos er mwyn dileu pechod drwy ei aberthu ei hun. [27] Ac yn gymaint ag y gosodwyd i ddynion eu bod i farw un waith, a bod barn yn dilyn hynny, [28] felly hefyd y bydd Crist, ar ôl cael ei offrymu un waith i ddwyn pechodau llawer, yn ymddangos yr ail waith, nid i ddelio â

phechod, ond er iachawdwriaeth i'r rhai sydd yn disgwyl amdano.

10 Oherwydd cysgod sydd gan y Gyfraith o'r pethau da sy'n dod, nid gwir ddelw y dirweddau hynny; ac ni all hi o gwbl, drwy aberthau sy'n cael eu hoffrymu, yr un rhai flwyddyn ar ôl blwyddyn, ddwyn yr addolwyr i berffeithrwydd am byth. ²Petasai hynny'n bosibl, oni fuasai'r addolwyr wedi peidio â'u hoffrymu, gan na fuasai mwyach ymwybyddiaeth o bechodau gan addolwyr a oedd wedi eu puro un waith am byth? ³Ond y mae yn yr aberthau goffâd bob blwyddyn am bechodau; ⁴oherwydd y mae'n amhosibl i waed teirw a geifr dynnu ymaith bechodau.

5 Dyna pam y mae ef, wrth ddod i'r byd, yn dweud:
"Ni fynnaist aberth ac offrwm,
 ond paratoaist gorff i mi.
⁶Poethoffrymau ac aberth dros bechod,
 nid ymhyfrydaist ynddynt.
⁷Yna dywedais,
 'Dyma fi wedi dod—
 y mae wedi ei ysgrifennu mewn rhol
  llyfr amdanaf—
 i wneud dy ewyllys di, O Dduw.'"
⁸Y mae'n dweud, i ddechrau, "Aberthau ac offrymau, a phoethoffrymau ac aberth dros bechod, ni fynnaist mohonynt ac nid ymhyfrydaist ynddynt." Yn ôl y Gyfraith y mae'r rhain yn cael eu hoffrymu. ⁹Yna dywedodd, "Dyma fi wedi dod i wneud dy ewyllys di." Y mae'n diddymu'r peth cyntaf er mwyn sefydlu'r ail. ¹⁰Trwy'r ewyllys honno yr ydym wedi ein sancteiddio, gan fod corff Iesu Grist, un waith am byth, wedi ei offrymu.

11 Y mae pob offeiriad yn sefyll beunydd yn gweini, ac yn offrymu'r un aberthau dro ar ôl tro, aberthau na allant byth ddileu pechodau. ¹²Ond am hwn, wedi iddo offrymu un aberth dros bechodau am byth, eisteddodd ar ddeheulaw Duw, ¹³yn disgwyl bellach hyd oni osodir ei elynion yn droedfainc i'w draed. ¹⁴Oherwydd ag un offrwm y mae wedi perffeithio am byth y rhai a sancteiddir.

15 Ac y mae'r Ysbryd Glân hefyd yn tystio wrthym; oherwydd wedi iddo ddweud:
¹⁶"Dyma'r cyfamod a wnaf â hwy
 ar ôl y dyddiau hynny, medd yr
  Arglwydd;
 rhof fy nghyfreithiau yn eu calon,
 ac ysgrifennaf hwy ar eu meddwl",
¹⁷y mae'n ychwanegu:
 "A'u pechodau a'u drwg-
  weithredoedd,
 ni chofiaf mohonynt byth mwy."
¹⁸Yn awr, lle y ceir maddeuant am y pethau hyn, nid oes angen offrwm dros bechod mwyach.

Nesáu a Dyfalbarhau

19 Felly, frodyr, gan fod gennym hyder i fynd i mewn i'r cysegr drwy waed Iesu, ²⁰ar hyd ffordd newydd a byw y mae ef wedi ei hagor inni drwy'r llen, hynny yw, trwy ei gnawd ef; ²¹a chan fod gennym offeiriad mawr ar dŷ Dduw, ²²gadewch inni nesáu â chalon gywir, mewn llawn hyder ffydd, a'n calonnau wedi eu taenellu'n lân oddi wrth gydwybod ddrwg, a'n cyrff wedi eu golchi â dŵr glân. ²³Gadewch inni ddal yn ddiwyro at gyffes ein gobaith, oherwydd gallwn ddibynnu ar yr hwn a roddodd yr addewid. ²⁴Gadewch inni ystyried sut y gallwn ennyn yn ein gilydd gariad a gweithredoedd da, ²⁵heb gefnu ar ein cydgynulliad ein hunain, yn ôl arfer rhai, ond annog ein gilydd, ac yn fwy felly yn gymaint â'ch bod yn gweld y Dydd yn dod yn agos.

26 Oherwydd os ydym yn mynnu pechu ar ôl inni dderbyn gwybodaeth am y gwirionedd, nid oes aberth dros bechodau i'w gael mwyach; ²⁷dim ond rhyw ddisgwyl brawychus am farn, ac angerdd tân a fydd yn difa'r gwrthwynebwyr. ²⁸Os bydd dyn wedi diystyru Cyfraith Moses, caiff ei ladd yn ddidrugaredd ar air dau neu dri o dystion. ²⁹Ystyriwch gymaint llymach yw'r gosb a fernir yn haeddiant i'r hwn sydd wedi mathru Mab Duw, ac wedi cyfrif yn halogedig waed y cyfamod y cafodd ei sancteiddio drwyddo, ac wedi difenwi Ysbryd grasol Duw. ³⁰Oherwydd fe wyddom pwy a ddywedodd:
"Myfi piau dial, myfi a dalaf yn ôl";
ac eto:
"Bydd yr Arglwydd yn barnu ei bobl."
³¹Peth dychrynllyd yw syrthio i ddwylo'r Duw byw.

32 Cofiwch y dyddiau gynt pan fu i chwi, wedi eich goleuo, wynebu yn ddiysgog ornest fawr eich cystuddiau; ³³weithiau, yn eich gwaradwydd a'ch cystuddiau, yn cael eich gwneud yn sioe i'r cyhoedd, ac weithiau yn gymdeithion i'r rhai oedd yn cael eu trin felly. ³⁴Oherwydd cyd-ddioddefasoch â'r carcharor-

ion, a derbyniasoch mewn llawenydd ysbeilio'ch meddiannau, gan wybod fod meddiant rhagorach ac arhosol yn eiddo i chwi. [35] Peidiwch felly â thaflu eich hyder i ffwrdd, gan fod gwobr fawr yn perthyn iddo. [36] Y mae angen dyfalbarhad arnoch i gyflawni ewyllys Duw a meddiannu'r hyn a addawyd. [37] Oherwydd, yng ngeiriau'r Ysgrythur:

"Ymhen ennyd, ennyd bach,
fe ddaw yr hwn sydd i ddod, a heb
    oedi;
[38] ond fe gaiff fy ngŵr cyfiawn i fyw trwy
    ffydd,
ac os cilia'n ôl,
ni bydd fy enaid yn ymhyfrydu
    ynddo."

[39] Eithr nid pobl y cilio'n ôl i ddistryw ydym ni, ond pobl y ffydd sy'n mynd i feddiannu bywyd.

Ffydd

11 Yn awr, y mae ffydd yn warant o bethau y gobeithir amdanynt, ac yn sicrwydd[h] o bethau na ellir eu gweld. [2] Trwyddi hi, yn wir, y cafodd y rhai gynt enw da.

3 Trwy ffydd yr ydym yn deall i'r cyfanfyd gael ei lunio gan air Duw yn y fath fodd nes bod yr hyn sy'n weledig wedi tarddu o'r hyn nad yw'n weladwy.

4 Trwy ffydd yr offrymodd Abel i Dduw aberth rhagorach na Cain; trwyddi hi y tystiwyd ei fod yn gyfiawn, wrth i Dduw ei hun dystio i ragoriaeth ei roddion; a thrwyddi hi hefyd y mae ef, er ei fod wedi marw, yn llefaru o hyd. [5] Trwy ffydd y cymerwyd Enoch ymaith fel na welai farwolaeth; ac ni chafwyd mohono, am fod Duw wedi ei gymryd. Oherwydd y mae tystiolaeth ei fod, cyn ei gymryd, wedi rhyngu bodd Duw; [6] ond heb ffydd y mae'n amhosibl rhyngu ei fodd ef. Oherwydd rhaid i'r sawl sy'n dod at Dduw gredu ei fod ef, a'i fod yn gwobrwyo'r rhai sy'n ei geisio. [7] Trwy ffydd, ac o barch i rybudd Duw am yr hyn nad oedd eto i'w weld, yr adeiladodd Noa arch i achub ei deulu; a thrwyddi hi y condemniodd y byd ac y daeth yn etifedd y cyfiawnder a ddaw o ffydd.

8 Trwy ffydd yr ufuddhaodd Abraham i'r alwad i fynd allan i'r lle yr oedd i'w dderbyn yn etifeddiaeth; ac fe aeth allan

heb wybod i ble'r oedd yn mynd. [9] Trwy ffydd yr ymfudodd i wlad yr addewid fel i wlad estron, a thrigodd[i] mewn pebyll, fel y gwnaeth Isaac a Jacob, cydetifeddion yr un addewid. [10] Oherwydd yr oedd ef yn disgwyl am ddinas ac iddi sylfeini, a Duw yn bensaer ac yn adeiladydd iddi. [11] Trwy ffydd—a Sara hithau yn ddiffrwyth—y cafodd nerth i genhedlu plentyn, er cymaint ei oedran, am iddo[1] gyfrif yn ffyddlon yr hwn oedd wedi addo. [12] Am hynny, felly, o un dyn, a hwnnw cystal â bod yn farw, fe gododd disgynyddion fel sêr y nef o ran eu nifer, ac fel tywod dirifedi glan y môr.

13 Mewn ffydd y bu farw'r rhai hyn oll, heb fod wedi derbyn yr hyn a addawyd, ond wedi ei weld a'i groesawu o bell, a chyfaddef mai dieithriaid ac ymdeithwyr oeddent ar y ddaear. [14] Y mae'r rhai sy'n llefaru fel hyn yn dangos yn eglur eu bod yn ceisio mamwlad. [15] Ac yn wir, pe buasent wedi dal i feddwl am y wlad yr oeddent wedi mynd allan ohoni, buasent wedi cael cyfle i ddychwelyd iddi. [16] Ond y gwir yw eu bod yn dyheu am wlad well, sef gwlad nefol. Dyna pam nad oes ar Dduw gywilydd ohonynt, nac o gael ei alw yn Dduw iddynt, oherwydd y mae wedi paratoi dinas iddynt.

17 Trwy ffydd, pan osodwyd prawf arno, yr offrymodd Abraham Isaac. Yr oedd yr hwn oedd wedi croesawu'r addewidion yn barod i offrymu ei unig fab, [18] er bod Duw wedi dweud wrtho, "Trwy Isaac y gelwir dy ddisgynyddion." [19] Oblegid barnodd y gallai Duw ei godi hyd yn oed oddi wrth y meirw; ac oddi wrth y meirw, yn wir, a siarad yn ffigurol, y cafodd ef yn ôl. [20] Trwy ffydd y bendithiodd Isaac Jacob ac Esau ar gyfer pethau i ddod. [21] Trwy ffydd y bendithiodd Jacob, wrth farw, bob un o feibion Joseff, ac addoli a'i bwys ar ei ffon. [22] Trwy ffydd y soniodd Joseff, wrth farw, am exodus meibion Israel, a rhoi gorchymyn ynghylch ei esgyrn.

23 Trwy ffydd y cuddiwyd Moses ar ei enedigaeth am dri mis gan ei rieni, oherwydd eu bod yn ei weld yn blentyn tlws. Nid oedd arnynt ofn gorchymyn y brenin. [24] Trwy ffydd y gwrthododd Moses, wedi iddo dyfu i fyny, gael ei alw yn fab i ferch Pharo, [25] gan ddewis goddef adfyd gyda

---

[h] Neu, *yn brawf.*
[i] Neu, *yr ymgartrefodd yng ngwlad yr addewid fel mewn gwlad estron, gan drigo.*
[1] *Yn ôl darlleniad arall,* Trwy ffydd y cafodd Sara hithau nerth i feichiogi, er cymaint ei hoedran, am iddi.

phobl Dduw yn hytrach na chael mwyn-had pechod dros dro, [26]a chan ystyried gwaradwydd yr Eneiniog yn gyfoeth mwy na thrysorau'r Aifft, oherwydd yr oedd ei olwg ar y wobr. [27]Trwy ffydd y gadawodd yr Aifft, heb ofni dicter y brenin, canys safodd yn gadarn, fel un yn gweld yr Anweledig. [28]Trwy ffydd y cadwodd ef y Pasg, a thaenellu'r gwaed, rhag i'r Dinistrydd gyffwrdd â meibion cyntaf-anedig yr Israeliaid. [29]Trwy ffydd yr aethant drwy'r Môr Coch fel pe ar dir sych. Pan geisiodd yr Eifftiaid wneud hynny, fe'u boddwyd. [30]Trwy ffydd y syrthiodd muriau Jericho ar ôl eu ham-gylchu am saith diwrnod. [31]Trwy ffydd, ni chafodd Rahab, y butain, ei difetha gyda'r rhai oedd wedi gwrthod credu, oherwydd iddi groesawu'r ysbïwyr yn heddychlon.

32 A beth a ddywedaf ymhellach? Fe ballai amser imi adrodd yn fanwl hanes Gideon, Barac, Samson, Jefftha, Dafydd a Samuel a'r proffwydi, [33]y rhai drwy ffydd a oresgynnodd deyrnasoedd, a weithredodd gyfiawnder, a afaelodd yn yr addewidion, a gaeodd safnau llewod, [34]a ddiffoddodd angerdd tân, a ddihangodd rhag min y cleddyf, a nerthwyd o wendid, a ddaeth yn gadarn mewn rhyfel a gyrru byddinoedd yr estron ar ffo. [35]Derbyn-iodd gwragedd eu meirwon drwy atgyfod-iad. Cafodd eraill eu harteithio, gan wrthod ymwared er mwyn cael atgyfod-iad gwell. [36]Cafodd eraill brofi gwatwar a fflangell, ie, cadwynau hefyd, a charchar. [37]Fe'u llabyddiwyd,[ll] fe'u torrwyd â llif, fe'u rhoddwyd i farwolaeth â min y cledd; crwydrasant yma ac acw mewn crwyn defaid, mewn crwyn geifr, yn anghenus, yn adfydus, dan gamdriniaeth, [38]dynion nad oedd y byd yn deilwng ohonynt, yn crwydro mewn tiroedd diffaith a myn-yddoedd, ac yn cuddio mewn ogofeydd a thyllau yn y ddaear.

39 A'r rhai hyn oll, er iddynt dderbyn enw da oherwydd eu ffydd, ni chawsant feddiannu'r hyn a addawyd, [40]am fod Duw wedi rhagweld rhywbeth gwell ar ein cyfer ni, fel nad ydynt hwy i gael eu perffeithio hebom ni.

Yr Arglwydd yn Disgyblu

12 Am hynny, gadewch i ninnau hefyd, gan fod cymaint torf o dystion o'n cwmpas, fwrw ymaith bob rhwystr, a'r pechod sy'n ein maglu mor rhwydd,[m] a rhedeg yr yrfa sydd o'n blaen heb ddiffygio, [2]gan gadw ein golwg ar Iesu, awdur a pherffeithydd ffydd. Er mwyn y llawenydd oedd o'i flaen, fe oddefodd ef y groes heb ddiffygio, gan ddiystyru gwarth, ac y mae wedi eistedd ar ddeheulaw gorseddfainc Duw. [3]Medd-yliwch amdano ef, a oddefodd y fath elyniaeth iddo'i hun gan bechaduriaid, a pheidiwch â blino na digalonni.

4 Hyd yma, nid ydych wedi gwrth-wynebu hyd at waed yn y frwydr yn erbyn pechod, [5]ac yr ydych wedi anghofio'r anogaeth sy'n eich annerch fel meibion:

"Fy mab, paid â dirmygu disgyblaeth yr Arglwydd,
a phaid â digalonni pan gei dy geryddu ganddo;
[6]oherwydd y mae'r Arglwydd yn disgyblu'r sawl y mae'n ei garu,
ac yn fflangellu pob mab y mae'n ei arddel."

[7]Goddefwch y cwbl er mwyn disgyblaeth; y mae Duw yn eich trin fel meibion. Canys pa fab sydd nad yw ei dad yn ei ddisgyblu? [8]Ac os ydych heb y ddisgyb-laeth y mae pob un yn gyfrannog ohoni, yna bastardiaid ydych, ac nid meibion. [9]Mwy na hynny, yr oedd gennym dadau daearol i'n disgyblu, ac yr oeddem yn eu parchu hwy. Oni ddylem, yn fwy o lawer, ymddarostwng i'n Tad ysbrydol, a chael byw? [10]Yr oedd ein tadau yn disgyblu am gyfnod byr, fel yr oeddent hwy'n gweld yn dda; ond y mae ef yn gwneud hynny er ein lles, er mwyn inni allu cyfranogi o'i sancteiddrwydd ef. [11]Nid yw unrhyw ddisgyblaeth, yn wir, ar y pryd yn ymddangos yn bleserus, ond yn hytrach yn boenus; ond yn nes ymlaen, y mae'n dwyn heddychol gynhaeaf cyf-iawnder i'r rhai sydd wedi eu hyfforddi ganddi.

12 Felly, codwch i fyny'r dwylo sy'n llaesu, a'r gliniau sy'n llesg, [13]a gwnewch lwybrau union i'ch traed, rhag i'r aelod cloff gael ei ddatgymalu, ond yn hytrach gael ei wneud yn iach.

Rhybudd rhag Gwrthod Gras Duw

14 Ceisiwch heddwch â phawb, a'r

[ll]Yn ôl darlleniad arall, Fe'u llabyddiwyd, fe'u profwyd.
[m]Neu, sy'n glynu mor dynn wrthym. Yn ôl darlleniad arall, sy'n tynnu'n sylw mor rhwydd.

bywyd sanctaidd hwnnw nad oes modd i neb weld yr Arglwydd hebddo. [15]Cymerwch ofal na chaiff neb syrthio'n ôl oddi wrth ras Duw, rhag i ryw wreiddyn chwerw dyfu i'ch blino, ac i lawer gael eu llygru ganddo. [16]Na foed yn eich plith unrhyw buteiniwr neu ŵr halogedig, fel Esau, a werthodd am bryd o fwyd ei freintiau fel mab hynaf. [17]Oherwydd fe wyddoch iddo ef, pan ddymunodd wedi hynny etifeddu'r fendith, gael ei wrthod, oherwydd ni chafodd gyfle i edifarhau, er iddo grefu am hynny â dagrau.

18 Oherwydd nid ydych chwi wedi dod at ddim[n] y gellir ei gyffwrdd, at dân sydd yn llosgi, at gaddug a thywyllwch a thymestl, [19]at floedd utgorn, a llef yn rhoi gorchymyn nes i'r rhai a'i clywodd ymbil am i'r llefaru beidio, [20]am na allent oddef y gorchymyn: "Os bydd anifail, hyd yn oed, yn cyffwrdd â'r mynydd, rhaid ei labyddio." [21]A chan mor ofnadwy oedd yr olygfa, dywedodd Moses, "Y mae arnaf arswyd a chryndod." [22]Ond at Fynydd Seion yr ydych chwi wedi dod, ac i ddinas y Duw byw, y Jerwsalem nefol; ac at fyrddiynau o angylion [23]mewn cymanfa, a chynullcidfa y rhai cyntafanedig sydd â'u henwau'n ysgrifenedig yn y nefoedd; ac at Dduw, Barnwr pawb, ac at ysbrydoedd y rhai cyfiawn sydd wedi eu perffeithio, ac at Iesu, [24]cyfryngwr y cyfamod newydd, ac at waed y taenellu, sydd yn llefaru'n fwy grymus na gwaed Abel.

25 Gwyliwch bcidio â gwrthod yr hwn sydd yn llefaru, oherwydd os na ddihangodd y rhai a wrthododd yr hwn oedd yn eu rhybuddio ar y ddaear, mwy o lawer ni bydd dianc i ni os byddwn yn troi oddi wrth yr hwn sy'n ein rhybuddio o'r nefoedd. [26]Siglodd ei lais y ddaear y pryd hwnnw, ond yn awr y mae wedi addo, "Unwaith eto yr wyf fi am ysgwyd nid yn unig y ddaear ond y nefoedd hefyd." [27]Ond y mae'r geiriau, "Unwaith eto", yn dynodi bod y pethau a siglir, fel pethau wedi eu creu, i gael eu symud, er mwyn i'r pethau na siglir aros. [28]Felly, gan ein bod yn derbyn teyrnas ddi-sigl, gadewch inni fod yn ddiolchgar, a thrwy hynny[o] wasanaethu Duw wrth ei fodd, â pharch ac ofn duwiol. [29]Oherwydd tân yn ysu yw ein Duw ni.

Gwasanaeth Cymeradwy gan Dduw

13 Bydded i frawdgarwch barhau. [2]Peidiwch ag anghofio lletygarwch, oherwydd trwyddo y mae rhai, heb wybod hynny, wedi rhoi llety i angylion. [3]Cofiwch y carcharorion, fel pe byddech yn y carchar gyda hwy; a'r rhai a gamdrinir, fel pobl sydd â chyrff gennych eich hunain. [4]Bydded priodas mewn parch gan bawb, a'r gwely yn ddihalog; oherwydd bydd Duw yn barnu puteinwyr a godinebwyr. [5]Byddwch yn ddiariangar yn eich dull o fyw; byddwch yn fodlon ar yr hyn sydd gennych. Oherwydd y mae ef wedi dweud, "Ni'th adawaf fyth, ac ni chefnaf arnat ddim." [6]Am hynny dywedwn ninnau'n hyderus:

"Yr Arglwydd yw fy nghynorthwywr,
ac nid ofnaf;
beth a wna dyn i mi?"

7 Cadwch mewn cof eich arweinwyr, y rhai a lefarodd air Duw wrthych; myfyriwch ar ganlyniad eu buchedd, ac efelychwch eu ffydd. [8]Iesu Grist, yr un ydyw ddoe a heddiw ac am byth. [9]Peidiwch â chymryd eich camarwain gan athrawiaethau amrywiol a dieithr; oherwydd da yw i'r galon gael ei chadarnhau gan ras, ac nid gan fwydydd na fuont o unrhyw les i'r rhai oedd yn ymwneud â hwy. [10]Y mae gennym ni allor nad oes gan wasanaethwyr y tabernacl ddim hawl i fwyta ohoni. [11]Y mae cyrff yr anifeiliaid hynny, y dygir eu gwaed dros bechod i'r cysegr gan yr archoffeiriad, yn cael eu llosgi y tu allan i'r gwersyll. [12]Felly Iesu hefyd, dioddef y tu allan i'r porth a wnaeth ef, er mwyn sancteiddio'r bobl trwy ei waed ei hun. [13]Am hynny, gadewch inni fynd ato ef y tu allan i'r gwersyll, gan oddef y gwaradwydd a oddefodd ef. [14]Oherwydd nid oes dinas barhaus gennym yma; ceisio yr ydym, yn hytrach, y ddinas sydd i ddod. [15]Gadewch inni, felly, drwyddo ef offrymu aberth moliant yn wastadol i Dduw; hynny yw, ffrwyth gwefusau sy'n cyffesu ei enw. [16]Peidiwch ag anghofio gwneud daioni a rhannu ag eraill; oherwydd ag aberthau fel hyn y rhyngir bodd Duw.

17 Ufuddhewch i'ch arweinwyr, ac ildiwch iddynt, oherwydd y maent hwy'n gwylio'n ddiorffwys dros eich eneidiau,

---

[n]Yn ôl darlleniad arall, *at fynydd.*
[o]Neu, *ddi-sigl, bydded gennym ras, a thrwyddo.*

fel rhai sydd i roi cyfrif amdanoch. Gadewch iddynt allu gwneud hynny'n llawen, ac nid yn ofidus, oherwydd difudd i chwi fyddai hynny.

18 Gweddïwch drosom ni; oherwydd yr ydym yn sicr fod gennym gydwybod lân, am ein bod yn dymuno ymddwyn yn iawn ym mhob peth. [19]Yr wyf yn erfyn yn daerach arnoch i wneud hyn, er mwyn imi gael fy adfer i chwi yn gynt.

Bendith, a Chyfarchion Terfynol

20 Bydded i Dduw tangnefedd, yr hwn a ddug yn ôl oddi wrth y meirw ein Harglwydd Iesu, Bugail mawr y defaid, trwy waed y cyfamod tragwyddol, [21]eich cyflawni â phob daioni, er mwyn ichwi wneud ei ewyllys ef; a bydded iddo lunio ynom yr hyn sydd gymeradwy ganddo, trwy Iesu Grist, i'r hwn y byddo'r gogoniant byth bythoedd! Amen.

22 Yr wyf yn deisyf arnoch chwi, frodyr, oddef y gair hwn o anogaeth, oblegid yn fyr yr ysgrifennais atoch. [23]Y newydd yw fod ein brawd Timotheus wedi ei ryddhau, ac os daw mewn pryd, caf eich gweld gydag ef.

24 Cyfarchwch eich holl arweinwyr, a'r holl saint. Y mae'r cyfeillion o'r Eidal yn eich cyfarch. [25]Gras fyddo gyda chwi oll!

LLYTHYR

IAGO

Cyfarch

1 Iago, gwas Duw a'r Arglwydd Iesu Grist, at y deuddeg llwyth sydd ar wasgar, cyfarchion.

Ffydd a Doethineb

2 Fy mrodyr, cyfrifwch hi'n llawenydd pur pan syrthiwch i amrywiol brofedigaethau, [3]gan wybod fod y prawf ar eich ffydd yn magu dyfalbarhad. [4]A gadewch i ddyfalbarhad gyflawni ei waith, er mwyn ichwi fod yn gyfan a chyflawn, heb fod yn ddiffygiol mewn dim. [5]Ac os yw rhywun ohonoch yn ddiffygiol mewn doethineb, gofynned gan Dduw, ac fe'i rhoddir iddo, oherwydd y mae Duw yn rhoi i bawb yn hael a heb ddannod. [6]Ond gofynned mewn ffydd, heb betruso, gan fod y sawl sy'n petruso yn debyg i don y môr, sy'n cael ei chwythu a'i chwalu gan y gwynt. [7-8]Nid yw'r dyn hwnnw—ac yntau'n ddyn dau feddwl, ansicr yn ei holl ffyrdd—i ddybio y caiff ddim gan yr Arglwydd.

Tlodi a Chyfoeth

9 Dylai'r brawd distadl ymfalchïo pan ddyrchefir ef, [10]ond y brawd cyfoethog pan ddarostyngir ef, oherwydd diflannu a wna hwnnw fel blodeuyn glaswellt. [11]Bydd yr haul yn codi yn ei wres tanbaid, a bydd y glaswellt yn gwywo, ei flodeuyn yn syrthio, a thlysni ei wedd yn darfod. Felly hefyd y diflanna'r cyfoethog yng nghanol ei holl fynd a dod.

Prawf a Themtasiwn

12 Gwyn ei fyd y gŵr sy'n dal ei dir mewn temtasiwn, oherwydd ar ôl iddo fynd trwy'r prawf fe gaiff, yn goron, y bywyd a addawodd yr Arglwydd[a] i'r rhai sydd yn ei garu ef. [13]Ni ddylai neb sy'n cael ei demtio ddweud, "Oddi wrth Dduw y daw fy nhemtasiwn"; oherwydd ni ellir temtio Duw gan ddrygioni, ac nid yw ef ei hun yn temtio neb. [14]Yn wir, pan yw dyn yn cael ei demtio, ei chwant ei hun sydd yn ei dynnu ar gyfeiliorn ac yn ei hudo. [15]Yna, y mae chwant yn beichiogi ac yn esgor ar bechod, ac y mae pechod, ar ôl cyrraedd ei lawn dwf, yn cenhedlu marwolaeth.

16 Peidiwch â chymryd eich cam-

---

[a]Yn ôl darlleniad arall, *addawodd Duw*. Yn ôl un arall, *addawodd*.

arwain, fy mrodyr annwyl. ¹⁷Oddi uchod
y daw pob rhoi da a phob rhodd berffaith.
Disgyn y maent oddi wrth Dad goleu-
adau'r nef; ac iddo ef ni pherthyn na
chyfnewid na chysgod troadau'r sêr.
¹⁸O'i fwriad ei hun y cenhedlodd ef ni
trwy air y gwirionedd, er mwyn inni fod
yn rhyw fath o flaenffrwyth o'i greadur-
iaid.

Gwrando a Gweithredu'r Gair

19 Ystyriwch, fy mrodyr annwyl.
Rhaid i bob dyn fod yn gyflym i wrando,
ond yn araf i lefaru, ac yn araf i ddigio,
²⁰oherwydd nid yw dicter dyn yn hyr-
wyddo cyfiawnder Duw. ²¹Ymaith gan
hynny â phob aflendid, ac ymaith â'r
drygioni sydd ar gynnydd, a derbyniwch
yn wylaidd y gair hwnnw a blannwyd
ynoch, ac sy'n abl i achub eich eneidiau.
22 Byddwch yn weithredwyr y gair,
nid yn wrandawyr yn unig, gan eich
twyllo eich hunain. ²³Oherwydd os yw
rhywun yn wrandawr y gair, ac nid yn
weithredwr, y mae'n debyg i ddyn yn
gweld mewn drych yr wyneb a gafodd;
²⁴fe'i gwelodd ei hun, ac yna, wedi iddo
fynd i ffwrdd, anghofiodd ar unwaith pa
fath ddyn ydoedd. ²⁵Ond am y sawl a roes
sylw dyfal i berffaith gyfraith rhyddid ac a
ddaliodd ati, a dod yn weithredwr ei
gofynion, ac nid yn wrandawr anghofus,
bydd y dyn hwnnw yn ddedwydd yn ei
weithredoedd.
26 Os yw rhywun yn tybio ei fod yn
grefyddol, ac yntau'n methu ffrwyno'i
dafod, ac yn wir yn twyllo'i galon ei hun,
yna ofer yw crefydd y dyn hwnnw.
²⁷Dyma'r grefydd sy'n bur a dilychwin
yng ngolwg Duw ein Tad: bod dyn yn
gofalu am yr amddifad a'r gweddwon yn
eu trallod, ac yn ei gadw ei hun heb ei
ddifwyno gan y byd.

Rhybudd rhag Dangos Ffafriaeth

2 Fy mrodyr, yn y ffydd sydd gennych
yn ein Harglwydd Iesu Grist, Ar-
glwydd y gogoniant, peidiwch â rhoi lle i
ffafriaeth. ²Bwriwch fod dyn â modrwy
aur a dillad crand yn dod i'r cwrdd, a bod
dyn tlawd mewn dillad carpiog yn dod
hefyd. ³A bwriwch eich bod chwi'n talu
sylw i'r un sy'n gwisgo dillad crand, ac yn
dweud wrtho ef, "Eisteddwch yma, os

gwelwch yn dda"; ond eich bod yn
dweud wrth y dyn tlawd, "Saf di ar dy
draed fan draw, neu eiseddᵇ wrth fy
nhroedfainc." ⁴Onid ydych yn anghyson
eich agwedd ac yn llygredig eich barn?
5 Clywch, fy mrodyr annwyl. Oni
ddewisodd Duw y rhai sy'n dlawd yng
ngolwg y byd i fod yn gyfoethog mewn
ffydd ac yn etifeddion y deyrnas a
addawodd ef i'r rhai sydd yn ei garu?
⁶Eto rhoesoch chwi anfri ar y dyn tlawd.
Onid y cyfoethogion sydd yn eich gor-
mesu chwi, ac onid hwy sydd yn eich
llusgo i'r llysoedd? ⁷Onid hwy sydd yn
cablu'r enw glân a alwyd arnoch? ⁸Wrth
gwrs, os cyflawni gofynion y Gyfraith
frenhinol yr ydych, yn unol â'r Ysg-
rythur, "Câr dy gymydog fel ti dy hun",
yr ydych yn gwneud yn ardderchog. ⁹Ond
os o ffafriaeth yr ydych yn gwneud hyn,
cyflawni pechod yr ydych, ac yng ngol-
euni'r Gyfraith yr ydych yn droseddwyr.
¹⁰Pwy bynnag a gadwodd holl ofynion y
Gyfraith, ond a lithrodd ar un peth, y mae
hwnnw'n euog o dorri'r cwbl. ¹¹Oher-
wydd y mae'r un a ddywedodd, "Na
odineba", wedi dweud hefyd, "Na
ladd". Os nad wyt yn godinebu, ond eto
yn lladd, yr wyt yn droseddwr yn erbyn y
Gyfraith. ¹²Llefarwch a gweithredwch
fel dynion sydd i'w barnu dan gyfraith
rhyddid. ¹³Didrugaredd fydd y farn honno
i'r sawl na ddangosodd drugaredd. Trech
trugaredd na barn.

Ffydd Heb Weithredoedd yn Farw

14 Fy mrodyr, pa les yw i ddyn
ddweud fod ganddo ffydd, ac yntau heb
weithredoedd? A all ei ffydd ei achub
ef? ¹⁵Os yw brawd neu chwaer yn
garpiog ac yn brin o fara beunyddiol, ¹⁶ac
un ohonoch yn dweud wrthynt, "Pob
bendith ichwi; cadwch yn gynnes a myn-
nwch ddigon o fwyd", ond heb roi dim
iddynt ar gyfer rheidiau'r corff, pa les
ydyw? ¹⁷Felly hefyd y mae ffydd, os nad
oes ganddi weithredoedd, yn farw ynddi
ei hun.
18 Ond efallai y bydd rhywun yn
dweud, "Ffydd sydd gennyt ti, gweith-
redoedd sydd gennyf fi." O'r gorau,
dangos i mi dy ffydd di heb weithredoedd,
ac fe ddangosaf finnau i ti fy ffydd i trwy
weithredoedd. ¹⁹Yr wyt ti'n credu bod

ᵇYn ôl darlleniad arall, *Saf di ar dy draed, neu eistedd fan draw.*

Duw yn un.ᶜ Da iawn! Ond y mae'r cythreuliaid hefyd yn credu, ac yn crynu. ²⁰Y dyn ffôl, a oes rhaid dy argyhoeddi mai diwerth yw ffydd heb weithredoedd? ²¹Onid trwy ei weithredoedd y cyfiawnhawyd Abraham, ein tad, pan offrymodd ef Isaac, ei fab, ar yr allor? ²²Y mae'n eglur iti mai cydweithio â'i weithredoedd yr oedd ei ffydd, ac mai trwy'r gweithredoedd y cafodd ei ffydd ei mynegi'n berffaith. ²³Felly cyflawnwyd yr Ysgrythur sy'n dweud, "Rhoes Abraham ei ffydd yn Nuw, ac fe'i cyfrifwyd iddo yn gyfiawnder"; a galwyd ef yn gyfaill Duw. ²⁴Fe welwch felly mai trwy weithredoedd y mae dyn yn cael ei gyfiawnhau, ac nid trwy ffydd yn unig. ²⁵Yn yr un modd hefyd, onid trwy weithredoedd y cyflawnhawyd Rahab, y butain, pan derbyniodd hi'r negeswyr a'u hanfon i ffwrdd ar hyd ffordd arall? ²⁶Fel y mae'r corff heb anadl yn farw, felly hefyd y mae ffydd heb weithredoedd yn farw.

Y Tafod

3 Fy mrodyr, peidiwch â thyrru i fod yn athrawon, oherwydd fe wyddoch y byddwn ni'r athrawon yn cael ein barnu'n llymach. ²Oherwydd y mae mynych lithriad yn hanes pawb ohonom. Os gall rhywun ymgadw rhag llithro yn ei ymadrodd, dyma ddyn perffaith, â'r gallu ganddo i ffrwyno ei holl gorff hefyd. ³Yr ydym yn rhoi'r ffrwyn yng ngenau'r march i'w wneud yn ufudd inni, ac yna gallwn droi ei gorff cyfan. ⁴A llongau yr un modd; hyd yn oed os ydynt yn llongau mawr, ac yn cael eu gyrru gan wyntoedd geirwon, gellir eu troi â llyw bychan iawn i ba gyfeiriad bynnag y mae'r peilot yn ei ddymuno. ⁵Felly hefyd y mae'r tafod; aelod bychan ydyw, ond y mae'n honni pethau mawr.

Ystyriwch fel y mae gwreichionen fechan yn gallu rhoi coedwig fawr ar dân. ⁶A thân yw'r tafod; y mae'n sefyll, ymhlith ein haelodau, dros y byd anghyfiawn, yn halogi'r corff i gyd, ac yn rhoi holl gylch ein bodolaeth ar dân wrth iddo ef ei hun gael ei roi ar dân gan uffern. ⁷Y mae'r hil ddynol yn gallu meistroli pob math o anifeiliaid ac adar, o ymlusgiaid a physgod; yn wir, y mae wedi eu meistroli. ⁸Ond nid oes unrhyw ddyn sy'n gallu meistroli'r tafod. Drwg diorffwys yw, yn

llawn o wenwyn marwol. ⁹Â'r tafod yr ydym yn bendithio'r Arglwydd a'r Tad; â'r tafod hefyd yr ydym yn melltithio dynion a luniwyd ar ddelw Duw. ¹⁰O'r un genau y mae bendith a melltith yn dod. Fy mrodyr, ni ddylai pethau fel hyn fod. ¹¹A welir dŵr peraidd a dŵr chwerw yn tarddu o lygad yr un ffynnon? ¹²A yw'r pren ffigys, fy mrodyr, yn gallu dwyn olifiaid, neu'r winwydden ffigys? Nac ydyw, ac ni ddaw dŵr peraidd o ddŵr hallt chwaith.

Y Ddoethineb sydd Oddi Uchod

13 Pwy sy'n ddoeth a deallus yn eich plith? Gadewch i hwnnw ddangos, trwy ei ymarweddiad da, fod i'w weithredoedd ostyngeiddrwydd doethineb. ¹⁴Ond os ydych yn coleddu eiddigedd chwerw ac uchelgais hunanol yn eich calon, peidiwch ag ymffrostio a dweud celwydd yn erbyn y gwirionedd. ¹⁵Nid dyma'r ddoethineb sy'n disgyn oddi uchod; peth daearol yw, peth bydol a chythreulig. ¹⁶Oherwydd lle bynnag y mae cenfigen ac uchelgais, yno hefyd y mae anhrefn a phob gweithred ddrwg. ¹⁷Ond am y ddoethineb sydd oddi uchod, y mae hon yn y lle cyntaf yn bur, ac yna'n heddychol, yn dirion, yn hawdd ymwneud â hi, yn llawn o drugaredd a'i ffrwythau daionus, yn ddiragfarn ac yn ddiragrith. ¹⁸Y mae cynhaeaf cyfiawnder yn cael ei hau mewn heddwch i'r rhai sy'n gwneud heddwch.

Cyfeillgarwch â'r Byd

4 O ble y daeth ymrafaelion a chwerylon yn eich plith? Onid o'r chwantau sy'n milwrio yn eich aelodau? ²Yr ydych yn chwennych ac yn methu cael, ac felly yr ydych yn llofruddio; yr ydych yn eiddigeddu ac yn methu meddiannu, ac felly yr ydych yn ymladd a rhyfela. Nid ydych yn cael am nad ydych yn gofyn. ³A phan fyddwch yn gofyn, nid ydych yn derbyn, a hynny am eich bod yn gofyn ar gam, â'ch bryd ar wario ar eich chwantau yr hyn a gewch. ⁴Chwi rai anffyddlon, oni wyddoch fod cyfeillgarwch â'r byd yn elyniaeth tuag at Dduw? Y mae unrhyw un sy'n mynnu bod yn gyfaill i'r byd yn ei wneud ei hun yn elyn i Dduw. ⁵Neu a ydych yn tybio nad oes ystyr i'r Ysgrythur sy'n dweud, "Y mae

---

ᶜNeu, *A wyt ti'n credu bod Duw yn un?* Yn ôl darlleniad arall, *Yr wyt* (neu, *A wyt*) *ti'n credu mai un Duw sydd.*

Duw'n dyheu hyd at eiddigedd am yr ysbryd a osododd i drigo ynom."^{ch} ⁶A gras mwy y mae ef yn ei roi. Oherwydd y mae'r Ysgrythur yn dweud: "Y mae Duw'n gwrthwynebu'r beilchion, ond i'r gostyngedig y mae'n rhoi gras." ⁷Felly, ymddarostyngwch i Dduw. Gwrthsafwch y diafol, ac fe ffy oddi wrthych. ⁸Nesewch at Dduw, ac fe nesâ ef atoch chwi. Glanhewch eich dwylo, chwi bechaduriaid, a phurwch eich calonnau, chwi bobl ddau feddwl. ⁹Tristewch a galarwch ac wylwch. Bydded i'ch chwerthin droi'n alar a'ch llawenydd yn brudd-der. ¹⁰Ymostyngwch o flaen yr Arglwydd, a bydd ef yn eich dyrchafu chwi.

Collfarnu Brawd

11 Peidiwch â dilorni eich gilydd, frodyr; y mae'r dyn sy'n dilorni ei frawd, neu'n collfarnu ei frawd, yn dilorni'r Gyfraith ac yn collfarnu'r Gyfraith. Ac os wyt ti yn collfarnu'r Gyfraith, yna nid gwneuthurwr y Gyfraith mohonot, ond ei barnwr hi. ¹²Nid oes ond un deddfroddwr a barnwr, sef yr un sy'n abl i achub, a hefyd i fwrw i golledigaeth. Pwy wyt ti i eistedd mewn barn ar dy gymydog?

Rhybudd rhag Ymffrostio

13 Clywch yn awr, chwi sy'n dweud, "Heddiw neu yfory, byddwn yn mynd i'r ddinas a'r ddinas, ac fe dreuliwn flwyddyn yno yn marchnata ac yn gwneud arian." ¹⁴Nid oes gan rai fel chwi ddim syniad sut y bydd hi ar eich bywyd yfory. Nid ydych ond tarth, sy'n cael ei weld am ychydig, ac yna'n diflannu. ¹⁵Dylech ddweud, yn hytrach, "Os yr Arglwydd a'i myn, byddwn yn fyw ac fe wnawn hyn neu'r llall." ¹⁶Ond yn lle hynny, ymffrostio yr ydych yn eich honiadau balch. Y mae pob ymffrost o'r fath yn ddrwg. ¹⁷Ac felly, pechod yw i ddyn beidio â gwneud y daioni y mae'n gwybod sut i'w wneud.

Rhybudd i'r Cyfoethog

5 Ac yn awr, chwi'r cyfoethogion, wylwch ac udwch o achos y trallodion sydd yn dod arnoch. ²Y mae eich golud wedi pydru, ac y mae'r gwyfyn wedi difa eich dillad. ³Y mae eich aur a'ch arian wedi rhydu, a bydd eu rhwd yn dystiolaeth yn eich erbyn, ac yn bwyta eich cnawd fel tân. Casglu cyfoeth a

wnaethoch yn y dyddiau olaf. ⁴Clywch! Y mae'r cyflogau na thalasoch i'r gweithwyr a fedodd eich meysydd yn gweiddi allan; ac y mae llefain y medelwyr yng nghlustiau Arglwydd y Lluoedd. ⁵Buoch yn byw yn foethus a glwth ar y ddaear; buoch yn eich pesgi'ch hunain ar gyfer dydd y lladd. ⁶Yr ydych wedi condemnio a lladd y cyfiawn, heb iddo yntau eich gwrthsefyll.

Amynedd a Gweddi

7 Byddwch yn amyneddgar, frodyr, hyd ddyfodiad yr Arglwydd. Gwelwch fel y mae'r ffermwr yn aros am gynnyrch gwerthfawr y ddaear, yn fawr ei amynedd amdano nes i'r ddaear dderbyn y glaw cynnar a diweddar. ⁸Byddwch chwithau hefyd yn amyneddgar, a'ch cadw eich hunain yn gadarn, oherwydd y mae dyfodiad yr Arglwydd wedi dod yn agos. ⁹Peidiwch ag achwyn ar eich gilydd, fy mrodyr, rhag ichwi gael eich barnu. Gwelwch, y mae'r barnwr yn sefyll wrth y drws. ¹⁰Ystyriwch, frodyr, fel esiampl o ddynion yn dioddef yn amyneddgar, y proffwydi a lefarodd yn enw'r Arglwydd. ¹¹Ac yr ydym yn dweud mai gwyn eu byd y rhai a ddaliodd eu tir. Clywsoch am ddyfalbarhad Job, a gwelsoch y diwedd a gafodd ef gan yr Arglwydd; y mae'r Arglwydd yn dosturiol a thrugarog.

12 Ond yn anad dim, fy mrodyr, peidiwch â thyngu llw wrth y nef, nac wrth y ddaear, nac wrth ddim arall chwaith. I'r gwrthwyneb, bydded eich "ie" yn "ie" yn unig, a'ch "nage" yn "nage" yn unig, rhag ichwi syrthio dan farn.

13 A oes rhywun yn eich plith mewn adfyd? Dylai weddïo. A oes rhywun mewn llawenydd? Dylai ganu mawl. ¹⁴A oes rhywun yn glaf yn eich plith? Galwed ato henuriaid yr eglwys, i weddïo trosto a'i eneinio ag olew yn enw yr Arglwydd. ¹⁵Bydd gweddi a offrymir mewn ffydd yn iacháu y sawl sy'n glaf, a bydd yr Arglwydd yn ei godi ef ar ei draed; ac os yw wedi pechu, fe gaiff faddeuant. ¹⁶Felly, cyffeswch eich pechodau i'ch gilydd, a gweddïwch dros eich gilydd, er mwyn ichwi gael iachâd. Peth grymus iawn ac effeithiol yw gweddi daer dyn da. ¹⁷Yr oedd Elias yn ddyn o'r un anian â ninnau, ac fe weddïodd ef yn daer am iddi beidio â glawio; ac ni lawiodd ar y ddaear am dair blynedd a

^{ch}Neu, "Dyheu hyd at eiddigedd y mae'r ysbryd a osododd Duw i drigo ynom."

chwe mis. [18]Yna gweddïodd eilwaith, a dyma'r nefoedd yn arllwys ei glaw, a'r ddaear yn dwyn ei ffrwyth.

19 Fy mrodyr, os digwydd i un ohonoch wyro oddi wrth y gwirionedd, ac i un arall ei droi'n ôl, [20]boed iddo wybod hyn: bydd y dyn a drodd y pechadur o gyfeiliorni ei ffordd yn achub ei enaid rhag angau, ac yn dileu lliaws o bechodau.

LLYTHYR CYNTAF

PEDR

Cyfarch

1 Pedr, apostol Iesu Grist, at y dieithriaid sydd ar wasgar yn Pontus, Galatia, Capadocia, Asia a Bithynia, [2]sy'n etholedigion yn ôl rhagwybodaeth Duw y Tad, trwy waith sancteiddiol yr Ysbryd, i fod yn ufudd i Iesu Grist ac i'w taenellu â'i waed ef. Gras a thangnefedd a amlhaer i chwi!

Gobaith Bywiol

3 Bendigedig fyddo Duw a Thad ein Harglwydd Iesu Grist! O'i fawr drugaredd, fe barodd ef ein geni ni o'r newydd i obaith bywiol trwy atgyfodiad Iesu Grist oddi wrth y meirw, [4]i etifeddiaeth na ellir na'i difrodi, na'i difwyno, na'i difa. Saif hon ynghadw yn y nefoedd i chwi, [5]chwi sydd trwy ffydd dan warchod gallu Duw hyd nes y daw iachawdwriaeth, yr iachawdwriaeth sydd yn barod i'w datguddio yn yr amser diwethaf. [6]Yn wyneb hyn yr ydych yn gorfoleddu, er eich bod, fe ddichon, newydd brofi blinder dros dro dan amrywiol brofedigaethau. [7]Y mae hyn wedi digwydd er mwyn i ddilysrwydd eich ffydd chwi, sy'n fwy gwerthfawr na'r aur sy'n darfod—ac y mae hwnnw'n cael ei brofi trwy dân—gael ei amlygu er mawl a gogoniant ac anrhydedd yn Nydd datguddio Iesu Grist. [8]Yr ydych yn ei garu ef, er na welsoch mohono; ac am eich bod yn awr yn credu ynddo heb ei weld, yr ydych yn gorfoleddu â llawenydd anhraethadwy a gogoneddus [9]wrth ichwi ennill diben eich ffydd, sef iachawdwriaeth eich eneidiau.

10 Am yr iachawdwriaeth hon bu ymofyn ac ymorol dyfal gan y proffwydi a broffwydodd am y gras oedd i ddod i chwi. [11]Holi yr oeddent at ba amser neu amgylchiadau yr oedd Ysbryd Crist o'u mewn yn cyfeirio, wrth dystiolaethu ymlaen llaw i'r dioddefiadau oedd i ddod i ran Crist, ac i'w canlyniadau gogoneddus. [12]Datguddiwyd i'r proffwydi hyn mai nid arnynt eu hunain, ond arnoch chwi, yr oeddent yn gweini wrth sôn am y pethau sydd yn awr wedi eu cyhoeddi i chwi gan y rhai a bregethodd yr Efengyl i chwi drwy nerth yr Ysbryd Glân, a anfonwyd o'r nef. Pethau yw'r rhain y mae angylion yn chwenychu edrych arnynt.

Galwad i Fuchedd Sanctaidd

13 Gan hynny, rhowch fin ar[a] eich meddwl, ymddisgyblwch, a gosodwch eich gobaith yn gyfan gwbl ar y gras sy'n prysuro atoch gyda Dydd datguddio Iesu Grist. [14]Fel plant ufudd, peidiwch â chydymffurfio â'r chwantau a fu arnoch gynt yn eich anwybodaeth; [15]eithr yn ôl patrwm yr Un Sanctaidd a'ch galwodd chwi, byddwch chwithau yn sanctaidd yn eich holl ymarweddiad. [16]Oherwydd y mae'n ysgrifenedig, "Byddwch sanctaidd, oherwydd yr wyf fi yn sanctaidd."

17 Ac os fel Tad yr ydych yn galw ar yr hwn sydd yn barnu'n ddidderbynwyneb yn ôl gwaith pob un, ymddygwch mewn parchedig ofn dros amser eich alltudiaeth. [18]Gwyddoch nad â phethau llygradwy, arian neu aur, y prynwyd ichwi ryddid

[a]Neu, *gwregyswch lwynau.*

oddi wrth yr ymarweddiad ofer a etif-
eddwyd gennych, [19]ond â gwaed gwerth-
fawr Un oedd fel oen di-fai a di-nam, sef
Crist. [20]Yr oedd Duw wedi rhagwybod
amdano cyn seilio'r byd, ac amlygwyd ef
yn niwedd yr amserau er eich mwyn chwi
[21]sydd drwyddo ef yn credu yn Nuw, yr
hwn a'i cyfododd ef oddi wrth y meirw ac
a roes iddo ogoniant, fel y byddai eich
ffydd a'ch gobaith chwi yn Nuw.

22 A chwithau, trwy eich ufudd-dod i'r
gwirionedd, wedi puro eich eneidiau nes
ennyn brawdgarwch diragrith, carwch
eich gilydd o galon bur yn angerddol. [23]Yr
ydych wedi eich geni o'r newydd, nid o
had llygradwy, ond anllygradwy, trwy air
Duw, sydd yn fyw ac yn aros. [24]Oher-
wydd, yng ngeiriau'r Ysgrythur:
  "Y mae pob dyn meidrol fel glaswellt,
   a'i holl ogoniant fel blodeuyn
      glaswellt.
   Y mae'r glaswellt yn crino,
   a'r blodeuyn yn syrthio,
[25]ond y mae gair yr Arglwydd yn aros
      am byth."
A dyma'r gair a bregethwyd yn Efengyl i
chwi.

Y Maen Bywiol a'r Genedl Sanctaidd

2 Ymaith gan hynny â phob drygioni a
  phob twyll a rhagrith a chenfigen, a
phob siarad bychanus! [2]Fel babanod
newydd eu geni, blysiwch am laeth
ysbrydol pur, er mwyn ichwi drwyddo
gynyddu i iachawdwriaeth, [3]os ydych[b]
wedi profi tiriondeb yr Arglwydd. [4]Wrth
ddod ato ef, y maen bywiol, gwrthodedig
gan ddynion ond etholedig a chlodfawr
gan Dduw, [5]yr ydych chwithau hefyd, fel
meini bywiol, yn cael eich adeiladu yn dŷ
ysbrydol, i fod yn offeiriadaeth sanctaidd,
er mwyn offrymu aberthau ysbrydol,
cymeradwy gan Dduw trwy Iesu Grist.
[6]Oherwydd y mae'n sefyll yn yr Ysg-
rythur:
  "Wele fi'n gosod maen yn Seion,
   conglfaen etholedig a chlodfawr,
   a'r hwn sy'n credu ynddo, ni
      chywilyddir byth mohono."
[7]Y mae ei glod, gan hynny, yn eiddoch
chwi, y credinwyr; ond i'r anghredinwyr,
  "Y maen a wrthododd yr adeiladwyr,
   hwn a ddaeth yn faen y gongl",
[8]a hefyd,
  "Maen tramgwydd,
   a chraig rhwystr."

Y maent yn tramgwyddo wrth anufudd-
hau i'r Gair; dyma'r dynged a osodwyd
iddynt.

9 Ond yr ydych chwi yn hil etholedig,
yn offeiriadaeth frenhinol, yn genedl
sanctaidd, yn bobl o'r eiddo Duw ei hun, i
hysbysu gweithredoedd ardderchog yr
Un a'ch galwodd chwi allan o dywyllwch
i'w ryfeddol oleuni ef:
  [10]"A chwi gynt heb fod yn bobl,
   yr ydych yn awr yn bobl Dduw;
   a chwi gynt heb dderbyn trugaredd,
   yr ydych yn awr yn rhai a dderbyniodd
      drugaredd."

Byw fel Gweision Duw

11 Gyfeillion annwyl, 'rwy'n deisyf
arnoch, fel alltudion a dieithriaid, ym-
gadw rhag y chwantau cnawdol sydd yn
rhyfela yn erbyn yr enaid. [12]Bydded eich
ymarweddiad ymhlith y Cenhedloedd mor
amlwg o dda nes iddynt hwy, lle y maent
yn awr yn eich sarhau fel drwgweithred-
wyr, ogoneddu Duw yn nydd ei ymweliad
ar gyfrif yr hyn a welant o'ch gweithred-
oedd da chwi.

13 Ymostyngwch, er mwyn yr Ar-
glwydd, i bob sefydliad dynol, prun ai i'r
ymerawdwr fel y prif awdurdod, [14]ai i'r
llywodraethwyr fel rhai a anfonir ganddo
ef er cosb i ddrwgweithredwyr a chlod i
weithredwyr daioni. [15]Oherwydd hyn yw
ewyllys Duw, i chwi trwy wneud daioni
roi taw ar anwybodaeth dynion ynfyd.
[16]Rhaid ichwi fyw fel dynion rhydd, eto
peidio ag arfer eich rhyddid i gelu dryg-
ioni, ond bod fel caethweision Duw.
[17]Rhowch barch i bawb, carwch y frawd-
oliaeth, ofnwch Dduw, parchwch yr
ymerawdwr.

Dioddefaint Crist yn Esiampl

18 Chwi gaethweision, byddwch ddar-
ostyngedig, gyda phob parchedig ofn, i'ch
meistri, nid yn unig i'r rhai da ac ystyriol
ond hefyd i'r rhai gormesol. [19]Oblegid
hyn sydd ganmoladwy, bod dyn, am fod
ei feddylfryd ar Dduw, yn dygymod â'i
flinderau er iddo ddioddef ar gam. [20]Oher-
wydd pa glod sydd mewn dygymod â
chael eich cernodio am ymddwyn yn
ddrwg? Ond os am wneud daioni y
byddwch yn dioddef, ac yn dygymod â
hynny, dyna'r peth sy'n ganmoladwy
gyda Duw. [21]Canys i hyn y'ch galwyd,
oherwydd dioddefodd[c] Crist yntau er

[b]Yn ôl darlleniad arall, a chwithau.   [c]Yn ôl darlleniad arall, bu farw.

eich mwyn chwi, gan adael ichwi esiampl, ichwi ganlyn yn ôl ei draed ef. ²²Yng ngeiriau'r Ysgrythur:

"Ni wnaeth ef bechod,
  ac ni chafwyd twyll yn ei enau."

²³Pan fyddai'n cael ei ddifenwi, ni fyddai'n difenwi'n ôl; pan fyddai'n dioddef, ni fyddai'n bygwth, ond yn ei gyflwyno'i hun i'r Un sy'n barnu'n gyfiawn. ²⁴Ef ei hun a ddygodd ein pechodau yn ei gorff ar^{ch} y croesbren, er mwyn i ni ddarfod â'n pechodau a byw i gyfiawnder. Trwy ei archoll ef y cawsoch iachâd. ²⁵Oherwydd yr oeddech fel defaid ar ddisberod, ond yn awr troesoch at Fugail a Gwarchodwr eich eneidiau.

Gwragedd a Gwŷr

3 Yn yr un modd, chwi wragedd priod, byddwch ddarostyngedig i'ch gwŷr; ac yna, os oes rhai sy'n gwrthod credu gair Duw, fe'u henillir hwy trwy ymarweddiad eu gwragedd, heb i chwi ddweud yr un gair, ²wedi iddynt weld eich ymarweddiad pur a duwiolfrydig. ³Boed ichwi'n addurn, nid pethau allanol fel plethu gwallt, ymdaclu â thlysau aur, ymharddu â gwisgoedd, ⁴ond cymeriad cêl y galon a'i degwch di-dranc, sef ysbryd addfwyn a thawel. Dyna sy'n werthfawr yng ngolwg Duw. ⁵Oherwydd felly hefyd y byddai'r gwragedd sanctaidd gynt, a oedd yn gobeithio yn Nuw, yn eu haddurno eu hunain; byddent yn ymddarostwng i'w gwŷr, ⁶fel yr ufuddhaodd Sara i Abraham a'i alw'n arglwydd. A phlant iddi hi ydych chwi, os daliwch ati i wneud daioni, heb ofni dim oll.

7 Yn yr un modd, chwi wŷr, byddwch yn ystyriol yn eich bywyd priodasol; rhowch y parch dyladwy i'r wraig, gan mai hi yw'r llestr gwannaf, a chan eich bod yn gydetifeddion y gras sy'n rhoi bywyd. Felly, ni chaiff eich gweddïau mo'u rhwystro.

Dioddef o achos Cyfiawnder

8 Yn olaf, bawb ohonoch, byddwch yn un mewn meddwl a theimlad, yn frawdol, yn dyner eich calon, yn ostyngedig eich ysbryd. ⁹Peidiwch â thalu drwg am ddrwg na sen am sen. I'r gwrthwyneb cyfrannwch fendith, oherwydd i etifeddu bendith y cawsoch eich galw. ¹⁰Yng ngeiriau'r Ysgrythur:

"Yr hwn sy'n ewyllysio caru bywyd a gweld dyddiau da, rhaid iddo atal ei dafod rhag drwg, a'i wefusau rhag llefaru celwydd; ¹¹rhaid iddo droi oddi wrth ddrwg a gwneud da, ceisio heddwch a'i ddilyn; ¹²canys y mae llygaid yr Arglwydd ar y cyfiawn, a'i glustiau'n agored i'w deisyfiad, ond y mae wyneb yr Arglwydd yn erbyn y rhai sy'n gwneud drygioni."

13 Ac eto, pwy a wna ddrwg ichwi os byddwch yn selog tros ddaioni? ¹⁴Ond hyd yn oed pe digwyddai ichwi ddioddef o achos cyfiawnder, gwyn eich byd! Peidiwch â'u hofni hwy, a pheidiwch â chymryd eich tarfu, ¹⁵ond sancteiddiwch Grist yn Arglwydd yn eich calonnau. Byddwch yn barod bob amser i roi ateb i bob un fydd yn ceisio gennych gyfrif am y gobaith sydd ynoch. Ond gwnewch hynny gydag addfwynder a pharchedig ofn, ¹⁶gan gadw eich cydwybod yn lân; ac yna, lle'r ydych yn awr yn cael eich sarhau, fe godir cywilydd ar y rhai sy'n dilorni eich ymarweddiad da yng Nghrist. ¹⁷Oherwydd gwell yw dioddef, os dyna ewyllys Duw, am wneud da nag am wneud drwg. ¹⁸Oherwydd dioddefodd Crist yntau^d un waith am byth dros bechodau, y cyfiawn dros yr anghyfiawn, i'ch dwyn chwi at Dduw. Er ei roi i farwolaeth o ran y cnawd, fe'i gwnaed yn fyw o ran yr ysbryd, ¹⁹ac felly yr aeth a chyhoeddi ei genadwri i'r ysbrydion yng ngharchar. ²⁰Yr oedd y rheini wedi bod yn anufudd gynt, pan oedd Duw yn ei amynedd yn dal i ddisgwyl, yn nyddiau Noa ac adeiladu'r arch. Yn yr arch fe achubwyd ychydig, sef wyth enaid, trwy ddŵr, ²¹ac y mae'r hyn sy'n cyfateb i hynny, sef bedydd, yn eich achub chwi yn awr, nid fel modd i fwrw ymaith fudreddi'r cnawd, ond fel ernes o gydwybod dda tuag at Dduw, trwy atgyfodiad Iesu Grist. ²²Y mae ef, ar ôl mynd i mewn i'r nef, ar ddeheulaw Duw, a'r angylion a'r awdurdodau a'r galluoedd wedi eu darostwng iddo.

Gweinyddwyr Da ar Ras Duw

4 Am hynny, gan i Grist ddioddef yn y cnawd, cymerwch chwithau yr un meddwl yn arfogaeth i chwi—oherwydd y

---

^{ch}Neu, *at*.   ^dYn ôl darlleniad arall, *Oherwydd, er eich mwyn chwi, bu Crist yntau farw.*

mae'r sawl a ddioddefodd yn y cnawd wedi darfod â phechod—²fel na fydd ichwi mwyach dreulio gweddill eich amser ar y ddaear yn ôl chwantau dynion, ond yn ôl ewyllys Duw. ³Oherwydd y mae'r amser a aeth heibio yn hen ddigon i fod wedi gwneud y pethau y mae bryd y Cenhedloedd arnynt, gan rodio mewn trythyllwch, chwantau, meddwdod, cyfeddach, diota ac eilunaddoliaeth ffiaidd. ⁴Yn hyn o beth, y mae dynion yn ei gweld yn chwith nad ydych chwi'n dal i ruthro gyda hwy i'r un llifeiriant o afradlonedd; ac y maent yn eich cablu. ⁵Bydd raid iddynt roi cyfrif i'r hwn sydd yn barod i farnu'r byw a'r meirw. ⁶Oherwydd diben pregethu'r Efengyl i'r meirw hefyd oedd iddynt, er cael eu barnu yn y cnawd fel y bernir dynion, fyw yn yr ysbryd fel y mae Duw yn byw.

7 Y mae diwedd pob peth ar ein gwarthaf. Am hynny, ymbwyllwch ac ymddisgyblwch i weddïo. ⁸O flaen pob peth, cadwch eich cariad at eich gilydd yn llawn angerdd, oherwydd y mae cariad yn dileu lliaws o bechodau. ⁹Byddwch letygar i'ch gilydd heb rwgnach. ¹⁰Yn ôl fel y derbyniodd pob un ohonoch ddawn, defnyddiwch eich dawn yng ngwasanaeth eich gilydd, fel gweinyddwyr da ar amryfal ras Duw. ¹¹Os yw dyn yn llefaru, llefared fel un sydd wedi derbyn oraclau Duw; os yw'n gwasanaethu, gwasanaethed fel un sydd wedi derbyn o'r nerth y mae Duw yn ei gyfrannu. Yr amcan ym mhob dim yw gogoneddu Duw trwy Iesu Grist. Iddo ef y perthyn y gogoniant a'r gallu byth bythoedd. Amen.

Dioddef fel Cristion

12 Gyfeillion annwyl, na fydded chwith gennych am y tân sydd ar waith yn eich plith er mwyn eich profi, fel petai rhywbeth chwithig yn digwydd ichwi. ¹³Yn hytrach, llawenhewch yn ôl mesur eich cyfran yn nioddefiadau Crist, er mwyn ichwi allu llawenhau hefyd, a gorfoleddu, pan ddatguddir ei ogoniant ef. ¹⁴Os gwaradwyddir chwi oherwydd enw Crist, gwyn eich byd, o achos y mae Ysbryd y gogoniant, sef Ysbryd Duw, yn gorffwys arnoch. ¹⁵Ni ddylai neb ohonoch ddioddef fel llofrudd neu leidr neu ddrwgweithredwr, neu fel chwyldrowr ᵈᵈ. ¹⁶Ond os bydd i rywun ddioddef fel Cristion, ni ddylai gywilyddio, ond

gogoneddu Duw trwy'r enw hwn. ¹⁷Oherwydd y mae'n bryd i'r farn ddechrau, a dechrau gyda theulu Duw. Ac os gyda ni yn gyntaf, beth yn y diwedd fydd i'r rhai fydd yn gwrthod Efengyl Duw? ¹⁸Yng ngeiriau'r Ysgrythur:

"Ac os o'r braidd yr achubir y cyfiawn,
ple bydd yr annuwiol a'r pechadur yn sefyll?"

¹⁹Am hynny, bydded i'r rhai sy'n dioddef yn ôl ewyllys Duw ymddiried eu heneidiau i'r Creawdwr ffyddlon, gan wneud daioni.

Bugeiliwch Braidd Duw

5 Yr wyf yn apelio, yn awr, at yr henuriaid yn eich plith. Yr wyf finnau'n gyd-henuriad â chwi, ac yn dyst o ddioddefiadau Crist, ac yn un sydd hefyd yn gyfrannog o'r gogoniant sydd ar gael ei ddatguddio. ²Bugeiliwch braidd Duw sydd yn eich gofal, nid dan orfod, ond o'ch gwirfodd yn ôl ffordd Duw; nid er mwyn elw anonest, ond o eiddgarwch; ³nid fel rhai sy'n tra-arglwyddiaethu ar y rhai a osodwyd dan eu gofal, ond gan fod yn esiamplau i'ch praidd. ⁴A phan ymddengys y Pen Bugail, fe gewch eich coroni â thorch gogoniant, nad yw byth yn gwywo.

5 Yn yr un modd, chwi wŷr ifainc, ymostyngwch i'r henuriaidᵉ. A phawb ohonoch, gwisgwch amdanoch ostyngeiddrwydd yng ngwasanaeth eich gilydd, oherwydd, fel y dywed yr Ysgrythur:

"Y mae Duw'n gwrthwynebu'r beilchion,
ond i'r gostyngedig y mae'n rhoi gras."

6 Ymddarostyngwch, gan hynny, dan law gadarn Duw, fel y bydd iddo ef eich dyrchafu pan ddaw'r amser. ⁷Bwriwch eich holl bryder arno ef, oherwydd y mae gofal ganddo amdanoch.

8 Ymddisgyblwch a byddwch effro. Y mae eich gwrthwynebydd, y diafol, yn cerdded oddi amgylch fel llew yn rhuo, gan chwilio am rywun i'w lyncu. ⁹Gwrthsafwch ef yn gadarn mewn ffydd, gan wybod fod yr un math o ddioddefiadau yn brofiad i'ch brodyr yn y byd. ¹⁰Ond wedi ichwi ddioddef am ychydig, bydd Duw pob gras, yr hwn a'ch galwodd i'w dragwyddol ogoniant yng Nghrist Iesu, yn eich gwneud yn gymwys, yn gadarn, yn

ᵈᵈ Neu, fel dyn busneslyd.   ᵉ Neu, i'r hynafgwyr.

gryf ac yn ddiysgog. ¹¹Iddo ef y perthyn y gallu am byth. Amen.

Cyfarchion Terfynol

12 Yr wyf yn ysgrifennu'r ychydig hyn trwy law Silfanus, brawd y gellir, yn ôl fy nghyfrif i, ymddiried ynddo. Fy mwriad yw eich calonogi, a thystio mai dyma wir ras Duw. Safwch yn ddi-sigl ynddo.

13 Y mae'r hon ym Mabilon sydd yn gydetholedig â chwi yn eich cyfarch, a Marc, fy mab. ¹⁴Cyfarchwch eich gilydd â chusan cariad. Tangnefedd i chwi oll sydd yng Nghrist!

AIL LYTHYR

PEDR

Cyfarch

1 Simeon Pedr, gwas ac apostol Iesu Grist, sy'n ysgrifennu at y rhai sydd, trwy gyfiawnder ein Duw a'n Gwaredwr Iesu Grist, wedi derbyn ffydd gyfuwch ei gwerth â'r eiddom ninnau. ²Gras a thangnefedd a amlhaer i chwi trwy adnabyddiaeth o Dduw ac Iesu ein Harglwydd!

Galwad ac Etholedigaeth y Cristion

3 Y mae ei allu dwyfol wedi rhoi i ni bob peth sy'n angenrheidiol i fywyd a gwir grefydd trwy ein dwyn i adnabod yr hwn a'n galwodd â'i weithred ogoneddus a rhagorol ei hun. ⁴Trwy hyn y mae ef wedi rhoi i ni y breintiau gwerthfawr yr oedd wedi eu haddo, er mwyn i chwi trwyddynt hwy ddianc o afael llygredigaeth y trachwant sydd yn y byd, a dod yn gyfranogion o'r natur ddwyfol. ⁵Am yr union reswm yma, felly, gwnewch eich gorau glas i rymuso eich ffydd â rhinwedd, a'ch rhinwedd â gwybodaeth, ⁶a'ch gwybodaeth â hunanddisgyblaeth, a'ch hunanddisgyblaeth â dyfalbarhad, a'ch dyfalbarhad â duwioldeb, ⁷a'ch duwioldeb â brawdgarwch, a'ch brawdgarwch â chariad. ⁸Oherwydd os yw'r rhinweddau hyn gennych yn helaeth, byddant yn peri nad diog na diffrwyth fyddwch yn eich adnabyddiaeth o'n Harglwydd Iesu Grist. ⁹Ond hebddynt y mae dyn mor fyr ei olwg nes bod yn ddall, heb ddim cof ganddo am y glanhad oddi wrth ei bechodau gynt. ¹⁰Dyna pam, frodyr, y dylech ymdrechu'n fwy byth i wneud eich galwad a'ch etholedigaeth yn sicr. Oherwydd os gwnewch hyn, ni lithrwch byth. ¹¹Felly y rhydd Duw ichwi, o'i haelioni, fynediad i dragwyddol deyrnas ein Harglwydd a'n Gwaredwr, Iesu Grist.

12 Am hynny, 'rwy'n bwriadu eich atgoffa'n wastad am y pethau hyn, er eich bod yn eu gwybod, ac wedi eich sefydlu'n gadarn yn y gwirionedd sydd gennych. ¹³Tra bydd y cnawd hwn yn babell imi, yr wyf yn ystyried ei bod hi'n iawn imi eich deffro trwy eich atgoffa amdanynt. ¹⁴Gwn y bydd yn rhaid i mi roi fy mhabell heibio yn fuan, fel y mae ein Harglwydd Iesu Grist, yn wir, wedi gwneud yn eglur imi. ¹⁵Gwnaf fy ngorau, felly, i ofalu y byddwch, ar ôl fy ymadawiad, yn dwyn y pethau hyn yn wastad i gof.

Gogoniant Crist a'r Gair Proffwydol

16 Nid dilyn chwedlau wedi eu dyfeisio'n gyfrwys yr oeddem wrth hysbysu i chwi allu ein Harglwydd Iesu Grist a'i ddyfodiad; yn hytrach, yr oeddem wedi ei weld â'n llygaid ein hunain yn ei fawredd. ¹⁷Yr oeddem yno pan dderbyniodd anrhydedd a gogoniant oddi wrth Dduw Dad, a phan ddaeth y llais ato o'r Gogoniant goruchel yn dweud: "Hwn yw fy Mab, yr Anwylyd; ynddo ef yr wyf yn ymhyfrydu." ¹⁸Do, fe glywsom ni'r llais hwn yn dod o'r nef; yr oeddem gydag ef ar y mynydd sanctaidd. ¹⁹Y mae hyn yn cadarnhau i ni genadwri'r proffwydi; a pheth da fydd i chwi roi sylw iddi, gan ei bod fel cannwyll yn disgleirio mewn

lle tywyll, hyd nes y bydd y Dydd yn gwawrio a seren y bore yn codi i lewyrchu yn eich calonnau. ²⁰Ond sylwch ar hyn yn gyntaf: ni all neb ar ei ben ei hun ddehongli'r un broffwydoliaeth o'r Ysgrythur. ²¹Ni ddaeth yr un broffwydoliaeth erioed trwy ewyllys dyn; ond y mae dynion, wrth gael eu symbylu gan yr Ysbryd Glân, wedi llefaru gair oddi wrth Dduw.

Proffwydi Gau ac Athrawon Gau
(Jwdas 4-13)

2 Ymddangosodd hefyd broffwydi gau ymhlith pobl Israel, ac yn yr un modd bydd athrawon gau yn eich plith chwithau, dynion a fydd yn dwyn i mewn yn llechwraidd heresïau dinistriol, yn gwadu'r Meistr a'u prynodd, ac yn dwyn arnynt eu hunain ddistryw buan. ²A bydd llawer yn dilyn eu harferion anllad, a thrwyddynt hwy caiff ffordd y gwirionedd enw drwg. ³Yn eu trachwant gwnânt elw ohonoch a'u storïau ffug; y mae eu barnedigaeth ar gerdded erstalwm, a'u dinistr yn rhythu arnynt.

4 Oherwydd nid arbedodd Duw yr angylion a bechodd; traddododd hwy i garchar[a] tywyll byd y meirw, i'w cadw hyd y Farn. ⁵Nid arbedodd yr hen fyd chwaith, er iddo ddiogelu Noa, pregethwr cyfiawnder, ynghyd â saith arall, wrth ddwyn y dilyw ar fyd y rhai annuwiol. ⁶Condemniodd hefyd ddinasoedd Sodom a Gomorra i ddistryw; llosgodd hwy'n lludw, a'u gosod yn esiampl o'r hyn sydd i ddigwydd i'r annuwiol. ⁷Gwaredodd Lot, gŵr cyfiawn oedd yn cael ei drallodi gan fywyd anllad dynion direol; ⁸oherwydd wrth i'r gŵr cyfiawn hwn fyw yn eu plith, yr oedd gweld a chlywed eu gweithredoedd digyfraith yn artaith feunyddiol i'w enaid cyfiawn. ⁹Y mae'r Arglwydd yn medru gwaredu'r duwiol o'u treialon, a chadw'r anghyfiawn hyd Ddydd y Farn i'w cosbi, ¹⁰ac yn arbennig felly y rhai sy'n byw i borthi chwantau aflan y cnawd, ac yn diystyru awdurdod.

Y maent yn rhyfygus a thrahaus, ac yn sarhau'r bodau nefol yn gwbl eofn, ¹¹peth nad yw'r angylion, er eu rhagoriaeth mewn nerth a gallu, yn ei wneud wrth gyhoeddi barn yn eu herbyn hwy gerbron yr Arglwydd. ¹²Ond y mae'r dynion hyn yn siarad yn sarhaus am bethau nad ydynt yn eu deall; y maent fel anifeiliaid di-

reswm sydd, yn nhrefn natur, wedi eu geni i'w dal a'u difetha; ac fel y difethir anifeiliaid, fe'u difethir hwythau. ¹³Fe gânt ddrwg yn dâl am eu drygioni. Eu syniad am bleser yw gloddesta liw dydd. Meflau a brychau ydynt, yn gwneud gloddest i'w chwantau[b] wrth gydeistedd â chwi. ¹⁴Y mae ganddynt lygaid sy'n llawn godineb, na chânt byth mo'u digon o bechod. Y maent yn denu'r ansicr i'w dinistr. Y mae ganddynt galonnau wedi eu hymarfer i drachwant—dynion dan felltith ydynt. ¹⁵Gadawsant y ffordd union a mynd ar gyfeiliorn, gan ddilyn ffordd Balaam fab Bosor, hwnnw a roes ei fryd ar wobr drygioni, ¹⁶ond na chafodd ddim ond cerydd am ei drosedd, pan lefarodd asyn mud â llais dyn ac atal gwallgofrwydd y proffwyd.

17 Ffynhonnau heb ddŵr ydynt, a niwloedd yn cael eu gyrru gan dymestl; y mae'r tywyllwch dudew ar gadw iddynt. ¹⁸Oherwydd y maent yn llefaru geiriau ymffrostgar a gwag, ac yn defnyddio chwantau anllad y cnawd i ddenu i'w dinistr y rhai nad ydynt ond braidd wedi dianc o blith pobl gyfeiliornus eu buchedd. ¹⁹Y maent yn addo rhyddid iddynt, a hwythau'n gaeth i lygredigaeth; oherwydd y mae dyn yn gaeth i beth bynnag sydd wedi ei drechu. ²⁰Oherwydd os yw dynion sydd wedi dianc rhag aflendid y byd trwy ddod i adnabod ein Harglwydd a'n Gwaredwr, Iesu Grist, wedi eu dal a'u trechu eilwaith gan yr aflendid hwnnw, yna y mae eu diwedd yn waeth na'u dechrau. ²¹Byddai'n well iddynt hwy fod heb ddod i adnabod ffordd cyfiawnder, yn hytrach na'i hadnabod ac yna droi oddi wrth y gorchymyn sanctaidd a draddodwyd iddynt. ²²Gwireddwyd, yn eu hachos hwy, y ddihareb:

"Y mae ci yn troi'n ôl at ei gyfog ei hun",

a hefyd:

"Y mae'r hwch a ymolchodd yn ymdrybaeddu yn y llaid."

Yr Addewid am Ddyfodiad yr Arglwydd

3 Bellach, gyfeillion annwyl, dyma'r ail lythyr imi ei ysgrifennu atoch. Yn y ddau ohonynt, yr wyf yn ceisio deffro dealltwriaeth ddilychwin ynoch trwy eich atgoffa am y pethau hyn. ²Yr wyf am ichwi gofio'r pethau a ragddywedwyd gan y proffwydi sanctaidd, a gorchymyn yr

---

[a]Yn ôl darlleniad arall, *i bydewau.*   [b]Yn ôl darlleniad arall, *gloddest mewn cariad-wleddoedd.*

Arglwydd a'r Gwaredwr, y gorchymyn a roddwyd trwy eich apostolion. ³Deallwch hyn yn gyntaf, y daw yn y dyddiau diwethaf watwarwyr sy'n byw yn ôl eu chwantau eu hunain, ⁴ac yn holi'n goeglyd: "Beth a ddaeth o'r addewid am ei ddyfodiad ef? Oherwydd, byth er pan hunodd y tadau, y mae popeth wedi parhau yn union fel y bu o ddechreuad y greadigaeth." ⁵Y maent yn fwriadol yn anwybyddu'r ffaith hon, fod y nefoedd yn bod erstalwm, a'r ddaear wedi ei llunio o ddŵr a thrwy ddŵr gan air Duw; ⁶a thrwy ddŵr y dinistriwyd byd yr oes honno, sef dŵr y dilyw. ⁷Gan yr un gair hefyd y mae nefoedd a daear yr oes hon wedi eu gosod mewn stôr ar gyfer y tân; y maent ar gadw hyd Ddydd barn a distryw dynion annuwiol.

8 Gyfeillion annwyl, peidiwch ag anghofio'r un peth hwn, fod un diwrnod yng ngolwg yr Arglwydd fel mil o flynyddoedd, a mil o flynyddoedd fel un diwrnod. ⁹Nid yw'r Arglwydd yn oedi cyflawni ei addewid, fel y bydd rhai pobl yn deall oedi; bod yn ymarhous wrthych y mae, am nad yw'n ewyllysio i neb gael ei ddinistrio, ond i bawb ddod i edifeirwch. ¹⁰Fe ddaw Dydd yr Arglwydd fel lleidr, a'r Dydd hwnnw bydd y nefoedd yn diflannu â thrwst, a'r elfennau yn ymddatod gan wres, a'r ddaear a phopeth sydd ynddi yn peidio â bod.ᶜ ¹¹Gan fod yr holl bethau yma ar gael eu datod fel hyn,

ystyriwch pa mor sanctaidd a duwiol y dylai eich ymarweddiad fod, ¹²a chwithau'n disgwyl am Ddydd Duw ac yn prysuro ei ddyfodiad, y Dydd pan ddatodir y nefoedd gan dân ac y toddir yr elfennau gan wres. ¹³Ond disgwyl yr ydym ni, yn ôl ei addewid ef, am nefoedd newydd a daear newydd, lle bydd cyfiawnder yn cartrefu.

14 Felly, gyfeillion annwyl, gwnewch eich gorau, wrth ddisgwyl am y pethau hyn, i fod yn ddi-nam a di-fai yng ngolwg Duw, ac i'ch cael mewn tangnefedd. ¹⁵Ystyriwch hirymaros ein Harglwydd yn iachawdwriaeth, yn union fel yr ysgrifennodd ein brawd annwyl, Paul, atoch yn ôl y ddoethineb a roddwyd iddo ef. ¹⁶Felly hefyd yn ei holl lythyrau y mae'n sôn am y pethau hyn. Y mae rhai pethau ynddynt sydd yn anodd eu deall, pethau y mae'r annysgedig a'r ansicr yn eu gwyrdroi, fel y maent yn gwyrdroi'r Ysgrythurau eraill hefyd, i'w dinistr eu hunain. ¹⁷Ond yr ydych chwi, gyfeillion annwyl, yn gwybod am y pethau hyn eisoes. Byddwch, felly, ar eich gwyliadwriaeth rhag ichwi gael eich ysgubo ymaith gan gyfeiliornad dynion direol, a syrthio o'ch safle cadarn. ¹⁸Ond cynyddwch mewn gras, ac mewn gwybodaeth o'n Harglwydd a'n Gwaredwr, Iesu Grist. Iddo ef y bo'r gogoniant yn awr ac am byth! Amen.

ᶜYn ôl darlleniad arall, *yn cael ei dinoethi.* Yn ôl un arall, *yn cael ei llosgi.*

IOAN

Gair y Bywyd

1 Yr hyn oedd o'r dechreuad, yr hyn yr ydym wedi ei glywed, yr hyn yr ydym wedi ei weld â'n llygaid, yr hyn yr edrychasom arno, ac a deimlodd ein dwylo, ynglŷn â gair y bywyd, dyna'r hyn yr ydym yn ei gyhoeddi. ²Amlygwyd y bywyd hwn; ac yr ydym wedi gweld, ac yr ydym yn tystiolaethu ac yn cyhoeddi i chwi y bywyd tragwyddol a oedd gyda'r Tad ac a amlygwyd i ni. ³Yr hyn yr ydym wedi ei weld a'i glywed, yr ydym yn ei gyhoeddi i chwi hefyd, er mwyn i chwithau gael cymundeb â ni. Ac yn wir, y mae ein cymundeb ni gyda'r Tad a chyda'i Fab ef, Iesu Grist. ⁴Ac yr ydym ni'n ysgrifennu hyn er mwyn i'n llawenydd fod yn gyflawn.

Goleuni yw Duw

5 Hon yw'r genadwri yr ydym wedi ei chlywed ganddo ef, ac yr ydym yn ei chyhoeddi i chwi: goleuni yw Duw, ac nid oes ynddo ef ddim tywyllwch. ⁶Os dywedwn fod gennym gymundeb ag ef, a rhodio yn y tywyllwch, yr ydym yn dweud celwydd, ac nid ydym yn gwneud y gwirionedd; ⁷ond os rhodiwn yn y goleuni, fel y mae ef yn y goleuni, y mae gennym gymundeb â'n gilydd, ac y mae gwaed Iesu, ei Fab ef, yn ein glanhau ni o bob pechod. ⁸Os dywedwn ein bod yn ddibechod, yr ydym yn ein twyllo ein hunain, ac nid yw'r gwirionedd ynom. ⁹Os cyffeswn ein pechodau, y mae ef yn ffyddlon ac yn gyfiawn, ac fe faddeua, felly, inni ein pechodau, a'n glanhau o bob anghyfiawnder. ¹⁰Os dywedwn nad ydym wedi pechu, yr ydym yn ei wneud ef yn gelwyddog, ac nid yw ei air ef ynom ni.

Crist, Ein Heiriolwr

2 Fy mhlant, yr wyf yn ysgrifennu'r pethau hyn atoch i'ch cadw rhag pechu. Ond os bydd i rywun bechu, y mae gennym Eiriolwr gyda'r Tad, sef Iesu Grist, y cyfiawn; ²ac ef sy'n foddion ein puredigaeth oddi wrth ein pechodau, ac nid puredigaethᵃ ein pechodau ni yn unig, ond hefyd bechodau'r holl fyd. ³Dyma sut yr ydym yn gwybod ein bod yn ei adnabod ef: a ydym yn cadw ei orchmynion? ⁴Yr hwn sy'n dweud, "'Rwyf yn ei adnabod", a heb gadw ei orchmynion, y mae hwnnw'n gelwyddog, ac nid yw'r gwirionedd ynddo; ⁵ond pwy bynnag sy'n cadw ei air ef, yn hwn, yn wir, y mae cariad at Dduw wedi ei berffeithio. Dyma sut yr ydym yn gwybod ein bod ynddo ef: ⁶dylai'r hwn sy'n dweud ei fod yn aros ynddo ef rodio ei hun yn union fel y rhodiodd ef

Y Gorchymyn Newydd

7 Gyfeillion annwyl, nid gorchymyn newydd yr wyf yn ei ysgrifennu atoch, ond hen orchymyn, un sydd wedi bod gennych o'r dechrau; y gair a glywsoch yw'r hen orchymyn hwn. ⁸Eto, yr wyf yn ysgrifennu atoch orchymyn newydd, rhywbeth sydd yn wir ynddo ef ac ynoch chwithau; oherwydd y mae'r tywyllwch yn mynd heibio, a'r gwir oleuni eisoes yn tywynnu. ⁹Yr hwn sy'n dweud ei fod yn y goleuni, ac yn casáu ei frawd, yn y tywyllwch y mae o hyd. ¹⁰Y mae'r hwn sy'n caru ei frawd yn aros yn y goleuni, ac nid oes dim ynddo ef i faglu neb. ¹¹Ond yr hwn sy'n casáu ei frawd, yn y tywyllwch y mae, ac yn y tywyllwch y mae'n rhodio, ac nid yw'n gwybod lle y mae'n mynd, am fod y tywyllwch wedi dallu ei lygaid ef.

¹²'Rwyf yn ysgrifennu atoch chwi, blant,
  am fod eich pechodau wedi eu maddau
  drwy ei enw ef.
¹³'Rwyf yn ysgrifennu atoch chwi,
  dadau,

ᵃNeu, *ef yw'r iawn dros ein pechodau ni, ac nid dros.*

am eich bod yn adnabod yr hwn sydd wedi bod o'r dechreuad.

'Rwyf yn ysgrifennu atoch chwi, wŷr ifainc,
am eich bod wedi gorchfygu'r Un drwg.

'Rwyf wedi ysgrifennu atoch chwi, blant,
am eich bod yn adnabod y Tad.

[14]'Rwyf wedi ysgrifennu atoch chwi, dadau,
am eich bod yn adnabod yr hwn sydd wedi bod o'r dechreuad.

'Rwyf wedi ysgrifennu atoch chwi, wŷr ifainc,
am eich bod yn gryf,
ac am fod gair Duw yn aros ynoch,
a'ch bod wedi gorchfygu'r Un drwg.

15 Peidiwch â charu'r byd na'r pethau sydd yn y byd. Os yw rhywun yn caru'r byd, nid yw cariad y Tad ynddo ef, [16]oherwydd y cwbl sydd yn y byd— trachwant y cnawd, a thrachwant y llygaid, a balchder mewn meddiannau— nid o'r Tad y mae, ond o'r byd. [17]Y mae'r byd a'i drachwant yn mynd heibio, ond y mae'r hwn sy'n gwneud ewyllys Duw yn aros am byth.

Yr Anghrist

18 Blant, dyma'r awr olaf, ac fel y clywsoch fod yr Anghrist yn dod, yn awr dyma anghristiau lawer wedi dod; wrth hyn yr ydym yn gwybod mai dyma'r awr olaf. [19]Aethant allan oddi wrthym ni, ond nid oeddent yn perthyn i ni, oherwydd pe byddent yn perthyn i ni, byddent wedi aros gyda ni; dangoswyd felly nad oedd neb ohonynt yn perthyn i ni. [20]Ond amdanoch chwi, y mae gennych eneiniad oddi wrth yr Un Sanctaidd, ac yr ydych bawb yn gwybod.[b] [21]Nid am nad ydych yn gwybod y gwirionedd yr wyf yn ysgrifennu atoch, ond am eich bod yn ei wybod, ac yn gwybod hefyd am bob celwydd, nad yw o'r gwirionedd. [22]Pwy yw'r un celwyddog, ond yr hwn sy'n gwadu mai Iesu yw'r Meseia? Hwn yw'r Anghrist, sy'n gwadu'r Tad a'r Mab. [23]Pob un sy'n gwadu'r Mab, nid yw'r Tad ganddo chwaith; yr hwn sy'n cyffesu'r Mab, y mae'r Tad ganddo hefyd. [24]Chwithau, bydded i'r hyn a glywsoch o'r dechrau aros ynoch. Os bydd yr hyn a glywsoch o'r dechrau yn aros ynoch,

byddwch chwithau hefyd yn aros yn y Mab ac yn y Tad. [25]Dyma'r hyn a addawodd ef i ni, sef bywyd tragwyddol.

26 Ysgrifennais hyn atoch ynglŷn â'r rhai sydd am eich arwain ar gyfeiliorn. [27]A chwithau, y mae'r eneiniad a gawsoch ganddo ef yn aros ynoch, ac nid oes arnoch angen neb i'ch dysgu; ond y mae'r eneiniad a roddodd ef yn eich dysgu am bopeth, a gwir yw, nid celwydd. Fel y dysgodd ef chwi, arhoswch ynddo ef.

Plant Duw

28 Ac yn awr, blant, arhoswch ynddo ef, er mwyn inni, pan fydd ef yn ymddangos, gael hyder a bod heb gywilydd arnom ger ei fron ef ar ei ddyfodiad. [29]Os gwyddoch ei fod ef yn gyfiawn, yna fe ddylech wybod bod pob un sy'n gwneud cyfiawnder wedi ei eni ohono ef.

3 Gwelwch pa fath gariad y mae'r Tad wedi ei ddangos tuag atom: cawsom ein galw yn blant Duw, a dyna ydym. Y rheswm nad yw'r byd yn ein hadnabod ni yw nad oedd yn ei adnabod ef. [2]Gyfeillion annwyl, yn awr yr ydym yn blant Duw, ac nid amlygwyd eto beth a fyddwn. Yr ydym yn gwybod, pan amlygir hynny,[c] y byddwn yn debyg iddo, oherwydd cawn ei weld ef fel y mae. [3]Ac y mae pob un sydd â'r gobaith hwn ganddo o'i fewn, yn ei buro ei hun, fel y mae Crist yn bur.

4 Y mae pob un sy'n cyflawni pechod yn gwneud anghyfraith hefyd; anghyfraith yw pechod. [5]Yr ydych yn gwybod bod Crist wedi ymddangos er mwyn dileu pechodau; ac ynddo ef nid oes pechod. [6]Nid oes neb sy'n aros ynddo ef yn pechu; nid yw'r sawl sy'n pechu wedi ei weld ef na'i adnabod ef. [7]Blant, peidiwch â gadael i neb eich arwain ar gyfeiliorn. Y mae'r hwn sy'n gwneud cyfiawnder yn gyfiawn, fel y mae ef yn gyfiawn. [8]O'r diafol y mae'r hwn sy'n cyflawni pechod, oherwydd y mae'r diafol yn pechu o'r dechreuad. I ddinistrio gweithredoedd y diafol yr ymddangosodd Mab Duw. [9]Nid oes neb sydd wedi ei eni o Dduw yn cyflawni pechod, oherwydd y mae had Duw yn aros ynddo ef; ac ni all bechu, oherwydd ei fod wedi ei eni o Dduw. [10]Dyma sut y mae'n amlwg pwy yw plant Duw a phwy yw plant y diafol: pob un nad yw'n gwneud cyfiawnder, nid yw o Dduw, na'r hwn nad yw'n caru ei frawd.

---

[b] Yn ôl darlleniad arall, *yr ydych yn gwybod pob peth.* 　　[c] Neu, *pan fydd ef yn ymddangos.*

Carwch Eich Gilydd

11 Oherwydd hon yw'r genadwri a glywsoch chwi o'r dechrau: ein bod i garu ein gilydd. [12] Nid fel Cain, a oedd o'r Un drwg ac a laddodd ei frawd. A pham y lladdodd ef? Oherwydd fod ei weithredoedd ef yn ddrwg, a gweithredoedd ei frawd yn gyfiawn. [13] Peidiwch â synnu, frodyr, os yw'r byd yn eich casáu chwi. [14] Yr ydym ni'n gwybod ein bod wedi croesi o farwolaeth i fywyd, am ein bod yn caru'r brodyr; y mae'r hwn nad yw'n caru yn aros mewn marwolaeth. [15] Llofrudd yw pob un sy'n casáu ei frawd, ac yr ydych yn gwybod nad oes gan unrhyw lofrudd fywyd tragwyddol yn aros ynddo. [16] Dyma sut yr ydym yn gwybod beth yw cariad: am iddo ef roi ei einioes drosom ni. Ac fe ddylem ninnau roi ein heinioes dros y brodyr. [17] Pwy bynnag sydd â meddiannau'r byd ganddo, ac yn gweld ei frawd mewn angen, ac eto'n cau ei galon yn ei erbyn, sut y mae cariad Duw yn aros ynddo ef? [18] Fy mhlant, gadewch inni garu, nid ar air nac ar dafod, ond mewn gweithred a gwirionedd.

Hyder gerbron Duw

19 Dyma sut y cawn wybod ein bod o'r gwirionedd, a sicrhau ein calonnau yn ei ŵydd ef [20] pryd bynnag y bydd ein calon yn ein condemnio; oherwydd y mae Duw yn fwy na'n calon, ac y mae'n gwybod pob peth. [21] Gyfeillion annwyl, os nad yw'n calon yn ein condemnio, y mae gennym hyder gerbron Duw, [22] ac yr ydym yn derbyn ganddo ef bob dim yr ydym yn gofyn amdano, am ein bod yn cadw ei orchmynion ac yn gwneud y pethau sydd wrth ei fodd. [23] Dyma ei orchymyn: ein bod i gredu yn enw ei Fab ef, Iesu Grist, a charu'n gilydd, yn union fel y rhoddodd ef orchymyn inni. [24] Y mae'r hwn sy'n cadw ei orchmynion ef yn aros ynddo ef, ac ef ynddo yntau. Dyma sut yr ydym yn gwybod ei fod ef yn aros ynom ni: trwy'r Ysbryd a roddodd ef inni.

Ysbryd Duw ac Ysbryd Anghrist

4 Gyfeillion annwyl, peidiwch â chredu pob ysbryd, ond profwch yr ysbrydion i gael gwybod a ydynt o Dduw, oherwydd y mae gau-broffwydi lawer wedi mynd allan i'r byd. [2] Dyma sut yr ydych yn adnabod Ysbryd Duw: pob ysbryd sy'n cyffesu bod Iesu Grist wedi dod yn y cnawd, o Dduw y mae, [3] a phob ysbryd nad yw'n cyffesu Iesu, nid yw o Dduw. Ysbryd yr Anghrist yw hwn; clywsoch ei fod yn dod, ac yn awr y mae eisoes yn y byd. [4] Blant, yr ydych chwi o Dduw, ac yr ydych wedi eu gorchfygu hwy; oherwydd y mae'r hwn sydd ynoch chwi yn gryfach na'r hwn sydd yn y byd. [5] I'r byd y maent hwy'n perthyn, ac o'r byd, felly, y daw'r hyn y maent yn ei ddweud; ac y mae'r byd yn gwrando arnynt hwy. [6] O Dduw yr ydym ni; y mae'r hwn sy'n adnabod Duw yn gwrando arnom ni, a'r hwn nad yw o Dduw, nid yw'n gwrando arnom ni. Dyma sut yr ydym yn adnabod ysbryd y gwirionedd ac ysbryd cyfeiliornad.

Cariad yw Duw

7 Gyfeillion annwyl, gadewch i ni garu cin gilydd, oherwydd o Dduw y mae cariad, ac y mae pob un sy'n caru wedi ei eni o Dduw, ac yn adnabod Duw. [8] Yr hwn nad yw'n caru, nid yw'n adnabod Duw, oherwydd cariad yw Duw. [9] Yn hyn y dangoswyd cariad Duw tuag atom [ch]: bod Duw wedi anfon ei unig Fab i'r byd er mwyn i ni gael byw drwyddo ef. [10] Yn hyn y mae cariad: nid ein bod ni'n caru Duw, ond ei fod ef wedi ein caru ni, ac anfon ei Fab i fod yn foddion ein puredigaeth oddi wrth [d] ein pechodau. [11] Gyfeillion annwyl, os yw Duw wedi ein caru ni fel hyn, fe ddylem ninnau hefyd garu ein gilydd. [12] Nid oes neb wedi gweld Duw erioed; os ydym yn caru ein gilydd, y mae Duw yn aros ynom, ac y mae ei gariad ef wedi ei berffeithio ynom ni.

13 Dyma sut yr ydym yn gwybod ein bod yn aros ynddo ef, ac ef ynom ninnau: am iddo ef roi inni o'i Ysbryd. [14] Yr ydym ni wedi gweld, ac yr ydym yn tystiolaethu bod y Tad wedi anfon ei Fab yn Waredwr y byd. [15] Pwy bynnag sy'n cyffesu bod Iesu yn Fab Duw, y mae Duw yn aros ynddo ef, ac yntau yn Nuw. [16] Felly yr ydym ni wedi dod i adnabod a chredu'r cariad sydd gan Dduw tuag atom. [dd] Cariad yw Duw, ac y mae'r hwn sy'n aros mewn cariad yn aros yn Nuw, a Duw yn aros ynddo yntau. [17] Yn hyn y mae cariad wedi cael ei berffeithio ynom: bod gennym hyder yn Nydd y Farn, oherwydd fel y mae ef, felly yr ydym ninnau hefyd yn y byd hwn. [18] Nid oes ofn mewn

---

[ch] Neu, *cariad Duw ynom*.   [d] Neu, *i fod yn iawn dros*.   [dd] Neu, *gan Dduw ynom*.

cariad, ond y mae cariad perffaith yn bwrw allan ofn; y mae a wnelo ofn â chosb, ac nid yw'r hwn sy'n ofni wedi ei berffeithio mewn cariad. ¹⁹Yr ydym ni'n caru, am iddo ef yn gyntaf ein caru ni. ²⁰Os dywed rhywun, "'Rwy'n caru Duw'', ac yntau'n casáu ei frawd, y mae'n gelwyddog; oherwydd ni all neb nad yw'n caru'r brawd y mae wedi ei weld, garu Duw nad yw wedi ei weld. ²¹A dyma'r gorchymyn sydd gennym oddi wrtho ef: bod i'r hwn sy'n caru Duw garu ei frawd hefyd.

Ffydd yn Gorchfygu'r Byd

5 Pob un sy'n credu mai Iesu yw'r Meseia, y mae ef wedi ei eni o Dduw; ac y mae pawb sy'n caru tad yn caru ei blentyn hefyd. ²Dyma sut yr ydym yn gwybod ein bod yn caru plant Duw: pan fyddwn yn caru Duw ac yn cadw ei orchmynion. ³Oherwydd dyma yw caru Duw: bod inni gadw ei orchmynion. Ac nid yw ei orchmynion ef yn feichus, ⁴am fod pawb sydd wedi eu geni o Dduw yn gorchfygu'r byd. Hon yw'r oruchafiaeth a orchfygodd y byd: ein ffydd ni. ⁵Pwy yw gorchfygwr y byd ond yr hwn sy'n credu mai Iesu yw Mab Duw?

Tystiolaeth am y Mab

6 Dyma'r un a ddaeth drwy ddŵr a gwaed, Iesu Grist; nid trwy ddŵr yn unig, ond trwy'r dŵr a thrwy'r gwaed. Yr Ysbryd yw'r tyst, am mai'r Ysbryd yw'r gwirionedd. ⁷Oherwydd y mae tri sy'n tystiolaethu, ⁸yr Ysbryd, y dŵr, a'r gwaed, ac y mae'r tri yn gytûn. ⁹Os ydym yn derbyn tystiolaeth dynion, y mae tystiolaeth Duw yn fwy. A hon yw tystiolaeth Duw: ei fod wedi tystio am ei Fab. ¹⁰Y mae gan yr hwn sy'n credu ym Mab Duw y dystiolaeth ynddo ef ei hun. Y mae'r hwn nad yw'n credu Duw yn ei wneud ef yn gelwyddog, am nad yw wedi credu'r dystiolaeth sy'n dystiolaeth Duw am ei Fab. ¹¹A hon yw'r dystiolaeth: bod Duw wedi rhoi inni fywyd tragwyddol. Ac y mae'r bywyd hwn yn ei Fab. ¹²Yr hwn y mae'r Mab ganddo, y mae'r bywyd ganddo; yr hwn nad yw Mab Duw ganddo, nid yw'r bywyd ganddo.

Gwybod am Fywyd Tragwyddol

13 Yr wyf yn ysgrifennu'r pethau hyn atoch chwi, y rhai sydd yn credu yn enw Mab Duw, er mwyn ichwi wybod bod gennych fywyd tragwyddol. ¹⁴A hwn yw'r hyder sydd gennym ger ei fron ef: y bydd ef yn gwrando arnom os gofynnwn am rywbeth yn unol â'i ewyllys ef. ¹⁵Ac os ydym yn gwybod ei fod yn gwrando arnom, beth bynnag y byddwn yn gofyn amdano, yr ydym yn gwybod fod y pethau yr ydym wedi gofyn iddo amdanynt yn eiddo inni.

16 Os gwêl unrhyw un ei frawd yn cyflawni pechod nad yw'n bechod marwol, dylai ofyn, ac fe rydd Duw fywyd i hwnnw—hynny yw, i'r rhai nad yw eu pechod yn farwol. Y mae pechod sy'n farwol; nid ynglŷn â hwn yr wyf yn dweud y dylai weddïo. ¹⁷Y mae pob anghyfiawnder yn bechod; ond y mae hefyd bechod nad yw'n farwol.

18 Yr ydym yn gwybod nad yw'r sawl sydd wedi ei eni o Dduw yn dal i bechu, ond y mae'r Un a anwyd o Dduw yn ei gadw ef, ac nid yw'r Un drwg yn cyffwrdd ag ef. ¹⁹Yr ydym yn gwybod ein bod ni o Dduw, a bod yr holl fyd yn gorwedd yng ngafael yr Un drwg. ²⁰Yr ydym yn gwybod bod Mab Duw wedi dod, ac wedi rhoi inni ddealltwriaeth, er mwyn inni adnabod yr Un gwir; ac yr ydym ni yn yr Un gwir, yn ei Fab ef, Iesu Grist. Hwn yw'r gwir Dduw a'r bywyd tragwyddol. ²¹Blant, ymgadwch rhag eilunod.

IOAN

Cyfarch

1 Yr henuriad at yr arglwyddes ethol-
edig a'i phlant. Yr wyf fi, ac nid myfi yn
unig, ond pawb sydd wedi dod i wybod y
gwirionedd, yn eich caru yn y gwirionedd,
²er mwyn y gwirionedd sydd yn aros ynom
ni, ac a fydd gyda ni am byth. ³Bydd gras,
trugaredd a thangnefedd gyda ni, oddi
wrth Dduw y Tad ac oddi wrth Iesu Grist,
Mab y Tad, mewn gwirionedd a chariad.

Aros yn Nysgeidiaeth Crist

4 Bu'n llawenydd mawr i mi gael rhai
o'th blant di yn rhodio yn y gwirionedd,
fel y cawsom orchymyn gan y Tad. ⁵Ac
yn awr yr wyf yn erfyn arnat, arglwydd-
es, ond nid fel un yn ysgrifennu iti orch-
ymyn newydd; gorchymyn a oedd
gennym o'r dechrau ydyw, sef ein bod i
garu ein gilydd. ⁶A hyn yw cariad: ein
bod yn rhodio yn ôl ei orchmynion ef.
A'r gorchymyn hwn, fel y clywsoch o'r
dechreuad, yw eich bod i rodio mewn
cariad. ⁷Oherwydd aeth twyllwyr lawer

ᵃYn ôl darlleniad arall, *eich*.

allan i'r byd, y rhai nad ydynt yn cyffesu
bod Iesu Grist wedi dod yn y cnawd;
dyma'r twyllwr a'r Anghrist. ⁸Gwyliwch
eich hunain, rhag ichwi golli ffrwyth einᵃ
llafur, ond er mwyn ichwi dderbyn eich
gwobr yn gyflawn. ⁹Pob un sy'n mynd
rhagddo heb aros yn nysgeidiaeth Crist,
nid yw Duw ganddo; yr hwn sydd yn aros
yn y ddysgeidiaeth, y mae'r Tad a'r Mab
ganddo ef. ¹⁰Os daw rhywun atoch heb
ddod â'r ddysgeidiaeth hon gydag ef,
peidiwch â'i dderbyn i'ch tŷ na'i gyfarch
ef, ¹¹oherwydd y mae'r hwn sy'n ei
gyfarch yn gyfrannog o'i weithredoedd
drygionus ef.

Cyfarchion Terfynol

12 Er bod gennyf lawer o bethau i'w
hysgrifennu atoch, gwell gennyf beidio
â'u hysgrifennu â phapur ac inc; 'rwy'n
gobeithio dod atoch, a siarad â chwi
wyneb yn wyneb, ac yna bydd ein llaw-
enydd yn gyflawn. ¹³Y mae plant dy
chwaer etholedig yn dy gyfarch di.

IOAN

Cyfarch

1 Yr henuriad at Gaius, y gŵr annwyl yr wyf fi yn ei garu yn y gwirionedd.

2 Gyfaill annwyl, yr wyf yn dymuno iechyd iti, a llwyddiant ym mhob peth, fel y mae dy enaid yn llwyddo. [3] Oherwydd yr oedd yn llawenydd mawr i mi pan fyddai brodyr yn dod ac yn tystio i'th wirionedd di, i'r modd yr wyt ti'n rhodio yn y gwirionedd. [4] Nid oes dim sy'n fwy o lawenydd i mi na chlywed bod fy mhlant yn rhodio yn y gwirionedd.

Cydweithrediad a Gwrthwynebiad

5 Gyfaill annwyl, yr wyt ti'n gwneud peth teilwng wrth wasanaethu'r brodyr, a hwythau'n ddieithriaid. [6] Y maent hwy wedi tystio gerbron yr eglwys i'th gariad di; da ti, rho iddynt ar eu taith gymorth teilwng o Dduw. [7] Oherwydd er mwyn yr enw yr aethant allan, heb gymryd dim gan y paganiaid. [8] Felly dylem ni gynorthwyo dynion o'r fath, er mwyn inni fod yn gydweithwyr dros y gwirionedd.

9 Ysgrifennais air at yr eglwys, ond nid yw Diotreffes, sy'n chwenychu bod yn ben arnynt, yn derbyn ein hawdurdod. [10] Felly, pan ddof, byddaf yn galw sylw at yr hyn y mae'n ei wneud, yn clebran yn ein herbyn â geiriau drygionus; ac yn wir, nid yw'n fodlon ar eiriau—y mae'n gwrthod derbyn y brodyr, ac yn gwahardd y rhai sydd am eu derbyn, ac yn eu bwrw allan o'r eglwys.

11 Gyfaill annwyl, efelycha ddaioni, nid drygioni. Yr hwn sy'n gwneud daioni, o Dduw y mae; ond yr hwn sy'n gwneud drygioni, nid yw wedi gweld Duw. [12] Y mae gair da i Demetrius gan bawb, a chan y gwirionedd ei hun; ac yr ydym ninnau hefyd yn tystio iddo, a gwyddost fod ein tystiolaeth ni yn wir.

Cyfarchion Terfynol

13 Y mae gennyf lawer o bethau i'w hysgrifennu atat, ond gwell gennyf beidio ag ysgrifennu atat â phen ac inc. [14] 'Rwy'n gobeithio dy weld yn fuan, a chawn siarad wyneb yn wyneb. [15] Tangnefedd i ti! Y mae'r cyfeillion yma yn dy gyfarch. Cyfarch di y cyfeillion yna, bob un wrth ei enw.

LLYTHYR
JWDAS

Cyfarch

1 Jwdas, gwas Iesu Grist, a brawd Iago, at y rhai sydd trwy alwad Duw y Tad yn annwyl ganddo ac wedi eu cadw i Iesu Grist. ²Trugaredd a thangnefedd a chariad a amlhaer i chwi!

Barn ar Athrawon Gau
(2 Pedr 2:1-17)

3 Gyfeillion annwyl, yr oeddwn yn awyddus iawn i ysgrifennu atoch am yr iachawdwriaeth sy'n eiddo i ni i gyd, ond daeth rheidrwydd arnaf i ysgrifennu atoch i'ch annog i ymuno yn y frwydr o blaid y ffydd a draddodwyd un waith am byth i'r saint. ⁴Oherwydd y mae rhywrai wedi llithro'n llechwraidd i mewn, dynion y mae'r Ysgrythur erstalwm wedi cyhoeddi arnynt y farnedigaeth hon, mai dynion annuwiol ydynt, yn troi gras ein Duw ni yn anlladrwydd, ac yn gwadu ein hunig Feistr ac Arglwydd, Iesu Grist.

5 Er eich bod chwi'n gwybod hyn oll, yr wyf am eich atgoffa fod yr Arglwydd, er iddo unwaith waredu'r bobl[a] o dir yr Aifft, wedi dinistrio wedyn y rhai oedd heb gredu. ⁶Cofiwch yr angylion hefyd, y rhai a wrthododd gadw o fewn terfynau eu llywodraeth ac a gefnodd ar eu trigfan eu hunain; y mae ef wedi eu cadw hwy yn nhywyllwch carchar tragwyddol, i aros barn y Dydd mawr. ⁷A chofiwch Sodom a Gomorra, a'r dinasoedd o'u cwmpas; fel yr angylion, ymollwng a wnaethant hwythau i buteindra ac i borthi eu chwantau annaturiol. Wrth gael eu cosbi yn y tân tragwyddol, y maent yn esiampl amlwg i bawb.

8 Y mae'r un fath eto yn achos y dynion hyn. Y mae eu breuddwydio yn peri iddynt halogi'r cnawd, a diystyru awdurdod, a sarhau'r bodau nefol. ⁹Pan oedd Mihangel, yr archangel, mewn ym-

ryson â'r diafol yn ymgiprys am gorff Moses, ni feiddiodd gyhoeddi barn a fyddai'n sarhau'r diafol; yn hytrach dywedodd, "Cerydded yr Arglwydd di." ¹⁰Ond y mae'r dynion hyn yn sarhau'r pethau nad ydynt yn eu deall, a'r pethau y maent yn eu deall wrth reddf fel anifeiliaid direswm yw'r pethau sydd yn eu dinistrio. ¹¹Gwae hwy! Y maent wedi dilyn llwybr Cain; y maent wedi ymollwng, er mwyn elw, i gyfeiliornad Balaam; y maent wedi gwrthryfela fel Core, a darfod amdanynt. ¹²Dyma'r rhai sydd yn feflau ar eich cariad-wleddoedd, yn cydeistedd â chwi yn ddigywilydd, bugeiliaid sy'n eu pesgi eu hunain. Cymylau heb ddŵr ydynt, yn cael eu chwythu ymaith gan wyntoedd; coed yr hydref, yn ddiffrwyth ac wedi eu diwreiddio, ddwywaith yn farw; ¹³tonnau cynddeiriog y môr, yn ewynnu llysnafedd eu gweithredoedd; sêr wedi crwydro o'u llwybrau, a'r tywyllwch dudew ar gadw iddynt am byth.

14 Am y rhain y mae Enoch hefyd, y seithfed yn llinach Adda, wedi proffwydo wrth ddweud, "Wele, y mae'r Arglwydd wedi dod gyda'i fyrddiynau sanctaidd ¹⁵i weithredu barn ar bawb, i'w condemnio[b] i gyd am annuwioldeb eu holl weithredoedd ysgeler, ac am atgasedd holl eiriau'r pechaduriaid annuwiol hynny yn ei erbyn." ¹⁶Dynion yn caru grwgnach a gweld bai yw'r rhain, yn byw yn ôl eu chwantau eu hunain, yn ymffrostgar eu siarad, yn gynffonwyr er mwyn ffafr.

Rhybuddion ac Anogaethau

17 Ond dylech chwi, gyfeillion annwyl, gofio'r pethau a ragddywedwyd gan apostolion ein Harglwydd Iesu Grist. ¹⁸Dywedasant wrthych, "Yn yr amser diwethaf fe fydd gwatwarwyr, dynion a

---

[a] Yn ôl darlleniad arall, *Er eich bod un waith am byth wedi cael gwybod hyn oll, yr wyf am eich atgoffa fod Iesu* (cyfeiriad, o bosibl, at Josua), *er iddo waredu'r bobl.*

[b] Yn ôl darlleniad arall, *i gondemnio'r annuwiolion.*

fydd yn byw yn ôl eu chwantau annuwiol eu hunain." ¹⁹Dyma'r rhai fydd yn achosi rhaniadau, pobl fydol yn amddifad o'r Ysbryd. ²⁰Ond rhaid i chwi, gyfeillion annwyl, eich adeiladu eich hunain ar sylfaen eich ffydd holl-sanctaidd, a gweddïo yn yr Ysbryd Glân; ²¹cadwch eich hunain yng nghariad Duw, gan ddisgwyl am i'n Harglwydd Iesu Grist yn ei drugaredd roi ichwi fywyd tragwyddol. ²²Y mae rhai y dylech dosturio wrthynt yn eu hamheuon, eraill y dylech eu hachub a'u cipio o'r tân, ²³ac y mae eraill y dylech dosturio wrthynt gydag ofn, gan gasáu hyd yn oed y dilledyn sydd â llygredd y cnawd arno.

Bendith

24 Iddo ef, sydd â'r gallu ganddo i'ch cadw rhag syrthio, a'ch gosod yn ddi-fai a gorfoleddus gerbron ei ogoniant, ²⁵iddo ef, yr unig Dduw, ein Gwaredwr, trwy Iesu Grist ein Harglwydd, y byddo gogoniant a mawrhydi, gallu ac awdurdod, cyn yr oesoedd, ac yn awr, a byth bythoedd! Amen.

DATGUDDIAD IOAN

Rhagymadrodd a Chyfarchiad

1 Dyma'r datguddiad a roddwyd gan Iesu Grist. Fe'i rhoddwyd iddo ef gan Dduw, er mwyn iddo ddangos i'w weision y pethau y mae'n rhaid iddynt ddigwydd ar fyrder. Fe'i gwnaeth yn hysbys trwy anfon ei angel at ei was Ioan. ²Tystiodd yntau i air Duw ac i dystiolaeth Iesu Grist, trwy adrodd y cwbl a welodd. ³Gwyn ei fyd yr hwn sy'n darllen a'r rhai sy'n gwrando geiriau'r broffwydoliaeth hon ac yn cadw'r hyn sy'n ysgrifenedig ynddi. Oherwydd y mae'r amser yn agos.

4 Ioan at y saith eglwys yn Asia: gras a thangnefedd i chwi oddi wrth yr hwn sydd a'r hwn oedd a'r hwn sydd i ddod, ac oddi wrth y saith ysbryd sydd gerbron ei orsedd, ⁵ac oddi wrth Iesu Grist, y tyst ffyddlon, y cyntafanedig oddi wrth y meirw a llywodraethwr brenhinoedd y ddaear.

I'r hwn sydd yn ein caru ni ac a'n rhyddhaodd ni oddi wrth ein pechodau â'i waed, ⁶ac a'n gwnaeth yn urdd frenhinol, yn offeiriaid i Dduw ei Dad, iddo ef y bo'r gogoniant a'r gallu byth bythoedd! Amen.
⁷Wele, y mae'n dyfod gyda'r cymylau,
a bydd pob llygad yn ei weld,
ie, a'r rhai a'i trywanodd,
a bydd holl lwythau'r ddaear yn galaru
o'i blegid ef.
Boed felly! Amen.

8 "Myfi yw Alffa ac Omega," medd yr Arglwydd Dduw, yr hwn sydd a'r hwn oedd a'r hwn sydd i ddod, yr Hollalluog.

Gweledigaeth o Grist

9 Yr oeddwn i, Ioan, eich brawd, sy'n cyfranogi gyda chwi o'r gorthrymder a'r frenhiniaeth a'r dyfalbarhad sydd i ni yn Iesu, yr oeddwn ar yr ynys a elwir Patmos, ar gyfrif gair Duw a thystiolaeth Iesu. ¹⁰Yr oeddwn yn yr Ysbryd ar ddydd yr Arglwydd, a chlywais y tu ôl imi lais uchel, fel sŵn utgorn, ¹¹yn dweud, "Ysgrifenna mewn llyfr yr hyn a weli, ac anfon ef at y saith eglwys, i Effesus, i Smyrna, i Pergamus, i Thyatira, i Sardis, i Philadelffia, ac i Laodicea."

12 Yna trois i weld pa lais oedd yn llefaru wrthyf; ac wedi troi, gwelais saith ganhwyllbren aur, ¹³ac yng nghanol y canwyllbrennau un fel mab dyn, a'i wisg yn cyrraedd hyd ei draed, a gwregys aur am ei ddwyfron. ¹⁴Yr oedd gwallt ei ben yn wyn fel gwlân, cyn wynned â'r eira, a'i lygaid fel fflam dân. ¹⁵Yr oedd ei draed fel pres gloyw, fel petai wedi ei buro mewn ffwrnais, a'i lais fel sŵn llawer o ddyfroedd. ¹⁶Yn ei law dde yr oedd ganddo saith seren, ac o'i enau yr oedd cleddyf llym daufiniog yn dod allan, ac yr oedd ei wyneb yn disgleirio fel yr haul yn ei anterth.

17 Pan welais ef, syrthiais wrth ei draed fel un marw; gosododd yntau ei law dde arnaf, a dywedodd, "Paid ag ofni; myfi yw'r cyntaf a'r olaf, [18]a'r Un byw; bûm farw, ac wele, yr wyf yn fyw byth bythoedd, ac y mae gennyf allweddau Marwolaeth a Thrigfan y Meirw. [19]Ysgrifenna, felly, y pethau a welaist, y pethau sydd, a'r pethau sydd i fod ar ôl hyn. [20]Dyma ystyr ddirgel y saith seren a welaist ar fy llaw dde a'r saith ganhwyllbren aur: angylion y saith eglwys yw'r saith seren, a'r saith eglwys yw'r saith ganhwyllbren.

Y Neges i Effesus

2 "At angel yr eglwys yn Effesus, ysgrifenna: 'Dyma y mae'r hwn sy'n dal y saith seren yn ei law dde, ac yn cerdded yng nghanol y saith ganhwyllbren aur, yn ei ddweud: [2]Gwn am dy weithredoedd a'th lafur a'th ddyfalbarhad, a gwn na elli oddef y rhai drwg; gwn dy fod wedi rhoi prawf ar y rhai sy'n eu galw eu hunain yn apostolion a hwythau heb fod felly, a chefaist hwy'n gelwyddog; [3]ac y mae gennyt ddyfalbarhad, a dygaist faich trwm er mwyn fy enw i, ac ni ddiffygiaist. [4]Ond y mae gennyf hyn yn dy erbyn, iti golli dy gariad cynnar. [5]Cofia, felly, o ble y syrthiaist, ac edifarha, a gwna eto dy weithredoedd cyntaf. Os na wnei, ac os nad edifarhei, fe ddof atat a symud dy ganhwyllbren o'i le. [6]Ond y mae hyn o'th blaid, dy fod fel minnau yn casáu gweithredoedd y Nicolaiaid. [7]Yr hwn sydd ganddo glust, gwrandawed beth y mae'r Ysbryd yn ei ddweud wrth yr eglwysi. I'r hwn sy'n gorchfygu, rhof yr hawl i fwyta o bren y bywyd sydd ym Mharadwys Duw.'

Y Neges i Smyrna

8 "Ac at angel yr eglwys yn Smyrna, ysgrifenna: 'Dyma y mae'r cyntaf a'r olaf, yr hwn a fu farw ac a ddaeth yn fyw, yn ei ddweud: [9]Gwn am dy orthrymder a'th dlodi, ac eto yr wyt yn gyfoethog; gwn hefyd am gabledd y rhai sy'n eu galw eu hunain yn Iddewon a hwythau heb fod felly, ond yn hytrach yn synagog Satan. [10]Paid ag ofni'r pethau yr wyt ar fedr eu dioddef. Wele, y mae'r diafol yn mynd i fwrw rhai ohonoch i garchar er mwyn eich profi, ac fe gewch orthrymder am ddeg diwrnod. Bydd ffyddlon hyd angau, a rhof iti goron y bywyd. [11]Yr hwn sydd ganddo glust, gwrandawed beth y mae'r Ysbryd yn ei ddweud wrth yr eglwysi. Yr hwn sy'n gorchfygu, ni chaiff niwed gan yr ail farwolaeth.'

Y Neges i Pergamus

12 "Ac at angel yr eglwys yn Pergamus, ysgrifenna: 'Dyma y mae'r hwn sydd â'r cleddyf llym daufiniog ganddo yn ei ddweud: [13]Gwn ym mhle yr wyt yn trigo, sef lle mae gorsedd Satan; ac eto yr wyt yn glynu wrth f'enw i, ac ni wedaist dy ffydd ynof fi, hyd yn oed yn nyddiau fy nhyst Antipas, a fu'n ffyddlon i mi ac a laddwyd yn eich mysg chwi, lle mae Satan yn trigo. [14]Ond y mae gennyf ychydig bethau yn dy erbyn, fod gennyt rai yna sy'n glynu wrth athrawiaeth Balaam, a ddysgodd i Balac osod magl i blant Israel, a pheri iddynt fwyta pethau a aberthwyd i eilunod, a godinebu; [15]yn yr un modd, y mae gennyt ti hyd yn oed rai sy'n glynu wrth athrawiaeth y Nicolaiaid. [16]Edifarha felly; os na wnei, fe ddof atat yn fuan, a rhyfela yn eu herbyn hwy â chleddyf fy ngenau. [17]Yr hwn sydd ganddo glust, gwrandawed beth y mae'r Ysbryd yn ei ddweud wrth yr eglwysi. I'r hwn sy'n gorchfygu, rhof gyfran o'r manna cuddiedig, a rhof iddo garreg wen, ac yn ysgrifenedig ar y garreg enw newydd na fydd neb yn ei wybod ond y sawl sydd yn ei derbyn.'

Y Neges i Thyatira

18 "Ac at angel yr eglwys yn Thyatira, ysgrifenna: 'Dyma y mae Mab Duw yn ei ddweud, yr hwn sydd ganddo lygaid fel fflam dân, a'i draed fel pres gloyw: [19]Gwn am dy weithredoedd, dy gariad, dy ffydd, dy wasanaeth, dy ddyfalbarhad, a gwn fod dy weithredoedd diwethaf yn fwy lluosog na'r rhai cyntaf. [20]Ond y mae gennyf hyn yn dy erbyn, dy fod yn goddef y wraig honno, Jesebel, sy'n ei galw ei hun yn broffwydes, a hithau'n dysgu ac yn twyllo fy ngweision i odinebu a bwyta pethau a aberthwyd i eilunod. [21]Rhoddais amser iddi i edifarhau, ond y mae'n gwrthod edifarhau am ei godineb. [22]Wele, bwriaf hi i wely cystudd, a'r rhai sy'n godinebu gyda hi i orthrymder mawr, os nad edifarhant am ei gweithredoedd hi. [23]A lladdaf ei phlant hi yn gelain; ac fe gaiff yr holl

eglwysi wybod mai myfi yw'r hwn sy'n chwilio dyheadau a meddyliau dynion. Rhoddaf i chwi bob un yn ôl eich gweithredoedd. ²⁴Wrth y gweddill ohonoch yn Thyatira, pawb nad ydynt yn derbyn yr athrawiaeth hon, ac sydd heb brofiad o'r hyn a elwir yn ddyfnderoedd Satan, 'rwy'n dweud hyn: ni osodaf arnoch faich arall, ²⁵ond yn unig glynwch wrth yr hyn sydd gennych, hyd nes i mi ddod. ²⁶Yr hwn sy'n gorchfygu ac yn cadw fy ngofynion hyd y diwedd,

rhof iddo awdurdod ar y cenhedloedd,
²⁷a bydd yn eu llywodraethu hwy â
gwialen haearn;
malurir hwy fel llestri pridd.

(Dyma'r awdurdod a dderbyniais innau gan fy Nhad.) ²⁸Rhof iddo hefyd seren y bore. ²⁹Yr hwn sydd ganddo glust, gwrandawed beth y mae'r Ysbryd yn ei ddweud wrth yr eglwysi.'

Y Neges i Sardis

3 "Ac at angel yr eglwys yn Sardis, ysgrifenna:
'Dyma y mae'r hwn sydd ganddo saith ysbryd Duw a'r saith seren yn ei ddweud: Gwn am dy weithredoedd, a bod gennyt enw dy fod yn fyw er mai marw ydwyt. ²Bydd effro, a chryfha'r hyn sydd ar ôl gennyt, sydd ar ddarfod amdano, oherwydd ni chefais dy weithredoedd yn gyflawn yng ngolwg fy Nuw i. ³Cofia, felly, beth a dderbyniaist ac a glywaist; cadw at hynny ac edifarha. Os na fydd iti ddeffro, fe ddof fel lleidr, ac ni chei wybod pa awr y dof atat. ⁴Ond y mae gennyt rai enwau yn Sardis nad ydynt wedi halogi eu dillad; caiff y rhain rodio gyda mi mewn gwisg wen, oherwydd y maent yn deilwng. ⁵Yr hwn sy'n gorchfygu, gwisgir ef yn yr un modd mewn dillad gwyn, a'i enw ef ni thorraf allan fyth o lyfr y bywyd, a chyffesaf ei enw gerbron fy Nhad a cherbron ei angylion ef. ⁶Yr hwn sydd ganddo glust, gwrandawed beth y mae'r Ysbryd yn ei ddweud wrth yr eglwysi.'

Y Neges i Philadelffia

7 "Ac at angel yr eglwys yn Philadelffia, ysgrifenna:
'Dyma y mae'r Un sanctaidd, yr Un gwir, yn ei ddweud,

yr hwn y mae allwedd Dafydd ganddo,
yr hwn sy'n agor, ac ni fydd neb yn
cau,

ac yn cau, a neb yn agor:
⁸Gwn am dy weithredoedd, a dyma fi wedi rhoi o'th flaen ddrws agored na fedr neb ei gau. Gwn mai ychydig nerth sydd gennyt, ond cedwaist fy ngair ac ni wedaist fy enw. ⁹Wele, rhoddaf iti rai o synagog Satan sydd yn eu galw eu hunain yn Iddewon a hwythau heb fod felly; dweud celwydd y maent. Wele, gwnaf iddynt ddod ac ymgrymu wrth dy draed, a chael gwybod i mi dy garu di. ¹⁰Am iti gadw fy ngair a dyfalbarhau, byddaf finnau yn dy gadw di rhag awr y prawf sydd ar ddod ar yr holl fyd i brofi trigolion y ddaear. ¹¹Yr wyf yn dod yn fuan; glyna wrth yr hyn sydd gennyt, rhag i neb ddwyn dy goron di. ¹²Yr hwn sy'n gorchfygu, gwnaf ef yn golofn yn nheml fy Nuw i, ac nid â ef allan oddi yno byth. Ac ysgrifennaf arno enw fy Nuw i—ac enw dinas fy Nuw i, y Jerwsalem newydd sy'n disgyn o'r nef oddi wrth fy Nuw i—a'm henw newydd i. ¹³Yr hwn sydd ganddo glust, gwrandawed beth y mae'r Ysbryd yn ei ddweud wrth yr eglwysi.'

Y Neges i Laodicea

14 "Ac at angel yr eglwys yn Laodicea, ysgrifenna:
'Dyma y mae'r Amen, y tyst ffyddlon a gwir, a dechreuad creadigaeth Duw, yn ei ddweud: ¹⁵Gwn am dy weithredoedd; nid wyt nac yn oer nac yn boeth. Gwyn fyd na fyddit yn oer neu yn boeth! ¹⁶Ond gan mai claear ydwyt, heb fod nac yn boeth nac yn oer, fe'th boeraf allan o'm genau. ¹⁷Dweud yr wyt, "Rwy'n gyfoethog, ac wedi casglu golud, ac nid oes arnaf eisiau dim"; ac ni wyddost mai gwrthrych trueni a thosturi ydwyt, yn dlawd, yn ddall, yn noeth. ¹⁸Felly, cynghoraf di i brynu gennyf fi aur wedi ei buro drwy dân, iti ddod yn gyfoethog, a dillad gwyn i'w gwisgo, i guddio gwarth dy noethni, ac eli i iro dy lygaid, iti gael gweld. ¹⁹Yr wyf fi'n ceryddu ac yn disgyblu'r rhai a garaf; bydd selog, felly, ac edifarha. ²⁰Wele, yr wyf yn sefyll wrth y drws ac yn curo; os clyw rhywun fy llais ac agor y drws, dof i mewn ato a swperaf gydag ef, ac yntau gyda minnau. ²¹Yr hwn sy'n gorchfygu, rhof iddo eistedd gyda mi ar fy ngorsedd, megis y gorchfygais innau ac yr eisteddais gyda'm Tad ar ei orsedd ef. ²²Yr hwn sydd ganddo glust, gwrandawed beth y mae'r Ysbryd yn ei ddweud wrth yr eglwysi.'"

Addoliad y Nef

4 Ar ôl hyn edrychais, ac wele ddrws wedi ei agor yn y nef; a dyma'r llais, a glywswn gyntaf yn llefaru wrthyf fel sŵn utgorn, yn dweud, "Tyrd i fyny yma, a dangosaf iti'r pethau y mae'n rhaid iddynt ddigwydd ar ôl hyn." ²Ar unwaith, yr oeddwn yn yr Ysbryd; ac wele, yr oedd gorsedd wedi ei gosod yn y nef, ac ar yr orsedd un yn eistedd. ³Yr oedd hwn yn debyg ei olwg i faen iasbis a sardion, ac o amgylch yr orsedd yr oedd enfys debyg i emrallt. ⁴O amgylch yr orsedd yr oedd hefyd bedair gorsedd ar hugain, ac ar y rhain bedwar henuriad ar hugain yn eistedd mewn dillad gwyn, ac ar eu pennau goronau aur. ⁵O'r orsedd yr oedd fflachiadau mellt a sŵn taranau yn dod allan, ac yn llosgi gerbron yr orsedd yr oedd saith ffagl dân; y rhain yw saith ysbryd Duw. ⁶O flaen yr orsedd yr oedd môr megis o wydr, tebyg i risial.

Ac yng nghanol yr orsedd ac o'i hamgylch yr oedd pedwar creadur byw yn llawn o lygaid o'r tu blaen a'r tu ôl. ⁷Yr oedd y creadur cyntaf yn debyg i lew, a'r ail i lo; yr oedd gan y trydydd wyneb fel dyn, ac yr oedd y pedwerydd yn debyg i eryr yn hedfan. ⁸I'r pedwar creadur byw yr oedd chwech adain yr un, ac yr oeddent yn llawn o lygaid o'u hamgylch ac o'u mewn, a heb orffwys ddydd na nos yr oeddent yn dweud:
"Sanct, Sanct, Sanct
yw'r Arglwydd Dduw hollalluog,
yr hwn oedd a'r hwn sydd a'r hwn sydd
i ddod!"
⁹Pan fydd y creaduriaid byw yn rhoi gogoniant ac anrhydedd a diolch i'r hwn sy'n eistedd ar yr orsedd, yr hwn sy'n byw byth bythoedd, ¹⁰bydd y pedwar henuriad ar hugain yn syrthio o flaen yr hwn sy'n eistedd ar yr orsedd, gan addoli'r hwn sy'n byw byth bythoedd, a bwrw eu coronau gerbron yr orsedd a dweud:
¹¹"Teilwng wyt ti, ein Harglwydd a'n
Duw,
i dderbyn y gogoniant a'r anrhydedd
a'r gallu,
oherwydd tydi a greodd bob peth,
a thrwy dy ewyllys y daethant i fod ac y
crewyd hwy."

Y Sgrôl a'r Oen

5 A gwelais yn llaw dde yr hwn oedd yn eistedd ar yr orsedd sgrôl a'i hysgrifen ar yr wyneb ac ar y cefn, wedi ei selio â saith sêl. ²A gwelais angel nerthol yn cyhoeddi â llef uchel, "Pwy sydd deilwng i agor y sgrôl ac i ddatod ei seliau?" ³Nid oedd neb yn y nef nac ar y ddaear na than y ddaear a allai agor y sgrôl nac edrych arni. ⁴Yr oeddwn i'n wylo'n hidl am na chafwyd neb yn deilwng i agor y sgrôl nac i edrych arni. ⁵A dywedodd un o'r henuriaid wrthyf, "Paid ag wylo; wele, y mae'r Llew o lwyth Jwda, Gwreiddyn Dafydd, wedi gorchfygu ac ennill yr hawl i agor y sgrôl a'i saith sêl."

6 Gwelais Oen yn sefyll yn y canol, rhwng yr orsedd a'r pedwar creadur byw a'r henuriaid. Yr oedd yr Oen fel un wedi ei ladd, ac yr oedd ganddo saith o gyrn a saith o lygaid; y rhain yw saith ysbryd Duw, sydd wedi eu hanfon i'r holl ddaear. ⁷Daeth yr Oen a chymerodd y sgrôl o law dde yr hwn oedd yn eistedd ar yr orsedd. ⁸Ac wedi iddo gymryd y sgrôl, syrthiodd y pedwar creadur byw a'r pedwar henuriad ar hugain o flaen yr Oen, ac yr oedd gan bob un ohonynt delyn, a ffiolau aur yn llawn o arogldarth; y rhain yw gweddïau'r saint. ⁹Ac yr oeddent yn canu cân newydd fel hyn:
"Teilwng wyt ti i gymryd y sgrôl
ac i agor ei seliau,
oherwydd ti a laddwyd ac a brynaist i
Dduw â'th waed
ddynion o bob llwyth ac iaith a phobl a
chenedl,
¹⁰a gwnaethost hwy yn urdd frenhinol ac
yn offeiriaid i'n Duw ni;
ac fe deyrnasant hwy ar y ddaear."

11 Yna edrychais a chlywais lais angylion lawer; yr oeddent o amgylch yr orsedd a'r creaduriaid byw a'r henuriaid. A'u rhif oedd myrdd myrddiynau a miloedd ar filoedd, ¹²yn dweud â llef uchel:
"Teilwng yw'r Oen a laddwyd i
dderbyn
gallu, cyfoeth, doethineb a nerth,
anrhydedd, gogoniant a mawl."
¹³A chlywais bob peth a grewyd, yn y nef ac ar y ddaear a than y ddaear ac ar y môr, a'r cwbl sydd ynddynt, yn dweud:
"I'r hwn sy'n eistedd ar yr orsedd ac i'r
Oen
y bo'r mawl a'r anrhydedd a'r
gogoniant a'r nerth
byth bythoedd!"
¹⁴A dywedodd y pedwar creadur byw,

"Amen"; a syrthiodd yr henuriaid i lawr ac addoli.

Y Seliau

6 Edrychais pan agorodd yr Oen y gyntaf o'r saith sêl, a chlywais y cyntaf o'r pedwar creadur byw yn dweud â llais fel taran, "Tyrd." [2]Edrychais, ac wele geffyl gwyn; yr oedd gan ei farchog fwa; rhoddwyd iddo goron, ac fe aeth allan fel concwerwr i ennill concwest.

3 Pan agorodd yr Oen yr ail sêl, clywais yr ail greadur byw yn dweud, "Tyrd." [4]A daeth allan geffyl arall, fflamgoch; ac i farchog hwn rhoddwyd awdurdod i ddwyn heddwch oddi ar y ddaear a pheri i ddynion ladd ei gilydd, a rhoddwyd iddo gleddyf mawr.

5 Pan agorodd y drydedd sêl, clywais y trydydd creadur byw yn dweud, "Tyrd." Edrychais, ac wele geffyl du; ac yr oedd gan ei farchog glorian yn ei law. [6]Clywais sŵn fel llais o ganol y pedwar creadur byw yn dweud: "Cyflog diwrnod am chwart o wenith, cyflog diwrnod[a] am dri chwart o haidd; ond paid â difetha'r olew na'r gwin."

7 Pan agorodd y bedwaredd sêl, clywais lais y pedwerydd creadur byw yn dweud,"Tyrd." [8]Edrychais, ac wele geffyl gwelwlwyd; ac enw ei farchog ef oedd Marwolaeth, ac yn ei ganlyn yn dynn yr oedd Trigfan y Meirw. Rhoddwyd iddynt awdurdod ar y bedwaredd ran o'r ddaear, hawl i ladd â'r cleddyf ac â newyn ac â phla, a thrwy fwystfilod y ddaear.

9 Pan agorodd y bumed sêl, gwelais dan yr allor eneidiau'r rhai a laddwyd ar gyfrif gair Duw ac am y dystiolaeth yr oeddent wedi ei dwyn. [10]Gwaeddasant â llais uchel: "Pa hyd, Benllywydd sanctaidd a gwir, cyn i ti farnu, a dial ein gwaed ar drigolion y ddaear?" [11]Yna rhoddwyd i bob un ohonynt fantell wen, a dywedwyd wrthynt am orffwys eto am ychydig amser hyd nes bod nifer eu cydweision a'u brodyr, a oedd i'w lladd fel hwythau, yn gyflawn.

12 Edrychais pan agorodd y chweched sêl. Bu daeargryn mawr, aeth yr haul yn ddu fel sachliain galar, a'r lleuad lawn yn goch fel gwaed. [13]Syrthiodd sêr y nef i'r ddaear fel cawod o ffigys gleision oddi ar ffigysbren pan siglir ef gan wynt mawr. [14]Rhwygwyd y ffurfafen fel sgrôl yn cael ei dirwyn, a symudwyd pob mynydd ac ynys o'u lle. [15]A brenhinoedd y ddaear, y mawrion a'r cadfridogion, y cyfoethogion a'r cryfion, a phawb, yn gaethion ac yn rhyddion, cuddiasant eu hunain mewn ogofeydd ac yng nghreigiau'r mynyddoedd; [16]a dywedasant wrth y mynyddoedd a'r creigiau, "Syrthiwch arnom, a chuddiwch ni rhag wyneb yr hwn sy'n eistedd ar yr orsedd a rhag digofaint yr Oen, [17]oherwydd daeth dydd mawr eu digofaint hwy, a phwy all sefyll?"

Selio'r 144,000 o Israel

7 Ar ôl hyn gwelais bedwar angel yn sefyll ar bedair congl y ddaear yn dal pedwar gwynt y ddaear, i gadw'r gwynt rhag chwythu ar y ddaear nac ar y môr nac ar un goeden. [2]A gwelais angel arall yn esgyn o godiad haul, a chanddo sêl y Duw byw. Gwaeddodd â llais uchel ar y pedwar angel y rhoddwyd iddynt awdurdod i niweidio'r ddaear a'r môr, [3]a dywedodd: "Peidiwch â niweidio na'r ddaear na'r môr na'r coed nes inni selio gweision ein Duw ar eu talcennau." [4]A chlywais rif y rhai a seliwyd, cant pedwar deg a phedair o filoedd wedi eu selio, o bob un o lwythau meibion Israel.

[5]O lwyth Jwda yr oedd deuddeng mil wedi eu selio,
o lwyth Reuben deuddeng mil,
o lwyth Gad deuddeng mil,
[6]o lwyth Aser deuddeng mil,
o lwyth Nafftali deuddeng mil,
o lwyth Manasse deuddeng mil,
[7]o lwyth Simeon deuddeng mil,
o lwyth Lefi deuddeng mil,
o lwyth Isachar deuddeng mil,
[8]o lwyth Sabulon deuddeng mil,
o lwyth Joseff deuddeng mil,
ac o lwyth Benjamin deuddeng mil wedi eu selio.

Y Dyrfa o Bob Cenedl

9 Ar ôl hyn edrychais, ac wele dyrfa fawr na allai neb ei rhifo, o bob cenedl a'r holl lwythau a phobloedd ac ieithoedd, yn sefyll o flaen yr orsedd ac o flaen yr Oen, wedi eu gwisgo â mentyll gwyn, a phalmwydd yn eu dwylo. [10]Yr oeddent yn gweiddi â llais uchel:

"Buddugoliaeth i'n Duw ni, sy'n eistedd ar yr orsedd, ac i'r Oen!"

[11]Yr oedd yr holl angylion yn sefyll o amgylch yr orsedd a'r henuriaid a'r

[a]Neu, *Denarius am chwart o wenith, denarius.* Cymh. nodyn ° ar Mth. 18:28.

pedwar creadur byw, a syrthiasant ar eu hwynebau gerbron yr orsedd ac addoli Duw [12] gan ddweud:

"Amen. I'n Duw ni y bo'r mawl
a'r gogoniant a'r doethineb a'r diolch
a'r anrhydedd a'r gallu a'r nerth
byth bythoedd! Amen."

13 Gofynnodd un o'r henuriaid imi, "Y rhai hyn sydd wedi eu gwisgo â mentyll gwyn, pwy ydynt ac o ble y daethant?" [14] Dywedais wrtho, "Ti sy'n gwybod, f'arglwydd." Meddai yntau wrthyf, "Dyma'r rhai sy'n dod allan o'r gorthrymder mawr; y maent wedi golchi eu mentyll a'u cannu yng ngwaed yr Oen.
[15] Am hynny, y maent o flaen gorsedd Duw,
ac yn ei wasanaethu ddydd a nos yn ei deml,
a bydd yr hwn sy'n eistedd ar yr orsedd
yn preswylio gyda hwy.
[16] Ni newynant mwy ac ni sychedant mwy,
ni ddaw ar eu gwarthaf na'r haul
na dim gwres,
[17] oherwydd bydd yr Oen sydd yng nghanol yr Orsedd yn eu bugeilio hwy,
ac yn eu harwain i ffynhonnau dyfroedd bywyd,
a bydd Duw yn sychu pob deigryn o'u llygaid hwy."

Y Seithfed Sêl a'r Thuser Aur

8 Pan agorodd yr Oen y seithfed sêl, bu distawrwydd yn y nef am tua hanner awr. [2] Yna gwelais y saith angel sy'n sefyll gerbron Duw; a rhoddwyd iddynt saith utgorn.

3 Daeth angel arall, a safodd wrth yr allor â thuser aur yn ei law. Rhoddwyd iddo ddigonedd o arogldarth i'w offrymu'n arwydd o weddïau'r holl saint ar yr allor aur oedd o flaen yr orsedd. [4] O law yr angel esgynnodd mwg yr arogldarth gerbron Duw yn arwydd o weddïau'r saint. [5] Cymerodd yr angel y thuser, a llanwodd hi â thân o'r allor a'i thaflu ar y ddaear; ac yna bu sŵn taranau a fflachiadau mellt a daeargryn.

Yr Utgyrn

6 Paratôdd y saith angel, yr oedd y saith utgorn ganddynt, i'w seinio.
7 Seiniodd y cyntaf ei utgorn. Yna bwriwyd cenllysg a thân, yn gymysg â gwaed, ar y ddaear. Llosgwyd traean o'r ddaear, llosgwyd traean o'r coed, llosgwyd pob porfa las.
8 Seiniodd yr ail angel ei utgorn. Yna taflwyd i'r môr rywbeth tebyg i fynydd mawr yn llosgi'n dân. Trodd traean o'r môr yn waed, [9] a bu farw traean o greaduriaid byw y môr, a dinistriwyd traean o'r llongau.
10 Seiniodd y trydydd angel ei utgorn. Yna syrthiodd o'r nef seren fawr yn llosgi fel ffagl; syrthiodd ar draean o'r afonydd ac ar ffynhonnau'r dyfroedd. [11] Enw'r seren yw Wermod, a throdd traean o'r dyfroedd yn wermod, a bu farw llawer o bobl o achos chwerwi'r dyfroedd.
12 Seiniodd y pedwerydd angel ei utgorn. Yna trawyd traean o'r haul a thraean o'r lleuad a thraean o'r sêr, nes tywyllu traean ohonynt, ac ni bu dim golau am draean o'r dydd, a'r un modd am draean o'r nos.
13 Edrychais, a chlywais eryr yn hedfan yng nghanol y nef ac yn llefain â llais uchel, "Gwae, gwae, gwae drigolion y ddaear o achos seiniau'r utgyrn sydd eto'n ôl i'r tri angel eu seinio!"

9 Seiniodd y pumed angel ei utgorn. Yna gwelais seren wedi syrthio o'r nef i'r ddaear, a rhoddwyd iddi allwedd pwll y pydew diwaelod. [2] Agorodd bwll y pydew diwaelod, a chododd mwg o'r pwll fel mwg ffwrnais fawr, a thywyllwyd yr haul a'r awyr gan fwg y pwll. [3] O'r mwg daeth locustiaid allan ar y ddaear, a rhoddwyd iddynt allu tebyg i'r gallu sydd gan ysgorpionau'r ddacaer. [4] Dywedwyd wrthynt am beidio â niweidio na phorfa'r ddaear na'r un planhigyn na choeden, ond yn unig y bobl nad oedd sêl Duw ganddynt ar eu talcennau. [5] Gorchmynnwyd iddynt beidio â'u lladd, ond eu poenydio am bum mis; a'u poenedigaeth hwy oedd fel poenedigaeth ysgorpion yn brathu dyn. [6] Yn y dyddiau hynny bydd dynion yn chwilio am farwolaeth, ond ni ddônt o hyd iddi, yn chwenychu marw, ond bydd marwolaeth yn ffoi rhagddynt.
7 Yn yr olwg arnynt yr oedd y locustiaid yn debyg i geffylau wedi eu paratoi i ryfel. Ar eu pennau yr oedd megis coronau euraid, ac yr oedd eu hwynebau fel wynebau dynion, [8] a gwallt ganddynt fel gwallt merched, a'u dannedd fel dannedd llewod. [9] Ac yr oedd eu dwyfron fel dwyfronneg o haearn, a sŵn eu hadenydd fel sŵn llawer o gerbydau rhyfel, a'u

ceffylau yn carlamu i'r frwydr. ¹⁰Yr oedd ganddynt gynffonnau tebyg i ysgorpionau, a cholynnau, ac yn eu cynffonnau yr oedd eu gallu i niweidio dynion am bum mis. ¹¹Yn frenin arnynt yr oedd angel y pydew diwaelod; ei enw yn iaith yr Iddewon yw Abadon, ac mewn Groeg gelwir ef Apolyonᵇ.

12 Aeth y gwae cyntaf heibio; wele, daw eto ddau wae ar ôl hyn.

13 Seiniodd y chweched angel ei utgorn. Yna clywais lais o blith pedwar corn yr allor aur oedd gerbron Duw, ¹⁴yn dweud wrth y chweched angel, yr un â'r utgorn ganddo: "Gollwng yn rhydd y pedwar angel sydd wedi eu rhwymo ar lan yr afon fawr, Afon Ewffrates." ¹⁵Rhyddhawyd y pedwar angel, a oedd wedi eu dal yn barod ar gyfer yr awr a'r dydd a'r mis a'r flwyddyn, i ladd traean o'r ddynolryw. ¹⁶Yr oedd lluoedd eu gwŷr meirch yn rhifo dau fyrddiwn o fyrddiynau; clywais eu rhif hwy. ¹⁷Yn fy ngweledigaeth dyma'r olwg a welais ar y ceffylau a'u marchogion: yr oedd eu dwyfronneg yn fflam o goch a glas a melyn, a'u ceffylau â phennau ganddynt fel llewod, a thân a mwg a brwmstan yn dylifo o'u safnau. ¹⁸Gan y tri phla hyn fe laddwyd traean o'r ddynolryw, hynny yw, gan y tân a'r mwg a'r brwmstan oedd yn dylifo o'u safnau. ¹⁹Yr oedd gallu'r ceffylau yn eu safnau ac yn eu cynffonnau, oherwydd yr oedd gan eu cynffonnau bennau, fel seirff, ac â'r rhain yr oeddent yn peri niwed.

20 Ac am y gweddill o'r ddynolryw, nas lladdwyd gan y plâu hyn, ni bu edifar ganddynt am yr hyn a luniodd eu dwylo; ac ni pheidiasant ag addoli'r cythreuliaid a'r delwau aur ac arian a phres a cherrig a phren, pethau na allant na gweld na chlywed na cherdded. ²¹Ni bu edifar ganddynt chwaith am na'u llofruddiaeth na'u dewiniaeth, na'u godineb na'u lladrad.

Yr Angel a'r Sgrôl Fechan

10 Yna gwelais angel nerthol arall yn disgyn o'r nef wedi ei wisgo â chwmwl, a'r enfys ar ei ben. Yr oedd ei wyneb fel yr haul, a'i draed fel colofnau o dân. ²Yr oedd yn dal yn ei law sgrôl fechan wedi ei hagor. Gosododd ei droed dde ar y môr a'r un chwith ar y tir. ³Yna gwaeddodd â llais uchel fel llew yn rhuo;

ᵇH.y., Y Dinistrydd.

a phan waeddodd, cododd y saith daran eu llef hwythau. ⁴Ac wedi i'r saith daran lefaru, yr oeddwn ar fin ysgrifennu; ond clywais lais o'r nef yn dweud, "Gosod y pethau a lefarodd y saith daran dan sêl; paid â'u hysgrifennu." ⁵A dyma'r angel a welais yn sefyll ar y môr ac ar y tir yn codi ei law dde i'r nef ⁶a thyngu i'r hwn sydd yn byw byth bythoedd, i'r hwn a greodd y nef a'r pethau sydd ynddi, y tir a'r pethau sydd ynddo, a'r môr a'r pethau sydd ynddo. Dywedodd: "Ni bydd oedi mwy; ⁷ond yn nyddiau sain yr utgorn y mae'r seithfed angel i'w seinio, bydd bwriad dirgel Duw wedi ei ddwyn i ben, yn unol â'r newyddion da a gyhoeddodd i'w weision, y proffwydi."

8 Yna'r llais a glywais o'r nef, fe'i clywais eto'n llefaru wrthyf gan ddweud, "Dos a chymer y sgrôl sy'n agored yn llaw'r angel sy'n sefyll ar y môr ac ar y tir." ⁹Euthum at yr angel a dweud wrtho am roi'r sgrôl fechan imi, ac atebodd fi: "Cymer a bwyta hi; fe fydd hi'n chwerw i'th gylla, ond yn felys fel mêl yn dy enau." ¹⁰Cymerais y sgrôl fechan o law'r angel a'i bwyta hi, ac yr oedd yn felys fel mêl yn fy ngenau; ond wedi i mi ei bwyta aeth fy nghylla yn chwerw. ¹¹A dywedwyd wrthyf, "Rhaid iti broffwydo eto ynghylch pobloedd a chenhedloedd ac ieithoedd a brenhinoedd lawer."

Y Ddau Dyst

11 Rhoddwyd imi gorsen fel gwialen fesur, a dywedwyd wrthyf: "Cod a mesura deml Duw a'r allor a'r addolwyr ynddi. ²Ond anwybydda gyntedd allanol y deml; paid â mesur hwnnw, oherwydd fe'i rhoddwyd i'r Cenhedloedd, ac fe sathrant hwy'r ddinas sanctaidd am ddeufis a deugain. ³Ac fe roddaf i'm dau dyst gennad i broffwydo mewn gwisg sachliain am y deuddeg cant a thrigain hyn o ddyddiau." ⁴Dyma'r ddwy olewydden a'r ddau ganhwyllbren sy'n sefyll gerbron Arglwydd y ddaear. ⁵Os myn neb wneud niwed iddynt, daw tân allan o'u genau a difa'u gelynion; os myn neb wneud niwed iddynt, felly y bydd rhaid iddo farw. ⁶Y mae gan y rhain awdurdod i gau'r nefoedd fel na bydd i law syrthio yn ystod dyddiau eu proffwydo, ac y mae ganddynt awdurdod ar y dyfroedd i'w troi'n waed ac i daro'r ddaear â phob pla mor aml ag y mynnant. ⁷Wedi iddynt orffen eu tystiolaeth, bydd y bwystfil sydd i ddringo o'r pydew diwaelod yn rhyfela yn eu herbyn a'u gorchfygu a'u lladd. ⁸Bydd eu cyrff yn strydoedd y ddinas fawr a elwir yn ffigurol yn Sodom a'r Aifft; yno hefyd y croeshoeliwyd eu Harglwydd. ⁹Am dri diwrnod a hanner, bydd dynion o blith pobloedd a llwythau ac ieithoedd a chenhedloedd yn edrych ar eu cyrff a gwrthod eu rhoi mewn bedd. ¹⁰A llawenha trigolion y ddaear trostynt a gorfoleddant, gan anfon rhoddion i'w gilydd; oherwydd bu'r ddau broffwyd hyn yn boenedigaeth i drigolion y ddaear. ¹¹Wedi'r tri diwrnod a hanner, daeth anadl einioes oddi wrth Dduw i mewn iddynt; safasant ar eu traed, a daeth ofn mawr ar y rhai oedd yn eu gwylio. ¹²Yna clywsant lais uchel o'r nef yn dweud wrthynt, "Dewch i fyny yma." Ac aethant i fyny i'r nef mewn cwmwl, a'u gelynion yn eu gwylio. ¹³Yr awr honno, bu daeargryn mawr, a syrthiodd y ddegfed ran o'r ddinas. Lladdwyd saith mil o bobl yn y daeargryn, a rhoddodd y gweddill mewn dychryn mawr ogoniant i Dduw'r nef.

14 Aeth yr ail wae heibio; wele'r trydydd gwae yn dod ar fyrder.

Y Seithfed Utgorn

15 Seiniodd y seithfed angel ei utgorn. Yna bu lleisiau uchel yn y nef yn dweud:

"Aeth brenhiniaeth y byd yn eiddo ein Harglwydd ni a'i Grist ef, a bydd yn teyrnasu byth bythoedd."

¹⁶A dyma'r pedwar henuriad ar hugain, sy'n eistedd ar eu gorseddau gerbron Duw, yn syrthio ar eu hwynebau ac addoli Duw ¹⁷gan ddweud:

"Yr ydym yn diolch i ti, O Arglwydd Dduw hollalluog, yr hwn sydd a'r hwn oedd, am iti feddiannu dy allu mawr a sefydlu dy frenhiniaeth. ¹⁸Llidiodd y cenhedloedd, a daeth dy ddigofaint ac amser barnu'r meirw, a rhoi eu gwobr i'th weision y proffwydi, ac i'r saint ac i'r rhai sy'n ofni dy enw, y rhai bach a'r rhai mawr, yr amser i ddinistrio'r rhai sy'n dinistrio'r ddaear."

¹⁹Agorwyd teml Duw yn y nef, a gwelwyd arch ei gyfamod yn ei deml ef; yna bu fflachiadau mellt a sŵn taranau a daeargryn a chenllysg mawr.

Y Wraig a'r Ddraig

12 Gwelwyd arwydd mawr yn y nef, gwraig wedi ei gwisgo â'r haul, a'r lleuad dan ei thraed a deuddeg seren yn goron ar ei phen. ²Yr oedd yn feichiog, ac yn gweiddi yn ei gwewyr a'i hing am gael esgor. ³Yna gwelwyd arwydd arall yn y nef, draig fflamgoch fawr, a chanddi saith ben a deg corn, ac ar ei phennau saith dïadem. ⁴Ysgubodd ei chynffon draean o sêr y nef a'u bwrw i'r ddaear. Safodd y ddraig o flaen y wraig oedd ar fin esgor, er mwyn llyncu ei phlentyn ar ei eni. ⁵Esgorodd hi ar blentyn gwryw, hwnnw sydd i lywodraethu'r holl genhedloedd â gwialen haearn; ond cipiwyd ei phlentyn at Dduw a'i orsedd ef. ⁶Ffodd y wraig i'r anialwch; yno y mae ganddi le wedi ei baratoi gan Dduw, i'w chynnal ynddo am ddeuddeg cant a thrigain o ddyddiau.

7 Yna bu rhyfel yn y nef, Mihangel a'i angylion yn rhyfela yn erbyn y ddraig. Rhyfelodd y ddraig a'i hangylion hithau, ⁸ond ni chafodd y trechaf, a bellach nid oedd lle iddynt yn y nef. ⁹Fe'i bwriwyd hi, y ddraig fawr, yr hen sarff, a elwir Diafol a Satan, twyllwr yr holl fyd, fe'i bwriwyd i'r ddaear a'i hangylion gyda hi. ¹⁰Yna clywais lais uchel yn y nef yn dweud:

"Hon yw awr buddugoliaeth a gallu a brenhiniaeth ein Duw ni, ac awdurdod ei Grist ef, oherwydd bwriwyd i lawr gyhuddwr ein brodyr, yr hwn sy'n eu cyhuddo gerbron ein Duw ddydd a nos. ¹¹Ond y maent hwy wedi ei orchfygu trwy waed yr Oen a thrwy air eu tystiolaeth, yn ddibris o'u bywyd hyd at angau. ¹²Am hynny, gorfoleddwch, chwi'r nefoedd, a chwi sy'n preswylio ynddynt! Gwae chwi'r ddaear a'r môr, oherwydd disgynnodd y diafol arnoch yn fawr ei lid, o wybod mai byr yw'r amser sydd ganddo!"

13 Pan welodd y ddraig ei bod wedi ei bwrw i'r ddaear, aeth i erlid y wraig a esgorodd ar y plentyn gwryw. ¹⁴Ond rhoddwyd i'r wraig ddwy adain eryr

mawr er mwyn iddi hedfan i'r anialwch i'w lle ei hun, i'w chynnal yno am amser ac amserau a hanner amser, o olwg y sarff. ¹⁵Poerodd y sarff o'i genau afon o ddŵr ar ôl y wraig, i'w hysgubo ymaith gyda'r llif. ¹⁶Ond rhoes y ddaear ddihangfa i'r wraig: agorodd y ddaear ei genau a llyncu'r afon a boerodd y ddraig o'i genau. ¹⁷Llidiodd y ddraig wrth y wraig, ac aeth ymaith i ryfela yn erbyn gweddill ei phlant hi, y rhai sy'n cadw gorchmynion Duw ac yn dal tystiolaeth Iesu.

Y Ddau Fwystfil

13 Ac fe safodd ar dywod y môr. Gwelais fwystfil yn codi o'r môr, a chanddo ddeg corn a saith ben, ac ar ei gyrn ddeg dïadem, ac ar bob un o'i bennau enw cableddus. ²Yr oedd y bwystfil a welais yn debyg i lewpart, ond ei draed fel traed arth a'i enau fel genau llew. A rhoddodd y ddraig iddo ei gallu a'i gorsedd ac awdurdod mawr. ³Yr oedd un o'i bennau fel pe bai wedi cael ergyd farwol, ond yr oedd ei glwyf marwol wedi ei iacháu. Aeth yr holl fyd ar ôl y bwystfil yn llawn rhyfeddod, ⁴ac addoli'r ddraig am iddi roi'r awdurdod i'r bwystfil, ac addoli'r bwystfil hefyd gan ddweud, "Pwy sydd debyg i'r bwystfil, a phwy all ryfela yn ei erbyn ef?"

5 Rhoddwyd i'r bwystfil enau i draethu ymffrost a chabledd, a rhoddwyd iddo hawl i weithredu am ddeufis a deugain. ⁶Agorodd ei enau mewn cabledd yn erbyn Duw, i gablu ei enw a'i breswylfa ef, sef y rhai sy'n preswylio yn y nef. ⁷Rhoddwyd hawl iddo hefyd i ryfela yn erbyn y saint a'u gorchfygu hwy, a rhoddwyd iddo awdurdod ar bob llwyth a phobl ac iaith a chenedl. ⁸Bydd holl drigolion y ddaear yn ei addoli ef, pob un nad yw ei enw'n ysgrifenedig yn llyfr bywyd yr Oen a laddwyd er seiliad y byd.

9 Os oes gan rywun glust, gwrandawed:
¹⁰"A gaethiwir,ᶜ
a gaethiwir.
A leddirᶜʰ â'r cleddyf,
a leddir â'r cleddyf."
Dyma yw sail dyfalbarhad a ffydd y saint.

11 Gwelais fwystfil arall yn dringo allan o'r ddaear, ac yr oedd ganddo ddau gorn fel oen, ond yn llefaru fel draig. ¹²Yr oedd ganddo holl awdurdod y bwystfil cyntaf, i'w arfer ar ei ran. Gwnaeth i'r ddaear a'i thrigolion addoli'r bwystfil cyntaf, hwnnw yr iachawyd ei glwyf marwol. ¹³Cyflawnodd arwyddion mawr, gan beri hyd yn oed i dân ddisgyn o'r nef i'r ddaear gerbron dynion. ¹⁴Twyllodd drigolion y ddaear trwy'r arwyddion y rhoddwyd iddo hawl i'w cyflawni ar ran y bwystfil, gan ddweud wrth drigolion y ddaear am wneud delw i'r bwystfil a glwyfwyd â'r cleddyf ac a ddaeth yn fyw. ¹⁵Rhoddwyd iddo hawl i roi anadl i ddelw'r bwystfil, er mwyn i ddelw'r bwystfil lefaru a pheri lladd pob un nad addolai ddelw'r bwystfil. ¹⁶Parodd y bwystfil i bob un, yn fach a mawr, yn gyfoethog a thlawd, yn rhydd a chaeth, dderbyn nod ar ei law dde neu ar ei dalcen, ¹⁷ac nid oedd neb i allu prynu neu werthu ond y sawl yr oedd ganddo'r nod, sef enw'r bwystfil neu rif ei enw. ¹⁸Dyma'r dehongliad: bydded i'r hwn sydd ganddo ddeall ystyried rhif y bwystfil, oherwydd rhif dyn ydyw; a'i rif ef yw chwe chant chwe deg a chwech.

Cân y 144,000

14 Edrychais, ac wele'r Oen yn sefyll ar Fynydd Seion, a chydag ef gant pedwar deg a phedair o filoedd, a'i enw ef ac enw ei Dad wedi eu hysgrifennu ar eu talcennau. ²Clywais lais o'r nef fel sŵn llawer o ddyfroedd ac fel sŵn taran fawr. Yr oedd y llais a glywais fel sain telynorion yn canu eu telynau. ³Yr oeddent yn canu cân newydd gerbron yr orsedd a cherbron y pedwar creadur byw a'r henuriaid; ni allai neb ddysgu'r gân ond y cant pedwar deg a phedair o filoedd, y rhai oedd wedi eu prynu'n rhydd oddi ar y ddaear. ⁴Dyma'r rhai sydd heb eu halogi eu hunain â merched, oherwydd diwair ydynt. Dyma'r rhai sy'n dilyn yr Oen i ble bynnag yr â. Prynwyd hwy'n rhydd o blith dynion, yn flaenffrwyth i Dduw ac i'r Oen; ⁵ni chafwyd celwydd yn eu genau; y maent yn ddi-fai.

Negesau'r Tri Angel

6 Yna gwelais angel arall yn hedfan yng nghanol y nef, a chanddo efengyl dragwyddol i'w chyhoeddi i breswylwyr y ddaear ac i bob cenedl a llwyth ac iaith a phobl. ⁷Dywedodd â llais uchel, "Ofnwch Dduw, a rhowch iddo ogoniant, oherwydd daeth yr awr iddo farnu,

---

ᶜYn ôl darlleniad arall, *A gaethiwo.*   ᶜʰYn ôl darlleniad arall, *A laddo.*

Addolwch yr hwn a wnaeth nef a daear, y môr a ffynhonnau'r dyfroedd."

8 Dilynodd angel arall, yr ail, a dweud, "Syrthiodd, syrthiodd Babilon fawr, y ddinas honno sydd wedi peri i'r holl genhedloedd yfed gwin a llid ei phuteindra."

9 Dilynodd angel arall hwy, y trydydd, a dweud â llais uchel, "Pwy bynnag sy'n addoli'r bwystfil a'i ddelw, ac yn derbyn nod ar ci dalccn ncu ar ci law, [10]caiff yntau yfed gwin llid Duw, wedi ei arllwys yn ei lawn gryfder i gwpan ei ddigofaint, a chaiff ei boenydio mewn tân a brwmstan gerbron angylion sanctaidd a cherbron yr Oen. [11]Bydd mwg eu poenedigaeth yn codi byth bythoedd, ac ni bydd gorffwys na dydd na nos i'r rhai sy'n addoli'r bwystfil a'i ddelw, nac i'r rhai sy'n derbyn nod ei enw ef." [12]Dyma yw sail dyfalbarhad y saint, y rhai sy'n cadw gorchmynion Duw a'u ffydd yn Iesu.

13 Yna clywais lais o'r nef yn dweud, "Ysgrifenna: 'O hyn allan gwyn eu byd y meirw sy'n marw yn yr Arglwydd.' 'Ie,' medd yr Ysbryd, 'cânt orffwys o'u llafur, oherwydd y mae eu gweithredoedd yn mynd gyda hwy.'"

Cynhaeaf y Ddaear

14 Yna edrychais, ac wele gwmwl gwyn, ac yn eistedd ar y cwmwl un fel mab dyn, a chanddo goron aur ar ei ben a chryman miniog yn ei law. [15]Daeth angel arall allan o'r deml, yn galw â llais uchel ar yr hwn oedd yn eistedd ar y cwmwl, "Bwrw dy gryman i'r fedel, oherwydd daeth yr awr i fedi; y mae cynhaeaf y ddaear yn aeddfed." [16]A dyma'r hwn oedd yn eistedd ar y cwmwl yn bwrw ei gryman i'r ddaear, a medwyd y ddaear.

17 Daeth angel arall allan o'r deml yn y nef, a chanddo yntau gryman miniog. [18]A daeth angel arall allan o'r allor, ac yr oedd gan hwn awdurdod ar y tân. Galwodd â llais uchel ar yr hwn yr oedd y cryman miniog ganddo. "Bwrw dy gryman miniog," meddai, "a chasgla rawnsypiau gwinwydden y ddaear, oherwydd aeddfedodd ei grawnwin." [19]A dyma'r angel yn bwrw ei gryman i'r ddaear a chasglu ffrwyth gwinwydden y ddaear a'i daflu i winwryf mawr digofaint Duw. [20]Sathrwyd y gwinwryf y tu allan i'r ddinas, a llifodd gwaed o'r gwinwryf nes cyrraedd

at ffrwynau'r ceffylau, am tua dau gan milltir o gwmpas.

Yr Angylion a'r Plâu Olaf

15 Gwelais arwydd arall yn y nef, un mawr a rhyfeddol: saith angel a chanddynt saith bla—y rhai olaf, oherwydd ynddynt hwy y cwblhawyd digofaint Duw.

2 Gwelais fôr megis o wydr, a thân yn gwau drwyddo, ac yn scfyll ar y môr o wydr gwelais orchfygwyr y bwystfil a'i ddelw a rhif ei enw, yn dal telynau Duw. [3]Yr oeddent yn canu cân Moses, gwas Duw, a chân yr Oen:
"Mawr a rhyfeddol yw dy
    weithredoedd,
O Arglwydd Dduw hollalluog;
cyfiawn a gwir yw dy ffyrdd,
O Frenin y cenhedloedd. [d]
[4]Pwy nid ofna, Arglwydd,
a gogoneddu dy enw?
Oherwydd tydi yn unig sydd
    sanctaidd.
Daw'r holl genhedloedd
ac addoli ger dy fron,
oherwydd y mae dy farnedigaethau
cyfiawn wedi eu hamlygu."

5 Ar ôl hyn edrychais, ac agorwyd teml pabell y dystiolaeth yn y nef. [6]Ac allan o'r deml daeth y saith angel yr oedd y saith bla ganddynt. Yr oeddent wedi eu gwisgo â lliain disgleirwych, a gwregys aur am eu dwyfron. [7]Yna rhoddodd un o'r pedwar creadur byw saith ffiol aur i'r saith angel, yn llawn o lid Duw, yr hwn sy'n byw byth bythoedd. [8]Llanwyd y deml â mwg gan ogoniant Duw a'i allu ef, ac ni allai neb fynd i mewn i'r deml hyd nes cwblhau saith bla y saith angel.

Ffiolau Llid Duw

16 Clywais lais uchel o'r deml yn dweud wrth y saith angel, "Ewch ac arllwyswch ar y ddaear saith ffiol llid Duw."

2 Aeth y cyntaf ac arllwys ei ffiol ar y ddaear; a chododd cornwydydd drwg a phoenus ar y dynion yr oedd nod y bwystfil arnynt ac a oedd yn addoli ei ddelw.

3 Arllwysodd yr ail ei ffiol i'r môr; a throes y môr yn debyg i waed corff marw, a bu farw popeth byw oedd yn y môr.

[d]Yn ôl darlleniad arall, yr oesoedd. Yn ôl un arall, y saint.

4 Arllwysodd y trydydd ei ffiol i'r afonydd ac i ffynhonnau'r dyfroedd; a throesant yn waed. [5]Yna clywais angel y dyfroedd yn dweud:
"Cyfiawn ydwyt, yr hwn sydd a'r hwn oedd, y sanctaidd Un,
yn y barnedigaethau hyn.
[6]Oherwydd iddynt dywallt gwaed saint a phroffwydi,
rhoddaist iddynt hwythau waed i'w yfed;
dyma eu haeddiant."
[7]Yna clywais yr allor yn dweud:
"Ie, O Arglwydd Dduw hollalluog,
gwir a chyfiawn yw dy farnedigaethau."

8 Arllwysodd y pedwerydd angel ei ffiol ar yr haul; a rhoddwyd iddo hawl i losgi dynion â thân. [9]Llosgwyd dynion yn enbyd, ond cablu a wnaethant enw Duw, yr hwn sydd ganddo awdurdod ar y plâu hyn; nid edifarhasant a rhoi gogoniant iddo.

10 Arllwysodd y pumed ei ffiol ar orsedd y bwystfil; a syrthiodd tywyllwch ar ei deyrnas ef. Yr oedd dynion yn cnoi eu tafodau gan boen, [11]a chablu enw Duw'r nef o achos eu poenau a'u cornwydydd, ond ni bu edifar ganddynt am eu gweithredoedd.

12 Arllwysodd y chweched ei ffiol ar yr afon fawr, Afon Ewffrates; a sychodd ei dyfroedd hi i baratoi ffordd i'r brenhinoedd o'r dwyrain. [13]Gwelais yn dod allan o enau'r ddraig ac o enau'r bwystfil ac o enau'r gau-broffwyd dri ysbryd aflan, tebyg i lyffaint; [14]oherwydd ysbrydion cythreulig oeddent, yn cyflawni gwyrthiau. Ac aethant allan at frenhinoedd yr holl fyd i'w casglu ynghyd i ryfel ar ddydd mawr Duw, yr Hollalluog. [15](Wele, 'rwy'n dod fel lleidr. Gwyn ei fyd yr hwn sy'n effro, a'i ddillad ganddo'n barod, rhag iddo orfod ymddangos yn noeth a'i weld yn ei warth.) [16]Ac felly casglasant y brenhinoedd ynghyd i'r lle a elwir, yn iaith yr Iddewon, Armagedon.

17 Arllwysodd y seithfed ei ffiol ar yr awyr; a daeth llais uchel o'r deml, o'r orsedd, yn dweud, "Y mae ar ben." [18]Yna bu fflachiadau mellt a sŵn taranau; bu hefyd ddaeargryn mawr, na ddigwyddodd ei debyg o'r blaen yn hanes dyn ar y ddaear gan mor fawr ydoedd. [19]Holltwyd y ddinas fawr yn dair rhan, a syrthiodd dinasoedd y cenhedloedd.

Cofiodd Duw Fabilon fawr, a rhoi iddi gwpan gwin ei ddigofaint llidiog. [20]Ciliodd pob ynys, a diflannodd y mynyddoedd o'r golwg. [21]Ac ar ddynion disgynnodd o'r awyr genllysg mawr, tua chan pwys yr un; ond cablu Duw a wnaeth dynion am bla'r cenllysg, gan mor llym oedd y pla hwnnw.

Y Farn ar y Butain Fawr

17 Yna daeth un o'r saith angel yr oedd y saith ffiol ganddynt, a siarad â mi. "Tyrd yma," meddai, "dangosaf iti'r farn ar y butain fawr sy'n eistedd ar lawer o ddyfroedd. [2]Gyda hi y puteiniodd brenhinoedd y ddaear, ac ar win ei phuteindra y meddwodd trigolion y ddaear." [3]Yna cludodd fi yn yr Ysbryd i anialwch. Gwelais wraig yn eistedd ar fwystfil ysgarlad ag enwau cableddus drosto i gyd, a chanddo saith ben a deg corn. [4]Yr oedd y wraig wedi ei gwisgo â phorffor ac ysgarlad, a'i thecáu â thlysau aur, â gemau gwerthfawr ac â pherlau. Yn ei llaw yr oedd ganddi gwpan aur yn llawn o ffieidd-dra ac aflendid ei phuteindra hi. [5]Ac ar ei thalcen yr oedd enw wedi ei ysgrifennu, ac ystyr dirgel iddo: "Babilon fawr, mam puteiniaid a ffiaidd bethau'r ddaear." [6]Gwelais y wraig yn feddw ar waed y saint ac ar waed tystion Iesu.

Wrth edrych arni, rhyfeddais yn fawr iawn. [7]Gofynnodd yr angel imi, "Pam yr wyt yn rhyfeddu? Fe esboniaf fi iti ddirgelwch y wraig a'r bwystfil sy'n ei chario, y bwystfil y mae'r saith ben a'r deg corn ganddo. [8]Ynglŷn â'r bwystfil a welaist, yr oedd yn bod, ac nid yw'n bod, ond y mae ar fin dringo o'r pydew diwaelod a mynd i ddistryw. Bydd trigolion y ddaear, y rhai nad yw eu henwau'n ysgrifenedig yn llyfr y bywyd er seiliad y byd, yn rhyfeddu o weld y bwystfil; oherwydd yr oedd yn bod, ac nid yw'n bod, ac y mae i ddod. [9]Dyma'r ystyr sy'n rhoi'r dehongliad: y saith ben, saith mynydd ydynt, ac arnynt y mae'r wraig yn eistedd. [10]A saith brenin ydynt hefyd; y mae pump wedi syrthio, y mae un yn llywodraethu, nid yw'r llall wedi dod eto, a phan ddaw nid yw i aros ond am fyr amser. [11]A'r bwystfil oedd yn bod ac nad yw'n bod, yr wythfed yw ef, ac eto y mae'n un o'r saith, ac y mae'n mynd i ddistryw. [12]A'r deg corn a welaist, deg brenin ydynt, rhai na ddaethant eto i'r orsedd, ond fe dderbyniant awdurdod i lywodraethu am un awr ynghyd â'r bwystfil. [13] Y mae'r rhain yn unfryd ar drosglwyddo eu gallu a'u hawdurdod i'r bwystfil. [14] Fe ryfelant yn erbyn yr Oen, ac fe orchfyga'r Oen hwy, oherwydd y mae ef yn Arglwydd arglwyddi a Brenin brenhinoedd, a'i osgorddlu ef yw'r rhai a alwyd ac a etholwyd ac sy'n ffyddlon."

15 A dywedodd wrthyf, "Y dyfroedd a welaist, lle'r oedd y butain yn eistedd, pobloedd a thyrfaoedd, cenhedloedd ac ieithoedd ydynt. [16] A'r deg corn a welaist, a'r bwystfil, byddant hwy'n casáu'r butain, a'i gadael yn amddifad ac yn noeth. [17] Bwytânt ei chnawd hi a'i llosgi â thân. Oherwydd rhoddodd Duw yn eu calonnau gyflawni ei fwriad ef, iddynt drosglwyddo'n unfryd eu teyrnas i'r bwystfil hyd nes cwblhau geiriau Duw. [18] Y wraig a welaist yw'r ddinas fawr sydd â'r frenhiniaeth ganddi ar frenhinoedd y ddaear."

Babilon yn Syrthio

18 Ar ôl hyn gwelais angel arall yn disgyn o'r nef, a chanddo awdurdod mawr; a goleuwyd y ddaear gan ei ogoniant ef. [2] Gwaeddodd â llais cryf:
"Syrthiodd, syrthiodd Babilon fawr,
aeth yn drigfa cythreuliaid,
yn gyrchfa pob ysbryd aflan,
yn gyrchfa pob aderyn aflan,
ac yn gyrchfa pob bwystfil aflan [dd] ac atgas;
[3] oherwydd o win llid ei phuteindra
y mae'r holl genhedloedd wedi yfed. [e]
Puteiniodd brenhinoedd y ddaear
gyda hi,
ac ymgyfoethogodd masanachwyr y
ddaear ar ormodedd ei
moethusrwydd hi."
[4] Yna clywais lais arall o'r nef yn dweud:
"Dewch allan, fy mhobl, ohoni,
rhag i chwi gyfranogi o'i phechodau,
ac o'i phlâu
dderbyn rhan;
[5] oherwydd pentyrrwyd ei phechodau
hyd y nef,
a chadwodd Duw ei hanghyfiawnderau
hi ar gof.
[6] Talwch y pwyth yn ôl iddi,
talwch hi'n ddyblyg am ei
gweithredoedd;
dyblwch iddi chwerwder y cwpan a

gymysgodd hi;
[7] yn ôl mesur ei rhwysg a'i
moethusrwydd,
rhowch iddi boenedigaeth a galar.
Oherwydd yn ei chalon y mae'n
dweud,
''Rwy'n eistedd yn frenhines,
nid gweddw wyf,
a galar ni welaf byth.'
[8] Am hyn daw arni mewn undydd ei
phlâu hi,
marwolaeth, galar a newyn,
a llosgir hi'n ulw mewn tân;
oblegid nerthol yw'r Arglwydd Dduw,
ei barnwr hi."

9 Bydd brenhinoedd y ddaear, a but-einiodd gyda hi a byw'n foethus, yn wylo a galaru amdani, pan welant fwg ei llosgi hi. [10] Safant o hirbell gan ofn ei phoen-edigaeth, a dweud:
"Gwae, gwae'r ddinas fawr,
Babilon, y ddinas nerthol,
oherwydd daeth arnat mewn un awr
dy farn!"

11 Bydd masnachwyr y ddaear yn wylo a galaru amdani, oherwydd nid oes neb mwyach yn prynu eu nwyddau, [12] eu llwythi o aur ac arian, o emau gwerthfawr a pherlau, o liain main a sidan, o borffor ac ysgarlad; eu llwythi o bob pren per-sawrus ac o bob gwaith ifori a gwaith pren drudfawr neu bres neu haearn neu farmor; [13] eu llwythi o sinamon, sbeis a pherlysiau, o bersawr a thus, o win ac olew, o flawd mân a gwenith, o wartheg a defaid, o geffylau a cherbydau, o gaeth-weision a bywydau dynion. [14] Dywedant wrthi:
"Y mae'r ffrwyth y chwenychodd dy
enaid amdano
wedi mynd oddi wrthyt,
a'r holl wychder a'r ysblander oedd iti
wedi cilio oddi wrthyt,
byth mwy i'w gweld gan ddynion."
[15] Bydd y masnachwyr hynny a enillodd eu cyfoeth drwyddi hi yn sefyll o hirbell gan ofn ei phoenedigaeth, yn wylo a galaru [16] a dweud:
"Gwae, gwae'r ddinas fawr,
sydd wedi ei gwisgo â lliain main,
â phorffor ac ysgarlad,
a'i thecáu â thlysau aur,

[dd] Yn ôl darlleniad arall gadewir allan *ac yn gyrchfa pob bwystfil aflan.*

[e] Yn ôl darlleniad arall, *o win llid ei phuteindra y parodd hi i'r holl genhedloedd yfed.* Yn ôl un arall, *trwy win llid ei phuteindra y mae'r holl genhedloedd wedi syrthio.*

â gemau gwerthfawr a pherlau,
[17] oherwydd ei hamddifadu mewn un
  awr o gymaint o gyfoeth!"
  Yna cafwyd pob capten llong a phob
teithiwr ar fôr, llongwyr a phawb sydd â'u
gwaith ar y môr, yn sefyll o hirbell [18] a
gweiddi wrth weld mwg ei llosgi hi: "A fu
dinas debyg i'r ddinas fawr?" [19] Bwr-
iasant lwch ar eu pennau a gweiddi mewn
dagrau a galar:
  "Gwae, gwae'r ddinas fawr,
  lle'r enillodd pawb â chanddo longau
    ar y môr
  gyfoeth trwy ei golud hi,
  oherwydd ei hamddifadu mewn un
    awr!"
[20] O nef, gorfoledda drosti,
  a chwithau'r saint, a'r apostolion a'r
    proffwydi,
  oherwydd y farn a roes hi arnoch chwi
  a roes Duw arni hi.

21 Cododd angel nerthol garreg debyg
i faen melin mawr a'i thaflu i'r môr a
dweud:
  "Felly yr hyrddir i'r ddaear
  Fabilon, y ddinas fawr,
  ac nis gwelir byth mwy.
[22] A sain telyn a cherdd
  a phib ac utgorn,
  nis clywir ynot byth mwy;
  a chrefft yr un crefftwr,
  nis ceir ynot byth mwy;
  a sŵn maen y felin,
  nis clywir ynot byth mwy;
[23] a golau lamp,
  nis gwelir ynot byth mwy;
  a llais priodfab a phriodferch,
  nis clywir ynot byth mwy.
  Mawrion y ddaear oedd dy fasnachwyr
    di,
  a thwyllwyd yr holl genhedloedd gan
    dy ddewiniaeth.
[24] Ynddi hi y cafwyd gwaed y proffwydi
    a'r saint,
  a phawb a laddwyd ar y ddaear."

19 Ar ôl hyn clywais sŵn fel llais
  uchel tyrfa fawr yn y nef yn
dweud:
  "Halelwia!
  Eiddo ein Duw ni y fuddugoliaeth a'r
    gogoniant a'r gallu,
  [2] oherwydd gwir a chyfiawn yw ei
    farnedigaethau ef,
  gan iddo farnu'r butain fawr
  a lygrodd y ddaear â'i phuteindra,

  a dial gwaed ei weision
  arni hi."

3 A dywedasant eilwaith:
  "Halelwia!
  Bydd ei mwg hi'n codi byth
    bythoedd."
[4] Syrthiodd y pedwar henuriad ar
hugain a'r creaduriaid byw, ac addoli
Duw, yr hwn sy'n eistedd ar yr orsedd,
a dweud:
  "Amen! Halelwia!"

Gwledd Briodas yr Oen

5 A daeth llais allan o'r orsedd yn
dweud:
  "Molwch ein Duw ni,
  chwi ei holl weision ef,
  a'r rhai sy'n ei ofni ef,
  y rhai bach a'r rhai mawr."
[6] A chlywais lais fel sŵn tyrfa fawr a
sŵn llawer o ddyfroedd a sŵn taranau
mawr yn dweud:
  "Halelwia!
  Oherwydd yr Arglwydd ein Duw, yr
    Hollalluog,
  a sefydlodd ei frenhiniaeth.
  [7] Llawenhawn a gorfoleddwn,
  a rhown iddo'r gogoniant,
  oherwydd daeth dydd priodas yr Oen,
  ac ymbaratôdd ei briodferch ef.
  [8] Rhoddwyd iddi hi i'w wisgo
  liain main disgleirwych,
  oherwydd gweithredoedd cyfiawn y
    saint yw'r lliain main."
9 Dywedodd yr angel wrthyf, "Ysgrif-
enna: 'Gwyn eu byd y rhai sydd wedi eu
gwahodd i wledd briodas yr Oen.'"
Dywedodd wrthyf hefyd, "Dyma wir
eiriau Duw." [10] Syrthiais wrth ei draed
i'w addoli, ond meddai wrthyf, "Paid!
Cydwas â thi wyf fi, ac â'th frodyr sy'n
dal tystiolaeth Iesu; addola Dduw. Oher-
wydd tystiolaeth Iesu sy'n ysbrydoli
proffwydoliaeth."

Marchog y Ceffyl Gwyn

11 Gwelais y nef wedi ei hagor, ac wele
geffyl gwyn; enw ei farchog oedd Ffydd-
lon a Gwir, oherwydd mewn cyfiawnder
y mae ef yn barnu ac yn rhyfela. [12] Yr
oedd ei lygaid fel fflam dân, ac ar ei ben yr
oedd diademau lawer. Yn ysgrifenedig
arno yr oedd enw na wyddai neb ond ef ei
hun. [13] Yr oedd y fantell amdano wedi ei
throchi mewn gwaed, ac fe'i galwyd wrth
yr enw Gair Duw. [14] Yn ei ganlyn ar

geffylau gwynion yr oedd byddinoedd y nef, wedi eu gwisgo â lliain main disgleirwyn. [15]O'i enau yr oedd cleddyf llym yn dod allan, iddo daro'r cenhedloedd ag ef; a bydd ef yn eu llywodraethu â gwialen haearn, ac yn sathru gwinwryf digofaint llidiog Duw, yr Hollalluog. [16]Yn ysgrifenedig ar ei fantell ac ar ei glun y mae enw: "Brenin brenhinoedd, ac Arglwydd arglwyddi."

17 Yna gwelais angel yn sefyll yn yr haul, a gwaeddodd â llais uchel wrth yr holl adar oedd yn hedfan yng nghanol y nef: "Dewch, ymgasglwch i wledd fawr Duw; [18]cewch fwyta cnawd brenhinoedd, cnawd cadfridogion, cnawd y cryfion, cnawd ceffylau a'u marchogion, a chnawd pawb, yn rhyddion ac yn gaethion, yn fach ac yn fawr." [19]Gwelais y bwystfil, a brenhinoedd y ddaear a'u byddinoedd, wedi ymgasglu i ryfela yn erbyn marchog y ceffyl a'i fyddin. [20]Daliwyd y bwystfil, ac ynghyd ag ef y gaubroffwyd oedd wedi gwneud yr arwyddion o'i flaen i dwyllo'r rhai oedd wedi derbyn nod y bwystfil ac addoli ei ddelw ef. Bwriwyd y ddau yn fyw i'r llyn tân oedd yn llosgi â brwmstan. [21]Lladdwyd y gweddill â'r cleddyf oedd yn dod allan o enau marchog y ceffyl, a chafodd yr holl adar eu gwala o'u cnawd hwy.

Y Mil Blynyddoedd

20 Gwelais angel yn disgyn o'r nef, a chanddo yn ei law allwedd y pydew diwaelod a chadwyn fawr. [2]Gafaelodd yn y ddraig, yr hen sarff, sef Diafol a Satan, a rhwymodd hi am fil o flynyddoedd. [3]Bwriodd hi i'r pydew diwaelod, a chloi'r pwll a'i selio arni rhag iddi dwyllo'r cenhedloedd eto, nes i'r mil blynyddoedd ddod i ben; ar ôl hynny, rhaid ei gollwng yn rhydd am ychydig amser.

4 Gwelais orseddau, ac yn eistedd arnynt y rhai y rhoddwyd iddynt awdurdod i farnu; gwelais hefyd eneidiau'r rhai a ddienyddiwyd ar gyfrif tystiolaeth Iesu ac ar gyfrif gair Duw. Nid oedd y rhain wedi addoli'r bwystfil, na'i ddelw ef, na chwaith wedi derbyn ei nod ar eu talcen nac ar eu llaw. Daethant yn fyw, a theyrnasu gyda Christ am fil o flynyddoedd. [5]Ni ddaeth gweddill y meirw yn fyw nes i'r mil blynyddoedd ddod i ben. Dyma'r atgyfodiad cyntaf. [6]Gwyn ei fyd

a sanctaidd y sawl sydd â rhan yn yr atgyfodiad cyntaf; nid oes gan yr ail farwolaeth awdurdod arnynt, ond byddant yn offeiriaid Duw a Christ, a theyrnasant gydag ef am y mil blynyddoedd.

7 Pan ddaw'r mil blynyddoedd i ben, caiff Satan ei ollwng yn rhydd o'i garchar, [8]a daw allan i dwyllo'r cenhedloedd ym mhedwar ban y byd, sef llu-oedd Gog a Magog, a'u casglu ynghyd i ryfel; byddant mor niferus â thywod y môr. [9]Heidiasant dros wyneb y ddaear ac amgylchynu gwersyll y saint a'r ddinas sy'n annwyl gan Dduw. Ond disgynnodd tân o'r nef a'u difa'n llwyr; [10]a bwriwyd y diafol, twyllwr y cenhedloedd, i'r llyn tân a brwmstan, lle mae'r bwystfil hefyd a'r gau-broffwyd. Yno cânt eu poenydio ddydd a nos byth bythoedd.

Y Farn gerbron yr Orsedd Fawr Wen

11 Gwelais orsedd fawr wen a'r Un oedd yn eistedd arni, hwnnw y ffoesai'r ddaear a'r nef o'i ŵydd a gadael eu lle yn wag. [12]Gwelais y meirw, y rhai mawr a'r rhai bach, yn sefyll o flaen yr orsedd; ac agorwyd llyfrau. Yna agorwyd llyfr arall, sef llyfr y bywyd; a barnwyd y meirw ar sail yr hyn oedd yn ysgrifenedig yn y llyfrau, yn ôl eu gweithredoedd. [13]Ildiodd y môr y meirw oedd ynddo, ac ildiodd Marwolaeth a Thrigfan y Meirw y rhai oedd ynddynt hwy, ac fe'u barnwyd, pob un yn ôl ei weithredoedd. [14]Bwriwyd Marwolaeth a Thrigfan y Meirw i'r llyn tân; dyma'r ail farwolaeth, sef y llyn tân. [15]Pwy bynnag ni chafwyd ei enw'n ysgrifenedig yn llyfr y bywyd, fe'i bwriwyd i'r llyn tân.

Y Nef Newydd a'r Ddaear Newydd

21 Yna gwelais nef newydd a daear newydd; oherwydd yr oedd y nef gyntaf a'r ddaear gyntaf wedi mynd heibio, ac nid oedd môr mwyach. [2]A gwelais y ddinas sanctaidd, Jerwsalem newydd, yn disgyn o'r nef oddi wrth Dduw, wedi ei pharatoi fel priodferch wedi ei thecáu i'w gŵr. [3]Clywais lais uchel o'r orsedd yn dweud, "Wele, y mae preswylfa Duw gyda dynion; bydd ef yn preswylio gyda hwy, byddant hwy yn bobloedd iddo ef, a bydd Duw ei hun gyda hwy, yn Dduw iddynt.[f] [4]Fe sych bob deigryn o'u llygaid hwy, ac ni bydd marwolaeth mwyach, na galar na llef-

[f]Yn ôl darlleniad arall gadewir allan *yn Dduw iddynt.*

ain na phoen. Y mae'r pethau cyntaf wedi mynd heibio."

5 Yna dywedodd yr hwn oedd yn eistedd ar yr orsedd, "Wele, yr wyf yn gwneud pob peth yn newydd." Dywedodd hefyd, "Ysgrifenna, oherwydd dyma eiriau ffyddlon a gwir." ⁶A dywedodd wrthyf, "Y mae'r cwbl ar ben. Myfi yw Alffa ac Omega, y dechrau a'r diwedd. Rhoddaf fi i'r sychedig ddiod yn rhad o ffynnon dŵr y bywyd. ⁷Yr hwn sy'n gorchfygu, caiff etifeddu'r pethau hyn; byddaf yn Dduw iddo, a bydd yntau'n fab i mi. ⁸Ond y llwfr, yr anffyddlon, y ffiaidd, y llofruddion, y puteinwyr, y dewiniaid, yr eilunaddolwyr, a phawb celwyddog, eu rhan hwy fydd y llyn sy'n llosgi gan dân a brwmstan, hynny yw yr ail farwolaeth."

Y Jerwsalem Newydd

9 Daeth un o'r saith angel oedd â'r saith ffiol ganddynt yn llawn o'r saith bla diwethaf, a siaradodd â mi. "Tyrd," meddai, "dangosaf iti'r briodferch, gwraig yr Oen." ¹⁰Ac aeth â mi ymaith yn yr ysbryd i fynydd mawr ac uchel, a dangosodd imi'r ddinas sanctaidd, Jerwsalem, yn disgyn o'r nef oddi wrth Dduw, ¹¹â gogoniant Duw ganddi. Yr oedd ei llewyrch fel llewyrch gem dra gwerthfawr, fel maen iasbis, yn disgleirio fel grisial. ¹²Yr oedd iddi fur mawr ac uchel a deuddeg porth, ac wrth y pyrth ddeuddeg angel, ac enwau deuddeg llwyth meibion Israel yn ysgrifenedig ar y pyrth. ¹³Yr oedd tri phorth o du'r dwyrain, tri o du'r gogledd, tri o du'r de, a thri o du'r gorllewin. ¹⁴I fur y ddinas yr oedd deuddeg carreg sylfaen, ac arnynt enwau deuddeg apostol yr Oen.

15 Yr oedd gan yr angel oedd yn siarad â mi wialen fesur o aur, i fesur y ddinas a'i phyrth a'i mur. ¹⁶Yr oedd y ddinas wedi ei llunio'n betryal, ei hyd yn gyfartal â'i lled. Mesurodd ef y ddinas â'r wialen. Yr oedd yn ddeuddeng mil o fesurau, a'i hyd a'i lled a'i huchder yn gyfartal. ¹⁷A mesurodd ei mur. Yr oedd yn gant pedwar deg a phedwar o'r mesurau dynol yr oedd yr angel yn mesur wrthynt. ¹⁸Iasbis oedd defnydd y mur, a'r ddinas ei hun yn aur pur, gloyw fel gwydr. ¹⁹Yr oedd sylfeini mur y ddinas wedi eu haddurno â phob math o emau gwerthfawr: iasbis oedd y garreg sylfaen gyntaf, saffir yr ail, chalcedon y drydedd, emrallt

y bedwaredd, ²⁰sardonyx y bumed, sardion y chweched, eurfaen y seithfed, beryl yr wythfed, topas y nawfed, chrysoprasos y ddegfed, hyacinth yr unfed ar ddeg, amethyst y ddeuddegfed. ²¹A deuddeg perl oedd y deuddeg porth; pob porth wedi ei wneud o un perl. Ac yr oedd heol y ddinas yn aur pur, fel gwydr tryloyw.

22 A theml ni welais ynddi, oherwydd ei theml hi yw'r Arglwydd Dduw, yr Hollalluog, a'r Oen. ²³Nid oes ar y ddinas angen na'r haul na'r lleuad i dywynnu arni, oherwydd gogoniant Duw sy'n ei goleuo, a'i lamp hi yw'r Oen. ²⁴A bydd y cenhedloedd yn rhodio yn ei goleuni hi, a brenhinoedd y ddaear yn dwyn eu gogoniant i mewn iddi. ²⁵Byth ni chaeir ei phyrth y dydd, ac ni bydd nos yno. ²⁶A byddant yn dwyn i mewn iddi ogoniant a golud y cenhedloedd. ²⁷Ni chaiff dim halogedig, na neb sy'n ymddwyn yn ffiaidd neu'n gelwyddog, fynd i mewn iddi hi, neb ond y rhai sydd â'u henwau'n ysgrifenedig yn llyfr bywyd yr Oen.

22 Dangosodd yr angel imi afon dŵr y bywyd, yn ddisglair fel grisial, yn llifo allan o orsedd Duw a'r Oen, ²ar hyd canol heol y ddinas. Ar ddwy lan yr afon yr oedd pren y bywyd, yn dwyn deuddeg cnwd, gan roi pob cnwd yn ei fis; ac yr oedd dail y pren er iachâd y cenhedloedd. ³Ni bydd dim mwyach dan felltith. Yn y ddinas bydd gorsedd Duw a'r Oen, a'i weision yn ei addoli; ⁴cânt weld ei wyneb, a bydd ei enw ar eu talcennau. ⁵Ni bydd nos mwyach, ac ni bydd arnynt angen na golau lamp na golau haul, oherwydd bydd yr Arglwydd Dduw yn eu goleuo, a byddant hwy'n teyrnasu byth bythoedd.

Dyfodiad Crist

6 Yna dywedodd yr angel wrthyf, "Dyma eiriau ffyddlon a gwir: y mae'r Arglwydd Dduw, sy'n ysbrydoli'r proffwydi, wedi anfon ei angel i ddangos i'w weision y pethau y mae'n rhaid iddynt ddigwydd ar fyrder. ⁷Ac wele, yr wyf yn dod yn fuan. Gwyn ei fyd yr hwn sy'n cadw geiriau proffwydoliaeth y llyfr hwn."

8 Myfi, Ioan, yw'r un a glywodd ac a welodd y pethau hyn. Ac wedi imi glywed a gweld, syrthiais wrth draed yr angel a'u dangosodd imi, i'w addoli; ⁹ond meddai wrthyf, "Paid! Cydwas â thi wyf fi, ac

â'th frodyr y proffwydi, ac â'r rhai sy'n cadw geiriau'r llyfr hwn; addola Dduw." [10]Dywedodd wrthyf hefyd, "Paid â gosod geiriau proffwydoliaeth y llyfr hwn dan sêl, oherwydd y mae'r amser yn agos. [11]Yr anghyfiawn, parhaed yn anghyfiawn, a'r aflan yn aflan; y cyfiawn, parhaed i wneud cyfiawnder, a'r sanctaidd i fod yn sanctaidd."

12 "Wele, yr wyf yn dod yn fuan, a'm gwobr gyda mi i'w rhoi i bob un yn ôl ei weithredoedd. [13]Myfi yw Alffa ac Omega, y cyntaf a'r olaf, y dechrau a'r diwedd."

14 Gwyn eu byd y rhai sy'n golchi eu mentyll er mwyn iddynt gael hawl ar bren y bywyd a mynediad trwy'r pyrth i'r ddinas. [15]Oddi allan y mae'r cŵn, y dewiniad, y puteinwyr, y llofruddion, yr eilunaddolwyr, a phawb sy'n caru celwydd ac yn ei wneud.

16 "Yr wyf fi, Iesu, wedi anfon fy angel i dystiolaethu am y pethau hyn i chwi ar gyfer yr eglwysi. Myfi yw Gwreiddyn a Hiliogaeth Dafydd, seren ddisglair y bore." [17]Y mae'r Ysbryd a'r briodferch yn dweud, "Tyrd"; a'r hwn sy'n clywed, dyweded yntau, "Tyrd." A'r hwn sy'n sychedig, deued ymlaen, a'r hwn sydd yn ei ddymuno, derbynied ddŵr y bywyd yn rhad.

18 Yr wyf fi'n rhybuddio pob un sy'n clywed geiriau proffwydoliaeth y llyfr hwn: os ychwanega neb ddim atynt, fe ychwanega Duw iddo yntau y plâu sydd wedi eu hysgrifennu yn y llyfr hwn. [19]Ac os tyn neb ddim allan o eiriau llyfr y broffwydoliaeth hon, fe dýn Duw ei ran yntau allan o bren y bywyd, ac o'r ddinas sanctaidd, y pethau yr ysgrifennwyd amdanynt yn y llyfr hwn.

20 Y mae'r hwn sy'n tystiolaethu i'r pethau hyn yn dweud, "Yn wir, yr wyf yn dod yn fuan." Amen. Tyrd, Arglwydd Iesu!

21 Gras yr Arglwydd Iesu fyddo gyda phawb!

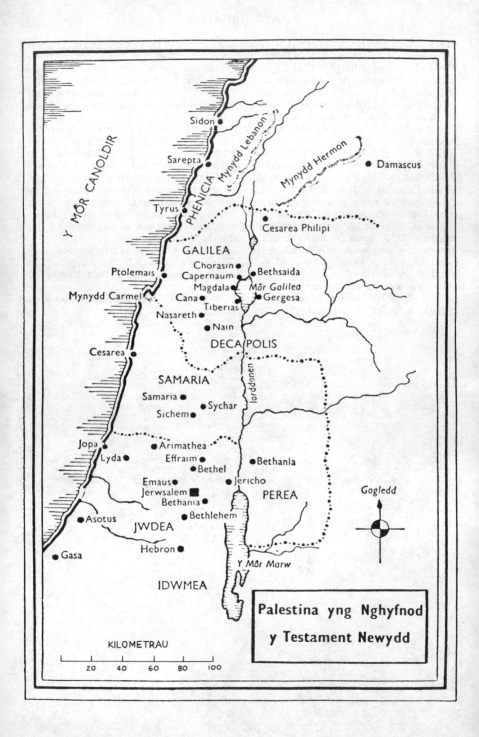

Palestina yng Nghyfnod y Testament Newydd

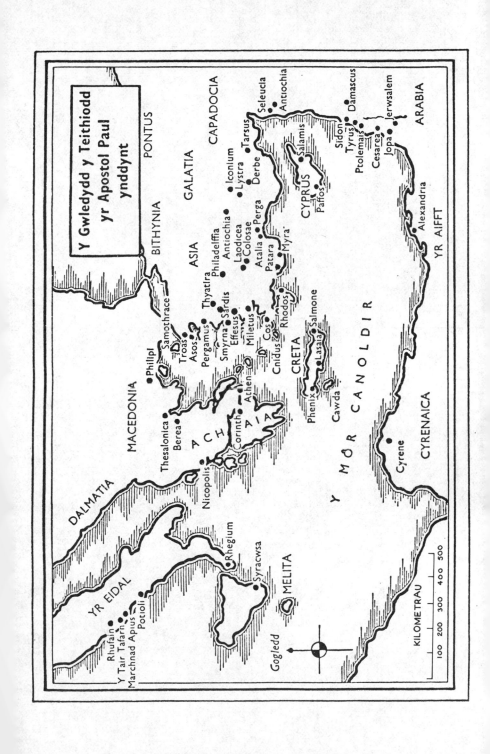

Y Gwledydd y Teithiodd
yr Apostol Paul
ynddynt

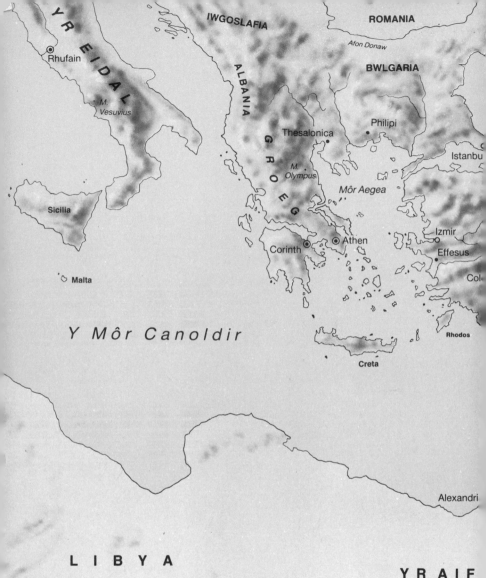

YR EIDAL

Rhufain

M.
Vesuvius

Sicilia

Malta

IWGOSLAFIA

ROMANIA

Afon Donaw

ALBANIA

BWLGARIA

G R O E G

Thesalonica

Philipi

M.
Olympus

Môr Aegea

Istanbu

Corinth

Athen

Izmir

Effesus

Col

Y Môr Canoldir

Rhodos

Creta

Alexandri

L I B Y A

Y R A I F

Argraffyd ym Mhrydain Gan The Bath Press, Avon